D1361338

ENSAYO

DE UN

DICCIONARIO DE LA LITERATURA

TOMO II

FEDERICO CARLOS SAINZ DE ROBLES

ENSAYO

DE UN

DICCIONARIO

DE LA

LITERATURA

TOMO II

ESCRITORES ESPAÑOLES E HISPANOAMERICANOS

TOLLE, LEGE

AGUILAR

colección obras de consulta
asesor arturo del hoyo

edición española
© federico carlos sainz de robles 1949   1973
aguilar s a de ediciones   1973   juan bravo 38   madrid
depósito legal m 18502/1964 (II)
cuarta edición   1973
ISBN 84-03-27997-3 (obra completa)
ISBN 84-03-27032-1 (tomo II)
printed in spain   impreso en españa por selecciones gráficas
avenida de filipinas 22   madrid

ADVERTENCIA MUY IMPORTANTE

CUYA LECTURA SE ENCARECE

La redacción de este segundo tomo del Diccionario de la Literatura ha ofrecido algunas dificultades, nacidas de la voluntad de los escritores que aún viven—y vivan muchos años más, a Dios gracias.

Aguilar puso de su parte cuantos medios creyó precisos y eficientes para la mejor consecución de este tomo y redactó, imprimió y envió a los escritores españoles contemporáneos una solicitud para que ellos colaboraran en la redacción de sus correspondientes fichas biobibliográficas. Solicitud que estimamos de una seriedad y de una comprensión máximas.

Muchos escritores han respondido gentilmente a dicha demanda, colaborando así a la perfección de sus respectivas referencias. Y nosotros les quedamos cordialmente agradecidos. Otros escritores, sin embargo...

El público tiene un erróneo concepto del literato. Le juzga endiosado, pedante, siempre insatisfecho de la gloria conseguida. ¡Concepto tan injusto como reprobable! En esta ocasión ha quedado patente que el literato es sencillo, modesto, desinteresado. Estamos seguros de que los muchos escritores que no han respondido a nuestra reiterada súplica dejaron de hacerlo exclusivamente movidos por un sentimiento de modestia, que respetamos, pero que reputamos excesiva.

Naturalmente, la ficha correspondiente a estos escritores la hemos redactado con nuestra mejor intención y acudiendo a cuantas noticias creímos pertinentes.

Hemos intentado que en este tomo segundo del Diccionario de la Literatura no falte ninguno de los escritores de significación manifiesta y de obra considerable. No quiere decir esto que no puedan faltar en él algunos que reúnan tales condiciones. Esta omisión será imputable a nuestra memoria o a nuestra opinión, jamás a nuestra objetividad. Y menos aún a nuestra buena fe. Acaso también a los límites precisos a la extensión de la obra.

En relación a los literatos hispanoamericanos, las dificultades aún fueron mayores. Carecemos, por circunstancias que no nos son imputables, de un conocimiento exacto del movimiento literario actual en Hispanoamérica. No hemos podido ponernos en comunicación con la mayoría de los literatos más ilustres de los países americanos de habla castellana.

En los autores contemporáneos, la mayor o menor extensión dada a su ficha no indica necesariamente su menor o mayor importancia literaria.

ESCRITORES ESPAÑOLES
E HISPANOAMERICANOS

A

ABBAD, Abu Abd Allah Muhammad Ibn.

Poeta ascético musulmán español. Nació —1371— en Ronda. Perteneció a una familia de gran nobleza y mucha riqueza. Tuvo una educación primorosa, y durante toda su vida guardó una completa honestidad. Pasó varios años en Fez, Tremecén y Salé. Su padre había sido un gran predicador en la mezquita, y su tío fue cadí de Ronda. El mismo desempeñó los cargos de imán y jatib en la mezquita de Querawiyyin, de Fez. Tuvo incontables discípulos, a quienes ejemplarizó con la pureza de su vida y la dignidad de su doctrina.

En la biblioteca del Monasterio de El Escorial se conserva su correspondencia, en la que se desarrollan sutiles doctrinas ascéticas. Y son famosos sus *Comentarios a las Sentencias de Ibn' Ata' Allah, de Alejandría,* manual de la vida ascética y mística.

ABAD, Diego José.

Poeta y erudito mexicano. Nació —1727— en Xiquilpán y murió —1779— en Ferrara. Ingresó muy joven en la Compañía de Jesús. Y era rector del Colegio de Querétaro cuando se dio la orden de expulsión de los jesuitas. Marchó con otros compañeros a Bolonia.

El P. Abad tradujo en verso castellano algunas églogas de Virgilio. Pero su obra principal fue el poema latino, en hexámetros, *De Deo,* cuya primera parte es una especie de Suma Teológica, y la segunda, una Cristiada o vida de Cristo. Esta obra fue calificada hiperbólicamente por los jesuitas Lampillas, Hervás, Serranos y Andrés de "egregia, inmortal y digna del siglo de Augusto". Menéndez Pelayo baja mucho su grado de entusiasmo, y la creyó bastante artificial y falsa, aun cuando añadiendo: "Pero aun en este artificio cabe mucho primor de detalle, y hasta es compatible con cierto grado de color poético, y en una y otra cosa se adelanta manifiestamente el P. Abad a la turba de versificadores latinos que en su tiempo pululaban... Por esto su libro figura con modestia, pero sólida y decorosa fama, en el largo y brillante catálogo de los poemas latinos cristianos..."

Ediciones: en *Caesanae,* 1793; traducida al castellano por el franciscano fray Diego de Bringas, México, 1783, con el título de *Musa americana o Cantos de los atributos de Dios...;* y fragmentariamente traducida por Anastasio de Ocho en *Poesías de un mexicano,* Nueva York, 1828.

V. FABRI, P. Manuel: *Biografía,* en la edición de 1793.—MENÉNDEZ PELAYO, M.: *Historia de la poesía hispanoamericana.* Madrid, 1911, tomo I, pp. 87-89.—PIMENTEL, Francisco: *Historia crítica de la literatura en México.* México, 1883.—REYES, Alfonso; JIMÉNEZ RUEDA y otros: *Literatura de México,* en el tomo XI de la *Historia universal de la Literatura,* de Prampolini. Buenos Aires, Uteha Argentina, 1914.

ABAD, Pedro (v. Abbat, Pero).

ABARCA, Pedro.

Jesuita español. Nació en Jaca —1619—. Murió en Valencia —1 de octubre de 1692—. Fue profesor de Teología en la Universidad de Salamanca y maestro de gremio de este centro. Dejó escritas varias obras de Teología y una historia de Aragón, titulada *Los reyes de Aragón y Anales históricos distribuidos* —Madrid, 1682, dos volúmenes, infolio—, texto escrito incorrectamente y de relativa importancia. Entre sus escritos teológicos destaca el nombrado *Tractatus teologici de Scientia Dei.*

Otras obras: *San Juan de la Peña, Discurso de los derechos y de los hechos en estilo no más que histórico...*

ABARCA DE BOLEA Y PORTUGAL, don Jerónimo.

Caballero aragonés del siglo XVI. Escribió, en latín, una historia de *Los ínclitos reyes de Aragón,* de la que extrajo gran cantidad de datos el historiador Jerónimo de Zurita. También es autor de una *Genealogía de las casas ilustres del Reino de Aragón.*

11

ABATI Y DÍAZ, Joaquín.

Autor dramático. Nació—1865—en Madrid. Murió en 1936. Doctor en Derecho. Tres veces presidente de la Sociedad de Autores Españoles. Académico profesor de la Real Academia de Jurisprudencia y Legislación. Ha estrenado más de ciento veinte obras teatrales, en su mayoría del género cómico, escritas muchas en colaboración con Arniches, García Alvarez, Antonio Paso, Martínez Sierra.

De su producción teatral fueron grandes éxitos: *Tortosa y Soler, El orgullo de Albacete, El gran tacaño, El asombro de Damasco, Los hijos artificiales, Angela María, Las lágrimas de la Trini, Los perros de presa, La divina Providencia, El Infierno, Solera fina, La generalita, El conde de Lavapiés, El velón de Lucena, El premio Nobel, Las grandes fortunas, No te ofendas, Beatriz; Clara Luna, Juanito Mejía...*

El teatro de Abati destaca por su naturalidad, por su gracia espontánea y correcta, por la sencillez de sus argumentos y su psicología, muy al alcance de los grandes públicos.

ABBAT, Pero.

Clérigo español del siglo XIII. Y sochantre o cantor. Buen músico. Compuso algunos motetes—que se conservan en El Escorial—y un *Tratado de música sacra.* Asistió a la conquista de Sevilla por San Fernando, para conmemorar la cual compuso algunas poesías, que fueron premiadas por el glorioso monarca. En la copia más antigua que se conserva del *Poema del Cid* se lee "que Per Abad lo escribió"; y más adelante, que lo escribió en el "mes de mayo de 1345 años". Conviene tener en cuenta que Pedro Abad fechaba con relación a la era romana o española, que se diferenciaba treinta y ocho años más con relación de la cristiana o vulgar. La fecha de la copia es, pues, 1307.

La crítica moderna no reconoce a Pedro Abad sino *como copista* del maravilloso cantar de gesta. Los escritores medievales empleaban las palabras *escribir* por *copiar,* y *fer* o *fazer* por *componer.*

V. MENÉNDEZ PIDAL, Ramón: *Cantar de Mio Cid...* Madrid, 1908-1911.—SÁNCHEZ, Tomás Antonio: Primera edición del *Poema,* 1779.—MONTOLIÚ, Manuel de: *La poesía heroico-popular castellana...,* en el tomo I de la *Historia general de las literaturas hispánicas.* Barcelona, 1949.

ABAUNZA, Pedro.

Erudito nacido—1599—en Sevilla y muerto—1649—en Madrid. Son sus obras más importantes: el *Comentario*—no impreso—de algunos libros de Marcial, traducidos y explicados por Laureano Ramírez de Prado —cuya labor había sido atacada por Th. De Marcilly, bajo el seudónimo de "Musambert"—, y otro *Comentario* de las Decretales con el siguiente lema: *Ad titulum XV, de Sagittariis, lib. V, decretalium proelectio,* inserto en el *Novus thesaurus iuris civilis et canonici,* de Jerónimo Meerman. La Haya, 1751-1754 (siete volúmenes).

ABD AL-MALIK BEN HABIB.

Historiador, gramático y erudito árabe español. 796-853. Nació en Córdoba, donde enseñó públicamente en la gran mezquita, vestido con suntuoso ropaje. Es, indiscutiblemente, el primer historiador de la España musulmana. Poseyó, igualmente, grandes conocimientos de Jurisprudencia, Medicina y Lexicografía.

De sus incontables obras únicamente ha llegado a nosotros su *Historia,* cuyo manuscrito se conserva en la Biblioteca Bodleiana, de Oxford. Su valor como documento histórico es muy escaso. Carece de método y de crítica, admite todas las leyendas y noticias fabulosas que corrían por su época... En ella se refiere, principalmente, a la historia bíblica, a la de Mahoma, a la de los primeros califas, a la de la España primitiva... Con hechos de indiscutible autenticidad se mezclan relaciones novelescas de diablos y genios, de castillos encantados y de estatuas automáticas.

V. GONZÁLEZ PALENCIA, Angel: *Historia de la literatura arábigo-española.* Barcelona, Labor, 1928.—DOZY, R.: *Historia de los musulmanes de España.* Madrid, "Col. Universal", Calpe, 1920.—PONS, F.: *Historiadores y geógrafos arábigo-españoles.* Madrid, 1898.—TERÉS, Elías: *La literatura arábigo-española,* en el tomo I de la *Historia general de las literaturas hispánicas.* Barcelona, 1949.

ABELLA CAPRILE, Margarita.

Poetisa argentina. Nació—1901—en Buenos Aires. Durante su juventud realizó frecuentes y largos viajes por el oeste europeo, residiendo en París durante algún tiempo. De regreso a Buenos Aires fue redactora del famoso diario bonaerense *La Nación.* Miembro del P. E. N. y de la Sociedad Argentina de Escritores.

Obras: *Nieve,* 1919; *Perfiles en la niebla,* 1923; *Sombras en el mar,* 1930; *Sonetos,* 1931; *50 Poesías,* "Premio Municipal 1938"; *Geografías,* prosas, 1936; *Le miré con lágrimas,* "Faja de honor de la Sociedad Argentina de Escritores 1950"...

ABENALCUTÍA (ABU BAKR BEN AL-QUTIYYA).

Historiador árabe español. Vivió en el siglo X. Su muerte se señala en el año 997. Nació en Córdoba. Su mismo nombre árabe indica que era hijo de una dama goda: *Ibn al-Qutiyya,* esto es, *el hijo de la goda.* Y esta goda fue una dama de sangre real visigoda.

Escribió una *Historia de la Conquista de España,* que alcanza hasta los tiempos de Abderramán III, de bastante mérito, pues aun cuando da entrada en ella a muchas noticias fabulosas, "se recrea más en relatos auténticos de tipo nacionalista, protagonizados por personajes de raza española, aspecto interesantísimo que no es frecuente encontrar en otros historiadores" (E. Terés).

Esta *Historia* fue editada por Pascual Gayangos. Y la Academia de la Historia publicó—1926—el texto árabe con la traducción castellana de don Julián Ribera.

V. Dozy, R.: *Historia de los musulmanes de España.* Madrid, Calpe, 1920, en la "Colección Universal".—González Palencia, Angel: *Historia de la literatura arábigo-española.* Barcelona, Labor, 1928.—Pons, F.: *Historiadores y geógrafos arábigo-españoles.* Madrid, 1898.—Terés, Elías: *La literatura arábigo-española,* en el tomo I de la *Historia general de las literaturas hispánicas.* Barcelona, 1939.

ABENALJATIB (IBN AL-JATIB).

Poeta y prosista árabe español del siglo XIV. Se da como fecha de su muerte el año 1374. Nació en Loja. Desde muy joven vivió en Granada, donde, hábil y ambicioso, logró desempeñar importantes cargos, especialmente mientras reinó Muhammad V. Su poder llegó a ser omnímodo. Intrigas cortesanas lograron indisponerle con su señor, y para salvar la vida hubo de huir al norte de Africa. Sin embargo, sus poderosos enemigos lograron capturarle, llevándole de nuevo a Granada y siendo encarcelado y, por fin, estrangulado en su prisión.

Fue Abenaljatib un excelente poeta y un gran prosista. Entre sus varias obras sobresale la titulada *Ihata (Círculo),* cuyo manuscrito se guarda en la Academia de la Historia, y que es una curiosísima colección de biografías de los hombres más notables de Granada o que con Granada se relacionaron. Es un auténtico y magnífico diccionario biográfico. Edición: El Cairo, año 1319 héjira, dos tomos.

V. Dozy, R.: *Historia de los musulmanes de España.* Madrid, "Col. Universal", Calpe, 1920.—González Palencia, Angel: *Historia de la literatura arábigo-española.* Barcelona, Labor, 1928.—Terés, Elías: *La literatura arábigo-española,* en el tomo I de la *Historia general de las literaturas hispánicas.* Barcelona, 1949.

ABENARABI (IBN AL-ARABI).

Filósofo místico árabe español. 1165-1240. Según la crítica, es el representante más ilustre del misticismo hispano-musulmán. Nació en Murcia y murió en Damasco. Muy joven aún, y cuando ya poseía una cultura inmensa y dominaba varios idiomas, ingresó en el *sufismo.* Su existencia fue un ininterrumpido viaje por toda la España musulmana, el norte de Africa y el Próximo Oriente. En Damasco se le rindió verdadera idolatría, y al morir fue enterrado con la solemnidad debida a los santos.

Sus dos obras principales son: *Fiutuhat al-Makkiyya (Revelaciones de la Meca)* y *Al-Fusus (Las perlas).* En la primera se exponen las ideas esotéricas de los suffés; en la segunda están desarrolladas sus ideas apocalípticas.

"Imposible es—escribe Asín Palacios—dar una idea sintética del inmenso contenido de esta *biblia (Revelaciones de la Meca)* del esoterismo musulmán, porque así como en los libros peripatéticos y escolásticos del Islam existe un plan rigurosamente lógico, en las obras suffés, y especialmente en las de Abenarabi, los temas menos homogéneos encuéntranse unidos dentro del mismo capítulo, sin obedecer a trabazón sistemática exigida por la naturaleza de las materias, sino exclusivamente a razones esotéricas, sin fundamento filosófico ni aun teológico."

Tan enorme obra consta de varias partes, dedicadas a los conocimientos intuitivos, a los procedimientos ascéticos, a los estados extáticos accidentales, a los grados de perfección mística, a las uniones del alma con Dios, a los estados extáticos definitivos.

Las doctrinas de Abenarabi, extendidas por todo el mundo musulmán, han dejado profundas huellas en la *Divina Comedia,* de Dante, y en las obras de Raimundo Lulio.

V. Asín Palacios, Miguel: *El Islam cristianizado.* Madrid, 1931; *La psicología según Mohidin Abenarabi.* París, 1906; *Dante y el Islam.* Madrid, 1927; *El místico murciano Abenarabi:* I. *Autobiografía cronológica.* Madrid, 1925; II. *Noticias autobiográficas de su "Risalat alcods",* 1926; III. *Caracteres generales de su sistema,* 1926.—Dozy, R.: *Historia de los musulmanes de España.* Madrid, "Col. Universal", Calpe, 1920.—González Palencia, Angel: *Historia de la literatura arábigo-española.* Barcelona, Labor, 1928.—Dotor, Santiago: *Ibn' Arabi.* Madrid, Publicaciones Españolas, 1965.

ABEN-EZRA (v. Ezra, Mose Ibn).

ABENHAYÁN (IBN HAYYAN).

El más célebre de los historiadores musulmanes españoles. 987-1070. Nació en Córdoba. Su padre, Jálaf, fue secretario de Almanzor. Tuvo por maestros, además de su padre, al gramático Ahmed Benabdelaziz

Benabilhubab, al tradicionero Omar Bennabil y al literato Saíd de Bagdad. Al parecer, tuvo el cargo de *zalmedina* o *sahibaxorta*.

De enorme cultura y de no menos enorme capacidad de trabajo, produjo hasta cincuenta obras monumentales, de las cuales destacaron dos: *al-Matni (Lo sólido)* y *al-Mugtabis (El que desea conocer [la historia de España])*. Esta última obra constaba de diez volúmenes y abarcaba desde la conquista de España por Taric hasta la época del autor. Solo se conocen, hasta hoy, manuscritos de dos partes: una, relativa al reinado del emir Abdalá, y otra, referente a parte del gobierno de Alháquem II.

De la otra obra, *Lo sólido*, que constaba de sesenta tomos, únicamente conocemos algunos fragmentos que nos han transmitido en sus libros Abenbasam y Abenaljatib. El libro, que debió de ser importantísimo, guardaba fielmente la historia de su tiempo.

Según uno de sus biógrafos árabes, "Abenhayán era abundante en la dicción, elegante en lo que escribía de su mano, sin que la falsedad viniese a fijarse en las noticias, ya propias, ya ajenas, que relataba en su historia". Y Dozy ha escrito: "Muy pocos pueden comparársele y ninguno anteponérsele."

Ediciones: Antuña, París, 1937 (parte relativa a Abd Allah). En la Academia de la Historia existe una copia manuscrita de la parte referente al monarca Al-Hakam II.

V. Dozy, R.: *Historia de los musulmanes de España*. Madrid, "Col. Universal", Calpe, 1920.—Pons, F.: *Historiadores y geógrafos musulmanes*. Madrid, 1898.—González Palencia, Angel: *Historia de la literatura arábigo-española*. Barcelona, Labor, 1928.—Terés, Elías: *La literatura arábigo-española*, en el tomo I de la *Historia general de las literaturas hispánicas*. Barcelona, 1949.

ABENHÁZAM (IBN HAZM).

Figura extraordinaria del Islam español. 994-1063. Nació en Córdoba, en el seno de una familia ilustre, y recibió una esmeradísima educación. Su padre fue visir de Almanzor. Fue él visir y amigo íntimo de Abderrahmán V. Estuvo algún tiempo desterrado de Córdoba, y en el destierro conspiró para restaurar la dinastía omeya. Muerto el califa—asesinado—, se retiró de la política, dedicándose por completo al estudio y a la redacción de sus numerosas obras.

El gran escritor cordobés, de una vastísima erudición, revelada en una fecundidad de la que hay pocos ejemplos, escribió sobre Filosofía, Derecho canónico, Historia, Poesía, Teología...

Entre sus obras filosóficas destaca el *Libro de los caracteres y la conducta*—tradu-

cido por Asín Palacios en 1916—, que es un resumen interesantísimo de la psicología social de la España musulmana.

Entre las obras poéticas: *Collar de la Paloma*, en la que hace un feliz análisis de los diferentes aspectos del amor y de los amantes. Entre las apologéticas: *Risala*, exaltación de las bellezas de España. Entre las históricas: *Fisal*, o *Historia crítica de las religiones, sectas y escuelas*—traducida de 1927 a 1932 por Asín Palacios—, en la que critica todas las concepciones religiosas del hombre.

El sistema jurídico y filosófico de este magnífico erudito y pensador llegó a formar escuela, y sus adeptos, llamados *hazmíes*, se fueron encadenando en el Oriente y Marruecos, hasta el siglo XVI.

Otras ediciones del *Collar de la Paloma*: Pétrof, 1914, y Nykl, con la traducción inglesa, 1931; García Gómez. Madrid, 1951.

V. Asín Palacios, M.: *Abenházam, primer historiador de las religiones*. Madrid, 1924. *Abenházam de Córdoba. Los caracteres y la conducta* (traducción). Madrid, 1916.—Dozy, R.: *Historia de los musulmanes de España*. Madrid, Calpe, 1920, en "Col. Universal".—González Palencia, A.: *Historia de la literatura arábigo-española*. Barcelona, Labor, 1928.—Terés, Elías: *La literatura arábigo-española*, en el tomo I de la *Historia general de las literaturas hispánicas*. Barcelona, 1949.—García Gómez, E.: *Estudio*, en su edición del *Collar de la Paloma*. 1951.

ABENJALDÚN (IBN JALDÚN).

El más grande historiador entre los árabes españoles. 1332-1406. Nació en Túnez, pero su familia era española, y entre sus antepasados contaban ilustres magnates sevillanos. Dedicó su juventud a un estudio tan profundo como intenso; y antes de cumplir los treinta años era ya conocido en todo el mundo musulmán por su gran sabiduría.

Fue profesor en El Cairo, consejero de muchos monarcas africanos y juez extraordinariamente justiciero. En su vida política, muy accidentada, tuvo ocasión de conocer a muchos monarcas de su tiempo, desde Pedro I de Castilla a Tamerlán. Poseyó un profundo y clarísimo conocimiento de la vida, las razas y los imperios. Caló con sutileza en la transformación política, cultural y religiosa que se estaba operando en su tiempo, y *adivinó* el alba luminosa del Renacimiento.

Su gran obra histórica se titula *Turchumán al-'ibar*, esto es: *Intérprete de las lecciones de la experiencia*, y está dividida en tres partes, la primera de las cuales está formada por los famosos *Muqaddima* o *Prolegómenos*, magnífico estudio psicológico de los distintos pueblos y sus civilizaciones, con agudísimas observaciones críticas. La segunda parte contiene una historia de todos los pueblos de la Tierra. Y la tercera recoge la historia de los beréberes.

Ediciones: *Prolegómenos.* Quatremère 1850; y 1868, con la traducción francesa de Slane. Parte tercera: Slane, con la traducción francesa, 1847-1852; Bulaq, 1867 (la obra histórica completa).

V. Dozy, R.: *Historia de los musulmanes de España.* Madrid, Calpe, "Col. Universal", 1920.—Terés, Elías: *La literatura arábigo-española,* en el tomo I de la *Historia general de las literaturas hispánicas.* Barcelona, 1949.—González Palencia, Angel: *Historia de la literatura arábigo-española.* Barcelona, Labor, 1928.—Pons, F.: *Historiadores y geógrafos arábigo-españoles.* Madrid, 1898.

ABENMASSARRA (IBN MASSARRA).

Pensador y escritor árabe español; el primer pensador original que surge en el Islam de España. 883-931. Nació en Córdoba. Su padre, el culto comerciante Abdalá, le inició en los estudios filosóficos y teológicos. Huérfano a los diecisiete años. Antes del año 912 ya tenía numerosos discípulos, y enseñaba en una ermita que poseía en la sierra de Córdoba. Acusado de enseñar la herejía motázil, hubo de huir de su patria, seguido de sus discípulos Mohámed y Benasaical. Viajó por el Oriente, deteniéndose en la Meca para escuchar las enseñanzas de Abusaid Benalarabí, esotérico e iluminista, al que en seguida combatió Abenmassarra.

De regreso a Córdoba, se volvió a encerrar en la ermita, en la que, con sus numerosos discípulos, estableció una extraña comunidad. Copiadas subrepticiamente sus enseñanzas por uno de sus adeptos y publicadas, su lectura exacerbó las pasiones, no solo en la España musulmana, sino igualmente en todo el mundo árabe. La ortodoxia fulminó diatribas contra Abenmassarra, el cual murió entre la veneración de sus discípulos y la admiración de sus adversarios.

Según el docto Asín Palacios, Abenmassarra, "bajo las apariencias musulmanas del motazilismo y sufismo *batiní,* fue el defensor y propagador, dentro del Islam español, del sistema plotiniano del seudo Empédocles, cuyo teorema más característico, la existencia de una materia prima, común a cuerpos y espíritus, influyó en el sistema de Avicebrón, en el de Abenarabi y en toda la escuela franciscana, hasta Duns Scoto".

No se conserva ninguna obra de Abenmassarra; de dos de ellas tenemos los títulos: *Libro de la explicación perspicua* y *Libro de las letras.* Asín Palacios logró reconstituir su sistema filosófico y teológico, utilizando los datos de los historiadores españoles Abenházam, de Córdoba, y Said, de Toledo.

V. Asín Palacios, Miguel: *Abenmassarra y su escuela.* Madrid, Academia de Ciencias Morales, 1914.—Dozy, R.: *Historia de los musulmanes de España.* Madrid, "Col. Universal", Calpe, 1920.—González Palencia, Angel: *Historia de la literatura arábigo-española.* Barcelona, Labor, 1928.—Huart, Cl.: *Littérature arabe.* Cuarta ed., París, 1923.—Boer, T. J. de: *The History of Philosophy in Islam.* Londres, 1903.—Carra de Vaux: *Les penseurs de l'Islam.* París, 1921-1926.

ABENSAÍD (IBN SAID AL-MAGRIBI).

Poeta árabe español. ¿1210?-1274. Nació en Alcalá la Real y murió en Damasco. Estudió en Sevilla, con Xalubini, lengua y poesía. En viaje de estudios, visitó las bibliotecas de El Cairo, Bagdad, Alepo, Mosul, Basora y Damasco. Se puso en contacto con los principales sabios de su época.

En Túnez estuvo al servicio del emir Abuabdalá Almostánsir. Habiendo vuelto a Damasco, murió en esta ciudad.

Su obra principal es el *Libro de la esfera de la literatura (Kitab falak al-adab),* dividido en dos partes: *Al-Masriq,* que trata de los poetas orientales, y *Al-Mugrib,* que trata de los poetas occidentales, y, por consiguiente, de los españoles.

Tenemos noticias de otros libros escritos por Abensaíd, sobre la historia de los pueblos bárbaros y de los pueblos occidentales; algunas compilaciones poéticas, una colección de anécdotas con poesías intercaladas, un resumen de la geografía de Ptolomeo, una descripción geográfica del orbe, el relato de su viaje a Oriente y otro sobre su viaje a la Meca. También se sabe que continuó la *Epístola* de Abenházam, dando cuenta del movimiento literario de la España musulmana.

Edición: García Gómez ha publicado—Madrid, 1942—un extracto de la segunda parte *(Al-Mugrib),* con el título de *Libro de las banderas de los campeones.*

V. Schack, A. F., de: *Poesía y arte de los árabes de España y Sicilia.* Tres tomos, Madrid, 1881, 3.ª edición.—González Palencia, Angel: *Historia de la literatura arábigo-española.* Barcelona, Labor, 1928.—Eguílaz, L.: *Poesía histórica, lírica y descriptiva de los árabes andaluces.* Tesis doctoral. Madrid, 1864.

ABENTOFAIL (IBN TUFAIL).

Escritor y médico hispanoárabe, discípulo de Avempace. 1100-1185. Nació en Guadix. Médico del rey almohade Abú-Yacub-Yúsuf. Amigo de Averroes, a quien introdujo en la corte de aquel monarca. Abentofail está con-

A

siderado como uno de los escritores más originales e importantes de la España árabe.

Es autor de la novela filosófica *Hay-ben-Yacdán*, o *el filósofo autodidacto*, "la más original y curiosa obra de toda la literatura árabe", en sentir de Menéndez Pelayo. El protagonista, *Hay*, criado por una gacela en una isla desierta, llega por su solo esfuerzo intelectual a conocer a fondo el mundo que le rodea, el mundo celeste y el sublunar, alcanzando, por fin, en un estado extático, la unión intelectual con Dios. La novela de Abentofail cae de lleno en el panteísmo místico, y su emplazamiento en el mundo filosófico medieval constituye un serio y peligroso problema. Su éxito fue grande, se hicieron de ellas traducciones al castellano —Pons Bohígues, 1900, y González Palencia, 1934—, al latín, al hebreo —por Moisés de Narbona, 1341—, al francés —por Gauthier—, al inglés y al alemán. *El filósofo autodidacto* influyó grandemente en la filosofía de Raimundo Lulio y en los primeros capítulos de *El criticón*, de Gracián.

Edición: *El filósofo autodidacto*, traducción de A. González Palencia. Madrid, 1934.

V. GONZÁLEZ PALENCIA, Angel: *Historia de la literatura arábiga*. Barcelona, Ed. Labor, 1928.—GARCÍA GÓMEZ, Emilio: *Un cuento árabe, fuente común de Abentofail y de Gracián*. Extracto de "Rev. de Arch.", 1926.—DOZY, R.: *Historia de los musulmanes en España*. "Col. Universal", Calpe, Madrid, 1920.—TERÉS, Elías: *La literatura arábigo-española*, en el tomo I de la *Historia general de las literaturas hispánicas*. Barcelona, 1949.—GHAUTIER, Leo: *Ibn Thofail: sa vie, ses oeuvres*. París, 1909.

ABENZAIDÚN (IBN ZAYDÚN).

Poeta árabe español. 1003-1070. Nació en Córdoba. Se le ha calificado del "mejor poeta neoclásico de la España musulmana" y también del "Tibulo árabe". Durante mucho tiempo fue favorito del emir de Córdoba Abulhazam ben Chauar. Tuvo amores apasionados y tormentosos con la atractiva poetisa Wallada. Acusado de un delito común, fue encarcelado, logrando evadirse de la prisión. Desde el destierro quiso hacerse perdonar de Chauar y de Wallada a fuerza de epístolas encantadoras y de exquisitos poemas. Después de haber obtenido el perdón, vivió en varias ciudades andaluzas, principalmente en Sevilla, donde fue ministro de Almotádid y de Almotámid, monarcas tan cultos como excelentes poetas.

Abenzaidún fue un lírico realmente exquisito, de sensibilidad y de imaginación prodigiosas. Una de sus más bellas poesías, su célebre *qasida en nun*, en la que llora la ausencia de Wallada, ha sido traducida en verso castellano por el profesor García Gómez en su obra *Qasidas de Andalucia*.

La fama imperecedera de Abenzaidún —cuyos poemas son modelos en todo el Oriente— la debió tanto a sus dotes poéticas excepcionales como a sus románticos amores con Wallada. Estos amores han inspirado no pocas obras en el mundo árabe, y modernamente una pieza teatral, estrenada y publicada en El Cairo.

V. GARCÍA GÓMEZ, Emilio: *Poemas arábigo-andaluces*. Estudio y traducción. Madrid, 1930.—SCHACK, A. F. de: *Poesía y arte de los árabes en España y Sicilia*. Tres tomos. Sevilla, 3.ª edición, 1881.—PERÉS, Henri: *La poésie andalouse en arabe classique au XIème siècle*. París, 1937.—GONZÁLEZ PALENCIA, Angel: *Historia de la literatura arábigo-española*. Barcelona, Labor, 1928.

ABRABANAL, Judá (v. Hebreo, León).

ABRÉU, Héctor.

Novelista y periodista español. Nació —1856— y murió —¿1929?— en Sevilla. Muy joven aún, inició su actividad literaria en periódicos y revistas de su ciudad natal. Y ya en Madrid, alternó su labor de periodista excepcional con la publicación de sus novelas, la mayoría de las cuales alcanzaron grandes tiradas y fueron muy estimadas en su época. Una de ellas, *El espada*, es, para nuestro gusto, una de las mejores novelas que se han escrito con el tema taurino.

Abréu fue un narrador absolutamente realista. Y poseyó la prosa limpia, castiza, libre de afectación, que fue propia de los escritores españoles notables de fin de siglo.

Otras novelas: *Amazona*—1891—, *Aves de paso*—1904—, *Niño bonito*—1904—, *Dominio de faldas*—1906—, *Matar por matar*—1908—, *Ramiro el Enamorado*—1914—.

ABRÉU GÓMEZ, Ermilo.

Novelista, autor dramático, crítico, erudito mejicano. Nació el 18 de septiembre de 1894, en Mérida, Yucatán. Estudió en los Colegios de San Ildefonso de su ciudad natal y en el Colegio del Sagrado Corazón de Jesús, de Puebla. Es maestro en Letras. Jefe de la división de Filosofía, Letras y Ciencias Sociales de la Unión Panamericana, Washington, D. C. Ex jefe de la Sección de la Sociedad de Naciones del Departamento Diplomático de la Secretaría de Relaciones Exteriores de México. Profesor de Literatura Española en la Universidad de Illinois; en Middlebury College, Vermont; en la Escuela de Verano de la Universidad Nacional de México; en la Escuela normal Superior y en las Escuelas

Secundarias de la Secretaría de Educación de México.

Obras: *Viva el rey* (teatro)—México, 1921—, *Humanidades* (teatro)—México, 1924—, *El corcovado* (relato), prólogo de Alfonso Reyes—México, 1924—, *La vida milagrosa del venerable siervo de Dios Gregorio López* (relato), prólogo de Artemio de Valle Arizpe y epílogo de Luis González Obregón —México, 1925—, *Romance de Reyes* (teatro)—Madrid, 1926—, *Pasos de comedia*—México, 1926—, *Sor Juana Inés de la Cruz. Bibliografía y Biblioteca*—México, 1934—, *Clásicos, románticos, modernos*—México, 1934—, *Iconografía de Sor Juana Inés de la Cruz*, prólogo de J. de J. Núñez y Domínguez—México, 1934—, *Semblanza de Sor Juana*—México, 1938—, *Ruiz de Alarcón. Bibliografía crítica* —México, 1939—, *Juan Pirulero* (cuentos) —México, 1939—, *Canek* (relato); dibujos de Abelardo Avila—México, 1940—, *Pirrimplín en la Luna* (teatro), en *El Nacional*—México, 1942—, *Pirrimplín en la Luna* (cuento); dibujos de María Izquierdo—México, 1942—, *Héroes mayas (Zamná, Cocom, Canek, Cuentos de Juan Pirulero)*, advertencias de José Attolini y Andrés Henestrosa—México, 1942—, *Un juego de escarnio* (teatro)—México, 1943—, *Tres nuevos cuentos de Juan Pirulero*, viñetas de Alberto Beltrán—México, 1944—, *Lecciones de Literatura española*—México, 1944—, *Un loro y tres golondrinas* (teatro) —México, 1945—, *Sala de retratos. Intelectuales y artistas de mi época*, prólogo de Octavio G. Barreda y epílogo de Juan Rejano; bibliografía de Jesús Zavala—México, 1946—; *Quetzalcoatl. Sueño y vigilia*, ilustraciones de Jesús Guerrero Galván, advertencias de José Luis Martínez—México, 1947—, *Popol Vuh* (interpretación literaria), dibujos de José García Narezo—México, 1950.

V. DÍEZ CANEDO, E.: *Letras de América.* 1944.—BARREDA, Octavio G.: *Sala de retratos.* 1946.—RENN, Ludwig: *Geschichten von den maja-Indianern.* 1948.—MARTÍNEZ, José Luis: *Literatura mexicana.* 1949.

ABRÉU LICAIRAC, Rafael.

Historiador y crítico literario dominicano. Nació—1850—y murió—1915—en Santo Domingo. Siendo muy joven tomó parte en distintas conjuras contra el dictador Ulises Heureaux, por lo que sufrió cárceles y castigos corporales. Fue redactor en *La Opinión, El Nacional* y *El Mensajero*. Con su pluma doctoral y su fluida y jugosa oratoria sirvió a sus ideales de una política eminentemente liberal. Obras: *Consideraciones acerca de nuestra independencia y de los prohombres*—1894—, *Mi óbolo a Cuba*—1897—, *La cuestión palpitante*—1906—, *Recuerdos y notas de viaje* —1907.

V. BALAGUER, Joaquín: *Literatura dominicana.* Buenos Aires. Ed. Americalee, 1950.

ABRIL, Manuel.

Poeta, autor dramático y crítico de arte. Nació—1884—y murió—1940—en Madrid. Espíritu muy sensible, dueño de un estilo muy personal, cada día conmovido por nobles afanes nuevos, Manuel Abril dio a todas sus obras elegancia, riqueza de matices, originalidad expresiva, profundidad. Colaboró en las principales revistas españolas, adquiriendo gran autoridad como crítico de arte. Sus versos mejores están recogidos en *Canciones del corazón y de la vida*—1906—y *Hacia la luz lejana*—1914—. Para el teatro escribió *Un caso raro de veras* y *La princesa que se chupaba el dedo*. Abril, confirmando su juicio agudo y su finura de comprensión, defendió la personalidad y la obra de un gran novelista injustamente atacado, en *Felipe Trigo: su vida, su obra, su moral*—Madrid, 1917.

Ultimamente acreditó Manuel Abril un humorismo selecto y muy original en su novela *La Salvación, Sociedad de Seguros del Alma* —Madrid, 1926—, y en muchas conferencias dadas por la radio. También escribió Manuel Abril primorosos y delicadísimos cuentos para niños.

ABRIL, Pedro Simón.

Nació en Alcaraz de la Mancha, cerca de Toledo, hacia 1530. Se ignora cuándo murió. ¿1595? Gran humanista, fue profesor de Griego y de Literatura, durante más de veinticinco años, en la Universidad de Zaragoza. Escribió un gran número de obras para el estudio del griego y del latín, entre las que sobresalen: *Latini idiomatis docendi ac discendi methodus*—1561—, *De lingua latina vel de arte grammatica*—1567—. Creyendo que el antiguo teatro griego y latino debía servir de modelo a los dramaturgos de su época, tradujo en prosa castellana las comedias completas de Terencio, el *Pluto*, de Aristófanes; la *Medea*, de Eurípides. Tradujo, igualmente, la *Lógica*, de Aristóteles —Alcalá de Henares, 1587—; las *Epístolas*, de Cicerón; la *República*, de Aristóteles —Zaragoza, 1584—; el *Cratilo* y el *Gorgias*, de Platón; varias oraciones de Esquines y Demóstenes, las *Fábulas* de Esopo—Zaragoza, 1575—y numerosas sentencias de escritores griegos. Las *Comedias*, de Pedro Simón Abril, aparecieron en 1577, y su mejor edición es la de Valencia—1762, dos volúmenes—, con un prefacio de Mayans.

Uno de los mejores méritos de Pedro Simón Abril es haber sido, en los albores del Renacimiento, el primer traductor de muchas y hermosas obras clásicas.

A

17

V. PELLICER: *Ensayo de una biblioteca de traductores*, tomo II.—MARFIL, M.: *Pedro Simón Abril: sus ideas políticas y sociales*, en *Nuestro Tiempo*, 1908, VIII, 195-205.—ANDRÉS, I. A.: *Pedro Simón Abril*, en *Boletín de la Biblioteca Menéndez Pelayo*, 1936, XVIII, 19.—CASTRO, J. R.: *Simón Abril y Malón de Chaide*, en *Princ. Viana*, 1942, III, 323.

ABU-L-AFIA, Todros ben Yehudá.

Erudito y poeta judío español. Nació —1247—en Toledo. Muy joven aún, entró al servicio de la corte de Alfonso X, monarca que tanto gustó de los judíos como colaboradores en sus tareas literarias, científicas y administrativas. Fue su maestro su homónimo Todros ha-Leví ben Yosef Abul-l-Afia. Por motivos no aclarados aún, Abu-l-Afia hubo de huir de Toledo, refugiándose en algunos pueblos de Aragón y, por último, en Barcelona. Tales sucesos lograron que su poesía, antes mundana y un tanto licenciosa, se transformase en poesía ascética. Si en su juventud cantó al monarca castellano y ensalzó las costumbres cortesanas de Castilla, después, en preces penitenciales, se dirigió a Dios. Sumamente curioso es el detalle de la falta de *mesianismo* en su línea. La tradición poética de Israel está casi ausente en nuestro poeta.

Edición completa: O. Yellin: *Divan de Todros ben Yehudá Abu-l-Afia.* Tel-Aviv, 1932-1933.

V. GRAETZ, H.: *Les Juifs d'Espagne.* Versión de Stenne, París, 1872.—AMADOR DE LOS RÍOS, José: *Historia... de los judíos de España...* Madrid, 1875-1876, 3 tomos.—SACHS, M.: *Die religiöse Poesie der Juden in Spanien.* 2.ª edición, Berlín, 1901.—MILLÁN VALLICRASA, José María: *La poesía sagrada hebraico-española.* Madrid, 1940.

ABULBECA.

Abul Beca Selih Er-Rundi. Abulbeca de Ronda. Poeta árabe andaluz del siglo XIII. Escribió una magnífica elegía a la pérdida de las ciudades musulmanas conquistadas por Jaime I de Aragón—Valencia y Murcia— y Fernando III de Castilla y León—Córdoba y Sevilla—. Don Juan Valera tradujo esta elegía y señaló sus semejanzas con las famosas *Coplas* de Jorge Manrique, aun cuando dichas semejanzas no son otras que las *amañadas* de la forma, ya que Valera utilizó para su traducción de la elegía de Abulbeca las estrofas manriqueñas. Bien es verdad que siempre existirán semejanzas de intención y de emoción entre poemas que canten la fugacidad de los seres humanos y de las cosas terrenales.

V. VALERA, Juan: Traducción de la obra de Schack *Poesía y arte de los árabes en España y Sicilia.*

ACEBAL, Francisco.

Nació en Gijón el 5 de abril de 1866. Murió—1932—en Madrid. Estudió el bachillerato en los Escolapios de Madrid. Se licenció en Leyes en la Universidad Central. Su primer éxito literario lo alcanzó en 1900, año en que una novela suya, *Aires de mar,* logró el primer premio en un concurso abierto por la revista *Blanco y Negro,* concurso que fallaron Pérez Galdós, Echegaray y Ortega Munilla. Desde esta fecha, Acebal colaboró en los mejores diarios y revistas de España y América. Fundó—1902—la revista literaria mensual *La Lectura,* la más prestigiosa de la época, a cuya sombra aparecieron poco después dos colecciones de libros famosos: *Pedagogía moderna* y *Clásicos castellanos.*

Fue Acebal, ante todo, un escritor de exquisita sensibilidad y de fino estilo, muy rico de imágenes delicadas. De su pluma salieron deliciosos cuentos, algunos de los cuales recogió en el volumen titulado *De mi rincón* —1902—; y obras dramáticas de una inquietud vaga y de una expresividad *elegantemente contenida,* como las tituladas: *Nunca* —1905—, *A la moderna*—1914—, *Los antepasados, Misericordia, Un buen querer, Ráfagas de pasión* y *Muñecos de barro,* obras en las que se hacen patentes las influencias galdosianas o benaventinas.

Mejor novelista que dramaturgo, Acebal ha dejado narraciones de singulares emoción y belleza: *Huella de almas*—1901—, *Dolorosa*—1904—, *Frente a frente, El calvario* —1905—, *Rosa mística*—1909—y *Penumbra* —1924—. Casi todas estas novelas han sido traducidas al inglés, portugués, francés y holandés.

V. GONZÁLEZ-BLANCO, Andrés: *Historia de la novela en España.* Madrid, 1909.

ACEVEDO, Alfonso M. de.

Poeta español. Nació en Vera de Plasencia —1550—. De joven vivió en Italia. Fue canónigo en Valencia, donde tuvo fama justa de orador sagrado.

En 1615 se publicó en Roma su poema, en siete cantos y octavas reales, titulado *Creación del mundo,* y dedicado al conde de Castro, embajador de Felipe III ante el Soberano Pontífice. Cada canto del poema se refiere a un día de la creación, y todo él, barroco en demasía, falto de inspiración, hace pesada su lectura. Sin embargo, pueden espigarse en él bellas imágenes y audaces metáforas. "Algunos detalles hermosos y un conjunto fracasado", ha dicho de este poema cierto crítico moderno.

En su época debió de ser mucha la fama de Acevedo, ya que Cervantes le menciona en su *Viaje del Parnaso:*

> Y desde lexos se quitó el sombrero
> el famoso Aceuedo, y dixo: *A dio,*
> *voy siate il ben venuto, cauuliero,*
> *so parlar zenoese e tusco anchío.*
> Y respondí: *La vostra signoría*
> *sia la ben trouata, patrón mío.*

V. M. THIBAUT DE MAISIÈRES: *Les poèmes inspirés du début de la Genèse.* Lovaina, 1931. (Dos capítulos se refieren a Acevedo.)

ACEVEDO DÍAZ, Eduardo.

Uruguayo (1851-1924). Nació en Montevideo y murió en Buenos Aires. De vida política muy intensa. Se le considera como el iniciador del *naturalismo* en su patria y de la novela nacional. Para el gran crítico Zum Felde, Acevedo "llena, aunque incompletamente, la ausencia de la epopeya uruguaya". Redactor de *La Democracia, La República, La Epoca...* Senador. Ministro Plenipotenciario en los Estados Unidos, Cuba, Argentina, Brasil y Paraguay. En 1896 fundó *El Nacional,* diario político de gran difusión.

Obras: *Brendas*—novela—, *Soledad*—novela—, *Nativa*—novela—, *Ismael*—novela—, *El combate de la tapera, Lanza y sable, Minés, El mito del Plata, Artigas, Manual de historia uruguaya, Notas y apuntes de historia, Grito de gloria...*

V. ACEVEDO DÍAZ (hijo), E.: *La vida de batalla de Eduardo Acevedo Díaz.* Buenos Aires, El Ateneo, 1941.—ZUM FELDE, Alberto: *La literatura del Uruguay.* Buenos Aires, 1939; *Proceso intelectual del Uruguay y crítica de su literatura.* Montevideo, 1941.

ACEVEDO FAJARDO, Antonio.

Notable comediante y dramaturgo español del siglo XVII.

En 1657 representaba con mucho éxito en Valencia. Dos años después era ya conocido y aplaudido en Madrid. Hacia 1670, abandonando la escena, se titulaba—nota aparecida en su comedia *Marte y Belona en Hungría*—"hermano..., ermitaño de San Antonio de Padua en la calle de Carcagente, reino de Valencia...".

De una erudición empalagosa y de un conceptismo exagerado, Acevedo Fajardo nos ha dejado, entre otras varias comedias, las tituladas *El Fénix de Africa, No hay cautelas contra el cielo, No hay veneno como amor, La toma de Granada*—en la Biblioteca de Osuna—y *El valor hace fortuna*—en la Colección Durán.

ACEVEDO GUERRA, Evaristo.

A

Escritor humorista que forma en el actual "equipo" de *La Codorniz.* Nació en Madrid el 12 de febrero de 1915. Durante algún tiempo alternó sus colaboraciones en los principales semanarios y revistas españolas —*El Español, La Estafeta Literaria, Dígame, Fotos, Domingo,* etc.—con la burocracia. Actualmente se dedica por completo a la literatura, escribiendo casi exclusivamente para *La Codorniz,* donde semanalmente lleva las popularísimas secciones *La Cárcel de Papel, La Comisaría de Papel, La Orden Civil de Guillermo I el Taciturno* y algunos artículos de la sección *Crítica de la vida.* Escribe a diario secciones en periódicos como *Informaciones, Pueblo, Ya,* de Madrid.

En un artículo autobiográfico explica sus motivos de ser humorista, diciendo: "Yo empecé escribiendo una novela rosa; pero al llegar al tercer capítulo me di cuenta de que escribir novelas 'rosa' era una forma de 'gamberrismo cerebral'. Entonces hice una novela policíaca, y en el quinto capítulo, después de haber matado a quince personajes, comprendí que los escritores de novelas policíacas son como los antropófagos, pues tienen que matar a muchísima gente para poder comer. Fue entonces cuando reflexioné que me llamaba Evaristo, y que llamándose Evaristo no queda más solución que hacerse escritor humorista o tirarse por el Viaducto. Y como el Viaducto me pillaba un poco lejos, me hice escritor humorista."

Utiliza preferentemente los seudónimos "Cam", "Evaristóteles" y "Fernando Arrieta".

Obras: *Los ancianitos son una lata*—Madrid, 1955—, *Triunfé en sociedad hablando mal de todo*—Madrid, 1963—, *Enciclopedia del despiste nacional*—1957—, *49 españoles en pijama y 1 en camiseta*—1959—, *Teoría e interpretación del humor español*—1966—, *Cartas a los celtíberos esposados*—1969.

ACEVEDO HERNÁNDEZ, Antonio.

Novelista, ensayista y autor teatral chileno. Nació a fines del siglo XIX. Es hoy uno de los escritores más considerados en su patria, pues suma, a sus tendencias renovadoras en lo social, un tono patético, una fuerza descriptiva llena de colorido local, el gusto exquisito por los temas y la forma, y la tendencia a lo popular y tradicional. En 1936 le fue concedido el "Premio Municipal de Teatro".

El gran crítico Luis Alberto Sánchez afirma de Acevedo Hernández "que es un temperamento romántico y rebelde, y que ha dado al teatro de su patria un hondo patetismo".

Obras: *Camino de flores*—leyenda dramática, 1910—, *Almas perdidas*—1918—, *Irredentos*—1918—, *Chañarcillo*—drama—, *Joaquín Murieta*—drama—, *Piedra azul*—novela—, *El libro de la tierra chilena, Manuel Luceño*—novela—, *Cantares populares chilenos...*

V. LILLO, Samuel: *La literatura chilena.* Santiago, 1930.—SÁNCHEZ, Luis Alberto: *Nueva historia de la literatura americana.* Buenos Aires, 1944.—LEGUIZAMÓN, Julio A.: *Historia de la literatura hispanoamericana.* Buenos Aires, 1945.

ACOSTA, Agustín.

Poeta y prosista cubano. Nació en 1887. Su fama en su patria es mucha y justa, ya que representa un criollismo lleno de vitalidad y de potencia, la valiosa fibra contra todo dominio extranjero sobre su patria. Pese a figurar entre los líricos posmodernistas y aun vanguardistas, Agustín Acosta, romántico por temperamento, clama en apóstrofes líricos del más alto valor literario y nacional contra cuanto se opone a la democracia y al progreso. También son fundamentalmente románticos su pesimismo y su melancolía.

Entre sus mejores poesías figuran: *Canto a América, Los últimos instantes del abate Joven de los Madrigales, El vizconde Rubio de los Desafíos, La huella de Baco, Elogio del buey, La hermanita...*

Obras: *La zafra*—1906—, *Ala*—1915...

V. LIZAZO, Félix, y FERNÁNDEZ CASTRO, J. A.: *La poesía moderna en Cuba.* 1882-1925. Madrid, 1926.—REMOS Y RUBIO, Juan José: *Historia de la literatura cubana.* La Habana, 1925.

ACOSTA, Cecilio.

Poeta y prosista venezolano. 1831-1889. Fue también un magnífico jurista y polemizador. Para algunos críticos, la estela que dejó es comparable a la grandeza del mismo Montalvo o a la de Alberdi. Con una constancia fuerte y caballeresca, se opuso a la tiranía del presidente Antonio Guzmán Blanco. Autor del Código venezolano. Su prosa y su poesía están llenas de encanto y de nobleza. Fue un idealista "tallado en puro cristal de roca".

Obras: *Influencia del elemento histórico-político en la literatura dramática y en la novela*—1877—, *Relato de Europa y de los Estados Unidos de América del Norte*—1881—, *Cartas venezolanas.* Sus *Poesías* figuran en el *Parnaso venezolano*, y, con un prólogo de Martí, aparecieron en 1908 y 1909.

V. PICÓN Y FEBRÉS, Gonzalo: *La literatura venezolana en el siglo XIX.* Caracas, 1906.— PICÓN SALAS, Mariano: *Formación y proceso de la literatura venezolana.* Caracas, 1941. SÁNCHEZ, Manuel Segundo: *Bibliografía venezolanista.* Caracas, 1921.

ACOSTA, José de.

Historiador y teólogo español. Nació en Medina del Campo—1539—. Murió en Salamanca—15 de febrero de 1600—. Fue provincial de los Jesuitas del Perú. Volvió a España en 1588 y fue nombrado rector de la Universidad de Salamanca, de la que fue el primer jesuita catedrático de Teología. Escribió en castellano—entre otras importantes obras—una *Historia natural y moral de Indias*—Sevilla, 1591—, y en latín: *De Promulgatione Evangelii apud barbaros*—Salamanca, 1588.

V. SOMMERVÖGEL: *Biblioteca de Escritores de la Compañía de Jesús.* Bruselas, 1878.— MENÉNDEZ PELAYO, M.: *La ciencia española.* Madrid, 1887.—PIZARRO Y ORELLANA: *Varones ilustres del Nuevo Mundo.* Madrid, 1639.

ACOSTA, Soledad.

Literata e historiadora colombiana. 1831-1913. Nació en Bogotá y estuvo casada con el comediógrafo y orador José María Samper. Su padre, Joaquín Acosta, fue un excelente historiador. De 1878 a 1882 dirigió el periódico *La Mujer*, órgano de las reivindicaciones femeninas, que influyó poderosamente en la vida social de Colombia. Perteneció a la Academia de la Historia de Caracas; y en 1892 estuvo en España, como delegada del Gobierno de Bolivia, durante la celebración en la Rábida del cuarto centenario del descubrimiento de América. Colaboró en revistas y periódicos de España, Estados Unidos, la América española, principalmente en la *Revista de España*, de Madrid, y en *La Guirnalda*, de su tierra natal.

Sus aficiones literarias se manifestaron con predilección en el ensayo histórico y biográfico.

Obras: *Biografía del general don Joaquín París, Vida del mariscal Sucre, Historia de la mujer en la civilización, Los piratas de Cartagena de Indias*—1886—, *Preliminares de la guerra de la independencia en Colombia, Crónicas histórico-novelescas.*

V. ARANGO FERRER, Javier: *La literatura de Colombia.* Univ. de Buenos Aires, 1944.— GÓMEZ RESTREPO, A.: *Historia de la literatura colombiana.* Bogotá, 1938.—POSADA, Eduardo: *Bibliografía bogotana.* 2 tomos. Bogotá, 1917 y 1924.

ACOSTA TOVAR, José María.

Novelista español. Nació—1881—en Almería. Fue asesinado—1939—en Paracuellos del Jarama (Madrid). Gran amigo de Francisco

A

Villaespesa. Ingeniero militar. Su vocación literaria la decidieron unos cuentos que envió—1916—a *La Tribuna* y al *Blanco y Negro*, de Madrid, y que fueron premiados.

Su primera novela, *Amor loco y amor cuerdo*—1920—, obtuvo un éxito fulminante, agotándose la edición en un mes. A esta obra siguieron: *Entre faldas anda el juego*—1921—, *La venda de Cupido*—1922—, *Al cabo de los años mil...*—1922—, *Niñerías*—1923—, *La Saturna*—1923—, *Las pequeñas causas*—1924—, *Las eternas mironas*—1927—, *El morbo*—1929...

Acosta pertenece al grupo de los novelistas llamados naturalistas. Pero su naturalismo jamás es chocarrero ni hediondo. Acosta es un discípulo del mejor naturalismo español, en el que fueron maestros Galdós y la Pardo Bazán. El lenguaje de Acosta es diáfano, natural, abundante, ortodoxo; su dominio de la técnica novelesca, perfecto; su humorismo, de la mejor ley; su invención, no excesivamente original, pero sí su modo de enfocar y desenvolver los argumentos.

V. GONZÁLEZ RUANO, C., y CARMONA NENCLARES, F.: *Nuestros contemporáneos: José María de Acosta.* Madrid, 1927.—SAINZ DE ROBLES, F. C.: *La novela española en el siglo XX.* Madrid, Pegaso, 1957.—ENTRAMBASAGUAS, Joaquín de: *Las mejores novelas españolas contemporáneas* (1920-1924). Barcelona, Planeta, 1960, págs. 3-28 (contiene una bibliografía exhaustiva).

ACQUARONI, José Luis.

Nació—1920—en Madrid. Pasó su niñez y su adolescencia en Sanlúcar de Barrameda, de donde eran nativos sus padres. Estudió para marino de guerra y Filosofía y Letras, no llegando a terminar ninguno de estos estudios. Con otros poetas amigos fundó en Cádiz la revista poética *Platero.* Redactor durante varios años del diario *Ayer,* de Jerez de la Frontera. Ha viajado por diversos países hispanoamericanos y fue profesor adjunto, durante cuatro años, en la Universidad de Caracas. Desde hace tiempo reside en Madrid, dedicado plenamente a la literatura.

Ha obtenido muy importantes premios literarios: "Camilo José Cela 1954", para cuentos; "Insula 1954", de cuentos; "Revista Ateneo 1955", de Madrid, para cuentos; "Fiesta de la Vendimia Jerezana 1954 y 1956", para cuentos; "Costa del Sol 1966"; "Blasco Ibáñez 1967", de novela; "Hucha de Oro 1968", para cuentos.

Obras: *La rueda catalina* (cuentos)—Cádiz, 1955—, *La muerte del trompeta* (novela corta)—Madrid, 1955—, *El cuchillo de la madrugada* (novela corta)—Madrid, 1955—, *La corrida de toros* (ensayos)—Barcelona, 1957—, *Andalucía* (viajes)—Barcelona, 1963—, *Nue-*

vas de este lugar (cuentos)—Madrid, Editora Nacional, 1965—, *El turbión* (novela)—Valencia, Edit. Prometeo, 1967.

ACUÑA, Hernando de.

Célebre militar y poeta. Nació en Valladolid—¿1520?—. Murió en Granada—1580—. Combatió en Alemania y en Túnez bajo las banderas del César Carlos I. Fue gran amigo de Garcilaso de la Vega. Tradujo los poemas —*Heroidas*—de Ovidio y algunos libros de caballerías; los cuatro primeros libros del *Orlando enamorado,* de Boyardo, y *El caballero libertado,* poema de Olivier de la Marche, versión en verso, reimpresa muchas veces, y que, se dice, la hizo a la vista de una traducción en prosa realizada por el mismo emperador Carlos.

Acuña es autor de la *Fábula de Narciso,* de algunas églogas y elegías, más sentidas que perfectas; de muchos sonetos de gran valor y del poema *Contienda de Ayax Telamonio y de Ulises*—Granada, 1591, y Madrid, 1804—, imitación de algunos episodios homéricos. Sus poesías fueron publicadas por su viuda, en Salamanca, el año 1591. Hay otra edición de 1593.

Textos: *Poesías*—Madrid, 1591 y 1593—, *Varias poesías*—Madrid, 1804—, *Contienda de Ayax...*, en *Parnaso Español,* Madrid, 1770, II, págs. 21 a 51.

V. N. ANTONIO: *Biblioteca Hispana Nova.* ALONSO CORTÉS, N.: *Don Hernando de Acuña.* Valladolid, 1913.—CRAWFORD, J. P. W.: *Notes on the Poetry of H. de A.,* en *Rom. Rev.,* 1916, pág. 314.—Cossío, José María de: *Imperio y milicia,* en *Cruz y Raya,* número 22.—PÉREZ PASTOR, Cristóbal: Tomo tercero de la *Biblioteca Madrileña.*

ACUÑA, Manuel.

Gran poeta mexicano. Nació en 1849. Se suicidó en 1873. Estudiante de Medicina. Alma candorosa y vehemente. Agresivo hispanófobo, ateo declamatorio y militante. Una pasión amorosa fracasada le indujo a su fatal resolución.

Menéndez Pelayo—en su *Historia de la poesía hispanoamericana*—estampa el siguiente juicio del popularísimo vate romántico: "Ráfagas de genio tuvo Acuña, pero, a mi entender, solo dos veces en su corta vida, y las dos en el último año de ella. Son dos poesías en que puso toda la sustancia de su alma enferma y atormentada: una de amor, *Nocturno;* otra de materialismo dogmático, *Ante un cadáver.* Esta última es una de las más vigorosas inspiraciones con que puede honrarse la poesía castellana de nuestros tiempos. Acuña era tan poeta, que hasta la doctrina más áspera y desolada podía convertirse para él en raudales de inmortales armonías.

Sentía aquel mismo género de embriaguez naturalista que es el alma de la inspiración de Lucrecio y de la de Diderot en el *Sueño de D'Alembert.* La materia no concebida mecánicamente, sino de un modo dinámico, y abarcándola en toda la plenitud y complejidad de sus desarrollos y evoluciones, no es sujeto refractario a la poesía, y puede existir y existe, sin duda, un género del *monismo* poético, que tiene de poesía lo que tiene de metafísica... A ese *monismo,* más que al materialismo tradicional de las escuelas médicas, corresponden los extraños versos de Manuel Acuña, cuya naturaleza afectiva ha impreso además en ellos muy imborrable huella."

No tuvo tiempo para apurar el gusto ni domeñar el lenguaje poético, plagado de feos neologismos. Sus modelos fueron Heine y Espronceda. Cantó el más desaforado ateísmo con verdaderos acentos líricos. Su *Nocturno*—a Rosario—figura por derecho propio en todas las buenas antologías líricas.

Compuso también un drama en prosa muy malo: *El pasado.*

De sus *Poesías completas* hay buenas ediciones: París, 1885, Garnier; Barcelona, 1898, Maucci; París, 1911, Bouret.

V. MENÉNDEZ PELAYO, M.: *Historia de la poesía hispanoamericana.* 1911, tomo I.— SOLAR CORREA, E.: *Poetas de Hispanoamérica.* Santiago de Chile, 1926.—GONZÁLEZ PEÑA, C.: *Historia de la literatura mexicana.* México, 1940, 2.ª ed.—TRENT, William Peterfield: *Cambridge History of American Literature.* Cambridge, 1927.—ANGARITA ARVELO, Rafael: *Antología de la Poesía mexicana moderna.* México, 1928.—MAPLES ARCE, Manuel: *Antología de la Poesía mexicana moderna.* Roma, 1940.

ACUÑA DE FIGUEROA, Francisco.

Poeta y prosista. Del Uruguay. 1790-1862. Su padre fue tesorero de la Real Hacienda de Montevideo. Fue educado en el Colegio de San Carlos Borromeo, de Buenos Aires. Doctor en ambos Derechos. Su formación literaria fue perfectamente clásica. Muy joven aún, empezó a publicar en diarios y revistas romances, letrillas, himnos, anagramas y acrósticos, sátiras, epigramas y odas, muy del gusto de los lectores de la época, apegados al formalismo colonial.

Los modelos de Acuña de Figueroa son fáciles de determinar: Iriarte, Samaniego, Cadalso, fray Diego González, Meléndez Valdés y Arriaza. Porque, además de un excelente poeta festivo, fue Acuña de Figueroa un original poeta *en serio.* Tradujo y publicó también glosas de los Salmos y los profetas. Sin embargo, como poeta serio, aun teniendo en cuenta su corrección de versificador y la dignidad de los temas cantados, no hubiera alcanzado el justo renombre que tiene, y que se debe a su caudalosa, ágil e intencionada vena satírica burlesca, cuyos modelos hay que buscarlos en Lope, Quevedo, Góngora, Villaviciosa... No se crea por ello que Acuña se apegó servilmente a lo clásico. Aceptó las mejores novedades de las nuevas escuelas líricas, las reacciones de la sensibilidad actual, la arquitectura audaz que exigía el momento, introduciendo en su poema burlesco *La malambrunada,* escrito primitivamente en octavas reales, la polimetría.

Entre sus composiciones satíricas-burlescas sobresalen: *A un poeta superficial, Madureces, Las siete hermanas, A un general que se halló con una victoria sin saber cómo...* Entre las serias: *La madre Africana, El ajusticiado, La escarlatina...*

Sus *Obras completas* aparecieron en 1890.

Otras obras: *Las toraidas*—crónicas versificadas de las corridas de toros—, *Diario histórico del sitio de Montevideo, Himno nacional*—declarado en 1833—, *La malambrunada*—concepción y realización, dentro de su género de epopeya burlesca, superior a cuanto se escribió en la escuela clasicista hispanoamericana.

Varias de sus composiciones pueden leerse en el *Parnaso oriental* o *Guirnalda poética de la República Uruguaya*—1835 a 1837, compilada por Luciano Lira.

V. BASSAGODA, Roger D.: *La obra de Acuña de Figueroa y la literatura de su época.* Montevideo, 1942.—ZUM-FELDE, Alberto: *Proceso intelectual del Uruguay y crítica de su literatura.* Montevideo, 1941.

ACUÑA Y VILLANUEVA DE LA IGLESIA, Rosario de.

Poetisa, dramaturga y socióloga. Nació en Madrid—1851—. Murió ¿en Gijón? a edad avanzadísima, en 1923. Sus dramas más importantes son: *Rienzi el Tribuno*—1876—y *Tribunales de venganza*—1880—, los dos estrenados en Madrid. *Ecos del alma* y el poema *Morirse a tiempo* representan su labor más considerable como poetisa. En los estudios filosóficos y sociales tuvo escasa fortuna. Librepensadora en su juventud, evolucionó hacia un escepticismo tintado de inminencias cristianas.

ADAME MARTÍNEZ, Serafín.

Periodista, novelista y autor teatral español. Nació—1901—en Madrid. Estudió el bachillerato en el Instituto de San Isidro. Abogado. Redactor de *Informaciones, La Nación* y *Pueblo,* de Madrid. Fundó y dirigió —1929—la revista *Cosmópolis.*

Domina la técnica teatral y ha obtenido grandes éxitos teatrales.

Obras: *Flirt, El príncipe Randhik, La banda de Saboya, La hoguera, ¿Estamos todos?, Mi prima Dolly, Feria de abril en Sevilla, ¡Achanta, que te conviene!, Fernando el Santo, Paca la Morena, ¡Qué guapo soy!, El oro del ring, El cantar del arriero...*

Casi todas estas obras teatrales las ha escrito en colaboración con Jardiel Poncela.

Novelas: *Tres puntos rojos, En la paz del claustro.*

ADLER, María Raquel.

Poetisa argentina. Nació en 1910. Ejerce el profesorado de Castellano y Literatura en colegios dependientes del Ministerio de Educación. Posee varios idiomas, habiendo hecho estudios especiales del francés y del alemán. Fue vocal de la Sociedad Argentina de Escritores durante dos períodos: 1934-1936, 1936-1938. Pertenece, además, a varias instituciones culturales.

Obras: Poesía: *Revelación, Místicas, Cánticos de Raquel, La divina fortuna, De Israel a Cristo, Buenos Aires, ciudad y poesía; Sonetos de Dios, Canción del Hombre y la Ola, Canto a Nuestra Señora de Luján, El libro de los siete sellos, Llave de cielo.*—Crítica: *De la tierra al cielo* (ensayos literarios).—Teatro: *Pan bajado del cielo* (auto sacramental), *Imelda Lambertini* (milagro del Divino Amor).—Para publicar: *Pausa generosa* (décimas), *Salmos de bienaventuranza* (décimas), *Antología completa de poesías.*

AFÁN DE RIBERA, Fulgencio.

Escritor satírico y sutil cortesano español. Nació hacia fines del siglo XVII no se sabe con certeza en qué punto de la nación.

En 1729 publicó un curiosísimo folleto titulado *Virtud al uso y mística a la moda* —tres cartas y varios "documentos"—, obrita de burlas crueles contra los hipócritas de la virtud y esclavos de la moda.

Toda la crítica está conforme en reconocer a este panfleto de Afán de Ribera un gran valor "para la historia de las costumbres y de las ideas".

Textos: *Gerona*, 1838; tomo XXXIII de la "Biblioteca de Autores Españoles".

V. CEJADOR Y FRAUCA, Julio: *Historia de la lengua y literatura españolas.* Tomo VI, página 69.

AFÁN DE RIBERA, Gaspar.

Poeta. Nacido en Granada—¿1617?—. Murió en la misma ciudad después de 1668. Caballero del hábito de Santiago. Las mejores de sus poesías figuran en el *Espejo poético en que se miran las heroycas hazañas y gloriosas victorias... conseguidas por...*

Francisco Fernández de Córdoba, duque de Alburquerque...—Granada, 1662.

AFÁN DE RIVERA, Fernando.

Nació en Sevilla—1614—. Murió en Palermo—1633—. Hijo primogénito del duque de Alcalá, don Fernando Afán de Rivera y Enríquez. Lope de Vega le alabó en su *Laurel de Apolo.*

Contaba diecisiete años al escribir el más bello de sus poemas: *La fábula de Mirra,* en el que se delatan las influencias del gongorismo. Dejó también muy hermosos sonetos. Su libro se tradujo al italiano y se publicó en Palermo—1931—. Texto: Sevilla, 1903.

V. RODRÍGUEZ MARÍN, F.: *Estudio,* en la edición de Sevilla, 1903.

AFÁN DE RIVERA Y ENRÍQUEZ, Fernando.

Militar, político, diplomático y literato. Duque de Alcalá, marqués de Tarifa, adelantado mayor de Andalucía. Nació en Sevilla—¿1584?—. Murió en Vilak (Alemania) —1637—. Desempeñó, entre otros cargos: representante español extraordinario cerca de Urbano VIII; virrey de Nápoles; gobernador del Milanesado; plenipotenciario en el Congreso de Colonia—1636—. Fue también pintor muy estimable y un incansable bibliófilo. Lope de Vega le mencionó en su *Laurel de Apolo* y le dedicó su hermosa comedia *Lo cierto por lo dudoso.*

Se conservan de él algunas poesías—no muy inspiradas—y una obra erudita acerca del *Título de la Cruz,* y un libro acerca de la *Pasión de Jesucristo.*

AFÁN DE RIVERA Y GADEA, Baltasar.

Poeta español del siglo XVII. Posiblemente nació en Granada. Y murió hacia 1670. Sus mejores composiciones figuran en un libro muy raro titulado *Festiva academia y celebridad poética, en que fue presidente don Juan de Trillo y Figueroa*—Granada, 1664.

AGRAMONT Y TOLEDO, Juan.

Poeta y dramaturgo español. Nació hacia 1701. Murió después de 1769. Nada se sabe de su vida, aunque se le supone noble, perteneciente a la nobilísima casa navarra de Agramont.

En la Biblioteca Nacional existen manuscritos de varias comedias y otras piezas teatrales suyas: *Recobrar por una letra el tesoro de los cielos y mágica Niruega, En vano resiste el hombre a lo que Dios determina, Darlo todo y no dar nada*—sainete—, *El capital de la boda, La casa de campo*—fin de fiesta—, *Los gustos de las mujeres*—entremés—, *Justo, dichoso, guerrero, grande ge-*

neral Josué, La enferma y el doctor—tonadilla—, *Los golosos purgados*—entremés—, *La paloma de la Iglesia y prodigio de Italia, Santa Columba; Tres señoras mujeres*—tonadilla—, *Lo que pasan los maridos*—entremés—, *La visita de la cárcel*—sainete—, *La cautela en la amistad y robo de las Sabinas* —zarzuela.

De algunas de estas obras se saben fueron representadas; así: *La casa de campo* —1756—, *Fingir por no merecer*—1764—, *Lo que traza una española para defender su honor,* loa para empezar la compañía de José Parra en 1756. De otras obras se sabe fueron impresas, como *La cautela en la amistad...*—1735.

Las poesías cómicas de Agramont están recogidas en el manuscrito número 16.266 de la Biblioteca Nacional de Madrid.

El teatro de Agramont peca de confuso, de aparatoso; son oasis en él ciertos resortes cómicos de no escasa gracia.

V. VALBUENA Y PRAT, A.: *Historia de la literatura española.* Barcelona, 1950, tomo III.

ÁGREDA, Venerable Madre María de Jesús.

Sus verdaderos nombre y apellidos fueron María Coronel y Arana. Nació en Agreda (Soria)—2 de abril de 1602—. Murió en su convento—en su ciudad natal—el 24 de mayo de 1665.

Famosa por sus virtudes, prudencia, talento, doctrina ascética y méritos literarios. A los ocho años hizo voto de perpetua castidad. A los doce abrazó la vida religiosa, consiguiendo que la abrazaran igualmente sus padres y su hermana. Sus escritos se hicieron famosos en seguida, dentro y fuera de España, siendo discutidos por el Tribunal de la Santa Inquisición y por los doctores de la Sorbona, de París.

Fue consejera durante muchos años del rey de España don Felipe IV.

Entre sus obras más importantes están: *Mística ciudad de Dios o Historia de la Reina de los Angeles*—su producción más considerable y discutida—, *Meditaciones de la Pasión de Nuestro Señor, Leyes de esposa, Conceptos y suspiros del corazón.*

Literariamente tienen un valor excepcional las cartas que durante veintidós años dirigió a Felipe IV. Cartas ascéticas, políticas o morales, modelo de claridad y de concisión, de interés y de profundidad ideológica, dignas de figurar en cualquier antología selecta del género epistolar.

Textos: *Cartas,* Madrid, 1885; *Mística ciudad de Dios,* edición Ozcoidi, Barcelona, 1914; *Vida de la Virgen,* edición Pardo Bazán, Barcelona, 1899; *Correspondencia con Felipe IV. Antología.* Dos tomos. Editora Nacional, Madrid.

V. SILVELA, Francisco: *La Venerable Madre Sor María Jesús de Agreda.* Madrid, 1896.—SAMANIEGO, P.: *Vida de Sor María de Jesús de Agreda.* Madrid, 1720.—GERMOND DE LAVIGNE, A.: *La soeur Marie d'Agreda et Philippe IV. Correspondance inédite.* París, 1855.—GEDDES, M.: *The Life of María de Jesús de Agreda a late famous Spanish Nun.* SÁNCHEZ DE TOCA, J.: *Felipe IV y Sor María de Jesús de Agreda.* Madrid, 1924.—SERRANO SANZ, M.: *... Escritoras españolas...,* I, 571.— ROYO CAMPOS, Z.: *Agredistas y antiagredistas. Estudio histórico-apologético.* Totana, 1929.—XIMÉNEZ DE SANDOVAL, Felipe: *Un mundo en una celda: Sor María de Agreda.* Madrid, 1952.—TORRENTE BALLESTER, Gonzalo: Prólogo a la *Antología de la "Correspondencia con Felipe IV".* Madrid, dos tomos, Editora Nacional.

ÁGREDA Y VARGAS, Diego.

Nació en Madrid—¿1591?—. Murió en Madrid después de 1639. Hijo del consejero de Castilla don Alfonso de Agreda. En 1640 era capitán de infantería. Felipe IV le concedió el hábito de Santiago.

Apasionado admirador de Lope de Vega. Tradujo—1617—del italiano *Los amores de Leucipo y Clitofonte,* de Aquiles Tacio.

Sus obras más importantes son: una colección de *Novelas morales*—Valencia, 1620, traducidas al francés por Baudoin, 1621—y *Lugares comunes de las letras humanas*—Madrid, 1616 y 1639.

Textos modernos: de *Novelas morales,* Madrid, 1724, y tomo XXXIII de la "Biblioteca de Autores Españoles".

V. BALLESTEROS ROBLES, L.: *Diccionario biográfico matritense.* Madrid, 1912.—CEJADOR Y FRAUCA, J.: *Historia de la lengua y literatura españolas.* Tomo IV, 347.

AGUADO, Fray Pedro de.

Literato e historiador español. Misionero franciscano. Vivió entre los años 1520 y 1595. Permaneció durante quince años, como misionero, en las Indias occidentales. En 1573 era provincial de la Orden en Santa Fe.

Dejó escritas dos obras magníficas: *Historia de Santa Marta y del Nuevo Reino de Granada* y la *Historia de Venezuela.*

La importancia de ambas obras es excepcional, ya que fray Pedro de Aguado fue testigo presencial de muchos de los hechos que narra, y poseyó un criterio admirable y una prosa magnífica. Entre los relatos que contienen sus escritos—que han servido de base inexcusable a todos cuantos escritores posteriores se han referido al Nuevo Reino de Granada—figura el de algunas de las expediciones en busca del tristemente célebre

Dorado, leyenda que llevó ilusionadamente a la muerte a miles de audaces españoles.

Cuantas noticias recoge fray Pedro de Aguado de los sucesos no vividos por él, le fueron comunicadas por personas de gran calidad moral y humana, dignas del mayor crédito. De aquí el valor excepcional de sus libros.

Ediciones: De J. Becker, Academia de la Historia, 1916 y 1918.

V. LÓPEZ, A.: *Fray Pedro de Aguado y Fray Pedro Simón,* en *Archivo Ibero-Americano,* 1920, XIV, 207; XVI, 24.

AGUADO HERNÁNDEZ, Emiliano.

Fino ensayista y crítico. Nació en Cebolla (Toledo) el 15 de julio de 1907. A los trece años se trasladó a Madrid, en donde estudió el bachillerato en el Instituto del Cardenal Cisneros, y las carreras de Derecho y Filosofía y Letras en la Universidad Central.

La primera de sus obras apareció en 1941; se titula *Del siglo XVIII a nuestros días,* y es una breve revisión de algunas ideas que sirvieron al autor para entender la Filosofía de la ilustración. La segunda obra apareció en 1942; se titula *Leyendo el Génesis,* y es una meditación sobre los primeros pasos del hombre en la tierra inmensa, de acuerdo con la Sagrada Escritura. Se titula el tercer libro de los publicados por Emiliano Aguado *Teatro;* es un volumen en donde se contienen tres tragedias, galardonadas con el Premio Nacional de Literatura, cuyos títulos son: *A la sombra de la muerte, Horas lentas de invierno* y *El adivino.*

El cuarto libro de Emiliano Aguado es *El arte como revelación,* en donde se intenta comprender la experiencia del artista y la significación de la obra de arte desde sus más radicales supuestos. *Cuentos de hadas y de viejos* es un volumen de cuentos que pueden agruparse en dos clases muy distintas y que se publicaron en 1943. Y, por último, *En los caminos de la noche,* que apareció en 1944, es un libro de ensayos de aliento e intención líricos, sobre los temas tradicionales de la poesía que tiene al cielo y a sus mudanzas como fuente de inspiración.

Emiliano Aguado ha desempeñado la crítica teatral en el diario madrileño *Pueblo.*

Otra obra: *Job estaba solo*—Madrid, 1963.

AGUAYO, Fray Alberto de.

Erudito y poeta español. 1469-1525. Se conocen escasos datos de su vida. Fue—1492—, apenas terminada la conquista de la ciudad por los Reyes Católicos, primer prior del convento de Santa Cruz la Real, de Granada.

Su nombre ha pasado a la posteridad por su magnífica traducción—1518—de la *Consolación,* de Boecio; traducción—mejor la prosa que el verso—que, según el también dominico P. Luis A. Getino, "tiene el mérito de ser el primer libro de prosa castellana medida".

Edición: P. Luis G. Alonso Getino, Madrid, s. a.

AGUILAR, Gaspar de.

Poeta y autor dramático muy notable. Nació—1561—y murió—1623—en Valencia. Hijo de un rico pasamanero valenciano. Y se casó —1587—, muy a disgusto de sus padres, con Luisa Peralta, hija de un sastre. Fue secretario del conde de Sinarcas, y poco después —1599—del duque de Gandía. Fundó con otros varios escritores la famosa "Academia de los Nocturnos", en la que adoptó el seudónimo de *Sombra.* Con motivo del casamiento de Felipe III con Margarita de Austria, escribió y publicó—Valencia, 1599—las *Fiestas nupciales que la ciudad de Valencia hizo al casamiento...,* relación casi poemática de mucho interés. En 1608 publicó otra relación a las *Fiestas... a San Luis Beltrán,* y poco después—1610—un poema histórico, *Expulsión de los moros de España.* Antes —¿1598?—había escrito una *Vida de San José* en verso. En 1619 fue secretario del Jurado para la fiesta de poesía que se celebró por la beatificación de Tomás de Villanueva, escribiendo la *Introducción, vexamen y sentencia.*

En la boda de sus señores los duques de Gandía presentó su notabilísima *Fábula de Endimión y la Luna,* epitalamio en deliciosas quintillas, que, mal interpretado por los duques, le costó a Gaspar de Aguilar su cargo. Fue tal la impresión recibida por este, que a poco enfermó y murió. Fue enterrado de caridad.

Cervantes, en su *Viaje del Parnaso,* pónele en la "famosa Junta que el Turia cría en sus riberas", con Guillén de Castro, Cristóbal de Virués y Ferrer de Cardona. Lope le encomió en *La Filomena* y en el *Laurel de Apolo.* Y Tárrega, en el *Vejamen:*

> De Aguilar los versos bellos
> son los mejores que vi.
> ¿Qué envidia podrá mordellos,
> si no es que se siente aquí
> él mismo y diga mal de ellos?

De las obras dramáticas de Aguilar ha dicho el fino escritor Martí-Grajales: "Caracteres bien sostenidos, diálogo natural y sin afectación, dicción castiza exenta de conceptismos y ampulosidades, descripciones notables por su verdad y pensamientos bellísimos..., expresados con esa difícil facilidad que solo se encuentra en los talentos privilegiados."

A

Como dramático, se encuentra en los iniciadores de la escuela de Lope de Vega.

Entre sus comedias *religiosas* destacan: *La vida y muerte de San Luis Beltrán* —1608—, *El gran Patriarca San Juan de Ribera;* entre las de *ruido o aparato: Amantes de Cartago*—1614—y *La gitana melancólica*—1608—; entre las de *capa y espada: La venganza honrosa*—1615—, *El mercader amante*—1616—y *La fuerza del interés*—1616.

Otras obras teatrales: *Las amenidades del soñar, El caballero del Sacramento, El crisol de la verdad, La suerte sin esperanza, La nuera humilde...*

Obras no escénicas: *De la excelencia del perro, Discursos* en la "Academia de los Nocturnos", *De la excelencia de los convites, En alabanza de la poesía, De las grandezas de la oración.*

Textos: *Comedias,* en el tomo XLIII de la "Biblioteca de Autores Españoles"; *Poesías,* edición E. Mele, en *Bulletin Hispanique,* 1901, III, 330; *Fiestas nupciales,* ed. Martí-Grajales, Valencia, 1910; *Fiestas... a San Luis Beltrán,* ed. Carreres Vallo, Valencia, 1914.

V. Martí-Grajales, F.: *Gaspar de Aguilar.* En el *Cancionero* de la "Academia de los Nocturnos", parte II, Valencia, 1906, 167-206.—Martí-Grajales, F.: *Poetas valencianos. Rimas inéditas de Gaspar de Aguilar.* Burdeos, 1901.—Mérimée, Henri: *Sur la biographie de Gaspar de Aguilar,* en *Bulletin Hispanique,* VIII, 1906.—Juliá, Eduardo: *El teatro en Valencia,* en *Boletín de la Academia Española,* 1926, XIII.—Mele, E.: Edición de *Poesías,* en *Bulletin Hispanique,* 1901, III.

AGUILAR, Santiago.

Literato español. Nació en Villanueva de Gállego (Zaragoza) el 3 de octubre de 1899, para ser trasladado a Madrid cuando cumplía los cuatro años de edad. Teniendo ocho años trazó un primer libro de impresiones íntimas, titulado *El libro de los jóvenes,* y a los doce obtenía accésit en el concurso literario de *La Novela de Bolsillo,* de Madrid, por su novela corta titulada *Reliquia.* A los catorce estrenó en el Coliseo de Lavapiés, de Madrid, su comedia en dos actos titulada *Redimirse.* A los veinticuatro estrenó en los teatros de la Princesa—hoy María Guerrero—y de la Comedia, sucesivamente, sus zarzuelas tituladas *Malena* y *Palmira,* y en el teatro del Círculo de Bellas Artes, sus *ballets* líricos *Travesura de Pierrot* y *Gitanesca.* En el año 1936 estrenó en el teatro del Centro—hoy Calderón—, de Madrid, la ópera sacra de gran espectáculo *Christus,* de que fue protagonista el tenor Miguel Fleta. El éxito fue clamoroso. Es autor de la ópera, todavía inédita, *Galatea,* con partitura del maestro Jacinto Guerrero, que esperaba estrenarla en la reinauguración del teatro Real, cuando le sorprendió la muerte.

Ha publicado *El genio del séptimo arte (Apología de Charlot),* con diecisiete ediciones en Buenos Aires; *Danielle Darrieux. Su vida y su arte,* y otros libros de tema cinematográfico, más un libro de arte, titulado *Aguafuertes de Castro-Gil* (Sensacionario), recibido por la crítica como una obra literaria maestra en su género.

Poeta inspirado y escritor de vasta cultura, con dominio absoluto del lenguaje, sus mejores obras están inéditas aún, como sus *Sensacionarios* (prosa) y sus poemas de temas variadísimos.

Ejerció la crítica cinematográfica en el diario madrileño *Ahora*—donde firmó también artículos de turismo—, y luego fundó, con Antonio Valero de Bernabé, la revista ilustrada *Cinedramas,* de Madrid.

AGUILAR CATENA, Juan.

Novelista español de mucho público. Nació—1888—en Ubeda (Jaén). Murió—1965—en Madrid. Jefe de Administración en el Ministerio de Hacienda. Fue también secretario particular—entre 1910 y 1930—de casi todos los ministros de Hacienda. Colaborador de los principales diarios y revistas. Redactor de *La Acción,* de Madrid, de 1916 a 1922. Excelente cuentista, de la mejor escuela española. Dueño de un estilo castizo. Muy colorista en las descripciones.

Sus mejores novelas son: *Los enigmas de María Luz*—1919—, *Herida en el vuelo* —1921—, *Disciplina de amor*—1923—, *Nuestro amigo Juan*—1924—, *La ternura infinita* —1926—, *Un soltero difícil*—1928—, *¡Va todo!*—1929—, *Dos noches*—1930—, *Ursula, examíname; ¡Ahí va ese niño!, Lo que yo haría*—1947—... A partir de 1935, Aguilar Catena cultiva ese género de novela calificado de *rosa,* que tantos lectores tiene—¡desdichadamente!—entre los espíritus mediocres. Y es una lástima, porque Aguilar Catena tenía condiciones relevantes de buen novelista, de la mejor tradición realista española.

Aguilar Catena intentó el teatro con mucha menor fortuna que la novela. En 1925 estrenó—en colaboración con Arniches—, en el teatro Fontalba, de Madrid, *El tío Quico.* Tres años después, en el teatro Poliorama, de Barcelona, una adaptación escénica de su novela *Un soltero difícil.*

Próspero—1925—es un bello libro de narraciones infantiles, con el que Aguilar Catena confirma su buena traza de cuentista.

V. Entrambasaguas, Joaquín de: *Las mejores novelas contemporáneas* (1920-1924). Barcelona, Planeta, 1960, págs. 929-953. (Contiene una bibliografía exhaustiva.)

AGUILERA GARCÍA, Emiliano M.

Historiador y crítico de arte, periodista y abogado. Nació en Madrid el 9 de abril de 1905. Hizo sus primeros estudios con los Padres Jesuitas, sin llegar a concluir el bachillerato con los mismos. Cursó libre los últimos años de este y toda la carrera de Leyes, alternando todo ello con la colaboración como dibujante caricaturista en varias revistas de humor y luego con el periodismo en general. Perteneció a la Redacción de *El Socialista* como crítico de Arte, ejerciendo también por algún tiempo la crítica teatral. Fue redactor jefe de *Renovación,* y después director. Colaboró en *Heraldo de Madrid, El Liberal* y otros diarios madrileños y de provincias, así como desde París, y en 1939 y 1940, en *La Nación* y en *La Vanguardia,* de Buenos Aires, tratando casi siempre de temas de Arte. Viene colaborando, así mismo, en *Lecturas,* en *Destino* y otras revistas literarias, ya con su nombre, ya con el seudónimo de *Ignacio de Beryes.* Y ha colaborado, en fin, en varias publicaciones especializadas, como *Arte Español,* la *Gaceta de Bellas Artes, Museum* y la *Revista de la Biblioteca, Archivo y Museo del Ayuntamiento de Madrid.* En 1931 obtuvo el "Premio Marqués de Luca de Tena" por una crónica de Arte, y en ese mismo· año entró a formar parte de los Patronatos del Museo Municipal, de Madrid, y del Museo del Traje, en cuya organización tomó parte muy activa, siendo nombrado finalmente subdirector del mismo. Más tarde fue nombrado también miembro del Patronato del Museo Nacional del Pueblo Español y jurado de los Concursos nacionales (Sección de Pintura) y de las Exposiciones de Bellas Artes (Sección de Grabado). Por último, en 1935 se le nombró profesor de Teoría e Historia de las Artes Gráficas en la Escuela Nacional de las mismas, de Madrid. Marchó en 1939 a Francia, donde ha permanecido hasta 1943.

Aparte de varias breves monografías sobre *El Greco, Goya, Romero de Torres, Sorolla, Soria Aedo* y *Julio Moisés,* publicadas entre 1931 y 1933, es autor de las obras siguientes: *El desnudo en el Arte*—1932—, *Las fábricas de tapices madrileñas*—1934—, *La porcelana del Buen Retiro en el Museo Municipal de Madrid*—1934—, *El desnudo en la Pintura española*—1935—, *Las pinturas negras de Goya*—1935—, *Ignacio Zuloaga: Su vida, su obra, su arte*—1936—, *Murillo*—1946—, *Pintores españoles del siglo XVIII*—1946—, *Vicente López*—1946—, *Eduardo Rosales* —1947—y *Pasión y tragedia de Isadora Duncan*—1947—. Con el seudónimo de *Ignacio de Beryes* ha publicado: *Ignacio Zuloaga o una manera de ver a España*—1944—, *El Greco*—1944—, *Rubens*—1944—, *La vida y*

los *cuadros de Goya*—1945—, *Dibujos y grabados de Goya*—1946—e *Historia de la Danza*—1946—, la primera que ha aparecido en España y muy elogiada por la crítica. Y con el seudónimo de *Marcelo Abril* ha publicado así mismo: *Julio Romero de Torres o el secreto de Córdoba*—1945—y *Joaquín Sorolla o la plena luz en nuestra pintura*—1945—. También tiene algunas traducciones de Paul Reboux y André Maurois.

AGUILÓ, Tomás.

Nació y murió en Palma de Mallorca (1812-1884). Poeta lírico muy notable; de un romanticismo profundo y suavemente expresivo, que recuerda lo más íntimo de Heine y de Lamartine; de una religiosidad honda y muy emotiva. Fue uno de los iniciadores del renamiento literario en Baleares. Periodista insigne, fundó *La Palma* y colaboró en las revistas *La Fe* y *La Unidad Católica.*

Las mejores de sus poesías se conservan en sus libros *Rimas varias*—1846—, *Poesías fantásticas, Melodías hebraicas* y *Mallorca poética*—colección de leyendas.

Críticos como Menéndez Pelayo, Milá y Fontanals y Madrazo elogiaron con entusiasmo a este pôeta, considerándole muy próximo a sus modelos.

V. SANTOS OLIVIER, M.: *Historia de la Literatura en Mallorca.* Palma, 1903.—SAINZ DE ROBLES, F. C.: *Historia y antología de la Poesía española.* Madrid; Aguilar, 1950, segunda edición.

AGUILÓ Y FÚSTER, Mariano.

Poeta y bibliófilo. Nació en Palma de Mallorca—1825—. Murió en Barcelona—1897—. Abogado muy popular. Fue uno de los iniciadores del renacimiento de la lengua catalana. Dirigió desde 1861 la Biblioteca Provincial Universitaria de Barcelona.

La Biblioteca Nacional premió—1860—su *Bibliografía catalana.*

Como poeta lírico, fue Aguiló y Fúster escasamente romántico, pero muy delicado y profundo. Mucho más poetizó en mallorquín y catalán que en castellano. *L'enteniment y l'amor, Esperança, Amorosas, Libre de la mort* y *Fochs follets* son sus más interesantes colecciones de versos. En 1866 fue proclamado *Mestre en Gay Saber.* Mosén Cinto Verdaguer se honró en llamarle su discípulo.

V. SANTOS OLIVER, Miguel: *Historia de la literatura en Mallorca.* Palma, 1903.

AGUINIS, Marcos.

Novelista argentino, de raza israelita. Nació en 1935. Estudió medicina en la Universidad de Buenos Aires. En la actualidad ejerce de médico cirujano en Ríos Cuarto, pueblo de la serranía en la provincia argentina de Córdoba. Es, además de escritor, un gran artista concertista de piano. Solo muy de tarde en tarde sale de su rincón amado para llegarse a Buenos Aires. En 1970 ganó el "Premio Planeta" para novela, con cuantía de un millón doscientas mil pesetas, otorgado por una editorial española. Su novela premiada lleva el título *La cruz invertida,* y su tema es como una panorámica social de su tiempo: comunistas, revolucionarios, estudiantes protestatarios, rameras, huelgas, represiones policiacas, luchas por distintas ideologías...

Otras obras: *Refugiados*—novela—, *Maimónides*—ensayo filosófico.

AGUIRRE, Juan Bautista.

Poeta, teólogo y médico ecuatoriano. 1725-1786. Nació en Daule. Ingresó en la Compañía de Jesús, de la que fue una de las figuras más eminentes. En su patria está considerado como uno de los mejores poetas americanos de su siglo. Vivió mucho tiempo en España y en Roma, siendo consultor de muchos cardenales y del Pontífice Pío VII.

Obras: *San Ignacio de Loyola*—poema—, *Versos castellanos, Misceláneas, Tratado polémico-dogmático.*

V. BARRERA, Isaac: *La literatura ecuatoriana.* Quito, 1926, 2.ª ed.—MENÉNDEZ PELAYO, M.: *Historia de la poesía hispanoamericana.* Madrid, 1913.

AGUIRRE, Nataniel.

Poeta, novelista, autor teatral boliviano. 1842-1888. Nació en Cochabamba. Estudió en su ciudad natal. Escribió en los periódicos. Viajó. Intervino moderadamente en la política. En ninguna de tales actividades llegó a triunfar. Y es que Nataniel Aguirre no fue sino un literato. Su única ilusión fue la literatura. Y para la literatura entregó todos los valores de su espíritu. Figura clásica de nuestras letras—escribe Díez de Medina—, que se impone por la clara inteligencia y el gusto depurado que preside sus trabajos literarios. Nuestros críticos mecanicistas—diré mejor criticastros—, que se empeñan en desmontar prolijamente los elementos estructurales de un poema, de un relato, de un ensayo, desconociendo la unidad orgánica, subjetiva, de la obra de arte, probablemente encontrarán en Nataniel Aguirre los defectos que con tal criterio se hallarán aun en los grandes maestros; pero aquel que sepa distinguir entre fiscalía literaria y valoración poética, verá en el cautivador novelista cochabambino las condiciones primordiales del creador artista: verdad, unidad, proporción, belleza, sentido del color y del matiz. Frente a la pequeñez del analista, la visión integradora, vivaz, del componedor de mundos espirituales. Saber sentir, saber expresar, es toda la estética del genuino escritor. Y por ella se guía Nataniel Aguirre. Romántico en sus poesías y en sus dramas históricos sobre la independencia del Perú y de México; colorista al modo de Gautier en *La bellísima Floriana,* hermosa tradición potosina, Aguirre condensa su fuerza creadora en *Juan de la Rosa,* novela impar en las letras sudamericanas."

En efecto, *Juan de la Rosa,* subtitulada *Memorias del último soldado de la independencia,* magnífica pintura de la época de la epopeya emancipadora, es todavía la mejor novela boliviana. Obra humanísima y patética, difícil será superarla en la nobleza del tema y en los primores del estilo.

Edición: *Obras* de N. A., París, Viuda de Charles Bouret, 1911.

V. DÍEZ DE MEDINA, Fernando: *Perfil de la literatura boliviana,* en *Thunupa,* La Paz, 1947.—FINOT, Enrique: *Historia de la literatura boliviana.* México, 1943.—OTERO, Gustavo Adolfo: *Literatura boliviana,* en el tomo XII de la *Historia universal de la literatura,* de Prampolini. Buenos Aires, Uteha Argentina, 1941.

AGUIRRE BELLVER, Joaquín.

Nació—1929—en Madrid. Estudió bachillerato en el Colegio Calasancio y en el Instituto Cervantes. Licenciado en lenguas románicas por la Universidad de su ciudad natal. Siguió los cursos en la Escuela Oficial de Periodismo. Desde 1954 colabora en diarios y revistas con cuentos y crónicas. Redactor del diario *Pueblo.* Ha sido crítico de cine. Director literario de *La ballena alegre.*

Muy culto, extraordinariamente capacitado para abordar la novela, ha preferido hasta hoy dedicarse a la literatura infantil, dedicación delicada y dificilísima, en la que ha ganado fama.

Obras: *Miguelín: aventura en la aldea* —Madrid, 1959—, *Juglar del Cid*—Madrid, 1960, "Premio Lazarillo"—, *El bordón y la estrella*—Madrid, 1961, "Premio al libro de mayores valores religiosos" otorgado por la Comisión Católica de la Infancia—, *El caballo de madera*—Madrid, 1963—, *El tesoro del capitán Tornado.*

AGUSTÍ, Ignacio.

Notable poeta, novelista y periodista español. Nació—1913—en Llissá de Vall (Barcelona). Estudió el bachillerato en los Jesuitas y la licenciatura de Derecho en la Universidad barcelonesa. Desde muy joven colaboró en revistas y periódicos catalanes y compuso poesías en lengua vernácula. Viajó por Europa, y con sus impresiones viajeras redactó bellas crónicas de un lirismo templado, pero de hondas raíces. En 1942 fue nombrado corresponsal del gran diario barcelonés *La Vanguardia* en Zurich y en Berna —1943—. Desde 1944 dirigió en Barcelona el gran semanario *Destino,* donde publicó admirables artículos hasta 1956.

En plena adolescencia publicó Agustí un libro de poemas en catalán, titulado *El velero.* Y en 1942, en la selecta revista de Madrid *Escorial,* una colección de poemas en castellano.

Como poeta, Ignacio Agustí puede quedar adscrito al modernismo *menos rubeniano,* al que ya enraíza en un neopopularismo delicado e íntimo, con una musicalidad deliciosa, no demasiado concreta.

Pero vale más Agustí como novelista. Sus narraciones *Mariona Rebull*—1943—, *El viudo Rius*—1944—, *Desiderio*—1957—y *El 19 de julio*—1965—(que forman parte del ciclo *La ceniza fue árbol),* concretan un autor hecho, dueño de un realismo impresionante y de una técnica perfecta. Entre los actuales autores españoles del género narrativo, ninguno excede a Ignacio Agustí en la fina observación y en el patetismo temático. "Premio Nacional Miguel de Cervantes, 1965", para novela, por *El 19 de Julio.*

V. Nora, Eugenio G.: *La novela española contemporánea.* Madrid, Ed. Gredos, 1962, tomo II bis, págs. 130-139.—Torrente Ballester, G.: *Panorama de la literatura española contemporánea.* Madrid, Ed. Guadarrama, 1962, pág. 428.—Alborg, José Luis: *Hora actual de la novela española.* Madrid, Taurus, 1958, tomo I, págs. 115-124.

AGUSTÍN, Antonio.

Erudito famoso. Nació en Zaragoza —1517—. Murió en Tarragona—1586—, siendo arzobispo reverenciado en esta archidiócesis. Perteneció a una familia de ilustre linaje. Estudió dos años en Alcalá de Henares, siete en Salamanca y cinco en las aulas de Bolonia y Florencia. Su vasta erudición le puso en relación con los hombres más ilustres de su época. Paulo III le nombró auditor de la Rota, y Julio III, que le tuvo de consejero íntimo, nuncio en Inglaterra. Paulo IV le envió al frente de una Comisión cerca del emperador Fernando I de Alemania. Felipe II le nombró obispo de Lérida, primero, y después, arzobispo de Tarragona. Brilló por su elocuencia singular y por sus inmensos conocimientos en el famosísimo Concilio Tridentino.

Entre sus numerosísimas obras, excelentes en el método y en la doctrina, figuran: los *Diálogos de las medallas, inscripciones y otras antigüedades*—Tarragona, 1587—, *Los libros de las correcciones y opiniones del Derecho civil*—Lyón, 1544—, *Leges Rhodiurum navales, Antiquae collectiones decretalium cum notis eruditis*—Lérida, 1576—, *Historia Conciliorum, Diálogo de los linages de España, Fragmenta veterum historicorum*—Madrid, 1595—, *Epístolas varias.*

V. Arco, Ricardo del: *El arzobispo don Antonio Agustín* (Nuevos datos para su biografía). Tarragona, 1910.

AGUSTINI, Delmira.

Gran poetisa. 1890-1914. Del Uruguay. Tuvo una infancia maravillosa, ya que en el hogar paterno encontró un clima espiritual y comprensivo, distante de toda vulgaridad. Era inmensamente feliz esta deliciosa criatura, precoz de inteligencia y de sensibilidad, intuitiva y autodidacta, llena de gracia, de sinceridad y de fantasía. Incomprensiblemente se casó con un hombre que la amaba, pero que no la comprendía, ya que era aburguesado y común. Separados los cónyuges al poco tiempo, Delmira volvió a su hogar paterno a rehacer su existencia. Pero el marido la atrajo a una cita para matarla y suicidarse a su lado. Prestigio de escándalo periodístico tuvo su muerte. Pero su fama universal como poetisa de excepción ha acabado por matar el escándalo.

"Mujer hermosa y singular—retrata Solar Correa—, sangre gitana en rubio vaso teutónico. Al decir de quien la conoció, sus grandes ojos azules, absortos siempre en ideales lontananzas, una vez que se veían, ya no se olvidaban más... Nunca tuvo, ni aun en los primeros años de su infancia, otros gustos que la música clásica y los versos. Cerebral y sensitiva, D'Annunzio llegó a ser su ídolo, dilección que se refleja en su obra plena de vehemencias, voluptuosidades y raras exquisiteces femeninas. El alma de la poetisa, alucinada por el Amor, la Belleza y el Ensueño, y torturada por sutiles filosofías, surge de ella—desnuda—con el sencillo impudor de un mármol de Praxiteles."

"Alma sin velos y corazón de flor" la llamó Rubén Darío. Su líbido fue un anhelo de idealidad insaciable.

"El alma pedía a la vida su don último, más intenso y puro de cuanto ella puede ofrecer, mientras el corazón manifiesta el furor de vivir por los sentidos, en una tensión dolorosa de la carne. Forma e imágenes tradujeron esa aspiración y expectativa. La gloria de ella acaso se deba no tanto a la forma, siempre transitoria, cuanto a la genialidad de su temperamento. Más alto aún que la orquestación de sus hallazgos verbales, llega el clamor de sinceridad enraizado en los planos de lo erótico por la poetisa." (Leguizamón).

Acaso sublimó tanto su acento una dolorosa insatisfacción de cuanto vivía. Su sinceridad impresionante, la angustia con que can-

A

tó un trasmundo de delirio, son las que le han conseguido una altísima jerarquía lírica.

Obras: *El libro blanco* (poesías)—Montevideo, 1909—, *Cantos a la mañana*—1910—, *Los cálices vacíos*—1913—, *El rosario de Eros*—1914—, *Poesías completas*—Buenos Aires, ed. Losada, 1944.

V. MONTERO BUSTAMANTE, R.: *El Uruguay a través de un siglo.*—ZUM FELDE, Alberto: *Prólogo* al tomo de *Poesías completas*. Buenos Aires, 1944.—ZUM FELDE, Alberto: *Indice de la poesía uruguaya contemporánea*. Santiago, 1934.—ZUM FELDE, Alberto: *La literatura del Uruguay*. Buenos Aires, 1939.—GONZÁLEZ RUANO, César: *Poetisas modernas*. Madrid, 1924.—SUÁREZ CALIMANO, Emilio: *El narcisismo en la poesía femenina de Hispanoamérica*. Buenos Aires, 1931.

AICARDO, José Manuel.

Crítico literario excelente. Jesuita. Nacido hacia 1860. Ingresó en la Orden ignaciana en 1876. Al fundarse la famosa revista *Razón y Fe,* se le confió la sección de crítica literaria, en cuyo desempeño se ha mostrado agudo, cultísimo, aun cuando un tanto intransigente y partidista.

Son sus obras principales: *Autos anteriores a Lope*—1903—, *En torno a Lope*—1904 a 1907—, *De literatura contemporánea*—Madrid, 1905—, *Palabras y acepciones castellanas omitidas en el Diccionario académico* —Madrid, 1906.

AIMERICH, Padre Mateo (v. Aymerich).

AIRAS, Joan.

Poeta gallego del siglo XIII, y, según el Cancionero, "burgués de Santiago". Durante gran parte de su vida debió entreverar la poesía con el negocio, ya que en 1222 firmó como *mercader* en distintos documentos. No debió de permitirle su condición aventurera permanecer quieto en alguna parte, ya que vivió en Castilla como miembro de la corte literaria de Alfonso X, y también perteneció al círculo poético del portugués don Denis.

Joan Airas es de los más fecundos líricos de su época. Dejó cincuenta "cantigas d'amigo", veinticinco de amor, diez de burlas, varios tensones y pastorelas. Sin embargo, es preciso señalar que a tanta fecundidad no corresponde una gran calidad. En las composiciones de Joan Airas abundan los prosaísmos, los decaimientos de inspiración y de forma.

Ediciones: *Cancioneiro portuguez da Vaticana*. Monaci, 1871; Th. Braga, 1878.

V. LÓPEZ FERREIRO, A.: *Historia de la S. I. Catedral de Santiago*. Santiago, 1902, tomo V, cap. X.—MOURIÑO, P. José: *La literatura medieval en Galicia*. Madrid, 1929.— FILGUEIRA VALVERDE, José: *Lírica medieval gallega y portuguesa*, en el tomo I de la *Historia general de las literaturas hispánicas*. Barcelona, 1949.—GASSNER, Armin: *Zwanzig Lieder des Joan Ayras de Santiago*, en *Miscelánea de estudos en honra de doña Carolina Michaëlis de Vasconcellos*. Coimbra, Imprenta da Universidade, 1933.

AIRAS NUNES.

Poeta gallego del siglo XIII. Se ignora el lugar de su nacimiento. Fue clérigo y perteneció a la casa arzobispal de Santiago. Estuvo presente en la peregrinación que hizo a Compostela—1233—el rey San Fernando. Se incorporó a la corte literaria de Alfonso X, y aun debió de ser uno de los colaboradores de este monarca, ya que su nombre se lee al margen de la CCXXIII *Cantiga de Santa María.*

"Recorrió todos los géneros... El temperamento lírico que revelan sus *cantigas d'amigo* o la pastorela, que engarza cantarcillos vulgares, no ahogaba al razonador del amor, al humorista de las parodias épicas ni al satírico que sale en un serventesio buscando la verdad por todas partes, y ya no puede hallarla ni en la Compostela de las peregrinaciones. Airas Nunes anticipó aquel *doce estilo* que tantas perplejidades había de costar a Sa de Miranda." (Filgueira Valverde.)

Ediciones: *Cancioneiro portuguez da Vaticana,* ed. Monaci, 1871; ed. Th. Braga, 1878.

V. LÓPEZ FERREIRO, A.: *Historia de la S. I. Catedral de Santiago*. Santiago, 1902, tomo V, cap. X.—MOURIÑO, P. José: *La literatura medieval en Galicia*. Madrid, 1929.— FILGUEIRA VALVERDE, José: *Lírica medieval gallega y portuguesa*, en el tomo I de la *Historia general de las literaturas hispánicas*. Barcelona, 1949.—PLACER, Fr. Gumersindo: *Airas Nunes,* en el *Boletín de la Real Academia Gallega,* 1943, XXIII, págs. 411-431.

ALAMÁN, Lucas.

Historiador y prosista mexicano. Nació —1792—en Guanajuato y murió—1853—en México. Según opinión unánime de la crítica mexicana, fue el mejor prosista de su tiempo. Doctor en Ciencias Naturales y Filosofía y Letras. Realizó un largo viaje por Europa, de donde regresó dominando el francés, el inglés, el alemán, el italiano y el griego. Su vastísima cultura era el caso más admirable en su país y en su época. Representó a Guanajuato como diputado en las Cortes españolas, y después de la Independencia y caída de Iturbide, fue secretario de Relaciones Extranjeras varias veces. Mantuvo siempre ideas conservadoras.

Sus libros asombran por la pureza y brillantez de su prosa, por la singularidad de su estilo y por la verdad de sus razonamientos. Acaso enturbia el rigor histórico de Alamán cierto apasionado partidismo, del que jamás logró desprenderse. Así que si sus afirmaciones y su orientación pueden ser discutidos, no pueden serlo sus valores literarios ni su enorme erudición, bien digerida y asimilada.

Obras: *Disertaciones sobre la historia de México, Historia de México,* desde 1803 a 1852.

V. GONZÁLEZ PEÑA, Carlos: *Historia de la literatura mexicana.* México, 1928.—JIMÉNEZ RUEDA, J.: *Historia de la literatura mexicana.* México, 1926.—PIMENTEL, F.: *Historia crítica de la literatura en México.* México, 1883.—REYES, Alfonso; JIMÉNEZ RUEDA y otros: *Literatura de México,* en el tomo XII de la *Historia universal de la literatura,* de Prampolini. Buenos Aires, Uteha Argentina, 1941.

ÁLAMOS BARRIENTOS, Baltasar.

Jurisconsulto, historiador y filólogo. Nació en Medina del Campo—1535—. Murió en Madrid—¿1624?—. Fue gran amigo del poderoso ministro de Felipe II Antonio Pérez. Al huir este a Francia, Barrientos fue apresado y permaneció en prisión durante once años. Felipe III mandó libertarle y le colmó de honores por la influencia del duque de Lerma, favorito de este monarca. También sirvió Barrientos a Olivares, valido de Felipe IV. Indudablemente, tenía Barrientos una gran afición a ser "privado de privados".

Dejó escritas, entre otras de menos importancia, estas obras: *El conquistador,* unos *Aforismos políticos sobre Cornelio Tácito* y un *Discurso al rey... con algunas advertencias sobre el modo de proceder y gobernar.*

ALARCÓN, Abel.

Literato y político boliviano. Nació—1881—en La Paz. Estudió en el Seminario y en la Universidad de su ciudad natal. Doctor en Derecho y en Ciencias Políticas. Director de la Biblioteca Nacional. Senador. Director de Archivos y jefe de la Sección Consular del Ministerio de Negocios Extranjeros. Asistente secretario de Instrucción Pública.

Abel Alarcón es un excelente novelista, de sabor netamente patrio, dueño de la emoción realista, fino pintor de ambientes y de paisajes. Y también es un buen lírico, ajeno a todas las extravagancias en uso.

Obras: *Pupilas y cabelleras* (poemas)—La Paz, 1904—, *De mi tierra y de mi alma* (cuentos)—La Paz, 1906—, *Insomnio* (prosas), *El Imperio del Sol* (poesías)—La Paz, 1909—, *La literatura boliviana: 1545-1916*—en *Revue Hispanique,* Nueva York, 1916—, *En la Corte de Yahuar-Huacac* (novela incásica), *Relicario*

(poemas)—La Paz, 1919—, *Erase una vez...*

V. FINOT, Enrique: *Historia de la literatura boliviana.* México, Porrúa, 1943.—OTERO, Gustavo Adolfo: *La literatura de Bolivia,* en el tomo XII de la *Historia universal de la literatura,* de Prampolini. Buenos Aires, Uteha Argentina, 1941.—DÍEZ DE MEDINA, Fernando: *Perfil de la literatura boliviana,* en *Thunupa,* La Paz, 1947.

ALARCÓN, Antonia de.

Poetisa madrileña del siglo XVII. Autora de una *Glosa a San Ignacio,* que figura en la *Relación* de las fiestas de su canonización; de otra *Glosa de San Isidro* y de una tercera *Glosa a la muerte de Felipe III.* En estas composiciones está patente el gongorismo más desequilibrado.

V. SERRANO SANZ, Manuel: *... Escritoras españolas.* Madrid, 1903, tomo I.

ALARCÓN, Arcángel de.

Poeta español de fines de la centuria dieciséis. Fraile capuchino. Publicó varias obras, algunas de ellas de no escasos méritos: *Vergel de plantas divinas en varios metros espirituales*—Barcelona, 1594—, *Triunfo virginal* —poema en diez cantos—, *Vida de Santa Ana,* y un poema épico sobre San Francisco.

V. TICKNOR: *History of Spanish literature.* Tomo III.

ALARCÓN, Pedro Antonio de.

Poeta, novelista y cronista muy notable. Hijo de familia pobre y distinguida, nació en Guadix (Granada)—10 de marzo de 1833—. Murió en Madrid—10 de julio de 1891—. Un franciscano exclaustrado le enseñó Filosofía. Se graduó de bachiller, a los catorce años, en su ciudad natal. Ingresó en el Seminario de Guadix, alternando los estudios eclesiásticos con la escritura de sus primeros versos, artículos y novelitas. Con su paisano el folletinista Torcuato Tárrago, fundó la revista *El Eco de Occidente.* Abandonó el Seminario y la casa paterna para fugarse a Madrid. Habiendo caído soldado, regresó a Granada, donde se reconcilió con sus padres. Removido por mil ideas subversivas, entusiasmado por la sublevación militar de Vicálvaro (Madrid), Alarcón, joven apasionado de veinte años, se puso al frente del movimiento insurreccional granadino, desafiando impávido a fuerzas tan poderosas como el clero, la milicia nacional y el ejército. Nuevamente en Madrid, se encargó de la dirección de *El Látigo,* periodiquillo anticlerical y antidinástico. Nota curiosa: Alarcón quedó consagrado *demagogo notable y oficial* el mismo día en que dejó de serlo: el día en que *renació* gracias a la

A

nobleza del escritor Heriberto García de
Quevedo. Planteado un duelo a pistola entre
Quevedo y Alarcón, falló este su disparo, y
aquel disparó al aire con un gesto caballeresco. Conmovido *hasta las raíces,* Alarcón marchó a Segovia, a cencerros tapados,
para librarse de los apremios cortesanos y
poder dedicarse por completo a la literatura.

Sobrevino la guerra de Africa (1859-1860),
y Alarcón sentó plaza como soldado en el
batallón de Cazadores de Ciudad Rodrigo;
incorporado al Cuartel general, ganó la cruz
de San Fernando.

Con una serie de cartas que escribió aprovechando horas robadas al sueño, formó su
famosísimo y ameno *Diario de un testigo
en la guerra de Africa*—1860—, obra llena
de espontaneidad y de patriotismo, que popularizó su nombre en toda España.

Dos veces fue elegido Alarcón diputado a
Cortes por Guadix. El Gobierno provisional
—1869—le nombró ministro plenipotenciario en Suecia y Noruega, cargo que él no
aceptó. Un viaje por Italia le inspiró otro
libro extenso, lleno de enjundia arqueológica y de gracia narrativa: el titulado *De
Madrid a Nápoles.* En 1874 Alarcón defendió
la restauración de don Alfonso XII. Y en 1875
fue nombrado consejero de Estado. Desde
esta fecha abandonó por completo la agitada
vida política y se dedicó con fervor a la
literatura. Perteneció Alarcón a la célebre
Cuerda Granadina, asociación de jóvenes literatos y artistas, cuya mayoría había de hacerse famosa. Y colaboró en los periódicos más
importantes de su época: *La Epoca, La América, El Criterio, La Ilustración, El Semanario Pintoresco, El Correo de Ultramar, El
Museo Universal...* El 25 de febrero de 1877
leyó su discurso de ingreso ante la Real Academia Española de la Lengua.

Las obras más importantes de Pedro Antonio de Alarcón son:

El hijo pródigo, drama, estrenado en 1857.

*Diario de un testigo en la guerra de Afri-
ca*—1860.

De Madrid a Nápoles—1861.

El final de Norma—1861—(novela). (Alarcón afirma que la escribió en 1855.)

Cuentos amatorios. (Escritos en distintas
épocas. Madrid, 1881.)

Historietas nacionales. (Escritas en distintos años. Madrid, 1881.)

Narraciones inverosímiles. (Escritas en diferentes fechas. Madrid, 1881.)

La Alpujarra—1873.

El sombrero de tres picos (novela)—1875.

El capitán Veneno (novela)—1881.

El escándalo (novela)—1875.

El Niño de la Bola (novela)—1880.

La pródiga (novela)—1880.

Cosas que fueron—1882.

Viajes por España—1883.

Poesías serias y humorísticas—1873.

Juicios literarios y artísticos—1873.

Historia de mis libros—1889.

Ultimos escritos—1889.

Todos los libros de Alarcón se editaron
por vez primera en Madrid. Y muchos de
ellos han sido traducidos repetidamente a
diferentes idiomas. Y todos reimpresos veces
innumerables.

Ni como poeta ni como dramaturgo tiene
Alarcón importancia. Sus poesías, sin inspiración y con "vieja y rancia música neoclásica", pecan de frías. A su teatro le falta
nervio y novedad, y, cosa rara en quien tanto la derrochó en sus novelas y cuentos,
naturalidad.

Alarcón fue un admirable cronista, un novelista excepcional y un cuentista de los
más grandes de que puede gloriarse la literatura española. Imaginación, patetismo, garbo expresivo, interés humano rezuman sus
narraciones breves: *Moros y cristianos, El
clavo, Los ojos negros, El amigo de la muerte,
Los seis velos, El ángel de la guarda, El carbonero alcalde, La comendadora, La buenaventura...*

"El rey de los cuentos españoles" ha llamado la condesa de Pardo Bazán a *El sombrero de tres picos.* Afirmación nada atrevida, pues que Cervantes no hubiera desdeñado haberlo escrito y aun hubiéralo estimado a la par de sus mejores "novelas
ejemplares". Verdadera delicia por su tema
picaresco, por su desarrollo magistral, por
la gracia naturalísima de los diálogos, por
la humanidad española de sus lances, por
la *rapidez lenta* de su acción, por la riqueza
del color de sus descripciones, por lo típico
de sus personajes, por la armonía del conjunto. El más genuino, pintoresco y rico
realismo de la novela española del siglo XVII
lo renovó, como nadie, Alarcón con esta
novelita "ejemplar" desde cualquier punto de
vista.

El escándalo es la novela de Alarcón más
famosa y la más discutida a su aparición.
Es, desde luego, una de las mejores de las
letras españolas modernas. Intensa. Apasionada. Amena. Artística en su composición.
Delicada en su sentimentalismo. Soberana en
su estilo, claro y terso.

No inferior a ella en calidades literarias
—para muchos, mejor aún—es *El Niño de la
Bola,* atractiva y fuerte, casi épica, por la
grandeza de las pasiones que conmueven a
sus personajes, por el fatalismo que los abru-
ma, por la belleza trágica que los bazuquea.

Tampoco desmerecen en parangón con las
dos hermosísimas novelas precedentes *La
pródiga,* la más moralizante de las novelas
alarconianas, pero sugestiva y primorosamente "dibujada y coloreada"; *El capitán
Veneno,* de mucha novedad, gracia y biza-

A

rría, una variante del tema eterno de *El desdén con el desdén,* de Moreto, y *El final de Norma,* narración, si más pobre en estilo y menos sólida en construcción, llena de un patetismo emocionante.

"Alarcón era un novelista nato—escribe la Pardo Bazán—; sabía cautivar, embelesar, fingir caracteres, mover afectos y pasiones, vestir de gala el pensamiento y enlazar con destreza admirable los capítulos."

Dos maravillosos libros de viajes, modelos en el género, son *De Madrid a Nápoles* y *La Alpujarra.* Maravilla en el primero la manera tan amena, fiel y atractiva de recoger y expresar unas impresiones íntimas tan hermosas y artísticas. En el segundo se funden con una armonía asombrosa elementos los más diversos: interpretaciones geniales de la historia, de la tradición y de la geografía, un estudio sutil de las costumbres, una combinación sorprendente de lo artístico con lo popular, la maestría inimitable de la relación, siempre viva y seductora. Son, sin duda alguna, estos dos libros de viajes los más leídos, dentro de su género, en España.

Las mejores ediciones de las obras de Pedro Antonio de Alarcón son: la publicada —obras escogidas, precedidas de una biografía del autor—en la *Colección de Escritores Castellanos;* la *Completa* de 1899, en 19 tomos, y la de *Obras completas,* editorial Fax, Madrid, 1943, en un único volumen de cerca de dos mil páginas, magníficamente impreso. Las mejores novelas de Alarcón y algunos de sus cuentos—*El clavo*—han sido escenificados y llevados al cinematógrafo.

Alarcón forma con Galdós, "Clarín", Valera, la Pardo Bazán y Palacio Valdés la gran pléyade de los mejores novelistas españoles de la centuria diecinueve. Novelistas en nada inferiores a los mejores rusos, ingleses y franceses del mismo siglo, ¡el gran siglo de la novela!

Texto: *Obras completas.* Ed. lujo. Madrid, "Fax", 1943.

V. BALSEIRO, J. A.: *Novelistas españoles modernos.* Nueva York, 1933.—PARDO BAZÁN, Condesa de: *Pedro Antonio de Alarcón* (folleto), ¿1893?—ATKINSON, W. C.: *Pedro Antonio de Alarcón,* en el *Bulletin of Spanish Studies.* Liverpool, 1933.—ROMANO, Julio: *Pedro Antonio de Alarcón, el novelista romántico.* Madrid, 1933.—MARTÍNEZ KLEISER, L.: *Don Pedro Antonio de Alarcón.* Madrid, 1943.—ROSAL, Juan del: *Antología de Pedro Antonio de Alarcón.* Madrid, Editora Nacional, 1944.

ALAS Y UREÑA, Leopoldo S. («Clarín»).

Gran escritor y catedrático. Nació en Zamora—25 de abril de 1853—. Murió en Oviedo—13 de junio de 1901—. Asturiano de familia, de educación y de gustos. En la Universidad de Oviedo desempeñó las cátedras de Derecho Romano y de Economía Política.

Vivió muchas temporadas en Madrid, colaborando en los principales periódicos y revistas de la capital y haciendo popular su seudónimo de "Clarín". Fue sumamente curiosa la evolución filosófica de "Clarín". Primero fue krausista. Luego, ecléctico y aun detractor de las teorías de Sanz del Río. El idealismo y la religiosidad le obsesionaban al fin de su vida.

En "Clarín" son admirables el crítico, el cuentista y el novelista.

Su crítica se contrajo a las producciones modernas. Y fue sagaz, severa, inflexible, satírica, virulenta a veces, casi nunca injusta. Se le temió a "Clarín". Su cultura muy extensa—más que profunda—, su estilo nervioso y bizarro, su imparcialidad hosca le alcanzaron el dictado "de crítico el más considerable" entre 1879 y 1898. En *Apolo en Pafos,* en *Solos de "Clarín",* en *Paliques,* en *Mezclilla* nos dejó recopiladas críticas llenas de amenidad, de gallardía, de sutileza, que se leen hoy con el mismo regocijo que cuando fueron publicadas.

Como cuentista, es Leopoldo Alas francamente admirable. Forma con Alarcón y la Pardo Bazán la trilogía de los más grandes cuentistas españoles contemporáneos, que en nada desmerecen de los mejores extranjeros, maestros en el género. *Doña Berta, Cuervo, Superchería, Pipá, El doctor Pertinax, Zurita, El gallo de Sócrates, ¡Adiós, cordera!,* y otras muchas narraciones breves son inimitables y encantadoras, rezuman del mejor patetismo y del secreto humorismo más apremiante y punzante. Algunas de ellas son verdaderos idilios. Otras, acabados cuadros de costumbres. En muchas, el realismo es crudo y desgarrador. En todas resplandece el arte magnífico del narrador y la sugestión de los temas.

También "Clarín" fue un maestro de la novela. *La Regenta*—Madrid, 1884—, francamente naturalista, acaso excesivamente extensa en relación con el argumento, está llena de aciertos parciales y de pasajes interesantes; sus personajes resultan impresionantemente reales y siempre y para siempre; contiene descripciones de un dibujo maestro y de un colorido inmejorable.

Su único hijo—Madrid, 1891—es otra novela muy hermosa. Acaso más perfecta que *La Regenta* en la armonía de conjunto.

Como autor dramático no tuvo "Clarín" apenas personalidad. Sus producciones escénicas, *Teresa* y *La millonaria,* carecen de interés.

Es muy aceptable la aseveración crítica en la que se entronca a Leopoldo Alas con Larra para marcar la línea precisa que lleva al "ensayo" del 98.

V. González-Blanco, A.: *Historia de la novela.* Madrid, 1909.—Sainz y Rodríguez, P.: *Discurso sobre "Clarín".* Universidad de Oviedo, 1921.—Cabezas, J. Antonio: *"Clarín".* Madrid, Espasa-Calpe, 1935.—Epistolario de "Clarín" a Menéndez Pelayo, Unamuno y Palacio Valdés. Madrid, 1941.— "Azorín": Prólogo a *Páginas escogidas de "Clarín".* Madrid, S. Calleja, 1919.—Romera Navarro, M.: *Historia de la literatura española.* Boston, 1928.—Pérez Galdós, B.: Prólogo a *La Regenta* (ed. de 1900).

ALBALÁ, Alfonso.

Nació—1924—en Coria (Cáceres). Estudió en Salamanca la licenciatura de Derecho, y en Madrid, la de Filosofía y Letras y Periodismo. Profesor de la Escuela Oficial de Periodismo. En 1951 obtuvo un accésit en el "Premio Adonais" de poesía.

Obras: *Desde la lejanía* (poemas)—1949—, *El mendigo*—1951—, *Umbral de armonía* (poemas)—1952—, *El friso* (novela)—1956—, *El secuestro* (novela)—1968—, *Los días del odio* (novela)—1969.

ALBAMONTE, Luis María.

Cuentista y periodista argentino. Nació —1912—en Buenos Aires. Desde los dieciséis años se entregó fervorosamente al periodismo. Publicó muchos centenares de crónicas magistrales con el seudónimo de "Américo Barrios". En 1954 ganó el "Premio Nacional de Literatura" con el libro de cuentos *El viajero hechizado.*

Albamonte, dotado de mucha cultura y de una enorme fantasía, prefiere como temas de sus cuentos aquellos que simulan, y aun caen de lleno, en una atmósfera de encantos, de alucinaciones... Pero sin que jamás pueda afirmarse de ellos que no tienen *raíz de verdad y de humanidad.*

Otras obras: *Juba*—1934—, *Fusilado al amanecer*—1936—, *El milagrero*—1937—, *Hombres perdidos*—1938—, *Puerto América* —1938—, *El pájaro y el fantasma*—1938—, *La paloma de la puñalada*—1940...

V. Pinto, Juan: *Literatura argentina contemporánea.* Buenos Aires, ¿1948?

ALBAREDA, Ginés de.

Poeta, autor dramático, ensayista. Nació —1908—en Caspe (Zaragoza). Licenciado en Farmacia y Letras. Especializado en Literatura hispanoamericana. Ha viajado por Europa, América y Africa. Profesor de Literatura hispanoamericana en la Universidad de Madrid. Conferenciante. Ha dado cursos en numerosas Universidades europeas y america-

nas. Colabora en diarios y revistas de España y América. Pertenece al Consejo Superior de Investigaciones Científicas de Madrid, en el que dirige el Archivo de la Palabra y la Sección Hispanoamericana de *Cuadernos de Literatura Contemporánea,* del Instituto Antonio de Nebrija. Durante diez años ha estado al frente de la Radiodifusión española. Director de la revista *Origen.* Es "Premio Fastenrath, 1947" de la Real Academia Española, miembro de la The Hispanic Society of America.

Obras líricas: *Romeros a Roma*—1936—, *Morada de los romances de la angustia altiva*—1939—, *Romancero del Caribe*—1943—, *Seis sonetos de Mallorca y un poema de amor*—1947—, *Tríptico*—1954—, *Con la voz reclinada* (Libro de amor)—1960—, *Más allá de la rosa* (Sonetos religiosos)—1961—, *Acorde*—1962—, *Sonetos del Jerez*—1962—, "Flor Natural de los Juegos Florales de la Vendimia Jerezana" (Poesía)—1967—. Ha publicado una *Antología de la poesía hispanoamericana* en diez volúmenes en colaboración con Francisco Garfias. "Premio Nacional de Poesía Santa Teresa, 1970", por su libro lírico *Presencia.*

V. Valbuena Prat, A.: *Historia de la literatura española.* Barcelona, 1969. Tomo IV.

ALBERDI, Juan Bautista.

Polígrafo insigne. 1810-1884. Nació en Tucumán (Argentina). Estudió en Buenos Aires. Abogado. Periodista y redactor de *El Mercurio.* En Montevideo y Santiago de Chile completó sus estudios. Emigró a la capital del Uruguay y escribió en *El Iniciador, El Corsario* y la *Revista del Plata.* En 1843 viajó por Europa, actuando en los Tribunales de Francia e Inglaterra. A su regreso se instaló en Valparaíso. Al caer el tirano Rosas volvió a su patria y polemizó de lo lindo con Sarmiento. En 1878 marchó nuevamente a Francia, donde murió.

Gran pensador. Gran jurisconsulto. Literato nada más que mediano. Su obra ingente ha sido recogida en 24 tomos, agrupados bajo los títulos de *Obras y escritos póstumos*—Buenos Aires, 1886 y 1895.

Melián Lafinur escribe de Alberdi: "Tiene *la línea recta brevísima,* y su prosa, que semeja un velo blanco sobre una blanca desnudez, como dice Groussac, gran juez de estilos, ostenta la virtud soberana de una limpidez solar. Pocos lenguajes tan aptos para la disquisición didáctica y el desarrollo teórico. No se pida, en cambio, colorido ni vivacidad. Ese estilo es como un mármol, perfecto en sus contornos, pero pálido, inmóvil y sin vibración."

El mismo decía de sus escritos: "No son

escritos literarios; son actos de coraje, de patriotismo, de sinceridad." De Alberdi nos queda, pues, un centro de ideología, sin la gracia de la forma.

Algunas obras literarias: *Memoria descriptiva de Tucumán*—1834—, *La revolución de mayo*—crónica dramática—, *El gigante Amapolas*—pieza en un acto—, *Veinte días en Génova*—1845—, *Peregrinación de Luz del Día o viajes y aventuras de la verdad en el Nuevo Mundo*—sátira estructurada en forma novelesca, 1878—, *Las Quillotanas*—cartas a Sarmiento—, *El Edén y Tobías o la cárcel a la vela*—impresiones de su viaje por Europa.

V. ROJAS, Ricardo: *La literatura argentina.* Buenos Aires, 1924, 2.ª ed.—PELLIZA, Mariano A.: *Alberdi: su vida y sus escritos.* Buenos Aires, 1874.—GARCÍA MEROU, Martín: *Juan Bautista Alberdi.* Buenos Aires, 1890.—DÍAZ CISNEROS, César: *El pensamiento de Alberdi.*—SALVADORES, Antonio: *Juan Bautista Alberdi.*—ROJAS PAZ, P.: *Alberdi, el ciudadano de la soledad.* Buenos Aires, 1941.—GROUSSAC, Paul: *Estudios de Historia argentina.* Buenos Aires, 1918.

ALBERT Y PARADIS, Catalina («Víctor Catalá»).

Gran novelista y poetisa catalana. Nació en La Escala (Gerona)—1873—y murió —1966—en el mismo lugar. Ha hecho célebre, dentro y fuera de España, el seudónimo de "Víctor Catalá".

Realmente son admirables las poesías, los cuentos y las novelas de "Víctor Catalá".

Sus poesías son notas de una observación finísima, de un lirismo sencillo, pero profundo; están expresadas en una forma impecable y soberanamente artística. *Cant del mesos*—1898—, *Llibre blanch*—1906—e *Intents* son los volúmenes que recogen la parte más granada de su labor poética.

Como cuentista, el mejor elogio que se puede hacer de esta admirable escritora está en afirmar que no desmerece en comparación con la Pardo Bazán, Alarcón y "Clarín". Los cuentos de "Víctor Catalá" son verdaderos y apasionantes cuadros de costumbres, logrados en un colorido deslumbrante y en una prosa sobria y correctísima. Cuentos que encierran un fondo de pesimismo desconsolador y amargo, pero tan interesante, sugestivo y natural, que el lector desapasionado le arrastran y le turban como la misma vida. *Dramas rurales, Ombrivols, Marines, Cayres vius, La Mare-Balena* son los principales volúmenes publicados por "Víctor Catalá" conteniendo cuadros de costumbres, cuentos y novelas breves.

También hay que contar a "Víctor Catalá" entre los grandes novelistas españoles. En 1905 apareció su novela *Solitut*. Su éxito

fue impresionante. En justicia, *Solitut,* estudio psicológico de un delicadísimo corazón de mujer—abandonada y sola—, himno emocionante a la Naturaleza y al amor, a la fe y al espiritualismo, es una obra de excepción. Toda ella está llena de valores permanentes. El lenguaje, tesoro filológico, tan curioso y ejemplar como puede serlo el de Pereda, el de Rosalía de Castro o el de Mistral. La apología más sincera y ortodoxa, brillante y cálida, de la Naturaleza. La que podría llamarse "psicología descriptiva", verista o simbolista. La humanidad apremiante de los tipos. La exaltación de un ideal capaz de los heroísmos más impresionantes. El vigor y la originalidad de la concepción. Sí, *Solitut* es una novela ejemplar desde cualquier punto de crítica que se la considere. Obtuvo el "Premio Fastenrath" en los Juegos florales de Barcelona.

Buenas igualmente, sin llegar a tanto, son otras novelas de "Víctor Catalá": *Nostr'amo, Un film, Nisa, Tragedia de dama, La enjuta...*

A todos los idiomas cultos han sido traducidas las obras de esta ilustre autora, honra de las letras hispanas contemporáneas. Al castellano, casi todos sus cuentos, *Soledad* —1908—, *La enjuta, La Madre-Ballena, Dramas rurales, Retablo...*

En 1928 ingresó "Víctor Catalá" en la Academia de Buenas Letras, de Barcelona. Poco después, el Ayuntamiento de su pueblo natal dio su nombre glorioso a una de las calles principales de La Escala. Y en 1930 toda Cataluña rindió un homenaje de admiración a su hija preclara.

V. BRUNET, Domingo: *"Víctor Catalá". Testas hispanas.* Buenos Aires, 1926.—ALBERT, Salvador: *"Víctor Catalá".* Conferencia dada en el Ateneu Empordanés, de Barcelona.—GARCÉS, Tomás: *Conversa amb "Víctor Catalá",* en *Rev. de Catalunya.* Barcelona, 1926.—SCHNEEBERGER, A.: *Conteurs Catalans.* París, 1926.

ALBERTI, Rafael.

Gran poeta español. Nació—1902—en el Puerto de Santa María (Cádiz). Cursó el bachillerato en el colegio de los jesuitas. No le llegó a terminar. Ni volvió a estudiar. En 1917 llegó a Madrid con una hermosa vocación de pintor cubista. Empezó a sentirse poeta en 1923. En 1925 obtenía el Premio Nacional de Literatura con su libro de poesías *Marinero en tierra.* Desde entonces no ha sido sino poeta. Y gran poeta. Para parte de la crítica, tan gran poeta como Lorca.

Alberti, como Lorca, se inició en el *neopopularismo.* Alberti, como Lorca, tiene de modelos *mediatos* a Gil Vicente, a Lope de Vega, a Góngora; y de modelo *inmediato,*

A

a Juan Ramón Jiménez. Sin embargo, sería absurdo creer que Alberti y Lorca son poetas semejantes. La poesía popular de Alberti no mana del pueblo mismo, como la de Lorca, sino que deriva de las imitaciones cultas, de la tradición restringida y selecta. Federico de Onís ha juzgado con singular precisión a Rafael Alberti: "Ha sido el más acabado gongorista, avanzado ultraísta, cantor de los temas de la vida moderna, humorista cinematográfico, poeta puro y subrealista de lo subconsciente. Cada libro suyo parece que viene a negar al anterior, afirmando al mismo tiempo su enorme potencia retórica, su facundia—o labia, podíamos decir—inagotable en posibilidades para la expresión natural y espontánea de lo más vario y lo más difícil." *Marinero en tierra, La amante*—1926—, *El alba del alhelí*—1927— y *Cal y canto*—1929—son los libros de Alberti que corresponden a su modalidad de lírico neopopularista y gongorino. Y también uno de los últimos: *Verte y no verte*—1935.

> Mi corza, buen amigo,
> mi corza blanca.
> Los lobos la mataron
> al pie del agua.
> Los lobos, buen amigo,
> que huyeron por el río.
> Los lobos la mataron
> dentro del agua.

¿Puede darse poesía más natural y *desnuda?* ¿Puede darse poesía natural *tan elegante*—la selección tradicional a que aludimos— como la de estas otras estrofas?...

> Me dijiste, mi niña,
> ¡buenas noches, mi rey!,
> con tu pañuelo.
> Con tu pañuelo de espuma;
> no, de luna;
> no, de viento.

Con *Sobre los ángeles*—1928—evoluciona Alberti radicalmente. Parece repudiar toda su antigua manera. Se hace abstracto y profundo. Se olvida de su andalucismo y de su mar. Aspira a lo universal con cierto ímpetu dramático, con una música confusa, sin posible instrumentación.

Otros libros poéticos de Alberti son: *Consignas*—1933—, *Trece bandas y cuarenta y ocho estrellas, poema del mar Caribe*—1936—, *Pleamar, Entre el clavel y la espada y Poesía*—1938—, antología que recoge poemas escritos de 1924 a 1937; *Poesía*—1945—, *A la pintura, Cantata de la línea y del color*—1945—, *Coplas de Juan Panadero, Retornos de lo vivo lejano*—1952—, *Ora marítima*—1953—, *Sonríe China*—1958—, *Baladas y canciones del Paraná, Poemas de amor*—1967—, *Roma, peligro para caminantes*—1964-1967.

Alberti se ha asomado al teatro—sin gran éxito—con *Fermín Galán, El hombre deshabitado, Santa Casilda, La pájara pinta, Adefesio, El trébol florido, La gallarda, Noche de bombardeo en el Prado, Imagen primera de...* Sin embargo, en todas estas obras escénicas se pueden espigar trozos líricos de extraordinaria sensibilidad, en los que *la música* es como una escenografía inmensa, que se da a sí misma los colores desnudos. V. Valbuena Prat, A.: *Historia de la literatura española.* Barcelona, 1950, III.—Díaz-Plaja, G.: *Poesía lírica castellana.* Barcelona, Ediciones Labor, 1935.—Diego, Gerardo: *Poesía española.* Madrid, 1932 y 1934.—Valbuena Prat, A.: *La poesía española contemporánea.* Madrid, 1930.—Sainz de Robles, F.: *Historia y antología de la poesía castellana.* Madrid, 1969.—Torrente Ballester, G.: *Panorama de la literatura española contemporánea.* Madrid, Ed. Guadarrama, 2.ª ed., 1962, págs. 323-327.—Vivanco, Luis Felipe: *Introducción a la poesía española contemporánea.* Madrid, 1957.—Marrast, Robert: *Essai de bibliographie de Rafael Alberti,* en *Bulletin Hispanique,* LVII, 1955.— Cano, José Luis: *Poesía española del siglo XX.* Madrid, 1960.

ALBORG, Juan Luis.

Profesor y crítico literario español. Nació—1914—en Valencia. Estudió en la Universidad de su ciudad natal y en la de Madrid. Ha sido lector y profesor de Lengua y Literatura Españolas en Universidades de Estados Unidos y "Premio Nacional de Literatura, 1959". Actualmente explica Literatura Española Contemporánea en la Pardue University de Lafayette, Indiana, Estados Unidos.

Ha ganado rápida y justa fama en obras de crítica literaria, tanto por el juicio objetivo como por la gran sagacidad discriminadora de que hace gala en ellos.

Obras: *Hora actual de la novela española* —tomo I, Madrid, 1958—, *Hora actual de la novela española*—tomo II, Madrid, 1962—, *Historia Universal*—Madrid, Gredos, 1967, en colaboración con Manuel Ballesteros Gaibrois, 2 tomos—, *Historia de la Literatura Española*—Madrid, Ed. Gredos, 1966 y 1967, los tomos I y II.

ALBORNOZ, Aurora de.

Nació—1926—en Luarca (Asturias). Poetisa y ensayista. Durante mucho tiempo, profesora de Literatura española en la Universidad de Puerto Rico.

Ha estudiado casi exhaustivamente la obra de Antonio Machado en su libro *La obra completa de Antonio Machado.* Buenos Aires, Editorial Losada.

Otras obras: *Brazo de niebla*—1955—,

Poemas para alcanzar un segundo—1961—,
Prosas de París—1959—, Por la primavera
blanca—1962.

ALBORNOZ Y SALAS, Álvaro de.

Novelista y humorista español. Nació
—¿1908?—en Madrid. Estudió en la Universidad de Madrid. Y muy joven empezó a
publicar cuentos y crónicas en revistas de
humor: Gutiérrez, Buen Humor...

El humorismo de Alvaro de Albornoz es
el de quien "se evade limpia y totalmente
de su circunstancia y no la refleja", "humor, por tanto, desconyuntado, de situación
límite, y que al lector le parece hermano del
cultivado entre nosotros desde 1939" (Marra-López). Y yo añado: Alvaro de Albornoz, con Mihura, Neville y "Tono", son los
precursores del humor de La Codorniz.

Obras: Doña Pabla—Madrid, 1934—, Van-
pireso español—Madrid, 1936—, Un pueblo
y dos agonías, Matarile—México, 1941—, Re-
voleras—México, 1951—, Los niños, las niñas y mi perra—México, 1952—, ¡Sal, Francisco! (teatro)—1938—, Tobogán (cuentos),
Alvarismos...

V. MARRA-LÓPEZ, José R.: Narrativa española fuera de España (1939-1961). Madrid,
Ed. Guadarrama, 1963, págs. 508-509.

ALCAIDE SÁNCHEZ, Juan.

Nació—1911—en Valdepeñas (Ciudad Real).
Murió en 1951. Viajero infatigable. Lírico
de gran luminosidad y de gran fuerza imaginativa y de enorme sugestión poética. Lírico esencialmente impresionista.

Obras: Colmena y pozo—1930—, Llanura
—1933—, La noria del agua muerta—1936—,
Mimbres de pena—1938—, Ganando el pan
—1942—, Poemas de la cardencha en flor
—1947—, La trilogía del vino—1948—, Ja-
raiz—1950—, La octava palabra...—1953.

ALCALÁ GALIANO, Álvaro.

Literato, político y periodista. Nació
—1886—en Madrid. Murió en 1936. Marqués
de Castel Bravo. Hizo sus primeros estudios
en el Downside College (Inglaterra), regentado por benedictinos. La segunda enseñanza la cursó en el Real Colegio de Alfonso XII, de El Escorial, licenciándose en la
Facultad de Derecho de la Universidad de
Granada. Colaborador de los principales periódicos y revistas de España y de la América española. Gran viajero por todo el
mundo.

Fue Alcalá Galiano un escritor selecto,
castizo, de fina sensibilidad y gran cultura.

Obras: Entre dos mundos, Junto al volcán, Del Ideal y de la Vida, El fin de la
tragedia, Fuego y cenizas, Figuras excepcionales, Conferencias y ensayos, Una voz en el

desierto, El príncipe Iván, El jardín de las
hadas...

ALCALÁ GALIANO, Antonio.

Famoso político y escritor. Nació en Cádiz—22 de junio de 1789—. Murió en Madrid
—11 de abril de 1865—. Cadete de las Reales
Guardias españolas. Agregado a la Embajada de España en Londres—1812—. Agregado
a la de España en Suecia—1813—. Fogoso
orador desde su juventud, perteneció a varias sociedades revolucionarias y masónicas,
como La Fontana de Oro, madrileña. Contribuyó eficazmente al levantamiento liberal
de Riego en Cabezas de San Juan—1820—.
Diputado constitucionalista por Cádiz. Repuesto Fernando VII como rey absoluto de
España—1823—, Alcalá Galiano tuvo que
huir a Inglaterra, después de ser condenado
a muerte en rebeldía y a la confiscación de
todos sus bienes. En 1834, muerto Fernando VII, pudo regresar a España. Fue ministro de Marina en el Gabinete Istúriz—1835—
y ministro de Fomento en uno de los Ga-
binetes Narváez—1865—. Al fin de su vida,
Alcalá Galiano pasó de la exaltación a la
moderación, de la masonería a la fe católica.

Conociendo el inglés y el francés lo mismo que el castellano, Alcalá Galiano colaboró en las famosas Westminster Review, Foreign, Quarterly Review, Revue Trimestrelle,
etcétera. Dio varias series de conferencias,
muy comentadas, en el Ateneo de Madrid,
acerca de temas literarios franceses, ingleses, italianos y españoles. Y dejó escritos
dos libros deliciosos autobiográficos: Recuerdos de un anciano y Memorias. Libros
reimpresos docenas de veces, escritos con
primor, y que contienen un arsenal inapreciable de datos históricos curiosísimos.

V. ALAS, Leopoldo, "Clarín": La España
del siglo XIX. Madrid, 1886.—MENÉNDEZ
PELAYO, M.: Historia de los heterodoxos españoles. Madrid, 1889, tomo III.—SERRANO Y
SANZ, M.: Autobiografías y memorias. Madrid, 1905.—XIMÉNEZ DE SANDOVAL, Felipe:
Alcalá Galiano. Madrid, Espasa-Calpe, 1950.

ALCALÁ Y HERRERA, Alfonso.

Nació y murió en Alcalá de Henares
(¿1599?-1682). Poeta discreto y mercader sutilísimo. Sin embargo, él prefirió la lírica a
los buenos tratos. Durante algunos años vivió en Lisboa, negociando con cuantos em-
barcaban para Indias. Publicó algunos libros
muy curiosos hoy: Varios effectos de amor
en cinco novelas ejemplares—1641—, en cada
una de las cuales se propuso evitar el uso
de una de las cinco vocales; un Viridarium
anagrammaticum, Corona y ramillete de flores salutíferas, Jardín anagramático de flo-

A

res lusitanas, españolas y latinas—1654—, *Meditaciones de Santa Brígida.*

Las extravagantes novelas aludidas—publicadas en Lisboa—se titulan: *Los dos soles de Toledo*—sin la a—, *La carroza con las damas*—sin la e—, *La perla de Portugal* —sin la i—, *La peregrina ermitaña*—sin la o—, *La serrana de Cintia*—sin la u.

V. CEJADOR Y FRAUCA, Julio: *Historia de la lengua y literatura castellanas.* Tomo II.

ALCALÁ YÁÑEZ Y RIVERA, Jerónimo de.

Nació y murió en Segovia (1563-1632). Y tuvo muchos apegos religiosos. Y grandes entusiasmos poéticos. Estudió con don Hernando de Mendoza—que años después sería arzobispo de Charcas—y con Juan de Yepes—que con el tiempo *llegaría* a Juan de la Cruz—. Jerónimo de Alcalá escribió buenos versos místicos, y hasta—según declaraba él mismo—tuvo alucinaciones y visiones.

No se sabe por qué perdió la vocación y se dedicó a la Medicina, de la que se graduó en Valencia y la que ejerció en Segovia. En esta ciudad casi levítica y sin casi romancera le solicitaron los amores humanos de doña María Rubión. Y él los aceptó. Como es lógico, muy de acuerdo con la Iglesia.

Pero como es ley que jamás los hombres nos apartemos demasiado de los principios, el doctor Jerónimo de Alcalá—de estampa apaisada—acabó con el mismo roce de su infancia: roce de gente ensotanada. Fue el médico de los obispos segovianos.

Escribió el doctor Jerónimo de Alcalá Yáñez unos *Milagros de Nuestra Señora de la Fuencisla,* libro piadoso, pero frío y fríamente acogido. Y en contraposición con su temperamento, y en pugna con su espíritu, su mejor obra, una novela picaresca: *Alonso, mozo de muchos amos, o El donado hablador* (primera parte, Madrid, 1624; segunda parte, Valladolid, 1626).

Esta obra divertida, de un desenfado absoluto, puede leerse en la "Biblioteca de Autores Españoles", de Rivadeneyra. También publicó en Valladolid—1632—*Verdades para la vida cristiana,* algunas obras de moral, colecciones de máximas, biografías...

V. CANO, P.: *Prólogo* a la edición de las obras de Alcalá Yáñez, en la "Biblioteca de Autores Españoles", XVIII.—VERGARA, Gabriel María: *Colección bibliograficobiográfica de Segovia,* pág. 429.—LECEA, Carlos de: *Vida del doctor Alcalá Yáñez,* en el periódico *El Amigo Verdadero del Pueblo,* números 63, 66 y 67, Segovia, 1868.

ALCALDE VALLADARES, Antonio.

Escritor y catedrático. Nació en Baena (Córdoba)—1829—. Murió en Madrid —1894—. Explicó Latín, Matemáticas, Fran-cés y Lógica en los Institutos de Cabra y Córdoba. Poeta premiado en varios Juegos florales y periodista muy estimable.

Sus principales obras son: *Hojas de laurel* —poesías—, *La fuente del olvido*—poema—, *Flores del Guadalquivir*—poesías, 1875—, *Lepanto*—canto épico, 1879—, *Tradiciones españolas, El Cristo del cautivo, La cruz del Rastro* y una *Historia de las tres guerras: la carlista, la cantonal y la separatista.* Amigo y admirador de don José Zorrilla, se nota la influencia literaria de este en todas las obras de Alcalde Valladares.

V. GIL, Rodolfo: *Córdoba contemporánea,* tomo I.

ALCÁNTARA, Francisco José.

Novelista español. Nació—1922—en Haro (Logroño). Licenciado en Letras. En 1954 ganó el "Premio Nadal" con su novela *La muerte le sienta bien a Villalobos.* Su novela inédita—creo—en castellano *Historia de Esmeralda* ha sido publicada—1961—traducida al alemán con el título *Sie Kommen, Don Antonio.*

ALCÁNTARA, Manuel.

Nació—1928—en Málaga. Cursó el bachillerato en su ciudad natal. A los diecisiete años se traslada a Madrid, donde inicia estudios de Derecho, que no concluye. Colaborador de importantes revistas literarias.

Rafael Montesinos ha dicho de él: "El malagueño Manuel Alcántara, de honda raíz andaluza, de gran sencillez en su expresión escrita, deja fluir su poesía con naturalidad, un poco por la gracia de Dios y otro poco por la indolencia meridional de su sangre. Alcántara es un poeta en quien se acusa en seguida su procedencia andaluza; es un hombre que se proyecta por entero sobre su poesía, con un gesto espontáneo, sin darle gran importancia." "Premio Nacional José Antonio Primo de Rivera, 1962", "Premio Luca de Tena, 1965".

Obras: *Manera de silencio*—1955—, *El embarcadero*—1958—, *Plaza Mayor*—1960—, *Ciudad de entonces*—1962.

ALCÁZAR, Baltasar del.

Célebre poeta satírico. Nació en Sevilla —1530—. Murió en Ronda—16 de enero de 1606—. Garbo y rumbo sevillanos, Baltasar del Alcázar fue el hijo sexto de los once que tuvieron el jurado y segundón de su casa, don Luis del Alcázar, y su retrechera esposa, doña Leonor de León Garabito. "Fue muy estudioso y aventajado—escribe el pictórico Pacheco, su paisano—en las lenguas vulgares, y particularmente en la latina, obras de los poetas clásicos, con pura afición a Marcial, cuyo imitador fue en las gracias... Diose con sabrosa afición a la curiosidad de secretos naturales, de metales, piedras, yerbas i cosas semejantes, en que alcançó gran conocimiento y tuvo no mediana noticia de la Greografía y Astronomía..." Pero su principal afición "... fueron las armas, en que fue diestríssimo, de gentil disposición y mucho esfuerzo. Militó en las galeras y naves de don Alvaro de Baçan, primer marqués de Santa Cruz, mucho tiempo, i en su compañía alcançó raras victorias contra los franceses, con opinión de gran soldado...; fue dellos preso una vez y su valor i aspecto los obligó a darle la libertad".

Francisco Pacheco, que igual pintaba con la pluma que describía con el pincel, nos ha dejado un retrato de Alcázar ya en las postrimerías de su vida. Obeso—más fofo que de muchas carnes—, de pelo ralo canudo, cercado por una corona de laurel: bigote lacio i barba picuda, ya blancos; cuello engorguerado, capichuela terciada, de puro flamenco. Y unos ojos entre melancólicos y socarrones que... *ya, ya.* Un auténtico sileno es lo que parece.

Mucho amó y putañeó don Baltasar por todas partes. En 1565 se casó con su prima hermana doña María de Aguilera. Hacia 1569 fue nombrado alcalde de la Hermandad de los Hijosdalgo de Sevilla, y poco después alcalde de la villa de Molares, cerca de Utrera, por disposición del segundo duque de Alcalá, don Fernando Enríquez de Ribera, a quien sirvió el poeta más de veinte años. Enviudó. Su hija Leonor profesó en San Leandro, de Sevilla. Y a la ciudad del Betis se reintegró él, aún gallo de pelea, con toda su marchosería y con toda repijotera gracia. Desempeñó el cargo de administrador de don Jorge Alberto, duque de Gelves, hasta la desastrada muerte de este, en 1589, con una probidad realmente inesperada en quien tanto *pintaba* en bodegones y mancebías.

Le entrampilló el mal que entrampilla a casi todos los tenorios: la gota. Renqueante, mal hablado a ratos de dolor, alborozado en los intervalos, llorando—siempre en versos fáciles—a los amigos muertos y riendo a las horas amenas y a los placeres amables, vivió en las collaciones de San Juan de la Palma—1597—, Santa Catalina—1599—, Triana—1600—, Santiago—1603—y San Pedro —1605—. Cuando en enero de 1606 otorgó testamento, ya no pudo firmar "por ympedimiento—dice el escribano—que tiene en la mano derecha". Murió el día 16 del mismo mes, a los setenta y seis años de edad, y muy cristianamente, para dar un mentís a cuantos recuerden la silvanesca expresión de su rostro y sus malignas barbas caprinas. Debieron de enterrarle en la iglesia de San Leandro, donde estaba la capilla de sus padres y abuelos, y según su disposición testamentaria.

Baltasar del Alcázar es el Anacreonte español. Sabrosidades de mesa y molicie. Desenfado expresivo. Desdén por lo molesto o trabajoso. Apetencia risueña por lo caprichoso o sutil. Un Anacreonte forrado de sales y ribeteado de donaires. Su misma pereza le hizo ático. Su propia sensualidad le hizo caliente, férvido mejor que ferviente y mucho mejor que fervoroso. Nadie mejor que él redondeó una redondilla, ni apuró una silva, ni concretó un epigrama. Fue el más fino orfebrero de dijes poéticos. Fue el más refinado confeccionador de dulces chucherías y de hojaldrados melindres. Preciso, acicalado y natural. Baltasar del Alcázar se deslizó por el limpio *skeating* del buen gusto, sin romperlo ni mancharlo. Y tanta es la soberana felicidad de su ingenio, que la lectura de sus poesías desfrunce el ceño al más cariacontecido de los Aristarcos. "La sal andaluza—escribe Menéndez Pelayo—no tuvo que envidiar a la sal ática recogida en el mismo mar donde nació Venus..."

Sus poesías pueden leerse en los manuscritos de 1577 y 1666, de los que se sirvió Rodríguez Marín—para su edición de 1910—. Otras ediciones selectas de ellas encuéntranse en la *Flores de poetas ilustres,* de Espinosa—1605—; en el *Parnaso español,* de Sedano; en la *Floresta,* de Böhl de Fáber; en la *Colección de bibliófilos andaluces*—1878—, y en la "Biblioteca de Autores Españoles" (Rivadeneyra).

V. Menéndez Pelayo, M.: *Antología de poetas líricos castellanos.*—Rodríguez Marín, F.: Prólogo a la edición de obras poéticas de Baltasar del Alcázar, publicada por la Real Academia Española, 1910.—Ureña, F. de P.: *Baltasar del Alcázar. Su personalidad literaria,* en la revista *Don Lope de Sosa,* 1914, II, 2-7.—Gil, Rodolfo: *Baltasar del Alcázar,* en *Ilustración Española y Americana,* 1919, I, 135.—Cejador y Frauca: *Historia de la lengua y literatura castellanas,* tomo III.—Pacheco, Francisco: *Libro de retratos.*—Sainz de Robles, F. C.: *Historia y antología de la poesía castellana.* Madrid, Aguilar, 1950, 2.ª ed.

ALCOBRE, Manuel.

Poeta y prosista argentino de extraordinarias cualidades. Nació en San Pedro (Buenos Aires) el 7 de junio de 1900. Hijo de Vicente Alcobre y de Josefa Ares, ambos nacidos en Pontevedra (España).

Colaboró o colabora con trabajos literarios en las revistas de Buenos Aires (Argentina) *Caras y Caretas, El Hogar, Mundo Argenti-*

*no, Criterio, Argentina, Estampa, Aquí está,
Fray Mocho* y otras de carácter puramente
literario. Colaborador, así mismo, de los diarios *La Nación* (Suplemento literario), *Crítica, Clarín* (Suplemento literario), *El Mundo, Democracia* (Suplemento literario), etc.

Fue redactor del diario *Crítica* y de las revistas *Estampa* y *Criterio*. Profesor habilitado de Castellano y Literatura. Premiado por la Municipalidad de Buenos Aires por su libro de poesías *Poemas de media estación*—1931.

Obras: En verso: *Paisajes civiles*—1928—, *Poemas de media estación*—1931—, *Espuma en la arena*—1937—, *Hogar y paisaje nuevos* —1940—, *Acento forestal*—1943—, *El árbol solariego*—1946—, *Canción en sol de despedida*—1949—. En prosa: *Luces a la distancia* —prosa poemática, 1934—, *Bajo el paraguas* —relatos, 1935.

En abril de 1950 ejercía el cargo de secretario general de la Asociación de Escritores Argentinos, equivalente a la presidencia.

ALCOCER, Pedro de.

Literato e historiador toledano del siglo XVI. Sus principales obras son: *Historia de la imperial ciudad de Toledo*—1554—, cuya primera parte la atribuyó Tamayo de Vargas a Juan de Vergara, y una *Relación de algunas cosas que pasaron en estos reinos desde que murió doña Isabel hasta que acabaron las Comunidades en la ciudad de Toledo.*

ALCOVER Y MASPONS, Juan.

Nació y murió en Palma de Mallorca (Baleares)—1854-1926—. Gran poeta, gran prosista y gran jurisconsulto. Doctor en Derecho por la Universidad de Barcelona. Relator de la Audiencia de Palma. Concejal. Diputado a Cortes. Hombre de bien. Caballero intachable. Muchos y grandes dolores en su vida le hicieron renunciar cargos y honores y refugiarse en su tierra natal para entregarse de lleno a la poesía. En 1909, con motivo de la publicación de su volumen lírico *Cap al tard*—Barcelona—, ya se había incorporado de manera total al renacimiento literario catalán. En los Juegos florales de Barcelona de dicho año se le otorgó el título de *mestre en Gay Saber.*

Otros libros suyos son los titulados *Elegías, Poèmes biblics, Art y literatura.* En 1921, los "Amics dels Bells Llibres", de Barcelona, publicaron una edición completa de sus *Poesías,* que el autor autorizó y revisó.

Delicado, entrañable, musical, levemente melancólico, Alcover es uno de los mejores poetas de habla catalana. Algunas de sus poesías: la hermosa fábula *El voltor de Miramar, La serra, La balenguera, Dol, Diáleg*

amb la musa, Salutatio, Ramón Llull, figuran en todas las antologías, y han sido admiradas en todos los idiomas.

V. Estelrich, Juan: *Un poète catalá: Joan Alcover,* en la *Revue Bleu,* París, 1926.—Oliver, Miguel Santos: *La literatura en Mallorca.*—Montoliú, Manuel de: *Estudios de literatura catalana.* Barcelona, 1912.

ALCOVER Y SUREDA, Antonio María.

Filólogo, polemista y literato notable. Nació—1862—y murió—¿1935?—en Manacor (Mallorca). Sacerdote. Catedrático de Historia eclesiástica y Lugares teológicos. Canónigo magistral de la catedral de Palma. Colaborador de los principales periódicos y revistas tradicionalistas. Defensor de las costumbres isleñas y del idioma catalán. "Apóstol de la lengua catalana" se le ha llamado justamente. En 1911, al crearse en el Institut d'Estudis Catalans—fundado en 1907—una sección de Filología, fue elegido presidente vitalicio de ella Alcover. Por dos veces el Gobierno español subvencionó sus magníficos estudios e investigaciones.

Entre sus numerosas y notabilísimas obras destacan: *Diccionari catalá-valenciá-balear, Fuentes históricas de la conquista de Mallorca, Aplech de rondayes mallorquines, Bibliografía filológica de la lengua catalana,* en *Revista de Archivos*—Madrid, 1922—, *Impresiones de viaje, Dietaris, Estudios sobre la historia de Mallorca antes del siglo XIII, Las cosas, en su punto.*

V. Santos Oliver, Miguel: *Historia de la literatura en Mallorca.* Palma, 1903.

ALDA TESÁN, Jesús Manuel.

Catedrático y crítico literario español. Nació—1910—en Zaragoza. Doctor en Filosofía y Letras. Catedrático de Literatura española —1940—en el Instituto "Príncipe de Viana", de Pamplona. Colaborador de tan importantes publicaciones como *Escorial, Revista de Filología Española, Boletín de la Biblioteca Menéndez Pelayo...*

Obras: *Poesía y lenguaje místico de San Juan de la Cruz, Bocángel y su obra poética, Bocángel y la fábula de Hero y Leandro, Los cautivos de Cervantes...*

ALDANA, Francisco de.

Gran poeta, diplomático y general español. Nació en ¿1528? Murió en 1575. Bravo hombre de armas, general en Flandes, alcaide de una fortaleza fronteriza en Guipúzcoa, comisionado por Felipe II para acompañar al desdichado monarca don Sebastián en la jornada de Alcazarquivir, y muerto en ella con este, dice el fino crítico Díaz-Plaja: "Pudo ser, mejor aún que Garcilaso de la

A

Vega, el símbolo humano del renacentismo español. No lo es por la tremenda desproporción que hay entre la brevedad de su obra y la magnitud de su ambición poética. Los contados poemas que la constituyen atañen a un mundo afectivo—la madre, el hermano, la amada—, a un mundo natural —paisajes, cosas, patria—y, finalmente, a un mundo sobrenatural o religioso, al que se siente neoplatónicamente impulsado.

La amplitud de esta temática es tal, que exigiría una especial envergadura espiritual, totalmente volcada sobre la expresión poética. No es este el caso de Aldana. Su poesía ha de partir de un espíritu sometido a la acción exterior. Ella le seduce, en efecto, cuando describe el centinela del campamento, el forcejeo de dos luchadores o el brioso movimiento de un caballo... El mundo de sus afectos—su hermano Cosme, a quien trata con singular ternura; su madre, simbolizada en un mito, su amada, *Galatea*—lo describe con una blandura expresiva, con un sentido de lo afectuoso, de lo suavemente amado, que cautiva el ánimo. En Aldana hay un espíritu transido de amor, que se proyecta sobre las cosas reales que le son caras, pero que espera fundirse a más sublimes objetivos."

Entre sus poesías destaca una epístola en tercetos, titulada *Carta del capitán Francisco de Aldana para Arias Montano,* en la que desarrolla un curso completo de filosofía del amor *al estilo italianizado.* Se editaron las obras de Aldana en Milán—1589.

Textos: Tomo XLII de la "Biblioteca de Autores Españoles"; la *Carta... para Arias Montano,* en *Cruz y Raya.* Madrid, número 13. *Epistolario poético completo.* Badajoz, 1946.

V. SAINZ DE ROBLES, F. C.: *Historia y antología de la poesía española (en lengua castellana).* Madrid, 1964, 4.ª ed.—Cossío, José María de: *Francisco de Aldana,* en *Cruz y Raya,* núm. 13, Madrid.—RODRÍGUEZ MOÑINO: *El capitán Francisco de Aldana.* Valladolid, "Castilla", 1943.

ALDAO, Martín.

Escritor argentino, nacido en 1876. Independiente y de reconocida probidad literaria, ha publicado novelas, impresiones de viaje, recuerdos, crítica, y de su *Diario,* diversos volúmenes con títulos diferentes. Su primer libro, *Escenas y perfiles,* fue muy bien acogido por la Prensa y el público, y mereció las alabanzas de un crítico tan severo como Paul Groussac, según lo ha recordado Manuel Gálvez en *Maestros y amigos de mi juventud. La novela de Torcuato Méndez,* juzgada por Rubén Darío "una obra maestra", tuvo, como lo expresó Max Daireaux, "un éxito grande y justificado". Don Pedro de Múgica escribió: "¡Qué finura! ¡Qué naturalidad! Es algo nuevo en las letras hispanoamericanas; es un nuevo molde español." De *El caso de la gloria de don Ramiro* escribió don Jacinto Benavente: "En mis comienzos de escritor hubiera deseado tener yo un crítico como Aldao, porque hubiera aprendido mucho." Y Alfonso Reyes lo ha calificado "espléndido libro", como también a la otra novela de Aldao, *La vida falsa,* apogeo y declinación de la colonia argentina en París. Alberto Insúa la ha calificado "gran novela", y don Jacinto Grau la considera "primorosamente escrita. Al castellano más castizo, Aldao le ha agregado la finura, la agilidad y la gracia de la prosa francesa". *El arco de Ulises, Confidencias de un expatriado voluntario, Reflejos de Italia, Las dos Españas de una dama argentina* y *En el París que fue,* han sido también muy elogiadas. Del conjunto de las obras de Aldao ha escrito Georges Pillement que se trata de "libros preciosos, que enriquecen la literatura argentina con un nuevo tono de voz". Aldao ha vivido veinte años en París y diez en Roma, siempre retraído, sin formar parte de asociaciones literarias.

Otras obras: *Notas y recuerdos, París es una racha, Veraneos en el Lido, Ya iniciada la tragedia (1914-1915), En Roma, al final de la tragedia (1916-1918), En la Roma turbulenta (1919-1922), En los comienzos de la Roma fascista (1922-1926)...*

ALDAO, Martín.

Hijo del anterior. Escritor argentino, nacido en 1907. Cursó sus estudios secundarios en Roma, y se recibió en París de doctor en Jurisprudencia, siendo su tesis *Les idées coloniales de Jules Ferry.* En 1929 publicó su primera novela, *El destino de Irene Aguirre,* "historia muy hábilmente contada y apasionante hasta el final—según Valéry Larbaud—, y que había aumentado su nostalgia de Roma", donde se desarrolla la mayor parte del libro. Martín Aldao (hijo) ha publicado también *Los esclavos, En pos del fantasma* y *Angélica* (cuentos), no menos elogiados por la crítica. Colabora en *La Nación,* de Buenos Aires, y en algunas revistas.

Martín Aldao (hijo) ha publicado posteriormente *La Roma oculta*—1951—, libro de extraordinaria originalidad, en el que se mezclan armónicamente el interés novelesco, la evocación arqueológica y el sentido crítico de las personas, los sucesos y las cosas. La fama de Martín Aldao (hijo) ha excedido ya de las fronteras argentinas para consolidarse en todo el orbe de habla castellana con fuerza y sugestión. Otra obra: *La hija de Júpiter* —novela, 1954.

ALDECOA, Ignacio.

Novelista, cuentista y cronista español.
Nació—1925—en Vitoria. Murió—1969—en
Madrid. Cursó en Madrid la carrera de Filosofía y Letras. Colaborador de las más importantes revistas españolas: *Clavileño, Ateneo, Correo Literario, El Español, Fantasía...*
En 1953 obtuvo el "Premio Juventud" por
su cuento *Seguir de pobres.*

Aldecoa fue uno de los mejores cuentistas
actuales, ya que su poder de invención es
grande y mucha su habilidad para ir dosificando el interés en el breve desarrollo genérico. Aldecoa maneja un lenguaje muy rico y
de gran expresividad; lenguaje que si en sus
primeros libros se descubre trabajado, en los
últimos aparece en toda su gran naturalidad.
Como novelista prefiere los temas realistas,
muy crudos, de los bajos fondos sociales,
pero sin que puedan ser calificados "como
doctrinales". Observador sutil, implacable, Aldecoa consigue unos "cuadros" llenos de colorido y de dramatismo, en los que las criaturas se debaten en sus destinos patéticos.
Muy de alabar es en este novelista es su sentido
del equilibrio, que no pierde ni en las situaciones más tensas y comprometidas.

Obras: *Todavía la vida*—poema, 1947—,
Libro de las algas—poemas, 1949—, *El fulgor y la sangre*—novela, 1954—, *Espera de
tercera clase*—cuentos, 1955—, *Vísperas de
silencio*—cuentos, 1955—, *Con el viento solano*—novela, 1956—, *Gran sol*—novela, 1957,
"Premio de la Crítica"—, *El corazón y otros
frutos amargos*—cuentos, 1959—, *Caballo de
pica*—cuentos, 1961—, *Cuaderno de Godo*
—1961—, *Arqueología*—relatos, 1961—, *Los
pájaros de Baden-Baden*—novelas, 1965—, *Pájaros y espantapájaros*—1963.

V. Torrente Ballester, G.: *Panorama de
la literatura española contemporánea.* Madrid, edit. Guadarrama, 1961, 2.ª ed., página 458.—Nora, Eugenio G. de: *La novela
española contemporánea.* Madrid, edit. Gredos, 1962, tomo II bis, págs. 326-333.—Alborg, José Luis: *Hora actual de la novela
española.* Madrid, Taurus, 1958, tomo I, páginas 261-280.

ALDERETE, Bernardo.

Teólogo, filólogo e historiador. Nació en
Málaga—1565—. Murió en Córdoba—1645—.
Canónigo lectoral de la iglesia cordobesa. Vivió en Roma. Conocía a la perfección el
latín, el griego, el hebreo, el árabe, el italiano y el francés. Escribió numerosas obras
de singular mérito: *Del origen de la lengua
castellana o romance que hoy se usa en España*—Roma, 1606—, libro muy citado en
el *Diccionario,* llamado de *Autoridades,* que
publicó la Real Academia Española—1726—;

Varias antigüedades de España...—Amberes,
1614—, *Relación de la iglesia y prelados de
Córdoba*—Córdoba, 1614—, *Maximiani et
aliorum sanguine purpurata*—Córdoba, 1630—,
Baeticam Illustratam—arqueología andaluza,
sin acabar—, *Relación de la planta de la
Capilla Real y de su estado espiritual y temporal*—Córdoba, 1637.

V. Díaz de Escobar, N.: *Galería literaria
malagueña.*—Cejador y Frauca, J.: *Historia
de la lengua y literatura españolas,* tomo IV,
pág. 262.

ALEGRE, Francisco Javier.

Poeta y erudito mexicano. Nació—1729—
en Veracruz y murió—1788—en Bolonia.
Muy joven ingresó en la Compañía de Jesús.
Y fue profesor de griego y de latín en el
Colegio de jesuitas e historiador de la Compañía. Más tarde enseñó también Teología,
llegando a redactar un curso teológico con
una pureza clásica de dicción "digna de Melchor Cano o de algún otro teólogo rarísimo
del Renacimiento". Cuando aún era escolar,
como un ensayo, escribió un poemita épico
acerca de la conquista de Tiro por Alejandro, con el título de *Alexandriados sive de
expugnatione Tyry ab Alexandro Macedone;*
poema que, muy ampliado y pulido, publicó
—1775—en Forli (Italia).

Al ser expulsados los jesuitas de México,
marchó a Italia con otros muchísimos compañeros, viviendo indistintamente en Roma,
Forli y Bolonia.

Su traducción de la *Ilíada* fue impresa
—1776—en Bolonia, y, luego de grandes correcciones, en Roma—1788—. Aun cuando
esta traducción está realizada correctamente,
peca de prosaica y de ser, espiritualmente, lo
menos homérica posible.

También tradujo al castellano—y esta vez
con viveza, facilidad y garbo—los tres primeros cantos del *Arte Poética,* de Boileau.

Ediciones: De la *Egloga Nysus,* en el tomo III de las *Memorias de la Academia
Mexicana,* págs. 422-425, siendo la traducción
de don Joaquín Arcadio Pagaza; *Opúsculos
inéditos latinos y castellanos del P. Francisco Javier Alegre (veracruzano)...* México,
Imprenta Díaz de León, 1889.

V. Menéndez Pelayo, M.: *Historia de la
poesía hispanoamericana.* Madrid, 1911, tomo I, págs. 89-93.—Icazbalceta, Joaquín
García de: Prólogo a la edición de 1889.—
Pimentel, Francisco: *Historia crítica de la
literatura en México.* México, 1883.

ALEGRÍA, Ciro.

Poeta y novelista peruano. Nació—1909—
en Sartimbamba (Huamachuco). Se educó en
el Colegio Nacional de San Juan y en la

A

Universidad de la Libertad, de Trujillo. Redactor—1926—del diario *El Norte*, de *La Tribuna*—1934—. A consecuencia de sus actividades políticas—de 1931 a 1933—, tuvo que marchar a Santiago de Chile—1934—. En Buenos Aires—1935—colaboró en *La Nación*. Y en 1941 viajó por los Estados Unidos. En este mismo año ganó el "Gran Premio de Novela Continental" con su obra *El mundo es ancho y ajeno*.

Ciro Alegría, como novelista, representa lo más característico del regionalismo narrativo, entroncado abiertamente con el más intenso, sugestivo y fecundo folklore.

En 1935, Ciro Alegría obtuvo otro premio, en un concurso celebrado en Chile, con su novela *La serpiente de oro*, narración exaltadora de la vida intensa y difícil en los bosques peruanos.

Otras obras: *Poemas de la revolución* —1933—, *Los perros hambrientos*—1938, novela de los aborígenes andinos...

V. SÁNCHEZ, Luis Alberto: *La literatura del Perú*. Buenos Aires, 2.ª ed., ¿1948?— SÁNCHEZ, Luis Alberto: *Nueva historia de la literatura americana*. Buenos Aires, 1944. HOYO, Arturo del: Prólogo a las *Novelas completas* de C. A. Madrid, Aguilar, 1959.

ALEIXANDRE, José Javier.

Nace en Irún (Guipúzcoa) el 9 de marzo de 1924. Bachillerato universitario, estudia Derecho, Filosofía y Medicina. Su vocación le lleva a figurar en las primeras promociones de la Escuela Oficial de Periodismo, perteneciendo durante nueve años a la Redacción del diario *Ya*.

Como autor dramático, ha estrenado *Fuera del mundo* (teatro María Guerrero, 1948), *Es más fácil soñar* (teatro Beatriz, 1951) y una versión de *Crimen y castigo*, de Dostoievski (teatro María Guerrero, 1949). Sus poemas, de un moderno aticismo, llenos de emotividad y hondura, están recogidos parcialmente en su libro *Ver y cantar*—1953.

ALEIXANDRE Y MERLO, Vicente.

Gran poeta español. Nació—1898—en Sevilla. Su infancia la pasó en Málaga, donde cursó el bachillerato. En Madrid se hizo abogado. Empezó a publicar sus primeros versos en la famosa *Revista de Occidente* —1926—, que dirigía Ortega y Gasset. Su primer libro poético, *Ambito*, apareció —1928—en Málaga, como suplemento de la revista *Litoral*. En 1933, como afirmación —y confirmación—del alto valor lírico de Aleixandre, le fue concedido el "Premio Nacional de Literatura".

Aleixandre ha visitado Suiza, Francia e Inglaterra, y desde 1950 es miembro de la Real Academia Española de la Lengua.

Ha publicado los siguientes libros—todos de poesía—: *Espadas como labios*—Madrid, 1932—, *La destrucción o el amor*—1935—, *Pasión de la tierra*—México, 1935—, *Sombra del paraíso*—Madrid, 1944—, *Mundo a solas* —1950—, *Nacimiento último*—poemas, 1953—, *Historia del corazón*—Madrid, 1952—, *Los encuentros*—retratos en prosa, 1958—, *Poemas paradisíacos*—1952—, *Picasso* —1961—, *Poesías completas*—Madrid, Aguilar, 1968—, *Presencias*—1965—, *Retratos con nombre*—1965—, *Poemas de la consumación* —1968.

González Ruano ha escrito atinadamente de este poeta: "Le caracteriza una especial concepción del tiempo, un desbordamiento de lo soñado, de lo íntimo, que busca los equivalentes de expresión en una selva casi genesíaca, inflamada, en la que la carne es carne y entre el mundo subconsciente y el lenguaje poético de primera calidad, la obsesión de los temas, no ya amorosos, sino voluptuosos, sensuales hasta el dolor, es una pervivencia angustiosa. Poeta, en todo caso, de un misticismo panteísta, exigente en ordenar sus pasiones; de órbita grande y con igual dominio para el verso libre, de largo período, que generalmente prefiere, que para el verso medido y formalmente clásico."

Aleixandre es, indiscutiblemente, un altísimo poeta, de una personalidad señera y paradigmática. Ha renunciado, más que el que más, a la forma y a la musicalidad. No le interesan las cosas, los sucesos ni las personas. Todo su mundo es él; y su angustia noble, su fervor casi olímpico, sus fantasmas y sus sombras, sus anhelos y sus escepticismos. Aleixandre se ha creado un clima poético irreal y vive y clama o gime en él con una voz impresionante por su obsesivo tono inmutable. No le interesa tampoco la lógica; busca sus sinrazones sugestivas en la propia lucha de sensaciones, sentimientos, ideas e ideales. La órbita de su irradiación poética es fenomenal; pero es centrípeta, exclusivista y excluyente. Las fuerzas instintivas que le mueven y le conmueven parecen irreprimibles y surgen a borbotones, a caños, a oleadas. Cuando se lamenta, no busca la compasión, sino la admiración a su dolor, tan magníficamente sobrellevado. Y es que para Aleixandre la máxima sensualidad enraíza en el dolor. Diríase que la poesía de Aleixandre busca los abismos, las luces o las tinieblas que sean absolutos, las catástrofes cósmicas. No me importa afirmar que Aleixandre es un turbador poeta romántico..., disfrazado de suspicaz existencialista.

V. SALINAS, Pedro: *Literatura española en el siglo XX*.—DÍAZ-PLAJA, Guillermo: *La poesía lírica española*.—HOMENAJE A VICENTE ALEIXANDRE: Número extraordinario de la revista *Corcel*.—ALONSO, Dámaso: *Ensayos*

sobre poesía española. Madrid, 1944.—Bousoño, Carlos: *La poesía de Vicente Aleixandre*.
Madrid, 1950.—Alonso, Dámaso: *La poesía
de Vicente Aleixandre*, en *Poetas Españoles
Contemporáneos*, Madrid, edit. Gredos, 1952.

«ALEJANDRO, Julio».

Seudónimo del poeta y autor dramático
español contemporáneo Julio Castro.

Ha dado recitales de sus poemas en España y América. Y ha obtenido, en breve tiempo, merecidos éxitos escénicos.

Obras: *La familia Kasbin, Shanghai-San
Francisco, Barriada, El termómetro marca 40...*

ALEMÁN, Mateo.

Celebérrimo escritor español. Nació en Sevilla—1547—. Murió en México hacia 1614.
Fue hijo del médico Hernando Alemán y de
su segunda mujer, Juana de Enero. Cursó
Humanidades en la Academia de Mal Lara.
Se graduó bachiller en Artes en la Universidad hispalense de maese Rodrigo. Estudió
Medicina en Salamanca y Alcalá. Entre burlas y veras, hizo vida íntima con doña Catalina Espinosa, cuyo tutor, el grave capitán
Hernández de Ayala, entre veras y burlas, le
hizo casarse con ella, con el aliciente de
unos miles de ducados de dote y con los
temores de una zurra administrada generosamente.

Hacia 1580 se le encuentra preso en la
Cárcel Real, si hemos de creerle, por "cierta
contias de maravedís que me piden y deman-
dan diversas personas...", y que él, distraí-
damente, había invertido en provecho propio. Más tarde, en Madrid, se dedicó a manejos zurdos y a negocios bastante oscuros,
en los que siempre se luchaba por el dinero
de maneras, más que pícaras, apicaradas. Estuvo en Italia. Volvióse. Se separó de su mujer, y se lió con su ama—doña Gregoria
Volante—y con una amiga de su ama, llamada
doña Francisca Calderón. Nuevos trabajos y
nuevas deudas, pues que las honradas filosofías a las que quiso dedicarse—según su biógrafo Luis de Valdés—no daban sustancia al
puchero, ni atuendo al empaque; y con las
deudas, por impagables, la cárcel, en la que
convivió con otro genio nada amigo suyo:
Miguel de Cervantes, también mala cabeza en
eso de hacer mal las cuentas, siempre en su
favor. Y hacia 1608, acompañado de sus hijos y de su coima, emparejado con el dramaturgo corcova Ruiz de Alarcón, la huida a
México, llevando consigo, "además de sus
viejos desengaños y sinsabores—según escribe Rodríguez Marín—, un solo librillo, y ese
no acabado: su *Ortografía castellana*".

Mateo Alemán, autor de la más compleja
de las novelas picarescas españolas, sufrió
la ruda lucha de la necesidad y del ambiente contra su espíritu, más caballeresco que
caballero. No, a él no le hubiera podido elegir para modelo el gran pintor de los caballeros mil por cien que fue el Greco toledano—de los caballeros de hueso dulce, que
tanto se dieron en los cigarrales aledaños al
Tajo, río de tanto temple—. A él le hubieran
retratado mejor el Zurbarán crudo de los
caballeros mediocres y el Velázquez impasible de los caballeros capigorrones y capirro-
tos. El hambre y la tristeza se le cogieron
de sendos brazos. Y fue lo suficientemente
ingenuo para creer—mirándose a un espejo—que con su talante magro, su faz austera de Quijote retirado, su facundia lacrimo-
sa y sus ademanes patéticos, podía disimular y disculpar la estafilla, la malversion-
cilla, el hurtejo, el *sablazo*...

¡Y se le llamó el *Español divino!* ¡Y en
escasos años se hicieron más de veinte ediciones fraudulentas de su obra inmortal! ¡Y
llegó a decir un frailuco agustino "no haber
salido a la luz libro profano de mayor provecho y gusto hasta entonces" que el *Guzmán!*

En Madrid—imprenta de Várez de Castro,
1599—apareció la *Primera parte de la vida
del pícaro Guzmán de Alfarache*, cuyo éxito
fue tan extraordinario que se hicieron de
esta obra tres ediciones en un año. En 1603
—y en Lisboa—imprimió Alemán la *Segunda parte de la vida del pícaro Guzmán de
Alfarache, atalaya de la vida humana, por
Mateo Alemán, su verdadero autor*. Esta última aclaración debióse a que en Valencia
—1602—el abogado valenciano Juan Martí,
bajo el seudónimo de "Mateo Luján de Saavedra", había publicado una *segunda parte*
apócrifa, estimulado por el éxito del libro
de Alemán. También en Lisboa, y en 1603,
publicó Alemán la *Vida de San Antonio de
Padua*. En México—1609—apareció su *Ortografía castellana*. A más de estas obras, tradujo Alemán algunas *Odas* de Horacio y
publicó los *Sucesos de don fray García Guerra, arzobispo de México*—1613.

Pero su gloria inmensa la debe el gran
sevillano a su novela *Guzmán de Alfarache*,
modelo de aventuras picarescas, de gracia
española y de caliente humanidad, de patetismo fatalista, de alegre conformidad con
los lances de fortuna y con los trances de
infortunio. Indudablemente, hay en el *Guzmán* no poco de autobiográfico. La vida turbulenta, maleante, azarosa, de Alemán fue
"la escuela y taller en que se forjó el estoicismo picaresco y la psicología sin entrañas
de *Guzmán de Alfarache*", según ha dicho
Menéndez Pelayo.

En el *Guzmán* cortan el hilo de la narración varias novelitas—*Historia de Ozmín
y Daraja*, relato morisco; la historia napo-

litana de *Dorido y Clorinia;* la historia sevillana de *Dorotea y Bonifacio*—, varios cuentos, chascarrillos y anécdotas ya de "corte" clasicomitológico, ya de trascendencia populachera; varios refranes y dichos de mucha sabiduría. En el *Guzmán,* además, abundan otras digresiones: citas de Aristóteles, Avieno, Catulo, Séneca, Alfonso *el Sabio;* ejemplos moralizantes; divagaciones un tanto filosóficas. Sin embargo, nadie podrá afirmar que el *Guzmán* no se ofrezca al lector como *un todo orgánico,* en el que nada falta ni sobra. El agudo ingenio y la cruda humanidad de Alemán, su estilo sencillo y claro, su léxico abundante y propio, hacen del *Guzmán* la mejor continuación de la novela de género iniciado por *El lazarillo de Tormes.*

El éxito del *Guzmán,* símbolo de una sociedad y un ideario, fue asombroso; sus reimpresiones y versiones exceden a todos los demás casos de libros hispánicos; baste este detalle: las veintitrés ediciones conocidas antes de 1605. Exito más que justificado.

Todo en el *Guzmán* es sugestivo e ingenioso. El paisaje ideal que envuelve al antihéroe. El simbolismo angustioso de la obra, que alude a una patria y un Estado con señales de descomposición y decadencia. El patetismo senequista del pícaro, que excita más nuestra simpatía con su entereza ante el infortunio que nuestra rabia por sus bellaquerías. El cinismo amargo y sin ilusión alguna de los principales personajes. El humorismo sarcástico que rezuma de muchas de sus páginas. El tesoro de dicción que constituyen los refranes y las frases populares reunidas "naturalmente" en la obra.

El *Guzmán* fue traducido inmediatamente a todos los idiomas cultos. Y fue imitado, principalmente, por aquel gran contrabandista de géneros españoles que se llamó Le Sage.

Textos del *Guzmán:* edit. Gili Gaya, "Clásicos Castellanos"; edición Valbuena Prat, Madrid, Aguilar, *Novela picaresca;* ed. Cejador, Madrid, Renacimiento; "Biblioteca de Autores Españoles", tomo III; de *Sucesos de fray García Guerra,* ed. Bushee, en *Revue Hispanique,* 1911.

V. FOULCHÉ-DELBOSC, R.: *Bibliographie de Mateo Alemán,* en *Revue Hispanique,* XLII, 1918.—RODRÍGUEZ MARÍN, F.: *Discurso.* Academia de la Lengua, 1907.—HAZAÑAS, J.: *Discurso.* Academia Sevillana de Buenas Letras, 1892.—GESTOSO, J.: *Nuevos datos para ilustrar la biografía de Mateo Alemán.* Sevilla, 1896.—CRONAN, Urbano: *Mateo Alemán and Miguel de Cervantes,* en *Revue Hispanique,* 1911, XXV.—BUSHEE, Alice H.: *The Sucesos of Mateo Alemán,* en *Revue Hispanique,* 1911, XXV,—PÉREZ PASTOR: *Bibliografía madrileña. Segunda parte.*—ICAZA, Francisco: *Sucesos reales que parecen imaginarios... Alemán.* Madrid, 1919.—GRANGES DE

SURGERES, M. de: *Les traductions du "Guzmán de Alfarache",* en *Bulletin de Bibliophiles,* 1885.—GARCÍA BLANCO, M.: *Mateo Alemán y la picaresca alemana.*—VALBUENA PRAT, A.: *La novela picaresca española.* Madrid, E. Aguilar, 1943 y 1946.—ESPINOSA, C.: *La novela picaresca y el "Guzmán de Alfarache",* Habana, 1935.—CALABRITTO, G.: *I romanzi picareschi de Mateo Alemán...* La Valletta, 1929.

ALEMÁN SAINZ, Francisco.

Cuentista y crítico literario. Nació—1919— en Murcia. En diversos diarios y revistas ha publicado pequeños ensayos magistrales acerca de la novela policíaca y de la novela—americana—del Oeste.

Obras: *La vaca y el sarcófago*—cuentos, 1952—, *Cuando llegue el verano y el sol llame a la ventana de tu cuarto*—1953—, *Patio de luces y otros relatos*—1957.

ALEMANY BOLUFER, José.

Catedrático y filósofo español. 1866-¿? Nació en Cullera (Valencia). Doctor en Filosofía y Letras—1889—. Catedrático de Lengua griega en la Universidad de Granada—1891—, y de la misma disciplina en la Universidad Central de Madrid, hasta su muerte. Miembro de la Real Academia de la Lengua—1909—y de la Real Academia de la Historia—1925.

De gran erudición, sus constantes investigaciones han prestado grandes servicios al mejor desarrollo de la filología española. Tradujo excelentemente *El Hitopadesa* —1895—, *El Bhagavad Guita, El Panchatantra*—1908—, *El Manavadharmahastra o libro de las leyes de Manú*—1912—, las *Tragedias de Sófocles*—1921—y *Calila e Dimna*—1915.

Otras obras: *Estudio elemental de Gramática histórica de la lengua castellana* —1901—, *Del orden de las palabras en la lengua indoeuropea*—1909—, discurso de ingreso en la Real Academia Española—, *La lengua aria, sus dialectos y países en que se habla...*

ALFARO, Manuel Ibo.

Periodista y novelista muy estimado en el pasado siglo. Nació—1828—en Cervera del Río Alhama (Logroño). Después de haber estudiado Humanidades en su villa natal, en cierto colegio que dirigía su padre, cursó Filosofía en Tudela, donde se graduó bachiller. En 1849 se licenció en la Facultad de Filosofía y Letras de Zaragoza y marchó a Madrid, donde fijó su residencia, colaborando en los periódicos *El Tribuno, El Debate, Las Cortes* y el *Semanario Pintoresco.*

Alfaro escribió muy notables novelas en ese género que hoy calificamos de "rosa": *Flora y Sofía, El orgullo y el amor, Adolfo*

A

el de los negros cabellos, Una violeta, La cruz de los dos amantes.

V. OVILO Y OTERO, Manuel: *Manual de biografía y de bibliografía...* París, 1859.

ALFARO, María.

Poetisa y prosista. Nació en Gijón —¿1900?—. Su vida ha transcurrido entre las dos Américas y Francia. Actualmente reside en Madrid. En 1934 empezó a publicar en *El Sol,* de Madrid, sus artículos de crítica literaria, que causaron honda sensación entre la gente de pluma.

María Alfaro está considerada hoy, dentro y fuera de España, como una de las escritoras más cultas, agudas y sensibles. A ello han contribuido, indudablemente, sus múltiples viajes y sus largas estancias en Francia y en América.

Dirigió la Sección literaria para América en la radio París Mundial, de la capital francesa. Corresponsal en España de la gran revista *Les Nouvelles Littéraires.*

Obras: *Memorias de una muerta*—novela—; versión castellana de varias obras de Corneille. A las que hay que añadir numerosos ensayos publicados en diversas revistas o al frente de ediciones de las obras —las de Byron entre ellas—de los más famosos poetas.

En 1951 ha publicado *Poemas del recuerdo.*

ALFARO Y POLANCO, José María.

Nació—1906—en Burgos. Poeta y prosista de singular interés. Abogado. Periodista. Colaborador de *El Sol,* de Madrid. Director de las revistas *Vértice, Escorial* y *FE* y del diario *Arriba.* Presidente de la Asociación de la Prensa—1945—. Con anterioridad a 1936 asistió a varias de las más interesantes tertulias literarias madrileñas: la del café Europeo y la de "La Ballena Alegre", siendo gentes selectas de su promoción Foxá, Sánchez Mazas, Montes, Aparicio, Samuel Ros, Ignacio Catalán, Mourlane Michelena...

José María Alfaro publicó notables artículos y notas en *El Sol,* de Madrid, entre 1933 y 1936.

Como poeta, tuvo una primera influencia de Rafael Alberti. Poco a poco, superándose en la búsqueda de sí mismo, ha encontrado acentos originales de primera calidad. Sus versos—eco clásico de poetas mayores—tienen elegancia flexible, intimidad sugestiva, sugerencias vivas de hondos afanes y una inconfundible personalidad.

Con el seudónimo de "José Aguilar" publicó durante mucho tiempo en el diario madrileño *Arriba* notas, poesías, comentarios, reflexiones de gran calidad.

De su libro *Versos de un invierno*—1941—

ha dicho Valbuena Prat que revela su fina cadencia, su intenso lirismo.

Es autor de una intensa novela: *Leoncio Pancorbo*—Madrid, 1942—. También es autor de varias obras escénicas en verso: *La última farsa, El molinero y el diablo, Fue en una venta.* Escritas la segunda en colaboración con Suárez de Deza, y la tercera, con Marqueríe. Ha colaborado en las principales revistas de literatura minoritaria: *Parábola, Meseta, Manantial, Gaceta Literaria...*

En la actualidad desempeña el cargo de embajador de España en la República Argentina.

ALFONSO, Pedro.

Sabio judío converso español. Su nombre anterior fue *Rabi Moseh Sephardi.* Nació en Huesca—1062—. Murió en 1140. Fue bautizado en 1106. Fue su padrino de bautismo el monarca aragonés Alfonso I, *el Batallador,* de quien tomó el onomástico. En la Biblioteca de El Escorial se encuentra el manuscrito latino de su obra—conocidísima en la Edad Media—*Disciplina clericalis,* colección de 33 cuentos o apólogos orientales, inspirados en Honain, en Mobáxir y en el *Syntipas.* Acaso Pedro Alfonso escribió su obra primeramente en árabe.

Clemente Sánchez de Vecial, a principios del siglo XV, tradujo al castellano la *Disciplina clericalis* con el título de *Libro de los exemplos;* libro que contenía, además, otros muchos cuentos procedentes de las *Vitae Patrum* y de la *Gesta Romanorum.*

El texto latino de la *Disciplina clericalis* fue editado por vez primera—París, 1824— bajo la dirección del abad De Labauderie, y la reprodujo la *Patrología latina* de Migne —volumen 157—. W. Söderhielm y M. Hilka han realizado una edición crítica, Heidelberg, 1911.

Obra amena y moralizante, la *Disciplina clericalis* ha sido muy imitada y traducida —parcial o totalmente—al hebreo, francés, alemán, italiano, catalán, inglés, islandés.

También Pedro Alfonso es autor de *Dialogi lectu dignissimi,* obra publicada en Colonia —1526.

Texto: del *Libro de los exemplos,* en "Biblioteca de Autores Españoles", tomo LI, 443-542.

V. SCHMIDT: *Petri Alphonsi disciplina clericalis.* Berlín, 1827.—CHAUVIN, V.: *Bibliographie des ouvrages arabes.* Liège, 1905.— MENÉNDEZ PIDAL, R.: *España, eslabón entre cristiandad e islam. Pedro Alfonso,* en *Historia de la Nación Argentina,* tomo II, páginas 147-148, Buenos Aires, 1937.—MENÉNDEZ PELAYO, M.: *Orígenes de la novela,* tomo I, págs. XXXVIII-XL, Madrid, 1918.—DU-

CAMIN, Jean: *Pierre Alphonse. Disciplines de Clergie et de moralités.* Toulouse, 1908.

ALFONSO X, «el Sabio», Rey Don.

Hijo de Fernando III y de su primera mujer, doña Beatriz de Suabia, nació Alfonso *el Sabio* en Toledo, el día de San Clemente —23 de noviembre—del año 1221, en el Palacio Real, que debió de estar emplazado en el solar que ocupan hoy el monasterio de las Comendadoras de Santiago y el Hospital de Santa Cruz, del cardenal Mendoza. Su nodriza fue Urraca Pérez, y sus ayos, don Garci Fernández y la ricahembra doña Mayor Arias, segunda mujer de este. Su crianza se desarrolló en los pueblos de Villaldemiro y Celada del Camino, situados, próximos entre sí, en la vega del Arlanzón, y protegidos entrambos por la fortaleza de Muño.

Alfonso *el Sabio* fue un hijo dócil, un padre débil, un rey discreto y un espíritu solicitado por todas las sugestiones de la sabiduría y solícito en todas las manifestaciones de la cultura.

De todas sus obras, es la más personal y, por ende, la más íntima la titulada *Las Cantigas,* colección de 430 composiciones, escritas en gallego, dedicadas a relatar milagros de Nuestra Señora. "Europa entera ha publicado en las lenguas más diversas los milagros de la Virgen, y alguno hay que está contado por más de quince autores distintos. El rey Alfonso adapta, con una encantadora sencillez, muchos de estos milagros mariales que se relatan por el mundo, y cuenta otros sucedidos en España, tradicionales o presenciados por él mismo y hasta acaecidos en su persona. Con estos relatos milagrosos mezcla, cada diez cantigas, una de loor a la Virgen, lírico ensalzamiento de Santa María" (Solalinde).

De *Las Cantigas* son conocidos diversos códices. El más antiguo es el de Toledo —Biblioteca del Cabildo—. Los dos de El Escorial son los más importantes. Uno de ellos, el denominado Códice príncipe, está escrito con nitidez y maravillosa gallardía; tiene una viñeta—miniatura—cada diez cantigas, y la música de todas ellas en notación rabínica; frente al prólogo poético, a guisa de portada, campea una prodigiosa miniatura que representa al rey don Alfonso rodeado de juglares, juglaresas y amanuenses. Algunos de aquellos afinan sus violas. Uno de estos, pluma en ristre, parece propicio a escribir las modificaciones que dicte el monarca en la música o en la letra. El otro códice de El Escorial—incompleto—contiene 212 espléndidas láminas, divididas en seis recuadros, alusivas a las leyendas, y logradas en oro y colores. Las 212 láminas comprenden 1.257 miniaturas, las cuales constituyen

A

un inestimable monumento iconográfico de la indumentaria, del moblaje, de la arquitectura, de las armas, de las artes decorativas y de los usos de la Edad Media.

El cuarto códice es el de Florencia, y fue descubierto en 1877 por Menéndez Pelayo. Los bibliotecarios oficiales le creían un cancionero portugués.

Nada más encantador que la poesía de *Las Cantigas,* ni tan subyugador como los argumentos. Delatan el alma delicada y profundamente lírica de Alfonso X. Son sus mejores abogados contra la leyenda de su impiedad, propagada por acérrimos enemigos; de los cuales Dante le hace la más estupenda y falsa acusación en un terceto de su *Divina Comedia:*

> *Vedrassi la lussuria e il viver molle*
> *di quel di Spagna e di quel di Buemme,*
> *che mai valor non conobbe, ne volle.*

(*Paradiso,* c. XIX, v. 124.)

De las 430 cantigas—420, según Hurtado y Palencia—, 40 son meramente líricas; las restantes, narrativas, con escasísimas excepciones, en las que la leyenda es sustituida por peticiones o acciones de gracias a la Virgen.

Las principales fuentes de *Las Cantigas* son: las colecciones latinas mariales de Vicente de Beauvais, Gualterius y Juan Gobio; las colecciones locales de Hermán de Laón y Hugo Farsitus; el libro de los milagros de Santa María de Rocamador y de los milagros de la Virgen de Chantres; las leyendas hispanas de los Santuarios de Villasirga, Tudia, Tudela, Salas, Terena, Oña, Montserrat...; los troveros Gautier de Coincy y Gonzalo de Berceo, y las leyendas propagadas por el vulgo.

A don Alfonso X se le atribuyen otras poesías; dos octavas de arte mayor—un fragmento—de un supuesto *Libro de las querellas,* y un *Romance,* impreso por primera vez en el *Sumario de las maravillosas y espantables cosas,* de Gutiérrez de Torres-Toledo—1524—, en el que don Alfonso habla de sí mismo y de sus desgracias...

Yo salí de mi tierra—para ir a Dios servir,
e perdí cuanto había—desde enero facta abril...

Otras muchas obras se atribuyen al Rey Sabio, aun cuando hoy se sabe no ser suyas, sino de su dirección y, a veces, aun de su colaboración. Esta vasta producción, realizada o dirigida, puede agruparse así: *a)* Obras jurídicas; *b)* Obras científicas; *c)* Obras históricas, y *d)* Obras poéticas.

Al primer grupo corresponden *Las Partidas,* el *Fuero Real* y *El Espéculo.* En *Las Partidas* colaboraron con don Alfonso X

Juan Alfonso, arcediano de Santiago de Compostela, notario de León; el "maestre de las Leys" Jacobo Ruiz y Ferrando Martínez.

Las Partidas—código probablemente redactado en Sevilla—es el intento de sistematización de Derecho más formidable en los tiempos medios. Tres eran los fines que se proponía el Rey Sabio al publicar este código: realizar la reforma—anhelada por su padre San Fernando—de unificar la legislación; auxiliar a los gobernantes en sus funciones, y dar medios a todos sus súbditos de conocer el derecho y la razón.

La partida primera atañe "al estado eclesiástico y christiana religión"; la segunda se ocupa "de los emperadores, reyes e otros grandes señores de la tierra"; la tercera trata de la justicia y de su administración; la cuarta "fabla del humano ayuntamiento matrimonial e del parentesco que ha entre los homes para amarse mucho"; la quinta se refiere a "empréstitos e compras e cambios e todos los otros pleitos e posturas que facen los homes entre sí"; la sexta alude a "testamentos e herencias"; la séptima trata de las "acusaciones e malfechos que facen los homes e de las penas e escarmientos que han por ellos".

El valor jurídico de *Las Partidas* es extraordinario. En toda Europa no hubo—en su época—nada que se le pareciera ni de lejos.

Entre las obras científicas y de recreo de Alfonso X están: *Los Libros del Saber de Astronomía,* de mucha importancia literaria—por la riqueza y flexibilidad de su redacción—, pero de valor científico puramente arqueológico, en los que se siguen las doctrinas de Tolome, Las *Tablas Alfonsíes,* referentes a los eclipses y sus fechas y a la medida del tiempo. El *Lapidario,* que trata de las piedras preciosas y de sus virtudes e influencias. El *Libro del acedrez e dado e tablas,* acabado en Sevilla el año 1283, libro que es la obra más importante que de la Edad Media se nos ha conservado sobre tales juegos.

Obra fundamental de Alfonso X es la *General Estoria.* Se comenzó a redactar en 1272. Y quedó incompleta—en mitad de la sexta—por muerte del rey, en 1284. La *General Estoria* admira tanto por su estilo magnífico como por la amplitud de sus fuentes y por su concepción histórica, mucho más extensa que el *Speculum Historiale* de Beauvais.

También Alfonso X inició la publicación de la *Crónica General.* El códice escurialense en que ha llegado hasta nosotros consta de dos tomos. El primero—que debió de empezarse a escribir en 1272—abarca la historia de los distintos pueblos que dominaron la Península: los griegos, almujuces, africanos, romanos, vándalos, silingos, alanos, suevos y godos. Es este el volumen debido a don Alfonso X. Porque el segundo—que comprende desde don Pelayo de Asturias hasta San Fernando—fue escrito en 1289, reinando ya Sancho IV. En la *Crónica General,* caso único en la literatura europea, se da cabida a los poemas épicos prosificados, se funden lo épico y lo histórico, iniciándose así la base para una historia popular de gran sabor y sugestión. La *Crónica General* fue impresa por vez primera en Zamora—1541—, bajo la dirección de Floriam Ocampo. Modernamente—1906—, don Ramón Menéndez Pidal ha publicado una edición maestra de la *Crónica.*

Alfonso X se preocupó igualmente de que se tradujeran libros famosísimos como la *Biblia,* el *Talmud,* el *Alcorán,* la *Cábala,* el *Calila e Dimna* y el *Tesoro,* de Bruneto Latini, maestro de Dante.

V. MONDÉJAR, Marqués de: *Memorias históricas del rey don Alfonso "el Sabio" y observaciones a su "Chronica".* Madrid, 1777.— MARIANA, Juan de: *Historia general de España.*—SOLALINDE, A. G.: *Intervención de Alfonso X en la redacción de sus obras,* en *Revista de Filología,* Madrid, 1915.—SOLALINDE, A. G.: *Alfonso X "el Sabio". Antología de sus obras.* Madrid, 1922.—SÁNCHEZ PÉREZ, A.: *Alfonso X "el Sabio".* Madrid, 1935 y 1944.—SÁNCHEZ PÉREZ, J. A.: *Una bibliografía alfonsina,* en *Anales Univ. de Madrid* (Letras), 1933.—VALMAR, Marqués de: *Prólogo a la edición de Las Cantigas* de la Real Academia Española. Madrid, 1889.— MENÉNDEZ PIDAL, R.: *Edición de la Crónica General.* Madrid, 1918.—DIHIGO, J. M.: *Las Siete Partidas* (Estudio lingüístico), en *Revista de la Facultad de Filosofía y Ciencias,* Habana, 1923.—TORRENTE BALLESTER. G.: *Antología* de las *Crónicas de Alfonso X.* Madrid, Ed. Nacional. Dos tomos.

AL-HARIZÍ, Yehudá ben Selomó.

Poeta y prosista judío español. ¿1170-1230? Se le considera como el último representante de la poesía neohebraica en España. Y, según Graëtz, puede llamársele "el Ovidio" de dicha poesía, "por tener algo de la ligereza y de la licencia del famoso poeta latino".

Nació probablemente en Andalucía, pero residió muchos años en el Languedoc y la Provenza. Llevó una vida aventurera muy semejante a la de Abraham ibn Ezra; y como este, tuvo muchos discípulos y levantó grandes polémicas por cuantos centros literarios estuvo.

Al-Harizí se rebeló contra la necesidad de que los poetas judíos escribieran en árabe, por gustar más este idioma a la gran masa de los judíos españoles, y quiso demostrar que el hebreo no cedía ni en riqueza ni en armonía al árabe. Para ello tradujo al hebreo las *Macamas,* de Hariri, y compuso una especie de novela dramática titulada *Tachkemoni,* en la que se critica con sorna a poetas contemporáneos y antiguos.

La prosa de Al-Harizí es muy superior a sus poemas; en estos ya se delata decisivamente la decadencia de la lírica hebraica entre los judíos españoles.

V. GRAËTZ, H.: *Les Juifs d'Espagne.* Versión francesa de Stenne. París, 1872.—AMADOR DE LOS RÍOS, José: *Historia... de los judíos de España...* Madrid, 1875-1876, 3 tomos.—MILLÁS VALLICROSA, José María: *La poesía sagrada hebraico-española.* Madrid, 1940.—SACHS, M.: *Die religiöse Poesie der Juden in Spanien.* 2.ª edición. Berlín, 1901.

«ALMAFUERTE», Pedro Bonifacio Palacios.

Poeta popularísimo. 1854-1917. Nació en San Justo (Argentina). De familia noble y con grandes medios de fortuna. A los diecinueve años estuvo a punto de ir a Florencia, a estudiar pintura, con una pensión que le votó la Cámara de Diputados; pero se la rechazó la de los senadores. Se dedicó a maestro de escuela en Chacabuco, La Plata, y un decreto le dejó cesante por carecer de título. La soledad y la miseria le acompañaron el resto de su vida. Unicamente un año antes de morir, las Cámaras votaron en su favor una pensión vitalicia. No solo las amarguras explican su carácter retraído y receloso. Escribe Leguizamón que *"Almafuerte* poseía una constitución *paranoide,* con claros signos de recelosa desconfianza, fuerte amor propio y conciencia exacerbada en su predestinación. Su más fervoroso panegirista señala en el poeta una sensibilidad constantemente atormentada, junto a una impulsividad perpetuamente acometedora. No faltan, por cierto, ideas de persecución. Completa, por último, la explicación de su carácter cierto alarde de castidad y misoginismo".

Humilde, pobre, de escasa cultura, *Almafuerte* es un poeta sencillo, realista, espontáneo, evangélico, popular. Alguien le ha comparado a nuestro Gabriel y Galán, sino que hay que advertir que el español es mucho más culto y de una religiosidad más honda. Fue "el Walt Whitman cristiano y de raza española", ha dicho Cejador. Y remacha: "Es, acaso, el poeta más sano, más recio, de más enjundia, más sincero y más castellano que ha nacido en América."

La crítica moderna ha sido dura con él. El finísimo crítico español Federico de Onís califica de vulgar su ideología y de pedestre su arte, sin dejar de reconocerle originali-

dad. "Nos parece—añade—que Borges ha visto muy exactamente el carácter de *Almafuerte* como una mezcla de rudeza y cursilería, y a él como un compadrón, un San Juan Moreira. Por ahí se podrá explicar su popularidad."

Que la tuvo enorme. Uno de sus fervorosos admiradores fue Emilio Castelar. *Almafuerte* fue, fundamentalmente, bueno, el cantor y defensor del pobre, del vil, del oprimido, del fracasado. De aquí que las clases menesterosas le hicieran su ídolo.

En 1954 ordenó y estudió, con fervor y precisión, su vida y sus obras completas el profesor Romualdo Brughetti.

Obras: *Confiteor Deo*—1904—, *Gimió cien veces*—1904—, *Vencidos*—1904—, *El misionero*—1905—, *Mancha de tinta*—1905—, *Lamentaciones*—1906—, *Evangélicas*—sentencias en prosa, 1915—, *Apóstrofe: guerra europea* —1915—, *La sombra de la patria*—poema—, *Poesías*—1916—, *Amorosas*—Buenos Aires, 1917—, y otras de menor interés.

V. LAFONT, G.: *Le poète argentin "Almafuerte",* en *La Nouvelle Revue,* 1917.—MAZZA, Alberto J.: *"Almafuerte".* Rosario, 1917. TORCELLI, J.: *"Almafuerte",* en *Nosotros,* 1917, núms. 105 a 107.—DELFINO, Victorino M.: *"Almafuerte": su personalidad y su obra.* Conf. Bolívar, 1917.—HERRERO, Antonio: *"Almafuerte": su vida y su obra.* Buenos Aires, 1918.—MENDIOROZ, Alberto: *"Almafuerte".* La Plata, 1918.—ROSSO, L. J.: Nota preliminar en *Poesías de "Almafuerte".* Buenos Aires, 1928.

ALMAGRO SAN MARTÍN, Melchor de.

Ensayista e historiador. Nació—1882—en Granada. Murió—1947—en Madrid. Estudió el bachillerato en su ciudad natal. Y la carrera de Derecho en la Universidad Central, marchando a ampliar sus estudios en las universidades de Jena y Heidelberg. En 1910 ingresó en la carrera diplomática, habiendo representado a España en París, Viena, Bucarest, Bogotá. Por razones de salud, solicitó su retiro en 1920, dedicándose por completo a la literatura. Ha escrito más de cinco mil artículos en publicaciones de España y América: *A B C, Blanco y Negro, Nuevo Mundo, La Esfera, Heraldo de Madrid, Madrid, Informaciones, El Español, El Imparcial, Diario de la Marina,* de la Habana; *La Prensa,* de Buenos Aires... Su nombre fue y es muy apreciado del gran público. Cultivó preferentemente la crónica de carácter histórico—en la que fue un inimitable maestro—, y sus trabajos se distinguieron siempre por la amenidad de los temas, por la finura de la exposición y por la elegancia de la prosa.

Obras: *Sombra de vida*—cuentos, Madrid, 1903, con un prólogo de Valle-Inclán—, *Bio-*

A

49

grafía de 1900—Madrid, 1944—, *Bajo los tres últimos Borbones*—1945—, *Crónica de Alfonso XIII y de su época*—Madrid, 1946.

ALMELA Y VIVES, Francisco.

Nació en Vinaroz (Castellón) el año 1902. Desde niño residió en Valencia, en cuya Universidad se licenció en Filosofía y Letras. Funcionario del Archivo Municipal. Correspondiente de la Real Academia Española.

Versos: *L'spill a trossos, Joujou, Lidia de toros y versos, La llum tremolosa*.

Biografías: *Sant Vicenç Ferrer, Joan Lluís Vives, Lucrecia Borja y su familia, El bibliógrafo Justo Pastor Fúster, El editor don Mariano de Cabrerizo*, etc.

Novelas: *La novela de una novela, La dama y el paladín*.

Monografías: *El libro valenciano, La literatura valenciana, Vocabulario de la cerámica de Manises, La Torre de Serranos, La Lonja de Valencia, Alquerías de la huerta valenciana, Jardines valencianos, El traje valenciano, El Monasterio de Jerusalén, Pomell de bibliofils valencians, La Bibliofilia en España, La catedral de Valencia*, etc., etc.

Colaboraciones en numerosos diarios y revistas de España y del extranjero.

La mayor parte de su producción poética en castellano, inédita. En preparación, un libro de versos valencianos.

ALMENDROS AGUILAR, Antonio.

Poeta, autor dramático, cronista. Nació en Jódar, provincia de Jaén, el 25 de mayo de 1825, y murió en Jaén el 13 de mayo de 1904. Su poesía pertenece a los últimos tiempos románticos y posrománticos. Escribió poesías líricas en número de 539, de las que 141 son sonetos, donde culmina su inspiración en el inmortal soneto *A la cruz*, que León XIII tenía en un marco sobre su mesa y llevaba grabado en un medallón. Así mismo ha sido esculpido en piedra bajo una cruz de hierro en la cumbre más alta de Jaén. Es un lírico elegante y magnífico. Produjo también poesías satíricas, entre las que destaca *El eclipse*, y ha sido considerado por la crítica como "el último romántico".

Además es autor de varias obras teatrales, entre las que sobresale *El suspiro*, que fue representada en Granada, el día 2 de enero, durante muchos años, y *Crisol de honra*, escrita en una noche, por lo que fue nombrado académico de la Real de Buenas Letras de Sevilla, y así mismo desempeñó el cargo de cronista oficial de Jaén hasta su muerte.

Era un improvisador genial, llegando a sostener conversaciones en verso con otros poetas largo rato. Su forma es siempre correcta y de extraordinaria sensibilidad.

V. MENDIZÁBAL, Federico de: *La obra poética de don Antonio Almendros Aguilar*.— GONZÁLEZ LÓPEZ, Luis: *El último romántico, Guía sentimental de Jaén y otros ensayos sobre el poeta*.

ALMOTÁMID (AL-MUTAMID).

Gran poeta y monarca árabe español. 1040-1095. Imposible mejorar la síntesis biográfica que de este gran poeta ha escrito el doctísimo García Gómez: "¡Maravillosa vida la de Mutámid! De joven, cuando príncipe, gobierna en el Algarve portugués, entre suaves placeres, en la compañía de su apasionado amigo Ben Ammar, torcedor de su vida. Elevado al trono de su padre (Sevilla), siembra de luces el Guadalquivir y llena de música los blancos palacios entre olivos del Aljarafe. Se casa con una esclava—Rumay Kiyya—que supo completarle un verso cuando ella lavaba en el río, junto a la "Pradera de Plata". Para satisfacer su capricho de amasar adobes, le llena las albercas de alcanfor y de ámbar. Hace capitán de sus guardias al "Halcón Gris", un bandolero ingenioso. Conquista ciudades, se le mueren hijos, mata a hachazos a su mejor amigo, que le ha engañado. Para librarse de Alfonso VI acude a Yúsuf el Almorávide; pelea y vence en Zalaca—1086—. Pero Yúsuf le traiciona en seguida, y Mutámid, rey poeta, nuevo David, es vencido por el Goliat africano. Encadenado en Agmat, junto al Atlas, llora hasta su muerte entre palmeras y chozas de adobes, evocando sus palacios y sus olivares sevillanos. Y todos los momentos de su vida se traducen en sus poemas. Mutámid supera a todos los poetas de su época, porque personifica la poesía en tres sentidos: compuso admirables versos; su vida fue verdadera poesía en acción; protegió a todos los poetas de España e incluso a los de todo el Occidente musulmán."

V. GARCÍA GÓMEZ, Emilio: *Poemas arábigo-andaluces*. Estudio y traducción, Madrid, 1930.—SCHACK, A. F. de: *Poesía y arte de los árabes en España y Sicilia*. 3 tomos, Sevilla, 1881, 3.ª edición.—PERÉS, Henri: *La poésie andalouse en arabe classique an XIème siècle*. París, 1937.—GONZÁLEZ PALENCIA, Angel: *Historia de la literatura arábigo-española*. Barcelona, Labor, 1928.—EGUÍLAZ, L.: *Poesía histórica, lírica y descriptiva de los árabes andaluces*. Tesis doctoral. Madrid, 1864.

ALOMAR, Gabriel.

Poeta y ensayista. Nació en Palma de Mallorca (Baleares)—1873—. Murió en 1940. Político de más idealismo que profundidad. Poéticamente, fue militante del *futurismo*, caracterización literaria fluctuante entre el romanticismo decadente y una nueva concepción helénica de la poesía. Alomar desempeñó distintas cátedras en los Institutos de Gijón, Figueras y Palma de Mallorca. Y fue diputado a Cortes—por el partido nacionalista catalán—, representando a Barcelona. Después evolucionó hacia el socialismo, siendo elegido—1930—jefe de la flamante Unión Socialista de Cataluña.

De Alomar ensayista ideológico ha dicho un crítico moderno: "Tiene confianza en los procesos ideológicos sin fin, y por esto su gran potencia imaginativa propende a la entelequia. Más que las cosas en sí, más que como se ofrecen en la realidad, preocúpale el cómo debieran ser. Su concepción política se apoya en la creencia de que no ha de adaptarse la ley a la naturaleza, sino la naturaleza a la norma."

Las principales producciones de Alomar son: *La columna de foc*—poesías—, *La guerra a través de un alma*—Madrid, 1917—, *Verba* (ensayos)—Madrid, 1919—, *El frente espiritual*—Tortosa, 1918—, *La formación de sí mismo*—Madrid, 1920—, *La política idealista*—Barcelona, 1922.

V. OLIVER, Miguel S.: *La literatura en Mallorca*. Palma, 1903.

«ALONE» (v. Díaz Arrieta, Hernán).

ALONSO, Amado.

Crítico literario, filósofo y ensayista español. Nació—1896—en Lerín (Navarra). Murió en 1952. Doctor en Filosofía y Letras. Desde 1917 trabajó en el Centro de Estudios Históricos, de Madrid, con los profesores Menéndez Pidal y Navarro Tomás, especializándose en los estudios de fonética, que continuó en la Universidad de Hamburgo, donde trabajó de 1922 a 1924. En 1927 fue nombrado director del Instituto de Filología de la Universidad de Buenos Aires, centro donde durante veinticuatro años ha realizado una labor inmensa, creando la Biblioteca de Dialectología Hispanoamericana, la Colección de Estudios Estilísticos, la Colección de Estudios Indigenistas, la *Revista de Filología Hispánica*—1939—. Recientemente fue nombrado director del Departamento Hispánico de la Universidad de Harvard (Estados Unidos).

Amado Alonso es uno de los espíritus más profundos y de los críticos más agudos de las actuales letras españolas.

Obras: *Estructura de las "Sonatas" de Valle-Inclán*—tesis doctoral, 1925—, *Estudios sobre el español de Nuevo México, El problema de la lengua en América; Castellano, español, idioma nacional; Gramática castellana, Poesía y estilo de Pablo Neruda, Ensayo sobre la novela histórica, El modernismo en "La gloria de don Ramiro"*...

Amado Alonso ha fallecido en 1952, cuando acababa de llegar a la madurez de su gran talento crítico.

ALONSO, Dámaso.

Nació—1898—en Madrid. Licenciado en Derecho y doctor en Letras. Colaborador de la *Revista de Filología Española*, de la *Revista de las Españas, Revista de Occidente, Gaceta Literaria* y otras importantes revistas de España y América. Profesor de Literatura y Lengua españolas en Berlín, Cambridge, en la Stanford University, de California, y en la Columbia University, de Nueva York. Gran filólogo. Fino crítico literario. Entre su primer libro de poesías, *Poemas puros, poemillas de la ciudad*—1921—, y el inmediato—*El viento y el verso, 1925*—, y entre este y los siguientes—*Hijos de la ira*, 1944; *Oscura noticia*, 1944, y *Hombre y Dios*, 1959—, median muchos años. Sin embargo, Dámaso Alonso permanece fiel a un fervor y a una claridad *heredados* de Juan Ramón, pero lo suficientemente personalizados para que pueda decirse que no son suyos y originales. Dámaso Alonso consigue deliciosamente la musicalidad remota, la temática emocionada, la finura melancólica, la sencillez íntima como más no puede serlo...

> Lo que Marta laboraba,
> se lo soñaba María.
> Dios, no es verdad, Dios no supo
> cuál de las dos prefería.
> Porque El era sólo el viento
> que mueve, y pasa y no mira.

El objeto del poema—explica Dámaso Alonso—"no puede ser la expresión de la realidad inmediata y superficial, sino de la realidad iluminada por la claridad fervorosa de la poesía: realidad profunda, oculta normalmente en la vida, no intuible sino por medio de la facultad poética, y no expresable por nuestro pensamiento lógico". Y añade: "Poema es un nexo entre dos misterios: el del poeta y el del lector."

En los últimos años, Dámaso Alonso ha penetrado con audacia y sutileza en el campo de un fuerte superrealismo existencialista.

En cualquiera de sus dos tendencias posee—y proyecta—un clima lírico privativo. Y si en su primera modalidad hay intimidad y fervor humano, en la segunda existe una magnificencia bíblica con patetismo, avidez y estremecimiento que alude a problemas de conciencia.

Simultáneamente con su obra poética, Dámaso Alonso ha publicado diversos meritísimos trabajos de filología y crítica literaria: *El lenguaje poético de Góngora*—1927—, *Temas gongorinos*—1927—, *La poesía de*

A

San Juan de la Cruz—1944—, *Ensayos sobre la poesía española*—1944—, *Seis calas en la expresión literaria española (Prosa. Poesía. Teatro)*—en colaboración con Carlos Bousoño, Madrid, 1951—. La primera de estas obras obtuvo el Premio Nacional de Literatura, y la tercera, el Premio Fastenrath —1944—de la Real Academia Española de la Lengua. *Poetas españoles contemporáneos* —Madrid, 1952—, *De los siglos oscuros al de Oro*—Madrid, 1958—, *Antología: Creación*—2 tomos, Madrid, Escelicer, 1956—, *Primavera temprana de la literatura europea* —Madrid, 1961—, *Poesía española: ensayo de métodos y límites estilísticos*—1967.

Dámaso Alonso ha publicado admirables ediciones críticas del *Don Duardos,* de Gil Vicente; de las poesías de San Juan de la Cruz—1946—, y ha traducido en prosa castellana de la mejor ley—con el seudónimo de "Alfonso Donado"—*El artista adolescente,* de James Joyce.

En 1945, Dámaso Alonso fue elegido académico de la Real Academia Española de la Lengua, de la que hoy es director.

V. VALBUENA PRAT, A.: *La poesía contemporánea española.* Barcelona, Labor, 1930—. VALBUENA PRAT, A.: *Historia de la literatura española.* Barcelona, 1950, III.—DIEGO, Gerardo: *Antología de poesía...,* 1932.—DÍAZ-PLAJA, Guillermo: *Poesía lírica española.* Barcelona, 1948, 2.ª edición.—HUARTE MORÓN, Fernando: *Bibliografía de Dámaso Alonso.* Madrid, 1958.—ZAMORA VICENTE, Alonso: Introducción a *Studia Philologica,* dedicado a D. A. Madrid, 1960.—CANO, José Luis: *De Machado a Bousoño.* Madrid, 1955.

ALONSO, Eduardo.

Nació este poeta en Fuenteálamo (Albacete)—1898—y murió—abril 1956—en Madrid, y, sin embargo, hasta 1948 no publicó su primer libro, *Tickets de café,* volviendo a publicar su segundo, *Versos nuevos,* en 1949.

Mur Oti y Gregorio Marañón prologaron, respectivamente, los dos volúmenes.

La poesía de Eduardo Alonso se caracteriza por su profunda raigambre española, ajena a toda influencia extraña. Si hubiese que buscarle un antecedente próximo, sería Antonio Machado; más lejanos, Jorge Manrique y Fray Luis de León.

De una forma esquemática, parca, casi lacónica, Eduardo Alonso nos ofrece sus "coplas", que no son "coplas" en el sentido popular de la palabra, sino más bien esquemas poemáticos encerrados con precisión en la limitación de unos breves renglones.

Profundo, filosófico, humano, con una sutil poesía del sentimiento, Eduardo Alonso es uno de los más característicos poetas de esta época, no solo por su indiscutible calidad, sino por su robinsonismo en medio de

las escuelas coloristas y gongorinas y por ser el único valor de esta forma lírica, serena, civil, casi cotidiana, que comenzó Antonio Machado y que no tiene ningún otro cultivador apreciable.

Cada poesía de Eduardo Alonso comprende la precisión de una síntesis, y la riqueza infinita de sugerencias que solo la poesía que llega al corazón puede ofrecer.

Fundador de "Versos a Media Noche" en el café Varela, de Madrid.

Otras obras: *Aire y ceniza*—1950—, *Solo ceniza*—1951, prólogo de Dámaso Alonso—, *Para el viento*—1953—, *Solo y tu...*

V. GAMALLO FIERROS, D.: Estudio, en *Aire y ceniza.* Madrid, 1950.—ALONSO, Dámaso: Prólogo, en *Solo ceniza.* Madrid, 1951.— SAINZ DE ROBLES, F. C.: *Historia y antología de la poesía española* (en lengua castellana). Madrid, Aguilar, 4.ª edición, 1964.

ALONSO ALCALDE, Manuel.

Nació—1919—en Valladolid. Licenciado en Derecho. Del Cuerpo Jurídico Militar. Colaborador en las más importantes revistas de poesía. Su lirismo marca el retorno a la mejor tradición. "Premio Sésamo", 1960; "Premio Ateneo de Valladolid", 1964; "Premio Lope de Vega, 1968", de teatro; "Premio Lope de Vega, 1972", con su obra *Solos en la Tierra.*

Obras: *Los mineros celestiales*—1941—, *Camino sin ventura, Noche del hombre, Hoguera viva*—1949—, *Hora de la eternidad, Esos que pasan. Y la muerte*—cuentos, 1961—, *Ceuta del Mar*—poema, 1960—, *Luna de dulce trigo*—1961—, *Encuentro*—1965—, *Antología íntima*—1964—, *Unos por ahí*—relatos, 1966—, *Se necesita un doble*—cuentos, 1967.

ALONSO CORTÉS, Narciso.

Publicista, catedrático y poeta. Nació en Valladolid—1875—. Murió—1972—en la misma ciudad. En 1906 obtuvo la cátedra de Lengua y Literatura castellanas en el Instituto de Santander. Pocos años después ganó la correspondiente en la Universidad de Valladolid, que ha desempeñado hasta el año 1945, en que fue jubilado. En 1946 leyó su discurso de ingreso en la Real Academia Española de la Lengua.

Como poeta, lo es clásico, pero suficientemente modernizado. Sus principales volúmenes poéticos son: *Fútiles*—1897—, *Rengloncitos*—1899—, *Briznas, La mies de hogaño* y *Arbol añoso.*

Alonso Cortés tiene verdadera importancia como investigador, crítico e historiador literario. Sus obras son tan numerosas como interesantes y doctas. *Zorrilla, su vida y sus obras*—"Premio Fastenraht, 1920", de la Academia Española—es el libro más completo

A

Barcelona. Fundó la revista *El Renacimiento,* y—soldado y caudillo—luchó denodado por la revolución reformista. Hizo famosas sus teorías críticas en sus *Revistas Literarias.* Con Ignacio Ramírez y Guillermo Prieto redactó *El Correo de México.*

Como poeta, fue naturalista y sensual, notándose en él una clásica contención expansiva. "Pero la voz de la raza le une a la tierra como en un retorno panteísta de los sentidos a su fuente. Aun sobre el asunto humano predomina la presencia telúrica, como una voluptuosidad enervante hasta el desmayo o la agonía dichosa... Pareciera que su raíz indígena, hundida en el seno de sus fuerzas elementales, interpretara a la tierra en función del misterio erótico y a las cosas expresando una mórbida ternura carnal" (Leguizamón). Un desatado sentimentalismo y el acento declamatorio perduran en la mayoría de sus poesías.

Como novelista, tuvo imaginación ardiente, brillante colorido, fuerza creadora, amenidad, pasión y un estilo muy peculiar, riquísimo en imágenes. Sus novelas figuran entre las mejores que haya producido la literatura mexicana. Como narrador, Altamirano debe ser incluido entre los cultivadores del realismo naturalista.

Simpática figura humana y literaria la de Altamirano. Su proyección aún no ha perdido hoy nada de su patetismo y su fuerza.

Obras: *Cuentos de invierno, Clemencia* —novela, 1869—, *Rimas*—1880—, *Las tres flores*—narración, 1880—, *La Navidad en las montañas*—relato—, *Paisajes y leyendas, tradiciones y costumbres de México*—la Habana, 1893—, *Julia*—novela—, *El Zarco*—la mejor de sus novelas—, *Atenea*—novela—, *Antonia y Beatriz, Cartas sentimentales, La poesía lírica en 1870, Dramaturgia mexicana...*

V. Agüero: *Biblioteca de Autores Mexicanos.*—Torres Rioseco, Arturo: *La novela en la América hispana.* Bekerley, 1939.—González Peña, Carlos: *Historia de la literatura mexicana.* México, 1940, 2.ª ed.—Jiménez Rueda, J.: *Historia de la literatura mexicana.* México, 1926.—Gamboa, Federico: *La novela mexicana.* México, 1914.—González Obregón, L.: *Noticia sobre los novelistas mexicanos del siglo XIX.* México, 1889.—Iguiniz, Juan Bautista: *Bibliografía de novelistas mexicanos.* México, 1926.

ALTET PASCUAL, Francisco.

Poeta, prosista y autor teatral. Nacido —1891—en Madrid. Es, por su profesión, funcionario público—jefe de Negociado del Cuerpo Técnico de Correos—y taquígrafo titulado. Desde niño sintió la vocación literaria. Cursados sus primeros estudios de bachillerato y otros, publicó en 1915 su primer tomo de composiciones poéticas, titulado *Cantos de todas las edades.*

Posteriormente, en 1918, se asomó al género novelesco con *El crimen de los labios* —novelas cortas—, del que se ocupó la crítica muy favorablemente entonces en *Mundo Gráfico, El Mundo, Heraldo de Madrid,* etcétera. Después, alejado temporalmente de la Corte, colaboró con diversos trabajos, casi siempre de índole poética, en diarios de provincias, como *El Faro de Vigo y El Compostelano,* en Galicia, y *El Castellano,* en Toledo.

Ha cultivado también con éxito el teatro. Pero, siguiendo su vocación, volvió por los fueros de la poesía en un nuevo libro, titulado *Inquietud,* que lanzó la Editorial Rubiños en 1943. El ilustre crítico Cristóbal de Castro dijo del autor "que le encontraba analogía de temperamento con Boscán en lo antiguo y con Gabriel y Galán en la época moderna", en juicio crítico publicado en el diario *Madrid* en 1944.

Otras obras: *Los "jipíos"*—sainete, 1930—, *Una mujer extraña*—comedia, 1944—, *La mala pasión*—drama, 1945—, *Sinfonía espiritual*—poemas, 1952.

V. Sainz de Robles, F. C.: *Historia y antología de la poesía española.* Madrid, Aguilar, 2.ª edición, 1950.

ALTET Y RUATE, Benito.

Nació y murió—1827 a 1893—en Valencia. Poeta meritísimo. Y uno de los más ardientes restauradores de la poesía lemosina en su ciudad natal. Ganador de los primeros premios en varios Juegos florales. En 1871 fue admitido en la Academia de los Arcades, de Roma, con el nombre poético de *Uldremo Timenio.*

Son famosas entre sus poesías: *Fe, Al Micalet de Valencia, Ays de lo sprit, Le jorn del jui, Cant a la Santísima Verge de'ells Desamparats, Lo más de Taulada, Deu y Hom ver, La Creu de Crist...*

ALTHAUS, Clemente.

Poeta y autor teatral peruano. 1835-1881. Nació en Lima y murió loco en París. Perteneció a la *bohemia* literaria, bien estudiada por Palma, y a quien este ha descrito como excéntrico y pulcro hasta la afeminación.

"Sigue direcciones en realidad diversas, por más que entonces se confundieran bajo el nombre general de clasicismos. Unas veces imita a Quintana; otras, a los sonetistas italianos y españoles de los siglos XVI y XVII; otras, a Fray Luis de León, y otras, en fin, a los clásicos latinos; que, en cuanto a los griegos, no parece haberse familiarizado con ellos." (Riva Agüero.)

En verdad, Althaus fue un poeta de transición; romántico por la época y el ambiente, clásico por el predominio de su temperamento reflexivo y lógico. Trabajó tanto las formas, que cayó en un frío intelectualismo.

Obras: *Poesías patrióticas y religiosas*—París, 1862—, *Poesías varias*—1862—, *Obras poéticas*—Lima, 1872—, *El último canto a Safo*—su mejor obra—, *Antíoco*—tragedia clásica.

V. MENÉNDEZ PELAYO, M.: *Historia de la poesía hispanoamericana*. Madrid, 1913, tomo II, págs. 259-263.—PALMA, Ricardo: *La bohemia de mi tiempo*. Lima, 1899.—RIVA AGÜERO, J. de la: *Carácter de la literatura del Perú independiente*. Lima, 1905.—SÁNCHEZ, Luis Alberto: *La literatura peruana*. Santiago de Chile, 1936. Tres tomos.

ALTOLAGUIRRE, Manuel.

Nació—1904—en Málaga. Murió—1959—en Burgos. Se educó con los jesuitas. Abogado. Fundó y dirigió en su tierra natal la revista poética *Litoral*, y en Madrid: *Poesía*—1931— y *Héroe*—1932—, igualmente dedicadas a las manifestaciones poéticas más avanzadas. Impresor de vocación profunda, tipógrafo excelente, ha compuesto y editado por sí mismo varias y selectísimas producciones.

Altolaguirre es autor de los cuadernos poéticos *Escarmiento, Vida poética, Lo invisible*—1930—, *Un día, La lenta libertad*—Premio Nacional de Literatura 1933—, *Las islas invitadas*—1926—, *Ejemplo*—1927—, *Soledades juntas*—1937—, *Amor*—1931—, *Poemas de las islas invitadas*—1944—, *Fin de un amor*—1949—. De forma dura, seca y aun violenta, de intensa temática, feliz en las imágenes, cálido de acento, náufrago afortunado en el más puro lirismo, con una natural gallardía andaluza, Manuel Altolaguirre es el último, cronológicamente, de los llamados *poetas puros,* dueños de la mejor inefabilidad.

Otras obras: *Garcilaso de la Vega*—Madrid, 1933—, *Antología de la poesía romántica española*—Madrid, "Col. Universal", 1933.

V. VALBUENA PRAT, A.: *Historia de la literatura española*. Barcelona, 1950, III, 3.ª edición.—DIEGO, Gerardo: *Antología poética*. Madrid, 1932.—SAINZ DE ROBLES, F. C.: *Historia y antología de la poesía española (en lengua castellana)*. Madrid, Aguilar, 1964, 4.ª edición.

ALVARADO, María de (v. «Amarilis»).

ÁLVAREZ, José Sixto.

Argentino. 1845-1903. Murió en Buenos Aires. Leguizamón le ha calificado de maestro porteño del costumbrismo. Utilizó los seudónimos de "Nemesio Machuca", "Fabio Carrizo" y "Fray Mocho". De gran cultura. Jefe de Investigaciones. Oficial mayor del Ministerio de Marina. Colaborador asiduo de *Caras y Caretas*.

Obras: *Memorias de un vigilante*—1897—, *Vida de los ladrones célebres de Buenos Aires, Cuentos de Fray Mocho*—1906—, *Nuevos cuentos de Fray Mocho, Salero criollo, Esmeraldas, Un viaje al país de los matreros*—1897—, *En el mar austral*—1898.

V. LEGUIZAMÓN, J. A.: *Historia de la literatura hispanoamericana*. Buenos Aires, 1945, tomo II.—ROJAS, Ricardo: *La literatura argentina*. Buenos Aires, 1924, 2.ª edición.—ESTRELLA GUTIÉRREZ, Fermín: *Panorama de la literatura argentina*. Santiago, Ercilla, 1938.

ÁLVAREZ, Miguel de los Santos.

Nació—1817—en Valladolid. Murió—1892—en Madrid. Cuando tenía cinco años, su padre, abogado de la Chancillería y muy perseguido por sus ideas liberales, tuvo que huir—1823—y refugiarse con toda su familia en Portugal. Miguel, casi niño aún, anduvo con "el Empecinado" por tierras de Extremadura. Era, sin embargo, el más osado en la aventura. Tenía un desplante flamenco parecido al que exhibieron después por las serranías los bandidos de patillas de hacha, trabuco y jacas lustradas por el verde oliva. Aprovechando una amnistía, regresó a Valladolid, donde estudió Derecho y trabó amistad con Zorrilla. En 1836 llegó a Madrid, dándose a la lectura con buena suerte, pero con poca asiduidad. Le embargaban demasiado las trapatiestas políticas, en las que igual él que su fraternal camarada Espronceda, *ardientes porque sí en la oposición,* no sabían nada sino que había que conspirar, que batirse, que huir y que arriesgarse cada día. Colaboró en *No me olvides* y en *El Semanario Pintoresco Español*. Complicado en los sucesos revolucionarios de 1848, hubo de desterrarse a Francia, donde vivió hasta 1852. De nuevo en su patria, fue empleado por la Administración de Rentas—1853—, gobernador de Valladolid—1854—, nombrado por la Junta de la ciudad, y entró a formar parte del Cuerpo diplomático—1856—. Estuvo destinado como secretario en las Legaciones del Brasil y de la Argentina, y como ministro plenipotenciario en Méjico. En España desempeñó el cargo de secretario de Estado y alcanzó la categoría de consejero del mismo. Miguel de los Santos Alvarez, sanguíneo, espontáneo, impulsivo, escribía únicamente a capricho. Quizá por ello malogró sus magníficas cualidades de escritor.

Miguel de los Santos Alvarez es uno de los primeros humoristas—y de los pocos—que ha tenido España. Su humor es cáustico, más aún que el de Espronceda, menos escéptico que el de este. Hábil versificador, un poco duro, bastante aburrido, su importancia mayor es la de prosista, con tendencias un tanto volterianas a veces.

Sus principales obras son: *Dolores* —1838—, *La protección de un sastre*—novela humorística, 1840—, *María*—poema, 1840—, *El hombre sin mujer*—cuento considerativo, 1850—, *El diablo mundo*—continuación de la obra de Espronceda, 1852—, *Exposición dirigida a las Cortes*—1859—, *Tentativas literarias*—cuentos, 1864—, *Principio de una historia que hubiera tenido fin si el que la contó la hubiera contado toda* —1868—, *Negocios de Méjico*.

V. BERMÚDEZ DE CASTRO: *Miguel de los Santos Alvarez*, en *Semanario Pintoresco Español*, Madrid, 1840.—PARDO BAZÁN: *Santos Alvarez. Obras Completas de la condesa de Pardo Bazán*, tomo XXXII.—LUSTONÓ: *Miguel de los Santos Alvarez*, en *Ilustración Española y Americana*, 1899.—CENOVER, I.: *Un poeta difunto ya en vida (Don Miguel de los Santos Alvarez)*, en *La Ilustración Ibérica*, 1893.—PALÁU, Melchor de: *Miguel de los Santos Alvarez*, en *Revista Contemporánea*, 1892, pág. 528.—VALERA, Juan: *Poesía castellana... del siglo XIX*. II.

ÁLVAREZ ANGULO, Tomás.

Periodista, ensayista, historiador. Nació —1878—y murió—1971—en Madrid. Necesidades familiares le impidieron seguir estudios universitarios. Fue soldado en Cuba, distinguiéndose por su valor. Muy joven, ingresó en el Partido Socialista. Miembro fundador del Instituto de Reformas Sociales y de la Unión General de Trabajadores. Colaborador asiduo en *El Liberal, España Nueva, El Socialista* y *Heraldo de Madrid*. Diputado a Cortes por Jaén durante la segunda República. Empresario teatral y cinematográfico. Al terminar la guerra española de Liberación marchó al exilio, viviendo en Francia, Argentina, Chile y Perú, donde se dedicó plenamente a las letras.

Antes de 1936, en distintos teatros españoles, estrenó obras escénicas policíacas y de misterio: *Los misterios del doctor Johnson, Zigomar contra Nick Carter, El hombre invisible, Los misterios de La Corte de Velonia...*

Otras obras: *Dos meses en el cuartel* —1901—, *Siete meses en la guerra*—1902—, *Origen y formación del idioma español, Origen de la literatura española, El refranero castellano y su sabiduría, El arte de la música y su influencia, El hombre y el origen de sus medios, La mujer, el matrimonio y la familia a través de la Historia; Dos mundos: Oriente contra Occidente; Memorias* *de un hombre sin importancia, La civilización y la guerra.*

ÁLVAREZ DE CIENFUEGOS, Nicasio.

Notable poeta y autor dramático español. Nació—1764—en Madrid. Murió—1809—en Orthez (Francia). Cursó Humanidades en Salamanca, al lado del célebre Meléndez Valdés, con quien le unió la más firme y fraternal amistad. Lleno de entusiasmos literarios llegó a Madrid, donde llamó en seguida la atención por sus trabajos literarios sobre *Etimologías y sinónimos,* por sus obras escénicas y por sus *Poesías líricas,* que publicó en 1798. Poco después le confió el Gobierno la redacción de la *Gaceta de Madrid* y del *Mercurio,* siendo nombrado también oficial de la Secretaría de Estado. Con motivo de la invasión francesa de 1808, lleno de celo patriótico, publicó algunos artículos contra los invasores, y habiéndole contestado enérgicamente a Murat, que le reconvino por ello, después de haber corrido los mayores peligros a consecuencia de los sucesos del 2 de mayo en Madrid, fue conducido a Francia en calidad de rehén, y no pudiendo sobrellevar su situación lastimosa, falleció a poco de su llegada a Orthez, el día 7 de julio de 1809.

Sus obras dramáticas más conocidas son: *Zoraida, La condesa de Castilla, Pitaco, Idomeneo*—tragedias—y *Las hermanas generosas*—comedia.

Si como poeta lírico Cienfuegos se alejó cuanto pudo de la manera clásica, como trágico se sometió por completo a la escuela francesa del más riguroso neoclasicismo. Por ello, sus tragedias resultan frías y engoladas.

Con Alvarez de Cienfuegos, apasionado, efervescente, terrible en todos sus entusiasmos, tenemos un ejemplo de poeta precursor del romanticismo, a quien le vienen estrechos los cánones y las fórmulas del neoclasicismo, y a los que aborrece. Sin embargo, no acierta a descubrir nuevos *continentes;* así que ha de conformarse con violentar la disciplina retórica, que burlaba con exuberancia pueril. Académico de la Española, destroza el habla castiza y rompe en atrevimientos de un lenguaje suyo exclusivo. Auténtico poeta, se meció entre las metáforas más felices y atrevidas y las más monstruosas e infortunadas. Representa la reacción natural, independiente, del espíritu de la raza contra las frialdades antiespañolas y los afeminados tartajeos del clasicismo francés. Era un romántico prematuro, desmandado de la grey refitolera y cursiloncilla, el primero que se alzó contra el hielo clásico con sus fuegos y sus bríos, anunciando una nueva era poética. Sin Al-

A

varez Cienfuegos no se concibe a Quintana, a Nicasio Gallego.

Amigo entrañable de Menéndez Valdés, sigue la misma curva evolutiva típica de este, delatando el período álgido de la transición, y se ajusta a la doble fórmula lírica de Meléndez: la bucólica y la filosófico-sentimental. Se ajusta, pero no tan estrictamente como Meléndez, puesto que añade en ocasiones la del patriotismo exaltado. Y con mucha mayor frecuencia se entrega a la melancolía, a la desesperanza, a la soledad, al misterio. *Al otoño, A la primavera, A un amante al partir su amada,* a *La escuela del sepulcro,* a *Bonaparte,* son composiciones ejemplares del más acusado prerromanticismo.

V. Piñeyro, E.: *Cienfuegos,* en *Bulletin Hispanique,* 1909, XI.—Ballesteros Robles: *Diccionario biográfico matritense.* Madrid, 1912.—Alarcos, E.: *Cienfuegos,* en Salamanca, en *Boletín de la Academia Española,* 1931.—Guillén, J.: *Cienfuegos.*

ÁLVAREZ DE ESTRADA, Juan.

Poeta y crítico literario. Nació—1892—en Madrid. Estudió Derecho en la Universidad Central. Diplomático. Ha representado a su país en varios Estados hispanoamericanos.

Como poeta, pertenece Alvarez de Estrada al modernismo, pero sin estridencias ni innovaciones. Su lirismo es muy personal, muy sincero, profundamente emotivo. Posee una gran cultura. Ha dado conferencias y ha publicado artículos y ensayos en importantes revistas. Como crítico de arte y literario es agudo, honradamente objetivo.

Obras: *Sombras en la pared*—teatro—, *Tropel*—ensayos—, *Cuentos grises, Flores de humo*—poesías—, *España democrática* —ensayos—, *La extravagancia en la pintura moderna*—ensayos—, *Nidal*—poesías—, *Grandes virreyes de América*—biografías.

ÁLVAREZ FERNÁNDEZ, Pedro.

Notable novelista. Nació en Oviedo el 19 de octubre de 1914; trasladada su familia a Madrid en 1921, ingresó, como interno, en el Colegio de los Padres Escolapios de Alcalá de Henares, donde cursó los estudios de bachillerato; en la capital de nuevo, una vez terminados, la lectura de Dostoievski, Dickens, Hamsun y otros novelistas encauzó su vocación literaria, comenzando a los dieciséis años la publicación de una serie de artículos, trabajo que simultaneó con sus estudios. La guerra abrió un paréntesis en su labor; pero es al término de ella, precisamente, cuando surgen las primeras muestras de su fecundia como novelista.

Sus obras llegan al lector de un modo directo, cálido, y están cuajadas de recia humanidad; se observa que han influido muy poco en él las primeras lecturas, y que, por el contrario, vienen marcando una huella profunda en su estilo nuestros novelistas clásicos y del siglo XIX.

En 1944 se publica *Indecisión,* su primera novela; al año siguiente se edita *Mi hermano Emilio y yo,* en la que campea un tema profundamente humano; a continuación—1946—ve la luz *La paradójica vida de Zarraustre,* obra que constituye su consagración definitiva, y en la que se nos muestra como un novelista de difícil facilidad narrativa.

Recientemente acaba de ofrecer *Los Pimentel*—1950—, sobre un tema social de fuerte realismo, aguafuerte de tipos del Madrid de la posguerra, jalón en su brillantemente iniciada carrera de novelista. Esta novela constituye la primera parte del ciclo novelesco: *La pendiente;* siendo la parte segunda *Los desheredados; La espera*—1952—, *Alguien pasa de puntillas*—Madrid, 1956—, *Quince noches en vela*—Madrid, 1959—, *Oro rojo*—1964—, *El doctor Gudiña*—1968.

V. Valbuena Prat, A.: *Historia de la literatura española.* Barcelona, Gili, 3.ª edición, 1950, tomo III.—Nora, Eugenio G. de: *La novela española contemporánea.* Madrid, edit. Gredos, 1962, II bis, págs. 225-227.

ÁLVAREZ GATO, Juan.

Nació—¿1440?—y murió—1509—en Madrid. De los poetas del reinado de Enrique IV, después de los Manrique, es el principal Juan Alvarez Gato y Alvarez Gato, "que habló de perlas y plata", según Gómez Manrique. Natural de Madrid, hijo de Luis Alvarez Gato, señor del mayorazgo de su apellido en la villa y alcaide de sus reales alcázares en tiempo de don Juan II, a quien había servido en las guerras de Granada y en Olmedo. Juan fue armado caballero por el propio Juan II—1453—, quien le ciñó su misma espada, y tuvo hacienda grande en Pozuelo de Aravaca, lugar donde varias veces estuvo el monarca, que le trataba de amigo.

Los Alvarez Gato estaban emparentados con el nobilísimo y madrileñísimo linaje de Luján. Enrique IV se valió del poeta para zanjar las diferencias entre la ciudad de Toledo y el conde de Fuensalida. Fue mayordomo de Isabel la Católica, y murió después de 1495, siendo enterrado en la iglesia del Salvador, capilla de Nuestra Señora la Antigua. Estuvo casado con doña Aldonza de Luzón—de otro de los más ilustres linajes madrileños—, y no dejó hijos.

Como él mismo declara, en prosa escribió "coplas viciosas de amores, pecadoras y llenas de mocedades..., habla en cosas de razón y al cabo espirituales, provechosas y contemplativas". Y en verso:

> Este libro va meitades
> hecho del lodo y del oro:
> la meitad es de verdades,
> la otra de vanidades
> porque yo mezquino lloro;
> que cuando era mozo potro,
> sin tener seso ninguno,
> el cuerpo quiso lo uno,
> agora el alma lo otro.

Al *Cancionero general* pasaron las poesías de mocedad. De fantasía viva y risueña, de decir picante y agudo, buen versificador, hábil en el manejo de las rimas, Alvarez Gato fue uno de los más ingeniosos y amenos poetas eróticos del siglo xv. Una nota suavemente irónica es lo más original que hay en sus poesías juveniles. Las coplas espirituales que compuso en su edad madura no son tan buenas como las amorosas de su mocedad. No utilizó el vate madrileño las estancias de arte mayor; pero en los versos cortos mostró gran discreción y gentileza, especialmente en las coplas de pie quebrado y en las quintillas. Uno de los valores de Gato es que se apartó en mucho de la tendencia italianista de la poesía castellana de su tiempo.

Textos: *Poesías,* ed. Foulché-Delbosc, en "Nueva Biblioteca de Autores Españoles", XIX; ed. Menéndez Pelayo, en *Antología de poetas líricos...,* VI, 34; ed. Artiles, Madrid, 1928, en "Clásicos olvidados"; ed. Cotarelo, Madrid, 1901.

V. ARTILES, Jenaro: Prólogo y edición de las *Obras completas de Alvarez Gato.* Madrid, C.I.A.P., 1928.—COTARELO, Emilio: Edición y prólogo a las obras de A. G. Madrid, 1901.—MENÉNDEZ PELAYO, M.: *Antología de poetas castellanos...* Tomo VI.—MICHAELIS DE VASCONCELLOS, C.: *Nuevas disquisiciones acerca de Juan Alvarez Gato,* en *Rev. Lusitana,* VIII, 241, 1902.

ÁLVAREZ GÓMEZ, Pedro.

Nació en Villalba de la Lampreana, pueblo de la Tierra del Pan, en la provincia de Zamora, el día de San Pedro de 1909. Fue el segundo de ocho hermanos, y el año del cometa Halley, a quien fue atribuido, adquirió la parálisis infantil, que le imposibilitó la pierna izquierda. Estudio el bachillerato en Zamora: los tres primeros años, en el Colegio de San Lucas Evangelista, de primera y segunda enseñanza; los restantes, en el Colegio del Sagrado Corazón, de los Hermanos Maristas. Estudió y se licenció en Derecho en la Universidad de Madrid. En 1934 ingresó en el Cuerpo de Oficiales Técnicos-Administra-

tivos del Ministerio de Educación Nacional, yendo destinado a Salamanca. Comenzó a publicar artículos y cuentos en *La Gaceta Regional,* de cuya redacción formó parte cuando la dirección del periódico la ejercía Juan Aparicio.

En enero de 1942 fue nombrado director de *Baleares,* diario de Palma de Mallorca; desempeñó el mismo cargo en *Odiel,* de Huelva, y en la actualidad dirige *Córdoba,* de Córdoba.

Aparte de numerosos trabajos publicados en periódicos y revistas, es autor de las obras siguientes:

Los chachos. Es su primera novela escrita. En ella refleja una gran preocupación idiomática, y recoge la vida desastrada de la infancia en un pueblo de Castilla. Apareció en folletones de *El Español,* desde su número inicial, 31 de octubre de 1942.

Cada cien ratas, un permiso.—"Premio Vértice" a la mejor novela de guerra. San Sebastián, 1939.

Animas vivas.—Novela corta. "Vértice". Madrid, 1941.

Nasa.—Editora Nacional. Madrid, 1942.

Los colegiales de San Marcos.—Ediciones La Nave, Madrid, 1944.

Los dos caminos—1950.

V. NORA, Eugenio G. de: *La novela española contemporánea.* Madrid, edit. Gredos, 1962, tomo II bis, págs. 252-255.

ÁLVAREZ LENCERO, Luis.

Nace el 9 de agosto de 1923 en Badajoz. Su poesía, eminentemente patética, prefiere aquellos temas en que se debate el hombre tanto al relacionarse con Dios como con sus semejantes. Y aun cuando su forma se ajusta a su tiempo, no queda desligada de la tradición lírica hispana. Hay en su lirismo algo de la sutil ala de Lope y algo de la honda raíz de Quevedo.

Libros publicados: *El surco de la sangre* —Guadarrama, 1953—, *Sobre la piel de una lágrima*—1957, dos ediciones, Badajoz, y Lírica Hispana, Venezuela—, *Hombre*—Madrid, 1961.

Sin publicar: *Juan Pueblo, El grito en pie.*

ÁLVAREZ LLERAS, Antonio.

Autor dramático y novelista colombiano. Nació—1892—en Bogotá. Murió ¿1957? La crítica de su país le considera, no solo como el verdadero iniciador del teatro colombiano moderno, sino también como su más alto exponente. Cuando solo contaba diecisiete años estrenó con éxito excepcional su comedia *Víboras sociales.* Por su fina observación de la realidad, por su perenne y sugestiva inquietud creadora, por su maestría técnica, Alvarez Lleras es hoy uno de los dramaturgos más interesantes de toda Hispanoamérica. Su ambición de artista se mueve dentro de un realismo cálido entreverado de anhelos poéticos. Y no cabe dudar que su patria le debe la renovada actividad de la dramática.

Otras obras: *Fuego extraño*—1912—, *Como los muertos*—drama, 1916—, *Alma joven* —drama, 1917—, *La toma de Granada*—drama—, *Los mercenarios*—drama—, *El zarpazo*—drama—, *Ayer, nada más*—novela, 1930...

V. ORTEGA RICAURTE, José Vicente: *Historia crítica del teatro en Bogotá*. Bogotá, 1927.—ORTEGA RICAURTE, José Vicente: *El teatro en Colombia*, Bogotá, ¿1935?—GÓMEZ RESTREPO, Antonio: *Historia de la literatura colombiana*, 1938 y 1940. Dos tomos.

ÁLVAREZ ORTEGA, Manuel.

Nació—1923—en Córdoba. Sus primeros versos y artículos los dio a conocer en el año 1941, en la prensa y radio de su ciudad natal. En 1949 fundó y dirigió la revista y colección de libros *Aglae*. Ha colaborado en las más importantes revistas literarias españolas, y numerosos originales suyos han sido traducidos al francés y al italiano. Ha publicado también algunos cuentos, teatro breve, poesía traducida y crítica, y tiene inéditos varios libros de poemas, dos novelas y un volumen de narraciones cortas. Ha realizado viajes por Francia, Italia, Suiza, Bélgica, Holanda y países del norte de Africa, y ha residido largas temporadas en París y Roma. En 1961 fue pensionado por la Fundación Juan March para realizar en Francia un estudio sobre la poesía francesa presente. En la actualidad reside en Madrid.

Libros publicados: *La huella de las cosas* —Córdoba, 1948—, *Clamor de todo espacio* —Col. Aglae, Córdoba, 1950—, *Hombre de otro tiempo*—Col. Aglae, Córdoba, 1954—, *Exilio*—Col. Adonáis, Madrid, 1955—, *Dios de un día* y *Tiempo en el Sur*—un solo volumen. Col. Palabra y Tiempo, Madrid, 1962—, *Antología de la poesía francesa contemporánea*—edit. Taurus.

ÁLVAREZ POSADA, José María.

Poeta, cuentista y periodista español. Nació—1911—en Barro (Concejo de Llanes, Asturias). Muy joven aún, empezó a publicar poemas y cuentos en diarios y revistas asturianos. Estudió en la Escuela Normal de Oviedo. Durante la guerra civil española combatió en las filas republicanas y publicó poemas de circunstancias en la prensa de izquierdas. Terminada la guerra, permaneció cuarenta y cuatro meses en los campos de concentración de Argeles-sur-Tech, Perpignan, Prades y Bram. Combatió en el maquis francés durante la invasión nazi. Sub-

oficial de guerrilleros. Obrero carbonero en los Pirineos. Vendedor de leña a domicilio. Oficinista en la Bourse du Travail. Profesor nocturno de español. En Saint Goin (Bajos Pirineos), director de la Maison d'Enfants Espagnols—1946—. Dos años más tarde, profesor en la Maison d'Enfants Israélites de Cessieu (Isère). De 1948 a 1953, peón en los astilleros de Saint Nazaire. Habiéndose trasladado a Méjico—1953—, fue profesor de Castellano en la Escuela Bancaria y Comercial de Méjico, empezando a colaborar en importantes publicaciones: *Excelsior, El Nacional, Claridades, Norte, Humanismo*, de México; *España Libre*, de Nueva York; *Bohemia, Carteles, El Progreso*, de la Habana... Guionista de la "Hispano-Continental Filmetes".

Ha utilizado, en distintas épocas, los seudónimos "Lino Serdal", "Elías Pombo", "Fideal", "Celso Amieva". Ha traducido al castellano poemas de Francis Jammes, Louis Aragon, Bertolt Brecht, Paul Eluard, Hubert Juin.

Obras: *Los poemas de Llanes*—México, 1955—, *El cura de Tresviso*—poemas, 1957—, *Versos del maquis*—México, 1960—, *La almohada de arena*—poemas, 1961.

V. CAMIN, Alfonso: Prólogo al libro *Poemas de Llanes*.—FINISTERRE, Alejandro: Prólogo en la antología *Poesía en México*. Méjico, 1959, 2.ª edición.—ARIAS, Pedro G.: Prólogo en *Antología de poetas asturianos*. Oviedo, 1963, tomo II.

ÁLVAREZ QUINTERO, Serafín y Joaquín.

Populares comediógrafos españoles. Nacieron en Utrera (Sevilla)—1871 y 1873—. Murieron en Madrid—1938 y 1944—. Desde muy jóvenes empezaron a escribir para el teatro, siempre unidos. Un barco de dos velas—el *ex libris* quinteriano—afirma bien claramente la verdad. La nave de sus afanes, movida siempre, inalterablemente, por los dos, sin que nadie pueda decir sino que las dos velas, tensas por igual, empujan lo mismo.

Sin haber cumplido los veinte años, siendo estudiantes en Sevilla, estrenaron los Quintero su primera obra teatral—1888—, *Esgrima y amor,* en el teatro Cervantes, de la ciudad bética. Desde esta primera obra el éxito aureoló a los Quintero, sin eclipsarse a lo largo de cincuenta años. Pocos autores, de producción tan vasta, han tenido menos tropiezos, aun bordeando, como han bordeado, numerosas veces temas sensibles y procedimientos manidos.

Al principio se acreditaron como "saineteros andaluces". Maestros de la alegría y de la gracia, sabiendo pintar trozos de vida clara y risueña, con tonos brillantes, bien pronto hicieron escuela, mostrándose, sin embargo, inimitables. *El patio, Las flores, La buena sombra, La reja, La mala sombra, El flechazo, El chiquillo, La reina mora, El mal de amores, Fea y con gracia, El genio alegre, Puebla de las Mujeres, La azotea, El nido* y tantos y tantos sainetes más, circunscritos al alma y al ambiente de Andalucía, no dejan lugar a dudas acerca del buen gusto, del arte serio y de la moral irreprochable, del modo de decir impecable y castizo, del dominio de la técnica y aun de la táctica teatral de los Quintero. Sainetes pletóricos de humanidad, de emoción suave, de pintoresquismo sugestivo. Han sido los Quintero los dramaturgos españoles contemporáneos que han tenido unos públicos más adictos y fervorosos.

En consecuencia de sus indiscutibles condiciones para cultivar el teatro de más empeño, abordáronlo los Quintero con una comedia deliciosa: *Los galeotes,* premiada por la Real Academia Española como la mejor estrenada aquel año. A continuación, otras muchas obras hermosas: *Fortunato, Nena Teruel, Mundo mundillo..., Los leales, Dios dirá, El duque de El, Malvaloca, La calumniada, Don Juan, buena persona; Pasionera, Tambor y Cascabel, La boda de Quinita Flores, Cancionera, Concha la Limpia, Los mosquitos, Las de Caín, Las de Abel, Así se escribe la historia, El centenario, Doña Clarines, La casa de García, La rima eterna, Cabrita que tira al monte, Mariquilla Terremoto, Los duendes de Sevilla, La consulesa, Febrerillo el loco, El mundo es un pañuelo, Amores y amoríos...*

Sería interminable la lista. Los Quintero estrenaron cerca de doscientos títulos. En su mayoría, con éxito extraordinario.

"Estos autores—escribió el riguroso "Clarín"—son toda una relevación; significan un gran aumento en el caudal de nuestro tesoro literario. Traen una nota nueva, rica, original, fresca, espontánea, graciosa y sencilla; muy española; de un realismo poético y sin mezcla de afectación ni de atrevimientos inmorales. Tanto valen, que vencen al público por el camino más peligroso, huyendo de servirle el mal gusto adquirido; dejando el torpe interés del *argumento folletinesco o melodramático* por el que despierta la viva pintura de la vida ordinaria en sus rasgos y momentos expresivos y sugestivos..."

"Autores—opinó Ricardo León—de aquella buena y gloriosa casta española y andaluza del humanísimo Cervantes... Es decir, de lo más puro y neto y brioso de nuestro linaje artístico, viene en línea directa la inspiración creadora de los hermanos Alvarez Quintero, prendida con fuertes raíces en el campo fertilísimo de la verdad humana, en lo más franco y jugoso de la tierra nativa."

Y el glorioso Pérez Galdós proclamó: "Serafín y Joaquín Alvarez Quintero son gloriosos mantenedores de un teatro resplandeciente, de inefable gracia y alegría; arte bienhechor que endulza las amarguras de la existencia humana."

Los Quintero gozaron de la popularidad más absoluta. Académicos de la Real Española de la Lengua. Hijos predilectos de Utrera y Sevilla, y adoptivos de Málaga y Zaragoza. Con monumentos ofrendados en el parque de María Luisa sevillano y en el Retiro, de Madrid. Con calles dedicadas en numerosas ciudades de España—la capital, entre ellas—. Traducidas sus obras a todos los idiomas y representadas sobre mil escenarios de distintas latitudes. Repetidas veces homenajeados nacionalmente. Varias de sus obras puestas de texto para la enseñanza del español en Universidades extranjeras famosas... ¿Qué más puede alcanzar un autor dramático en vida?

Algunos defectos tiene el teatro quinteriano. Todo hay que decirlo. Cierta sensiblería. Cierta dulzonería. Algún *punto* ya dentro de "lo cursi". Ciertos temas muy repetidos. Cierto empachillo de ideas de vuelo corto. Pero estos defectos quedan no solamente compensados, sino *casi* borrados con los innumerables valores que dicho teatro contiene. Teatro costumbrista de la mejor calidad, humano y limpio, ingenioso y optimista, que se eslabona en el mismo oro con el de Bretón de los Herreros, Moratín, don Ramón de la Cruz, y el de nuestros grandes dramáticos del siglo XVII.

Entre 1890 y 1930, el teatro nacional español tiene sus bases más firmes y sus raíces más hondas en las obras de Benavente, Arniches y los hermanos Alvarez Quintero.

Textos: *Obras completas.* Madrid, Fernando Fe y Espasa-Calpe, 1918 a 1947, cuarenta y dos tomos.

V. ALTAMIRA, R.: *Joaquín y Serafín Alvarez Quintero.* Prólogo a la edición de *Teatro* de estos autores. París, 1916.—PÉREZ DE AYALA, R.: *Las máscaras,* tomo II.—"AZORÍN": *Los Quintero y otras páginas.* 1925.—LEÓN, Ricardo: Discurso de contestación al de ingreso en la Real Academia Española de Serafín Alvarez Quintero.—BUENO, Manuel: *Teatro español contemporáneo.* Madrid, [¿1917?].—MÉRIMÉE, E.: *Le théâtre du A. Q.,* en *Bull. Hispanique,* 1926, XXVIII.—CARPI, M.: *L'opera dei fratelli Q.* Roma, 1930.—CORCUERA, Gabriela: *Serafín y Joaquín Alvarez Quintero,* en *Cuadernos de Literatura Contemporánea,* Madrid, 1944, 13-14.—JULIÁ MARTÍNEZ, Eduardo: *Andalucía en el teatro de los Quintero,* en *Cuad. de Lit. Contemp.,* 13-14, Madrid, 1944.—GARCÍA LUENGO, Eusebio: *Los hermanos Alvarez*

A

Quintero fuera de su ambiente, en *Cuad. de Lit. Contemp.,* 13-14, Madrid, 1944.—Romo Arregui, Josefina: *S. y J. Álvarez Quintero: bibliografía,* en *Cuad. de Lit. Contemp.,* 13-14, Madrid, 1944.—Urbano, Rafael: *Hacia el entendimiento de Andalucía por los personajes del teatro de los hermanos Álvarez Quintero,* en *Cuad. de Lit. Contemp.,* 13-14, Madrid, 1944.—González Climent, Anselmo: *Andalucía en los Quintero.* Madrid, Escelicer, 1956.

ÁLVAREZ DE TOLEDO, Gabriel.

Poeta e historiador. Nació—1659—en Sevilla. Murió—1714—en Madrid. Caballero de la Orden de Santiago. Bibliotecario del rey Felipe V. Secretario de la Presidencia. Intérprete de lenguas. Dominaba el inglés, el francés, el alemán, el italiano, el latín, el griego, el hebreo, el árabe, el caldeo. Fue uno de los fundadores y primeros académicos de la Real Academia Española de la Lengua y el primer poeta místico de su tiempo. A los treinta años se dedicó a la vida ascética. Sus *Obras póstumas poéticas* las editó—1744—Torres y Vallarroel. Entre sus poesías sobresalen: la *Burromaquia* —poema burlesco dividido en rebuznos y escrito en octavas—, el profundo soneto *La muerte es vida,* las endechas *A mi pensamiento.* Escribió también una magnífica paráfrasis del salmo *Miserere.* La poesía de Álvarez de Toledo representa el último reflejo de la lírica castellana del siglo XVII, ya adulterado *su romanticismo* por las primeras frialdades del neoclasicismo. Las mejores poesías de Álvarez de Toledo están publicadas en el tomo LXI de la "Biblioteca de Autores Españoles", de Rivadeneyra.

Su *Historia de la Iglesia y del mundo* hace pensar en nuestros mejores prosistas de la centuria dieciséis.

V. Valmar, Marqués de: *Estudio acerca de Álvarez de Toledo,* en el tomo LXI de la "Biblioteca de Autores Españoles".

ÁLVAREZ DE TOLEDO, Hernando.

Poeta, militar y aventurero español. Nació en Andalucía hacia 1550. De noble familia. Soldado veterano de Flandes, curtido ya por los azares de la vida y de la guerra, pasó a Chile en 1581.

"En Chile, manejando alternativamente la espada y el arado, fue a un tiempo capitán y ganadero, alcalde de Chillán, donde vio saqueadas sus haciendas por los araucanos, de quienes tomó luego amplio desquite; y bravo combatiente con el corsario inglés Thomas Cavendish, en 1587. Las noticias de su vida, aunque pocas y dispersas, alcanzan hasta 1631, en que está otorgado su codicilo testamentario" (M. P.).

Álvarez de Toledo ha pasado a la historia literaria como autor de un poema de más de quince mil versos, dividido en veinticuatro cantos, titulado el *Purén indómito.*

El *Purén indómito* es una crónica rimada de los hechos en que intervino Álvarez de Toledo y de los sucesos que le refirieron testigos presenciales de otros, por lo que tienen un gran interés histórico. Frente a la posición de Ercilla, al referir los hechos y las hazañas de los indígenas con viva simpatía, Álvarez de Toledo se refiere al indio como individuo desleal y astuto. Pero su poema—sencillo, sonoro y sin pretensiones de grandeza, sino de veracidad—proporciona interesantísimos detalles acerca de la vida y costumbres de los nativos; acerca de sus armas, utensilios, ritos...; acerca de las relaciones entre españoles y araucanos...

Álvarez de Toledo escribió otro poema, titulado *La Araucana,* continuación del de Ercilla, pero que no ha llegado a nosotros.

Edición: *Purén indómito* en el tomo I de la "Biblioteca Americana". *Collection d'ouvrages inédits ou rares sur l'Amérique.* Editor, A. Franck, París, 1862.

V. Barros Arana, Diego: *Estudio* en la edición de París, 1862.—Menéndez Pelayo, M.: *Historia de la poesía hispanoamericana.* Madrid, 1913, tomo II, pp. 325-331.—Amunátegui Solar, Domingo: *Bosquejo histórico de la literatura chilena.* Santiago, 1915, 1920.—Medina, José Toribio: *Biblioteca Americana.* Santiago, 1888.—Latorre, Mariano: *La literatura de Chile.* Buenos Aires, Facultad de Filosofía y Letras, 1941.—Amunátegui, Miguel Luis: *La alborada poética en Chile.* Santiago, 1892.

ÁLVAREZ DE VILLASANDINO, Alonso.

Gran poeta castellano, debió de nacer hacia 1350, acaso en Villasandino—archidiócesis de Burgos—, y murió después de 1425 y antes de 1430. Tuvo tierras en Illescas. Vivió muchos años en Toledo. Se casó varias veces. Villasandino es el poeta de quien figura mayor número de poesías—más de un centenar—en la compilación de Baena, y que debió de ser el predilecto poeta del compilador. Llegó Baena a atribuirle *gracia infusa,* y le piropea que ya, ya... "Esmalte é lus é espejo é corona é monarca de todos los poetas é trovadores, maestros et patron del arte poética." Pura exageración. Lo que es Villasandino es el más grosero y cínico de todos los poetas del *Cancionero.* Versificador incansable, mendicante poético sin pizca de dignidad, toca los asuntos sagrados y profanos, políticos o picarescos, de devoción y de obscenidad con la misma osadía. Musa mercenaria la suya, deshonrada a muy bajo precio. Hizo versos afrodisíacos a las mancebas del rey don Enrique II, a las dos esposas de don Pero Niño, a las amigas platónicas del Adelantado don Pedro Manrique. Hoy, Villasandino hubiera sido el poetastro de los anuncios comerciales y de las aleluyas subversivas corridas anónimas. Mala persona. No tenía inconveniente en emparejar la cantiga acróstica en alabanza de su mujer con la sátira en desprestigio de ella, llamándola *comadre* comida de celos y de vejez.

Mala persona y fácil, pero no buen poeta, aun cuando al juicio hiperbólico de Baena—poco estimable—una el suyo, muy de estimar, el marqués de Santillana, quien llama a Villasandino *gran decidor,* semejante a Ovidio, "porque todos sus motes y palabras eran metro". Sin embargo, este juglar cínico, que prostituía su musa, fue poeta áulico y oficial de tres reinados, favorito de reyes y princesas y caballero de la Orden de la Banda; y según le llama su amigo fray Pedro de Colunga:

> Estrenuo en armas é en caballería,
> en regir campañas sin nengund defeto

Villasandino, justo es proclamarlo, dominaba los metros y las rimas tanto gallegos como provenzales. Y si carecía de sentimientos delicados y de brillantes imágenes, derrochaba acierto *técnico* en las estancias dodecasilábicas, en las coplas de pie quebrado, en las redondillas encadenadas y en los villancicos.

Textos: *Cancionero de Baena,* ed. de P. J. Pidal.

V. AMADOR DE LOS RÍOS, J.: *Historia crítica de la Literatura...* Tomo V, 178-185.—MENÉNDEZ PELAYO, M.: *Historia de la poesía castellana en la Edad Media,* I.—TRAVESSET, Ventura: *Alvarez de Villasandino.* Discurso. Universidad de Valencia.—BUCETA, Erasmo: *A. de V.,* en *Revista Filológica Española,* 1928.

ÁLVARO, Francisco.

Periodista, crítico teatral español. Nacido en Villalón (Valladolid), el 3 de diciembre de 1913. Empezó a colaborar en la Prensa provincial—*Diario Regional,* de Valladolid, y *El Día de Palencia*—a los dieciséis años, y en la de Madrid en 1934, publicando desde entonces millares de artículos y crónicas en periódicos y revistas literarias. En 1952 fue nombrado corresponsal de *A B C* en Valladolid, cargo que desempeña en la actualidad, colaborando igualmente en dicho periódico con artículos literarios y sobre temas teatrales. A estos últimos ha dedicado, como crítico, su mayor labor, calculando en más de mil los artículos y crónicas sobre temas teatrales publicados hasta la fecha. En 1951 se

incorporó al cuadro de colaboradores de *El Norte de Castilla,* de Valladolid, donde desde dicha fecha mantiene una sección ininterrumpida sobre crítica teatral, además de haber ejercido la crítica literaria y colaborar en artículos y reportajes sobre los temas más diversos (historia, arte, etc.). También ha colaborado en *La Estafeta Literaria,* de Madrid, en su primera y segunda épocas y, anteriormente, en *Mundo Gráfico y Blanco y Negro,* etc.

En 1958 inició la publicación de un libro anual que recoge todo el movimiento teatral español y centra principalmente su interés en la exégesis crítica dialogada de todos los estrenos que se celebran en Madrid de obras de autores españoles y extranjeros. A principios de 1964 salió el sexto volumen de esta colección, que bajo el título general de *El espectador y la Crítica,* sobrepasa ya las dos mil páginas. Este libro—según un crítico—, sin precedente en la bibliografía teatral española, obtuvo el "Premio Nacional de Teatro" correspondiente a la temporada 1960-1961. "Premio de la Crítica de Barcelona, 1964". Medalla de Oro de Valladolid, 1964". "Premio Valle-Inclán, 1967", de la Sociedad General de Autores Españoles.

Entre otros galardones obtenidos como escritor y periodista, figuran los premios que le concedieron el Ayuntamiento y la Diputación Provincial de Valladolid.

Francisco Alvaro, de extraordinaria cultura, es hoy uno de los mejores y más respetados críticos teatrales. Acerca de él y de su labor han opinado—en prólogos a los tomos *El espectador y la Crítica*—escritores ilustres: Antonio Buero Vallejo, Alfredo Marquerie, Alfonso Paso...

ÁLVARO DE CÓRDOBA, Paulo.

Escritor, apologista español. Para muchos críticos, el más culto de los mozárabes. De estirpe judía cruzada con ilustre prosapia goda. Nació en Córdoba. Murió en 861 u 862. Amigo entrañable de San Eulogio, con quien se educó en la iglesia de San Zoil, bajo la dirección del abad Speraindeo. Conoció a fondo la literatura griega y latina, el árabe y el hebreo, las Escrituras y las obras de los santos padres. Su obra literaria no es muy abundante, pero sí del mayor interés por su contenido, por lo peculiar de su lenguaje y estilo y por su importancia para el estudio del bajo latín.

En el año 854 terminó su *Indiculus Luminosus* contra el Islam y en defensa de los mártires, escrita en estilo vehemente y arrebatado. Del 860 data su *Vita,* biografía de su camarada fraternal el mártir Eulogio, obra llena de vivacidad y de emoción, de colorido y de finura de trazos, del mayor

65

interés para el conocimiento de la época en la España musulmana. La *Confessio*, plegaria cálida y conmovedora, por el estilo de San Isidoro. Su *Carmen de Philomela*, diez piezas poéticas, métricas, muy trabajadas y llenas de reminiscencias clásicas y de los poetas cristianos españoles. Y unas *Cartas* con temas doctrinales, literarios y circunstanciales, y con demasiadas citas, tomadas de las obras de San Jerónimo.

Edición: Del *Epistolario*, por J. Madoz, en *Monumenta Hispaniae Sacra*, serie patrística, vol. I, Madrid, 1947; L. Traube: *Pauli Albari carmina*, en *Monumenta Germaniae Historica*, tomo II, 790-795.

V. Sage, C. M.: *Paul Albar of Córdoba: Studies on his life and writings*. Washington, 1943.—Madoz, José: Estudios y notas en la ed. del *Epistolario*, Madrid, 1947.— Simonet, F. J.: *Historia de los mozárabes en España*. Madrid, 1897-1903.—Menéndez Pelayo, M.: *Heterodoxos españoles*. Madrid, 1880, tomo I.

ALLUÉ Y MORER, Fernando.

Poeta y ensayista. Nació—1905—en Valladolid. Licenciado en Filosofía y Letras. Ha residido, aparte de su ciudad natal, en Salamanca y Toledo. Actualmente, en Madrid. Pertenece al grupo literario de la revista *Poesía Española*. Es miembro de número de la Real Academia de Bellas Artes y Ciencias Históricas de Toledo y correspondiente de la Real Academia de Bellas Artes de la Purísima Concepción, de Valladolid, y de la Mallorquina de Estudios Genealógicos.

Obras. Verso: *El Cid en Cardeña y Otros poemas*—1923—, *Con artificio de las altas ruedas*. Prologado por Gregorio Marañón y Narciso Alonso Cortés—1947—, *Púrpura del aire*—1949—, *Luz sin tiempo*—1952—, *Romance viejo del Castillo de la Mota*—1952—, *Traslúcido tiempo*—1954—, *La casa*—1955—, *La palabra enamorada*—1959.

Prosa: *Toledo en la poesía castellana* —1950—, *Cinco franceses en Toledo*—1953—, *Sagrario de Toledo*—1958—, ... *Que Virgilio nos diste castellano*—1961—, *Divagación en torno a una comedia de Lope: "El Capellán de la Virgen"*—1962—, *Un poeta malagueño del 900*—1962.

ALLUÉ SALVADOR, Miguel.

Erudito y literato. Nació—1885—en Zaragoza. Doctor en Derecho y en Filosofía y Letras por la Universidad de Madrid. Catedrático de Literatura del Instituto de Zaragoza. Miembro—1920—de la Academia de Bellas Artes de Zaragoza. Alcalde—1927—de su ciudad natal. Director general de Enseñanza Superior y Secundaria—1929—. Cónsul de Portugal en Zaragoza desde 1908.

Obras: *Florilegio de la cultura moderna, La estética del amor cristiano, La técnica literaria de Baltasar Gracián, El estilo aragonés en la vida y en el arte, La cultura y la inspiración en la obra de Pradilla, Fray Pedro Malón de Chaide, Hilarión Gimeno, erudito aragonesista; Recuerdos españoles en la obra de Goethe...*

V. [Anónimo]: *Aragoneses contemporáneos*. Zaragoza, 1934, págs. 33-37.

AMADO BLANCO, Luis.

Poeta y narrador. Nació—¿1910?—en Avilés (Asturias). Desconozco las incidencias de su vida antes de 1936. Terminada la guerra española de Liberación, marchó exiliado a Cuba, y ha vivido en distintos países de la América española, dedicado al periodismo y a la diplomacia. Poeta intenso y de gran sensibilidad. Narrador de estilo brillante, vocabulario excepcional y de un realismo crudo y patético.

Obras: *Norte*—poema, 1928—, *Ocho días en Leningrado*—viajes, 1932—, *Poema desesperado*—1937—, *Claustro*—poema, 1942—, *Un pueblo y dos agonías*—relatos, 1955—, *Doña Velorio*—cuentos, 1960.

AMADOR FERNÁN, Félix de.

Poeta, periodista y profesor. Su verdadero nombre es Domingo Fernández Beschtedt. Nació en Luján (República Argentina) en 1889. Publicó en verso: *El libro de las horas* —1910—, *La lámpara de arcilla*—1912—, *"Vita abscondita"*—1916—, *El ópalo escondido* —1921—, *La copa de David*—1924—, *El cántaro y el alfarero, Inscripciones crepusculares y Signo de Palas, San Martín de los Andes*—1949—, *Animalitos de Nuestro Señor* —1954—, *Camino de Damasco*—1954—. En prosa: *El país de nunca jamás y Allú Mapú*.

Es uno de nuestros más autorizados críticos de arte. De 1918 a 1931 ha sido director de Exposiciones y jefe de publicidad de la Comisión Nacional de Bellas Artes.

AMADOR DE LOS RÍOS, José.

Ilustre y fecundo investigador y crítico literario español. Nació en Baena—1818—. Murió en Sevilla—1878—. Estudió Humanidades en el Colegio de la Asunción, de Córdoba, y Filosofía en el de los jesuitas de San Isidro, de Madrid. Académico de la Real de la Historia. Catedrático de Historia crítica de la literatura española en la Universidad Central. Diputado a Cortes, afiliado a la fracción más conservadora de la Cámara. Publicó algunas poesías—reunidas luego en un volumen—1839—, en la *Floresta andaluza*, y sus primeros artículos históricos en el famoso *Semanario Pintoresco Español,* que dirigía Mesonero Romanos.

Estrenó, sin pena ni gloria, tres dramas: *Empeños de amor y honra, Felipe "el Atrevido"* y *Don Juan de Luna.*

Pero Amador de los Ríos logró su reputación como crítico e historiador de la literatura española.

Son obras suyas fundamentales y admirables: *Historia crítica de la literatura española*—Madrid, 1861 y 1865—, de la que aparecieron siete tomos: *El arte mudéjar* —1859—, *El arte latino-bizantino en España*—1861—, *Historia de la Villa y Corte de Madrid*—1862 (en colaboración con Rada y Delgado)—, *Historia social, política y religiosa de los judíos de España y Portugal* —1875—, *Estudios monumentales y arqueológicos*—1872—, edición de las *Obras* del marqués de Santillana—1852—, *Romances tradicionales de Asturias,* y numerosas monografías en la revista *España* y en *El Museo Español de Antigüedades.*

AMADOR DE LOS RÍOS, Rodrigo.

Historiador y literato español. Nació —1843—y murió—1917—en Madrid. Hijo de José Amador de los Ríos. Licenciado en Filosofía y Letras. Doctor en Derecho. Del Cuerpo de Archiveros y Bibliotecarios. Director—1911—del Museo Arqueológico Nacional. Profesor auxiliar de la Facultad de Filosofía y Letras. Académico profesor de la de Jurisprudencia y Legislación, y de número de la de Bellas Artes de San Fernando.

De extraordinaria cultura, gran prosista, historiador meritísimo y narrador muy ameno y de extraordinaria sensibilidad.

Obras: *Supersticiones de los musulmanes, Inscripciones árabes de Sevilla*—1875—, *Inscripciones árabes de Córdoba*—1879—, *El palacio encantado*—leyenda histórica, 1885—, *La leyenda del rey Bermejo*—1890—, *Trofeos militares de la Reconquista*—1893—, *Las ruinas del monasterio de San Pedro de Arlanza* —1896—, *La ermita del Santo Cristo de la Luz, de Toledo*—1899—, *El anfiteatro de Itálica*—1916—, *Murcia, Albacete, Huelva, Santander y Burgos*—cinco tomos de *España, sus monumentos y sus artes*—, *La embajada marroquí de Sidi-Ahmed El Gaul a España en tiempos de Carlos III; Toledo,* en los *Monumentos arquitectónicos de España; Aixa,* leyenda granadina—1883—, *Las pinturas de la Alhambra de Granada*—discurso, 1891.

«AMARILIS».

Puede afirmarse casi con certeza que *Amarilis* fue el seudónimo que utilizó la poetisa peruana doña María de Alvarado, descendiente de Gómez de Alvarado, fundador de la ciudad de León de Huanaco, desde la que

A

Amarilis escribía sus poemas y cartas dirigidas a Lope de Vega.

De sus obras, únicamente nos es conocida su *Epístola a Belardo*—seudónimo de Lope—que este insertó al final de su *Filomela*—1621—. De esta *Epístola* en silva escribió Menéndez Pelayo que no se encuentra en ella "vestigio de mal gusto y amaneramiento; todo es natural, llano y decoroso, con cierta sencilla gravedad y no afectado señorío. La poetisa hace su corte literaria a Lope de Vega, pero con tanta discreción, con tan insinuante y cortés gentileza, con tacto tan femenino y delicado, que el gran poeta debió de quedar lisonjeado con la alabanza y no ofendido con las nubes del inoportuno incienso. Viene a declararse platónicamente enamorada de él, amor inofensivo a tan larga distancia, pero único que ella estima digno de su noble naturaleza".

No todos los críticos han estado conformes con la opinión de Menéndez Pelayo, seguida por la mayoría de la crítica. Ricardo Palma, Asenjo Barbieri y Millé opinan que tras el seudónimo de *Amarilis* se ocultó un hombre inteligente, lleno de sorna y conocedor del *flaco* del *Fénix,* a quien quiso gastar la ingeniosa broma. Riva Agüero opinó que fue *Amarilis* María Tello de Sotomayor; y Aurelio Miró Quesada, que fue María Rojas y Garay.

V. MENÉNDEZ PELAYO, M.: *Historia de la poesía hispanoamericana.* Madrid, 1892-1894. SERRANO SANZ, Manuel: *Apuntes para una Biblioteca de Escritoras Españolas.* Madrid, 1903, tomo I, 26-27.

AMBROGI, Arturo.

Costumbrista, novelista y periodista. 1878-1936. De la República del Salvador, en cuya capital nació y murió. Con mucha viveza y excelente colorido trazó cuadros magníficos de las costumbres y de los tipos de su patria. Y contribuyó al auge de la novela centroamericana con su obra *El jetón.*

Otras obras: *El libro del trópico*—1915—, *El segundo libro del trópico*—1916—, *Sensaciones del Japón y de la China*—1915—, *Crónicas marchitas*—1916.

V. TORRES RIOSECO, Arturo: *La novela en la América hispana.* Berkeley, 1939.—TRENT, PETERFIELD y otros: *The Cambridge History of American Literature.* Cuatro tomos. Putnam's sons... Cambridge, 1927, 6.ª edición.

AMÉZAGA, Carlos Germán.

Poeta, autor teatral y cronista peruano. Nació—1862—y murió—1906—en Lima. De familia noble que presumía de llevar sangre de Diego Agüero, fundador de Lima, y de Juan de Garay, fundador de Buenos Aires. Habiendo seguido con entusiasmo las ideas liberales de su padre, Carlos Germán hubo de emigrar a Buenos Aires, donde se ganó la vida como policía y redactor del diario *La Prensa*. En 1885 regresó a Lima, colaboró en *El Perú Ilustrado* y realizó un curioso viaje en busca de las fuentes del Amazonas. En México dedicó amistad y madrigales a Rosario de la Peña, musa del romantiquísimo Manuel Acuña. Diputado por las circunscripciones de Bongará y Cajatambo. En 1904 marchó a Buenos Aires, como poeta premiado en unos Juegos florales.

Obras: *La mujer a la moda*—poema satírico—, *La esquina de Mercaderes*—comedia—, *El practicante Colirio*—comedia—, *Cactus*—poemas, 1891—, *Sofia Petrowskaia*—drama, 1899—, *El juez del crimen*—drama, 1900—, *Poemas completos*—Lima, 1948.

AMEZÚA, Agustín González de (v. González Amezúa).

AMOR MEILLÁN, Manuel.

Novelista, periodista y autor dramático. De Lugo—¿1850?—. Desde muy joven se dedicó a la literatura y al periodismo en su ciudad natal, en La Coruña y en Madrid. Dirigió—1903—*El Regional,* de Lugo. Fue escritor fácil, correcto. En sus novelas y en sus dramas se entreveran el romanticismo, el melodramatismo "echegarayesco" y un naciente y limpio realismo que predomina ya en sus últimos escritos.

Obras: *Mendo de Maceda o Los amores de un noble*—Madrid, 1882—, *Justicias y crueldades*—novela histórica, 1883—, *Desde la honradez al crimen*—novela, 1884—, *Amante, esclava y verdugo*—1889—, *Sol y sombra*—cuentos y paisajes, 1893, Lugo—, *El último hijodalgo*—cuentos y novelas, La Coruña, 1893—, *El corazón y la ley*—drama, 1897—, *La cadena*—novela, 1905—, *La bella Centia*—novela, 1907—, *Suriña*—novela, 1913.

V. Couceiro Freijomil, Antonio: *El idioma gallego (Historia. Literatura. Gramática)*. Barcelona, 1935.

AMORIM, Enrique M.

Poeta, ensayista, novelista uruguayo. Nació—1898—en Salto. Murió en 1960. Posiblemente uno de los literatos más admirables de Hispanoamérica. Poseyó un estilo peculiar, flexible, limpio; una imaginación fecunda y original, y una singular magia para cuanto es dibujo y colorido, impresión y trascendencia humana. Sus novelas y cuentos no desmerecen al lado de los de Güiraldes, Reyles, Gallegos o Gálvez.

Su primer libro—1920—lleva el título justo y ajustado de *Veinte años*. Desde esta fecha fue su fama creciendo por todo el continente sudamericano; pero ha llegado ya a España, donde la han ratificado la crítica y un gran número de lectores selectos. Porque Enrique Amorim fue, ante todo, fuerte y exquisito, prosista singular, un autor de minorías selectas.

Otras obras: *Poesías*—1923—, *Horizontes y bocacalles*—1926—, *Tráfico*—1927—, *La trampa del pajonal*—novelas y cuentos, 1928—, *Tangarupé*—1929—, *Visitas al cielo*—poemas, 1930—, *La carreta*—1933—, *El paisano Aguilar*—1934—, *Presentación de Buenos Aires, La doradilla*—1946—, *El caballo y su sombra*—novela, 1941—, *El asesino desvelado*—novela, 1945—, *Nueve lunas sobre el Neuquén*—novela, 1946—, *La plaza de las carretas*—cuentos—, *Cuentos de amor, Del 1 al 6*—cuentos—, *Feria de farsantes*—1952—, *La luna se hizo con agua*—1953—, *Quiero*—1953...

V. Torres Rioseco, Arturo: *La novela en la América hispana*. Berkeley, 1939.—Zum Felde, Alberto: *La literatura de Uruguay*. Buenos Aires, 1939.—Ortiz, Alicia: *Las novelas de Enrique Amorim*. Buenos Aires, 1949.

AMORÓS, Juan Bautista (v. «Lanza, Silverio»).

AMUNÁTEGUI, Gregorio Víctor.

Erudito y crítico literario chileno—1830-1899—. Graduado en Leyes y en Filosofía. Profesor universitario. Magistrado. Presidente de la Suprema Corte de Justicia.

Publicó varias obras suyas, y otras en colaboración con su hermano Miguel Luis. Muerto este, siguió publicando Gregorio, bajo los nombres asociados, trabajos propios.

De espiritualidad y de intelectualidad menos finas e intensas que las de su hermano, pero igualmente culto, crítico de mucha sensibilidad y prosista natural y clásico.

Obras suyas: *Poesías y poetas sudamericanos, Pedro Oña: "El Arauco domado"; Biografía de Torconal, La isla de Juan Fernández, Los tres primeros años de la revolución chilena, La vida del capitán Fernando Alvarez de Toledo...*

Otras en colaboración con su hermano Miguel Luis: *Juicio crítico de algunos poetas hispanoamericanos*—1861—, *Una conspiración en 1780*—1853—, *La reconquista española...*—1870—, *Apuntes para la historia de Chile, 1814 a 1817*—1851.

V. Figuerola, P. Pablo: *La literatura chilena*. Santiago, 1891.—Figueroa, P. Pablo: *Reseña histórica de la literatura chilena*. Santiago, ¿1899?—Latorre, Mariano: *La literatura de Chile*. Universidad de Buenos Aires, 1941.—Lillo, Samuel: *La literatura chilena*. Santiago, 1930.

A

AMUNÁTEGUI, Miguel Luis.

Erudito y crítico literario—1828-1888—. De Chile. Discípulo del famoso Andrés Bello. A los dieciocho años obtuvo la cátedra de Latín en el Instituto Nacional. Luego desempeñó la de Literatura e Historia. Político eminente. Ministro de Relaciones Exteriores y del Interior, al frente de cuyos departamentos realizó una fecunda y patriótica labor. Presidente de la Cámara de los Diputados. Colaboró en muchos libros con su hermano Gregorio Víctor.

De clarísima inteligencia, cultura excepcional y maestría insuperable en la crítica. La Academia Española le nombró miembro correspondiente en Chile.

Su influencia intelectual fue enorme en su patria, y ha sido patente en muchas generaciones de literatos.

Obras suyas: *La vida de Bello*—1882—, *La alborada poética de Chile después del 18 de septiembre de 1810*—1892—, *Apuntes biográficos sobre José Joaquín de Mora*—1897—, *Las primeras representaciones dramáticas en Chile*—1888—, *Descubrimiento y conquista de Chile*—1862—, *La crónica de 1810* —1876—, *La dictadura de O'Higgins*—1853.

Obras en colaboración con su hermano Gregorio Víctor: *Juicio crítico de algunos poetas hispanoamericanos*—1861—, *Una conspiración en 1780*—1853—, *La reconquista española*—1870—, *Apuntes para la historia de Chile, 1814 a 1817*—1851...

V. LEGUIZAMÓN, Julio A.: *Historia de la literatura hispanoamericana.* Buenos Aires, 1945.—FIGUEROA, P. Pablo: *La literatura chilena.* Santiago, 1891.—FIGUEROA, P. Pablo: *Reseña histórica de la literatura chilena.* Santiago, ¿1899?—LATORRE, Mariano: *La literatura de Chile.* Universidad de Buenos Aires, 1941.—LILLO, Samuel: *La literatura chilena.* Santiago, 1930.

ANCONA, Eligio.

Historiador y novelista mexicano. Nació —1836—en Mérida de Yucatán. Murió —1893—en México. Estudió en el Seminario de San Ildefonso, y, más tarde, Jurisprudencia en la Universidad literaria del Estado nativo. Ejerció la abogacía. Regidor del Ayuntamiento de Mérida. Gobernador interino de Yucatán. Magistrado de la Suprema Corte de Justicia. Diputado al Congreso de la Unión. Republicano. Con su *Historia de Yucatán* alcanzó legítima gloria en su patria. Compuso novelas con buen sentido histórico, al que supo unir una atractiva fantasía y una expresividad natural.

Novelas: *La cruz y la espada*—1866—, *El filibustero*—1866—, *Los mártires de Anahuac* —1870—, *El conde Peñalva*—1879—, *La mestiza*—1889—, *Memorias de un alférez*—1904.

V. FERNÁNDEZ-ARIAS CAMPOAMOR, J.: *Novelistas de México.* Madrid, Ed. Cultura Hispánica, 1952.—TORRES RIOSECO, Arturo: *Bibliografía de la novela mexicana.* México, 1933.—GONZÁLEZ PEÑA, Carlos: *Historia de la literatura mexicana.* México, 1928-1945.

ANDERSON IMBERT, Enrique.

Narrador y crítico literario argentino. Nació—1910—en Tucumán. Discípulo dilecto de los catedráticos Amado Alonso, español, y Pedro Henríquez Ureña, dominicano. Catedrático de la Universidad de Tucumán y de la Universidad Ann Arbor, de Michigan. Miembro del Instituto Internacional de Literatura Iberoamericana. De mucha ciencia filológica y de finísima capacidad crítica.

Obras: *Vigilia*—narraciones, 1934—, *La flecha en el aire*—ensayos, 1937—, *Tres novelas de Payró con pícaros en tres miras* —1942—, *Las pruebas del caos*—ensayos, 1946—, *Ibsen y su tiempo*—1946—, *Ensayos* —1946—, *El arte de la prosa en Juan Montalvo*—1946—, *Fuga*—1951—, *Estudios sobre escritores de América*—1954.

ANDRADE, Olegario Víctor.

Poeta, prosista y periodista de mucho relieve. 1839-1882. La crítica más reciente señala que nació en Miguelete (Brasil). Pero este hecho circunstancial no merma su procedencia y su sensibilidad argentinas. Durante la tiranía de Rosas, sus padres debieron emigrar al Brasil. Fue alumno destacado del Colegio de la Concepción, del Uruguay. Se casó muy joven, malogrando así un viaje a Europa, adonde le quiso enviar el general Urquiza. Colaboró en *El Mercantil* y en *El Pueblo Entrerriano*; dirigió *El Porvenir* —1864 a 1867—; fundó *El Federalista*. Administrador de la Aduana de la Concordia, cargo del que le destituyeron con la acusación—no probada—de fraude. Diputado —1880—en el Congreso de la nación. En 1881 recibió el primer premio en los Juegos florales organizados para conmemorar el 12 de octubre, fiesta de la Raza.

Andrade ha sido calificado de "poeta civil por excelencia". Según Menéndez Pelayo, escribió "para ser aplaudido a cañonazos". Realmente, fue un poeta *huguesco*, enfático, grandilocuente, aun cuando físicamente, por el contrario, era débil, pálido, tímido, y siempre vivió en la pobreza. Su existencia, llena de infortunios, marchitó el arrebato de sus pasiones.

"Hay en Andrade—escribe Leguizamón— dos registros: al de tono mayor corresponden el brío huguesco y la entonación viril. La imaginación desbordada abraza en él, con metáforas resonantes, vastas concepciones poemáticas. Canta en su tono intenso a la humanidad, a la democracia, al progreso y al libre pensamiento. Maneja en aquellas los elementos naturales o cósmicos como a fuerzas dramáticas de composición... La obra de Andrade está llena de trozos magistrales: de perfecto equilibrio entre la amplia concepción del pensamiento y su adecuada forma sensible."

Obras: *El laurel*—poema—, *La Atlántida* —poema—, *La leyenda de Prometeo, La noche de Mendoza*—poema—, *A Paisandú, A Víctor Hugo, El nido de cóndores*—poema—, *El consejo maternal, La vuelta al hogar, El arpa perdida*—poema—, *Obras poéticas*—Buenos Aires, 1887 y 1943...

V. TISCORNIA, Eleuterio R.: *Estudio*, en la ed. Buenos Aires, 1943.—VÁZQUEZ CEY, Arturo: *La poesía de Olegario Andrade y su época*, en *Humanidades*. Universidad de La Plata, tomo XV.—SERÓ MANTERO, A.: *Olegario Víctor Andrade*. Buenos Aires, 1943.—MENÉNDEZ PELAYO, M.: *Historia de la poesía hispanoamericana*. Madrid, 1913, tomo II.

«ANDRENIO» (v. **Gómez de Baquero, Eduardo**).

ANDREO, Lorenzo.

Novelista y ensayista. Nació—1928—en Alhama de Murcia. Estudió el bachillerato con los PP. Agustinos en el Real Colegio de Alfonso XII, de San Lorenzo del Escorial; la carrera de Farmacia, en la Universidad de Madrid. Inmediatamente marchó a Hispanoamérica, recorriendo varios de sus países y ejerciendo en ellos los más diversos oficios.

Estos años vibrantes de esfuerzo y de atenta observación le permitieron adquirir la experiencia para narrar con amenidad y precisión. Escribió cuatro novelas con temas americanos, que mantiene inéditas. Viajero recalcitrante, ha cruzado el Atlántico ocho veces. En la actualidad vive en Murcia, al frente de su farmacia. El matrimonio y los hijos le han obligado a plegar sus alas.

En 1968 ganó el "Premio Aguilas", de novela, con *El valle de los caracas,* con tema crudo, de enorme colorido, fruto de sus experiencias americanas, y que le sitúan entre los muy buenos narradores de hoy.

Otros libros: *Carretera de Aragón*—seleccionada para el "Premio Gabriel Miró, 1967", de novela—, *El emigrante a Ultramar, ese desconocido*—ensayo, 1972—, *El rompecabezas*—novela—, *Rebotika*—novela.

ANDRÉS, P. Juan.

Investigador y literato español. Jesuita. Nació—1740—en Planes (Valencia). Murió —1817—en Roma. Expulsado—1767—de España con todos los de su Orden, pasó a Ná-

poles, donde fue nombrado bibliotecario del rey.

Escribió: *Cartas sobre la música de los árabes*—1787—, *Del origen, progreso y estado actual de la literatura*—1782, publicada primero en italiano y después en castellano, Madrid, 1784 y 1806—, y que es más bien una historia general de la cultura, ya que abarca ciencias y letras, con muchos aciertos y errores de bulto—, *Cartas familiares...* —Madrid, 1794, seis volúmenes.

Texto: *Cartas familiares*. Madrid, 1791-1793.

V. MENÉNDEZ PELAYO, M.: ... *Ideas estéticas*... 1940, III, 340.

ANDRÉS ÁLVAREZ, Valentín.

Novelista, autor dramático y catedrático. Nació—1891—en Grado (Asturias). En 1914 se doctoró en Ciencias, ingresando en el Laboratorio de Investigaciones Físicas, dirigido por Blas Cabrera. Posteriormente estudió Metafísica con José Ortega y Gasset. En 1919 marchó a París a estudiar Astronomía, a especializarse en Mecánica celeste. Pero, como él mismo ha confesado, prefirió escribir versos... y bailar. Luego se entusiasmó por las ciencias económicas y siguió la carrera de Leyes. Ha sido catedrático de Economía de la Universidad de Oviedo, y en la actualidad lo es de la misma asignatura en la Facultad de Ciencias Económicas de la Universidad Central. En 1925 fundó—con Jarnés, Guillermo de Torre y otros—la revista literaria *Plural*. Colaborador de la famosa *Revista de Occidente,* en cuyas páginas publicó—1925—la narración *Telarañas en el cielo.*

Del gran humorista que es Andrés Alvarez ha dicho Mediano Flores: "Y es que para ser humorista, como lo es él, hace falta saber mucho y vivir mucho. Tomar en serio todo, entrar de lleno en ello y saber renunciar a todo después de conocido, luego de haber adquirido con las cosas—sean ciencia o vida—la familiaridad que autoriza la broma. La ciencia y la vida se le han mostrado a Valentín Andrés toda su verdad, y este las trata de tú y se acerca a ellas con un nuevo afán, siempre deseoso de penetrar hasta el fondo íntimo de ellas, de encontrar su pálpito emocional, pero se interpone—aunque parezca paradójico—ese escepticismo entusiasmado que constituye su ser de humorista, torciendo su mueca seria en franca sonrisa, en buen humor, en un decir: "Bueno, sí; esto es serio, pero no tanto..."

Valentín Andrés Alvarez es uno de los espíritus más sutiles y originales de nuestra época. Todo en él es inquietud, diversidad, paradoja, humor. Sus producciones literarias no son muchas; pero cuando Valentín An-

drés Alvarez estrena una farsa o publica
una novela, el lector puede estar seguro de
que se halla ante unas obras realmente excepcionales. *Tararí*—según proclamó la crítica—es una de las más extraordinarias comedias de humor que se han estrenado en
España en lo que va de siglo. *Sentimental
dancing* es una novela de sorprendente modernidad.

Obras: *Reflejos*—poesías, 1921—, *Sentimental dancing*—novela, 1925—, *Tararí*—farsa—, *Pim-pam-pum*—farsa—, *Naufragio en la
sombra*—novela.

ANDÚJAR, Manuel.

Novelista español. Nació—1913—en La Carolina (Jaén). Estudió el bachillerato en Málaga. Pero desde mozo ingresó en la Administración pública. Por haber combatido en
las filas republicanas durante la guerra de
Liberación, hubo de pasar a Francia, donde
permaneció algún tiempo en el campo de
concentración de Saint-Cyprien. Se trasladó a México, donde, con su entrañable amigo José Ramón Arana, fundaron la gran revista *Las Españas,* en la que han colaborado
no solo todos los españoles ilustres exiliados,
sino también admirables pensadores y literatos extranjeros Muy propenso a la soledad y
enemigo de exhibicionismos, Andújar no tiene la fama que le corresponde como novelista en la línea castiza, maciza, honda, de
Galdós. Desde 1967 vive en Madrid y es asesor en la importante Alianza Editorial.

Obras: *St. Cyprien*—crónicas, 1942—, *Partiendo de la angustia*—narraciones, 1944—,
Cristal herido—novela, 1945—, *Llanura*—novela, 1947—, *El vencido*—novela, 1948—, *El
destino de Lázaro*—novela, 1959—, *El primer juicio final, Los aniversarios y El sueño
robado*—teatro, 1962—; *Campana y cadena*
—poema—, *La propia imagen*—poemas—,
Cartas son cartas—ensayos...

V. MARRA-LÓPEZ, José R.: *Narrativa española fuera de España (1939-1960).* Madrid,
edit. Guadarrama, 1963, págs. 445-475.—
NORA, Eugenio G. de: *La novela española
contemporánea.* Madrid, edit. Gredos, 1962,
tomo II bis, págs. 275-277.

ÁNGELES, Fray Juan de los.

Famoso moralista, ascético y escritor. Nació—1536—cerca de Oropesa (Toledo). Murió
—1609—probablemente en Madrid. Muy joven aún, profesó de franciscano descalzo. Su
piedad y su saber le llevaron a desempeñar
cargos honrosos. Fue provincial y superior
de la de San Bernardino, en Madrid; confesor de las Descalzas Reales; predicador
de la emperatriz María, hermana de don
Felipe III, que vivía en el nombrado convento. Moralista y psicólogo sutil, místico

por la elevación de su pensamiento, prosista
regalado por lo apacible del estilo, literato
por lo vivo de la imaginación y poeta por lo
tierno de los afectos. Nadie "descubrió" y
analizó tan bien como él, con tanta claridad,
las facultades del espíritu. En Platón se inspiró su doctrina del amor.

De fray Juan de los Angeles ha escrito el
maestro Menéndez Pelayo: "Uno de los más
suaves y regalados prosistas castellanos, cuya
oración es río de leche y miel... Si fray Luis
de Granada busca a Dios en la Naturaleza y
se dilata en magníficas descripciones de la
armonía que reina entre las cosas creadas, el
ingenio psicológico de fray Juan de los Angeles le busca en la silenciosa contemplación
del íntimo retraimiento de la mente, a la cual
ninguna cosa creada puede henchir y dar
hartura."

Obras más importantes: *Triunfos del
amor de Dios*—Medina, 1590—, que refundió
y mejoró en la *Lucha espiritual y amorosa
entre Dios y el alma...*—Madrid, 1600—, *Diálogos de la conquista del espiritual y secreto
reino de Dios*—Madrid, 1595—, *Manual de la
vida perfecta*—1608, escrito en forma diálo-
gada, y en el que se propone el modo de
llegar a la unión con Dios por medio de la
vida contemplativa—, *Tratado espiritual de
los soberanos misterios... de la misa*—Madrid, 1604—, *Consideraciones espirituales sobre el "Cantar de los Cantares", de Salomón*
—Madrid, 1607, hermosísima paráfrasis mística—, *Vergel espiritual del alma religiosa*
—Madrid, 1610, para las almas "que deseen
sentir en sí y en su cuerpo los dolores y
pasiones de Jesús y conformarse con El en
vida y muerte"—, *Tratado de la presencia
de Dios*—Madrid, 1607.

Las obras místicas de fray Juan de los
Angeles pueden leerse en la moderna edición de la "Nueva Biblioteca de Autores Españoles", tomo XX. De los *Diálogos de la
conquista del reino de Dios* hay edición de
1885. De los *Triunfos del amor de Dios*, impresión madrileña de 1901. Y barcelonesa
—1905—del *Manual de la vida perfecta.*

V. SALA, fray Jaime: Prólogo al tomo XX
de la "Nueva Biblioteca de Autores Españo-
les".—MENÉNDEZ PELAYO, M.: *Historia...,
Ideas estéticas,* II.—DOMÍNGUEZ BERRUETA,
J.: *Fray Juan de los Angeles.* Madrid, 1927.
ALLISON PEERS: *Studes of the Spanish Mys-
tics.* Vol. I.—TORRÓ, A.: *Fray Juan de los
Angeles, místico-psicólogo.* Barcelona, 1924.—
SANCHÍS, J.: *Fray Juan de los Angeles.* Tesis
doctoral. 1941.

ANGULO FERNÁNDEZ, Julio.

Nació en Madrid el 28 de mayo de 1902.
Estudió el bachillerato en el Instituto de
San Isidro, de Madrid. Cursó la carrera de

A

71

Medicina. Fue interno del Hospital Provincial. Profesor de Educación física. Estudió en la Universidad Historia del Arte e Historia de la Literatura. Viajó por España, que ha recorrido totalmente todos sus pueblos; de estos viajes tiene escritos dos libros, que se titulan *Paisajes y fantasmas* y *Los hombres y las cosas;* otro, titulado *Avila, itinerario lírico,* y un cuarto libro de viajes dedicado a Andalucía, que se llama *Andalucía a la vista.*

En 1930, su cuento *El lago de las cañas* obtuvo el primer premio en el concurso de cuentos de la revista *Atlántico.*

En 1931 fue primer premio en el concurso de cuentos de la revista *La Raza,* con su cuento *Las pupilas muertas.*

En 1932 le premiaron una crónica titulada *El mar, la playa y lo otro.*

En 1933 publicó su primer libro, una novela, con el título *Lluvia de cohetes.* En 1934, el poema dramático *Virginidad.* En 1935, las poesías *Letanías del año.* En 1936, el poema *Raíz de cielo.* En 1942, un libro de cuentos titulado *De dos a cuatro.*

En 1943 se le concedió el primer premio a su cuento *Retrato de boda.*

En 1944 estrenó en el teatro Español la comedia *Atico, izquierda.* En 1946, en Lara, la comedia *De dos a cuatro.*

Desde 1930 colabora en diarios y revistas de toda España; ha dado conferencias, etc.

De *Lluvia de cohetes* dijo Jarnés en *La Nación,* de Buenos Aires, del 7 de enero de 1934: *"Luvia de cohetes* es un libro en el que se prefiere la intención poética; en él se cultiva una planta muy del arte contemporáneo: la sorpresa. Una gran agilidad en la frase, que llega a veces al pleno desenfado, recorre como un viento jovial todas las páginas del volumen."

En 1948 le fue concedido uno de los Premios Nacionales de Literatura a su novela de humor *Del balcón a la calle. Instantáneas del día*—más de cinco mil, leídas a diario en Radio Madrid.

ANGULO GURIDI, Alejandro.

Poeta, novelista, ensayista, cronista dominicano. Nació—1822—en Santo Domingo y murió—1906—en Nicaragua. Se graduó licenciado en Derecho en la Universidad de la Habana. En esta ciudad fundó el periódico *El Prisma.* Durante 1851 y 1852 vivió en los Estados Unidos. En 1852 regresó a su patria, dedicándose por completo a la política. Fundó *La República.* Tomó parte en cuantos movimientos revolucionarios se organizaron en la capital. Vivió desterrado en Venezuela. Nuevamente—1875—en Santo Domingo, fundó *La Democracia.* Secretario de Relaciones Exteriores en 1878. Ministro de

Instrucción Pública y de Justicia. Otra vez huido, vivió en San Salvador, en la ciudad chilena de Tacna, en Nicaragua...

Obras: *La joven Carmela*—novela, 1841—, *La venganza de un hijo*—novela, 1842—, *Pucha cubana*—poemas, 1842—, *Cecilia*—novela, 1844—, *Discursos históricos y literarios, El triunfo liberal*—poema, 1874...

V. BALAGUER, Joaquín: *Literatura dominicana.* Buenos Aires, edit. Americalee, 1950.

ANSON OLIART, Luis María.

Ensayista y cronista español. Nació—1935—en Madrid. Universitario. Apenas salido de la mocedad, se entregó gozosamente a su vocación de escritor. Colaborador en importantes diarios y revistas: *A B C,* de Madrid; *La Vanguardia,* de Barcelona... De mucha cultura y criterio sutil. Ambicioso en temas en los que el espíritu se declara de acuerdo con la estética. "Premio Mariano de Cavia, 1964". "Premio Miguel de Unamuno, 1965", para ensayos.

Obras: *La monarquía, hoy*—ensayo, 1956—, *La hora de la monarquía*—ensayo, 1958—, *Acción Española*—ensayo, 1960—, *Maurras, razón y fe*—ensayo, 1960—, *El Gengis Kan rojo*—ensayo, 1960—, *Sobre la creación poética*—ensayo, 1962—, *La justa distribución de la riqueza mundial*—ensayo, 1962—, *El grito de Oriente*—ensayo, 1965—, *La Negritud*—1971.

ANTÓN DEL OLMET, Luis.

Literato y periodista español. Nació en 1886 en Bilbao. Murió—1922—en Madrid. Director de *El Debate*—1910—y de *El Parlamentario*—1941—. Diputado a Cortes—1914—, se hizo popular por sus campañas políticas periodísticas, llenas de pasión, de ingenio y de originalidad, y por sus libros biográficos *Alfonso XIII, Galdós, Costa, Menéndez y Pelayo, Moret, María Guerrero, Cajal, Maura, Canalejas...*

Pero su valor máximo fue como prosista y novelador. Con un estilo recio, vibrante, rico, personalísimo, escribió obras tan bellas como *Hieles, El veneno de la víbora, Como la luna, blanca; El encanto de sus manos, El hidalgo don Tirso de Guimaraes, Cruz Verde, 8; Espejo de los humildes, Corazón de leona, Robarás, matarás; El marqués de la Quimera...*

V. SAINZ DE ROBLES, F. C.: *Estudio,* en *La novela corta española.* Madrid, Aguilar, 1952.

ANTÓN DE MONTORO (v. Montoro, Antón de).

ANTONIO, Nicolás.

Famoso erudito y bibliógrafo español. Nació—1617—en Sevilla. Murió—1684—en Madrid. Estudió latín y Teología en Sevilla. En

Salamanca se doctoró en Derecho, siendo discípulo predilecto del gran jurisconsulto Ramos del Manzano. Caballero de Santiago —1645—por merced del rey Felipe IV, quien le nombró—1654—agente en Roma de los Reinos de España, Dos Sicilias y ducado de Milán, y más tarde de la Inquisición española. Canónigo en Sevilla. Consejero del Supremo Tribunal de la Santa Cruzada. Su biblioteca llegó a sumar más de 30.000 volúmenes.

Su obra fundamental es la *Bibliotheca Hispana*—índice de todos los escritores españoles, desde Augusto hasta su tiempo—, dividida en dos partes: *Bibliotheca Vetus* —escritores hasta 1500—y *Bibliotheca Nova* —escritores desde 1500 a 1670.

La *Bibliotheca Nova* se publicó en Roma —1672—. La *Vetus* apareció, ya muerto Nicolás Antonio, también en la Ciudad Eterna—1696—, gracias al interés del deán Manuel Martí, gran amigo del autor y del sabio cardenal Aguirre, su pariente, quien dedicó la impresión al Pontífice Inocencio XII. Nicolás Antonio escribió, además, *Censura de historias fabulosas*—Valencia, 1742—y *De exilio*—Amberes, 1641.

La *Bibliotheca Hispana* es obra de pasmosa erudición, de interés excepcional, que, aun hoy, presta servicios excelentes a los eruditos.

V. MENÉNDEZ PELAYO, M.: *La ciencia española*. Madrid, 1887.—GAYANGOS, Pascual: *Curiosidades bibliográficas*. En "Biblioteca de Autores Españoles".—GALLARDO, B. José: *Biblioteca de autores castellanos.*—DENIS Y MARTONNE: *Noveau Manuel de bibliographie universelle*. París, 1857.—VALLÉE, León: *Bibliographie des bibliographies*. París, 1887.

«ANTONIORROBLES» (v. **Robles y Soler, Antonio**).

ANZOÁTEGUI, Ignacio B.

Poeta, prosista, ensayista argentino. Nació en La Plata en 1905. Fue profesor de Historia Argentina, Instrucción Cívica, Historia Antigua, Media, Moderna y Contemporánea en varios establecimientos de enseñanza secundaria, y de Derecho Procesal en la Facultad de Derecho y Ciencias Sociales de Buenos Aires; jurado en numerosos concursos literarios municipales y nacionales. Subsecretario de Cultura, y es actualmente juez de primera instancia en lo civil de la capital de la nación.

Colaboró en *La Nación, El Hogar, Orientación Española, Megáfono, Sur, Número, Argentina*, y otras principales revistas y suplementos literarios de Buenos Aires, y dirigió en esa misma ciudad la revista *Sol y Luna*, colaborando, así mismo, en *Escorial*,

Arriba, El Español, Juventud, de Madrid; *Imperio*, de Roma; *Il Frontespizio*, de Florencia; *El Diario Ilustrado*, de Santiago de Chile, etc.

Ha publicado los siguientes libros, en prosa y verso: *Romances y jitanjáforas, Georgina Arnhem y yo, Vidas de muertos, Nueve cuentos, Tres ensayos españoles, Genio y figura de España. La rosa y el rocío, Desventura y ventura de amor, Cielo y tierra, Manifiesto a las juventudes de la Falange, Alas y olas, Vidas de payasos ilustres, Mitología y víspera de Georgina, La niña del ángel*—1935—, *Extremos del mundo*—1942—, *Antología poética*—1952—, *Monólogos de Lady Crace*—1953.

Invitado por las autoridades españolas, visitó la Península en 1947 y 1950, pronunciando conferencias en los más destacados centros culturales de Madrid, Barcelona, Bilbao, San Sebastián, Salamanca, Vitoria, Segovia, Pontevedra y Soria.

Ha merecido el primer Premio de Literatura de la Municipalidad de Buenos Aires, y el tercero de la Comisión Nacional de Cultura, ostentando la cruz de primera clase de San Raimundo de Peñafort, la encomienda de Isabel la Católica y la encomienda con placa de Alfonso X el Sabio.

Anzoátegui es un ilustre pensador que ha defendido siempre, al defender los de su patria, los valores hispánicos de lenguaje, raza, religión y destino. Es dueño de un estilo brillante y de una prosa señoril y limpia.

ANZOÁTEGUI DE CAMPERO, Lindaura.

Poetisa, novelista, autora teatral boliviana. 1846-1898. Nació en Potosí. Popularizó el seudónimo de "El Novel".

"Lindaura Anzoátegui de Campero—escribe el docto crítico Díez de Medina—inicia el costumbrismo boliviano. Sus novelas cortas denotan perspicacia para la sátira social, fino dibujo de la psicología de los personajes, sentimiento estético del paisaje. ¿No dice Joubert que la literatura es delicadeza? Pues bien: la señora Campero es un alma delicada, cuyas obras, sentidas y armoniosamente logradas, contrastan con el general barroquismo de su tiempo. Maneja el diálogo con desanfado, y a juzgar por la habilidad con que plantea y resuelve los conflictos de pasiones, se advierte en sus relatos un temperamento dramático que no llegó a florecer en plenitud. *Huallparrimachi* —Potosí, 1894—y otras novelas son obras en tono menor, que no desdeñaría firmar un escritor ambicioso. Fue también la señora Campero una tierna poetisa."

Escribió también algunas comedias y una

A

serie de relatos costumbristas con el título de *Cómo se vive en mi pueblo*—Potosí, 1892.

V. Díez de Medina, Fernando: *Perfil de la literatura boliviana*, en *Thunupa*, La Paz, 1947.—Finot, Enrique: *Historia de la literatura boliviana*. México, 1943.—Macedonio Usquidi, J.: *Bolivianos ilustres*.

AÑORBE Y CORREGEL, Tomás.

Sacerdote, poeta y dramático. Nació —¿1686?—en Madrid. Y murió en Madrid el año 1741, enterrándosele en la parroquia de San Pedro. Fue capellán de Felipe V y escritor muy culto, de gustos literarios ya neoclásicos. Publicó sus poesías—Madrid, 1731—con el título de *Amarguras de la muerte y pensamientos cristianos*.

En 1735 se representó en el teatro de la Cruz, con mucho éxito, su comedia *La virtud vence al destino*. Otras obras teatrales suyas son: *Nulidades del amor, La encantada Melisendra* y *El caballero del cielo*. Su producción más famosa es el *Paulino*—1740—, cuyo argumento deriva del *David perseguido*, de Lozano.

APARICIO, Juan.

Notable periodista y literato. Este original escritor, a nuestro ruego, ha contestado así: "Soy periodista porque comencé a leer e interesarme por los periódicos desde muy niño; no creo que haya otra mejor escuela para formarse y tener la elección del oficio, aunque, como usted sabe, he dirigido la Escuela oficial durante cerca de cinco años y se han formado junto a mí varias promociones, que llenan los periódicos madrileños y provincianos. Pero ser periodista es tejer y destejer todos los días, poner su sensibilidad y su fantasía en un horno devorador; el final, quemarse los sesos sin ningún resultado para el porvenir, como no sea el efímero de cada mañana o de cada tarde. Por tanto, mis notas bibliográficas son muy escasas, ya que se ha perdido o soterrado en mí una poderosa vena lírica y una predisposición universitaria o intelectual.

Nací en Guadix (Granada) el 29 de julio de 1906, y mi primer contacto con la literatura nacional fue el año 1927 en la *Gaceta Literaria*, de Ernesto Giménez Caballero, donde colaboré desde mi pueblo sobre el poeta ruso Mayakovski y sobre cosas de la posguerra alemana. Fui, con Ramiro Ledesma Ramos, el fundador de *La Conquista del Estado*, en 1931, y en 1932 comencé a colaborar en *El Sol*, hasta que en junio de 1933 pasé a *Informaciones*, y en enero de 1935 a *Ya*, como editorialista de política internacional. Durante la guerra civil fui director en Salamanca de *La Gaceta Regional*, hasta que en octubre de 1941 fui nombrado delegado nacional de Prensa, desempeñando esta misión cerca de cinco años. Entonces fundé y dirigí *El Español, Así Es, La Estafeta Literaria, Fantasía, La Gaceta de la Prensa Española, Fénix* y *Memoranda y Documenta*. En todas estas revistas y semanarios procuré contar con la mayor suma de escritores españoles, ufanándome de la multiplicidad de los temas y de la unanimidad de las firmas en aceptar la colaboración. En 1945 publiqué dos libros: *Historia de un perro hinchado* y *Españoles con clave;* las críticas fueron favorables, aunque no concedí importancia a su valor, dado el cargo que desempeñaba."

Dirigió muchos años el diario de Madrid *Pueblo*. En 1952 volvió a ser nombrado director general de Prensa.

APARISI Y GUIJARRO, Antonio.

Jurisconsulto, orador y poeta español. Nació—1815—en Valencia. Murió—1872—en Madrid. Gran patriota. Ferviente católico. Doctor en Derecho por la Universidad valenciana. Redactor de los principales periódicos ortodoxos: *La Esperanza, La Estrella, El Pensamiento de Valencia, La Regeneración*. Diputado a Cortes varias veces—desde 1858—y jefe de la minoría tradicionalista en la Cámara. Académico de la Real Española de la Lengua—1866—. Senador. En París, y en 1869, intentó reconciliar a la destronada doña Isabel II con el pretendiente don Carlos de Borbón. Gran amigo del Pontífice Pío IX. Jamás aceptó cargos que tuvieran asignada alguna consignación. Pronunciando en el Congreso unos de sus mejores discursos —el 8 de noviembre de 1872—, cayó como fulminado, falleciendo a los pocos momentos.

A los doce años leyó Aparisi en público su primera poesía, que fue premiada por la Sociedad de Amigos del País. La Academia Española le premió, años después, una oda a *La batalla de Bailén*.

Después de muerto, sus amigos reunieron sus obras, imprimiéndolas en cinco volúmenes. En estas obras se mezclan los discursos parlamentarios, los discursos forenses, los artículos, las poesías, los folletos de propaganda política—*La cuestión dinástica, El rey de España, El Papa y Napoleón, Los tres Orleáns*—y dos tragedias: *Doña Inés de Castro* y *La muerte de don Fadrique*.

V. Nocedal, C.: *Don Antonio Aparisi y Guijarro*. (Discurso necrológico.)—Genovés, Vicente: *Aparisi y Guijarro. Antología*. Madrid, Editora Nacional, 2.ª edición, 1949.

APRAIZ Y SÁENZ DEL BURGO, Julián.

Literato y catedrático español. Nació —1848—en Bilbao. Murió—1910—en Madrid. Doctor en Derecho y en Filosofía. Catedrático de Literatura en el Instituto madrileño de San Isidro. Investigador cervantino de mucho mérito. Su edición crítica de *La tía fingida,* de Cervantes, fue premiada por la Academia Española.

Son obras suyas importantes: *Cervantes, cascófilo; Cervantes y América, La firma de Don Quijote, Los Isunza de Vitoria, Apuntes para la historia de los estudios helenísticos en España*—1878—, *Historia de la fábula y de los principales fabulistas, El cervantismo en España* y un ingenioso *Buscapié* al admirable libro de su amigo Navarro Ledesma *El Ingenioso Hidalgo Miguel de Cervantes Saavedra.*

ARABENA WILLIAMS, Hermelo.

Crítico, poeta y folklorista chileno. Nació en 1910. Cursó Humanidades en el Liceo de San Felipe (Aconcagua), y Leyes, hasta el cuarto curso, en la Universidad de Santiago. En 1934 se dedicó por completo al periodismo y a la literatura.

Ha colaborado en *El Mercurio, El Imparcial, El Diario Ilustrado, La Nación* y en otros muchos diarios y revistas. En 1941, *El Mercurio* premió su cuento *La estrella del Conquistador.*

Pertenece a la promoción universitaria y literaria de 1930, siendo sus compañeros más notables el gran poeta Julio Barrenechea, el orador y sociólogo Manuel Eduardo Hübner, el brillante crítico literario Juan de Luigi, el periodista Galileo Urzúa...

Arabena Williams pertenece a la Sociedad de Escritores de Chile, a la Asociación Folklórica Chilena y a la Sociedad de Historia y Arqueología de San Felipe. Posee una gran cultura, una oratoria fácil y brillante y una exquisita sensibilidad. Ha viajado por varios países hispanoamericanos, y en 1952 ha permanecido varios meses en España, recorriéndola con finísima observación y pronunciando varias conferencias notables en los más destacados centros culturales.

Entre sus obras destacan: *Glosas sobre San Felipe el Real*—cuadros folkloristas de vivísimo colorido, 1935—, *Hora del Angelus* —poemas, 1940—, *Entre espadas y basquiñas*—tradiciones chilenas, 1947—, *Don Enrique Nercasseau y Morán*—ensayos críticos, 1950.

V. COLUCCIO, Félix: *Folkloristas e instituciones folklóricas del mundo.* Buenos Aires, "El Ateneo", 1951.

ARAGÓN, Don Enrique de, marqués de Villena.

Famoso y notable escritor y admirable sabio español. Descendiente por su padre de la Casa Real de Aragón, y por su madre, de la de Castilla. Nació en 1384. Murió

—1434—en Madrid. Gran maestre de la Orden de Calatrava. Se casó, a instancias de Enrique III de Castilla, con su prima, doña María de Albornoz, de la que se divorció en seguida, con gran escándalo. En realidad, no fue marqués, ni condestable, ni siquiera conde de Cangas de Tineo, título concedido, nominalmente, por Enrique III. Fue, sí, señor de Iniesta y de la villa de Torralba. Y hasta le desposeyeron—1414—del maestrazgo de Calatrava. Hubo de conformarse con ser presidente de unos famosos Juegos florales organizados por don Fernando de Antequera al ser coronado rey de Aragón.

Despojado de todos sus títulos, de casi todos sus bienes, infamado, se retiró Villena a su señorío, donde la alquimia, las ciencias y las letras ocuparon todo el tiempo de sus últimos años de vida.

Según Menéndez Pelayo, el espíritu de Villena "era tan nimiamente crédulo, tan puerilmente curioso, tan ávido de lo extraordinario y sobrenatural y... tan indisciplinado y vagabundo, que forzosamente habían de tener en él un adepto todas las ciencias ocultas".

Alrededor de su persona y de su nombre se formó en la Edad Media una leyenda de sobresalto, de la que él—mago, o brujo, o demonio coronado—era protagonista alucinante. Todavía esta leyenda se conservaba en el siglo XVII y sirvió de inspiración a obras como *Lo que quería ver el marqués,* de Rojas Zorrilla; *La cueva de Salamanca,* de Alarcón; *La visita de los chistes,* de Quevedo. En el siglo XIX, Hartzenbusch aún utilizó la leyenda en su obra teatral *La redoma encantada.*

Muerto don Enrique "en olor de brujo", el rey don Juan III ordenó a su confesor, fray Lope de Barrientos, que expurgase las obras del marqués. Y Barrientos quemó algunas y conservó otras en su poder. Ante la sana crítica y la rigurosa verdad histórica, fue Villena un sabio inofensivo y un paciente investigador. Todas sus teorías científicas nada deben a la nigromancia, ni a la hechicería, ni a los sortilegios, sino que se apoyan en otras de Averroes, Avicena y Arnaldo de Vilanova.

Experto conocedor del griego y del latín, ameno narrador, correcto estilista, don Enrique de Villena valió mucho más como literato que como científico.

De sus obras que escaparon a la censura —y a la consiguiente quema—han llegado a nosotros: *Arte cisoria o Tratado del arte de cortar con el cuchillo,* amenísimo libro de gran importancia para el estudio de las costumbres medievales y de la historia interna; es un verdadero *arte de cocina,* el más antiguo conocido en España. *Los doce trabajos de Hércules*—escritos primeramente en

A

catalán (1417), traducidos al castellano por su mismo autor—, obra al modo del *Libro de los Estados,* de don Juan Manuel, en la que se exponen alegóricamente las hazañas herculinas, y en las que el león de Nemea representa la soberbia, y la destrucción de los centauros, la de los malhechores... Cada historia lleva su moraleja.

Villena tradujo la *Divina Comedia,* de Dante; la *Retórica,* de Cicerón, y la *Eneida,* de Virgilio. De Villena se conservan unos fragmentos de un *Arte de trovar*—1433—, especie de preceptiva provenzal, con curiosas notas fonéticas y noticias históricas interesantísimas acerca de los consistorios de la Gaya Ciencia. Y Menéndez Pelayo cita en su *Ciencia española*—tomo III—una *Carta de los veinte sabios cordobeses a don Enrique, y respuesta de este.*

A don Enrique de Villena se le atribuyen: un *Tratado de la lepra,* otro *Tratado de Astrología,* otro acerca del *aojamiento* o *fascinología*—1425—, un *Tratado de la alquimia* y *Virtudes de los cuerpos simples.*

El marqués de Villena fue uno de los espíritus más interesantes y complejos de la Edad Media española.

Textos: *Arte de trovar,* ed. Menéndez Pelayo, en *Antología de poetas líricos,* V, páginas 3 y sigs.; ed. Sánchez Cantón, 1923, Madrid. Del *Tratado del aojamiento,* Madrid, 1876, en *Revista Contemporánea;* en *Revue Hispanique,* 1917, De *L. de la guerra,* ed. L. de Torre, en *Rev. Hisp.,* 1916, XXXVIII, 497. De *El arte cisoria,* ed. F. B. Navarro, Barcelona, 1879. Del *Tratado de Astrología,* ed. F. Vera, en *Erud. Iber. Ultr.,* Madrid, 1930, I, 18-67.

V. MENÉNDEZ PELAYO, M.: *Antología de poetas líricos castellanos.* Tomo V.—MENÉNDEZ PELAYO, M.: *La ciencia española.*—SERRANO, M.: *El mágico Villena,* en la *Revista de España,* CXLII.—SÁNCHEZ CANTÓN: *El arte de trovar,* en *Revista de Filología Española,* 1919.—COTARELO MORI, E.: *Don Enrique de Villena. Su vida y sus obras.* Madrid, 1896.—PÉREZ DE GUZMÁN: *Genealogías y semblanzas,* en *Biblioteca de Autores Españoles,* LXVIII.

ARAGONÉS, Juan.

Cuentista de interés. Vivió entre 1512 y 1576. Cuanto se sabe de este autor, contemporáneo de Juan de Timoneda, es por alusiones. Así, Timoneda hizo preceder a su colección de cuentos los doce de Juan Aragonés.

Esto en las ediciones de Medina del Campo—1563—y en la de Alcalá—1576—. Y añade, colofón de la presentación, el propio Timoneda: "Los doce primeros son de otro autor, llamado Juan Aragonés, que sancta gloria haya."

Añade Menéndez Pelayo: "Es lástima que estos cuentecillos sean tan pocos, porque tienen carácter más nacional que los de Timoneda. Dos de ellos son dichos agudos del célebre poeta Garci Sánchez de Badajoz, natural de Ecija; tres se refieren a cierto juglar o truhán del Rey Católico, llamado Velasquillo, digno predecesor de don Francesillo de Zúñiga. Pero otros están tomados del fondo común de la novelística... y de otros textos que enumera el doctísimo Félix Liebrecht, uno de los fundadores de la novelística comparada."

Textos: Tomo III de la *Biblioteca de Autores Españoles; Cuentos viejos de la vieja España,* Madrid, 1940 y 1943, ed. Sainz de Robles.

V. LIEBRECHT, Félix: *Geschichte der Prosaditchtunger.* Berlín, 1851.—ARIBÁU, Carlos Sebastián: Prólogo al tomo III de la *Biblioteca de Autores Españoles,* de Rivadeneyra.—MENÉNDEZ PELAYO: *Orígenes de la novela.*

ARAGONÉS DAROCA, Juan Emilio.

Ensayista, cuentista y crítico español. Nació—1926—en Sabiñánigo (Huesca). Desde 1940 reside en Madrid. Bachillerato en el Instituto Ramiro de Maeztu, y versos iniciales. En 1948 edita su primer libro, *Nada más lo que soy,* de poesía. Ediciones Ensayos le publica en 1952 un segundo libro de poemas: *El pan y la sal.*

El teatro le interesa cada vez más, no solo como género literario, sino en cuanto espectáculo, con participación de varios factores. Sin dejar de escribir versos, artículos y cuentos, desde 1953 ejerce la crítica teatral en diversas revistas universitarias o culturales: *Alcalá, La Hora, Juventud, Ateneo, Revista, La Estafeta Literaria...* En 1954 se le otorgó el accésit del "Premio Nacional de Literatura" por un ensayo titulado *Tradición mariana del teatro español.*

Por su labor literaria de divulgación y crítica del arte dramático, obtiene en 1955 el "Premio Nacional de Teatro". Un año después, la Real Escuela Superior de Arte Dramático publica un libro de Aragonés, *El teatro y sus problemas,* iniciando con él una serie de publicaciones que tiende a ofrecer la posibilidad de mostrar el "pensamiento vivo contemporáneo en derredor del teatro".

Colabora de forma irregular, pero incesante, en *Arriba, A B C, Informaciones, Pueblo, Blanco y Negro, Correo Literario, Poesía Española* y otras publicaciones; artículos sobre todo, pero también cuentos y poemas. En el transcurso de 1964 publicó otro libro de versos, *El noticiero,* así como un volumen que reúne unas doscientas semblanzas de jóvenes valores aparecidos en los diversos campos de la cultura española desde 1954 hasta el presente. El título del libro es *De la última promoción a la nueva ola.*

Desde 1960 ejerce la crítica teatral en *La Estafeta Literaria,* revista de la que actualmente—1964—es subdirector. Pertenece, como vocal, al Consejo Superior del Teatro. *Antología de Carlos Arniches*—Madrid, 1966—, *Antología de Jacinto Benavente*—Madrid, 1966.

ARAGONESES URQUIJO, Encarnación (véase «Fortún, Elena» (seudónimo).

ARAMBURU, Julio.

Historiador, crítico y narrador argentino. Nació—1898—en Jujuy. Estudió Derecho y Ciencias Sociales en la Universidad de Buenos Aires. Entre 1938 y 1942 dirigió el Museo Municipal. En 1922 le fue otorgado el "Premio Municipal de Literatura" a su obra *Jujuy.*

Otras obras: *La tierra natal*—1923—, *El solar jujeño*—1924—, *Dramas de provincia, Muestrario urbano, Recuerdos de la infancia, La juventud de Avellaneda, Historia argentina, Tucumán, Las hazañas de Pedro Urdemalas, El buscador de oro y otros cuentos, La centella de fuego...*

ARANA, José Ramiro.

Aragonés de nacimiento. Autodidacto. Pertenece a la generación de 1936. De ideología liberal, marchó a México, donde fundó—con Manuel Andújar—la revista *Las Españas* y la famosa "Librería de Arana", lugar de tertulia de los intelectuales emigrados.

Obras: *El cura de Almonacied*—cuentos—, *Nieblas (Una historia en tres cartas), Xango: Pasión y muerte del negro Blas, A tu sombra lejana*—poemas.

V. MARRA-LÓPEZ, José R.: *Narrativa española fuera de España.* Madrid, 1963.

ARANAZ CASTELLANOS (Manuel).

Literato, periodista y costumbrista español de primer orden. Nació—1875—en la Habana. Murió—1925—en Bilbao. Se licenció en Derecho por la Universidad de Deusto. Dirigió *El Liberal* de la capital bilbaína. Agente de Cambio y Bolsa. Sus cuadros de costumbres vascas son sencillamente deliciosos, dignos de una antología de costumbristas españoles. Han sido seleccionados en los libros *Cachalote, El "prosedimiento", Garralón en el convento, La vida "se" es sueño, Mari-Cata, El "negosio" de doña "Fransisca".* También son muy amenas y están escritas

bellamente sus novelas *Calabazatorre, Beguieder, Carmenchu.* Para el teatro escribió obras de menos trascendencia: *Lo que une, La romanza del vivir, Trenzas de oro* y *El sanatorio.*

Aranaz Castellanos colaboró en los más importantes periódicos de España.

ARANGO Y ESCANDÓN, Alejandro.

Poeta, crítico, prosista y erudito mexicano. Nació—1821—en Puebla de los Angeles y murió—1883—en México. En 1831 se trasladó con su familia a Europa y estudió Humanidades en Madrid. Se graduó—1844—licenciado en Derecho en México. Formó parte de la Academia Poética de San Juan de Letrán. Político conservador, fue secretario de la Asamblea de Notables que ofreció la corona a Maximiliano de Austria, y miembro del Consejo de Estado durante el imperio de este infelicísimo monarca. Fue el iniciador del entusiasmo, en su patria, hacia los estudios orientales, publicando a su costa una *Gramática hebrea*—1867—, y prologó un *Oficio parvo* de la Virgen María—1870—, en ocho idiomas: hebreo, griego, latín, italiano, inglés, francés, alemán y castellano. Tradujo el *Cid,* de Corneille, y *La conjuración de los Pazzi,* de Alfieri.

Quizá su mejor obra es el *Ensayo histórico sobre Fray Luis de León*—su poeta más amado e imitado—, publicado primero en *La Cruz,* revista dirigida por Pesado, y luego en tomo aparte—1866—. Menéndez Pelayo declara, con evidente exageración, "que es el mejor libro que tenemos acerca de Fray Luis". Sin llegar a tal entusiasmo, justo es reconocer las excelencias del *Ensayo* de Arango y Escandón.

Publicó un tomito de *Versos,* la mayoría de los cuales "son modelos intachables de noble reposo, de suave efusión y de acrisolado gusto" (M. P.). Destacan entre ellos: la oda *En la Inmaculada Concepción de Nuestra Señora,* la oda *Invocación a la bondad divina* y el soneto *A Germánico.*

V. AGÜEROS, Victoriano: *Escritores mexicanos contemporáneos.* México, 1880.—PIMENTEL, Francisco: *Historia crítica de la literatura en México.* México, 1883.—MENÉNDEZ PELAYO, M.: *Historia de la poesía hispanoamericana.* Madrid, 1911, tomo I, págs. 151-153.—GUTIÉRREZ, Juan María: *Poesía americana.* Dos tomos. 1866.

ARANGUREN, José Luis L.

Filósofo y ensayista español. Nació—1909—en Avila. Catedrático de Etica en la Universidad de Madrid. "Aranguren une a la formación filosófica del profesional un dominio nada común de la teología. Forma hoy en la avanzada del pensamiento católico

A

europeo. Es escritor de gran claridad expositiva y elegante prosa" (Torrente Ballester).

Obras: *La filosofía de Eugenio d'Ors*
—1945—, *Catolicismo y protestantismo como
formas de existencia*—1952—, *El protestantismo y la moral*—1954—, *Catolicismo día
tras día*—1955—, *Etica*—1958—, *La ética de
Ortega*—1958—, *Crítica y meditación*—Madrid, 1960—. *Etica y política, Implicaciones
de la Filosofía en la vida contemporánea, La
juventud europea y otros ensayos, La comunicación humana, Lo que sabemos de Moral,
El marxismo como Moral, El problema universitario, Antología de Unamuno...*

V. TORRENTE BALLESTER, G.: *Panorama de
la literatura española contemporánea.* Madrid, edit. Guadarrama, 1961, 2.ª edición, página 405.

ARAQUISTÁIN Y QUEVEDO, Luis.

Periodista, ensayista, novelista y dramaturgo español. Nació—1886—en Bárcena de
Pie de Concha. Murió—1959—en Ginebra.
Viajero incansable por Europa y América.
Ha cultivado todos los géneros literarios
con indiscutible maestría. Entre sus libros
de viaje sobresalen: *El peligro yanqui, La
agonía antillana, La revolución mejicana.*
Entre sus novelas: *El archipiélago maravilloso, La vuelta del muerto, Las columnas
de Hércules.* Entre sus obras escénicas: *El
coloso de arcilla, El rodeo, La rueda de la
virtud, Remedios heroicos.* Entre sus libros
de ensayos: *El Arca de Noé, España en el
crisol, Dos ideales políticos, Entre la guerra
y la revolución.*

Indiscutiblemente, es Araquistáin un escritor rico en facultades, que sabe alternar
la labor ideológica con la labor creadora de
arte. Maestro de periodistas, colaborador de
los principales diarios y revistas de España
y América española, Araquistáin ha escrito
miles y miles de artículos llenos de ideas,
con extraordinaria fuerza polémica y gran
precisión dialéctica. Fue director—1916—de
la gran revista *España,* y asiduo editorialista
de *El Sol* y *Claridad,* de Madrid.

Fue concejal del Ayuntamiento de la capital de España y diputado socialista, así
como embajador de la segunda República
española en varios países.

NORA, Eugenio G. de: *La novela española contemporánea.* Madrid, edit. Gredos,
1902, tomo II, págs. 76-79.

ARAÚJO COSTA, Luis.

Ensayista y crítico literario español. Nació—1885—y murió—4 de febrero de 1956—
en Madrid. Doctor en Derecho por la Universidad Central. Colaborador asiduo en *La
Epoca, Nuestro Tiempo, Raza Española* y
en las revistas francesas *Les Lettres* y *La*
Revue des Questions Historiques. Del Instituto de Estudios Madrileños.

Fue Araújo Costa literato de mucha cultura, de fino juicio, de gustos muy selectos y de estilo claro. Dio numerosas conferencias sobre temas de Filosofía, Historia,
Arte y Literatura.

De sus publicaciones, son las más interesantes: *La Edad Media considerada como
edad cristiana*—1910—, *El escritor y la literatura*—1917—, *Las cartas de Pepe Albocá-
cer*—ensayos de crítica social, 1918—, *El
arte, la literatura y el público*—1920—, *El
"Quijote" y sus notas*—1920—, *Letras, damas y pinturas*—1927—, *La civilización,
en peligro*—1928—, *La emperatriz Eugenia*
—1929—, *Biografía de "La Epoca"*—1946—,
Biografía del barrio de Salamanca—1948—,
Historia del Ateneo de Madrid—1950—, *San
Isidoro, arzobispo de Sevilla*—1948—, *Barrio de Palacio*—1952—, *Hombres y cosas
de la Puerta del Sol*—1952...*

ARBÓ, Sebastián Juan.

Nació en 1902 en el pueblecito costero de
San Carlos de la Rápita, perteneciente a
Cataluña y cercano a sus límites con Valencia y Aragón, en la comarca de Tortosa.
Permaneció en su lugar natal hasta 1910,
año en que se trasladó a Amposta, situada a
orillas del Ebro, entre San Carlos y Tortosa; allí pasó su infancia y su juventud.
Poco después de su llegada a la nueva población, entró como aprendiz en un despacho. Consagraba sus horas libres a una lectura asidua que, aunque desordenada, fue
despertando en él con fuerza cada vez mayor la vocación por las letras que había
de arrastrarle al fin a la ciudad. Una vez
en Barcelona, publicó su novela *L'inútil combat (El inútil combate),* cuyo manuscrito llevaba ya consigo al salir del pueblo.

L'inútil combat, así por su tono áspero y
violento como por su acento personalísimo,
llamó poderosamente la atención de público
y crítica, siendo saludada unánimemente como la revelación de un gran temperamento
de escritor.

Dos años después publicaba sus *Tierras
del Ebro,* basada en la vida de los campesinos de aquellas riberas, y que es considerada como una de sus obras más características. En el año que siguió al de su publicación le era adjudicado por esta novela
el "Premio Fastenrath". Esta novela ha sido,
además, traducida a los más importantes
idiomas europeos. Publicó luego algunas
obras de menor interés, entre las cuales figuran dos piezas teatrales, y, por último, su
novela *Caminos de noche,* la más discutida
de sus obras, por la cual consiguió su autor
el premio anual de novela instituido por el

Ayuntamiento de Barcelona y otorgado por un Jurado de novelistas. Tras un período de diez años de silencio, Sebastián Juan Arbó publicó en 1945 su biografía de Cervantes, que con todo y la objetividad de su tema, constituye una de sus obras más profundamente personales y señala la plena madurez de sus facultades creadoras. El *Cervantes* es el libro que ha dado más fama a su autor. Ha sido el de más éxito de público y se ha traducido hasta ahora al francés, al italiano y al holandés.

Otra buena novela es *Tino Costa,* escrita dentro del marco de sus novelas rurales.

"Arbó es posiblemente uno de nuestros primeros novelistas contemporáneos. De los más auténticos y vigorosos. De los de más sólida formación. De los que atesoran grandes dotes de penetración psicológica, estilo firme y una intuición clara y certera de lo que la novela es."

En 1948 le fue otorgado el "Premio Nadal" a su novela *Sobre las piedras grises.* "Premio Nacional Miguel de Unamuno, 1963".

Otras obras: *María Molinari*—1954—, *Martín de Caretas*—1955—, *Nocturno de alarmas*—1957—, *Viejas y nuevas andanzas de Martín de Caretas*—1960—, *La hora negra* —1955—, *Pío Baroja*—1963—, *Entre la tierra y el mar*—1966, "Premio Vicente Blasco Ibáñez"—, *Hechos y figuras, La espera*—novela, 1967—, *Oscar Wilde*—biografía—, *Relatos del Delta, Jacinto Verdaguer*—biografía, 1970.

V. ALBORG, José Luis: *Hora actual de la novela española.* Madrid. Taurus, 1962, tomo II, págs. 269-288.—NORA, Eugenio G. de: *La novela española contemporánea.* Madrid, edit. Gredos, 1962, tomo II, págs. 375-379.

ARBOLEDA, Julio.

Poeta y prosista colombiano. 1817-1862. Nació en Popayán. Murió asesinado. Su padre fue secretario de Bolívar. Estudió en Londres. Hombre liberal y caballeroso. Sus artículos satíricos en *El Misóforo* le llevaron a la cárcel, siendo saqueada su casa y destruidas sus propiedades. General. Diputado. Senador. Electo presidente de la República. Enemigo de cualquier dictadura. Sus compatriotas le llamaron *el gigante de los Andes.* Fue amigo del gran poeta español José Zorrilla, quien elogió fervorosamente los versos de Arboleda. En la cárcel escribió sus dos famosos poemas: *Estoy en la cárcel* —contra el tirano López—y *Al Congreso granadino.* Pero su enorme fama la debió al poema histórico-dramático *Gonzalo de Oyón,* basado en una leyenda local.

El famoso Miguel Antonio Caro prologó las poesías de Julio Arboleda, impresas —1883—en Nueva York y Bogotá.

Fue Arboleda, fiel a su significación humana, un gran poeta romántico y altisonante, con una ternura recóndita.

Otras obras: *Casimiro el montañés, Nunca te hablé, Escenas democráticas.*

V. RECLUS, E.: *La poésie et les poètes dans l'Amerique espagnole.* París, 1864.—SAMPER, J. M.: *Ensayos sobre las revoluciones políticas y la condición social de las Repúblicas colombianas.* París, 1861.—TORRES CAICEDO: *Ensayos biográficos.* París, 1863.—ARANGO FERRER, J.: *La literatura de Colombia.* Universidad de Buenos Aires, 1940.—GARCÍA PRADA, C.: *Antología de líricos colombianos.* Dos tomos. Bogotá, 1937.—GÓMEZ RESTREPO, A.: *Historia de la literatura colombiana.* Bogotá, 1938.

ARCE, Manuel.

Poeta y novelista español. Nació—1928— en San Roque de Acebal (Llanes, Asturias). Reside en Santander, donde regenta una librería y dirige la revista poética *La isla de los ratones.*

Obras: *Sonetos de vida y propia muerte* —1948—, *Llamada*—1949—, *Carta de paz a un hombre extranjero*—1951—, *Sombra de un amor*—1952—, *Biografía de un desconocido*—1954—, *Testamento en la Montaña* —novela, "Premio Concha Espina", 1956—, *Pintado sobre el vacío*—novela, 1958—, *La tentación de vivir*—novela, 1961—, *Anzuelos para la lubina*—novela, México, 1962—, *Oficio de muchachos*—novela, 1963.

ARCE Y SOLÓRZANO, Juan de.

Nació en Madrid hacia 1565. Y murió en Madrid después de 1620. Fue profesor de Cánones o estudiante de decretos, como él se llama en una de sus obras, escrita estando en la Curia romana, y secretario del obispo de Córdoba.

Escribió: *Historia evangélica de la vida y muerte de Cristo, en octavas reales*—1605—, *Tragedia de amor*—1607—, especie de novela pastoril, que tuvo algún éxito, reimprimiéndose en Zaragoza—1647—; *Sacramentorum Brachylogia...*—Roma, 1610—, *Historia de los soldados de Christo Barlaam y Josaphat* —Madrid, 1608, traducción de la novela griega atribuida a San Juan Damasceno y de hecho transformación cristiana de la leyenda de Buda.

V. MENÉNDEZ PELAYO, M.: *Orígenes de la novela.* Tomo I, pág. XXXV.

ARCINIEGA, Rosa.

Novelista y biógrafa peruana. Nació —1909—en Lima. Se educó en el Colegio de San José, de Cluny (Francia). Vivió muchos años en España, colaborando en importantes

A

diarios y revistas. Miembro del P. E. N., de Madrid, y de la Asociación de Escritores del Perú. Ha viajado por todo el mundo.

Posee una vasta cultura, gran temperamento literario muy femenino, estilo propio y brillante.

Obras: *Engranajes*—novela, Madrid, 1931—, *Jaque-mate*—novela, Madrid, 1933—, *Mosko-Strom*—novela, Madrid, 1933—, *El crimen de la calle de Oxford*—comedia, 1933—, *Vidas de celuloide*—novelas, Madrid, 1935—, *Pizarro*—biografía, Madrid, 1936—, *Playa de vidas*—novela, Colombia, 1930—, *Don Pedro de Valdivia*—biografía, Santiago de Chile, 1943...

ARCINIEGAS, Germán.

Investigador, historiador y prosista. Nació —1900—en Bogotá (Colombia). Estudió en la Universidad bogotana y fue secretario de la Asociación de Estudiantes, editando el periódico *La Voz de la Juventud*. Colaborador de *El Tiempo*, de Bogotá; de *La Nación*, de Buenos Aires, y editor de la *Revista de Indias*. Vicecónsul en Londres. Consejero de Embajada en Buenos Aires. Diputado. Ministro de Educación. Profesor de Sociología en la Universidad de Colombia. Ha desarrollado cursos en las Universidades de Columbia y Chicago y en el Mills College, de los Estados Unidos.

Su cultura es vasta y disciplinada. Prosista elegante. Crítico de muy finos matices.

Obras: *La conquista de El Dorado*—1942—, *Alemanes en la conquista de América* —1943—, *El continente verde, Jiménez de Quesada, Diario de un peatón, El estudiante de la mesa redonda, América, tierra firme; Los comuneros...*

V. Arango Ferrer, Javier: *La literatura de Colombia*. Universidad de Buenos Aires, 1940.

ARCINIEGAS, Ismael Enrique.

Poeta y periodista colombiano. 1865-1939. Nació en Curití y murió en Bogotá. Ocupó altos cargos diplomáticos. Fue director de *El Nuevo Tiempo*—desde 1905—, presidente de la Cámara—1922—y miembro de la Academia Colombiana de la Lengua. Una espléndida poesía suya, *Inmortalidad*, de sentido humano y optimista, alcanzó el primer premio en unos Juegos florales. Tradujo *Los trofeos*, de Heredia; *Tú y yo*, de Geraldy, y poesías de De Copée, Lamartine, Hugo... Su primer libro de poemas apareció—1897—en Caracas, con prólogo de Ricardo Becerra.

Ismael Enrique Arciniegas perteneció, como poeta, al modernismo más ecuánime, con ciertas reminiscencias clasicistas.

Otras obras: *Cien poesías*—Bogotá, 1911—, *Traducciones poéticas*—París, 1926—, *Anto-*

logía poética—Quito, 1932—, y el primer tomo de sus *Paliques*, en prosa.

V. Arango Ferrer, Javier: *La literatura de Colombia*. Universidad de Buenos Aires, 1940.—García Prada, C.: *Antología de líricos colombianos*. Dos tomos. Bogotá, 1937.—Caparroso, C. A.: *Antología lírica. Cien poemas colombianos*. Bogotá, 1951, 4.ª edición.—Gómez Restrepo, Antonio: *Historia de la literatura colombiana*. Bogotá, 1938.—Posada, Eduardo: *Bibliografía colombiana*. Dos tomos. Bogotá, 1917 y 1924.

ARCIPRESTE DE HITA (v. Ruiz, Juan).

ARCIPRESTE DE TALAVERA (v. Martínez de Toledo, Alfonso).

ARCO Y GARAY, Ricardo del.

Investigador y literato español. Nació —1888—en Granada y murió—¿1956?—. Estudió el bachillerato en el Instituto de Tarragona. Y se licenció—1907—en Ciencias Históricas en la Universidad de Valencia. Un año después ingresó en el Cuerpo Facultativo de Archiveros, Bibliotecarios y Arqueólogos. Profesor del Instituto de Huesca. Director del Museo Arqueológico de esta ciudad. Delegado provincial de Bellas Artes. Académico correspondiente de las Reales Academias de la Historia, de Bellas Artes de San Fernando, de Buenas Letras, de Barcelona y Málaga. Delegado-director de Excavaciones Artísticas.

Arco y Garay desarrolló innumerables conferencias por toda España acerca de interesantes temas de Arte e Historia. Las más importantes revistas españolas y extranjeras han publicado sus trabajos, tan eruditos como amenos. En Arco y Garay se aúnan admirablemente las dotes del erudito y las del literato. Sus obras enseñan y distraen. Entre ellas, numerosísimas, destacan: *Catálogo monumental de la provincia de Huesca, El arzobispo don Antonio Agustín, Castillo real de Loarre, El real monasterio de San Juan de la Peña, La catedral de Huesca, Rutas espirituales de Aragón, El La Imprenta, en Huesca; Memorias de la Universidad de Huesca, Huesca en el siglo XII, Zaragoza histórica, Figuras aragonesas, El hogar en ruinas*—novela—, *Gracián y su colaborador y mecenas...*

ARCONADA, César M[uñoz].

Escritor español contemporáneo, nacido en Astudillo (Palencia) el 5 de diciembre de 1900. Murió—1964—en Moscú. Estudió las primeras letras en la escuela rural de su pueblo, pasando más tarde a cursar estudios en un colegio religioso. A los quince años empezó a publicar sus primeros artículos. Muy joven pasó a Madrid, donde fue redactor-jefe de *La Gaceta Literaria*. Colaboró en todos los principales periódicos y revistas de aquella época. Más tarde fundó, en compañía de otros dos escritores, "Ediciones Ulises". Se especializó en la crítica literaria, artística y cinematográfica. Se le deben, entre otras, las siguientes obras: *En torno a Debussy, Urbe, Clara Bow, Charlot y Greta Garbo* —esta biografía ha sido traducida a varios idiomas y alcanzó cierta resonancia internacional dentro de su ambiente—, *Cuentos de amor para tardes de lluvia, La turbina, Idilios y tragedias de un garaje, Los pobres, Reparto de tierras.*

César María Arconada pertenece a una generación de artistas con tendencia social.

Desde 1939 residió en Moscú, traduciendo clásicos españoles al ruso.

V. NORA, Eugenio G. de: *La novela española contemporánea.* Madrid, edit. Gredos, 1962, tomo II bis, págs. 30-35.

ARDERIÚS FORTÚN, Joaquín.

Notable novelista español. Nació—1890— en Lorca (Murcia). Desde muy joven se dedicó a la literatura y al periodismo. En 1915 publicó su primera obra: *Mis mendigos,* llena de aspereza, de fuerza y de originalidad, y que llamó la atención del público y de la crítica. A *Mis mendigos* siguieron las novelas *Los príncipes iguales, Así me fecundó Zaratustra*—1923—, *Yo y tres mujeres* —1924—, *Ojo de brasa*—1925—, *La duquesa de Nit*—1926—, *La espuela*—1927—, *El baño de la muerta*—1928—, *Justo "el Evangélico"* —1929—, *El comedor de la pensión Venecia, Crimen, Club Tumba, Ley de fugas.*

Arderiús es un novelista duro, violento, áspero, dueño de un interés siempre creciente y de unas imágenes llenas de originalidad y lozanía. La humanidad de sus temas es una humanidad angustiosa o agria.

V. NORA, Eugenio G. de: *La novela española contemporánea.* Madrid, edit. Gredos, 1962, tomo II bis, págs. 12-22.

ARDILA Y BERNALDO DE QUIRÓS, Luis.

Poeta y periodista. Nació—1901—y murió —1970—en Madrid. Desde 1919 inició su fecunda e ininterrumpida dedicación a la prensa. Ha sido redactor de *El Globo, La Mañana, La Publicidad, La Epoca, El Siglo Futuro* y *Pueblo,* diarios madrileños. Dirigió la revista *Policía Española.* En 1948 ganó el "Premio a la Crítica Cinematográfica". Se especializó en los reportajes policíacos.

Obras: *Alma desnuda*—poemas, 1928—, *El bandolerismo*—Madrid, 1933, en colaboración con el ilustre penalista Constancio Bernaldo de Quirós...

AREÁN, Carlos Antonio.

Poeta y crítico de arte. Nació—1921—en Vigo. Licenciado en Derecho y doctor en Filosofía y Letras. Fue profesor de la Universidad de Madrid. En la actualidad—1970— desempeña los cargos de jefe de la Sección de Acción Informativa de la Dirección General de Cultura Popular y Espectáculos, director de Cuadernos de Arte de Publicaciones Españolas, director de las Salas de Exposiciones del Ateneo de Madrid. Ha ejercido y ejerce la crítica de arte, con la máxima autoridad, en revistas y diarios de importancia: *Arbor, La Vanguardia* (de Barcelona), y Televisión Española. Es miembro de la Asociación Internacional de Críticos de Arte.

Como crítico de arte tiene una gran propensión a interesarse por todas las tendencias más vanguardistas. Poeta de fina sensibilidad.

Obras: *Vereda en el tiempo*—poemas—, *Desde el mar de mi ausencia*—poemas, "Premio Ciudad de Barcelona"—, *Portugal*—"Premio Internacional de Poesía Ibérica"—, *Escultura actual en España, Tendencias no imitativas, Teoría del Gótico, Veinte años de pintura de vanguardia en España, Picasso, Miró, El movimiento impresionista en Francia, La renovación pictórica de 1905, Pintores extranjeros en España, Artes aplicadas en la España del siglo XX.*

ARENAL, Concepción.

Notable escritora y socióloga española. Nació—1820—en El Ferrol (Coruña). Murió —1893—en Vigo (Pontevedra). Asombrosamente dotada de intelecto, muy niña aún, aprendió sola varios idiomas. Y aún se dice que, disfrazada de varón, asistió a varias cátedras de la Universidad Central. Casóse —1847—con el abogado y escritor Fernando García Carrasco, colaborando ambos en el periódico *Iberia,* la hoja política más importante de la época. Por entonces—1849—apareció el primer trabajo literario de Concepción Arenal, una novela titulada *Historia de un corazón,* a la que siguieron—en 1851— las *Fábulas en verso.* Viuda desde 1855, retiróse con sus hijos a Potes (provincia de Santander) y después a Galicia, viviendo siempre retirada y oculta, empleando toda su vida y todo su talento en bien de los desgraciados, ya científica, ya literariamente, escribiendo numerosas obras de carácter sociológico y penal, que fueron traducidas a varios idiomas y alcanzando con ellas renombre universal. En varios Congresos penitenciarios europeos presentó luminosos informes.

La beneficencia, la filantropía y la caridad —1861—, *Cartas a los delincuentes*—1865—, *El visitador del pobre, Cartas a un señor* —1880—, *Estudios penitenciarios, La mujer*

A

81

española, La mujer de su casa—1883—, La condición social de la mujer en España, De las obras del P. Feijoo, El realismo y la realidad en las Bellas Artes son sus obras más importantes.

V. ARMENGOL Y CORNET, Pedro: Bosquejo... de doña Concepción Arenal. Barcelona, 1893. ALARCÓN, P., S. J.: Un feminismo aceptable, en Razón y Fe, 1904-1905.—MAÑACH, Francisco: Concepción Arenal. Buenos Aires, 1907.—COUCEIRO FREIJOMIL, Antonio: El idioma gallego. Historia. Gramática. Literatura. Barcelona, 1935.—COUCEIRO FREIJOMIL, Antonio: Diccionario de escritores gallegos. Tomo I, 1951.

ARESTI SEGUROLA, Gabriel.

Poeta y ensayista español en lengua vasca. Nació—1933—en Bilbao. Profesor mercantil. Miembro de la Academia de la Lengua Vasca. En 1963 le fueron otorgados el "Premio Loramendi" y el de "Poesía Vasca".

Obra: Harri eta Herri (Piedra y pueblo) —"Premio Nacional de Literatura José María de Iparraguirre 1968".

ARÉVALO MARTÍNEZ, Rafael.

Poeta, novelista, ensayista. Nació—1884— en Guatemala. Director de la Biblioteca Nacional de su país. Miembro correspondiente de la Real Academia Española. Ha viajado por Europa y ha vivido en España. Colaborador de El Imparcial, La República, Nuestro Diario, de Guatemala. Catedrático de Gramática Castellana. Presidente del Ateneo.

En su juventud escribió poesías en que se hermanaban una suave filosofía muy campoamoriana y una forma modernista de impecable perfección. Después evolucionó en un sentido eliminador de la forma, para adentrarse en el ultraísmo y aun en el superrealismo. Sin embargo, siempre conserva una suave ironía descompuesta en imágenes felices, sin nada de lo convencionalmente poético. Le atrae lo imprevisto y desconcertante. En sus obras en prosa plantea curiosos problemas psicológicos y bucea en los hondos estratos de la conciencia o de la subsconsciencia. Es un escritor muy interesante.

Obras: Los atormentados—1914—, Las rosas de Engaddi—1927—, El hombre que parecía un caballo—novela—, Las noches del palacio de la Nunciatura—novela—, El trovador colombiano—novela—, Maya—poemas—, Una vida—novela—, Manuel Aldano —novela—, El señor Monitot—novela—, La oficina de paz de Orolandia—novela.

V. TORRES RIOSECO, Arturo: Novelistas contemporáneos de América. Santiago de Chile, 1939.—LEGUIZAMÓN, Julio A.: Historia de la literatura hispanoamericana. Buenos Aires, 1945.

ARGENSOLA, Bartolomé Leonardo de.

Gran poeta y prosista español. Nació en Barbastro, un día de trueno, el 26 de agosto de 1562. Sus padres, ambos de limpio linaje y de costumbres limpias, llamáronse doña Aldonza de Argensola y don Juan Leonardo. Bartolomé, con sus hermanos Lupercio y Pedro, formó un trío severo y sereno de poetas españoles. Aquellos que, quizá, escribieron con más admirable ponderación y con seso más prieto entre los magníficos vates de España que versificaron a caballo de dos siglos.

En Huesca estudió Bartolomé Filosofía y Jurisprudencia, ganando el doctorado en ambas disciplinas. En Zaragoza aprendió a fondo griego, elocuencia e historia antigua. De sus diecisiete años se conservan versos publicados en alabanza a la Divina y varia poesía—1579—, del padre fray Jaime de Torres. En 1588 se ordenó de sacerdote y consiguió la bicoca de un curato pingüe y nada trabajoso: la rectoría de Villahermosa, a la que le llevó su amistad con don Fernando de Aragón, duque y señor de aquel pueblo. Al ser nombrado su hermano Lupercio secretario de la emperatriz doña María de Austria, Bartolomé pasó a ocupar la plaza de capellán de la gran señora. En el año 1609, a instancia del conde de Lemus, escribió Historia de la conquista de las Islas Molucas, amenísima narración, en la que se peinan las leyendas novelescas con los datos rigurosos, el castellano más puro con las imágenes mejor pintadas. En 1610 pasa a Nápoles, de secretario particular del virrey, conde de Lemus, quien llevaba al otro hermano—Lupercio—de secretario de Estado y Guerra. En 1613, a la muerte de este, Bartolomé intenta sucederle como cronista de Aragón; pero, pese a las muy concretas recomendaciones de su señor para los diputados de Zaragoza, estos nombran al doctor Bartolomé Llorente.

1615. Argensola pasa a Roma. Y Paulo V, "que le consideraba digno a mayores premios", según confesó al mismo poeta, le concede un canonicato en la metropolitana de Zaragoza.

1618. Al fallecimiento del cronista de Aragón, el dominicano fray Francisco Diego, es nombrado Bartolomé para cargo tan relevante, y escribe la primera parte de una Relación de las alteraciones populares en Zaragoza, año de 1591, que si no acabó, débese a presiones de los mismos diputados del reino; y téngase en cuenta que la obra era una vindicación de los fueros aragoneses y del justicia mayor, ajusticiado por orden de don Felipe II. Como continuador de la obra del gran Zurita, escribió acerca de los cuatro primeros años del reinado de Carlos I.

De estatura mediana, regordete, blanco de piel, de ojos pequeños, frente abultada y movimientos suaves, según puede comprobarse por la pintura de Galván y por la descripción de Ustarroz, Bartolomé Leonardo de Argensola pasó por la vida *como de puntillas.* Ni odió ni le odiaron. Ni envidió ni le envidiaron. *Como una seda* se deslizó su vida entre los dedos de la inexorable Atropos. Sus emblemas dilectos fueron un león tumbado con los ojos abiertos—debajo del mote *Livori*—y una corona real entretejida con otra de espinas, y entrambas rodeadas de esta leyenda: *O sertum dilectionis, si me diligis, pariter et orna.* Con el primero quería significar que encontrándose con las fuerzas de un león, prefería mirarlo todo con indiferencia. Con lo segundo, cómo la apetencia mayor estaba ceñida de dolores.

Bartolomé Leonardo murió el día 4 de febrero de 1631. Y murió con idéntica serenidad a la que había, viviendo o desviviendo, derrochado.

El mejor elogio de los Argensola lo hizo su censor, el imponderable Lope de Vega. "Las rimas del secretario Lupercio Leonardo de Argensola y del doctor Bartolomé Juan, su hermano (que por comisión de Vuestra Alteza he visto), tienen tanta aprobación en la noticia de sus nombres y en la fama de sus escritos, que más piden alabanza que censura. Fue discreto acuerdo imprimirlos juntos, porque pudiesen competer, aunque hermanos; pues no hallaron quién se opusiera a tanta erudición, gravedad y dulzura; antes parece que vinieron de Aragón a reformar en nuestros poetas la lengua castellana, que padece, por novedad, frases horribles, con que más se confunde que ilustra." Y apostilla Menéndez Pelayo: "Elogio tan grande como merecido." Y añade en su *Horacio en España:* "El respeto y amor al arte que campean en los escritos de ambos Argensola; lo acertado y a veces profundo de sus máximas; la sagacidad de sus observaciones de costumbres; el color local y de época, menos del que se apeteciera, pero grande al cabo; y sobre todo esto, el sabor clásico imperecedero, son bastantes a librar del olvido esas preciadas joyas de la escuela aragonesa."

Los *Horacios españoles* han sido denominados los Argensola. Y ambos son considerados como *autoridades del idioma.*

Las obras de Bartolomé Leonardo son: *Primera parte de los anales de Aragón,* que prosigue los del secretario Gerónimo Çurita, desde el año de MDXVI, del nacimiento de Nuestro Redentor, hasta 1520. Zaragoza, 1630.

Alteraciones populares de Zaragoza el año 1591. Comentarios para la Historia de Aragón desde 1615 a 1627. Manuscrito.

Una carta en respuesta a la de don Juan Briz Martínez, abad de San Juan de la Peña, de algunos desengaños para una nueva Historia del Reyno de Navarra. Manuscrito.

Vida y martirio de San Demetrio. (Traducción del latín de la obra de Simeón Metafrastes.)

Discurso sobre las cualidades que ha de tener un perfecto Coronista. Manuscrito.

Memoria de la gloriosa Santa Isabel, infanta de Aragón y reina de Portugal. Manuscrito.

Advertencias a la parte de la Historia de Aragón de Luis Cabrera, discurso historial.

Historia de la conquista de las Islas Molucas. 1609.

Diálogo entre Mercurio y la Virtud, de Luciano. (Traducido del griego.)

Obras poéticas: *Sátiras en prosa.* (Menipolitigante, Dédalo, Demócrito.)

Las principales ediciones de las obras de Bartolomé Leonardo de Argensola: *Obras sueltas*—edición del conde de la Viñaza—, Madrid, 1889. *Historia de la conquista de las Islas Molucas.* Zaragoza, 1891. Tomo VI, "Biblioteca de Escritores Aragoneses".—*Poesías*—"Biblioteca de Autores Españoles", tomo XLII.—Cervantes, en su *Viaje del Parnaso* y en el *Canto a Calíope,* pondera a Bartolomé Leonardo:

Con sancta embidia y competencia sancta,
parece q' el menor hermano aspira
a ygualar al mayor, pues se adelanta
y sube do no llega humana mira.
Por esto escribe y mil sucesos canta
con tan súave y acordada lira,
que este Bartholomé menor meresce
lo que al mayor, Lupercio, se le offresce.

V. MENÉNDEZ PELAYO: *Horacio en España,* 1885.—PELLICER: *Biblioteca de traductores,* 1778.—LATASSA: "Biblioteca Nueva de Autores Aragoneses".—MIR, P. Miguel: *Introducción* al tomo VI de la "Biblioteca Nueva de Autores Aragoneses".—PÉREZ PASTOR: *Bibliografía madrileña.* Parte III.—CONDE DE LA VIÑAZA: *Diversos estudios acerca de los Argensola.* (Prólogos y notas a las ediciones de las obras de estos poetas.)—USTARROZ: *Elogios de los cronistas del reino de Aragón.* (Ms. inédito.)—GREEN, H. O.: *The sources of two sonnets of B. L. de A.,* en *Modern Language Notes,* 1922.—BLECUA, J. M.: *Los Argensola. Edición crítica de sus poesías.* 1949.

ARGENSOLA, Lupercio Leonardo de.

Nació—1559—en Barbastro (Huesca). Murió—1613—en Nápoles. Hermano de Bartolomé, hablando del cual ya se han relatado pormenores familiares. Los Argensola descendían, por línea paterna, de Pedro Leonardo, noble italiano de la antiquísima familia de los Leonardo de Rávena. Por parte de madre, de una de las más encumbradas familias de Cataluña.

Lupercio estudió en Huesca Filosofía y Jurisprudencia, alcanzando el título de bachiller. En la Universidad de Zaragoza cursó elocuencia, lengua griega e historia romana. En 1558 entró al servicio de don Fernando de Aragón, duque de Villahermosa, en calidad de secretario, cargo que le obligó a vivir indistintamente en Madrid o en Zaragoza. Ingresó en la Academia literaria madrileña llamada *Imitatoria*, adoptando el nombre de *Bárbaro*, como homenaje a doña María Bárbara de Albión, mujer a quien amaba y con quien contrajo matrimonio en 1585. En este mismo año, en "corrales" de Madrid y Zaragoza, se representaron, sin demasiado éxito, sus tres tragedias: *La Isabela, La Alejandra* y *La Filis*, inspiradas en la antigüedad clásica. Intervino en los sucesos aragoneses de 1591, aun sin ponerse abiertamente a favor de Antonio Pérez, ya que respetaba al rey don Felipe II. Por favor del duque de Villahermosa, alcanzó el cargo de secretario de la emperatriz María de Austria, que, junto a su hija, la infanta Margarita, residía en el monasterio madrileño de las Descalzas Reales; y el archiduque Alberto le nombró gentilhombre. Al crear don Felipe II el cargo de cronista mayor de la Corona de Aragón—1599—, se lo concedió a Lupercio, quien, al morir la emperatriz, su señora, se fue a vivir a la casa que poseía en Monzalbarba (Zaragoza), dedicándose a la poesía, a traducir los *Anales* de Tácito y a redactar la *Información de los sucesos del reino de Aragón en los años de 1590 y 1591*. Nombrado virrey de Nápoles el conde de Lemus, Lupercio aceptó el cargo de secretario, marchando a Italia con el noble y con su hermano Bartolomé. En Nápoles fundó la academia literaria denominada *De los Ociosos*. A los tres años de residir en esta ciudad, cayó enfermo, y murió en brazos del conde de Lemus, su gran protector y amigo.

Muy poco estimaba sus obras poéticas Lupercio, hasta el punto de haber quemado él mismo muchos de sus manuscritos. Las poesías que han llegado a nosotros las rescató su hijo Gabriel de manos de muchos amigos del poeta, publicándolas—1634—conjuntamente con las de su tío Bartolomé.

De sus obras dramáticas se ha perdido *La Filis*. Las otras dos fueron publicadas—1772—en *El Parnaso Español*, de López de Sedano. Las obras históricas de Lupercio—insertas en el tomo I de las "Bibliotecas Antigua y Nueva de Escritores Aragoneses", publicada por Latasa, Zaragoza, 1884, y en la "Biblioteca de Autores Españoles", de Rivadeneyra, tomos XXIX y XLII—son, además de la citada *Información de los sucesos de los años 1590 y 1591, Declaración sumaria de la historia de Aragón, Anales de Celtiberia*—perdida—y *Anales de Aragón*—perdida igualmente.

La obra poética de Lupercio es mucho menos extensa que la de Bartolomé, no solo porque murió en la mejor edad, sino por el detalle apuntado de haber quemado muchos de sus manuscritos. Sin embargo, se conservan de él poesías suficientes para juzgarle. Sus sonetos fueron muy felices, hasta el punto de que el dedicado *Al sueño*—y que empieza: *Imagen espantosa de la muerte*—ha sido considerado por algún crítico alemán como el más perfecto de la lengua castellana. Muy hermosos son, igualmente, los que empiezan: *Muros, ya muros no, sino trasuntos; Hay un lugar en la mitad de España; Si quiere amor, que siga sus antojos*. Muy notables son: su oda *A la Esperanza*, su sátira *A Flora*, su epístola *A don Juan de Albión* y la traducción del *Beatus ille*, de Horacio.

Intimamente unidos en la vida, muy semejantes en el talento, casi idénticos en su naturaleza y en sus propósitos, los Argensola se diferenciaron en los caracteres. Lupercio tenía más imaginación, más galanura y colorido, menos austeridad y filosofía que Bartolomé. Lo que se explica, en parte, teniendo en cuenta la condición sacerdotal de este. Al conceptismo, al culteranismo en boga opusieron los Argensola una sátira severa indirecta, una noble serenidad, el gusto de una educación humanista, la pureza y tersura de la forma, la carencia absoluta de énfasis. Los Argensola no fueron unos poetas geniales, pero sí unos poetas varoniles, serios, considerables, más inclinados a la profundidad filosófica que al juego ameno de los sentimientos.

Y ninguna antología de la lírica castellana podrá jamás, en justicia, prescindir de sus nombres.

Textos: *Poesías*, tomo XLII de la "Biblioteca de Autores Españoles"; *Tragedias*, en "El Parnaso", de Sedano, VI.

V. VIÑAZA, Conde de la: Edición de las *Obras sueltas de L. y B. L. de A.* Madrid, 1889. Dos volúmenes.—WICKERSHAM CRAWFORD, J. P.: *Notes on the tragedies of L. L. de A.*, en *Rom. Review*, 1914, V, 31.—GREEN,

O. H.: *The Life and Works of L. L. de A.*
Filadelfia, 1927.—AMADOR, M.: *Los Argen-*
sola, en *Revista Contemporánea,* 1902.—ME-
DINA, L.: *Dos sonetos atribuidos a L. L.*
de A., en *Revue Hispanique,* 1898, tomo VI.
MENÉNDEZ PELAYO, M.: *Horacio en España.*
Madrid, 1885.—VILLAHERMOSA, Duque de:
Vida y estudios de los hermanos Argensola.
Discurso en la Academia Española, 1884.—
BLECUA, J. M.: *Los Argensola.* Edición críti-
ca de sus poesías. Madrid, 1949.

ARGOTE DE MOLINA, Gonzalo.

Literato y bibliófilo español. Nació—1548—
en Sevilla. Murió en los primeros años del
siglo XVII. Caballero Veinticuatro de Sevilla.
A los quince años se halló en la jornada
del Peñón de los Vélez; y en 1568, ya alférez mayor, combatió a los moriscos en
las Alpujarras. Hábil y valiente marino, persiguió a los piratas que asolaban las costas
de las islas Canarias.
"Gonzalo Argote y de Molina—escribe
Ambrosio de Morales en sus *Antigüedades*
de España—, mancebo principal de Sevilla,
a quien amo mucho, porque su insigne y
nobilísimo ingenio y su gran reputación lo
merecen."
Sus obras son: la parte primera de la
Historia de la nobleza de Andalucía—Sevilla, 1588—, obra curiosísima y erudita, de
interés capital para las ciencias históricas;
Historia de Sevilla—inconclusa—, *Historia*
de las ciudades de Ubeda y Baeza, y varias
composiciones poéticas impresas en el tomo IV del *Parnaso Español* y que patentizan el fino espíritu, la sensibilidad profunda, la pureza de dicción de su autor.
Argote de Molina, gran mecenas, además,
de las letras, imprimió por su cuenta, magníficamente, el *Viaje,* de Clavijo; la *Silva,*
de Moya; *El conde Lucanor,* del infante
don Juan Manuel, y el *Libro de montería*
—1582—, del rey don Alfonso XI de Castilla.
V. MILLARES CARLO, A.: *La bibliografía de*
Argote de Molina, en *Rev. Fil. Esp.,* 1923,
X.—PUYMAGRE: *Un savant espagnol du XVI*
siècle: Argote de Molina. París, 1895. Ext. de
la *Rev. Hisp.*

ARGUEDAS, Alcides.

Novelista, historiador, crítico boliviano.
Nació—1879—en La Paz. Murió en 1946. Estudió en el Colegio Ayacucho y en la Universidad de San Andrés. Abogado—1903—.
Diplomático. Desempeñó la representación
de su patria en París, Londres y Madrid.
Diputado varias veces.
Arguedas es un escritor de tendencias sociales y moralizadoras; un escritor severo,

hondo, adusto, incapaz de pactar con la
mentira aun a costa de su conveniencia.
Ama a su patria profundamente, pero este
amor no le impide echarle en cara, con voz
cálida y pluma inflexible, sus errores y sus
lacras. Arguedas posee una prosa firme y
limpia y un enorme caudal de ideas nobles.
Obras: *Pisagua*—novela, La Paz, 1903—,
Pueblo enfermo—1903—, *Wata Wara*—novela—, *Vida criolla*—novela, 1905—, *Raza de*
bronce—novela, 1919—, *Los caudillos letra-*
dos, Los caudillos bárbaros, Historia general
de Bolivia—1925—, *La plebe en acción, La*
danza de las sombras—1934...
Obras completas. México. Aguilar, 1963,
dos tomos, con prólogo y notas de Luis Alberto Sánchez.
En su pesimismo patriótico, en sus afanes de purificación social y política, en su
prosa maciza y grave, Arguedas tiene ciertas semejanzas con los españoles Joaquín
Costa, Macías Picavea y Julio Senador Gómez.
V. ALARCÓN, Abel: *La literatura boliviana,*
en *Revue Hispanique,* tomo XLI.—FINOT,
Enrique: *Historia de la literatura boliviana.*
México, 1943.—GUERRA, José Eduardo: *Iti-*
nerario espiritual de Bolivia. Barcelona. Edición Araluce, 1936.—GUZMÁN, Augusto: *His-*
toria de la novela boliviana. La Paz, 1938.—
VILLALOBOS, Rosendo: *Letras bolivianas.*
Los prosistas literarios. La Paz, 1936.—DÍEZ
DE MEDINA, Fernando: *Perfil de la literatura*
boliviana, en *Thunupa.* La Paz, 1947.

ARGÜELLO, Santiago.

Poeta y prosista nicaragüense. 1872-1940.
Del mismísimo Rubén Darío recibió el espaldarazo consagratorio. En el *Viaje a Ni-*
caragua e historia de mis libros, elogia Rubén el decadentismo refinado y brillante, la
curiosa y eficaz mezcla de lo cerebral y lo
sensitivo en el temperamento, el aliño clásico y, no obstante, moderno de la forma
que atrae en la obra de Santiago Argüello.
Doctor en ambos Derechos y en Filosofía
y Letras. Ha colaborado en *El Ateneo Nica-*
ragüense, La Torre de Marfil, Australia,
Brahma Vidya y *Revista Moderna,* de México. De la Academia Guatemalteca, el Ateneo de Honduras, el Ateneo Salvadoreño, la
Academia de Jurisprudencia de Bogotá y el
Ateneo de Santiago de Chile. Ha desempeñado la cátedra de Literatura y de Historia
Universal en el Instituto Nacional de Managua; las de Psicología, Lógica y Estética,
en el Instituto de Occidente, León; las de
Filosofía del Derecho y Filosofía de la Historia, en la Universidad de Nicaragua; las
de Literatura y Etica, en el Instituto Nacional de Guatemala; las de Historia de la

A

Literatura y Derecho Público Constitucional, en la Escuela de Derecho de Guatemala; las de Literatura Castellana y Mística Española, en la Universidad de Vermont, Estados Unidos; las de Literatura Castellana, Literatura General y Español, en la Facultad de Filosofía y Letras de México. Alcalde de la ciudad de León (Nicaragua). Director de los Institutos de León, Managua, Masaya, Tegucigalpa y Guatemala. Presidente de la Corte de Justicia. Subsecretario de Relaciones Extranjeras, Instrucción Pública y de la Presidencia del Congreso Nacional.

Poeta de fina sensibilidad, modernismo rubeniano, pero con peculiarísimas notas. Prosista brillante. Crítico literario de finas calidades.

Obras: *Primeras ráfagas*—poesía, León—, *De la tierra cálida, El poema de la locura* —Gurdián—, *Ojo y alma*—Bouret, París—, *El sueño de Temístocles*—Talleres Nacionales, Panamá—, *Siluetas literarias*—Gurdián, León—, *Viaje al país de la decadencia* —Maucci, Barcelona—, *Lecciones de literatura española*—dos tomos, Gurdián—, *Ocaso* —drama, Gurdián—, *Ritmo e idea*—Maucci, Barcelona—, *La vida en mí*—Granada, Barcelona—, *Canto, la misión divina de la Francia*—Talleres Nacionales, Managua—, *La Guerra Europea ante la América latina*—Gurdián—, *La Guerre Europeenne devant l'Amérique latine, Germinal, Habla Safo de sus tres amores...*

V. DARÍO, Rubén: *Viaje a Nicaragua e historia de mis libros.*—CEJADOR FRAUCA, J.: *Historia de la lengua y literatura españolas...* Tomo XI.—LEGUIZAMÓN, Julio A.: *Historia de la literatura hispanoamericana.* Buenos Aires, 1945.

ARGUIJO, Juan de.

Extraordinario poeta y erudito. 1560-1623. Nació en Sevilla. Murió en Sevilla. Fue hijo de padres pudientes: don Gaspar de Arguijo y doña Petronila Manuel. Le enterraron de limosna. Sembró el dinero y las adulaciones. Recogió el hambre y la ingratitud. En obsequiar, cuando pasó por Sevilla, a la esposa del duque de Lerma, gastó tan grandes sumas, que las alude con asombro Suárez de Figueroa en *El pasajero*. Dieciocho mil ducados de renta cada año heredó... Rodrigo Caro, en sus *Varones insignes de Sevilla,* declara que fue "no solo elegantísimo poeta, sino el Apolo de todos los poetas de España..." y que "tocaba muchos instrumentos, que en un discante era el primer hombre de España". En su palacio gustaba de juntar poetas, músicos y decidores. Fue Veinticuatro de Sevilla y compuso una silva a la vihuela. Le enterraron

en la casa profesa de los jesuitas. Don Juan de Arguijo era un hidalgo afable y chistoso. En la tertulia a que hemos aludido—y a la que acudían, entre otros, el pintor Pacheco, el escultor Montañés y don Antonio Ortiz de Melgarejo—contaba con singular donaire cuentos.

Don Juan de Arguijo era un poeta lírico encantador, que trabajó sus sonetos y otras breves composiciones líricas con el esmero con que los orfebres del renacimiento italiano labraban sus joyas. Dentro del arte más íntimo y exquisito, aunó las gracias de Sevilla con las delicadezas de Italia.

De estas poesías inefables, en nada inferiores a las mejores de Quevedo, Góngora y Lope, el propio Fénix de los Ingenios escribió así: "Si como de amigos familiares fueran de todos vistos los versos que vuestra merced escribe, no era menester mayor probanza de lo que aquí se trata: que, huyendo de toda lisonja, como quien sabe cuánto vuestra merced la aborrece, dudo que se hayan visto más graves, limpios y de mayor decoro y en que tan altamente se conoce su peregrino ingenio..."

Sin embargo, tan modesto en su carácter, que muchas de sus composiciones las firmó con el seudónimo de "Arcicio".

Residió en Madrid varios años; en 1598 fue procurador de su Sevilla natal en las Cortes celebradas en la capital de la Monarquía; y aquí concurrió a las tertulias y a los mentideros, haciendo amistad con los Argensola, Lope de Vega, Góngora... Pero su espíritu tímido y delicado se avino mal con las intrigas y las discordias literarias, en las que jugaban parecidos papeles los panfletos y las estocadas.

Escribió don Juan de Arguijo: una *Relación de las fiestas de toros y cañas en Sevilla*—1617—, con motivo de una solemnidad en honor de la Purísima Concepción; un centenar de sonetos maravillosos; varias composiciones breves de mucho mérito, y una colección de cuentos en prosa.

Textos: *Poesías,* tomo XLII de la "Biblioteca de Autores Españoles"; *Sonetos clásicos sevillanos,* en *Cruz y Raya.* Madrid, número 36; *Sonetos,* ed. Colón, Sevilla, 1841.

V. HURTADO Y GONZÁLEZ PALENCIA: *Historia de la literatura española.* 2.ª edición, 1925. PAZ Y MELIÁ, A.: *Sales españolas.* Segunda serie. 1902.—GALLARDO, B. José: *Ensayo de una Biblioteca de libros raros y curiosos.* I, 284.—LA BARRERA, C. A.: *Noticias biográficas de Juan de Arguijo,* en *Revista de España,* III, 79, y IV, 265.—ASENSIO, J. M.: *Don Juan de Arguijo.* Estudio biográfico. Madrid, 1883.—RODRÍGUEZ MARÍN, F.: *Pedro Espinosa.*—SAINZ DE ROBLES, F. C.: *Historia y antología de la poesía castellana.* Madrid, 1946.

ARIAS, Augusto.

Poeta, biógrafo, cronista ecuatoriano. Nació—1903—en Quito. Profesor universitario de Literatura Universal y de Estética. Decano (1947-1949) de la Facultad de Filosofía y Letras en la Universidad de Quito. Miembro de número de la Academia Ecuatoriana de la Lengua, correspondiente de la Española. Miembro de la Academia de la Historia, de la Unión Nacional de Periodistas. Caballero de la Orden de Alfonso el Sabio (de España) y de la Orden del Mérito (del Ecuador).

Libros poéticos: *Del sentir, Poemas íntimos, El corazón de Eva.*

Ensayos: *En elogio de Ambato, Virgilio en castellano, La estética del Barroco, Jorge Isaacs y su "María", El "Quijote" de Montalvo, España en los Andes, España eterna, Jorge Martí.*

Didácticos: *Panorama de la Literatura Ecuatoriana, Antología de poetas ecuatorianos, Savia nueva* (iniciación literaria).

ARIAS, Pedro G.

Poeta y prosista español. Nació—1892—en Castropol (Asturias). De origen muy humilde, hubo de abandonar la escuela cuando tenía nueve años para dedicarse a distintos oficios. Enamorado del mar, ha realizado incontables viajes entre España y América, colaborando en la prensa española e hispanoamericana. Fundador en su villa natal de la Biblioteca Circulante "Menéndez y Pelayo", una de las más nutridas y fecundas de España.

Obras: *El bajel de la Felicidad*—prosas, 1918—, *María*—prosas, 1930—, *Firmamento humano*—1950—, *La Estrella del Eo*—poemas, 1953—, *Antología de poetas asturianos* —dos tomos: en bable, 1958, en castellano, 1963...

ARIAS MONTANO, Benito.

Gran polígrafo español y uno de los más grandes humanistas del Renacimiento europeo. Nació—1527—en Fregenal de la Sierra (Extremadura). Murió—1598—en Sevilla. Cultivó con singulares aciertos la Teología, la Filosofía, el Derecho, la Filología, las Ciencias Naturales y la Historia. Poseyó a fondo el inglés, el francés, el italiano, el latín, el griego, el hebreo, el caldeo, el sánscrito. Cursó Humanidades en Sevilla, protegido por el canónigo de Badajoz Cristóbal de Valtodano. Completó sus estudios en la Universidad de Alcalá. En León se ordenó de sacerdote, vistiendo también allí el hábito de Santiago. Acompañando al obispo de Segovia, don Martín Pérez de Ayala, asistió al Concilio de Trento, en el que brillaron extraordinariamente su talento y su cultura.

A su regreso a España, se retiró a la Peña de los Angeles, próxima a Aracena, de donde le sacó el rey don Felipe II para nombrarle profesor de Lenguas orientales del monasterio de El Escorial y para que dirigiera la maravillosa edición de la llamada *Biblia Regia de Amberes* o *Poliglota*—1569 a 1572—. Cansado y lleno de achaques y de gloria universal, habiendo renunciado un obispado y varias dignidades con que el rey quiso recompensarle, Arias Montano, luego de donar sus manuscritos a la Biblioteca escurialense, se retiró a la Cartuja de Sevilla, donde murió con merecida fama de varón tan virtuoso como santo.

Entre las obras más importantes de este genio singular hay que destacar: *Sagrada Biblia*—en hebreo, caldeo, griego y latín, 1572—, *Retórica*—cuatro libros, 1569—, *Antigüedades judías, Humanae solutis monumenta*—Amberes, 1571—, *Salmos de David y otros profetas*—1574—, *Historia Natural* —1601—, *Hymni et Saecula*—1593—, la *Paráfrasis del "Cantar de los Cantares"*; una abundante correspondencia epistolar; varias poesías, en las que se muestra imitador de fray Luis de León; el *Liber generationis Adam seu de historia generis humani*—1592—, y la traducción del *Itinerario*, de Benjamín de Tudela.

Todas las obras de Arias Montano asombran por su profunda erudición, por su sólida contextura, por su majestuosa corrección literaria, por su claridad expositiva. Quizá ninguno de los grandes humanistas del siglo XVI poseyó una cultura tan asombrosamente armónica ni unos medios expresivos tan sencillos y tan penetrantes.

En cuantos procesos y persecuciones hubo de sufrir el gran polígrafo por la índole delicada de sus escritos—y debe recordarse el ataque furibundo que realizó el docto León de Castro contra la *Biblia de Amberes*—, Arias Montano encontró siempre la protección decidida del gran monarca don Felipe II.

Textos: *Paráfrasis sobre el "Cantar de los Cantares"*, ed. Böhl de Fáber, en *Floresta*, III, 41-64; ... *De la salud del hombre,* edición Benito Feliú, Valencia, 1774.

V. DOETSCH, K.: *Vida de Arias Montano.* 1920.—ANTONIO, Nicolás: *Bibliotheca Hispana Nova.*—BELL, Aubreg.: *Benito Arias Montano.* Oxford, 1922.—GONZÁLEZ CARVAJAL, T.: *Elogio histórico de... Arias Montano,* en *Memorias de la Real Academia de la Historia.* Madrid, 1832.—MORALES OLIVER, Luis: *Benito Arias Montano.* Tesis doctoral, 1922. MORALES OLIVER, Luis: *Avance para una bibliografía de obras... de Arias Montano.* Ba-

A

dajoz, 1928.—MENÉNDEZ PELAYO, M.: *La ciencia española*.—GORRIS, E.: *Vie d'Arias Montano*. Bruselas, 1842.

ARIBÁU Y FARRIOLS, Buenaventura Carlos.

Literato, economista y taquígrafo español. Nació—1798—en Barcelona. Murió—1862—en la misma ciudad. Dependiente de comercio. Secretario de la Diputación Provincial de Lérida. Secretario de la Junta de Comercio de Barcelona. Secretario—en Madrid—de la Intendencia de Palacio y director del Tesoro. En la capital de España, gran amigo de Rivadeneira, fue con él fundador de la famosísima "Biblioteca de Autores Españoles", algunas de cuyas obras—Cervantes, Moratín, la novela española de los siglos XVI y XVII—prologó con estudios muy notables. Como economista, fue decidido proteccionista, y fundó—1861—, para defender su idea, *La Verdad Económica*.

Como taquígrafo, reformó excelentemente el sistema Martí, creando el llamado *catalán*, que rige aún hoy en parte de España y América.

Aribáu escribió en catalán—1832—su *Oda a la patria*, poesía que le dio gran popularidad en Cataluña, donde se le llegó a proclamar precursor del renacimiento literario catalán. Su libro *Ensayos poéticos* recoge sus composiciones castellanas, muy perfectas de forma y un tanto altisonantes, con influencias innegables de Quintana. Su poema *La existencia de Dios* adolece de rígido neoclasicismo.

Otras obras de Aribáu: *Historia de la Hacienda española, Tratado de Taquigrafía, Posibilidad de un idioma universal...*

V. RIERA Y BERTRÁN, Joaquín: *Don Buenaventura Carlos Aribáu*. Barcelona, 1884.—RUBIO Y LLUCH, Antonio: *Biografía de don B. Carlos Aribáu*. 1886.

ARIMANY COMA, Miguel.

Poeta, narrador y ensayista español en lengua catalana. Nació—1920—en Barcelona.

De gran cultura universitaria. Como editor ha fundado la revista literaria *El Pont*, plataforma de las tendencias más modernas, y publicó, a partir de 1966, el monumental y ambicioso *Diccionari catalá general*, en verdad valiosísimo instrumento de cultura gracias a los grandes conocimientos lingüísticos de Arimany Coma. También ha editado incontables obras dedicadas a la juventud.

Obras: *Eduard*—novela, 1955—, *D'aire i de foc*—poemas, 1959—, *Maragall*—ensayos, 1963—, *Els catalans també*—ensayos, "Premio Yxart, 1964"—, *Pero un nou cencepte de la Renaixença*—ensayo, 1965.

ARISTEGUIETA, Jean.

Poeta y ensayista venezolana. Nació —¿1920?—en Guasipati, en las fronteras de la selva guayanesa venezolana. Ha viajado por toda Europa, por toda América. Dirigió la importante revista antológica de poesía *Lírica Hispana* (en colaboración con Conie Lobell). Miembro de la Asociación de Escritores de Venezuela. Colaboradora asidua en importantes revistas poéticas de España e Hispanoamérica. Muchos de sus poemas han sido traducidos al griego, al italiano, al inglés, al francés, al portugués. Incansable alerta de la poesía de vanguardia. Sensibilidad exquisita. Millonaria de imágenes y paradojas felicísimas.

Obras: *Memoria floral, Poema de la llama y del clavel, Abril, Las puertas del secreto, Calendario lírico, Nocturnos, Con el signo de Eva, Paisajes venezolanos, Catedral del alba, Taller de magia, Jardín de arcángeles, Laurel de fuego, Los espejismos*.

V. MARTÍN SARMIENTO, P. Angel: *El sentido religioso de la obra literaria de Jean Aristeguieta*. Caracas, 1966.—PEDEMONTE, Hugo Emilio: *Jean Aristeguieta*—estudio y antología, Montevideo, 1967.

ARIZA, Juan.

Dramaturgo, novelista y poeta. Nació —1816—en Motril. Murió—1876—en la Habana (Cuba). En la isla de las Antillas, que fue florón de la corona española, desempeñó el cargo de secretario del Tribunal de Cuentas y la dirección de *El Diario de la Marina*.

Ariza aceptó gozosamente todos los postulados literarios del romanticismo, aun cuando en algunas de sus primeras tragedias —*Remismunda, Hernando del Pulgar*—se delatan ciertos posos neoclasicistas.

Entre sus novelas sobresalen: *Don Juan de Austria, Dos cetros, El Dos de Mayo, Vaije al infierno*—1848—, *Los dos reyes, Las Navidades...*

Entre sus obras teatrales: *Alonso de Ercilla*—1848—, *Antonio de Leyva*—1849—, *El oro y el oropel*—1854—, *El ramo de rosas, La mano de Dios, La flor del valle...*

ARJONA, Juan de.

Poeta español del siglo XVI. Nació hacia 1560, en Granada. Murió en los primeros diez años de la centuria diecisiete. Estudió Humanidades y se licenció en la flamante Universidad granadina. Beneficiado de Puente Pinos. Fácil en componer y agudo en el decir. Sus contemporáneos le calificaron de "fácil y subtil". Famoso por sus conocimientos de la lengua latina. Tradujo en elegantes octavas reales—durante seis años—

los nueve primeros libros de *La Tebaida,* poema de Publio Estacio Papinio. (Traducción que terminó, en 1618, de los tres últimos libros, Gregorio Morillo.)

Lope de Vega, gran amigo suyo, le llamó *alma de Estacio latino.* Y Pedro de Espinosa—en sus *Flores de poetas ilustres*—le proclamó eruditísimo e inspirado.

Textos: Edición "Biblioteca de Autores Españoles", tomo XXVI; edición "Biblioteca Clásica", Madrid. Hernando. Dos volúmenes.

V. GALLARDO, B. J.: *Ensayo de una biblioteca...,* I, 300.—RODRÍGUEZ MARÍN, F.: *Dos poemitas de Juan de Arjona,* en *Boletín de la Academia Española,* 1936, XXIII, 339.

ARJONA, Manuel María de.

Excelente poeta y erudito español. 1771-1820. Nació en Osuna. A los veinte años era doctoral de la Real Capilla de San Fernando. Fue fundador de la Academia Horaciana y restaurador—en 1793—de la de Buenas Letras, de Sevilla. A principios del siglo XIX viajó por Italia. Y la invasión francesa le sorprendió de canónigo penitenciario en la catedral de Córdoba. También fundó en Osuna otra Academia llamada del Sile.

Arjona es el más rico, clásico y correcto de todos los poetas de este grupo. Su obra cabe dentro de los límites del más riguroso neoclasicismo. Tradujo a Horacio. Y de sus composiciones sobresalen: el poema lírico-didáctico, de carácter filosófico, *Las ruinas de Roma,* el romance *Al pensamiento del hombre,* la oda *A la memoria* y *La ninfa del bosque.* El juego retórico de los vocablos es en Arjona casi perfecto. Y perfecto también el tino con que logra que la expresión intelectual ahogue siempre cualquier conato de sentimentalismo.

Inventó la estructura de las estrofas de esta composición:

¡Oh, si bajo estos árboles frondosos
se mostrase la célica hermosura
que vi algún día de inmortal dulzura
este bosque bañar!

Del cielo tu benéfico descenso
sin duda ha sido, lúcida belleza;
deja, pues, diosa, que mi grato incienso
arda sobre tu altar.

Las poesías de Arjona se encuentran en el tomo LXIII de la "Biblioteca de Autores Españoles", y en el tomo XV de la "Colección de Baudry". París. *Las ruinas de Roma,* en la *Revista de Ciencias, Literatura y Arte,* Sevilla, III, 407.

V. CUETO, L. A.: *Poetas líricos del siglo XVIII.* Tomo LXIII, "Biblioteca de Autores Españoles".—SAINZ DE ROBLES, F. C.: *Historia y antología de la poesía castellana.* Madrid, 1946.

ARLT, Roberto.

Novelista y dramaturgo argentino. Nació —1900—y murió—1942—en Buenos Aires. Fue autor de novelas y cuentos de un extraordinario vigor descriptivo y emocional. Sus obras todas poseen un "impromtu" desconcertante, una alucinante realidad. Perteneció a la "generación del 22", y su producción—artículada por una profunda intuición psicológica y una viva atmósfera lírica— señala una renovación en la novelística argentina contemporánea.

Obras: *El juguete rabioso*—novela—, *Los siete locos*—novela—, *Los lanzallamas*—novela—, *Amor brujo*—novela—, *El jorobadito* —novela—, *Aguafuertes porteños, El fabricante de fantasmas*—teatro—, *La isla desierta*—teatro—, *Africa*—teatro—, *Trescientos millones*—1932, teatro—...

V. TORRES RIOSECO, Arturo: *La novela en la América hispana.* Berkeley, 1939.—TORRES RIOSECO, Arturo: *Novelistas contemporáneos de América.* Santiago de Chile, 1940.

ARMENDÁRIZ, Julián.

Poeta y dramaturgo. Nació—¿1585?—en Salamanca. Murió—1614—en Madrid. Bachiller en Artes por la Universidad de su ciudad natal. Después de ganar un premio con su poema en quintillas *Patrón salmantino* —1603—, pasó a Madrid, donde ya vivió siempre, muy dado al teatro y a las tertulias literarias. Debió de ser enemigo de Lope, ya que este, en una carta al duque de Sessa—1604—le decía: "Cosa para mí más odiosa que mis librillos a Almendares y mis comedias a Cervantes."

Se conserva de él una única comedia: *Las burlas, veras,* cuyo asunto, derivado de una novela de Bandello, titulada *Gl' Ingannati,* había sido tratado antes por Jorge de Montemayor, Lope de Rueda y Lope de Vega, titulándose la comedia de este precisamente *Las burlas, veras.* La obra de Armendáriz es ingeniosa y tiene una fácil versificación.

V. HUARTE, A.: *Una edición olvidada del "Patrón salmantino",* en *Bas. Teres.,* 1922. Junio.—SAINZ DE ROBLES, F. C.: *Historia y antología del teatro español.* Madrid, 1943. Tomos II y IV.

ARMIÑÁN, Jaime de.

Narrador, guionista, comediógrafo. Nació —1927—en Madrid. Hijo del gran periodista Luis de Armiñán Odriozola, nieto del notable literato y político Luis de Armiñán y Pérez y del admirable autor dramático Federico Oliver. Licenciado en Derecho. Actualmente está dedicado casi por entero a la dirección y escritura de guiones para la televisión, en la que ha conseguido incontables triunfos y premios. También le han sido otorgados los premios "Informaciones, 1950", "Premio Lérida", "Premio Calderón de la Barca, 1953", para obras teatrales; "Premio Unión Films, 1954"...

En el teatro cultiva unos temas amables y nutridos de humor.

Obras: *Biografía del circo*, y las comedias *Eva sin manzana*—1953—, *Sinfonía acabada*—1954—, *Amanece a cualquier hora* —1954—, *La isla de las sirenas*—1955—, *Un fantasma sin tacones, Nuestro fantasma, Café del Liceo, Paso a nivel, Pisito de solteras, Academia de baile, La pareja, El arte de amar, El último tranvía, Todos somos compañeros*.

ARMIÑÁN ODRIOZOLA, Luis de.

Literato y periodista español, hijo de Armiñán Pérez. Nació—1899—en Madrid. Licenciado en Derecho. Intendente mercantil. Profesor numerario en la Escuela Central Superior de Comercio. Redactor de *Informaciones*. Tomó parte activa en la campaña de Africa—1921—. Residió algún tiempo en Bélgica. Redactor de *Heraldo de Madrid* y *El Imparcial*. Gobernador civil de Lugo, Córdoba y Cádiz. Terminada la guerra civil española—1936 a 1939—, Armiñán Odriozola ingresó en el diario *Madrid*. Posteriormente, el gran rotativo *A B C* le nombró su corresponsal en París—1940—. Y en este diario sigue prestando servicios magníficos con su pluma. Es también director en Madrid del *Diario de Barcelona*, periódico en el que publica, desde hace ocho años, una crónica diaria. "Premio Africa" de periodismo. Académico de honor de la de Bellas Artes de Cádiz. Correspondiente de la de San Telmo, de Málaga. Cruz roja del Mérito Militar. Medalla de San Mauricio, de Italia. Cruz del Mérito Civil de Rumania y de Bulgaria.

Obras: *Rincón de Castilla*—comedia—, *La pájara pinta*—sainete—, *La mocita de plata*—sainete—, *Por el camino azul*—novela—, *La calle real y el callejón del muro*—novela—, *Hacia la cuna del sol*—reportajes—, *Bajo el cielo de Levante*—reportajes—, *Por los caminos de la guerra*—reportajes—, *Fernando "el Católico", El cardenal Cisneros, Blanca de Navarra*.

ARMIÑÁN PÉREZ, Luis de.

Literato, periodista y político español. Nació—1873—en Sancti-Spíritu, Cuba (hoy Camagüey). Estudió en Barcelona y en Madrid la carrera de Leyes. Rápidamente se destacó como conferenciante en el Ateneo y en la Academia de Jurisprudencia de la capital de España. Diputado a Cortes durante más de treinta años por varias circunscripciones. Gobernador civil de La Coruña. Director de Obras Públicas y de Correos y Telégrafos. Subsecretario de Instrucción Pública y de Justicia. Ministro de Trabajo. De ideas monárquicas y liberales. Colaboró en muchos diarios y revistas. Fue cronista de la guerra de Melilla—1909—para *Heraldo de Madrid*. Dirigió *La Mañana*. Académico profesor de la de Jurisprudencia. Gran cruz del Mérito Militar. Caballero de la Legión de Honor. Gran cruz del Cristo de Portugal.

Obras: *Grandes y chicos*—siluetas académicas—, *Cuentos cárdenos, Narraciones rápidas, Hoja militar del soldado Miguel de Cervantes*—obra fundamental para el *cervantismo*—; *Cervantes, Cristóbal Colón, Doña Berenguela de Castilla, Valeriano Weyler, Pendencias y desafíos, El duelo en mi tiempo, Las hermanas de Cervantes, Mis memorias*.

ARNAO, Antonio.

Delicado poeta lírico. Nació—1828—en Murcia. Murió—1889—en Madrid. Fue académico de la Real Española de la Lengua. Poeta de un fino y sensible tono menor, no consiguió que sus composiciones fueran conocidas por el gran público.

Publicó: *Himnos y quejas*—1851—, *Melancolías*—Madrid, 1857—, *La campaña de Africa*—1860, poema premiado por la Academia Española—, *El caudillo de los ciento* —1866—, *Poesías religiosas*—1872—, *Soñar despierto*—obra póstuma, impresa en 1891.

También escribió algunos dramas, de expresión melodiosa y temas desenfocados: *Don Rodrigo, Pelayo, Guzmán "el Bueno", Las naves de Cortés*...

De la personalidad poética de Arnao escribió el P. Blanco García—en su *Literatura española en el siglo XIX*, tomo II—: "El dulce y vago sentimentalismo, el esmero y la pulcritud llevados hasta la exageración, el horror a toda suerte de violencias, la plétora de lugares comunes no siempre redimidos por el candor ingenuo."

V. ESPERANZA Y SOLÁ, J. M.: *Don Antonio Arnao*, en *La Ilustración Católica*, 1889.— CAÑETE, M.: *Don Antonio Arnao, lírico*, en *La Ilustración Española y Americana*, 1874.— REVILLA, Manuel: *Críticas*, II.—PERIER, C. M.: *Poesías de... Arnao*, en *Defensa de la Sociedad*, XII, 565.

ARNÁU DE VILANOVA.

Prosista, filósofo, médico y erudito catalán. 1238-1311. Nació, probablemente, en Valencia o en algún pueblo próximo. Estudió y profesó en Montpellier. En 1281 entró al servicio de Pedro *el Grande* de Aragón. Su erudición fue enorme. En 1293 entró al servicio de Jaime II, el cual, desde 1299, empezó a utilizarle como embajador en

París. Sus ideas teológicas no fueron muy ortodoxas, como lo demuestra su tratado *De adventu antichristi*. Y aun cuando le excomulgaron los teólogos de la Sorbona y el arzobispo de Tarragona, le defendieron los Pontífices Bonifacio VIII y Clemente V y los monarcas Federico de Sicilia y Roberto de Nápoles. Esta protección decidida de Papas y reyes le valió regalos suntuosos.

Arnáu de Vilanova dominó el árabe, el hebreo y el griego. Estuvo en comunicación con todos los sabios de su época. Y su presencia y su palabra sugestivas ganáronle el respeto de cuantos le trataron.

Se cree que murió en un naufragio, en el golfo de Génova.

Muchas de sus obras teológicas y filosóficas fueron destruidas por sus enemigos. Pero todas las bibliotecas importantes de Europa poseen manuscritos de sus obras médicas y químicas, ya que como químico y médico gozó de un prestigio taumatúrgico.

Su prosa revela una prodigiosa manifestación de estilística personal insospechable en una lengua que, como la catalana, estaba aún muy poco trabajada.

Obras literarias: *Raonament d'Avinyó* —1309—, *Lecció de Narbona*—entre 1305 y 1308.

V. MENÉNDEZ PELAYO, M.: *Arnaldo de Vilanova, médico catalán del siglo XIII*. Madrid, 1879.—POUZIN: *Notice sur Armaud de Villeneuve*. Montpellier, 1826.—BOFARULL, A.: *Noticias sobre Arnaldo de Vilanova*. Barcelona, 1872.—CHABÁS, Roque: *Testamento de Arnaldo de Vilanova*. Madrid, 1896. RUBIÓ BALAGUER, Jorge: *Literatura catalana (medieval)*, en el tomo I de la *Historia general de las literaturas hispánicas*. Barcelona, 1949.

ARNICHES Y BARRERA, Carlos.

Popular y admirable autor dramático. Nació—1866—en Alicante. Murió—1943—en Madrid. Sus grandes aficiones literarias le llevaron muy joven a Barcelona, donde fue redactor de *La Vanguardia*. En seguida se trasladó a Madrid, iniciando su fecunda y gloriosa labor teatral, que consta de más de doscientos títulos y de numerosos y extraordinarios éxitos, no sólo en España, sino también en todos los pueblos de habla española.

En la imposibilidad de mencionar siquiera tales grandes triunfos, destacamos sus obras: *La leyenda del monje, La fiesta de San Antón, Los aparecidos, El cabo primero, El santo de la Isidra, La Cara de Dios, Doloretes, Los granujas, El terrible Pérez, Los chicos de la escuela, El puñao de rosas, El pobre Valbuena, Los pícaros celos, El perro chico, La gente seria, El maldito di-*
nero, *Los guapos, El iluso Cañizares, Alma de Dios, La alegría del batallón, Gente menuda, El amigo Melquíades, Mi papá, La sobrina del cura, La casa de Quirós, El chico de las Peñuelas, La señorita de Trevélez, Serafín "el Pinturero", La venganza de la Petra, La noche de Reyes, El agua del Manzanares, Angela María, El señor Pepe "el Templao", El tropiezo de la Nati, Don Quintín "el Amargao", El señor Adrián "el Primo", Para ti es el mundo, ¡Mecachis, qué guapo soy!; Es mi hombre, Los caciques...*

Arniches tuvo numerosos colaboradores: López Silva, Celso Lucio, Gonzalo Cantó, Fernández-Shaw, García Alvarez, Abati, Estremera, Renovales... Sin embargo, acaso son sus obras más perfectas aquellas escritas sin colaboración alguna. El público admira en él la gracia espontánea, la donosura con que pinta los tipos, el carácter popular y humanísimo de estos, la maestría del juego escénico, el sentimentalismo, a veces sensiblero, pero siempre real.

Arniches, maestro del género chico, entronca magníficamente con los grandes saineteros Luceño, Ricardo de la Vega, Bretón de los Herreros, don Ramón de la Cruz.

Caso curioso de Arniches: sin haber nacido en Madrid, *se ha madrileñizado* hasta el tuétano, ha comprendido a Madrid, en cuerpo y alma, como nadie. Su amor por Madrid emociona profundamente. Muchos de sus sainetes son *verdaderas pinturas* de género costumbrista, que nos asombra en Goya, en Lucas, en Alenza.

Cejador ha escrito de Arniches: "Posee un hondo conocimiento de los gustos del público y de los recursos y triquiñuelas teatrales. En esto es maestro consumado; conoce el efecto escénico como nadie; posee el secreto de la invención teatral como ninguno, y así se explica que triunfa ruidosamente y a menudo... Fueron acaso sus mejores obras sainetes puros, donde señorean lo pintoresco y lo cómico, lo artístico y el sentimiento popular, la risa espontánea y de buena ley."

Y el gran crítico Pérez de Ayala: "La realidad y la gracia son los elementos que, sobre todo, avaloran la obra de los señores Alvarez Quintero y de don Carlos Arniches. En cuanto a la realidad, me parece que son más densas de realidad las obras del señor Arniches que las de los señores Quintero..."

Arniches ha llevado a la escena como nadie el sentimentalismo, la sensiblería y el humor del pueblo madrileño, con gran riqueza de observación, que va desde lo hondamente psicológico, que es reproducción de tipos humanos, a la pintura fidelísima y realista de las costumbres, todo ello manando de una fuente inagotable de comicidad y de melodramatismo.

Arniches ha tenido numerosos discípulos e imitadores, ninguno de los cuales ha conseguido ni aproximarse al modelo. Y Madrid ha premiado el amor de este ingenio dando su nombre a una de sus calles más castizas.

Sus *Obras completas*—escritas sin colaboración—han sido editadas en cuatro tomos, Colección Joya, por M. Aguilar, 1948, con un estudio de Eduardo M. del Portillo.

V. PÉREZ DE AYALA, Ramón: *Las máscaras.* Tomo II.—PORTILLO, Eduardo M. del: Prólogos a los cuatro tomos de *Obras completas,* edición Aguilar, 1948.—MARQUERÍE, Alfredo: *Sobre la vida y la obra de don Carlos Arniches,* en *Cuadernos de Literatura Contemporánea,* 9-10, Madrid, 1943.—CARDENAL IRACHETA, M.: *Don Carlos Arniches al sesgo,* en *Cuad. de Lit. Contemp.,* 9-10, Madrid, 1943.—GARCÍA LUENGO, Eusebio: *Madrileñismo y andalucismo teatrales,* en *Cuad. de Lit. Contemp.,* 9-10, Madrid, 1943.—ROMO ARREGUI, J.: *Carlos Arniches: bibliografía,* en *Cuad. de Lit. Contemp.,* 9-10, Madrid, 1943.—LÉZAR, Desiderio: *Carlos Arniches: su teatro, sus valores, su persona,* en *Cuadernos de Literatura Contemporánea,* Madrid, núms. 9 y 10, 1943.—TORRENTE BALLESTER, Gonzalo: *Teatro español contemporáneo.* Madrid, 1957.

AROLAS, P. Juan.

Notable poeta romántico español. Nació —1805—en Barcelona y murió—1849—en Valencia. Estudió en las Escuelas Pías de Valencia, ingresando muy joven aún en la Regla de los Escolapios. Estudió a fondo la literatura clásica, pagana y cristiana. Colaboró en varios periódicos de Valencia—*El Fénix, La Psiquis*—y en *El Constitucional,* de Barcelona. Y llegó a fundar uno: *Diario Mercantil,* en la capital del Turia. Tradujo muchas poesías líricas y la tragedia *Moisés,* de Chateaubriand.

Arolas, que debió de sostener íntimas luchas tremendas y angustiosas entre su estado sacerdotal y su temperamento apasionado, fue un lírico exuberante, vehemente, fácil, espontáneo, sensual, imaginativo y gallardo. También redundante y profuso en demasía. Y nada castizo de lenguaje ni correcto de forma. Sin embargo, algunas de sus poesías, cálidas, pletóricas de imágenes, con fuertes colores, podrían pasar como escritas por Zorrilla, Tassara o Espronceda. La pasmosa facilidad que poseía Arolas para componer versos y su sensualidad incontenible perjudican no poco el valor auténtico de su lirismo.

Dejó escritas, entre otras obras: *Libros de amores, Poesías pastoriles, Cartas ama-*

torias—1843—, *Poesías caballerescas y orientales, La sílfide del acueducto.*

Arolas murió loco.

Textos: *Poesías escogidas,* ed. Roselló y Olea, Madrid, 1925; *Poesías,* Valencia, 1883; *Poesías,* ed. "Clásicos Castellanos", Madrid.

V. LOMBA Y PEDRAJA, M.: *El P. Arolas, su vida y sus versos,* 1898.—MUNDY, J. H.: *Some aspets of the Poetry of Juan Arolas,* en *Liverpool Stud.,* 1940.—VALERA, Juan: *Florilegio de poesías castellanas del siglo XIX.* Madrid, Fe, 1905.

AROZAMENA BERASATEGUI, Jesús María.

Autor teatral, cronista español. Nació —1918—en San Sebastián. Estudió Derecho en la Universidad de Madrid. Fue consejero delegado de la Sociedad General de Autores de España. Vicepresidente de la Federación Internacional de Sociedades de Autores (del Cine y de la TV). Miembro del Buró de la Confederación Internacional de Autores y Compositores.

Ha escrito la letra de numerosas zarzuelas, operetas y revistas: *Maravilla, El último cuplé, Mirentxu, Polonesa, La violetera...* La Real Academia Española premió su obra *Maridolor.*

En 1963 publicó *San Sebastián: biografía sentimental de una ciudad,* obra muy notable, comprensión y expresión impares de cómo han de ser escritas las historias de ciudades. También ha publicado unas biografías exhaustivas de los grandes músicos vascos *Guridi*—1966—y *José María de Usandizaga*—1969.

ARRARÁS IRIBARREN, Joaquín.

Historiador y periodista admirable. Nació —1898—en Pamplona. Doctor en Derecho. Desde muy joven se dedicó con entusiasmo y fortuna al periodismo, desde las páginas del burgalés diario *El Castellano.* En 1922 pasó al diario madrileño *El Debate,* del que fue corresponsal de excepción en Marruecos, Inglaterra, Francia, Portugal, Italia, Estados Unidos y el Próximo Oriente; autor de crónicas llenas de interés y magistrales de lenguaje. Entre 1928 y 1930 dirigió el *Diario Montañés,* de Santander, reintegrándose a *El Debate* en su último año, y manteniendo en este gran diario, durante varios años, una sección titulada *Notas del block,* pletórica de vivacidad, de ingenio, de humor, y buscadísima de los lectores cultos. En la revista famosa de derechas *Actualidad Española* fue redactor de una de las secciones más difíciles e importantes: *Actualidad política.*

Al iniciarse la guerra española de Liberación, el general Mola le encargó—con la colaboración de otro gran periodista, Juan Pujol—la organización de los Servicios de Prensa y Propaganda. Poco después fue nombrado, en Salamanca, director general de Prensa. En está época inició la publicación, como su director literario, de la *Historia de la Cruzada española*. Ha sido uno de los fundadores del diario *Ya* y editorialista impar del diario *A B C* durante cinco años. Le ha sido otorgado el "Premio Nacional de Literatura". De cultura vastísima, maestro del idioma, cuantos escritos han salido de su pluma resultan modelos inmejorables, tanto históricos como literarios.

Obras: *Franco*—biografía, 1937—, *Historia de la segunda República española,* en cuatro tomos, obra exhaustiva en el tema, modelo insuperable al que habrán de recurrir cuantos escriban acerca de la sensacional efemérides, y que resulta ya una obra clásica.

ARRESE, José Luis de.

Nació en Bilbao en 1907. Arquitecto. Estudió en la Universidad de Deusto y en Madrid. Desde muy joven intervino en política, ingresando en la Falange, y por encargo de José Antonio Primo de Rivera escribió su libro *La revolución social del Nacionalsindicalismo.* En Arrese se da, muy señaladamente, la calidad del escritor político. Pero no excluye la del escritor literario. En los claros de su actividad creadora en lo político, consigue una continuada y personalísima labor poética, a la que agrega, de cuando en cuando, el ensayo en bella y levantada prosa. El estilo de José Luis de Arrese es claro y levantado. Inserto, decididamente, en la línea joseantoniana. Su afán de claridad y nitidez—tan precisas al tratado político— se logra en moldes de exacta belleza. Los libros poéticos de Arrese expresan una sinceridad lírica extremada. Son humanos y emotivos. Se alterna en ellos la poesía intimista con la abarcación subjetiva del contorno. Esta misma línea se sostiene en los dos libros que ha publicado: *Poesías*—1930— y *Esa estrella que brilla solitaria*—1948—. En la prosa, de latido poético, expresa estas mismas cualidades. Así, en *Advocación y súplica en el año nuevo*—1941—. Es miembro de la Real Academia de Bellas Artes de San Telmo, de Málaga. Ha desempeñado importantes cargos públicos, entre ellos, el de ministro.

La lista de obras publicadas por José Luis de Arrese, en orden cronológico, es la siguiente: *Poesías*—1930, agotada—, *La revolución social del Nacionalsindicalismo* —1935—, *Málaga desde el punto de vista urbanístico*—1940—, *Advocación y súplica en el año nuevo*—1941—, *Manuales del pensamiento falangista*—1942. I. *El programa social de la Falange;* II. *El trabajo y la Falange;* III. *La propiedad y la Falange;*

IV. *El capital y la Falange;* V. *La revolución de la Falange;* VI. *El sindicalismo de la Falange*—, *Escritos y discursos*—1943—, *Participación del pueblo en las tareas del Estado*—1944—, *La revolución económica como principio y base de la revolución social*—1945—, *El Estado totalitario en el pensamiento de José Antonio*—1945—, *El Movimiento nacional como sistema político* —1945—, *Nuevos escritos y discursos* —1945—, *Misión de la Falange*—1945—, *Capitalismo, comunismo, cristianismo*—1947—, *Esa estrella que brilla solitaria*—poesías, 1948.

ARRIAZA, Juan Bautista de.

Dramaturgo y poeta de mérito. 1770-1837. Hijo de un bizarro coronel retirado—de los coroneles que más tarde saldrían malhumorados en las zarzuelas con música de Oudrid y de Gaztambide—, Arriaza nació en Madrid, se crió en Lavapiés, estudió en el Seminario de Nobles y fue nombrado, a los doce años, cadete de Artillería, pasando a Segovia como los buenos. Como alférez de fragata luchó contra Francia en todos los mares del mundo, entre 1793 y 1795, alcanzando el grado de alférez de navío y obteniendo el retiro—1798—por su cortedad de vista. Estuvo agregado—1802—a la Legación de Inglaterra. Durante la guerra de la Independencia señalóse por su ardor patriótico y fue enemigo mortal de lo francés, de lo afrancesado, de las Cortes de Cádiz, de cuanto significase liberalismo. Fernando VII le nombró—1818—su mayordomo de semana; después, de su Consejo y de la Orden de Carlos III. Perteneció a las Reales Academias Española y de San Fernando. Y el pueblo le llamaba *el poeta oficial,* por las numerosas poesías que escribió a cuantos acontecimientos palatinos se sucedían: nacimientos, matrimonios, coronaciones, viajes, muertes...

Fue Riaza el auténtico restaurador de la lírica castiza, como don Ramón de la Cruz lo fue del sainete y Bretón de la comedia. Era un poeta repentista, espontáneo, natural, enemigo de toda influencia extranjera y de las llamadas escuelas sevillana y salmantina. Su facilidad para rimar era asombrosa. Y su gracia, a veces, muy graciosa. Multiplicó sus poesías patrióticas con cualquier motivo y aun sin venir a cuento. Pero lo más considerable de su vena poética fluyó en composiciones heroicas, epigramáticas, festivas y elegíacas.

Obras de Arriaza son: *Primicias*—París, 1797—, *Ensayos poéticos*—Madrid, 1799—, *Poesías patrióticas*—Londres, 1810—, *Realidad en ilusión*—melodrama, 1823—, *Poesías líricas*—Madrid, 1822.

V. MENÉNDEZ PELAYO, M.: *Historia de*

A

las ideas estéticas. Tomo III.—CUETO, Leopoldo A. de: *Bosquejo... de la poesía castellana en el siglo XVIII.*—WOLF, Fernando José: *Floresta de rimas castellanas.* París, 1837.—ANTÓN DEL OLMET, F.: *El Cuerpo Diplomático español en la guerra de la Independencia.* II.

ARRIETA, Rafael Alberto.

Poeta y prosista. Nació en la provincia de Buenos Aires (República Argentina) en 1889, y pasó su infancia en Europa. Murió—1968— en Buenos Aires. Realizó sus estudios universitarios en La Plata y Buenos Aires, y a los veintidós años se inició en la Enseñanza superior. Ha sido profesor titular de Literaturas europeas en las Universidades de La Plata y Buenos Aires y en el Instituto Superior de Enseñanza Secundaria de esta última ciudad. Durante tres años desempeñó el rectorado del Colegio Nacional de la Universidad de La Plata. Se jubiló de la docencia en 1946.

Ha sido presidente del P. E. N. Club de Buenos Aires y fue miembro de número de la Academia Argentina de Letras desde 1933. Colaboró regularmente en *La Prensa,* de Buenos Aires, desde 1922.

Obras publicadas: Poesía: *Alma y momento, El espejo de la fuente, Las noches de oro, Fugacidad, Estío serrano, Tiempo cautivo.* Se han publicado cuatro selecciones de sus versos: la última y más completa, *Antología poética* (cinco ediciones), en Espasa-Calpe.

Prosa: *Las hermanas tutelares, Ariel corpóreo, El encantamiento de las sombras, Dickens y Sarmiento, Bibliópolis, La ciudad del bosque, Presencias, Florencio Balcarce, Estudios en tres literaturas, Don Gregorio Beéche y los bibliógrafos americanistas de Chile y del Plata, Centuria Porteña, La literatura argentina y sus vínculos con España.*

Numerosas composiciones poéticas y muchas de sus páginas en prosa han sido traducidas al francés, inglés, alemán, italiano y portugués.

"Es uno de los poetas de primer orden posteriores al modernismo. Con pocas palabras, las menos posibles, sin alardes de forma, prefiriendo los metros tradicionales, sin exaltación de sentimientos ni elevación de temas, más bien con freno interior y predilección por lo humilde y cotidiano, los breves poemas de Arrieta son obra de arte de rara elevación, elegancia, delicadeza, precisión y complejidad." (Federico de Onís.)

ARROYO, César A.

Novelista, autor dramático y periodista. Nació—1890—en Quito. Estudió Derecho en la Universidad Central del Ecuador. Secre-

tario del Consejo Superior de Instrucción Pública del Ecuador. Representó a la Universidad de Quito en el Congreso Internacional de Estudiantes de Bogotá—1910—. Secretario de la Legación del Ecuador en las fiestas del Centenario de las Cortes de Cádiz. Cónsul de su país en Vigo, Santander y Madrid. En España vivió mucho tiempo.

Fue director, en unión de Andrés González-Blanco, y después de Rafael Cansinos-Asséns, de la revista *Cervantes,* de Madrid —1913 a 1921—. Ha sido director de la editorial Ariel, de Madrid; de la *Revista de la Sociedad Jurídico-Literaria,* de Quito, y de la página hispanoamericana de *La Atalaya,* de Santander, y colabora en la prensa del Ecuador y en los principales periódicos y revistas de Hispanoamérica. Aun cuando hizo sus estudios de Derecho en la Universidad de Quito, no alcanzó a graduarse, porque siendo todavía estudiante, el Gobierno del Ecuador lo envió con una misión a España. Correspondiente de la Real Academia Hispanoamericana de Ciencias y Artes, de Madrid y Cádiz; de número de la Academia de la Historia, adscrita a la Universidad Nacional de Méjico; honorario de la Unión Juventud Hispanoamericana de Méjico; activo del Ateneo de Santander y de la Sociedad Jurídico-Literaria de Quito; miembro de la Société de Geographie de Marsella. Ha ocupado la cátedra del Ateneo de Madrid en tres ocasiones. En 1919 tomó parte en el curso oficial sobre *Figuras del Romancero,* explicando el tema "El Romancero en América". Ha explicado, en dos cursos, Lengua española en el Instituto "Mejía", de la capital del Ecuador. También ha sido cónsul general de la República ecuatoriana en Méjico y en Marsella.

Obras: *Retablo*—Madrid, 1921, editorial Ariel—, *Romancero del pueblo ecuatoriano* —Madrid, 1919, imp. de Galo Sáez—, *Iris* —novela, Quito, 1924, ed. Artes Gráficas—, *La novela blanca*—comedia en un acto—, *El caballero, la muerte y el diablo*—poema dramático en un acto—y *La canción de la vida* —paso de comedia—, *La democracia mejicana*—ensayo sobre su constitución política—, *Catedrales de Francia*—estudios de arte—, *Méjico en 1935*—1929—, *Galdós*—1930...

V. CEJADOR Y FRAUCA, J.: *Historia de la lengua y literatura españolas.* Tomo XIV.— ARIAS, Augusto: *Panorama de la literatura ecuatoriana.* Quito, 1936.—BARRERA, Isaac: *La literatura ecuatoriana.* Quito, 1926, 2.ª edición.

ARTEAGA, P. Esteban.

Literato y erudito y crítico musical español. Nació—1747—en Madrid. Murió—después de 1795—en París. Religioso de la Compañía de Jesús. Al expulsar Carlos III a los jesuitas de España, el P. Arteaga marchó a Roma—1767—. Vivió en Bolonia, en el palacio del cardenal Albergati. Más tarde se trasladó a París, siendo protegido por don José Nicolás de Azara, en cuya casa murió.

Notables son entre sus obras: *Memorias para servir a la música española, Disertación sobre el ritmo sonoro, Carta a don Antonio Pons sobre la filosofía de Píndaro, Virgilio y Lucano*—Roma, 1790—, *Investigaciones filosóficas sobre la belleza ideal, considerada como objeto de todas las artes de imitación*—1789, su obra más notable y la más interesante y sólida en esta materia producida por el genio español—, *La rivoluzione del teatro musicale italiano*—1783.

V. MENÉNDEZ PELAYO, M.: *Historia de las ideas estéticas.*

ARTECHE, José de.

Biógrafo y narrador. Nació—1906—en Azpeitia (Guipúzcoa). Universitario. Bibliotecario de la Diputación de Guipúzcoa. Escribe indistintamente en castellano y en vasco. Ha realizado excelentes traducciones del francés, del inglés, del holandés y del portugués.

Obras: *San Ignacio de Loyola, Elcano*—1942—, *Mi Guipúzcoa*—1947—, *Legazpi*—1947—, *Caminando*—1947—, *Mi viaje diario*—1950—, *San Francisco Javier*—1951—, *Lope de Aguirre, traidor*—1951—, *La paz de mi lámpara*—1953—, *Vida de Jesús*—1955—, *Cuatro relatos*—1960—, *Camino y horizonte*—1960—, *Saint-Cyrian*—1961—, *Lavigerie, el Cardenal de Africa*—1963—, *Siluetas y recuerdos*—1964...

ARTIGAS, José.

Literato, crítico, ensayista. Nació—1921—en Soria. Doctor en Filosofía y Letras por la Universidad de Madrid, y cuya tesis sobre Séneca mereció la máxima calificación y el "Premio extraordinario del Doctorado". Entre los años 1944 y 1951 fue catedrático de Filosofía en el Instituto Hispano-Marroquí de Ceuta. Trabajó intensamente en el Consejo Superior de Investigaciones Científicas. Estuvo pensionado en las Universidades de Göttingen—1951—y München—1952—. Agregado de Información en las Embajadas de España en Bonn y Roma (tanto en la del Vaticano como en la del Quirinal). En la actualidad, funcionario del Ministerio de Cultura Popular. Ha colaborado, y colabora, en diarios y revistas importantes: *Cuadernos Hispanoamericanos, Revista de Estudios Políticos, Revista de Filosofía, Arbor, Arriba...* Durante varios años ha dirigido la sección de crítica literaria en TV Española.

De mucha cultura, mente clara y pluma maestra, José Artigas es una importante figura de las actuales letras españolas.

Obras: *Descartes y la formación del mundo moderno*—1951—, *Séneca. La filosofía como forja del hombre*—1952—, *El arte de llamarse Pepe*—narraciones de humor, 1964—, *Marijke*—narraciones, 1968.

ARTIGAS FERRANDO, Miguel.

Erudito y literato. Nació—1887—en Blesa (Teruel). Murió—1947—en Madrid. Estudió Filosofía y Letras en la Universidad de Salamanca, doctorándose en Madrid. Ingresó —1911—en el Centro Facultativo de Archiveros, Bibliotecarios y Arqueólogos. Marchó, pensionado por el Colegio Mayor de Salamanca, a Alemania, donde amplió estudios con los famosos eruditos Willamovitz, Meister y Goetz. En 1915 ganó por oposición la plaza de director de la Biblioteca Menéndez Pelayo, de Santander, cargo que desempeñó hasta 1930, en que pasó a ocupar la dirección de la Biblioteca Nacional de Madrid. Fue académico de la Real Española de la Lengua, y correspondiente de la Real de la Historia, de la de Buenas Letras, de Barcelona, y de la de Ciencias y Nobles Artes, de Córdoba.

Sus trabajos de investigación, críticos y depurados en la más severa erudición, son numerosos: *Don Luis de Góngora y Argote* (biografía y estudio crítico)—obra premiada con medalla de oro por la Real Academia Española—, *Semblanza de Góngora*—Premio Nacional de Literatura, 1927—, *Teatro inédito de Quevedo*—Madrid, 1927—, *Menéndez y Pelayo*—Santander, 1927—, *Algunos aspectos del hispanismo en Alemania*—Madrid, 1927—, *Notas para una biografía de Huarte San Juan*—San Sebastián, 1926...

Artigas Ferrando sabe aunar en sus obras la más rigurosa erudición y el interés máximo en un estilo claro y castizo.

ARTÍS Y BALAGUER, Avelino.

Notable autor dramático. Nació—1881—en Villafranca del Panadés (Barcelona). Muy joven aún, se incorporó entusiasta al movimiento literario catalán. Su primera obra teatral—*Quan l'amor ha encés la flama*, estrenada—1909—en el teatro Romea, de Barcelona—fue un éxito sensacional. A este éxito sucedieron los éxitos de *Matí de festa*—1910—, *La llum dels ulls, No es mai tard si el cor es jove*—1927—, *A cor distret, sagetes noves*—1911—, *A sol ixent fugen les boires*—1921—, *Daniel o l'optimisme*—1928—, *Isabel Cortés, viuda de Pujol*—1928—, *El testamento de l'Abadal*—1929.

Al castellano han sido traducidas: *Villaplácida, Cuerdo amor, Amor y señor, El camino desconocido, La luz de los ojos, Daniel o el optimismo* e *Isabel Cortés.*

El teatro de Artís admira por su sobrie-

A

dad, por su sencillez, por su calor de humanidad. Ningún artificio se encontrará jamás en él, ni en el tema ni en la forma; ninguna fácil concesión a la galería. Todo en él es rectilíneo, natural, claro. Y encantadoramente catalán. De esto no debe sacarse la consecuencia de que carezca de frases ingeniosas, de donosuras de expresión. Las tiene y en abundancia.

ASBAJE, Juana Inés de.

Sor Juana Inés de la Cruz. Monja y gran poetisa. Nació—1651—en San Miguel de Nepanthla, a doce leguas de Méjico. Murió —1695—en el monasterio de monjas jerónimas de la capital azteca. Fue bella, culta, ingeniosa y discreta. Su padre, don Manuel de Asbaje, era de Vergara (Guipúzcoa).

Cuentan que a los ocho años compuso su primera obra; que a los quince gozaba fama de eruditísima; que a los diecisiete, y por orden del virrey—de cuya esposa era Juana dama de honor—, una junta de sabios la examinó minuciosamente de diversas y arduas cuestiones, saliendo ella airosa de la prueba, con gran admiración de todos.

Bien por vocación, bien por unos amores contrariados, Juana de Asbaje profesó de religiosa. La *Décima musa* y *Fénix de Méxco* la llamaron sus contemporáneos.

Llena de sensibilidad, de gracia, de inspiración, de maestría versificadora, escribió numerosas poesías: silvas, liras, sonetos, romances, redondillas... También escribió algunas piezas dramáticas... *San Hermenegildo, Amor es más laberinto, El cerco de José, Los empeños de una casa,* en las que se delata cierta prosapia calderoniana.

En su silva *El sueño* imitó las *Soledades,* de Góngora. Archifamosas son sus redondillas *Contra las injusticias de los hombres al hablar de las mujeres.*

Una deliciosa feminidad trasciende el lirismo de sor Juana Inés de la Cruz, aun cuando en su expresión se rinda pleitesía, no pocas veces, ya al culteranismo, ya, preferentemente, al conceptismo. La obra poética de esta mujer excepcional se publicó—1689—en Méjico y en tres tomos.

Textos: *Antología*—verso y teatro—, Madrid, 1946, edit. Crisol; *Poesías,* tomo XLII de la "Biblioteca de Autores Españoles"; *Teatro,* tomo XLIX de esta misma Biblioteca; *Poesías,* "Colección Austral", Buenos Aires, 1939.

V. NERVO, Amado: *Juana de Asbaje.* Madrid, 1910.—HENRÍQUEZ UREÑA, P.: *Bibliografía de sor Juana Inés de la Cruz,* en *Revue Hispanique,* 1917.—MENÉNDEZ PELAYO, M.: *Antología de poetas hispanoamericanos,* I.— SCHONS, Dorothy: *Bibliografía de sor Juana...* Méjico, 1927.—CHÁVEZ, Ezequiel A.:

Notas sobre puntos controvertibles de la vida y obra de sor Juana Inés de la Cruz, en *Rev. Univ. de México,* 1932.—VOSSLER, Karl: *Die "Zehne muse von Mexico" sor Juana Inés...* Munich, 1934.

ASCASUBI, Hilario.

Gran poeta argentino. 1807-1875. Yendo de camino, a la mitad entre Córdoba y Buenos Aires, cerca de la Posta del Fraile Muerto, su madre le echó al mundo. Como todos los criollos de la época, fue militar, alcanzando el grado de coronel; pero antes, casi un niño, fue grumete de *La Rosa Argentina,* viajando en esta nave desde 1819 a 1822. Ya en la milicia, luchó heroicamente en Ituzaingó. Vencida su política, sufrió prisión, de la que pudo escapar en 1834 para emigrar a Montevideo. En esta ciudad tuvo una panadería, cuyas ganancias aplicó a la publicación de panfletos contra el tirano Rosas. Casó en Uruguay con la hermana del general Villagrán. Y cuando Rosas organizó una expedición contra el Uruguay, mandada por el general Oribe, Ascasubi tomó parte en la lucha, figurando como ayudante del general Urquiza, que obligó a Oribe a levantar el sitio de Montevideo.

Después de la batalla de Monte Caseros, derribado Rosas—1852—, Ascasubi abandonó la milicia y la política, dedicándose por completo a la literatura. Estuvo algún tiempo viajando por Europa.

Ascasubi es el continuador de Bartolomé Hidalgo en el género *gauchesco,* excediéndole en condiciones y en alientos poéticos. Tan popular como él, pero de incomparable soltura manejando el léxico castizo, maestro en el dibujo y en el color, intenso en los ideales, de gran fuerza evocadora, de un impresionante dramatismo en los temas. Con Ascasubi llegan a su culminación el sentido y el sentimiento gauchescos.

En París, él mismo emprendió la edición definitiva de sus obras, que formaron tres tomos, editados—1872—por Paul Dupont, y titulados, respectivamente, *Santo Vega, Aniceto el Gallo* y *Paulino Lucero,* personajes de cuya inspiración brotan deliciosas coplas, romances, cielitos, medias cañas...

Otras obras: *Los misterios del Paraná, La encantada, La tartamuda...* Tres obras que forman, en cierto modo, un *Romancero de la Pampa, Isidora la Federala*—poema—, *La refalosa*—poema...

V. ROJAS, Ricardo: *La literatura argentina.* Buenos Aires, 1924.—MENÉNDEZ PELAYO, M.: *Historia de la poesía hispanoamericana.* Madrid, 1913, tomo II.—GIMÉNEZ PASTOR, A.: *Los poetas de la revolución.* Buenos Aires.—LEGUIZAMÓN, Julio A.: *Historia de la literatura hispanoamericana.* Buenos

Aires, 1945.—Mújica Láinez, Manuel: *Vida de Aniceto el Gallo (Hilario Ascasubi)*. Buenos Aires, Emecé, 1943.

ASCENSIO SEGURA, Manuel.

Poeta y autor dramático peruano. Nació —1805—y murió—1871—en Lima. Se inclinó por el ejercicio de las armas, llegando a comisario de Guerra y Marina. Secretario de varias prefecturas. Administrador de Aduanas. Diputado a Cortes. Fundó varios periódicos: *El Comercio de Lima*—1839—, *La Bolsa*—1841—, *El Cometa*—1843—, *El Moscón*—1849.

El Perú le debe un repertorio teatral cómico—trece obras—superior en cantidad y en calidad al que, en su época, puede ofrecer otro país hispanoamericano. Obras escénicas en las que abundan el ingenio, las finas observaciones de costumbres y caracteres, la sutil sátira social, muchos aspectos curiosísimos de la vida limeña. Escribió también letrillas, sátiras políticas y artículos de costumbres de mucho menos valor que su teatro. Y un poema, *La Pelimuertada* —en más de mil doscientos versos, distribuidos en veinticuatro cantos—, de escasísimo interés.

Obras teatrales: *El sargento Canuto* —1839—, *La moza mala, La saya y el manto, El resignado, Ña Catita, Un juguete, Lances de Amancaes, La espía, Nadie me la pega, El santo de Panchita*—en colaboración con Ricardo Palma—, *Las tres viudas, Percances de un remitido, El Cacharparí*.

Edición: *Artículos, poesías y comedias de Manuel Ascensio Segura*. Lima, por Carlos Prince, 1886.

V. Menéndez Pelayo, M.: *Historia de la poesía hispanoamericana*. Madrid, 1913, tomo II, págs. 253-255.—Moncloa Covarrubias, Manuel: *Diccionario teatral del Perú*. Lima, 1905.—Moncloa Covarrubias, Manuel: *El teatro en Lima*. Lima, 1909.—Palma, Ricardo: *La bohemia de mi tiempo*. Lima, 1899.—Sánchez, Luis Alberto: *La literatura peruana*. Santiago de Chile, 1936. Tres tomos.

ASENJO, Antonio.

Periodista y autor dramático español. Nació—1879—y murió—1940—en Madrid. Durante su mocedad ejerció diversos oficios para ganarse la vida. A los diecinueve años se dedicó al periodismo con mucho éxito, siendo redactor de *El País* y colaborando en casi todos los diarios y revistas de España. En 1929 fue nombrado director de la Hemeroteca Municipal de Madrid.

Como muy pocos escritores, supo reflejar en sus sainetes y comedias la vida madrileña en sus clases media y baja. Tuvo gracia

natural, mucho ingenio, gran dominio escénico.

Su repertorio teatral es extensísimo. Sus obras pasan de setenta, casi todas ellas escritas en colaboración con Torres del Alamo (V.). En 1911, el Ayuntamiento de Madrid concedió el primer premio de sainetes al suyo titulado *El chico del cafetín*.

Otras obras: *Margarita "la Tanagra"* —1917—, *Las pecadoras*—1920—, *Los hijos de la verbena*—1924—, *Lorenza "la Seria"* —1926...

(Para más títulos de sus obras, v. **Torres del Alamo**).

ASENSIO Y TOLEDO, José María.

Literato, historiador y cervantista. Nació —1829—en Sevilla. Murió—1905—en Madrid. Académico de número de la Real Española de la Lengua y de la Real de la Historia. Presidente de la Real Academia de Bellas Letras Sevillana. Iniciador—1869—de la Sociedad de Bibliófilos Andaluces.

De estilo conciso, con mucha y sólida erudición, Asensio escribió obras excelentes: *El conde de Lemos, protector de Cervantes* —1880—, *Documentos inéditos sobre Cervantes*—1864—, *Cervantes y sus obras*—1902—, *Don Pedro I de Castilla, su reinado, su carácter; Cristóbal Colón, su vida, sus viajes; Francisco Pacheco, sus obras artísticas y literarias*. Su último escrito fue su discurso de ingreso en la Real Academia de la Lengua—29 de mayo de 1904—, que versó acerca de *Las interpretaciones del "Quijote"*.

ASÍN PALACIOS, Miguel.

Insigne arabista y filólogo español. Nació —1871—en Zaragoza. Murió—1944—en Madrid. Se doctoró en Teología en el Seminario de su ciudad natal. Y doctor también en Filosofía y Letras. Discípulo predilecto de don Julián Ribera, obtuvo, por oposición, la cátedra de Lengua árabe de la Universidad Central. Académico de la Real de la Lengua, de la Real de la Historia, de la Real de Ciencias Morales y Políticas. Correspondiente de otras muchas extranjeras. Sacerdote ejemplar, caballero acreedor de las mayores simpatías, verdadero sabio, pedagogo excepcional, don Miguel Asín ha dejado muchos discípulos de extraordinario valer en disciplina tan importante. Y le dedicaron sus elogios más entusiastas los arabistas extranjeros de fama universal. Un auténtico maestro fue Asín.

Sus obras son tan numerosas como capitales. Entre ellas sobresalen: *El filósofo zaragozano Avempace, El filósofo autodidacto Abentofail, Algacel: dogmática, moral y ascética; Abenmassarra y su escuela, El original árabe de "La disputa del asno" contra*

97

fray Anselmo de Turmeda, La escatología musulmana en la "Divina Comedia", Abenházam de Córdoba y su historia crítica de las ideas religiosas, El averroísmo teológico de Santo Tomás de Aquino.

Todas las investigaciones de erudición islámica del insigne Asín Palacios tendieron a este triple objetivo: exhumar las doctrinas filosóficas y teológicas de los pensadores hispano-musulmanes; explicar por dichas doctrinas el primer renacimiento, operado por la Escolástica del siglo XIII; demostrar los orígenes cristianos de la mística musulmana.

V. RIBERA, J.: *Discurso* de contestación [al de Asín] en la recepción pública de la Real Academia Española. Madrid, 1919.— SANZ ESCARTÍN, E.: *Discurso* de contestación [al de Asín] en la recepción pública de la Academia de Ciencias Morales y Políticas. Madrid, 1914.—MENÉNDEZ PELAYO, M.: Prólogo a *Algazel*. Zaragoza, 1901.

ASPIAZU, Agustín.

Historiador, biógrafo y prosista boliviano. Nació—1817—en Irupana, departamento de La Paz. Doctor en Leyes. Desempeñó importantes cargos directivos en la enseñanza de su patria, y a su iniciativa se debe la mayor parte de la actual legislación boliviana. Diputado. Senador. Candidato a la presidencia de la República. Viajó por toda América y Europa, consolidando sus muchos conocimientos jurídicos y paleontológicos. Fundador de la Sociedad Geográfica de La Paz. Precursor de la literatura didáctica boliviana.

"Su preparación científica fue vastísima: Geografía, Medicina, Historia, Jurisprudencia, Geología, Etnología, Astronomía, Ciencias Económicas, etc. Cualquier libro, cualquier folleto de Aspiazu, es ciencia severa, razonada, aplicada frecuentemente al estudio sistemático de la realidad ambiente. Sus escritos numerosos y los boletines de la Sociedad científica que fundó, constituyen un material precioso para el estudio de la cultura boliviana en el siglo XIX." (F. Díez de Medina.)

Obras: *La meseta de los Andes, Sondaje de los cielos, Teoría de los terremotos, La tierra en su estado primitivo, Dogmas del Derecho Internacional, El mayor coronel don Clemente Díez de Medina...*

V. DÍEZ DE MEDINA, Fernando: *Perfil de la literatura boliviana*, en *Thunupa*, La Paz, 1947.—FINOT, Enrique: *Historia de la literatura boliviana*. México, 1943.—OTERO, Gustavo Adolfo: *Literatura boliviana*, en el tomo XII de la *Historia universal de la literatura*, de Prampolini. Buenos Aires, Uteha Argentina, 1941.

ASQUERINO, Eusebio y Eduardo.

Fueron Eusebio (1822-1892) y Eduardo (1826-1892) Asquerino dos interesantes tipos de literatos y periodistas. El movimiento romántico no les afectó grandemente. Los dos hermanos pueden ser considerados como *escritores de transición,* más cerca de los realistas declamatorios—como Echegaray, Cano, Sellés—que de los románticos.

Eusebio escribió dramas históricos: *Doña Urraca, Blasco Jimeno, Obrar cual noble, La judía de Toledo;* y comedias de costumbres: *Lo que es el mundo, Por ocultar una falta.*

De Eduardo se conocen: *Ensayos poéticos* —1849—, *Ecos del corazón*—1853—, poesías de tono declamatorio; los dramas históricos *Sancho "el Bravo", Gustavo Wasa, Por amar, perder un trono; Gloria del arte...*

V. SÁNCHEZ PÉREZ, A.: *Asquerino,* en la *Ilustración Ibérica,* 1891, 190.

ASTRANA MARÍN, Luis.

Periodista, literato e investigador español. Nació—1889—en Villaescusa de Haro (Cuenca). Y murió—1960—en Madrid. Cursó Humanidades en el Colegio de Franciscanos Descalzos de Belmonte. En 1906 ingresó en el Seminario de Cuenca, estudiando Filosofía, Teología y Patrística, pero no llegando a ordenarse. Viajó por Europa. Desde 1911 se inició en el periodismo, colaborando en los más importantes diarios y revistas de toda España.

Entre sus obras literarias cabe mencionar: *La vida en los conventos y seminarios*—novela—, *Cuentos turcos, El sueño de la reina Mab*—novela—, *Gitanos*—drama—, *Luz de playa*—comedia lírica—, *El libro de los plagios, Gente, gentecilla y gentuza; El cortejo de Minerva*—ensayos—, *Cervantinas*—ensayos—, *La vida turbulenta de don Francisco de Quevedo, William Shakespeare*—biografía—, *Cristóbal Colón, Vida trágica de Séneca.*

Astrana Marín ha traducido íntegramente a Shakespeare y ha prologado y anotado ediciones de las obras de Quevedo y Martínez de Cuéllar, y *El bachiller de Salamanca.*

Astrana Marín reúne con una honda cultura un sagaz espíritu crítico, una forma correcta y hasta castiza y una amenidad expresiva.

En 1948 inició la publicación de su obra *Vida de Cervantes,* que comprende siete tomos, exhaustiva en muchos aspectos.

ASTURIAS, Miguel Ángel.

Novelista y poeta guatemalteco. Nació en 1899. Se licenció en Derecho en la Universidad de su patria. Poco después marchó a

A

París para completar sus estudios; y en París vivió varios años entregado a la investigación de las religiones antiguas, bajo la dirección del profesor Georges Reynaud. Ha vivido también en Madrid, donde publicó —1930— *Leyendas de Guatemala.* Esta obra singularísima fue traducida al francés por el gran novelista Francis de Miomandre, obteniendo el "Premio Sylla Monsegur".

Pero la gran fama de Miguel Angel Asturias se debe a su novela *El señor Presidente,* de la que ha escrito Gabriela Mistral: "Yo no sé de dónde sale esta novela única, escrita con la facilidad del aliento y del andar de la sangre por el cuerpo. La famosa *lengua convencional* que Unamuno pedía a gritos, cansado de nuestras pobres y pretenciosas retóricas, está allí hasta un punto que don Miguel no sospechó. Esa misteriosa Guatemala del indio puro y además intacto, trae a nuestra hipocresía (llamada por algunos *patriotismo*) esta obra fenomenal que no va a *pasar*: es una cura, una purga, un menester casi penitencial. Porque yo sé que el autor ha padecido al cumplir semejante operación. Algunos se lo tendrán muy a mal. Que oiga y siga."

El señor Presidente, la novela dramática de la tiranía en América, es una de las narraciones más fuertes, más crudas, más impresionantes entre las publicadas en los últimos veinte años. Miguel Angel Asturias se ha colocado, por derecho propio, entre los novelistas de primera fila.

Otras obras: *Rayito de estrella, Con el rehén en los dientes, Alelasán, Papa Verde, Sien de alondra*—poemas—, *Viento fuerte, Hombres de maíz, Los ojos de los enterrados.* En 1967 le fue concedido el "Premio Nobel" de Literatura.

AUB, Max.

Novelista, dramaturgo, ensayista español. Nació—1903—en París, hijo de alemán y de francesa. Murió en julio de 1972 en México. Por ello sería más exacto denominarle *escritor en lengua española.* Estudió en el Collège Rollin. En 1914 se trasladó, con su familia, a España, donde siguió sus estudios en el Instituto de Valencia. No terminó carrera alguna, dedicándose, en unión de su padre, al comercio, habiéndose nacionalizado antes, en pleno, la familia Aub. Pronto quedó sujeto a su enorme vocación literaria. Antes de acabar la guerra española de Liberación, Max Aub marchó a Francia, donde permaneció hasta 1941. Los invasores alemanes de Francia le deportaron a Argelia. Desde 1942 vivía en México, pero sin que decayera su pasión por los viajes.

Max Aub cultiva, tanto en sus novelas como en sus obras de teatro, una tendencia de realismo entreverado con gran guiñol; esto es, fantasía, sorpresa, ingenio exasperado, simplicidad expresiva, pero siempre enhebradas en un hilo fuerte de realismo. En su conjunto, la obra copiosa de Max Aub es extraña, seductora, como una realidad deshilachada en sueños y pesadillas.

Obras teatrales: *Narciso, Espejo de la avaricia, San Juan, La vida conyugal, Morir por cerrar los ojos, El rapto de Europa, Cara y cruz, De algún tiempo a esta parte, Deseada, No, Teatro incompleto*—Madrid, C. I. A. P., 1929—, *Las vueltas*—teatro, 1965—, *El cerco*—teatro, 1968—, *Retrato de un general*—teatro, 1969.

Novelas y narraciones: *Geografía, Fábula verde, Luis Alvarez Petreña, No son cuentos, Yo vivo, Campo cerrado, Campo abierto, Campo de sangre* (tres partes de un ciclo novelesco sobre la guerra española), *Las buenas intenciones, Crímenes ejemplares, Jusep Torres Compaláns, Cuentos ciertos, Ciertos cuentos, La verdadera historia de la muerte de...*, *Cuentos mexicanos, La calle de Valverde.*

Otras obras: *Los poemas cotidianos, Diario de Djelfa, La poesía española contemporánea, Discurso de la novela española contemporánea.*

V. Nora, Eugenio G. de: *La novela española contemporánea.* Madrid, Edit. Gredos, tomo II bis, págs. 65-77.—Marra-López, José R.: *Narrativa española fuera de España.* Madrid, Edit. Guadarrama, 1963, páginas 180-215.—Torrente Ballester, Gonzalo: *Panorama de la literatura española contemporánea.* Madrid, Edit. Guadarrama, segunda edición, 1961.—Pérez Minik, D.: *Novelistas españoles de los siglos XIX y XX.* Madrid, Edit. Guadarrama, 1957.—Chabás, Juan: *Literatura española contemporánea: 1898-1950.* La Habana, 1952.

AUGUSTO DE LA INMACULADA, Fray.

Poeta español. Nació—1922—en Villava (Navarra). Cursó los estudios escolásticos en la Orden Carmelitana, ordenándose sacerdote en 1946. Doctor en Sagrada Teología por la Universidad de Comillas. Ha colaborado en la revista poética santanderina *Proel.* Y ha escrito ensayos perifrásticos sobre poetas como Federico García Lorca y Gerardo Diego. Ha ganado la "flor natural" en varios certámenes literarios.

La nota esencial, característica de la poesía del P. Augusto, está en la hondura de los temas y en el matiz delicioso de melancolía y de ternura con que se expresa. Su poesía es auténticamente vital, porque registra todos los sentimientos del alma humana. Poesía la suya pura y con soluciones, porque está enraizada en la misma fuente de donde toda poesía mana: Dios, al que el poeta describe en todos sus versos.

Obras: *Cantos del espíritu*—1947—, *El niño perdido* (itinerario poético)—1948.

V. SAINZ DE ROBLES, F. C.: *Historia y Antología de la Poesía española*. Madrid, Aguilar, 1950, 2.ª edición.

AUNÓS PÉREZ, Eduardo.

Novelista, ensayista, historiador. Nació en 1894, en Lérida, donde estudió las primeras letras y el bachillerato, consiguiendo el premio extraordinario de reválida. Murió —1967—en Lausana (Suiza). Desde su adolescencia mostró grandes aficiones literarias. A los catorce años de edad colaboró en la Prensa, y a los quince publicó su primer libro, una novela titulada *Almas amorosas*. En el periódico local *El País,* adquirido por su padre, publicaba artículos literarios y de controversia política. En la Universidad de El Escorial estudió parte de la carrera de Derecho, y continuó publicando trabajos periodísticos y una segunda novela. Cuando apenas había cumplido los veinte años de edad, terminó la carrera de Leyes, doctorándose en 1926 con la tesis *El Renacimiento: Problemas de Derecho internacional que suscita*. En el último año de la carrera publicó dos pequeñas obras: *Cartas a Tonón para el buen gobierno de las ciudades y Testamento de juventud*. Al final de sus estudios universitarios publicó *El libro del mal estudiante,* última de sus obras puramente literarias de juventud.

En 1916 fue elegido diputado a Cortes. En 1921 representó en las Cortes el distrito de Solsona, realizando una intensa labor parlamentaria.

Desde mayo de 1923 a febrero de 1924, en que fue requerido por el general Primo de Rivera para desempeñar la Subsecretaría del Ministerio de Trabajo, Industria y Comercio, permaneció alejado de la política por disconformidad de criterio con sus correligionarios. En diciembre de 1925 se le nombra ministro del mismo Departamento, en el primer Gabinete civil de la Dictadura.

En octubre de 1929 fue nombrado presidente de la XIII Conferencia Internacional del Trabajo, reunida en Ginebra, puesto que por primera vez ocupó un representante español. El 28 de enero de 1930, al dimitir el Gabinete del general Primo de Rivera, cesó en el cargo de ministro.

Al iniciarse el Movimiento Nacional —1936—se pone a las órdenes del general Franco, y continúa su colaboración en la Prensa de la España nacional.

En 1937 fue nombrado consejero nacional; en 1941, miembro de número de la Real Academia de Ciencias Morales y Políticas, pronunciando su discurso de ingreso el 23 de mayo de 1944, sobre el tema "La obra social de la Dictadura".

En marzo de 1943 fue nombrado ministro de Justicia, desempeñando dicho cargo hasta julio de 1945.

Presidió el Tribunal de Cuentas de la nación; fue también presidente del Círculo de Bellas Artes, de Madrid; miembro de la Real Academia de Jurisprudencia de Valencia; procurador en Cortes y presidente de la Masa Coral de Madrid.

Obras: *Epistolario. Cartas a Tonón*—Lérida, 1916—, *Cartas al príncipe*—Buenos Aires, 1942—, *Testamento de juventud*—Lérida, 1916—, *El Renacimiento*—Madrid, 1917—, *El libro del mal estudiante* (editorial Helios) —Madrid, 1919—, *Problemas de España* (discursos parlamentarios)—1922—, *Las Corporaciones del Trabajo* (Biblioteca Marvá)—Madrid, 1938—, *Estudios de Derecho corporativo* (editorial Reus)—Madrid, 1929—, *La reforma corporativa del Estado* (Aguilar) —Madrid, 1935—, *L'Espagne contemporaine* (Sorlot)—París, 1939—, *Itinerario histórico de la España contemporánea* (editorial Bosch) —Barcelona, 1940—, *Justiniano el Grande* (Ediciones Españolas)—Madrid, 1941—, *Calvo Sotelo* (Ediciones Españolas)—Madrid, 1941—, *Historia de las ciudades* (Colección Austral)—Buenos Aires, 1942—, *España en crisis*—Buenos Aires, 1932—, *Viaje a la Argentina*—Madrid, 1943—, *Biografía de París* —Madrid, 1944—, *Calvo Sotelo, Le drame de l'Espagne contemporaine*—París, 1944—, *Reflexiones en voz alta* (edit. Hernando)—Madrid, 1944—, *Hombres y ciudades*—Madrid, 1944—, *Siluetas y paisajes*—Madrid, 1945—, *Damas y poetas*—Barcelona, 1945—, *Viaje al París de hace cien años*—Madrid, 1947—, *Biografía de Venecia*—1949—, *Discurso de la vida (Autobiografía)*—1951, en varios volúmenes.

En 1952 publicó su gran novela *Los viñadores de la última hora.*

V. SAINZ DE ROBLES, F. C.: Prólogo a *Los viñadores de la última hora*. Madrid, Aguilar, 1952.—NORA, Eugenio G.: *La novela española contemporánea*. Madrid, edit. Gredos, 1962, tomo II bis, págs. 374-376.

AVELLANEDA, Alonso Fernández de (v. **Fernández de Avellaneda, Alonso**).

AVELLANEDA, Gertrudis Gómez de (v. **Gómez de Avellaneda, Gertrudis**).

AVELLANEDA Y DE LA CUEVA, Francisco.

Nació en ¿1622? Murió—¿1675?—en Madrid. Doctor en Derecho. Canónigo electo de Osma. Censor de comedias en la Corte. Gran amigo de Matos Fragoso—con quien colaboró en *El divino calabrés San Francisco de Paula*—y de Sebastián de Villaviciosa—con quien escribió *Cuantas veo, tantas quiero.*

De mucha gracia y feliz inventiva, Avellaneda es autor de entremeses notables: *El hidalgo de la membrilla, El sargento Conchillos, La hija del doctor, Noches de invierno...*

V. Cotarelo, Emilio: *Entremeses,* en la "Nueva Biblioteca de Autores Españoles".

AVEMPACE (ABU BAKR MUHAMMAD BEN BACHCHA).

Filósofo, matemático, astrónomo, médico y poeta árabe español. ¿1085?-1138. Nació en Zaragoza y murió en Fez (Marruecos). En 1118 vivía en Sevilla, donde enseñaba Lógica y Matemáticas. Posteriormente enseñó en Granada y en varias ciudades de Marruecos. Entre sus numerosísimos discípulos figuró como predilecto el ilustre Averroes, el cual hizo palidecer la fama de su maestro. Sin embargo, la celebérrima teoría averroísta del intelecto uno o panteísmo psicológico se encuentra ya desarrollada por Avempace en su *Libro de la unión del entendimiento con el hombre* y en el *Régimen del solitario.*

Avempace, utilizando las doctrinas de Alfarabi, Avicena y Algazel, dio origen a una brillantísima escuela filosófica que superó a la oriental.

Avempace tuvo como principales enemigos al médico Abulola Avenzoar, al historiador literario Abencaján y al literato Abenasid de Badajoz.

Según referencias árabes, Avempace murió envenenado, en Fez, por médicos rivales y enemigos suyos.

Comentó agudísimamente varias obras de Aristóteles: *Física, Meteorología, De generatione et corruptione, Historia animalium...* Puso notas a la *Lógica,* de Alfarabi; interpretó el *Libro de los medicamentos simples,* de Galeno; extractó el *Continente,* del médico persa Arrazi.

Entre sus obras originales, además de las ya mencionadas, figuran: *Elementos*—de Geometría—, *Cartas de despedida...*

La idea fundamental que aportó Avempace a la Filosofía es la referente "a la unión del entendimiento activo con el hombre", que fue la base del panteísmo sufí de Abentofail.

V. Asín Palacios, Miguel: *El filósofo zaragozano Avempace,* en *Revista de Aragón,* 1901.—Morata, P. Nemesio: *Avempace,* en *La Ciudad de Dios,* 1926.—Renán, Ernesto: *Averroës et l'averroïsme.* 3.ª edición, París, 1861.—Codera, Francisco: *Estudios críticos de historia árabe-española.* Zaragoza, 1903.—

Dozy, R.: *Historia de los musulmanes de España.* Madrid, "Col. Universal", Calpe, 1920. González Palencia, Angel: *Historia de la literatura arábigo-española.* Barcelona, Labor, 1928.—Munk: *Mélanges de Philosophie juive et arabe.* París, 1859.

AVENDAÑO, Francisco de.

Literato español del siglo XVI. Su comedia *Florisea*—1551—está dividida en tres jornadas. Virués y Cervantes se atribuyeron la iniciativa de este procedimiento. La comedia *Florisea* pertenece a la manera de Torres Naharro, con influjos de la novela italiana, y no carece de interés dramático, aunque no pueda señalarse ningún pasaje verdaderamente poético y artístico.

V. Bonilla San Martín, Adolfo: *Cinco obras dramáticas anteriores a Lope de Vega,* en *Revue Hispanique,* 1912, XXVII.—Pfandl, Ludwig: *Die "Comedie Florisea" von 1551,* en *Z. f. rom. Philol.,* 1917, XXXIX, pág. 182.

AVERROES, Ibn Rusd.

Jurista, médico, filósofo, ascético musulmán español de fama universal. Nació —1126—en Córdoba y murió—1198—en Marrakech. De noble familia. Su padre fue cadí de Córdoba durante varios años. Y su abuelo había sido consejero jurídico de soberanos y príncipes. Cuando aún no había cumplido los veinte años, se hizo famoso con su tratado de derecho *Punto de partida del jurista supremo y de llegada del jurista medio.* Después estudió intensamente medicina, astronomía en el *Almagesto* y la filosofía del también español musulmán Avempace. Con lo cual puede afirmarse que poseyó todos los conocimientos de su época. El primer califa almohade Abd al-Mumín (1130-1163) y su hijo Júsuf le confiaron importantes misiones en España y Marruecos. En 1182 fue nombrado cadí de cadíes de Córdoba. Pero en 1192, por presiones de sus envidiosos adversarios—quienes veían en la filosofía una enemiga poderosa de la teología musulmana—, fue desterrado en Lucena, donde permaneció hasta 1198, año en que el califa volvió a otorgarle su gracia.

Entre sus mejores obras están: *Comentarios al Almagesto, De substantia urbis, Generalidades sobre la medicina, Comentario a la Urgiuza* (pequeño poema médico), de Avicena; *Gran Comentario de Aristóteles, De la bienaventuranza del alma, La palabra decisiva*—conciliación de la religión con la filosofía—, *Luz de la metodología de la argumentación teológica, La irreflexión de la irreflexión*—contra la frivolidad de los filósofos—, una *Paráfrasis* de la obra platónica *La República...*

A

El averroísmo tuvo exaltados impugnadores, entre quienes se encontró Raimundo Lulio. Pero también muy ilustres defensores: Jerón, Pico de la Mirandola, Cardan, Pomponacio...

V. LASINIO, V.: *Studii sopra Averroes.* Florencia, 1875.—RENAN, Ernesto: *Averroes y el averroísmo*—trad. castellana, Valencia, edit. Sempere.—WERNER: *Der Averroismus in christl. peripatischen Psychologie.* Viena, 1881.—MENÉNDEZ PELAYO: *Historia de los heterodoxos españoles.*

AVICEBRÓN (v. Gabirol, Selomó Ibn).

ÁVILA, Beato Juan de.

Ascético y literato famosísimo. Nació —1500—en Almodóvar del Campo. Murió en 1569. Estudió Derecho en Salamanca, y Artes y Teología en Alcalá, siendo discípulo aquí del célebre fray Domingo de Soto. En 1525, luego de repartir sus bienes entre los pobres, se ordenó sacerdote, siendo su intención embarcar para las misiones de Indias. Retúvole el arzobispo de Sevilla, don Alonso de Manrique, quien le rogó predicase por toda la Andalucía. Gracias a sus inspiraciones, se hicieron religiosos doña Sancha Carrillo, hija de los señores de Guadalcázar —nobilísima dama, a la que dedicó Juan de Avila su libro *Audi, filia, et vide,* 1560— y el futuro San Francisco de Borja.

Pasó unos meses en prisión, acusado de luteranismo por la Inquisición de Sevilla. Organizó la Universidad de Baeza, para la que escribió unas Constituciones. Los últimos años de su vida los pasó en Córdoba, Montilla y Priego, dirigiendo espiritualmente a personajes muy notables—entre ellos los condes de Feria—y contribuyendo, por amistad con Iñigo de Loyola, a la fundación de varios colegios de la Compañía. Aureolado por la fama de sus virtudes y de su talento, murió cuando ya estaba casi ciego.

Discípulos notables de Juan de Avila fueron San Juan de Dios y fray Luis de Granada. Este último es autor de la primera biografía que se escribió del llamado "Apóstol de Andalucía".

El Beato Juan de Avila—fue beatificado en 1894—destacó como un maravilloso orador sagrado. En sus sermones, de un poderoso atractivo, se preocupó solo del bien de las almas y no de la gloria literaria.

El tratado *Audi, filia, et vide,* extenso y profundo libro de ascética, es un comentario del salmo 44; San Ignacio de Loyola lo leía con frecuencia y lo alabó cumplidamente. Juan de Avila demostró en él los frutos eternos que podía obtener el alma cristiana de los merecimientos de la vida y de la Pasión de Cristo.

Otros tratados del Beato son: *Del Santísimo Sacramento* y *Del conocimiento de sí mismo.* Pero la obra más importante del gran ascético es su *Epistolario espiritual para todos los estados,* colección de cartas, en su mayoría ascéticas y en su minoría místicas, enderezadas a guiar a sus amigos y discípulos. Todas estas cartas son sumamente atractivas, en especial las dirigidas a las mujeres; todas están escritas con una sencillez impresionante; todas están llenas de moral práctica y de expresiones muy felices; todas resultan sólidas por sus razonamientos, por su elocuencia natural y por la novedad en los epítetos.

Textos: *Obras completas,* ed. J. E. Montaña, Madrid, 1901, cuatro tomos; *Epistolario,* ed. García de Diego, Madrid, 1912, "Clasicos Castellanos".

V. CATALÁN LATORRE, A.: *El Beato Juan de Avila, su tiempo, su vida y sus escritos...* Zaragoza, 1894.—GERARDO DE SAN JUAN DE LA CRUZ, P.: *Vida del Maestro Juan de Avila.* Toledo, 1915.—GARCÍA DE DIEGO, V.: Prólogo, en la edición del *Epistolario espiritual.* Madrid, 1912.—ARENAS, A.: *La patria del Beato Juan de Avila.* Valencia, 1918.

ÁVILA, Julio Enrique.

Poeta y novelista salvadoreño. Nació en 1890. Muy joven aún, se dedicó al periodismo, formando parte de la "generación posmodernista".

Obras: *Fuentes del alma*—1917—, *El poeta egoísta*—1922—, *El vigía sin luz*—novela, 1927—, *El mundo de mi jardín*—narración.

ÁVILA Y ZÚÑIGA, Luis de.

Historiador, dramaturgo y diplomático. Nació—¿1503?—en Plasencia. Murió—1573— en Toledo. Hijo del conde del Risco y hermano del primer marqués de Las Navas. Comendador de la Orden de Alcántara. Amigo y cronista predilecto de Carlos I, de quien contó y cantó las hazañas en un estilo claro y de un modo sugestivo, pero un sentido demasiado parcial, hasta tal punto que se atribuye al César español esta frase: "Mis hazañas no igualan a las de Alejandro, pero no tenía un cronista como el mío." Carlos I envió a su cronista dos veces a Roma, para tratar con los Pontífices Paulo IV y Pío IV de la organización del Concilio de Trento. Gran soldado, además, Avila y Zúñiga tomó parte en la guerra de Alemania y asistió—1552—al sitio de Metz.

La obra de Avila y Zúñiga se titula: *Comentario de la guerra de Alemania hecha por Carlos V, máximo emperador romano, rey de España, en el año 1546 y 1547.* Su éxito fue grande. Y se tradujo inmediatamente a varios idiomas. Las principales ediciones castellanas son: Amsterdam, 1547, que es la primera; Madrid, 1548; Venecia, 1548 y 1553; Salamanca, 1549; Amberes, 1550 y 1552. Modernamente se ha publicado —1852—en la "Biblioteca de Autores Españoles". Al italiano la tradujo su propio autor—1548—; al latín—1550—, Malinoeus; al francés—1550 y 1551—, Mateo Vaulchier y Gil Boilleau de Bullion; al alemán—1552—, Felipe Magno, duque de Brunswick.

Texto moderno: Tomo XXI de la "Biblioteca de Autores Españoles".

V. MELE, E.: *Don Luis de Zúñiga y su "Comentario"*, en *Bulletin Hispanique*, 1922. FUETER, E.: *Historiographie*, 294.—GONZÁLEZ PALENCIA, A.: *Don Luis de Avila y Zúñiga, gentilhombre de Carlos V*. Madrid, 1931.

AYALA, Canciller Pedro López de (v. López de Ayala, Canciller Pedro).

AYALA, Francisco.

Nació en Granada el 16 de marzo de 1906. Se graduó de doctor en Derecho en la Universidad de Madrid. Fue catedrático de Derecho Político.

Desde 1939 reside fuera de España, habiendo enseñado en varias Universidades americanas. Su iniciación en las letras fue muy temprana. En 1925 apareció en Madrid su primera novela, *Tragicomedia de un hombre sin espíritu*, saludada por la crítica con muy buenos auspicios, y a la que siguió otra, *Historia de un amanecer*, en el año siguiente. En seguida comenzó a colaborar en *La Gaceta Literaria* y *Revista de Occidente* con trabajos de crítica, de ensayo y de imaginación, dentro de la estética de vanguardia. A esta época pertenecen: *El boxeador y un ángel*—tomito de esbozos narrativos—, *Cazador en el alba*—pequeñas novelas—e *Indagación del cinema* ensayo.

Viajes de estudio y trabajos de cátedra impusieron, a partir de 1930, una pausa a su actividad literaria, que se orientó luego hacia el ensayo y el tratado filosófico-político, publicando en América, después de la guerra civil española, varios libros de esa índole, tales como *El problema del liberalismo*—México, 1941—, *Ensayo sobre la libertad*—México, 1944—y el monumental *Tratado de sociología*—Buenos Aires, 1947—, considerado por los círculos de especialistas como obra de pensamiento de primera categoría. Al mismo tiempo ha compuesto estudios monográficos, como *El pensamiento vivo de Saavedra Fajardo*—Buenos Aires, 1940—, y los contenidos en *Los políticos* —Buenos Aires, 1944—, o su contribución al centenario de Jovellanos, imprescindibles

hoy en la bibliografía de los respectivos asuntos. Otro tanto puede decirse de los numerosos escritos de carácter crítico y temas varios que ha venido publicando desde 1939 en *La Nación* y las revistas *Sur* y *Realidad*, de Buenos Aires, y *Cuadernos Americanos*, de México, entre otras, un reducido muestrario de los cuales puede hallarse en el volumen *Histrionismo y representación*—Buenos Aires, 1944—, influyendo con ellos sobre toda el área de nuestro idioma. El libro que puede estimarse más notable en este aspecto, entre los suyos, es *Razón del mundo*—Buenos Aires, 1944—, donde se examina la posición, misión y destino del intelectual en nuestro tiempo sobre el fondo de la cultura hispánica.

Pero la parte sustancial de su múltiple actividad literaria es, sin duda, la ficción novelesca, que no ha abandonado nunca, y a la que parece aplicarse con dedicación reciente en la última época. En efecto, sus libros más recientes son sus novelas *Los usurpadores* y *La cabeza del cordero*, publicadas ambas en Buenos Aires en 1949, con la repercusión de un verdadero acontecimiento literario; la crítica los ha analizado con especial atención, ponderando en ellos la sorprendente originalidad de su concepción, la calidad del estilo y la densidad poética de su esfera creativa.

Medusa artificial—1930—, *Historias de macacos*—Madrid, 1955—, *Muertes de perros* —Buenos Aires, 1958—, *Experiencias e invención*—ensayos, Madrid, 1960—, *El fondo del vaso*—1962—, *El as de bastos*—cuentos, Buenos Aires, 1963—, *Realidad y ensueño*—ensayo, 1963—, *De este mundo y el otro*—ensayo, 1963—, *La estructura narrativa*—ensayo, 1970—, *Obras completas narrativas*—Aguilar, 1970—, *El jardín de las delicias*—narraciones, 1971.

V. MARRA-LÓPEZ, José. M.: *Narrativa española fuera de España*. Madrid, edit. Guadarrama, 1963, págs. 219-283.—NORA, Eugenio G. de: *La novela española contemporánea*. Madrid, edit. Gredos, 1962, tomo II bis, páginas 237-246.

AYALA LÓPEZ, Rafael.

Médico y poeta puertorriqueño, de cultura y tradición españolas. Graduado de médico en la Universidad de la Habana—1940—. Ha ejercido en Puerto Rico y Estados Unidos. Como escritor, publicó en *El Mundo*, de la Habana, diversos artículos, algunos de ellos reproducidos en publicaciones de la América del Sur. También en periódicos de San Juan y de la Habana han aparecido varias de sus composiciones poéticas. Entre los artículos periodísticos—año 1936—fueron celebrados: *Einstein, viajero intelectual del Cosmos; Gre-*

gorio Marañón, poeta de la Medicina; El amor y el arte, El octavo sentido de los artistas. En esa época dirigió el *magazine* dominical del periódico *El Mundo*, de la Habana. En 1936 ganó un premio literario de la Sociedad Italo-Cubana de Cultura, por un trabajo sobre el paralelismo entre José Martí y Giuseppe Mazzini. Y la Sociedad Artística Americana de Montevideo (Uruguay) publicó en su *Antología* tres de sus sonetos: *Primores de la lengua española, A una mujer rubia, A una mujer morena*—1951—. Otras composiciones anteriores: *Oda al periodista* —1935—, en *Diario de la Marina*, de la Habana, y sonetos varios.

Ha cultivado la poesía también en otros idiomas, aunque sobriamente. En inglés: un poema, *To my wife;* el soneto *Winter in New York, The epitaph to F. D. Roosevelt,* y en francés, *Le sonnet à Pierre de Ronsard* y *Le sonnet à l'abbé Prévost,* son prueba de su curiosidad por las lenguas extranjeras.

En 1950 publicó en México las primicias de su libro *El ensueño.* Apareció bajo el título *El ensueño de las constelaciones.*

En 1970 publicó el libro *El abismo.*

AYALA VIGUERA, Félix.

Nació en Logroño en el año de 1908—26 de mayo—; cursó los primeros estudios y el bachillerato en su ciudad natal, y los estudios de abogado en Zaragoza, en donde obtuvo su título de licenciado a los diecinueve años, pasando luego a Madrid, en donde cursó y aprobó los estudios de doctor en Derecho a los veinte años.

Vuelto de nuevo a Logroño, simultaneó el ejercicio de su profesión con la tarea de las letras, hacia las que siempre sintió decidida vocación. Colaboró en varios periódicos; fue crítico teatral y tuvo a su cargo la sección semanal de arte en *Diario de la Rioja* y fundó los semanarios *Oro y Azul* e *Imperio.*

En 1935 publicó su primer libro, de reportajes radiados, que se agotó rápidamente. El 18 de julio de 1936 se sumó voluntariamente al Movimiento Nacional, actuando en los frentes de Somosierra, Madrid, Aragón, Norte, sur del Tajo, Guadalajara y nuevamente Madrid, en donde fue uno de los primeros oficiales que entró con las tropas nacionales victoriosas. Pidió y obtuvo su licenciamiento en julio de 1939.

En 1941 fue designado para desempeñar la Secretaría provincial de Educación Popular en Logroño, y en 1943, tras los cursillos reglamentarios, fue nombrado delegado provincial de la Subsecretaría de Educación Popular en Zaragoza, donde en la actualidad reside, desempeñando su cargo.

Ha colaborado y publicado artículos en *Diario de la Rioja, La Rioja, Oro y Azul, Imperio,* de Logroño; *Musas,* de Bilbao; *Amanecer, Hoja del Lunes, Economía Aragonesa,* de Zaragoza; *El Español,* de Madrid; *Solidaridad Nacional,* de Barcelona, en cuyo periódico obtuvo el "Premio Goya" de periodismo por su artículo *Goya, pintor de Madrid,* de abril de 1946; en *Nueva España,* de Huesca, y en otras revistas y periódicos. Ha pronunciado interesantes conferencias en Ateneos y Cine-Clubs, así como ha actuado por Radio Rioja, Radio Zaragoza y Radio España, de Barcelona. Sus novelas, tanto como sus reportajes, artículos y folletos, son bastante apreciados.

Su primer libro, de reportajes radiados, titulado *Ante el micrófono,* fue editado en Logroño, en 1935. En 1945 publicó su libro *Varia,* colección de narraciones cortas, entre las que sobresale su *Rapsodia,* del que solo existe un ejemplar.

Pero su vocación, encauzada hacia el difícil género de la novela, es quien le ha hecho ser conocido y estimado de los lectores con *Gentes nuevas en el Tell*—primera edición, octubre de 1945, Ediciones Cronos; segunda edición, febrero 1947, la misma editorial—y *Los que aprendieron a vivir,* tan discutida por la crítica esta última.

Otro libro de reportajes, *Tras el telón de acero: Rusia al descubierto,* que es un estudio objetivo de la política internacional de la U. R. S. S

En 1950 logró el "Premio Ciudad de Barcelona", de teatro.

Otra obra: *La riada*—cuentos, 1963.

AYGUALS DE IZCO, Wenceslao.

Nació—1801—en Vinaroz (Castellón). Murió—1873—en Madrid. Comerciante. Fecundo autor de publicaciones festivas, como *La guindilla*—1842—, *La Risa*—1843—, *El dómine Lucas*—1845—, *El fandango*—1845—, *La Linterna Mágica*—1849—. Y también, influido por Eugenio Sué, fecundísimo autor de novelones por entregas, delicia de las porteras y de las honradas clases pasivas. *Pobres y ricos o La bruja de Madrid, El pilluelo de Madrid, María o La hija de un jornalero, La marquesa de Bella-Flor o El niño de la Inclusa, El tigre del Maestrazgo, Los pobres de Madrid, Justicia divina, La escuela del pueblo, El palacio de los crímenes, Los verdugos de la Humanidad,* son los títulos de sus obras más populares, algunas de las cuales constan de seis, ocho y aun quince y diecisiete volúmenes.

Ayguals de Izco escribió también algunas producciones teatrales: *Amor duende*—comedia—, *El primer crimen de Nerón*—tragedia—, *Los dos rivales*—juguete cómico—, *Los negros*—drama—. Y un poema filosófico: *El derecho y la fuerza*—1866—. Y un diccionario biográfico e histórico: *El panteón universal.*

Ayguals de Izco aún tuvo tiempo para dedicarse a la propaganda de una política liberal, para ser alcalde de Vinaroz, comandante de la Milicia Nacional, diputado a Cortes—1833, 1839, 1843—, deportado en Baleares—1840—y fundador en Madrid de un famoso establecimiento tipográfico: "Sociedad Literaria", donde imprimió sus obras y numerosos periódicos.

V. Araque, Blas María: *Biografía de don Wenceslao Ayguals de Izco.* Madrid, 1881.

AYUSO, Francisco G. (v. García Ayuso, Francisco).

AZA, Vital.

Médico y fecundo e ingeniosísimo comediógrafo y sainetero. Nació—1851—en Pola de Lena (Asturias). Murió—1912—en Madrid. En Madrid terminó brillantemente la carrera de Medicina, que ejerció muy pocos meses, para, ajeno a ella, dedicar todos sus esfuerzos a triunfar en el teatro. Lo que consiguió pronto y bien.

Sus primeros trabajos literarios—de temas regocijantes—aparecieron en la revista *El Garbanzo,* dirigida por Eusebio Blasco. Y en 1874, en el teatro de Variedades, estrenó su primera obra teatral, *¡Basta de matemáticas!,* que obtuvo un éxito grande y merecido. A partir de este triunfo se le abrieron de par en par las páginas de los mejores diarios y revistas españolas y americanas: *La Ilustración Española, Madrid Cómico, Barcelona Cómica, Para Todos, Gran Vía, Blanco y Negro, Heraldo de Madrid, Nuevo Mundo, A B C...*

Pasan de sesenta las producciones escénicas de Vital Aza, unas escritas por él solamente, otras en colaboración con Ramos Carrión. Casi todas ellas, otros tantos triunfos. *Aprobados y suspensos. De tiros largos, Robo en despoblado, Perecito, La rebotica, El padrón municipal, Ciencias Exactas, Las codornices, El señor gobernador, El sombrero de copa, La praviana, El rey que rabió, El oso muerto, El afinador, La sala de armas, Con la música a otra parte, Zaragüeta, Tiquis miquis, De todo un poco...*

Vital Aza fue considerado como el más gracioso y fino sainetero de su época. Escritor de asombrosa facilidad, de vis cómica muy española y realista, de exquisito gusto, de sano buen humor, de sátira nunca agresiva, de estilo claro y naturalísimo, de ingenio espontáneo y muy agudo, dejó recopiladas muchas de sus poesías festivas en algunos libros: *Bagatelas, Pamplinas, Ni fu ni fa, Plutarquillo, Frivolidades.*

Muchísimas de las obras de Vital Aza han sido traducidas al italiano, al portugués, al alemán y al sueco. Y al esperanto, *Parada y fonda.*

En 1951, conmemorando el centenario de su nacimiento, la editorial Aguilar publicó en su "Colección Crisol" una antología de sus mejores obras escénicas.

V. Sainz de Robles, F. C.: *Historia del teatro español.* 1943. Tomo VII.—Sainz de Robles, F. C.: *Estudio* en *Obras escogidas de Vital Aza.* Col. Crisol, M. Aguilar, 1951.—Alonso Cortés, N.: *Vital Aza.* Extr. de "Castilla", 1942.

AZANCOT, Leopoldo.

Periodista, crítico literario. Nació—1935—en Sevilla. Licenciado en Derecho por la Universidad de su ciudad natal. Sus crónicas de política y literatura han sido publicadas en la prensa de Francia, Italia y Estados Unidos. En 1965 se incorporó a la importante revista *Indice,* de la que actualmente es subdirector y mente directora.

AZAÑA Y DÍAZ, Manuel.

Literato, dramaturgo, periodista y político. Nació—1880—en Alcalá de Henares. Murió—1941—en Francia. Cursó el bachillerato en el Instituto Complutense y en el del Cardenal Cisneros, de Madrid; la carrera de Leyes, en el Colegio de María Cristina, de El Escorial; en la Universidad Central y en la Facultad de Derecho, de París, donde fue pensionado por la Junta de Ampliación de Estudios. Secretario del Ateneo de Madrid desde 1913 a 1920. Presidente del mismo en 1930. Dirigió las revistas *España*—1922—y *La Pluma*—1920—. Colaborador de *El Liberal, El Imparcial* y *El Sol,* de Madrid; *Nosotros,* de Buenos Aires; *Europe,* de París. Diputado a Cortes varias veces. Varias —a partir de 1931—ministro de distintos departamentos y presidente del Consejo de Ministros. Presidente de la República Española en febrero de 1936. Republicano de ideas avanzadas. Escritor de estilo castizo, de mucha cultura y de ideas propias, pero muy discutibles.

Obras: *La política francesa contemporánea*—Madrid, 1919—, *Vida de don Juan Valera*—Premio Nacional de Literatura, 1926—, *La novela "Pepita Jiménez"*—Madrid, 1928—, *Valera, en Italia*—1929—; *El jardín de los frailes*—1932—, *Plumas y palabras*—Madrid, 1930—, *Cervantes y la invención del "Quijote"*—1931—, *La corona*—drama, Madrid, 1930—. *La velada de Benicarló*—1939—, *Memorias íntimas*—Madrid, 1939—y varios tomos de discursos y conferencias.

V. Giménez Caballero, E.: *Azaña.* Madrid, 1932.—Díaz Doín, G.: *El pensamiento político de Azaña.* Buenos Aires, 1943.—González Ruiz, N.: *Azaña: Sus ideas religiosas, sus ideas políticas, el hombre.* Madrid, 1932. Góngora Echenique, E.: *Ideario de Manuel Azaña.* Madrid, 1936.—Muñoz Sánchez, M.: *Don Manuel, biografía novelesca.* Madrid, 1932.—Cassou, Jean: *Manuel Azaña, écrivain et Président de la Republique.* París, en *Les Nouvelles Littéraires,* 1936.—Domenchina, Juan José: *Un entendimiento ejemplar: don Manuel Azaña, escritor y político,* en *Universidad de la Habana,* XVII, 1952.

AZCÁRATE, Gumersindo de.

Político, sociólogo, catedrático, escritor. Nació—1840—en León. Murió—1917—en Madrid. Estudió la carrera de Leyes en la Universidad de Oviedo. A los treinta y dos años ganó la cátedra de Legislación comparada en la Universidad Central. Su autoridad dentro del partido republicano español fue siempre grande, debida a su austeridad y a su talento. Desde 1868 representó, casi sin interrupción, a su ciudad natal en el Parlamento. Fue presidente del Ateneo de Madrid y del Instituto de Reformas Sociales, vocal de la Comisión General de Codificación, académico de la Historia, de Ciencias Morales y Políticas y de la sevillana de Buenas Letras.

Su filosofía, poco profunda, procedía de Spencer y de Ahrens.

Entre sus obras más importantes están: *Estudios económicos y sociales*—1876—, *Estudios filosóficos y políticos*—1877—, *Tratados de política*—1883—, *La Constitución inglesa*—1878—, *El régimen parlamentario en la práctica*—1885—, *Concepto y objeto de la Economía política, Historia del Derecho de Propiedad...*—1879—, *El pesimismo en relación a la vida práctica.*

Los escritos de Azcárate se distinguen por su estilo grave y la gran serenidad de su doctrina.

V. García Caraffa, Alberto y Arturo: *Españoles ilustres: Azcárate.* Madrid, 1917.

AZCÁRATE, Patricio de.

Filósofo y jurisconsulto español, padre de don Gumersindo de Azcárate. Nació—1800—murió—1886—en León. Estudió en la Universidad de Santiago, doctorándose en Derecho y Filosofía y Letras. Secretario de la Diputación leonesa. Diputado a Cortes. Miembro correspondiente de las Reales Academias de Historia y de Ciencias Morales y Políticas. Fundó y dirigió una *Biblioteca Filosófica,* en la que aparecieron 26 volúmenes de grandes filósofos, prologados y anotados por él.

Obras: *Veladas sobre la Filosofía moderna*—1854—, *Exposición histórico-crítica de los sistemas filosóficos modernos*—1861—, *Del materialismo y positivismo contemporáneos*—1870—, *La Filosofía y la Civilización modernas en España*—1886.

AZCÁRRAGA, Gonzalo.

Autor dramático español. Nació en 1907. Según confesión del mismo, "estudió poco, y lo poco que estudió lo ha olvidado". Su vocación es el teatro. En 1946 alcanzó el primer premio de un concurso organizado por el Ateneo de Madrid, con su obra *Tres piernas de mujer,* que al estrenarse al siguiente año en el teatro de la Comedia de Madrid, alcanzó un felicísimo éxito.

Otra obra: *Mi marido tiene novia formal.*

Azcárraga posee ingenio, originalidad y maestría para alcanzar nuevos éxitos en la escena.

AZCOAGA IBAS, Enrique.

Poeta, ensayista, crítico español. Nació —1912—en Madrid. Estudió el bachillerato con los PP. Mercedarios. En 1933 fundó—con Arturo Serrano Plaja y Antonio Sánchez Barbudo—la *Hoja Literaria.* En 1931 había sido premiada su novela *Tríptico* en un concurso abierto por *Blanco y Negro.* Durante los años 1933-1936 colaboró en los diarios *El Sol* y *Luz.* Ha ejercido, con maestría, la crítica de arte y la literaria. Perteneció a la Academia Breve de Crítica, que dirigió Eugenio d'Ors.

El ha confesado así su ideal estético: "Una tarea y una canción. Un trajín tan continuo y tan dramático como la vida misma—tan delicioso, por tanto, y tan natural—y un mensaje salvado de la muerte, en forma ingenua unas veces y de una manera obligada y justificadora muchas más. Una poesía y una crítica. Un vuelo y una razón. Un canto que no olvida la generosidad con que se libera de la nada, de las entrañas creadoras, y un pensamiento laborioso siempre, al servicio de la imagen eficaz, original y sencilla, como el latido y las palabras."

Azcoaga es un humorista excepcional, y posee mucha cultura, mucha sutileza, una encantadora forma expresiva.

Ha vivido diez o doce años en Buenos Aires, donde hasta 1960 dirigió la gran revista *Atlántida.*

Obras: *El alma y los ojos, Marzo*—diario poético, 1945—, *Diana o la casualidad*—novela—, *El poema de los tres carros*—1948—, *La piedra solitaria*—poemas, 1942—, *Versos*—1943—, *Entregas*—1945—, *Verso y vida*—antología, 1945—, *El canto cotidiano*—1943—, *El empleado*—novela, 1950—, *El cubismo*—crítica, 1949—, *Después del arte moderno, La dicha compartida, Dársena del*

hombre, Cancionero de Samborombón, Entregas, Goya...

AZCONA, Rafael.

Cuentista y novelista español. Nació
—1926—en Logroño. Colaborador asiduo de
La Codorniz y restantes revistas de humor
españolas. Tiene indiscutible gracia, encanto expresivo, mucho humor—no siempre
de calidad—y originalidad grande para inventar temas o aderezar con propia receta
los temas archiconocidos. Ha escrito también guiones para el cine y la TV.
Obras: Vida del repelente niño Vicente
—1955—, Cuando el toro se llama Felipe—1956—, Los muertos no se tocan, nene
—1956—, El pisito—1957—, Los ilusos
—1958—, Pobre, paralítico y muerto—1960—,
Los europeos—1962.
V. NORA, Eugenio G. de: La novela española contemporánea. Madrid, edit. Gredos,
1962, tomo III, págs. 372-373.

AZNAR, Manuel.

Periodista, cronista y literato. Nació
—1894—en Echalar (Navarra). Ha sido director de los diarios Euskadi y El Sol, este
último de Madrid, al frente del cual se acreditó de magnífico cronista y periodista de
primer orden. En 1924 marchó a Cuba, donde dirigió El País, periódico que colocó a
gran altura. En 1927 regresó a España, de
representante del famoso Diario de la Marina, de la Habana. Aún volvió de nuevo
a Cuba, donde fundó el periódico Excelsior,
refundido a poco con El País. "Premio Francisco Franco". Ha sido embajador de España en Santo Domingo, en la Argentina
—1952—y en Marruecos. Director de La
Vanguardia, de Barcelona, entre 1960 y 1965.
Manuel Aznar, como pocos, ha reunido
las cualidades más excelentes del periodismo: dinamismo, curiosidad insaciable, instinto de la actualidad, galanura de la expresión. Sus crónicas de la primera guerra
mundial—1914 a 1918—, de nuestra epopeya
en Marruecos—1921 a 1923—y de la segunda
guerra mundial—1939 a 1946—son, indiscutiblemente, maestras en la amenidad, en la
sutileza y en la crítica.
Algunas de estas crónicas fueron reunidas
en un volumen titulado La España de hoy.

Otras obras: Historia militar de la guerra
de España (1936-1939), El Alcázar no se
rinde.

«AZORÍN» (v. Martínez Ruiz, José).

AZUELA, Mariano.

Novelista y periodista. Nació—1873—en
Lagos, Estado de Jalisco (México). Murió
—1952—en México. Periodista de temperamento aventurero y fuerte sensibilidad, viajó por todo el mundo, colaborando en importantes diarios y revistas y amistando con
los más ilustres literatos de todos los países.
Sus novelas han sido traducidas a varios
idiomas. Y de una de ellas, La malhora, un
escritor tan universal como Valéry-Larbaud
ha dicho que es uno de los libros contemporáneos más intensos y originales. Azuela
intervino personalmente en varias revoluciones de su país, viviendo sucesos impresionantes, que supo llevar con un verismo
sugestivo a sus novelas. Azuela, médico de
profesión, ejerció algún tiempo en su tierra
nativa.
Su estilo es conciso, fuerte y pictórico.
Su prosa, rica, jugosa. Su facilidad narrativa no mengua la intensidad del relato ni
su trascendencia popular. El crítico Torres
Rioseco ha calificado su novela Los de abajo
—que tuvo en España un éxito grande—
como "el poema épico en prosa de la revolución".
Otras obras: María Luisa—1907—, Los
fracasados, Mala yerba, Andrés Pérez, ma-
derista; Los caciques, Las moscas, Domitilo
quiere ser diputado, Pedro Moreno el insurgente, Las tribulaciones de una familia decente, Sin amor, El camarada Pantoja, Avanzada, Nueva burguesía, La marchanta, Regina Landa, San Gabriel de Valdivia...
V. MOORE, Ernest: Bibliografía de novelistas en la Revolución mejicana. Méjico,
1941.—GONZÁLEZ PEÑA, Carlos: Historia de
la literatura mejicana. Méjico, 1940, 2.ª edición.—IGUINIZ, Juan B.: Bibliografía de novelistas mejicanos. Méjico, 1926.—TORRES
RIOSECO, A.: Bibliografía de la novela mejicana. Cambridge, Mss., Harvard Univ. Press.
1933.—FERNÁNDEZ-ARIAS CAMPOAMOR, J.: Novelistas de México. Madrid, edit. Cultura Hispánica, 1952.

A

B

BACALLAR Y SANNA, Vicente.

Historiador y literato español. Nació —1669—en Cagliari (Cerdeña). Murió —1728—en La Haya. Desempeñó cargos muy importantes en la isla durante los reinados de Carlos II, *el Hechizado,* y Felipe V de Borbón. Partidario leal de este monarca, se vio recompensado con diversas comisiones diplomáticas en Ginebra y en Holanda y con el título de marqués de San Felipe. Colaboró en la redacción del primer diccionario de la Academia Española de la Lengua, figurando su nombre en la lista de *autoridades* declaradas por aquella corporación en materia de lenguaje.

Obras: *Los Tobías, su vida, escrita en octavas*—Madrid, 1709—, *Historia de la monarquía de los hebreos*—Madrid, 1727—, los célebres *Comentarios de la guerra de España, e historia de su rey Phelipe V "el Animoso", desde el principio de su reynado hasta el año 1725,* escritos en un lenguaje castizo y elegante y llenos de buena erudición y de sincera verdad. Estos *Comentarios* se publicaron en Ginebra —1729—, ya que, según Ticknor, impresa en Madrid, Felipe V mandó recoger los ejemplares, a causa de las censuras violentas que contenían los *Comentarios* contra parte de la aristocracia española, cuya actitud durante la guerra de Sucesión había sido oscura o acomodaticia.

BACARISSE, Mauricio.

Notable novelista y fino poeta español. Nació—1895—en Madrid. Murió—1931—en la misma ciudad. Doctor en Filosofía y Letras. Catedrático de Psicología, Lógica y Etica en los Institutos de Mahón (Menorca), Lugo y Avila. Desde 1911 colaboró en numerosas publicaciones españolas, acreditándose de excelente prosista y de poeta original y delicado. Sus poesías sufrieron las influencias de los franceses Baudelaire, Rimbaud y Verlaine, de los españoles Rubén Darío—español, sí, en su lírica—, Juan Ramón Jiménez y Antonio Machado, y de los movimientos poéticos subversivos conocidos con los nombres de *barroquismo, ultraísmo y futurismo.* De todas estas influencias, ya asimiladas y "personalizadas", sacó Bacarisse su propio y exquisito valor poético, pletórico de personalidad, de conceptismo sugestivo y de musicalidad inefable y honda.

Obras: *El esfuerzo* (poemas)—Madrid, 1917—, *El paraíso desdeñado* (poemas)—Madrid, 1928—y *Mitos* (poemas)—Madrid, 1930—, *Las tinieblas floridas* (novela breve) —Madrid, 1927, en *La Novela Mundial*—, *Los terribles amores de Agliberto y Celedonia* —Madrid, 1931—, magnífica y original novela, a la que se otorgó en 1931 el gran Premio Nacional de Literatura.

Bacarisse tradujo excelentemente dos libros de Verlaine: *Los poemas malditos* y *Antaño y ayer,* y la tragedia de Sófocles *Edipo, rey.*

Bacarisse fue uno de los principales componentes de la tertulia literaria madrileña del café de Pombo, fundada por Ramón Gómez de la Serna.

V. CANSINOS-ASSÉNS, R.: *Poetas y prosistas del novecientos.* ¿1919?—CANSINOS-ASSÉNS, R.: *La nueva literatura.*—SAINZ DE ROBLES, F. C.: *Historia y antología de la poesía española.* 2.ª edición, Madrid, Aguilar, 1950.—NORA, Eugenio G. de: *La novela española contemporánea.* Madrid, edit. Gredos, 1963. Tomo II bis, págs. 223-227.

BACHINI, Antonio.

Político y periodista uruguayo. Nació en Dolores (Uruguay) en 1860. Escritor de singulares dotes, erudito y ameno. Redactor de *El Ferrocarril* en 1876, de *El Heraldo* más tarde, de *El Día* y, finalmente, fundador y primer director de *El Diario del Plata* —1912—. Antes también fundó y dirigió *El Diario Nuevo*—1903—. Diputado, ministro de Relaciones Exteriores, representó a su patria luego como ministro plenipotenciario ante los Gobiernos de España, Portugal, Alemania e Inglaterra. Presidió el Círculo de la Prensa, del Uruguay. Falleció el 11 de septiembre de 1932.

Obra: *La ciudad histórica.*

BADOSA, Enrique.

Nació en Barcelona el 16 de marzo de 1927. Licenciado en Filosofía y Letras, se ocupa en trabajos periodísticos y editoriales. Es uno de los fundadores y jurado permanente del "Premio Leopoldo Alas" para libros de cuentos.

Obras poéticas: *Más allá del viento*—Colección "Adonais", Madrid, 1956—; *Tiempo de esperar, tiempo de esperanza*—en la misma colección 1959—; *Baladas para la paz* —1963—, *Razones para el lector*—1964—, *Arte poética*—1968—, *La libertad del escribir*—1968.

Traducciones poéticas: *Cinco Grandes Odas*—de Paul Claudel, "Adonais", 1955—; *Antología lírica*—de Salvador Esprin, "Adonais", 1956—; *Antología lírica*—de J. V. Foix, "Adonais", 1962—; inéditos: *La lírica medieval catalana* y *XXV Odas*, de Horacio.

Otras traducciones: las novelas de José María Espinás *Todos somos iguales* y *Combate en la noche*—"Ediciones Destino", Barcelona, 1958 y 1961, respectivamente.

BAENA, Juan Alfonso.

Poeta español de mucha fama. Nació —1406—en Baena. Murió—1454—, probablemente, en Córdoba. Pertenecía a una familia hebrea. Juan Alfonso se convirtió al catolicismo. Fue secretario del rey don Juan II y amigo del poderoso condestable de Castilla don Alvaro de Luna. Ladino, de espíritu servil, se enajenó las simpatías de sus contemporáneos. Con unos modos falsamente humildes y para conseguir cargos y honores, disimulando la mordacidad de su lenguaje, Juan Alfonso dedicó a muchos nobles unas poesías que él llamó *Suplicaciones,* de mediano valor. Sin embargo, en un poema dedicado al rey no vaciló en aconsejarle con gran lealtad y entereza acerca de la mejor manera de gobernar.

Hacia 1445 compiló el célebre *Cancionero* que lleva su nombre, que dedicó a don Juan II, y comprende 576 composiciones de sesenta y tantos poetas—cincuenta y cuatro conocidos y unos diez anónimos—, de los que, en su mayoría, formaban la corte literaria de don Juan. El manuscrito original del *Cancionero de Baena* estuvo en la librería de Isabel la Católica; luego pasó a la Biblioteca de El Escorial, de donde fue sacado para que cierta Comisión de estudios trabajara acerca de él. En manos de don José Antonio Conde, al morir este, sus herederos, de buena fe quizá, lo pusieron en venta, adquiriéndolo en pública subasta la Biblioteca Nacional de París en 1.140 francos, precio irrisorio hasta el *inri*. En 1851 lo editó el gran investigador don Pedro José Pidal, utilizando no el original, sino una copia muy defectuosa que le fue remitida desde París. El valor de este *Cancionero* es excepcional. Es una fuente indispensable para conocer la poesía lírica cortesana de los reinados de Enrique II, Juan I, Enrique III y minoridad de Juan II. Su importancia histórica no es menor que la literaria. "Leamos el *Cancionero de Baena* —dice Puymaigre—y desfilarán a nuestros ojos los caballeros de férrea armadura, los monjes con su sayal, las nobles damas con sus ropas de brocado, los judíos más o menos convertidos, los médicos árabes, los doctores en Teología; las monjas de Sevilla, que traían competencia con las de Toledo; todo un mundo que vive y se mueve, que se deleita en rimar versos ligeros, que canta y celebra *al rey de la faba,* pide aguinaldos, propone y resuelve enigmas."

El *Cancionero de Baena*—de tendencias arcaizantes—refleja el gusto de su compilador y del monarca a quien iba dedicado. Realmente, contiene muchos versos, pero muy poca poesía; sin embargo, muchas de las composiciones guardan, con todo el aroma genuino, mil detalles curiosos de las costumbres de época. Juan Alfonso de Baena era un judío converso, de origen humilde, con cierta cultura y prototipo del personaje lenguaraz, cicatero, destemplado y envidioso. ¿Cuál era su concepto de la poesía? Oigámosle: "La Poetrya é gaya sciencia es una escriptura é composicion muy sotil é byen graciosa, é es dulce é muy agradable a todos los oponientes é rrespondientes della é componedores é oyentes, la qual sciencia es avida é rrecibida é alcanzada por gracia infusa del Señor Dios que la da é la embya, é influye en aquel ó en aquellos que byen, é sabia, é sotyl, é derechamente la saben fazer é ordenar é componer é limar, é escandir é medir por sus pies é pausas, é por sus consonantes é syllabas é acentos, é por artes sotiles é de muy diversas singulares nombranzas, é aun assymismo es arte de tan elevado entendimiento é de tan sotil engeño, que la non puede aprender, nin aver, nin alcanzar, nin saber byen nin como debe, salvo todo ome que sea de muy altas é sotiles invenciones, é de muy elevada é pura discrecion, é de muy sano é derecho juycio, é tal que haya visto é oydo é leydo muchos é diversos libros é escripturas, é sepa de todos los lenguajes, é aun que haya cursado cortes de reyes, é con grandes señores, é que haya visto é platicado muchos fechos del mundo, é, finalmente, que sea noble fidalgo é cortés é mesurado é gentil é gracioso é polido é donoso é que tenga miel é azucar é sal é ayre é donayre en su rrasonar é otrosy que sea amador, é que siempre se prescie é se finja de ser enamorado, porque es opinion de muchos sabios que todo ome que sea enamorado, conviene á saber, que ame á quien

B

deve é donde deve, afirman é disen que tal de todas buenas doctrinas es dotado."

¡Admirable modo de entender y definir la poesía y al poeta! Sino que Baena y aun la mayoría de los poetas contenidos en su *Cancionero* no daban la talla apetecida en el concepto. ¿Cuántas escuelas poéticas coexisten en el *Cancionero de Baena*? Perfectamente definidas, dos: la tradicional de los trovadores galaico-portugueses y la que reflejaba el arte alegórico de Italia, cuyo principal modelo era Dante. Pero al referirse a la primera, sin querer, el propio maestro Menéndez Pelayo suscita la sospecha *de una tercera escuela*. Porque al asombra mucho la impureza de dicción que hay en algunos versos gallegos todavía de Villasandino del arcipreste de Toro, de Macías, de Ferrandes de Jerena, hasta el punto de dudar si se lee gallego castellanizado o castellano agallegado. Bien. ¿Por qué no admitir entonces una tercera escuela, llamémosla *castellana*, intermedia entre aquellas dos? Una escuela poética sin la urgencia amorosa de la primera y sin los síntomas conceptuosos de la segunda. Una escuela poética con gravedad pensante y con expresión concisa.

Textos: Ed. P. J. Pidal, Madrid, 1891; edición Brockhaus, Leipzig, 1896; facsímil del manuscrito por H. R. Lang, Nueva York, Hispanic Society, 1926.

V. MENÉNDEZ PELAYO, M.: *Antología de poetas líricos castellanos*. IV, 38-91.—LANG, H. R.: *Las formas estróficas y términos métricos del "Cancionero de Baena"*, en el *Homenaje a Bonilla*, tomo I, págs. 485 y sigs.

BÁEZ, Cecilio.

Escritor y político paraguayo. Nació en 1862. Profesor de Derecho Civil, Historia Universal, Sociología y Filosofía del Derecho en la Universidad de la Asunción. Colaborador durante más de treinta años en los diarios y revistas de su patria y de toda Hispanoamérica. Apóstol del liberalismo. Diputado desde 1895. Ministro de Relaciones Extranjeras. Presidente de la República (1906). Varias veces representante del Paraguay en distintos Congresos culturales del extranjero. Desde 1918, ministro plenipotenciario ante los Gobiernos de España, Francia, Italia y Gran Bretaña.

Obras: *Resumen de la historia del Paraguay desde la época de la conquista hasta 1810*—Asunción, 1910—, *Ensayo sobre el doctor José Rodríguez de Francia y la dictadura de Sudamérica*—Asunción, 1910—, *La tiranía en el Paraguay*—Asunción, 1903—, *Historia colonial del Paraguay*—Asunción, 1926—, *Cuadros históricos del Paraguay*—Asunción, 1907—, *Introducción a la Sociología*—Asunción, 1903.

"Ningún hombre ha ejercido—se ha dicho—tanta influencia como él en la formación cultural nacional."

V. DÍAZ PÉREZ, Viriato: *Literatura del Paraguay*, en el tomo XII de la *Historia universal de la literatura*, de Prampolini. Buenos Aires, Uteha Argentina, 1940.

BAEZA, Ricardo.

Ensayista, crítico literario y traductor. Nació—1890—en Bayamo (Cuba). Murió—3 de febrero de 1956—en Madrid. En España, desde muy joven. Fundador de la revista, editorial y empresa teatral que llevan por título, las tres, *Atenea*, de modernísimas y selectas tentativas, "con lo cual da a entender lo helénico y refinado de su gusto artístico y el criterio estético que le guía en cuanto emprende. Conoce las literaturas modernas como pocos" (Cejador). Profesor de Literatura española en la Universidad de Cambridge —1921-22—. Embajador de España en Chile —1931-34—. En Sudamérica, de 1939 a 1942. Jefe de la Sección de Grandes Libros de la Unesco—1948-50.

Ha colaborado en los principales periódicos y revistas de España y América latina. Su firma es garantía de vasta cultura, juicio profundo, amenidad deliciosa y prosa elegante. Indiscutiblemente, es el mejor traductor con que cuenta hoy España. Ha realizado versiones magistrales, inimitables, de las obras de Wilde (completas), Gide, Suarés, Ludwig, Francis Jammes, Aloysius Bertrand, D'Annunzio, O'Neill, Swinburne, Paul Fort, Gourmont, Schwob, Dostoievski, Eugenio de Castro, Shakespeare, Hebbel, Rachilde, Ibsen, Nietzsche, Thornton Wilder, Santayana, Connolly, Belloc, Diderot, Sénancour, Wells, Bernard Shaw, Merejkowsky, Malinowski, Caillois, Rougemont, Graham Greene, Conrad, etcétera.

Traducciones exquisitas, verdaderas *recreaciones*, que conservan intactos todos los valores originales. Durante su estancia en la Argentina creó la "Biblioteca Emecé" (clásicos antiguos y modernos, más de 100 tomos ya publicados), y en la editorial Jackson, la colección de Clásicos Universales (41 tomos) y la de Novelas Universales (40 tomos).

Obras originales: *La isla de los Santos (Itinerario en Irlanda)*—Madrid, 1930—, *En compañía de Tolstoi*—ensayos, Madrid, 1932—, *Bajo el signo de Clío*—ensayos, Madrid, 1932—, *Clasicismo y Romanticismo*—Madrid, 1932—, *Comprensión de Dostoievski y otros ensayos*—Barcelona, 1935—, *Poema del Cid* —versión al castellano moderno y adaptación, Buenos Aires, 1941—, *Centenario de Emile Zola, El Greco y Berruguete*—conferencias, Buenos Aires, 1942.

V. CEJADOR Y FRAUCA, J.: *Historia de la*

lengua y literatura españolas. Tomo XIII, págs. 80-81.

BAIG BAÑOS, Aurelio.

Investigador, bibliófilo, periodista, cervantófilo y poeta español. Nació—1873—en la Habana (Cuba). Murió—¿1933?—en Madrid. Muy niño, huérfano de padre, llegó a España, a Madrid, cursando el bachillerato en el colegio de Calderón de la Barca, Dibujo en la Escuela de Artes y Oficios y las carreras de Leyes y Filosofía y Letras en la Universidad Central. Como periodista, perteneció a las Redacciones de *La Epoca, El País y La Correspondencia de España*—de Madrid—y *El Liberal*—de Barcelona.

De cultura muy grande, pero de modestia aún mayor, escaso siempre de recursos económicos, la pluma ágil de Baig Baños fue explotada inicuamente por otros que sentaron plaza de grandes eruditos, sin otros méritos que los "comprados", harto mezquinamente, a Baig, cuyo nombre había de quedar en el anónimo.

Obras más importantes: *Núñez de Arce* —monografía—, *El Indice del "Quijote"* —1910—, *Estudio sobre Dulcinea del Toboso* —1916—, *Quién fue el licenciado Alonso Fernández de Avellaneda*—1915—, *Sobre el "Persiles y Segismunda"*—1918—, *¿Qué predomina en el "Quijote", lo visual o lo meditativo?*—1919—, *Antiguallas cervantinas de la Prensa madrileña*—1927—, *Rodríguez Marín, anotador del "Quijote"*—1930—, *Cabarrús y el Banco Nacional de San Carlos*—1928—, *Los Estados Unidos en 1803*—1927.

BAJARLIA, Juan Jacobo.

Erudito, crítico literario y poeta argentino. Nació—1941—en Buenos Aires. Doctor en Filosofía y Letras y Ciencias Sociales. Colaborador muy solicitado de los principales diarios y revistas de Hispanoamérica. Conferenciante excepcional. Es hoy, posiblemente, uno de los mejores críticos literarios sudamericanos, ya que suma a su enorme cultura y a su sagacidad discriminadora, una curiosidad insaciable y vivísima por cuantos nuevos problemas presentan las letras universales. Es severo con generosidad y vigoroso con nobleza. Su influencia es enorme en la literatura de su país. En plena juventud, está calificado como un maestro auténtico en cuantas disciplinas domina, que son muchas. Escribe en excelente prosa y razona con una precisión sorprendente.

Obras: *Estereopoemas*—Buenos Aires, Ediciones "Los tres vientos", 1950 (Poesía vanguardista. Uno de los primeros intentos argentinos por revolucionar la vieja expresión poética)—, *Prohombres de la argentinidad*—Buenos Aires, edit. Araujo, 1941 (Rela-

tos biográficos)—, *Rosas y los asesinatos de su época*—Buenos Aires, edit. Araujo, 1942 (Historia argentina sobre la época del terror)—, *Mitre, prohombre de espada y pensamiento*—Buenos Aires, edit. Araujo, 1944 (Biografía, historia y literatura del prócer, uno de los organizadores de la Argentina)—, *Dante: la "Divina Comedia"*—estudio preliminar y notas; traducción de Bartolomé Mitre. Buenos Aires, edit. Araujo, 1944—, *Notas sobre el barroco*—Buenos Aires, Santiago Rueda, editor, 1950 (Crítica y exaltación del barroco).

BALAGUER, Joaquín.

Poeta, prosista, investigador, crítico dominicano. Nació—1906—en Santiago de los Caballeros. Doctor en Derecho. Representante diplomático de su país en Madrid—1932—, Francia—1933—, Colombia, México, Perú... Subsecretario de Relaciones Extranjeras —1944—. Secretario de Estado de Educación y Bellas Artes—1950.

Su poesía es honda, de raíz romántica, de ideas modernistas; pero dentro de las formas clásicas. Sin embargo, la crítica literaria ha sido y es la mejor revelación de sus talentos. Docto en Humanidades, buen conocedor del genio del idioma y de la literatura dominicana, su obra crítica es de valor inestimable, por cuanto ya está constituyendo los fundamentos de la historia de la cultura dominicana.

"Exegeta libre de apasionamientos, expresa sus opiniones sin influencias de ningún género. Es claro en la exposición y veraz en el juicio, expresado sin reservas, pero también sin acritud. Su prosa es diáfana, exenta de rebuscamientos retóricos, aunque fluida y en cierto modo florida. Se limita a decir con exactitud lo que quiere, pero sin eliminar de sus páginas la natural belleza de su estilo, espontáneo y franco." (M. Valldeperes.)

Obras: *Psalmos paganos*—1922—, *Claros de luna*—poemas, 1922—, *Tebaida lírica* —1924—, *Azul en los charcos*—1941—, *Los próceres escritores*—1947—, *Semblanzas literarias*—1948—, *Letras dominicanas*—1944—, *Guía emocional de la ciudad romántica* —1944—, *La realidad dominicana*—1947—, *Cristo de la Libertad, Vida de Juan Pablo Duarte*—1950—, *Nociones de métrica castellana*—1930—, *Heredia, verbo de la Libertad...*

BALAGUER, Víctor.

Político, historiador y notable poeta y prosista español. Nació—1824—en Barcelona. Murió—1901—en Madrid. Fue uno de los iniciadores del renacimiento literario catalán. Muy joven, se distinguió como cronista político y crítico de letras en los periódicos *El*

B

Catalán—1847—, *La Corona de Aragón* —1854—y *El Conceller*—1857—. De ideas muy liberales. *Mestre en Gay Saber* y restaurador de los Juegos florales. Gobernador civil de Málaga. Presidente de la Diputación Provincial de Madrid. Diputado a Cortes por Villanueva y Geltrú durante doce legislaturas. Ministro de Fomento y de Ultramar. Presidente del Consejo de Estado y del Tribunal de Cuentas del Reino. Fue académico de la Lengua y de la Historia y felibre provenzal.

Víctor Balaguer escribió poesías, teatro, historia, folletos políticos, monografías arqueológicas... Era un espíritu apasionado y una sensibilidad exquisita. Su estilo nervioso delataba su vehemencia; excitación que malogró no pocas de sus obras.

Entre sus producciones destacan: *Un cuento de hadas, La damisela del castillo, El ángel de las centellas, El del capuz colorado, El doncel de la reina, La espada del muerto, La guzla del cedro,* leyendas interesantes y llenas de poesía ingenua; *Historia de Cataluña, Historia de los trovadores, Calles de Barcelona, El Monasterio de Piedra, Wifredo "el Velloso"*—drama—, *Los amantes de Verona, Don Enrique "el Dadivoso", Don Juan de Serrallonga* y *Juan de Padilla*—tragedias—, *Esperansas y recorts, Llibre del amor, Una caseta blanca, La moreneta del Masnóu*—poesías—, *Los Pirineos*—trilogía épica—y sus famosas *Tragedias (Coriolá, Safo, La tragedia de Llivia, Lo festi de Tibullus, L'ombra de Cessar, Las esposallas de la morta, Lo guant del degollat...).*

Una amenidad extraordinaria, un lirismo arrebatador, un entusiasmo caliente, una sugestión irresistible fueron las cualidades mejores del gran Víctor Balaguer.

V. TUBINO, Francisco: *Historia del renacimiento literario en Cataluña...* Madrid, 1882.—GRAS Y ELÍAS, Francisco: *Siluetes de escriptors catalans del sigle XIX.* Barcelona, 1909.

BALART, Federico.

Poeta, periodista y crítico español. Nació —1831—en Pliego (Murcia). Murió—1905—en Madrid.

En Madrid desde los diecinueve años, empezó a escribir sus críticas escrupulosas, razonadas y severas, en *La Verdad*—1860—; más tarde pasó a *La Democracia*—1864—, a *El Universal*—1867—, a *El Globo*—1874—. Fue subsecretario de Gobernación, diputado, senador, consejero de Estado y académico de la Lengua. La muerte de su esposa le devolvión su perdida fe católica. En su época, la poesía de Balart, sentida y triste, muy tersa, tuvo una gran aceptación. Su fluido íntimo parecía adaptarse al estado de ánimo de la mayoría de sus lectores. Creo de interés reproducir un juicio de Ganivet acerca del mejor libro de Balart: *Dolores.* "No es libro de actualidad, y por eso es más duradero. Balart es un poeta a secas, de lo que no hay; no es humanista como Campoamor: en esto le aventaja; no es escultural como Núñez de Arce, pero, sin necesidad de tanto músculo, le supera... En la poesía lírica no basta el sentimiento si no hay un estado de ánimo interesante y apropiado a las circunstancias." En la poesía de Balart hay concesión y buen gusto. Y muy contados ripios, triunfo este muy de notar entre los poetas que reaccionaban *por reflexión* contra la exuberancia y los tópicos románticos.

Otros libros de Balart: *Horizontes, El prosaísmo en el arte, Impresiones, literatura y arte*—1894—, *Novedades de antaño.*

Texto: *Poesías completas.* Barcelona, G. Gili, 1929.

V. CEJADOR, Julio: *Historia de la lengua y literatura castellanas.*—PALÁU, Melchor de: *"Dolores", por Federico Balart,* en *Ilustración Ibérica,* 1894, 247.—SÁNCHEZ PÉREZ, A.: *Balart,* en *Ilustración Ibérica,* 1894, 139.—ALVAREZ SOTOMAYOR, J. M.: *Federico Balart,* en *Rev. Chile,* 1924, XLVI, 389 y 551.

BALBÍN LUCAS, Rafael de.

Nació—1910—en Alcañices (Zamora). Ha vivido en Castilla, en Levante y en Asturias, de donde procede su familia. Estudió Derecho y Filosofía y Letras en Valladolid, Valencia, Madrid y Zaragoza; y publicó en 1926 sus primeros poemas. Desde 1940 es catedrático de Enseñanza Media, y desde 1948, catedrático de la Universidad de Madrid. Miembro del Instituto de Estudios Madrileños. Fue capitán provisional de Aviación, y ha publicado trabajos de investigación y crítica acerca de Cervantes, Moreto, Pantaleón de Ribera y Bécquer en varias revistas científicas. Pertenece al grupo fundador de la revista *Arbor.*

Obras: *Romances de Cruzada*—Valladolid, 1941—; *Días con Dios*—Madrid, 1951—, *Noviazgo Segundo.*

V. MENÉNDEZ PIDAL, R.: *Romancero Hispánico.* Tomo II.—VALBUENA PRAT, A.: *Historia de la Literatura española.* Tomo IV, 1969.

BALBO, Lucio Cornelio.

Historiador hispano-latino. Vivió en el siglo I antes de Cristo. Natural de Cádiz. La crítica señala el año 100 (a. de C.) como el de su nacimiento. En la guerra contra Espartaco—79—prestó grandes servicios a Metelo, conquistando así la amistad de Roma y de algunos de sus más ilustres personajes. César le nombró *praefectus fabrum;* y al regresar a Italia el gran caudillo se llevó con sigo a Balbo, siendo adoptado—59—por Teófano de Mitilene, amigo y consejero de Pompeyo. Fue gran amigo de Cicerón, y cuando este inmortal tribuno fue desterrado, Balbo ayudó eficazmente a su esposa e hijos, mereciendo que Cicerón, agradecido, le dedicara el célebre discurso *Pro Balbo*.

En la lucha entre César y Pompeyo, se inclinó por aquel, pero no sin realizar grandes esfuerzos por reconciliarlos. Muerto César, abrazó el partido de Octavio, siendo nombrado cónsul por este, y alcanzando así una dignidad jamás conseguida antes por un extranjero. Su nobleza y talento fueron reconocidos unánimemente por amigos y adversarios.

Se le atribuyen unas *Ephemerides* sobre la vida de Julio César, y las *Lustrationes*, acerca de los ritos. Se conservan de él cuatro de sus *Epístolas* a Cicerón, modelo de magnífica prosa latina.

V. CICERÓN: *Pro Balbo.*—JULLIEN, E.: *Lucio Cornelio Balbo maiore.* París, 1886.— DOLÇ, Miguel: *Literatura hispano-romana*, en el tomo I de *Historia general de las literaturas hispánicas.* Barcelona, 1949.—MENÉNDEZ PIDAL, R.: *Historia de España* (dirigida por), tomo II: *España romana.* Madrid, Espasa-Calpe, 1935.—GUDEMANN, A.: *Historia de la literatura latina.* Barcelona, Labor, 1930.

BALBUENA, Bernardo de.

Famoso poeta épico español. Nació—1568—en Valdepeñas (Ciudad Real). Murió—1627—en Puerto Rico. Debió de estudiar las primeras letras en Granada. Muy joven, pasó a Méjico, en cuya catedral tenía un tío canónigo. Bachiller en Teología, regresó a España y se doctoró en Sigüenza. Volvió a Méjico, y en 1608 fue nombrado abad de Jamaica, y en 1620, obispo de Puerto Rico, ciudad en la que murió el 11 de octubre de 1627.

En un estilo natural, puro, propio y elegante escribió poesías líricas, en las que imitaba con singular acierto a Teócrito. Pero su fama la debe al *Bernardo o Victoria de Roncesvalles*—Madrid, 1624—, poema narrativo, muy alabado por Lope de Vega y Quevedo, en el que se aúnan la riqueza de inventiva, el colorido vivo y la dulce cadencia de los versos.

Balbuena imitó a Ariosto y a Boyardo. Fue él quien creó la verdadera epopeya barroca en el campo de la poesía caballeresca con su magno poema en cinco mil octavas reales. Tal vez su enorme extensión sea la causa principal de la mayoría de sus defectos, ya que motiva la falta de unidad, los frecuentes prosaísmos, el dudoso interés de algunos de los episodios intercalados inoportunamente y aun el abuso de lo alegórico y maravilloso.

El héroe del poema es Bernardo del Carpio, hijo natural del conde de Saldaña y de la hermana del rey Alfonso II, *el Casto*, quien ha sido elegido para humillar el despotismo bélico de Carlomagno y de sus doce paladines. El poema está constituido—en esencia—por un elemento caballeresco, otro clásico y un tercero, el más hondo, nacional. El elemento caballeresco comprende una imitación no solo de los libros de caballerías —Amadises, Palmerines, Orlandos—, sino de otros poemas como los de Homero, Virgilio y Ovidio. Bernardo es semejante a Aquiles; Alfonso II, a Agamenón; Roldán, a Héctor; Gavalón, a Ulises. El elemento clásico es rememorado por Bernardo, defensor del Parnaso, contra los necios, y llevado al templo de la Inmortalidad por las Musas; por Morgante, ganando las armas de Anteo y la clava de Hércules; por la evocación de los monstruos de Creta, y otros varios episodios y digresiones. El elemento nacional comprende la infancia de Bernardo, el descubrimiento que Proteo hace a este de quiénes fueron sus padres, la prisión del conde de Saldaña, el encantamiento del castillo del Carpio, la victoria de Bernardo y sus caballeros españoles, en Roncesvalles, contra Roldán y los pares de Francia... Aún pueden señalarse otros elementos secundarios: episodios geográficos, como las descripciones de España, Francia, Italia, Europa, y la descripción profética del Nuevo Mundo; episodios históricos, como la profecía de los valerosos capitanes españoles el Cid, Gran Capitán, Hernán Cortes, don Juan de Austria, el duque de Alba; leyendas españolas, como la del rey don Rodrigo, los palacios de Galiana y el origen de la ciudad de Granada; alegorías, como las del Deleite, la Fama, la Ignorancia, la Fortuna y el Engaño.

Por todo lo apuntado se comprende fácilmente el completo barroquismo del *Bernardo*, canto triunfal sobre la historia y la grandeza de España por un español apasionado y buen patriota. Pero si no fuera razón suficiente, bastarían estas dos nuevas pruebas: una, la de Quintana, enumerando "la prodigalidad con que se ven empleados por todas partes el oro, los diamantes, los rubíes..."; otra, el propio subtítulo del poema en su primera edición: *Obra toda texida de una admirable variedad de cosas, antigüedades de España, casas y linajes nobles della, costumbres de gentes, geográficas descripciones de las más floridas partes del mundo, fábricas de edificios y suntuosos palacios, jardines, cazas y frescuras, transformaciones y encantamientos de nuevo y peregrino artificio, llenos de sentencias y moralidades.* Y, sin embargo de este recargamiento asombroso, Balbuena sabía muy bien los conceptos del estilo épico:

Sabroso estilo, espíritu templado,
heroica voz, lenguaje casto y puro,
ni plebeyo en lo humilde, ni pesado
en lo soberbio, ni en lo grave duro;
ni altivo, ni arrogante, ni afectado,
ni largo, estéril, ni por breve oscuro;
ni que en regla y compás jamás se aparte,
freno a la lengua y al ingenio el arte.

Contra los reparos que hemos apuntado, cabe señalar aciertos numerosos. Fantasía portentosa. Grandes dotes descriptivas. Musicalidad grande en el verso. Facultades gráficas y coloristas. El *Bernardo* tiene numerosos pasajes que no desdicen al lado de los poemas épicos de Camoens, Ariosto o Tasso. Textos: El *Bernardo*, ed. "Biblioteca de Autores Españoles", tomo XVII; *Siglo de Oro*, ed. Academia Española, Madrid, 1921; el *Bernardo*, ed. Saló, San Felíu de Guixols, 1916, dos tomos; *Grandeza mejicana*, edición J. Van Horne, Urbana, 1930.

V. FERNÁNDEZ JUNCOS, M.: *Don Bernardo de Balbuena... Estudio crítico*. Puerto Rico, 1884.—HORNE, J. Van: El *"Bernardo" of Balbuena... Urbana, 1927, "University of Illinois Studies...".—*HORNE, J. Van: *Documentos relativos a Balbuena...*, en *Boletín de la Academia de la Historia*. Madrid, XC, 887.—FUCILLA, J. F.: *Glosses on el "Bernardo"...*, en *M. Lang N.*, 1934, XLIX.—VASCO, Eusebio: *Valdepeñeros ilustres.*—CEJADOR FRAUCA: *Historia de la lengua y literatura castellanas*. Tomo IV.—BELMONTE MULLER: *Don Bernardo de Balbuena*, en *Ilustración Española y Americana*, 1884, I.—CUERVO, P. J.: *El maestro Diego de Hojeda y "La Cristiada"*. Madrid, 1898.—RADA Y GAMIO, P. J.: *"La Cristiada"*. Madrid, 1917.

BALCARCE, Florencio.

Poeta argentino. Nació—1819—y murió —1839—en Buenos Aires. Fue hijo del general Antonio G. Balcarce, enemigo de Rosas. Cuando este inició su tiránico gobierno, el jovencísimo Florencio, uno de los mejores discípulos de Echeverría, hubo de huir de su patria, refugiándose en París—1837—y escribiendo su famosa poesía *Adiós a la patria*, en la que se mezclan la indignación de patriota, la angustia del proscrito y la melancólica adivinanza de su próximo fin. En París tradujo excelentemente el *Curso de Filosofía*, de Laromiguière; *Catalina Howard*, de Dumas, y otras obras más, y escribió gran número de poesías, entre las que se han hecho famosas: *Sáficos, El lechero, El fantasma, El cigarro, Al asesinato de Quiroga...*

Ya casi moribundo, se le permitió volver para morir en su ciudad natal, deshecho por la tuberculosis.

La poesía de Florencio Balcarce es una mezcla de neoclasicismo decadente y de temprano pero brillante romanticismo. Y es que su educación fue clásica, pero su temperamento, su enfermedad y sus ideas liberales le empujaban a refugiarse en una apasionada vivencia poética. La tristeza de su impotencia física se sobrepuso casi siempre a los gustos de su época. En sus obras, lo gauchesco se confunde con el costumbrismo.

V. TORRES CAICEDO, J. M.: *Ensayos biográficos y de crítica literaria*. París, 1863.—GUTIÉRREZ, Juan María: *Florencio Balcarce*. 1869.—GARCÍA VELLOSO, Enrique: *Historia de la literatura argentina*. Buenos Aires, 1914. GIMÉNEZ PASTOR, Arturo: *Los poetas de la revolución*. Buenos Aires.—MENÉNDEZ PELAYO, Marcelino: *Historia de la poesía hispanoamericana*. Madrid, 1913.—ROJAS, Ricardo: *La literatura argentina*. 2.ª edición. Buenos Aires, 1924.

BALMES, Jaime.

Filósofo, poeta, publicista, polemista español de fama universal. Nació—1810—en Vich (Barcelona). Murió—1848—en la misma ciudad. Estudió en el Seminario de su ciudad natal, y Teología y Derecho civil y canónico en la Universidad de Cervera. Fue catedrático auxiliar en este mismo centro, donde obtuvo el doctorado en Leyes y Cánones. Profesor de Matemáticas—1834—en el Seminario de Vich. En 1842, asociado con Roca y Cornet y Ferrer y Subirana, fundó en Barcelona *La Civilización*, una de las revistas más importantes de la época. Un año después, ya solo, Balmes redactó por sí mismo, íntegramente, *La Sociedad*, revista que respondía con un enorme interés a las exigencias contemporáneas sociales, políticas y religiosas.

En 1844, en Madrid, fundó la publicación semanal *El Pensamiento de la Nación*, que redactaba igualmente solo. En 1842 y 1845, Balmes viajó por Francia, Bélgica e Inglaterra, donde fue elogiado y consultado por personalidades como Molé—jefe del partido monárquico francés—, Metternich, el cardenal Pecci—futuro León XIII—, Chateaubriand, Lacordaire y Veuillot. Pío IX tuvo numerosas y extraordinarias atenciones con Balmes, sacerdote ejemplar y talento privilegiado, escribiéndole con frecuencia y teniéndole reservado *in petto* para la dignidad cardenalicia. Pocos meses antes de morir, la Academia Española le nombró miembro de su corporación. García de los Santos, gran amigo y primer biógrafo de Balmes, afirma que el admirable clérigo y filósofo fue tenido en la máxima estima por obispos, grandes de España, generales, títulos de Castilla, diplomáticos, altos dignatarios, diputados, capitalistas y grandes escritores.

Las obras principales de Balmes son: *Celibato clerical, Observaciones sociales, políticas y económicas sobre los bienes del clero* —1840—, obra elogiada inclusive en la *Gaceta de Madrid; Consideraciones sobre la situación de España, La religión demostrada al alcance de los niños, El protestantismo comparado con el catolicismo en sus relaciones con la civilización europea*—1844—, libro traducido inmediatamente al francés, inglés, alemán e italiano, y que es una refutación a las teorías históricas de Guizot; *El Criterio*, la *Filosofía fundamental*, la *Filosofía elemental, Pío IX, Cartas a un escéptico en materia de religión.*

Balmes es un escritor metódico, extraordinariamente claro, más analítico que sintético, sujeto voluntariamente a la lógica más rigurosa, que trata de convencer, no de deslumbrar, y que camina siempre firme, impávido, con una serenidad ejemplar. Como filósofo, fue *tomista* en el fondo, pero con cierto eclecticismo a la española en los detalles. Su valor como polemista fue mucho mayor; habló claro y habló bien, respaldado siempre por sus "indeclinables aspiraciones hacia lo grande"; sus escritos de controversia rezuman siempre la verdad más absoluta y desnuda, servida por la inteligencia crítica más aguda y metódica.

Textos: *Obras completas*, en 33 volúmenes. Barcelona, "Biblioteca Balmes", 1923 a 1927; *Antología*. Editoria Nacional, Madrid, 1946.

V. SOLER, Antonio: *Biografía de Balmes*. Barcelona, 1850.—BLANCHE-RAFFIN, A.: *Balmés, sa vie et ses ouvrages*. París, 1849.—GARCÍA DE LOS SANTOS, Benito: *Vida de Balmes*. Barcelona, 1848.—ELÍAS DE MOLÍNS, José: *Balmes y su tiempo*. Barcelona, 1906.—GONZÁLEZ HERRERO: *Estudio histórico-crítico sobre las doctrinas de Balmes*. Oviedo, 1905.—MENÉNDEZ PELAYO, M.: *Dos palabras sobre el centenario de Balmes*. Vich, 1910.—CORTS GRÁU, José: *Estudio*, en la *Antología*. Editoria Nacional. (Puede consultarse el número 33 de la revista madrileña *Insula*, 1948, sobre el centenario de la muerte de Balmes, con abundante bibliografía.)—SAINZ DE ROBLES, Federico Carlos: *Balmes*. Madrid, Compañía Bibliográfica Española. 1964.

BALSEIRO, José A.

Poeta, novelista, crítico literario de una gran personalidad. Nació en Barceloneta, Isla de Puerto Rico—1900—. Desde muy niño se dedicó al estudio del violín, el piano y la composición. Primera obra musical publicada: la danza *Mercedes*—1916—. A los diecinueve años empezó a cultivar las letras. En 1922 fue a Madrid. En 1926, la Real Academia de la Lengua concedió a su libro *El vigía*, tomo I, el Premio Hispanoamericano correspondiente a 1925.

Ha colaborado en importantísimos diarios y revistas: *La Esfera, Nuevo Mundo, Artes y Letras* y *La Libertad*, de Madrid; *El Imparcial, El Mundo, La Democracia* y *Puerto Rico Ilustrado*, de San Juan de Puerto Rico; *Social*, de la Habana; *La Prensa*, de Nueva York. Graduado de bachiller (High School) en el Mount Vernon Collegiate Institute, de Baltimore, Maryland, Estados Unidos, y de licenciado en Derecho en la Universidad de Puerto Rico. Académico correspondiente de la Real Hispano-Americana de Cádiz—1923—. Secretario de la Sección Literaria del Ateneo de Madrid, bajo la presidencia de "Azorín".

En España, donde vivió algún tiempo, alcanzó una fama grande y justa como crítico literario, lleno de agudeza, de objetividad, de finísima comprensión. Un escritor tan competente y universal como el académico francés Marcel Brion, ha escrito acerca de Balseiro: "Es un escritor de talento, cuyo espíritu vigoroso y cultivado explica a la crítica preciosas cualidades de entusiasmo y discernimiento. Cita con tanta exactitud las obras francesas, norteamericanas o inglesas como las de sus compatriotas, y a menudo una nota modesta, perdida al pie de una página, reemplaza toda una discusión de orden técnico y nos muestra que la mayor parte de las literaturas europeas le son familiares. Su posición ante los hombres, las ideas y los hechos es la del poeta y la del sabio a un tiempo; le permite saborear el elemento más sutil de la obra de arte sin descuidar una erudición que presta a su crítica bases sólidas e indiscutibles."

Obras: *La copa de Anacreonte*—poemas—, *El vigía*—dos tomos, ensayos literarios y musicales—, *La ruta eterna*—novela—, *Música cordial*—poemas—, las tres primeras por la editorial Mundo Latino, Madrid; *La profesora de patriotismo*—novela—, *Flores de primavera*—poemas—, *Las palomas de Eros* —poesías—, *Canciones viejas, ¡Mi bandera!*

Las poesías de Balseiro figuran en casi todas las antologías hispanoamericanas.

V. RIVERA CHEVREMONT, E.: *Antología de poetas jóvenes de Puerto Rico*. San Juan, 1918.

BALLAGAS, Emilio.

Poeta y crítico cubano. Nació—1910—en Camagüey. Murió—1954—. Desde muy joven se entregó por entero a la literatura y al periodismo. Sus primeros modelos fueron los españoles Juan Ramón Jiménez, Federico García Lorca y Rafael Alberti. Posteriormente, sin salirse de las formas y de los temas

B

populares, se inclinó francamente por el *negrismo,* logrando con sencillez, encanto rítmico, bella musicalidad y ricos matices, cuadros de inolvidable sugestión local. Según el crítico Marinello—en su *Literatura hispanoamericana*—, el homenaje de Ballagas a la poesía pura "no le ha impedido una contribución excepcional al arte afrocriollo. Aquella sensibilidad niña que le anotamos como mérito central, lo ha acercado en gesto limpio y generoso al espíritu ingenuo de nuestras masas negras... Si Emilio Ballagas reincide en tan vitales propósitos y sabe invertir su caudal de sabiduría en inquietar la sensibilidad desgarrada de nuestra gente de piel oscura, será responsable, con Nicolás Guillén, de uno de los mejores momentos líricos americanos".

La fama de Ballagas es hoy muy grande. Sus deliciosas poesías *Para dormir a un negrito* y *Elogio de María Belén Chacón,* han dado la vuelta al mundo en boca de los recitadores.

Obras: *Cuaderno de poesía negra*—1934—, *Antología de poesía negra hispanoamericana* —1935—, *Júbilo y fuga*—1931—, *Elegía sin nombre*—1936—, *Sabor eterno*—1939...

V. MARINELLO: *Literatura hispanoamericana.* 1945.—LEGUIZAMÓN, Julio A.: *Historia de la literatura hispanoamericana.* Buenos Aires, 1945.—GUIRAO, Ramón: *Orbita de la poesía afrocubana.* Habana, 1938.

BALLESTER NICOLÁS, José.

Poeta y novelista español de mucho interés. Nació—1891—en Murcia. Y en esta ciudad fundó y dirige *La Verdad,* periódico que dedica un singular interés a la creación literaria en el panorama español.

Obras: *Otoño en la ciudad*—novela, 1936—, *Resucita un aroma tenue*—novela, 1946—, *Sueños*—novela, 1945.

Ballester es un finísimo escritor, de imágenes felices y muy delicadas.

V. VALBUENA PRAT, A.: *Historia de la literatura española.* Tomo III, 1950, 3.ª edición.

BALLESTEROS, Mercedes.

Novelista, cronista, autora dramática española. Nació en Madrid. Y en la Universidad Central cursó la carrera de Filosofía y Letras. Está casada con el novelista, dramaturgo y director escénico Claudio de la Torre. Colabora asiduamente en los diarios *Ya* y *A B C,* de Madrid. Y con el seudónimo de "Baronesa Alberta", en el semanario *La Codorniz.* Ha pronunciado muchas conferencias en España y el extranjero. Ha obtenido el "Premio Alvarez Quintero, 1962", para novela; el "Premio Matías Montero" de periodismo, y el primer premio de cuentos de *Correo*

Literario; "Premio Tina Gascó", de teatro; "Premio María de Molina, 1963", de Valladolid, para novelas, por su obra *El chico.*

De mucha cultura, finísimo humor como contrapunto de una ternura y de un lirismo esencialmente femeninos. Observadora admirable, construye sus novelas, cuentos y obras teatrales con una maestría impar.

Obras escénicas: *Quiero ver al doctor*—en colaboración con su esposo—, *Una mujer desconocida, Tío Jorge vuelve de la India, Las mariposas cantan.*

Novelas y cuentos: *Tienda de nieve, El perro del extraño rabo, Eclipse de tierra, Este mundo, Así es la vida, La cometa y el eco, Taller, Mi hermano y yo por esos mundos*—novela—, *La sed*—novela.

Biografía: *Vida de la Avellaneda.*

Poesía: *Poesías*—Madrid, 1925—, *Iniciales*—Madrid, 1929.

BALLESTEROS BERETTA, Antonio.

Historiador español. Nació—1880—en Roma y murió—1949—en Madrid. Doctor en Filosofía y Letras por la Universidad Central. En 1906 obtuvo la cátedra de Historia Universal en la Universidad de Sevilla. Pocos años después pasó a la Universidad de Madrid, donde profesó las disciplinas de Historia de España y de América. Representó a España en cuantos Congresos y Conferencias de Historia se celebraron en Europa. Miembro de la Real Academia Española de la Historia. Correspondiente académico de incontables Instituciones de Europa y América.

Obras: *Historia de España y de sus influencias en la historia universal*—iniciada en 1919, nueve volúmenes nutridísimos de copiosa información y exhaustiva bibliografía—; *Colón*—dos volúmenes—, *Sevilla en el siglo XIII, Alfonso X, emperador; Historia de América, Metodología histórica...*

BALLESTEROS GAIBRÓIS, Manuel.

Historiador, crítico y ensayista español. Nació—1911—en Sevilla. Estudió en las Universidades de Madrid, París y Berlín. Profesor de Historia de la Civilización Universal, en la Universidad de Valencia (1940-1950). En la actualidad, catedrático de Historia de la América Primitiva en la Universidad de Madrid. Secretario del Instituto "Gonzalo de Oviedo", en el Consejo Superior de Investigaciones Científicas. Director del Seminario de Estudios Americanos.

Obras: *Historia de la Cultura*—1946—, *Historia de América*—1947—, *Historia del Mundo Antiguo*—1959—, *Historia Universal* —1946, 1961—, *Historia de España*—1960—, *La idea colonial de Ponce de León*—1961...

BANCES Y LÓPEZ-CANDAMO, Francisco Antonio.

Gran dramaturgo español. Nació Francisco Antonio Bances y López-Candamo el 26 de abril de 1662 en Sabugo, aldea aledaña de Avilés. Se lo llevó con él—siendo Bances muy niño—un tío suyo, canónigo sevillano, hombre culto y con ribetes de poeta. Y en Sevilla estudió Humanidades y se doctoró en Leyes Francisco Antonio con el mejor aprovechamiento. Era un muchachote serio, trabajador y muy aficionado a pasarse las noches de claro en claro leyendo comedias y escribiendo poesías.

Probablemente antes de cumplir los veinte años estrenó su primera obra teatral en la capital bética, con el mayor éxito. Animado por otros que siguieron al primero, muy apretados, decidió trasladarse a Madrid. Era una de sus ilusiones más fervorosas relacionarse con los grandes autores y con los cómicos más famosos. Desdichadamente, acababan de morir en la corte los últimos representantes del siglo de oro de la escena. Y los actores y actrices no abundaban más ni eran tan notables. Lope, Moreto, Cubillo, Calderón, Mira, Vélez... iban siendo como un recuerdo.

Como dato curioso que demuestra hasta qué punto había decaído el arte escénico en España a la llegada de Bances a Madrid, se cuenta de que, cuando Carlos II—heredero de las aficiones artísticas de su padre—quiso celebrar con funciones escénicas su casamiento con María Luisa de Orleáns, no fue posible reunir tres compañías de comediantes, ni acudieron sino nueve autores—muy malos los nueve—al certamen-concurso correspondiente para seleccionar las obras que habían de representarse ante los monarcas.

Bances Candamo, a quien ya acompañaba desde Sevilla una justa fama—y de quien seguramente ya se habían representado obras en Madrid—, fue recibido por Carlos II con los mayores y los mejores honores. La amistad sincera y dadivosa del monarca le valieron las más feroces enemistades de autorcetes y comicastros. Por causa de una insidia palatina, Bances tuvo un duelo y quedó malamente herido. Al enterarse el rey de su estado, mandó que se enarenase la calle en que vivía el poeta para que los ruidos no pudieran perjudicarle. Sanó del cuerpo Bances. Pero quedó irremediablemente herido del alma. Se descorazonó ante las intrigas que medraban a su alrededor. No se notaba con fuerzas para luchar contra la sátira y contra la maledicencia. Se le volvían los dedos huéspedes en lo de creer cada hombre un enemigo en guardia. Aún estrenó varias comedias, que le patearon concienzudamente los mosqueteros asalariados. El propio Carlos II, más hechizado que nunca, pareció olvidarse..., ¡tan olvidado de sí mismo andaba!

Bances renunció a luchar. Le producía su estancia en Madrid un pánico insuperable. Tuvo aún suficiente influencia para obtener un modesto empleo en la Administración de Rentas de Cabra. Más tarde—1695—intervino en el aprovisionamiento de la plaza de Ceuta. Después fue visitador general de Hacienda en Córdoba y Sevilla, y tesorero en Málaga...

Escribía poco. Paseaba y soñaba mucho. Leía bastante. Era un hidalgo pobretón, cumplido, amable. Estando en Lezuza, por razón de una comisión, murió un día del mes de septiembre de 1704. Le enterraron casi de limosna.

Bances Candamo es la última gran figura de la escena nacional española del Siglo de Oro. Hombre de gran entendimiento, de estilo fácil, profundo conocedor de las triquiñuelas escénicas, calderoniano decidido, espejo limpio de la decadencia artística de su época, merece una atención que se le ha escatimado siempre.

Bances estaba sumamente preparado para el teatro teológico, y unía a su sentido arquitectónico del drama una fácil y finísima orfebrería *de la manera* que le acerca a Moreto y a Cubillo. Gran poeta lírico, con una fastuosidad de imágenes, de tonos y de acordes, intercala en sus producciones *un modo* original de expresión en el que la decadencia adquiere valores aún absolutos. "En Bances—escribe Valbuena con su acierto de siempre—la influencia de Calderón no pesa solo sobre la regularidad del plan, ni aun respecto a los elementos decorativos, sino que va a algo más íntimo y sutil: al concepto mismo poético y simbólico de la dramática. Bances ha interpretado, hasta las últimas consecuencias, el personaje de vida interior que goza de la soledad y dialoga consigo mismo."

Las obras más interesantes de Bances Candamo son: *El esclavo en grillos de oro, El español más amante y desgraciado, Macías; La Virgen de Guadalupe, El duelo contra su dama, La piedra filosofal*—basada en *La vida es sueño*, de Calderón—y *El vengador de los cielos*. Bances Candamo escribió también muy notables autos sacramentales, como *El gran químico del mundo* y *Las mesas de la fortuna*.

Las obras líricas de Bances se publicaron en Madrid—1720—, y las comedias—1722—en la misma capital, costeada la edición de 21 obras por el librero Pimentel. Modernamente, en el tomo XLIX de la "Biblioteca de Autores Españoles", de Rivadeneyra, se han reimpreso cuatro dramas: *El esclavo en grillos de oro, El desdén contra su dama, El sastre del Campillo* y *Por el rey y por su dama*.

B

La Biblioteca Municipal de Madrid conserva quince obras de Bances en ediciones *sueltas*, impresas en Madrid, Barcelona y Valencia entre los años 1696 y 1780.

V. CUERVO-ARANGO, C.: *Don Francisco Antonio de Bances Candamo*. Estudio biográfico y crítico. Madrid, 1916.—MESONERO ROMANOS, A.: *El teatro de Candamo*, en *Semanario Pintoresco Español*, 1853-82.—SERRANO Y SANZ, M.: *Theatro de theatros*, en *Revista de Archivos*, 1901.—SCHACK, Conde de: *Historia de la literatura y el arte dramático en España*, V.—SAINZ DE ROBLES, F. C.: *Historia y antología del teatro español*. Tomo IV. Madrid, 1943.—JACK, W. S.: *Bances Candamo and the Calderonian Decadents*, en *Publications of the Modern Languages Association of America*, Baltimore, 1929.

BANCHS, Enrique.

Poeta y prosista argentino. Nació—1880—en Buenos Aires. Publicó sus mejores escritos en el semanario *Atlántida*. De la Academia Argentina de Letras. De gran cultura, fina sensibilidad, sencillez y elegancia sorprendentes. Sus obras sobresalen por las bellas imágenes y por la riqueza de su vocabulario.

Obras: *Las barcas*—1907—, *El libro de los elogios*—1908—, *El cascabel del halcón*—1909—, *La urna*—1911—, *Poemas selectos*—1921.

V. PINTO, Juan: *Panorama de la literatura argentina contemporánea*. Buenos Aires, 1941.—LUGONES, Leopoldo: *El libro de los elogios*.—ROJAS, Ricardo: *La literatura argentina*. Buenos Aires, 1924, 2.ª edición.—ESTRELLA GUTIÉRREZ, Fermín: *Panorama de la literatura argentina*. Santiago de Chile, Ercilla, 1938.—GIUSTI, Roberto F.: *Panorama de la literatura argentina contemporánea*, en *Nosotros*, segunda época, número 68, Buenos Aires, noviembre 1941.—MORALES, Ernesto: *Antología poética argentina*. Buenos Aires, 1943.—BORGES, OCAMPO y BIOY: *Antología poética argentina*. Buenos Aires, 1941.

BAQUERO GOYANES, Arcadio.

Periodista, crítico teatral, ensayista. Nació—1925—en Gijón. Licenciado en Filosofía y Letras por la Universidad de Oviedo. Periodista por la Escuela Oficial de Periodismo. Redactor sucesivamente de los diarios *Región*, de Oviedo; *El Comercio*, de Gijón; *El Alcázar*, de Madrid, en el que durante muchos años ha desempeñado con gran jerarquía la crítica teatral. "Premio Nacional de Crítica, 1960". Miembro del Institut International du Théâtre (UNESCO). Del Consejo Superior del Teatro y del Consejo Nacional de Festivales de España.

Obras: *Don Juan y su evolución dramática* —dos tomos, 1966—, *Teatro de humor en España*—1966.

BAQUERO GOYANES, Mariano.

Historiador y crítico literario español. Nació—1923—en Madrid. Doctor en Filosofía y Letras (Sección: Filosofía Románica). Catedrático de Literatura Española—1964—en la Universidad de Murcia. En 1948 le fue concedido el "Premio Menéndez y Pelayo" del Consejo Superior de Investigaciones Científicas.

Obras: *El cuento español en el siglo XIX*, *La novela naturalista española: Emilia Pardo Bazán, "Azorín" y Miró; Problemas de la novela contemporánea, Prosistas españoles contemporáneos, Perspectivismo y contraste, Qué es la novela, La novela española vista por Menéndez y Pelayo.*

BARAHONA DE SOTO, Luis.

Gran poeta español. 1548-1595. Nació en Lucena. Estudió mucho y bien en Granada, Osuna y Sevilla. Ejerció la Medicina en Osuna. Peleó durante cuatro meses contra los moriscos de las Alpujarras. Mientras vivió en Granada, asistió a la tertulia literaria del señor Granada Venegas, alcaide del Generalife, donde amistó con Silvestre, Pedro de Padilla, Hernando de Acuña y Hurtado de Mendoza. Se casó en Archidona—1580—, de donde fue nombrado médico en el año 1586, y corregidor, desde 1587 a 1591. Murió en Antequera.

Aun cuando la obra principal de Barahona es el poema narrativo *Las lágrimas de Angélica*—basado en un episodio del *Orlando*, de Ariosto—, muy alabado por el cura del *Quijote*, como poeta lírico escribió poesías a la manera tradicional castellana y poesías a la italiana; unas y otras, de fácil versificación, y algunas, sumamente inspiradas.

Como poeta lírico, tuvo Barahona de Soto excepcionales condiciones: viva y original la imagen, terso el estilo; fue de los primeros que marcaron en la poesía la delicadeza un tanto abigarrada y de colores fuertes de lo granadino. Su *Egloga de los hamadríades* es el primer paso dado en una dirección que más tarde seguirán Carrillo y Góngora.

Sin embargo, la obra principal de Barahona es el poema narrativo *a la italiana*, titulado *Las lágrimas de Angélica*, en el que se mezclan lo imaginario y lo caballeresco. Barahona evoca en su poema, como por arte de magia, a base de un solo episodio del *Orlando furioso*, de Ariosto—el de Angélica y Medoro—, un verdadero laberinto de aventuras, en las que falla la inventiva y hasta no pocas veces el lirismo. Sin embargo, su

B

éxito fue grande. Tanto, que aún movió a Lope a escribir una continuación: *La hermosura de Angélica,* y a exclamar a Cervantes, por boca del cura de su *Quijote:* "Lloráralas yo si tal libro se hubiera mandado quemar, porque su autor fue uno de los más famosos poetas del mundo, no solo de España."

Textos: *Las lágrimas de Angélica,* edición facsímil de A. M. Huntington, Nueva York, 1904; *Poesías,* en los tomos XXXV y XLII de la "Biblioteca de Autores Españoles".

V. Rodríguez Marín, F.: *Luis Barahona de Soto.* 1903.—Puibusque: *Histoire comparée des litteratures espagnole et française.* París, 1843.—Fucilla, J. C.: *Un sonetto di B. de S...,* en *Gior. St. Let. It.,* 1940, CXVI, pág. 67.

BARALT, Luis A.

Narrador, cronista y autor teatral cubano. Nació—1892—en Nueva York. Se graduó doctor en Filosofía y Letras y en Derecho. Profesor de inglés en el Instituto de la Habana. Profesor de Filosofía y Estética en la Universidad de aquella capital. Secretario de Instrucción Pública y Bellas Artes—1934—. Presidente de la Corporación Nacional de Autores (1944-1946). Fundador—con Rafael Marquina, Cid Pérez y el escenógrafo Hurtado de Mendoza—del Teatro de Arte La Cueva. Caballero de la Legión de Honor. Caballero de la Orden del Sol de Perú. Director de escena admirable, ha montado obras de incontables clásicos españoles, franceses, ingleses, italianos, y de grandes autores escénicos contemporáneos de diversos países. Profesor de la Academia de Ciencias Dramáticas de la Habana.

Obras teatrales: *Meditación de tres por cuatro, La luna en el pantano, Junto al río, La mariposa blanca, Tragedia indiana.*

BARALT, Rafael María.

Gran poeta, historiador y pensador venezolano. 1810-1860. Nació en Maracaibo. Pasó la niñez en Santo Domingo. Estudió en Bogotá. Como capitán de Artillería, tomó parte en la revolución venezolana de 1830. Entre 1840 y 1842 vivió en París. Como diplomático, llegó a España en 1843, y en Madrid adquirió ciudadanía española. Dirigió la *Gaceta*—1856—. Administró la Imprenta Nacional. Y en la capital de España murió. Fue bachiller en Filosofía y estudió a fondo las Matemáticas. Perteneció, como miembro de número, a la Real Academia Española. Fue redactor de *El Espectador* y de *El Semanario Pintoresco Español;* director de *El Siglo* —1848.

Menéndez Pelayo escribe de él: "Baralt fue no solo de los mejores hablistas, sino de los más poetas entre los que siguieron esta tendencia neoclásica. No le faltaba imaginación; tenía caudal de ideas y meditaba largamente el plan de sus odas. El, que escribía una prosa tan limpia, tan desembarazada, tan sabrosa, parece sometido en la poesía a un canon inflexible, que le entorpece los mejores impulsos, que le enturbia los más felices conceptos, que le aparta casi siempre de la expresión natural y le hace sudar por trochas y veredas desusadas en busca de un género de perfección convencional y ficticia. La poesía de Baralt no carece de afectos humanos, limpios y generosos, ya de religión, ya de patria, ya de amistad; y cuando, por rara excepción, deja correr con alguna libertad esta vena de sentimiento, como en la preciosa silva *A una flor marchita,* que tiene algo de la melancolía y de la ternura de Cienfuegos, con una pureza de estilo que Cienfuegos no mostró nunca..., resulta mucho más poeta que en las odas de aparato... Fue un gran literato y poeta mediano."

Fue Baralt filólogo eminente, de una dicción pulcra y elegante, que recuerda la de Bello, aun cuando su prosa tuvo excesiva retoricidad. La preocupación formal menguó mucho sus innegables dotes de sensibilidad y delicadeza. "El canon clasicista sofoca también la emoción de su poesía. El apego al buril, manejado con preocupación de reducir a uniformidad plástica—como ideal de escuela—todo carácter personal y emocional, se hace palpable. Correcto siempre, no es, sin embargo, convincente. Su frialdad es la del gramático que se ejercita en los versos como en un tema de clase." (Leguizamón.)

Entre sus poesías sobresalen: *A España, A Colón, Adiós a la patria, A la Anunciación, El árbol del buen pastor, A una flor marchita...*

Obras: *Resumen de la historia de Venezuela*—París, 1841, tres volúmenes—. *Historia de las Cortes de 1848 a 1849*—Madrid, 1849, en colaboración con Nemesio Fernández Cuesta—, *Las Angélicas Fuentes o El tomista de las Cortes...*—Madrid, 1849—, *Lo pasado y lo presente, Diccionario de galicismos*—Madrid, 1885—, *Diccionario matriz de la lengua castellana*—inconcluso—, *Poesías* Curaçao, 1888...

V. Picón Salas, M.: *Formación y proceso de la literatura venezolana.* Caracas, 1940.— Menéndez Pelayo, M.: *Historia de la poesía hispanoamericana.* Madrid, 1911, tomo I. Picón Febres, Gonzalo: *La literatura venezolana en el siglo XIX.* Caracas, 1906.—Calcaño, Julio: *Reseña histórica de la literatura venezolana.* Caracas, 1888.—Güell y Mercader, José: *Literatura venezolana.* Dos tomos. Caracas, 1883.

BARBADILLO, Manuel.

Poeta, novelista, biógrafo. Nació—1892—en Sanlúcar de Barrameda. Universitario. Hijo predilecto de su ciudad natal. Académico de número de la Hispanoamericana de Cádiz y de la de San Dionisio, de Jerez de la Frontera, y correspondiente de la Sevillana de Buenas Letras, la de Bellas Artes de Córdoba y la de San Romualdo de San Fernando. Contador mercantil.

De mucho talento, mucho ingenio y gran sensibilidad, sus escritos rebosan humanidad y espontáneo ángel. Y si como poeta se mantiene en la más pura y alta línea tradicional andaluza, como costumbrista resulta pintor lleno de realismo y colorido.

Obras: *Rincón de sol, Geranios, Flor y cal, Calesas y bergantines, Jarcias y yuntas, Del mismo tronco,* todos ellos de poemas. Entre sus mejores novelas: *Telones y marionetas, Los ojos del perro, El mundo en borrador, La ciudad sepultada, La barca negra*—ensayos—, *La gente, más gente y sigue la gente* —anecdotario andaluz—, *La sombra iluminada*—memorias—, *Escombros*—papeles históricos—, *El vino de la alegría*—anecdotario del vino Manzanilla—, *Apuntes en la llanura* —cuentos—, *El pintor Pacheco*—biografía.

BARBA JACOB, Porfirio (v. Osorio, Miguel Angel).

BARBERÁ, Carmen.

Novelista y cronista española. Nació—hacia 1927—en Cuevas de Vilromá (Castellón). En 1957, con su primera novela, *Adolescente,* quedó finalista del "Premio Valencia". De ella ha dicho un crítico: "Dueña de un raro poder para exaltar lo mínimo, la literatura de Carmen Barberá se caracteriza por el latido tan personal, la dolida resonancia que, después de haber pasado por su pluma, adquieren todas las cosas. Dice el bien y el mal sin preocuparle demasiado, como si a cada instante se estuviese preguntando dónde está la verdad. Transida de infinito amor y comprensión hacia todas las criaturas, refleja en sus obras el dolor de saberlas abandonadas, aterrorizadas y solitarias frente a la grandeza de la creación." Finalista del "Premio Ciudad de Barcelona", 1959 y 1960.

Otras novelas: *Al final de la ría*—novela, "Premio Ondas", 1957—, *La colina perdida* —novela, "Premio Tortosa", 1958—, *Debajo de la piel*—novela, 1959—, *Las esquinas del alba*—novela, Barcelona, 1960...

BARBERÁN, Cecilio.

Ensayista y crítico de arte. Nació—1899— en Arjona (Jaén). Desde muy niño se dedicó al cultivo de la pintura bajo la dirección de Gonzalo Bilbao—en Sevilla—y López Mezquita—en Madrid—. Miembro fundador del Museo del Pueblo Español en Madrid. Comisario de Excavaciones Arqueológicas en la provincia de Jaén. Ha ejercido la crítica artística en los diarios *A B C, Informaciones, Arriba,* y en las revistas *Ecclesia, Luna y Sol, Escorial.* Ha pronunciado centenares de conferencias con temas de arte en el ancho mundo de la Hispanidad. De gran sensibilidad y gusto magistral.

Obras: *La nueva pintura andaluza, Visiones de España, Asteriscos sobre Rembrandt, El Museo Nacional de Escultura de Valladolid, Acerca de Velázquez*—"Premio Nacional de Literatura, 1961"—, *Martínez Montañés, el dios de madera;* y biografías críticas de Cruz Herrera, Soria Aedo, Gutiérrez Solana, Eduardo Navarro.

BARBERENA, Santiago Ignacio.

Historiador y ensayista salvadoreño. 1850-1916. Nació en la antigua Guatemala y falleció en San Salvador. Fue abogado, ingeniero, astrónomo, arqueólogo, sismólogo, matemático, filólogo, historiador... Posiblemente, uno de los mejores y más auténticos polígrafos de Hispanoamérica. Viajó por todo el mundo, como miembro de honor y conferenciante en innumerables Congresos internacionales. Presidente de la Comisión encargada de levantar el mapa de El Salvador. Rector de la Universidad Nacional. Su cultura fue vasta, y su prosa, sumamente ortodoxa y bella.

Obras: *Historia de El Salvador*—1914 a 1917—, *Historia de la lengua española* —1901—, *Quicheísmos...*

BARBIERI, Francisco Asenjo.

Gran compositor y erudito español. Nació —1823—y murió—1894—en Madrid. Estudió las primeras y segundas letras con los Escolapios. Su afición musical fue extraordinaria. Dominó el clarinete, el piano y la dirección de orquesta. Desempeñó, dentro de los teatros, los más diversos cargos: apuntador, maestro de coros, maestro de escena... Compuso canciones y romanzas. Cantó en zarzuelas y óperas. Enseñó música en la Escuela de Nobles y Bellas Artes de San Eloy. En 1850 estrenó con gran éxito su primera zarzuela, *Gloria y peluca.* Desde esta fecha sus éxitos teatrales se sucedieron, casi ininterrumpidos, dándole una gloria y una popularidad inmensas: *Jugar con fuego, Pan y toros, El barberillo de Lavapiés.*

Pero aquí nos interesa más como gran erudito tanto musical como literario. De enorme cultura, publicó en revistas y diarios incontables crónicas del mayor interés para la historia del teatro español. Fue miembro de las Reales Academias de la Lengua y de Bellas Artes de San Fernando, y uno de los fundadores de la noble e importantísima Sociedad de Bibliófilos Españoles. Escribía con gran amenidad y sencillez.

Obras literarias: *Reseña histórica de la zarzuela, Ultimos amores de Lope de Vega, Las castañuelas, Cancionero musical de los siglos XV y XVI*.

V. PEÑA Y GOÑI, A.: *Barbieri*. Madrid, 1875.—PEÑA Y GOÑI, A.: *La música española y la música dramática en España en el siglo XIX*. Madrid, 1881.—ARTEAGA Y PEREIRA: *Celebridades musicales españolas*. Barcelona, 1886.—COTARELO MORI, Emilio: *Historia de la zarzuela*. Madrid. Bolet. Academia Española, desde 1934.

BARBIERI, Vicente.

Poeta, narrador y periodista argentino. Nació—1903—en Alberti (provincia de Buenos Aires). En 1942 obtuvo el "Premio Municipal de Poesía" con su libro *La columna y el viento*. La Sociedad Argentina de Escritores calificó—1945—de mejor libro del año a su obra *El río distante*. En 1947 le fue otorgado el "Premio Nacional de Poesía" a su libro *Anillo de sol*. Y en 1952 la Sociedad Argentina de Autores le concedió el "Premio Sarmiento" a su libro *Desenlace de Endimión*.

Otras obras: *Fábula del corazón*—1939—, *Arbol total*—1940—, *Corazón del Oeste* —1941—, *Número impar*—1943—, *Cabeza yacente*—1945—, *Relato de una infamia* —prosa, 1945—, *El libro de las mil cosas* —1954—, *El bailarín*—teatro, 1953.

BARCO CENTENERA, Martín del.

Poeta, sacerdote y conquistador español. Nació—1535—en Logrosán (diócesis de Plasencia) y murió en 1602. Hacia 1600 había regresado a España. En 1572 marchó a América como soldado del adelantado Juan Ortiz de Zárate. Durante veinticinco años tomó parte en las numerosas empresas que Zárate llevó a cabo en el Río de la Plata. Ya viejo, desempeñaba el cargo de arcediano en Tucumán.

Fue autor del poema-crónica *La Argentina y conquista del Río de la Plata, con otros acaecimientos de los reinos del Perú, Tucumán y Estado del Brasil*. Como poema, la obra es francamente deleznable; carece de inspiración, de soltura versificadora, de fuerza descriptiva... Sin embargo, como obra histórica es sumamente curiosa. Abundan en ella los datos que no nos han llegado por otras fuentes; comprende la crónica minuciosa y única de las hazañas de Ortiz de Zárate; es biografía magnífica de *parte* de la vida de don Juan de Garay, fundador de Buenos Aires; refiere muchas peculiaridades

de la pampa y anécdotas sobre la vida de los primeros colonizadores; detalla la rebelión de don Diego de Mendoza contra el virrey del Perú don Francisco de Toledo; describe el terremoto de Arequipa, los cánones del Concilio Limense de 1581, la derrota del pirata inglés Thomas Cavendish—1592—, en aguas del Brasil...

Escribió, además, una novela titulada *Desengaños del mundo*.

Ediciones de *La Argentina*: Lisboa, por Pedro Crasbeck, 1602; en el tomo III de los *Historiadores primitivos de las Indias occidentales*, coleccionados por Andrés González Barcia, 1749; en el tomo III de la *Colección de obras y documentos relativos a la historia antigua y moderna de las provincias del Río de la Plata, ilustrados con notas y disertaciones por Pedro de Angelis*, Buenos Aires, Imp. del Estado, 1836-1837; en *La Revista*, Buenos Aires, 1854; la de la Ed. Estrada y la de la Junta de Historia y Numismática.

V. GUTIÉRREZ, Juan María: *Estudios histórico-críticos sobre la literatura en Sudamérica*, en *Rev. del Río de la Plata*, tomo IV.— MENÉNDEZ PELAYO, M.: *Historia de la poesía hispanoamericana*. Madrid, 1913. tomo II, págs. 374-379.

BAREA, Arturo.

Cuentista y novelista español. Nació —1897—en Madrid. Murió—1957—en Feringdon (Berky, Inglaterra). De orígenes humildes. Autodidacto que tuvo una experiencia enorme antes de dedicarse a las letras. Durante la guerra civil española de 1936-1939, Barea fue periodista y censor en Madrid de corresponsales extranjeros.

En 1938 publicó en Barcelona un libro de cuentos, *Valor y miedo*, inspirados en la guerra de su patria y llenos de interés y de fuerza dramática.

Desde 1939 se estableció en Inglaterra, donde escribió su gran novela, en tres tomos, *La forja de un rebelde*, una de las más hermosas que se han publicado en lo que va de siglo, y que primero se publicó en lengua inglesa y luego se tradujo a varios idiomas, alcanzando el mismo éxito en todas partes. Los tres tomos llevan los siguientes títulos: *La forja, La ruta* y *La llama*.

"Barea es un auténtico novelista, de esos que saben interesar desde la primera escena que trazan. Pertenece a la familia de los Galdós o de los Baroja, por su capacidad de mover personajes, de acumular detalles decisivos y utilizar hechos autobiográficos como telón de fondo de su argumento narrativo.

En *La forja de un rebelde* se introduce al lector en la atmósfera espiritual de la Espa-

B

ña moderna, desde el instante en que un muchacho se asoma a la vida y percibe las tremendas injusticias que lo rodean, hasta la crisis dramática en que se juega su destino individual junto con el colectivo de su pueblo. Todo aquí ha sido hábilmente combinado a través de una atmósfera verídica y apasionante, que expresa, como en pocos documentos contemporáneos, el sentido genuino de una rebeldía. El escenario peninsular se ha situado en varios planos, que contribuyen a interesar al lector y a conducirlo al punto en que la convivencia entre los españoles de distintas ideas es imposible.

El valor fundamental de este libro es despertar la curiosidad del lector por su desenlace, sin que adivine cuál puede ser en medio de un tumulto de escenas y situaciones picarescas, dramáticas o simplemente humanas en su gran variedad. La diversidad de medios sociales, de pinturas de costumbres y paisajes, de caracteres y tipos de enjundia novelesca, aumenta el atractivo de la trilogía. Trasciende esta variedad a la forma de redacción del libro o hace pareja con ella. Parte de la trilogía está escrita en forma de recuerdos juveniles; parte, como descripción de la vida militar, y el final, con cierta técnica en un reportaje periodístico, de gran vuelo y aliento multitudinario.

Hemos comparado a Barea con Galdós y Baroja por su ímpetu para mover muchedumbres de tipos y por su minucioso arte descriptivo. También es ajeno a la retórica, y no hace estilo sino en momentos de abandono intimista. Por lo general, su prosa es robusta, de giro amplio, de rudo casticismo, sin pararse en primores, pero dominada a veces por una plasticidad verdaderamente pictórica. El habla popular, en lenguaje de los golfos madrileños, de los militares establecidos en Marruecos y de los revolucionarios de la guerra civil, están reproducidos en toda su crudeza y con los matices de la nueva germanía.

Como Baroja, Arturo Barea acumula detalles, pero quizá posee un mayor rigor técnico y menos objetividad. Aquí, en vez de exposición, nudo y desenlace, como en ciertas obras clásicas, observamos una sucesión rápida, llana y seguida de hechos de dinámico valor.

Tiene una visión neta, directa, de las materias que capta, no por artilugios de estilo, sino por un agudo sentido de la acción. En *La forja de un rebelde,* la unidad consiste en su poderoso atractivo autobiográfico, en el vigor de la personalidad del narrador, niño primero, adolescente después y hombre maduro al final. La serie de episodios, de gran movimiento, que evoca, a veces, los procedimientos del cinematógrafo, llegan a fundirse entre sí por los hilos de un argumento ex-

cepcional. Sería imposible recordar todo lo que aquí se entrelaza en tres nutridos volúmenes, pero hay algunos instantes de tensión inolvidables." (R. A. C.)

Otras obras: *La raíz rota*—Buenos Aires, 1955—, *El centro de la pista*—Madrid, 1960.

V. MARRA-LÓPEZ, José M.ª: *La narrativa española fuera de España* (1939-1960). Madrid, edit. Guadarrama, 1963, págs. 289-340.—NORA, Eugenio G. de: *La novela española contemporánea.* Madrid, edit. Gredos, 1962. Tomo II bis, págs. 61-65.—ALBORG, Juan Luis: *Hora actual de la novela española.* Madrid, Taurus, 1962. Tomo II, págs. 213-44.

BARJA, César.

Escritor y crítico literario español, nacido en Galicia en las postrimerías del siglo pasado. Ha muerto en 1951. Doctor en Filosofía y Letras. Muy joven, marchó a los Estados Unidos, donde ha dado notables conferencias y cursos de literatura española en distintas Universidades. Profesor en la Universidad de Los Angeles (California). Es César Barja uno de los más agudos y cultos críticos literarios españoles de hoy, perteneciente a esa magnífica promoción de los Amado Alonso, Joaquín Casalduero, Dámaso Alonso, Valbuena Prat y tantos otros que tanta labor han llevado a cabo en los Estados Unidos en favor de la literatura española.

Obras: *Rosas y espinas místicas*—Madrid, 1924—, *Literatura española: libros y autores clásicos*—1923—, *Rosalía de Castro*—Nueva York, 1923—, *Libros y autores contemporáneos*—1935...

BARLETTA, Leónidas.

Poeta, novelista, ensayista argentino. Nació en 1900 en Buenos Aires.

Libros publicados desde 1923: *Canciones agrias, Cuentos realistas, Los vientres trágicos, María Fernanda, Los pobres, Vidas perdidas, Royal Circo, Los destinos humildes, Vigilia por una pasión, La señora Enriqueta y su ramito, Cómo naufragó el capitán Olssen, Rada, La felicidad gris, Sobrevivientes, Los duendes del bosque, La vida, El amor en la vida y en la obra de Juan Pedro Calou, Las novias, Odio, Relato de otros tiempos y destas tierras, El barco en la botella, Historia de perros, Pájaros negros, La ciudad de un hombre, Destino cabal en la obra de Lope*—1936.

Sus novelas *Royal Circo* y *La ciudad de uno hombre* merecieron el tercer Premio de Literatura Municipal y Nacional, respectivamente. En 1947 obtuvo en la Habana (Cuba) el "Premio Hernández-Catá" al mejor cuentista de América.

Ha dirigido las revistas de arte *Metrópolis* y *Conducta.* Dirigió la filmación de la

B

película *Los afincaos,* y es fundador y director del Teatro del Pueblo, de Buenos Aires. Sus cuentos han sido traducidos al italiano y al alemán. Colabora en *La Prensa,* de Buenos Aires.

Barletta desarrolla una labor de gran trascendencia nacional con su Teatro del Pueblo.

BAROJA Y NESSI, Pío.

Uno de los más grandes y fecundos novelistas españoles de todos los tiempos. Nació —1872—en San Sebastián. Murió—30 de octubre de 1956—en Madrid. De pocos grandes escritores se saben tantos pormenores de sus vidas como de Baroja. El gran novelista lleva publicados seis gruesos volúmenes de *Memorias,* bajo el título general *Desde la última revuelta del camino*—1944 a 1949—. Dichas *Memorias,* sinceras, minuciosas, sugestivas, ásperas, constituyen una fuente inagotable de pormenores para el mejor conocimiento de la vida gloriosa y fecunda del gran escritor. Vida, por otra parte—todo hay que decirlo—, salpicada de mil cominerías, de mil currincherías, de mil monomanías, de mil agresividades poco justas. Y es que los grandes talentos, como hombres, son así.

Pío Baroja empezó a estudiar Medicina en Valencia, doctorándose en Madrid—1893—. Ejerció su profesión en el balneario de Cestona (Guipúzcoa) durante dos años. Pero aquella vida monótona de médico de pueblo se avenía mal con el carácter rebelde, voluntarioso, de Baroja. Se trasladó a Madrid. Tanteó varios negocios, entre ellos la explotación de una panificadora. Se dedicó al periodismo, colaborando en *El País,* en *El Imparcial,* en *El Globo,* en *Electra,* en la *Revista Nueva...* En esta época juvenil, y aun "tanteadora" de un futuro firme, Baroja se manifestó en todo duro, arisco, rebelde, agresivo. Subversivo de ideas religiosas, poco afecto a la mayoría de las instituciones sociales, discípulo de Nietzsche y Schopenhauer en su filosofía pesimista, despreciador de la retórica y de la gramática en sus escritos, testarudo en sus opiniones. Sin embargo..., ¡qué personal, qué original, qué atractivo, qué español este Baroja! Pocos novelistas atraen tanto con tan escasos elementos literarios: sinceridad, naturalidad, desaliño, misantropía...

En 1900 apareció su primer libro novelesco: *Vidas sombrías,* conjunto de impresionantes—aguafuertes—cuentos, en los que si no se encuentran florituras de estilo y optimismos sanchopancescos, sí se encuentra emoción, gallardía, fiereza vital.

De Baroja ha escrito el buen crítico Cejador: "Baroja, despreciador de la retórica y de la gramática, ha compuesto novelas en las cuales se retrata su espíritu y, por lo mismo, el espíritu rebelde, independiente,

cerril y pícaro de los españoles, haciendo verdaderas novelas picarescas modernas, solazándose en personajes de la hez social, desheredada y rebelde, que aspira a romper toda traba y vivir a sus anchas. Descuidado en el lenguaje, es, sin embargo, castizo, recio, colorista y natural; pero, sobre todo, puntual y preciso. Son sus novelas cuadros admirables, fuertemente realistas, de un brío y color desusado, de una sinceridad desenfadada y fiera, con un dejo amargo de negro desengaño y con un anhelo de otras cosas, no se sabe de cuáles, que empapan sus escritos de melancolía agridulce, como de sabores que no se han gustado, pero que se ansían saborear. Embiste contra pueblos, instituciones y aun personas con poco miramiento, como de los iconoclastas que es de la generación del 98, aburrido y agriado sin qué ni para qué. Es Baroja uno de los mejores novelistas de España en nuestro tiempo. Enteramente español, menos en una cosa: en el negro pesimismo, que es el que rebaja su obra novelesca, y acaso la ponga en olvido si la moda pesimista llega a pasar algún día. Sin esa nota, hubiera sido digno continuador de Galdós, pues en sus novelas bulle toda España; hasta en las que tienen su argumento en París, Londres o Roma hay jirones de la vida española en aquellas ciudades extranjeras. El mal del siglo hizo presa en él; por él vino a España, de hecho, el arte naturalista, que solo teóricamente y a medio entender pregonó Pardo Bazán."

Otro gran crítico, Cansinos-Assens, en *Los Hermes*—1916—, añade: "De la estirpe folletinesca tiene la pródiga inventiva, el arte de coordinar y de acumular los episodios, la virtud taumatúrgica de conciliar los extremos y violar graciosamente las normas y recoger en algunas páginas amplísimos lienzos de acción... A la finura de la intención, a la verdad psicológica, a la exactitud de la observación... Es algo más que un folletinista; Baroja es un psicólogo, un observador atento, que toma sus notas de la realidad.

Los personajes de sus novelas son reales y vivientes... El procedimiento barojesco es un procedimiento dinámico, casi puramente dramático... El, por su amor a la propiedad, a la verdad, a la exactitud y precisión y al hallazgo de las líneas fundamentales, las que dan alma a las figuras y son, sin embargo, las menos observadas, ha sido el inaugurador de una recia escuela de escritores que sacrifican sin escrúpulo ni dolor toda pompa inútil, toda inútil belleza a la verdad. El ha sido el creador de ese estilo vivo y suelto, rebelde a toda regla retórica, nervioso y esquemático, estilo anarquizante... Un estilo abrupto y escueto, de cordillera y de acantilado, en el que nunca se abren senos floridos y plácidos..."

Y José María Salaverría—en *A lo lejos*—: "Es uno de los escritores modernos más originales y fuertes... Es un sentimental sarcástico... Es un escritor que, como él mismo dice, se ha dedicado a las letras con una voluntad de acción... Por eso los libros de Baroja tienen tanta vida. Están hechos sobre la misma realidad. Reflejan la palpitación del mundo a través del intenso, atormentado temperamento del autor. Nada tan rico en matices, en inflexiones trágicas, irónicas o sentimentales, como ese temperamento que no pide nada a los libros, sino a su propia sensibilidad y a su abundante inteligencia."

César Barja afirma que cada novela de Baroja puede compararse "a un viaje, en el que lo de menos es el fin, y hasta el camino, en cuanto conducente a un fin... Lo importante es el camino en sí y de por sí... Se trata de un camino en extremo pintoresco... A lo largo de él va el novelista saludando y despidiendo personajes, narrando aventuras, discutiendo ideas, teorías y sistemas, haciendo reflexiones, describiendo paisajes, contando chistosas y extrañas anécdotas e historias de todas clases".

Pío Baroja, narrador excepcional, es sencillo y sin complicaciones; no saca conclusiones, sino que se limita a enumerar premisas; es austero, con austeridad que linda con la amargura; siente una pasión infinita por cuanto la pasión egoísta de la Humanidad parece desdeñar; huye discretamente de ese *arte predicador* que hipertrofia desagradablemente tantas novelas. Pío Baroja—y es este uno de los valores más altos de su espiritualidad—posee una de las sensibilidades que con más trágica intensidad vibran ante los males y dolores de su patria. Pío Baroja, pese a su ascendencia vasca, a su nacimiento en Vasconia, a su tozudez en proclamarse vasco, por no sabemos cuántos costados, es un escritor... ¡enormemente castellano! El sentimiento trágico de Castilla es el único resorte que le mueve—y le conmueve—. Hasta cuando quiere hablar de Vasconia o describir lugares vascos lo hace con el dibujo escueto, con los colores austeros y desnudos del castellanismo.

La producción literaria—novelas, cuentos, ensayos, reflexiones y memorias—de Pío Baroja es enorme. Sus libros se acercan al centenar. Sus novelas pueden referirse a tres grupos: las llamadas *trilogías*, las *históricas* y las *independientes*. Entre estas últimas sobresalen: *Laura, o La soledad sin remedio; El caballero de Erlaiz, Susana y los cazadores de moscas, El puente de las ánimas, El hotel del cisne, Los impostores joviales.*

Sus trilogías comprenden: *Tierra vasca —La casa de Aizgorri, El mayorazgo de Labraz, Zalacaín el aventurero—, La vida fantástica—Camino de perfección, Aventuras, inventos y mixtificaciones de Silvestre Paradox; Paradox, rey—, La raza—La dama errante, La ciudad de la niebla, El árbol de la ciencia—, La lucha por la vida—La busca, Mala hierba, Aurora roja—, El pasado—La feria de los discretos, Los últimos románticos, Las tragedias grotescas—, Las ciudades—César o nada, El mundo es ansí, La sensualidad pervertida—, El mar—Las inquietudes de Shanti Andía, El laberinto de las sirenas, Los pilotos de altura, La estrella del capitán Chimista—, Agonías de nuestro tiempo—El gran torbellino del mundo, Las veleidades de la fortuna, Los amores tardíos—, La selva oscura—La familia de Errotacho, El cabo de las tormentas, Los visionarios—, La juventud perdida—Las noches del Buen Retiro, El cura de Monleón, Locuras de Carnaval—, Saturnales—El cantor vagabundo,* 1950.*

Entre los libros de novelas breves y cuentos: *Vidas sombrías, Idilios y fantasías, Entretenimientos, El horroroso crimen de Peñaranda del Campo, El diablo a bajo precio, Cuentos...*

La vida, las opiniones, la filosofía, la crítica de Baroja están expuestas con prodigioso vigor y sinceridad absoluta en: *La caverna del humorismo, Juventud, egolatría; Divagaciones apasionadas, Las horas solitarias, El tablado de Arlequín, Nuevo tablado de Arlequín, Intermedios, Vitrina pintoresca, Rapsodias, Desde la última vuelta del camino*—siete tomos.

Veintidós volúmenes comprende la serie histórica *Memorias de un hombre de acción,* dedicada a narrar episodios "sueltos", bélicos y políticos, del siglo XIX, juntamente con las aventuras, un tanto deshilvanadas, del eterno conspirador Aviraneta. Algunos de estos veintidós volúmenes son magistrales: *El escuadrón del Brigante, La ruta del aventurero, La Isabelina, El sabor de la venganza, Las furias, Las figuras de cera, La nave de los locos, Las mascaradas sangrientas, La senda dolorosa...*

Las obras de Baroja están traducidas a los principales idiomas europeos. Algunas de ellas han sido teatralizadas y llevadas al cinematógrafo. En el año 1946, una importante editorial madrileña ha iniciado la publicación de las *Obras completas* de Baroja en volúmenes de lujo.

V. "AZORÍN": *Ante Baroja,* Zaragoza, 1946. BARJA, César: *Libros y autores contemporáneos...*—ORTEGA Y GASSET, José: *El espectador,* tomo I. 1916.—TREND, J. B.: *Pío Baroja and his Novels,* en *A Picture of Modern Spain.* 1921.—OWEN, A. L.: *Concerning the Ideology of Pío Baroja*, en *Hispania*. 1932.—CANSINOS-ASSENS, R.: *Los Hermes*. 1916.—GARNELO, B.: *La obra literaria de Baroja*, en *La Ciudad de Dios*. 1913.—ONÍS, Federico: Prólogo a la edición de *Zalacaín el aventurero*. Nueva York, 1929.—GARCÍA MERCADAL, J.: *Baroja en el banquillo*. (Dos tomos de críticas españolas y extranjeras.) Zaragoza, 1949.—GÓMEZ DE LA SERNA, Ramón: *Retratos Contemporáneos*. Buenos Aires, 1944. GRANJEL, Luis S.: *Retrato de Pío Baroja*. Barcelona, 1954.—SALAVERRÍA, José María: *Retratos*. Madrid, 1926.—*Indice de Artes y Letras*, números 70-71, Madrid, enero-febrero 1954, con una copiosísima bibliografía.—ENTRAMBASAGUAS, Joaquín de: *Las mejores novelas españolas contemporáneas* (1900-1904). Barcelona, Planeta, 1958, págs. 1239-1354. (Contiene una bibliografía exhaustiva.)—ARBÓ, Sebastián Juan: *Pío Baroja*. Barcelona, Planeta, 1964.—NORA, Eugenio G.: *La novela española contemporánea*. Madrid, edit. Gredos, 1958. Tomo I, págs. 97-224.

BAROJA Y NESSI, Ricardo.

Pintor y literato español, hermano de Pío. Nació—1871—en las Minas de Río Tinto (Huelva), de ascendencia netamente vasca. Murió—1953—en Vera del Bidasoa. Como pintor y grabador, ha conseguido renombre universal. Pero es, además, un excelente literato, de mucha fuerza y originalidad, que sabe llevar a sus narraciones todos los valores de sus aguafuertes. Fue profesor de la Escuela Nacional de Artes Decorativas.

Entre sus obras teatrales figuran: *Pedigree, El cometa, Olimpia de Toledo, El obstáculo*. Entre sus novelas: *Tres retratos, Un personaje extraño, La gran corrida, La nao capitana (cuento español del mar antiguo), Carnashu, Pasan y se van, Los dos hermanos piratas, Clavijo, Tres versiones de una vida, Bienandanzas y fortunas*.

BARRA, Eduardo de la.

Poeta y periodista chileno. Nació—1839— y murió—1900—en Santiago. Ingeniero. Catedrático de Matemáticas y de Literatura en el Liceo de Valparaíso—del que también fue rector—y en la Escuela Militar de Santiago. Redactor de *La Opinión*. Obtuvo el primero y el segundo premios de los "Amigos de las Letras" por sus composiciones *El abate Molina* y *La independencia americana*. Murió pobre y olvidado.

No poseyó originalidad y sí un extraordinario mimetismo para asimilarse las ideas y los estilos de otros ingenios. Pero su nombre merece recordarse por sus felices innovaciones métricas y por el modernismo prematuro de algunas de sus composiciones.

Obras: *Poesías*—1868—, *Saludables adver-*

tencias al clero chileno—1871—, *Bilbao ante la sacristía*—1871—, *Poesías*—1889—, *Estudios sobre la versificación castellana*—1889—, *Rimas chilenas*—1890...

V. SILVA CASTRO, Raúl: *Antología de poetas chilenos del siglo XIX*, en *Biblioteca de Escritores de Chile*, vol. XIV. Santiago, 1937. FIGUEROA, P. P.: *Antología chilena*. Santiago, 1908.—LATORRE, Mariano: *La literatura chilena*. Buenos Aires, Facultad de Filosofía y Letras, 1941.—LILLO, Samuel: *La literatura de Chile*. Santiago, 1930.—AMUNÁTEGUI SOLAR, D.: *Bosquejo histórico de la literatura chilena*. Santiago, 1915.

BARRAL, Carlos.

Poeta y prosista español. Nació—1928—en Barcelona, en cuya Universidad se licenció en Derecho. Pero, siguiendo una tradición familiar, en seguida se dedicó a editor, especializándose en libros selectos, especialmente de literatura, dando a conocer en España a autores jóvenes importantes de muy distintas nacionalidades, cuyas obras suponen, por lo general, una ruptura con la tradición. Fundador del "Premio Formentor", de categoría internacional, en unión de editores de distintos países. También fundó el "Premio Biblioteca Breve", ya muy estimado. Ha traducido impecablemente al castellano los *Sonetos a Orfeo*, de Rilke.

Obras: *Las aguas reiteradas*—poemas, 1952—, *Metropolitano*—poemas, 1957—, *Diecinueve figuras de mi historia civil*—1961—, *Usuras*—1965—, *Figuración y fuga*—poemas, 1966.

BARRANTES, Pedro.

Poeta y periodista español. Nació en Valencia, hacia 1850. Llevó una juventud bohemia y descreída, durante la cual colaboró en la famosa revista anticlerical, dirigida por Chíes, *Las Dominicales del Libre Pensamiento*. Sufrió procesos y cárceles por sus violentos e ingeniosos artículos contra la religión, la monarquía y las instituciones sociales de gobierno y justicia.

Sin que se sepa la causa, hacia 1895 abjuró de sus ideas y se reconcilió con la Iglesia católica, pasando a colaborar—1897—en *El Movimiento Católico* y *La Ilustración Católica*.

Y publicó versos, cuentos y artículos excelentes en *Pluma y Lápiz, Barcelona Cómica, Madrid Cómico, La Ilustración Española*...

Obras: *Tierra y cielo*—poemas—, *Delirium tremens*—poemas.

BARRANTES Y MORENO, Vicente.

Poeta y bibliófilo. Nació—1829—en Badajoz. Murió—1898—en Pozuelo (Madrid). Es-

B

tudió en el Seminario de su ciudad natal. Pero, abandonándolo, ingresó —1842— en el Cuerpo de Administración Militar. Desde 1848 residió en Madrid, dedicado al periodismo, a la poesía, a los estudios históricos y bibliográficos. Fue consejero de Instrucción Pública y académico de la Lengua y de la Historia, diputado a Cortes y senador durante varias legislaturas. Redactó solo *Las Píldoras*, revista satírica, que fue prohibida gubernativamente. Sus más bellas crónicas periodísticas aparecieron en *La Ilustración Española, Las Novedades, El Seminario Pintoresco Español, La Ilustración Católica* y *Los Niños*, de Madrid, y en *El Mundo Ilustrado*, de Barcelona. Su primer artículo apareció —1847— en *El Guadiana*, de Badajoz.

Obras: *Baladas españolas*—1853—y *Días sin sol*—poesías filosóficas—, *Juan de Padilla, Siempre tarde* y *La viuda de Padilla*—novelas de no escaso mérito—; *Catálogo razonado y crítico de los libros... y manuscritos que tratan de... Extremadura*—1885—, *La instrucción primaria en Filipinas de 1586 a 1868, Rusia, La joven España, Plutarco de los niños, Viaje a los infiernos, Un suicidio literario, Narraciones extremeñas.*

Barrantes utilizó, en ocasiones, los seudónimos de "Publicio" y el "Abate Cascarrabias". Fue un escritor correcto y elegante de estilo, de mucha cultura.

V. CORTIJO VALDÉS, Antonio: *Biografía del excelentísimo señor don Vicente Barrantes.* Madrid, 1874.

BARREDA, Ernesto Mario.

Literato y periodista argentino. Nació —1890— en Buenos Aires. Redactor de *Caras y Caretas, Nosotros, La Nación, Atlántida, El Hogar, Fray Mocho...* Alcanzó el "Premio Nacional de la Ciudad de Buenos Aires" con su libro de poemas *El himno de mi trabajo.* Ha vivido mucho tiempo en España e Italia como corresponsal de diarios y revistas de su patria. Miembro honorario de la Sociedad Colombina de Huelva y ciudadano honorario del puerto de Palos de Moguer.

Barreda es un gran lírico y un magnífico prosista. Destaca por la nobleza de sus sentimientos, su ardiente fuerza y su tranquila esperanza, un tanto desdeñosa. Como conferenciante, triunfó rotundamente en el Ateneo de Madrid, siendo juzgado elogiosamente por doña Emilia Pardo Bazán, Unamuno, Darío, Nervo, Valle-Inclán y Santos Chocano. Pocos como él se han esforzado por la exaltación del Día de la Raza.

Obras: Poesía: *Prismas líricos, Hacia el Oriente, Talismanes, La canción de un hombre, Un camino en la selva, Lucha de alas, Brazaletes, La estrella en la copa, Canciones*

para el niño y el hombre, El huerto de los naranjos, Tablado lírico, Los grandes pastores, El himno de mi trabajo—"Premio Municipal de la Ciudad de Buenos Aires".

En prosa: *Las rosas del mantón*—viajes por España—, *Desnudos y máscaras*—cuentos—, *Una mujer*—novela—, *La garra de la quimera, Baba del diablo, El maquinista ebrio*—dos volúmenes—, *Vidas sin reposo*—dos volúmenes— *La primavera sobre las ruinas*—viajes por Italia—, *Pancarpia, Los días de la cabaña*—lectura infantil—, *El alma en los ojos*—impresiones de ambiente—, *Día de la Raza.*

Crítica: *Nuestro Parnaso*—antología en cuatro volúmenes, con anotaciones críticas y biográficas—, *Música española*—siglos XIII al XVIII, primer premio y medalla de oro de la Institución Cultural Española; exposición histórica, crítica y biográfica—, *Clásicos españoles de la música*—investigación y crítica (siglos XIII al XVIII), en dos volúmenes, con grabados y partituras; medalla de honor de la Asociación Patriótica Española—, *Estanislao del Campo*—estudio prologal a la edición facsimilar publicada por la Biblioteca Nacional de Buenos Aires.

BARREDA, Luis.

Delicado y sugestivo poeta español. Nació —1874— en Santander. Licenciado en Derecho. Colaboró en *Nuevo Mundo*, de Madrid; *La Ilustración Ibérica*, de Barcelona, y otros muchos diarios y revistas, principalmente de la Montaña. Académico correspondiente de las de la Lengua Española, Bellas Artes de San Fernando, Sevillana de Buenas Letras, Ciencias y Nobles Artes de Córdoba, Hispano-Americana de Cádiz y Bellas Artes de Toledo. Viajero incansable por España y Europa.

Obras poéticas: *Cancionero montañés* —1898—, *Cántabras*—1900—, *Valle del Norte*—1911—, *Roto casi el navío*—1915—, *Romancero de Carlos Quinto*—1919—, *Loa del cardenal Cisneros*—1917—, *El báculo*—1923.

Gran maestro de la métrica, dueño de una musicalidad honda y de exquisita melancolía, sencillo de expresión, sano de filosofía, noble de sentimientos, los temas de Barreda son, casi exclusivamente, norteños. "Pañuelos de nieblas jironeados por suaves rayos de sol tibio" pudieran ser calificados sus versos. Muy pocos poetas contemporáneos reúnen en las proporciones sorprendentes que Barreda la sobriedad, la emoción, la melodía, la nostalgia recóndita y la sencillez expresiva. Claros, límpidos, rumorosos, sugestivos, como el agua de nieve, son sus versos.

V. CEJADOR Y FRAUCA, J.: *Historia de la lengua y literatura castellanas.* Tomo XI.— LEÓN, Ricardo: *Prólogo a Valle del Norte.*

BARRENECHEA, Julio.

Poeta y prosista chileno. Nació en 1910. Presidente—en su juventud—de la Federación de Estudiantes. Diputado. Gran orador. Embajador en Colombia. Lírico de gran ingenio, de fantasía y de auténtica gracia espiritual. Académico de la Lengua.

Obras: *El mitin de las mariposas*—1930—, *Espejo del sueño*—Premio Municipal, 1935—, *Rumor del mundo, Mi ciudad, El Libro del amor, Vida de poeta, Ceniza viva.*

BARRERA, Cayetano Alberto de la.

Erudito y literato de autoridad. Nació —1815—en Madrid. Murió—1872—en Madrid. Uno de los más beneméritos historiadores literarios españoles del siglo XIX. Estudió Medicina y Farmacia. Malvendió la botica que le dejó su padre, y en un mal negocio perdió su hacienda. La fama de su mucho saber llevóle a ocupar el cargo de bibliotecario de la Nacional.

Obras suyas, de muchísimo interés, son: *Catálogo bibliográfico y biográfico del teatro antiguo español, desde sus orígenes hasta mediados del siglo XVIII*—Madrid, 1860, uno de los libros más eruditos y ricos, indispensable para la historia literaria—; *Nueva biografía de Lope de Vega*—inserta en el tomo primero de la gran edición de las obras del *Fénix* publicadas por la Academia, base inexcusable de cuantos estudios se refieran al primero de nuestros dramáticos—, *Adiciones a las poesías de don Francisco de Rioja* —Sevilla, 1872—, *Notas a la vida de Cervantes, escrita por don M. F. de Navarrete*—Madrid, 1864; algunas de ellas de un interés excepcional—, *El cachetero del buscapié*—póstuma, impresa en Santander, 1916—, *Notas biográficas de... don Juan de Arguijo*—1868, en el tomo III de la *Revista Española.*

V. MOREL-FATIO, A.: *Cayetano Alberto de la Barrera*, en *Bull. Hispanique*, XIX, 116-122.

BARRET, Rafael.

Las letras argentinas, uruguayas y paraguayas se disputan la gloria de este ensayista, cuentista, crítico, nacido en la Argentina—1877—y muerto en Francia—1910—, víctima de la tisis adquirida en el Paraguay. En 1903 formó parte de la Redacción de *El Diario Español*, de Buenos Aires. Ejerció el profesorado y el periodismo en el Paraguay y en el Uruguay. Poseyó una cultura vasta.

Entre sus obras sobresalen: *La cuestión social, Lo que son los yerbales, El terror argentino, El dolor paraguayo, Moralidades actuales, Ideas y críticas, Mirando vivir, Al margen...*

De Barret ha escrito Julio A. Leguizamón: "Barret poseía un carácter apasionado y al-

tivo, sensibilidad exquisita y un profundo sentido de la justicia. Pero si ellos [sus libros] hablan elocuentemente de su atormentado altruismo, nada dicen, en cambio, de la extraordinaria capacidad del artista. Su aguda inteligencia y su pasión arrebatadora se reflejan en la prosa intensa, nerviosa, ágil, alternativamente contenida, violenta o tierna. Con ella expresa la captación rápida, el comentario breve, el escorzo ágil y sintético. Si deficiente en los trabajos largos, parece un pintor maestro en el mágico deslumbramiento de la visión instantánea. Una línea encierra, a veces, una aguda conclusión, y un juicio breve deja, en muchos casos, una impresión indeleble. Hasta en los cuentos, delicadas miniaturas, se revela el extraordinario poder de síntesis del hombre a quien Vaz Ferreira considerara varón ejemplar por su acción noble y valerosa."

Sus *Obras completas* las ha editado "Américalee", de Buenos Aires, 1943.

V. MASSUH, Víctor: *En torno a Rafael Barret.* Tucumán, 1943.—RODÓ, José Enrique: *El mirador de Próspero.*—LEGUIZAMÓN, Julio A.: *Historia de la literatura hispanoamericana.* Buenos Aires, 1945, tomo II.

BARRIOBERO Y HERRÁN, Eduardo.

Novelista y periodista. Nació—1880—en Torrecilla de Cameros (Logroño). Murió —¿1939?—en Barcelona. Estudió el bachillerato en Logroño y la carrera de Derecho en la Universidad de Zaragoza. Su nombre destacó como notable abogado criminalista. Republicano federal desde su juventud. Gran maestre del Gran Oriente Español. Varias veces diputado a Cortes.

Obras: Entre sus novelas, *Vocación, Guerrero y algunos episodios de su vida milagrosa, Matapán, probo funcionario; Como los hombres, Syncerasto, el parásito; El airón de los Torre-Cumbre, Nuestra Señora la Fatalidad, El 606, El hermano rajao.*

Otros libros: *Misterios del mundo (filosofía del suicidio), Cervantes de levita*—ensayos críticos—, *De Cánovas a Romanones.*

Barriobero editó, prologó y anotó numerosos libros clásicos—fragmentados—en la "Colección Quevedo"—1927 a 1933—, fundada por él. Y tradujo a Maquiavelo, Rabelais, Hegel, Voltaire, Quincey, Goethe... Fue espíritu inquieto, de muchas aspiraciones, que excedían a sus posibilidades intelectuales. Buen satírico. Poco espiritual.

V. CEJADOR Y FRAUCA, J.: *Historia de la lengua y literatura castellana.* Tomo XI.

BARRIONUEVO, Jerónimo de.

Literato español. 1587-1671. De Granada. Estudió en las Universidades de Alcalá de Henares y Salamanca. Ejerció la milicia y estuvo en Italia a las órdenes del marqués de Santa Cruz. De regreso en España, llevó una vida inquieta, mezclado con cómicos y aventureros. En 1622 le encontramos en Sigüenza como tesorero de su catedral. Pero en 1631 ya anda nuevamente en Madrid, muy enterado de cuanto se decía, se hacía y deshacía en la Villa y Corte, y asiduo de "corrales", tertulias, vejámenes y cofradías, antecámaras y mentideros. Aun cuando se conocen de él cerca de 900 poesías, cinco comedias—*El laberinto de amor y panadera en Madrid, La honra que está más bien, El Judas de Fuentes, La venganza del hermano y valiente Barrionuevo y El retrato que es mejor, Santa Librada*—y un entremés—*El berraco de Río Salido*—, su fama la debe a los *Avisos,* copiosa colección de cartas dirigidas a un deán de Zaragoza entre el 1 de agosto de 1654 y el 24 de julio de 1658.

La importancia literaria e histórica de los *Avisos* es excepcional. Hoy resultan indispensables para el conocimiento de la sociedad madrileña de su época. Contienen datos preciosos y deliciosos de personajes, fiestas, modas, murmuraciones cortesanas, sucesos políticos, hechos delictuosos, estrenos teatrales, costumbres populares...

Los *Avisos* pueden ser considerados como un *periódico* de excepcional interés. Y Barrionuevo como el primero y uno de los más admirables periodistas españoles, mezcla asombrosamente sugestiva de cronista y reportero. Fue un poeta fácil, ingenioso, espontáneo, y con la sal y la pimienta necesarias.

Edición: *Colección de Escritores Castellanos.* Cuatro tomos. Madrid, 1892 y 1893.

V. Paz y Meliá, A.: *Vida y escritos de don Jerónimo de Barrionuevo,* en el tomo I de los *Avisos.* Madrid, 1892.

BARRIOS, Eduardo.

Novelista y cuentista de primera fila. Nació—1884—en Valparaíso (Chile). Murió el 14 de septiembre de 1964. Se educó en Lima, y durante algún tiempo siguió la carrera militar, que no llegó a terminar. Luego llevó una vida aventurera. Ha sido comerciante, expedicionario a las gomeras en la montaña del Perú, buscador de minas en Collahuasi, tenedor de libros, traficante en máquinas y artista de circo.

Lógicamente, en las obras de Barrios predomina la acción, la pasión, la ligereza narrativa, la emoción a chorros, "las ondas simpáticas que penetran en el corazón de los lectores".

La gran poetisa Luisa Luisi ha escrito sobre Barrios: "Es un gran psicólogo, un fino observador; pero es, sobre todo, y más que todo, un gran artista. Si *Un perdido,* que consolidó su fama y consagró definitivamente su nombre de novelista, es una novela en toda la extensión de la palabra, *El hermano asno* y *El niño que enloqueció de amor* son dos joyas artísticas perfectas, acabadas, de una delicadeza sutil, de un sabor de romanticismo elevado; idealistas, sentimentales, espirituales, finísimas, en contraposición al amargo verismo, a la realidad brutal, al revés de *Un perdido.* Pero tanto en unas como en otra, triunfa, como decíamos, el hondo psicólogo; lo mismo con el procedimiento de la escuela de Medán, que en el poema novelesco a lo D'Annunzio... Poeta por la belleza infinita que ha creado con la musicalidad de su estilo, fluido, transparente, sencillo como agua corriente, en el que la repetición buscada de frases o de simples palabras presta un encanto íntimo y sugeridor. El arte maravilloso del escritor chileno lo envuelve todo: tristezas, amarguras, complicaciones sentimentales y torturas de la fe, en la magia de un estilo espiritualizado, de un noble y delicado romanticismo."

Nada más certero, vivo y exaltador puede añadirse en relación con este gran literato que es Eduardo Barrios, orgullo de su patria y de la novelística en habla castellana.

Otras obras: *Vida, Lo que niega la vida, La vida sigue, Del natural, Páginas de un pobre diablo, Tamarugal, Gran Señor y Rajadiablos*—acaso su más extraordinaria novela—, *Los hombres del hombre...* Para el teatro escribió *Mercaderes en el templo, Vivir, Por el decoro.*

V. Luisi, Luisa: *A través de libros y de autores.* Buenos Aires, 1925.—Amunátegui Solar, D.: *Bosquejo histórico de la literatura chilena.* Santiago, 1919.—Latorre, Mariano: *La literatura en Chile.* Universidad de Buenos Aires, 1941.—Lillo, Samuel: *La literatura chilena.* Santiago, 1930.—Donoso, Armando: *La otra América.* Madrid, 1925.

BARRIOS, Miguel.

Judío español, cuyo verdadero nombre fue Daniel Leví Barrios (¿1625?-1701), natural de Montilla, que jugó a ser cristiano, judío, rabino en las academias de Amsterdam, tuvo más importancia cultista que Antonio Gómez Enríquez. Sus obras *Flor de Apolo* —1664—, *Poesías famosas*—1674—y el *Coro de las musas*—1672—contienen las formas principales de la lírica cultista, llena de sentimientos patriarcales y de reminiscencias bíblicas. Barrios fue un habilísimo pintor, dotado del más fino sentido de las cualidades de la descripción épica, y manejó la métrica barroca con juguetona gracia y ligereza. Llevó su criterio cultista hasta la exageración, pues era su intención "alcanzar y aun sobrepasar a Góngora, por él tan admirado".

V. Amador de los Ríos, J.: *Historia de los judíos en España.*

BARROS, Alonso de.

Poeta y erudito español. Nació—1552—en Segovia. Murió—1598—, probablemente en Madrid. Fue aposentador del rey don Felipe II, quien, poco afecto a la poesía, recomendaba, sin embargo, a sus criados y servidores la lectura de las poesías de Barros. La Academia Española considera a este autor como una autoridad en materia de lenguaje.

Obras: *Filosofía cortesana moralizadora* —Madrid, 1598; libro que en 1616 publicó Giménez Patón, en Baeza, con el título de *Heráclito de Alonso de Barros,* y al que calificó Lope de Vega de "diamante que en calidad no tiene otro igual"—, *Elogio del "Guzmán de Alfarache",* de Mateo Alemán. Tamayo de Vargas le atribuye el *Memorial sobre el repaso de la milicia.*

El éxito de la *Filosofía cortesana* fue enorme. Se conocen ediciones de Madrid—1598, 1608—, Baeza—1615—, Lisboa—1617—, Barcelona—1619—y Zaragoza—1656 y 1664.

Textos: *Poesías,* en el tomo XLII de la *Biblioteca de Autores Españoles.*

V. Pérez Pastor, C.: *Bibliografía madrileña.* Tomo III.—Vergara, G. M.: *Ensayo de una colección bibliográfico-biográfica de noticias referentes a la provincia de Segovia.*— Baeza: *Apuntes biográficos de escritores segovianos.*

BARROS ARANA, Diego.

Historiador y literato. Para algunos críticos hispanoamericanos, el segundo humanista de América, después de Andrés Bello. 1830-1907. Nació en Santiago de Chile. Doctor en Derecho. Catedrático de Historia de la Literatura. Director del Instituto Nacional y decano de la Facultad de Humanidades y Filosofía de Santiago. Redactor de *El País*—1857—y *La Actualidad*—1858—. Por cuestiones políticas, tuvo que emigrar al Uruguay, primero, y después al Brasil. Viajó por Europa y vivió mucho tiempo en España, investigando con gran fervor en los archivos de Simancas y Sevilla para allegar datos en relación con la conquista y dominación de América por los españoles. En una de estas pacientes búsquedas halló—1859—el poema de Fernando Alvarez de Toledo *Purén indómito*—crónica rimada de la guerra de la Araucania—, que publicó en Leipzig en 1860. Fue hispanófilo consciente.

Barros Arana unió a su cultura enorme condiciones de excepcional investigador; un criterio fino, recto y objetivo; inagotable paciencia para la crítica y el cotejo de los documentos; formación segura y amplia, no ajena a las preocupaciones literarias. El principal defecto de este literato e historiador fue una carencia absoluta de matices en sus escritos, lo que viene a darles una indudable monotonía.

Franco, enérgico, incisivo y mordaz fue en sus escritos periodísticos. Y nadie puede disputarle el título de ser el más alto valor de la historiografía chilena.

Obras: *Estudios históricos sobre Vicente Benavides y las campañas del Sur...*—Santiago, 1850—, *El general Freire*—Santiago, 1851—, *Historia general de la independencia de Chile*—1854—, *Vida y viaje de don Fernando de Magallanes*—1864—, *Compendio de Historia de América*—1865, el mejor manual que existe sobre la materia—, *Elementos de literatura*—1868—, *Elementos de Historia literaria*—1870—, *Historia moderna y contemporánea*—1871—, *Riquezas de los antiguos jesuitas en Chile*—1872—, *Proceso de Pedro de Valdivia*—1873—, *Historia de la guerra del Pacífico*—1880—, *Biblioteca americana, catálogo de una colección de libros referentes a América...*—1888—, *Historia general de Chile*—1884, su obra maestra.

Las *Obras completas* de Barros Arana se han publicado en 15 volúmenes. Santiago, 1908 a 1914.

V. Hunneus Gana, Jorge: *Cuadro histórico de la producción intelectual de Chile.*— Chiappa, Víctor M.: *Bibliografía de don Diego Barros Arana.* Temuco, 1907.—Carbonnel, Diego: *Escuela de Historia en América.* Buenos Aires, 1943.

BARROS GREZ, Daniel.

Novelista y dramaturgo chileno. 1834-1904. Nació en Colchagua. Ingeniero civil—1860—. Inventor de un curioso aparato para distribuir el agua de riego. Colaborador literario de innumerables diarios y revistas hispanoamericanos. Tuvo una verdadera obsesión por la pureza del idioma, llenando sus producciones de arcaísmos y vocablos en boga en la época del siglo de oro. Barros Grez poseyó finísima observación para los tipos y paisajes y grandes dotes satíricas. En el teatro cultivó un costumbrismo amable y estrictamente local.

Obras: *Primeras aventuras del maravilloso perro "Cuatro Remos" en Santiago*—novela imitada de la picaresca española del siglo XVII—, *El huérfano*—novela con demasiadas influencias del *Quijote*—, *Pipiolos y pelucones*—novela, 1876, considerada como la mejor en el género histórico chileno—, *La cueca*—novela—, *Retratos morales, La dictadura de O'Higgins*—drama—, *Como un Santiago*—comedia—, *La colegiala*—comedia—, *El casi casamiento*—comedia—, *La vocación* —comedia—, *El testamento*—comedia—, *El vividor*—comedia—, *Cuentos para los niños grandes...*

B

129

V. Amunátegui, Miguel Luis: *Las primeras representaciones dramáticas en Chile*. Santiago, 1888.—Amunátegui Solar, Domingo: *Bosquejo histórico de la literatura chilena*. Santiago, 1919.—Latorre, Mariano: *La literatura en Chile*. Universidad de Buenos Aires, 1941.—Lillo, Samuel: *La literatura chilena*, Santiago, 1930.—Torres Rioseco, Arturo: *La novela en la América hispana*. Berkeley, 1939.

BARTRA, Agustín.

Poeta y narrador. Nació—1908—en Barcelona. Escritor en lengua catalana, aun cuando también escribe en castellano. De humilde familia, hubo de ganarse la vida en distintos oficios. Tomó parte activa, del lado republicano, en la guerra española de Liberación, por lo que, terminada esta, hubo de exiliarse, residiendo casi siempre en México. Ahora ya vive en Cataluña.

En su poesía como en sus novelas ha cultivado temas sociales con enorme fuerza y singular patetismo.

Obras: *Cristo de 200.000 brazos*—novela, México, 1958—; *Odiseo*—México, 1955—, *L'estel sobre el mar*—cuentos—, *Oda a Catalunya dels tropics*, *L'arbre de foc*, *Marsías*, *Marsías y Adila*, *Deméter*.

V. Andújar, Manuel: *La literatura catalana en el destierro*. México, Imp. Costa-Amic, 1949.

BARTRINA Y DE AIXEMÚS, Francisco.

Poeta. Hermano del más nombrado Joaquín. Nació — 1846 — en Reus. Murió —¿1894?—en Barcelona. Fue uno de los valores líricos que más contribuyó al renacimiento de la lengua catalana. Se dio a conocer —1860—con una oda titulada *Toma de Tetuán*, dedicada a los generales O'Donnell y Prim. Otra oda suya, *A la Virgen de Montserrat*, mereció el premio extraordinario, en 1864, del Certamen de Lérida. Y en 1865, otra primera recompensa a su oda *A la Virgen de Atocha*.

Su mejor libro, *Intimas y quadrets*, delata a un gran poeta descriptivo, de gusto delicado, de castizo lenguaje, que, con primores de forma, sabe dar una visión artística de la realidad y de sus propias emociones.

BARTRINA Y DE AIXEMÚS, Joaquín María.

Nació—1850—en Reus. Y estudió en esta ciudad con los Escolapios. Ayudó eficazmente a su padre en múltiples negocios.

Fue admirable director de escena y apuntador del teatro de aficionados fundado por él en su ciudad natal. En Barcelona—ciudad en la que murió, 1880—se dedicó con afán y suerte al periodismo, y su cultura era grande, pero en ello no había ni selección ni método.

Fue un discípulo aventajado de la calificada escuela filosófico-moral, primera reacción contra el romanticismo mistificado, refractario a todo estudio metódico, curioso impenitente de todo conocimiento, hacia el que caminaba a salto de mata. Un caos debió de ser su cabeza. Su corazón y su vida pagaron las consecuencias. Bartrina tuvo el mismo escepticismo, la misma tendencia materialista—en idéntica seudofilosofía—que Campoamor. Pero a ellos sumó—henchido de prosaísmo y de afectadas incorrecciones—unos afanes extraños por poetizar los adelantos científicos de la Fisiología y de la Mecánica. La sonrisa de Campoamor él la solía convertir en risotada. Y acaso la mayor ironía de sus poesías no sea la que pone él, sino la que ponen los lectores, sacudidos violentamente por el mal gusto o por la rareza del poeta.

En Reus publicó su primera obra: *Páginas de amor*. Después, ya en Barcelona, dio a conocer sus libros poéticos *Algo*, *De omni re scibili* y su famosa *Epístola*, apología de un idealismo sano y altamente lírico. En 1880, año de su muerte, aparecieron *Obras en prosa y en verso de don Joaquín Bartrina*.

Había escrito dos zarzuelas: *La dama de las camelias* y *El nuevo Tenorio*.

Textos: *Obras en prosa y en verso*, ed. Sardá, Barcelona, 1885.

V. Roca y Roca, J.: *Memoria biográfica de Joaquín María Bartrina*. Barcelona, 1916.—Barthe: *Obras de Bartrina*, en *Ilustración Española y Americana*, 1883, 273.

BASTERRA, Ramón de.

1888-1928. Nació en Bilbao. Licenciado en Derecho. Diplomático. Ejerció su profesión en Italia, Rumania y Venezuela. Murió loco en Madrid. Temperamento fuerte y reconcentrado, pletórico de españolismo, por todas partes donde estuvo no hizo sino buscar las huellas luminosas de España. Anhelaba un imperio español de las armas y de las letras; un imperio como el de la Contrarreforma, porque español y católico era él con afanes de una *fervorosa épica*. Creía con fe llena de violencias y de exigencias que al mundo sajón, liberal y luterano, debía oponerse el latino, imperial y católico. Y que España debía asumir el papel de máximo exaltador y defensor de este segundo mundo. Con el tiempo restringió Basterra sus aspiraciones: Castilla sustituía a Roma; España, al mundo latino. Como poeta, intentó aunar el culto de la norma clásica con el barroquismo de expresión y algunas de las tendencias rítmicas de la poesía nueva. Por

B

estas tendencias, Basterra ha sido muy ensalzado entre los poetas actuales, quienes le consideran uno de sus precursores. Sin embargo, vale más en Basterra el poeta imperialista de alientos grandes, el músico sinfónico de la palabra. Es Basterra, sin embargo, un poeta retórico inhábil y demasiado frío. Se le adivina fácilmente *sin perder la cabeza,* construyendo su poesía, puliéndola, incrustándole las imágenes y las frases felices. En esto se delata bien poeta del Norte; su modelo mejor podría ser el frío asturiano Pérez de Ayala. Muy justo estuvo O'Ors al afirmar que era Basterra un cantor de *sentires cerebrales.* Su humanismo y su cosmopolitismo los encontramos un tanto *abusados,* y nos suena a lección más aprendida que comprendida. No podemos, pues, conceder a Basterra otra consideración que la de un fino poeta segundón, que no aportó novedad alguna a la poesía. Sus más personales composiciones se hallan en *Las ubres luminosas*—1923—, *Los labios del monte*—1924— y *Virulo*—1924 y 1927.

Entre sus obras en prosa figuran: *La obra de Trajano*—1921—y *Los navíos de la ilustración*—1925.

V. Díaz-Plaja, G.: *La poesía y el pensamiento de Ramón de Basterra.* Barcelona, 1941.—Sainz de Robles, F. C.: *Historia y antología de la poesía castellana,* 4.ª edición, Madrid, Aguilar, 1964.—Valbuena Prat, A.: *Historia de la literatura española,* 3.ª edición, Barcelona, Gili, 1951, tomo III.—Areán González, Carlos Antonio: *Ramón de Basterra.* Madrid, Cultura Hispánica, 1953.

BASURTO, Luis G.

Dramaturgo mejicano. Nació—1921—en la capital azteca. En la que estudió las primeras letras y el bachillerato. Pero abandonó los estudios para ejercer la crítica teatral y cinematográfica. Organizó la Unión Nacional de Autores. Realizó extensas e intensas campañas de divulgación escénica al frente de la Compañía de Repertorio del Instituto Nacional de Bellas Artes. En 1956 recibió el "Premio Nacional de Teatro Juan Ruiz de Alarcón" por su obra *Miércoles de Ceniza.*

Obras: *Los diálogos de Suzette*—1940—, *Laberinto*—1941—, *Faustina*—1941—, *Voz como sangre*—1942—, *El Anticristo*—1942—, *Bodas de plata*—1943—, *Lo que se fue* —1945—, *Frente a la muerte*—1951—, *Toda una dama*—1953—, *Cada quien su vida*—1954.

BATRES Y MONTÚFAR, José.

Excelente poeta. 1809-1844. Nació en San Salvador, pero se le considera guatemalteco por el origen de su familia y por su residencia en esta República. De vida taciturna y melancólica. Profesó la carrera militar y desempeñó algunos cargos políticos. Su humorismo, como el de la mayoría de los escritores satíricos, tuvo una raíz trágica. En la *Gaceta Oficial,* a su muerte, escribió Dionisio Alcalá Galiano: "Vivió aisladamente; pocos le comprendieron y nadie supo apreciar en lo que valía su noble alma y su superior talento."

Batres es el más alto exponente de la poesía satírica en las letras centroamericanas. Aun cuando su sátira rezume amargura, desdén por cuanto le rodea, fina intención moral, tristeza infinita e irreprimible.

Su obra capital está constituida por sus tres *Tradiciones de Guatemala: Las falsas apariencias, Don Pablo* y *El reloj,* para componer las cuales acaso tuvo presentes las *Leyendas españolas,* de don José Joaquín de Mora.

También es autor de las bellas poesías breves: *Yo pienso* y *Descripción del desierto de San Juan de Nicaragua.*

V. Menéndez Pelayo, M.: *Historia de la poesía hispanoamericana.* Madrid, 1913.—Leguizamón, Julio A.: *Historia de la literatura hispanoamericana.* Buenos Aires, 1945.

BATTISTESSA, Angel José.

Crítico, erudito y comentarista de arte. Nació—1902—en Buenos Aires. Estudió Derecho en la Facultad de Buenos Aires, ampliando sus estudios en París. Doctor en Filosofía y Letras (especialidad: Filología y Literatura). Profesor universitario. Asiduo colaborador en las famosas revistas culturales *Sur, Nosotros, Revista de Filología Hispánica* y *Revista Hispánica Moderna.* Ha traducido magistralmente a muy difíciles poetas: Rilke, Claudel, Valéry... Ha explicado Lingüística Romance en el Instituto de Filología, entre 1926 y 1947.

Obras: *La biblioteca de un jurisconsulto toledano del siglo XV*—Madrid, 1925—, *Voces de Francia*—1932—, *Homenaje a Goethe* —1932—, *Canciones de Juan del Enzina*—texto, crítica y notación musical, 1941—, *El Narciso de Paul Valéry*—1941—, *La poesía de Paul Claudel*—1942—, *La canción de Roldán* —comentario y notas, 1942—, *Poetas y prosistas españoles*—1943—, *Itinerario y estilo* —1949—, *La sabiduría y la universalidad de Goethe*—1949.

BAUTISTA DE LA TORRE, Sebastián.

Narrador y autor dramático. Nació—1911— en La Puerta de Segura (Jaén). Licenciado en Derecho. Licenciado en Derecho por la Universidad de Madrid. Obtuvo en 1943 el título de periodista. Funcionario del Cuerpo General Técnico de la Administración Civil del Estado. Ha viajado por casi toda Europa, Oriente

Medio y México. Desde 1961 ejerce la Censura teatral y cinematográfica. Su primer cuento lo publicó—1927—en la revista *Cosmópolis*. En Jaén fundó la revista *Lagarto,* de crítica, humor y poesía. Y en 1947 fundó y dirigió la Colección *Al verde olivo.* Miembro del Instituto Internacional del Teatro (UNESCO). Medalla de plata "Quevedo, 1970".

Como narrador cultiva un realismo neto, siempre con puntos de humor y con contrapuntos de lirismo de la mejor ley. Acaso el mayor de sus valores sea su lenguaje millonario de vocablos de la mejor solera, muchos de los cuales ha restituido a la literatura española.

Como autor teatral es bien distinto, porque, sin caer jamás en la extravagancia ni en la subversión, se ejercita en las tendencias más actuales y medula sus obras con temas de una gran originalidad. Aún es más humorista en su teatro que en sus narraciones.

Obras teatrales: *Torero a muerte*—1946—, *Madrugada*—1939—, *Llegó por la nieve*—1943—, *El joven tímido*—1948—, *Antes de las nueve: amor*—1957—, *La galera de papel*—1959—, *Un sueño en paño menor*—1960—, *El opositor*—1960—, *Cosmonauta en tierra*—1963—, *Nuevo paso de las aceitunas*—1963—, *El hijo cuatrimotor*—1963—. Parte de estas obras han sido representadas en teatros de Amsterdam y Buenos Aires; y dentro de España, en los más selectos teatros de Cámara y Ensayo.

Otras obras: *Sola se queda la tierra*—cuentos, 1968—, *Sexy Boom*—narraciones, 1970—, *Prisco Zaldúa*—novela, 1972.

BAUZÁ, Francisco.

Escritor, orador e historiador uruguayo. Nació en Montevideo en 1849. Hijo del general don Rufino Bauzá, guerrero de la independencia de su patria. Muy joven, publicó el diario *Los Debates,* que evidenció su gran talento. Representó al Uruguay como diplomático ante los Gobiernos de la Argentina y del Brasil. Fue diputado y senador, alcanzando singular prestigio por sus dotes oratorias, cuyo recuerdo perdura a través del tiempo. Fue ardiente adalid de la causa católica en el Uruguay. Como historiador, dejó una obra maestra, que enaltece su nombre: *Historia de la dominación española en el Uruguay.* Falleció a los cincuenta años de edad, el 4 de diciembre de 1899.

Otra obra: *Estudios literarios.*

BAYO Y SEGUROLA, Ciro.

Original novelista y literato español. Nació—1860—y murió—1939—en Madrid. Cursó el bachillerato en las Escuelas Pías de Barcelona. Contando dieciséis años se alistó en una partida carlista que operaba por el Maestrazgo. Hecho prisionero, permaneció hasta el final de la contienda en el castillo de la Mola (Mahón). Aventurero infatigable, recorrió de punta a punta España, Europa y la América española. En 1885 terminó la carrera de Leyes en la Universidad de Barcelona. Ejerció el magisterio ambulante desde Tucumán hasta Sucre (Bolivia). En esta población fundó la revista literaria ilustrada *El Fígaro.* Estudió con interés y profundidad el folklore criollo mientras desempeñaba el cargo de maestro rural en el corazón de la pampa. Hasta 1910 no publicó su primer libro: *El peregrino entretenido.*

En estilo llano, natural y castizo se dedicó desde esta fecha a escribir obras amenas, describiendo sus propias andanzas y dando a conocer las costumbres de pueblos pintorescos con una exactitud llena de vigor y colorido.

Obras: *Lazarillo español*—1911, imitación ingeniosa de la novela picaresca—, *Vocabulario criollo español suramericano*—1911—, *El peregrino en Indias*—1912—, *Con Dorregaray*—1912—, *Romancerillo del Plata*—1913—, *Orfeo en el infierno*—1913—, *Leyendas áureas del Nuevo Mundo: La Colombiada*—1912—, *Los Marañones, Los Césares de la Patagonia, Los caballeros del Dorado*—1915—, *Venus catedrática*—1917—, *Pampas, gauchos y toyas*—1920—, *El templo boliviano*—1920—, *Los ríos del oro negro*—1920—, *Bolívar y sus tenientes, San Martín y sus aliados, Las grandes cacerías americanas, La reina del Chaco*—1935.

V. Cejador y Frauca, J.: *Historia de la lengua y literatura castellanas.* Tomo XIII.— Entrambasaguas, Joaquín de: *Las mejores novelas españolas contemporáneas* (1910-1914). Barcelona, Planeta, 1959, págs. 3-53. (Contiene una bibliografía exhaustiva.)

BAZIL, Osvaldo.

Poeta modernista. De la República Dominicana. Nació en Ciudad Trujillo, antigua Santo Domingo de Guzmán, en 1884, y murió en la misma ciudad en 1946.

Fue amigo personal de Rubén Darío y, como él, diplomático.

Publicó *Rosales en flor*—1901—, *Arcos votivos*—1907—, *Parnaso dominicano*—antología, 1912—, *Parnaso antillano*—antología, 1913—, *Campanas de la tarde*—1922—, *La cruz transparente*—1939—y *Remos en la sombra*—1945.

BEAS, Diego Luque de.

Periodista, novelista y dramaturgo español. Nació—1828—en Jerez de la Frontera (Cádiz). Murió en Madrid hacia 1890. Durante muchos años colaboró en *El Imparcial*

con el seudónimo "El cura de Argamasilla".
Dirigió los teatros madrileños de la Cruz,
Variedades, Príncipe y Novedades. Refundió
—1852—la obra de Calderón de la Barca *Mejor está que estaba*. Es autor de una obra
curiosísima: *Misterios del bastidor,* memorias recónditas del teatro y de sus gentes
del siglo XIX, y de una novela importante:
La dama del Conde-Duque—1852—, que refleja con muchos detalles interesantes la vida
cortesana madrileña del siglo XVII. Colaboró
también en muchas de las obras representadas en aquella época.

BÉCQUER, Gustavo Adolfo.

Admirable y popularísimo poeta español.
Nació—1836—en Sevilla. Murió—1870—en
Madrid. Huérfano a los diez años, fue recogido, en compañía de su hermano Valeriano, por su madrina. En 1854 se trasladó
a Madrid, entrando de meritorio en la Dirección de los Bienes Nacionales, cargo que
perdió por haber sido sorprendido por un
alto jefe componiendo versos. Redactor de
El Contemporáneo. Viajó por las principales
ciudades monumentales de España: Avila,
Soria, Toledo, Segovia... Tenía una afición
y gusto admirables por todas las bellas artes. Dirigió *La Ilustración de Madrid.* Murió en Madrid el 22 de diciembre, cuando
preparaba la primera edición de sus obras,
cuyo éxito inmenso no llegó ni a adivinar.

Pensando en todos los poetas del romanticismo español, cabe afirmar que el más
puro lírico, que el más delicado y al mismo
tiempo agudo de ellos, fue este Bécquer,
huérfano desde muy niño, estudiante en la
Escuela Náutica de San Telmo, bohemio y
periodista en Madrid, viajero de visión exquisita por las ciudades monumentales de
España—Avila, Soria, Toledo, Segovia—,
hiperestésico a la música, muerto de una
hemoptisis en Madrid, cuando sus contemporáneos empezaban a creer en su gloria.

Julio Nombela, que fue uno de sus mejores amigos, le retrataba diciendo: "Siempre fue serio. No rechazaba la broma, pero
la esquivaba. Nunca le vi reír; sonreír,
siempre, hasta cuando sufría. Tampoco le
vi llorar; lloraba hacia dentro. Era paciente, sufrido, resignado, amante, bondadoso.
Sabía compadecer, perdonar, admirar lo bueno y ocultar así mismo lo mísero y lo
malo." Nada más espontáneo, natural, sencillo, sensible, impresionante, que el lirismo
de Bécquer. Los currinches de la crítica, que
nunca faltan—como chinches en catre de
cuartel—, han querido restarle méritos aludiendo a la influencia que se percibe en él
del germano Heine. ¿Existió esta influencia? ¿Leyó Bécquer a Heine, traducido por
Eulogio Florentino Sanz? Puede, en efecto,
haber cierto parecido entre ambos. En la

temática. En la postura íntima y triste. En
la levedad y en la vaguedad de algunos anhelos versificados. Pero no se olvide que
Heine es cáustico, satírico, malévolo. Suave,
sin hiel, bondadoso, es nuestro poeta. Heine
propendía a lo narrativo. Bécquer es insobornablemente, siempre, subjetivo. En Bécquer es todo poesía interior. Heine se preocupa por el ambiente y aun por el ámbito en
que se desvive. La poesía de Heine tiene pliegues y hojarasca. La de Bécquer es una poesía desnuda. Menos posibilidades tienen aún
la *influencia Byron* y la *influencia Musset*.
Sospechada la primera de ellas por la mención que del inglés hace Bécquer en alguna
de sus obras. Señalada la segunda por dos
modernos críticos—Alonso y Merchán—al
encontrar alguna coincidencia de motivos entre el francés y el sevillano.

Bécquer es como la única sustancia—la
esencia misma—del romanticismo, que se
salva para la posteridad. Porque es sincera
hasta la desnudez. Porque es sencilla hasta
el patetismo. Porque es natural hasta la deshumanización.

El gran crítico Valbuena Prat ha escrito
atinadamente: "Bécquer renueva la esencia
romántica por influjo, de un lado, de Heine; por otro, de su propia personalidad, y
crea una belleza más íntima, más tenue y
alada que la de la lírica del romanticismo
anterior, más sencilla también; perfume
más que música vibrante, por donde se
anuncia un mundo diverso, que más que a
Darío llevará a Juan Ramón Jiménez, y por
él a la más nueva poesía... La poesía becqueriana es a la vez intensa y sencilla, rica
en contenido poético, sumida en las esencias
de la Naturaleza, en un sentido de panteísmo lírico, en que el creador de belleza se
funde con los sones y los aromas de todas
las cosas. Entre esa embriaguez tenue de
ritmos, luces y sombras, en esa atmósfera
de oros y cadencias, se perfilan versos de
una belleza perfecta, que por su musicalidad, su encantadora sugerencia, su inefable
emoción, quedan como firmes monumentos
para su autor, fuera de su época y de su
estilo."

Es muy curioso señalar que Bécquer, tan
poeta lírico en prosa como en verso, cuando
versifica parte de un término vago ilusorio,
para irse aproximando a la realidad, hasta
el punto de rozar suaves sensualismos; sin
embargo, cuando escribe en prosa, parte de
una realidad para irse difuminando en una
atmósfera de ilusiones y de vaguedades. Bécquer versificador viene hacia nosotros y es
nuestra efervescencia. Bécquer prosista se
aleja de nosotros y es nuestra melancolía.

No es preciso romperse la cabeza para presumir *qué* pudiera ser poesía y *qué* la poesía
para Bécquer. El mismo poeta nos lo de-

B

clara con palabras insuperables en el prólogo que puso al libro *La Soledad,* de su amigo entrañable Augusto Ferrán: "Hay una poesía magnífica y sonora; una poesía hija de la meditación y del arte, que se engalana con todas las pompas de la lengua, que se mueve con una cadenciosa majestad, habla a la imaginación, completa sus cuadros y la conduce a su antojo por un sendero desconocido, seduciéndola con su armonía y su hermosura. Hay otra natural, breve, seca, que brota del alma como una chispa eléctrica, que hiere el sentimiento con una palabra, y huye, y desnuda de artificios, desembarazada dentro de una forma libre, despierta, con una que las toca, las mil ideas que duermen en el océano sin fondo de la fantasía... La una es el fruto divino de la unión del arte y de la fantasía. La otra es la centella inflamada que brota al choque del sentimiento y de la pasión."

No hay que ser muy lince para comprender que Bécquer se clasificaba a sí mismo dentro de la segunda categoría. Poesía íntima, suavísima, la suya, en efecto. Su musicalidad desconoce las orquestaciones sinfónicas. Bécquer es como el Chopin de la poesía; piano espontáneo, piano patético, piano capricho, piano *con eso indefinible* que no puede decirse sino a media voz y oírse sino a medio oído—arrullo, sugerencia, melancolía, en suma.

Quizá fue Bécquer el único lírico del romanticismo, entre los líricos de primera línea, que no sintió ni expresó algunas de las características románticas que parecían más esenciales: la desesperación, la ironía truculenta, los pruritos fúnebres. Bécquer opone a la desesperación una resignada y tersa melancolía; a la ironía y al sarcasmo, una comprensión muy humana, que disculpa o perdona; a los afanes fúnebres, un desistimiento de su vida, que es como el deseo de un sueño sin fin. Mientras para casi todos los románticos poesía es lo centelleante, lo ardiente, lo terrible, lo tempestuoso, lo que ha de significarse *con rayos y truenos rimados,* para Bécquer es sencillamente, naturalmente...

> «¿Qué es poesía?», dices mientras clavas
> en mi pupila tu pupila azul.
> ¿Qué es poesía? ¿Y tú me lo preguntas?
> Poesía... eres tú.

¡Bécquer sí que es el poeta romántico que se ha olvidado por completo de la retórica! Porque tanto meterse los demás con el neoclasicismo, y, sin embargo, no supieron despojarse de la superabundancia verbal—y sonora—heredada de él, sino que quisieron *matarlo* pensando distinto—o al revés—. Cuando, realmente, había que matarlo olvidándose de él, como había hecho Bécquer.

Intimidad espiritual y desnudez formal. Este era el gran secreto de la revolución poética.

Bécquer escribió: varias *Leyendas,* las cartas literarias tituladas *Desde mi celda,* las famosísimas *Rimas* y numerosos artículos literarios, críticos y arqueológicos, publicados en distintos periódicos.

De las *Leyendas*—siendo todas modelo de poesía, de interés y de estilo—merecen especial mención: *El Miserere, El rayo de luna, Maese Pérez el organista, La ajorca de oro, El caudillo de las manos rojas, Los ojos verdes, La corza blanca, El monte de las ánimas...* Pocas páginas en prosa poética existen en la literatura española que puedan parangonarse con estas *Leyendas* exquisitas y atractivas.

De las *Rimas*—archifamosas, tal vez las poesías más amadas y conocidas por cuantos hablan el castellano—cabe afirmar que han colocado a su autor al nivel de los más grandes líricos de todos los tiempos.

En 1949 se ha publicado—no alabamos la publicación, que hace desmerecer la fama del inmortal poeta—el *Teatro Completo* de Bécquer. Este teatro "de ocasión" estaba justamente olvidado.

Gamallo Fierros ha recogido—1948—algunas *páginas olvidadas* de Bécquer; de ellas, unas lo son, otras es posible que lo sean; y algunas nos parecen *no escritas* por Bécquer, aun cuando Gamallo, un poco alegremente, se empeñe en demostrar su autenticidad.

Los numerosos artículos de Bécquer son igualmente notables; percibimos en ellos como un vaho de aromas y colores, como un remoto hechizo musical que es la poesía becqueriana.

Las ediciones de las *Obras completas* de Bécquer son numerosísimas; las de las *Rimas...* ¡infinitas! Las primeras corresponden a los años 1871, 1881, 1904, 1907, 1911, 1912. La mejor de estas ediciones es la de Madrid —Editorial Aguilar—, que se repite casi todos los años.

V. ALVAREZ QUINTERO, S. J.: *Bécquer,* en la edición de sus *Obras completas.* Madrid, Aguilar.—LÓPEZ NÚÑEZ, J.: *Bécquer: Biografía anecdótica.* Madrid, 1915.—MEDINAVEITIA, Herminio: *Bécquer, ensayo crítico acerca de su personalidad literaria.* Vitoria, 1916.—OSTED, E. W.: *Tales and Poems of G. A. B.* Boston, 1907.—SAINZ DE ROBLES, F. C.: *Historia y antología de la poesía castellana.* Madrid, 1964.—BÉCQUER, Julia: *La verdad sobre los hermanos Bécquer,* en *Revista del Ayuntamiento de Madrid.* 1932, IX, 76.—MARROQUÍN, P.: *Bécquer, poeta del amor y del dolor.* Madrid, 1927.—SCHNEIDER, F.: *Gustavo Adolfo Bécquer Leben und Schaffen...* Roma, Leipzig, 1914.—SCHNEIDER, F.: *Tablas cronológicas de las obras de Bécquer,* en *Revista Filológica Española.* 1929, XVI.—MAZZEI, P.:

Due anime dolenti: Bécquer e Rosalía. Milano, 1926.—McCLELLAN, J. M.: *Gustavo Adolfo Bécquer*, en *Liverpool Studies.* 1940. VALLE RUIZ, R.: *Estudios literarios.* 1913.— HENDRIX, W. S.: *Las rimas de Bécquer y la influencia de Byron*, en *Boletín de la Academia de la Historia.* 1931, XCVIII.—IGLESIAS FIGUEROA, F.: *Páginas desconocidas de Bécquer.* Madrid, 1923. Tres volúmenes.—TAMAYO, J. A.: *El teatro de Bécquer.* Madrid, 1949.—GAMALLO FIERROS: *Páginas olvidadas* —edición y ensayo—, Madrid, 1948.—ALONSO, Dámaso: *Ensayos sobre poesía.*—TAMAYO, J. A.: Prólogo y notas a la edición de *Teatro completo*, 1949.—ALONSO, Dámaso: *Originalidad de Bécquer*, en *Poetas españoles contemporáneos.* Madrid, Gredos, 1952.— JARNÉS, Benjamín: *Doble agonía de Bécquer.* Madrid, "Espasa-Calpe", 1936.

BEDOYA, Javier M. de (v. **Martínez de Bedoya, Javier**).

BEDREGAL, Juan Francisco.

Poeta, novelista, folklorista boliviano contemporáneo. Nació en 1883 en La Paz y murió en 1945 en Cochabamba. De él ha escrito Gustavo Adolfo Otero: "Es el depositario del casticismo en Bolivia. Su culto por la conservación del idioma español, limpio y puro, le califica como un hablista de buena cepa. Poeta de alta alcurnia, sabe esmaltar la vida con el optimismo dorado de la poesía, que canta con vigoroso acento lo mismo la intimidad sentimental que las manifestaciones excelsas de la Naturaleza. Es la fusión del poeta lírico con el épico, y ha sabido dotar al lenguaje, en medio de su casticidad clásica, de un soplo de modernidad de refinado buen gusto. Cervantista sin estridencias, es un escritor y un poeta moderno, sin el prurito de lo viejo. Ha sido laureado en varios Juegos florales." Profesor de la Facultad de Derecho y rector de la Universidad de San Andrés de La Paz.

Su cuento *Don Quijote en la ciudad de La Paz* es de los más bellos escritos en Hispanoamérica.

La vida criolla no tiene secretos para él, y se le considera como uno de los maestros bolivianos del género narrativo.

Entre sus mejores obras cuentan: *La máscara de estuco* y *Figuras animadas.*

V. OTERO, Gustavo Adolfo: *Literatura en Bolivia*, en el tomo XII de la *Historia Universal de la Literatura*, de Prampolini. Buenos Aires, Uthea Argentina, 1940.—DÍEZ DE MEDINA, Fernando: *Perfil de la literatura boliviana*, en *Thunupa*, La Paz, 1947.—VISCARRA FABRE, G.: *Poetas nuevos de Bolivia.* La Paz, 1941.—GUERRA, José Eduardo: *Poetas contemporáneos de Bolivia.* La Paz, 1919.

BELAÚNDE, Víctor Andrés.

Escritor, orador, político y diplomático peruano. Nació—1883—en Lima, en cuya Universidad estudió Derecho y Filosofía y Letras, y de la que fue catedrático. Explicó varios cursos en la Universidad de Columbia (Nueva York) y en el Instituto de Educación de esta misma ciudad. Vicerrector de la Universidad Católica de San Marcos, de Lima. Representante permanente del Perú en la O. N. U. Doctor *honoris causa*—1950—por la Universidad de Madrid. Hispanista fervoroso. Ha desempeñado, con éxito, varias misiones diplomáticas. Murió—15 de diciembre de 1966—en Nueva York.

Obras: *El Perú antiguo y los modernos sociólogos, Cultura hispanoamericana, Meditaciones peruanas, Idealismo político, El Cristo de la fe y los cristos literarios, Bolívar...*

BELDA, Joaquín.

Novelista y periodista de mucha popularidad. Nació—1883—en Cartagena. Y murió en Madrid en 1935. De él ha escrito Cejador: "Excelente escritor humorístico, escribe novelas desnudamente eróticas, bufas y para hacer reír. Atina maravillosamente con la cara cómica de cualquier asunto. Es lamentable que solo mire a lo erótico, aunque intente burlarse humorísticamente de este género seudoliterario."

Entre 1909 y 1930 pocos escritores españoles vendieron más ejemplares de sus novelas que Belda.

Obras: *La suegra de Tarquino*—1909—, *¿Quién disparó?*—1909—, *Memorias de un suicida*—1910—, *Saldo de almas*—1910—, *La Farándula*—1910—, *La piara*—1911—, *Alcibíades Club*—1912—, *El pícaro oficio* —1912—, *Una mancha de sangre*—1913—, *La Coquito*—1915—, *Aquellos polvos...* —1916—, *Más chulo que un ocho*—1917—, *Las noches del Botánico*—1917—, *Las chicas de Terpsícore*—1917—, *La diosa Razón* —1918—, *El compadrito*—1920—, *Carmina y su novio*—1921—, y numerosas novelas breves, publicadas en las popularísimas revistas *Los Contemporáneos, El Cuento Galante, El Libro Popular, La Novela de Bolsillo, La Novela de Hoy, La Novela Corta...*

V. CANSINOS-ASSÉNS, R.: *Las escuelas literarias.* Madrid, 1916.—SAINZ DE ROBLES, Federico Carlos: *La Novela Corta Española* —*Generación de "El Cuento Semanal"*—, estudio y notas. Madrid, Aguilar, 1952.

BELMONTE Y BERMÚDEZ, Luis.

Gran dramático y poeta español. Nació —1587—en Sevilla. Murió en 1650—¿en Madrid?—. Casi un niño, pasó a Méjico. El año 1605 estaba en Lima, donde compuso *El cis-*

ne del Jordán, libro en el que trata del Perú y de sus virreyes. De secretario del gran Pedro Fernández de Quirós, asistió Belmonte a las expediciones navales de las islas Salomón y Molucas, costeó la Nueva Guinea, poniendo nombres, como él mismo dice en verso, a mares, puertos, golfos y ríos. La nave *La Capitana,* en que iba Belmonte, navegó perdida durante seis meses, al cabo de los cuales el océano la depositó en la costa de Méjico. Aquí vivió algún tiempo, escribiendo algunas comedias, una *Vida del patriarca San Ignacio*—poema en diez libros—y, quizá, la galana—en prosa ágil—*Historia y descubrimiento en las regiones australes por el general don Pedro Fernández de Quirós.*

En 1618 estaba Luis de Belmonte en Madrid, alternando ya desde entonces con Lope, Calderón, Rojas, Zorrilla, Moreto, Mira, Vélez de Guevara. Pasó a Sevilla y concurrió a la tertulia de don Juan de Arguijo, siendo gran amigo de Jáuregui, Rioja, Caro, Andrada... En 1620 y 1622, en Madrid, concurrió a los dos certámenes literarios en honor a San Isidro y al celebrado el segundo de dichos años a la mayor gloria de San Ignacio. Hállase en el *Vejamen* de Cáncer, del año 1649.

Se conservan de él más de veinticinco comedias, entre las que sobresalen: *El diablo, predicador*—en que interviene lo sobrenatural y fantástico, y fundada en *Fray Diablo,* de Lope—, *El sastre del Campillo, El mejor amigo, el muerto; La renegada de Valladolid*—preciosa obra a la manera romántica—, *El gran Jorge Castrioto*—inspirada en la defensa del Epiro contra los musulmanes—, *El mejor tutor es Dios, El rollo*—entremés—, *Casarse sin hablarse, El desposado por fuerza y olvidar amando, El mayor contrario, amigo...* Luis de Belmonte colaboró con Calderón—*El mejor tutor*—, Guillén de Castro, Vélez de Guevara, Mira de Amescua, Ludeña y otros. Es un dramaturgo de fácil vena, de estilo correcto y fluido, algo corto en la invención y en la pintura de los caracteres, pero habilísimo en mezclar la sátira con la moralidad, el misticismo con la despreocupación.

Luis de Belmonte escribió, además de su teatro: un raro poema: *La aurora de Cristo*—1616—, *Doce novelas*—hoy perdidas, cuya primera era la titulada *Cipión,* continuación de la de *Berganza,* en *El coloquio de los perros,* de Cervantes; *La Hispálica,* poema en 1.500 elegantes octavas reales, dedicado a don Juan de Arguijo, que le costó diez años en componerlo, y trata de las hazañas y sucesos de la conquista de Sevilla por el rey San Fernando.

Dos comedias de Belmonte—*La renegada* y *El mayor contrario...*—se encuentran en el tomo XLV de la *Biblioteca de Autores*

Españoles. Algún entremés en la edición de *Entremeses,* cuidada por E. Cotarelo para la *Nueva Biblioteca de Autores Españoles.*

Luis de Belmonte es un dramaturgo de brioso y picante donaire en lo cómico, de atrevida invención en lo serio, que guarda interés singular para el estudio del arte dramático español del siglo XVII.

V. Sainz de Robles, F. C.: *Historia y antología del teatro español.* 1943. Tomo IV.— Rouanet, L.: *Le diable prédicateur...* París-Toulouse, 1901.—Gallardo, B. J.: *Ensayo de una biblioteca española...* Tomo II, cols. 59-69.—Kincaid, William A.: *Life and Works of L. de B. B.,* en *Revue Hispanique,* 1928. Cotarelo Mori, E.: *Entremeses,* en *Nueva Biblioteca de Autores Españoles,* pág. 80.— Alonso Cortés, N.: *La renegada de Valladolid,* en *Miscelánea Vallisoletana,* 5.ª serie.—Herrán, F.: *Apuntes para una historia del teatro español antiguo.* Madrid, 1888, 69. Juliá Martínez: *Rectificaciones bibliográficas. La renegada de Valladolid,* Madrid, 1930.

BELTRÁN GUERRERO, Luis.

Nació en Carora, Estado Lara (Venezuela), el 11 de octubre de 1914. Doctor en Ciencias Políticas de la Universidad Central de Venezuela y profesor en Letras de la Universidad de Buenos Aires, ha ejercido el periodismo desde los trece años, con el periódico *El Pórtico,* fundado en su tierra natal. De 1941 a 1945 dirige en Trujillo el semanario *Presente.* Trabaja en *El Universal* desde 1930, habiendo iniciado en 1958 su sección "A campo traviesa", con el seudónimo de "Cándido". Ha ejercido la docencia en liceos y colegios; en la Universidad Central, cátedras de Literatura Venezolana y Teoría de la Historia; en el Instituto Pedagógico Nacional, del cual es profesor-fundador en 1936, obtuvo por concurso la cátedra de Literatura Comparada, y desaparecida esta asignatura del programa de estudios, profesa el Latín. Poeta, ha publicado los siguientes tomos: *Secretos en fuga*—1942—, *Posada del Angel*—1954—, *El visitante*—1958—, *Tierra de promisión* —1959—, *Poesía electa*—Lírica Hispana, número 230, 1962—. Ensayista y crítico, los títulos que a este respecto lo documentan son: *El 19 de abril de 1810*—1933—, *La ignorancia de la ley*—1937—, *Sobre el romanticismo y otros temas*—1942—, *Palos de ciego* —1944—, *Variaciones sobre el humanismo* —1952—, *Anteo*—1952—, *Razón y sinrazón*—1954.

De la selección de su labor diaria en la prensa ha anunciado publicar siete volúmenes, de los cuales han aparecido las series primera, segunda y tercera de *Candideces,* en los años 1962, 1963, 1964, 1969, 1971... de las cuales la segunda obtuvo el "Premio Municipal de Prosa, 1964". Individuo de número de la Academia Venezolana de la Lengua, correspondiente de la Real Española y de la Academia Nacional de la Historia, con motivo de darle la bienvenida en esta última institución, dijo Arturo Uslar Pietri: "Hombre de estudio severo y de creación exigente ha sido este Luis Beltrán Guerrero. Desdeñoso de la improvisación y de la facilidad."

BELLÁN, José Pedro.

Narrador y dramaturgo uruguayo. 1889-1930. Maestro de escuela. "Bellán se presentó con un teatro interpretando la vida de la clase media económicamente cercana a la obrera, mostrando problemas humanos y dolorosos bien observados y sentidos que supo transmitir dentro de una técnica sencilla y honesta." (F. Silva Valdés.)

Obras: *Doñarramona*—1918—, *Los amores de Juan Rivault*—1922—, *El pecado de Alejandro Leonard*—1926—, *Primavera, La ronda del hijo, Vasito de agua, Dios te salve, El centinela muerto, Tro-la-ro-la-ra, Interferencias.*

BELLO, Andrés.

Gran poeta, filólogo y crítico literario venezolano. Nació—1781—en Caracas, y murió —1865—en Santiago de Chile. En su juventud fue ardoroso defensor de las ideas enciclopedistas, pero acabó representando al hispanismo, enamorado de las glorias literarias españolas. Fue preceptor de Bolívar. Parece que fue él quien recibió el juramento de José San Martín ante la gran sociedad americana. Vivió una gran etapa de vibración cívica y de angustia patriótica y económica, de profundo hervor estético. Tradujo al castellano magníficamente a Horacio y a Virgilio. Marchó a Londres en calidad de secretario de la Comisión que actuaba Bolívar. En la capital inglesa colaboró con los desterrados liberales españoles y políticos americanos, bien sea en las páginas de *El Español*, que "Blanco-White" editaba entre 1810 y 1814; bien en *El Censor Americano*, del guatemalteco Irisarri, o en la *Biblioteca Americana*—1823—y, sobre todo, en *El Repertorio Americano*—1826—, ambas revistas redactadas por Bello.

En 1829, el Gobierno de la República de Chile le llamó para ofrecerle un importante cargo oficial: la dirección de *El Araucano*, diario oficial de la nación, y la Secretaría del Ministerio de Negocios Extranjeros. Fundó la Universidad laica de Chile. Fue árbitro entre los Estados Unidos y el Ecuador y entre el Perú y Colombia. Su labor por la cultura y la legislación de Chile fue enorme. Inculcó en este país turbulento una nueva tradición clasicista. Pero su acción cultural se extendió a toda la América española, donde se le considera con la misma admiración y fervor que en España a Menéndez Pelayo.

Escritor ilustre, maestro de la cultura europea y en el cultivo de la lengua castellana, de una fecundidad realmente asombrosa, sagacísimo en la crítica y concienzudo y genial en la investigación. Tradujo a Delisle, a Boyardo, a Hugo. Miembro honorario de la Real Academia Española. En el diario *El Crepúsculo* publicó la mayoría de sus trabajos literarios.

Obras: *Silva a la agricultura de la zona tórrida*—1823—, *Principios del Derecho de gentes*—1832—, *Principios de Derecho internacional*—1844—, *Principios de ortología y métrica de la lengua castellana*—1835—, *Compendio de la historia de la literatura, Gramática castellana*—1851—, *Teoría del entendimiento, Poesías,* la reconstrucción del *Poema del Cid...*

La colección más completa que de sus obras se conoce es la que se hizo en Santiago de Chile, entre 1881 y 1885, con el título de *Obras completas.* En la *Colección de Escritores Castellanos*—Madrid, 1890 y 1891—se han reimpreso sus *Opúsculos gramaticales.*

V. AMUNÁTEGUI, M. L.: *Vida de Andrés Bello.* Santiago de Chile, 1884.—AMUNÁTEGUI, M. L.: *Biografías de americanos.* Santiago de Chile, 1854.—CAÑETE, Manuel: *Biblioteca de escritores venezolanos.* Caracas-París, 1875. CARO, Antonio: Prólogo en el tomo de *Poesías de Andrés Bello.* Madrid, 1882.—PICÓN FEBRES, G.: *La literatura venezolana en el siglo XIX.* Caracas, 1906.—PICÓN SALAS, M.: *Formación y proceso de la literatura venezolana.* Caracas, 1941.—MENÉNDEZ PELAYO, M.: *Historia de la poesía hispanoamericana.* Madrid, 1911, tomo I.

BELLO, Luis.

Literato y periodista de mucho mérito. Nació—1872—en Alba de Tormes (Salamanca). Murió—1935—en Madrid. Licenciado en Leyes por la Universidad Central. En 1898 ingresó de redactor en *Heraldo de Madrid.* Fue corresponsal en París del diario *España* —fundado por Manuel Troyano—, y pasante en el bufete de don José Canalejas. En 1903 fundó la revista *Crítica,* y en 1906 asumió la dirección de la hoja literaria de *Los Lunes de El Imparcial.* Diputado a Cortes en 1916. Director más tarde de *El Liberal,* de Bilbao. Cronista y redactor de *El Sol,* de Madrid. Hizo popularísimo su nombre con motivo de su campaña en pro de la enseñanza con el título de *Visita de escuelas.* Los artículos que publicó con las impresiones de su inspección fueron coleccionados en cuatro volúmenes, 1926 a 1929. Bello fue un colaborador muy solicitado en los principales periódicos de España y América.

B

Fundó las revistas *Crítica, Europa* y *Política*. En sus escasos libros, lo mismo que en su labor periodística, hay nobleza de estilo, finura de observación y equilibrio ideológico, fruto de cultura amplia y extensa.

Obras: *El tributo a París*—1907—, *Ensayos e imaginaciones sobre Madrid*—1920—, *España durante la guerra: Política y acción de los alemanes*—Madrid, 1918.

V. "AZORÍN": *Un misionero*. Prólogo al *Viaje por las escuelas de España*. Vol. III.— ESPINA, Antonio: *Sobre el "Viaje a las escuelas de España"*, en *Revista de Occidente*, 1928, XIX.—Río, Angel, y BENARDETE, M. J.: *El concepto contemporáneo de España. Antología de ensayos. 1895-1931*. Buenos Aires, Losada, 1948. (En la pág. 350 trae abundante bibliografía de Luis Bello.)

BENAVENTE, Fray Toribio de.

Misionero e historiador español del siglo XVI. Muy joven, apenas ordenado sacerdote, marchó a las Indias (México) con el anhelo ardiente de ganar almas para Cristo. Para ello aprendió numerosos idiomas y dialectos. Los indios le dieron el nombre indígena de *Motolinia* o *Motolinea,* que quiere decir "pobreza", con el cual firmaba sus escritos. Fue muy amado de los mexicanos por su gran piedad, sus conmovedores sermones y su auténtica piedad cristiana.

Es autor de la primera *Historia de los indios de la Nueva España* que se escribió, "obra—según Abigail Mejía—llena de encanto por la naturalidad con que pinta, no las hazañas de sus compatriotas, sino la vida de los mexicanos, sus costumbres, su religión y culto antes de la llegada de los primeros misioneros franciscanos".

Edición: *Colección de documentos para la historia de México,* publicada por el erudito García Icazbalceta.

V. RAMÍREZ, J. Fernando: Prólogo a la edición de García Icazbalceta.

BENAVENTE Y MARTÍNEZ, Jacinto.

Célebre dramaturgo español contemporáneo. El día 12 de agosto de 1866 nació en Madrid. Murió en Madrid el 14 de julio de 1954. Hijo del afamado médico pediatra don Mariano. Benavente empezó sus estudios de Derecho en la Universidad Central, pero no llegó a terminarlos. Fallecido su padre en 1885, inició el futuro gran dramaturgo sus viajes por Europa, que tantas veces repetiría durante su larga y fecunda vida: Francia, Inglaterra, Alemania, Rusia, Italia... Por todas partes paseó su inquietud y su curiosidad alerta. De todas partes se trajo las percepciones más agudas y modernas de los movimientos literarios. Pocos espíritus han sido capaces de calar tan honda y certeramente en el pensamiento europeo contemporáneo.

En 1899 dirigió una revista de singular interés, cuya órbita se desorbitaba en el asombro español de la época: *Vida Literaria*. Más tarde dirigió *Madrid Cómico*, revista mitad satírica y a dos cuartos política y resentida. De gran facilidad para las crónicas, tan densas de contenido como leves de forma, colaboró asiduamente en *La Ilustración Española*, en la *Revista Contemporánea*, en *Helios*, en *La Lectura*, en *El Imparcial*. Pero su verdadera vocación, la de dramático, le absorbía cada vez más y mejor.

Llegó Benavente al teatro español en una época verdaderamente crítica. El público bostezaba a los latiguillos melodramáticos de Echegaray y sus secuaces. El género cómico era sencillamente de brasero y toquilla. Benavente cayó en la escena española como un meteoro: luminoso, extraño, roto en chispas. Benavente tenía un concepto nuevo de la comedia: la psicología materializada, la pasión delatada correctamente, la audacia del pensamiento rebelde, la finura de la frase y la agudeza en el juego de palabras, la ironía como arma defensiva de cada corazón. Para la terrible gente burguesa, para la aristocracia que hacía pinitos europeos a la chita callando, el teatro de Benavente fue un convulsivo y un revulsivo, respectivamente. Se atragantaba un tanto, al ser tomado en grandes dosis, este teatro benaventino; pero se digería bien, y el sabor era perfectamente agradable. Y, naturalmente, ya no hubo otro teatro. La tesis social o filosófica, ingeniosamente expuesta, adquiría una categoría literaria paradigmática.

Jacinto Benavente, ágil de entendimiento, pluma facilísima, dio al teatro español frutos magníficos: *El nido ajeno, Rosas de otoño, Lo cursi, Gente conocida, La princesa Bebé, La noche del sábado, Los intereses creados, La Malquerida, Señora ama...* Entre estas obras, geniales realmente algunas, otras francamente medianas, frutos prematuros de una zona epicena—ni fría ni tórrida—, cuyos zumos pecaban de insípidos... Así, algunas zarzuelas, algunos chascarrillos, algunas comedietas, en las que todo era discurso—*confetti*—y martingala de un ingenio forzado.

Sin embargo de estos lunares, nada extraños en una producción tan enorme como la de Benavente, ¡qué amplitud de temas y qué arte tan extraordinario en tratarlos! ¡Qué deleitoso humor y qué ironía tan delicada y sutil! ¡Cuántos maravillosos aciertos de técnica, de táctica escénicas! ¡Qué delación y qué delectación de su señorío del juicio y dominio de sí mismo! ¡Qué tersura la de su lenguaje! ¡Qué sugestión la de su íntima melancolía y la de su íntima comprensión!

¡Cuánta hermosa ternura, jamás derivada en fáciles sentimentalismos!

Un gran crítico londinense, Lennox Robruson, ha dicho de él, en *The Observer* —1924—: "No vacilo en declarar que no hay hoy en toda Europa dramaturgo tan perfecto y acabado como Benavente. Otros son más cálidos y humanos, más inquietantes, como Pirandello, o dan lugar a mayores controversias, como nuestro Shaw; pero ninguno supera ni iguala a Benavente en acabamiento y perfección. Ningún dramaturgo puede leer alguna de sus obras sin sentirse presa de envidia y admiración. *La escuela de las princesas,* por ejemplo, es sencillamente un milagro del genio."

En 1908 fue elegido Benavente miembro de la Real Academia de la Lengua; en 1922 le fue concedido el Premio Nobel, distinción literaria la más alta y significativa en el mundo de las letras; la gran cruz de Alfonso XII y un homenaje popular le aureolaron—1924—con un prestigio definitivo e indiscutible. Más de ciento cincuenta obras ha escrito Jacinto Benavente. En fecundidad, ningún gran autor moderno le iguala ni se le acerca; ha heredado la fuerza creadora, la gracia expresiva de aquellos dramaturgos geniales, como él madrileños, que se llamaron Lope, Tirso, Calderón...

Otras obras importantes: *Campo de armiño, La propia estimación, El collar de estrellas, El dragón de fuego, La ciudad alegre y confiada, Para el cielo y los altares, La escuela de las princesas. Al natural, La novia de nieve, Pepa Doncel, Los malhechores del bien, La comida de las fieras, Vidas cruzadas, La infanzona, Titania, Abdicación, Divorcio de almas, Tú una vez y el diablo diez, Su amante esposa, Al amor hay que mandarle al colegio, La vida en verso, Mater Imperatrix...*

La mejor edición de la obra benaventina es la de M. Aguilar, Madrid, 1942-1943-1946, en once volúmenes.

V. LÁZARO, Angel: *Jacinto Benavente; de su vida y de su obra.* Madrid, 1925.—GONZÁLEZ-BLANCO, A.: *Dramaturgos españoles contemporáneos.* Valencia, 1917.—PÉREZ DE AYALA, Ramón: *Las máscaras.* Tomo II. 1917. LÓPEZ ROSELLÓ, L.: *Jacinto Benavente, en Revista Calasancia.* 1916.—PALACIO, G. L. de: *Jacinto Benavente, en La Société Nouvelle.* Mons, 1914.—BONILLA SAN MARTÍN, A.: *Benavente, en la revista Ateneo.* 1906.—ROMO ARREGUI, Josefina: *Jacinto Benavente: bibliografía, en Cuadernos de Literatura Contemporánea,* 15, Madrid, 1944.—JULIÁ MARTÍNEZ, Eduardo: *El teatro de Jacinto Benavente, en Cuad. de Lit. Contemp.,* 15, Madrid, 1944.—GUARNER, Luis: *La poesía en el teatro de Benavente, en Cuad. de Lit. Contemporánea,* 15, Madrid, 1944.—OSETE ROBLES, Enrique: *Don Jacinto Benavente y sus anécdotas, en Cuad. de Lit. Contemp.,* 15, Madrid, 1944.—SAINZ DE ROBLES, F. C.: *Jacinto Benavente.* Madrid. Instituto de Estudios Madrileños. 1955.—VALBUENA PRAT, Angel: *Historia del teatro español.* Barcelona, Noguer, 1956.—MONTERO ALONSO, José: *Don Jacinto Benavente.* "Premio del Ayuntamiento de Madrid, 1967".

B

BENAVIDES, Manuel D.

Novelista y periodista de mérito. Nació —1895—en Puenteareas (Pontevedra). Murió —1947—en México. Su comedia *El protagonista de la virtud* obtuvo el segundo premio en el gran concurso de obras teatrales organizado—1928—por el diario *A B C.*

Novelas: *Lamentación, En lo más hondo, Cándido, hijo de Cándido; El último pirata del Mediterráneo, Un hombre de treinta años.*

Benavides se caracteriza por sus temas llenos de novedad y de fuerza, por la "precisa dureza" en el dibujo de los caracteres, por el lenguaje limpio y castizo.

Desde 1939 residió en México, donde fue secretario de redacción de *Reconquista de España.*

Otras obras: *Los nuevos profetas*—1942—, *La escuadra la mandan los cabos*—novela, 1944...

V. NORA, Eugenio G. de: *La novela española contemporánea.* Madrid, edit. Gredos, 1962. Tomo II bis, págs. 22-25.

BENEGASI Y LUJÁN, Francisco.

Poeta y autor dramático español. 1656-1742. Nació en Arenas de San Pedro (Avila). Caballero de Calatrava. Señor de Terreros y Val de los Hielos y del mayorazgo de Luján. Gobernador y superintendente general de Alcázar de San Juan. Regidor perpetuo de Loja. Personaje de mucha nobleza y de gran fortuna.

Lo mismo en su lírica que en su dramática se mezclan los recursos de la centuria diecisiete y los equívocos y rasgos de mal gusto del siglo XVIII.

Sus *Obras métricas jocoserias* fueron publicadas—1744—por su hijo, José Joaquín, juntamente con la de este.

Sus intermedios y sainetes se representaron con éxito durante los últimos años del siglo en que nació.

V. LA BARRERA, C. A. de: *Cat. del teatro español.*

BENEGASI Y LUJÁN, José Joaquín.

Poeta, comediógrafo. 1707-1770. Nació en Madrid y fue hijo de don Francisco Benegasi. Regidor perpetuo de Loja. Poseyó gran fortuna y casó dos veces, entrando en religión el año 1763.

Publicó sus *Poesías líricas y jocoserias,* Madrid, 1743; y en 1744, unidas a las de su padre; y en 1746.

Fue uno de los poetas, relamidos y cerebrales, contra los que escribió Leandro Fernández de Moratín *La derrota de los pedantes.*

Escribió en seguidillas una *Vida de San Benito Palermo*—1750.

Otras obras: *Vida de San Dámaso*—en redondillas, 1752—, *Fama posthuma del Reverendísimo P. Fr. Juan de la Concepción* —1754, en malísimas octavas reales—, *Comedia (que no lo es) burlesca intitulada: Llámenla como quisieren*—Madrid, 1735—. *La campana de descansar*—entremés—, *El ingenio apurado*—baile—, *El amor casamentero* —baile—, *Carta instructiva, moral y erudita, en prosa y metros diferentes*—Madrid, 1760—, *Romances heroyco y glosa de una quintilla* —Madrid, 1760...

BENET, Juan.

Ensayista, cuentista y novelista. Nació —1928—en Madrid, donde estudió ingeniería, siendo un competente ingeniero de Caminos, Canales y Puertos. Ha viajado por muchos países de Europa y vivido en distintos lugares de España: San Sebastián, Oviedo, León... En plena madurez vital, se dedicó a la literatura, alcanzando pronto una justa fama como escritor muy peculiar, muy interesante.

Obras: *Teatro civil*—1959—, *Nunca llegarás a nada*—relatos, 1961—, *La inspiración y el estilo*—ensayos, 1966—, *Volverás a región* —novela, 1968—, *Agonía Confutans*—teatro, 1969, publicado en *Cuadernos Hispanoamericanos*—, *Una meditación*—"Premio Biblioteca Breve, 1970"—, *Puerta de tierra*—ensayos, 1970—, *Una tumba*—narración, 1971.

Posiblemente, como aseguran algunos críticos, Juan Benet intenta "la ruptura de la narrativa peninsular". Yo creo que son las suyas, como las de tantos otros escritores de hoy, vanas ilusiones y pérdidas de tiempo, pues que los géneros literarios *capitales*—y la novela es uno de los más importantes—no admiten rupturas, y quien lo intente sólo se significará "por lo caprichoso", y a la postre, si quiere subsistir como tal escritor, habrá de volver a la ortodoxia genérica.

BENEYTO, María.

Nacida en Valencia en 1925. Tiene publicados los siguientes libros de poemas: *Canción olvidada*—Valencia, 1947—, *Altra veu*—*Otra voz,* en catalán, colección Espiga, Valencia, 1952—, *Eva en el tiempo*—Col. El Sobre Literario. Valencia, 1952—, *Criatura múltiple* —col. Murta. Valencia, 1954—, *Poemas de la ciudad*—col. Fe de Vida. Horta, editor. Barcelona, 1956—, *Ratlles a l'aire*—*Rayos en el aire,* en catalán. Col. Espiga. Valencia, 1956—,

Tierra viva—col. Adonais. Madrid, 1956—, *Antología general*—Ed. Lírica Hispana. Caracas, 1956.

En prosa tiene: parcialmente, en la revista *Ateneo, La invasión*—novela. Madrid, 1955—, *La promesa*—cuentos, colección Zinc. Ed. Instituto Alcoyano de Cultura, 1958—, *El río viene crecido*—Ed. Imprenta Provincial. Valencia, 1960.

Premios de poesía: "Premio Valencia, 1953", por *Criatura múltiple;* accésit del "Boscán", en 1953, por *Poemas de la ciudad;* accésit del "Adonais", en 1955, por *Tierra viva;* "Premio C. de Barcelona" (poesía catalana), por *Ratlles a l'aire,* 1956; "Premio Internacional Calvina Terzaroli" (Italia), por *Antología general,* 1956.

En prosa: "Premio Revista Ateneo de novela", por *La invasión,* en 1955; "Premio Valencia", de novela, por *El río viene crecido,* en 1959.

Otras obras: *Antigua patria*—novela, "Premio Ciudad de Murcia, 1968"—, *El regreso* —"Premio Gabriel Miró, 1963", para novelas breves—, *Allí donde está el sol*—novela, 1966...

BENEYTO PÉREZ, Juan.

Nacido en Villajoyosa (Alicante) en 1907. Doctor en Derecho por la Universidad de Bolonia (Italia). Catedrático de Historia del Derecho en la Universidad de Salamanca. Es autor de obras de carácter docente *(Instituciones de Derecho histórico español*—Barcelona, Bosch, 1930-31—, *Fuentes de Derecho histórico español*—Barcelona, Bosch, 1931—, *Manual de Historia del Derecho español*—Zaragoza, 1940; nueva edición, 1948—, *Historia de las doctrinas políticas*—Madrid, Aguilar, 1948; nueva edición de esta obra, bajo el título de *Historia geopolítica universal,* 1972—). Ha antologizado el pensamiento de Vázquez de Mella y el medieval español, y editado y prologado obras inéditas de Sánchez de Arévalo y de Pecorelli, así como la glosa castellana al *Regimiento de príncipes,* de Egidio Romano. Ha colaborado en numerosas *mélanges* de homenaje a colegas, como las dedicadas a Altamira, Albertoni, Finke, Menéndez Pidal, Solmi, etc., y en diversas misceláneas, como *La mission de l'Espagne,* París, Occident, 1941.

Como escritor, es ensayista de fondo histórico y filosófico; ha escrito *España y el problema de Europa*—Madrid, Editora Nacional, 1942—, *Ginés de Sepúlveda, humanista y soldado*—Madrid, Editora Nacional, 1944—, *Lección sabida*—Madrid, Editora Nacional, 1945—, y especialmente su *Fortuna de Venecia*—Madrid, *Revista de Occidente,* 1947—, *Los orígenes de la ciencia política en España*—Madrid, Instituto de Estudios Políticos, 1949—, *Trajano, el mejor príncipe*

—Madrid, 1949—, *La escuela iluminista salmantina*—1949—, *El cardenal Albornoz*—Madrid, 1950—, *Tres historias de unidad*—1951—, *Espíritu y estado en el siglo XVI. Ensayos sobre el sentido de la cultura moderna*—1952...

En conjunto, se le ve como historiador y hombre de letras, con preparación doctrinal, riqueza de léxico, preocupación estilística y poder de evocación (Pérez Bustamante), y hombre en quien madura una de las más agudas inteligencias de nuestro tiempo (Mourlane).

BENGOECHEA, Javier de.

Poeta, prosista y crítico español. Nació —1919—en Bilbao. Licenciado en Derecho. Ejerce su profesión en su ciudad natal. Y colabora con frecuencia en las principales revistas españolas dedicadas a la poesía. Colabora como cronista en *La Gaceta del Norte*, de Bilbao. Y escribe también para el teatro, aun cuando, hasta ahora, no ha sido estrenada ninguna de sus obras escénicas.

En 1950 obtuvo un accésit en el "Premio Adonais" con su libro de poemas *Habitada claridad. Hombre en forma de elegía*—"Premio Adonais 1955"—, *Fiesta nacional*—1959.

Es uno de los más interesantes líricos—por sus temas, por su hondura, por su gracia expresiva—de la joven poesía española.

BENGUEREL, Xavier.

Cuentista y novelista español que escribe, indistintamente, en castellano y en catalán. Nació—1905—en Barcelona. Desde muy joven se dedicó por entero a la literatura, alcanzando en 1935 un gran triunfo con su novela *Suburbio*. De ideas muy liberales, al término de la guerra española de Liberación marchó al exilio, viviendo en varios países hispanoamericanos entre 1939 y 1954. Ya de nuevo en su Barcelona natal, ha seguido escribiendo sin alharacas ni fáciles recursos publicitarios, con intensidad y con maestría, pues es uno de los novelistas catalanes más importantes, siempre en la línea tradicional de los grandes maestros Narciso Oller y "Víctor Catalá".

Obras: *Págines d'un adolescent*—1929—, *La vida d'Olga*—1935—, *El teu secret* —1932—, *Suburbi*—1935—, *L'home dins mirall*—1950—, *La familia Rauquier*—1953—, *El testament*—1955—, *Els fugitius*—1956—, *El viatge*—1957—, *L'intrús*—1960—, *El pobre senyor*—1964—, *Gorra de plat*—1966—, *La veritat del foco*—1966—, todas ellas novelas; *Sense retorn*—cuentos—, *Poemes*—1934—, *L'home i el seu angel*—cuentos—, *La máscara* —cuentos, 1947—, *El desaparegut*—cuentos, 1955—, *El casament de la Xela*—teatro,

1937—, *Fira de desenganys*—teatro, 1941—, *El testament*—teatro, 1960.

BENÍTEZ, Justo Pastor.

Historiador, periodista, diplomático paraguayo contemporáneo. Según Díaz Pérez, "es escritor cuyo renombre ha traspasado las fronteras, contribuyendo poderosamente con ágiles e interesantes divulgaciones a hacer conocer en el Río de la Plata los hombres, la historia y las cosas del Paraguay".

Ha representado a su país en distintas naciones hispanoamericanas, desempeñando también altos cargos políticos y administrativos.

Entre sus mejores obras figuran: *La vida solitaria del dictador Francia, La Constitución del 70, Sobre el liberalismo paraguayo, Algunos aspectos de la literatura del Paraguay, Bajo el signo de Marte*—Montevideo, 1934, crónicas amenísimas de la contienda del Chaco.

V. DÍAZ PÉREZ, Viriato: *Literatura del Paraguay*, en el tomo XI de la *Historia universal de la literatura*, de Prampolini. Buenos Aires, Uteha Argentina, 1940.

BENÍTEZ CARRASCO, Manuel.

Poeta y recitador español. Nació—1924— en el barrio del Albaicín, Granada. Estudió el bachillerato con los jesuitas. Ha colaborado en revistas literarias. Magnífico recitador, ha dado numerosos recitales poéticos en varios teatros, alcanzando éxitos extraordinarios, siendo unánimemente elogiado por la crítica. Benítez Carrasco es, a nuestro gusto, uno de los poetas españoles contemporáneos más interesantes.

Dentro de la lírica del neopopularismo, posee una voz propia, una humanidad cálida, un colorido espléndido de gamas y de matices.

Obras: *La muerte pequeña, El oro y el barro*—1950—, *Cuando pasa el toro*—1952.

V. SAINZ DE ROBLES, F. C.: *Historia y antología de la poesía española*. Madrid, Aguilar, 1951, 2.ª edición.

BENÍTEZ DE CASTRO, Cecilio.

Novelista español. Nació—1917—en Ramales de la Victoria (Santander). Abogado por la Facultad de Derecho de la Universidad de Barcelona. Desde los veinte años inició una colaboración fecunda en muchos diarios y revistas españoles, perteneciendo a la Redacción del diario barcelonés *Solidaridad Nacional*. En 1944 le fue otorgada una mención de honor en el "Premio Nacional de Literatura", que quedó desierto. En 1947, poco después de contraer matrimonio, marchó a la República Argentina, donde vive desde entonces, dedicado a la literatura.

B

Benítez de Castro, sin discusión alguna, el novelista más fecundo de su generación, ha sido muy elogiado por dos excelentes críticos: Valbuena Prat y Díaz-Plaja. Y en verdad que tales elogios no son injustos, pues Benítez de Castro—muchas de cuyas novelas han sido llevadas al cine y traducidas a distintos idiomas—suma valores extraordinarios: imaginación originalísima e inagotable, maestría técnica, humor muy sugestivo, vigor para el dibujo de caracteres y brillante colorido para la exaltación de los ambientes.

Novelas: *Dos agentes en servicio, Se ha ocupado el kilómetro 6, La rebelión de los personajes, El creador, Maleni, Cuarto galeón, Huracán sobre Asia*—con el seudónimo de "César Grabb"—, *Brazalete de oro*—firmó "César Grabb"—, *Cuarenta y ocho horas, Turbante blanco, Cabeza de hierro, Contra todos los hombres del mundo, Una mujer en el camino, La ciudad perdida*—firmó "Fidelio Trimalción"—, *Calígula*—biografía novelesca, firmó "Fidelio Trimalción"—, *El frío de la tarde, Los días están contados, Una sombra en la ventana, Los dos amores de Maximino Claudel, Compás eterno, El alma prestada, Cuando los ángeles duermen, La señora, Historia de una noche de nieve, Dos mujeres*...

Teatro: *El huésped en la casona, Cuarenta y ocho horas, Sombras gigantes.*

Otras obras: *Siete años de editoriales, Siete años de "Fidelio Trimalción"*...

V. VALBUENA PRAT, Angel: *Historia de la literatura española.* 3.ª edición, 1951. Tres tomos. Tomo III.

BENÍTEZ CLARÓS, Rafael.

Historiador y crítico literario español. Nació—1919—en Málaga. Se doctoró—1945—en Filología Clásica y Románica en la Universidad de Madrid con una tesis muy notable acerca de la *Vida y poesía de Bocángel.* Durante algún tiempo enseñó Literatura Española en la Universidad de Cuyo (Argentina). La misma disciplina la enseñó, como catedrático, en las Universidades españolas de La Laguna, Santiago y Oviedo. De 1960 a 1962 desempeñó la Inspección Nacional de Colegios Mayores. En la actualidad—1964—es catedrático de Literatura Española en el Estudio General de Navarra.

Obras: *Cancionero de Ramón de Llavía*—1945—, *Libro de las cosas maravillosas de Marco Polo*—1947—, *Floresta española de Melchor de Santa Cruz*—1953—, *Revisión al concepto de generación poética de Carlos I*—1959—, *Notas a la tragedia neoclásica española*—1951—, *Antonio Flores*—1956—, *Visión de la literatura española*—1963.

Ha editado—revisión y estudio—las *Obras poéticas de Antonio Hurtado de Mendoza*

—1947—y las *Obras completas de don Gabriel Bocángel*—1946.

BENITO DE LUCAS, Joaquín.

Poeta y prosista. Nació—1934—en Talavera de la Reina (Toledo). Doctor en Filología románica por la Universidad de Madrid. Durante algún tiempo desempeñó los cargos de director del Centro Cultural Hispánico de Damasco y lector de español en la Universidad de esta ciudad. Su dominio del árabe es tan perfecto que ha podido traducir a este idioma las *Rimas* de Bécquer. En 1962 fue nombrado lector de español en la Universidad Libre de Berlín. Ha colaborado en revistas poéticas tan importantes como *Agora, Alamo, Poesía Española, Caracola, Insula*...

En 1967 ganó el "Premio Adonais", de poesía, con su libro *Materia de olvido.*

Otras obras: *Las tentaciones*—1964—, *Poesía mariana medieval*—1968.

BENJAMÍN DE TUDELA.

Geógrafo judío español. Vivió en el siglo XII y nació en Tudela (Navarra). Entre 1159 y 1165 salió de Zaragoza con objeto de visitar las principales sinagogas del Oriente. Recorrió España, Italia, Grecia, Constantinopla, Samos, Rodas, Chipre, el Asia Menor, Egipto y China. Su viaje duró varios años, y regresó a España—1173—el mismo año de su muerte. De mucha cultura, de magníficas dotes de observación, Benjamín de Tudela, aprovechando sus experiencias y noticias de tan larga y curiosa peregrinación, escribió el *Masaot*, libro de viajes, que es el documento medieval más antiguo que poseemos acerca del estado del mundo civilizado de entonces, escrito con una probidad manifiesta y en un estilo claro, preciso y, en ocasiones, brillante. Benjamín de Tudela fue un alto espíritu crítico que supo liberarse de todas las fabulaciones típicas del tiempo en que vivió.

El libro de Benjamín de Tudela se imprimió por vez primera—1543—en Constantinopla. Desde tal fecha ha sido reimpreso muchas veces en hebreo, griego, latín, holandés, francés, italiano, danés, inglés, alemán, castellano y dialecto judaico-alemán.

En Amberes—1565—imprimió Arias Montano la versión por él llevada a cabo de *Itinerario* de Benjamín de Tudela.

Ediciones: Asher, *The itinerary of R. Benjamin of Tudela*—con notas y comentarios—, Londres y Berlín, 1840 y 1841; Martinet, en la traducción alemana, 1858; González Llubera, *Viajes de Benjamín de Tudela*, Madrid, 1918.

V. GONZÁLEZ LLUBERA, I.: *Estudios y notas* en la edición de Madrid, 1918.—GASPAR Y REMIRO, M.: *Los cronistas hispano-judíos.* Madrid, 1920.—GRAETZ, H.: *Geschichte der*

Juden. Leipzig, 4.ª edición, tomos 5-8.—CENE-LOLQ, M.: *Notice historique sur Benjamin de Tudèle.* Bruselas, 1838.

BENLLIURE Y TUERO, Mariano.

Literato y periodista. Nació—1888—en Roma, donde a la sazón estaba pensionado su padre, el ilustre escultor Mariano Benlliure. Estudió el bachillerato en los Jesuitas de Chamartín de la Rosa (Madrid), y parte de la licenciatura de Leyes en la Universidad Central.

Ha viajado mucho por Europa, Africa central y América. Desde los diecinueve años se dedicó al periodismo, destacando en seguida por su temperamento combativo y por su expresividad nerviosa y provocadora, llena de sinceridad.

Obras: *La desconocida*—1923, novela—, *Tipos y costumbres de hoy*—1926—, *El ansia de inmortalidad*—1916—, *Ante el enigma* —1918—. Estas dos últimas obras, filosóficas. *Sátiras y diatribas*—1925, crítica literaria.

BENOT Y RODRÍGUEZ, Eduardo.

Notable filólogo, matemático, escritor y político español. Nació—1822—en Cádiz. Murió —1907—en Madrid. A los catorce años ya publicaba artículos políticos en *El Defensor del Pueblo.* Explicó Lógica en el colegio de San Felipe de Neri, de gran renombre en la comarca gaditana, y estuvo encargado de las cátedras de Astronomía y Geodesia en el Observatorio de San Fernando. En 1869 fijó su residencia en Madrid. Desde la Revolución de 1868 fue diputado a Cortes, republicano, y senador en 1872. Dirigió *La Discusión,* órgano del partido federal. Al restaurarse—1874—la monarquía, Benot emigró a Portugal. Expulsado de este país, regresó a España, donde vivió, ya alejado de la política, en amistad fraternal con Pi y Margall, dedicado por completo a los trabajos científicos y filológicos. En 1887 ingresó en la Real Academia de la Lengua. En 1893 volvió a ser, contra su voluntad, diputado por Madrid; y en 1901, a la muerte de Pi y Margall, quedó de jefe del partido federal.

Gran pedagogo en su estilo y filósofo del lenguaje, hondo conocedor de la métrica castellana, publicó obras para la enseñanza de los idiomas inglés, francés, italiano y alemán, hizo comedias y escribió poesías y artículos.

Obras: *Cuestiones filológicas, Metrificación castellana, Los duendes del lenguaje, Diccionario de asonantes y consonantes, Diccionario de ideas afines, La sílaba, Estudio aislado de las palabras, Versificación por pies métricos, El análisis atomístico gramatical, Las hipótesis, Arquitectura de las lenguas, Arte de hablar, Gramática filosófica de la* lengua castellana, *Estudios sobre Shakespeare, Examen crítico de la acentuación castellana, España*—poesías—, *Cervantes y el "Quijote", Mi siglo y mi corazón*—drama—, *El muerto vivo*—zarzuela.

BEÑA, Cristóbal de.

¿Nació—1777—en Extremadura? ¿Murió —1833—en Madrid? Apenas se tienen noticias de este poeta. No se sabe dónde ni cuándo nació. Se ignora cuándo y dónde murió. Estudió Latín y Filosofía en Alcalá. Patriota indomable, anduvo metido en cuantas conspiraciones se formaron en Madrid, Sevilla y Cádiz contra los franceses. Estuvo desterrado por sus ideas liberales en Inglaterra, y en Londres publicó—1831—la mayor parte de sus poesías en un volumen titulado *La lira de la Libertad.*

Beña fue autor también de unas *Fábulas* llenas de ingenio y naturalidad, sencillas y pegadizas al oído. El mérito principal de Beña—compartiéndolo con Solís, Jérica y Rentería—es haber enlazado los temas didácticos de los maestros del neoclasicismo son los que, igualmente en verso—apólogos o fábulas—, cultivaron en el siglo XIX Hartzenbusch y Campoamor.

V. CEJADOR Y FRAUCA, J.: *Historia de la lengua y literatura castellanas.* Tomo VI.

BERCEO, Gonzalo de.

Famosísimo poeta español. El primero que escribió en romance castellano.

En un terreno seco y llano, alto y despejado, cercado de varios arroyos sumamente líricos en su humildad, oreado por vientos sanos y fuertes, en un lugar de Berceo, diócesis de Calahorra, en la Rioja, nació Gonzalo de Berceo (¿1198?-¿1274?), el más antiguo de los poetas castellanos de nombre conocido, según él mismo declara en la *Vida de San Millán:*

> Golzalvo fue so nonne, que fizo est tractado,
> en Sant Millán de Suso fue su ninnez criado,
> natural de Berceo, ond Sant Millán fue nado;
> Dios guarde la su alma del poder del pecado.

En varias escrituras del Cartulario de San Millán, examinadas por don Tomás Antonio Sánchez, se halla en 1220 la firma de *don Gonzalvo, diaconus de Berceo,* como testigo de la compra de varias heredades hecha por Pedro de Olmos para el monasterio de San Millán; y en 1237 firma como presbítero entre los testigos de una sentencia del abad Juan. En 1240, 1242 y 1246 aparece de confirmante de otras escrituras: *Dopnus Gundisalvus de Berceo,* y en una castellana: *don Golzalvo de Berceo, prestre.* La postrera vez que aparece su nombre es en 1264, con motivo de un testamento, otorgado por un Gar-

B

ci Gil, quien afirma que es *don Gonzalo de Berceo, so maestro de confesion e so cabezalero.* Gonzalo de Berceo aún debió de vivir algunos años más y llegar a una edad bastante avanzada, según se infiere de la declaración que hace en la *Vida de Santa Oria,* que parece ser la postrera de sus obras:

Quiero en mi vejez, maguer so ya cansado,
de esta Santa Virgen romanzar su dictado.

Berceo no tiene ni presume de invención. Y lo confiesa paladinamente: "Lo que non es escripto non lo afirmaremos..." "Non lo diz la leyenda..." "Non so yo sabidor..." De lo que él presume modestamente es de puro divulgador en romance, para la gente popular, de lo que ella no podía entender en latín. Tenía acopio de comparaciones sencillas y tomadas de la vida real, sentimientos delicados, deleitosa unción, facilidad de metro, palabras muy garbosas. "Nadie le ha calificado de gran poeta—escribe Menéndez Pelayo—; pero es, sin duda, un poeta sobre manera simpático, y dotado de mil cualidades apacibles, que van penetrando suavemente en el ánimo del lector cuando se llega a romper la áspera corteza de la lengua y la versificación del siglo XIII. No tiene la ingenuidad épica de los juglares; pero, aunque hombre docto, conserva el candor de la devoción popular, y es en nuestra lengua el primitivo cantor de los afectos espirituales, de las pías visiones y de las regaladas ternezas del amor divino."

Su cultura debía de ser bastante discreta, adquirida en los códices conservados en la biblioteca de su monasterio; la liturgia le prestó muchos elementos literarios, y demuestra en sus escritos tener muy buena lectura y memoria de gran cantidad de textos hagiográficos y piadosos. En Berceo, el sentido local es fuerte y vibrante, y su visión es clara y realista, nota eminentemente española. Pero su firme tendencia hacia lo real no impide que en su poesía se hallen muy bellos atisbos coloristas en la descripción del paisaje. Recuérdense en los *Milagros:*

Vidieron palombiellas essir de so la mar,
más blancas que las nieves contral cielo volar...

Y en la *Vida de Santa Oria:*

Verde era el ramo de foyas bien cargado.
Facía sombra sabrosa e logar muy temprado.

La fortuna ha conservado íntegra, al parecer, la obra poética de Gonzalo de Berceo. Comprende diez títulos. Tres vidas de santos: *Vida de Santo Domingo de Silos, Vida de San Millán de la Cogolla* y *Vida de Santa Oria.* Tres poemas marianos: *Loores de Nuestra Señora, Miraclos de Nuestra Señora* y *Duelo de la Virgen el día de la Pasión de su Hijo.* Tres poemas de asunto religioso vario: *El martirio de San Lorenzo, El sacrificio de la misa* y *Los signos que aparescerán el día del Juicio.* Y tres himnos.

Las santas vidas y los *Miraclos de Nuestra Señora* son las obras más interesantes de Berceo. En la *Santo Domingo de Silos* declara, con modestia ejemplar, la causa de escribir en romance y no en latín:

Quiero fer una prosa en roman paladino,
en qual suele el pueblo fablar a su vecino,
ca non son tan letrado por fer otro latino,
bien valdrá, commo creo, un vaso de bon vino.

Se noconocen las fuentes de la mayoría de las obras de Berceo. La *Vida de Santo Domingo* sacóla de la *Vita Beati Dominici Confessoris Christi et Abbatis,* del monje Grimaldo; la de *San Millán,* de la traducción libre de la *Vita aemiliani,* de San Braulio, obispo de Zaragoza; *El martirio de San Lorenzo,* de un fragmento del *Peristephanon,* de Prudencio; *Los signos que aparescerán el día del Juicio,* del *Prognosticon futuri seculi,* de San Julián de Toledo o de Julián Pomerio; el *Duelo de la Virgen,* del *Tractatus de plantu Beatae Mariae,* de San Bernardo; la *Vida de Santa Oria,* de las relaciones de Munio, confesor de aquella santa monja, y los *Milagros de Nuestra Señora,* de los *Miracles de la Sainte Vierge,* del trovero francés Gautier de Coincy, prior de Vic-sur-Aisne (1177-1236). En este último caso no faltan opiniones muy autorizadas que afirman que probablemente Gautier y Berceo se inspiraron en una fuente común, ya que los milagros marianos informaban unas leyendas muy divulgadas por Europa durante la Edad Media. De todas maneras, hay una gran diferencia entre las narraciones lánguidas, prosaicas, incoloras y desaliñadas de Gautier de Coincy y las narraciones pintorescas, agraciadas, interesantes y muy poéticas de nuestro Gonzalo de Berceo.

Los *Milagros de Nuestra Señora* son 25, por lo general muy extensos, comprendidos en 911 estrofas y destinados a probar el amoroso auxilio que presta María Santísima a sus fieles devotos para librarlos del pecado y concederles la eterna salvación. Algunos de los argumentos de estos milagros han motivado obras dramáticas tan famosas como *El mágico prodigioso,* de Calderón; *El condenado por desconfiado,* de Tirso; la leyenda de *Fausto* y la de *Margarita la Tornera,* de Zorrilla. Alguien ha comparado la obra de Gonzalo de Berceo con uno de esos retablos de la Edad Media "en que alternan las feas e ingenuas apariciones de demonios con el paisaje de una pradera de eterna verdura y con las más estáticas figuras".

Es sumamente fácil imaginarnos al poeta que aportó a nuestra literatura el verso pausado, sujeto a medida, lleno de erudito encanto. Debió de ser magro y de regular estatura. Calvo y de ojos claros. Largo de manos y de quebrada color. Tímido y risueño. Muy dado a coloquiar con los santos locales y apegado a la tierra castellana, como el molusco a su arrecife. Le placían la flora espontánea, de aroma fuerte y de tonos suavísimos; los paisajes diáfanos, como de cristal recién lavado, que dan a Castilla las horas crepusculares; los silencios sonoros de la liturgia coral y de la Naturaleza expectante; las soledades recónditas, en las que cada cual no se encuentra sino a sí mismo, a su eco, a su sombra, a su huella, a su reflejo. Es fácil imaginarnos al poeta en su celda desnuda, en la paz del sendero—entre anémonas y llecas vírgenes—, apoyado en un álamo para escuchar al ave que canta en la copa, descansando cabe un manantial de aguas furtivas friísimas, sentado bajo la arcada de un patio románico y a la transparencia ideal de la luna creciente. Su poesía nos sugiere todas estas imágenes. Sí; de su poesía se puede decir que es una poesía de retablo primitivo policromado y realista. Por su colorido delicado. Por sus formas ingenuas. Por sus temas exclusivamente religiosos y húmedos de fervor. Por sus detalles de una fantasía niña. Por la gracia *patinada* que la recubre.

La fama de Berceo no se inició en España y en el mundo hasta que don Tomás Antonio Sánchez, admirable crítico literario, publicó todas sus obras—1780—con verdadera devoción por el poeta.

Son las mejores impresiones de las obras de Berceo: la aludida de T. A. Sánchez (completa); la compendiada de Ambrosio Gómez, en 1655; la de John Hookham Frere —Londres, 1830—; la de la "Biblioteca de Autores Españoles", de Rivadeneyra—tomo LVII—, cuidada por Florencio Jener —1869—; la de "Clásicos Castellanos". "La Lectura", tomo XLIX (parcial); la fragmentaria—*Vida de Santo Domingo de Silos*—de Fitz-Gerald—París, 1904—, en la "Bibliothèque de l'Ecole de Hautes Etudes", fasc. 149; *El sacrificio de la misa*, ed. Solalinde, Madrid, 1913; *Vida de Santo Domingo de Silos*, edición Louis Michaud, París-Buenos Aires.

V. SOLALINDE, A. G.: *Introducción a Berceo*, en *Clásicos Castellanos*, La Lectura, 1922.—MENÉNDEZ PELAYO, M.: *Antología de poetas castellanos*. II.—BOUBÉ: *La poésie mariale: Gonzalo Berceo*, en *Etudes des Pères de la Compagnie de Jesus*, 1904.— FERNÁNDEZ Y GONZÁLEZ, F.: *Berceo*, en *La Razón*, 1860, I, 222-235.—BECKER, Richard: *Gonzalo de Berceo's milagros und ihre Grundlagen...* Strassburg, 1910.—LANCHETAS, R.: *Gramática y vocabulario de las obras de G. de B.* Madrid, 1903.—HERGUE-

TA, N.: *Documentos relativos a Berceo*, en *Rev. Arch., Bib. y Museos*, tercera época, X, 1904.—KLING: *A propos de Berceo*, en *Rev. Hispanique*, 1915, 77-90.—CIROT, G.: *L'expression dans G. de B.*, en *Revista Filológica Española*, 1922, 154-170.—FITZ-GERALD, J. D.: *Versification... in Berceo's. "Vida de Santo Domingo"*. Nueva York, 1905.—GOODE, Teresa Clare: *G. de B. "El sacrificio de la misa". A Study of its symbolism...* Washington, en *The Catolic University of America*, 1933, XVIII.—BUCETA, Erasmo: *Un dato para los "Milagros", de B.*, en *Rev. Fil. Esp.*, 1922, 400.—MUSSAFIA: *Studien zu den mittelalterlichen Marienlegenden*, en *Sitzungsberichte der Wienner Akad. der Wissenschaften. Phil. Hist. Kl.*, 1886.—LEVI, Elzio: *Il libro dei cinquanta miracoli della Vergine*. Bolonia, 1917.—PUYMAIGRE: *Les vieux auteurs castillans*. 1888.

BERDIALES, Germán.

Poeta y prosista argentino. Nació—1896— en Buenos Aires. Asiduo colaborador del gran diario *La Prensa*. Inspector técnico. Alcanzó pronta y segura fama escribiendo obras dedicadas a la niñez. En sus cuentos "para mayores" predomina la fantasía sobre el realismo.

Obras: *Fábulas en acción*—1927—, *Padrino*—1929—, *El último castigo*—1929—, *Joyitas*—1930—, *Teatro histórico infantil*—1931—, *Mis mejores cuentos para niños*—1932—, *Fabulario*—1933—, *Maestros del idioma*—1936—, *Risa y sonrisa de la poesía niña*—1937—, *Del arte de escribir para los niños*—1939—, *Cielo pequeñito*—1940—, *Vida del Niño Jesús*—1940—, *Habla San Martín, El hijo de Yapepú*—1950—, *Arriba el telón*—1952—, *La canción del arquero*—1953—, *Amor travieso*—1954...

BERENGUER, Luis.

Novelista, poeta y cronista. Nació—1923— en El Ferrol (La Coruña). En 1944 ingresó en la Escuela Naval, terminando los estudios de ingeniero de la Armada. Sus primeros ejercicios literarios fueron algunos poemas publicados en *Poesía Española* y *Cuadernos Hispanoamericanos*.

Su mejor valor es como novelista de mucha fuerza realista, por riquísimo lenguaje.

Obras: *El mundo de Juan Lobón*—"Premio de la Crítica, 1967"—, *Marea escorada*—1969, "Premio Nacional Miguel de Cervantes, 1969"—, *Leña verde*—"Premio Alfaguara, 1971".

BERENGUER CARISOMO, Arturo.

Ensayista, crítico literario, autor teatral, conferenciante y profesor argentino. Nació —1905—en Buenos Aires. Estudió el bachille-

B

rato en el Colegio Nacional de Buenos Aires. Abogado. Profesor de Enseñanza Secundaria, Normal y Especial en Letras. Doctor en Filosofía y Letras. Profesor de Literatura y Castellano en diversos centros oficiales. En la actualidad—1952—, profesor de Literatura de la Escuela Naval Militar, de la Facultad de Filosofía y Letras—profesor adjunto—, del Colegio Militar de la Nación. Miembro de la Comisión Honoraria y Ejecutiva del Homenaje a Cervantes—1947—. Varias veces huésped de honor del Instituto de Cultura Hispánica (Madrid). Miembro de la Junta Consultiva de la Institución Cultural Española. Miembro del Jurado de Becarios de la Comisión Nacional de Cultura en Arqueología, Etnografía e Historia. Miembro de número del Instituto Argentino-Helénico. Catedrático de Filología Hispánica en la Facultad de Filosofía y Letras desde 1953.

En 1946 ganó el "Premio Argentores" con su obra *Por el prestigio de la primavera*. Recientemente le ha sido otorgado el "Premio Nacional de Teatro" (trienio 1949-1951) a su obra escénica *La piel de la manzana*.

Berenguer Carisomo, de una fecundidad asombrosa, ha publicado centenares de artículos literarios en *El Telégrafo*, *El Diario Español*, *La razón*, *Revista de la Universidad de Buenos Aires*, *Síntesis*, *Atenas*, *Revista del Ateneo Ibero-Americano*, *Nosotros*, *Hispania*, *El Censor*...

Orador extraordinario, prodigio de palabra luminosa, de ideas originales, de clara y serena expresividad, Berenguer Carisomo ha pronunciado centenares de conferencias en España y en toda Hispanoamérica. Es uno de los más ilustres hispanistas de la hora actual. Sin perder ninguna de sus cualidades netamente argentinas, Berenguer Carisomo ama profundamente a España, su idioma excelso, su tradición gloriosa, habiendo dedicado gran parte de su pluma y de su verbo a temas netamente españoles: Cervantes, fray Luis, Lope, Bécquer, "Azorín", García Lorca, Arniches, Marquina...

Berenguer Carisomo es una de las mentalidades más firmes, varias, limpias y hondas de las actuales letras argentinas.

Obras: *Los orígenes del arte*—1923—, *La "Política" de Aristóteles*—1926—, *La estética lírica en fray Luis de León*—1928—, *Sin querer*—poemas, 1931—, *El teatro de Carlos Arniches*—1937—, *Mérimée y su teatro de Clara Gazul*—1941—, *Las máscaras de Federico García Lorca*—1941—, *Teatro de cámara: La noche quieta; La piel de la manzana*—1943—, *Los valores eternos en la obra de Enrique Larreta*—1946—, *La prosa de Bécquer* —1947—, *Las ideas estéticas en el teatro argentino*—1947—, *Cervantes y el mar* —1951—, *Estilística de la soledad en el "Martín Fierro"*—1951.

V. BERENGUER CARISOMO, Arturo: *Curriculum vitae* (1921-1947). Buenos Aires. Imprenta Escuela Naval Militar, 1947. Obra imprescindible para la biobibliografía de este autor.

BERGAMÍN, José.

Ensayista, autor dramático y crítico literario de mucha personalidad. Nació en 1897 en Madrid. Abogado. Fundador de la interesantísima revista madrileña *Cruz y Raya* y de las ediciones *Arbol*—1934 a 1936—, abiertas a todas las nuevas formas de pensamiento y arte, sin escrúpulos confesionales. En México fundó la Editorial Séneca.

José Bergamín es uno de los más atractivos y sugerentes escritores españoles contemporáneos. Posee una vasta y diáfana cultura, habilidad en la paradoja y agudeza en la ironía, un peculiar estilo apotecmático, hondísimas intuiciones de arte y letras, sentido crítico sutil y alado, gracia indudable en ciertas piruetas conceptistas, audaces innovaciones en la expresión, una prosa barroca que se mece entre lo caprichoso y lo trascendental.

"Bergamín, ascético e irónico, rígido y ágil a la vez, implacable y arbitrario, es todo un estilo y una personalidad... La crítica de Bergamín, que resultaba subjetiva en muchos casos concretos—como obra de creador apasionado—, ha encontrado una dimensión profunda al ponerse frente a frente de los mitos literarios... Junto al juego irónico, una belleza acerada y un acierto de juicio..." (Valbuena.)

Obras: *El cohete y la estrella*—Madrid, 1922—, *Mangas y capirotes*—crítica—, *Tres escenas en ángulo recto*, *Enemigo que huye*, *Caracteres*, *El arte de birlibirloque*, *La cabeza a pájaros*, *Disparadero español*—dos tomos de críticas. Madrid, 1936—, *La importancia del demonio*, *El pensamiento hermético de las artes*, *Pintar como querer*, *La estatua de don Tancredo*—1933—, *El pozo de la angustia*—1941—, *La voz apagada*—1943—, *La hija de Dios y la niña guerrillera*—1945—, *La muerte burlada*—1945—, *Melusina y el espejo*—1952—, *Medea, la encantadora*—1954—, *La corteza de la letra*—1958—, *Fronteras infernales de la poesía*—1959—, *Lázaro, don Juan y Sigismundo*—1960—, *Detrás de la Cruz*...

V. VALBUENA PRAT, A.: *Historia de la literatura española*, 7.ª edición. Barcelona, Gili, tomo IV.—TORRENTE BALLESTER, G.: *Panorama de la literatura contemporánea*. Madrid, 2.ª edición, Guadarrama, 1961, 2 tomos.

BERGUA, Juan Bautista.

Madrileño, nacido el 4 de marzo de 1892. Su padre tenía una librería en la Corte. Doctor en Derecho y pensionado para estudiar

Derecho y Ciencias Sociales en varias capitales extranjeras, tuvo que interrumpir sus estudios y regresar a España para ponerse al frente de la librería a la muerte de su padre. Sus primeras armas en las letras las hizo tomando parte en un concurso de novelas policíacas abierto por *El Imparcial* el año 1912, en el que ganó el primer premio con su novela *Mackena.* Entre sus novelas posteriores más conocidas están *El milagro del diablo, Dolor* y *Caballero americano.* Polígrafo, además de obras literarias propiamente dichas y de opúsculos jurídicos, sociales o de los más diversos temas, es autor de numerosas e importantes traducciones de clásicos griegos y latinos (Homero, Platón, Xenofón, Séneca, Petronio, etc.) o de otros países (Voltaire, Rousseau...). A la muerte del general Mola, de quien era editor y amigo, el año 1937, pasó a Francia. Y en este país sigue como profesor de español en uno de sus liceos.

BERMEJO, Ildefonso.

Historiador, literato, dramaturgo y periodista. Nació—1820—en Cádiz. Murió—1892—en Madrid. De joven vivió algún tiempo en el Paraguay, y recorrió la América española. En España ya, ingresó en el Cuerpo Facultativo de Archiveros y Bibliotecarios, y perteneció a las redacciones de *La Epoca* y *Heraldo de Madrid.*
Obras: *Historia de la interinidad y guerra civil de España desde 1868, La estafeta de Palacio*—1872—, *La capa del rey García, La revolución de España;* y las producciones escénicas: *La consola y el espejo, Cortesanos de chaqueta, Acertar por carambola, Por tenerle compasión, Llueven hijos, A espaldas del marido, El hijo prestado...*

BERMÚDEZ, Jerónimo.

Poeta y autor dramático español. Nació —¿1530?—en Galicia. Murió en 1599. Estudió Teología en Salamanca. Profesó en la Orden de los Predicadores. Viajó por Francia, Portugal y Africa.
Bermúdez escribió las dos primeras tragedias españolas conocidas, pues las de Pérez de Oliva habían sido traducidas. Las dos tragedias se titulan: *Nise lastimosa* y *Nise laureada;* fueron impresas en 1577, y Bermúdez las firmó con el seudónimo de "Antonio de Silva". Las dos se refieren a la vida de doña Inés de Castro, princesa de Portugal. La primera, superior en méritos, es una refundición libre de la tragedia portuguesa de Ferreira *Inés de Castro,* escrita entre 1553 y 1567. En ambas obras trató Bermúdez de reproducir algunos metros latinos: faléucico, sáfico y adónico.
Bermúdez escribió también *Hesperoida* en

dísticos latinos, poema traducido en *La Hesperoida, panegírico al gran duque de Alba,* con glosa, de donde Sedano sacó las noticias biográficas del autor *(Parnaso,* tomo VI). Se tiene noticia de otra obra—hoy perdida— de Bermúdez: *El viaje del gran duque de Alba, don Fernando Alvarez de Toledo, desde Italia a Flandes.*
De las tragedias de Bermúdez es buena edición la de E. de Ochoa, en el tomo I —París, 1838—de su *Tesoro del teatro español.*
V. BARRERA, C. A.: *Catálogo del teatro español.*—GALLARDO, B. J.: *Catálogo de la Biblioteca española,* II, 77.—MONTIANO: *Discurso sobre las tragedias españolas.* Madrid, 1750.—APRÁIZ, A.: *Doña Inés de Castro en el teatro castellano.* Vitoria, 1911.—CRAWFORD: *The influence of Seneca's Tragedies on Ferreira's. "Castro" and Bermudez's. "Nise lastimosa" and "Nise laureada",* en *Modern Philology,* Chicago, 1914.

BERMÚDEZ DE CASTRO Y DÍEZ, Salvador.

Nació—1817—en Cádiz y murió—1883— en Roma. Tuvo los títulos de príncipe de Santa Lucía, duque de Ripalda y marqués de Lima y de Nápoles. Jurisconsulto. Diplomático. Amigo entrañable de Tassara, Zorrilla, Ventura de la Vega... Diputado y senador. Representante de España en México—1844 a 1847—, en Nápoles—1864—y en París—1865.
Salvador Bermúdez de Castro fue gran orador. Restaurador peritísimo de la villa Farnesina. Sus *Ensayos poéticos* se publicaron en 1840.
En 1841 publicó un excelente ensayo histórico: *Antonio Pérez, secretario de Estado del rey Don Felipe II.* Puso en boga unas octavas en agudos, llamadas por ello, en su tiempo, *bermudinas.*
V. CONDE DE COELLO: *El duque de Ripalda,* en *Ilustración Española y Americana,* 8 julio 1883.—VALERA, J.: *Florilegio de poesías castellanas del siglo XIX.*—BLANCO GARCÍA, P.: *Historia de la literatura del siglo XIX.*

BERNAL, Emilia.

Poetisa y prosista. Nació—1888—en Nuevitas (Cuba). En su juventud fue maestra de niñas. Casóse muy joven, tuvo cuatro hijos y se divorció. Profesora de Gramática y Literatura en la Escuela Normal de La Habana. Ha viajado por Europa y ha residido muchos años en España, familiarizándose con su literatura y también con la de Portugal y Cataluña, llevando a cabo magníficas traducciones de las poesías de Verdaguer, Maragall, Alcover, Carner, Maseras, Gassol, Folgueras, Guerra Junqueiro, Antero de Quenthal, Antonio Nobre y otros. Emilia Bernal ha pronunciado muchas y muy

B

bellas conferencias acerca de la literatura cubana en las Universidades de Madrid, Coimbra y París, y ha dado recitales de sus poesías en España, Portugal y Estados Unidos.

Miembro de honor de la Sociedad Boliviana de Quito—1935—; "Premio de Oro" en el primer Congreso del libro americano en Quito—1935—, huésped de honor nacional de la República del Ecuador—1935—y de la República de Bolivia—1936.

En las poesías de la Bernal, Cejador advierte "gran concisión y clara expresión de ideas muy poéticas, envueltas en sincero, hondo y triste sentimiento. Hay algo de espíritu becqueriano en los libros de esta poetisa...".

La Bernal es una gran sensitiva, y en su obra conjunta adviértese la inquietud más insaciable y la amargura de vivir.

Emilia Bernal ha colaborado en *Social, Letras, Bohemia, Fígaro, La Nación* y *Diario de la Marina*, de la Habana; *Repertorio Americano*, de San José de Costa Rica; *La Esfera*, de Madrid.

Obras: *Layka Froyka*—páginas autobiográficas—, *Como los pájaros*—San José de Costa Rica, 1919—, *Vida*—Madrid, 1923—, *Los nuevos motivos*—Madrid, 1925—, *Exaltación*—Madrid, 1928—, *Cuestiones cubanas* —Madrid, 1928—, *Alma errante*—poesías.

V. LIZASO, Félix: *La poesía moderna en Cuba*. Madrid, edit. Hernando, 1926.—JIMÉNEZ, Juan Ramón: *La poesía en Cuba en 1936*. La Habana, 1937.

BERNAL DE BONAVAL.

Poeta gallego del siglo XIII. Debió de nacer en Santiago, según anuncia el poético lugar de su apelativo. Llevó una juventud de aventuras y de amoríos. Ejerció su juglaría en la corte del rey San Fernando. Y asistió a la campaña de Jaén vestido con su mugriento balandrán, "por lo que sus compañeros le hicieron objeto de escarnio".

En el *Cancioneiro* de la Vaticana se reconoce el magisterio de su poesía y se le coloca "primeiro trovador" al frente de las "Canciones de amada".

Según Filgueira Valverde, "el encanto de sus *cantigas* radica en la sinceridad con que traduce el lenguaje afectivo".

A Bernal de Bonaval se le cree el más antiguo de los "segreles" gallegos cuya obra perdura.

Ediciones: *Cancioneiro portuguez da Vaticana*. Ed. Monaci, 1871; ed. T. Braga, 1878.

V. LÓPEZ FERREIRO, A.: *Historia de la S. I. Catedral de Santiago*. Santiago, 1902, tomo V, cap. X.—MOURIÑO, P. José: *La literatura medieval en Galicia*. Madrid, 1929.— FILGUEIRA VALVERDE, José: *Lírica medieval gallega y portuguesa*, en el tomo I de la

Historia general de las literaturas hispánicas. Barcelona, 1949.

BERNÁLDEZ, Andrés («Cura de Los Palacios»).

Sacerdote y escritor español. Nació a mediados del siglo XV. Murió después de 1513. Cura párroco de Los Palacios y capellán del arzobispo de Sevilla, fray Diego de Deza. Escribió la *Historia de los Reyes Católicos, don Fernando y doña Isabel*—hasta 1513—, obra sumamente interesante por lo que respecta al período comprendido entre 1454 y 1513, ya que el autor conoció a muchos personajes de la época, entre ellos a Cristóbal Colón, quien le facilitó no pocos documentos relativos al descubrimiento de América. La *Historia* de Bernáldez es imparcial, objetiva y ortodoxa. No hay en ella profundidad; pero la anima con la verdad de sus informaciones y con la vivacidad de sus opiniones.

La Academia Española ha incluido a Bernáldez en su *Diccionario de autoridades del idioma*.

La *Historia* está incluida en el volumen LXX de la "Biblioteca de Autores Españoles" y en la edición—1870 a 1875—de "Bibliófilos Andaluces". Una edición fragmentaria se ha publicado—1945—en la "Colección Crisol", de Madrid. *Antología*, Madrid, Editora Nacional, 1945.

V. VEDIA, Enrique: *Historiadores primitivos de Indias*. Madrid, 1853.—GONZÁLEZ BARCIA, Andrés: *Historiadores de Indias*. Madrid, 1749.—PIZARRO Y ORELLANA: *Varones ilustres del Nuevo Mundo*. 1639.—CALZADA, Profesor: *Estudio* en la Ed. "Col. Crisol", Madrid, 1945.—RICARD, R.: *Bernáldez...*, en *Bulletin Hispanique*, 1939, XLI, págs. 364 y siguientes.—SÁNCHEZ ALONSO, B.: *Historia de la historiografía...*, págs. 400-402.—MEDEIROS, Octavio de: Prólogo a la ed. de la Editora Nacional. Madrid, 1945.

BERNÁRDEZ, Francisco Luis.

Poeta argentino. Nació—1900—en Buenos Aires. Fue uno de los primeros escritores que militó en el movimiento poético *Ultraísmo*. Desde 1920 a 1925 vivió en España y Portugal. Miembro de la Academia Argentina de Letras.

Ha obtenido los siguientes galardones poéticos: Primer Premio Nacional—1944—, Primer Premio Municipal—1936—, Segundo Premio Nacional—1938—, Tercer Premio Municipal—1926.

Obras: *Orto*—Madrid, 1922—, *Bazar*—Madrid, 1922—, *Kindergarten*—Madrid, 1923—, *Alcántara*—Buenos Aires, 1925—, *El buque* —1935—, *Formas elementales*—Buenos Aires, 1942—, *La ciudad sin Laura*—1938—, *Poe-*

mas de carne y hueso—Buenos Aires, 1943—,
El ruiseñor—Buenos Aires, 1945—, Las estrellas—Buenos Aires, 1947—, El Angel de la
Guarda—Buenos Aires, 1949—, Antología
poética—Buenos Aires, 1946 y 1947—, Poemas nacionales—Buenos Aires, 1950—, La
flor—1951.

BERNAT Y BALDOVÍ, José.

Poeta, dramaturgo y periodista. 1810-1864.
¿Ingeniero y poeta? Sí. ¿Por qué no?... Cosas hay más extrañas. Y buen ingeniero. Y
no mal poeta, sobre todo cuando poetizaba
en su dialecto nativo Nació en Sueca—19
de marzo, José por partida doble—y estudió
las primeras letras en las Escuelas Pías, donde casi con la leche en los labios escribió su
primer poema. Que, como es lógico, era terriblemente lúgubre. Tenía por argumento la
ejecución de unos condenados a la horca.
Y no eludía los ayes y los alaridos, las contorsiones monstruosas, la tiesura final de los
míseros. Los religiosos le premiaron aquella
dramática rima con un Cristo de plata. Los
padres, con unos duros nuevecitos que se
guardaban en el arca como curiosidad por
su limpieza.
Bernat estudió leyes en la Universidad valenciana. Con la mocedad se le cambió la
vitola y los gustos. Le dio por escribir poesías jocosas y le llenó de orgullo que le ca-
lificaran de Quevedo valenciano. Fue juez de
Primera instancia de Catarroja y diputado
por Sueca en 1844. Ya le gustaba mucho
menos que le llamaran lo sort, precisamente
porque lo era a consecuencia de una enfermedad que padeció muy joven aún.
Madrid, donde residió dos años, no logró
seducirle. Era demasiado valenciano él... Es
decir, epicúreo, exuberante, materialista, afanoso de paisajes ubérrimos y de luces fulgurantes. Castilla, tan escueta, de luces y colores tan sutiles..., no le decía nada. Se volvió a su tierra. Iba y venía de Valencia a
Sueca como quien va del coro al caño, y viceversa. Se dedicó a sus obras de ingeniero,
a sus pleitos de abogado y a sus versos de
poeta. Para todo tenía tiempo. En El Sueco,
El Tabalet y La Donsagna quedan muestras
de su talento como articulista de costumbres.
Murió en Valencia en 1864.
El gracejo desenvuelto, la ironía mordaz,
la agudeza no siempre culta, el realismo más
fuerte son las características literarias de
Bernat y Baldoví.
Entre sus obras están: El Gafau o El pretendiente labriego, Qui tinga cuchs que pele
fulla, Pataques y caragols o La tertulia de
Calau, Pasqualo y Visenteta, La viuda y l'Es-
colá, L'agüelo Pollastre, Los pastores de Belén. Todas ellas piezas teatrales; y algunas
verdaderos precedentes del moderno teatro
llamado de vodevil (¡!). El mocador—milagro escrito para ensalzar a San Vicente Ferrer—, La fealtat y la hermosura—milagro,
con el mismo fin—, Musa del Júcar—poesías—, Les cartes de Rodrigo a Gregorio.
V. LLOMBART, Constantino: Los fills de la
morta viva. Valencia, 1879.—RIBELLES CO-
MÍN, José: Bibliografía de la lengua valenciana.—CARRERES, Salvador: Homenaje al
centenario de José Bernat Baldoví. Valencia, 1910.—SAINZ DE ROBLES, F. C.: El epigrama español. Madrid, Aguilar, 1941.

BERRIO, Gonzalo Mateo de.

Notable poeta y dramático español. Nació
—¿1554?—en Granada. Murió hacia 1630. Se
sabe muy poco de su vida, aun cuando es
muy citado por sus contemporáneos—Cervantes, Lope, Cristóbal de Mesa—como "el
ingenioso granadino". Estudió en la Universidad de su ciudad natal, donde se graduó
de bachiller en 1572 y se licenció en 1575.
Tuvo gran fama como jurisconsulto y orador.
No se conserva ninguna de las comedias que
estrenó con gran suceso. Los pocos versos
que se conocen de él van incluidos en las
Flores de poetas ilustres—Valladolid, 1605—,
de Pedro de Espinosa. Posteriormente han
sido incluidos en el tomo XLII de la "Biblioteca de Autores Españoles", de Rivadeneyra.

BERRUTI, Alejandro E.

Periodista y autor teatral argentino. Na-
ció—1888—en Córdoba. Estudió en Buenos
Aires. Presidente de la Prensa en Rosario
—1921—. Presidente del Círculo Argentino
de Autores (1923-1933). Presidente de la Sociedad General de Autores de la Argentina
(1940-1942, 1947-1949). Administrador del
Teatro Nacional de la Comedia (1936-1946).
Presidente del Consejo de la Confederación
Internacional de Sociedades de Autores y
Compositores (1952). Obtuvo el "Premio Juan
Perón, 1949-1951", con su obra dramática
La suprema ley.
Otras obras escénicas: Tres personajes a
la pesca de un autor, Madre tierra, Música
barata. ¡Qué noche de bodas!, ¡Quién tuvie-
ra veinte años!, Cuidado con las bonitas, Cha-
carero criollo, El rival de Valentino, Papá
Bonini, La mejor doctrina...

BERTRÁN, P. Juan Bautista.

Muy personal y delicado poeta y prosista.
Nació en junio de 1911, entre los pinos, la
historia y la leyenda de un bello pueblo pirenaico, San Juan de las Abadesas (Gerona).
Pasa allí su primera infancia. Aficiones literarias desde muy niño. Primeros cursos de
letras en el Seminario de Vich. Entrada en
el noviciado de los jesuitas de Gandía (Valencia), en lo que fue palacio de San Francisco de Borja. Formación con intensas dosis de clásicos grecolatinos en el estudianta-

do de la Compañía en Veruela (Zaragoza). Paisaje austero aragonés, con los recuerdos de Bécquer y el Moncayo a la vista. Es un expresivo monasterio gótico del Císter. Desde allí, a los veinte años, partida para Italia, donde hace la mayor parte de su carrera.

Empieza a escribir algo personal, impulsado por los hispanistas de Turín Arturo Farinello, Giovanni María Bertini, Lucio Ambruzzi. Contacto con la Universidad turinesa. Pasa diferentes cursos entre Turín, Génova—donde enseña dos años en el colegio Arecco—y la Costa Azul, San Remo. La maravilla de aquellos paisajes deja huella en su temperamento.

Particular estudio de los poetas franceses, simbolistas y modernos. Predilección por Verlaine—del que tiene publicados ensayos—, Semain, Rodenbach. Luego, por los grandes líricos católicos Paul Claudel, Louis Le Cardonnel, Francis Jammes, Marie Noël. Se apasiona por los simbolistas de lengua castellana, especialmente por Juan Ramón, y con el catalán José María López-Picó.

Publica poemas y artículos literarios en *Abside*, de México; *La Civiltà Cattolica*. Luego, en *Razón y Fe, Destino, Mediterráneo*, etcétera.

Vuelto a España, se dedica a la enseñanza de la literatura en el Colegio de San José, de Valencia, alternando sus quehaceres domésticos con sus aficiones literarias.

El P. Bertrán es uno de los más extraordinarios líricos contemporáneos. Hondo y grácil a la vez, palpitante y evocador; en ocasiones, de un lirismo epigramático que turba emotivamente; y siempre sembrador de ideales altos y de inquietudes fecundas. Su sentimiento y su sentido religioso están en la línea admirable de Elliot, Paul Claudel y López-Picó.

He reunido, en su primer libro, *Arca de fe,* una selección de sus poemas. Cultiva el ensayo y la lírica, con preferencia la religiosa. En 1948 publicó otro originalísimo, hondo y delicado libro de *Madrigales del Nacimiento del Señor.*

Otras obras: *El ángel y el ciprés*—poesías, 1950—, *La hora de los ángeles*—poemas, 1951—, *Entre silencio y vuelo*—poemas, 1952. *Me canta el mar*—Valencia, 1956—, *Río hacia el alba, Viento y estrellas, La muestra* —1963—, *Al filo de los ojos*—1964...

V. Díaz-Plaja, G.: *Poesía lírica española.* Barcelona, 1949.—Valbuena Prat, A.: *Historia de la literatura española.* Barcelona, 1969, tomo IV.—Sainz de Robbles, F. C.: *Historia y antología de la poesía española,* 5.ª edición, Madrid, Aguilar, 1969.

BERTRÁN Y PIJOÁN, Luis.

Poeta y ensayista catalán. Nació—1893—en La Canonja (Tarragona). Cursó Humanida-des en el Seminario tarraconense, y Filosofía y Letras en la Universidad de Barcelona. Ha conseguido la flor natural en los Juegos florales de Barcelona.

De su poesía ha dicho el crítico Carner: "Su verso es casi siempre de una flexibilidad radiante por su mesura y no debida a la expresión nerviosa. En este ritmo supremo brotan y se manifiestan las elegías, las evocaciones y los himnos a la amistad, sentimiento infinitivamente clásico, con una dignidad superadora y emocionante. Son versos escritos desde una cumbre."

Obras: *Junior*—1918, poesías—, la oda *El meu pare, En el limit d'or*—1920, poemas—, *Les estacions*—1927, poemas—, *El Pas de Sant Francesc*—1928, ensayos morales.

Bertrán y Pijoán fundó y dirigió el semanario satírico *El Borinot*—1923-1927—, y es miembro de la fundación "Bernat Metge", habiendo traducido, prologado y anotado varias ediciones de clásicos griegos y romanos con singular fortuna.

V. Schneeberger, A.: *Anthologie de poètes catalans contemporains.* París, 1923.

BERTRANA, Aurora.

Novelista y cuentista española en lengua catalana. Nació—1899—en Gerona. Hija del gran novelista Prudencio Bertrana. Estudió Letras en la Universidad de Barcelona y en la de Ginebra. Ha viajado por todo el mundo. Llegó a ser una gran violinista en su juventud; pero abandonó esta nobilísima afición para dedicarse a la literatura. Con María del Carmen Nicoláu fundaron—1937—*La Novel (la Femenina).* Colaboradora asidua de *L'Opinió, L'Horitzó, Pamflet, D'Ací d'Allá...*

Como novelista vale bastante menos que su padre, pero no deja de ser muy estimable por la crudeza de sus temas y la desenvoltura en plantearlos y desenvolverlos dentro de un realismo neto y con un lenguaje oportuno siempre en cada boca.

Obras: *Paradisos oceánics*—1930—, *El Marroc*—1930—, *L'illa perdida*—novela, 1935, en colaboración con su padre—, *Cancionis de somni*—1957—, *Entre dos silencis*—novela, 1958—, *La nimfa d'argila*—1959—, *Ariatea* —1960—, *Francás*—1966.

BERTRANA Y COMPTE, Prudencio.

Notable novelista y dramaturgo catalán. Nació—1867—y murió—1942—en Tordera (Barcelona). En Gerona cursó la segunda enseñanza. Inició en Barcelona la carrera de ingeniero industrial. Se dedicó más tarde a la pintura, siendo nombrado profesor de dibujo de la Escuela de Artes y Oficios gerundense. Hoy desempeña el mismo profesorado en la de Barcelona.

Pero la fama de Bertrana es como novelista. De imaginación grande y fuerte, de estilo lleno de colorido y gozoso, de singular brío narrativo, magistralmente ponderado en el dibujo de los caracteres humanos, Bertrana pasa, con justicia, por ser uno de los mejores narradores en lengua catalana.

Obras: *Josafat*—1905, novela—, *Náufregs* —1907—, novela que obtuvo el primer premio en el concurso abierto por el importante diario barcelonés *El Poble Catalá; Crisálides*—1907, narraciones—, *Ernestina*—1910, novela—, *Els herois*—cuentos—, *Proses bárbares*—narraciones—, *¡Yo!*—1925, novela—, *Le desig de pecar*—1924, novela—, *Tieta Claudina*—1929, novela.

Son sus más interesantes obras teatrales: *Una agonía, La barra roja*—1923—, *La dona néta, Enyorada solitud, Les ales d'Ernestina.*

Bertrana ha ejercido durante muchos años, con máxima autoridad, la crítica teatral en el diario *La Veu de Catalunya.*

V. COMERMA VILANOVA, J.: *Historia de la literatura catalana.* Barcelona, 1923.—RAVEGNANI, José: *Antología di Novelle Catalane.* Milán, 1927.—SCHNEEBERGER, A.: *Conteurs catalans.* París, 1926.

BETANCOURT, José.

Novelista, periodista y crítico literario español. Popularizó el seudónimo de "Angel Guerra", tomado de una de las más hermosas novelas de Pérez Galdós. Nació—1874—en Teguise (Canarias). Estudió el bachillerato en su tierra natal y la carrera de Derecho en Madrid. Sin ejercer la abogacía, se entregó apasionadamente al periodismo. Y bien pronto hizo notable su pluma en publicaciones de España y América. Colaboró, en Madrid, en *La Correspondencia de España*—de la que fue director algún tiempo—, *El Globo, Madrid Cómico, Nuevo Mundo, Blanco y Negro, Actualidades, Alrededor del Mundo, Heraldo, Los Lunes de El Imparcial, El Cuento Semanal...* Siete veces consecutivas representó en el Parlamento, como diputado de la izquierda monárquica, a Lanzarote, su isla nativa.

"Angel Guerra", por propios méritos de cultura, de dignidad expresiva, de nobleza de pensamiento y de ideales, destacó en una época en que los maestros del periodismo eran muchos y notabilísimos: Julio Burell, Miguel Moya, Mariano de Cavia, Roberto Castrovido, José Rocamora, Torcuato Luca de Tena, Gómez Carrillo...

Desconocemos con exactitud el año de su muerte.

Obras: *Semblanzas, Aguas primaverales, Literatos extranjeros, Al sol, El polvo del camino*—novela—, *Agua mansa*—novela—, *De mar a mar*—novela—, *Cariños*—novela—, *Al "Jallo"*—novela—, *Mar afuera*—novela—, *Rincón isleño, Del vivir revolucionario...*

V. SAINZ DE ROBLES, F. C.: *La novela cor-*

ta española (*La promoción de "El Cuento Semanal"*). Madrid, Aguilar, 1952.

BIANCHI, Edmundo.

Poeta, comediógrafo, periodista y diplomático uruguayo. Nació—1880—en Montevideo. Director artístico de varias compañías teatrales. Varias veces asesor teatral del Gobierno uruguayo y su representante en conferencias y congresos teatrales celebrados en América y Europa. Crítico teatral en los diarios *La Razón* y *El Siglo,* de Montevideo. Medalla de oro concedida por el Gobierno uruguayo a su tenaz y larga labor en pro de la escena nacional. Tres veces obtuvo el "Premio Nacional de Teatro": 1939, 1940, 1941, y cuatro veces alcanzó el "Premio del Ministerio de Instrucción Pública": 1933, 1934, 1935, 1936.

Obras teatrales: *La quiebra*—1910—, *Orgullo de pobre*—1915—, *Perdidos en la luz* —1916—, *El hombre absurdo*—1935—, *Los sobrevivientes*—1939—, *Sinfonía de los héroes*—1940—, *El oro de los mártires*—1941—.

Otras obras: *La senda oscura*—novela, 1933—, *Cuando las cosas hablan*—cuentos, 1934—, *El alma lejana*—poesía, 1936—, *La frente inclinada*—ensayos, 1942—, *La ciudad salobre*—ensayos, 1942—, *Carlos V*—1941—, *Montevideo, o una nueva Troya, Antología de poetas franceses contemporáneos*—cien poetas y cuatrocientos poemas traducidos en verso castellano, notas críticas, 1942.

BINAYAN, Narciso.

Investigador, cronista, crítico chileno. Nació—1896—en Santiago de Chile. Profesor de lengua y literatura. Desde muy joven se trasladó a Buenos Aires, donde ha desempeñado altos cargos en entidades culturales. Especializado en estudios bibliográficos.

Obras: *Bibliografía de bibliografías argentinas*—1919—, *Las citas bibliográficas* —1923—, *El libro del idioma*—1926—, *Sarmiento*—1927—, *"Facundo" cómo y por qué fue escrito*—1927—, *Lecciones de castellano*—1937...

BIOY CASARES, Adolfo.

Escritor argentino. Nació en Buenos Aires en 1902. Ha escrito cuentos, novelas, críticas. Su primer libro, titulado *Prólogo,* apareció a fines de 1928; le siguieron *Diecisiete disparos, Caos, La nueva tormenta, La estatua casera, Luis Greve, muerto.* En 1940, Bioy obtuvo el Premio Municipal de Literatura de la ciudad de Buenos Aires con la novela fantástica *La invención de Morel.* Alfonso Reyes, en *El deslinde,* escribió que "esta novela merece la fama"; Eduardo Mallea la juzgó "una pequeña obra maestra". *El perjurio de la nieve* es de 1944 (en 1950 se hizo una versión cinematográfica, con el título *El crimen de Oribe);* de 1945 es la novela *Plan de evasión;* de 1948, los cuentos de *La trama celeste,* y de 1949, los de *Las vísperas de Fausto.* Con Jorge Luis Borges, Bioy ha compuesto relatos policiales y fantásticos (publicados con los seudónimos "H. Bustos Domecq" y "B. Suárez Lynch"), ha compilado antologías y ha preparado ediciones anotadas de clásicos españoles e ingleses (Quevedo, Gracián, Sir Thomas Browne) y de poetas gauchescos. Con Silvina Ocampo ha escrito la novela policial *Los que aman, odian* —1946—, *Seis problemas para don Isidro Parodi*—1942—, *Un modelo para la muerte* —1946—, *Dos fantasías memorables*—1946.

En un fragmento de autobiografía, Bioy ha confesado: "A los seis años de edad entreví las delicias de la literatura en las escabrosas novelas de la señora Gyp, a la que traté de plagiar. Ya más adulto, me entretuve con las aventuras de Pinocho, que publicaba, en colores, Calleja. Luego, para llegar a ser un monstruo, compuesto de don Francisco Rodríguez Marín, del pequeño filósofo, del obispo leproso, de los tangos de *El alma que canta* y de las tinieblas de James Joyce, me declaré escritor. Llegó, por fin, el desengaño, y con él, una ilusoria experiencia. Evitando todo énfasis, escribí cuidadosos relatos, en que la trama era lo primordial; me dediqué a esa agradable relojería, y procuré inventar leyendas que dejaran satisfactorios dibujos en la memoria del lector. Ahora, fijando la atención en los personajes, quiero escribir otro tipo de relatos. Pero nada de lo que he publicado tiene importancia; como siempre, la verdadera es la obra futura."

BLAJOT PENA, Jorge.

Poeta, prosista y crítico literario español. Nació—1921—en Barcelona. Su primer libro *Adolescencia*—1938-40—acusa una marcada influencia de Juan Ramón y de Pedro Salinas. En 1940 ingresa en la Compañía de Jesús en el Monasterio de Veruela, en el que cursa estudios humanísticos. En esta época escribe su obra *Veruela-Juventud en el claustro,* que aparece en Barcelona en 1947. Se traslada luego a Inglaterra para estudiar Filosofía en el Heythrop College exoniense. Allí se familiariza con la poesía del jesuita Gerard Manley Hopkins, y sobre todo con la de T. S. Eliot, que influye en su nuevo libro *Hombre interior* (1947-49).

Después de detenerse una temporada en Francia, regresa a España. Actualmente reside en Madrid, ejerciendo la crítica literaria en la famosa revista *Razón y Fe,* de Madrid.

V. Sainz de Robles, F. C.: *Historia y antología de la poesía española.* Madrid, Aguilar, 1969, 5.ª edición.

BLANCO, Andrés Eloy.

Poeta y prosista venezolano. Nació—1897— en Cumaná (Estado de Sucre), y murió —1955—en México, a consecuencia de un accidente de automóvil. Doctor en Derecho por la Universidad Central de Venezuela. En 1923 ganó el gran premio de poesía otorgado por la Real Academia de la Lengua, con su poema *Canto a España;* con lo que la fama de gran poeta adquirió relieve en el mundo hispánico. Viajó por toda Europa y por toda América. Habiendo combatido la política del tirano Juan Vicente Gómez, sufrió cárceles y confinamientos. Diputado muchas veces. Presidente de la Asamblea Constituyente en 1946. Ministro de Relaciones Exteriores en 1948. Fervoroso hispanista. El mundo de color admira al enternecedor poeta de *Píntame angelitos negros.*

Obras: *Tierras que me oyeron*—1921—, *La aeroplana clueca*—1935—, *Barco de piedra* —1937—, *Abigaíl*—teatro, 1937—, *Malvina recobrada, Liberación, Sombra*—1937—, *Baedeker*—1938—, *Poda*—1942—, *Bolívar en México*—1946—, *El poeta y el pueblo* —1946—, *Vargas, albacea de la angustia*—novela, 1947—, *Navegación de altura*—prosas, 1948—, *A un año de tu luz...*

BLANCO, Eduardo.

Escritor y político venezolano. 1839-1912. Nació en Caracas. Estudió Humanidades y Filosofía en el Colegio del Salvador del Mundo, bajo la dirección del célebre maestro Juan Vicente González. Militar. Diputado. Ministro de Relaciones Exteriores y de Instrucción Pública. Miembro de la Academia Venezolana de la Lengua y correspondiente de la Española. Director de la Academia Nacional de Historia.

Le hizo famoso, literariamente, su libro *Venezuela heroica,* obra "en prosa, difícil de clasificar: ni es novela, ni historia propiamente, ni narración, ni poema. Es una alabanza en cinco episodios de la guerra de liberación, un poco oratoria y campanuda. Es una aleluya triunfal en loor del pampero heroico, de sus hazañas y de todos los héroes".

La literatura de Eduardo Blanco es auténticamente melodramática y demasiado retórica.

Obras: *Una noche en Ferrara, o La penitente de los teatinos*—1875—, *Historia de un cuadro*—1881—, *Zárate*—novela, 1882—, *Cuentos fantásticos*—1883—, *Tradiciones épicas y cuentos viejos*—1892—, *El cura de San Telmo*—1894—, *Lionfortt*—drama—, *La casaca del buen tío don Zenón...*

V. Angarita Arvelo, Rafael: *Historia y crítica de la novela venezolana.* Berlín, 1938. Picón Febres, Gonzalo: *La literatura vene-*

B

zolana en el siglo XIX. Caracas, 1906.—PiCÓN SALAS, Mariano: *Formación y proceso de la literatura venezolana.* Caracas, 1941.

BLANCO-AMOR, Eduardo.

Novelista, ensayista y crítico español. Nació en 1905, en Galicia. (¿En Vigo?) Desde 1919 vive en Buenos Aires, solo visitando España de tarde en tarde. Colaborador en los más importantes periódicos de Hispanoamérica. Profesor extraordinario en las Universidades de Uruguay, Chile y Nacional de La Plata. Ha dirigido el "Teatro Español de Cámara" y el "Teatro Popular Gallego". Ha publicado poemas en gallego y en castellano. En 1956 quedó finalista en el "Premio Planeta", para novelas, uno de los más importantes que se otorgan en España.

Obras: *La catedral y el niño*—novela, Buenos Aires, 1956—, *La parranda*—novela, Buenos Aires, 1959—, *Los miedos*—novela, Barcelona, 1963...

BLANCO AMOR, José.

Novelista español. Nació—hacia 1910—en Bergondo (La Coruña). Y muy joven se trasladó a la República Argentina. En Buenos Aires se dedicó con éxito al periodismo. De él, como novelista, ha escrito Eugenio G. de Nora: "Observamos ante todo un evidente predominio de la narración del relato sobre la descripción y el análisis psicológico (sin que falte, ante todo, el análisis, no buscado por sí mismo, sino como resultado del enfrentamiento riguroso del hombre como supremo tema novelesco). Esta profundización en los temas le otorga un aliento peculiar, poderoso, a las novelas de Blanco Amor." "Premio Nacional de Literatura, 1971", en Argentina, con su obra *Encuentros y desencuentros.*

Obras: *La vida que nos dan*—Buenos Aires, 1953—, *Todos los muros eran grises* —Buenos Aires, 1956—, *Antes que el tiempo muera*—Buenos Aires, 1958—, *Duelo por la tierra perdida, La Misión*—"Premio Ciudad de Buenos Aires, 1967"—, *Con verdad y con rigor*—ensayos—, *La generación del 98, España y el marxismo, Los encuentros...*

V. NORA, Eugenio G. de: *La novela española contemporánea.* Madrid, edit. Gredos, 1962. Tomo II bis, págs. 277-279.

BLANCO-BELMONTE, Marcos Rafael.

Meritísimo poeta, cuentista y periodista español. Nació—1871—en Córdoba. Desconocemos la fecha de su muerte, no anterior a 1930. Perteneció a las redacciones de *Revista Meridional, La Unión*—en su tierra natal—, *La Ilustración Española y Americana, El Imparcial, A B C* y *Blanco y Negro*—de Madrid—, y *El Tiempo*—de La Habana.

Alcanzó numerosos primeros premios en los juegos florales de Sevilla, Cádiz, Málaga, Córdoba, Almería, Valladolid y otras muchas capitales. Y muchos de sus cuentos acapararon los galardones de las mejores revistas españolas. La Academia Española otorgó el "Premio Fastenrath" a una antología de sus poesías.

Obras poéticas: *Al sembrar de los trigos* —1913, "Premio Fastenrath"—, *Aves sin nido* —1902—, *La mezquita aljama*—1895—, *La lanza de Don Quijote*—1915—, *La vida humilde*—1906—, *Los que miran más allá* —1811—, *La patria de mis sueños*—1912—, *Homenaje a Córdoba*—1915.

Novelas, cuentos y narraciones: *Desde mi celda*—1895—, *Negros y azules, La casa de Cárdenas*—1906—, *De la tierra española* —1906—, *La ciencia del dolor*—ed. "El Cuento Semanal", 1910—, *Mataruguito*—ed. "Los Contemporáneos", 1912—, *Pompas de jabón* —1915—, *Pues, señor...*—1909.

Teatro: *Beso de Judas*—drama—, *Córdoba la Sultana*—zarzuela—, *La coleta del maestro*—zarzuela.

Blanco-Belmonte fue un poeta sencillo, inspirado, lleno de amor hacia lo humilde, profundamente español.

Tradujo más de cincuenta obras de Saint-Victor, Víctor Hugo, Guerra Junqueiro, Ada Negri, Fastenrath y otros muchos.

V. CEJADOR Y FRAUCA, J.: *Historia de la lengua y literatura castellanas,* tomo XI.

BLANCO Y CRESPO, José María («Blanco-White»).

Notable poeta español. Nació—1775—en Sevilla. Murió—1841—en Liverpool. Se ordenó sacerdote y obtuvo canonjías en Cádiz y Sevilla. Invadida Andalucía por los franceses, se trasladó a Inglaterra, donde abrazó el protestantismo y se dedicó a los estudios bíblicos, sin conseguir calmar su atormentada alma. Fue profesor en Oxford, y publicó la revista *El Español,* defensora de los americanos que en Caracas y en Buenos Aires se habían levantado contra España.

Blanco fue un poeta muy ponderado, que supo aunar la perfección externa de la poesía neoclásica con la *inquietud* de la idea contenida en aquella. Por ello es de los poetas—entre los últimos del siglo XVIII y los primeros del XIX—que con mejor gusto se leen hoy.

Su tendencia romántica le llevó a traducir de modo insuperable el monólogo *To be or not to be,* del *Hamlet,* de Shakespeare. Y son poesías muy notables de transición *Los placeres del entusiasmo, La voluntariedad y el deseo resignado* y *Una tormenta nocturna en alta mar,* composición esta última que, según un crítico moderno, podría ser el más destacado precedente de *El faro de Malta*, del duque de Rivas...

¡Oh, cómo gime el viento!
Con lúgubre concierto agudas voces
parecen lamentarse entre las velas,
y estremecer sus velas
con perpetuo temblor, aunque veloces
a escapar se apresuran...

Pero la composición que hizo célebre a Blanco y Crespo es su soneto *Misteriosa noche*, en inglés—*Night and death*—, considerado por la crítica británica como uno de los más hermosos y perfectos de su lengua; soneto traducido numerosas veces al castellano, siendo Lista el primero que lo vertió con anterioridad a la versión inglesa definitiva.

Texto: *Obras*, ed. Méndez Bejarano, Madrid, 1921.

V. PIÑEYRO, Enrique: *Blanco-White*. París, 1910.—MÉNDEZ BEJARANO, Mario: *Escritores sevillanos...*—MÉNDEZ BEJARANO, Mario: *Vida y obras de don José María Blanco-White*. Madrid, 1921.—ARTIGAS, M.: *El soneto "Night and Death"*, en *Bulletin of Spanish Studies*. Liverpool, 1924.

BLANCO-FOMBONA, Horacio.

Poeta y periodista de gran personalidad. Nació en Caracas el 10 de junio de 1889. Cursó el bachillerato en el Colegio de San Agustín, de Caracas. De los doce a los trece años estuvo en la llamada Revolución libertadora, que fracasó en su empeño de derrotar al dictador Cipriano Castro. En 1911 representó a la Asociación de Estudiantes de Venezuela en el II Congreso Internacional de Estudiantes de la Gran Colombia, reunido en Caracas con motivo del centenario de la independencia venezolana. En 1920, electo presidente del I Congreso de la Prensa Dominicana, reunido en Santo Domingo. En dicho año fue encarcelado y llevado ante un Consejo de guerra por los marinos norteamericanos, debido a la campaña que hizo contra la intervención norteamericana en Santo Domingo. Los mismos marinos que lo encarcelaron y juzgaron lo expulsaron de la República Dominicana, bajo la imputación de "extranjero pernicioso". Presidente del partido republicano de Venezuela, que combatió a Juan Vicente Gómez. Estuvo catorce años desterrado de su patria.

Director-propietario de *El Domingo*, que fue clausurado por los yanquis—1916—. Después, de *Letras*, que vivió cerca de cinco años y fue también clausurado por los mismos —1920—. Ambos periódicos, publicados en Santo Domingo (República Dominicana). Secretario de redacción de *El Universal* durante cuatro años y medio, y editorialista de *El Globo* en el tiempo que duró este periódico

—México, D. F.—. Ha colaborado en muchos otros de Hispanoamérica. De la Sociedad Mexicana de Geografía y Estadística y de Acción Iberoamericana—México, D. F.—. Profesor de Algebra y Geometría en la Escuela de Artes y Oficios de Caracas, de Historia iberoamericana en la Facultad de Altos Estudios de México, y de Literatura hispanoamericana en la misma Facultad.

Horacio Blanco-Fombona ha conseguido su mayor fama como polemista excepcional. Sus artículos, escritos en una prosa limpia, vibrante, espontánea, tienen todas las calidades para intimidar a sus adversarios.

Obras: *Estalactitas*—versos, dos ediciones, Santo Domingo (República Dominicana), 1929 y 1931—, *En las garras del águila*—México, D. F., 1927; trabajo leído en 1926 en la Sociedad de Geografía y Estadística—y *Crímenes del imperialismo norteamericano*—México, D. F., 1927.

V. PICÓN SALAS, Mariano: *Formación y proceso de la literatura venezolana*. Caracas, 1940.

BLANCO-FOMBONA, Rufino.

Poeta, novelista, ensayista, historiador de mucho relieve. 1874-1944. Nació en Caracas (Venezuela) y falleció en Buenos Aires. Periodista y terrible polemista desde su juventud. Ha publicado miles de artículos en numerosas publicaciones de España y América. Se ha batido innumerables veces. Desterrado de su patria por combatir al tirano Gómez, ha viajado por todo el mundo, fuerte y gallardo de cuerpo, poderoso de espíritu ilógico, con mucho saber y fina sensibilidad, mosquetero y don Juan, violento y atrabiliario, aborreciendo todo convencionalismo y fingimiento. Su odio a los Estados Unidos fue implacable y virulento. En España fundó una gran editorial, "América", para la expansión de las letras del mundo latinoamericano. Verdadero hombre del Renacimiento, alguien le ha llamado el Benvenuto Cellini moderno. Habló y escribió cuanto pensaba con ruda franqueza. Sus obras "están vaciadas en un estilo ágil, dinámico, flexible, pero que por su extrema llaneza se adapta mejor a la prosa que al verso".

Como Andrés Bello, el otro gran venezolano, tuvo la universalidad de dotes y conocimientos tan comunes a los hombres de *il cinquecento*.

En sus obras van mezclados curiosamente las frialdades realistas y los arrebatos románticos, los pruritos filosóficos y los desahogos libelescos, la finura crítica y el más obtuso desbordamiento temperante, los más audaces desenfados de la prosa y la fantasía más ardiente. Escritor siempre interesante y de gran envergadura.

Obras: *Pequeña ópera lírica*—1904—, *Cantos de la prisión y del destierro*—1911—, *Cuentos americanos*—1906—, *Cancionero del amor infeliz*—Madrid, 1917—, *El hombre de hierro*—novela, 1907—, *El hombre de oro*—novela, 1917—, *La bella y la bestia*—novela, 1927—, *La lámpara de Aladino*—ensayos, Madrid, 1916—, *Letras y letrados de Hispanoamérica*, *Grandes escritores de América*, *La mitra en la mano*—novela, 1931, Madrid—, *Judas capitalino*—1912—, *Patria*—poemas, Caracas, 1895—, *Simón Bolívar*—Madrid, 1911—, *Dramas mínimos*—Madrid, 1920—, *Trovadores y trovas*—Madrid, 1919...

V. SILVA BÍAS, José da: *Blanco-Fombona*. Río de Janeiro, 1916.—GONZÁLEZ-BLANCO, A.: *Escritores representativos de América*. Madrid, 1917.—GARCÍA GODOY, F.: *Americanismo literario*. Madrid, 1918.—ANGARITA ARVELO, R.: *Historia y crítica de la novela venezolana*. Berlín, 1938.—D'OSOLA, Otto: *Antología de la moderna poesía venezolana*. Caracas, 1940.—PICÓN SALAS, Mariano: *Formación y proceso de la literatura venezolana*. Caracas, 1940.

BLANCO GARCÍA, P. Francisco.

Meritísimo literato y crítico español. Nació — 1864 — en Astorga (León). Murió —1903—en Jauja (Perú). Inició sus estudios eclesiásticos en el seminario de su ciudad natal, ingresando en 1880 en la Orden de San Agustín. En la Universidad de Madrid alcanzó la licenciatura de Filosofía y Letras. Fue profesor de Literatura en el colegio escurialense de Estudios Superiores de María Cristina y director de la gran revista agustiniana de Ciencias y Letras *La Ciudad de Dios*.

Su obra más importante es la titulada *La literatura española en el siglo XIX*, que alcanzó gran resonancia y motivó acaloradas controversias. Es, sin discusión, la primera historia literaria de su época. Está escrita con calor y sutileza. Pero carece de fuentes y bibliografía y peca de terriblemente parcial. Al autor que no es religioso suele tratarle con tanta injusticia como aspereza.

Otras obras: *El laurel de Ceriñola*—drama—, *Fray Luis de León*—estudio biográfico-crítico—, *Sor Juana Inés de la Cruz*—monografía—, *San Agustín y su época*.

V. MASRIERA, Arturo: *Estudio biográfico sobre el P. Blanco García*, en el *Diario de Barcelona*, 1904.—MUIÑOS, Fray Conrado: *El P. Francisco Blanco García*, en *La Ciudad de Dios*, núm. 743.—ROVIRA, Prudencio: *Estudio biográfico del P. Blanco García.*—PARDO BAZÁN, Emilia: *Crítica*, en *Nuevo teatro crítico*. 1902, abril-mayo.—SANTIAGO, Fray Gregorio de: *Ensayo de la biblioteca... de la Orden de San Agustín*. 1913.—VALERA,

Juan: *El P. Blanco García*, en *Revista Crítica de Literatura y Arte*, 1896.

BLANCO GARCÍA, Vicente.

Nació en Sobrón (Alava) el 28 de agosto de 1906. Estudió el bachillerato en el Colegio de los Sagrados Corazones, de Miranda de Ebro, y la carrera sacerdotal, en Comillas, donde obtuvo *cum summa laude* los doctorados en Filosofía y Teología. Se ordenó de sacerdote el 25 de julio de 1932, y el 11 de marzo de 1936 se doctoró en Filosofía y Letras en la Universidad Central. Fue por oposición profesor de Latín en el Ateneo de Madrid, y más tarde, en el Instituto de Cultura Superior de Acción Católica, y auxiliar de la Universidad Central. El 4 de marzo de 1942 obtuvo por oposición la cátedra de Lengua y Literatura Latinas de la Universidad de Oviedo, donde fue nombrado vicedecano. Por concurso de traslado, obtuvo en 1943 (15 de enero) la cátedra de la misma asignatura en la Universidad de Zaragoza, donde reside. El 4 de abril de 1949 fue elegido por unanimidad consejero de la institución "Fernando el Católico", de la Diputación de Zaragoza.

Obras: *San Ildefonso, De Virginitate*—texto y comentario gramatical y estilístico (tesis doctoral), Madrid, 1937—, *Plinio "el Joven", Cartas, libro I*—introducción, texto y comentario, Madrid, 1938—, *Plinio "el Joven", Cartas, libro II*—introducción, texto y comentario, Madrid, 1941—, *El futuro simple en los autores latino-cristianos*—en *Emérita*, Madrid, 1938—, *Historia y técnica del hexámetro latino*—en *Universidad*, Zaragoza, 1944—, *Tácito y Shakespeare*—en *Universidad*, Zaragoza, 1947—, *Pervivencia de Horacio en la moderna preceptiva literaria*—en *Arbor*, Madrid, 1945—, *Cayo Cornelio Tácito* (Obras completas)—traducción, introducción y notas. Aguilar, Madrid, 1946—, *El futuro imperfecto en latín*—en *Miscelánea*, Comillas, 1945—, *Diccionario abreviado latino-español y español-latino* (2.ª edic.)—Aguilar, Madrid, 1944—, *Gramática y antología del latín medieval*—Aguilar, Madrid, 1943—, *Antologías latinas*, para enseñanza media—cinco volúmenes, Aguilar, Madrid—, *Gramática latina*—Aguilar, Madrid, 1943—, *Santa Catalina de Alejandría y su tiempo*—en *Anales* de la Universidad de Oviedo. Oviedo, 1944—, *El manuscrito Ashbu-nham 17 de la R. Biblioteca Medicea Laurenziana de Florencia*—Madrid, 1936 *(Anales* de la Universidad de Madrid, t. V, fasc. I, 1936).

BLANCO PLAZA, Conrado.

Poeta, comediógrafo, charlista y empresario. Nació en Quintanar de la Sierra (Burgos) el 19 de febrero de 1910.

B

Inició su actividad artística a los trece años con la publicación de un libro de versos titulado *Nostalgias*. Antes de cumplir los quince años estrenó en el teatro Principal, de Burgos, su comedia *La flor*.

A doce comedias y dos zarzuelas asciende su haber de autor teatral; recordamos los siguientes títulos: *Temple castellano, El hogar, Las campanas de la aldea, La felicidad soñada, Poca fuerza en las alas, La virtud de esperar, El alma del carrero*, con música del maestro Balaguer, y *La moza de la espada*, con música del maestro González, un músico ciego.

También ha publicado los siguientes libros de poesía: *Horas líricas, El alma en silencio, Romances castellanos* y *Recital*, este último editado en Manila (Filipinas).

Como charlista, ha dado tres vueltas íntegras al mundo, en 1937, 1939 y 1940-41, alternando las conferencias con recitales poéticos.

Durante dos años recorrió todos los pueblos de Castilla, en su doble tarea de charlista y recitador, siendo esta empresa una por las que se siente más orgulloso.

Gran empresario teatral.

Es el creador de "Alforjas para la poesía", el interesante movimiento poético; en el curso de sus sesiones han actuado más de doscientos poetas, originándose un importante renacer lírico.

Tiene terminadas las siguientes obras teatrales: *Ciento volando*—comedia antibancaria y autobiográfica—, *La Macarena en Castilla*—comedia en verso—, *El señor de Cantabria* y *Mi mujer le engaña a usted*.

Un nuevo libro de versos, otro de viajes, titulado *Diálogo con el sol*, y *Mis memorias*, completan las obras próximas a publicarse de Conrado Blanco, una de las figuras más activas e interesantes del momento artístico español.

BLANCO-SOLER, Carlos.

Nació en Madrid en 1894. Y en Madrid murió en 1962. Sus primeras armas literarias las hizo en un concurso de *El Imparcial* teniendo dieciséis años. Doctor en Medicina en la Universidad de Madrid. Estudió en diversos países de Europa, haciendo compatible la Medicina con sus aficiones literarias e históricas. Director del Instituto Municipal de Nutrición, de Madrid. Jefe del Servicio de Nutrición del Hospital Central de la Cruz Roja. Fue miembro de varias Sociedades españolas y extranjeras. Académico de la Academia Breve de Crítica de Arte. Gran cruz de Alfonso X, el Sabio.

Aparte de sus libros estrictamente científicos, espigó en temas tanto literarios como históricos. Los estudios sobre la vejez los ha iniciado y puesto en actualidad en España con su libro *Dos ensayos sobre la vejez*, que tiene más de literatura y de sencilla filosofía que de Medicina, constituyendo un poético lenitivo para las intranquilidades y amarguras de los viejos. Durante varios años trabajó sobre el "donjuanismo" y Don Juan. Su libro puramente literario sobre la materia—*El hijo de Don Juan*—es una glosa psicológica del personaje y de las mujeres que le amaron. Ultimamente trató la figura de Lope en la génesis del tipo inmortal de Tirso, haciendo sugerencias e investigaciones sobre los motivos que impulsaron a Tirso a escribir su popular obra de teatro.

Ha sido conferenciante en varios países de Europa y América, y últimamente llevó a Filipinas la representación cultural de España. Sus conferencias en este país se condensan en su libro *Emoción y recuerdo de España en Filipinas*. Sus estudios médicos y psicológicos sobre *La duquesa de Alba y su tiempo* han sido traducidos a varios idiomas, lo mismo que los de Goya, en que demuestra el error que la crítica venía padeciendo sobre el carácter y la enfermedad del genial aragonés.

BLAS Y UBIDE, Juan.

Novelista español del siglo XIX. Nació en Aragón. Ejerció el periodismo en Teruel, Zaragoza, Barcelona y Madrid. Tuvo alguna fama, en su época, con sus novelas y cuentos *al estilo* de las de Pérez Escrich, melodramáticas y sociales.

Obras: *Cuentos del Jalón, Sarica la borda, El licenciado Escobar*...

BLASCO, Eusebio.

Periodista, dramático y poeta español. Nació—1844—en Zaragoza. Murió—1903—en Madrid. A los dieciocho años estrenó en el coliseo del Coso zaragozano su primera obra teatral: *Vidas ajenas*. En Madrid colaboró en *Gil Blas* y *La Discusión*. Emigró cuando los sucesos de 1866, y volvió a España —1868—de secretario particular de don Nicolás María Rivero. Varió mucho de ideas políticas y se *fijó* por fin en las conservadoras de Cánovas del Castillo.

Entronizó el género bufo con *El joven Telémaco*, y compuso durante cuarenta y cinco años más de setenta obras escénicas. En 1898 fundó el semanario *Vida Nueva*.

Eusebio Blasco poseyó unas extraordinarias vis cómica y fuerza chispeante. Tuvo la cuerda cómica de Bretón; y se hubiera acercado mucho más al modelo de haber producido con más calma, cuidando la gramática y el estilo. Escribió al día; tuvo ingenio con gracia de ley. También alcanzó éxitos grandes como cronista ameno y agudo.

Obras teatrales: *La suegra del diablo, El pañuelo blanco, Los dulces de la boda, Amor constipado, La procesión, por dentro; El anzuelo, Dulces memorias, Los timplaos, El vecino de enfrente, La rubia, La señora del cuarto bajo, Ni tanto ni tan poco, Levantar muertos, No la hagas y no la temas, El baile de la condesa, El oro y el moro, Moros en la costa, De prisa y corriendo, La mosca blanca, Parientes y trastos viejos...*

Otras obras: *Cuentos alegres, Madrid por dentro y por fuera, Poesías festivas, Epigramas, Cuentos y sucedidos, Cuentos aragoneses, Soledades*—versos—, *Una señora comprometida*—novela—, *Corazonadas, París íntimo...*

V. Cejador y Frauca, J.: *Historia de la lengua y literatura castellanas.* Tomo VIII.

BLASCO, Ricardo Juan.

Nació en Valencia el 30 de abril de 1921. Reside actualmente en Madrid, dedicado a la producción cinematográfica. Ha traducido con acierto a algunos poetas extranjeros, singularmente a Lanza del Vasto. Fundó y dirige la revista de poesía *Corcel*.

Obras poéticas: *Silencio de unos labios* —Valencia, 1944—, *Nocturnas*—poesía 1952—, *Alteo*—diálogo sobre poesía, 1953.

BLASCO IBÁÑEZ, Vicente.

Magnífico y famosísimo novelista español. Nació—1867—en Valencia. Murió—1928—en Mentón (Francia). Estudió Leyes en su ciudad natal. Pero ya a los catorce años había escrito su primera novela y habíase fugado a Madrid, donde fue secretario particular del popular folletinista Fernández y González, a quien ayudó en la redacción de algunos de sus novelones por entregas. Entre los catorce y los veinte años, Blasco compuso folletines—*La araña negra, Roméu "el Guerrillero", Historia de la revolución española...*—; publicó artículos subversivos en los diarios de la región valenciana, se proclamó republicano de Pi y Margall, pronunció ardientes discursos en mítines comarcales, terminó la carrera de Derecho y... sufrió numerosos procesos y encarcelamientos. Una vez, inclusive, escapó de un incidente grave que le hubiera llevado ante un Consejo de guerra y, tal vez, ante el piquete de ejecución. El mismo Blasco ha contado numerosas veces sus andanzas políticas, sus huidas pintorescas, sus frecuentes viajes a Francia en espera de amnistías, la fe enorme que en él puso todo el pueblo valenciano, la preocupación que causaban su pluma, su verbo y su acción ardiente en los gobernantes de Madrid.

Fundó en Valencia—1901—el gran diario *El Pueblo* y creó—1903—el partido *blasquista,* que, dentro del republicanismo federal,

entabló fieras luchas con la otra fracción llamada *sorianista*—de Rodrigo Soriano—. Entre 1904 y 1907, Blasco fue diputado a Cortes y pronunció fogosos discursos de oposición a la monarquía. Cansado y asqueado de la política, en 1909 renunció al acta y marchó a la Argentina para dar varias conferencias acerca del arte y de la literatura españoles. Y en Buenos Aires, donde habían hablado públicamente personalidades como Jaurés, Clemenceau, Ferrero, Anatole France, sin producir sino entusiasmos relativos, la simpatía personal, la palabra encendida de Blasco arrebataron a las multitudes. En pocos días fue Blasco el ídolo de la ciudad del Plata. El éxito le animó a trocarse en colono en grande escala, y con el apoyo y el estímulo del Gobierno argentino se estableció en la orilla izquierda del río Negro, bautizando la colonia con el nombre de *Cervantes,* y extendiendo luego su obra a otra, en la provincia de Corrientes, que llamó *Nueva Valencia.* Sin suficiente base económica, la gigantesca empresa fracasó. Amargado profundamente, Blasco regresó a España y decidió entregarse por entero a la literatura. Al estallar—1914—la primera guerra europea, tomó decididamente partido por los aliados. Su novela *Los cuatro jinetes del Apocalipsis* hinchó su fama española hasta hacerla universal y unánime. Fama que no ha decaído y que obliga a proclamarle como el más leído y traducido de los novelistas contemporáneos europeos. En 1924, la gran *Revista Internacional del Libro,* de Nueva York, abrió un concurso entre los lectores de Estados Unidos, Inglaterra y Australia para que estos votaran a los *diez primeros* escritores preferidos. El primer lugar lo alcanzó H. G. Wells, pero no por ninguna de sus novelas, sino por sus *Ensayos de Historia;* el segundo puesto le fue otorgado a nuestro Blasco Ibáñez, por su novela *Los cuatro jinetes...*

A partir de esta fecha, Blasco recorrió varias veces el mundo. Riquísimo, afamado, solicitado por editoriales y productoras cinematográficas, dueño de palacios, viajero en su "yacht" regio, paseó por todas partes su españolismo indudable.

A Blasco Ibáñez se le puede discutir su escasa cultura, su impotencia para los problemas de visión retrospectiva, a lo Flaubert; su estilo, vulgar a veces; los defectos formales de su redacción, su falta de medida en lo constructivo... Sí, en la obra de Blasco alternan los aciertos y las caídas, la vulgaridad y la intensidad pasional. Pero lo que es forzoso reconocer en Blasco se refiere a su portentosa y vivísima imaginación, a su expresividad sugestiva, recamada de luces y de tonos; a su fuerza humana para crear personajes de carne y hueso; a su facilidad

B

y gracia evocadora; a sus alegres y fáciles y originales imágenes literarias; a la tension expansiva de su simpatía novelera; a su luminosidad vital, posible de correrse a muchas de las páginas de sus mejores novelas; al interés de amenidad que subyuga desde cualquiera de sus obras.

Las obras de Blasco Ibáñez pueden ser agrupadas así:

Primer grupo.—Novelas valencianas: *Arroz y tartana*—1894—, la novela de la ciudad; *Flor de mayo*—1895—, la novela del mar; *La barraca*—1898—, la novela de la huerta valenciana; *Entre naranjos*—1900—, la novela de la fruta más entrañada en la región; *Cañas y barro*—1902—, la novela de la Albufera; *Sónnica la cortesana*—1901—, la novela arqueológica valenciana, y *La condenada* —1900—y los *Cuentos valencianos*—1896—, que abarcan muchos matices, muchos detalles singulares de la tierra natal—¡tan amada!—del novelista.

Segundo grupo.—Las novelas "de rebeldía" o sociales: *La catedral*—1903—, anticlerical; *El intruso*—1904—, antijesuita—; *La bodega*—1905—, anarquista, y *La horda* —1905—, socializante.

Tercer grupo.—Novelas psicológicas: *La maja desnuda*—1906—, *Sangre y arena* —1908—, *Los muertos mandan*—1909—y *Luna Benamor*—1909.

Cuarto grupo.—Novelas americanas: *Los argonautas*—1914—, sobre la emigración; *La tierra de todos*—1922—, sobre la colonización.

Quinto grupo.—Novelas de la guerra: *Los cuatro jinetes del Apocalipsis*—1916—, *Mare Nostrum*—1918—y *Los enemigos de la mujer*—1919.

Sexto grupo.—Novelas de exaltación histórica española: *El Papa del mar*—1925—, *A los pies de Venus*—1926—, *En busca del gran Khan*—1928—, *El caballero de la Virgen*—1929.

Séptimo grupo.—Novelas de aventuras: *El paraíso de las mujeres*—1922—, *La reina Calafia*—1923—y *El fantasma de las alas de oro*—1930.

Octavo grupo.—Novelas cortas: *El préstamo de la difunta*—1921—, *Las novelas de la Costa Azul*—1927—, *Las novelas del amor y de la muerte* y *El adiós a Schubert*.

Noveno grupo.—Viajes: *En el país del arte*—1896—, *Oriente*—1907—, *La vuelta al mundo de un novelista*—1925—, *La Argentina y sus grandezas*—1910.

Aún podría hacerse un nuevo grupo con las primeras novelas folletinescas de Blasco: *La araña negra, Fantasías y leyendas, Roméu "el Guerrillero", El conde Garci-Fernández, Por la patria, ¡Viva la República!...* Pero estas obras fueron vivamente repudiadas por su autor, quien se negó siempre a reeditarlas; aun cuando, muerto ya Blasco, se reimprimieron en Madrid—1930 a 1931— y hasta se tradujeron a varios idiomas.

Otras obras de Blasco: *Historia de la Gran Guerra europea*—nueve tomos, de los cuales únicamente los tres primeros son suyos—, *El militarismo mejicano*—1921—, artículos de polémica, muy mal recibidos en Méjico.

Numerosas novelas de Blasco han sido llevadas a la pantalla y a la escena. Todas ellas han sido traducidas múltiples veces a más de diez idiomas. Existen ediciones de sus *Obras completas* hasta en ruso y en japonés. Unicamente Blasco ha llegado a cobrar por cada artículo—en los Estados Unidos—la cantidad de mil dólares. Son indiscutiblemente las mejores obras de este fecundo y famosísimo escritor—desde el punto de vista literario—las *novelas valencianas*, modelos en su técnica, en su colorido, en su realismo y en su emoción. Blasco Ibáñez es —con Pío Baroja—el último resplandor grandioso de la novela española del siglo XIX, el último gran novelista. Caso curioso: Galdós y él han sido los dos escritores más combatidos por la crítica española, y son, sin embargo, los dos escritores más apasionadamente españoles. El amor a España en sus novelas lo es casi todo.

V. ZAMACOIS, Eduardo: *Mis contemporáneos: Vicente Blasco Ibáñez*. Madrid, 1910.— GASCO CONTELL, E.: *Los grandes escritores: Vicente Blasco Ibáñez*. París, 1926.—PITOLLET, Camilo: *Blasco Ibáñez, ses romans et le roman de sa vie*. París, 1921.—MARTÍNEZ DE LA RIVA, R.: *Blasco Ibáñez. Su vida. Su obra. Su muerte*. Madrid, 1929.—PUCCINI, Mario: *Vicenzo Blasco Ibáñez*. Roma, 1923.—GONZÁLEZ-BLANCO, A.: *Historia de la novela en España*. Madrid, 1909.—ERNEST-CHARLES, J.: *Blasco Ibáñez*, en *Rev. Bleu*, 5.ª serv., III, 663, 1905.—TAILHADE, Laurent: *Vicente Blasco Ibáñez*, en *Hispania*, 1918.—BALSEIRO, J. A.: *Vicente Blasco Ibáñez, hombre de acción y de letras*. Puerto Rico, 1935.—LEVÍ, Ezio: *Figure della Litteratura Spagnola*. Florencia, 1922.—MÉRIMÉE, H.: *Le romancier Blasco Ibáñez y la cité de Valence*, en *Bulletin Hispanique*. 1922.—DOS PASSOS, John: *Rocinante vuelve al camino* (cap. IX, "Un Midas al revés"), Madrid, 1930.—SAN ROMÁN, J.: *La muerte del águila. Vida y recuerdos de Blasco Ibáñez*. 1928.—ENTRAMBASAGUAS, Joaquín de: *Las mejores novelas españolas contemporáneas* (1900-1904). Barcelona, Planeta, 1958, págs. 3-80. (Contiene una biobibliografía exhaustiva.)

BLECUA Y TEIXEIRO, José Manuel.

Notable catedrático de Lengua y Literatura en la Universidad de Madrid, a quien se deben importantes obras y textos, entre las que se destacan: *Gramática* (dos cursos), una *Historia de la literatura española* (dos tomos), un erudito estudio publicado por el Consejo Superior de Investigaciones Científicas, titulado *Canciones de 1628,* y las antologías *Las flores en la poesía española, El mar en la poesía española* y *Los pájaros en la poesía española.* Ha realizado también una interesante labor poética. Nació—1913—en Alcolea de Cinca y estudió en Zaragoza Derecho y Letras. Acaba de publicar una edición crítica, exhaustiva, admirable, de las *Poesías* de Quevedo—en tres tomos.

BLEIBERG, Germán.

Nacido en Madrid el 14 de marzo de 1915; licenciado en Filosofía y Letras (Sección Filología moderna a base de español, hoy llamada "Sección de Lenguas románicas") en la Universidad Central.

Obras: *El cantar de la noche*—ediciones "La Tentativa Poética", de Concha Méndez y Manuel Altolaguirre. Madrid, 1935—, *Sonetos amorosos*—"Ediciones Héroe", Concha Méndez y Manuel Altolaguirre. Madrid, 1936—, *Más allá de las ruinas*—Revista de Occidente, Madrid, 1947—, *El poeta ausente* —1948—, *La mutua primavera*—1948.

Traducciones: *Viaje a los Pirineos,* de Taine, "Colección Austral"; en la misma colección, *Enrique de Offerdingen,* de Novalis, y *Synoöve Solbskken,* de Björnson.

Además, ha sido citado en varios ensayos sobre poesía, en revistas y periódicos nacionales e hispanoamericanos; críticas sobre sus libros han aparecido en *El Sol* y otros diarios antes de la guerra civil; durante esta recibió, en 1938, el "Premio Nacional de Literatura" con Miguel Hernández.

V. BALLESTEROS BERETTA, Antonio: *Historia de España.* Tomo IX.—DÍAZ-PLAJA, Guillermo: *Garcilaso y la poesía española.*—DÍAZ-PLAJA, Guillermo: *La poesía lírica española.*—GONZÁLEZ-RUANO, César: *Antología.* VALBUENA PRAT, Angel: *Historia de la literatura.*

BLEST GANA, Alberto.

Gran novelista. 1830-1920. De Chile. Se educó en Europa, pensionado por el Gobierno de su patria. Ingeniero militar. Catedrático de Topografía militar y jefe de sección en el Ministerio de Guerra y Marina. Intendente de la provincia de Colchagua. Diputado en el Congreso Nacional—1870—. Ministro plenipotenciario en París y Londres.

La lectura de las novelas de Balzac decidió la vocación firmísima de Blest Gana. Fue un romántico realista. Sus propias palabras le definen: "Presentar el estudio de escenas propias de la sociedad chilena, pintando caracteres nacionales y desarrollando la acción por medio de resortes sacados de nuestro modo de ser, sin acudir a medios extraños, que, por lo mismo, dañarían a la verosimilitud del cuadro general, es el campo del escritor de costumbres."

Segura intuición de creador, observador perspicaz de ambientes y de costumbres, brillante *pintor* de escenarios, psicólogo feliz, fácil prosista, dueño de una técnica de narrar segura y sugestiva, Blest Gana se convirtió en el novelista de la sociedad santiaguina en sus clases medias. Tan logrado es el fruto, que el fino crítico Mariano Latorre afirma a su respecto: "Su huella es tan honda en la novelística chilena, que los novelistas posteriores no hicieron sino modificar su técnica, variando la época, los asuntos."

Obras: *Engaños y desengaños*—1858—. *El primer amor*—1858—, *La fascinación* —1858—, *Juan de Arias*—1859—, *La aritmética en el amor*—1860—, *El pago de las deudas*—1861—, *Un drama en el campo*—1861—, *La venganza*—1861—, *Mariluán*—1861—, *Martín Rivas*—París, 1862—, *El ideal de un calavera*—París, 1863—, *La flor de la higuera* —1864—, *Durante la reconquista*—París, 1897—, *Los trasplantados*—1905—, *El loco Estero*—1910—y el drama *El jefe de la familia*—1858.

V. AMUNÁTEGUI SOLAR, D.: *Bosquejo histórico de la literatura chilena.* Santiago, 1915.— LATORRE, Mariano: *La literatura de Chile.* Buenos Aires, 1941.—LILLO, Samuel: *La literatura chilena.* Santiago, 1930.—CERRUTO, Oscar: *Panorama de la novela chilena,* en *Nosotros.* Buenos Aires, 1937.—SILVA ARRIAGAVA, Luis J.: *La novela en Chile.* Santiago, 1910.

BLEST GANA, Guillermo.

Poeta chileno. 1829-1905. Hijo de distinguida familia y hermano del gran novelista Alberto. Estudió Leyes y Letras. Durante cuatro años recorrió Inglaterra, Francia, Italia y España. Desde 1863, ya de regreso en su patria, ocupó importantes cargos administrativos y fue diplomático en Argentina, Brasil y Perú. El declaró su admiración por Goethe, Schiller y Byron; sin embargo, su lirismo deriva de Lamartine, Musset y Espronceda. La influencia de estos grandes poetas y sus muchos achaques físicos filtraron en la poesía de la primera época una tristeza lánguida y enfermiza. Posteriormente tornóse más cálidamente humano, mezclando el ensueño, el humor y cierto elegante escepticismo. Su forma cayó en el desaliño no pocas veces.

Obras: *Versos*—1854—, *Armonías*—1884—, *Sonetos y fragmentos*—1907—, *Lorenzo García*—drama—, *La conjuración de Almagro* —drama—, *Dolores Ventinilla*—biografía—, *Poesías líricas...*

V. Amunátegui Solar, D.: *Bosquejo histórico de la literatura chilena*. Santiago, 1915.— Latorre, Mariano: *La literatura de Chile*. Buenos Aires, Facultad de Filosofía y Letras, 1941.—Lillo, Samuel: *La literatura chilena*. Santiago, 1930.—Figueroa, P. P.: *Antología chilena*. Santiago, 1908.—Silva Castro, Raúl: *Antología de los poetas chilenos del siglo XIX*. "Biblioteca de Escritores de Chile", vol. XIV. Santiago, 1937.

BLIXEN, Samuel.

Crítico, prosista y periodista uruguayo de singular talento y vasta comprensión. Nació en 1869. Murió en 1909. Crítico de arte, catedrático de Literatura en la Universidad de Montevideo, fue un espíritu de alta selección. Abogado y secretario de la Cámara de Representantes, siempre dio preferencias a su labor de prensa. Cronista y crítico de pluma galana y de gallarda espiritualidad, hizo prestigioso e inolvidable su seudónimo de "Suplente". Escribió dos valiosos tomos de *Literatura contemporánea*, varias obras teatrales: *El cuento de tío Marcelo, Primavera, Verano, Otoño* e *Invierno*, verdaderas filigranas de la escena. Fundó y dirigió una revista de actualidades, *Rojo y Blanco*, que fue una bella nota periodística, y en el último lapso de su vida dirigió *La Razón*, diario al que orientó hacia las modernas normas del periodismo, con acentuada influencia en la evolución de la prensa montevideana. Tempranamente, a los cuarenta y dos años de edad, falleció en Montevideo, el 22 de mayo de 1909.

BLOMBERG, Héctor Pedro.

Poeta, novelista, ensayista. Nació—1890— y murió—1955—en Buenos Aires. Pasó su infancia en el Paraguay, de donde era natural su madre. Estudió el bachillerato en el Colegio Nacional Central de su ciudad natal, e ingresó luego en la Facultad de Derecho, pero sin llegar a graduarse. Intérprete de la IV Conferencia Panamericana. Luego marchó al Brasil y a Europa, recorriéndola de punta a punta, así como el norte de Africa. De regreso a su patria, se dedicó activamente al periodismo, siendo redactor de *La Nación* y de *La Razón* y colaborador de *El Hogar*.

Fino poeta, sin excesivos modernismos. Prosista elegante y fácil. En 1912, la Municipalidad de Buenos Aires premió su libro *A la deriva*. "Recursos simples y sentimentalidad romántica definen su esencia poética, eficaz para sugerir el misterio del mar, de los puertos y de los antros en que revuelve la lujuria ocasional, revestida de cálida pasión por la abstinencia de las largas travesías... Tipos y episodios adquieren calidad de poesía en forma de cancionero popular,

envuelto en una atmósfera de época sentimental y trágica. Por eso algunas composiciones han alcanzado extraordinaria popularidad, adaptándoseles acompañamiento musical." (Leguizamón.)

Obras: *La canción lejana* — Barcelona, 1912—, *Las islas de la inquietud*—Buenos Aires, 1914—, *Gaviotas perdidas*—Buenos Aires, 1921—, *Bajo la cruz del Sur*—Buenos Aires, 1923—, *Los soñadores de bajo fondo*—novelas, Buenos Aires, 1924—, *Los peregrinos de la espuma*—novelas, Buenos Aires, 1924—, *La pulpera de Santa Lucía* —novela, 1925—, *La otra pasión*—novela, Buenos Aires, 1925—, *Pancho Garmendía* —poema dramático, Buenos Aires, 1922—, *Los pastores de estrellas*—poema dramático—, *Barcos amarrados*—poema dramático—, *Guitarras rojas*—poemas...

V. Rojas, Ricardo: *La literatura argentina*. Buenos Aires, 1924.—Estrella Gutiérrez, Fermín: *Panorama de la literatura argentina*. Santiago de Chile, 1938.—Giménez Pastor, A.: *Historia de la literatura argentina*. Buenos Aires, edit. Labor. Dos tomos.— Pinto, Juan: *Panorama de la literatura argentina contemporánea*. Buenos Aires, 1941.

BOBADILLA, Emilio («Fray Candil»).

Novelista, cuentista, ensayista y crítico literario muy popular en España en los primeros años del siglo actual y últimos del pasado. 1862-1921. Nació en Cárdenas (Cuba). Hizo famoso su seudónimo de "Fray Candil". Director de *Habana Cómica*—1884—. Muy joven, viajó por Europa y vivió mucho tiempo en París y en Madrid. Fue uno de tantos escritores hispanoamericanos ganados por Occidente y ardientes militantes en su cultura.

Espíritu áspero, agresivo, mordaz, desenfadado. Y muy culto y con un sentido finísimo de la crítica. Sacudía sarcasmos, con la pluma mojada en hiel o en leche agriada, a diestro y siniestro, sosteniendo ruidosas polémicas periodísticas con numerosos escritores de todas partes. Su sátira era como una risotada rabelesiana. Al escribir con serenidad y no según el humor y estado de sus nervios, hubiera sido uno de los críticos literarios más autorizados y un novelista de empuje. Como narrador, se afilió a lo más grosero de la escuela naturalista.

A todos los libros de Bobadilla se les puede aplicar el juicio que el gran crítico Enrique José Varona tuvo para *Reflejos de Fray Candil*: "Es una obra de nuestros iconoclastas; es decir, que hay en ella mucho desenfado, rasgos de talento, párrafos muy picantes, algunas muestras de franqueza, su poquito de petulancia y poca sinceridad..."

Obras: *Relámpagos*—poesías, La Habana, 1884—, *Mostaza*—epigramas, 1885—, *Reflejos* de *Fray Candil*—la Habana, 1886—, *Escara-muzas*—sátiras y críticas, Madrid, 1888—, *Fiebres*—poesías, Madrid, 1889—, *Capirotazos*—sátira y crítica, 1890—, *Críticas instantáneas* —1891—, *Triquitraques*—críticas, 1892—, *Solfeo*—crítica y sátira, 1894—, *La vida intelectual. I. Baturrillo*—1895—, *Novelas en germen*—1900—, *Grafómanos de América*—1902, dos tomos—, *Vórtice*—poesías, 1902—, *Al través de mis nervios*—crítica, 1903—, *A fuego lento*—novela, Barcelona, 1903—, *Sintiéndome vivir, salidas de tono* —Madrid, 1906—, *Muecas*—críticas y sátiras, París, 1908—, *Con la capucha vuelta*—crónicas, París, 1909—, *Viajando por España* —Madrid, 1912—, *Bulevard arriba, bulevard abajo*—París, 1912—, *En la noche dormida* —novela erótica, Madrid, 1913—, *En pos de la paz*—novela, Madrid, 1917...

V. SANGUILY, M.: *Acerca de "Fray Candil"*, en *Rev. Cub.*, VIII.—PICÓN-FEBRES, G.: *Notas y opiniones*. 1899.—REMOS Y RUBIO, J. J.: *Historia de la literatura cubana*. La Habana, 1925.

BOCÁNGEL Y UNZUETA, Gabriel.

Poeta y dramaturgo de gran mérito. Nació —¿1608?—en Madrid. Y en Madrid murió el año 1658. Fue hijo del médico de cámara don Nicolás Bocángel. Estudió en Alcalá y obtuvo la plaza de bibliotecario del infante-cardenal don Fernando—1629—, la de contador de resultas de su majestad—1634—y la de cronista—1637—. Tomó parte en los concursos literarios celebrados en los palacios del marqués de Velada—1625—y del duque de Lerma—1627—. Escribió muy buenas poesías y algunas obras teatrales, en una de las cuales, *El nuevo Olimpo*, lírico-dramática, se introdujo la música de un modo nuevo, el antecedente de la zarzuela española, por cuya feliz innovación el rey don Felipe IV le concedió una pensión de por vida.

Obras: *Rimas y prosas, junto con la fábula de Leandro y Ero*—Madrid, 1627—, *Por la salud del serenísimo señor infante don Fernando, Lira de las musas humanas, lira de las voces sacras*—1637—, *Templo cristiano o Elegía a la muerte de doña Isabel de Borbón*—poema en octavas, 1645—, *El nuevo Olimpo*—1647—, *Triunfo del Amor y Marte* —1648—, *El nuevo Olimpo*—comedia—, *El emperador fingido*—comedia—, *Piedra cándida*—poema lírico, 1648—. Se conservan versos suyos en el *Jardín de fragantes flores*, de Martínez de Grimaldo, y en *La estafeta del dios Momo*.

Bocángel fue un poeta de forma magnífica, un tanto culterano.

En 1946, Rafael Benítez Claros ha publicado una notable y completa edición—Madrid, Consejo Superior de Investigaciones Históricas—de las obras de Bocángel.

V. ALVAREZ DE BAENA: *Hijos de Madrid...* Tomo II.—GALLARDO, B. J.: *Ensayo... de una biblioteca española...* Tomo II.—BENÍTEZ CLAROS, Rafael: Prólogo y notas a las *Obras completas de Bocángel*. Madrid, 1946. Dos tomos. "Biblioteca de antiguos libros hispánicos".

BOFARULL Y DE BROCÁ, Antonio de.

Historiador y literato español. Nació —1821—en Reus (Tarragona). Murió—1892—en Barcelona. Cursó Derecho civil y canónico en la Universidad barcelonesa. Fundó el periódico satírico *El Hongo* y publicó numerosos artículos de crítica teatral con el seudónimo de "Lo Coblejador de Moncada". Sobresalió por sus trabajos en pro del renacimiento literario catalán y de los Juegos florales.

Obras literarias: *Pedro "el Católico", rey de Aragón*—drama, 1842—, *Roger de Flor* —drama, 1845—, *Urgel Almogávar*—drama—, *El Consejo de Ciento*—drama—, *Medio rey, medio vasallo*—drama—, *Blanca o La huérfana de Menargues*—novela histórica, 1876.

Obras históricas: *Hazañas y recuerdos de los catalanes... hasta el enlace de Fernando con Isabel*—1846—, *Historia de don Jaime I* —1848—, *Tarragona monumental*—1849—, *Crónica de Pedro IV "el Ceremonioso"* —1845—, *La Confederación catalana-aragonesa; historia crítica civil y eclesiástica de Cataluña*—1878—, *Historia crítica de la guerra de la Independencia*.

Bofarull dirigió durante muchos años el Archivo de la Corona de Aragón y perteneció a la Real Academia de Buenas Letras de Barcelona.

BÖHL DE FÁBER, Cecilia («Fernán Caballero»).

Gran novelista y costumbrista *española*, aun cuando nació—1796—en Morges, del cantón suizo de Berna, y era hija del alemán Nicolas Böhl de Fáber, entusiasta hispanófilo. Su madre sí era una española, doña Francisca Larrea. "Fernán Caballero" se educó en Suiza y en Hamburgo. Convertido al catolicismo don Nicolás por fray Diego José de Cádiz, educó a sus hijos todos religiosamente. En 1816 estaba de nuevo con ellos en la hermosa ciudad gaditana. Cecilia se casó con el capitán don Antonio Planells y Bardají, de Ibiza, y con él vivió varios meses en Puerto Rico, hasta que, muerto el esposo antes del año, volvió a Europa, residiendo de nuevo en Hamburgo, y volvió a Cádiz hacia 1821. Un año después contrajo nuevo matrimonio con el oficial de Guardias españolas don Francisco Ruiz del Arco, marqués del Arco Hermoso. Habiéndose trasladado a una hermosa finca propiedad de este, en Dos Her-

B

manas, despertósele a "Fernán Caballero" la afición a las narraciones del pueblo, y recogió frases, decires, chistes, chascarrillos populares.

Quedó viuda por segunda vez a los treinta y ocho años. En pocos años perdió también a sus padres. Trinubó—1837—con don Antonio Arrom de Ayala en el Puerto de Santa María. Venidos a menos sus bienes, ausente el esposo, cónsul de España en Australia, "Fernán Caballero" entregóse plenamente a la literatura. Acogidas con entusiasmo sus primeras obras, pudo colaborar en la *Revista de Ciencias, Literatura y Arte*—1855 a 1861—y en *El Museo Español*—1852—. De regreso de Australia, se suicidó en Londres el tercer esposo de la gran novelista, quien pasó diez años en Sevilla, teniendo el Alcázar por vivienda y escribiendo en él sus mejores artículos y sus últimas novelas. La revolución de 1868 la desalojó de la mansión histórica, que le había ofrecido graciosamente doña Isabel II, pasando entonces a ocupar una casita en la calle llamada Juan de Burgos —hoy "Fernán Caballero"—, donde publicó su última obra: *Cuentos, oraciones, adivinanzas y refranes populares e infantiles* —1877—. Su muerte, en 1877, produjo honda conmoción en España y el extranjero. Los principales escritores europeos y americanos le dedicaron calurosos elogios.

La primera obra literaria de "Fernán Caballero" la escribió en 1831 y la imprimió en Hamburgo; se titula *Sola;* es de costumbres andaluzas, pero su primitiva redacción fue alemana. En francés escribió *La gaviota,* novela muy hermosa, que tradujo al castellano José Joaquín de Mora, para publicarla en folletones en el *Heraldo de Madrid* —1849—, y que alcanzó una fortuna estrepitosa.

Otras obras: *Clemencia*—novela, 1852, con un prólogo del popular dramaturgo Luis de Eguílaz—, *Cuadros de costumbres populares andaluzas*—Sevilla, 1852—, *Lágrimas*—novela, Cádiz, 1853—, *La estrella de Vandalia* —Madrid, 1855—, *La familia de Alvareda* —novela, 1856, prólogo del duque de Rivas—, *Elia o España treinta años ha*—Madrid, 1857—, *Un servilón y un liberalito*—Madrid, 1857—, *Vulgaridad y nobleza*—1857—, *Un verano en Bornos*—1855—, *Cuentos y poesías populares andaluces*—Sevilla, 1859—, *Deudas pagadas*—1860—, *El Alcázar de Sevilla*—Sevilla, 1862—, *La farisea y Las dos gracias* —Madrid, 1865—, *Colección de artículos religiosos y morales*—Cádiz, 1862...

Varias ediciones han llevado a cabo de las *Obras completas* de "Fernán Caballero". La de Madrid—1855—, en 19 volúmenes. La de Mellado—Madrid, 1859—, en 13 volúmenes. La incluida en la *Colección de Autores Castellanos*—en 11 volúmenes, 1893 a 1914—.

La de Rubiños—Madrid, 1902 a 1916—, en 16 volúmenes. La de Antonio Romero—Madrid, 1907—, en cinco volúmenes.

Muchas obras de la gran novelista han sido traducidas numerosas veces al alemán, al polaco, al francés, al inglés, al italiano, al portugués, al sueco, al holandés.

Dos méritos fundamentales tiene esta gran escritora: haber acabado con el gusto del público por las malas traducciones de las novelas románticas inglesas y francesas y haber iniciado a este mismo público en el gusto por el realismo genuinamente español en la novela. Sí, el sano realismo español de la "Fernán Caballero" producirá en seguida los frutos opimos salidos de las plumas maestras de Alarcón, Valera, Galdós, "Clarín", la Pardo Bazán, Palacio Valdés... Aunque esta egregia mujer no ostentara otro mérito que el de ser la precursora de la más importante y fecunda generación de novelistas españoles, ya sería digna del encomio más alto. Pero ostenta otros muchos valores. Crea hombres y mujeres de la mejor humanidad, actuales y palpitantes con gozo. Describe con primor y delicadeza paisajes y cosas. Tiene salero y pasión en los diálogos. Una veta de honda ternura humedece de piedad cuantas pasiones hace saltar con desgarro, por la fuerza de las circunstancias.

"Las obras de 'Fernán Caballero' se caracterizan por su tendencia religiosa y moralizadora, por su propósito de enseñar los deberes cristianos, especialmente el de la caridad, y por su predilección por el ambiente popular gaditano o sevillano. El duque de Rivas comparaba los cuadros y retratos de 'Fernán Caballero' con las obras de Velázquez, por su vigor, y con las de Goya, por su colorido. A la aparición de *La gaviota*, algún crítico se congratuló viendo en perspectiva un Walter Scott español: ciertamente, 'Fernán Caballero' influyó en el resurgimiento de la novela en España en el siglo XIX." (G. Palencia.)

Con mucho mayor entusiasmo se expresa el apasionado Cejador: "Ella revivió la novela castiza española sin ingredientes románticos; la novela realista y de costumbres de Cervantes, continuada después por Galdós. Ella dio el primer ejemplo de la novela regional, continuada por Pereda. Ella fue la primera que introdujo el folklore o demosofía en España."

V. MOREL-FATIO, Alfred: *"Fernán Caballero" d'après sa correspondance avec Antoine de Latour,* en *Bull. Hispanique.* Tomo III. 1901.—WOLF, Fern.: *Uber des realistischen Roman... von "Fernán Caballero".*—COLOMA, P. Luis: *Recuerdos de "Fernán Caballero".* Bilbao, s. a.—PITOLLET, Camilo: *Les premières essais littéraires de "Fernán Caballero",*

en *Bull. Hispanique,* tomo IX, 1907.—Bon-
neau-Avenant, Comte: *"Fernán Caballero",
sa vie, ses oeuvres.* París, 1882.—Figueroa,
Marqués de: *"Fernán Caballero" y la novela
en su tiempo.* Madrid, 1886.—Blanco García,
P. Francisco: *La literatura española en el
siglo XIX.* Dos tomos, Madrid, 1891 y 1896.—
Palma, Angélica: *"Fernán Caballero", la
novelista novelable.* Madrid, Espasa-Calpe,
1932.—Hespelt, E. H.: *The genesis of the
"La familia de Alvareda",* en *Hispanic Review,* 1943.—Hespelt y Williams: *Washington Irving's. Notes on "Fernán Caballero's" Stories,* en *Publications of the Modern
Language Association of America.* Baltimore, 1934.—Romano, Julio: *"Fernán Caballero" (La alondra y la tormenta).* Madrid, Editora Nacional, 1950.

BOIX Y RICARTE, Vicente.

Poeta, dramaturgo e historiador español.
Nació—1813—en Játiva. Murió—1880—en
Valencia. Estudió con aprovechamiento en las
Escuelas Pías, en donde ingresó como religioso en 1827. Gran amigo del P. Arolas.
Catedrático y cronista de Valencia. Ya en
Madrid, fue redactor de *El Huracán*—1840.
Obras: *Himno a la Libertad*—1835—, *El
amor en el claustro, o Eduardo y Adelaida,
cartas eróticas*—1838—, *Horas de silencio, en
verso*—1843—, *Historia de la ciudad y reino
de Valencia*—tres tomos, 1845—, *Obras
poéticas, poesías históricas y caballerescas*
—1851—, *El encubierto en Valencia*—novela,
1852—, *Xátiva, memorias*—1857—, *La campana de la Unión*—leyenda histórica, 1866—,
Obras literarias selectas—1880—, *El jardín de
un poeta, Una noche de revolución*—drama—, *Jacobo "el Templario"*—drama—, *Fernando de Alarcón, El Juicio final*—ópera
cómica—, *Pobre y tonto*—ensayo cómico.
Boix fue un escritor vehemente, aborras-
cado, imaginativo, muy influido por los franceses Sué y Dumas.

BOLET PERAZA, Nicanor.

Literato y periodista venezolano. Nació
—1838—en Caracas y murió—1906—en Nueva York. Estudió la carrera de Medicina, que
llegó a ejercer durante algún tiempo con
éxito. Gran orador. Gran periodista en su
patria y en el extranjero. Ministro del Interior y de Policía. Varias veces representante
de su país en distintas naciones de Europa y
de América. Por cuestiones políticas, hubo de
emigrar a los Estados Unidos, donde fundó
empresas comerciales y publicaciones como
Las Tres Américas y *La Revista Ilustrada
de Nueva York.* Su casa neoyorquina fue
punto de reunión de los grandes proscritos
y escritores americanos de su tiempo.
Bolet Peraza fue un magnífico escritor cos-

tumbrista, de prosa plástica y movida, gran
pintor de paisajes y de ambientes, maestro
del diálogo natural y de la rigurosa indivi-
dualización de los personajes, y hasta del
dialectismo y la fonética regional. Sus "cuadros" constituyen uno de los más simpáticos,
realistas y exactos documentos de su patria
y de su época.
Obras: *Cuadros caraqueños, Cartas greda-
lenses.*
V. Picón Salas, Mariano: *Formación y
proceso de la literatura venezolana.* Caracas,
1941.—Picón Febres, Gonzalo: *Literatura
venezolana del siglo XIX.* Caracas, 1906.—
Narbona Nenclares, F.: *La literatura de Venezuela,* en el tomo XII de la *Historia universal de la literatura,* de Prampolini. Buenos
Aires, Uteha Argentina, 1941.

BOLLO, Sarah.

Poetisa uruguaya. Nació ¿—1908—en Montevideo? Doctora en Letras. Profesora oficial
de Pedagogía. Ha dado incontables conferencias. De ella, como poetisa, ha escrito Alberto
Zum Felde: "Sarah Bollo aparece como una
voz nueva, abriendo la nueva ruta. Reacciona contra la poesía erótica... Una extraordinaria riqueza figurativa singulariza su expresión. Sus poemas son bosques espesos de
imágenes, de orillas de incesante e impetuoso
oleaje metafórico.
Obras: *Diálogo de las luces perdidas*
—1927—, *Nocturnos del fuego*—1931—, *Voces ancladas*—1933—, *Regreso*—1934—, *Baladas del corazón cercano*—1935—, *Tres ensayos alemanes*—1939...
V. Zum Felde, Alberto: *Proceso espiritual
del Uruguay.* Montevideo, 1941.

BONAFOUX Y QUINTERO, Luis.

Escritor y periodista español. Nació
—1855—cerca de Burdeos (Francia). Murió
—1918—en Londres. El bachillerato lo cursó
en Puerto Rico, y la carrera de Leyes, en Madrid y Salamanca. En la provincia de Santander fue director de Minas y registrador de la
Propiedad en Puerto Rico. Fundó periódicos
como *El Español* y *El Intransigente.* Colaboró en otros muchos: *El Globo, El Liberal,
Heraldo de Madrid, La Unión, El Mundo Moderno, El Solfeo, Gil Blas, El Satiricón...*
Un artículo magnífico, *El Carnaval de las
Antillas,* motivó que le expulsaran de Puerto Rico.
Bonafoux fue uno de los cronistas más leídos y admirados del periodismo español. De
mucha cultura, de sátira fina, de estilo recio, desenfadado y pintoresco, noble y desinteresado de intención, crítico agudo y certero, Bonafoux ha sido uno de los mejores
críticos españoles, tanto políticos como inter-
nacionalistas. Igualmente lo fue literario, ori-

B

ginando muchos de sus escritos no pocas y violentas controversias entre hombres de letras. Fue famosa la sostenida por él contra "Clarín".

Obras: *Mosquetazos de Aramis, Literatura de Bonafoux, Yo y el plagiario "Clarín", Huellas literarias, Esbozos novelescos, París al día, Bombos y palos, Bilis, Emilio Zola, España política, Tiquis-Miquis, De mi vida y milagros, Dulces y agrios, Por el mundo arriba, Gleri..., Casi críticas, rasguños; Príncipes y majestades, Los españoles en París, Franceses y francesas, Gotas de sangre...*

V. CEJADOR FRAUCA, J.: *Historia de la lengua y literatura castellanas.* Tomo IX.

BONET GELABERT, Juan.

Periodista, novelista y autor dramático español, que escribe indistintamente en lengua castellana o en lengua catalana. Nació —1917—en Palma de Mallorca. Desde la adolescencia se dedicó al periodismo, siendo fundador del diario *Baleares.* Toda su producción se balancea entre un realismo neto y un agudo humorismo, no siendo raro que estas dos tendencias se armonicen perfectamente en algunas de sus obras.

Obras: *Un poco locos, francamente* —1957—, *Historia para unas manos*—1962—, *La terraza*—1965—, *También en Palma crecen los niños*—1967—, *El zoo cotidiano*—novelas, 1968—, *Los días contados*—"Premio de Periodismo Ciudad de Palma, 1955"—, *Quasi una dóna moderna*—"Premio Teatro Ciudad de Palma, 1960"—, *El discutido indiscutible: Jardiel Poncela*—1946—, *Islas Baleares* —1966—, *La prole*—novela, 1965—, *Els nins* —1951—, *Els homs*—1954—, *Les dónes* —1957—, *Mallorca*—1965...

BONIFACIO, Juan.

Erudito y pedagogo español. 1538-1606. Nació en San Martín de Castañar (Salamanca). Muy joven ingresó en la Compañía de Jesús, descollando por su cultura y su disposición para la enseñanza. En Medina del Campo fue maestro de San Juan de la Cruz. Y en sus enseñanzas admirables se modeló una generación nutrida de jesuitas, clérigos y seglares, quedando todos ellos firmes en un sólido y depurado humanismo cristiano y español.

Su obra magistral *Christiani pueri institutio*—Salamanca, 1575—hizo exclamar a Palmireno: "Todos los hombres doctos, con divinas alabanzas, te levantan, engrandecen, exaltan." Y la *Alabanza de la niñez,* que sirve de introducción a la obra, constituye, por su delicadeza suprema, uno de los más bellos cantos que se han dedicado, en todo el mundo y en cualquier época, a la infancia.

Sus admirables cartas pedagógicas fueron

recogidas en *De sapiente fructuoso*—Burgos, 1589.

Juan Bonifacio escribió varios autos sacramentales y piezas dramáticas—en latín y en castellano—para su representación en colegios y seminarios; y se preocupó mucho en los detalles de la escenografía y del vestuario, lo que pudo contribuir mucho a despertar los afanes dramáticos de Lope y de Calderón.

V. OLMEDO, Félix G., S. I.: *Juan Bonifacio (1538-1606) y la cultura literaria del siglo de oro.* Madrid, ¿1940?

BONILLA, Alonso de.

Notable poeta español, natural de Baeza, donde nació a fines del siglo XVI. Murió en la misma ciudad después de 1640. Se dedicó al cultivo de la poesía mística y fue muy fecundo. Mereció los elogios de Lope de Vega y otros muchos escritores célebres.

Bonilla comparte con Ledesma la atribución de *Padres del conceptismo.* En su *Nuevo jardín de flores divinas*—1612—y en sus *Peregrinos pensamientos de misterios divinos* —1614—llega a un mayor atrevimiento que Ledesma. Bonilla se atreve a retorcer conceptuosamente la métrica *no barroca* que utilizaba: el villancico, el romance, la canción, el epigrama, y los retuerce con una fraseología dogmática, bíblica o litúrgica, lanzada en desconcertantes juegos de vocablos y comparaciones antitéticas, cuya lectura deja en perplejidad.

Otras obras: *Glosas a la Inmaculada...* en forma de chanzonetas*—Baeza, 1615—, *Nombres y atributos de la Impecable... Virgen María...*—poema sacro, Baeza, 1624—, *Discurso poético de la vida de la sierva de Dios Francisca de Jesús*—Baeza, 1635.

En el tomo XXXV de la "Biblioteca de Autores Españoles" se recogen *Sonetos, Villancicos, Glosas y Coloquios pastoriles* de Bonilla.

V. CHÉRCOLES VICO, A.: *Alonso de Bonilla,* en *Don Lope de Sosa,* 1917, V, 258.

BONILLA SAN MARTÍN, Adolfo.

Gran erudito, historiador y literato español. Nació—1875—en Madrid. Y en Madrid —1926—murió. Catedrático de Derecho Mercantil en Valencia. Catedrático en Madrid de Historia de la Filosofía. De él ha escrito Cejador: "Discípulo de Menéndez Pelayo e impugnador acérrimo de la Institución Libre de Enseñanza, colaborador de *La Revista Contemporánea*—1897—, *La Edad Moderna* —1902—, *Para todos*—1902—, etc., polígrafo variado, de grande y maciza erudición; historiador de nuestra Filosofía, de la Literatura castellana y del Derecho; investigador serio y puntual, humanista y latino de los contados que nos quedan, escribió como literato, con J. Puyol, *La hostería de Cantillana*—1902—, acaso la novela histórica mejor pergeñada y escrita en España, en el estilo ceñido y lenguaje admirablemente remedado de Cervantes, sin parecer anticuado, con todo el sabor y el espíritu de la época de Felipe IV, de interesante urdimbre y fiel reconstitución histórica. Su hermoso coloquio filosófico *Proteo o el devenir* es hondo en ideas, sutil en la dialéctica y galano en el decir." Y Alvarez del Manzano: "Son tan universales sus conocimientos, es su cultura tan vasta y su fecundidad tan asombrosa, que en los dominios de la Filosofía, de la Historia, de la Literatura, de la Sociología, del Derecho, abarcando y rebasando los límites de las Ciencias Morales y Políticas, sin cesar surgen de la castiza pluma del catedrático Bonilla San Martín infinidad de originales producciones, vivos reflejos de su vasto entendimiento y de su peregrina fantasía, las que llevan por todas partes su nombre, y a él unido el nombre de nuestra Universidad, que es el nombre científico de España..."

Bonilla San Martín dio numerosas conferencias en las principales universidades europeas y americanas, extendiendo en los países respectivos la consideración y la admiración por el saber español. Fue consejero de Instrucción Pública; gran cruz de la Orden de Isabel la Católica; doctor *honoris causa* de la Sorbona, Wutzburgo, Roslok y otras universidades famosas extranjeras; miembro de la Hispanic Society, de Nueva York; decano de la Facultad de Filosofía y Letras de Madrid; académico de la Real Española, la de Ciencias Políticas y Económicas y de la de la Historia.

Gran palabra y excelsa pluma fue Bonilla; clásico de educación y romántico por temperamento; lingüista, filósofo, jurisconsulto, literato, poeta, enamorado de todos los progresos y español sin mezcla y apasionado.

Obras: *Estudios jurídicos*—1898—, *El arte sombólico*—1902—, *Luis Vives y la filosofía del Renacimiento*—1903—, *Anales de la literatura española*—1904—, *Don Quijote y el pensamiento español*—1905—, *Erasmo en España*—1905—, *Prometeo y Arlequín, Esther y otros poemas*—1908—, *El mito de Psychis* —1908—, *Fernando de Córdoba*—1911—, *La tía fingida*—1911—, *La filosofía de Menéndez y Pelayo*—1912—, *Las leyendas de Wagner en la literatura española*—1913—, *Orígenes de la novela*—tomo IV; los tres anteriores son de Menéndez Pelayo—, *Tratado de Derecho Mercantil*—1914—, *Las teorías estéticas de Cervantes*—1916—, *Entremeses de Cervantes*—1916—, *Mitos religiosos de la América precolombina*—1917—, *De crítica

cervantina—1917—; y ediciones prologadas y anotadas admirablemente de Cervantes, Vélez de Guevara, Agustín de Rojas, de Valladares, Cancioneros españoles, Ferrán Núnez, Libros de caballerías, Poesías antiguas castellanas, Gestas de Rodrigo, Fueros de Usagre y de Llanes y Código de Hammurabi...

V. CEJADOR Y FRAUCA, J.: *Historia de la lengua y literatura castellanas*. Tomo XI.— ENSAYO sobre Bonilla, en *Nosotros*, 1926, LII, 151.

BONMATÍ DE CODECIDO, Francisco.

Nació—1901—en Hondón de las Nieves (Alicante). Murió — ¿1964?— en Madrid. Aprendió las primeras letras en Monóvar. Cursó el bachillerato en el Instituto de Alicante y la carrera de Medicina en la Universidad de Valencia.

Su afición a la literatura data de su mocedad, publicando artículos y versos en los periódicos *Monóvar, El Cronista, Los Pueblos* y *El Día.*

Durante algún tiempo residió en Italia, donde le distinguieron con su amistad el rey de España don Alfonso III y su augusto hijo. Vivió también en Portugal.

Bonmatí colaboró en los más importantes diarios y revistas de España: *A B C, Ya, El Alcázar, Domingo, La Nación, Informaciones, Fotos, Semana,* todos ellos de Madrid.

En 1942, el Ayuntamiento de la capital de España le nombró Cronista oficial de la Villa; y en 1948, el de Monóvar dio su nombre a la plazuela donde transcurrieron su infancia y su mocedad.

Obras: *El príncipe don Juan de España* —biografía, Valladolid, 1938—, *La duquesa Cayetana de Alba*—Valladolid, 1940—, *Alfonso XII y su época*—Madrid, 1943—, *El rey enamorado de España*—segunda parte de *Alfonso XII*, Madrid, 1946—, *Pilar*—novela, Valladolid, 1939—, *El ladrón de Clara Valverde*—Madrid, 1944—, *Los inseparables*—novela, 1946—, *El esqueleto con careta*—Madrid, 1947—, *Navajazo*—1950—, *Oro y barro* —1952—, y las novelas breves: *Espérame siempre a las seis*—en *Fotos*, 1941—, *Una mujer de misterio*—en *Domingo*, 1938—, *Y aquel grito...*—en *Domingo*, 1938—, *¿Quién robó a quién?*—en *Fotos*, 1943—, *¿Por qué mientes?*—en *Fotos*, 1941.

BONNAT, Agustín R.

Periodista, escritor satírico, novelista español. Nació—1873—y murió—1925—en Madrid. Licenciado en Derecho. Muy joven aún, ya se hizo popular con sus crónicas festivas en el *Diario Universal, El Globo* y *La Correspondencia de España.* Al fallecer el famoso humorista Luis Taboada, Bonnat le sucedió

B

como cronista de costumbres en la sección que aquel popularizó en *Nuevo Mundo*.

Publicó sus primeras novelas breves en *El Cuento Semanal y Los Contemporáneos*.

Bonnat poseyó una gracia muy personal y muy sana. Su sátira jamás ofendió a nadie y regocijó a todos.

Obras: *El rapto de la Sabina, La revolución de 0,75, Un hombre serio, Jacinta Ruiz* —1920...

BONNÍN-ARMSTRONG, Ana Inés.

Poetisa española contemporánea. Hija de padre mallorquín y de madre puertorriqueña de ascendencia escocesa. Nació en Ponce (Puerto Rico). El linaje de los Armstrong tuvo su solar en Liddisdale, lugar situado en la frontera del reino de Escocia.

A los trece años fue llevada a Mallorca.

Su poesía es inconfundiblemente personal y está transida de sinceridad, de auténtica emoción humana, de ansiedad religiosa, de trascendencia metafísica. Los grandes interrogantes sin respuestas parecen conmoverla inexorablemente.

Fuga fue el primer libro publicado por Ana Inés Bonnín-Armstrong. Pero tan intenso, tan original, tan prodigiosamente femenino, que ha bastado para colocar a su autora en la primera fila de las poetisas contemporáneas que escriben en lengua castellana.

En 1949 apareció su segundo libro: *Poema de las tres voces,* y en 1952, el tercero: *Luz de blanco,* poema.

También en 1952 publicó *Compañeros de ruta.*

V. ESTELRICH, J.: Prólogo a *Fuga.* Barcelona, 1948.

BORAO Y CLEMENTE, Jerónimo.

Literato, político y catedrático español. Nació —1821— en Zaragoza. Murió —1878— en la misma ciudad. Catedrático de Literatura española en la Universidad zaragozana. Sus ideas liberales fueron causa de que sufriera varios encarcelamientos. Diputado a Cortes. Director general de Instrucción Pública en 1856. Senador.

Obras: *Diccionario de voces aragonesas* —1850—, *Historia del alzamiento de Zaragoza en 1854, Historia de la Universidad de Zaragoza, Arbol genealógico de los reyes de la Casa de Aragón, Colección de poemas;* y los dramas: *En el crimen va el castigo, Los condes de Portugal, Alfonso "el Batallador", Los Fueros de la Unión y Las hijas del Cid.*

BORGES, Jorge Luis.

Original e innovador poeta y prosista. Nació —1900— en Buenos Aires. Hijo del doctor Jorge Borges. Estudió en Ginebra, donde le sorprendió la guerra mundial de 1914. Terminados sus estudios, viajó por toda Europa, comenzando su actividad literaria al ponerse en contacto con los movimientos "ismos" de la posguerra. En Madrid vivió bastante tiempo. Y fue en España donde se inició su fervor ultraísta, firmemente asistido por el crítico español Guillermo de Torre. En 1921 regresó a su patria, intentando un ensayo de revista mural, *Prisma,* "cartelón que ni las paredes leyeron", según sus propias palabras. Con Guiraldes, Pablo Rojas Paz y Brandán Caraffa fundó la revista *Proa,* refugio desenfadado de las mayores audacias poéticas, de las críticas más iconoclastas y subversivas.

Jorge Luis Borges tiene una gran cultura, un temperamento artístico impresionante y audaz, un barroquismo expresivo dislocado en ocasiones, un sentido crítico incisivo y certero, sensibilidad recamada de las imágenes más extrañas y un dinamismo —o inquietud— siempre en trance de las aventuras más juveniles y absurdas.

Leguizamón ha escrito de él: "Su expresión es originalmente esencial, paradójica —no por vicio de lo insólito, sino de lo eficaz— y ávida de la imagen representativa, aun distorsionando los clásicos elementos de coherencia. Dentro de su amplitud de preferencias —situación de cultura—, revela una marcada preferencia por lo criollo sustancial."

Es hoy Borges, en su patria, uno de los literatos de mayor prestigio, de quien se puede esperar siempre la nota de originalidad o de trascendencia.

Ha sido —1963— el primer escritor argentino que ha logrado el Premio Nacional, dotado con quinientos mil pesos.

En 1971 se le concedió el "Premio Jerusalén de la Paz".

Obras: *Fervor de Buenos Aires* —1923—, *Luna de enfrente* —poemas, 1925—, *Cuaderno San Martín* —poemas, 1929—, *Poemas* —selección, Buenos Aires, 1943—, *Inquisiciones* —prosas, 1925—, *El tamaño de mi esperanza* —1926—, *El jardín de los senderos que se bifurcan, Ficciones* —cuentos—, *Historia de la eternidad* —1930—, *La muerte y la brújula* —cuentos—, *El "Martín Fierro"* —1954—, *Nuevas inquisiciones* —críticas—, *El Aleph...*

V. PETIT DE MURAT, U.: *Sobre... Jorge Luis Borges,* en *Correo Literario.* Buenos Aires, 1944.—GONZÁLEZ CARBALHO, J.: *Indice de la poesía contemporánea argentina.*—VIGNALE, Pedro Juan: *Exposición de la actual poesía argentina.* Buenos Aires, 1927.—TORRE, Guillermo de: *Literaturas europeas de vanguardia.* Madrid, 1925.

BORJA, César.

Literato, político y médico ecuatoriano. 1847-1910. Una de las mentalidades más claras y profundas de su patria, gloria de su parnaso, modelo de buen decir y de la cultura · más sólida. Rector de la Universidad Nacional de Quito. Ministro de Instrucción Pública, Hacienda y Relaciones Exteriores. Miembro de número de las Academias de la Lengua y de la Historia, y correspondiente de las españolas.

Gracias a su esfuerzo, las letras ecuatorianas iniciaron un espléndido resurgimiento.

Obras: *Ergatina*—crítica literaria—, *Madre*—poema—, *Patria*—poema—, *Paisajes y recuerdos, Flores tardías*—poesías—, *Fin de siglo, Joyas ajenas*—traducciones—, *Raza de víboras, El agua...*

V. ACADEMIA DEL ECUADOR: *Antología ecuatoriana*. Quito, 1892.—ARIAS, Augusto: *Panorama de la literatura ecuatoriana*. Quito, 1936.—BARRERA, Isaac: *La literatura ecuatoriana*. Quito, 1924.

BORJA, César Arturo.

Poeta ecuatoriano. 1894-1915. Nació en Quito y murió trágicamente. Le creemos pariente cercano del anterior. Fue un espíritu complejo y una sensibilidad morbosa, discípulo de Rimbaud y Mallarmé. Introdujo en su patria el postmodernismo. Alcanzó una gran popularidad.

Algunas de sus poesías—*Mujer de bruma, Madre locura, Por el camino de las quimeras, Visión lejana*—aparecen en todas las antologías ecuatorianas y las repiten de memoria muchos compatriotas de César Arturo.

Obras: *Primavera mística*—1912—, *La flauta de ónix*—1920.

V. ARIAS, Augusto: *Panorama de la literatura ecuatoriana*. Quito, 1936.—BARRERA, Isaac: *La literatura ecuatoriana*. Quito, 1924. MORENO MORA, V.: *Esquema de la poesía ecuatoriana*. Cuenca, 1938.—CARRIÓN, Benjamín: *Indole de la poesía ecuatoriana contemporánea*. Santiago, 1937.

BORJA, Don Francisco de, príncipe de Esquilache.

Notable poeta y prosista. Nació en Madrid el año 1581 y murió en la misma villa el 1658. Oriundo del Levante español.

González Palencia escribe de él: "Correcto en la rima, profundo y claro en los pensamientos, suelto en la versificación, es Esquilache uno de los pocos poetas de su tiempo que se sustrajeron a las influencias culteranas y casi a las conceptistas, aunque a veces incurre en evidente prosaísmo."

Sus obras en verso, editadas por primera vez en 1648, fueron reimpresas varias veces. Es autor, además, de un poema heroico titulado *Nápoles recuperada por el rey don Alonso*—1651.

Hijo de Juan Borja, mayordomo mayor de la emperatriz doña María, nieto de San Francisco de Borja, fue gentilhombre de cámara del rey don Felipe IV, caballero del Toisón de Oro y gobernador y capitán general del Perú desde 1615 a 1621. Durante su mandato en el país de los Incas sometió a los mainas—en el río Marañón—, fundó la Universidad de San Marcos, instituyó el tribunal del Consulado—que decidía en materia comercial—y colonizó la ciudad llamada de San Francisco de Borja.

Nadie aventajó a Esquilache en la prosopopeya y en el circunloquio. Vestía fastuosamente. Se acicalaba con perfumes y potingues. Hablaba en un tono enfático. Y era, sin embargo, sensiblero y muy caritativo. De regreso a Madrid, habitó su palacio, llamado *de Rebeque*, situado en el Pretil de Palacio. Y en él dio fiestas de amor y poesía, en las que solían irrumpir—a destiempo, cuando no a deshora—ingenuos llenos de hambre—que iban a saciarla con pocos miramientos—y de malas intenciones—que dejaban caídas, lo mismo que puntas de tachuelas—. Ingenios ensotanados o capirrotes que se llamaban Góngora, Salas Barbadillo, Vélez, Quevedo...

A Esquilache le enterraron en la capilla de los Borjas, de San Isidro el Real.

Esquilache es autor de las obras siguientes: *Nápoles recuperada por el rey don Alonso*—poema burlesco, Amberes, 1651—, *Los tres tabernáculos y soliloquios del alma*—Bruselas, 1661—, *Obras en verso*—Madrid, 1639—, *Sentencias filosóficas del doctor Juan Olarte*—manuscrito—, *Canto de Jacob y Rebeca, Oraciones y meditaciones de la Vida de Nuestro Señor Jesucristo*—traducción de Kempis.

Ediciones muy interesantes son: De *Nápoles recuperada*, la de 1657, por Baltasar Moreto, en su imprenta plantiniana; de las *Obras en verso*, la de Amberes de 1654, bellísimamente impresa.

Las obras de Esquilache pueden leerse en los tomos XVI, XXIX, XLII y LXI de la "Biblioteca de Autores Españoles", de Rivadeneyra.

V. BARROS, Juan de Dios: *Don Francisco de Borja. Su vida y sus obras*. Valencia, 1854. ROSELL, Cayetano: Prólogo al tomo XXIX de la "Biblioteca de Autores Españoles".— BALLESTEROS ROBLES, L.: *Diccionario biográfico matritense*. Madrid, 1912.—GÓMEZ OCERÍN, J.: *Del príncipe de Esquilache*, en *Revista Fil. Esp.*, 1918, V.—GREEN, H. O.: *On the P. de E.*, en *Rev.*, VII, 220-224.

BORRÁS, Tomás.

Novelista, cuentista, dramaturgo y crítico español notabilísimo. Nació—1891—en Madrid. Cursó el bachillerato en el Instituto de San Isidro, de Madrid, siendo discípulo predilecto de Navarro Ledesma. Estudió Leyes, pero no llegó a licenciarse. Doce años tenía al publicar su primer artículo. Redactor, colaborador y crítico teatral de varios periódicos madrileños, como *Fígaro, La Noche, La Tribuna, Mundo Gráfico, Nuevo Mundo, La Esfera, A B C, Blanco y Negro, El Español...* También escribe asiduamente en varias publicaciones sudamericanas. Del Instituto de Estudios Madrileños del Consejo Superior de Investigaciones Científicas.

Ha dirigido compañías teatrales y ha fundado revistas y diarios. Ha traducido casi medio centenar de obras y adaptado dos docenas de obras clásicas españolas. Nombrado —1953—periodista de honor.

Borrás es uno de los escritores más finos y profundos, de estilo más personal y brillante de la actualidad literaria española. Domina por igual todos los géneros literarios, pero es en el *cuento* donde sobresale magníficamente, hasta el punto de que, aparte la condesa de Pardo Bazán, nadie ha igualado a Borrás en la hondura, amenidad, gracia poética, dramatismo humano y estilo vibrante de las narraciones breves. Si alguna cualidad hubiera que destacar entre las muchas de este admirable escritor, sería la de la originalidad.

Tomás Borrás, espíritu siempre insaciable en la caza de la belleza y de la emoción, ha dirigido revistas y teatros, llevando a sus páginas y a sus escenarios las más audaces y sorprendentes inquietudes. Más de cinco mil artículos, plenos de sugestión y de humor y de oportunidad ha derramado en incontables publicaciones. Resulta difícil encontrar hoy en el campo de las letras españolas un escritor tan diverso, tan señor, tan simpático y tan fieramente independiente, dueño de tantas virtudes creadoras.

Novelas: *La pared de tela de araña, La mujer de sal, Polichinelita, Checas de Madrid, La sangre de las almas, Luna de enero y el amor primero, Oscuro heroísmo...*

Libros madrileños: *El Madrid de José Antonio, Conrado del Campo, Madrid gentil, torres mil; Madrid teñido de rojo, En Madrid, patria de todos; Juan Tellería, Historillas de Madrid y cosas en su punto—1968—, Todos y nadas de la Villa y Corte.*

Novelas cortas y cuentos: *Noveletas, Sueños con los ojos abiertos, Casi verdad, casi mentira; Unos, otros y fantasmas; Diez risas y mil sonrisas, Cuentos con cielo, Buenhumorismo, La cajita de asombros, Cuentacuentos, Antología de los Borrases, Azul contra*

gris, *Circo secreto, Pase usted, Fantasía; Algo de la espina y algo de la flor, Yo, tú, ella; Rueda de colores, Trébol, diamante, corazón y pica; Historias de coral y de jade* —1966, "Premio Nacional Miguel de Cervantes, 1967".

Teatro: *El pájaro de dos colores, El árbol de los ojos, El Avapiés, La esclava del Sacramento, El honor de mesié La Pringue, Noche de Alfama, Todos los ruidos de aquel día, Fígaro, Tam-tam, Fantochines, El sapo enamorado, La Anunciación.*

V. Sainz de Robles, F. C.: Prólogo a *La novela corta española.* Madrid, Aguilar, 1952. Entrambasaguas, Joaquín: *Las mejores novelas contemporáneas.* Barcelona, edit. Planeta, 1960. Tomo VI, págs. 1263-1315. (Contiene bibliografía exhaustiva.)—Nora, Eugenio G. de: *La novela española contemporánea.* Madrid, edit. Gredos, 1963. Tomo II, págs. 357-362.—Sainz de Robles, F. C.: *La novela española en el siglo XX.* Madrid, Pegaso, 1957.

BORRERO, Dulce María.

Gran poetisa cubana. Nació—1883—en Puentes Grandes (La Habana). De familia distinguida de escritores y artistas. Publicó sus primeras composiciones—1904—en *Arpas cubanas.*

"La poesía de Dulce María Borrero—escribe Chacón y Calvo—traduce estados interiores que tienen siempre estas características: una inquietud creadora y una infinita desesperanza. Un libro recoge la casi totalidad de su obra poética: *Horas de mi vida* —1914—. Pocos tienen su misma resonancia en nuestro momento actual."

Y José María Carbonell, director que fue de la Academia Nacional de Artes y Letras: "Es uno de los más altos valores del parnaso cubano. Es una inspirada de vigoroso numen y atrevidos vuelos. Concibe con originalidad y canta en la cumbre de su montaña espiritual. Su concepción es pura y fuerte, y su modalidad esencialmente cubana y moderna. El idioma, en su lira, cobra altisonancia y esplendores. Hondamente emotiva, recuerda en ocasiones a Casal y se acerca a Martí en algunas de sus breves poesías, salpicadas con la sal amarga de una filosofía triste."

Otras obras: *Poesías*—1916—, *La poesía a través del color*—conferencia, 1912—, *El matrimonio en Cuba*—conferencia...

V. Chacón y Calvo, José María: *La literatura de Cuba,* en el tomo XII de la *Historia universal de la literatura,* de Prampolini. Buenos Aires, Uteha Argentina, 1941.— González Curquejo, Antonio: *Florilegio de escritoras cubanas.* La Habana. Tres tomos, 1910, 1913, 1919.

BORRERO, Juana.

Gran poetisa cubana. 1878-1896. Murió lejos de su patria, en Cayo Hueso (Estados Unidos). Hija de Esteban Borrero y Echeverría. Fue uno de los casos más notables de precocidad lírica. Su vida fue un prodigio de emoción. Publicó algunas poesías en *El Fígaro* y en *La Habana Elegante*. Y las recogió —1895—en un tomito de cien páginas con el título de *Rimas*. De ellas, *Anónima, Himno a la vida, Retrato, El ideal,* son dignas de las mejores antologías.

De su lirismo ha escrito el gran crítico Chacón y Calvo: "Hay en esta poesía un gran sentido de intimidad, una aguda introspección de su momento lírico. Emociones e ideas se hacen cada vez más interiores. La sincera melancolía está más allá de las palabras. Es una poesía que empieza a sugerir. Juana Borrero, muerta a los dieciocho años, supo dar forma noble a la pasión espiritual de su vida, supo sentirla con plenitud y dejó solamente que con suavidad se presintiera."

V. Chacón y Calvo, José María: *La literatura de Cuba,* en el tomo XII de la *Historia universal de la literatura,* de Prampolini. Buenos Aires, Uteha Argentina, 1941.—González Curquejo, A.: *Florilegio de escritoras cubanas.* La Habana. Tres tomos, 1910, 1913, 1919.

BORRERO Y ECHEVERRÍA, Esteban.

Poeta y prosista cubano. 1849-1906. Estudió en La Habana la carrera de Medicina, que ejerció algún tiempo. Muchas de sus mejores composiciones aparecieron en *La Revista de Cuba* y en *El Correo de las Damas*. Su fama llegó a Madrid, donde le dedicó elogiosa crítica el académico don Manuel de la Revilla. En 1878 publicó *Arpas amigas,* en colaboración con Tejera, Varona, Varela Zequeira y otros poetas.

"La poesía de Borrero es esencialmente introspectiva: su verso es su espíritu, oscilante, impreciso en la forma, como si revelara así los afanes, las internas luchas, los lentos trabajos interiores de quien los elaboraba. Su escepticismo no es mera modalidad literaria, sino inquietante estado de conciencia." (Chacón y Calvo.)

Borrero fue también un excelente prosista y un agudo crítico literario.

Obras: *A la mujer*—poema, 1876—, *Poesías*—1877—, *De ultratumba*—poema—, *Fidelidad*—poema—, *Alrededor del "Quijote"* —ensayos...

V. Chacón y Calvo, José María: *La literatura de Cuba,* en el tomo XII de la *Historia universal de la literatura,* de Prampolini. Buenos Aires, Uteha Argentina, 1941.

BOSCÁN, Juan.

Gran poeta español. Nació—1495—y murió—1542—en Barcelona. Estudió con Lucio Marineo Sículo. Se educó en Castilla y figuró en la casa del Rey Católico don Fernando y en la del duque de Alba, de quien fue ayo. Formó parte de la expedición que el maestre de San Juan envió en auxilio de Rodas, y que no llegó a la isla. Amistó entrañablemente con Garcilaso. De regreso a España, contrajo matrimonio con doña Ana Girón de Rebolledo, de la familia de los barones de Andilla, "señora sabia, gentil y cortés". Y vivió ya siempre en Barcelona, donde murió en 1542, luego de haber disfrutado de un hogar feliz. No fue la amistad de Garcilaso de la Vega, sino la del embajador veneciano en España Micer Andrea Navagero —1525 a 1528—, la causa de las innovaciones italianizantes de Boscán. Navagero, filólogo de nota y refinado renacentista y de los más famosos, como Bembo, Frascator, Sadoleto, Longolio y Vida, ciceroniano intransigente, amistó mucho con Boscán, y él fue quien animó a este a que probase trovar en lengua castellana "sonetos y otras artes de trovas usadas por los buenos autores en Italia". Desde entonces Boscán empleó sistemáticamente el endecasílabo italiano de Petrarca, que tiene en el barcelonés mucho de escabroso, especialmente por las sílabas átonas, que se hallan donde debería hallarse el acento:

Dando nuevas de «mi» desasosiego...;

por el mal empleo de las cesuras:

Siguiendo vuestro / natural camino...;

y por los frecuentes versos agudos que disuenan. Boscán introdujo o generalizó el soneto, la canción, el terceto, la octava rima y el verso suelto; aun cuando, según Castillejo y Argote de Molina, ya Mena y Santillana habían cultivado, con el petrarquismo, algunos de dichos metros.

Muerto ya el poeta, su viuda publicó en Barcelona—1543—tres libros de las poesías de su marido y el cuarto con las de Garcilaso. El primero de aquellos tres encierra sus composiciones a la manera tradicional castellana, que, por lo general, son flojas y empalagosísimas. El libro segundo contiene 92 sonetos y 10 canciones, ya de la escuela italiana por el estilo y por la versificación. La influencia de Petrarca y de Ausias March en estas poesías es notoria. Pero Boscán imita sin pasión alguna, correctamente, abstractamente y con cierta metafísica. Y si, en sentir de Menéndez Pelayo, no cuenta Boscán con un soneto perfecto, casi todas sus canciones "son áridas, desabridas, prosaicas". El libro tercero lo forman: cuatro composiciones, de cierta extensión, que con el nombre de *Capítulos y epístolas* encierra explanaciones de teoría amatoria, de cultura clásica y de cierto valor autobiográfico; la *Octava rima,* poema alegórico en 135 estrofas, imitación de los cantos carnavalescos de Bembo, y la *Historia de Hero y Leandro,* en versos libres, paráfrasis del poema de Museo, inspirada, tal vez, en la *Favola di Leandro,* de Bernardo Tasso. El juicio que de Juan Boscán hizo Menéndez Pelayo es justo y definitivo: "Fue un ingenio mediano, prosista excelente cuando traduce, poeta de vuelo desigual y corto, de duro estilo y versificación ingrata, con raras aunque muy señaladas excepciones. No tiene ni el mérito de la invención ni el de la forma perfecta... Pero, con toda su medianía, es un personaje de capital importancia en la historia de las letras... Su destino fue afortunado y rarísimo; llegó a tiempo; entró en contacto directo con Italia; comprendió mejor que otros la necesidad de una renovación literaria; encontró un colaborador de genio [Garcilaso], y no solo triunfó con él, sino que participa, en cierta medida, de su gloria."

Boscán tradujo en prosa admirable la famosa obra de Castiglione *El cortesano.*

Textos: Tomos XXXII y XLII de la "Biblioteca de Autores Españoles"; ed. Knapp, Madrid, 1875; ed. Calleja, Madrid; ed. "Colección Crisol", Madrid, 1944; *Las treinta,* edición Keniston, Nueva York, 1911; *Poesías,* número 19, colección "Flor y gozo", núm. 4, Valencia, 1940; *Coplas, sonetos y otras poesías,* ed. Montolíu, Barcelona, 1946; *Poesías,* edición E. Nadal, núm. 19, "Colección Poesía en la mano", Barcelona, 1940; *Poemas inéditos,* ed. Alerta, Barcelona, 1942.

V. MENÉNDEZ PELAYO, M.: *Boscán,* en el tomo XIII de la *Antología de poetas castellanos.*—ZENELLE: *Relazione poetiche tra l'Italia et la Spagna nel seculo XVI.* 1883.— CRAWFORD, J. P. W.: *Notes on three Sonnets of B.,* en *M. Lang. N.,* 1926, XLI, 102.— PERCO PO, E.: *G. B. e Luigi Tansillo,* en *Rass. Crit. Let. Ital.,* 1912, XVII, 123.— Cossío, José María: *Sobre la transmisión del tema de Hero y Leandro,* en *Rev. Fil. Esp.,* 1929, XVI.—VALLE RUIZ, R.: *J. B.,* en *La Ciudad de Dios,* tomo 78.—GALLEGO MORELL, A.: *Bibliografía de Boscán,* en *Bibliografía de Garcilaso,* págs. 89-92 del tomo III (1949). Fascículos 1.º-4.º de la *Rev. Bibliográfica Documental.*—RIQUER, Martín de: *Boscán y su Cancionero barcelonés.* Barcelona, 1945.

BOSCH, Andrés.

Periodista y novelista. Nació—1926—en Palma de Mallorca. Desde muy niño vivió en Barcelona, donde estudió el Bachillerato y

cursó y ejerció la carrera de Derecho. Varios años estuvo en algunos países hispanoamericanos. Excelente traductor de Steinbeck, Erskine Caldwell, Styron, André Bréton...

Obras: *La noche*—novela, "Premio Planeta, 1959"—, *Homenaje privado*—novela, "Premio Ciudad de Barcelona, 1961"—, *La revuelta* —novela, 1963—, *La estafa*—novela, 1965—, *Ritos profanos*—1967—, *El mago y la llama*—1970.

BOTELLA PASTOR, Virgilio.

Novelista. Nació—1906—en Alcoy (Alicante). Licenciado en Derecho. Entró por oposición magnífica en el Cuerpo Jurídico de la Armada. Durante la guerra española de Liberación se puso de parte de la República, por lo que, a la terminación de aquella, hubo de exiliarse, habiendo vivido, hasta hoy, en México, con algunos viajes a París y otras ciudades europeas.

Según el propio Botella Pastor, su obra, dividida en tres partes *(La guerra, La huida* y *El destierro)* está dedicada "a mostrar la vida de la emigración, tanto en Europa y Africa como en América, por estimar que es una experiencia de un extraordinario valor humano".

Obras: *Por qué callaron las campanas*—México, 1953—, *Así cayeron los dados*—París, 1959—, *Encrucijadas*—París, 1962.

BOTÍN POLANCO, Antonio.

Novelista y ensayista español. Nació —1898—en Santander. Abogado. Desde muy joven vivió en Madrid, dedicado a muy distintas actividades. Gran amigo de Ramón Gómez de la Serna, fue constante asistente a la tertulia "sabática" del café Pombo, en la que pontificaba Ramón. De un humor extraño, muy intelectual, pero atractivo en grado sumo, publicó—1951—un interesante *Manifiesto del humorismo.*

Obras: *Doña Bambalina*—Madrid, 1924—, *Cosmópolis la chica*—Madrid, 1925—, *La divina comedia*—Madrid, 1927—, *El, ella y ellos* —Madrid, 1929—; *Virazón*—Madrid, 1931—, *Logaritmo*—Madrid, 1933—, *Peces joviales* —Madrid, 1934.

V. SAINZ DE ROBLES, F. C.: *La novela española en el siglo XX.* Madrid, edit. Pegaso, 1957.—NORA, Eugenio G. de: *Novela española contemporánea.* Madrid, edit. Gredos, 1962, págs. 270-271.

BOUSOÑO, Carlos.

Nació—1923—en Boal (Asturias). En Oviedo estudió el bachillerato y los cursos comunes de la carrera de Filosofía y Letras, licenciándose en Filología moderna en la Universidad de Madrid. Profesor en Wellesley College (Estados Unidos). En 1962 fue "visiting professor" en Middlebury College. Profesor en la Universidad de Madrid. "Premio Fastenrath de la Real Academia Española" en 1953. Ha colaborado en las principales revistas españolas de poesía. Poeta muy complejo en temas de honda espiritualidad y en una forma de extraordinarias tersura y limpieza.

Ha publicado: *Subida al amor*—Madrid, 1945, "Col. Adonais"—, *Primavera de la muerte*—1946—, *Seis calas en la expresión literaria española*—1951, en colaboración con Dámaso Alonso—, *La poesía de Vicente Aleixandre*—interpretación y crítica, 1950—, *Teoría de la expresión poética*—1952—, *Hacia otra luz*—1950—, *Noche del sentido*—1957—, *Invasión de la realidad*—1962—, *Poesías completas*—Madrid, 1961—, *Oda en la ceniza*—"Premio de la Crítica, 1968".

V. MORENO, Alfonso: *Poesía española actual*. Madrid, Ed. Nacional, 1946.—VALBUENA PRAT, A.: *Historia de la literatura española*. Barcelona, 1969, 7.ª edición, tomo IV.—DÍAZ-PLAJA, G.: *Historia de la poesía española*. Barcelona, 1948, 2.ª edición.

BÓVEDA, Xavier.

Poeta y periodista español. Nació—1898—en Gomesende (Orense). Murió—1963—en Madrid. Hizo vida bohemia en Madrid, colaborando en las principales revistas literarias de la capital. Poco después de terminada la guerra europea—1918—, marchó "como emigrante de la poesía" a Buenos Aires. Su firma ha sido muy cotizada en toda la América de habla castellana. En 1927 fundó en Buenos Aires la revista *Síntesis*.

Obras: *El madrigal de las hermosas*—Orense, 1916—, *Epistolario romántico y espiritual*—1917—, *Rosario lírico y otros poemas*—Orense, 1917—, *Los motivos eternos*—Buenos Aires, 1927—, *Tierra nativa*—Buenos Aires, 1928—, *Del sentimiento de la naturaleza en la totalidad de mi obra poética*—conferencia—y *La emoción lírica como expresión universal en el sentimiento poético*—conferencia—, *Integración del hombre*—Buenos Aires, 1934—, *Cantos de la aurora y de la noche*—Buenos Aires, 1940.

Bóveda fue un poeta apasionado, musical, feliz de imágenes y hondo y delicado de sentimientos. Su famosa composición *Canto a la raza gallega* merece figurar en todas las antologías poéticas.

V. COUCEIRO FREIJONIL, A.: Prólogo al *Epistolario romántico y espiritual*. Orense, 1917.

BOYL VIVES DE CANESMA, Carlos.

Notable poeta y dramaturgo español. Nació—1577—en Valencia. Y en Valencia murió—1617—a consecuencia, tal vez, de una intriga amorosa, ya que un desconocido lo hirió mortalmente cerca de la catedral.

Heredó de su padre el señorío de Masamagrell; casóse con doña Jerónima Bonavida, y tuvo un hijo de igual nombre, que siguió la milicia. Perteneció a la celebérrima "Academia de los Nocturnos", con el nombre de *Recelo,* y fundó la "Academia de los Adorantes", no menos famosa tertulia, que celebraba sesiones los lunes y donde se trataban únicamente temas amorosos. Trató mucho en Valencia a Lope de Vega, y alabóle en un soneto acróstico publicado en la obra del "Fénix" *Fiestas de Denia*—1599.

Obras: *Epitalamio*—para las bodas de don Felipe III con doña Margarita de Austria, en octavas y tres partes, impreso en Valencia, 1599—, *Segunda parte de la Sylva de los versos y loas de Lisandro*—Valencia, 1600—; algunas poesías suyas en *El Prado de Valencia,* de Gaspar Mercader—1601—; una *Canción,* que le fue premiada, para el certamen—1608—de San Luis Bertrán. Y dos comedias: *El marido asegurado*—con su loa—y *El pastor de Menendra,* impresa la primera en la segunda parte de "Los Autores Valencianos"—1516—y en el tomo XLIII de la "Biblioteca de Autores Españoles", citada la segunda por Jimeno.

V. MARTÍ GRAJALES, F.: *Poetas valencianos*. 1927.—MÉRIMÉE, H.: *Un romance de Carlos Boyl,* en el *Bull. Hispanique,* 1906.

BRAULIO DE ZARAGOZA, San.

Prelado y escritor español. 585-651. Durante veinte años fue obispo de Zaragoza. Concurrió a los Concilios IV, V y VI de Toledo. Este último le encomendó la delicada misión de defender a los prelados españoles, acusados de negligencia religiosa, ante el Pontífice Honorio I. San Braulio terminó felizmente su misión, ejerció una gran influencia entre los monarcas y se distinguió por su celo en la conservación de la disciplina ortodoxa. Fue uno de los principales discípulos de San Isidoro de Sevilla y uno de los más firmes eslabones de la cadena cultural de su época.

Entre sus obras figuran: *Praenotatio librorum D. Isidori*—elogio de su maestro—: *Vita S. Aemiliani,* de San Millán de la Cogolla, que utilizó posteriormente Gonzalo de Berceo; *Cartas,* en número de 43, a San Isidoro, San Eugenio, Tajón de Zaragoza, Fructuoso de Braga, los reyes Chindasvinto y Recesvinto..., escritas en un estilo claro y sencillo, llenas de frases felices y muy significativas de la gran cultura clásica.

Edición: *Epistolario,* por J. Madoz, Madrid, 1941; *Vita S. Aemiliani,* por L. Vázquez de Parga, Madrid, 1943.

V. MADOZ, José: *Epistolario de San Brau-*

B

lio de Zaragoza. 1941.—MADOZ, JOSÉ: *Escritores de la época visigótica,* en el tomo I de la *Historia general de las literaturas hispánicas.* Barcelona, 1949.—LYNCH, Ch. H.: *Saint Braudio, Bishop of Saragossa (631-651), his life and writings.* Washington, 1938.— MENÉNEZ PIDAL, R.: *Historia de España* (dirigida por...). Tomo III: *España visigótica.* Madrid, Espasa-Calpe, 1940.

BRAVO, Fray Nicolás.

Escritor español y religioso cisterciense. Nació —¿1587?—en Valladolid. Murió en 1648. Fue abad de los monasterios de Sobrado, Salamanca y Madrid. Definidor general y abad perpetuo del monasterio de la Oliva (Navarra). Consejero del rey don Felipe III. Incluido por la Real Academia de la Lengua en el "Catálogo de Autoridades".

Obras: *La Benedictina*—Salamanca, 1604—, poema en octavas y en dieciocho cantos; *Vigilia magna de Cristo*—Valladolid, 1622—, *Marial y decenario de rosas de la Madre de Dios*—Madrid, 1625—, *Cronología del monasterio de la Oliva.*

BRAVO VILLASANTE, Carmen.

Ensayista, biógrafa. Nació —1918—en Madrid, en cuya Universidad se doctoró en Filosofía y Letras. Ha viajado por muchos países de Europa y América. Miembro del Comité Internacional Board on Books for Young People. Traductora de Goethe, Heine y Hölderling. Como profesora visitante ha dado numerosas conferencias en Universidades extranjeras.

Obras: *La mujer vestida de hombre en el teatro español del Siglo de Oro*—Madrid, 1955—, *Vida de Bettina Brentano*—"Premio Biografías Aedos, 1956"—, *Biografía de don Juan Valera*—Barcelona, 1959—, *Emilia Pardo Bazán: vida y obra*—Madrid, 1962—, *Historia de la literatura infantil española*—Madrid, 1963—, *Historia y antología de la literatura infantil iberoamericana*—dos tomos, Madrid, 1966—, *Una vida romántica: la Avellaneda*—Barcelona, 1967—, *Galdós visto por sí mismo*—Madrid, 1970—, *Biografía y literatura*—Barcelona, 1968.

BRETÓN DE LOS HERREROS, Manuel.

Admirable dramaturgo y poeta. 1796-1873. Nació en Quel—provincia de Logroño—el 18 de diciembre. Estudió en Madrid. Quedó huérfano muy niño. Fue soldado voluntario en la guerra de la Independencia, y permaneció en filas durante diez años. Asistió asiduamente a la tertulia *El Parnasillo.* Desempeñó el cargo de redactor de varios periódicos, especialmente como cronista y crítico teatral, y, por de contado, poeta festivo. Ingresó muy joven—1837—en la Academia Española. Gozó de varios cargos administrativos, entre ellos el de director de la Imprenta Nacional—1840—y el de redactor jefe de la *Gaceta*—1843—. Escribió, entre originales y traducidas, cerca de doscientas obras teatrales. Disfrutó de salud envidiable hasta su muerte, acaecida en Madrid el día 8 de noviembre.

Sintética biografía. ¿Para qué más? Bretón fue el perfecto burgués. El paso medido. La tos grave. El talante correcto. La voz suasiva. La indumentaria limpia y bien cortada. Sonreía con frecuencia bonachonamente. Repartía buenos consejos. Derramaba pródigo sales de ingenio. Un único episodio romántico vivió en su existencia apoltronada desde los veinte años: aquel en el que perdió un ojo. Se decía que a consecuencia de un lance amatorio en el reino de Murcia, por el año 1819... ¡Vayan ustedes a saber! Quizá al buen burgués le tentó la idea de dar a su pasado un suceso prendido de interrogantes. Tal vez la verdad no fue sino una pedrada perdida o un palo dejado con tino, y no el puntazo de una espada fulminada por un honor en sospecha. Bretón, cuando se le hacía alusión al suceso, sonreía con cierta picardía y hacía como que se hacía de nuevas, de que se le hablaba de un cuento chino contado en la salsa del propio lenguaje monosilábico.

¡Gran burgués fue Bretón! Cada mes cobraba los pingües sueldos de sus cargos y recibía las pingües rentas de sus tierras. Su hogar era amplio y tenía buenos muebles y, en invierno, varios braseros de mucho copete, mullidas alfombras y espesas cortinas. Escribía con una pluma de ave costosa, sobre una mesa con taraceas, a la luz de un quinqué de porcelana del Buen Retiro, con tres mecheros encendidos.

Bretón fue uno de los primeros que probó los cochinillos dorados a fuego por Mr. Botín y los sorbetes tricolores del café *La Cruz de Malta,* que preparaba el italiano Querubini. Bretón engordó en seguida y echó subidos colores a sus mejillas, siempre bien rasuradas por el fígaro piamontés de la carrera de San Jerónimo. Bretón puso en moda los fraques color marrón, con solapas de seda negra, y las leontinas de muaré para las sabonetas. Bretón fue quien más naturalmente cruzó las manos a la espaldas, jugando con ellas el bastón de caña de Indias, y quien con mejor donosura saludó a las damas encontradizas, dejando su peludo montecristo en el aire, en ese espacio preciso que tira la recta desde la sien derecha. La panza—*curva de la felicidad*—le proporcionó a Bretón un espectáculo enternecedor para sus miradas burguesas.

Se le envidiaba y se le buscaba a Bre-

B

tón. Los cómicos, para sacarle una excelente comedia. Los amigos, para sacarle una buena cena y cuatro cuentos jocosos. Los enemigos solapados, para atizarle el sablazo —casi siempre efectivo—de los cuatro reales.

Sin embargo de su burguesía, Bretón disfrutaba trabajando. Le hacían gracia sus propios enredos sueltos en los numerosos actos que terminó para la escena; enredos que jamás se atrevió a enhebrar para sus días.

El gran burgués y gran persona que era Bretón apenas si dejó de sonreír bonachonamente muy poco antes de cerrar para siempre el único ojo que le quedaba útil. Porque el inútil, en combinación con los espejuelos montados en plata, le fingía un eterno guiño socarrón... ¡que ya, ya!

Bretón de los Herreros, con Moratín, son los dos más insignes comediógrafos españoles entre 1790 y 1850. Los únicos que emparejarían dignamente con los últimos insignes dramáticos del siglo XVII. Por Moratín y Bretón se remoza y lozanea el género teatral.

Bretón empezó a escribir antes que apuntara la tendencia romántica. El romanticismo—epidemia—le coge casi inmunizado por la vacuna de un naturalismo costumbrista aburguesado. Su vena corría del lado festivo y satírico. Era verificador de una facilidad pasmosa, muy superior a la de Zorrilla. Sus obras están impregnadas de gracia y colorido, de felices atisbos de la más honda psicología; y son humorísticas, ligeras, alegres, profundamente simpáticas, de una naturalidad que asombra..., si es que no existe paradoja en que pueda naturalmente asombrar lo natural.

Bretón de los Herreros tradujo a Racine —Andrómaca y Mitrídates—, a Voltaire —Mérope—, a Lebrun—María Estuardo—, a Lefranc de Pompignan—Dido—, a Scribe, a Guimond de la Touche, a Delavigne... En muchos de los casos la traducción mejoraba al original.

Bretón de los Herreros refundió Los tellos de Meneses, de Lope de Vega; Las paredes oyen, de Alarcón; Con quien vengo, vengo, de Calderón de la Barca... Y muchas otras obras de nuestros clásicos... ¡Clásico él!

Las obras originales pueden ser divididas en: a) Dramas románticos: Elena, Vellido Dolfos, Don Fernando el Emplazado... b) Comedias sentimentales: Ella es él, Dios los cría..., La escuela del matrimonio... c) Comedias de estructura moratiniana: A la vejez, viruelas; Marcela, o Cuál de los tres; Una novia a pedir de boca, A Madrid me vuelvo, El pelo de la dehesa...

En esta modalidad moratiniana consiguió Bretón sus mayores éxitos.

Es autor, igualmente, de deliciosos epigramas, letrillas, sátiras, anacreónticas, epístolas y romancillos. Lo más notable en este escritor, según Valera, es cierta suavidad "que mitiga, endulza y hace simpática hasta la más punzante de sus sátiras, sin embotar por eso sus filos".

Ediciones importantes de las Obras de Bretón: Madrid, 1883-1885. Cinco tomos. Madrid, 1850 (reimpresa en 1883). Con prólogo de Hartzenbusch. Clásicos Castellanos, Madrid, tomo 92.

V. MOLÍNS, Marqués de: B. de los Herreros. Recuerdos de su vida y de sus obras. Madrid, 1883.—LE GENTIL, G.: Le poète M. B. de los H. et la société espagnole de 1830 a 1860. París, 1901.—ALONSO CORTÉS, N.: Prólogo y notas a la edición de algunas obras de Bretón, Clásicos Castellanos, Madrid, 1928.—SANCHO GIL, F.: Elogio de D. M. B. de los H. Zaragoza, 1886.—PASTOR DÍAZ, N.: Galería de españoles célebres contemporáneos. 1841-1845.—FERRER DEL RÍO, A.: Galería de literatura española. Madrid, 1846.—ASENSIO, José María: El teatro de D. M. B. de los H., en España Moderna, enero 1897.—TANNEMBERG, Boris de: L'Espagne litéraire. 1903.—CAÑETE, Manuel: Don M. B. de los H., en La Ilustración Española y Americana, 15 noviembre 1874.

BRUGHETTI, Romualdo.

Ensayista, poeta, biógrafo y crítico de arte argentino. Nació—1912—en Buenos Aires. Universitario. Colabora en las más importantes revistas estéticas de Hispanoamérica y ha dado conferencias en varios países europeos. Secretario fundador de la Sociedad Argentina de Críticos de Arte y Ensayistas. Director del Seminario de Arte Americano y Argentino a la Universidad de La Plata, en la que desempeña la cátedra de Historia del Arte. Presidente—1963—de la Asociación Argentina de Críticos de Arte.

Obras: 18 poetas del Uruguay—1937—, Descontento creador—"Premio Editorial Losada" y "Premio Sociedad Argentina de Escritores, 1943"—, De la joven pintura rioplatense—1942—, Nuestro tiempo y el arte —1945—, Pintura argentina joven—1948—, Italia y el arte argentino—"Premio Dante Alighieri, 1952"—, Vida de "Almafuerte" "Faja de Honor, 1954", de la Sociedad Argentina de Escritores—, Viaje a la Europa del arte—1958—, Prometeo, El espíritu que no cesa—1956...

BRUNET, Marta.

Novelista chilena. Nació—1901—en Chillán. Maestra privada. Cónsul en La Plata —1939—y en Buenos Aires—1943—. Miembro de la Sociedad de Escritores de Chile, del P. E. N. Club, de los Amigos del Arte, de la Comisión chilena de Cooperación Intelectual. Profesora en el Instituto Chileno-Argentino de Cultura.

Obras: *Montaña adentro*—novela, 1923—, *Don Florisondo*—cuentos, 1925— *Bestia dañina*—novela, 1925—, *Bienvenido*—novela, 1926—, *María Rosa, flor del Quillén*—novela, 1929—; *Reloj de sol*—cuentos, 1930—, *Cuentos para Mari Sol*—1938—, *Aguas abajo*—cuentos, 1943—, *Humo hacia el Sur*—1946—, *La mampara*—1946...

BRUNO, José.

Nació—1898—en San Fernando (Cádiz). Estudió en esta capital, y en Sevilla hizo sus comienzos periodísticos.

Vino a Madrid, y pronto fue publicando sus trabajos en diarios y semanarios, especialmente en *Blanco y Negro* y *Los Lunes de El Imparcial*. Luego fue redactor en la Editorial Atlántida.

Sus novelas largas son *Chipilín, Sataniel* y *El burlón*. Cortas, *El instinto del vuelo, La hija del tren, Pajarito, Fábula de amor, La torre de Hero* y otras muchas.

BUENDÍA ABRÉU, Rogelio.

Poeta y novelista español. Nació—1872—y murió—1969—en Huelva. Estudió en el Instituto y en la Escuela Normal de Huelva. Y Medicina, en Sevilla. En esta ciudad fundó *El Noticiero de Huelva, Anunciador General* y la revista *Renacimiento*. Organizó la primera exposición del libro andaluz.

Obras: *La casa grande*—novela—, *Luz*—novela—, *Entre mar y cielo*—novela—, *La señorita*—novela—, *La gloria de amar*—novela—, *Lo más fuerte*—cuentos—, *Cuentos españoles, La montaña de los deseos*—cuentos—, *Versos cortos, Cancionero de amor*—versos.

BUENDÍA MANZANO, Rogelio.

Poeta y prosista español de singulares méritos. Nació—1891—y murió—1969—en Huelva. Cursó el bachillerato en su ciudad natal y la Medicina en la Facultad de Sevilla. Fundó en Huelva el dispensario antituberculoso "Victoria Eugenia". Viajó por toda Europa y ha colaborado en todas las revistas literarias españolas.

Poeta finísimo, certero, en las imágenes más detonantes de color, cuyo modernismo queda mitigado por una clara influencia gongorina. Poeta expresivo, rico en matices y en tonos:

Obras: *El poema de mis sueños, Del bien y del mal, Nácares, La rueda de color*—1923—, *Guía de jardines, Naufragio en tres cuerdas de guitarra, Lusitania*—viajes—, *La casa en ruinas*—novela—, *La dorada mediocridad*—novela—, *Vuelo y tierra*—poemas, 1945, en la revista *Fantasía*, de Madrid.

BUENO, Manuel.

Novelista y periodista español de singular relieve. Nació—1874—en Pau (Francia). Murió trágicamente—1936—en Barcelona. A los dieciséis años marchó a la América española, dedicándose al comercio en distintos países. De regreso a España, se dedicó a la literatura por completo, siendo redactor y colaborador de muchos diarios y revistas: *Las Noticias, El Diario de Bilbao, El Globo, Correspondencia de España, El Liberal, Heraldo de Madrid, España Nueva, El Imparcial, La Lectura, Blanco y Negro* y *A B C*—de Madrid—; *Azul*—de Montevideo—, *La Prensa*—de Buenos Aires—. Fundó y dirigió en Madrid *La Mañana*.

Articulista ameno, agudo, de estilo terso y castizo, su firma fue de las cotizadas en la Prensa del habla castellana.

Enjuició con singular perspicacia la política, las costumbres y la literatura de su tiempo. Como novelista, su valor es menor; sin embargo, domina la técnica, la amenidad y psicología de los personajes novelescos.

Obras: *Acuarelas*—ensayos literarios—, *Viviendo*—cuentos, 1897—, *Almas y paisajes*—cuentos, 1900—, *A ras de tierra*—cuentos, 1900—, *Corazón adentro*—novela, 1906—, *El teatro en España*—crítica, 1910—, *El talón de Aquiles*—comedia, 1908—, *Otras patrias y otros cielos*—viajes, 1911—, *Jaime el Conquistador*—novela, 1912—, *El dolor de vivir*—novela, 1922—, *En el umbral de la vida*—cuentos, 1919—, *El sabor del pecado*—novela—, *Los nietos de Dantón*—novela—, *El último amor*—novelas cortas, 1930—, *Lo que Dios quiere*—comedia—, *Historia breve de un breve amor, La ciudad del milagro...*

V. Sainz de Robles, F. C.: Prólogo de *La novela corta española*. Madrid, Aguilar, 1952. Sainz de Robles, F. C.: *La novela española en el siglo XX*. Madrid, Pegaso, 1957.—Entrambasaguas, Joaquín de: *Las mejores novelas contemporáneas* (1925-1929). Barcelona, Planeta, 1961, págs. 237-279. (Contiene una bibliografía exhaustiva.)

BUENO Y LEROUX, Juan José.

Poeta y prosista. Nació—1820—en Sevilla. Y en Sevilla—1881—murió. Fue archivero-bibliotecario de la Universidad hispalense.

Organizó en su casa numerosas tertulias literarias, ni más ni menos que sus paisanos y antecesores el pintor Pacheco y el poeta-mecenas Arguijo. Perteneció a las Academias Arqueológicas Matritense, Sevillana de Buenas Letras y Bellas Artes de San Fernando.

Bueno publicó en la famosísima serie *Los*

B

españoles pintados por sí mismos un artículo muy bello: "El seise de la catedral de Sevilla". Y en 1837 apareció un volumen con el título de *Colección de poesías escogidas de don Juan José Bueno y don José Amador de los Ríos.* El año 1879, en Granada, publicó otro volumen poético: *Lágrimas y pensamientos.*

Bueno fue un poeta enteramente neoclásico, discípulo e imitador de Quintana. El romanticismo no le afectó sino esporádicamente, y siempre sin profundidad y sin arrancarle una convicción decisiva.

BUERO VALLEJO, Antonio.

Nacido en Guadalajara en 1916, comenzó, tras el bachillerato, sus estudios en la Escuela de Bellas Artes de San Fernando, en Madrid, estudios que la guerra interrumpió en 1936. Unos años después, su vocación literaria, sentida hasta entonces de forma indeterminada, se concreta en torno al teatro, y abandona la pintura para escribir comedias.

La Asociación de Amigos de los Quintero, en el concurso convocado al efecto, selecciona tres obras en un acto, una de las cuales es la tragedia de Antonio Buero *Las palabras en la arena.* Y unos meses más tarde, en junio de 1949, ganó el "Premio Lope de Vega, 1949", entre más de doscientos concursantes, con su drama en tres actos *Historia de una escalera.*

Antonio Buero Vallejo propugna el retorno de la tragedia como la más pura y vigorosa expresión teatral. En realidad, esta *Historia de una escalera,* a pesar de su calificación de "drama", es un relato trágico, una tragedia de nuestro tiempo, en la que viejos temas sainetescos, evadiéndose del localismo pintoresco en que yacían, cobran profundidad y alcance.

El Tiempo, utilizado como factor dramático, como un Destino adverso e inexorable, traspasa de angustia la atmósfera de esta vieja escalera madrileña, donde Antonio Buero ha situado la acción de este drama con que su nombre sube por primera vez a los carteles de un teatro.

El estreno de *Historia de una escalera* constituyó uno de los éxitos más extraordinarios que se recuerdan en el teatro español desde 1939. Buero Vallejo se ha colocado entre los más interesantes, hondos y sugestivos autores dramáticos de hoy.

Posteriormente ha estrenado: *En la ardiente oscuridad*—teatro María Guerrero, 1951—y *La tejedora de sueños*—teatro Español, 1952—. Ambas obras han constituido éxitos extraordinarios, confirmando el valor de Buero Vallejo como dramaturgo; un valor auténticamente excepcional, hasta el punto de presentarle como el más intenso,

fuerte y original dramático de la actual hora española. Sus obras empiezan a ser traducidas y estrenadas en el extranjero. Miembro de número de la Real Academia Española, 1972.

Otras obras: *Las palabras en la arena* —1949—, *La señal que se espera*—1952—, *Casi un cuento de hadas*—1952—, *Madrugada* —1953—, *Irene o el tesoro*—1954—, *Hoy es fiesta*—1956—, *Las cartas boca abajo*—1957—, *Un soñador para un pueblo*—1958—, *Las Meninas*—1960—, *El concierto de San Ovidio* —1962—, *Aventura en lo gris*—1963—, *El tragaluz*—1967—, *El sueño de la razón* —1969—, *La doble historia del doctor Valmy* —1968—, *Llegada de los dioses*—1971—. Ha traducido magistralmente *Madre Coraje,* de Bertolt Brecht.

Buero ha obtenido el "Premio María Rolland"—1956, 1958 y 1960—, el "Premio March"—1956—, el "Premio Nacional"—1957 y 1958—, el "Premio de la Crítica"—1958—.

V. *Cuadernos de "Ágora".* Madrid, 1963. Números 79-82. Dedicados a Buero Vallejo. (Bibliografía.) — TORRENTE BALLESTER, G.: *Teatro español contemporáneo.* Madrid, editorial Guadarrama, 1957, págs. 325-332.

BUFANO, Alfredo R.

Poeta y prosista argentino. Nació—1895— en Guaymayén (provincia de Mendoza). Profesor normalista. Catedrático de Castellano, Literatura y Geografía. Ha colaborado asiduamente en *La Prensa* y *La Nación.* En 1920 obtuvo uno de los premios literarios de la Municipalidad bonaerense.

Obras: *El viajero indeciso*—1917—, *Canciones de mi casa*—1919—, *Misa de requiem* —1920—, *Poemas de provincia*—1922—, *El Huerto de los Olivos*—1923—, *Poemas de la nieve*—1924—, *El reino alucinante, Laudes de Cristo Rey, Tierra de Huarpes, Valle de soledad, Romancero, Los collados eternos, Poemas para los niños de las ciudades, Poemas de las tierras puntanas, Presencia de Cuyo, Ditirambos y romances de Cuyo...*

En prosa: *Aconcagua, Open door*—cuentos—, *Zoología política*—1935—.

V. GONZÁLEZ CARBALHO, J.: *Índice de la poesía argentina contemporánea.* Santiago, 1937.

BULLRICH, Sylvina.

Novelista, poetisa y biógrafa argentina. Nació—1915—en Buenos Aires. Profesora de Literatura francesa en la Facultad de Humanidades de La Plata, y profesora de la misma disciplina en el Instituto Francés de Estudios Superiores. Ha viajado por Europa en 1935 y 1949; en 1948, por los Estados Unidos; en 1947, por el Brasil. Colaboradora de *La Nación, Atlántida, El Hogar, Lira,* diarios y revistas de Buenos Aires, y en *Insula,* de Madrid. Ha dado numerosas conferencias en distintos países. "Medalla de oro" en Estudios Superiores franceses. Traductora de Maupassant, "George Sand", Mérimée, León Bloy...

Obras: *Vibraciones*—poemas, 1935—, *Calles de Buenos Aires*—novela, 1939—, *Saloma* —novela, 1940—, *Su vida y yo*—novela, 1941—, *La redoma del primer ángel*—novela, 1943, "Premio Municipal de la Ciudad de Buenos Aires"—, *La tercera visión*—novela, 1944, recomendada por el Club El Libro del Mes y por la Sociedad Argentina de Escritores—, *"George Sand"*—biografía, 1946, elegida como el mejor libro del mes por el Club del mismo nombre—, *Historia de un silencio* —relato, 1949.

BUNGE, Carlos Octavio.

Historiador, ensayista, prosista, pedagogo. 1875-1918. Argentino. Abogado. Catedrático de la Universidad de Buenos Aires. Cejador ha escrito de él: "Tradicionalista y aristócrata por carácter, amplio y liberal en ideas, sociólogo que estudió la conciencia de la educación, historiador del Derecho de su tierra, pensador genial y lector infatigable y trabajador continuo, mezcla de alemán y de español en sangre y en espíritu, pero más español que alemán en ambas cosas; compositor de música, crítico, dramaturgo, novelista, gran conocedor de nuestra literatura, cuyo espíritu de la época clásica se había apropiado y cuyo casticismo fue cada día en él creciendo. Su estilo es de añeja estirpe castellana, transparente y sencillo, sobresaliendo en la narración, en la cual muéstrase ameno, movido, suelto y elegante. Fue uno de los más serios literatos y escritores americanos, polígrafo y muy erudito en varias disciplinas."

Su libro *Nuestra América*—1903—asombra por su finísima observación psicológica y por su espíritu amplísimo; en él demuestra cómo la estirpe americana descansa en tres piedras fundamentales: la tristeza, la pereza y la arrogancia.

Violento y anticlerical, ni envidiado ni envidioso, dedicó toda su vida al estudio incansable, en una labor casi hercúlea; fue un "superhombre" en el concepto nietzscheano. Tenía echada en su vida tan hondas raíces la conciencia de lo sagrado de la producción intelectual, que consideraba a esta como un culto, con sus ritos y sus dogmas; era un cuasi iluminado, un místico, un benedictino laico.

Obras: *El espíritu de la educación*—1901—, *Principios de psicología individual y social* —1903—, *Xarcas Silenciario*—novela, 1903—, *Educación de la mujer*—1904—, *La novela de la sangre*—1904—, *Thespis*—novelitas,

1907—, *Teoría del Derecho*—1905—, *Los colegas*—drama, 1908—, *Viaje a través de la estirpe y otras narraciones*—1908—, *Historia del Derecho argentino*—1912—, *El Derecho en la literatura gauchesca*—1913—, *La sirena* —narraciones fantásticas—, *Los envenenados* —novela—, *El capitán Pérez*—narraciones vulgares—, *Memorias autobiográficas, Estudios filosóficos*—dos tomos—, *El sabio y la horca*—narraciones ejemplares—, *Sarmiento* —biografía—, *La poesía popular argentina, Dramas*—dos volúmenes...

V. Gálvez, Manuel: *C. O. Bunge,* en *Nosotros,* Buenos Aires, 1918, julio.—González-Blanco, Andrés: *Escritores representativos de América,* 1917.—Quesada, Ernesto: *C. O. Bunge,* en *Nosotros,* Buenos Aires, 1918, julio.—García Velloso, E.: *Historia de la literatura argentina.* Buenos Aires, 1914.—Rojas, Ricardo: *La literatura argentina.* Ocho tomos. Buenos Aires, 1924.

BUNGE DE GÁLVEZ, Delfina.

Escritora y pedagoga argentina contemporánea, nacida hacia 1890, murió en 1953. Hija de Octavio Bunge y hermana de los excelentes escritores Carlos Octavio y Alejandro. En 1910 contrajo matrimonio con el gran novelista Manuel Gálvez.

Fue presidenta de la Asociación de Escritoras y Publicistas Católicas y presidenta del Centro de Estudios Religiosos, de cuya revista *Ichthys* fue directora. Es actualmente miembro de número de la Junta Nacional de Intelectuales. Debutó por versos franceses, que fueron elogiados, en largos artículos, por Rubén Darío, José Enrique Rodó, Estanislao Zeballos, madame Catulle Mendes, etc. Dieron conferencias sobre ellos Alfonsina Storni y Folco Testana. Obtuvo "Premio Municipal" con su libro *Imágenes del infinito,* y "Premio Nacional" por *El tesoro del mundo.* De sus libros escolares se han hecho muchas ediciones. Y de los libros de instrucción religiosa (en colaboración con la señorita Sofía Molina Pico) se imprimieron más de un millón de ejemplares. Sus primeros libros escolares fueron escritos en colaboración con su hermana, Julia Valentina Bunge.

Obras: *Simplement*—poemas—, *La nouvelle maisson*—poemas—, *Nuestra Señora de Lourdes*—historia y novela—, *El alma de los niños, Las imágenes del infinito*—"Premio Municipal"—, *Las mujeres y la vocación, El tesoro del mundo*—"Premio Nacional"—, *Oro, incienso y mirra*—cuentos de Navidad—, *Los malos tiempos de hoy, Tierras del mar azul* —viaje por Oriente—, *Hogar y patria, El Reino de Dios, Iniciación literaria*—antología—, *La belleza en la vida cotidiana, Viaje alrededor de mi infancia, Seis villancicos* —versos y música—, *En torno a León Bloy, La vida en los sueños, Cura de estrellas...*

BUÑUEL, Miguel.

Novelista, cuentista, guionista de cine. Nació—1924—en Castellote (Teruel). De formación universitaria. Ultimamente se ha especializado en narraciones admirables para la niñez y la juventud. Y ha dirigido la editorial Doncel, dedicada principalmente a las obras de literatura infantil. Como novelista cultiva un realismo neto, pero siempre como melificado por un contrapunto de lirismo o de fantasía.

Obras: *Narciso bajo las aguas*—"Premio Ateneo de Valladolid, 1958"—, *Un lugar para vivir*—1962—, *Un mundo para todos*—"Premio Selecciones Lengua Española", Barcelona, 1962—, *Las tres de la madrugada*—1967—, *La vida de colores*—"Premio Jauja, 1968"—; y entre sus obras para niños y jóvenes: *El niño, la golondrina y el gato*—"Premios Lazarillo y Andersen, 1959"—, *Manuel y los hombres*—1961—, *Rocinante de la Mancha*—1963.

BURGOS, Francisco Javier de.

Humanista, poeta, dramaturgo y político español. Nació—1778—en Motril (Granada). Murió en 1848. Estudió para sacerdote, sin llegar a ordenarse. Se hizo jurisconsulto bajo los auspicios del jurisconsulto y poeta don Juan Meléndez Valdés. Invadida España por los franceses, Burgos fue subprefecto de Almería y presidente de la Junta de Subsistencias y corregidor de Granada. En 1812 emigró a París. En 1822 dirigió *El Imparcial*. Muy ducho en cuestiones financieras, desempeñó los cargos de individuo de las Juntas de Fomento y Aranceles e intendente y consejero del Tribunal Supremo de Hacienda. Durante la regencia de doña María Cristina fue secretario de Estado y ministro de Fomento.

En 1827 le abrió sus puertas la Real Academia Española.

Obras: *Almacén de frutos literarios, Los tres iguales*—comedia—, *El baile de máscaras*—comedia, 1832—, *El optimista y el pesimista*—comedia—, *Anales del reinado de Isabel II,* muchas poesías, recogidas en el tomo LXVII de la "Biblioteca de Autores Españoles". Tradujo magníficamente las *Geórgicas,* de Virgilio, el poema de Lucrecio *De rerum naturae,* y las poesías de Horacio.

V. Cejador y Frauca, J.: *Historia de la lengua y literatura castellanas.* Tomo VI.

BURGOS, Julia de.

Poetisa y prosista portorriqueña. Nació—1916—en Carolina. Hizo sus primeros estudios en diferentes escuelas públicas. Y en la Universidad de Río Piedras cursó los estudios superiores de Letras. Ha viajado por Hispanoamérica y los Estados Unidos, colaborando en diarios y revistas muy importantes.

La sólida preparación universitaria de Julia de Burgos trasciende a muchos de sus poemas, demasiado intelectuales, en los que se plantean arduos atisbos filosóficos. Pero cuando esta interesantísima poetisa sabe cortar el lastre que tira de sus alas, su lirismo vibra emocionado, complejo y sencillo a la vez, de una enorme facilidad expresiva, iluminado por la pasión y por la gracia del sexo. Julia de Burgos domina plenamente todos los metros, llegando su audacia—con una precisa seguridad técnica—a conseguir los mejores efectos con la desigualdad estrófica.

Entre sus mejores obras cuentan: *Poemas exactos a mí misma*—1937—, *Poema en veinte cursos*—1938—, *Canción de la verdad sencilla*—1939—, *El mar y tú...*

V. Valbuena Briones, Angel: *La poesía portorriqueña contemporánea.* Tesis doctoral. Madrid, 1952.—Valbuena Briones, Angel: *La nueva poesía portorriqueña. Antología.* Madrid, 1952.

BURGOS IZQUIERDO, Fausto.

Poeta español. Nació—1929—en Zaragoza. Hijo del poeta y autor teatral Ernesto Burgos. Licenciado en Derecho por la Universidad zaragozana. Presidente de la "Tertulia Literaria" del Colegio Mayor Universitario "Pedro Cerbuna". Colaborador en revistas poéticas y diarios.

Cuando apenas ha saboreado su mundo, Fausto Burgos es ya un lírico profundo, desolado.

Su neorromanticismo tiene una expresividad atractiva en alto grado.

Obra: *Hombres de piedra*—1950.

V. Sainz de Robles, F. C.: *Historia y antología de la poesía española.* Madrid, Aguilar, 1964, 4.ª edición.

BURGOS RIZZOLI, Javier de.

Poeta y dramaturgo. Nació—1885—en Madrid. Bachiller. Aprobó algunas asignaturas de la carrera de Ciencias, que abandonó para dedicarse a la literatura. Su primera obra teatral, *Alma negra,* la estrenó en el teatro Novedades, cuando cumplía el servicio militar, saliendo a saludar, como García Gutiérrez, vestido de soldado. Taquígrafo. Profesor de Declamación. Maestro nacional. Jefe del Cuerpo de Prisiones. Funcionario municipal.

Ha escrito obras de todos los géneros: líricas, dramáticas, religiosas, policiales, folklóricas... En total, más de ciento cincuenta títulos. Muchas de las producciones escénicas fueron representadas más de cien veces.

En 1942 obtuvo un gran éxito en el teatro

B

María Guerrero, de Madrid, con su auto sacramental *El retablo milagroso*. Ha colaborado, teatralmente, con Ramos de Castro, "Mingo Revulgo", Loigorry, Carrascosa, Linares... Ha convertido en zarzuela la obra de don Jacinto Benavente *La fuerza bruta*.

Javier de Burgos ha sido colaborador de las principales revistas y de los más importantes diarios de España. Posee este escritor una finísima sensibilidad poética, mucho ingenio, maestría narrativa, inspiración...

Obras: *Sor Angélica, Los misterios de Nueva York, Los tres mosqueteros, Los dragones del rey, A pie y sin dinero, La embriaguez de la gloria, ¡Que te crees tú eso!, El clow bebé, El tigre del Plata, La tragedia del Gólgota, La ventera de Medina, Una muchacha de vanguardia, El hombre invisible, La ruta de Don Quijote, Café madrileño, En mi querer nadie manda, Don Pandereta.*

Es también autor de más de dos mil sonetos y de numerosos cuentos y monografías.

BURGOS SARRAGOITI, Javier de.

Gran sainetero. 1842-1902. Natural del Puerto de Santa María (Cádiz). Estudió en la capital atlántica las primeras letras. A los dieciséis años se trasladó a Madrid con ánimo de cursar la carrera de ingeniero de Caminos. Muerto su padre en Filipinas, regresó a Cádiz y se dedicó de lleno a la literatura, colaborando en varios periódicos locales. Entre 1863 y 1865 volvió nuevamente a la capital de España; pero no pudiendo abrirse paso como autor dramático, y luego de colaborar en *El Contemporáneo*, protegido por el gran periodista José Luis Albareda, regresó a su tierra natal a desempeñar el cargo de oficial primero del Gobierno civil gaditano. Desde 1870 todos sus afanes marchan a triunfar con sus obras ligeras, llenas de gracejo y de finísima observación de la realidad.

La revolución de septiembre de 1868 le despojó de su cargo burocrático. Dirigió el periódico *La Palma*. Y habiendo ya estrenado con éxito numerosos sainetes, pudo vivir de su pluma con relativa holgura, trasladándose por tercera vez a Madrid, de donde ya apenas si se ausentó, y muriendo en esta ciudad cuando le aureolaba el respeto de los públicos y de la crítica.

El mismo nos cuenta, y en verso, en *El Liberal* de 14 de marzo de 1894, cómo se decidió a vivir en Madrid:

> Con esposa y con chiquillos,
> y pasados mis abriles
> y ligeros los bolsillos...,
> ¿qué hacer? A la mar pelillos,
> y me volví a los Madriles.

El tipo físico y la prestancia moral de Javier de Burgos eran radicalmente distintos a los de Ricardo de la Vega. Enjuto, con barba, quevedos y un leve ceceo, Burgos parecía un buen señor de provincias que viviera de una pequeña renta. Un buen señor triste, que sacara la risa de todas partes menos del alma. Un buen señor que recorriera los barrios bajos madrileños y se asomara a las tertulias del brasero y brisca de la clase media, con ánimo de matar el tiempo y con intención de pasar inadvertido.

A Javier de Burgos había que instarle mucho para arrancarle el chascarro hilarante, el sucedido grotesco, el comentario socarrón, la suspicacia cazurra envuelto en el edulcorante de los versos fáciles improvisados. Eso sí, una vez lanzado... Fue famoso su salero para contar y recitar. Ricardo de la Vega, espontáneo, desbordante, verboso, bromista impenitente, curiosón, era el anverso de la medalla representativa del sainete madrileño entre 1870 y 1900.

Javier de Burgos empezó escribiendo sainetes de costumbres gaditanas. *Cádiz a vista de pájaro*—1866—, *La vuelta a Cádiz en sesenta minutos*—1877—, *Cádiz*—1887, traducido al alemán y con música de Chueca y Valverde—. Sainetes sueltos, graciosos, amenos, naturalísimos. Soles y sales. Bien entrenado, gran madrileño por adopción, se lanzó con el mismo éxito a escribir acerca de las costumbres madrileñas. Pero de las costumbres madrileñas, no del pueblo bajo —¿o del bajo pueblo?—, sino de esa clase "menos que media" del quiero y no puedo.

Jacinto Octavio Picón afirma que Ricardo de la Vega es el reformador del género; Burgos, el cronista de la burguesía cursi; Luceño, el tradicionalista del sainete.

Buen literato, más culto que Vega—aun cuando muy inferior a este en dotes de observación, inventiva y simpatía—, en el teatro empareja con él. Es un Juan del Castillo mejorado—opina Cejador—. Labor fina la suya. Labor grata. Labor sin excesivos baches.

Entre sus sainetes destacan: *Los valientes, El mundo comedia es o El baile de Luis Alonso, Las mujeres, Las cursis burladas, De verbena, Hoy sale, hoy; Boda, tragedia y guateque; La boda de Luis Alonso*. Compuso Javier de Burgos cerca de setenta obras.

V. PICÓN, Jacinto Octavio: Prólogo a *Colección de cuentos* de J. de B. Barcelona, 1896.—BENOT, Eduardo: *Estudio acerca de los sainetes de Javier de Burgos*. Madrid, 1893.—SAINZ DE ROBLES, F. C.: *Historia y antología del teatro español*. Madrid, Aguilar, 1943, tomo VII.

BURGOS SEGUÍ, Carmen de («Colombine»).

Distinguida escritora española. Nació —1879—en Almería. Murió—1932—en Madrid. Profesora, por oposición, de la cátedra de Lengua y Literatura de la Escuela Normal Central de Maestras. Estuvo pensionada por el Estado español en Francia, Italia, Suecia, Noruega, Alemania, Dinamarca, Holanda, Bélgica, Inglaterra, Cuba, México, Perú, República Argentina... Popularizó en muchos diarios y revistas su seudónimo "Colombine" al pie de artículos vibrantes y amenos. Autora fecundísima de novelas, largas y breves, y de cuentos muy originales, muy realistas, muy amenos, escritos con gran corrección de estilo y en una prosa limpia, castiza y llena de emotividad.

Obras: *Fígaro*—biografía—, *Leopardi*—biografía—, *Peregrinaciones*—viajes—, *Al balcón, El último contrabandista*—novela—, *Los espirituados*—novela—, *La mal casada*—novela—, *La hora del amor*—novela—, *El tío de todos*—novela—, *La mujer fantástica, Cuentos de "Colombine", Ellas y ellos, o Ellos y ellas*—novelas—, *Los anticuarios*—novela.

V. Sainz de Robles, F. C.: Prólogo de *La novela corta española*. Madrid, Aguilar, 1952. Nora, Eugenio G. de: *La novela española contemporánea*. Madrid, edit. Gredos, 1962, tomo II, págs. 49-51.

BURRIEL, Andrés Marcos.

Notable erudito, arqueólogo y literato español. Nació—1719—en Buenache de Alarcón (Cuenca). Murió—1762—en Madrid. Jesuita. Protegido por el Padre Rábago, confesor del rey don Fernando VI y del primer ministro, Carvajal. Revisó el Archivo de la Iglesia metropolitana de Toledo, recogiendo de él más de dos mil documentos importantísimos para la historia civil y eclesiástica posterior a la conquista de esta ciudad.

Obras: *Memorias de San Fernando III, rey de Castilla y León*—1762—, *Cartas sobre la colección de San Isidoro de Sevilla* —1752—, *Noticias de la California y su conquista espiritual y temporal*—1758—, una copia de la *Liturgia mozárabe*, otra del famoso *Breviario* del cardenal Cisneros, *Paleographia española*, tomo XIII del "Espectáculo de la Naturaleza", de M. de Pluche, traducido por el padre Terreros; numerosos y sabios prólogos a obras de Valladares y Sotomayor, Jorge Juan y Antonio de Ulloa, padre Miguel Venegas, y gran número de cartas, discursos y memorias, tenidos en el mejor aprecio por los eruditos.

V. Góngora, A. de: *El P. A. M. Burriel.* Jerez, 1906.—Fita, Padre Fidel: *Galería de jesuitas ilustres.* Madrid, 1880.—Sempere y

Guarinos: *Biblioteca española de los mejores escritores del reinado de Carlos III.* Tomo I.

BUSTAMANTE, Calixto Carlos.

Literato peruano del siglo XVIII, cuya personalidad queda bastante confusa. Al parecer, descendía directamente de los antiguos incas, por lo que hacía llamarse Carlos Inca. Sus compatriotas le dieron el nombre indio de *Concolorcorbo.* Durante toda su vida se manifestó y obró con los antiguos anhelos de libertad e independencia que distinguieron a los de su raza.

Se hizo famoso con su obra *El lazarillo de ciegos caminantes desde Buenos Aires hasta Lima*, impresa clandestinamente en Lima—1773—, aun cuando en la portada reza la población de Lijón. El libro es una amenísima y curiosísima impresión del largo viaje, con pormenores de mucha importancia para la historia y las costumbres de la época. *Concolorcorbo* afirma no ser sino el nuevo redactor de unas memorias escritas por don Alonso Carrió de la Vandera.

V. Riva Agüero, J. de la: *Carácter de la literatura del Perú independiente.* Lima, 1905.—Sánchez, Luis Alberto: *La literatura peruana.* 3 tomos, Lima, 1928-1929.

BUSTAMANTE, Carlos.

Historiador y prosista mexicano. Nació —1774—en Oaxaca y murió—1848—en México. Cronológicamente, el primer historiador de su país. Abogado. Relator de la Audiencia de su ciudad natal. Aun cuando no participó en el movimiento insurgente, por miedo a que lo encarcelasen los españoles, se unió—1812—a las tropas de Morelos. Miembros del Congreso de Chilpacingo, en 1817, trató de huir en una nave inglesa, pero fue apresado y permaneció encerrado algún tiempo en el castillo de San Juan de Ulúa. Diputado por Oaxaca durante varias legislaturas. Fundó, con Jacobo de Villaurrutia, el *Diario de México* y una hoja de propaganda revolucionaria titulada *Juguetillos.*

Bustamante fue un historiador de buena fe y objetivo, pero crédulo, rudo, desaliñado en extremo. Escribía no como un historiador, sino como un periodista panfletario.

Obras: *Mañanas de la alameda de México*—1835 y 1836—, *Galería de príncipes antiguos mexicanos*—1821—, *Campañas del general don Félix María Calleja*—1828—, *Cuadro histórico de la revolución mexicana* —1843 a 1846—, *Historia del emperador don Agustín Itúrbide*—1846—, *Apuntes para la historia del gobierno del general Santa Anna*—1845...

V. González Peña, Carlos: *Historia de la*

B

literatura mexicana. México, 1928.—JIMÉNEZ RUEDA, J.: *Historia de la literatura mexicana.* México, 1926.

BUSTAMANTE, Ricardo José.

Poeta y prosista boliviano. Nació—1821—en La Paz. Murió en 1884. Se educó en Buenos Aires y en París, permaneciendo en esta última ciudad algunos años, y donde se dedicó al estudio intenso de la literatura francesa. De regreso a su patria desempeñó cargos importantes: encargado de Negocios en el Perú, cónsul general en Valparaíso, diputado, ministro de Instrucción Pública y de Negocios Extranjeros.

La Real Academia Española le nombró académico correspondiente, honor que no había merecido ningún boliviano hasta entonces. Y sus compatriotas llegaron a compararle con Víctor Hugo, llamándole el "Hugo boliviano", alabanza en la que existe bastante exageración. Fue autor de la letra del himno nacional boliviano.

Entre sus poesías sobresalen las tituladas: *Bendición paternal, El judío errante y su caballo, La Serenata, Preludio al Mamoré, Despedida del árabe...* Leyendas todas ellas en las que se nota la influencia de nuestro José Zorrilla.

Escribió también el drama romántico *Más pudo el suelo que la sangre.*

V. ALARCÓN, Abel: *La literatura boliviana,* en *Revue Hispanique,* tomo XLI.—FINOT, Enrique: *Historia de la literatura boliviana.* México, 1943.—MENÉNDEZ PELAYO, M.: *Historia de la poesía hispanoamericana.* Madrid, 1913.

BUSTILLO, Eduardo.

Escritor—poeta, dramaturgo, periodista—español. Nació—1836—en Madrid. Y en Madrid murió hacia 1900. Estudió Leyes en las Universidades de Madrid, Santiago y Oviedo. Redactor de *La Iberia.* Secretario particular de la reina doña María Victoria, esposa de Amadeo I. Del Cuerpo de Archiveros Bibliotecarios. Residió en Buenos Aires desde 1877 hasta 1880, y allí estrenó con gran éxito dos obras dramáticas. Bibliotecario del Ministerio de Ultramar. Romancero satírico y festivo, publicó poesías muy encomiadas en el *Madrid Cómico.*

Obras: *Estudio sobre Calderón de la Barca, El romancero de la guerra de Africa* —1861—, *Las cuatro estaciones*—poesías, 1877—, *La sal de María Santísima*—cancionero festivo, 1882—, *El libro azul*—novelitas, 1879—, *El ciego de Buenavista*—romancero festivo, 1888—, *El libro de María*—cuadros de la vida de la Virgen—, y las comedias: *Razón de Estado, Lazos de amor y amistad, Troncos y ramas, El camino derecho y Agustina de Aragón.*

BUSTILLO, Ignacio Prudencio.

Poeta, biógrafo, crítico boliviano contemporáneo. Nació en Chuquisaca. No poseemos otras noticias de este interesante literato que las recogidas en las admirables obras de Finot y Díez de Medina.

"Fue Ignacio Prudencio Bustillo una mentalidad despierta y vigorosa, un intelecto de filósofo en un temperamento de poeta. Espíritu inductor en disciplinas científicas, aporta penetrante observación para el tema de costumbres. Sus cuentos, ensayos y cuadros locales denotan fina sensibilidad de artista. Este escritor chuquisaqueño habría alcanzado mayor sitial en nuestras letras, de no haber fallecido en plena juventud. Su biografía de *Aniceto Arce* es un modelo de buena literatura; certera pupila psicológica, estilo elegante, sagaz discriminación de los fenómenos sociales. Aquí está Bolivia, en toda su hondura humana y su dramatismo histórico. Pensador, crítico y prosista de levantada inspiración, fue Prudencio Bustillo un perfecto ejemplar de hombre de letras." (Díez de Medina.)

V. DÍEZ DE MEDINA, Fernando: *Perfil de la literatura boliviana,* en *Thunupa,* La Paz, 1947.—FINOT, Enrique: *Historia de la literatura boliviana.* México, 1943.

C

CABA LANDA, Carlos.

Biógrafo, cronista y novelista español. Nació—1899—en Zaragoza. Universitario. Hermano del filósofo Pedro, con el que escribió dos obras: *Andalucía, su comunismo y su cante jondo*—ensayo, 1933—, y *Las ideologías del siglo*—1920.

Otras obras: *Roger de Flor*—Madrid, 1946—, *¡Wolfram, Wolfram!*—novela, 1946—, *Caucho a la deriva*—novela, ¿1952?—, *Crimen en la frontera*—novela, Madrid, 1957.

CABA LANDA, Pedro.

Ensayista, novelista y crítico. Nació —1900—en Arroyo de la Luz (Cáceres). Hijo de militar, quedó huérfano a muy temprana edad, por lo que hubo de suspender sus estudios de bachillerato, hasta que luego por medios propios pudo reanudarlos.

Estudió Filosofía y Letras en Madrid y dos años de Ciencias. En 1920 publicó un estudio, en colaboración con su hermano Carlos, titulado *Las ideologías del siglo*. En 1932, también en colaboración con su hermano, dio a la imprenta su libro *Andalucía, su comunismo y su cante jondo*, que es un estudio de simpatía, fuerte, poético y hondo acerca del alma andaluza. En 1934, ya sin colaboración, publicó en Barcelona su novela *Las galgas*, que mereció el "Premio Gabriel Miró". En 1945 publica su novela *Tierra y mujer, o Lázara la profetisa*. En 1947 aparece, en Barcelona también, el primer volumen de *Los sexos, el amor y la Historia*. En 1949 da a conocer el primer tomo de la *Biografía de Eugenio Noel*, que subtitula *Novela de la vida de un hombre intenso*, y que ha quedado interrumpida en su publicación con ese primer volumen. En 1949 también se publica en Valencia *¿Qué es el hombre? (Contribución a una antroposofía)*. En 1950 aparece el segundo volumen de *Los sexos, el amor y la Historia*, y *Misterio en el hombre*. En el año siguiente da a luz *Europa se apaga* y *Misterio y poesía*. En 1952 publica *Interpretación del hombre romántico* e *Interpretación del concepto de la autoridad*.

Otras obras: el tercer volumen de *Los sexos, el amor y la Historia*, *La filosofía vuelve al hombre*, que es el planteamiento de una nueva filosofía antropológica después de revisar el planteamiento y la resolución de todos los problemas de la filosofía clásica. *Hambre y amor*—Madrid, 1955—, *La presencia como fundamento de la ontología*—Madrid, 1957—, *Filosofía del libro*—Madrid, 1958—, *Síntesis filosófica*—México, 1961—, *Sobre la vida y la muerte*—Melilla, 1952.

Pedro Caba, dueño de una excepcional cultura y de una enorme inquietud espiritual, es uno de los ensayistas españoles contemporáneos más sugestivos.

V. NORA, Eugenio G. de: *La novela española contemporánea*. Madrid, Gredos, 1962. tomo III, págs. 385-386. (Nora le atribuye equivocadamente la novela *Crimen en la frontera*, que es de su hermano Carlos.)

CABAL, Constantino.

Escritor—investigador, periodista, dramaturgo—español. Nació—¿1885?—en Oviedo (Asturias). Marchó muy joven a Cuba, donde fue, durante quince años, redactor del *Diario de la Marina*, de La Habana.

De prosa correcta y de sólida erudición. Obras: *Del amor*—poesías, La Habana, 1915—, *El libro de cómo se hacen las cosas*—Madrid, 1919—, *Covadonga*—Madrid, 1918—, *La mitología asturiana: los dioses de la muerte y los dioses de la vida*—Madrid, 1925—, *La presa de las águilas*—drama, 1924—, *Majestad*—drama, 1924—, *Cuentos tradicionales, Folklore de Asturias, Mitología ibérica*—1931, en el tomo I de *Folklore y costumbres de España*—Barcelona.

CABALLERO, José de la Luz.

Pedagogo, filólogo y filósofo cubano, de ascendencia española. Nació—1800—y murió —1862—en La Habana. Estudió Teología en el Seminario de San Carlos, pero "colgó los hábitos" antes de recibir las órdenes mayores. De 1820 a 1930 viajó por Europa. Presidente de la Sociedad Económica y catedrático de Filosofía en esta misma institución. En 1840 volvió a Europa, siendo acusado por entonces de conspirar contra España. Fundó varios colegios particulares, en donde se educaron los hijos de las más nobles y ricas familias de su ciudad natal. Colaboró en diarios y revistas, haciendo populares sus bellos *Aforismos*.

En 1890, su amigo Alfredo Zayas publicó las *Obras completas de don José de la Luz Caballero*.

V. PINEYRO, Enrique: *Hombres y glorias de América*. París, 1903.—RODRÍGUEZ, José Ignacio: *Vida de don José de la Luz Caballero*. Nueva York, 1879.—SANGUILY, Manuel: *José de la Luz Caballero*. La Habana, 1890.—CHACÓN Y CALVO, José María: *La literatura de Cuba*, en el tomo XII de la *Historia universal de la literatura*, de Prampolini. Buenos Aires, Uteha Argentina, 1941.

«CABALLERO AUDAZ (El)» (v. **Carretero Novillo, José María**).

CABALLERO BONALD, José Manuel.

Poeta, novelista y crítico. Nació—1926—en Jerez de la Frontera (Cádiz). Ha estudiado Astronomía y Filosofía y Letras. Accésit del "Premio Adonais" en 1951. "Premio Platero" en 1951. "Premio Boscán" en 1958.

Obras: *Poesía* (1945-1948)—1948—, *Las adivinaciones*—1952—, *Memorias de poco tiempo*—1954—, *Anteo*—1956—, *Las horas muertas*—1958—, *Notas sobre el cante jondo* —Madrid, 1953—, *El baile andaluz*—Barcelona, 1957—, *El papel del coro*—poemas, 1961—, *Dos días de septiembre*—novela, Barcelona, 1962—, *Cádiz, Jerez y los Puertos* —Barcelona, 1963—, *Pliegos de cordel*—poesía, 1963—, *Poesía barroca española*—Barcelona, 1964.

CABALLERO CALDERÓN, Eduardo.
"Premio Nadal, 1965", con *El buen salvaje*.

CABALLERO Y MORGAY, Fermín.

Político, erudito y escritor español. Nació —1800—en Barajas de Melo (Cuenca). Murió—1876—en Madrid. Profesor—1822—de Geografía y Cronología en la Universidad de Madrid. Alcalde de esta capital. Ministro de la Gobernación—1843—. Diputado y senador. Académico de la Historia y de Ciencias Morales y Políticas.

Obras: *Derecho español e historia del mismo*—1827—, *El dique contra el torrente* —1830—, *La Turquía victoriosa*—1829—, *La cordobada*—1830—, *Pericia geográfica de Miguel de Cervantes...*—1840—, *Casamiento de doña María Cristina con don Fernando*

Muñoz—1840—, *Los españoles, pintados por sí mismos*—1843—, *El sepulturero de los periódicos*—1934—, *Vidas de conquenses ilustres*—1870 y 1876—, que pueden figurar entre las mejores biografías que ha producido la erudición española.

CABANILLAS, Ramón.

Notable poeta español contemporáneo. Nació—hacia 1885—en Cambados (Pontevedra). Murió—1959—en su villa natal. En 1929 ingresó en la Real Academia Española.

De profunda emotividad, de melancolía extraordinaria, esclavo de la disciplina de la forma absolutamente tradicional, representa en la lírica gallega la culminación de la corriente iniciada por Curros Enríquez y Rosalía de Castro.

Obras: *Vento mareiro*—La Habana, 1915—, *No desterro*—La Habana, 1913—, *Da terra asabollada*—¿1920?—, *A rosa de cen follas* —1927—, *Un mero recuerdo de la vida y obra de Eduardo Pondal*—discurso de ingreso en la Real Academia—, *Na noite entrelecida*.

V. COUCEIRO FREIJOMIL, A.: *El idioma gallego. Historia. Gramática. Literatura*. Barcelona, 1935.—COUCEIRO FREIJOMIL, A.: *Diccionario de escritores gallegos*. Tomo I, 1951.

CABANYES, Manuel de.

Poeta español muy significativo. 1808-1838. De Villanueva y Geltrú (Barcelona). Estudió Derecho en varias Universidades, y murió tísico antes de cumplir los treinta años. El mismo año de su muerte publicó su único libro de poesías: *Preludios de mi lira*, combatido duramente por Quintana y Hermosilla. Muy alabado por Menéndez Pelayo. El libro tiene un corte horaciano decidido. Se notan en él las influencias de fray Luis de León, de Alfieri—de quien tradujo la tragedia *Mirra*—, de Hugo Fóscolo, del prerromántico inglés Thompson; y la inclinación a buscar la inspiración en la poesía helénica, latina y en la italiana del Renacimiento. Y, sin embargo, algo, en las poesías de Cabanyes, dice del romanticismo, un desasosiego íntimo, una como secreta angustia de la muerte pronta, un *sentido* deliciosamente humano. Sí, debajo de la severa factura neoclásica se acusan un hervor y un fervor apasionados. La religión, la patria y el amor conmovieron a Cabanyes "hasta las raíces".

Textos: *Producciones escogidas*—Barcelona, 1858—, *Poesías*—ed. Allison Peers, Manchester, 1923.

V. PUIG, S.: *El poeta Cabanyes*. Barcelona, 1927.—BALAGUER, Víctor: *M. de C.*, en el tomo VII de "Colección de obras". 325-351.—

PEERS, E. Allison: *Some notes on M. de C.,* en *M. Lang N.,* 1932, XLVII, 487.—FABRÉ OLIVER, J.: *Biografía de M. de C.,* en *Prosa Menuda,* Villanueva y Geltrú, s. a.

CABAÑAS, Pablo.

Nació en Madrid el 15 de enero de 1923. Doctor en Filosofía y Letras. Desde 1942—es decir, a los diecinueve años—, becario, por oposición, del Consejo Superior de Investigaciones Científicas y profesor ayudante de la Universidad de Madrid, donde ha estado adscrito a las cátedras de Lengua y Literatura españolas, Gramática histórica de la Lengua española, y actualmente a la de Lengua española y Literatura hispanoamericana. En 1943 fue profesor titular del curso de Cultura española para extranjeros que se celebró en Tánger, y el año de 1947 fue designado para el que se celebró en Santander.

Ha colaborado asiduamente en revistas científicas, y entre ellas en la *Revista de Bibliografía Nacional, Revista de Filología Española* y *Cuadernos de Literatura Contemporánea.* En esta última, y en su continuación *Cuadernos de Literatura,* ha publicado también artículos, ensayos y reseñas sobre poesía actual.

En 1946 publicó un libro, constituido por un estudio, los índices y una antología de los artículos y poemas no recopilados de la revista romántica *No me olvides*—Madrid, 1837-1838.

Sus primeras colaboraciones poéticas aparecieron en la *Antología del Alba*—1940-1942—, editada por la Universidad de Madrid. Después, en una página de poesía joven de *El Español,* y a continuación en diversas revistas literarias: *Garcilaso, La Estafeta Literaria, Corcel, Cisneros, Mensaje* y *Acanto.* En 1943 obtuvo una mención honorífica en el concurso "Adonais" por su libro *Amor vencido.*

Obras: *Evocación*—1951—, *Lejos*—1953—, *El tiempo se llama espera*—1953—, *El mito de Orfeo en la literatura española*—"Premio Menéndez Pelayo", 1947.

CABAÑERO, Eladio.

Nació en Tomelloso (Ciudad Real) el 6 de diciembre de 1930. Redactor jefe de *La Estafeta Literaria.*

"Premio Nacional de Poesía José Antonio Primo de Rivera, 1963", con su obra *Marisa Sabia y otros poemas.*

Obras: *Desde el sol y la anchura*—Madrid, 1956—, *Una señal de amor*—accésit del "Premio Adonais". Madrid, 1958—, *Recordatorio* —Palabra y Tiempo. Madrid, 1961—, *Mancha al sol.* "La poesía de Cabañero representa el entronque de la más culta tradición lírica con la entraña del pueblo, vivo en su idioma más ingenuo y expresivo."

CABEZAS CANTELÍ, Juan Antonio.

Nació en Cangas de Onís (Asturias) el 16 de marzo de 1900. Después de una buena instrucción primaria, emigró a Cuba, en cuya capital desempeñó varios oficios, al tiempo que por propia iniciativa perfeccionó y amplió su instrucción. Allí descubre su vocación literaria, dedicándose a escribir artículos y cuentos, que se publican en distintas revistas y en el *Diario de la Marina.* El año 1923 publica en la Habana su primer libro de narraciones cortas, *Perfiles de almas,* que le abre las puertas del periodismo. Cuando, dos años después—1925—, regresa a España, sigue colaborando, en calidad de corresponsal, en *El Correo Español,* de la Habana, y en su provincia lo hace en varios periódicos y revistas.

Marca una etapa decisiva su ingreso en 1927 en la Redacción de *El Carbayón,* de Oviedo, de cuya dirección se encarga dos años después, cargo que desempeña hasta fines de 1931. Durante este tiempo inicia su colaboración en *La Libertad* y otros periódicos de Madrid, y escribe su primera novela, *Señorita O-3,* que marca el arranque de su definitivo estilo. En 1936 colabora asiduamente en *El Sol,* y publica Espasa-Calpe su *Clarín (Un provinciano universal),* y tras un paréntesis de varios años impuesto por la guerra, aparecen su *Concepción Arenal o El sentido romántico de la Justicia,* también en Calpe; *Rubén Darío*—un poeta y una vida—, editado por Morata, que obtuvo el "Premio Fastenrath, 1945"; *Cristo*—biografía ortodoxa—, editado por editorial Pax, de San Sebastián, y la novela *Héroe de paz,* publicada por Saturnino Calleja en su "Colección Elefante Blanco".

En esta última época ha dedicado parte de sus actividades al periodismo y al cine. Colabora con asiduidad en *España,* de Tánger, y ha realizado los guiones de varias películas, tales como *El testamento del virrey, La sirena negra* y, últimamente, *La manigua sin Dios,* esta última basada en la colonización española en América.

Otros libros: Las novelas *El odio fue antes amor, Nandú* (de ambiente americano), *La fuerza moral* y *Evasión,* de carácter psicológico; *La ilusión humana*—1952—, Madrid—Guía, Barcelona, 1955—, *La montaña rebelde*—Madrid, 1960—, *La casa sin cimientos*—Madrid, 1963—, *Cervantes. Del mito al hombre*—1969.

V. NORA, Eugenio G. de: *La novela española contemporánea.* Madrid, edit. Gredos, 1962, tomo II, págs. 374-375.

C

CABOT, José Tomás.

Novelista y periodista. Nació—1930—en Manresa (Barcelona). En Barcelona cursó estudios de Periodismo, Historia y Medicina. Colaborador de *La Vanguardia, Destino, Historia y Vida, Cuadernos para el Diálogo.* "Premio Sésamo, 1959", de novela.

Obras: *El piquete*—novela—, *La reducción*—novela, 1963.

CABRAL, Manuel del.

Nació en Santiago de los Caballeros el 7 de marzo de 1907. Poeta esencialmente telúrico. Su obra ha adquirido en nuestros días, dentro y fuera de su patria, una importancia indiscutible, acaso por lo que tiene de diversa, de contradictoria, de sugerente y, en ocasiones, de absurda.

Ha publicado *Doce poemas negros*—1930—, *Pilón*—1931—, *Biografía de un silencio*—1940—, *Trópico negro*—1942—, *Sangre mayor*—1945—, *Chinchina busca el tiempo*—1945—, *Compadre Mon*—1948—, *De este lado del mar*—1948—y *Antología Tierra*—1949—, esta última en la colección "La Encina y el Mar", ediciones Cultura Hispánica, de Madrid.

Actualmente es secretario de la Embajada de la República Dominicana en España.

En la poesía de Cabral advierte el gran crítico Valldeperes "una provocada huida de todo cuanto en la poesía es ruido de la epidermis, y, por consiguiente, la calistenia del negro sólo tiene para él un valor rítmico. En el fondo, el poeta realiza la conjunción de dos formas de vida—la local y la universal—que se complementan e integran en la síntesis definitiva de una realidad en la que el carácter original se da como forma universal de cultura, tanto por su fondo esencial como por su energía nativa.

La poesía de Manuel de Cabral contiene sangre del Continente, porque él mismo la lleva en la suya, y es amarga porque destila realidad; porque plantea, como problema fundamental, toda una filosofía nativista en las tres dimensiones de hombre, mundo y cultura, en su aspecto de lucha entre la civilización ya definida y la incipiente civilización continental.

Manuel del Cabral hace confluir en su obra lo individual y lo genérico, lo particular y lo universal, lo efímero y lo permanente, lo objetivo y lo subjetivo. Y logra, además, esa dimensión humana total que tiene su génesis en la conciencia libre y en la creación de su destino.

Lo que hace el poeta es liberar al hombre, en tiempo y espacio, de su propia inercia; devolverle su jerarquía humana, y actualizar su vida, sin olvidar que la voz genuina del hombre es la voz melodiosa y eterna de la sangre".

CABRERA, Fray Alonso de.

Afamado escritor y erudito español. Nació —¿1549?—en Córdoba. Murió—1598—en Madrid. Ingresó en la Orden de Predicadores y estudió en Salamanca, intimando con el catedrático de Prima fray Bartolomé de Medina, quien le entregó los borradores de sus *Comentarios a la tercera parte de la Suma* para que los corrigiera y dispusiese a la imprenta, haciendo índices y tablas. Antes de ordenarse marchó a América, predicando en Santo Domingo. Regresó al poco tiempo a España y enseñó Filosofía en el convento de San Pablo, de Córdoba, y la cátedra de Prima de Teología, en Osuna, recibiendo allí el título de maestro. Prior de los conventos de Portaceli y de Reginaceli (Sevilla) y del de la Santa Cruz (Granada). Predicador en Madrid del rey don Felipe II, en cuyas honras fúnebres—septiembre de 1598—pronunció una hermosa oración. Un mes después de este éxito oratorio, a causa de una enfermedad contraída después de un sermón en las Descalzas Reales a la emperatriz María, falleció en el convento de Santo Tomás, de Madrid.

Obras: *Consideraciones sobre los Evangelios de la Cuaresma...*—Córdoba, 1601—, *Sermón... en las honras de... Felipe II en Santo Domingo el Real el día 31 de octubre de 1598*—Madrid, 1598, y Roma, en italiano, el mismo año—, *Tratados de los escrúpulos y sus remedios*—Valencia, 1599—. Dejó manuscritos tres tomos de sermones de las festividades de los Santos; dos, de sermones funerales; uno, de pláticas. Reeditó sus obras el P. Mir—1906—, en la "Nueva Biblioteca de Autores Españoles"; *Antología,* Madrid, Editora Nacional, 1948.

Sobresalen en fray Antonio de Cabrera la claridad de los conceptos, el acertado ordenamiento de las ideas, la galanura y propiedad del lenguaje.

V. MIR, Miguel: Prólogo a la edición de Cabrera en "Nueva Biblioteca de Autores Españoles", III, 1906.—VIVANCOS, Luis Felipe: *Estudio,* en la *Antología* de la Editora Nacional, Madrid.

CABRERA, Ramón.

Escritor, filólogo y erudito español. Nació —1754—en Segovia. Murió—1833—en Sevilla. Sacerdote. Visitador del obispado de Cuenca. Canónigo de Olivares. Prior de Arróniz, en el obispado de Pamplona. Académico de la Lengua y director de esta institución durante los períodos constitucionales 1812-1814 y 1820-1823. Consejero de Estado. Gran latinista y casticísimo erudito del castellano.

Formó más de mil artículos aclaratorios, correctivos y adicionales al famoso *Diccionario de Valbuena*. También fue autor de numerosísimas aclaraciones e incorporaciones para el *Diccionario de la Academia*. Igualmente remitió a la docta Corporación noticias históricas de inestimable valor sobre el arte de gramática latina de Elio Antonio de Nebrija. Determinó hasta 25.000 etimologías de la lengua castellana.

Obras: *Géneros gramaticales, Breves consideraciones acerca de la armonía, gravedad y abundancia de la lengua castellana*—1781—, *Diccionario de etimologías castellanas*—Madrid, 1837, dos volúmenes (póstuma).

CABRERA DE CÓRDOBA, Luis.

Historiador y político español. Nació —1559—y murió—1623—en Madrid. Escribano de ración del duque de Osuna, virrey de Nápoles, en 1584. Organizador de empresas militares contra los turcos y los piratas berberiscos. En Flandes fue consejero de Alejandro Farnesio. Desde 1592 permaneció al lado del rey don Felipe II. Y, muerto este, pasó a ser secretario de la reina doña Margarita y cantinero de la Real Casa de Castilla.

Se conservan de él algunas poesías, muy influidas por el gongorismo. Pero su fama la debe a la *Historia de Felipe II*, obra magistral por el estilo, por la documentación, por la objetividad y por el interés narrativo.

Cabrera de Córdoba figura en el *Catálogo de Autoridades de la Lengua*, y Cervantes le elogió en el *Viaje del Parnaso*.

Otras obras: *Historia para entenderla y escribirla*—Madrid, 1611—, *Relaciones de las cosas sucedidas en la Corte de España desde 1599 hasta 1614*—Madrid, 1857.

V. Pérez Pastor, Cristóbal: *Bibliografía madrileña*, III, 1891.

CABRERA INFANTE, Guillermo.

Novelista y cuentista. Nació—1929—en Gibara, provincia de Oriente, Cuba. A los doce años llegó a la Habana. Y poco después abandonó sus estudios y empezó a escribir. Tuvo necesidad de ganarse la vida con distintos oficios. En 1950 ingresó en la Escuela de Periodismo. En 1952 fue encarcelado por la publicación de su cuento que contenía *English profanities*. Con el seudónimo de "G. Caín" y durante varios años escribió la crítica de cine en la famosa revista *Carteles*, de la que llegó a ser redactor jefe. Entre 1951 y 1956 dirigió la Cinemateca de Cuba, fundada por él. También dirigió—1959—el *magazine* literario *Lunes de Revolución*, el Instituto del Cine y la Cultura Oficial. En 1962 estuvo en Bélgica como agregado cultural de la Embajada de Cuba en Bélgica. En 1964

ganó el "Premio Biblioteca Breve", de Barcelona. En la actualidad vive en Londres.

Obras: *Así en la paz como en la guerra* —1960, serie de cuentos traducidos a una docena de idiomas—, *Un oficio del siglo XX* —1963, críticas de cine—, *Tres tristes tigres* —novela, 1967.

CÁCERES, Esther.

Poetisa uruguaya. Nació—hacia 1910—en Montevideo. Doctora en Medicina. Profesora en la Facultad de la Universidad de su ciudad natal.

De ella ha escrito Zum Felde: "En Esther Cáceres, la poesía mística ha alcanzado el tono más puro y transparente en nuestra lira. Escribe poemas brevísimos de una musicalidad vaga, delicada y temblorosa, semejantes a suspiros o frases de oración apenas musitada."

Claro está, añado por mi cuenta, que el misticismo de Esther Cáceres es puro sentimentalismo piadoso, sin nada que ver con el auténtico misticismo.

Obras: *Las ínsulas extrañas*—1929—, *Canción*—1931—, *Libro de la soledad*—1933—, *Cruz y éxtasis de la pasión*—1937—, *El alma y el ángel*—1938—, *Los cielos*—1941.

V. Zum Felde, Alberto: *Proceso intelectual del Uruguay*. Montevideo, 1941.

CÁCERES Y ESPINOSA, Pedro de.

Poeta notable español. Nació—¿1540?—en Granada. Murió hacia 1600. Muy pocas noticias se tienen de su persona y vida. Le citan varios autores—el que más, Bermúdez de Pedraza—como un buen poeta, autor de un libro en verso fácil, titulado *Descendencia de los Arandas*, del que se desconocen la fecha y el impresor. Un verso panegírico —muy bueno—de Cáceres aparece al frente de la primera edición de las poesías de su gran amigo Gregorio Silvestre—Lisboa, 1592—, y una elegía hermosísima a la muerte de este gran poeta aparece en las obras de Cáceres—poesías, Granada, 1599—. Escribió, además, Cáceres y Espinosa un *Discurso sobre la vida y las costumbres de Gregorio Silvestre, necesario para el entendimiento de sus obras*.

CADALSO Y VÁZQUEZ DE ANDRADE, José.

Gran prosista y poeta. 1741-1782. Gaditano. Alumno de los jesuitas. Viajó por toda Europa y conoció a la perfección quince idiomas. Oficial de Caballería y caballero de Santiago, se enamoró perdidamente de la actriz María Ignacia Ibáñez, hasta el punto que cuando esta murió y fue sepultada en la parroquia de San Sebastián, Cadalso no salía de este templo, y dio en la manía de querer desenterrar a su adorada para llevársela. Para librarle de tal locura, le desterró a Salamanca el conde de Aranda. Cadalso consiguió resucitar la escuela salmantina de poesía, y cuando regresó a la Corte perteneció a la tertulia literaria de la Fonda de San Sebastián. Declarada la guerra a Inglaterra, el coronel Cadalso, con su regimiento, bloqueó a Gibraltar, en cuya acción encontró la muerte al ser herido por un casco de granada—1782.

Cadalso, igual que Jorge Manrique y Garcilaso de la Vega, tres siglos, dos siglos después que ellos, es un héroe absolutamente romántico. La poesía da a su ímpetu militar un destino legendario casi. Como aquellos maravillosos caballeros, sueña y pía por mezclar los lances amorosos y las empresas de las armas. Todo es para él vehemencia irreprimible. Confunde las voces roncas de la patria en peligro con los dulces acentos de la amada en pena. Los castillos del amor, en bosques nemorosos, le parecen fortalezas que deben ser impugnadas entre el humo denso de la pólvora. Le suenan con el mismo ritmo los cañonazos que las estrofas de los poemas líricos. La cuestión para Cadalso es entregarse a una locura, amar, sufrir, herir y que le hieran, jugarse la vida a una pasión o al sesgo de una espada. Le aterra la monotonía de la existencia, la seguridad de que su cuerpo y su alma no sufrirán revolcones cada hora. ¿Dormir sin ensueños? ¿Vivir sin imaginaciones efervescentes? El amable destierro del conde de Aranda, en la ciudad del Tormes, le libró de una locura erótica, pero le dejó predispuesto para una demencia épica.

Cadalso era alto, delgado, pálido y rubio. Físicamente debió parecerse también a Garcilaso y a Manrique. Vestía el uniforme con una pluma bizarría que para algunos se traducía en feblidad regañada con el esfuerzo de su profesión. Sin embargo, quienes le habían visto en el fragor de los combates, aseguraban su transfiguración; era un infatigable combatiente, jadeaba, rugía, arrebolada la faz, sueltos los cabellos, fulgurantes las pupilas; era el primero de todos en atacar, a pecho descubierto, y el último en retroceder, sin dar la espalda. En la paz, discutiendo en la Fonda de San Sebastián o en La Fontana de Oro—dos tertulias literarias del tiempo—, ya que el discutir, más que el pelear, era la moda del siglo XVIII, Cadalso, por cualquier pequeñez, se exalta, acciona con violencia, vocifera con agresividad, rompe los vasos del servicio... Si en el campo de batalla defendía a la patria, inmutable, en el café defiende su viva efervescencia mental, las ideas y sentimientos que germinando y brotando en él han de des-

arrollarse, fuera de él, en la centuria siguiente, en Larra y en Ganivet... Parece él presentirlo.

La figura de Cadalso es profundamente simpática. Elegido de los dioses, ha de morir joven sin haber sido ni rozado por el ala alígera de la fortuna. Y aumenta aún la simpatía que nos inspira su modo de comportarse mientras vive. Todavía se da más prisa en desvivirse. No solo no pide largueza y tregua, sino que derrocha y desprecia. Tira por la ventana su salud y sus facultades espirituales y se broquela en un gesto irónico que rezuma humanidad. Con una pavorosa retórica que escalofría, dramatiza en las *Noches lúgubres* sus infelices amores. Se ríe de los mentecatos de pujos literarios con una suavidad que desconcierta en *Los eruditos a la violeta*. Derrocha la gracia incopiable—en la que parece burlarse lastimoso de sí mismo—en las poesías reunidas con el título de *Ocios de mi juventud*. Doctrina sin gestos de maestría y sin intentos de proselitismo en las *Cartas marruecas*. Reconoce con una sinceridad tintada de melancolía el atraso que la cultura lleva en España. Y aun cuando él casi no sabe reír, odia a los satíricos porque son "ciertos hombres adustos, llenos de hipocondría, cuyo solo gusto sería desterrar la alegría del mundo". Y ama profundamente a los clásicos. Al suavísimo Garcilaso. Al diamantino fray Luis de León. Al altisonante Herrera. Al entrañable Miguel de Cervantes. Y ama con exaltación a cuantas figuras señeras impulsaron con fuerza la nave de la raza hacia todos los rumbos de la rosa. Al férreo Cisneros. Al loco Hernán Cortés. A la encantadora Isabel I. Al pantagruélico Carlos I. Al delirante Felipe II, erector de un secreto de piedra.

Cadalso, el caballero de la simpatía, es lo mismo que uno de esos fantasmas melancólicos que se corren llenos de colorido y de fastidio por las vidrieras de las catedrales góticas. Se transparenta a todas luces. Y se quiebra con todas las sombras.

Las obras principales de Cadalso son: *Ocios de mi juventud*—poesías, 1770—, *Sancho García*—tragedia, 1771—, *Los eruditos a la violeta. Curso de todas las ciencias* —1772—, *Las noches lúgubres*—¿1779?—, *Las cartas marruecas*—1893, escritas probablemente hacia 1780.

Las ediciones más interesantes de las obras de Cadalso siguen siendo las de: "Biblioteca de Autores Españoles"—tomos XIII y LXI—; edición Calleja, comentada por "Azorín"; Clásicos Castellanos "La Lectura"; la de Madrid de 1821, en tres volúmenes; la de obras inéditas, cuidada por Foulché-Delbosc, en la *Revue Hispanique*, 1894.

V. COTARELO, Emilio: *Cartas inéditas de Cadalso*, en *España Moderna*, 1895.—MAS Y

PRAT, Benito: *Las noches de Young*, en la *Ilustración Española y Americana*, 1888, II, 203, 208.—IGLESIA Y CARNICERO: *García de la Huerta y el coronel Cadalso*. Madrid, 1889.—MONTESINOS, J. F.: *Cadalso o la noche cerrada*, en *Cruz y Raya*. Madrid, 1934.— TAMAYO RUBIO, Juan: *Cartas marruecas*. (Estudio crítico.) Granada, 1927.—TAMAYO RUBIO, Juan: Prólogo y notas en la edición de Cadalso de Clásicos Castellanos "La Lectura".—DÍAZ-PLAJA, G.: *Introducción al estudio del romanticismo español*, 1936, páginas 259 a 291.—LUNARDI, Ernesto: *La crisi del settecento, José Cadalso*. Génova, 1948.— TAMAYO, Juan Antonio: *El problema de "Las noches lúgubres"*, en *Rev. de Bibliografía Nacional*, 1943.—GLENDINNING, Nigel: *Vida y obra de Cadalso*. Madrid, edit. Gredos, 1962.

CADENAS, José Juan.

Periodista, poeta y dramaturgo español. Nació—1872—y murió—1947—en Madrid. Desde muy joven se dedicó al periodismo, perteneciendo a las Redacciones de *Patria* —de Barcelona—y *La Nación, Nuevo Mundo*, la *Correspondencia de España, El Teatro* —de Madrid—. De 1905 a 1907 fue corresponsal en Berlín de la *Correspondencia de España*, y de 1908 a 1915, enviado especial de *A B C* en París.

Cadenas no dejó de publicar sus versos durante más de cuarenta años en todas las principales revistas españolas. Y estrenó más de cien obras teatrales, originales, adaptaciones o traducciones, unas solo, otras en colaboración. Fueron sus principales colaboradores: Asensio Mas, Bonnat, García Alvarez, Gutiérrez Mas, Catarinéu, Cristóbal de Castro, Ricardo Blasco, Abati, Luis París, Gutiérrez-Roig, Abellán, Marquina... Con el primero de ellos edificó el teatro Victoria, de Madrid, del que fue empresario muchos años, implantando en él un género frívolo de gran espectáculo. También edificó otro teatro madrileño: el Alcázar.

Cadenas fue un poeta delicado y brillante. Como autor teatral, peca por su inclinación a lo alegre e intrascendente.

Obras: *La vida alegre en Madrid*—1905—, *La corte del káiser*—1908.

Para la escena: *La tragedia de Pierrot, Doña Inés de Castro, El famoso Colirón, El conde de Luxemburgo, El abanico de la Pompadour, Soldaditos de plomo, La niña de las muñecas, Princesitas del dólar, El país de la sonrisa, Mi hermana Genoveva, Estoy solo a medianoche, ¡Escápate conmigo!, Mi mujer es un gran hombre, El automóvil del rey, La bayadera, La playa de Ola-Ola...*

CADILLA, Carmen Alicia.

Poetisa y prosista puertorriqueña. Nació —1908—en Arecibo. Se graduó en la Escuela de Periodismo de Cuba.

En muy pocas palabras la ha definido, como poetisa, Valbuena Briones: "Predomina en ella el tono menor, la voz intimista, el cantar folklórico y una delicada feminidad, que da una tenue visión del mundo a través de sus detalles. Su modo de versificar está cercano a lo que podría ser un creacionismo de metro corto, en el que se recogieran únicamente las intuiciones más leves."

Carmen Alicia Cadilla siente intensamente el paisaje y juega con graciosa originalidad las metáforas más audaces.

Obras: *Los silencios diáfanos*—San Juan, 1931—, *Lo que tú y yo sentimos*—1933—, *Canciones en la flauta mágica*—1934—, *Raíces azules*—1936—, *Zafra amarga*—1938—, *Voz de las islas íntimas*—1939—, *Ala y ancla*—1940—, *Antología poética*—San Juan, 1941...

V. ARCE, Margot: *Ala y ancla* (Comentario al libro que lleva este título). San Juan, 1951.—VALBUENA BRIONES, Angel: *La poesía portorriqueña contemporánea*. Tesis doctoral. Madrid, 1952.—VALBUENA BRIONES, Angel: *La nueva poesía portorriqueña. Antología*. Madrid, 1952.

CADILLA DE MARTÍNEZ, María.

Poetisa y prosista puertorriqueña. Nació —1886—y murió—1951—en Arecibo. Se graduó de profesora en el Washington's Institute; de bachiller y maestra en Artes, en la Universidad de Puerto Rico, y de doctora en Letras, en la Universidad Central de Madrid. Su admirable labor como folklorista mereció que le fueran otorgados distintos premios en distintos países.

"Tiene una personalidad fina y captadora del matiz. Su inspiración delicada, sencilla y de hermosos tonos íntimos llena todo un azul de impresiones. Introduce en algunas de sus poesías un diálogo consigo misma. Un dejo melancólico se esparce suave... Es un diluirse quintaesencial. Son voces que se acallan. Colores tenues. Perfumes aventados. Existe una huida de lo fuerte, de lo violento, de la brusquedad; hasta el color es rechazado cuando sus tonos están centrados... Es una poesía estremecida... Hay también en ella una filosofía del instante..." (Valbuena Briones.)

Obras: *Cazadora en el alba y otros poemas*—Madrid, 1933—, *Cuentos a Lilián, La poesía popular de Puerto Rico*—1933—, *La mística de Unamuno*—ensayo—, *Raíces de la tierra*—estudio folklórico...

V. ARCE, Margot: *Impresiones*. San Juan. 1951.—VALBUENA BRIONES, Angel: *La poesía*

C

portorriqueña contemporánea. Tesis doctoral. Madrid, 1952.—VALBUENA BRIONES, Angel: *La nueva poesía portorriqueña. Antología.* Madrid, 1952.

CÁDIZ, Fray Diego José de.

Orador y prosista español. Nació—1743—en Cádiz y murió—1801—en Ronda. Se llamó en el mundo José Caamaño García Texeiro y perteneció a una noble y regularmente acomodada familia. Sacerdote capuchino. De una facilidad asombrosa de palabra, libre de conceptismos y culteranismo, natural y fervoroso, comunicador irresistible de simpatía humana y de nobles y espirituales preocupaciones, se hizo famosísimo y fue muy amado por las clases populares. Repetidas veces fue llamado a la Corte para consejero en los más difíciles problemas; pero él, lleno de humildad, jamás quiso abandonar su ardiente apostolado entre las clases humildes de la Andalucía Baja.

Sus *Sermones y elocuciones sobre varios asuntos* formaron seis volúmenes, con más de 800 piezas oratorias del mayor interés religioso y del lenguaje más castizo y sabroso.

Otras obras: *Colección de consultas graves, Afectos de un pecador arrepentido*—Barcelona, 1776—, *Dictamen sobre asunto de comedias y bailes*—Pamplona, 1790—, *El soldado católico en guerra de religión*—Ejira, 1794...

Fray Diego de Cádiz fue beatificado —1894—por el Pontífice León XIII.

CAFFARENA, Ángel.

Poeta, ensayista y editor. Nació—1914—en Málaga. Cursó el bachillerato en Granada y la licenciatura de Filosofía y Letras y el peritaje mercantil en Madrid. En 1956 fundó en su ciudad natal la Librería Antiquaria y las ediciones de libros líricos selectos anexas a la misma. Cronista oficial de Málaga desde 1963. Pertenece a las Reales Academias de San Telmo de Málaga, Bellas Artes de Córdoba, Bellas Artes y Ciencias de Toledo...

Obras: *Ecos*—poemas, 1950—, *Málaga cantaora*—poemas, 1963—, *Geografía del cante andaluz*—1965—, *Cantes andaluces: la saeta, la petenera*—1965—, *Apuntes para la historia de las mancebías de Málaga, El Liceo Artístico, Científico y Literario de Málaga.*

CAICEDO ROJAS, José.

Poeta, prosista y periodista colombiano. Nació—1816—y murió—1897—en Bogotá. Desde muy joven, figuró como redactor de los principales diarios y revistas de su país. Cultivó con éxito todos los géneros literarios. En el teatro estrenó los dramas *Celos*

y *Cervantes Saavedra.* Grandes fueron su caballerosidad y su integridad social, manteniéndose en una honrosa pobreza. Desdeñó algunos cargos públicos que le fueron ofrecidos insistentemente. Poseyó un castellano excelente y entreveró en sus obras novelescas y dramáticas un romanticismo ardiente con un melodramatismo un tanto engolado, muy del gusto del gran público de su tiempo.

Obras: *Juana "la Bruja"*—novela—, *Don Alvarado*—novela—, *La espada de los Monsalos*—novela—, *Los amantes de Usagué*—novela—, *Un monstruo execrable, La tempestad, El Año Nuevo*—artículos, 1849—, *Poesías*—1867—, *Recuerdos de la Tierra Santa*—1869—, *Memorias de un abanderado* —1876—, *Apuntes de ranchería*—El Havre, 1871—, *Escritos escogidos*—1891...

V. ARANGO FERRER, Javier: *La literatura de Colombia.* Univ. de Buenos Aires, 1941.— GÓMEZ RESTREPO, Antonio: *Historia de la literatura colombiana.* Bogotá, 1938.—LAVARDE AMAYA: *Bibliografía colombiana.* Bogotá, 1895.—POSADA, Eduardo: *Bibliografía bogotana.* Dos tomos, 1917 y 1924.

CAILLET-BOIS, Julio.

Historiador y crítico literario argentino. Nació—1910—en Buenos Aires. Doctor en Letras. Profesor de Literatura Española en la Facultad de Filosofía y Letras de la Universidad de Cuyo—1942—y de la Universidad Nacional de Eva Duarte de Perón—desde 1942—, profesor de Literatura Hispanoamericana del Instituto Nacional del Profesorado—1945—. Ha publicado en revistas de erudición y crítica incontables ensayos acerca de temas literarios hispanoamericanos, y antologías de poetas de Hispanoamérica.

CAJADE, Ramón.

Novelista y cronista español. Nació—1914—en Santiago de Compostela (La Coruña). Se licenció en Leyes en la Universidad de su ciudad natal. Juez comarcal. En la actualidad desempeña el secretariado de Justicia en Salamanca. Realizó la guerra de Liberación como soldado raso. Ha publicado incontables crónicas en revistas y diarios españoles.

"Cajade es un hombre que lleva a cuestas su soledad con la misma sencillez que su camisa." "Cajade es un solitario contumaz, náufrago de calles y pueblos, que se alegra al encontrar a otros náufragos como él, pero que, después de haber charlado un rato y de quemar unos cigarrillos de picadura, toma su balsa y se echa de nuevo al mar de su aislamiento." (Emilio Salcedo.)

Obras: *El triunfo de los derrotados, Es la vida, El camino manda, Los solitarios,* novelas publicadas en Madrid por la Editorial Aguilar entre 1955 y 1964.

V. SALCEDO, Emilio: *Literatura salmantina del siglo XX.*

CAJAL, Rosa María.

Cuentista, novelista, periodista española. Nació—1920—en Zaragoza. Siendo muy joven, empezó a publicar cuentos y crónicas en diarios y revistas. Aun cuando en 1947 no logró ganar el "Premio Nadal", una vez publicada su novela concursante, para muchos críticos resultó mejor que la novela premiada. Para Nora, las obras de Rosa María Cajal "se orientan por un camino firme: la exploración psicológica, apurada con rigor, y asentada en los datos de la realidad humana y social en torno, hasta configurar un representativo y complejo tipo de mujer de hoy, o el costumbrismo involuntariamente trascendente... La depuración artística y la profundización temática, ideológica y humana que estos libros esbozan nos hacen esperar con optimismo el futuro de la novelista".

Obras: *Juan Risco*—Barcelona, 1948—, *Un paso más*—Barcelona, 1956—, *Primero derecha*—Barcelona, 1956—, *El acecho*—Madrid, 1963.

V. NORA, Eugenio G. de: *La novela española contemporánea.* Madrid, edit. Gredos, 1962, tomo II bis, págs. 232-234.

CAJAL, Santiago Ramón y (v. Ramón y Cajal, Santiago).

CALANCHA, Fray Antonio de la.

Cronista y religioso. Nació—1584—en Chuquisaca (Bolivia) y murió—1654—en Lima. Hijo de un capitán del ejército español. Religioso agustino. Prior del convento de Trujillo. Definidor de la provincia de Lima. Cronista de su Orden. Llevado por su amor a las antigüedades, recorrió todo el Perú, visitando las ruinas del imperio de los incas.

Su obra principal es la titulada *Crónica moralizada de la provincia del Perú*—Barcelona, 1639—. La segunda parte se publicó en 1853.

Según el gran crítico boliviano Fernando Díez de Medina, "Calancha es el primero de nuestros hombres de letras en quien se concentran y subliman los vicios y virtudes del barroco colonial. Su *Crónica moralizada...* anuncia la aparición del humanista americano. Calancha, cuya formación intelectual es definitivamente renacentista, gongórica y españolizante, desemboca casi siempre por el sentimiento en la posición indianista. Satiriza al peninsular y defiende al nativo... Es el primer explorador-artífice del orbe indio. Analiza agudamente, narra con des-

treza, está henchido por la ternura del motivo autóctono. Su *Crónica* no es solo un compendio de conocimientos e impresiones acerca del gran Perú, sino la obra de un artista fuertemente herido por la hermosura del paisaje y la novedad de su poblador."

Otras obras: *De los varones ilustres de la Orden de San Agustín, De Immaculatae Virginis Conceptionis certitudine*—Lima, 1653.

V. DÍEZ DE MEDINA, Fernando: *Perfil de la literatura boliviana,* en *Thunupa,* La Paz, 1947.—MENÉNDEZ PELAYO, M.: *Historia de la poesía hispanoamericana.* Madrid, 1913, tomo II, págs. 277-278.

CALAVERA, Ferrán Sánchez de.

Poeta español que vivió entre el último tercio del siglo XIV y el segundo del siglo XV. Menéndez Pelayo cree que debe llamársele *de Talavera.* La crítica moderna—Dámaso Alonso—opina que *de Calavera.* Representa, en el *Cancionero de Baena,* la poesía seria, pesimista y con sus ribetes de moralizante. Fue quien primero propuso la cuestión angustiosa de la *predestinación,* que culminaría en el drama teológico de Tirso de Molina *El condenado por desconfiado.* Se le atribuye igualmente un *Dezir* a la muerte del almirante Rui Díaz de Mendoza, poesía que es el antecedente inmediato—con *El planto de las virtudes,* de Gómez Manrique—de las famosas *Coplas* de Jorge Manrique. Sánchez de Calavera fue comendador de Villarrubia, y llevó una vida apacible y honesta.

V. MENÉNDEZ PELAYO, M.: *Antología de poetas líricos castellanos.* Tomo III.

CALCAÑO, Julio.

Erudito, novelista, crítico literario venezolano. 1840-1918. Nació en Caracas. Militar de alta graduación. Periodista. En su juventud tomó parte activa en la política, interviniendo en varias revoluciones, lo que le motivó persecuciones y destierros. Viajó por Europa, y vivió en Madrid y en París. La Academia Española le nombró—1882—, por unanimidad, secretario perpetuo de la correspondiente venezolana. También fue miembro de la Société des Gens de Lettres, de París.

De Calcaño y sus hermanos—también escritores—ha dicho Picón Salas que "son mucho más que una familia: un círculo y una escuela literaria".

En su juventud escribió novelones románticos: *La leyenda del monje, Blanca de Torrestella, La danza de los muertos, El escultor Martiniani, Tristán Cataletto...* y hasta un libro poemático: *Hojas de ciprés.* Pero su fama perdurable la debe a sus obras de crítica y erudición: *Tres poetas pesimistas del siglo XIX, Reseña histórica de la literatura venezolana*—1888—, *El castellano en Venezuela, Parnaso venezolano desde el siglo XVIII hasta nuestros días*—Caracas, 1892—, en las que se armonizan la gran cultura, la gran sensibilidad, el magnífico criterio y el excelente castellano.

V. Picón Febres, Gonzalo: *La literatura venezolana en el siglo XIX*. Caracas, 1906.—Picón Salas, Mariano: *Formación y proceso de la literatura venezolana*. Caracas, 1940.

CALDERÓN, Fernando.

Mexicano. 1809-1845. Poeta, narrador y dramaturgo de mucha importancia y de la mayor jerarquía estética en el teatro de asunto foráneo.

"Calderón—escribe Leguizamón—es un autor dramático de innegables recursos. Pagó excesivo tributo a la tendencia medievalista del romanticismo. Gradúa y maneja las situaciones con seguro oficio. Si no construyó un teatro con elementos nacionales—reparo unánime que le formula la crítica de su país—, consiguió, en cambio, condensar la materia dramática del romanticismo en obras de indudable atracción y lograda fuerza poética."

Obras: *El torneo*—1839—, *Hernán o La vuelta del cruzado*—1842—, *Ana Bolena*—1842—, *A ninguna de las tres.*

V. Olavarría Ferrari, E.: *Reseña histórica del teatro de Méjico*, 2.ª edición. Cuatro volúmenes. México, 1895.—González Peña, Carlos: *Historia de la literatura mexicana*. México, 1940, 2.ª edición.—Jiménez Rueda, Julio: *Historia de la literatura mexicana*. México, 1942, 3.ª edición.—Navarro, Francisco: *Teatro mexicano*. Madrid, Espasa-Calpe, ¿1925?—Usigli, Rodolfo: *México en el teatro*. México, 1932.

CALDERÓN DE LA BARCA HENAO DE LA BARRERA RIAÑO, Pedro.

Glorioso dramaturgo e inmortal poeta español. 1601-1681. Pedro Calderón de la Barca se jactó en alguna ocasión, sin demasiado orgullo o presumiendo de no tenerlo, "de la mediana sangre en que Dios fue servido que naciera". Su casa solariega estaba en La Barca, Santander. Gotas flamencas le trajo su apellido materno de los Mons de Hainout. Cierto antepasado suyo, el venerable Sancho Ortiz Calderón, dio su vida por la fe de Cristo. Su abuelo homónimo fue escribano "del Consejo y Contaduría Mayor de Hacienda". Su padre, de la casa de Calderón de Sotillo, con jurisdicción en Reinosa, secretario del Consejo de Hacienda del rey don Felipe II. Sobre su linaje escribieron latos manuscritos dos graves varones regulares: el agustino fray Felipe de la Gándara —en 1661—y el benedictino fray Josef Río, en 1753. La abuela de nuestro don Pedro fue doña Isabela Ruiz de Navamanuel, hija del famoso artífice de espadas Francisco Ruiz *el Viejo*, de quien ponderó Lope de Vega "que eran dignos de un príncipe el corte y filo de los aceros forjados por él".

Pedro Calderón de la Barca nació en Madrid el día 17 de enero de 1600, y fue bautizado en la parroquia de San Martín casi un mes después: el 14 de febrero. Ya viejo, contaba el dramaturgo a su gran amigo Gaspar Agustín de Lara que, de niño escolar, "no sentía tanto los azotes del maestro, como que los muchachos le llamasen el *Pereantón*, por llamarse Pedro y haber nacido el día de San Antón".

He aquí el primer respingo de soberbia, digna de quien sería llamado el dramaturgo del honor. Lo de menos era ya que le tirasen de las barbas; lo de más, que *se le subieran* a ellas.

La niñez de Calderón es algo reservado, casi hermético. Si Lope siempre pavoneó la desvergüenza de sus intimidades, Calderón ocultó siempre con erizamiento bárbaro su vida privada. Fue un niño seco y callado. Había aprendido ya a caminar con el engallamiento severo de las circunstancias. Era el niño observador y algo repipi.

Según afirma un biógrafo suyo, "estudió con notorio aprovechamiento e irreprochable conducta" en el Colegio Imperial de la Compañía de Jesús de la villa y corte entre los años 1608 y 1613. Aprende Gramática, Humanidades en los clásicos griegos y latinos, historia de la Iglesia, pocas Matemáticas y Astronomía, Patrística... En 1614 estudia —matriculado como alumno de Súmulas—en Alcalá de Henares, de donde marchó "en letras clásicas y arte retórica, aprovechando entre los mejores". Durante los años 1616 y 1617 obtiene el título de bachiller con Cánones en la Universidad de Salamanca.

Ya culto y culterano, contoneando con gravedad su sapiencia jurídica y teológica, se plantó en Madrid, animado a barajarla debidamente con sus afanes poéticos. La ocasión se le presenta pronto. Concurre a los certámenes literarios organizados en la Corte—1620 y 1622—para solemnizar la beatificación y la canonización de San Isidro.

Concurre con otros ya muy famosos poetas. En los dos años de Justas obtiene premios de los primeros y es alabado por el juez inapelable de ellas, Lope. En 1620 el Fénix alude así al jovenzuelo:

> A don Pedro Calderón
> admiran en competencia
> cuantos en la edad antigua
> celebran Roma y Atenas.

C

"Lo que era casi lo mismo que no decir nada en fuerza de querer decir mucho", comenta Cotarelo. En 1622, el elogio es más preciso: "En sus tiernos años [Calderón] ganó laureles que el tiempo suele reservar a las canas." Calderón, que indudablemente concurrió a las Justas, según él mismo confiesa en cierto romance biográfico, con ánimo lucrativo, en las de 1622 obtuvo un tercer premio, consistente en un trencellín, con valor de 30 ducados. También concurrió a otro certamen organizado por los jesuitas para celebrar la santificación de San Ignacio de Loyola y San Francisco Xavier, al que presentó un romance titulado *Penitencia de San Ignacio,* que obtuvo el primer premio, consistente en un pomo de plata dorado y labrado, que valía 15 escudos, y con unas quintillas a un milagro de San Francisco, que lograron, como segundo premio, cuatro cucharas y cuatro tenedores de plata, tasados en 10 escudos.

Parece ser que por esta época renunció Calderón a tomar las órdenes sagradas que sus familiares le inclinaban a tomar. Nueva prueba de su arranque temperamental. Nada a la trágala. Y es que don Pedro cobraba las rentas de cierta capellanía, para seguir beneficiándose de la cual era imprescindible ser sacerdote. En 1625 ya no cobraba el poeta este momio eclesiástico, lo que prueba su decisión de dedicarse a la poesía y a las armas, y, cuando fuera preciso, de ser de protagonista comedias de capa y espada y aun de enredo, sin vacilaciones ni pudibundeces.

Quizá por los años 1623, 1624, 1625 anduvo Calderón por Italia y por Flandes como soldado de los gloriosos tercios españoles. Algunas de sus comedias—*La dama duende, Con quien vengo, No hay cosa como callar*—lo dan a entender.

En enero de 1629 ocurre el famosísimo lance de las Trinitarias. Un hermano de don Pedro—probablemente Francisco González Calderón, hermano natural, reconocido en codicilo por el padre del dramaturgo—y el cómico Pedro Villegas riñen a la puerta del Mentidero de los Representantes, sito en la calle del León, esquina a la de Cantarranas —hoy Lope de Vega—, lugar muy próximo al convento de Trinitarias, donde había sido sepultado Cervantes y en el que vivía profesa sor Marcela, hija de Lope. De la riña a feroces cintarazos quedó malherido Calderón. Huyó el agresor, y, "al parecer", buscó asilo sagrado entre las monjas. "Siguióle la Justicia, el hermano (del herido), parientes y otra muchedumbre grande", en la que se mezclaban alguaciles, corchetes, criados de señores y vecinos de la calle. Todos penetraron con ímpetu en el convento, profanando la clausura, despojando de su velo a las religiosas, y, "a pesar de las observaciones y anatemas del vicario de la villa", registraron todas las celdas, y a las mismas monjas reconocieron injuriosa, si no torpemente; pero no pudieron hallar al delincuente.

El escandaloso suceso tuvo una curiosa derivación. Fray Hortensio F. Paravicino de Arteaga, célebre predicador de la Corte, escritor pedante y culterano, en un sermón predicado el día 11 de enero de 1629, en honra de los reyes difuntos doña Margarita y don Felipe III, tronó contra los ministros de la Justicia Real, inculpándolos por el atropello de las Trinitarias, y despotricó contra los comediantes y poetas dramáticos que tales disturbios promovían.

La respuesta adecuada de Calderón no se hizo esperar. Escribía por entonces su prodigiosa obra *El príncipe constante;* al gracioso de ella, Brito, le hizo prorrumpir en jocosas invectivas, dirigidas, *al parecer,* contra el mar y cuantos le surcan:

> Una *oración* se fragua
> *fúnebre,* que es sermón de Berbería...
> *Panegírico* es que digo al agua,
> y en *emponomio horténsico* me quejo;
> porque este enojo, desde que se fragua
> con ella el vino, me quedó, y ya es viejo.

Dio mucho que reír en Madrid la pulla. El predicador trinitario, lleno de furor, acudió en queja al juez protutor de teatros, que era, a la vez, consejero de Castilla. Se examinó con meticulosidad la obra. Parece ser que el propio Felipe IV quiso leerla, y que se rió mucho con el "emponomio horténsico", sabido lo cual, acabóse de irritar la bilis de Paravicino, quien dirigió al monarca un memorial iracundo, en el que se ponderaban la gravedad de la ofensa a la honra de Dios, a la del rey, a la de sus padres..., el sacrilegio contra las personas monjiles, el escándalo público..., y en el que se pedía —¡nada menos!—que se considerase a los autores como incursos en el delito de lesa majestad. Después de leído este memorial, Felipe IV no perdió su sonrisa escéptica. Y el cardenal don Gabriel de Trejo y Paniagua, presidente del Consejo de Castilla, bien meditado su dictamen, opinó que aun cuando Calderón debía ser castigado, no en el punto que demandaba el airado trinitario, porque este, "como es tan grande predicador, sube de punto la queja". El poeta fue castigado... a quitar de su comedia las supuestas frases ofensivas.

Desde 1634 empieza a ser Calderón, cada vez más y mejor cortesano, el poeta de la Corte. Las fiestas reales llevan siempre en su desarrollo fastuoso una obra del autor de *La vida es sueño.* En 1637 es nombrado por el rey caballero de Santiago. En 1638 asistió "al socorro de Fuenterrabía"; y con el Conde-Duque, como caballero santiago, a la guerra de Cataluña, formando parte de una compañía de corazas, y en la que "se señaló y peleó como muy honrado y valiente caballero, y salió herido en una mano..., y se portó como de su persona y partes se podía esperar". Entre 1640 y 1641, tiempo en que duró el servicio militar de Calderón en Cataluña, ¿volvió el poeta algún tiempo a Madrid? Así parece indicarlo Pellicer cuando escribe: "Estando ensayando las comedias, en unas cuchilladas que se levantaron, dieron algunas heridas a don Pedro Calderón, su autor." La herida en la mano que los panegiristas atribuyen a la gloria guerrera, ¿no la recibiría en esta menos digna reyerta de parnasillo?

El 15 de noviembre de 1642, estando Calderón en Zaragoza, tal vez mucho más enfermo de alma que de cuerpo, recibió licencia absoluta. En 1643 ya estaba en Madrid. Y poco después entraba al servicio del sexto duque de Alba. Por entonces—¿1646?—se desarrollaba un episodio íntimo de su vida. Ama. Tiene una amante. Le nace un hijo —¿1647?—, que morirá antes de los diez años. ¿Cómo se llama ella? ¿Cómo es su físico? ¿Dónde la ha conocido? ¿Cuánto tiempo duraron sus amores? ¿Cuántos han sido los grados de este apasionamiento tardío, fruto serondo del otoño? Nada se sabe. Calderón jamás aludió ni en verso ni en prosa a dicha mujer. No ha llegado a nosotros la indiscreción de ninguno de sus contemporáneos. El pudor del poeta es maravilloso. ¡Y contrasta tanto con el impudor de Lope de Vega, que así airea sus pasiones violentísimas! El amor de Calderón es un amor de puntillas, de tapadillo, de penumbras, puesto el índice conminatorio sobre los labios. El fruto de estos amores, Pedro José Calderón, pasó por sobrino del poeta mientras este fue seglar. Y, ¡extraña contradicción! Cuando don Pedro se ha ordenado ya sacerdote, tiene el soberano valor de proclamarlo hijo suyo.

¿Influyeron estos amores patéticos y este hijo malogrado en el iniciamiento de la vida austera del inmortal comediógrafo? ¿Fueron ellos la clave? En 1650—11 de octubre—ingresó en la Orden Tercera de San Francisco, tomando el hábito el día 16. En las últimas Témporas de 1651 se ordenaría del presbiteriado, por cuanto el 18 de septiembre de dicho año se despachó Cédula real autorizándole para "ordenarse de misa y andar con el hábito de sacerdote en la forma ordinaria".

"Comienza aquí—escribe Valbuena—la verdadera biografía del silencio, como he llamado a la vida de Calderón. El poeta se aparta del mundo, se reconcentra en sí mismo; su vida es como un inmenso soliloquio del drama; medita, apartado del bullicio de la vida, como los personajes de sus comedias más significativas de un eco autobiográfico, entre libros y obras de arte. Hace de su casa un verdadero museo, en que a los libros de teología y sagrados cánones acompañan pinturas e imágenes de bulto y policromadas, reveladas en el inventario que se hizo a su muerte..."

El apasionamiento calderoniano del gran crítico es grande. Efectivamente, desde 1651 la existencia del poeta es magnífica, irreprochable. Pero no tan apartada como la cree el crítico. Calderón sigue siendo el gran proveedor de teatralidades mundanas para la Corte. Hasta el punto de que, en 1653, habiendo sido nombrado capellán de los Reyes Nuevos de Toledo, no quiso ir a tomar posesión de su cargo eclesiástico hasta haber cumplido sus deberes de poeta cortesano, dando a Felipe IV su nada mística comedia Fortunas de Andrómeda y Perseo, para ser representada en uno de los jolgorios del Buen Retiro. Apenas llegado a Toledo, ingresa en la Hermandad del Refugio—donde años más tarde le sustituiría el gran Moreto—, y por encargo del cardenal don Baltasar de Moscoso y Sandoval compuso unas canciones explicando la inscripción Psalle et sile que se lee sobre las puertas del coro de la catedral toledana. En sus años de permanencia—no continuada—en la imperial ciudad, Calderón se dedica de lleno a la composición de autos sacramentales, en la que llegó a una perfección de belleza "plástica y emotiva" absoluta. En 1661 le pagaban por escribirlos, y anualmente, con obligación de ir a la Corte a representarlos, 400 ducados el Ayuntamiento y 1.400 reales los cómicos.

En 1663 ya estaba de regreso en Madrid, nombrado capellán de honor de su majestad. Y capellán mayor de la Congregación de presbíteros naturales de Madrid—en la que había ingresado en 1663—fue elegido en 1666.

Seguía escribiendo autos y zarzuelas, "otras piezas llamadas así por representarse en el sitio de la Zarzuela, cerca del Pardo".

Desde esta última fecha, ¡cuán plácida transcurre—y discurre—la vida de Calderón! El rezo, la misa, los paseos mañaneros por las afueras de Madrid, la asistencia a los ensayos de sus obras, la visita de los pobres, las tertulias con gentes de sotana... Y las horas secretas de inspiración, en que la pluma ligera seguía los impulsos cada vez más ascéticos de su alma. Paz. Y—¿por qué no?—felicidad. Vivir para sí y para adentro. Y en soliloquio perenne. En el ensueño. Los días pasan. Y los años. Calderón escribe sin cansancio. Calderón lee sin fatiga. Calderón ensueña sin aburrimiento. Su casa es su centro. Sus libros. Sus esculturas. Sus tiestos de flores.

A los ochenta años de edad escribió Calderón su última comedia, por encargo de los reyes y para el festejo de Carnaval de 1680. Estaba inspirada en los libros de caballería y se tituló *Hado y divisa de Leonardo y Marfisa.* Se estrenó en el Buen Retiro el domingo de Carnaval 3 de marzo, y dirigió la tramoya el célebre pintor Dionisio Mantuano, pintando la escenografía Josef Candi, artista valenciano, que había españolizado el arte del teatro italiano de Cosme Lotti y Vaggio. Muy pocos meses después, Calderón da una prueba admirable de la serenidad de su espíritu, ya casi por entero entregado a la aspiración de lo inmortal. El 20 de mayo de 1681 redacta su ejemplar testamento. "Hallándome sin más cercano peligro de vida que la misma vida, y en mi entero y cabal juicio... Primeramente pido y suplico a la persona o personas piadosas que me asistan, que luego que mi alma, separada de mi cuerpo, le desampare dejándole a la tierra, bien como restituida prenda suya, sea interiormente vestido del hábito de mi seráfico Padre San Francisco, ceñido con su cuerda, y con la correa de mi también Padre San Agustín, y habiéndole puesto al pecho el escapulario de Nuestra Señora del Carmen y sobre ambos sayales sacerdotales vestiduras, reclinado en la tierra sobre el manto capitular de Santiago, es mi voluntad que en esta forma sea entregada al señor capellán mayor y capellanes que son o fueren de la venerable Congregación de Sacerdotes Naturales de Madrid, sita en la parroquia del Señor San Pedro, para que usando conmigo, en observancia de sus piadosos institutos, la caridad que en otro cualquiera pobre sacerdote, me reciban en su caja (y no en otra) para que en ella sea llevado a la parroquial iglesia de San Salvador, de esta villa; y suplico así al señor capellán mayor y capellanes como a los señores albaceas, que adelante irán nombrados, dispongan mi entierro *llevándome descubierto, por si mereciese satisfacer en parte las públicas vanidades de mi mal gastada vida con públicos desengaños;* y así mismo les suplico que para mi entierro no conviden más acompañamiento que doce religiosos de San Francisco, y a la Tercera Orden, de hábito descubierto, doce sacerdotes que acompañen la cruz, doce niños de la Doctrina y doce de los Desamparados. En esta conformidad, llegado que sea mi entierro a la parroquia (cuyo templo estará con los lutos y luces que sin fausto basten a lo decente), vuelvo a suplicar al señor capellán mayor y capellanes, me diga la Congregación la Vigilia sin más música que su coro... Será mi sepultura la bóveda de la capilla que con

el antiguo nombre de San Joseph está al pie de la iglesia, donde hoy se venera colocada la Santa Imagen de la Sentencia de Christo Señor Nuestro; aquí, pues, habrá prevenida otra capa sin más adorno que cubierta de bayeta en que sepultado mi cadáver en compañía de mis abuelos, padres y hermanos, espere la voz de su segundo llamamiento."

Calderón de la Barca murió el 25 de mayo de 1681, domingo de la Pascua de Pentecostés, a las doce y media de la mañana. Como un *viento vehemente,* entre antífonas y alusiones, disparó su alma el poeta maravilloso, cuya clave de vida ejemplar fue aquella su propia frase acerca de la Vida: "Humo, polvo, nada y viento."

Dejó por heredera de sus escasos bienes a la Congregación de Presbíteros Naturales de Madrid, y de sus manuscritos, a su fiel amigo don Juan Mateo y Lozano, cura de San Miguel.

Los restos mortales del inmortal poeta descansaron durante ciento cincuenta y nueve años en el oscuro nicho de la capilla de San José. Por estado ruinoso de la parroquia del Salvador—sita en la calle Mayor, esquina a la de los Señores de Luzón, y casi enfrente de la casa donde había muerto—se trasladaron—12 de junio de 1840—a la capilla del cementerio que en la Puerta de Atocha poseía la Archicofradía de Presbíteros Naturales de Madrid, llamado Sacramental de San Nicolás. En 1869, a la iglesia de San Francisco el Grande. En 1874 fueron devueltos a la Sacramental de San Nicolás. En 1880 se les dio recibimiento en la iglesia sita en la calle de la Torrecilla del Leal, núm. 7, propiedad de los mencionados Presbíteros Naturales de Madrid. En 1902, en el templo que levantó esta Congregación en el final de la calle Ancha de San Bernardo.

Calderón es un portentoso creador de símbolos. Hasta cuando escribe comedias profanas. Símbolos que se *encarnan* para vivir una existencia normal y paradigmática. Lope es un creador de pasiones. Tirso, un creador de caracteres. Rojas, un creador de tipos. Los protagonistas de Lope, de Alarcón, de Rojas, de Tirso, se llaman Marfisa, Constanza, Isabel, Violante, Mencía, Gutierre, Don Lope, Hernando, Don Félix, Don Juan... Los protagonistas más amados de Calderón se llaman el Amor, el Hombre, la Tierra, el Fuego, la Fe, la Esperanza, el Albedrío, el Gentilismo... Pero no se crea por los nombres que tengan menos carne y alma que aquellos, ni que delaten menos sus pasiones, ni que atestigüen menos su procedencia realista. Calderón acepta la técnica de Lope... Pero ¡cómo se diferencia de él! Lope llevó al teatro su visión de la Vida interpretada en un sentido nacional y popular; en sus obras predomina la intriga, y en cada una de ellas es difícil señalar el protagonista, ya que son dos o tres o cuatro los personajes que se reparten el interés. Lope es la inventiva, la improvisación. Su poesía, esencialmente lírica, a veces nos parece postiza sobre la escena, añadida por instinto más que por naturalidad. Lope es la frondosidad, la indecisión. Calderón llevó al teatro su visión de la Vida interpretada en un sentido de raza y de época, menos universal que el de Lope; en sus obras predomina lo especulativo, y si en ellas se pierde en exteriorización y en extensión, se gana en interioridad y en profundidad. Calderón no quiere para cada una de sus obras sino un protagonista, al que encumbrará a costa de las demás figuras. En Calderón la expresión y la forma son precisas, la reflexión ha sustituido a la inventiva, lo retocado a lo espontáneo, el profundo y sabio sentido constructivo a la alegría de la improvisación técnica. En Calderón toda la poesía es decorativa y se ajusta a la acción como el guante a la mano.

El teatro de Calderón, dentro de su esencial *sabiduría,* pasa por dos momentos—o dos formas, o dos estilos—. En el primero, su inspiración y *su manera de hacer* aún toman contacto en las de Lope. Aun cuando, insisto, la ideología ya predomina sobre la pasión. En el segundo, ya por completo apartado del Fénix, exalta su *estética* de la escena, su fondo de musicalidad—que hace justa la apreciación de Menéndez Pelayo acerca de cómo Calderón trató algunos temas caballerescos como libretos brillantes de ópera. Calderón crea "un auténtico y admirable teatro español de convencionalismos". La religión, el honor y la monarquía son sus obsesiones.

Calderón es el dramaturgo del estilo barroco. Lope, tan claro de palabra y de obra, muerto en 1635, apenas sufrió la influencia de las características—aún apuntadas—de dicho estilo: el gongorismo y el conceptismo. Calderón se mueve en ellas como el pez en el agua. El gongorismo es la palabra rara y la imagen estridente de tan atrevida y pasmosa, de tan profundamente poética. El conceptismo es la idea muy filtrada, muy sutil de alambique y muy sospechosa siempre de poder, aún, ser más clarificada. Calderón ordenó su estilo en el andamiaje de lo barroco. Y por ello resulta complicado, compacto, depurado de elementos poéticos, apoteósico.

Lo que le pierde a Calderón para la culminación universal—como Cervantes, como Shakespeare—es su repugnancia por lo vulgar, por lo popular; su desdén por el análisis de un carácter o de una pasión, su incondicionalidad a ciertos convencionalismos,

su afán desmedido de buscar más el idealismo de las ramas que el realismo de las raíces, su entronización de la imagen y su ponderación del elemento decorativo. A Calderón le pierde ser—como proclamó Goethe—"el genio que ha tenido más entendimiento". Eso sí: imposible encontrar otro tan español, tan español, tan español, tan absolutamente español, tan auténticamente español, tan insaciablemente español. Si Lope intentó que todo el mundo fuera España, Calderón desdeñó las partes del mundo que no eran España.

De don Pedro Calderón de la Barca se conservan ciento veinte comedias, ochenta autos y unos veinte entremeses, jácaras, loas y obras menores. Cuando, poco antes de morir, el duque de Veragua le pidió una lista de sus obras, en la que le remitió Calderón no figuraban sino ciento diez. Durante la vida del dramaturgo, con su consentimiento y revisadas por él, aparecieron—en 1636, 1637, 1664, 1672 y 1677—las cuatro primeras partes de su teatro y un tomo de doce *Autos sacramentales.* Por el contrario, desaprobó una quinta parte, aparecida en 1677. Fue Juan de Vera Tassis Villarroel quien, basándose en la lista enviada por Calderón al de Veragua, editó, entre 1682 y 1691, el teatro calderoniano.

Según la tesis doctoral de Valbuena Prat —el más *docto crítico de Calderón*—, los *Autos sacramentales* del maravilloso dramático se dividen en siete grupos: 1.º Filosóficos o teológicos: *El gran teatro del mundo, A Dios por razón de Estado.* 2.º Bíblicos: *La cena de Baltasar.* 3.º Evangélicos: *La siembra del Señor.* 4.º De la Virgen: *La hidalga del valle.* 5.º Históricos y legendarios: *La devoción de la misa, El cubo de la Almudena.* 6.º De circunstancias: *La segunda esposa y triunfar muriendo.* 7.º Mitológicos: *El divino Orfeo, El laberinto del mundo, Los encantos de la culpa.*

Las comedias pueden clasificarse en: *a)* Religiosas: *La venganza de Tamar, Los dos amantes del cielo, El mágico prodigioso, La devoción de la cruz, El purgatorio de San Patricio, El príncipe constante; b)* Filosóficas: *La vida es sueño; c)* Dramas trágicos: *La niña de Gómez Arias, El alcalde de Zalamea, A secreto agravio, secreta venganza; Amar después de la muerte, El pintor de su deshonra, El mayor monstruo, los celos; d)* Comedias de capa y espada: *La dama duende, Casa con dos puertas..., Mañanas de abril y mayo, El escondido y la tapada; e)* Comedias históricas: *La cisma de Ingalaterra, El sitio de Breda, La hija del aire; f)* Comedias caballerescas: *El caballero del Febo, La puente de Mantible; g)* Comedias mitológicas: *Eco y Narciso, Ni amor se libra de amor.*

Entre las zarzuelas merecen destacarse: *El laurel de Apolo* y *La púrpura de la rosa.* De los entremeses: *El dragoncillo, El pésame de la viuda, El sacristán mujer, La casa de los linajes.*

Además de las ediciones de las obras de Calderón ya mencionadas—la de Tassis Villarroel consta de nueve volúmenes—deben mencionarse: la primera de *Autos sacramentales*—seis tomos, 1717, Madrid, en la imprenta de Ruiz de Murga—, debida al estudio de don Pedro Pando Mier. Don Juan Fernández Aponte editó—1759 a 1760—completos autos y comedias, basándose en las ediciones de Pando y Tassis. Ediciones completas de comedias son las de la "Biblioteca de Autores Españoles"—tomos VII, IX, XII y XIV—y la de Queil, de Leipzig—1827 a 1830—. De los autos: la de E. González Pedroso, en el tomo LVIII de la "Biblioteca de Autores Españoles".

Las ediciones modernas parciales de las obras de Calderón son innumerables. Las más importantes, las dirigidas por Valbuena Prat en los "Clásicos Castellanos La Lectura", Editorial Aguilar, *Autos sacramentales,* estudio y notas de Angel Valbuena Prat —1952—, "Bibliotecas Populares Cervantes" y "Clásicos Ebro". Muy cuidadas están, igualmente, las ediciones de Krenkel—Leipzig, 1881—, Malsburg—Leipzig, 1819—, Lichendorff—Stuttgart, 1846—, Rosenkranz—Berlín, 1836—, García Ramón—París, 1864—. Ida Farnell—Manchester, 1921.

De las poesías líricas del genial dramaturgo existen dos muy curiosas ediciones: *Poesías de Calderón con anotaciones*—Cádiz, 1845—y *Poesías inéditas*—Madrid, 1881.

La Real Academia Española, en 1868, publicó dos volúmenes de teatro escogido; cuatro tomos, la Casa Garnier, de París; otros cuatro, la Biblioteca Clásica Hernando; uno, la Editorial S. Calleja. Los dramas todos, la Editorial M. Aguilar—1.ª edición, 1932; 2.ª edición, 1941—, con un estudio de L. Astrana Marín.

Augusto Guillermo de Schlegel, en el *Curso de literatura dramática,* explicado en Viena el año 1808 e impreso de 1809 a 1811, traducido al francés en 1814, levantó con desusado ditirambo a Calderón en la lección XVI y última al pináculo de la poesía romántica, sobre lo cual dijo madame de Staël *(De la Alemania)* en 1809, que oyó sus lecciones: "Se muestra, en general, partidario de un gusto sencillo y a veces de un gusto rudo; pero hace una excepción en favor de los pueblos del Mediodía. Detesta el amaneramiento que nace del espíritu de sociedad; pero el que procede de lujo de imaginación le agrada en poesía, como la profusión de colores y perfumes en la Naturaleza. Schlegel, después de haber adquirido gran

reputación por sus traducciones de Shakespeare, se ha enamorado de Calderón con un amor no menos vivo, pero de género muy diferente del que Shakespeare puede inspirar, porque así como el poeta inglés es profundo y sombrío en el conocimiento del corazón humano, así el poeta español gusta de entregarse con encantadora dulzura a la belleza de la vida, a la sinceridad de la fe, a todo resplandor de las virtudes que colora el sol del alma." Bueno es que lean esto los que tienen por sombría y atormentada nuestra literatura, y si andan errados respecto de la época de Calderón, ¡cuánto más no lo andarán respecto de la de Lope y Cervantes, aquel para ellos lúgubre reinado de Felipe II! Schlegel deliraba, por supuesto, fantaseando en Calderón virtudes, por ejemplo, de lenguaje, que son para nosotros graves defectos, y sacrificando ante él, como ante un ídolo, a los demás dramáticos nuestros que no conoció: Lope, Tirso y Alarcón.

Fue Calderón el menos fecundo de nuestros grandes dramáticos, pues habiendo vivido ochenta y un años, Lope setenta y tres y Tirso setenta y uno, y siendo el que durante más tiempo estuvo componiendo, sesenta y siete años, seis más que Lope y treinta y siete más que Tirso, sólo escribió 120 comedias, siendo 400 las de Tirso y 1.800 las de Lope, amén de los autos y de las otras obras no dramáticas. Calderón tomó, además, sin duelo de sus predecesores, lo que le pareció. El segundo acto de *Los cabellos de Absalón* está copiado del tercero de *La venganza de Tamar,* de Tirso, de quien se aprovechó igualmente en *A secreto agravio...,* en *El encanto sin encanto,* en *El Secreto a voces,* en *La dama duende,* en *Casa con dos puertas...* De *La rueda de la Fortuna,* de Mira, sacó *En esta vida todo es verdad y todo es mentira;* de *La niña de Gómez Arias* tomó no solo el argumento, sino escenas enteras y largos trozos de versos. Otras muchas cosas sacó de Lope, de Rojas, Alarcón y Montalván. En cambio, otros le saquearon o imitaron en España y fuera de ella. Corneille tomó de *En esta vida todo es verdad* para su *Heráclito;* de *El astrólogo fingido,* para su *Astrologue feint;* de *El alcalde de sí mismo,* para *Le geôlier de soi même;* del *Hombre pobre todo es trazas,* para *Le galant doublé;* funde *Los empeños de un acaso* y *Casa con dos puertas...* en *Les engagements du hasard.* Molière se aprovecha de *El escondido y la tapada* para *L'étourdi.* Le Sage acomoda *Peor está que estaba* en su *Don César Ursin.* Scarron le saquea sin reparo. En Inglaterra, Killigre convierte *La dama duende* en *Parso's Wedding;* Dryden toma del *Astrólogo fingido,* hecho francés, para su *Evening's Love;* Wycherley se aprovecha *El maestro de danzar* para su *Gentlemen Dan-*

cing Maester; Juan Barclay imita el *Teágenes y Cariclea* en su *Argenis y Poliarco.* En Alemania le imitan Luis Tiek, Federico Halm y Carlos Inmermann. De otros acomodos trata Fitzmaurice-Kelly *(Hist. lit. cast.,* 1913, pág. 357). Fitzmaurice-Kelly, *Liter españ.,* 1913, pág. 351: "Feliz durante su vida, Calderón lo fue también después de muerto. Desde el fallecimiento de Lope de Vega hasta fines del siglo XVII, Calderón fue el rey del teatro español, y su boga duró bastante más que la de Lope. Sus obras se representaban todavía en el siglo XVIII, y aunque sufriese un temporal eclipse, ganó más que ningún otro en el movimiento romántico del siglo XIX. Schelley tuvo a la vista los dramas de Calderón, los leyó con 'asombro y delicia incomparables', y estuvo tentado, según dice, 'de echar sobre sus perfectas formas el velo gris de mis palabras'. El velo gris del gran poeta panteísta aumenta quizá la belleza de esos versos que embriagaban a otros cerebros más serenos que el de Schelley. Goethe se enternecía hasta derramar lágrimas con las obras calderonianas, y aunque llegó a comprender al cabo cuán imprudente era esta idolatría de Calderón, no dejó de admirar nunca al único poeta español que verdaderamente conocía. Hombres como Schak y Schmidt se consagraron a exaltar a Calderón, y se convirtió en dogma una opinión particular. Parte de esta admiración era puramente afectada: tal ocurría con Verlaine, que pensaba traducir a Góngora, que ponía a Calderón por encima de Shakespeare y que murió sin haber leído a Góngora ni a Calderón, "s'etant arrêté juste aux éléments de la grammaire espagnole", dice jocosamente su biógrafo. Pero, en conjunto, la admiración calderoniana era sincera, justificada y, sobre todo, explicable."

Las ediciones de Lope de Vega y de Tirso de Molina eran inaccesibles: había en todas partes ediciones de Calderón, y no era posible adivinar que este, por grande que sea, no posee la lozanía y variedad de Lope ni el poder creador y la amplitud de concepción de Tirso. Es, en verdad, demasiado brillante para que se le clasifique como simple discípulo de Lope, porque sube a alturas metafísicas a las que Lope no asciende jamás; sin embargo, como autor dramático no hizo sino cultivar el campo que Lope había sembrado.

Goethe, sobre Calderón: "En sus obras no se descubre una manera original de ver la Naturaleza: todo es puramente teatral. Nunca aspira a ser tierno. La inteligencia comprende fácilmente el plan: las escenas se desarrollan conforme a un procedimiento que recuerda el de los bailes o el de las óperas cómicas modernas. Los recursos principales de la acción son siempre los mismos: lucha de deberes entre sí, pasiones que encuentran obstáculos en la oposición de los caracteres o de las situaciones. Entre las escenas consagradas al desarrollo poético de la acción principal se deslizan escenas intermedias, en que se mueven elegantes y delicadas figuras que parecen ejecutar movimientos de danza: allí reinan la retórica, la dialéctica y la sofistería. Todos los elementos de la Humanidad aparecen allí, sin que falte siquiera el loco, cuya razón familiar va destruyendo rápidamente, si ya no de antemano, toda ilusión de amor o de amistad que llega a nacer. Poca reflexión basta para comprender que la vida humana, los sentimientos del alma, no deben ser transportados a la escena en su estado natural y primitivo: han de sufrir un trabajo previo que los sublime; así los encontramos en Calderón: el poeta, colocado en la cumbre de una civilización refinada, nos da en sus obras una quinta esencia de la Humanidad. Shakespeare, por el contrario, nos presenta el racimo maduro tal como lo ofrece la cepa: podemos hacer de él lo que queramos, comer el racimo o llevarle al lagar, exprimirle y beberle y saborearle cuando esté transformado en vino dulce o cuando haya fermentado. Siempre nos refrescará. No así Calderón, que nada deja al arbitrio y voluntad del espectador: nos da un licor concentrado, refinadísimo, sazonado con especias y dulcificado con azúcar: hay que beber en tal estado este delicioso excitante o renunciar a él del todo."

Menéndez Pelayo: "Calderón demostró prácticamente que el modo más seguro de hacerse grande e inmortal en los dominios del arte está en identificarse del todo con el espíritu de su tiempo y de su país, en lo que tiene de sublime y hermoso. Claro es que esta identificación tan completa no puede cumplirse sin que también pasen por el arte todas las impurezas, toda la mala levadura que hay en la realidad; y eso es lo que sucede en Calderón. Esta es la España del siglo XVII, con la mezcla de luz y sombras, de grandezas y de defectos, con toda la pompa aparatosa y las vanidades y sueños de nuestra decadencia; con el sentimiento del orgullo nacional, no vencido ni amilanado por las derrotas; con el sentimiento religioso, con el sentimiento monárquico, con el sentimiento de la justicia y de la libertad patriarcales; en suma, con todo el prestigio de la tradición, decadente, pero no adulterada."

Menéndez Pelayo, *Calderón y su teatro:* "Calderón, mirado en conjunto y dentro del sistema dramático del siglo XVII, es la cifra, compendio y corona del teatro español. Estudiado en detalle, cede a Lope de Vega en variedad, amplitud y franqueza de ejecución; en fácil, espontánea y generosa vena; en naturalidad y verdad, y en sencillez y llaneza de expresión. Cede a Tirso de Molina en el poder de crear caracteres vivos, enérgicos y complejos, como los que presenta la misma realidad; en la discreción y picaresca soltura; en la profunda ironía, en el genio cómico, en la malicia y desembarazo del diálogo y en novedades felices y pintorescas audacias de lengua. Cede a Alarcón en la comedia de costumbres del tiempo y, sobre todo, en la de carácter, en que nadie aventajó a Alarcón, como tampoco hubo quien le excediese en aticismo, limpieza, tersura y acicalamiento de frase, en buen gusto y en la perfección exquisita del diálogo. Resumiendo, pues, vemos que aunque Calderón es en algunas cualidades secundarias inferior a Lope, Tirso y Alarcón, supera a todos los restantes, aun a Moreto y Rojas, en dichas cualidades inferiores, o, por lo menos, va a la par con ellos; y, en cambio, supera con mucho a todos en la grandeza del pensamiento y en la de los asuntos, y en la habilidad para el enredo y para la estructura dramática. ¡Lástima que en el carácter y la expresión no hubiese estado a igual altura!"

Blanca de los Ríos, *Calderón:* "Mucho más que un dramaturgo, es decir, un psicólogo y un espectador desinteresado de la vida, un hacedor de personalidades humanas y un fiel reproductor del ambiente en que tales personalidades respirasen, fue un gran simbolista, un plasmador de ideas, un autor de *personajes tipos,* que representaban, no al individuo, al género, y a este no en su realidad humana, sino como la aspiración del poeta la quería: esta idealización genérica son los personajes de Calderón; cada galán es dechado, flor, nata y síntesis de galanes; cada dama, arquetipo y selección de damas, y es que Calderón era, sobre todo, un idealizador de realidades; un hombre que tuvo como pocos... el don excelso de plastificar las ideas y las abstracciones y de *eterizar* e inmaterializar lo sensible, transfigurándolo en el Tabor de la Belleza eterna."

Menéndez Pelayo, *Calderón,* página 118: "El auto tipo, la perfección del género, solo se halla en las creaciones calderonianas. Calderón tenía la cabeza más dramática, pero el corazón menos sensible. Su mano, más hábil para trazar el diseño del cuadro, no lo era tanto para darle el hermoso colorido y los suaves toques de su predecesor (Lope de Vega). ¡Ah, si Calderón, a su destreza insuperable para formar un nudo, hubiese reunido la exquisita sensibilidad del alma de Lope! Calderón no debe haber llorado en su vida, pues casi nunca suele hacer llorar a sus lectores. Siempre se le admira, rara vez enternece; siempre arrastra la fantasía, pocas veces refresca el corazón. Es cierto

C

que Calderón, en este género, eclipsó hasta los recuerdos de Lope."

Menéndez Pelayo, *Obras de Lope,* tomo II, advertencia preliminar: "En efecto, estas sagradas competiciones ganaron en combinación y artificio dramático lo que había ganado la comedia de capa y espada, y en profundidad de intención lo que ennoblecía las comedias heroicas y filosóficas del mismo autor. Mayor trabazón en las escenas, dirigiéndose todas al blanco propuesto; mayor precisión en los diálogos, concretándose únicamente al progreso de la acción; mayor atrevimiento en las concepciones; mayor fianza y novedad en los accidentes dramáticos; todo esto no sabemos si compensará la carencia de aquella poesía que tal hechizo prestaba a los autos anteriores."

Doña Blanca de los Ríos, *Conferencia:* "Reducida a sus verdaderos términos la dramática de Calderón, se reparte, así por su índole como cronológicamente, en dos grandes teatros, que corresponden a dos distintas edades del poeta y a dos muy diversos períodos del arte: el teatro realista y el teatro fantástico-alegórico. De 1613 a 1651 se produce la verdadera dramática de Calderón, su teatro realista, que puede llamarse de *capa y espada,* sea bíblico, novelesco, de costumbres o tragedias por la honra, porque todos los personajes de Calderón son súbditos de los Austrias; en este período hay una excepción: *La vida es sueño,* que, en puridad, pertenece al teatro simbólico. El segundo período, el del teatro fantástico-simbólico, el de las fiestas del Buen Retiro y los autos sacramentales, va de 1651 a 1681, desde que Calderón abraza el sacerdocio hasta su muerte. El primer período se subdivide en dos: uno, el que podemos llamar precalderoniano, en que Calderón produce dentro del arte de Lope y de Tirso, y otro calderoniano, en que Calderón se emancipa, y aunque dentro de la fórmula creada por Lope y pisando en las huellas de Tirso y aprovechando todos los elementos apartados por estos dos creadores del teatro, produce según su manera personal y característica. A la primera época pertenecen *El alcalde de sí mismo, El astrólogo fingido, El hombre pobre todo es trazas,* que parece comedia de Tirso; *El sitio de Breda,* escrito, sin duda, en 1625, en la manera amplia de Lope, que por entonces componía su *Diálogo militar* en alabanza del marqués de Espínola—y, por cierto, que el final de *El sitio de Breda* es el propio cuadro de las lanzas en acción—; *El escondido y la tapada,* cuya primera escena procede claramente de la primera de *Por el sótano y el torno,* de Tirso; *La banda y la flor,* inspirada en el teatro palaciano de fray Gabriel, como después *La dama duende* y *Casa con dos puertas...,* y ya en 1632—según creo comprobar—, *Mañanas de abril y mayo,* comedia fresca y primaveral hasta en el nombre, que es imitación visible y confesada por el autor en repetidas citas de *La celosa de sí misma,* de Tirso, al cual sigue imitando Calderón —ya en posesión de su manera—mientras escribe comedias de *capa y espada,* así en *El secreto a voces*—autógrafo de 1642—, como en *Fíate del agua mansa,* escrita en 1649. A la primera época pertenecen también los dos interesantes dramas novelescos *Las tres justicias en una* y *Luis Pérez "el Gallego"* —en cuyo examen no puedo detenerme—y el hermoso drama religioso *La devoción de la Cruz,* cuyos protagonistas pertenecen a la gran familia de salteadores heroicos o religiosos que tanto abundan en Lope y en Tirso, y cuyo prototipo es el Eurico de *El condenado.* De 1632 a 1635, el estilo de Calderón, que siempre fue *manera,* se acentúa, se consolida, se cuaja de un modo personal, único, y dueño ya el poeta de sí mismo y de su arte, produce una obra-tipo, una obra-cumbre, no solo en nuestra dramaturgia, sino en la historia del arte humano: *La vida es sueño...*

"Al iniciarse el último de los períodos en que naturalmente se dividen la vida y la obra de Calderón, todo era degeneración y acabamiento en el arte y en la existencia nacional. A la prohibición de las comedias profanas respondió la clausura de los corrales y la muerte de nuestro teatro nacional. De aquella prohibición vino a nacer el teatro mitológico del Buen Retiro.

"Gracias al Renacimiento, la Mitología no era ya la Teogonía del gentilismo, sino un rico arsenal de imágenes y representaciones poéticas, puesto al servicio de la idea cristiana. Calderón acudía a aquel arsenal, así para la confección de sus alegóricas fiestas de Corte como para la de sus autos sacramentales, y en ellos, como un tiempo en los muros de las catacumbas, Cristo volvía a confundirse en una misma representación con Orfeo; y a Jesús Sacramentado se le llamaba, no con irreverencia, con veneración de todos, 'el verdadero Dios Pan'.

"Cerrados los corrales e inaccesibles al pueblo las fastuosas representaciones del Buen Retiro, el interés y el fervor de la multitud se cifraba en los autos sacramentales y bajo la pluma de Calderón, poeta, a la vez, de la Corte y de la Villa, crecía aquel doble mundo alegórico. Aunque es cierto que en la mayor parte de aquellas comedias mitológicas del Retiro—como dijo Menéndez Pelayo— 'el poeta queda casi siempre en grado inferior al maquinista y al escenógrafo', y que los dioses de Calderón nada tenían de olímpicos ni de dioses, y eran todos galanes y damas de la época, no es menos verdad que aquellas obras contienen trozos de lírica in-

marchitable y eterna, y que la música, que no fue, ciertamente, ajena al teatro de Lope y de Tirso, en los cuales acompañaba algunas escenas y aumentaba el prestigio de las situaciones trágicas o de las apariciones sobrenaturales; la música, que ya en 1629 —ocultos los instrumentos bajo el tablado, ni más ni menos que en Bayreuth—acompañó la égloga de Lope *La selva sin amores,* entró definitivamente en nuestra escena de la mano de Calderón, iniciador de todo nuestro teatro musical, la ópera y la zarzuela. Calderón fue el autor de nuestra ópera primera: *La púrpura de la rosa;* ¡gran novedad para aquellos días una comedia toda cantada! Así, sus ensayos revolvieron al público y a la Corte; así, el autor declaraba de sí mismo, por boca de uno de los personajes de su obra:

> No mira cuánto se arriesga
> en que cólera española
> sufra toda una comedia
> cantada.

"Aquel género que Calderón inauguró con tan natural desconfianza inició el nacimiento de un arte nuevo, precursor del gran arte de Wagner, el cual declaró a Calderón 'creador de un drama de tendencia idealista y muy próximo a la ópera'."

V. PICATOSTE, F.: *Biografía de don Pedro Calderón...* Madrid, 1881.—PÉREZ PASTOR, C.: *Documentos para la biografía de don P. C. de la B.* Madrid, 1905.—COTARELO MORI, E.: *Ensayo sobre la vida y obras de don P. C. de la B.* Madrid, 1924.—WILSON, E. M.: *The Four Elements in the Imaginery of Calderon,* en *The Modern Languages Review,* 1926.—KASPER, Willy: *Calderon's Metaphysik nach den Autos sacramentales,* en *Philosophisches Jahrbuch der Gorresgeselischaft,* 1917.—PARKER, Alexander A.: *Calderón, el dramaturgo de la Escolástica,* en *Rev. Estudios Hispánicos,* 3, 4.—OLMEDO, Félix C.: *Las fuentes de "La vida es sueño".* Madrid, 1928.—THOMAS, Lucien Paul: *Le jeu de scène et l'architecture des idées dans le théâtre allégorique de Calderón,* en *Homenaje a Menéndez Pidal,* 1924.—VALBUENA PRAT, A.: *Historia de la literatura española.* Barcelona, 1946. Tomo II.—VALBUENA PRAT, A.: Prólogos a los tomos de *Autos sacramentales de C.,* en *Clásicos Castellanos,* 1942.—VALBUENA PRAT, A.: *Los autos sacramentales de Calderón. Tesis doctoral.* 1923.—VALBUENA PRAT, A.: *Calderón.* Barcelona, 1941.—MENÉNDEZ PELAYO, M.: *Calderón y su teatro.* Madrid, 1881.—BREYMAN, H.: *Calderón studien.* München, 1905.—FASTENRATH, J.: *Calderón in Spanien.*—SÁNCHEZ DE CASTRO, F.: *Calderón. Estudio crítico.* Madrid, 1881.—PARKER, A. A.: *The Allegorical Drama of Calderon.* 1943.—TORO GISBERT, Miguel del:

¿Conocemos el texto verdadero de las comedias de Calderón?, en *Boletín de la Academia Española.* 1918-1919.—SAINZ DE ROBLES, F. C.: *Historia y antología del teatro español.* Madrid, 1943. Tomo III.—BREYMANN, H. W.: *Die Calderon Literature.* Munich, 1905.—MICHELS, W.: *Barock-stil bei Shakespeare und Calderon*, en *Rev. Hispanique*, 1929.—VOSSLER, K.: *Calderon*, en *Corona*, 1930.—SCHACK: *Historia del arte dramático en España.*—VALBUENA PRAT, Angel: *Estudio y notas* a la edición de *Autos sacramentales.* Madrid, Aguilar, 1953.—FRUTOS, Eugenio: *La filosofía de Calderón en los "Autos sacramentales".* Zaragoza, 1952.

CALDERS, Pere.

Cuentista y novelista español en lengua catalana. Nació—1912—en Barcelona. Estudió dibujo y pintura en la Escuela Superior de Bellas Artes de su ciudad natal. Exiliado en México desde 1939, se ganó la vida como dibujante y figurinista en algunas importantes editoriales mexicanas. Al regresar a Barcelona se dedicó a la literatura, ganando pronta fama con sus narraciones. Cultiva en ellas un realismo crudo y neto, con fidelidad plástica de quien es gran dibujante y pintor.

Obras: *El primer arlequí*—1936—, *La gloria del doctor Larén*—novela, 1937—, *Gaeli i l'home déu*—narraciones—, *La ciutat cansada, Ronda naval sota la boira, Tots els contes: 1936-1967, Unitat de xoc*—1938—, *A l'ombra de l'atzavara*—novela, 1963.

CALVET, Agustín («Gaziel»).

Gran prosista, ensayista y periodista. Nació—1887—en San Feliú de Guixols (Gerona). Murió—1964—en Barcelona. Estudió Leyes y Filosofía y Letras en la Universidad de Barcelona, licenciándose en la segunda de dichas disciplinas. En 1909 estudió Filosofía en Madrid, ampliando sus conocimientos en París, donde se doctoró en 1911 con un estudio acerca de *Fray Anselmo de Turmeda.* Desde 1914 a 1918 permaneció en Francia como corresponsal de *La Vanguardia*, a la que enviaba crónicas de guerra, que firmaba con el seudónimo de "Gaziel". Su popularidad fue rápida y brillantísima. Ha sido durante muchos años uno de los directores de aquel gran diario barcelonés, y ha colaborado en numerosas publicaciones de España y América.

"Gaziel" es uno de los más sugestivos escritores de la hora actual. Su prosa es limpia, natural, brillantísima, poemática en muchas ocasiones. Su sentido crítico está lleno de penetración y de fuerza interpretativa. Su humorismo rebosa humanidad y finura ética. Es ameno como pocos. Y todos sus escritos delatan bien a las claras el ingenio moderno y siempre original que los dictó.

Obras: *Diario de un estudiante en París*—Barcelona, 1914—, *Narraciones de tierras heroicas*—1914 a 1915—, *En las líneas de fuego*—Barcelona, 1915—, *De París a Monastir*—1915—, *El año de Verdún*—1916—, *El ensueño de Europa*—Barcelona, 1922—, *Sentiment*—novela, 1905—, *Hores y viatgeres, Dones de la guerre, Eugenia de Montijo...*

CALVETE DE ESTRELLA, Juan Cristóbal.

Historiador y literato español de mucho mérito. Nació—¿1525?—en Sariñena (Huesca). Murió—1593—en Salamanca. Estudió lengua griega y Humanidades en Alcalá de Henares. Fue maestro de pajes del príncipe don Felipe (II), a quien acompañó a Flandes y Alemania. Cronista de Indias.

Las producciones todas de Calvete de Estrella sobresalen por la elegancia y amenidad de su estilo, siempre castizo y elevado, y por el claro entendimiento que las informan.

Obras: *El felicísimo viaje del príncipe don Felipe, hijo de Carlos V, a Alemania y Flandes*—Amberes, 1552—, *De Aphrodisio expugnato quod vulgo Africam vocat. Comentarius*—Amberes, 1551—, *Túmulo imperial, adornado de historias...*—Valladolid, 1559—, *La vida de Carlos V*—1590, poema de versos faleucios, que no se publicó hasta 1741—, *De Rebus Judicis ad Philippum Catholicum Hispaniarum et Indiarum Regem. Libri XX; Encomiun ad Carolum V Caesarem*—Amberes, 1555—, y numerosos opúsculos y cartas latinas.

Texto: Del *Viaje*, ed. M. Artigas, en *Bibliófilos Españoles.* Madrid, 1930.

V. CERDÁ y RICO: *Joannis Christophoris Calvetii Stellae de Aphrodisio.* Madrid, 1771. (Biografía por Cerdá.)—ARTIGAS, Miguel: *Estudio y notas*, en ed. *Bibliófilos Españoles.* 1930.

CALVO, Luis.

Uno de los más admirables periodistas y prosistas contemporáneos de la España actual. Nació en 1900.

Ha sido brillantísimo corresponsal de *A B C* en el extranjero. Entre 1953 y 1961 fue director de *A B C* de Madrid.

Con sus artículos podrían formarse diez o doce volúmenes llenos de interés. Su prosa es rica, castiza y ágil. Y su cultura, extraordinaria.

CALVO ASENSIO, Pedro.

Dramaturgo y periodista español. Nació —1821—en la Mota del Marqués (Valladolid). Murió—1863—en Madrid. Doctor en Farma-

C

cia y en Derecho. Diputado a Cortes—1854—. Comandante de Artillería de la Milicia Nacional en un regimiento del que era coronel Quintana y teniente coronel Zorrilla. Fundador—1845—del periódico satírico *El Cínife* y del político—1854—*La Iberia*. Progresista. Organizó—1856—la coronación aparatosa de Quintana en el palacio del Senado, por manos de Isabel II.

Obras teatrales: *Fernán González, Figaro, La venganza de un pechero, La acción de Villalar, Felipe "el Prudente", La cuna no da nobleza, El diablo en Salamanca, Valentina valentona, Infantes improvisados...* Todas estas obras están escenificadas con maestría y tienen un indudable interés espectacular; pero su versificación es pobre y con demasiados ripios.

V. ALONSO CORTÉS, N.: *Miscelánea vallisoletana* (tercera serie). 1921.

CALVO NAVA, Gloria.

Nació en la madrileñísima calle de Cervantes en abril de 1922. Cursó estudios primarios en las Escuelas Bosque, donde, a los diez años, dirigía el cuadro artístico. Desde 1951 colabora en periódicos y revistas y actúa en todos los recitales que organizan los círculos literarios de la capital: Adelfos, Círculo Filipino, Museo Romántico, Radio Nacional, Radio España, Radio Juventud, etcétera. También en el Instituto de Cultura Hispánica, Círculo Catalán, Centro Asturiano, etc. Asidua del desaparecido café Varela y de sus inolvidables "Versos a Medianoche"; de la Asociación de Escritores y Artistas, etc. Miembro de la Junta de Gobierno de la Asociación Amigos de Bécquer; en la actualidad desempeña la tesorería.

Obras: En 1953 publicó *El junco chino*, y en 1957, *La calle.*

CALVO SERER, Rafael.

Ensayista español. Nació—1916—en Valencia. Catedrático de Historia de la Filosofía y de Historia de la Filosofía española en la Universidad de Madrid. Seguidor de las ideas estéticas de Donoso Cortés y Menéndez Pelayo. En 1949 alcanzó el "Premio Nacional de Literatura" con su obra polémica *España sin problema*—Madrid, 1949—. Ha sido, durante mucho tiempo, una de las mentalidades rectoras de la revista *Arbor,* de la que fue director.

Obras: *El fin de la época de las revoluciones*—Madrid, 1949—, *Teoría de la restauración*—Madrid, 1952—, *La configuración del futuro*—Madrid, 1953—, *Política de integración*—Madrid, 1955—, *La aproximación de los neoliberales a la actitud tradicional*—Madrid, 1956—, *La fuerza creadora de la libertad*—Madrid, 1958—, *Nuevas formas democráticas de la libertad*—1960—, *La literatura universal sobre la guerra de España*—1962—, *La política mundial de los Estados Unidos*—1962—, *Las nuevas democracias*—1964.

CALVO SOTELO, Joaquín.

Notable dramaturgo. Nació en La Coruña el día 5 de marzo de 1904. Primera y segunda enseñanza. Carrera de Derecho. Cargos desempeñados: secretario general de la Cámara Oficial del Libro de Madrid y secretario general del Instituto Nacional del Libro Español, a cuya fundación contribuyó señaladamente. Colaborador en los principales diarios y revistas de España. Autor de *Calvo Sotelo sobre un paisaje familiar, A la Tierra, kilómetro 500.000; El rebelde, El alba sin luz, La vida inmóvil* ("Premio Piquer", de la Real Academia Española), *Viva lo imposible, Cuando llegue la noche, La última travesía, El jugador de su vida, La cárcel infinita, El fantasma dormido, Tánger, Plaza de Oriente, La línea de la gloria, Damián que vivió dos veces, Nueva York en retales, Historias de una casa,* etc., etc. Obras representadas en toda España y en los países de habla castellana. Ha dado conferencias en Argentina, Chile, Uruguay, Brasil, Japón. Viajes: diversos países europeos, toda América del Sur, Japón, China y Manchukuo, India, Africa del Sur. Miembro numerario de la Real Academia Española. Presidente de la Sociedad General de Autores de España—1963-1969.

Calvo Sotelo ha estrenado últimamente: *La visita que no tocó el timbre*—1950, "Premio Nacional de Teatro Jacinto Benavente"—, *Criminal de guerra*—1951, "Premio Nacional de Teatro Jacinto Benavente"—, *María Antonieta*—1952—, *El jefe*—1953—, *La ciudad sin Dios, La mariposa y el ingeniero*—1954—, *Milagro en la Plaza del Progreso*—1954—, *La muralla*—1955—, *Historia de un resentido*—1956—, *Una muchachita de Valladolid*—1957—, *La herencia*—1957—, *Dinero*—1961—, *Fiesta de caridad*—1961—, *Micaela*—1962—, *Proceso al arzobispo Carranza*—1964—, *La corona de dalias*—1963—, *La condesa Laurel*—1964—, *El Poder*—1965—, *El baño de las ninfas*—1966—, *La amante*—1968—, *El inocente*—1969—, *Una noche bajo la lluvia*—1969.

Joaquín Calvo Sotelo está considerado hoy por la crítica y por el público como uno de los más interesantes dramaturgos contemporáneos, dominador como pocos de la técnica teatral, fino humorista y magnífico dibujante de caracteres y de situaciones cálidamente humanas.

V. Torrente Ballester, G.: *Teatro español contemporáneo*. Madrid, edit. Guadarrama, 1957.

CALVO SOTELO, Leopoldo.

Escritor español. Nació—1894—en Tuy (Pontevedra). Murió—¿1930?—en Madrid. Cursó bachillerato en los Institutos de Lugo y Zaragoza; la carrera de Derecho, en Zaragoza y en Madrid. Oficial letrado del Consejo de Estado—1920—. Secretario de la Cámara Oficial del Libro, de Madrid.

Obras literarias: *Don Severo (Meditaciones de un jefe de negociado), Ribanova* —novela, 1929—, *Historias de suicidas.*

Leopoldo Calvo Sotelo fue un fino escritor humorista, lleno de observación y de gracia, profundo conocedor del sentido íntimo de lo cotidiano, dueño de un estilo ondulante tocado de finos matices castizos, dominador como pocos de esos efectos sorprendentes que produce el choque de la antítesis y del contraste.

CALLE, Manuel J.

Periodista ecuatoriano. 1867-1918. Cultivó la poesía, la crítica, la historia literaria, la novela, a través del periodismo, y en él hizo la mayor parte de su obra. Fue un gran polemista. Entre toda su obra se destaca un libro: *Leyendas del tiempo heroico,* colección de episodios de la Independencia americana, escrita amena y elegantemente. Escribió también *Carlota*—novela—, Biografías y semblanzas, las célebres *Charlas* y artículos periodísticos.

CALLE ITURRINO, Esteban.

Erudito poeta y prosista. Nació en Bilbao el 12 de marzo de 1892. Cursó los estudios de bachillerato en el Instituto Provincial de Vizcaya, y comenzó la carrera de Derecho en la Universidad de Deusto, terminándola en la Universidad de Murcia en el año 1916.

A los quince años de edad, y sin terminar todavía sus estudios de bachillerato, se dio a conocer como poeta y articulista en la Prensa diaria de Bilbao, obteniendo en 1909 sus primeros laudos en certámenes literarios.

Su vocación de escritor le llevó al periodismo profesional a los dieciocho años de edad, y suspendió sus estudios de abogado para trasladarse a Santander, donde ingresó como redactor en el *Diario Montañés.*

En la capital montañesa se formó literariamente, al lado de José del Río Sainz, Alejandro Nieto, José Estrañi, Ramón Solano, Arturo Cuyás y otros notables cultivadores de las letras y de las artes, como Victorio Macho.

Salvador Rueda le distinguió extraordinariamente con su estimación, como lo revela el prólogo de su libro *Tamboril,* y le estimuló para proseguir su actividad literaria.

Al terminar sus estudios de Derecho volvió a su villa natal, y en Bilbao ejerce la profesión de abogado desde el año 1917, siendo en la actualidad asesor de empresas importantes y secretario general de la Junta de Cultura de Vizcaya, en cuyo cargo ha realizado una labor de creación y divulgación realmente extraordinaria.

No obstante las múltiples actividades que embargan su vida, Calle Iturrino ha publicado, hasta la fecha, las siguientes obras literarias:

En verso: *El Viático en el hospital* (poema), *Rimas, Sonetos y Madrigales, Breviario lírico, Cantos de guerra y de Imperio, Romancero de la guerra, La Tauromaquia* (poema didáctico), *Vida, amor y muerte,* y *Tamboril.*

En prosa: *El porvenir de España según la Geografía, Constitución y Dictadura, Lope de Vega y Clave de Fuenteovejuna, Los misterios del Gorbea, El idilio de Valldemosa, El rey de los ojos garzos, Pequeños ensayos cervantinos, Literatura española del mar, Hombre de mar de Vizcaya y Bilbao en el camino de Santiago.*

CALLEJA GUTIÉRREZ, Rafael.

Nació en Madrid—1888—. Licenciado en Derecho. Murió en 1958.

Obras: *Rusia. Espejo saludable para uso de pobres y de ricos*—Madrid, 1920, Calleja. Traducida al italiano por Ettore de Zuani; F. Campitelli, editore, Foligno—; *El editor* —Madrid, 1922, Calleja—, *Temas españoles* —Santander, 1927, edición privada—, *La época sin amor*—Santander, 1927, edición privada, traducida al italiano por A. Scagnetti, Librería dell' 800 editrice, Roma—, *Voz y voto*—Madrid, 1929, Editorial Historia Nueva—, *Oteo. Emociones de nuestro tiempo* —Madrid, 1941, Calleja—, *Apología turística de España*—Madrid, 1943, Dirección General del Turismo—, *Bámbola*—comedia en tres actos, Madrid, 1943, *La Nave*—, *Ahora y siempre, Oteo en torno a cosas pasadas, presentes y futuras* Madrid, 1944, *La Nave*—, *Amor, no*—novela, Madrid, 1946, Calleja.

Traducciones: *Vida de los mártires,* de Georges Duhamel (Calleja), *Miguel Angel,* de Romain Rolland (Atenea), *Nicolás Maquiavelo,* de Giuseppe Prezzolini (Atenea), *Aventuras de Pinocho,* de C. Collodi (Calleja), *Enormes minucias,* de G. K. Chesterton (Calleja); *Isabel y Essex,* de Lytton Strachey *(La Nave); Asia misteriosa,* de Frederick Prokosch *(La Nave); La casa bajo el agua,* de Francis Brett-Young (Calleja).

CAMACHO, Pedro.

Poeta y autor dramático español. Nació —¿1679?—en Granada. Y murió—¿1743?— en esta misma ciudad. Estudió Leyes en su ciudad natal. Desempeñó en la Universidad de Salamanca la cátedra de Código, y fue gran amigo del marqués de Villanueva de las Torres, personaje muy influyente, cuyas aventuras escenificó Camacho en la tragicomedia titulada *La conquista de Ribera y el Gobierno más tirano,* y que se conserva en la sección de manuscritos de la Biblioteca Nacional de Madrid. La obra está bien versificada, resulta interesante y es una de las mejores piezas del teatro español del siglo XVIII. Camacho escribió numerosos autos sacramentales, que no llegaron a representarse por la animadversión que a dicho género teatral tuvieron los escritores y políticos de la mencionada centuria.

CAMARILLO, María Enriqueta (v. «María Enriqueta»).

CAMBA, Francisco.

Novelista y periodista español. Nació —1882—en Villanueva de Arosa (Pontevedra). Murió—1947—en Madrid. Como su hermano Julio, estuvo algunos años en América, publicando en Buenos Aires *Los nietos de Icaro*—1911—, primera novela española con temas de aviación. De regreso en España, inició su colaboración—crónicas y cuentos—en las principales revistas de Madrid y Galicia.

Francisco Camba es un novelista sumamente interesante. Sabe elegir los temas. Domina la técnica. Posee un estilo fluido y terso y una intención patética edulcorada por un humorismo de la mejor ley. Su novela *La revolución de Laiño*—1919—alcanzó el "Premio Fastenrath", de la Academia Española. Y *El pecado de San Jesusito*—1922—, el primer premio del Círculo de Bellas Artes, de Madrid.

Otras novelas: *El amigo Chirel*—1918—, *Camino adelante*—1905—, *El vellocino de plata*—1922—, *La sirena rubia, La noche mil y dos, Una morena y una rubia*—1929—, *Cárcel de seda*—1925—, *Crimen de mujer, Madridgrado*—1940...

A través de Galicia—rutas de viaje—. Modernamente ha iniciado la publicación de una serie novelesca, titulada *Episodios contemporáneos*, que abarca la historia española desde 1906, una como continuación de los famosos e inimitables *Episodios nacionales*, de Galdós. En este género, Camba es muy inferior a sí mismo. Su maestría está en aquellas deliciosas novelas mencionadas, que, grandemente personales, delatan cierta influencia de esos dos inmensos escritores

que se llaman Eça de Queiroz y Emilia Pardo Bazán.

V. SAINZ DE ROBLES, F. C.: *Estudio* en "La Novela Corta Española". Madrid, Aguilar, 1952.—SAINZ DE ROBLES, F. C.: *La novela española en el siglo XX.* Madrid, Pegaso, 1957.—ENTRAMBASAGUAS, Joaquín de: *Las mejores novelas contemporáneas* (1915-1919) —Barcelona, Planeta, 1959, págs. 1255-1299. (Continúa una biobibliografía exhaustiva.)

CAMBA, Julio.

Humorista, periodista español de notable importancia. Nació—1882—en Villanueva de Arosa (Pontevedra). Murió—28 de febrero de 1962—en Madrid. Muy joven aún, marchó a Buenos Aires, donde permaneció dos años. De regreso a España se dedicó al periodismo, siendo redactor de *El País, España Nueva, El Mundo, Correspondencia de España, El Sol, La Voz, A B C...* Pero Camba, además, ha colaborado en los principales periódicos y revistas españoles y sudamericanos. Su firma tuvo un prestigio extraordinario internacional, y fue de los escritores que más cobraron por una crónica. Camba, viajero incansable, recorrió varias veces Europa y América.

Fue Julio Camba el único escritor *auténticamente humorista* de la literatura contemporánea española. Inconfundible e inimitable es su gracia sutil. Inconfundible e inimitable es su estilo cortado y castizo. Inimitable e inconfundible es su agudeza en la interpretación de los motivos humanos. Inimitables e inconfundibles, sus juegos de fantasía, volatería o paralogismo. Infinitamente humana es la zumba con que Camba se sonríe—y nos hace esbozar sonrisas—de todo y de todos. Y, para más enaltecerle, su visión de lo real es simpática, normal, generosa, comprensiva. Jamás hiere Camba. Si acaso, excita acariciando.

En 1951 le fue concedido el "Premio Mariano de Cavia", el más alto galardón otorgado a los cronistas españoles.

Obras: *Alemania*—1916—, *Londres* —1916—, *Playas, ciudades y montañas* —1916—; *Un año en el otro mundo*—1917—, *Aventuras de una peseta*—1923—, *La rana viajera*—1921—, *Sobre casi todo, Sobre casi nada*—1928—, *La casa de Lúculo, o El arte de bien comer*—1929—, *La ciudad automática, Haciendo república, Etcétera, etcétera* —1945—, *Esto, aquello...*—1945.

Sus *Obras completas* han sido publicadas —1946—por la editorial Plus Ultra, de Madrid.

V. ONÍS, Federico de: *El humorismo de Julio Camba,* en *Hispania,* Stanford (California), 1927, X, 167-175.

Para bibliografía en artículos, véase: A. DEL

Río y M. J. BENARDETE: *El concepto contemporáneo de España. Antología de ensayos.* 1895-1931. Buenos Aires, Losada, 1946.

CAMBACERES, Eugenio.

Novelista argentino. Nació—1843—y murió—1888—en París. Estudió Derecho en su ciudad natal. Figuró como miembro destacadísimo en la Convención Constituyente, abogando por la separación de la Iglesia y el Estado. Gran orador y polemista, sus ideas políticas radicales le obligaron a sostener escandalosas controversias con la palabra y con la pluma.

Puede decirse que fue Cambaceres el fundador de la novela naturalista argentina. En algunas de sus narraciones—con un estilo excesivamente afrancesado—abordó con fuerza el conflicto del mestizaje y el de la inmigración, la áspera vida rural, la lucha de sentimientos entre las razas.

Muchas de sus novelas, publicadas como folletín en algunos periódicos, alcanzaron la máxima popularidad.

Obras: *Silbidos de un vago, Potpourri* —1882—, *Música sentimental*—1884—, *Sin rumbo*—1886—, *En la sangre*—1887, su mejor novela.

V. GARCÍA VELLOSO, Enrique: *Historia de la literatura argentina.* Buenos Aires, 1914.— HENRÍQUEZ UREÑA, Pedro: *La novela en América.* La Plata, 1927.—ROJAS, Ricardo: *La literatura argentina,* 2.ª edición. Buenos Aires, 1924.—TORRES RIOSECO, Arturo: *La novela en la América hispana.* Berkeley, 1939.

CAMBRONERO Y MARTÍNEZ, Carlos.

Erudito, historiador, periodista español de noble y seria labor. Nació—1849—y murió —1913—en Madrid. Muy joven, ocupó una plaza de oficial en el Archivo Municipal de Madrid. En 1898, el alcalde, conde de Romanones, le encargó de la reorganización de la Biblioteca Municipal, trabajo que llevó a cabo con el mayor entusiasmo y con el mejor éxito. En recompensa de muchos años de servicios a la cultura general y a la historia madrileña, Cambronero fue nombrado director de la Biblioteca Municipal. Poco antes de morir, el Ayuntamiento de la capital de España le rindió público homenaje, solicitando para él un puesto en la Real Academia de la Historia y dando su nombre a una de las plazuelas de la capital.

De 1900 a 1913, Cambronero publicó numerosísimos artículos—amenos y documentados—acerca de la historia de la villa y de sus antiguos teatros en los periódicos *Heraldo de Madrid, El Correo, El Globo, El Liberal, El Día, El País,* y en las revistas *Madrid Literario, España Moderna, Revista Contemporánea* y *Nuestro Tiempo.*

Obras: *Las calles de Madrid*—en colaboración con Hilario Peñasco—; un tomo—prólogos y notas—de sainetes de don Ramón de la Cruz; *Isabel II, íntima; El rey intruso, Las Cortes de la revolución, Crónicas del tiempo de Isabel II, Alzamiento de las Comunidades de Castilla.*

CAMÍN, Alfonso.

Inspirado y gran poeta, novelista y periodista español. Nació—1890—en Gijón (Asturias). Ha vivido muchos años en distintos países de la América española, siendo redactor en la Habana de *El Correo Español* y *Diario de la Marina,* y habiendo fundado revistas literarias como *Apolo, Oriente, Bohemia y Tierra Asturiana.*

Camín es un poeta vibrante, colorista, musical, lleno de nervio y de españolismo, profundamente emotivo, dueño de un lirismo fluido, pegadizo, simpático. Muchas de sus poesías son dignas de figurar en las mejores antologías.

Es también de un fecundidad asombrosa, que en nada perjudica a la belleza y naturalidad sonora de sus poesías.

Alguna influencia se advierte en él de Rubén Darío, de Rueda, de Lugones, de Santos Chocano, grandes poetas a los que Camín admira noblemente. Pero su *personalidad* es indiscutible.

Obras: *Adelfas*—la Habana, 1912—, *Crepúsculos de oro*—1914—, *Cien sonetos* —1915—, *La ruta*—1916—, *De la Asturias simbólica*—1925—, *Xochilt y otros poemas* —1928—, *Antología poética*—Madrid, 1930—, *Carteles, Entre volcanes*—novela, 1928—, *Carey*—1931—, *La pregonada*—novela, 1932—, *La danza prima*—poemas, 1932—, *Cien sonetos*—1932—, *Los poemas del indio Juan Diego*—1934—, *Los poemas lozanos* —1935—, *Poemas para niños de catorce años*—1938—, *Aguilas de Covadonga*—1940—, *Lienzos de España*—1941—, *Poemas del destierro*—1942—, *Mar y viento*—1943—, *Son de gaita, Maracas, La copa y la sed, La fuente, el río y el mar; Azor...* y otras muchas más que suman más de treinta títulos.

CAMINO, Miguel A.

Poeta y autor dramático argentino. Nació —1877—y murió—1944—en Buenos Aires. Funcionario de la Administración municipal bonaerense. Hizo un largo viaje por Europa occidental, deteniéndose algún tiempo en Madrid, París y Londres. Fue redactor de *El País* y de *La Nación,* de Buenos Aires. Durante muchos años se estableció en San Martín de los Andes, dedicándose a las tareas ganaderas y poniéndose entonces en contacto con los elementos del folklore araucano y su léxico, mezclado a chilenismos y criollismos. Su sensibilidad grande, así excitada por la grandeza del cuadro natural y el pintoresco elemento humano, dio la floración espontánea y encantadora de las *Chacayaleras*—1921—, nombre que alude a las gentes y cosas del Chacayal o montes de chacay, árbol muy típico en la región.

"Camino aboceta, con seguro trazo, églogas y caracteres cerriles, descripciones y pequeños dramas, canciones y copias. Sus críticas han visto en ellas supervivencias de clásica tradición española, paralelas en algunos casos a las vaqueiras y serranillas del marqués de Santillana." (Julio A. Leguizamón.)

Otras obras: *Nuevas chacayaleras, Chacha*—comedia—, *La ley del pobre*—comedia—, *¡Si no me querés..., te mato!*—sainete...

La obra lírica de Miguel A. Camino ha sido reeditada—Buenos Aires, 1938—por la editorial Losada.

V. LEGUIZAMÓN, Julio A.: *Historia de la literatura hispanoamericana.* Buenos Aires, 1945. Tomo II.

CAMINO DE LA ROSA, León-Felipe.

Notable poeta español contemporáneo. Nació—1884—en Tábara (Zamora). Murió —1968—en México. De niño, vivió en Salamanca. Cursó el bachillerato en Santander y la carrera de Farmacia en Valladolid y Madrid. Durante varios años fue actor y representó en la compañía del gran trágico José Tallaví. Más tarde ejerció su profesión farmacéutica en la Alcarria y en la Guinea española. Viajó por toda América, y residió en Estados Unidos y en México como lector e instructor de español en distintas Universidades.

Obras: *Versos y oraciones del caminante* —Madrid, 1920—, *Antología*—Madrid, 1935—, *El hacha*—1944—, *Ganarás la luz* —1944—, *Antología*—1947—, *La insignia* —alocución poética, Valencia, 1937—, *El payaso de las bofetadas*—México, 1938—, *Español del éxodo y del llanto*—México, 1939—, *El gran responsable*—México, 1940—, *El poeta prometeico*—México, 1942—, *El poeta maldito*—México, 1944—, *Parábola y poesía* —México, 1944—, *Llamadme publicano*—México, 1950—, *El ciervo*—México, 1958.

En la poesía de León-Felipe, líricamente desnuda, de forma nueva y muy libre, se delatan influencias tradicionales de Jorge Manrique y de Gil Vicente; influencias modernas de Juan Ramón Jiménez y de Antonio Machado; sin embargo, dichas influencias han sido ya asimiladas y rebasadas por el poeta, quien se muestra profundo de humanidad, con cierta tendencia a un fondo y a una forma de surrealismo, y siempre original y auténtico.

V. TORRE, Guillermo de: *León-Felipe, poeta del tiempo agónico,* en *La Aventura y el Orden.* Buenos Aires, 1943.—DÍAZ-PLAJA, G.: *Poesía lírica española.* Barcelona, 1948. 2.ª edición.—VALBUENA PRAT, A.: *Historia de la literatura española.* Barcelona, 1950. Tomo III.—WOLFE, B. D.: *León-Felipe, Poet of Sain's Tragedy.* 1943.—CERNUDA, Luis: *Estudios sobre la poesía española contemporánea.* Madrid, 1957.—VIVANCO, Luis Felipe: *Introducción a la poesía española contemporánea.* Madrid, 1957.

CAMINO NESSI, José.

Poeta español contemporáneo. Nació —1890—en Ilo-Ilo (Filipinas). Ha viajado por Europa y América y colaborado en las más selectas revistas literarias de los dos continentes.

Camino Nessi es un poeta delicado, de íntimas emociones y suave musicalidad; un genuino lírico para minorías selectas.

Obras: *Versos para los niños*—Madrid, 1910—, *El libro de los viejos decires*—Madrid, 1911—, *Fragancias de consejas*—1911—, *La ciudad del cielo*—1912—, *El caso de sor Amor Hermoso, El alma de la romería*...

CAMÓN AZNAR, José.

Catedrático, literato y crítico de arte español. Nació—1899—en tierras de Aragón. Doctor en Filosofía y Letras. Catedrático de Teoría de la Literatura y de las Artes —1927—en la Universidad de Salamanca. De Historia del Arte—1939—en la Universidad de Zaragoza. De Historia del Arte—1942— en la Universidad de Madrid. Fundador y director de la *Revista de Ideas Estéticas.* Miembro del Consejo de Investigaciones Científicas. Patrono del Museo Arqueológico Nacional y del Museo Nacional de Arte Moderno. Académico correspondiente de la Academia de Bellas Artes de Lisboa. Director del Museo Lázaro Galdiano. Premio nacional de Literatura—1946—. Poeta originalísimo y profundo. Dramaturgo notable. Crítico de arte, uno de los más reputados hoy en España. Pasan del centenar sus ensayos de literatura y arte publicados en las principales revistas españolas. Fue crítico de arte del gran diario madrileño *A B C.* De la Real Academia de la Historia y de la de Bellas Artes de San Fernando.

Camón Arznar es uno de los espíritus más hondos, personales y sugestivos de las letras españolas. Su maestría ha excedido ya al extranjero.

Obras: *El paisaje en el teatro de Lope de Vega, El orden pitagórico en los mármoles griegos*—1944—, *Dios en San Pablo*—1940—,

El héroe—tragedia clásica, "Premio Lope de Vega, 1934"—, *Guía de Salamanca*—1932—, *Arquitectura plateresca*—dos tomos—, *El arte del Renacimiento en España, El hombre de la tierra*—poesía, 1940—, *El pozo amarillo*—milagro en un acto, 1936—, *Bizancio e Italia en el Greco*—1945—, *Goya y el arte moderno, Presencia de España en el arte moderno*—1948—, *La Pasión de Cristo en el arte español, El Greco*—dos tomos—, *El arte en sus crisis*—ensayos—, *Teoría del arte griego, Ensayos españoles, Los estilos y su teoría, Las artes y los días, Caracterología de la baja Edad Media, El arte de Solana, El rey David*—tragedia—, *Picasso, Velázquez, Museo Lázaro Galdiano*—1964.

V. VALBUENA PRAT, A.: *Historia de la literatura española*. Barcelona, 1950, tomo III, 3.ª edición.

CAMPILLO Y CORREA, Narciso.

Poeta y crítico español. Nació—1835—en Sevilla. Murió—1900—en Madrid. Catedrático de Retórica y Poética en los Institutos de Cádiz—1865—y Madrid—1869—. Concejal del Ayuntamiento gaditano y académico de Nationale Agricole et Commercial, de Francia, y de la Real Gaditana de Ciencias y Letras. Compañero de Bécquer, Rodríguez Correa, Zorrilla, el duque de Rivas, Javier de Burgos, y admirador apasionado de los clásicos andaluces Herrera, Rioja, Arguijo, Caro... Conferenciante feliz de temas literarios y temido polemista. Dirigió la famosa revista madrileña *El Museo Universal*, que se convirtió más tarde en *La Ilustración Española y Americana*.

Campillo fue un crítico competente y meticuloso y un poeta perfectamente sujeto a los cánones clásicos, de cortos vuelos.

Obras: *Memoria y teoría del estilo*—Cádiz, 1865—, *Nuevas poesías*—Cádiz, 1867—, *Retórica y poética, o Literatura preceptiva*—Madrid, 1871—, *Florilegio español, Una docena de cuentos*—Madrid, 1879—, *Nuevos cuentos*—Madrid, 1881—, *Cuentos y sucedidos*—Madrid, 1891.

CAMPIÓN JAIMEBON, Arturo.

Escritor y filólogo español de singular relieve. Nació—1854—en Pamplona. Estudió Derecho en las Universidades de Oñate y de Madrid. Diputado y senador por Vizcaya. Presidente de la Sociedad de Estudios Vascos. Académico correspondiente de las Reales de la Lengua, de la Historia y de la de Ciencias Morales y Políticas. Académico de número de la Academia Vasca. Colaborador en diferentes periódicos de Vasconia, Madrid y Barcelona. Conferenciante en España y Francia.

Campión tuvo su valor máximo como erudito en filología euskérica e historia vascongada; fue un fervoroso y sano regionalista.

Obras: *Orreaga, balada escrita en dialecto guipuzkoano...*—1880—, *Blancos y negros* —novela, Pamplona, 1899—, *La bella Easo* —novela, Pamplona, 1909—, *Euskariana* (algo de historia)—1915—, *Gramática de los cuatro dialectos literarios de la lengua éuskara*—Tolosa, 1884—, *Don García Almorabid (Crónica del siglo XIII)*—Tolosa, 1885—, *Víctor Hugo*—semblanza, Tolosa, 1885—, *Discursos políticos y literarios*—Pamplona, 1907—, *Ensayo acerca de las leyes fonéticas de la lengua éuskara*—San Sebastián, 1883—, *Los orígenes del pueblo euskaldún, Historia a través de la leyenda*—dos tomos.

V. GASCUÉ, Francisco: Prólogo a la novela *La bella Easo*. Pamplona, 1909.

CAMPO, Angel de.

Novelista y cuentista mexicano. Nació —1868—y murió—1908—en la ciudad de México. Bachiller a trancas y barrancas, inició los estudios de Medicina para abandonarlos en seguida. De obsesiva vocación literaria y sin que sus primeras obras le proporcionaran siquiera modestos ingresos, para no morirse de hambre hubo de aceptar un empleo en una oficina auxiliar de la Hacienda. En diarios y revistas publicó crónicas y cuentos con el seudónimo de "Tick-Tack". Como novelista cultivó un realismo sin excesos naturalistas y con tendencia a un costumbrismo tan bien observado como propenso a la sentimentalidad.

Obras: *Ocios y apuntes*—1890—, *Cosas vistas*—1894—, *Cartones*—1897—, *La rumba*—1899.

CAMPO, Estanislao del.

Poeta y prosista argentino. Nació—1834— y murió—1880—en Buenos Aires. Militar. Tomó parte activa en la famosa batalla de Cepeda y en la revolución de 1874, alcanzando el grado de coronel. Diputado y secretario de la Cámara popular. Oficial mayor del Ministerio de la Gobernación. Colaboró asiduamente en *Los Debates y El Nacional*.

Su gran popularidad de época la debe a su poema humorístico *"Fausto", impresiones del gaucho Anastasio "el Pollo" en la representación de esta ópera* (de Gounod), escrito en lenguaje criollo, y en el que rivalizan la fácil versificación, el agradable colorido, el gracejo y las dotes de observación minuciosa y realísima.

Sin embargo, Leopoldo Lugones—en *El Payador*—hizo una crítica despiadada de la obra de Estanislao del Campo; crítica que no impidió que el poema fuera—y siga siendo—predilecto de las clases populares.

Otras obras: *Crónica de la batalla de Pavón, Cartas de Aniceto "el Gallo" a Anastasio "el Pollo", Poesías de Anastasio "el Pollo"...*

V. ROJAS, Ricardo: *La literatura argentina*. 2.ª edición. Buenos Aires, 1924.—LEGUIZAMÓN, Julio A.: *Historia de la literatura hispanoamericana*. Buenos Aires, 1945. Dos tomos.—MENÉNDEZ PELAYO, M.: *Historia de la poesía hispanoamericana*. Madrid, 1911-1913. Tomo II.

CAMPO ALANGE, Condesa de.

María de los Reyes Laffite Pérez del Pulgar. Nació—1902—en Sevilla. Desde muy joven se sintió atraída por los admirables españoles Ortega y Gasset, Marañón, Eugenio d'Ors, de quienes fue discípula y amiga. Miembro de la Academia Breve de Crítica de Arte fundada por D'Ors. Académico de la Sevillana de Buenas Letras. Miembro de la Hispanic Society of America.

Obras: *María Blanchard. Biografía crítica* —1944—, *La secreta guerra de los sexos* —1948—, *De Altamira a Hollywood*—1953—, *Mi niñez y su mundo*—1956—, *La flecha y la esponja*—1959—, *La mujer en España*—1960.

CAMPOAMOR Y CAMPOOSORIO, Ramón de.

Famosísimo poeta español. 1817-1901. Nació en Navia (Asturias). Estudió latín en Puerto de Vega; Filosofía, en Santiago; Lógica y Matemáticas, en el Colegio de Santo Tomás, de Madrid, y Medicina, en el de San Carlos. Pero... estudió poco. Y le suspendieron mucho. Y terminó—sin terminar carrera alguna—dedicándose a la poesía. En sus primeras poesías, completamente románticas, recogidas en los volúmenes *Ternezas y flores* y *Ayes del alma,* imitó cuanto pudo a Hugo y a Lamartine. En 1845 entró de redactor en *El Español;* un año después fue nombrado auxiliar del Consejo Real. Gobernador civil de Alicante—1854—, donde se casó con la dama irlandesa Guillermina O'Gorman. Gobernador de Valencia. Diputado a Cortes por... "Romero Robledo"—como él mismo decía con donaire—, Director general de Beneficencia. Consejero de Estado. Académico—1861—de la Española. Senador. Amigo particular de doña Isabel II y de don Alfonso XII.

Nos causa un singular regocijo leer las dispares opiniones, todas ellas muy serias, de los críticos literarios acerca de Campoamor. Severo Catalina juraba y perjuraba que era un inmenso filósofo y un poeta genial. Y creo que fue el catoniano don Alejandro Pidal quien comparó las poesías de Campoamor con un pomo del Renacimiento cincelado por Benvenuto, que, en vez de

bálsamo salutífero, encerrara una ponzoña mortal.

Leopoldo Alas—certerísimo y justo crítico casi siempre—opinó tan campante que Campoamor era—en 1889—"nuestro mejor poeta". El mismísimo padre del modernismo español, Rubén Darío, dice de las *Doloras* que "deja en los labios la miel y pica en el corazón". Un poco mejor *adivinó* al genuino Campoamor don Juan Valera, declarándole "un delicado y gracioso poeta", acaso porque el espíritu de Valera fue muy afín con el del poeta asturiano. Eran, como vulgarmente se dice, lobos de una misma camada. Los dos, grandes psicólogos, grandes humoristas, grandes escépticos, grandes *tomadores* del sol que más calienta.

Modernamente, se niega en absoluto el valor poético—¡y no digamos el filosófico!— de Campoamor. Hasta el punto de que en una moderna antología de poetas de los siglos XVIII y XIX, dirigida por un catedrático de Literatura, Félix Ros, no se incluye al poeta asturiano. Como no incluye tampoco a Núñez de Arce, Querol, Grillo, Balart, Reina... Y crítico tan ponderado y competente como Valbuena y Prat se desata en improperios contra Campoamor, negándole el pan y el agua.

No caeremos en la candidez de juzgar a Campoamor como filósofo poeta ni como poeta filósofo, aun cuando un día le hayamos proclamado *jefe* de la escuela filosófico-moralista..., por cuanto nos era forzoso *rotular* las dos escuelas que atacaron al moribundo romanticismo español para darle la puntilla. Cuando se habla de filosofía, no sabemos por qué, todos se suben en seguida por las ramas; pocos observan el tronco por su porción en contacto con el hombre; pocos se acuerdan de la *filosofía casera,* que también tiene mucha miga, aun cuando los muy graves filósofos la desdeñen por explotar sus efectos en un *medio* vulgar y a la hora más *impensada*. Esta filosofía es la de don Ramón. Y conste que él no presumió de otra. Lo que sucede es que la crítica ha querido dar un alcance doctrinal a lo que no es sino una actitud de reserva, de freno, entre lo que se piensa y lo que fluye libremente a lo lírico.

Cuanto canta Zorrilla, jamás pasa por su reflexión; va de sus sentidos o de sus sentimientos a su lirismo. Cuanto versifica Campoamor, llega a las estrofas ya muy meditado, muy filtrado. Lo que acaba por desconcertar en Campoamor es aquel tino que tuvo para tratar con ironía las cosas trascendentales y con gravedad las cosas frívolas.

Muy atinadamente, a nuestro juicio, un crítico moderno, Díaz-Plaja, poniéndose *en situación,* juzga a Campoamor: "Poeta de tono medio, ingenioso y amable, había de encontrar un amplio eco en la mesocracia española, que vio en él a su poeta representativo. Su obra no tiene valoración, enfocada según nuestro actual sentir estético; pero es innegable que Campoamor inaugura una manera personalísima de versificar, sin precedentes visibles ni seguidores afortunados."

¿Cuáles fueron estos modos expresivos originales de Campoamor? El los llamó: *humoradas, doloras y pequeños poemas.* El propio poeta, preceptista al fin, definió sus innovaciones. "¿Qué es *humorada?* Un rasgo intencionado. ¿Y *dolora?* Una humorada convertida en drama. ¿Y pequeño *poema?* Una dolora amplificada." Como estas definiciones, tan poco claras por su excesiva concisión, dieran origen a muchos comentarios, se creyó Campoamor en el caso de ser más explícito. "Aunque soy tan conservador, ruego que se me perdone si, como digo, he tratado de revolucionar *el fondo* de la poesía con las *Doloras,* porque desprecio lo insustancial; y *la forma* de los versos con los *Pequeños poemas,* porque el antiguo lenguaje acaba inevitablemente en culto, y porque la forma tradicional me parece convencional y falsa, y yo declaro que toda mentira me es del todo insoportable." Humorada es "un rasgo intencionado..., poesía ligera unas veces, intencional otras, pero siempre precisa, escultural y corta". Doloras son "composiciones en su forma, y en las cuales, *indispensablemente,* tiene siempre que presidir un pensamiento filosófico"; o "composición poética en la cual se debe hallar unida la ligereza con el sentimiento y la concisión con la importancia filosófica".

"Más líricos que épicos son también los *Pequeños poemas;* pero la hinchada pretensión abstracta y trascendente [de las *Doloras*] ha desaparecido. Diríase que, olvidado del telescopio con que el astrónomo contempla lo grande y desmesurado, el poeta ha empuñado el microscopio con el cual el biólogo se ciñe a lo menudo. El pequeño poema es la poesía de lo pequeño, de la célula vital, digamos, porque, como en ella se halla la explicación de toda la vida, así en lo pequeño y común halla Campoamor el universo entero, que en vano buscara antes manejando el telescopio de sus poemas trascendentales. Son poemitas modestos, cortos, sencillos y llanos; pero, por lo mismo, todo verdad, todo visto, vivido y sentido; español todo y de todos los días y de a cada paso." Así se expresa Cejador. Estos poemas pequeños—treinta y uno en total—tuvieron —y tienen—un éxito inmenso de público mesocrático y femenino. *El tren expreso, Cómo rezan las solteras, Las tres rosas, ¡Quién supiera escribir!, La historia de muchas cartas* y algunos más se lo han sabido de memo-

ria generaciones enteras de señoritas y caballeros víctimas de un romanticismo *ya desangelado.* El humorismo de Campoamor se basó exclusivamente en el *contraste.* Su filosofía de corto vuelo, en ver grande lo pequeño y lo pequeño grande. Conviene tener muy en cuenta las anteriores afirmaciones para explicarse el *valor* y el *éxito* de Campoamor dentro de una sociedad *desarticulada* en todos sus sentimientos e *indecisa* en todos sus afanes.

En el haber de Campoamor como poeta lírico aún cabe señalar dos partidas: la de sus *Cantares* y la de sus *Fábulas.* Los cantares campoamorianos difieren bastante de los del pueblo; no son, como los de este, espontáneos, irregulares en la métrica; transparentan un espíritu reflexivo y cuidan de evitar las asonancias y de moldearse en cuartetas y redondillas. Así, pudiera afirmarse que los cantares de Campoamor son los precedentes inmediatos de las doloras. Las *Fábulas* compiten con las de Hartzenbusch en la tendencia moralizante y en la facilidad de la rima, y las exceden en una malicia muy sugestiva y en la irónica intención.

No debe silenciarse tampoco que fue Campoamor un muy discreto poeta épico. Su *Colón*—1853—y su *Drama universal*—1869—, aun con el trascendentalismo filosófico que les resta ligereza de vuelo, contienen estimables pinceladas descriptivas y rasgos dramáticos resueltos con ingenio y naturalidad.

Las mejores ediciones de Campoamor son: la preparada por U. González Serrano, Madrid, 1901-1903; la de M. Aguilar, Madrid, 1932, 1936, 1943, etc., y la de *Poesías,* en "Clásicos Castellanos", Madrid, 1921.

V. Peseaux-Ricard: *Campoamor.* París, 1894.—Rivas, C.: Prólogo a la edición de Campoamor, en "Clásicos Castellanos". 1922. González-Blanco, A.: *Campoamor: biografía y estudio crítico.* Madrid, 1912.—Pardo Bazán, E.: *Retratos y apuntes literarios.*— Sánchez Pérez, A.: *Campoamor.* Madrid, 1889.—Romera Navarro, M.: *Campoamor,* en *Rev. Estudios,* 1917.—Langle, P.: *La lírica moderna en España: Campoamor...* Almería, 1883.—Valera, Juan: *Biografía de Campoamor,* en "Col. Aut. Esp. de Baudry", tomo LX.—Romano, Julio: *Campoamor.* Madrid, Editora Nacional, 1948.

CAMPOMANES, Pedro.

Político, diplomático y escritor español. Nació—1723—en Santa Eulalia de Sorriba (Asturias). Murió—1803—en Madrid. Fundador de las Sociedades Económicas de Amigos del País. Abogado. Analista. Académico de la Historia—1748—. Director general de Correos y Postas. Fiscal del Consejo Real y Supremo de Castilla—1762—, cargo equivalente al del actual ministro de Hacienda. Presidente de la Academia de la Historia—1764—. De gran cultura. Y aun cuando tuvo exageradas tendencias afrancesadas y regalistas, se le deben no pocas mejoras en diferentes ramos de la organización estatal. Perteneció a gran número de academias y sociedades científicas españolas y europeas, entre ellas la famosa Sociedad Filosófica de Filadelfia, en la que ingresó a propuesta de Benjamín Franklin.

Fue un escritor de limpia y clara prosa y de muchas y originales ideas.

Obras: *Disertaciones históricas del Orden y Caballería de los Templarios*—1747—, *Vida y obras de Feijoo*—1765—, *Tratado de la regalía de amortización*—1765—, *Discurso sobre el fomento de la industria popular* —1774—, *Cartas político-económicas*—1878, publicadas póstumamente—; *Itinerario de las carreras de postas de dentro y fuera del reyno*—1761—, *Noticia geográfica del reyno y caminos de Portugal*—1762—, *La cronología de los reyes godos, Disertación sobre el establecimiento de las leyes, Memoria sobre los abusos de la Mesta*—1791—, *Historia general de la Marina española*—inédita...

V. SEMPERE Y GUARINOS: *Bibliografía de los escritores del reinado de Carlos III*. Tomo III.—GONZÁLEZ ARNAO, A.: *Elogio del conde de Campomanes*, en *Academia de la Historia*. Madrid, 1804.—GARCÍA DOMÉNECH, J.: *Elogio de Campomanes*, en *Academia de San Fernando*, 1803.

CAMPOS, Jorge.

Profesor, crítico y novelista español. Nació—1916—en Madrid. Sus verdaderos nombres: Jorge Renales Fernández-Campos. Licenciado en Filosofía y Letras.

Entre sus obras de ficción destacan: *Seis mentiras en novela, Eblis, En nada de tiempo, Vichori, La historia del suicida Pedro Ruiz, Pasarse de buenos*—1950—, *El atentado*—1951—, *El hombre y lo demás*—1953—, *Tiempo pasado*—"Premio Nacional de Literatura, 1955".

Como crítico ha publicado: *Poesías de Boscán*—selección y prólogo—, *Historia universal de la Literatura, Presencia de América en la obra de Cervantes, Hernán Cortés en la dramática española, La literatura de Hispanoamérica, Antología hispanoamericana...*

Jorge Campos es uno de los más finos y cultos críticos literarios de España. Su agudeza guarda una perfecta armonía con su ecuanimidad. Ha publicado—con amplios y agudos estudios—obras completas de varios escritores románticos: Espronceda, Duque de Rivas.

CAMPOS CERVERA, Herib.

Poeta y crítico literario paraguayo. Nació—1900—¿en Asunción? Murió—1953—en Buenos Aires. Universitario. Uno de los fundadores—1923—de la revista del modernismo *Juventud*. En 1926 abandonó la lírica modernista para cultivar el lirismo superrealista. Durante varios años vivió en las selvas del Chaco, y más tarde se trasladó a Buenos Aires, donde ejerció el periodismo.

Obra: *Ceniza redimida*.

CAMPOY, Antonio Manuel.

Ensayista, novelista, crítico de arte y periodista español. Nació—1924—en Cuevas de Almanzora (Almería). En 1945 llegó a Madrid, iniciando su carrera de periodista con un súbito y seguro acierto. Diarios y revistas de toda España le ofrecen las columnas, en la seguridad de que Campoy las llenará de originales, cálidos y hondos artículos, en realidad "pequeños ensayos" sumamente atractivos. Eugenio d'Ors le llamó "muchacho papiniano", y fue discípulo y amigo de don Pío Baroja. Ha viajado por Europa y varios países de América. De inagotable inventiva, fino humor, ingenioso en plantear y desarrollar el tema más complicado.

Obras: *Anna*—1955—, *Los alegres bebedores de agua*—1956—, *En el año 2257*—novelas, 1957—, *Noticias de siempre*—ensayos, 1959—, *La escultura de Venancio Blanco* —crítica de arte, 1959—, *Norteamérica a vista de pájaro*—1962—, *Viaje por España (Cómo nos ven los extranjeros)*—1963—, *Pío Baroja. Vida y obra*—1963—, *Bestiario fabuloso, Libro de los oficios, Estilos de morir, La España fantástica, El pintor y su pinta, Mirando alrededor...*

CAMPRODÓN Y LAFONT, Francisco.

Poeta y dramaturgo español, muy popular en su época. Nació—1816—en Vich (Barcelona). Murió—1870—en la Habana. Empezó sus estudios en Cervera, siendo compañero de Jaime Balmes, quien, al parecer, le animaba y corregía sus primeras composiciones. Inició sus estudios jurídicos en la Universidad de Alcalá de Henares y los terminó en la de Madrid. Estuvo desterrado en Cádiz por causas políticas. Diputado a Cortes por Gracia, Vich y Santa Coloma de Farnés. Administrador de Hacienda de la isla de Cuba. Fue un notable flautista.

Obras: *Emociones*—poesías, Barcelona, 1850—, *Carta a don Juan Prim*—en verso, 1860—, *Espinas de una flor*—poesías, 1852—, *Colección de poesías castellanas*—la Habana—1871.

Entre sus obras escénicas sobresalen: *El*

dominó azul—1853—, *Tres por una*—1853—, *Los diamantes de la corona*—1854—, *Marina* —1855—, *El diablo en el poder*—1857—, *Un cocinero*—1855—, *Un zapatero*—1859—, *Quien manda, manda*—1859—, *El diablo las carga*—1860—, *Una vieja*—1860—, *Una niña* —1861—, *Del palacio a la taberna*—1861—, *Los dos mellizos*—1862—, *Los suicidas* —1863—, *El relámpago*—1865—; todas ellas zarzuelas representadas miles de veces. Y los dramas *Lola, o flor de un día*—1851—, *Una ráfaga*—1851—, *Libertinaje y pasión* —1857—, *Beltrán el aventurero*—1858—, *El vizconde*—1855...

Camprodón fue un poeta extremadamente romántico y aparatoso, muy dado a los ripios y a los barbarismos; pero consiguió una extraordinaria popularidad.

V. NOMBELA, J.: *Impresiones*. Tomo III.

CANAL, José de la.

Erudito y literato español muy notable. Nació—1768—en Ucieda (Santander). Murió en 1845. Profesó en la Orden de San Agustín cuando tenía diecisiete años. Estudió en Salamanca. Profesor de Filosofía en el colegio de Doña María de Aragón y en el correspondiente de Burgos. Bibliotecario—1789— del convento agustiniano de Salamanca. Profesor de Filosofía en los Reales Estudios de San Isidro (Madrid). Confinado—1814—por sus ideas liberales a un monasterio abulense. Académico—1816—de la Real de la Historia. Prior—1821—de los agustinos y presidente de la Academia de San Isidro. Director—1844—de la Academia de la Historia. Colaborador de los PP. Antolín Merino y Fernández de Rojas en la continuación de la famosa obra *La España sagrada*, de la que redactó, solo, los tomo 45 y 46, y con el primero de aquellos, los 43 y 44. El padre De la Canal renunció al obispado de Gerona.

Obras: *Pintura de un jansenista*—1799—, *Manual del Santo Sacrificio de la Misa, Comentarios a la clave historial del P. Flórez, El velo alzado para los curiosos, Ensayo histórico de la vida literaria del maestro fray Antolín Merino, Tres siglos de la literatura francesa* (traducción), *Tratado de los apologistas involuntarios de la religión, Los viajes del joven Anacarsis* (traducción)...

V. SAINZ DE BARANDA: *Ensayo histórico de la vida literaria del maestro fray José de la Canal*, Madrid, 1850.

CANAL FEIJOO, Bernardo.

Poeta, ensayista y dramaturgo argentino. Nació—1897—en Santiago del Estero. Licenciado en Derecho por la Universidad de Buenos Aires. Abogado de entidades bancarias. En 1944 ganó el "Primer Premio Municipal" con la obra *Pasión y muerte de Silverio Leguizamón*—teatro—. En 1951, la Sociedad Argentina de Escritores concedió la "Faja de Honor" a su libro *Teoría de la ciudad argentina*.

Otras obras: *Penúltimo poema de fútbol* —1924—, *Dibujos en el suelo*—1926—, *La rueda de la siesta*—1930—, *Ñan*—1932—, *Sol alto*—1932—, *Nivel de historia*—1934—, *Mitos perdidos*—1938—, *La expresión popular dramática*—1942—, *La rama ciega*—1942—, *Burla, credo, culpa en la creación anónima* —1951—, *Confines de Occidente*—1954...

V. GHIANO, Juan Carlos: *Constantes de la literatura argentina*. Buenos Aires, 1953.

CANALES, Alfonso.

Poeta y prosista. Nació—1923—en Málaga. Estudió el bachillerato con los jesuitas de Miraflores de El Palo. Y Filosofía y Letras y Derecho, en la Universidad de Granada. Ejerce la abogacía. Y desde 1965 es académico correspondiente por Andalucía de la Real Academia Española de la Lengua.

Fino y hondo poeta, siempre en perfecto equilibrio entre la tradición y las renovaciones líricas.

Obras: *Sobre las horas*—1950—, *Port-Royal*—1956—, *Cuestiones naturales*—1961—, *Cuenta y razón*—1962—, *Vida de Antonio* —1964—, *Treinta poemas de E. E. Cummings* —1964—, *Aminadab*—"Premio Nacional de Literatura, 1965"—, *Décimas en tono menor* —1966—, *Tres casas*—1966—, *Port-Royal* —edición completa, 1968.

CANCELA, Arturo.

Cuentista, ensayista y humorista de la mejor calidad. Nació—1892—en Buenos Aires. Hijo de padres españoles. Estudió el bachillerato en el Colegio Nacional y asistió a las aulas de Medicina, con el propósito de conocer al hombre, mas no con el de aliviarle de sus dolencias. No llegó a terminar la carrera. Pasó al Instituto Pedagógico Nacional, donde llegó a ser director del Laboratorio Psicológico, obteniendo en 1913 el título de profesor. Pero antes, en 1910, ya se había iniciado en el periodismo; y en 1912 había ingresado en *La Nación* como redactor. En este admirable diario, en la revista *Nosotros* y en otros muchos y notables periódicos y revistas, Cancela ha publicado cientos de crónicas, llenas de humor finísimo y de enjundia.

Porque conviene advertir que Cancela es el mejor escritor humorista que ha surgido en la América que escribe en castellano. Y un escritor consciente y hondo, a quien ha llevado a todas partes el deseo de conocer al hombre, de escudriñarle las entrañas y de disecarle el pensamiento.

C

209

"Se ha colocado Cancela, en presencia de la vida—escribe Sanín Cano en su prólogo a *Tres relatos porteños*—, en una actitud de observador compadecido de las flaquezas, de la estulticia humana. No se indigna: sonríe. Ni siquiera condesciende a reírse. Parece como si temiera que la carcajada interrumpiese la benévola eficacia del pensamiento... No es Cancela un mero escritor imaginativo. Ha vertido sobre las cosas y los hombres la luz del conocimiento antes de ponerse a describirlos o desenmascararlos. Es una manera de probidad que no abunda en los escritores... Cancela es un narrador de altas dotes. Su frase es pura y tersa como la corriente de un arroyo que serpentea por el valle después de haber golpeado el cristal de sus ondas contra las rocas de la alta sierra. La fuerza representativa, el humor predominante en su concepto de la vida, la gracia elusiva de su estilo, su actitud impersonal ante las miserias que describe, hace de Cancela un hombre de esos a quienes se refiere Emerson cuando dice que son las profecías ambulantes del mundo que ha de venir."

Y Emilio de Matteis afirma: "Cancela constituye hoy la piedra fundamental sobre la que se apoya sólidamente el humorismo moderno. Las generaciones futuras recogerán los frutos, apenas el talento de Cancela haya llegado a la plenitud y a la madurez."

Y Armando Donoso: "Un escritor que sabe ver, lo repetimos, y que tiene el valor de encarar la realidad de su hora, como pudieron hacerlo Bernard Shaw o Courteline. Bien haya por esta sobriedad que se regocija en la observación justa, y que en vez de buscar el púlpito para la prédica se contenta con sonreír, aunque esa risa venga a ser como la copa que llevamos hasta los labios y en cuyo fondo queda un constante dejo de amargura."

Obras: *Tres relatos porteños, Palabras socráticas*—1928—, *El burro de Maruf, Historia funambulesca del profesor Landormy* —1944—, *El amor a los setenta*—1942—, *Alondra*—1947—, *Cacambo, Films porteños, Sansón y Dalila*—teatro—, *El origen del hombre*—teatro.

V. SANÍN CANO, B.: Prólogo a *Tres relatos porteños*. Madrid, 1922.—DE MATTEIS, E.: *Panorama della litteratura argentina contemporánea*. Génova, 1929.—DONOSO, Armando: *La otra América*. Madrid, 1925.—GIUSTI, Roberto F.: *Panorama de la literatura argentina contemporánea*, en *Nosotros*, segunda época, Buenos Aires, núm. 68, noviembre de 1941.—GIMÉNEZ PASTOR, Arturo: *Historia de la literatura argentina*. Buenos Aires, Ed. Labor. Dos tomos.

CÁNCER Y VELASCO, Jerónimo de.

Famoso poeta y dramaturgo español. ¿1599?-1655. Pobrete, pedigüeño, burlón, cínico, fue toda su vida Jerónimo de Cáncer y Velasco, nacido en Barbastro muy a fines del siglo XVI. Y por lo que él dice de sí mismo—no se ha de creer que intentara adrede menospreciarse—en determinadas composiciones líricas, era un gurrumino. Verdoso de tez. Hundido de pecho. Zambo. Ralo de cabellos y barba. Desdentado.

En 1620 ya estaba en Madrid y muy animado a conquistarle por cualquier medio. Porque si su apariencia era ruin, su espíritu era sutil y su carácter abierto y osado. Por de pronto, encontró una mujer que le quiso por su persona, ya que su bolsa era la misma desmedrez. Fue tal dama doña Mariana de Ormaza, joven, viuda y no fea, simpática y muy terne en eso de ayudar al marido en la diaria labor de allegar recursos para su casa exclusivamente con la gracia de la palabra. Y con ella tuvo el poeta una hija fea y más graciosa que él, sutilísima en el arte del retruécano.

Cáncer fue contador del conde de Luna. Y no debió de meter mucho la mano, al amparo de su conciencia ancha, en los caudales de su señor, porque, sirviendo aún a este, dirigió un memorial graciosísimo al duque de Medina Sidonia pidiéndole un traje. Quizá su desmedida afición al teatro le libró—¿feliz para él, o desdichadamente?—de ser un hombre de presa, con dinero abundante y posición política. Por amor a la poesía dramática, se conformó a mendigar, a recibir sofiones, a pasar hambres. Amistó en el Mentidero, en las covachuelas del Alcázar, en las gradas de San Felipe, con los mejores autores de la época, con los que estaban más en candelero. Con Lope, con Calderón, con Moreto, con Rojas, con Vélez de Guevara, con Matos Fragoso. No encontrándose él inventiva para escribir originalmente, encontró fórmulas de simpatía para decidir a sus amigos a que colaborasen con él. ¿Qué bienes aportaba Cáncer a la comandita? Inventiva ya he dicho que no. Ni lenguaje poético. Ni pensamientos profundos. Ni dominio de la técnica. Ni delicadeza sentimental. Aportaba él el chiste espontáneo, el matiz burlesco, la gramática parda, el osado latiguillo, la suspicacia cazurra, el cinismo edulcorado.

Cáncer, eso sí, era profundamente modesto. Le pareció muy natural que la Inquisición le prohibiera varias comedias. Y de la titulada *San Isidro*, que escribió en colaboración con Pedro Rosete y otro ingenio, él mismo declara "que tan mala comedia no se

C

ha escrito en los infiernos", y luego, disculpándose, añade con el mayor cinismo:

Escribimos tres amigos
una comedia a un actor;
fue de un santo labrador,
y echamos por esos trigos...

"Echamos por esos trigos...", que es tanto como confesar que no tenían ni la más remota idea de lo que les iba a salir, ni les importaba.

En 1640 escribió nuestro autor un *Vejamen* en la Academia de Madrid, que es un curiosísimo y jocosísimo documento de gran interés para la historia íntima de muchos escritores de la época allí satirizados. Ni los mismos colaboradores amigos se libraron de las pullas y cuchufletas del gurrumino. Así dice este, refiriéndose a Vélez, "que llevaba en su rostro tales narices y de tanto peso que, temeroso de que se le despegaran, se las andaba sopesando cada instante con los dedos del tabaco".

Cáncer murió en Madrid, y ya con el pie en el estribo y con las ansias de la muerte, aún donaba a sus amistades sonrisas grotescas y una palabrería entreverada de terminachos. Y, como es lógico, le enterraron de limosna.

Cáncer no escribió solo sino comedias burlescas—*La muerte de Valdovinos y Las mocedades del Cid*—y entremeses desopilantes. Casi todos estos y aquellas prohibidos por la Inquisición. ¡Caso extraño! Cáncer, amigo y colaborador de los ingenios más entregados al culteranismo y al conceptismo, fue un escritor claro, sencillo, correcto. Tanto, que la Academia de la Lengua le reconoce como una autoridad en el idioma.

En las mencionadas comedias y en los entremeses suyos exclusivamente—*Los gitanos, Los ciegos, La musa, La visita de la cárcel*—Cáncer se muestra como el precursor del moderno teatro de humor. Maneja con osadía y gracia singulares los resortes todos de la caricatura, de la chuscada ingeniosa, de las situaciones violentas, desenlazadas con naturalidad; de los apartes que suben el valor grotesco de los temas.

En colaboración escribió, entre otras, comedias tan finas como *La adúltera penitente, Caer para levantar, Santa Teodora, Los siete infantes de Lara* y, la más notable, *El mejor representante, San Ginés*—con Rosete Niño y Martínez de Meneses—, siendo suya la primera y magnífica jornada.

Las ediciones más importantes de las obras de Cáncer son: las de Madrid de 1651 y 1761, la de Lisboa de 1671 y las de Zaragoza de 1660, 1672, 1675 y 1676. Modernamente han publicado comedias suyas en los tomos XIV y XLII de la "Biblioteca de Autores Españoles", de Rivadeneyra.

Cáncer ha sido incluido por la Academia de la Lengua en el *Catálogo de autoridades.* Colaboró con Luis y Juan Vélez de Guevara, Moreto, Matos Fragoso, Zamora, Rosete, Zabaleta, Villaviciosa, Belmonte, Alfaro, Rojas Zorrilla, Sigler de la Huerta y Calderón.

Fue también poeta muy estimable. Figuran poesías suyas en el *Certamen de Nuestra Señora de la Cogullada, de Zaragoza,* y en *Delicias de Apolo.*

Ingenio extraordinario, jocosidad irresistible, naturalidad expresiva, desgarro desvergonzado y fina caricatura de la realidad fueron las mejores armas de Cáncer.

V. Bonilla San Martín, A.: *Vejámenes literarios de Cáncer.* Madrid, 1909.—Schack, Conde de: *Historia... del arte dramático en España.* V.—Cotarelo Mori, Emilio: Prólogo a la edición de "Nueva Biblioteca de Autores Españoles". XVII.—Schaefer: *Estudios acerca del teatro español.*—Díaz de Escobar, N.: *Jerónimo de Cáncer y Velasco,* en *Revista Contemporánea,* 1901, CXXI.—Sainz de Robles, F. C.: *Historia y antología del teatro español.* Madrid, 1943, tomo IV.

CANCIO, Jesús.

Poeta y prosista español. Nació en Comillas (Santander) el 8 de diciembre de 1885. Murió—1961—en Santander. Se da la coincidencia de que en este mismo año vino al mundo, en Moya de Gran Canaria, el otro poeta del mar, Tomás Morales.

Jesús Cancio desciende, por línea paterna, de una dinastía de marinos asturianos, famosos entre los navegantes a vela de todo el litoral cantábrico.

De niño, y como respondiendo a un imperativo de raza, se sintió fuertemente atraído por el mar, tema de sus primeros esbozos literarios.

Estudió latín y Humanidades en el Seminario Conciliar de Santander, centro del que salió con el ánimo de cursar la carrera de marino mercante, idea de la que tuvo que desistir por la dolencia visual que desde entonces y hasta su muerte padeció y que le tuvo sumido en una ceguera, si no absoluta, de acentuadas proporciones.

A partir de 1921, desde la publicación de su primer libro, *Olas y cantiles,* es considerado como el poeta del mar por antonomasia.

Colaboró en *La Esfera, Nuevo Mundo* y otras revistas de España e Hispanoamérica.

Además de *Olas y cantiles,* lleva publicadas las siguientes obras: *Bruma norteña, Del solar y de la raza, Romancero del mar* y *Maretazos.*

En agosto de 1930 se le tributó en su villa natal un homenaje, en el que tomó parte la Montaña entera.

Otras obras: *Barlovento*—versos, 1951—y

Bronces de mi costa—narraciones del mar y del campo—. Y en preparación, *Rumbos de libertad* y *Proa a la muerte.*

De él ha dicho Cejador: "Verdadero poeta del mar, el único acaso que hemos tenido, y no académico, frío y libresco, sino recio, ardoroso y sinceramente inspirado en las sensaciones del mar, en sus grandezas y horrores, y que emplea el lenguaje expresivo de los pescadores del Cantábrico con sencillez encantadora y arrebatadora fuerza."

Jesús Cancio es, en efecto, uno de los mejores poetas "marineros" de España. Siente la inmensidad y el misterio del mar con una sensibilidad imponente y con una emoción turbadora.

V. SAINZ DE ROBLES: Prólogo a la *Antología*. Santander, 1961.

CANDAMO, Bernardo G. de (v. **González Candamo, Bernardo**).

CANDEL, Francisco.

Novelista español. Nació—1925—en Casas Altas (Valencia). Durante su mocedad y los primeros años de su juventud llevó una existencia aventurera, desempeñando los más diversos oficios y profesiones, casi siempre en Barcelona. Es, por tanto, un autodidacto. Pero la vida difícil, turbulenta, que ha llevado se delata en sus novelas; todas ellas de ritmo frenético, de realismo socializante, provocador, de lenguaje desgarrado. Candel ha hecho de sus novelas testimonios alharaquientos de una sociedad corrompida, desconocedora de la caridad y del perdón.

Obras: *Hay una juventud que aguarda* —Barcelona, 1956—, *Donde la ciudad cambia de nombre*—Barcelona, 1957—, *Han matado a un hombre, han roto un paisaje* —Barcelona, 1959—; *Temperamentales*—Barcelona, 1960—, *Pueblo*—Barcelona, 1961—, *¡Echame un pulso, Hemingway!*—Barcelona, 1961—; *¡Dios, la que se armó!*—1964—; *Los importantes: élite*—1962—, *El empleo* —1965—, *Parlem-né*—1967—, *Los hombres de mala uva*—1968—, *Sala de espera*—teatro, 1964—, *Richard*—teatro, 1965—, *Los otros catalanes*—ensayo, 1964—, *Viaje al Rincón de Ademuz*—1968.

CANÉ, Miguel.

Novelista, poeta y periodista popular en su época. 1812-1863. Nació y murió en Buenos Aires. Abogado. Orador elocuente. Tuvo que huir de la Argentina durante la tiranía de Rosas, refugiándose en Montevideo, ciudad que hubo de abandonar perseguido por Oribe. Contribuyó a la caída de aquel tirano y pudo regresar a su patria, colaborando en la Prensa y contribuyendo a la funda-

ción de *El Iniciador*. Fue diputado y desempeñó algunos cargos públicos, tomando parte en la revolución de 11 de septiembre.

La gloria de su hijo ha desvanecido injustamente la suya, porque Miguel Cané (padre) fue un interesante novelista, de viva imaginación y prosa cálida, que "tuvo la concepción de la novela nacional", según expresión de su propio hijo y émulo afortunado.

Cané viajó por Europa. Hombre sensible y culto, amigo de artistas y orientador de escritores noveles, merece un lugar destacado en la literatura porteña.

Obras: *Esther*—narración autobiográfica—, *El Traviato*—novela—, *Noche de bodas*—novela—, *La semanera*—novela—, *Laura*—novela—, *El corsario*—novela—, *Fantasía, En el tren, La familia de Sconner...*

V. MÚJICA LAÍNEZ, M.: *Miguel Cané (padre)*. Buenos Aires, 1942.—ROJAS, Ricardo: *La literatura argentina*. Buenos Aires, 1924.— GARCÍA VELLOSO, E.: *Historia de la literatura argentina*. Buenos Aires, 1914.

CANÉ, Miguel (hijo).

Ensayista, crítico literario, narrador de prestigio. 1851-1905. De Buenos Aires. Hijo de su homónimo el gran novelista porteño. Abogado. Diplomático. Empezó su carrera periodística—1870—en *La Tribuna*. Diputado en 1875. Ministro plenipotenciario en Colombia—1881—, Austria—1883—, Alemania —1884—y España—1886—. Intendente municipal de Buenos Aires. Ministro de Relaciones Exteriores y del Interior. Ministro plenipotenciario en París—1896—. Senador. Catedrático de Filosofía de la Historia en la Universidad de La Plata. Decano de la Facultad de Filosofía y Letras. Director de Correos y Telégrafos. De gran sencillez y tersura de estilo. Espíritu grave, serio y preocupado. Vocación precoz y tenaz de literato. Siempre esforzado por alcanzar la forma estética perseguida e ideal. Conmovedor y melancólico en sus escritos narrativos.

Su obra *Juvenilia*—novela autobiográfica de los años mozos, llena de ternura, de realismo sano—le alcanzó una fama universal, pues ha sido traducida a varios idiomas y reimpresa docenas de veces.

Otras obras: *En viaje*—1884—, *Discursos y conferencias*—1919—, *Charlas literarias* —1885—, *A distancia, Notas e impresiones* —1901—, *Ensayos*—1886—, *Prosa ligera* —1903.

V. ROJAS, Ricardo: *La literatura argentina*. Buenos Aires, 1924.—GARCÍA VELLOSO, E.: *Historia de la literatura argentina*. Buenos Aires, 1914.—GIMÉNEZ PASTOR, A.: *Historia de la literatura argentina*. Ed. Labor. Buenos Aires.

CANEDO REYES, Jorge.

Poeta y prosista boliviano contemporáneo. Periodista y político de gran prestigio en su país. Diputado. Ha ocupado altos cargos en la Administración del Estado.

"Para mí—escribe el gran crítico Díez de Medina—, el poeta más genuino, el más puro y armonioso de nuestra generación, es Jorge Canedo Reyes, ese extraño lapidario que, como el cantor de Nishapur, arrojó sus joyas al viento de la vida, sin preguntar jamás por su destino. Sus sonetos andinos, sus versos de amor, sus poemas líricos, dispersos todos, truncos algunos, tienen la suprema belleza de un torso mutilado. Discípulo sin quererlo o sin saberlo de Tamayo, tiene como él un sentimiento entrañable de la tierra y de la raza, y un don melancólico que envuelve y arrebata todo lo que canta. Allá en sus mocedades, Canedo Reyes soñó componer un *Cancionero aimará;* conozco algunos fragmentos de frescura y vivacidad maravillosas. Pero el destino quiso truncar este hado de poeta por la dura disciplina del conductor de opinión. Canedo Reyes es hoy el primer periodista boliviano, el alma mejor templada al servicio de la verdad y de la justicia; y en la lucha cotidiana se consume lentamente la fibra alada del artista. Quien lea su *Trilogía andina—Quena, Puna, Un guanaco*—reconocerá al *daimon* nocturno de la sacra embriaguez poética. Canedo es una lira. Verdaderamente: en Franz Tamayo y en Jorge Canedo Reyes—enorme, mayestática, la una; trunca, fulgurante, la otra—nacen las fuentes más puras de nuestra poesía nacional."

V. Díez de Medina, Fernando: *Perfil de la literatura boliviana,* en *Thunupa.* La Paz, 1947.

CANITROT Y MARIÑO, Prudencio.

Literato y periodista español. Nació —1882—en Pontevedra. Murió en 1913. Pintor en su juventud. Obtuvo los primeros premios de cuentos en los concursos organizados por la *Revista de Galicia y El Liberal,* de Madrid, con dos bellas narraciones: *Caso y La armadura.* Colaboró en muchos periódicos de España y América. Influido por Valle-Inclán, Canitrot fue un escritor enamorado del contraste bello, sutil observador, sobrio y colorista en las descripciones, un tanto humorista, aristócrata de sentimentalismo, cuidadoso y original de estilo. Obras: *Cuentos de abades y de aldeas, Ruinas, El señorito rural, El camino de Santiago, Rías de ensueño, Las tres Gracias y otras más, Suevia*—cuentos—, *La luz apagada*—cuentos y crónicas.

CANO, José Luis.

Poeta y crítico. Nacido el 28 de diciembre de 1912 en Algeciras (Cádiz). Infancia, en Algeciras. Bachillerato, en Málaga. Desde 1931 vive en Madrid, donde se ha licenciado en Derecho y en Filosofía y Letras. Formado poéticamente junto al grupo de poetas que hacían la revista malagueña *Litoral,* en la época de la Dictadura.

Obras: *Sonetos de la bahía*—poesía, Madrid, 1942—, *Voz de la muerte*—poesía, Madrid, 1945, Colección Adonais—, *Recuerdo de un poeta*—poema, Laurel de Adonais, I, Madrid, 1946—, *Panorama y antología de la joven poesía española*—Colección "El Carro de Estrellas", Madrid, 1947—, *Otoño en Málaga y Luz del tiempo*—1963—, *Antología de poetas andaluces contemporáneos*—1952—, *De Machado a Bousoño*—Madrid, 1955—, *Poesía española del siglo XX*—Madrid, 1960—, *Federico García Lorca*—Barcelona, 1962.

Fundador y director de la Colección Adonais de poesía.

Secretario de la revista *Insula* desde su fundación (enero de 1946).

Un cuaderno antológico de su obra fue publicado por la revista *Cauces* en 1943.

CANO, Melchor.

Teólogo y orador español. Nació—1509—en Tarancón (Cuenca). Murió—1560—en Toledo. Estudió en Salamanca. En 1523 ingresó en el convento de San Esteban, de la Orden dominicana. Condiscípulo de fray Luis de Granada, y ambos discípulos del Padre Astudillo. *Maestro de estudiantes* en 1534. Y en 1536, lector de Teología. Fue famosa entonces su polémica con otro lector, Bartolomé de Carranza, provocando la formación de dos partidos: canistas y carrancistas. En 1546 ganó la cátedra que había desempeñado Francisco de Vitoria en Salamanca. Después de renunciar el obispado de Canarias y la cátedra, retiróse al convento abulense de Piedrahita, con el pretexto de terminar sus *Lugares teológicos.* Antes, en 1551, fue enviado por el césar Carlos I al Concilio de Trento, en compañía de Domingo de Soto. Y puede afirmarse que fue una de las figuras más excepcionales del excepcional Concilio.

Melchor Cano se mostró enemigo irreconciliable de la naciente Compañía de Jesús, contra la que escribió un libro, calificándola de ser una *secta* precursora del Anticristo. También se mostró tenaz adversario de Carranza, llegando a declarar contra él cuando el famoso proceso contra el arzobispo de Toledo, el propio Bartolomé de Carranza. Felipe II le apoyó decididamente, aun cuando Cano se negó a ser su confesor.

Melchor Cano fue uno de los más altos faros de la Teología, un orador extraordinario

C

y un espíritu lleno de humanidad y de españolismo.

Obras: *De Locis Theologicis*—Salamanca, 1563—, *Relectio de Sacramentis in genere* —Salamanca, 1550—, *Relectio de Poenitentia* —Salamanca, 1550—, *Tratado de la victoria de sí mismo*—Valladolid, 1550...

V. TOURON: *Histoire des hommes ilustres de l'ordre de S. Dominique.*—MENÉNDEZ PELAYO, M.: *Historia de los heterodoxos españoles.* Tomo II, 1.ª edición, Madrid, 1880.

CANO Y CUETO, Manuel.

Periodista, autor dramático y poeta español. Nació—1849—en Madrid. Murió—1916—en Sevilla. Estudió el bachillerato con los jesuitas en Carrión de los Condes y Leyes en la Universidad de Sevilla. Diputado a Cortes. Gobernador de Huelva, Cádiz, Málaga y Sevilla. Presidente del Ateneo sevillano y de la Real Academia Sevillana de Buenas Letras. Gran cruz de Isabel la Católica. Caballero de San Gregorio el Magno. Redactor de *El Independiente, La Legitimidad, La Revista* y otros periódicos en la ciudad del Betis.

Sobresalió Cano y Cueto por su creadora fantasía y por su prosa limpia y castiza.

Obras: *Páginas de un libro*—novelas cortas, Sevilla, 1870—, *Don Miguel de Mañara* —leyenda, Sevilla, 1873—, *Doña María Coronel*—leyenda, Sevilla, 1874—, *Leyendas y tradiciones*—Sevilla, 1875—, *Tradiciones sevillanas*—ocho volúmenes, 1895-1897, en verso—, *Olga, Manuel Itoverón, Un enfermo y un loco*—novelas—, *Cualquier cosa*—poesías.

Y las producciones teatrales: *Estrella, Los rosales de Mañara, Bajo el Cristo del Perdón, Un cuento de Roncesvalles, Tres pies para un banco, La encubierta, Guerra al extranjero, Hidrofobia conyugal...*

CANO Y MASAS, Leopoldo.

Poeta y autor dramático español popular en su época. Nació—1884—en Valladolid. Murió—1934—en Madrid. General de brigada —1900—del Cuerpo de Estado Mayor. Académico—1910—de la Real Española de la Lengua.

Como dramaturgo, perteneció Cano Masas a la escuela de Echegaray, un tanto ampulosa y enfática, llena de efectismos. Fue un hábil versificador. Y obtuvo resonantes triunfos escénicos, aun cuando quedó muy por bajo del maestro y aun de otro discípulo de este: Sellés.

Escribió breves, intencionadas y agudas poesías satíricas, que llamó *Saetas*.

Obras teatrales: *El más sagrado deber* —1877—, *Los laureles de un poeta*—1878—, *La opinión pública*—1878—, *La mariposa* —1879—, *El código del honor*—1881—, *La pasionaria*—su obra maestra, 1883—, *La muer-*

te de Lucrecia—1884—, *Trata de blancas* —1887—, *Gloria*—1888—, *¡Velay!*—1895—, *La maya*—1901—, *Mater dolorosa*—1904.

V. IXART, J.: *Arte escénico en España.* Volumen I.—PI Y ARSUAGA, F.: *Echegaray, Sellés y Cano.* Madrid, 1884.—SAINZ DE ROBLES, F. C.: *Historia y antología del teatro español.* Madrid, 1943. Tomo VI.

CÁNOVAS DEL CASTILLO, Antonio.

Famoso político, periodista, novelista, historiador y erudito español. Nació—1828—en Málaga. Murió—1897—en Santa Agueda (Guipúzcoa). Estudió el bachillerato en su ciudad natal, fundando, cuando aún no había cumplido los dieciséis años, el semanario *La Joven Málaga.* Huérfano muy joven de padre, su tío, don Serafín Estébanez Calderón—*el Solitario*—famoso político y literato—, le colocó en Madrid con un empleo de 8.000 reales en las oficinas del ferrocarril de Aranjuez. Licenciado en Derecho. Después... Polemista famoso, maestro de periodistas, diputado sin interrupción desde 1854, brillante orador político, gobernador civil, director general de Administración Local, ministro muchas veces, presidente del Consejo de Ministros, jefe omnipotente del partido conservador, el primer hombre de Estado de su tiempo en España y el principal fautor de la restauración de la monarquía, académico de la Historia y de la Lengua...

Un crítico moderno hace de él este juicio: "Fue muy estudioso, orador fácil, oportunista e improvisador. Su estilo, algo enrevesado y premioso, aunque noble y bastante elegante. Su novela, con algunos aciertos, obra de aprendiz. Sus versos, algo laboriosos, no pasan de pinitos poéticos de un erudito. Como crítico, en prólogos y discursos muestra un extenso conocimiento de la literatura castellana y de obras extrañas. Pero, en suma, se nota en Cánovas que las ocupaciones de la política no le dieron lugar a formarse como escritor ni a dar los sazonados frutos que eran de esperar de su buen talento y laboriosidad."

Obras: *La campana de Huesca*—novela, 1852—, *Dominación de los españoles en Italia*—1860—, *Estudios literarios*—dos volúmenes, 1868—, *Bosquejo histórico de la Casa de Austria*—1869—, *Matías de Novoa*—1876—, *El Solitario y su tiempo*—1883—, *Obras poéticas*—1887—, *Estudios del reinado de Felipe IV*—1888—, *Estudios de la decadencia de España desde Felipe III hasta Carlos II, Problemas contemporáneos*—tres volúmenes, 1884—, *De las ideas políticas de los españoles durante la Casa de Austria*—1868...

V. VALERA, Juan: *Ecos argentinos.* 1901.— NIDO, Juan del: *Historia... de Cánovas.* Madrid, 1946.—REVILLA, M. G.: *Cánovas y las letras.* México, 1898.—Pérez de Guzmán: *Cánovas... juzgado por sus libros,* en *La España Moderna,* 1907.—Fernández Almagro, Melchor: *Cánovas, su vida y su política,* en *Rev. Derecho Privado,* Madrid, 1951.—García Arias, Luis: *Antología* de Cánovas del *Castillo.* Madrid, Ed. Nacional, 1944.

CANSINOS ASSÉNS, Rafael.

Notable crítico y novelista español. Nació —1883—en Sevilla y murió—1964—en Madrid. Desde muy joven residió en Madrid, abriéndose rápidamente paso en la vida literaria cortesana con su enorme cultura, su sagacidad crítica y su estilo personalísimo. Desde 1907 colaboró en las principales y más audaces revistas literarias de España: *Helios, Prometeo, Renacimiento, Revista Ibérica,* y en periódicos de tanta importancia como *El Imparcial, El País, El Liberal, La Tribuna, La Libertad...* En todos ellos ejerció preferentemente la crítica literaria con una probidad, una eficacia y un buen gusto ejemplares y personalísimos, dando a conocer al público de habla española los más puros y genuinos valores de la moderna literatura española. Desde 1909 fue propulsor y teorizante sin competencia de todos los llamados movimientos poéticos subversivos: *Ultraísmo, Impresionismo y Dadaísmo,* inspirando las raras y sugerentes revistas *Grecia, Ultra, Perseo,* etc. De 1918 a 1922 dirigió la revista hispanoamericana *Cervantes.* Miembro—1918— de la Real Academia de Buenas Letras de Sevilla. "Premio Chirel"—1925—de la Real Academia Española. Palmas Académicas otorgadas—1926—por el Gobierno de Francia.

La obra de Cansinos-Asséns es tan vasta como exquisita y original. Un estilo brillante, exótico, poemático la avalora. Sus novelas están llenas de un realismo hondo, pero suavizado con un lirismo casi bíblico. Sus críticas son modelo de bien interpretar y de sereno calificar. Una bondad casi olímpica *dora* la producción íntegra de este originalísimo literato.

Obras: *Las Venus, Las odas inmortales, Psalmos, Himnos antiguos, El hermafrodita, Evohé, El libro de las cortesanas, El candelabro de los siete brazos, Etica y erotismo de la pena de muerte, El secreto de la sabiduría, Las cuatro Gracias, El divino fracaso, La que tornó de la muerte, Poetas y prosistas del novecientos, La madona del carrusel, La santa niña Catalina, Salomé en la literatura, En la tierra florida, Los sobrinos del diablo, La huelga de los poetas, El movimiento U. P., El madrigal infinito, Los temas literarios y su interpretación, El llanto irisado, Las luminarias de Hanukah, Los valores eróticos de las religiones, La nueva* literatura, *El amor en el "Cantar de los Cantares"* y otras muchas más.

Conocedor a la perfección de varias lenguas orientales y europeas, Cansinos-Asséns fue un magnífico traductor, acaso el mejor entre los contemporáneos españoles. Vertió al castellano las *Obras completas* del emperador Flavio Juliano, de Dostoievski, de Balzac y de Goethe, *Las mil y una noches* y cerca de cincuenta títulos más.

V. Sainz de Robles, F. C.: *La novela corta española (Generación de "El Cuento Semanal"). Estudio y notas.* Madrid, Aguilar, 1952. Torre, Guillermo de: *Literaturas europeas de vanguardia.* Madrid, 1925.—Nora, Eugenio G. de: *La novela española contemporánea.* Madrid, Edit. Gredos, 1959, tomo I, páginas 557-560.

CANTERA BURGOS, Francisco.

Orientalista, historiador y crítico español. Nació—1901—en Miranda de Ebro (Burgos). Doctor en Derecho y en Filosofía y Letras. En la actualidad es catedrático de Lengua Hebrea en la Universidad de Madrid. Miembro de número de la Real Academia de la Historia. Su traducción—en colaboración— de la Biblia valiéndose de textos originales es una de las más perfectas que se conocen en cualquier idioma.

Obras: *Las sinagogas españolas*—1955—, *El Fuero de Miranda de Ebro*—1943—, *Arias Montano y fray Luis de León*—1946—, *Alvar García de Santa María*—1952—, *Versos españoles en las mawassahas hispanoárabes* —1949—, *La judería de Miranda de Ebro* —1941—, *El judío salmantino Abraham Zacuto*—1931—.

CAÑETE, Manuel.

Literato y crítico español. Nació—1822—en Sevilla. Murió—1891—en Madrid. En su juventud, apunte en el teatro Principal de su ciudad natal. En Cádiz y Granada hizo sus primeros ensayos literarios. Ya en Madrid —1843—, dirigió o escribió en *El Manzanares*—gaceta de teatros, 1844—, *La Gaceta de Teatros*—1848—, *El Parlamento*—1859—y de crítica teatral por largos años en *La Ilustración Española y Americana.* Director—en 1857—de la *Gaceta de Madrid.* Empleado en un Ministerio. Académico de la Lengua, de la Historia, de Bellas Artes de San Fernando y de Buenas Letras de Sevilla.

Como poeta, no pasó de mediano. Le sobraba frialdad y retórica. Le faltaba inspiración y lirismo. Pero era escritor castizo y esmerado en prosa. Maestro de buen gusto, con un admirable sentido crítico, durante más de treinta años estimuló la producción literaria española. Compuso varios dramas; pero le debe más la historia literaria teatral, por sus obras de investigación y crítica. Su estrella se eclipsó ante la aparición de otras dos de mayor magnitud: "Clarín" y Menéndez Pelayo.

Obras: *Poesías*—Granada, 1843—, *Paralelo de Garcilaso, fray Luis de León y Rioja* —1858—, *¿Por qué no llegó a su apogeo el idioma castellano hasta la mitad del siglo XVI?*—1867—, *Sobre el drama religioso español antes y después de Lope de Vega* —1862—, *Teatro español del siglo XVI* —1885—, *Crítica literaria*—prólogo y notas a las obras de Lucas Fernández, Alonso de Torres, Jaime Ferruz, Rrancisco de las Cuevas, Agustín de Rojas.

Y las obras teatrales: *El duque de Alba* —1845—, *Lo que no alcanza una pasión, El peluquero de su alteza, Un rebato en Granada, Beltrán y la Pompadour, La flor de Besalú, Los dos Foscaris, El don del cielo...*

CANZANI, Ariel D.

Poeta y prosista argentino. Nació—1928— en Buenos Aires, en cuya Escuela Industrial obtuvo el título de técnico en construcciones navales. Estudió en la Escuela Nacional de Náutica Manuel Belgrano, de Buenos Aires, obteniendo en 1950 el grado de oficial de cubierta de la Marina Mercante. Ha viajado por todo el mundo. Fue representante en Europa del Museo de Arte de la Ciudad de Buenos Aires, y en la actualidad lo es de la Sociedad Argentina de Escritores. Dirige la colección poética *Vertellos*, de la editorial Goyanarte. Se ha especializado en los estudios de literatura italiana, que publica en la revista bonaerense *Ficción*. En 1962 asistió como observador argentino a las reuniones de la COMES (Comunità Europea degli Scrittore), celebradas en Florencia.

Obras: *El sueño debe morir mañana*—Buenos Aires, 1960—, *La sed (Diario de mi amigo el monstruo)*—Buenos Aires, "Premio Internacional de Poesía" concedido en Italia—, *Gufi con occhi di luna*—"Premio Internacional de Poesía" concedido en Italia—, *Los inmundos y el llanto*—Buenos Aires, ¿1964?—, *Espigas y tarántulas*—prosas, Buenos Aires—, *Panorama del novecientos poético argentino* (1900-1962)...

CAÑIZARES, José de.

Notable dramaturgo español. Nació—1676— en Madrid. Y en la misma población murió en 1750. Fue bautizado en la parroquia de San Martín. Y siendo un niño aún, empezó a escribir comedias. No tenía catorce años cuando terminó *Las cuentas del Gran Capitán*. Sirvió en la carrera militar, y en 1711 era capitán de caballeros corazas, y después, según se cree, procurador de los Reales Con-

sejos. Durante treinta años desempeñó el cargo de fiscal de comedias. Murió el 4 de septiembre de 1750 en una casa hidalga de la calle de las Veneras, esquina a la plazuela de Santo Domingo, y fue enterrado en el convento del Rosario. Estuvo casado con doña Lorenza Alvarez de Losada Osorio y Redín, de la que tuvo dos hijos: don José y doña Jerónima.

"No tuvo—escribe Moratín—talento de inventiva, pero sí habilidad para saber introducir en sus fábulas lo mejor que había en las ajenas. A esto añadió de su parte un diálogo animado y rápido, un buen lenguaje y un estilo, en los asuntos heroicos, crespo, metafórico y altisonante, y en los comunes y domésticos, festivo, epigramático, chisposo, si así puede decirse."

El estilo de Cañizares fue calderoniano puro. Su lirismo, gongorino. Su forma, amanerada. La regularidad de su plan, maestra. Peca de injusto Menéndez Pelayo cuando afirma que "este ingenioso dramaturgo—cuyo repertorio, salvo las *farsas,* es una serie de *hurtos honestos*—debió siempre a la imitación, cuando no al plagio, sus mayores aciertos".

Felizmente, la crítica moderna va estudiando con mayor atención la obra de Cañizares y extrayendo entre lo que de imitación y de plagio hay en ella muchos y muy subidos quilates de originalidad, de gracejo natural, de maestría técnica, de riqueza de léxico. Corresponde a este dramaturgo la gloria de haber llevado, el primero, al escenario, el sentido popular y pintoresco de la vida madrileña; un sentido que aprovecharán después, haciéndolo medula y sustancia de sus obras, los saineteros, a cuya cabeza está don Ramón de la Cruz.

Valbuena Prat cree que es Cañizares "la más típica manifestación del caso de un talento notable en una época de decadencia".

Cañizares logró un especial acierto en las comedias *de figurón*. Más de 80 obras dramáticas compuso, de ellas 24 impresas en dos tomos, mencionados por Alvarez de Baena y Mesonero Romanos. Huarte, en su *Dulcíada*, redacta esta graciosa redondilla:

> Allí vi a Cañizares remendando
> las comedias de Lope manuscritas,
> que después fue a su nombre publicando
> con mil faltas groseras y malditas.

Algunas obras de Cañizares se encuentran en el tomo XLIX de "Biblioteca de Autores Españoles".

Obras teatrales: *El dómine Lucas*—comedia de figurón—, *El honor da entendimiento y el más bobo sabe más, La más ilustre fregona*—imitación de otra de Lope—, *El anillo de Giges, Por acrisolar su honor...*—imita-

ción de Lope—, *Picarillo de España y señor de la Gran Canaria*—acaso su obra maestra—, *El pleito de Hernán Cortés, El asombro de Francia o Marta la Romarantina;* la
zarzuela titulada *Milagro es hallar verdad,*
cuya música escribió Francisco Coradigni, y
se representó—1732—en el teatro del Príncipe; *Carlos V sobre Túnez, Las jóvenes
cocineras, A cuál mejor, confesada y confesor...*

También escribió: *España llorosa sobre la
funesta pira, el augusto mausoleo y regio
túmulo,* que es una relación de las honras
que se hicieron en Madrid, en el convento
de la Encarnación, por el delfín de Francia
(Madrid, 1711).

V. HARTZENBUSCH, J. E.: *Cañizares,* en
Revista de España y de Indias..., Madrid,
LV, 372.—HARTZENBUSCH, J. E.: *Racine y
Cañizares,* en el tomo III de *El Correo de
Ultramar.*—VALBUENA PRAT, A.: *El teatro
Moderno en España.* Zaragoza, 1944.

CAPARROSO, Carlos Arturo.

Poeta, crítico y antólogo colombiano. Nació—1908—en Bogotá. Abogado por la Universidad Nacional de Colombia. Profesor de
Literatura española e hispanoamericana en
varios colegios de su ciudad natal. Director
nacional de Enseñanza Secundaria—1951—.
Colaborador solicitado de los principales diarios y revistas y de la radiodifusión.

Carlos Arturo Caparroso, en plena madurez, es uno de los críticos más importantes
de las letras colombianas. De mucha cultura,
sereno y hondo criterio, prosista castizo, su
autoridad pesa decisivamente en el campo
literario colombiano y aun en el de toda
Hispanoamérica.

Obras: *Vitrina*—poemas, 1930—, *Arboleda*
—biografía, 1942—, *Antología lírica: Cien
poemas colombianos*—4.ª edición, 1951—, *Silva*—biografía—, *Clásicos colombianos*—semblanzas y críticas—, *La lírica en Colombia*
—ensayo histórico-crítico...

CAPDEVILA, Arturo.

Poeta, novelista, ensayista de singularísi-
mos merecimientos. Uno de los más universales escritores argentinos. Nació en 1889, en
Córdoba, y murió el 20 de febrero de 1967.
Doctor en Leyes y en Ciencias Sociales.
Catedrático de Filosofía y Sociología en la Universidad de Córdoba. Viajó varias veces por
Europa. En 1920 y en 1923 fue galardonado
con el "Premio Nacional de Literatura". Actualmente es profesor de Literatura de la
Universidad de La Plata.

Espíritu originalísimo, lleno de matices,
de efusividades, de fuerza. A veces se encuentran en sus libros hondas melancolías o
vivísimos anhelos de desesperadas esperan-

zas. En cualquier obra de Capdevila sorprenden el lenguaje casticísimo, el estilo
jugoso, el colorido cálido y brillante, las
imágenes felices, las ideas sugestivas, porque su personalidad es múltiple y completa
y porque cultiva todos los géneros literarios
con semejante gracia y con empaque idéntico.

En una de sus mejores obras: *Babel y el
castellano*—1928—, Capdevila ha dicho con
caballeresca sinceridad: "Un orgullo ha dictado este libro argentino: el de hablar castellano. Y una cosa querría patrióticamente
el autor: comunicar este orgullo a toda la
gente que lo habla." Y en *Simbad,* hermosísimo libro poético—1930—, aún confiesa algo
más entrañable para los españoles:

> El puro amor que por mi patria siento,
> contigo solo lo comparto, España.

Magníficas páginas tiene escritas Capdevila a la exaltación del dioma y de España
Su labor, extensísima y admirable, le ha
ganado el primer puesto entre los escritores
hispanoamericanos ilustres de la actual generación.

La muerte de su madre le inspiró uno de
los mejores libros de versos que nacieron en
la Argentina: *Melpómene*—1912—, en el que
el dolor inmenso, la congoja interior de un
espíritu grande se expresan sin sentimentalismo ni quejiquerías y se comunican con
grandeza y emoción.

Capdevila fue miembro correspondiente de
las Reales Academias Españolas de la Lengua y de la Historia. Y asiduo colaborador
de los principales diarios y revistas argentinos, principalmente de *La Prensa y Caras
y Caretas.*

Otras obras: *Jardines solos*—1911—, *Dhar-
ma, influencia de Oriente en el derecho de
Roma*—1914—, *El poema de Nenúfar*
—1915—, *El libro de la noche*—versos,
1917—, *La dulce patria*—1917—, *América, El
gitano y la leyenda, Del libre albedrío, Del
infinito amor, Los hijos del sol, El "Cantar
de los Cantares"*—una nueva exégesis, 1919—,
La fiesta del mundo—versos, 1922—, *Las
vísperas de Caseros*—1923, escenas históricas—, *Córdoba del recuerdo*—1923—, *La
ciudad de los sueños*—1925—, *Los paraísos
prometidos*—diálogos, 1925—, *Tierras nobles*
—impresiones de España y Portugal, 1925—,
*Figuras y muñecas del Romanticismo, El
triunfo que se fue*—poesías, 1926—, *El Apocalipsis de San Juan*—poesías—, *La Sulamita*—teatro, 1916—, *El amor de Schehrazada*
—teatro, 1918—, *La casa de los fantasmas*
—teatro, 1925—, *El Evangelio de San Leni-
ne, Romances argentinos*—1939—, *Córdoba
azul*—1940—, *Primera antología de mis ver-*

C

sos—1943, en Colección Austral, Buenos Aires...

V. LEGUIZAMÓN, Julio A.: *Historia de la literatura hispanoamericana.* Buenos Aires, 1945.—ROJAS, Ricardo: *La literatura argentina.* Buenos Aires, 1924.—GIUSTI, Roberto F.: *Panorama de la literatura argentina contemporánea,* en *Nosotros,* segunda época, número 68, Buenos Aires, noviembre de 1914. GIMÉNEZ PASTOR, Arturo: *Historia de la literatura argentina.* Buenos Aires, Labor. Dos tomos.—BORGES, OCAMPO y BIOY: *Antología poética argentina.* Buenos Aires, 1941.—MORALES, Ernesto: *Antología poética argentina.* Buenos Aires. Ed. Sudamericana, 1943.

CAPDEVILA, Luis.

Novelista y autor dramático español. Nació —1895—en Barcelona. Descendiente del famoso general carlista Bartolomé de Porredón. Muy joven, casi adolescente, publicó su primera novela, *Balada de les set germanes,* que fue premiada en un importante concurso del que fueron jueces personalidades tan relevantes como Narciso Oller, Francisco Mathéu, Miguel de los Santos Oliver y Franquesa y Gomis. Poco después, en 1912, marchó a París, donde, además de las peñas de amigos—y amigas—de los cafés de Montmartre y el barrio Latino, frecuentó con asiduidad museos y bibliotecas. En 1914, a causa de la guerra, se ve obligado a dejar París y regresar a Barcelona, donde, con otros compañeros, funda un diario republicano, *Los Miserables,* en el que publica furibundos artículos, que le llevaron varias veces a la cárcel. Fue colaborador de *El Poble Català* en su época más brillante—Gabriel Alomar, Pedro Corominas, Mario Aguilar—, y redactor en jefe cuando ya el diario iba de capa caída; redactor del semanario de teatros y literatura *De Tots Colors,* dirigido por Pompeu Crehuet, en el que colaboraban José Carner, López-Picó, Agustín Calvet ("Gaziel"), José María de Sagarra; director del más antiguo y popular de los semanarios catalanes: *L'Esquella de la Torratxa.*

Luis Capdevila se especializó en los estudios de la segunda mitad del siglo XVIII francés (su amigo Santiago Rusiñol decía que "la Revolución francesa la habían hecho para que Capdevila pudiera comentarla").

En la vida de Luis Capdevila hay muchos libros, muchas mujeres, muchos viajes. Conoce bien a Europa y ha colaborado en revistas tan importantes como *Il Nuovo Teatro,* de Milán; *Europe y Cuadernos,* de París; *Spiel,* de Munich; *Vertice,* de Lisboa.

Luis Capdevila, dominador por igual del castellano y del catalán, escribe su teatro, indistintamente, en uno u otro idioma. Entre sus obras teatrales destacan *S. M. el Dólar,*

El ídolo de carne, Comedia en tres actos, Estampa de Nochebuena, Melodía de otoño, Les flors de la guillotina, Chronique de Noël en temps de guerre, Marcel o el triomf de la poesía, Cançó d'amor i de guerra, La mecanógrafa mártir, Adriana i l'amor, La falç, El rei per força, Poema de Nadal...

Entre sus libros de prosa: *Balada de les set germanes, La gloria de Joan Ramón, La Venus coixa, Berta la del trist destí, El fill, Memories d'un llit de matrimoni, Home d'amor i d'aventura, La pecadora, Tres contes, El amante de Yanka, Rosa de pasión, Venus i els barbars, La Bastilla, El teatre del poble, El arte de fumar en pipa*—editado posteriormente en catalán—, *Barcelona, cor de Catalunya; Llibre d'Andorra, Beethoven,* que primero se publicó en francés, con un prólogo de Jean Cassou, y después, prologado por Pablo Casals, en castellano. Tiene en curso de publicación *Historia de la meva vida i els meus fantasmes,* de la que se ha publicado el primer volumen: *L'alba dels primers camins.* Enrico Valle, S. Waysse, Rudolf Mirb, Constance Fennell y Elisabeth Maurenbrecher han traducido algunas de las obras de Capdevila al italiano, al francés, al inglés y al alemán.

Reside desde 1939 en Francia y es profesor de Literatura y Filología españolas en la Facultad de Letras y Ciencias Humanas de Poitiers.

CAPMANY, Maria Aurèlia.

Novelista y dramaturga española en lengua catalana. Nació—1918—en Barcelona. Licenciada en Filosofía y Letras. En 1948 obtuvo el "Premio Joanot Martorell" con su novela *El cel no és transparent.* Colaboradora asidua de importantes revistas, como *Serra d'Or,* de Montserrat, y *Primer Acto,* de Madrid. Traductora al catalán de importantes autores escénicos de diversas nacionalidades. En la actualidad, directora y profesora de la Escuela de Arte Dramático Adriá Gual.

Obras: *Necessitem morir*—novela, 1952—, *L'altra ciutat*—novela, 1955—, *Bétulia*—novela, 1956—, *Ara*—1958—, *El gust de la pols* —novela, 1963—, *La pluja als vidres*—1963, novela—, *La dona a Catalunya*—ensayo, 1966—, *Tu i l'hipocrita*—teatro, 1960—, *Vent de garbí*—teatro, 1965.

CAPMANY SURIS Y DE MONTPALÁU, Antonio.

Investigador, historiador, escritor español de muchos méritos. Nació—1742—en Barcelona. Murió—1813—en Cádiz. Militar en su juventud. Casado con una dama de Utrera—doña Gertrudis de la Polaina—, llevó a Sierra Morena una colonia de artífices y hortelanos catalanes, bajo la dirección de Olavide. Censor—1803—de periódicos en Madrid. Académico—1776—de la Real de la Historia. Colector y editor de los tratados de paz de los reinados de Felipe V, Fernando VI, Carlos III y Carlos IV. Diputado-agente del Ayuntamiento de Barcelona en Madrid. Cuando la invasión francesa, se refugió en Cádiz, siendo diputado de las famosas Cortes de esta ciudad. Dirigió aquí, 1812 y 1813, la *Gaceta.* Murió víctima de la peste amarilla.

Obras: *Memoria histórica sobre la marina, comercio y artes de Barcelona*—1779—, *Epítome de las vidas de varones ilustres de España, Compendio histórico de la Real Academia de la Historia, Filosofía de la elocuencia, Teatro histórico-crítico de la elocuencia castellana*—1786—, *Discursos analíticos sobre la formación y perfección de las lenguas, sobre la castellana en particular...*

V. FORTEZA, G.: *Obras.* I. Palma de Mallorca, 1882.—TORRES AMAT: *Diccionario de escritores catalanes.*—SEMANARIO PINTORESCO ESPAÑOL: *Biografía de Capmany.* 1847.

CARABAJAL Y SAAVEDRA, Mariana.

Excelente novelista española del siglo XVII, de cuya vida se tienen escasísimas noticias. Ha sido omitida con injusticia grande de muchas *Historias de la literatura española.* Con profunda comprensión, ha escrito de ella Pfandl: "Es la última representante, y aunque no sobresaliente, tampoco la peor, de la *novela romántica* del siglo XVII. En las ocho historias que reunió bajo el título de *Navidades de Madrid y novelas entretenidas*—Madrid, 1663—, no cree poder prescindir de la tradicional narración accesoria que sirve de marco al conjunto, pero le sabe ganar nuevas formas y atractivos entretejiendo tan estrechamente como es posible aquel marco con la novela en él intercalada. Y con ello crea el tipo más vigorosamente caracterizado de las colecciones de novelas destinadas, no a ia lectura, sino a la narración, fiel reflejo de una extendida costumbre social."

Las novelas de la Carabajal están logradas con interés, con dominio de la técnica narrativa, en un estilo discreto y limpio. Y denotan que fue su autora mujer de aguda feminidad, muy entusiasta del hogar, del canto y de la música, alma casera, porfiada en lo pequeño, en los detalles.

Novelas: *La Venus de Ferrara, La dicha de Doristea, El amante venturoso, El esclavo de su esclavo, Quien obra bien, siempre acierta; Celos vengan desprecios, La industria vence desdenes, Amar sin saber a quién.*

Estas novelas fueron reimpresas en 1728; a ellas se agregaron otras dos de autor anónimo: *Lisarda y Ricarda y Riesgo del mar y de amar.*

V. PFANDL, Ludwig: *Historia de la literatura española en la edad de oro.* Barcelona, 1933.—BOURLAND, C. B.: *Aspectos de la vida del hogar en el siglo XVII, según las novelas de doña María de Carabajal,* en el *Homenaje a Menéndez Pidal,* II.—SERRANO SANZ, M.: *... Escritoras españolas.* Madrid, 1903, tomo I.

CARABIAS, Josefina.

Periodista y literata española. Nació —1908—en Arenas de San Pedro (Avila). Estudió en la Universidad de Madrid. Durante mucho tiempo fue editorialista del diario madrileño *Ya,* y luego su corresponsal en París. "Premio Luca de Tena, 1952", para periodistas.

Obras: *Carlota de Méjico*—biografía—, *Los alemanes en Francia vistos por una española, Teresa de Jesús*—biografía—, *1878 (Biografía de un año)...*

CARAMUEL DE LOBLOKOWITZ, Juan.

Famoso erudito y escritor español. Nació —1606—en Madrid. Murió—1682—en Bejeven (Lombardía). Su padre era de Bohemia. Su madre, de Flandes. Estudió Gramática, Poética y Filosofía en Alcalá de Henares. Tomó el hábito benedictino en el monasterio de la Espina, de Castilla la Vieja. Estudió de nuevo la Filosofía en el colegio gallego de Ramo y en Salamanca. Se doctoró en Teología en la Universidad de Lovaina. Felipe IV le honró con la abadía y condado de Melrosa en Brabante, y su Orden le hizo vicario general de Inglaterra, Escocia e Irlanda. El emperador Fernando III le nombró abad-superior de los benedictinos de Viena, y luego general de Praga. El cardenal Harrach le confirmó su vicario general, y Caramuel, predicando en Bohemia, logró que volvieran al seno de la Iglesia católica más de 30.000 herejes. Obispo de Königratz, Arzobispo de Otranto. En el ataque de los suecos a Praga—1648—, Caramuel armó y dirigió un cuerpo de eclesiásticos para la defensa de la ciudad. Renunció el capelo cardenalicio que le fue ofrecido por Alejandro VII. Y dedicado a sus tareas literarias, murió a los setenta y seis años de edad, dejando más de 250 obras de materias diversas, pudiendo ellas solas formar una rica y variada biblioteca.

Caramuel fue gramático, filósofo, teólogo, jurista, erudito, poeta, musicógrafo, metafísico, matemático. Sabía quince lenguas, entre vivas y muertas, contadas la china y la caldea. En su tiempo se hizo célebre esta afirmación: "Si Dios permitiese la desaparición de todas las ciencias, como Caramuel se conservase, él solo bastaba para restablecerlas."

Sin embargo, a Caramuel le faltó *la llama*

C

219

del genio. Supo de todo, y bien, pero nada original aportó en sus obras. Se limitó a ser un maravilloso divulgador; la mayor parte de sus libros constituyen hoy más bien un entretenido pasatiempo o curiosidad histórica, mejor que fuente directa de consulta. Verdaderas joyas tipográficas son muchas de las impresiones de sus producciones.

Obras: *Gramática audax*—1651—, *Herculis logici*—1651—, *Declaración mística de las armas en España*—Bruselas, 1636—, *Arte de escribir en cifra*—Bruselas, 1636—, *Musaeum mortis*—Bruselas, 1638—, *Salmos confesionales*—Bruselas, 1638—, *Coelestes metamorphoses*—Bruselas, 1639—, *Philosophia rationalis*—Lovaina, 1642—, *Mathesis audax*—Lovaina, 1642—, *Theologia moralis*—Lovaina, 1643—, *Cabalae grammaticae specimen o Modo que los rabinos tienen de deletrear la Sagrada Escritura*—Bruselas, 1642—, *Severa argumentandi methodus*—Douai, 1643—, *Nova musica*—Viena, 1645—, *Boetius* (su vida)—Praga, 1647—, *Filosofía natural*—Lovaina, 1646—, *Grammatica critica*—Francfort, 1651—, *Arquitectura civil, recta y oblicua*—Bejeven, 1678—, *Métrica o Arte nuevo de varios e ingeniosos laberintos*—Roma, 1663—, *Rhythmica*—1662...

V. TARDISI, Antonio: *Memoria della vita de monsignore Gio. Caramuel...* Venecia, 1760.

CARAVAJAL Y SAAVEDRA, Mariana (véase Carabajal y Saavedra, Mariana).

CARBALLO MORALES, Eugenio.

Poeta y prosista. Nació—1897—en Santa Cruz de la Palma (Islas Canarias). Licenciado en Derecho. Ingresó por oposición en la Judicatura, pasando en seguida a la carrera fiscal. En la actualidad es fiscal general del Tribunal Supremo.

Poeta de raíz, siempre fiel a la vocación ardiente de su espíritu, desde muy joven publicó sus poesías en las principales revistas españolas del género y en algunos diarios importantes. Carballo Morales es un lírico predominantemente emotivo, de un sentimentalismo contagioso, evocador felicísimo de personas y paisajes, a los que *pinta* con la luminosidad seductora fluida de su isla natal. Y permanece fiel a un modernismo intimista pletórico de melodía.

Obras: *Cancionero del amor*—poemas—, *Senderos de España*—poemas—, *Llama viva*—poemas—, *Poemas de cielo y de mar*—poemas.

Para el estudio completo de la obra de este poeta—que también ha cultivado el teatro—véanse los prólogos de Eugenio d'Ors y de Fernando González que preceden, respectivamente, al primero y al último de sus libros poéticos.

CARBÓ Y GONZÁLEZ, Juan Francisco.

Literato y poeta español. Nació—1822—en Curaçao (Pequeñas Antillas). Murió—1846—en Barcelona. Estudió el bachillerato, Filosofía y Derecho en la ciudad condal. Terminó la carrera en la Escuela Central de Maestros, de Madrid. Director de estudios de la Casa de Caridad de Barcelona y profesor de la Escuela Normal de esta misma ciudad. Tradujo el drama de Balzac *Vautrin*, y la *Geografía* de Letronne.

Poeta romántico de mucha delicadeza y propenso a la intimidad doliente, muy semejante a otros dos poetas catalanes: Piferrer y Semis.

Sus poesías fueron publicadas—juntamente con las de estos dos, sus amigos mejores—por Milá y Fontanals, cuñado de Carbó, quien en un prólogo sincero y de fino juicio dedicó a los tres grandes y similares elogios.

Las baladas y las odas de Carbó son dignas de las mejores antologías. Entre aquellas destacan: *Yolanda y Ana María, Guillermo y Rosa María, Montroig y Miramar, La torre de Villalba;* entre las odas, las dedicadas a la reina gobernadora doña María Cristina, a su esposa y a doña Isabel II y don Francisco de Asís con motivo de su visita a Barcelona—1844.

V. FEU, Leopoldo: *Galería de catalanes ilustres.*

CARBONELL, Pedro Miguel.

Cronista y poeta español. Nació—1434—en Barcelona. Y murió—1517—en la misma ciudad. Juan II le nombró—1476—archivero de la Corona de Aragón como premio a su inteligencia y hermosísima letra. Durante cuarenta años desempeñó este cargo, alternándolo con el de escribano de mandamientos de la Chancillería de Cataluña.

Obras: *Episcoporum Barcinonensium... ordo, et numerus*—escrita en latín y publicada por el P. Flórez en el tomo XXIX de la *España Sagrada*—, *De la conservatio et duratio de la ciutat de Barcelona, Las exequias del rey don Juan II de Aragón, Apuntes sobre la Inquisición;* una traducción de la *Danza macabra;* numerosas poesías y cartas en castellano y catalán, y su producción maestra: *Chroniques d'Espanya fins aci no divulgadas, que tractan dels nobles e invictissims Reys dels Gots: y gestes de aquelles: y dels contes de Barcelona: e Reys de Aragó: ab moltes coses dignes de perpetua memoria.*

Estas crónicas se imprimieron por vez primera en Barcelona—1547—, a costa de una Sociedad de libreros. No ha sido encontrado jamás ningún ejemplar de una edición anterior, que Nicolás Antonio aseguró haber visto.

CARDENAL, Ernesto.

Poeta y crítico nicaragüense. Nació—1925— en Granada. Estudió el bachillerato en el Colegio Centroamérica de Granada, y Filosofía y Letras, en la Universidad autónoma de México. Doctor en las mismas disciplinas por la Universidad de Columbia (Nueva York). Ha realizado múltiples traducciones de poetas ingleses y norteamericanos, e innumerables artículos de crítica literaria en revistas de España y América. La mayoría de sus poesías están aún dispersas en diferentes publicaciones.

Obras: *La ciudad deshabitada*—1946—, *Cuadernos americanos, El Conquistador* —1947, en *Rev. de Guatemala.*

V. *Nueva poesía nicaragüense.* Introducción de Ernesto Cardenal. Selección y notas de Orlando Cuadra Downing. Madrid, Seminario de Problemas Hispanoamericanos, 1949.

CARDENAL IRACHETA, Manuel.

Nació en Madrid el 31 de enero de 1898. Estudió el bachillerato en el Instituto de San Isidro, oficial. Filosofía y Letras en la Universidad Central, con Bonilla San Martín, García Morente, Simarro y Ortega Gasset. Licenciado en 1919. Ganó cátedra de Filosofía en 1920, sirviendo en los Institutos de Cuenca, Segovia y Salamanca. En 1932, catedrático por oposición del Instituto Cervantes, de Madrid. Ayudante de la Universidad Central, explicó "Introducción a la Filosofía" (1934-35, 1939-40, 1940-41). Colaborador del Consejo Superior de Investigaciones Científicas desde 1940.

Tradujo la *Etica,* de Moore (Manuales Labor); el libro sobre *Rusia,* de Good (Calpe); *Las huellas de Dios,* de J. Rivière (Epesa). Colaborador de la *Revista de Filosofía Española, Revista de Bibliografía* e *Ideas Estéticas.* Ha publicado el *Panegérico por la poesía,* de Vera y Figueroa, y el *Libro de la erudición poética,* de Carrillo y Sotomayor (Consejo Superior de Investigaciones Científicas). *Antología del Rey Sabio* (Biblioteca del Estudiante). *Breviario del pensamiento: Don Juan Manuel y El P. Márquez* (Editora Nacional). *La Historia en mapas* (Escelicer). Es así mismo colaborador de la *Revista de Estudios Políticos* y de la prensa diaria. Profesor de Psicología en la Escuela del Periodismo.

Otra obra: *Vida de Gonzalo Pizarro*—1953.

CARDILLO DE VILLALPANDO, Gaspar.

Humanista, filósofo y teólogo español. Nació—1527—en Segovia y murió—1581—en Alcalá de Henares. La Cartuja del Paular le costeó la carrera eclesiástica en la Universidad complutense. Ingresó en el Colegio Trilingüe, alcanzando conocimientos extraordinarios en griego y latín. En 1554 obtuvo beca en el colegio complutense de San Ildefonso, redactando por entonces una *Suma de las Súmulas,* de Pedro Hispano, que el claustro universitario impuso como texto en sus escuelas. Asistió como teólogo consultor a la tercera apertura del Concilio de Trento, en representación del obispo de Avila, y como diputado del Colegio de San Ildefonso. En 1593 fue nombrado teólogo dominicano del Pontífice. En Trento sostuvo controversias famosas con los protestantes Muntano y Vergerio, de las que salió victorioso. Cerrado el Concilio, regresó a España, ocupando hasta su muerte una canonjía en Alcalá.

En 1555 publicó su *Isagoge* o introducción a la *Dialéctica* de Aristóteles. Comentó agudamente las *Universales,* de Porfirio, y las *Categorías,* los *Tópicos* y la *Física* del Estagirita.

El más elegante, brillante y agudo de sus escritos es el titulado: *Apología Aristotelis adversus eos qui aiunt sensisse animam cum corpore exstingui*—Alcalá, 1560.

Compuso un *Catecismo breve para enseñar a los niños*—1580—; vertió al castellano *El libro de la doctrina cristiana,* del P. Pedro Canisio.

Otras obras: *Declaración del salmo "Miserere"*—Alcalá, 1576—, *Breve Compendium Artis Dialecticae*—Alcalá, 1599...

Edición: *Epístolas y Apología de Aristóteles,* en Cerdá y Rico: *Opuscula clarorum hispanorum selecta,* Madrid, 1781, tomo I.

V. URRIZA, J.: *La preclara Facultad de Artes y Filosofía de la Universidad de Alcalá.* Madrid, 1942, págs. 296-328.—SOLANA, Marcial: *Historia de la filosofía española: Epoca del Renacimiento (siglo XVI).* Madrid, 1941. Tres tomos.

CARDOSO, Efraín.

Erudito, historiador y prosista paraguayo contemporáneo. Doctor en Letras. Conferenciante. Archivero.

Con singular talento y criterio sutil ha trabajado fecundamente en los archivos de Asunción y de Buenos Aires. La crítica de su país le ha señalado como el continuador magnífico de la gloriosa tradición de Garay y Moreno. Su cultura bibliográfica es muy grande, y sus ensayos y tesis adquieren calidad de producciones absolutamente científicas. Es uno de los maestros del renacimiento literario actual del Paraguay.

Obras: *El Chaco en el régimen de las Intendencias, La creación de Bolivia*—Asunción, 1930—, *Aspectos de la cuestión del Chaco*—1933—, *El Chaco y los virreyes, La Audiencia de Charcas...*

V. DÍAZ PÉREZ, Viriato: *Literatura del Pa-*

raguay, en el tomo XII de la *Historia universal de la literatura,* de Prampolini. Buenos Aires, Uteha Argentina, 1940.

«CARIBE, EL» (v. Padilla, Juan Gualberto).

CÁRMENES, Fray Juan Alberto de los.

Poeta y prosista cubano. Nació—1915—en Matanzas. Estudió Filosofía y Letras en la Habana. Ingresó en la Orden del Carmen Descalzo, trasladándose a España para completar sus estudios eclesiásticos. En 1944, en Salamanca, se ordenó de sacerdote. Profesor de Literatura del Convento Vocacional Carmelitano. En la actualidad reside en el convento de San Juan de la Cruz, de la ciudad de Segovia, donde se conserva incorrupto el cuerpo del santo y maravilloso poeta.

Casi niño, publicó sus primeras poesías en algunas revistas cubanas. Ya en España, profundizó en el estudio de los nuevos movimientos líricos, para asimilar cuantos aportes de belleza y valores estéticos pueden ofrecer, eliminando sus aspectos grotescos o de gusto dudoso. Intenta volver a lo divino todo lo actual aceptable, sin que por ello sufra la personalidad de su poesía.

Fray Juan Alberto de los Cármenes es un lírico de los más interesantes y de los que más hondo y perdurable mensaje aportan a la lírica castellana.

Obra: *Breviario de oro*—1950.

CARNER, José.

Poeta y literato español. Nació—1884—en Barcelona. Murió—1970—en Bruselas. Doctor en Derecho y en Filosofía y Letras. A los catorce años ganó varios premios literarios ofrecidos por la revista *L'Atlántida*—con una colección de refranes y la poesía *L'envejós.* Ha colaborado asiduamente en revistas importantes españolas y dirigido *Catalunya* y *Emporium.* Miembro del Colegio de México. Profesor de la Universidad Nacional Autónoma y de la Universidad Femenina de México. Director de la revista *Orbe.*

De inspiración lozana, primoroso en la forma y en la dicción, clásico en los conceptos, con un afán de originalidad que, a veces, toca en lo excéntrico, con indudables acentos innovadores, José Carner es un poeta interesante, al que ninguna crítica puede silenciar o considerar con desdén. Algo extraño llama desde su lírica al interés y a la emoción.

Obras: *L'idili dels nyanyos*—1904—, *Llibre dels poetes*—1904—, *Deu rondalles de Jesus Infant*—1905—, *Primer llibre de sonets* —1905—, *Fruyts sabrosas*—1906—, *Segón llibre de sonets*—1907—, *La malvestat d'oriana* —1910—, *Verger de les galanies*—1911—, *La Iglesia y el teatro*—1915—, *Cuentos y apólogos de todos los países*—1917—, *Saltamontes y el rey glotón*—1917—, *La inútil ofrenda* —1924—, *Les bonhomies*—1925—, *Nabi* —1940—, *El misterio de Quanaxhuta*—1943...

En 1911 fue nombrado miembro de la Academia de la Poesía, de Madrid. Ha traducido *El burgués gentilhombre,* de Molière; las *Floretes de Sant francesc,* y *El somni d'una nit d'istiu,* de Shakespeare.

CARNÉS, Luisa.

Novelista y comediógrafa española. Nació —¿1908?—en Madrid. Murió—1964—en México. Casi niña, empezó a publicar cuentos y crónicas en el diario *La Voz* y los semanarios *Estampa* y *Crónica,* todos de Madrid. Durante la guerra civil española siguió practicando el periodismo en la zona republicana. Desde 1939 residió en México, redactora y colaboradora de importantes diarios y revistas.

Obras: *Peregrinos del calvario*—novelas cortas, Espasa-Calpe, Madrid, 1928—, *Natacha*—novela, Madrid, 1930—, *Tea Rooms* —novela, Madrid, 1934—, *Juan Caballero* —novela, México, 1956—, *Rosalía de Castro* —México, 1945—, *El eslabón perdido*—novela—, *La puerta cerrada*—novela—, *La muralla*—cuentos mexicanos—, *Los vendedores de miedo*—comedia dramática—, *Los bancos del Prado*—teatro...

CARNICER, Ramón.

Novelista, biógrafo, articulista. Nació —1912—en Villafranca del Bierzo (León). Se doctoró con premio extraordinario en Filología románica por la Universidad de Barcelona. Profesor visitante en la City University de Nueva York. Asiduo colaborador de *La Vanguardia* barcelonesa y traductor de importantes libros ingleses y franceses.

Escritor de extraordinaria cultura y de un lenguaje rico y brillante.

Obras: *Vida y obra de Pablo Piferrer* —"Premio Menéndez Pelayo, del Consejo Superior de Investigaciones Científicas, 1960"—, *Cuentos de ayer y de hoy*—"Premio Leopoldo Alas para cuentos, 1961"—, *Los árboles de oro*—novela, 1962—, *Donde las Hurdes se llaman Cabrera*—viajes—, *Entre la ciencia y la magia: Mariano Cubí (En torno al siglo XIX español)*—1969—, *Nueva York, nivel de vida, nivel de muerte*—viaje, 1970.

CARO, José Eusebio.

Poeta, historiador, prosista, crítico y periodista de mucho y justo renombre. Nació —1817—en Ocaña de Nueva Granada (Colombia). Murió—1853—en Santa María. Quedó huérfano muy joven y en la mayor penuria. Por ello "debió realizar un sostenido esfuerzo para lograr su formación en la propia escuela utilitarista que él mismo debía refutar más adelante de manera tan elocuente, porque su genio luminoso no podía conformarse con esa moral basada sobre el cálculo de las probabilidades de placer y de pena, ni mirar impasible la invasión de un nuevo epicureísmo". Tuvo unos amores juveniles contrariados con Delina, y desde 1840 se metió en la política. Redactó *El Granadino* y *La Civilización*, desde donde defendió las ideas conservadoras con artículos ardorosos y polémicos. Fue diputado en 1845 y ministro de Hacienda. En 1849, al ser proclamado presidente de Colombia el general Hilario López, Caro hubo de expatriarse a los Estados Unidos, de donde regresó apenas con el tiempo justo para morir en pleno apogeo de su talento y de su vida noble.

Fue José Eusebio Caro uno de los más grandes poetas que ha tenido Colombia. De una lírica apasionada, íntima, filosófica, de extraña grandeza "por su idea del deber y de la dignidad humana", que practicó, siendo "serio, elevado, independiente y fiero", que dijo Pombo, "por ser gran corazón, gran poeta". Su romanticismo es el de Espronceda y Tassara; pero, en ocasiones, sus composiciones tienen algo de grandilocuencia y el énfasis de Quintana y Cienfuegos. Alma sensible y grande, su numen restalla de ideas nobles y de pasión limpia. El oleaje potente e inquieto del océano da mucha idea de su poética. Tuvo juicio grave, vigorosa razón, imaginación vehemente, estilo magnífico, profundidad y extensión en el saber. Menéndez Pelayo se calificó del "más lírico de todos los colombianos, por lo profundo e intenso de su vida afectiva, la cual expresó con rara franqueza y viril arrojo en versos de forma insólita, que, bajo una corteza que puede parecer áspera y dura, esconden tesoros de cierta poesía íntima y ardiente, a un tiempo apasionada y filosófica, medio inglesa y medio española, que antes y después de él ha sido rarísima en castellano. La extraña y selvática grandeza de la poesía de Caro procede enteramente de la grandeza moral del hombre, que fue acabado tipo de valor y dignidad humana".

Obras: en 1855 fueron publicadas por José Joaquín Ortiz, conjuntamente con las del poeta Luis Vargas Tejada. Otra edición: *Obras escogidas en prosa y verso*, Bogotá, 1873, con una biografía del poeta escrita por su hijo Miguel Antonio.

V. MENÉNDEZ PELAYO, M.: *Historia de la poesía hispanoamericana*. Madrid, 1913.— SUÁREZ, Marco Fidel: *Escritos*, 1914.—RIVAS GROOT, José: *Parnaso colombiano*, 1886.— GÓMEZ RESTREPO, A.: *Historia de la literatura colombiana*. Bogotá, 1938, tomo I.— ARANGO FERRER, Javier: *La literatura colom-*

biana. Universidad de Buenos Aires, 1940.— GARCÍA PRADA, C.: *Antología de líricos colombianos*. Bogotá, 1937.—POSADA, Eduardo: *Bibliografía bogotana*. 1917 y 1924.

CARO, Miguel Antonio.

Poeta, prosista, historiador, crítico de gran renombre y valía. Hijo del poeta José Eusebio. Miguel Antonio Caro merece el calificativo de polígrafo. Nació—1843—en Bogotá. Murió en 1909. Militó en el partido conservador, cuya jefatura ejerció, y por él fue llevado a la Presidencia de la República en 1894. Según González Prada, la Constitución que rigió en Colombia hasta 1936 "tenía impresa la huella de su espíritu tradicionalista, autoritario y dogmático". Después de Bello, fue el humanista y maestro más ilustre de América. Es un clásico de justa fama, verdadero modelo de prosa castiza. Su traducción de las *Eglogas* y *Geórgicas* de Virgilio ha sido declarada por Menéndez Pelayo como la más perfecta que se ha hecho en castellano.

Caro poseía un gran talento filosófico, una segura formación clásica, un sentido crítico excepcional. Como poeta, resulta agradable su equilibrio entre la serenidad de sus gustos y una íntima e irreprimible tendencia a lo elegíaco. Para los españoles tiene este gran espíritu un alto valor más: el de su sincero amor a España, que le hizo combatir con autoridad y saber la leyenda negra antiespañola tan en boga en su época por toda América. Gracias a él, cayó en desuso el espíritu antiespañol, que no era natural y espontáneo, como ha observado Isaza, simple moda, fomentada oficialmente cada año... Caro fomentó con entusiasmo la creación de las Academias americanas en relación con la Real Academia Española.

Obras: son numerosísimas. La mejor edición es la de Bogotá, 1918, en la que sus *Poesías* ocupan cinco gruesos volúmenes. *Gramática de la lengua latina*—1893, en colaboración con Rufino José Cuervo—, *Horas de amor*—1871—, *Obras de Virgilio traducidas en versos castellanos*—Madrid, 1873—, *Artículos y discursos*—1888—, *Americanismo en el lenguaje, Del verso endecasílabo, sus variedades y origen; Estudios literarios*—dos volúmenes—, *Estudios filosóficos*—dos volúmenes—, *Escritos políticos, religiosos y morales; Del uso en sus relaciones con el lenguaje*—1881...

V. MENÉNDEZ PELAYO, M.: *Historia de la poesía hispanoamericana*. Madrid, 1913.—VALERA, Juan: *Cartas americanas*. 1889.—ISAZA, Emiliano: *Antología colombiana*. — RIVAS GROOT, José: *Parnaso colombiano*. 1886.— GÓMEZ RESTREPO, A.: *Historia de la literatura colombiana*. Bogotá, 1938, tomo I.—

C

ARANGO FERRER, Javier: *La literatura colombiana*. Universidad de Buenos Aires, 1940.—ROBLEDO, Alfonso: *Don Miguel Antonio Caro y su obra*. Colombia, 1912.—BONILLA, M. A.: *Caro y su obra*. Bogotá, 1948.

CARO, Rodrigo.

Notable poeta y erudito español. 1573-1647. Nació en Utrera. Estudió en la Universidad de Osma y en la de Sevilla. Se ordenó de sacerdote y ejerció su ministerio en su pueblo natal y en la capital bética. Y siempre se firmó con orgullo "El Licenciado"... Persona de muchas y buenas prendas morales, desempeñó cargos de confianza. Visitador del arzobispado. Juez de testamentos. Consultor del Santo Oficio. Aficionado con pasión a los libros y a las antigüedades, llegó a formar una pequeña biblioteca y un pequeño museo de singular interés. Fue muy amigo de Pacheco, de Rioja, de Quevedo, de Juan de Robles...

Los versos de Caro no son fáciles. Son pulidos. Se les nota trabajados, retocados, en el fondo y en la forma. Tradujo magníficamente a los clásicos. Y Menéndez Pelayo afirma que fue un admirable poeta latino.

Pocas poesías dejó escritas, en latín y en castellano. Muy superiores en perfección las latinas, en sentir de Menéndez Pelayo. Su fama la debe, sin embargo, a una sola poesía castellana: su oda *A las ruinas de Itálica*, que en un principio fue atribuida a Francisco de Rioja. Poesía que Caro corrigió y pulió durante toda su vida, poesía admirable de pensamiento y de forma, y que representa la transición poética del Renacimiento al barroco.

Otras obras: *Antigüedades de Sevilla... y Chorographya de su convento jurídico*—Sevilla, 1534—, *El Santuario de Nuestra Señora de la Consolación*—Osuna, 1622—, *Relación de las inscripciones y antigüedades* Osuna, 1622—, *Los días geniales o hídricos*—obra maestra del folklore español.

Textos: *Obras*, ed. Menéndez Pelayo, tomos XIV y XV de "Bibliófilos Andaluces", 1883-1884; *Varones y Epistolario*, ed. S. Montoto, Sevilla, 1915.

V. MENÉNDEZ PELAYO: Edición de las obras de Rodrigo Caro, en "Bibliófilos Andaluces", XIV y XV.—MONTOTO, S.: *Rodrigo Caro. Estudio biográfico*. Sevilla, 1915.—SÁNCHEZ Y SÁNCHEZ CASTAÑER: *Rodrigo Caro. Estudio biográfico y crítico*. Sevilla, 1914.—WILSON, E.: *Rodrigo Caro*, en *Rev. Fil. Esp.*, 1936.

CARO BAROJA, Julio.

Historiador, literato, antropólogo. Nació —1914—en Madrid. Sobrino del gran novelista Pío Baroja, con quien vivió casi siempre.

Doctor en Filosofía y Letras por la Universidad de Madrid. Profesor ayudante de cátedra para las de Historia Antigua de España y Dialectología. Entre 1944 y 1955 dirigió el Museo del Pueblo Español, de Madrid. Miembro correspondiente de la Academia de la Lengua Vasca y de la de Buenas Letras de Barcelona; miembro correspondiente de la Hispanic Society of America, del Instituto Arqueológico alemán, de la Sociedad de Arqueólogos portugueses. Conferenciante frecuente en universidades europeas y americanas. Académico numerario de la Real Academia de la Historia. De extraordinaria cultura. Su indudable jerarquía literaria hace que sus estudios más eruditos resulten llenos de amenidad y de precisión.

Obras: *Los judíos en la España moderna y contemporánea, Algunos mitos españoles, Los pueblos del norte de la Península Ibérica, Los vascos, Los pueblos de España, Los moriscos del reino de Granada, razas, pueblos y linajes; Las brujas y su mundo, Vidas mágicas e Inquisición, El señor inquisidor y otras vidas por oficio, El Carnaval*.

CARO MALLÉN DE SOTO, Ana.

Poetisa española sumamente interesante del siglo XVII. Debió de nacer en Sevilla o Granada hacia 1596. En 1645 aún vivía, ya que en dicho año compuso un soneto en elogio de Tomás Palomares. Perteneció a la Academia Literaria que presidían en Sevilla el conde de la Torre y Antonio Ortiz de Melgarejo. Es curioso que apenas se conozcan detalles de la vida de esta poetisa, tan elogiada por todos sus contemporáneos. Así, el editor de la *Quarta parte de Comedias escogidas*—Madrid, 1653—, la califica de "Décima musa" e incluye en esta parte la obra de ella: *El conde de Pertinuplés*. Vélez de Guevara, en un pasaje de *El diablo cojuelo*, habla de la *Silva al Fénix*, con que se dio a conocer Ana Caro en la Academia de Sevilla. Rodrigo Caro, en sus *Varones ilustres de Sevilla*, la llama "insigne poetisa, que ha hecho muchas comedias, representadas en Sevilla, Madrid y otras partes, con grandísimo aplauso, en las cuales casi siempre se le ha dado el primer premio". Matos Fragoso —en su obra *La corsaria catalana*—cita la comedia de la Caro antes mencionada. Tuvo gran amistad con doña María de Zayas y Sotomayor.

Obras dramáticas: *Valor, agravio y mujer; Peligro en mar y tierra, Loa sacramental*—representada en las fiestas sevillanas del Corpus el año 1639.

Otras obras: *Décimas y sonetos*—en loor de doña María de Zayas, Salado y Garcés, doña Inés Manrique de Lara y otros—, *Relación de las fiestas... a los mártires del Ja-*

pón—Sevilla, 1628—, *Contexto de las reales fiestas... en el Buen Retiro... a la princesa de Carignan en tres discursos*—Madrid, 1637. V. SERRANO Y SANZ, Manuel: *Apuntes para una Biblioteca de escritoras españolas.* Madrid, 1903, tomo I.

CARO ROMERO, Joaquín.

Poeta, crítico literario y periodista. Nació —1940—en Sevilla—. Desde adolescente se dedicó plenamente a las letras, colaborando en diarios y revistas importantes de toda España. Ejerció la crítica literaria en *Cuadernos de Agora, El Correo de Andalucía y A B C,* diario este en el que actualmente es redactor. En 1962, unido a Rafael Laffón, fundaron la colección poética *La Muestra,* "Premio Sánchez Bedoya de poesía, 1961", otorgado por la Real Academia Sevillana de Buenas Letras. "Premio Miguel de Mañara, 1963", de periodismo, y "Premio Adonais, 1967", de poesía, por su libro *El tiempo en el espejo.* "Premio José María Izquierdo, 1967", de literatura, otorgado por el Ateneo de Sevilla, por su libro de ensayos *Aportación de Sevilla a la poesía española de los últimos treinta años (1936-1963).*

Otras obras: *Espinas en los ojos*—1960—, *El traunseúnte*—1962.

CARPENTIER, Alejo.

Poeta y novelista cubano. Nació en 1904. Estudió en la Habana. Con Jorge Ichazo, Juan Marinello y Jorge Mañach fundó y dirigió la revista *Avance* (1927-1930). Entre 1928 y 1939 residió en París, estudiando música en el Liceo Jason. Sus conocimientos musicales han quedado patentes en la magistral obra *La música en Cuba*—1946—. Dirigió—de 1924 a 1928—, en la Habana, la revista *Carteles.* Fundó la *Revista de Avance.* Dirigió la Editora Nacional.

En poesía, Alejo Carpentier, autor de muchos poemas musicalizados, ha cultivado un estilo típico "lleno de color, de sangre y de misterio", en el más genuino lirismo negro cubano, del que es gran pontífice Nicolás Guillén. Como novelista, es uno de los más importantes, interesantes y fuertes de Hispanoamérica. Tiene fama mundial y ha sido traducido a varios idiomas.

Obras: *¡Ecué-Yambo-ó!*—novela, Madrid, 1933—, *Poemas de las Antillas, El reino de este mundo*—novela, 1948—, *Los pasos perdidos*—novela, 1953—, *Guerra del tiempo* —novelas, 1958—, *Ensayos convergentes, La pasión negra, Poemas de las Antillas, El acoso*—novela, 1958—, *El siglo de las luces* —1952—, *Tientos y diferencias*—ensayos, 1964.

V. GUIRAO, Ramón: *Orbita de poesía afrocubana.* Habana, 1938.—SANZ Y DÍAZ, José: Prólogo y recopilación en *Lira negra.* Madrid, Aguilar, Col. "Crisol", núm. 21.

CARPIO, Manuel.

Poeta, erudito y médico mexicano. Nació —1791—en Cosamaloapán (Veracruz) y murió—1861—en México. Cultivó el periodismo. Ejerció su profesión de médico como un verdadero apostolado, ya que fue un espíritu hondamente católico y un caballero excepcional. Aun cuando no fue un político profesional, se sentó muchas veces en las Cámaras federales. En su juventud tradujo excelentemente los *Aforismos y Pronósticos* de Hipócrates.

Sin embargo, solamente cuando estaba próximo a cumplir los cuarenta años empezó a publicar sus poesías, quizá impulsado por su gran amigo Pesado, que fue quien prologó y reunió—1849—las *Poesías líricas, religiosas y profanas* de Carpio.

Fue Carpio un poeta esencialmente clasicista, pulido y lleno de erudición, con algún amaneramiento y cierta propensión a lo nimio, que le llevó a caer no pocas veces en el prosaísmo, y muy inferior en conjunto a Pesado.

Entre sus composiciones de carácter bíblico—las más inspiradas de las suyas—sobresale: *La cena de Baltasar.* Entre las religiosas: *La Anunciación y La Virgen al pie de la cruz.* Entre las históricas: *Napoleón en el mar Rojo.* Entre las de tipo mexicano: *México y Popocatepetl.*

Muy buena también es la oda *El turco,* en la que late una tímida tendencia hacia el romanticismo.

V. COUTO, Bernardo: *Biografía de Manuel Carpio.* En la edición de México, 1876.—PESADO, José Joaquín: Prólogo en la edición de México, 1849.—ROA BÁRCENA, José María: *Manuel Carpio.* Conferencia. En el tomo III de las *Memorias de la Academia Mexicana.* México, 1891.—MENÉNDEZ PELAYO, M.: *Historia de la poesía hispanoamericana.* Madrid, 1911, tomo I, págs. 134-151.—PIMENTEL, Francisco: *Historia crítica de la literatura en México.* México, 1883.—PESADO, José Joaquín: *El Parnaso mexicano.* México, 1855.—GUTIÉRREZ, Juan María: *Poesía americana.* Dos tomos, 1866.

CARRANQUE DE RÍOS, Andrés.

Novelista español. Nació—1902—y murió —1936—en Madrid. De familia de obreros, llevó una infancia y una juventud aventureras. Trabajó como albañil, ladrillero, fogonero de buque y "caimán", que es como él llamaba a los "malditos" de cine, llegando a desempeñar un papel de cierta importancia en la película *Zalacaín el aventurero* —realizada sobre la novela de Baroja—. Después se dedicó a "doblar" películas. Creo que murió tuberculoso.

Carranque de Ríos fue un novelista de mucha fuerza, estilo desaliñado, dramatismo impresionante, muy de la "escuela barojiana".

Obras: *Nómada*—poesías, 1923—, *Uno* —1934, con prólogo de Pío Baroja—, *La vida difícil*—1935—, *Cinematógrafo*—1936.

V. ENTRAMBASAGUAS, Joaquín: *Las mejores novelas contemporáneas*. Barcelona, Planeta, 1963, tomo IX, págs. 1-38. Bibliografía exhaustiva.—NORA, Eugenio G. de: *La novela española contemporánea*. Madrid, editorial Gredos, 1962, tomo II bis, págs. 48-51.

CARRANZA, Eduardo.

Poeta y prosista colombiano, nacido muy a principios del siglo XX. Su fama se extendió rápidamente por el ancho mundo de habla hispana. De hondos y lealísimos sentimientos hacia España, la ha visitado incontables veces, dando conferencias y recitales. Igualmente ha viajado por toda Hispanoamérica con misiones diplomáticas y dando cursos acerca de literatura. Ha recibido homenajes oficiales de los más altos poetas de España y de los países hispanoamericanos. Sus poemas han sido traducidos a varios idiomas y figuran muchos de ellos en las más selectas antologías.

Obras: *Azul de ti*—antología poética que comprende los años 1937-1944—, *El olvidado* —antología de sus poemas entre 1948 y 1954—, *Los pasos contados*—antología que comprende los años 1955 a 1968.

CARRASQUILLA, Tomás.

De Colombia. 1858-1940. Considerado como "el Pereda colombiano". De él escribió Cejador: "Estoy por decir que es el más castizo y popular de los escritores castellanos del siglo XIX."

Novelista vigoroso y de mucho colorido, gran observador y gran creador de *tipos*.

Novelas: *Grandeza*—1910—, *Entrañas de niño*—1914—, *El Padre Casajús*—1914—, *Frutos de mi tierra*—1896—, *Estrenos*.

V. CASA, Enrique C. de la: *La novela antioqueña*. México, Instituto Hispánico de los Estados Unidos, 1942.—ARANGO FERRER, Javier: *La literatura de Colombia*. Buenos Aires, Facultad de Filosofía y Letras, 1940.— BAYONA POSADA, Nicolás: *Panorama de la literatura colombiana*. Bogotá, 1942.—GÓMEZ RESTREPO, Antonio: *Historia de la literatura colombiana*. Bogotá, dos tomos, 1938-1940.— ORTEGA, José J.: *Historia de la literatura colombiana*. Bogotá, 2.ª edición, 1935.

CARRERA ANDRADE, Jorge.

Poeta y prosista ecuatoriano, nacido en 1903. Diplomático. Ha vivido en España, Francia y el Japón. Muy joven aún, inicióse líricamente en los ismos subversivos, pero después maduró una creación puramente estética. La forma poética japonesa del *hay-kaï* le impulsó a escribir sus *microgramas*, poemillas en los que tienen importancia decisiva la imagen feliz y la frase ingeniosa.

Carrera Andrade no muestra en su obra, ya intensa e importantísima, virajes cerrados. Por el contrario, camina en línea recta, siempre estilizándose, siempre superándose, jamás contradiciéndose. Y en su lirismo, sin prescindir de los humanos temas eternos, delata un profundo sentido indígena.

Carrera Andrade es, posiblemente, el más admirable de los líricos ecuatorianos contemporáneos.

Obras: *La guirnalda del silencio*—1926—, *Boletines de mar y tierra*—1930—, *El tiempo manual*—1932—, *Rol de la manzana* —1935—, *Biografía para uso de los pájaros* —1937—, *Registro del mundo*—1940.

V. ARIAS, Augusto: *Panorama de la literatura ecuatoriana*. Quito, 1936.—CARRIÓN, Benjamín: *Indice de la poesía ecuatoriana contemporánea*. Santiago, 1937. — MORENO MORA, V.: *Esquema de la poesía ecuatoriana*. Cuenca, 1938.

CARRERA DEL CASTILLO, Nicolás.

Nacido en Santander, en 26 de septiembre de 1907. Premio extraordinario en la Sección de Letras de la reválida del bachillerato, oficial de complemento, profesor de violín, abogado del Ilustre Colegio de Madrid, licenciado en Filosofía y Letras—colegiado también en Madrid—, ex becario por oposición del Colegio Mayor de Santiago Apóstol, de Salamanca; ex profesor de Derecho penal de la Escuela de Policía Española, ex asesor jurídico de la Dirección General de Seguridad. Director de la editorial "Carrera del Castillo", propietario y director de la Academia de enseñanza "Carrera del Castillo", ilustre publicista de obras jurídico-policiales—algunas de ellas fueron declaradas de utilidad—, por lo que se halla en posesión de la cruz de San Raimundo de Peñafort; dibujante, pintor, inspector de Policía.

Caracteriza, como vemos, a este poeta su asombrosa laboriosidad. Su diario descanso lo halla en el cultivo de las bellas artes, no profesionalmente.

Publicó en su adolescencia numerosos artículos periodísticos en *El Adelanto* y *La Gaceta Regional*, de Salamanca; en la revista *Galicia*, de La Coruña, y en todos los diarios de esta capital. Su primera poesía la publicó a los catorce años de edad, en *El Defensor de Granada,* donde entonces vivía; más tarde, casi todos los periódicos de España conocieron su pluma.

Fundó los semanarios *Vida Herculina*—en La Coruña—, *Salamanca*—en Salamanca—, y colaboró en la creación del semanario estudiantil *El Aula,* en Madrid.

Ha publicado *Adyti Mei*—en 1946—, *Bazar* —en 1947—y *Las siete palabras de Jesucristo en la cruz y Viacrucis*—en 1948.

CARRERE MORENO, Emilio.

Poeta, novelista y periodista español. Nació—1881—y murió—1947—en Madrid. Estudió en la Escuela Politécnica. Licenciado en Filosofía y Letras. Oficial, algún tiempo, en el Tribunal de Cuentas del Reino. Pero todo lo abandonó para dedicarse a la literatura. Ha sido uno de los más asiduos colaboradores de los principales periódicos y revistas de España. En los primeros años de este siglo fue Carrere, en Madrid, el faro que atraía a los bohemios y poetas del resto de España. Desde 1900, con ininterrumpido laborar de su incansable pluma, produjo miles de poesías, cientos de cuentos y artículos, docenas de novelas breves. La poesía de Carrere, íntima y romántica, musical y pegadiza, fácil y real, se ha hecho popularísima. Enamorado de la historia y de las tradiciones de Madrid, las tomó como temas de sus producciones más inspiradas.

Empezó dejando sentir una influencia rubeniana. Poco a poco, su originalidad, su madrileñismo, su dominio del ritmo y del lenguaje barroco hicieron de él un escritor personal.

Hace pocos años, el Ayuntamiento de Madrid premió su fervor madrileñista nombrándole cronista oficial de la villa.

Verso: *El Caballero de la Muerte, Románticas, Del amor, del dolor y del misterio; Dietario sentimental, La corte de los poetas.*

Prosa: *La tristeza del burdel, El reloj del amor y de la muerte, Elvira la espiritual, La rosa del Albaicín, La cofradía de la pirueta, La torre de los siete jorobados, El dolor de llegar, El encanto de la bohemia, Flores de meretricio, Aventuras de Amber, el luchador; El divino amor humano, La madre Casualidad...*

V. SAINZ DE ROBLES, F. C.: *Historia y antología de la poesía española.* Madrid, Aguilar, 2.ª edición, 1951.—SAINZ DE ROBLES, F. C.: *La novela corta española (Generación de "El Cuento Semanal").* Madrid, Aguilar, 1952.—NORA, Eugenio G. de: *La novela española contemporánea.* Madrid, edit. Gredos, 1959, tomo I.

CARRETERO NOVILLO, José María («El Caballero Audaz»).

Novelista y periodista español. Nació —1890—y murió—1951—en Madrid. Estudió en el Instituto de Cabra y en la Universidad Central. Desde muy joven formó parte de las Redacciones de revistas y periódicos importantes de Madrid: *Heraldo, Nuevo Mundo, Mundo Gráfico, La Esfera...*

Fundó el diario *La Humanidad* y *La Novela Semanal.* Viajó por toda Europa y vivió largas temporadas en París. Desde 1921 se dedicó por entero a la producción libresca.

José María Carretero es un novelista que mezcla lo erótico, lo sentimental y lo episódico en proporciones suficientes para agradar a un público *sui generis,* que no tiene demasiadas pretensiones de purismo literario. Durante algunos años fue muy popular en España y Francia. Pero desde hace algún tiempo su fama ha quedado sumamente reducida. Su nombre literario lo debe al acierto con que consagró en España el género de la interviú, que cultivó asiduamente al alimón con notables personalidades.

Obras: *La bien pagada, La sin ventura, El jefe político, La venenosa, El ángel de la traición, La ciudad de los brazos abiertos, Hombre de amor, Un hombre extraño, Mi marido, La buscadora de emociones, Desamor, El divino pecado...*

CARRIEDO, Gabino Alejandro.

Nació en Palencia el 12 de diciembre de 1923. Periodista. Participa en el movimiento superrealista español que fue el "postismo". Fija su residencia en Madrid en 1947, y tres años más tarde funda, con Angel Crespo y Federico Muelas, *El pájaro de paja.* Con Angel Crespo también, en 1960, saca a la luz la actual revista *Poesía de España,* de marcado matiz realista. Parte de su obra ha sido traducida a varios idiomas. Figura en diversas antologías.

Obras: *Poema de la Condenación de Castilla*—Palencia, 1946—; *Del mal, el menos* —Madrid, 1952—; *Las alas cortadas*—Cuenca, 1959—, y *El corazón en un puño*—Santander, 1961—. Prepara la publicación de otro volumen, *Palabras para zanjar una cuestión.*

CARRIEGO, Evaristo.

Poeta argentino. Nació—1883—en Paraná y murió—1912—en Buenos Aires. Estudió Humanidades en su ciudad natal y después quiso ingresar en la Escuela Militar, impidiéndoselo un defecto de la vista. Sus primeros trabajos literarios aparecieron en el diario anarquista *La Protesta.* En 1900 apareció su primer libro, *Misas herejes,* que

C

llamó la atención sobre su personalidad. Colaboró en *Nosotros* y *Caras y Caretas*.

"Al comenzar a escribir Carriego—escribe Solar Correa—imitó a Rubén Darío y demás portaestandartes del modernismo; pero habiendo encontrado su propia senda, convirtióse en un emocionado auscultador del alma de los suburbios. Aseméjase un tanto en este género de inspiraciones a Pezoa Velis. No tiene, sin embargo, aquella agresiva y viril condición del autor de *Alma chilena*, ni tampoco su vigor pictórico, su humor cáustico, ni su penetrante amargura. En las escenas de barrio y en los pequeños dramas de la vida humilde que el poeta observa y describe con amor, no le imaginamos como actor, sino más bien como un espectador comprensivo y piadoso, a quien los infortunios de las gentes oscuras infunden una tristeza melancólica, algo romántica, propensa a degenerar en sensiblería cursi."

La colección completa de las poesías de Evaristo Carriego editóse—por varios amigos del poeta—primero en Barcelona—1913—y años más tarde—1917—en Buenos Aires. Hállase dividida en once secciones, entre las que destacan las tituladas *El alma del suburbio, La canción del barrio, Interior...*

V. SOLAR CORREA, E.: *Poetas de Hispanoamérica. Selección y notas*. Santiago de Chile, 1926.—GABRIEL, José: *Evaristo Carriego. Su vida y su obra*. Buenos Aires, 1921.—GIUSTI, Roberto F.: *Nuestros poetas jóvenes*. Buenos Aires, 1912.—MELIÁN LAFINUR, Alvaro: *Literatura contemporánea*. Buenos Aires, 1918.—ALONSO CRIADO, Emilio: *Literatura argentina*. Buenos Aires, 1916, 4.ª edición.—ROJAS, Ricardo: *La literatura argentina*. 2.ª edición, Buenos Aires, 1924, ocho tomos.

CARRILLO DE SOTOMAYOR, Luis.

Uno de los más interesantes poetas españoles del siglo XVII. Nació—1583—en Córdoba. Murió en 1610. De muy noble familia, emparentada con los condes de Priego, educado en la Universidad de Salamanca, caballero de Santiago, cuatralvo de las galeras del rey, bravo militar y muy aficionado a los antiguos clásicos, escudriñador de los secretos del lenguaje, y en la teoría y en la práctica, un lírico independiente, que bebió en su propio vaso y siguió un camino propio. Murió repentinamente, a los veintisiete años, en el Puerto de Santa María.

Un año después de su muerte, en 1611, su hermano Alonso publicó la herencia literaria del finísimo poeta, reeditada con más cuidado en Madrid—1613—. Gracián llama a Carrillo el *primer cultista de España*. Su obra no es muy extensa: una larga fábula, titulada de *Atis y Galatea;* una *Egloga piscatoria,* cincuenta sonetos, dieciocho canciones, un par de romances y pequeñas poesías. Además, en prosa, una serie de cartas y el importante *Libro de la erudición poética,* que, a pesar de su confusión, puede ser considerado como el manifiesto literario de la escuela del nuevo estilo. En este manifiesto, con deliberado sistematismo, se expresan en forma bastante completa las ideas y propiedades crítico-estilísticas del cultismo.

Como nadie, Carrillo, para *sentirse poeta,* necesita una expresión que le eleve por encima de la expresión vulgar; necesita crearse un lenguaje poético, conseguido a expensas de su cultura. La estética de su estilo la basa Carrillo en Aristóteles y en los clásicos latinos, tal como estos fueron estudiados e imitados durante el segundo Renacimiento —1550 a 1590—; período en que se cuidó con verdadera obsesión de la elevación y de la elegancia del idioma.

"Mal cosas grandes se emprenderán con palabras humildes", confiesa paladinamente Carrillo. Y de acuerdo con su afirmación, inventa y forma palabras nuevas, con menos profusión, pero con más gusto que Góngora; usa giros sorprendentes, nunca oídos. Acerca de los epítetos, opina que "serán grandes, no demasiados; altos, no cortados; alegres, no luxuriosos; gustosos, no de burlas sueltos; llenos, no hinchados". Si es Carrillo en la expresión renovador, epidérmico, hiperbólico, en la idea es conceptuoso sin demasía; le salva de la oscuridad la ternura de un sentimiento propio de verdadero poeta.

Carrillo tradujo el *Arte de amar,* de Ovidio, y una disertación acerca de la brevedad de la vida de San Ambrosio y Séneca. Su nombre figura en el *Catálogo de autoridades* de la Real Academia de la Lengua.

Textos: *Poesías completas,* ed. "Signo", Madrid, 1935.

V. ALONSO, Dámaso: Prólogo a la edición de las *Obras poéticas de Luis Carrillo de Sotomayor,* en *Signo,* 1935.—GARCÍA SORIANO, J.: *Don Luis Carrillo y los orígenes del culteranismo,* en *Boletín de la Academia Española,* 1926.—BUCETA, Erasmo: *C. de S....,* en *Revista de Filología Española,* 1919.

CARRIÓ DE LA VANDERA, Alonso (v. Bustamante, Calixto).

CARRIZO, César.

Periodista, dramaturgo, historiador, poeta lírico argentino. Nació—1889—en las montañas de La Rioja. Murió—1950—en Buenos Aires. Profesor de la Escuela Normal. Colaborador de diarios y revistas de importancia.

El "espaldarazo" literario se lo dio Rubén Darío al publicar en su gran revista *Mundial,* de París, el cuento de Carrizo *La huer-*

ta. Según él, la sangre de indios diaguitas y españoles de la Reconquista corría por sus venas desde hacía más de trescientos cincuenta años.

César Carrizo fue un escritor apasionado, fuerte, altisonante, con mucho romanticismo.

Obras: *Holocausto, El dolor de Buenos Aires, Llama viva, Perfume de mujer, Santificada sea, El domador, Imagen y jerarquía de Rosario, Un lancero de Facundo, Una vida ejemplar, Imágenes del país, Rapsodia viajera, Viento de la Altipampa, Caminos argentinos, El rastro de los conquistadores*... Y tres poemas dramáticos: *Campo de margaritas, Los hombres de piedra y La risa del diablo.*

CARRIZO, Juan Alfonso.

Erudito y narrador argentino. Nació —1895—en San Antonio de Piedra Blanca (provincia de Catamarca). Estudió en Buenos Aires, y desde muy joven se especializó en investigaciones del folklore argentino. Desde 1943 es director del Instituto Nacional de la Tradición. Comendador de la Orden de Alfonso el Sabio, de España.

Obras: *Antiguos cantos populares argentinos*—1926—, *Cancionero popular de Salta* —1933—, *Cancionero popular de Jujuy* —1935—, *Cancionero popular de la Rioja* —1942—, *Cuadernos de villancicos de Navidad tradicionales en nuestro país*—1945—, *Antecedentes hispanomedievales de la poesía tradicional argentina*—1945—, *La poesía tradicional argentina*—1952.

Es también autor de los capítulos de Folklore y Toponimia en la *Historia de la Nación Argentina,* publicada por la Academia Nacional de la Historia bajo la dirección de Ricardo Levene, tomo IV.

CARTAGENA, Alfonso de Santa María de.

Poeta, filósofo y erudito español de mucho prestigio. Nació—1384—en Burgos. Murió —1456—en Villasandino. Su padre, Pablo de Santa María, insigne judío converso, ocupó las sedes episcopales de Cartagena y Burgos. Estudió con gran aprovechamiento Filosofía y ambos Derechos. Canónigo —1421—de Burgos. Cronista de Castilla y deán de las iglesias de Santiago y Segovia. Del Consejo Real de don Juan II. Asistió al Concilio de Basilea, en sustitución del cardenal Alonso de Carrillo, y una magnífica oración suya determinó que los padres de aquel Concilio reconocieran el derecho preferente del rey de Castilla sobre el de Inglaterra. El famoso humanista Eneas Silvio —luego Pontífice Pío II—le llamó "*Deliciae hispanorum... decus praelatorum... non minus eloquentia quam doctrina praeclarus... inter omnes consilio et facundia praestans...*"

En 1435, al renunciar su padre a la silla episcopal de Burgos, Juan II le nombró para ocuparla. Apoyó resueltamente al Pontífice legítimo Eugenio IV. Y durante algún tiempo vivió en Roma dedicado al estudio. De regreso a España, fundó en su palacio de Burgos una escuela pública "de toda doctrina", en la que estudiaron los más doctos latinistas del reinado de los Reyes Católicos, como Alonso de Palencia y Rodríguez Almela. Le cabe la gloria de haber reanudado los trabajos de la catedral burgalesa, interrumpidos durante largos años.

Obras: Tradujo y glosó doce libros de Séneca; *Genealogía de los reyes de España* —desde Atalarico hasta Enrique IV—, *Defensorium fidei*—alegato en defensa de los judíos conversos—, la exposición del salmo *Judica me, Deus,* un *Oracional de Fernán Pérez*—Burgos, 1487—, *Doctrinal de caballeros* —Burgos, 1487—, *Memorial de virtudes;* varias canciones, *decires* y composiciones amorosas, algunas de las cuales figuran en diversos *Cancioneros; Prefación de San Juan Crisóstomo*...

Alonso de Cartagena figura como *autoridad* en el Catálogo de la Academia de la Lengua.

V. PULGAR, Hernando: *Claros varones de Castilla.*—FLÓREZ, Padre Enrique: *España Sagrada.* Tomo XXIV.—SERRANO, P. Luciano: *Los conversos Pablo y Alfonso de Cartagena.* Madrid, 1942.

CARTAGENA, Teresa de.

Escritora y religiosa española, de cuya vida se tienen escasas noticias. Vivió entre los años 1420 y 1480.

Según don José Amador de los Ríos, descendía del famoso judío converso y obispo de Cartagena Pablo de Santa María, siendo hija de Pedro de Cartagena, uno de los cuatro hijos que tuvo aquel. Serrano y Sanz niega estas presunciones de Amador de los Ríos, ya que en una Real Cédula de Felipe III, concediendo la limpieza de sangre a los descendientes del obispo, se habla de este y de sus sucesores inmediatos, pero no de doña Teresa. También se ignoran el convento y en la Orden en que profesó.

Dos obras se conservan de Teresa de Cartagena: *Arboleda de los enfermos y Admiración de las obras de Dios.*

De la primera existe un único manuscrito en la Biblioteca de El Escorial, copiado antes de 1481 por un tal Pero López de Trigo. La *Arboleda* es el símbolo de los libros piadosos que aconsejan a una enferma, refugiada en una isla, sufrir sus dolores con paciencia, a fin de alcanzar el supremo bien. El libro—50 hojas en folio menor—está dedicado a doña Juana de Mendoza, esposa del poeta Gómez Manrique.

En el mismo manuscrito, a continuación, está la *Admiración de las obras de Dios* —16 hojas en folio menor—, especie de defensa de la autora contra quienes negaban que fuera obra suya la *Arboleda*.

V. ANTONIO, Nicolás: *Bibliotheca Vetus.*— AMADOR DE LOS RÍOS, José: *Historia crítica de la literatura española.* Madrid, 1861.— SERRANO Y SANZ, Manuel: ... *Escritoras españolas...* Madrid, 1903, tomo I.—ZARCO, P.: Julián: *Catálogo de manuscritos de El Escorial*, I, 232.

CARTAGENA PORTALATÍN, Aida.

Poetisa. Nació en Moca, República Dominicana. Es doctora en Filosofía y Letras. Su obra actual asigna una libertad a la imagen que va de lo clásicos a las corrientes más modernas. Perteneció al grupo de "La poesía sorprendida", en cuyos cuadernos publicó sus obras *Vísperas del sueño*—1946—y *Del sueño al mundo* y *Llámale verde*—1947—. Tiene una extensa obra inédita.

El gran crítico Valldeperes ha dicho de esta poetisa: "En cambio, no excluye al sujeto. Su poesía aspira a la pureza total, mas no por eso se aparta de la vida real, apresándola en sus poemas, que tienden a la transmutación de la realidad palpable del mundo en realidad interior y emocional. Esta tendencia incluye una preferencia hacia la realidad exterior; pero ella solo alcanza su validez poética cuando se transforma en interior y emocional, al través de la función transmisora del poeta.

El caso de Aida Cartagena Portalatín nos recuerda la actitud unanimista, o sea que el 'yo' es solo una ancha denominación colectiva que abarca la pluralidad de todos los estados de conciencia, y que cualquier estado nuevo que se agregue a los otros llega a formar parte esencial del 'yo'. La metáfora es, en ella, el elemento de aprehensión de los materiales poéticos por medio de los cuales transmite la emoción. De ahí que sus poemas tengan un acento inconfundible y una particular característica en lo sorpresivo de la imagen."

CARTOSIO, Emma de.

Poetisa y cuentista argentina. Nació —¿1920?—en Concepción del Uruguay (Entre Ríos). Maestra nacional y diplomada por la Escuela Superior del Magisterio. Completó sus estudios en la Universidad de La Plata. Durante el año 1950 realizó un largo viaje por Europa.

Obras: *Madura soledad*—poemas, 1948—, *Veinte cuentos infantiles*—1954—, *El arenal perdido*—cuentos, 1959.

«CARTUJANO, El» (v. Padilla, Juan de).

CARVAJAL o CARVAJALES.

Notable poeta español del siglo XV, de cuya vida no se tiene conocimiento alguno, aparte sus versos. Figura—el que más—con 45 composiciones en el afamado *Cancionero de Stúñiga*, colección hecha probablemente en Nápoles después de la muerte de Alfonso V de Aragón. Carvajal o Carvajales—su nombre aparece en las dos formas—fue el más antiguo autor conocido que firma romances. De él ha enjuiciado certeramente Valbuena Prat: "Fue un delicado poeta cortesano..., un virtuoso del "desir" y la canción ligera. Sus serranillas, más agrestes que las de Santillana, parecen un salto hacia atrás, hacia los tiempos del Arcipreste, aunque poseen el sello del ambiente italiano. La titulada *Villançete*—"Saliendo de un olivar" y "Andando perdido, de noche ya era"—son ejemplos, la primera, de forma redondeada y briosa; la segunda, de vuelta a lo agreste y selvático."

Muy hermosas poesías son las tituladas *Por la muerte de Jaumont Torres capitán de los ballesteros del rey*—elegía—y *Visión muy triste de mi enamorada*.

V. FOULCHÉ-DELBOSC: Edición del *Cancionero castellano del siglo XV*. Tomo II. Madrid, 1915.—FUENSANTA DEL VALLE, Marqués de la, y SÁNCHEZ-RAYÓN, J.: Edición del *Cancionero de Stúñiga*. En la "Colección de libros españoles raros y curiosos". Tomo V.—CROCE, B.: *Ricerche ispano-italiane*. Napoli, 1898.

CARVAJAL, Micael de.

Famoso comediante y literato español. Nació—1480—en Palencia. Murió hacia 1530. Debió ser clérigo, por esta frase que escribió sinceramente: "Después de otros filosóficos estudios, me pasé a la Sagrada Escritura." Agustín de Rojas en su *Viaje entretenido*—le cita como comediante, expresión vaga en aquel tiempo, que significaba autor y actor, indistintamente.

Carvajal compuso la *Tragedia llamada Josefina*—forma dramática de la historia bíblica de José y sus hermanos—, especie de auto religioso para representarlo en la época del Corpus en el año 1523. Se ha dicho que esta obra fue llevada al *Índice* prohibitorio del Santo Oficio *inmediatamente;* inexacta afirmación, ya que dicho *Índice* no apareció hasta 1559.

Admirable es la *Tragedia Josefina*. Ninguna comedia profana de su tiempo la iguala en la elevación y verdad de las pasiones y de los caracteres, ni en la expresión bellísima de la poesía del sentimiento y de la naturaleza. Posee una gran intensidad dramática. Para encontrar otra obra que delate tal maestría técnica hay que llegar a Juan de la Cueva y Cervantes.

También es Carvajal autor de una farsa o auto de *Las Cortes de la Muerte,* que, según la primera edición conocida, acabó —1557—el toledano Luis Hurtado de Toledo. Es esta obra, sin duda, a la que se refiere Miguel de Cervantes en su *Don Quijote,* y que iban representando los comediantes capitaneados por Angulo *el Malo,* y que da lugar a la graciosa confusión de *don Alonso Quijano.*

Se trata de una de las obras más famosas representadas de la época y de un conglomerado de motivos atrayentes más que de una acción lógicamente desarrollada.

De las obras de Carvajal se deduce que fue este un gran prosador, sano novelista, discreto filósofo, conocedor del mundo y de los hombres y muy versado en letras humanas y divinas.

Las Cortes de la Muerte está contenida en el tomo XXXV de la "Biblioteca de Autores Españoles". La *Tragedia Josefina,* en la "Biblioteca de Bibliófilos Andaluces". Madrid, 1870.

V. CAÑETE, M.: Prólogo a la edición de 1870.—VALBUENA PRAT, A.: *Historia de la literatura castellana.* Tomo I. 1946.

CARVAJAL Y ROBLES, Rodrigo de.

Poeta español de mucho interés. Nació —¿1589?—en Antequera (Málaga). Murió —hacia 1635—en Lima (Perú). De noble linaje. Siguió la carrera de las armas, y muy joven aún marchó al Perú, donde fue corregidor y justicia mayor del Colesuyo, en el territorio de Moquegua.

Obras: *La conquista de Antequera*—Lima, 1627—, su obra más famosa, verdadera epopeya, bien versificada y llena de curiosísimas noticias; *La batalla de Toro*—Lima, 1627—, *Fiestas de Lima... al nacimiento del... príncipe don Baltasar Carlos...*—Lima, 1632—, *Panegírico a don José de Pellicer.*

CASAL, Julián del.

Interesante y hondo poeta. 1863-1893. Nació en la Habana. Quedó huérfano muy niño y en la miseria. Luchó bravíamente para crearse un ambiente de refinado aislamiento, "selvático y huraño, cerrado claustro de evasión". A los treinta años, cuando la vida y la gloria empezaban a sonreírle, murió de un aneurisma en medio de una fiesta.

Nostálgico, casto, soñador, pesimista, nada le sedujo en el mundo, "sino el hastío glacial de la existencia y el horror infinito de la muerte". Su vida y su poesía se asemejan bastante a las de J. A. Silva. Tuvo un acento original e influyente. Contribuyó grandemente al movimiento literario y ansia de belleza artística que en su tierra se despertó desde 1888. El crítico Manuel de la Cruz ha escrito de Casal que si su temperamento le lleva a los parnasianos, sus ideas le acercan a los decadentistas. Fue admirador apasionado de Baudelaire y de Verlaine; tuvo una gran fantasía, sentimiento delicado, refinado gusto; prodigó las admirables imágenes, la elegante forma y la musicalidad más sugestiva.

"Nada tiene de extraño que un joven de temperamento artístico exquisito, que se encuentra aislado y como perdido en medio de una sociedad que no realiza sino imperfectamente su concepción plena de la vida, se refugie, más o menos conscientemente, en el mundo ideal que le forjan sus libros favoritos, derive de él sus emociones más refinadas y se las devuelva tamizadas por sus versos. Con este procedimiento suelen producirse obras muy endebles; no es el mérito menor de Julián del Casal haber producido con él obras vigorosas, con vida que nada tiene de ficticia; flores de invernadero que muestran a veces la frescura de las flores de los prados... Ahora, de cualquier modo que se haya enamorado de esas antiguallas el joven escritor y sean cuales fueren las fuentes de sus gustos exóticos, es lo cierto que canta sus amores ideales con tal frescura de inspiración y tanta intensidad de sentimientos, que no puede el lector menos de sentirse cautivado, casi tanto como cuando canta con emoción profunda sus amores reales, malogrados o indignos. La forma de sus versos, por otra parte, es elegantísima, y su fantasía, vivaz y espontánea, encuentra fácilmente el molde para vaciar sus imágenes, que se destacan claras y completas." (Varona.)

Casal es un lírico enormemente conmovedor, que se atrae nuestras mejores simpatías. Por su vida triste, por sus nervios sobreexcitados, por el cansancio espiritual que le domina, por su afán de exotismo puramente imaginativo, por su nostalgia infinita de otro mundo, merece la admiración y el amor.

Obras: *Hojas al viento*—poesías, la Habana, 1890—, *Nieve, bocetos antiguos* —1892—, *Bustos y rimas*—prosa y verso, la Habana, 1893—, *Sus mejores poesías*—Madrid, 1916.

V. CRUZ, Manuel de la: *Julián del Casal,* en *Cromitos cubanos.* La Habana, 1898.— PÉREZ CABELLO, R.: *El poeta Julián del Casal.* 1898.—MEZA, R.: *Julián del Casal.* 1910. LIZASO, Félix: *La poesía moderna cubana.* Madrid, 1926.—VARONA, Enrique José: *Sobre Casal,* en *Rev. Cub.,* XI.—ONÍS, Federico de: *Antología de la poesía española e hispanoamericana.* Madrid, 1934.

CASAL, Julio J.

Poeta y prosista uruguayo. Nació—1889— en Montevideo. Cursó en su ciudad natal la carrera de Derecho, ingresando en seguida en el Cuerpo Diplomático. En 1909 fue cónsul en La Rochela (Francia). Entre 1913 y 1925 residió, como cónsul de su país, en La Coruña, donde fundó la famosa revista *Alfar*—1920—, en la que colaboraron cuantos escritores españoles militaron en el vanguardismo poético, principalmente en el ultraísmo. De regreso a su patria, mantuvo aquí su tendencia ultraísta, a la que se sumaron muchos poetas uruguayos.

Obras: *Regrets*—poemas en francés, 1910—, *Allá lejos*—1912—, *Cielos y llanuras*—1914—, *Nuevos horizontes*—1916—, *Huertos maternales*—¿1918?—. *Arbol*—1923—, *Humildad*—1923—, *Patio, 56 poemas*—1921—, *La colina de la música*—1934—, *Exposición de la poesía uruguaya*—ensayos de crítica...

V. ZUM FELDE, Alberto: *Proceso intelectual del Uruguay.* Montevideo, 1941.

CASALDUERO, Joaquín.

Crítico literario e investigador español. Nació—1903—en Barcelona. Doctor en Filosofía y Letras—1927—por la Universidad de Madrid. Lector de español en las Universidades de Estrasburgo—1925 a 1927—, Marburgo—1927 a 1929—, Cambridge—1930 y 1931—, Oxford—1931—. En este año se trasladó a Norteamérica, donde ha explicado Lengua y Literatura españolas en las Universidades de Wisconsin—1942— y Nueva York—1947—, y en el Middlebury College Spanish School—1932 a 1948.

Discípulo aventajado de don Ramón Menéndez Pidal. Ha dado numerosas e importantísimas conferencias en Universidades, Ateneos y Sociedades culturales de España y América. Posee una extraordinaria cultura, gran agudeza crítica, una absoluta originalidad de ideas. Cada uno de sus libros es un modelo de exposición, de argumentación, de estilo personal y de prosa elegante.

Obras: *Contribución al estudio de Don Juan en el teatro español*—Northampton, Mass. Smith College, 1938—, *Vida y obra de Galdós*—Buenos Aires, Losada, 1943—, *Sentido y forma de las "Novelas ejemplares"*—Buenos Aires, Instituto de Filología, 1943—, *Jorge Guillén, "Cántico"*—Santiago de Chile, Cruz del Sur, 1946—, *Sentido y forma de "Los trabajos de Persiles y Sigismunda"*—Buenos Aires, Sudamericana, 1947—, *Sentido y forma del "Quijote" (1605-1615)*. Madrid, Insula, 1949.—*Sentido y forma del teatro de Cervantes*—Madrid, Aguilar, 1951.

Autor de estudios sobre Cervantes, Lope de Vega, Tirso de Molina, Bécquer, Galdós, Ganivet, Unamuno y Jorge Guillén, publicados en revistas españolas, francesas, alemanas, argentinas y norteamericanas.

Las principales revistas de Europa y América han publicado estudios acerca de sus libros.

CASANOVA DE LUTOSLAWSKI, Sofía.

Poetisa, novelista y periodista española eminente. Nació—1862—en Almeiras (La Coruña). Murió—¿1959?—en Polonia. Cuando era casi una niña, Ramón de Campoamor leyó sus versos y la animó a publicarlos y a dedicarse a la literatura. Colaboró con asiduidad en la Prensa española—*El Debate, La Epoca, El Liberal, Heraldo de Madrid, El Mundo, El Imparcial, A B C, Blanco y Negro y Galicia*—y también en la sudamericana y polaca.

Casada con el noble polaco Vincenty Lutoslawski, abandonó España y se afincó en Polonia, conquistando la admiración y el respeto de la mejor sociedad polaca.

Sofía Casanova es una poetisa delicada y tradicional, una novelista personal y una articulista llena de la mejor enjundia y sensibilidad exquisita.

Obras: *Poesías*—Madrid, 1886—, *Fugaces*—poesías, 1897—, *El cancionero de la dicha*—poesías, Madrid, 1911—, *El doctor Wolski*—novela, 1915—, *Sobre el Volga helado*—narraciones de viajes, 1903—, *El pecado*—cuentos, Madrid, 1911—, *En la corte de los zares*—1925—, *Idilio epistolar*—novela—, *Como la vida*—novela—, *Aventuras de una muñeca española en París...*

CASAÑAL SHAKERY, Alberto.

Poeta y autor dramático español. Nació—1874—en San Roque (Cádiz), pero vivió desde muy niño en Zaragoza y se asimiló por completo las características de la literatura aragonesa. Desconozco la fecha de su muerte. Conoció como muy pocos la *sensibilidad* y el *estilo* de Aragón. Cursó la carrera de Ciencias físico-químicas, y fue, hasta su jubilación, profesor de Ampliación de Matemáticas de la Escuela Superior del Trabajo de la ciudad del Ebro.

Casañal es hijo predilecto de Zaragoza y tiene la medalla de oro de la ciudad, una de cuyas calles lleva el nombre del poeta que tanto la ha ensalzado.

Obras: *Cuentos baturros, Baturradas, Cantares baturros, Jotas, Epistolario baturro, Romance de ciego, Fruslerías, Versos de muchos colores, De Utebo a Zaragoza, Mostilladas, Fruta de Aragón, Aprobados y suspensos, Don Cacique, Zaragoza, puerto de mar; La fiesta de las uvas.*

Y ha estrenado con éxito, en teatros de España y América: *Casado y con novia, El derecho del más fuerte, Entre chumberas, La cencerrada, Noche de alivio, El ojo clínico, El diablo está en Zaragoza, Los tenderos, Angelitos al cielo, El Gay Saber, Una hora fatal, Pelavivos...*

CASARES, Julio.

Notable crítico literario y lexicógrafo español. Nació—1877—en Granada y murió —1964—en Madrid. Jefe de interpretación de lenguas del Ministerio de Estado. Violinista y compositor notable. Representante de España en la Asamblea de la Sociedad de las Naciones. Vocal de la Comisión permanente de la Junta de Relaciones Culturales de España. Oficial técnico de la Secretaría del Congreso. Secretario perpetuo de la Real Academia Española de la Lengua, a la que perteneció desde 1919.

Sus estudios acerca de la música japonesa aparecieron—1898—en los *Annales de l'Alliance Scientifique,* de París.

Julio Casares conoció a la perfección dieciocho lenguas europeas.

Como crítico literario, fue sagaz, eruditísimo y justo. Como lexicógrafo, una verdadera eminencia. En el diario madrileño *A B C* publicó durante varios años artículos muy interesantes explicando y aclarando arduas cuestiones filológicas.

Obras: *Crítica profana (Valle-Inclán, "Azorín" y Ricardo León)*—Madrid, 1916—, *Crítica efímera*—dos tomos, Madrid, 1919—, *Nuevo concepto del Diccionario de la Lengua española*—Madrid, 1942—, obra magnífica y llena de aportaciones curiosísimas; *Cosas del lenguaje, Nuevo concepto del Diccionario de la Lengua y otros problemas de lexicografía y semántica, Diccionario ideológico de la lengua castellana...*

Julio Casares fue uno de los más asombrosos casos de erudición magistral, de exposición precisa, de riquísima prosa y de amenidad perfectamente armonizadas en libros de enorme trascendencia. Su magisterio quedó unánimemente reconocido en todos los países de lengua castellana. Fue, indiscutiblemente, la primera autoridad española en los estudios filológicos, lexicográficos y semánticos.

CASAS, Fray Bartolomé de las.

Historiador y misionero español. 1474-1566. Nació en Sevilla. Dominico. En 1511 Diego Velázquez le llevó consigo a Cuba, encomendándole varias misiones, entre ellas la de acompañar a Pánfilo de Narváez a Bayamo y Camagüey. Pasó más tarde a Santo Domingo, predicando sin descanso y con ardor contra la esclavitud de los indígenas. Hizo

viajes a España, en 1515 y 1517, con el deseo de exponer al rey Católico y a Cisneros la verdadera situación de las colonias. Con tal de proteger a los indios, defendió la trata de negros en Guinea para que estos desempeñaran los más bajos servicios como esclavos. En 1520 intentó establecer una colonia india modelo en Puerto Rico. Estuvo en Nicaragua y Guatemala. En 1542 volvió a España, consiguiendo de Carlos I algunas leyes que favorecían notablemente a los indígenas. No quiso aceptar el obispado de Cuzco, y hubo de ser obligado a que admitiera el obispado de Chiapa—1544—. En 1550 renunció dicha dignidad y se retiró al convento de San Gregorio, en Valladolid, donde murió.

Su *Historia de las Indias* abarca desde Colón hasta 1520, y se continúa con la *Historia apologética de las Indias.* Pero su fama la debe a su librillo: *Brevísima relación de la destrucción de las Indias*—Sevilla, 1552—, en la que, por defender a los indios, lanza feroces acusaciones contra la barbarie y la codicia de los españoles. Desdichadamente, este librillo, ferozmente apasionado, ha servido de base a la *leyenda negra* antiespañola, en relación con nuestra conquista y acción civilizadora en América.

Textos: *De la Historia de las Indias: Colección de documentos inéditos...* LXII-LXVI. Editorial Aguilar, Madrid, 3 tomos, 1930. De la *Historia apologética: Nueva Biblioteca de Autores Españoles,* XIII, por Serrano y Sanz. V. Fabié, A. M.: *Vida y escritos de Fray Bartolomé de las Casas.* 1879.—Hanke, L.: *Las teorías políticas de Bartolomé de las Casas.* Buenos Aires, 1935.—Juderías, Julián: *La leyenda negra.* Barcelona, s. a. [¿1918?]. Menéndez Pidal, Ramón: *El Padre Las Casas. Su doble personalidad.* Madrid, edit. Espasa-Calpe, 1963. (Libro revolucionario y de interés sensacional.)

CASAS, José Joaquín.

Poeta, prosista y crítico literario colombiano. Nació—1865—en Chiquinquira. Muy joven aún, alcanzó gran fama en su patria con sus composiciones líricas, en las que se entreveran un modernismo balbuciente y un romanticismo lleno de calor. Gran sonetista. Ha desempeñado altos cargos en la administración pública. Diplomático, pedagogo y periodista ilustre. Miembro de las Academias Colombianas de la Lengua y de la Historia.

Según el excelente crítico Carlos Arturo Caparroso: "Los sonetos de José Joaquín Casas son de una técnica perfecta impecable. Seducen su elegancia, su sobriedad, el bien seguro trazo, todo lo que ha venido a servirle ventajosamente para esa precisión con que ha dibujado paisajes nativos y mi-

C

niaturas costumbristas llenas del más puro sabor castizo, o recogido vibraciones sentimentales de un idealismo sereno y de una delicada entonación."

Obras: *Cristóbal Colón*—poema, 1892—, *Recuerdos de fiestas*—coplas populares, 1912—, *Crónicas de aldeas*—Sonetos costumbristas, 1910—, *Poesías, Poemas criollos* —1932—, *Cantos de patria chica.*

V. CAPARROSO, Carlos Arturo: *Antología lírica: 100 poemas colombianos.* Bogotá, 1951.—ARANGO FERRER, Javier: *La literatura de Colombia.* Universidad de Buenos Aires, 1940.—GARCÍA PRADA, C.: *Antología de líricos colombianos.* Bogotá, 1937, 2 tomos.— GÓMEZ RESTREPO, Antonio: *Historia de la literatura colombiana.* Bogotá, 1938.

CASCALES, Francisco.

Notable escritor y filólogo español. Nació —1564—en Fortuna (Murcia). Murió en 1642 en Murcia. Muy joven se entregó al servicio de las armas y marchó a Flandes—1585—en la compañía del capitán Cristóbal de Guardiola. Pasó varios años de peripecias en Francia y en Nápoles, de donde, a confesión propia, regresó "admirado de ver aquellos humanistas insignes, tan cándidos, tan buenos, tan humanos". En 1592 ya estaba en España. Fue "preceptor de Gramática" del Consejo de Cartagena, y en Murcia, preceptor del colegio de San Fulgencio y cronista de la ciudad.

Estuvo casado tres veces: con doña Petronila Quirós, con doña Luisa de Contreras y con doña Juana Ferrer.

Sus mejores amigos se llamaron Carrillo y Sotomayor y Saavedra Fajardo. Sus restos yacen en la iglesia murciana de Santo Domingo.

Obras: *Discurso histórico de la ciudad de Cartagena*—1598—, *Tablas poéticas*—1617—, *Discursos históricos de la muy noble y muy leal ciudad de Murcia*—1621—, *Cartas filológicas*—1634—y *Ars Horatii in methodum reducta*—1659.

Cascales ha sido incluido en el *Catálogo de autoridades* de la Academia de la Lengua Española.

Su obra inmortal son las *Cartas filológicas,* cuyo contenido es, a decir de su insigne autor: "de letras divinas y humanas, varia erudición, explicaciones de lugares, lecciones de cosas, documentos poéticos, observaciones, ritos y costumbres y muchas lecciones exquisitas". Las *Cartas filológicas* forman una obra sugestiva, llena de erudición, de sagacidad, de clasicismo formal, de gracia y claridad narrativas, de templado juicio.

Textos: *Cartas filológicas,* en "Clásicos Castellanos", ed. García Soriano, 1930.

V. GARCÍA SORIANO, Justo: *El humanista Francisco Cascales. Su vida y sus obras.* (Estudio biográfico, bibliográfico y crítico.) Madrid, 1924.—MENÉNDEZ PELAYO, M.: ... *Ideas estéticas...* Tomo III.

CASCELLA, Armando.

Novelista y cronista argentino. Nació —1900—en Rosario. Desde muy joven se entregó plenamente, y con gran éxito, al periodismo, habiendo fundado la revista literaria—de ensayos y polémicas—*Sexto Continente* y dirigido *La Gaceta del Sur.* Durante bastante tiempo fue corresponsal en varios países europeos del periódico rosarino *La Capital.* En 1939 le fue otorgado el "Premio Municipal de Literatura". Y tal vez sea el suyo el mejor cuento entre los que figuran en *Los 27 mejores cuentos argentinos.*

Obras: *Tierra de los papagayos*—1926—, *La cuadrilla volante*—1938—, *La traición de la Oligarquía*—1958...

CASELLAS, Ramón.

Crítico de arte y narrador español en lengua catalana. Nació—1855—en Barcelona y murió—1910—en San Juan de las Abadesas. Estudió el bachillerato y las disciplinas de Filosofía y Letras en su ciudad natal. Antes de haber cumplido los veinte años empezó a escribir crítica de arte en los diarios *L'Avenç* y *La Veu de Catalunya.* Como narrador cultivó un costumbrismo sombrío en una expresividad de auténtico naturalismo. Siempre escribió sus cuentos y novelas breves en catalán, pero muchos de ellos, reunidos en volumen, fueron traducidos al castellano. Fue miembro de la Academia de Buenas Letras y Bellas Artes de Barcelona. Su curiosa colección de grabados y dibujos relativos al arte catalán fueron adquiridos, muerto Casellas, por el Ayuntamiento de la Ciudad Condal. Quizá fue el primer historiador del arte catalán que utilizó la *crítica erudita.*

Obras: *Els sots feréstechs*—novela, 1901—, *Les multituts*—novela, 1906—, *El dibuixant paisista Lluis Rigalt, Llibre d'històries* —1907—. Dejó inédita un historia de la pintura catalana.

CASERO Y BARRANCO, Antonio.

Poeta y autor dramático español muy popular. Nació—1874—en Madrid. Y en Madrid —1936—murió. Abogado y profesor mercantil. Colaborador asiduo de las principales revistas literarias madrileñas. Concejal—1915— del Ayuntamiento de la villa y corte. Redactor de *Heraldo de Madrid.*

Como escritor reciamente costumbrista, describió "la chulapería y la gente baja y la clase media de Madrid en escenas típicas de acabado y artístico realismo, en forma de diálogos y pasos como teatrales, con gran fidelidad, no solo cuanto a costumbres y lenguaje, sino todavía mejor, si cabe, cuanto al espíritu y maneras de pensar y sentir. En todas sus obras muestra un hondo cariño hacia los madrileños, y en el fondo hay elevado y educador intento". La idea fundamental de Casero fue la de hacer amar a sus lectores Madrid como lo amaba él.

Obras: *La gente del bronce*—poesías, 1896—, *Los gatos*—poesías—, *Los castizos* —poesías, 1911—, *El pueblo de los majos* —poesías, 1912—, *La musa de los madriles* —poesías, 1914—, *De Madrid, al cielo...* —poesías, 1918—. Y entre sus producciones escénicas: *Madrileñerías, El 1900, La lista oficial, La gente del pueblo, La gente alegre, Los botijistas, El querer de la Pepa, El sábado de Gloria, La procesión del Corpus, Cosas de chicos, Feúcha, ... Y no es noche de dormir, La regadera, El miserable puchero, El porvenir del niño, La familia de la Sole o El casado casa quiere; Las cacatúas, Las mocitas del barrio, Donde hay faldas hay jaleo o El merendero de la Alegría; Consolar al triste...*

CASO, Antonio.

Ensayista, erudito, orador mexicano. Nació en 1883. Murió en 1946. Doctor en Leyes y Letras. Catedrático de Sociología de la Universidad de México, de la que también fue rector. Embajador en Perú y Uruguay. Doctor *honoris causa* de la Universidad de Río de Janeiro. Miembro correspondiente de la Real Academia Española de la Lengua. Del Instituto Internacional de Sociología. Conferenciante eximio. Al revés que otros seudosabios que hacen la ciencia odiosa, Antonio Caso, original y profundo, en una expresión llana, limpia y clarísima, la hace amable, asequible. Y ha sabido, como pocos, aunar la literatura y la filosofía. "Caso—ha escrito A. Mejía—es la de madera americana, caoba brillante y fuerte, que al estilo de Rodó, Montalvo y otros ensayistas inmortales, nos brindan el pensamiento revestido de sencillez y con fuerza medular."

Obras: *Problemas filosóficos, Filósofos y doctrinas morales, Discursos a la nación mexicana, Doctrinas e ideas, Principios de Estética, Sociología genética y sistemática, Discursos heterogéneos, El problema de México y la ideología nacional, La existencia como economía, como desinterés y como caridad...* V. Mejía, Abigail: *Historia de la literatura... hispanoamericana.* Barcelona, sin año ¿1927?—Reyes, Alfonso; Jiménez Rueda y otros: *Literatura de México,* en el tomo XI de la *Historia universal de la literatura,* de Prampolini. Buenos Aires, Uteha Argentina, 1941.—González Peña, Carlos: *Historia de la literatura mexicana.* México, 2.ª edición, 1940.

CASO Y ANDRADE, Alfonso.

Prosista, arqueólogo, historiador y profesor mexicano. Nació en 1892. Se educó en la Escuela Preparatoria Nacional de México y en las Facultades de Leyes y de Filosofía de la Universidad de la capital mexicana. Doctor en Leyes—1919—y en Filosofía—1919—, Profesor de dichas Facultades. Miembro de numerosas Sociedades nacionales y extranjeras. Arqueólogo del Estado en importantes excavaciones. Director de la *Revista Mexicana de Estudios Históricos.*

Obras: *El Teocalli de la guerra sagrada* —1928—, *Las estelas zapotecas*—1929...

CASONA, Alejandro.

Original y notabilísimo poeta y dramaturgo. Nació—1903—en Besullo (Asturias). Murió—17 de septiembre de 1965—en Madrid. Estudió Filosofía y Letras en las Universidades de Oviedo y Murcia, y se graduó en la Escuela Superior del Magisterio. Ejerció como maestro rural en el Valle de Arán. Director del teatro de las Misiones Pedagógicas —1933—. En 1934, el Ayuntamiento de Madrid concedió el "Premio Lope de Vega" a su hermosísima comedia—doble plano de realidad y de ensueño—*La sirena varada,* que se estrenó en el teatro Español con un éxito grandioso, ganando para su autor la fama indiscutible. También ganó Casona el "Premio Nacional de Literatura"—1934—con su libro *Flor de leyendas.* Tiene dos bellos libros poéticos en la tendencia postmodernista: *El peregrino de la barba florida, La flauta del sapo* —1930.

Está considerado como uno de los autores dramáticos contemporáneos más originales e intensos.

En el teatro de Casona consiguen sorprendentes y seductores efectos los entrecruces de las evocaciones poéticas, el realismo impresionista y la exposición llena de novedad y de audacia. Sus tipos, que, a veces, viven en planos de ensueño, no pierden jamás nada de su humanidad cálida y afanosa. Ingenioso, graciosamente irónico, profundo de ideas, exquisito de sensibilidad, Casona ha traído al teatro español la transformación adecuada a la hora presente. Puede afirmarse de él que tiene una importancia tan decisiva como la que ganó Benavente a fin del pasado siglo.

Tampoco en España existe hoy un autor dramático de las calidades y de las dimensiones de Casona. Ningún otro ha sabido armonizar con aciertos tales el sentido sutil de las apetencias humanas más poéticas con la atracción fenomenal de lo soñado o de lo irremediable, la maravillosa añagaza de la ficción, llevada a su límite de creación, con la eficiencia insobornable de la verdad. Primoroso es el diálogo de Casona, y pasmosamente oportuno y natural. ¡Que ya es maestría manipular con esos ingredientes tan peligrosos que son el subconsciente, los complejos, las "evasiones" mentales o espirituales, sin dejar de envolverlos —para humanizarlos definitivamente— en las palabras de la sencillez y de la magia momentánea! Nadie como Casona sabe jugar tan sorprendentemente con las cosas inasibles y con los sucesos increíbles.

Las obras escénicas de Casona han sido traducidas a varios idiomas —el hebreo entre ellos— y representadas incontables veces sobre los escenarios más significativos del mundo: París, Viena, Roma, Bruselas, Estocolmo, Río de Janeiro, Buenos Aires, la Habana... Y una de ellas, *Los árboles mueren de pie,* se ha sostenido durante tres temporadas consecutivos en un mismo escenario bonaerense y en otro parisiense.

Obras teatrales: *Otra vez el diablo* —1935—, *Nuestra Natacha* —1936—, *Prohibido suicidarse en primavera* —1937—, *El crimen de lord Arturo* —la Habana, 1938—, *Romance de Dan y Elsa* —Caracas, 1938—, *Sinfonía inacabada* —Montevideo, 1940—, *Las tres perfectas casadas* —Buenos Aires, 1941—, *La dama del alba* —Buenos Aires, 1944—, *La barca sin pescador* —Buenos Aires, 1945—, *La molinera de Arcos* —Buenos Aires, 1947—, *Los árboles mueren de pie* —Buenos Aires, 1949—, *Retablo jovial* —cinco farsas, Buenos Aires, 1949—, *La llave en el desván* —Buenos Aires, 1950—, *Siete gritos en el mar* —Buenos Aires, 1952—, *Obras completas* —Madrid, Ed. Aguilar, 2 tomos (varias ediciones)—, *Corona de amor y de muerte* —1955—, *Carta a una desconocida* —1957—, *La casa de los siete balcones* —1957—, *Teatro infantil: El lindo don Gato, ¡A Belén, pastores!; El caballero de las espuelas de oro* —1964.

V. BIANCHI, A. A.: *El teatro de Casona,* en *Nosotros,* Buenos Aires, 1936, I.—SAINZ DE ROBLES, F. C.: *Estudio* —muy extenso— como prólogo de sus *O. C.* de la Ed. Aguilar.—RODRÍGUEZ RICHART, J.: *Vida y teatro de Alejandro Casona.* Oviedo. Instituto de Estudios Asturianos, 1965.

CASTÁN PALOMAR, Fernando.

Nació en Zaragoza el 14 de junio de 1898 y murió —1962— en Madrid. A los dieciséis años publicó sus primeros trabajos periodísticos en el semanario local *El Pilar.* Muy poco después ingresó en la Redacción del diario zaragozano *El Noticiero,* en cuyas páginas desarrolló una intensa labor literaria y periodística, al mismo tiempo que co-

menzaba a preparar sus primeros libros. Fue redactor-jefe de dicho diario hasta 1929, fecha en que pasó a dirigir *La Voz de Aragón,* diario de la misma ciudad. En ese tiempo colaboró intensamente en diversas publicaciones de Madrid, y por su esforzada defensa de los monumentos históricos aragoneses fue nombrado académico correspondiente de la Real Academia de Bellas Artes de San Luis. En 1934 se trasladó a Madrid y empezó a trabajar como redactor-jefe en la preparación del diario *Ya,* que salió a la luz en 1935, y en cuyo cargo estuvo hasta que fue suspendido dicho diario en 1936.

Después de la guerra de Liberación ocupó el cargo de redactor-jefe del semanario *Dígame* desde el primer número; ingresó al mismo tiempo en la Redacción de la revista *Primer Plano;* dirigió el semanario *Fotos,* y al mismo tiempo continuó colaborando en gran número de publicaciones de Madrid y de provincias.

Ha sido premiado en diversos certámenes literarios y periodísticos; es miembro de honor del Comité Cultural Argentino; ha dado múltiples conferencias de carácter cultural en ateneos y sociedades.

Obras: *Del amor y de la gloria* —novela corta, 1917—, *Del mundanal ruido* —novela corta, 1918—, *La Bohemia, Redacción* —boceto de comedia (en colaboración), 1918—, *De Villafeliche a Madrid* —novela corta, 1918—, *Mis prosas* —crónicas, 1919—, *La otra* —novela, 1922—, *Poetas aragoneses* —antología, 1923—, *Burguesías y modistillas* —novela, 1925—, *Cristina la comedianta* —novela, 1926—, *Señorita de provincia* —novela, 1928—, *Escenario zaragozano: Horas y figuras* —relatos, 1932—, *Aragoneses contemporáneos* —biografías, 1934—, *Tirso Escudero* —adaptación de sus memorias, 1940—, *Vida de don Francisco Goya* —biografía, 1945—, *¿Qué hizo usted ayer?* —entrevistas, 1945—, *Adelina Patti* —biografía, 1947.

CASTAÑÓN DE LA PEÑA, José Manuel.

Nació —1920— en Pola de Lena (Asturias). Licenciado en Derecho por la Universidad de Oviedo. Durante el asedio de esta ciudad por los marxistas perdió la mano derecha. Combatió en Rusia con la División Azul. De espíritu aventurero, ha viajado por todo el mundo.

Como novelista cultiva un realismo denso, embozado por el sarcasmo y el humor.

Obras: *Diario de una aventura* —1942—, *Moletú-Volevá* —novela, 1956—, *Bezana* —novela—, *Una balandra encalla en tierra firme* —1937—, *Confesiones de un vivir absurdo* —1959—, *Andrés cuenta su historia, Reyes Ozores...*

CASTELAR Y RIPOLL, Emilio.

Célebre escritor, orador y político español. Nació—1832—en Cádiz. Murió—1899—en San Pedro de Pinatar (Murcia). Cursó el bachillerato en Alicante; Derecho, en la Universidad Central; Filosofía, en la Escuela Normal, licenciándose en 1852 y doctorándose en 1853. Fue redactor de *El Tribuno*—1854—, de *La Soberanía Nacional*—1855—y de *La Discusión*—de 1856 a 1864—. Fundó en este último año *La Democracia*, diario antidinástico, en el que publicó el famoso artículo titulado *El rasgo,* con el que ponía en ridículo la caridad pintoresca de Isabel II. Catedrático de Historia de España—1858—en la Universidad Central. Fue condenado a muerte —1865—, pero pudo huir a París, donde permaneció hasta la revolución de 1868, alcanzando una fama extraordinaria en los medios intelectuales europeos y convirtiéndose en el ídolo de los americanos. Diputado a Cortes. Presidente de la República española en 1874. Académico de la Lengua.

Castelar fue un hombre bueno, un caballero intachable y un apasionado defensor y enaltecedor de España. Aun cuando la gloria suprema la alcanzó como tribuno, también tiene mérito, y no escaso, como literato. Y aun cuando Menéndez Pelayo le pone reparos—en los *Heterodoxos*—, da una magnífica impresión del valor intelectual de Castelar: "Nunca ha sido metafísico ni hombre de escuela, sino retórico afluente y brillantísimo, poeta en prosa, lírico desenfrenado, de un lujo tropical y exuberante, idólatra del color y del número, gran forjador de períodos que tienen ritmo de estrofas, gran cazador de metáforas, inagotable en la enumeración, siervo de la imagen que acaba por ahogar entre sus anillas a la idea...; alma panteísta, que responde con agitación nerviosa a todas las impresiones y a todos los ruidos de lo creado y aspira a traducirlos en forma de discursos. De aquí el forzado barroquismo de esa arquitectura literaria, por el cual trepan, en revuelta confusión, pámpanos y flores, ángeles de retablo y monstruos y grifos de aceradas garras..."

Obras: *Ernesto*—novela, 1855—, *Alfonso "el Sabio"*—novela, 1856—, *La hermana de la Caridad*—novela, 1857—, *Lucano*—novela, 1857—, *Colección de artículos literarios y políticos. Crónica de la guerra de Africa* —1859—, *Vida de lord Byron*—1873—, *Perfiles de personajes y bocetos de ideas*—1875—, *Fra Filippo Lippi*—novela, 1877—, *Historia de un corazón y Ricardo*—novelas, 1878—, *Enayos literarios*—1878—, *Discursos académicos*—1880 y 1881—, *El suspiro del moro* —leyendas y tradiciones, 1885—, *Retratos históricos*—1884—, *Galería histórica de mu-*jeres célebres—ocho tomos, 1886 a 1889—, *Nerón*—1891—, *Historia del descubrimiento de América*—1892—, *Historia de Europa en el siglo XIX*—1895 a 1901...

V. SÁNCHEZ DEL REAL, A.: *Emilio Castelar. Su vida y su carácter.* Barcelona, 1873.—PICÓN, J. Octavio: *Discurso de recepción en la Real Academia Española.*—GONZÁLEZ ARACO, Manuel: *Castelar. Su vida y su muerte.* 1901. HERRERA OCHOA, B.: *Castelar,* Madrid, 1914. SANDOVAL, F. de: *Emilio Castelar.* París, 1886. BOADA Y BALMES, Miguel: *Emilio Castelar.* Nueva York, 1872.—JARNÉS, Benjamín: *Castelar, hombre del Sinaí.* Madrid, Espasa-Calpe, 1936.

CASTELLANOS, Jesús.

Novelista y crítico literario cubano. Nació—1879—y murió—1912—en la Habana. Doctor en Filosofía y Letras y en Derecho. Arquitecto. Abogado fiscal de la Audiencia de su ciudad natal. Dibujante y caricaturista importante. En los periódicos habaneros *La Discusión* y *El Fígaro* publicó sus caricaturas y sus críticas literarias, de indudable valor. Vivió en España algún tiempo y en la famosa revista novelesca de Madrid *Los Contemporáneos* publicó su novela corta *La manigua sentimental.* Narrador de un realismo neto, pero sin violencias y con cierta tendencia al sentimentalismo.

Obras: *Cabezas de estudio*—1902—, *De tierra adentro*—1904—, *En la laguna*—1906—, *La conjura*—1909—, *Corazones son triunfos* —1909—, *Cabeza de familia, Naranjos en flor...*

CASTELLANOS, Juan de.

Insigne poeta y cronista español. Nació —1522—en Alanís (Sevilla). Murió—1607— en Santiago de Tunja (Colombia). En su juventud guerreó bravamente en muchos países de América. Ordenado sacerdote y beneficiado en Tunja (Nueva Granada) desde 1556. Nicolás Antonio—en su *Biblioteca Hispano Nova*—le llama *sacerdos tuxensis in America.*

Ciertamente que no fue Castellanos un poeta épico de primer orden, y que hasta imitó a Ercilla; pero no se le pueden negar ni la propiedad de su lenguaje, ni su facilidad versificadora, ni la verdad con que narra los acontecimientos, ni el color ingenuo del relato, ni el tono discreto de la inspiración, ni muchas bellísimas descripciones con las que amenaza su epopeya. Castellanos está incluido en el *Catálogo de autoridades de la Lengua,* editado por la Academia Española.

Obras: *Elegías de varones ilustres de Indias,* en 55 cantos y 150.000 endecasílabos, cuya primera parte se publicó en Madrid, 1589; la segunda y tercera permanecieron inéditas hasta 1847, año en que se imprimió la obra completa, formando parte del tomo IV de la "Biblioteca de Autores Españoles". El docto investigador Paz y Meliá la volvió a publicar en 1887 en la "Colección de Autores Castellanos", con el título de *Historia del Nuevo Reino de Granada*. El libro es un sumario de poemitas o biografías de los primeros conquistadores de América.

V. Menéndez Pelayo, M.: *Antología de poetas hispanoamericanos*. Tomo III.—Jiménez de la Espada, D. M.: *Juan de Castellanos y su "Historia"*. Madrid, 1889.—Paz y Meliá: *Introducción* a la impresión madrileña de 1887.

CASTELLANOS Y LOSADA, Basilio Sebastián.

Erudito, escritor y arqueólogo español. Nació—1807—en Madrid. Murió—1891—en la misma ciudad. Secretario de cámara y gentilhombre de Fernando VII. Director de la Academia Española de Arqueología y Geografía. Del Cuerpo de Bibliotecarios y Anticuarios. Conservador del Real Museo de Medallas y director del Museo Arqueológico y de la Escuela Central de Maestros. Comendador de las Ordenes de San Juan de Jerusalén, de Isabel la Católica y de Carlos III. Miembro de numerosas y distinguidas corporaciones culturales europeas.

Obras: *Retrato actual y antiguo de la villa y corte de Madrid*—1830—, *Compendio elemental de Arqueología*—1844—, *Breve compendio de la fábula*—1844—, *La galantería española*—estudio sobre el lenguaje de las flores, el blasón y la poesía, 1848—, *Iconología cristiana*—1847—, *Numismática española* —1857—, *Costumbres antiguas españolas* —1840—, *Revolución de Roma*—1847—, *El siglo XIX*—1857—, *Biografía de don Francisco Ximénez de Cisneros*—1868—, *Panteón universal*—1853—, *Biografía de Santa Teresa de Jesús*—1868—, *El caballero de Madrid* —1836—, *Notas a las obras de don Francisco de Quevedo*—1841—, *Colección de romances* —1844—, *De las supersticiones populares* —1867...

CASTELLANOS Y VELASCO, Julián.

Autor dramático, novelista y periodista español de una fecundidad asombrosa. Nació—¿1829?—en Madrid. Y murió hacia 1891. Fundó y dirigió *La Saeta*. Colaboró en *El Progreso, El Imparcial* y otros muchos diarios y revistas. Gran amigo de Cristino Martos. Secretario general—1873—del Gobierno Civil de Madrid. Cronista oficial de la villa y corte—1882.

Obras: *Los cacos*—1878—, *Los discípulos de Caco*—1881—, *La venganza de un proscripto*—1884—, *Odio de raza o La sultana loca*—1882—, *El hijo de la noche o La herencia del crimen*—1883—, *La hija del verdugo o La herencia de lágrimas*—1884—, *La Virgen María*—1885—, *La bruja, anales secretos de la Inquisición*—1886—, *Las ratas*—1887—, *La luz del Cristianismo*—1889—, *La hija del cura*—1889—, *El destripador de mujeres* —1889...

Entre sus obras teatrales figuran: *Feliz viaje de don Juan*—1869—, *Luisa*—1872—, *Casimiro*—1873—, *El fantasma de la aldea* —1878—, *El estudiante de Maravillas*—1889...

Durante veinte años, Julián Castellanos acaparó toda la sensiblería, el énfasis, la truculencia que tanto agradaba al pueblo bajo y sencillo de Madrid y provincias.

Casi todas las novelas de este fecundo autor aparecieron con el seudónimo de "Pedro Escamilla".

CASTELLET, José María.

Ensayista y crítico literario. Nació—1926— en Barcelona. Licenciado en Derecho por la Universidad de su ciudad natal. Miembro de la Comunidad Europea de Escritores y de la Sociedad Europea de Cultura. Ha dado conferencias en varios países europeos. Escribe indistintamente en castellano y en catalán. De gran cultura y exquisito gusto, pero demasiado inclinado a elogiar solo cuanto representa literatura antitradicional e imitativa de extravagancias extranjeras. En 1971 recibió el "Premio Taurus".

Obras: *Notas sobre la literatura española contemporánea*—Barcelona, 1955—, *La hora del lector*—Barcelona, 1957—, *La evolución espiritual de Hemingway*—Madrid, 1958—, *Veinte años de poesía española*—Barcelona, 1960—, *Poesia catalana del segle XX*—1963—, *Poesia, realisme, història*—Barcelona, 1965—, *Un cuarto de siglo de la poesía española* —Barcelona, 1966—, *Lectura de Marcuse* —Barcelona, 1969.

CASTELLTORT, Ramón.

Poeta, dramaturgo, crítico y ensayista. Nació—1915—en Igualada. Murió—1966—en Barcelona. Profesó en las escuelas Pías y fue ordenado sacerdote en 1938. Desde muy joven cultivó la poesía. Ha colaborado en varias revistas de España y América. Ha escrito unos quince libros de poesía, y el conjunto de su obra alcanza más de cuarenta títulos. Algunas de sus obras, como su *Poema del ciego que vio a Cristo,* ha tenido más de veinte ediciones y ha sido traducido al francés e inglés. Su libro *Señor, yo no soy digno,* ha sido también traducido al italiano. La Real Academia Española de la Lengua le otorgó el "Premio Piquer" por su poema dramático *José de Calasanz*. Obtuvo también el "Premio Internacional Calvina Terzaroli" con su traducción en verso de *Fons amoris*, libro póstumo de Ada Negri. En 1961 fue nombrado por unanimidad Académico Honorario con diploma e inscripción del nombre en el libro de Oro de la Academia Internacional de Ciencias, Artes y Letras de Roma *Artis Templum*. Ha viajado por España, Francia, Portugal, Suiza, Holanda, Luxemburgo, Bélgica y Alemania. Ha sido profesor de Literatura durante veintitrés años en Barcelona, dando conferencias sobre poesía; estética y autores en Barcelona, Milán, París, Coimbra y Lovaina. Del P. Castelltort ha escrito en un diario francés: "Su voz lírica no se parece a ninguna otra y es inconfundible."

Sus obras líricas más importantes son: *Arpa en éxtasis*—1945—, *Voz sin alas* —1946—, *Sencillamente*—1947—, *Letanía en voz baja*—1948—, *Señor, yo no soy digno* —1953—; *Viento que gime*—1955—y el opúsculo *Tan herida de adioses*—1961.

Otras obras: *El P. Arolas: su recorrido humano y el rastro de sus versos*—1962—, *La farsa transfigurada*—teatro, 1962—, *Las huellas invisibles*—monodrama, 1963—, *Lope, Quevedo y Góngora en una encrucijada* —ensayo, 1961.

V. Díaz-Plaja, Guillermo: *Historia de la poesía lírica española*. 2.ª edición. Edit. Labor. Barcelona, 1948.—Valbuena Prat, Angel: *Historia de la Literatura española*. Tomo III. Barcelona, 1950.—Sainz de Robles, Federico Carlos: *Diccionario de la Literatura*. Tomo II. 2.ª edición. Madrid, 1953.—Pemán, José María: *Obras completas*. Tomo V. Escelicer S. L. Madrid, 1953: Dos artículos. *Enciclopedia biográfica española*. 1.ª edición. Massó, editor. Barcelona, 1955.—Pemán, José María: *Poesía contemporánea. (Revista Calasancia*, abril-junio.) Madrid, 1958.—Poch, José: *Verdaguer y los PP. Escolapios de Cataluña*. (Suplemento de *Revista Calasancia*.) Madrid, 1959.—Iniesta, Enrique: *La poesía en cuanto arte, como camino religioso natural*. (Suplemento de *Revista Calasancia*.) Madrid, 1959.

CASTILLEJO, Cristóbal de.

Gran poeta y prosista. ¿1490?-1550. El primer biógrafo de Cristóbal de Castillejo fue fray Crisóstomo Enríquez, monje cisterciense, nacido en 1594, de suaves maneras y mucha piedad, sombra blanca entre los verdes cipreses ojivales. Fray Crisóstomo narró la vida del poeta con la misma unción con que los regulares de la Alta Edad Media escribían las santas peregrinaciones mortales. Dos siglos después, Ferdinand Wolf rectificó muchas de sus noticias ingenuas, entre ellas

la fecha exacta del fallecimiento del poeta.

Cristóbal de Castillejo nació en la murada urbe de Ciudad Rodrigo entre los años de 1490 y 1494. Fue poco aficionado a los libros y mucho a las pedreas aledañas con los mozalbetes de jubón rasgado y beca en cualquier Colegio Mayor, abandonada por la aventura bélica y a la ventura. A los quince años fue llevado a la corte de don Fernando *el Católico* para servir como paje y maestro de ceremonias ladinas al archiduque Fernando, nieto segundo del rey. Inexplicablemente—soterraño su curso moral como el del Guadiana manchego—, ingresó en el monasterio de Santa María de Valdeiglesias, donde profesó de monje cisterciense y permaneció hasta 1525, año en el que abandona su retiro para encargarse de la secretaría de su antiguo señor, el archiduque Fernando, ahora rey de Bohemia, y más tarde de Romanos y de Hungría.

Aun cuando desde el islote suntuoso de Viena sostuvo grata correspondencia—de manera amanerada—con el abad de Valdeiglesias y aún siguió escribiendo poesías—a modo de acomodo—, en las que añoraba con falsía de pastor dieciochesco de porcelana y caja de música, relamido y alfeñicado, la bucólica...

> rústicos labradores,
> groseros y dasabridos,
> mas lozanos y polidos
> y lindos como unas flores...

su existencia transcurría y discurría cortesana, sensual, cálida de comezones endemoniados. Sus versos pringan nombres femeninos por los que se sugieren rostros lindos, ademanes lindos, lindas añagazas de alcoba. Inés... Mencía... Angela... Julia... Señora de Lerma... Ana de Aragón...

La gran pasión—¿platónica?, ¿melibeica?—de Castillejo fue Anna von Schaumburg, a la que dedicó trenos—1527—y la traducción—1528—de la *Historia de Píramo y Tisbe*. Anna tenía quince años cereales de piel, zarcos los ojos. Castillejo, cuarenta muy fofos de apariencia y muy febles de prestancia. Anna pertenecía a una de las familias más encumbradas del Imperio. Cristóbal no era sino un trotón ladino con ribetes de pícaro, pespuntes de socarrón y envés de epicúreo; y tenía cuatro gatos en la barriga. Anna se casó con el conde Erasmo de Etahremberg, gran señor, que más tarde embistió en cuatro idiomas. Y Cristóbal se amancebó con una buena moza de Holbein, de la que tuvo un hijo.

Ni la Fortuna, ni la Salud, ni la Gratitud le miraron con buenos ojos. Como secretario del rey, cobraba cien florines reneses y disponía de dos caballos; más tarde, por mediación del embajador Salinas, quien escribe que "por vista de mis ojos tengo mucha lástima de su pobreza", en 1530, el César Carlos I le concedió una pensión de 500 ducados en el obispado de Avila, y otra—en 1541—de 300 en el de Córdoba. Y aún se le llegó a designar para la vacante del obispado de Horbacia; renunciando Castillejo tal honor. De sus muchos alifafes mal curados con potingues él mismo se lamenta...

> Tiempo es ya, Castillejo,
> tiempo es de andar aquí,
> que me crecen los dolores
> y se me acorta el dormir,
> que me nacen muchas canas
> y arrugas otro que sí;
> ya no puedo estar en pie,
> ni al rey mi señor servir.

Por una vez, los favores de la Fortuna —que siempre se da tardía para darse menos y menos tiempo—le sonrieron hacia 1548. El rey le otorgó una asignación de dos mil florines, pagaderos en plazos mensuales de doscientos. No llegó a cobrar sino el plazo primero. Murió el día 12 de junio de 1550 y fue enterrado en la Neu Kloster Kirche, de Wiener Neustadt, a tres jornadas de Viena.

Agudo y gracioso, sencillo y picaresco, encantado en su nativa inspiración, Castillejo dominó plenamente el verso octosílabo y las estrofas del cancionero. No se crea, sin embargo, en un divorcio absoluto entre el poeta y el sentido renacentista. Espiritualmente pertenecía a él Castillejo con la misma plenitud de derecho que Boscán o que Cetina. "Su poesía—escribe Menéndez Pelayo— es, a pesar de su amable negligencia, una poesía de espíritu clásico y humanista; libre y audaz en la intención; viva, espontánea y fresca en su juvenil alegría."

Las obras de Castillejo pueden dividirse en: *de pasatiempo, de amores y morales*. Entre las del primer grupo cuentan sus composiciones de temática medieval y formas más rigurosamente ortodoxas, como *La transfiguración de un vizcaíno, gran bebedor de vino; Diálogo de las condiciones de las mujeres, Al agua, habiéndole mandado que bebiese vino; Diálogo entre el amor y su pluma* y el romance *Tiempo es ya, Castillejo*. En las obras *de amores*, dedicadas a varias hermosas mujeres—entre ellas a Anna de Schaumburg (su gran pasión) y doña Ana de Aragón—, es donde se encuentran más reminiscencias renacentistas; reminiscencias que se imponen al poeta sin que este se dé cuenta. Así, en la poesía que empieza: "Vuestros lindos ojos, Ana", se inspira parcialmente en Catulo; y en la *Historia de Píramo y Tisbe* imita a Ovidio; y en el *Sermón de amores* acude con frecuencia a Boc-

caccio. En las obras *morales* vuelve el poeta a su personalidad profundamente tradicional. El *Diálogo entre la Verdad y la Lisonja* tiene una intención profundamente filosófica y profundamente española. El *Diálogo entre la Memoria y el Olvido* conmueve por su senequismo.

Por haberse publicado las obras de Castillejo muy tarde—1573—, no debieron de contrarrestar con eficacia el movimiento italianizante de su época; pero sirvieron para inclinar abiertamente a lo castellano a poetas de la talla de Mendoza, Polo, Alcázar, Lope de Vega...

Dentro del cuadro de nuestra literatura, Cristóbal de Castillejo, personalidad de recio carácter, pertenece a la escuela poética castellana, tradicional y castiza, adversa y adversaria de la modalidad italianizante de métricas innovadas traídas a España por Boscán y glorificadas por Garcilaso.

Si bien es cierto que escribió mucho, resulta sumamente difícil *denominar sus obras*. La Colección Rivadeneyra no hace sino *citularlas conjuntamente* como *Poesías*.

Foulché Delbosc ha estudiado con gran competencia la bibliografía de Castillejo.

Sermón. S. 1. 1542. (Edición de F. D., 1916.)
Diálogo de mujeres. Venecia, 1544. S. 1. 1546. S. 1. 1567. Toledo, 1646. Venecia, 1553. Alcalá, 1615. Edición Pfandel, 1921.
Diálogo entre la Verdad y la Lisonja. Alcalá, año 1614.
Historia de Píramo y Tisbe. Alcalá, 1615.

De sus *Obras completas* hay ediciones de Madrid, 1573. Madrid, 1577. Amberes, 1582, en Casa de Pedro Bellero. Amberes, 1598, en Casa de Martín Nuttio. Madrid, 1600. Madrid, 1600 (edición subrepticia, mencionada por Pfandel). Madrid, 1600 (edición distinta de las anteriores). Madrid, 1792. Madrid, 1854 (edición Rivadeneyra). Madrid, 1926 (edición "La Lectura").

V. HENRÍQUEZ, Fr. Crisóstomo: *Phoenix reviviscens sive ordinis scriptorum Angliae et Hispaniae series*. Bruselas, 1626.—WOLF, Ferdinand: *Cristóbal de Castillejo's. Lobspruch der Stad Wien; Ueber Castillejo's Todesjahr*. 1849 y 1861. En Sitzungsberitche der Kaiserlichen Akademie der Wissenschaften.—NICOLAY, Clara Leonor: *The life and works of Cristóbal de Castillejo*. Philadelphia, 1910.—MENÉNDEZ PIDAL, Juan: *Datos para la biografía de Cristóbal de Castillejo*, en Boletín de la Academia Española, 1905.—HENRÍQUEZ DE UREÑA, Pedro: *La versificación irregular en la poesía castellana*. Madrid, 1920.—MENÉNDEZ PELAYO, M.: *Historia de la poesía castellana*.—FOULCHÉ-DELBOSC, R.: *Deux oeuvres de Cristóbal de Castillejo*, en *Revue Hispanique*, 1916. Tomo XXXVI.—PFANDL, Ludwig: *Diálogo de mujeres*, en *Revue Hispanique*, tomo LII.—DOMÍNGUEZ BORDONA, J.: Prólogo y notas a su edición de las obras de Cristóbal de Castillejo. Madrid, 1926. Cuatro tomos.

CASTILLO, Andrés del.

Novelista español. Nació—¿1615?—en Brihuega (Guadalajara). Murió después de 1680. Se desconocen detalles de su vida.

Obras: *La mojiganga del gesto*—Zaragoza, 1641, con seis novelas breves—, *Cuentos, historias y casos trágicos*—Madrid, 1734—, *La muerte del avariento y Guzmán de Juan de Dios*—novela que figura en la "Colección de novelas escogidas, compuestas por los mejores ingenios españoles", Madrid, 1789, tomo VII, y en el tomo XXXIII de la "Biblioteca de Autores Españoles"—, *Pagar con la misma prenda*—novela, en la "Colección de novelas escogidas..." ya mencionadas.

Castillo narra con soltura en un estilo llano, un tanto amanerado.

CASTILLO, Fernando o Hernando del.

Importante poeta español del siglo XVI. Se le debe una de las más interesantes recopilaciones poéticas españolas, la conocida con el nombre de *Cancionero general de muchos y diversos autores,* cuya primera edición conocida es la de Valencia—1514—, a la que siguieron las toledanas de 1517, 1520 y 1527, las sevillanas de 1535 y 1540 y las de Amberes de 1557 y 1573... En esta recopilación se suman poesías de más de 190 poetas, unos anteriores al siglo XV y de otros muchos anónimos, y abarca 984 composiciones. Existe en él un intento de clasificación: *obras de devoción, canciones, romances, invenciones, letras de justadores, motes, villancicos, preguntas; obras por autores; obras de burlas.*

En el *Cancionero general* figuran glosas, romances viejos y romances artísticos, firmados por Alonso de Cardona, Juan de Enzina, Proaza, Núñez, Soria... También figuran composiciones muy delicadas de poetas, como el marqués de Astorga, el vizconde de Altamira, Diego López de Haro, Garci Sánchez de Badajoz, Diego de San Pedro, el comendador Escrivá, Rodrigo de Cota, Cartagena, Costana, Guevara, Tapia, el comendador Román...

Aun cuando, como muy bien dijo Lope de Vega, el *Cancionero* se formó *a bulto* y contiene *desigualdades grandes,* es sumamente interesante por conservarnos mención de poetas de quienes ninguna obra se tiene.

Del *Cancionero general* hay dos ediciones modernas: la facsímil—de la ed. de 1520—, realizada por A. M. Huntingthon, Nueva York, 1904, y la que apareció—1882—en la edición de "Bibliófilos Españoles", dos tomos.

V. AMADOR DE LOS RÍOS, J.: *Historia crítica de la literatura española.* Tomo VI. Madrid, 1861.—MENÉNDEZ PELAYO, M.: *Antología de poetas castellanos.*

CASTILLO Y AYENSA, José del.

Escritor y humanista español. Nació —1795—en Lebrija (Sevilla). Murió—1861— en Madrid. Consejero real. Senador del reino. Académico de la Real Española de la Lengua. Ministro plenipotenciario ante los Pontífices Gregorio XVI y Pío IX. Figura en el *Catálogo de autoridades de la lengua,* publicado por la Academia Española.

Castillo y Ayensa realizó traducciones muy hermosas de las poesías de Anacreonte, Tirteo y Safo. Su obra más importante: *Historia crítica de las negociaciones en Roma desde la muerte de Fernando VII,* está escrita en una prosa limpia, castiza y clara.

CASTILLO-ELEJABEYTIA, Dictinio de.

Nació en El Ferrol del Caudillo el 11 de mayo de 1906. Cursó los estudios en la Facultad de Derecho de la Universidad de Santiago de Compostela, y los de Filosofía y Letras, en la de Murcia. Es oficial de la Marina de guerra, y navegó en varios buques de la escuadra. Actualmente es profesor de la Facultad de Filosofía y Letras en la Universidad de Murcia. Original y notable poeta.

Colaboró en publicaciones literarias como *Isla,* de Cádiz; *Santo y Seña, Fantasía, Garcilaso y Acanto,* de Madrid; *Mediterráneo,* de la Universidad de Valencia; *Al-Motamid,* de Larache; *Verbo,* de Alicante; *Azarbe,* de Murcia, etc.

Obras: *Nebulosas*—Madrid, 1934—, *La avena de Dafnis y otros poemas*—Madrid, 1943—, *La canción de los pinos*—Colección Adonais, Madrid, 1945—, *Dos leyendas compostelanas y tetrástrofos a nuestro señor Santiago*—en *Fantasía,* Madrid, 1945—, *En la Costa del Sol*—Murcia, 1946—, *Argos* —Madrid, 1947—, *Lirios de Compostela* —1949—, *O espello das brétemas*—1948, primer premio del Centro Gallego de la Habana.

Obras inéditas: *El amor, la muerte y los ángeles; Música y mármol, Poemas breves, Poemas en prosa.*

En 1942 fue galardonada su obra *La avena de Dafnis* con el "Premio Polo de Medina" por la Diputación Provincial de Murcia.

V. VALBUENA PRAT, Angel: Prólogo a la edición de *Argos,* 1947.—VALBUENA PRAT, Angel: *Historia de la literatura española.* Barcelona, Gili, 1950.—SAINZ DE ROBLES, F. C.: *Historia y antología de la poesía española.* Madrid, Aguilar, 1951, 2.ª edición.

C

CASTILLO Y GUEVARA, Sor Francisca Josefa del.

Escritora y poetisa mística. Nació—1671— y murió—1742—en Tunja (Colombia). A los dieciocho años de edad ingresó en el convento de Santa Clara, del que fue tres veces abadesa. Y murió en olor de santidad. Cuando, bastantes años después, exhumaron su cuerpo, estaba incorrupto.

Para Vergara y Vergara, fue "el escritor más notable de Colombia".

"En ella—escribe el docto Julio A. Leguizamón—se da, como en Santa Teresa de Jesús, el caso de una auténtica sabiduría sin previa formación. Con el de la Santa ha sido también comparado su lenguaje, menos donairoso, correcto, rico y profundo, pero igualmente castizo y algo más tierno y delicado. Como en aquella, también la comprensión nace del amor; una intuición sobrenatural le hace saltar con pie ligero los escollos de la erudición y exigencia formal... Si su prosa tiene la amplitud apasionada y vibrante de la oratoria, su poesía, en cambio, se reviste de la ternura del éxtasis susurrante."

En sus versos, remacha Arango Ferrer, "como en el *Cantar de los Cantares,* se siente una mística voz amorosa, impregnada de ausencias. Parafraseando una bellísima imagen del poeta Rafael Bernal Jiménez, "el alma mística le formó su niño de incienso".

Durante su vida conventual, la madre Castillo sufrió las envidias de sus compañeras, que la tachaban de visionaria y de soberbia. Pero sus confesores, dándose cuenta del valor de aquella alma, la animaron a escribir su vida y sus sentimientos. Ella así lo hizo en numerosos cuadernos, que entregaba a sus confesores y que estos ponían en manos de los familiares de la singularísima mujer. Muerta la cual, los parientes publicaron dos obras: *Sentimientos espirituales* —poesías, Bogotá, 1848—y *Vida de la venerable madre Francisca Josefa de la Concepción, escrita por ella*—Filadelfia, 1817.

V. ARANGO FERRER, Javier: *La literatura de Colombia.* Buenos Aires, 1940, Fac. de Filosofía y Letras.—BAYONA POSADA, N.: *Panorama de la literatura colombiana.* Bogotá, 1942.—VERGARA, José María: *Historia de la literatura en Nueva Granada. 1538 a 1820.* Bogotá, 1867-1905.

CASTILLO Y LANZAS, Joaquín del.

Poeta mexicano. Nació—1781—en Jalapa. Murió en 1878. Periodista entusiasta, político decidido y diplomático expertísimo. Representó a su país en Inglaterra y en los Estados Unidos. Viajó por Italia, Francia, España y Portugal. Poseyó grandes conocimientos de las literaturas de estos países.

Dominó el inglés y el francés. Y tradujo poemas de Byron, Shelley, Hemans, Lamartine, Hugo...

Su poesía más famosa es la titulada *A la victoria de Tamaulipas,* de la que dice Menéndez Pelayo: "Poesía kilométrica que tiene mucho de faceta en verso, y que en sus mejores pasajes no pasa de imitación harto servil del *Canto a la victoria de Junín,* resultando Castillo tan inferior a Olmedo, como inferiores eran los generales Santa Ana y Terán, que disiparon la descabellada intentona de Barradas, al que se llamó Simón Bolívar..."

Sus poesías, con el título de *Ocios juveniles,* fueron impresas—1835—en Filadelfia.

V. MENÉNDEZ PELAYO, M.: *Historia de la poesía hispanoamericana.* Madrid, 1911, tomo I, págs. 110-111.—ARRÓNIZ, Marcos: *Manual de biografías mexicanas.* París, 1857. SOSA, Francisco: *Biografías de mexicanos distinguidos.* México, 1884.—PIMENTEL, Francisco: *Historia crítica de la literatura en México.* México, 1883.

CASTILLO NAVARRO, José María.

Novelista español. Nació en 1927. Carecemos de datos acerca de su vida, aun cuando él, en sus declaraciones, ha dado a entender que ha realizado incontables oficios para subsistir. En 1958 le fue concedido el "Premio Ciudad de Barcelona".

Castillo Navarro cultiva un realismo "negro", desgarrado, cruelísimo, apenas edulcorado con un levísimo contrapunto de ternura lírica. Pero, además, en su realismo pone Castillo Navarro, algunas veces, una digresión fantástica, un como ensueño que se desgarra en pesadilla. El novelista construye con gran agilidad y escribe con un lenguaje "oscuro" e impresionante que rima bien con los temas.

Obras: *La sal viste de luto*—Barcelona, 1957—, *Con la lengua fuera*—Barcelona, 1957—, *Las uñas del miedo*—Barcelona, 1958—, *Las cruzadas sobre el halda*—Barcelona, 1959—, *Caridad la negra*—Barcelona, 1961, *Los perros mueren en la calle*—1961.

V. ALBORG, José Luis: *Hora actual de la novela española.* Madrid, Taurus, 1962, tomo II, págs. 405-432.

CASTILLO-PUCHE, José Luis.

Novelista y periodista. Nació—1919—en Yecla (Murcia). Estudió en el Seminario y en la Universidad Pontificia de Comillas. Cursó las enseñanzas de la Escuela Oficial de Periodismo. Durante algún tiempo ha trabajado en el Instituto de Cultura Hispánica. Ha viajado por Africa y América Hispana, describiendo sus viajes en reportajes muy amenos y pegados a la verdad.

Como novelista prefiere los temas sociales con respingos y resabios truculentos. Su realismo, en ocasiones brutal, tiene sus raíces en el vicio, en la miseria, en las inmoralidades públicas. Y tanta fe y tanto fuego pone en sus novelas "testimonios", en sus novelas "documentos", que, a veces, las convierte en auténticos reportajes. Castillo-Puche tiene su estilo y su vocabulario "en la línea" de los Baroja, Solana, Eugenio Noel, sino que ganándoles, con mucho, en su prodigalidad de frases malsonantes y excrementicias, en "tacos". Castillo-Puche narra con maestría, construye sabiamente, y mide "al milímetro" los efectos tanto de las descripciones como de sus diálogos.

Obras: *Sin camino*—novela, Buenos Aires, 1957—, *Con la muerte al hombro*—novela, Madrid, 1954—, *El vengador*—novela, Barcelona, 1956—, *Hicieron partes*—novela, Madrid, 1957—, *Memorias íntimas de Aviraneta* —Madrid, 1953—, *Paralelo 40*—Barcelona, 1963—, *Oro blanco*—1963—, *América de cabo a rabo*—Madrid, 1959—, *El Congo estrena libertad*—1961—, *Guía de la Costa Blanca y de la Costa de la Luz*—1964—, *Castilla sube a Los Andes*—1965—, *Hemingway entre la vida y la muerte...*

V. ALBORG, José Luis: *Hora actual de la novela española*. Madrid, Taurus, 1958, tomo I, págs. 281-304.—NORA, Eugenio G. de: *La novela española contemporánea*. Madrid, edit. Gredos, 1962, tomo II bis, págs. 203-207.—PÉREZ MINIK, D.: *Novelistas de los siglos XIX y XX*. Madrid, edit. Guadarrama, 1957, pág. 340.

CASTILLO SOLÓRZANO, Alonso del.

Gran poeta, novelista y autor dramático español. Nació—1584—en Tordesillas (Valladolid). Murió—¿1647?—, posiblemente, en Zaragoza. Lope de Vega—en *El Laurel de Apolo*—y La Barrera—en el *Catálogo del teatro español*—afirman que Castillo fue natural de Madrid. Pero Cotarelo Mori encontró su partida de bautismo y la publicó al frente de su edición de *La niña de los embustes,* del ingenioso autor. El padre de Castillo Solórzano era camarero del duque de Alba, y se llamaba don Francisco; su madre, doña Ana Griján, era de mediana alcurnia. Alonso debió de estudiar algo en Salamanca, según conoce la vida estudiantil de aquella ciudad. En 1619 se hallaba en Madrid, codeándose con todos los ingenios literarios. En 1621 le eligió "Tirso de Molina", con Lope, para que celebrase sus *Cigarrales* con una décima. Y en 1622 concurrió a la Justa poética de la canonización de San Isidro con unas décimas y un soneto a su propio nombre, y el del seudónimo del *Bachiller Lesmes Díaz de Calahorra,* con otras décimas y un romance, obteniendo este último el tercer premio, aunque no se lo dieron "por mudarse el nombre".

Castillo Solórzano fue asiduo concurrente a la academia de don Sebastián Francisco de Medrano, "y sobre su calva le picó Pantaleón de Ribera en el *Vejamen* que allí leyó". Era gentilhombre del marqués del Villar, don Juan de Zúñiga Requeséns. Más tarde entró al servicio del marqués de los Vélez, virrey, a la sazón, de Valencia, a quien acompañó a Cataluña, Roma y Sicilia, pingües destinos de capitán general, embajador y virrey, respectivamente, que desempeñó el de los Vélez. Algunos críticos opinan que Castillo Solórzano debió de morir en Roma, Nápoles o Palermo; en esta última ciudad murió su señor el marqués —1647—, a consecuencia del motín de José Alessi. Ello es que Solórzano era ya difunto en 1648.

En Madrid—1624 y 1625—aparecieron las dos partes de *Donaires del Parnaso,* colección de poesías jocosas y satíricas sobre costumbres y defectos físicos y morales de personas, parodias y fábulas tratadas a lo burlesco, "que rebosan vis cómica, intención satírica, ni profunda ni sangrienta".

En Madrid, y en 1625, publicó las seis novelas breves que componen la obra *Tardes entretenidas,* de muy amena lectura, de mucho ingenio y de un lenguaje natural, sencillo y gracioso. En 1626 publicó *Jornadas alegres*—cinco novelas—; en 1627, *Tiempo de regocijo y Carnestolendas en Madrid,* con tres novelas, un entremés y varias poesías líricas; en 1628, *Escarmientos de amor moralizados;* en 1629, y en Valencia, *Lisardo enamorado y Huerta de Valencia, prosas y versos* [leídos] *en las Academias della,* con cuatro novelas y una comedia; en 1631, en Barcelona, *Noche de plazer. En que contiene doce novelas,* y *Las harpías de Madrid;* en 1632, en Barcelona, *La niña de los embustes, Teresa de Mançanares;* en 1633, en Barcelona, *Los amantes andaluces;* en 1634, *Fiestas del jardín;* en 1635, en Valencia, el *Sagrario de Valencia;* en 1636, en Zaragoza, *Patrón de Alcira el glorioso mártir San Bernardo;* en 1637, *Aventuras del bachiller Trapaza,* una de las mejores del autor; en 1638, en Zaragoza, *Historia de Marco Antonio y Cleopatra y Epítome de la vida y hechos del rey don Pedro III de Aragón;* en 1639 terminó—pero no fue impresa hasta 1649—su *Sala de recreación,* con cinco novelas y una comedia; en 1640, y en Barcelona, *Los alivios de Casandra,* con cinco novelas y una comedia; en 1642, y en Nápoles, *La Garduña de Sevilla,* su obra maestra, novela extensa, en la que van intercaladas tres novelas breves: *Quien todo lo quiere, todo lo pierde;*

El conde de las Legumbres y *A lo que obliga el honor.* Aún cabe atribuir, con muchas probabilidades de acierto, a Castillo Solórzano las novelas contenidas en *La Quinta de Laura,* obra publicada—1649—en Zaragoza.

Solórzano escribió, además: siete comedias, un auto sacramental, cinco entremess y acaso otras piezas que no conocemos. Entre estas obras escénicas destacan: *El marqués del Cigarral*—plagiada por el francés Scarron en *Don Japhet d'Armenie*—y *El mayorazgo figura*—comedias—, y *El barbador, El casamentero* y *La castañera,* entremeses.

Pérez de Montalbán—en su *Orpheo*—afirma que las calidades de Castillo Solórzano son "gracia, donaire, ingenio y dulce lira". Y, en efecto, lo fueron. Gracia para contar, donaire para salpicar con agudeza y sales sus relatos; ingenio, para urdir mañosamente las historias y desenlazarlas; dulzura en el decir natural, sin bajeza ni hinchazón.

Castillo Solórzano es uno de los mejores novelistas españoles de todos los tiempos. Sus novelas breves no fueron aventajadas en su época sino por las "ejemplares", de Cervantes. Jamás cayó en el culteranismo, y aun lo ridiculizó en *El culto graduado;* pero sí se picó un tanto de conceptismo, aunque sin exceso; lo justo para mostrarse fino y sutil. El estilo de Solórzano es terso y noble; sus agudezas tocan lo excelente; sus sátiras no llegan a lo mordaz; su invención es siempre fresca y original; su picardía, alegre y humana, nunca se pierde en lo indecoroso.

Cotarelo Mori, entre 1906 y 1907, publicó —Madrid—las *Novelas* de Solórzano en varios tomos de la "Colección de Antiguas Novelas Españolas". También contiene algunas el tomo XXXIII de la "Biblioteca de Autores Españoles". Los *Entremeses* pueden leerse en el tomo XVII de la "Nueva Biblioteca de Autores Españoles".

V. COTARELO MORI, Emilio: Prólogos a las ediciones de C. S. Madrid, 1906-1907.—GARCÍA GÓMEZ, E.: *Boccaccio y Castillo Solórzano,* en *Rev. de Filología Española,* 1928.—RUIZ MORCUENDE, F.: Prólogo a la edición de C. S. en *Clásicos Castellanos.* Madrid.—VALBUENA PRAT, A.: *La Novela Picaresca Española.* Madrid, Aguilar, 1945.

CASTILLO Y SORIANO, José del.

Escritor y autor dramático español. Nació —1849—en Madrid. Y murió ya muy entrado el siglo XX, sin que hayamos podido precisar la fecha. Estudió el bachillerato en el Instituto de San Isidro. Licenciado en Leyes por la Universidad Central. Representante del Gobierno español en el Congreso Internacional Literario y Artístico de Venecia. Gobernador civil. Jefe del Cuerpo Facultativo de Archiveros-Bibliotecarios-Arqueólogos. Secretario perpetuo de la Asociación de Escritores y Artistas. En los periódicos usó el seudónimo de *Sotillo.* Director, a los dieciséis años de edad, de *El Arco Iris;* después, de *El Eco de Burgos, El Cascabel*—de Madrid—; redactor de otros muchos periódicos: *El Tiempo,* la *Correspondencia de España...*

Entre sus principales obras *no teatrales* cuentan: *Romances*—1873—, *Versos*—1879—, *Los españoles de hoy*—1889—, *Cuentos* —1904—, *Núñez de Arce. Apuntes para una biografía*—1904—, *Versos de antaño*—1916.

Entre sus obras escénicas: *Doña María Pacheco, El sombrero del ministro, La fiesta de San Isidro, Las costumbres de la marquesa, Los barrios bajos, La conciencia, Contra soberbia, humildad; El segundo mandamiento, El fonógrafo, Una tempestad de verano...*

CASTRESANA, Luis de.

Novelista, cuentista, ensayista y biógrafo. Nació—1925—en Ugarte, San Salvador del Valle (Vizcaya). "Premio Nacional de Literatura Miguel de Cervantes, 1968".

Obras: *Nosotros los leprosos, Gente en el hotel, La posada del Bergantín, Un puñado de tierra, La muerte viaja sola, La frontera del hombre, El otro árbol de Guernica, Josechu y la señora,* todas ellas novelas. Biografías: *Dostoiewsky, Rasputin, Catalina de Erauso, la Monja Alférez.* Ensayos: *Elogios, asperezas y nostalgias del País Vasco, Inglaterra vista por los españoles, Europa de punta a punta.*

CASTRO, Américo.

Notable filólogo, crítico y ensayista español. Nació—1885—en el Brasil, de padres españoles. Murió—25 de julio de 1972—en Lloret de Mar (Barcelona). Doctor en Derecho y en Letras. Educado científicamente en Alemania y en la Sorbona de París. Discípulo destacado de Menéndez Pidal y de Giner de los Ríos. Director de la Sección de Lexicografía en el Centro de Estudios Históricos, de Madrid. Catedrático—1915—de Historia de la Lengua española en la Universidad Central. Profesor honorario de las Universidades de La Plata, Santiago de Chile y México y de la Columbia University, de Nueva York. Conferenciante ilustre y solicitado por toda Europa y América. Oficial de la Legión de Honor. Académico correspondiente de la de Buenas Letras de Barcelona. Colaborador de la gran *Revista de Filología Española.* Embajador de la República Española en Berlín. En 1953 fue nombrado *Profesor Emeritus* por la Universidad de Princeton.

Obras: *El elemento extraño en el lenguaje*

C

—Bilbao, 1921—, *La enseñanza del español en España*—Madrid, 1922—, *Lengua, enseñanza y literatura*—Madrid, 1924—; *El nuevo Diccionario de la Academia Española*—Madrid, 1925—, *Vida de Lope de Vega*—Madrid, 1919—, *El pensamiento de Cervantes*—Madrid, 1925—, *Don Juan en la literatura española*—Buenos Aires, 1924—, *Santa Teresa y otros ensayos*—Madrid, ¿1932?—, *Juan de Mal Lara y su "Filosofía vulgar"*—Madrid, 1925, en el *Homenaje a Menéndez Pidal*—, *Iberoamérica: su presente y su pasado* —Nueva York, 1941—, *España en su historia: cristianos, moros y judíos*—Buenos Aires, Losada, 1948—, *Los prólogos al "Quijote"* —Buenos Aires, 1941—, *Lo hispánico y el erasmismo*—Buenos Aires, 1942—, *Castilla la gentil*—México, 1944—, *Antonio de Guevara*—Princeton, 1945—, *La realidad histórica de España*—México, 1954, libro polémico y fundamental—, *Semblanzas y estudios españoles*—1956, homenaje de sus alumnos de Princeton—, *Hacia Cervantes*—Madrid, 1958—, *Origen, ser y existir de los españoles* —Madrid, 1959—, *De la edad conflictiva* —Madrid, 1961—, *La peculiaridad lingüística rioplatense*—Madrid, 1961.

Américo Castro ha comentado, prologado y anotado primorosas ediciones de Lope—*El Isidro* y *La Dorotea* y varias comedias—; Rojas Zorrilla—*Cada cual lo que le toca* y *La viña de Nabot*—; de "Tirso de Molina" —*El condenado por desconfiado, El burlador de Sevilla* y *El vergonzoso en Palacio*—; de Quevedo—*El buscón*—; de los *Fueros leoneses de Zamora, Salamanca, Ledesma y Alba de Tormes*. Y ha prologado, anotado y traducido la *Introducción a la lingüística románica*, de W. Meyer-Lübke.

Américo de Castro es uno de los más ilustres críticos y filólogos de la España actual.

V. para una extensa bibliografía—artículos en diarios y revistas—de Américo Castro: Río, Angel, y Benardete, M. J.: *El concepto contemporáneo de España. Antología de ensayos. 1895-1931.* Buenos Aires, Losada, 1946, págs. 589-590.

CASTRO, Manuel.

Nació en Rosario de Santa Fe (Argentina) en 1898, pasando, niño aún, a educarse en el Seminario Conciliar de Concepción (Chile), al lado de su tío, el presbítero don Manuel de Castro y Cobas, profesor de Latín, Filosofía y Gramática de dicho seminario. En viaje a España, de donde el citado sacerdote era oriundo, falleció en Montevideo, quedando completamente desamparado. Ya de adolescente, ejerció innumerables oficios, radicándose definitivamente en el Uruguay, y adquiriendo, años más tarde, la ciudadanía legal. Ingresó en la burocracia uruguaya, donde permaneció largos años. Actualmente es catedrático de los Institutos Normales.

Obras publicadas: *Lámpara, Meridión, Pregón diciendo de la muerte de Manuel Rodríguez, "Manolete"*—opúsculo—, *Retorno, Hernandarias, Historia de un pequeño funcionario*—novela, "Premio Centenario, 1930", del Ministerio de Instrucción Pública—, *El Padre Samuel*—segunda edición, premio por unanimidad de votos en 1938, del mismo Ministerio. Acaba de recibir el "Premio Poesía de 1951" con sus obras *Retorno* y *Hernandarias*. Anuncia para en breve un libro de cuentos: *El ojo que parece y no es*, y una novela: *Gabriel Buscavidas*.

En 1938 fue enviado en viaje de estudios a Europa, siendo huésped oficial del Consejo Británico de Cultura, y recorriendo Gran Bretaña, Bélgica, Francia, España y Portugal. Colabora en las revistas *Alfar, Repertorio Americano, Espadaña, Revista Nacional de Montevideo* y diario *Clarín,* de Buenos Aires.

CASTRO, Rosalía de.

Famosa poetisa y novelista española. 1837-1885. Nació en Santiago de Compostela. De naturaleza enfermiza, vivió una infancia melancólica y solitaria. Compuso sus primeros versos a los once años. Y ella misma los leyó en el Liceo de San Agustín, de su ciudad natal. Contrajo matrimonio a los veinte años con don Manuel Murguía, erudito cronista de Galicia. En 1872, a ruegos de su esposo, publicó sus *Cantares gallegos*, que la hicieron célebre en unos meses. *Follas novas* y *En las orillas del Sar* contienen sus composiciones poéticas más famosas. Rosalía de Castro merece figurar como precursora del movimiento de renovación métrica en la poesía castellana. Algún crítico ha designado a Rosalía como "el Bécquer femenino". La comparación es muy justa. Nada más dulce, íntimo, inspirado y natural que la inspiración de la gran poetisa gallega, ídolo de su tierra.

Rosalía nació en Galicia, vivió en Galicia, se casó en Galicia, murió en Galicia—en Iria, Padrón—. Vida sencilla. Vida recogida. Vida de perenne introspección. Cada día, al parecer, vivir para el mismo afán. Cada día, al parecer, desvivirse con la misma impresionante imperturbabilidad. Monotonía. ¡Terrible roerroe para un alma soñadora como la de Rosalía! ¡Tener alas y estar enjaulada! Porque Rosalía forma con Bécquer la pareja romántica más esencial en la poesía del siglo XIX, la menos afectada de retórica, la más original y sencilla en su lirismo turbador. Hizo poesías en gallego y en castellano, delicadas, elegíacas soñadoras, henchidas de suavidad y de dulzura y del sentimiento íntimo tan propio de su raza.

No se sujetó a métrica alguna; no obedeció sino a la cadencia. De su pasión por la Naturaleza y del perenne estado melancólico de su alma, fundidos, logró un lirismo incopiable, de una inefable sugestión. Sinceros, del alma, y cuajados de penas vividas con sus versos.

Subjetivismo puro y absoluto hay en su único libro de poesías castellanas *En las orillas del Sar,* en el que la poesía "se crea ahondándose, interiorizándose; en un vehemente impulso centrípeto. Es el único reflejo de las cosas, el más íntimo halo que las envuelve o dignifica... Es el latido cósmico penetrando en la carne, la sensibilidad, el espíritu. Es el mundo corriendo hacia grutas del alma, para quedar ahí hecho temblor, aroma, brillo" (P. Clotet). El hilo de oro del amor más intenso engarza las piedras del libro: alegrías, ilusiones, desengaños, dolores...

> Inexplicable angustia,
> hondo dolor del alma,
> recuerdo que no muere,
> deseo que no acaba...

En las orillas del Sar..., ¡qué acendrada visión de las cosas! Las márgenes del río amigo, la dulzura del huerto recóndito que ha removido sus sentimientos, las arboledas centenarias, la tierra húmeda de perfume turbador, un como vaho de tristeza envolviendo todas las cosas, cierta influencia astral que obsesiona hacia lo invisible y misterioso, el incontenible dolor de morir *gota a gota.* Tres son los mundos poéticos de Rosalía: el de la realidad, el del sentimiento y el del ensueño. En el primero, Rosalía es una sombra; en el segundo, es un patetismo en carne viva; en el tercero, un alma en pena.

De la comprensión admirable que Rosalía tiene del paisaje habla "Azorín": "En la lírica de Rosalía hay un profundo sentimiento del ambiente y del paisaje de Galicia; pocos escritores reflejaron con tanta fidelidad un determinado medio. Rosalía, fina, sensitiva, dolorosa, ha traído al arte esos elementos de vaguedad, de melancolía, de misterio, de sentido difuso de la muerte..."

Como síntesis de la situación espiritual y sensible de Rosalía, podría decirse que fue un ser conmovido sin tregua por un miedo inconcreto y por un afán indefinible, *milenarios.*

Otras obras de Rosalía de Castro: *La flor* —poesías, 1857, Madrid—, *La hija del mar* —novela, Vigo, 1859—, *Flavio*—novela, Madrid, 1861—, *A mi madre*—poesías, Vigo, 1863—, *Ruinas*—Vigo, 1864—, *El caballero*

de las botas azules—novela, Lugo, 1867—, *El primer loco (cuento extraño)*—Lugo, 1881—, *Cinco poesías*—Madrid, 1905.

La edición más perfecta y completa de las *Obras* de Rosalía de Castro es la publicada por la Editorial M. Aguilar, Madrid, 1944, preparada y prologada por García Martí.

V. MURGUÍA, M.: *Los precursores.* La Coruña, 1886.—VALES FAILDE, V.: *Rosalía de Castro.* Madrid, 1906.—GARCÍA MARTÍ, V.: *Rosalía de Castro.* Prólogo a sus *Obras completas.* Madrid, M. Aguilar, 1944.—GONZÁLEZ BESADA, A.: *Rosalía de Castro. Notas biográficas.* Madrid, 1916.—PROL BLAS, José S.: *Estudio biobibliográfico-crítico de las obras de Rosalía de Castro.* 1917.—"AZORÍN": *Clásicos y modernos.* Madrid, 1913.—COUCEIRO FREIJOMIL, Antonio: *El idioma gallego. (Historia. Gramática. Literatura.)* Barcelona, 1935. COUCEIRO FREIJOMIL, Antonio: *Diccionario biobibliográfico de escritores gallegos.* Tomo I (A-E). Santiago de Compostela, 1951.

CASTRO Y ANAYA, Pedro de.

Poeta de singular ingenio. ¿1603-1659? Nació en Murcia, según se declara en la portada de su obra *Las auroras de Diana* —1637—, de la que Lope dijo: "Quien se entretuviere en su lección podrá coger muchas flores de sus elegantes versos y no pequeño fruto de sus estudios poéticos."

Sus epigramas contienen rasgos agudísimos. Y, según Adolfo de Castro: "La canción a Clori viendo enamorarse a dos palomas es, en el género erótico, de lo mejor que hay en castellano. Para mí, aventaja a la de Góngora a Clori presentándole un ramo de flores."

Castro y Anaya fue un magnífico soldado en Nápoles y en Milán. Como poeta, ya se había dado a conocer—1622—con unos versos publicados en su *Corona poética,* que Murcia dedicó a la muerte de Felipe III. Otros versos suyos muy notables se encuentran en las *Lágrimas panegíricas,* consagradas a Pérez de Montalbán; en las *Alabanzas a la casa de juego,* de Francisco de Navarrete, y a *El más desdichado amante,* de don Jacinto Abad de Ayala.

Figura Castro y Anaya en el *Diccionario de autoridades* de la Academia.

V. QUIROGA FAJARDO: *Defensa de la tortura y leyes patrias.* Madrid, 1778.—BIBLIOTECA DE AUTORES ESPAÑOLES. Tomo XLII.

CASTRO Y BELLVIS, Guillén de.

Magnífico poeta y dramático español. 1569-1631. La Academia de San Carlos, de Valencia, conserva un buen retrato suyo, al parecer auténtico. Fue Guillén de Castro y Bellvis hombre fuerte, alto—y altivo—, bilioso y vidrioso y crespo... Muy engallado siempre.

Muy atufado. Pendiente de su ascendencia hidalga. Por línea paterna creía descender nada menos que de Laín Calvo, viejo juez de Castilla, cuando Castilla no hacía aún sino hacer sus hombres. Por la línea materna juraba descender del rey don Juan I de Aragón. Tárrega, el dramaturgo amigo, le daba alas, afirmando en *El prado de Valencia* que Guillén era uno de los noventa y dos valencianos ilustres por los cuatro costados. Guillén de Castro llevó toda su vida abierta la caja de los humos...

Nació en Valencia este insigne dramático, en una familia muy selecta de escritores. Dos parientes suyos, fray Francisco de Castro y Guillén de Bellvis ya figuraban como miembros de la Academia de Nocturnos, con los seudónimos de "Lluvia" y "Consejo". Y con el de "Secreto", contando veintitrés años, perteneció Guillén a la misma Academia. Lope de Vega, desterrado de Madrid, permaneció en Valencia dos años, entre 1595 y 1597. ¿Trabaron entonces amistad grande, imperturbable, el Fénix y Castro? Es más que probable. De esta época data la huella indeleble que en el alma del valenciano dejó el luminoso apasionamiento del alma del madrileño. Sin que ello quiera decir que, ya antes, no estuviera Castro picado de la tarántula de la poesía dramática, cosa que prueban las actas literarias de los Nocturnos —Academia inaugurada en octubre de 1591 y disuelta en abril de 1594—, en las que se registran veinticinco piezas en verso y cuatro discursos de nuestro dramaturgo, niño prodigio y bastante incordiante.

En 1600 ya figuraba —testimonia Gaspar Mercader— como figura destacadísima en la cohorte de poetas que honraban su ciudad natal. Pero sus afanes eran aún más apremiantes. Intentaba desvivirse, como Lope, a puros trances de vida. Años antes, en 1595, consumó su primera boda desdichada con doña Marquesa Girón de Robolledo, hija de los señores de Andilla, hembra insufrible, que le hizo renegar de la coyunda en diferentes comedias—*Los mal casados de Valencia, El renegado arrepentido, Allá van leyes...*—y proclamar en versos peyorativos la mala fortuna de la unión sacramental y legítima.

> ¡Qué cerca está de villano
> el hidalgo que se casa!...
>
> ....
>
> ... ¡Oh matrimonio,
> yugo pesado y violento,
> si no fueras sacramento
> dixera que eras demonio!
>
> ....
>
> ....
>
> Porque el ser casado, ¿a quién
> le da más pena que a mí?

Para olvidar estas penas y trifulcas del hogar, y para airear por el mundo el calificativo de par de Lope que ya se le daba—según nos cuenta Agustín Rojas en su *Viaje entretenido*—, Guillén de Castro se entregó con fruición a las empresas bélicas, alternándolas con las poéticas. Hacia 1604 desempeñaba el cargo de capitán del Grao, de Valencia, y como tal mandaba una compañía de jinetes armados, que tenía, entre otras incumbencias, la de vigilar desde la atalaya por la seguridad del puerto, evitando el desembarco de piratas argelinos. Vigilias impresionantes. Cabalgadas trágicas. Estocadas. Alaridos. Escarceos galantes so capa de su romántica graduación y de su virilidad grifa. Y con motivo de sucesos no muy claros—¿amoríos?, ¿duelo?, ¿cohecho?—, su huida de Valencia, su peregrinación por los campos granadinos y su llegada—luego de una navegación con viento próspero—a la vieja Parthénope. En Italia no le fue hostil la fortuna. Llegó, vio y..., en 1607, el virrey de Nápoles, conde de Benavente, le nombró gobernador de Scigliano, en la Calabria citerior, cargo de mucho figurón y de no floja bicoca crematística. Pero le tiraba la tierra nativa. Quizá algún otro jaleo gordo, en que se metió hasta las narices, le devolvió a Valencia, donde ya vivía en 1609 y en 1612 y en 1613. En 1619 intentó resucitar la Academia de los Nocturnos con el título de los "Montañeses del Parnaso", y ya había arrinconado la espada de los lauros activos y había dado a conocer a sus paisanos nuevos dramas y comedias. En 1619 se estableció en Madrid, al servicio del marqués de Peñafiel, hijo primogénito del duque de Osuna, quien le donó el cortijo y donadío de Casablanca, prenda que cedió Guillén a su hermana Magdalena—1620—, e hipotecó más tarde —1623—al mercader Gaspar Sáez de Viteri por 600 reales, "precio de treinta y cinco varas de tercianela negra" para presumir.

En Madrid su fama bogó viento en popa. Ingresó en la Academia Poética, codeándose y hombreándose con Lope, "Tirso", Góngora, Quevedo, Calderón, Alarcón. Tomó parte —1620 y 1622—en los certámenes poéticos celebrados por la villa con motivo de la beatificación y canonización de San Isidro, mereciendo primeros premios. Lope le dedicó —1619—su obra *Las almenas de Toro*. Fue investido caballero del hábito de Santiago en 1623, con los doce mil maravedises de renta ligados a dicho título. Al año siguiente, un traspiés y el susto consiguiente. Se le acusa de haber inducido a un tal Juan Jerónimo Montañés, delincuente habitual valenciano, a matar a cierto caballerizo del nuncio. Ha de esconderse durante unos meses. 1626. Un traspiés más grave, con caída y más que el susto: se casa por segunda vez con doña Angela María Salgado, de veinticinco años de edad—¡treinta y dos más joven que él!—, dama de doña Isabel de Sandoval y Padilla, mujer de don Juan Téllez Girón, y hembra doña Angela que si aportó como dote novecientos escudos en dinero, renta y bienes muebles, le sumió en hondísima tribulación, ya que era vana, frívola y mal intencionada, y le debió poner en seguida en ridículo. Desde este año matrimonial hasta el de su muerte, Guillén de Castro no vive sino trabajos y tribulaciones. Lleno de lauros poéticos, pero pobre de solemnidad, sin apenas poder escribir, caída su gallardía, bazuqueado por las dolencias físicas, olvidado de los amigos, muere el 28 de julio de 1631. Su cuerpo fue enterrado—según él lo había dispuesto entre los últimos ayes del alma pugnando por descorporeizarse—en el Hospital de la Corona de Aragón, establecido en el templo de Nuestra Señora de Montserrat, de Madrid.

En 1620, Lope de Vega escribe al conde de Lemos. "Paso... entre librillos y flores de un huerto lo que ya queda de la vida, que no debe de ser mucho, compitiendo en enredos con Mira y don Guillén de Castro sobre cuál los hace mejores en sus comedias. Cualquiera de estos dos ingenios pudiera servir mejor a v. exa. en esta ocasión."

Sí, mucho admiró a Guillén de Castro el Fénix.

Piden sus versos oro y bronce eterno,

proclama en El laurel de Apolo el madrileño genial, refiriéndose a los de Castro. Y Montalbán, en su Orfeo:

Del valenciano Eurípides la lira
tan digna del romano Anfiteatro,
me diera en la tragedia y en la historia
por don Guillén de Castro honor y gloria.

Años más tarde, el mismo Lope le alabó "vivo ingenio, el rayo, el espíritu ardiente".

Guillén de Castro fue uno de los más fervorosos y admirables dramaturgos de la escuela de Lope. Su versificación es suave, inspirada, casi nunca efectista. Su técnica es sobria, sin que desdeñe los motivos apasionados que alargan o distraen la acción principal. Tiene aficiones novelescas y trágicas. Se caracteriza por un tono de sobria mesura. Es un buen psicólogo, que no intenta hacer nunca demasiado hincapié en la psicología de sus personajes. Se muestra aficionado contumaz a los romances históricos y caballerescos. Como un dorado viento levantino de serenidad envuelve sus obras más patéticas.

Las obras de Guillén de Castro se dividen en: a) Históricas—Las mocedades y hazañas del Cid, El más impropio verdugo, La humildad soberbia—. b) De costumbres y capa y espada—Los mal casados de Valencia, El narciso en su opinión, El curioso impertinente—. c) Mitológicas—Progno y Filomena, Los amores de Dido y Eneas—. d) Caballerescas—El conde de Alarcos—; y e) Dramáticas—Engañarse engañando, Pretender con pobreza.

Las más hermosas obras de Guillén, y unas de las más perfectas y emocionantes de nuestro mejor teatro, son Las mocedades del Cid y Hazañas del Cid, interpretación genial de un héroe medieval a través de los romances. En estas obras acertó Guillén de Castro a impersonalizarse en absoluto, haciendo vivir a su héroe con toda su imponente personalidad. P. Corneille sacó su Cid de esta obra de Castro, quedando muy por bajo del modelo, según reconocen los propios franceses.

Las principales ediciones de las obras de Guillén de Castro son: Primera parte de las comedias—1618—. Comedias—en la "Biblioteca de Autores Españoles", tomo XLIII—. Obras completas—edición de la Academia Española, tres tomos, Madrid, 1924—. Las mocedades y Hazañas del Cid—"Clásicos Castellanos La Lectura", 1913.

V. JULIÁ, Eduardo: Prólogo y estudios a los tres tomos de Obras completas de Guillén de Castro, publicados por la Academia Española. 1924.—SAID ARMESTO, Víctor: Estudio a Las mocedades y Hazañas del Cid. "Clásicos Castellanos La Lectura", tomo XV, 1913.—MARTÍ GRAJALES, F.: Poetas valencianos. Madrid, 1927.—MÉRIMÉE, H.: L'arte dramatique à Valencia. Toulouse, 1913.—MÉRIMÉE, H.: Spectacles e comédiens à Valencia. Toulouse, 1913.—MÉRIMÉE, H.: Pour la biograpie de don Guillén de Castro, en Rev. des Langues Romanes, 1917.—RUGGIERI, J.: Le Cid de Corneille et "Las mocedades del Cid" de Guillén de Castro, en Archivum Romanicum, 1930.—SEGOLL, J. D.: Corneille and the Spanish Drama. Nueva York, 1902.—HOLLAND, Lord: Some account on the Life and Writings of Lope de Vega and Guilhem de Castro. Londres, 1817.

CASTRO CALVO, José María.

Ensayista y crítico literario español. Nació—1903—en Zaragoza. Estudió en la Universidad de Barcelona, de la que es catedrático de Literatura Española. Miembro de número de la Academia de Buenas Letras de Barcelona. Del Consejo Superior de Investigaciones Científicas. Miembro correspondiente de la Real Academia de la Historia.

Obras: Contribución a la obra de Miguel Servet, El arte de gobernar en la obra del infante don Juan Manuel, La Virgen y la *poesía, Ante el misterio, Valores universales de la literatura española, Guimerá, Una biografía vulgar, Entre dos crepúsculos, Vivir y cavilar, Rubén Darío y el modernismo, Filosofía del dinero, Manuel Cabaynes y su época, Valores universales de la literatura española, La Vida y el camino, Historia de la literatura española*—dos tomos.

CASTRO Y GUTIÉRREZ, Cristóbal de.

Poeta, periodista, crítico y novelista español. Nació—1880—en Iznájar (Córdoba). Murió—1953—en Madrid. Estudió Derecho en Granada y Medicina en Madrid, disciplinas que abandonó para entregarse de lleno al periodismo y a la literatura. Ha sido redactor de *La Época, La Correspondencia de España, El Gráfico, Diario Universal, España Nueva, El Liberal, Heraldo de Madrid, Madrid...* Ha colaborado en las principales revistas de España y América. Durante muchos años ha desempeñado—y aún desempeña—la crítica teatral y la de libros con una solvencia grande y una señoril benevolencia. Cristóbal de Castro es académico de la de Nobles Artes, de Córdoba, y de la Hispano-Americana, de Cádiz.

Cristóbal de Castro es un ingenio lleno de curiosidades, un espíritu ansioso de renovaciones. Su obra es intensa, fuerte, admirablemente diversa. Su estilo resulta terso, natural, rico. Tiene una sensibilidad finísima, una intuición penetrante, gran fuerza de expresión, mucha cultura, una actividad inmarcesible, siempre juvenil.

Entre sus obras destacan: *La interina, Lais de Corinto, La gran duquesa, Un bolchevique, La gacela negra, Clavellina, Las insaciables, Luna, lunera; Las niñas del corregidor, Mujeres solas, La inglesa y el trapense, La señorita Estatua...,* todas ellas novelas. *Cancionero galante, El amor que pasa y Las proféticas*—versos—, *Gerineldo*—teatro—. *Las mujeres, Feminismo, Eva moderna, Mujeres extraordinarias, Mujeres del Imperio, El rey felón, La revolución desde arriba, Zorrilla, poeta de la raza; Veinte superhombres*—biografías—; *Historia del teatro español en el siglo XIX, Genios, ingenios.*

Cristóbal de Castro ha refundido obras de Lope y "Tirso", y refundido y traducido obras de Molière, Goldoni, Ibsen, Gogol, Andreyev, Wilde, Tolstoi, Pirandello, Lunst, Sukima, Tanikiro, Mezquita...

V. SAINZ DE ROBLES, F. C.: *Estudio* en *La novela corta española.* Madrid, Aguilar, 1952.

CASTRO Y OROZCO, José de, marqués de Gerona.

Poeta y dramaturgo español. Nació—1808—en Granada. Murió—1869—en Madrid. Licenciado en Leyes por la Universidad grana-

dina. Diputado provincial. Miembro de la Comisión de Códigos. Fiscal, primero, y presidente, años después, de la Audiencia de Granada. Rector de la Universidad de su patria chica. Diputado a Cortes. Senador del reino. Ministro—1858—de Gracia y Justicia.

Obras: *Boabdil*—tragedia, 1832—, *Fray Luis de León*—drama, 1837, estrenado en el Coliseo del Príncipe, de Madrid—, *Obras poéticas y literarias*—Madrid, 1864—, *Aixa*—tragedia.

Castro y Orozco no fue ni romántico ni clásico, algo medio y moderado, como lo fue en política. Dignidad. Mesura. Tibieza.

CASTRO Y ROSI, Adolfo de.

Investigador y literato español. Nació—1823—en Cádiz. Murió—1898—en la misma ciudad. De una cultura extraordinaria, gran lector de clásicos, cuyo estilo y lenguaje se apropió de suerte que hizo pasar una obra suya, el *Buscapié*—1844—, por obra de Cervantes. El suceso literario fue enorme. El *Buscapié* se tradujo inmediatamente a varias lenguas, y suscitó vivísimas polémicas. Alcalde de Cádiz. Gobernador de Cádiz y Huelva. Secretario del Gobierno de Sevilla. Académico de la de Buenas Letras de Sevilla y de la de Bellas Artes de Cádiz; correspondiente de las Reales Academias de la Lengua, de la Historia y de Ciencias Morales y Políticas.

"Su labor de erudito es inmensa y su estilo, de lo más castizo que se dio en su siglo. El hondo conocimiento de nuestros clásicos y su lenguaje le dieron un ojo clínico y olfato literario maravillosos. Pocos eruditos españoles se le pueden comparar." (Cejador.)

Obras: *Los empeños de un agravio*—comedia, 1845—, *Historia de Cádiz*—1845—, *Historia de Jerez*—1845—, el *Buscapié* —1848—, *Aventuras literarias del iracundo extremeño don Bartolomé Gallardete...* —1851—, *Poetas líricos de los siglos XVI y XVII y curiosidades bibliográficas*—1855 a 1857—, *Filosofía de la muerte*—1856—, *Ernesto Renán ante la erudición sagrada y profana*—1864—, *La última novela ejemplar de Cervantes*—1872—, *Varias obras inéditas de Cervantes*—1874—, *La "Epístola moral a Fabio" no es de Rioja*—1875—, *Estudios prácticos de buen decir y de arcanidades del habla española*—1879—, *Una joya desconocida de Calderón*—1881—, *Libro de los galicismos*—1898—, *Curiosidades lingüísticas* —1891—, *El "Quijote" de Avellaneda* —1899—y otras muchas más.

CASTRO Y SERRANO, José de.

Meritísimo escritor español. Nació—1829—en Granada. Murió—1896—en Madrid. Médi-

C

co. Jamás quiso aceptar ningún cargo público. Conoció a la perfección la literatura inglesa, y este conocimiento le asimiló cierto suave humorismo. Redactó *La Gacetilla* —1856—, *El Crítico*—1856—, *El Observador* —1857—, y colaboró en las principales publicaciones de su época. En ocasiones firmaba con el seudónimo de "Un cocinero de Su Majestad". Académico—1889—de la Real Española de la Lengua y de la de Bellas Artes de San Fernando.

Obras: *Cartas trascendentales*—publicadas, 1862, en *La América*, sobre costumbres sociales, con agudo y chispeante ingenio—, *La novela de Egipto*—libro en forma de cartas publicadas en *La Epoca*, 1869, y fantaseadas con precisión admirable sobre cuatro noticias que le escribió un amigo asistente a la inauguración del canal de Suez—, *España en Londres*—1862—, *Cuadros contemporáneos*—1871—, *Mesa revuelta*—1872—, *Historias vulgares*—1887—, *Los Países Bajos vistos por alto*—1880—, *España en París* —1867—, *De la amenidad y galanura en los escritos*—discurso de recepción en la Academia Española, 1889...

"El señor Castro y Serrano—escribe el gran 'Clarín'—es un elegante de las letras, y por eso, a mi entender, aunque no sean los tiempos de mayor esplendor para su fama, lejos de estar anticuado, arrinconado, *decadente,* como dicen con fruición los jóvenes impacientes, que, *además* de fogosos, son malas personas; lejos de estar mandado retirar..., alterna sin desdoro con los más jovencitos."

Y González-Blanco: "Era un escritor simpático... Tenía lo que antes se llamaba chispa, cultura un poco superficial, pero extensa, y sabía las últimas cosas de Londres (donde había residido) y de París. Amaba la amenidad sobre todas las cosas, como reina del mundo, y terminaba su discurso de recepción en la Academia Española: "¿Queréis escribir bien? Pues sed amenos." Nunca escribía nada acedo ni *shoking*, sino que todo en él era optimista, risueño, galano..."

CASTRO TIEDRA, Manuel de.

Poeta, novelista, periodista español. Nació —1872—en Baza (Granada). Murió en 1953. Abogado. Redactor, en Madrid, de *El Tiempo, El Globo, Heraldo, A B C* y *La Libertad.* Colaborador de las principales revistas españolas. En 1936 abandonó el periodismo. Socio fundador de la Asociación de la Prensa. Ha viajado por Europa y América. Buen poeta, excelente prosista y autor teatral.

Obras escénicas: *El alucinado, Noche completa, La prueba, El príncipe ruso, El trompeta Minuto, La pesadilla, Las alas del amor,* *El perfil de Catalina, Armonía conyugal, Los estudiantes burlados, El Aretino...*

Novelas y cuentos: *Novelerías, El hotel del hambre, Por las lindes del amor.*

Poesías: *Mi torre de marfil, Alma y vida.*

CASTRO VILLACAÑAS, Demetrio.

Nació en Huete (Cuenca) en 1919. Cursó estudios de Leyes, doctorándose en Derecho. Ha surgido a la poesía con el grupo de la revista *Garcilaso.* Cultiva asiduamente el periodismo, habiendo sido director del semanario *La Hora* y redactor del diario *Arriba.* Secretario de la revista *Escorial.* Fue subdirector del diario barcelonés *Solidaridad Nacional.*

Por sus colaboraciones en la prensa, le fue concedido en 1949 el "Premio Virgen del Carmen".

Ha publicado: *Elegía a los muertos lejanos*—Madrid, 1944—, *Epístola y tres poemas más*—Madrid, 1944—, *Donde la sed comienza* —Madrid, 1949—, *Hombres del mar*—ensayo, 1959—, *Poesía*—1960.

CASTROVIDO Y SANZ, Roberto.

Gran periodista español. Nació—1864—en Madrid. Murió—hacia 1939—fuera de España. Desde casi un niño, se dedicó al periodismo. Dirigió el diario republicano *El País.* Colaboró en *La Voz,* de Madrid; *El Pueblo,* de Valencia; *El Liberal,* de Bilbao; *Heraldo de Aragón* y otros muchos diarios y revistas. Los artículos por él escritos pasan de los diez mil. Diputado a Cortes por la capital de España. Le dieron inmensa popularidad sus campañas periodísticas acerca de la llamada "semana trágica" de Barcelona y de la campaña de Marruecos—1909—. Sus crónicas amenísimas, impregnadas de un ferviente madrileñismo, ingeniosas, le consiguieron los lectores admiradores a miles.

CASTROVIEJO, Concha.

Novelista y crítico literario. Nació —¿1918?—en Santiago de Compostela (La Coruña). En la Universidad compostelana cursó la carrera de Filosofía y Letras. Durante el curso 1937-1938 estudió Literatura francesa en la Universidad de Burdeos. En 1939 marchó con su marido a México, donde vivió diez años, siendo ambos profesores en el Instituto de Campeche. El matrimonio realizó investigaciones arqueológicas—con carácter oficial—en las antiguas tierras de los mayas en los límites de México y Guatemala, y en la península de Yucatán.

Regresó a España en 1950, ingresando en la redacción del diario compostelano *La Noche,* y después de seguir los cursos en la Escuela Oficial de Periodismo, en el diario

Informaciones, de Madrid, ejerció la crítica literaria hasta 1968. En la actualidad—1970— la ejerce en la *Hoja del Lunes* de Madrid.

Obras: *Los que se fueron*—novela, Barcelona, 1957—, *Víspera del odio*—novela, "Premio Elisenda de Montcada, 1958", Barcelona, 1958—, *El jardín de las siete puertas*—Madrid, 1961, "Primer Premio Doncel"—, *Los días de Lina*—novela, 1964.

CASTROVIEJO, José María.

Poeta. Nació—1909—en Santiago de Compostela. También excelente periodista. En 1939—Ediciones "Jerarquía"—publicó sus poemas *Altura,* llenos de fuerza y pasión, de un lirismo personal y alto en el verso libre.

"Como poeta, José María Castroviejo une las resonancias célticas, misteriosas y próximas a la ironía con una riqueza adjetival y formalista sorprendente. Tan pronto encontramos en él valleinclanismos plenos de gracia, como imágenes que acusan su plenitud contemporánea." (G.-Ruano.)

Otros libros: *Los paisajes iluminados*—verso y prosa, Vigo, 1945—, *Galicia*—Madrid, 1959—, *Don Quijote*—teatro, 1947—, *Los gozos del Año Santo*—1954—, *Burla negra*—1955—, *El pálido visitante*—1960—, *Galicia: guía espiritual de una tierra*—1960—, *El Conde de Gondomar: un azor entre ocasos*—1967—, *Viaje por los montes y chimeneas de Galicia*—1962—, *Teatro venatorio y coquinario gallego*—1958—, las dos últimas en colaboración con Alvaro Cunqueiro.

«CATALÁ, Víctor» (v. **Albert y Paradís, Catalina).**

«CATALINA, Juan» (v. **García López, Juan Catalina).**

CATALINA Y COBO, Mariano.

Literato y académico español. Nació —1842—en Cuenca. Murió—1913—en Madrid. Licenciado en Derecho en Madrid. Del Cuerpo de Archiveros y Bibliotecarios —1866—. Consejero de Estado. Presidente del Tribunal de Cuentas del Reino. Académico—1878—de la Real Española de la Lengua y su secretario perpetuo. Diputado a Cortes—1884—. Senador del reino—1899—. Comendador de la Orden de Carlos III.

Obras: *Leyendas históricas de artistas célebres. Leyendas piadosas de vidas de santos, Poesías, cantares y leyendas;* y las obras teatrales: *El Tasso, Massaniello, No hay buen fin por mal camino, Luchas de amor, Alicia.*

CATALINA Y DEL AMO, Severo.

Literato y académico español. Nació —1832—en Cuenca. Murió—1871—en Madrid. Doctor en Leyes y Filosofía y Letras por la Universidad Central. Doctor en Teología. Eminencia en Ciencias Exactas, hebreo y árabe. Catedrático de hebreo. Fundador —1864—de *El Estado.* Director general de Instrucción Pública—1868—. Diputado. Ministro de Marina—1868—y de Fomento —1868—. Académico de la Real Española de la Lengua. Consejero y confidente de la reina Isabel II.

Obras: *La mujer*—1857—, *La verdad del progreso*—1862—, *La rosa de oro, Discursos literarios, Roma*—1873—, *El hombre...*

Fue Severo Catalina un escritor ameno, muy fino observador, de mucha cultura y extraordinario talento, que mejor reflejan sus numerosos artículos, desperdigados en diversas revistas, que sus libros.

CATARINÉU, Dolores.

Poetisa. Nació—1916—en Aravaca (Madrid). Su primer libro lo publicó a los veinte años, por consejo de Juan Ramón Jiménez. Pero ya antes había publicado algunas poesías en revistas universitarias y minoritarias.

"Apareció ya a nuestro conocimiento, amistad y lectura Dolores Catarinéu como un estado de alma, como una vibración que traía en todo su ser prendido su mensaje. Las claras influencias juanramonianas eran en ella de la mejor ley, porque nunca fueron imitación, sino recreación a través de su personalidad temblorosa." (G.-R.)

Dolores Catarinéu es una de las mejores poetisas españolas contemporáneas. La conmueve una íntima melancolía, manantial perenne de sugestivas emociones y reacciones. Su lirismo afanoso la revuelve incansablemente sobre sí misma, como si no debiera salir de ella toda la melodía y toda la conmovedora efusión que la hacen vivir poéticamente desviviéndose.

Obras: *Amor, sueño, vida*—Madrid, 1936—, *Siempre*—Madrid, 1943.

CATARINÉU, Ricardo J.

Poeta, autor dramático y periodista español. Nació—1868—en Tarragona. Murió —1915—en Madrid. Se dedicó al periodismo desde los quince años. Y pronto hizo popular su firma en el famoso *Madrid Cómico.* Durante muchos años, con el seudónimo de "Caramanchel", desempeñó magistralmente la crítica literaria de *La Correspondencia de España,* llevando a término campañas muy comentadas en pro del enaltecimiento del teatro español.

Como poeta, fue Catarinéu un verdadero lírico *de transición,* un precursor del modernismo. Espíritu de profunda delicadeza, sensibilidad exquisita. Con Manuel Reina, Rodolfo Gil y Fernández-Shaw formó la reacción más importante contra la vacuidad poética de los últimos románticos y de los enfáticos preceptistas de fin de siglo.

Obras: *Versos*—Barcelona, 1887—, *Hechizos*—poemas, Madrid, 1889—, *Tres noches* —Madrid, 1890—, *Estrofas, giraldillas, flechazos; Los forzados, El libro de la Prensa, Antología*—1915—. Y para el teatro: *Venalidades, Los fiambres, El deber* y un arreglo del "Episodio nacional" de Galdós *El equipaje del rey José.*

Catarinéu tradujo con gran fidelidad y buen gusto a los más importantes dramaturgos europeos: Bernstein—*La ráfaga*—, Copée—*La huelga de los herreros*—, Sudermann—*El rincón de la dicha*—, Sam Benelli —*La cena de las burlas.*

CAVANILLES, Antonio.

Notable literato e historiador español. Nació—1805—en La Coruña. Murió—1864—en Madrid. Cursó la carrera de Leyes en Alcalá de Henares. Censor de teatros—1851—. Concejal del Ayuntamiento madrileño y juez de paz—1858—. Académico de la Historia —1841—y de Ciencias Morales y Políticas.

En un estilo claro, castizo, elegante, ingenioso, dentro de un criterio católico y apasionadamente españolista, pintando todo lo pasado en su verdadero color, escribió su monumental *Historia de España*—1861 a 1864—, obra que dejó inconclusa y que en nada desmerece de la célebre de Modesto Lafuente.

Otras obras: *Memoria sobre el Fuero de Madrid en 1202, Diálogos políticos y literarios y discursos académicos*—Madrid, 1861 a 1863—, en los que pone de relieve su mucha cultura y su ingenio cáustico; *Discurso sobre la historia de las artes, Discurso sobre la historia de los pueblos primitivos...*

CAVESTANY, Juan Antonio.

Poeta y dramaturgo español. Nació—1861— en Sevilla. Murió—1924—en Madrid. De extraordinaria precocidad, a los trece años había publicado ya un libro de versos, y antes de cumplir los diecisiete estrenó en el teatro Español, con un éxito enorme, su famoso drama *El esclavo de su culpa.* Diputado a Cortes—1891—. Senador del reino. Académico—1902—de la Real Española de la Lengua.

Cavestany fue un poeta fácil, musical, delicado. Como autor dramático, rayó a menor altura, no excediendo jamás ninguno de sus éxitos escénicos al primero.

Otras obras teatrales: *Grandezas humanas, Sobre quién viene el castigo, Salirse de su esfera, El Casino, Juan Pérez, La noche antes, Despertar en la sombra, La duquesa de la Vallière, La reina y la comedianta, Nerón, El leoncillo, Los tres galanes de estrellas, Farinelli, El idilio de los viejos, Las andanzas de Clorinda o Los tres galanes y el tío.*

Poesías: *Versos viejos, Al pie de la Giralda.*

CAVIA, Mariano de.

Ilustre periodista y literato español. Nació —1855—en Zaragoza. Murió—1920—en Madrid. Estudió Leyes en su ciudad natal, dándose a conocer como periodista en el *Diario de Avisos Zaragozano* y dirigiendo en esta misma capital el *Diario Democrático.*

A los veinticinco años se trasladó a Madrid, ingresando en *El Liberal,* y años más tarde, en *El Imparcial,* diario en el que permaneció hasta su muerte. Rápidamente ganó Cavia la fama de escritor ameno, profundo, justo, elegantemente satírico y, antes que nada, dominador como pocos del idioma castellano. Popularizó el seudónimo de "Sobaquillo" como cronista taurino de extraordinario relieve y delicioso salero. Y popularizó también el de "Un chico del Instituto" como glosador, comentarista y maestro indiscutible en temas relativos al lenguaje.

Un famoso artículo suyo en *El Liberal* —1891—, titulado *El incendio del Museo del Prado,* causó una sensación inmensa y provocó en los poderes públicos la reacción apetecida, logrando así que nuestra Pinacoteca quedara debidamente garantizada. Durante muchos años redactó una sección: *Despachos del otro mundo,* en los que exponía opiniones de personajes, muertos ya, acerca de algún suceso de actualidad, encontrando siempre la nota cáustica y de sutilísima psicología.

A miles escribió Cavia las crónicas en los mejores diarios y revistas. Todas ingeniosas, amenas, sugestivas, admirables de forma.

A su muerte, el diario madrileño *A B C* creó el "Premio Mariano de Cavia", para galardonar la mejor crónica publicada cada año en la Prensa española. Premio que es la mejor recompensa apetecida por el mejor escritor. Mariano de Cavia fue elegido académico de la Real Española de la Lengua, pero no llegó a ingresar en ella.

Obras: *División de plaza*—1887—, *Revista cómica de la Exposición de Pintura, Azotes y galeras*—1890—, *Salpicón*—1891—, *De pitón a pitón*—1891—, *Cuentos en guerrilla* —1896.

V. CASTÁN PALOMAR, F.: *Cavia.* Pamplona, 1959.—PARDO CANALIS, Enrique: *Cavia. Estudio y selección.* Zaragoza, c. s. de I. C., 1959.

CEJADOR Y FRAUCA, Julio.

Notable literato y filósofo español. Nació —1864—en Zaragoza. Murió—1927—en Madrid. Perteneció al ilustre linaje de los Cexadores de Ateca. Muy joven, ingresó en la Compañía de Jesús. Durante tres años viajó

C

por Oriente. Pasó al clero seglar. Catedrático de Latín y Castellano en el Instituto de Palencia. Catedrático de Lengua latina de la Universidad Central. Humanista completo.

De extraordinaria y admirable fecundidad, enorme cultura, audacia investigadora, crítica bizarra y noble. De muchas ideas propias. Cejador ha sido uno de los críticos literarios e investigadores más valiosos, firmes, originales y garbosos que ha tenido España. Su dominio del idioma es asombroso. Su estilo está lleno de enjundia y de gracia expresiva. Y se le pueden perdonar sus muchos "tropiezos" eruditos en gracia a sus muchísimas sugerencias aprovechables.

Obras: *Gramática griega, La lengua de Cervantes, Gramática y Diccionario de la lengua castellana en el "Ingenioso Hidalgo Don Quijote de la Mancha", Cabos sueltos, El lenguaje*—seis tomos—, *Oro y oropel*—novela—, *Mirando a Loyola*—novela—, *Trazas de amor*—novela—, *Historia de la lengua y literatura castellanas*—catorce volúmenes—, *La verdadera poesía castellana*—cinco tomos—, *Tierra y alma española, Toponimia hispánica, Iberia: alfabeto e inscripciones ibéricas, Recuerdos de mi vida.*

Cejador publicó miles de artículos en la Prensa española y americana y prologó, anotó y cuidó numerosas ediciones de clásicos españoles, entre las que se hicieron famosas la del *Libro del Buen Amor*, del arcipreste de Hita, y la de *El Lazarillo de Tormes.*

V. SAINZ DE ROBLES, F. C., en *Almanaque Literario*. Madrid, 1935.

CELA, Camilo José.

Poeta, novelista y cuentista. Nació el 11 de mayo de 1916 en Iria-Flavia, provincia de La Coruña, al fondo de la ría de Arosa. Cela es un viejo apellido gallego, muy adscrito a la historia del país; las últimas luchas, en el siglo XV, por la independencia, las sostuvo el mariscal Pardo de Cela. Su segundo apellido, Trulock, es oriundo del Cornwall, donde es típica la partícula "tru" como primera sílaba de nombres de pueblos o de familias (Trulock, Truro), y las dos letras "tr" en los mismos casos (Trevalga, Trevend, Trevose, Tresmeer, Tresco, una de las islas Scilly). Sus antepasados del Cornwall fueron piratas, probablemente de Penzance, de Truro y de San Buryán. En Londres hay una plaza Trulock, en honor de su bisabuelo. No es este el lugar de hacer una historia de su familia; baste dejar apuntado que su cuarto apellido es Bertorini—pisano—, y el sexto, Lafayette—belga.

Guarda una profunda aversión por los colegios por donde fue muriendo su niñez—jesuitas, escolapios y maristas—, y, salvo por Pedro Salinas, no siente simpatía alguna

por sus numerosos profesores universitarios. Miembro de la Real Academia Española.

Cela es uno de los más interesantes escritores españoles de hoy. De inventiva original y fuerte. De estilo personalísimo, lleno de crudezas verbales. Interesa, emociona siempre. Cada una de sus obras promueve vivísimas discusiones. Deriva su temperamento de los más agudos y viriles realistas de nuestro siglo XVII.

Una sola novela suya, *La familia de Pascual Duarte*, ha merecido cerca de quinientos artículos de crítica, en su mayoría resueltamente favorables.

En 1951—Buenos Aires—publicó Cela su novela *La colmena*, posiblemente su mejor obra, que ha motivado críticas apasionadas a favor y en contra. *La colmena* no es una novela en el estricto sentido que el género exige; para ello le falta la invención y el poder creador. Pero *La colmena* es, indiscutiblemente, un sugestivo *cuadro* de época, un escalofriante documento humano, cuyo realismo resulta turbador. En *La colmena* ratifica Cela sus excepcionales condiciones de escritor vigoroso, ingenioso, con un humor *denso* que llega a la angustia, con un desgarro gracioso que gana la simpatía.

Obras: *La familia de Pascual Duarte*—novela—, *Pabellón de reposo*—novela—, *Nuevas andanzas y desventuras del Lazarillo de Tormes*—novela—, *Esas nubes que pasan*—cuentos—, *Pisando la dudosa luz del día*—poemas—, *Mesa revuelta*—artículos—, *El bonito crimen del carabinero y otras invenciones, Viaje por la Alcarria, Romancero de la Alcarria, El Gallego y su cuadrilla*—narraciones, 1950.

Otras obras: *Baraja de invenciones*—cuentos, 1953—, *Mrs. Caldwell habla con su hijo*—Barcelona, 1953—, *La catira*—Barcelona, 1955—, *El molino de viento*—1956—, *Nuevo retablo de don Cristobita*—Barcelona, 1957—, *Viejos amigos*—Barcelona, 2 tomos, 1960 y 1961—, *Tobogán de hambrientos*—Barcelona, 1962—, *Garito de hospicianos*—Barcelona, 1963—, *Los viejos amigos*—2 tomos—, *Nuevas escenas matritenses*—siete cuadernos—, *Viaje al Pirineo de Lérida, Diccionario secreto, María Sabina*—teatro—, *San Camilo 36...*

V. VALBUENA PRAT: *Historia de la Literatura española*. Barcelona, 1950, 3.ª edición, tomo III.—ALBORG, Juan Luis: *Hora actual de la novela española*. Madrid, 1958, tomo I, págs. 79-113.—PRJEVALINSKY, Olga: *El sistema estético de C. J. Cela*. Valencia, 1960.—NORA, Eugenio G. de: *La novela española contemporánea*. Madrid, edit. Gredos, 1962, págs. 111-130.—SAINZ DE ROBLES, F. C.: *La novela española en el siglo XX*. Madrid, Pegaso, 1957.—TORRENTE BALLESTER, G.: *Pano-*

rama de la novela española contemporánea. Madrid, 2.ª edición, 1961.—ZAMORA VICENTE, Alonso: *Camilo J. Cela.* Madrid, 1962. Editorial Gredos.

CELA TRULOCK, Jorge (v. Trulock, Jorge C.).

CELAYA, Gabriel.

Poeta y prosista español. Nació—1911—en Hernani (Guipúzcoa). Ingeniero industrial. En 1936 obtuvo el "Premio Bécquer", dado por el Lyceum Club de Madrid. Sus verdaderos nombre y apellido son Rafael Mujica. Usó también el seudónimo de "Juan de Leceta".

Celaya es un buen poeta, original y personalísimo, y un prosista brillante. Su poesía es un auténtico y obsesivo *vitalismo.* Para Celaya—ambicioso, diverso, sincero, nervioso en su quererlo todo y en su intentarlo todo—cuanto ama, cuanto desea, cuanto busca, cuanto desdeña, cuanto sueña... no existe ni tiene valores sino *en función vital.* Esta necesidad de hacer una metafísica con cada instante vital gastado o perdido da a la poesía de Celaya, hoy, un atractivo invencible o una repulsión también invencible. Debo declarar que a mí ya me ha ganado, y que sospecho en ella una no lejana trascendencia.

Obras: *Marea del silencio*—1935—, *La soledad cerrada*—1936—, *Objetos poéticos*—1948—, *Movimientos elementales*—1947—, *Tranquilamente hablando*—1947—, *Juguetes*—1948—, *Las cosas como son*—1949—, *Tentativas*—1946—, *Lázaro calla*—1949—, *Se parece al amor*—1949—, *Deriva*—1950—, *Las cartas boca arriba*—1951—, *Lo demás es silencio*—1952—, *Cantos iberos*—1935—, *Cantata en Aleixandre*—1959—, *El corazón en su sitio*—1959—, *Poesía urgente*—1960—, *Penúltimas tentativas*—1960—, *Poesía* (1934-1961)—1962—, *Poesías completas*—1969.

V. BENET, Arturo: *Trayectoria poética de Gabriel Celaya.* Alicante, Verbo, 1951.

CENTURIÓN, Carlos R.

Literato y ensayista paraguayo contemporáneo. Universitario ilustre. Conferenciante. Colaborador de los más importantes diarios y revistas de su patria. De mucha cultura y fino criterio. Ha contribuido como pocos al resurgimiento literario del Paraguay, que está cuajando en nuestros días, señalando directrices perdurables y formas netamente vernáculas.

Su gran obra *Los hombres de la constitución del 70* le ha consagrado de gran pensador y de gran crítico en toda Hispanoamérica.

Otra obra: *Historia de las letras paraguayas.*

V. DÍAZ PÉREZ, Viriato: *La literatura del Paraguay,* en el tomo XII de la *Historia Universal de la Literatura,* de Prampolini. Buenos Aires, Uteha Argentina, 1940.

CEPEDA Y AHUMADA, Teresa de (v. Teresa de Jesús, Santa).

CERDÁ Y RICO, Francisco.

Notable erudito y humanista español. Nació—1730—en Valencia. Murió—1792—en Madrid. Oficial de la Secretaría de Indias y de la Biblioteca Real de Madrid—1766—, puesto que le permitió el estudio de los numerosos manuscritos y libros raros que guardaba tan rico depósito. Académico de la Historia.

Siguiendo las huellas de Mayáns, intentó restaurar la tradición científica y literaria de España; para lo cual reimprimió importantísimos textos latinos y castellanos, ilustrándolos con estudios, notas, biografías, etcétera; así, las obras latinas de García Matamoros Ginés de Sepúlveda, Calvete de Estrella; la *Expedición de catalanes y aragoneses...,* de Moncada; la *Crónica de Alfonso Onceno*—1788—, las *Memorias históricas de don Alfonso "el Sabio"*—1777—, y las de don *Alfonso Octavo*—1779—, las *Coplas,* de Jorge Manrique; la *Nueva idea de la tragedia antigua,* de González de Salas; las *Poesías espirituales,* de fray Luis de León; *Obras* de Francisco Cervantes de Salazar.

CERNUDA, Luis.

Gran poeta español. Nació—1902—en Sevilla. Murió—1963—en México. Cursó el bachillerato y se licenció en Derecho en su ciudad natal. Ha colaborado en la *Revista de Occidente, Mediodía, Papel de aleluyas, Carmen, Litoral...* Lector en las universidades de Toulouse—1928-1929—, Glasgow—1939-1943—y Cambridge—1943-1945—. Profesor de Literatura española en el Instituto Español de Londres—1945-1947—, Assistant profesor en Mount Holyoke College, South Hadley, Massachusetts, Estados Unidos, desde 1947.

Sus modelos son Góngora, Valéry, Guillén. Cernuda es especulativo, frío, ligeramente melancólico, nihilista. Pero también un admirable artífice del verso. De su primer libro ha escrito un moderno y sagaz crítico: "Revela, sobre todo, la gracia, el angélico don andaluz—sevillano—de la gracia; tiene ángel—auténtico, no mistificado por ningún sobrenaturalismo literario—, y tiene una arquitectura ideal viva, ligera, erguida, nítida, como una Giralda."

Obras: *Perfil del aire*—"Litoral", Málaga, 1927—, *Donde habite el olvido*—editorial Signo, Madrid, 1934—, *El joven marino*—Colección Héroe, Madrid, 1936—, *La realidad y el deseo*—"Cruz y Raya", Madrid,

1936—, *La realidad y el deseo*—2.ª edición, aumentada, edit. Séneca, México, 1940—, *Las nubes*—Colección Rama de Oro, Buenos Aires, 1943—, *Como quien espera el alba* —editorial Losada, Buenos Aires, 1947—, *Variaciones sobre tema extranjero*—1952—, *Ocnos*—"The Dolphin", Londres, 1943—, *Tres narraciones*—en prensa, edit. Imán, Buenos Aires—, *Poesía y literatura*—volumen I (inédito)—, *Poesía y literatura*—vol. II (inédito)—, Hölderlin, *Poemas*—edit. Séneca, México, 1942—; Shakespeare, *Troilo y Cresida* (inédito).

Otras obras: *Tres narraciones*—Buenos Aires, 1948—, *Poemas para un cuerpo*—Málaga, 1957—, *Estudios sobre poesía española contemporánea*—Madrid, 1957—, *Poesía y literatura*—Barcelona, 1960—, *La desolación de la Quimera*—1962.

V. Diego, Gerardo: *Poesía española.* Madrid, 1932 y 1934, edit. Signo.—Jiménez, Juan Ramón: *Españoles de tres mundos.* Edit. Losada. Buenos Aires, 1942.—Salinas, Juan: *Luis Cernuda, poeta,* en *Literatura Española,* siglo xx. Edit. Séneca. México, 1941.—Salinas, Pedro: *Luis Cernuda,* en *Contemporary Spanish Poetry...* University Press. Baltimore, 1945.—Bergamín, José: *El idealismo andaluz,* en *Gaceta Literaria,* 1 de junio de 1927.—Jiménez, Juan Ramón: *Españoles de tres mundos.* 1942.—Vivanco, Luis Felipe: *Introducción a la poesía española contemporánea.* Madrid, 1957.—*La caña gris* (Homenaje a Luis Cernuda), Valencia, librería Lauria, 1963. Contiene 19 ensayos y una bibliografía completa.

CERVANTES DE SALAZAR, Francisco.

Literato y cronista español de gran mérito. Nació—1514—en Toledo. Murió—1575—en México. Estudió en Salamanca. Secretario del arzobispo Loaisa, presidente del Consejo de Indias. Profesor de Retórica en Osuna —1546—, En 1561 pasó a México, donde se doctoró en Teología, recibiendo órdenes mayores. Cronista oficial de la ciudad de México—1551—y canónigo de su catedral. Falleció siendo rector de la Universidad mexicana, de la que había sido fundador. Fue discípulo predilecto del gran maestro Alejo Venegas.

En 1554 imprimió en México los coloquios o manual de conversación de Luis Vives, añadiéndoles siete más de su propia cosecha. Acabó el *Diálogo de la dignidad del hombre,* del maestro Oliva; glosó y moralizó el *Apólogo de la ociosidad y del trabajo, titulado Labricio Portundo,* de Luis Mexía; escribió el *Túmulo imperial de la gran ciudad de México,* acerca de los funerales por Carlos I. Pero su obra más importante es la *Crónica de Nueva España,* en seis libros, de un interés histórico y geográfico excepcional y de

un estilo correcto y de un claro lenguaje. Cervantes conoció y trató a Hernán Cortés; por ello las noticias que da acerca de la conquista de México son inapreciables.

De su *Crónica* existen dos ediciones modernas—Madrid, 1914—: la del gran hispanófilo Huntington y la de Francisco del Paso y Troncoso. Para las restantes producciones puede acudirse a las *Obras que Francisco Cervantes de Salazar ha hecho, glosado i traducido*—Madrid, 1772.

V. García Icazbalceta, J.: *Obras.* IV, 17. México, 1897.—Fueter, E.: *Francisco Cervantes de Salazar,* en *Historiographie,* 380.—Nuttall, M. Z.: *Francisco Cervantes de Salazar.* "Biographical Notes", en *Jour. Soc. des Americanistes de Paris.* 1921. XIII, 59.

CERVANTES SAAVEDRA, Miguel de.

El más genial de los escritores españoles y el novelista más admirable de la Humanidad. 1547-1616.

Cejador y Frauca hace esta síntesis inmejorable de la existencia mortal de Cervantes: "Nació en Alcalá de Henares, probablemente el 29 de septiembre, día de San Miguel, y fue bautizado el 9 de octubre del mismo año en Santa María la Mayor. Era hijo segundo de Rodrigo de Cervantes y de Leonor de Cortinas. El padre, licenciado y modesto cirujano, sordo y pobre toda su vida; pero cuidó de la primera instrucción de su hijo en Alcalá. En 1554 fue Miguel a Valladolid con su padre, y allí, *siendo muchacho,* hubo de conocer a Lope de Rueda, que por aquel tiempo visitó varias veces aquella ciudad. No menos le conoció en Madrid, adonde ya se habían trasladado los Cervantes en 1561 y donde hizo Miguel un soneto, el más antiguo conocido, a Isabel de Valois, tercera mujer de Felipe II, descubierto por Foulche-Delbosc y compuesto entre 1560 y 1568. En 1564 residían en Sevilla, adonde Rodrigo iría a trabajar a la sombra de su hermano Andrés; Miguel seguiría allí estudiando, pero al año siguiente ya estaba en Madrid, y en 1568 asistía Miguel al estudio del maestro Juan López de Hoyos, que publicó la *Historia y relación verdadera de la enfermedad, felicísimo tránsito y sumptuosas exequias fúnebres de la Ser. Reyna de España doña Isabel de Valoys, N. S.ª Madrid, 1569.* Había muerto la reina el año pasado de 1568, en el cual Cervantes compuso una copla, cuatro redondillas, una elegía de 199 versos y un epitafio en forma de soneto, versos que el maestro imprimió en su libro, alabándole repetidamente como a "caro y amado discípulo". El mismo año de 1568 volvió a Roma el legado del Papa Julio Aquaviva, después cardenal, de quien Miguel fue camarero en la misma Roma el siguiente de 1569, habiendo probablemente pasado allá con él, y merced al cardenal Espinosa, que se lo recomendaría. En 1570 se alistó en la milicia, siendo desde 1571 de la compañía de Diego de Urbina, capitán del tercio de infantería de Miguel de Moncada, que a la sazón servía a las órdenes de Marco Antonio Colonna, nombrado por el Papa general de las tropas pontificias contra el turco, y a quien ordenó Felipe II el mismo año, 1570, obedeciesen las tropas españolas que había juntado Juan Andrea Doria. Asistió Miguel el mismo año a la fracasada expedición en socorro de Nicosia, tomada por los turcos, y en 1571, a la batalla naval de Lepanto, en la galera *Marquesa,* una de las cincuenta y cuatro que mandaba como vanguardia Juan Andrea Doria, y a las órdenes de don Juan de Austria. El capitán de la *Marquesa* era Francisco de San Pedro, y en el arreglo de antes del combate su galera tomó lugar bajo el mando del almirante veneciano Agustín Barbarigo. Peleó Cervantes junto al esquife mandando doce soldados; recibió dos arcabuzazos en el pecho y otro en el brazo izquierdo, que le estropeó la mano. La galera formaba parte del ala izquierda, donde arreció más la pelea; murieron San Pedro y Barbarigo y más de cuarenta hombres de la *Marquesa.* Vuelta a Mesina la escuadra de don Juan, entró Cervantes con los demás heridos en el hospital.

En 1572 le concedieron varios socorros extraordinarios, pasó al tercio de don Lope de Figueroa con tres escudos de ventaja al mes, y el mismo año 1572 se le juntó su hermano Rodrigo, después de la batalla de Lepanto, y con cuatro ducados más al mes, por orden del duque de Alba, tomó parte en la expedición a Corfú, Navarino y Modón y a la captura de la galera turca *La Presa.* El año de 1573 fue en la expedición que de Palermo hizo don Juan a Túnez con 20.000 soldados, y tomada la ciudad, pasó con el tercio de don Lope a Cerdeña; en 1574, a Génova, con el duque de Sessa, que a la sazón mandaba el tercio, por haber dado don Lope la vuelta a España; luego, con el mismo duque, a Sicilia, donde era virrey y el mismo año de 1574 a Nápoles, adonde tornó tras el tardío socorro enviado a la Goleta. A fines del mismo estaba en Palermo, y a últimos de 1575 pidió a don Juan, para sí y su hermano, licencia de volverse a España. Obtenida y embarcados en la galera *Sol,* de la escuadrilla mandada por don Sancho de Leiva, con cartas de recomendación del mismo don Juan para el rey, pidiéndole le concediese una compañía de las que se formasen para Italia, por ser hombre de mérito, y no menos del duque de Sessa, don Carlos de Aragón, virrey de Sicilia; su negra fortuna le llevó al cautiverio, tomada la galera, tras rudo combate cerca de Marsella, por el pirata Arnaute Mami. Quedó esclavo Rodrigo del rey de Argel Ramadán Bajá, y Miguel, del arrae Alí Mami, llamado *el Cojo.* Llegados a Argel, atrájose Miguel a un moro que le llevase a Orán con otros cautivos; pero a la primera jornada los abandonó, teniendo que volverse ellos a Argel, donde le apretaron más la prisión. En 1576 hizo Rodrigo información acerca del cautiverio de sus hijos, y buscó con qué rescatarlos, ayudando doña Leonor. En la obra del cautivo de Argel Bartolomé Ruffino de Chambery, italiano, *Sopra la desolatione della Goleta et forte di Tunisi,* con dedicatoria fechada en 1577 (Bibl. duc. de Génova), hay un "Soneto de Miguel de Cervantes, gentilhombre español, en loor del autor", "Del mismo, en alabanza de la presente obra". El propio año de 1577, los padres de la Merced rescataron por trescientos escudos a Rodrigo, por no traer dinero bastante de parte de la familia para rescatar a Miguel, como correspondía por ser hijo mayor; pero su amo pedía más por él y él escribió al secretario del rey, Mateo Vázquez, una preciosa epístola poética para su majestad, exponiéndole los padecimientos de los cautivos y el modo de tomar aquel nido de piratas argelinos. Al mismo tiempo tramó el salvarse con muchos amigos suyos en un barco cristiano; pero un renegado, el *Dorador,* fingiendo tomar parte en la huida, fue con el soplo al rey Azán, y Cervantes confesó que él solo tenía la culpa, cargando con la pena de la vida, hecho valeroso que admiró al rey, el cual, temiendo de su valer y mañas, le compró de Alí-Mamí por 500 escudos. El siguiente año de 1578 discurrió nuevo plan, escribiendo al gobernador de Orán, don Martín de Córdoba, por medio de un moro, el medio de librar a los cautivos; cogieron al moro al entrar en Orán, mandóle empalar el rey por sospechoso, y ordenó que a Cervantes le diesen 2.000 palos, aunque, a ruegos de algunos que admiraban su valor y prendas, le perdonó. El mismo año hízose información de sus servicios a instancias de su padre ante el licenciado Ximénez Ortiz, alcalde de casa y corte, y él y su hermana Magdalena se obligaron a pagar a Hernando de Torres lo que faltaba para el rescate, dándole lo que pudieron; pero tampoco tuvo efecto, como ni otros muchos arbitrios que inventaron sus padres, ni el último que maquinó él, en 1579, de adquirir en Argel una fragata con dinero de dos mercaderes valencianos allí residentes, valiéndose de un renegado, pues también les traicionó el doctor Blanco de Paz, de Montemolín, que parece había sido dominico; y aunque los valencianos instaron a Miguel se fuese solo para librarse de las iras del rey, no quiso si no se partían con él los demás

C

cristianos; antes se presentó al rey espontáneamente, y con su buena labia le desarmó, contentándose con decir, según refiere Haedo, que "como tuviese bien guardado al estropeado español, tendría seguro su capital, sus cautivos y sus bajeles", y así le puso a buen recaudo.

El 19 de septiembre de 1580 fue al cabo rescatado por el P. Fr. Juan Gil, de la Redención de cautivos, llevándose la célebre información hecha en 10 de octubre en Argel, ante el mismo fraile, para que le sirviese para algún empleo en España y de comprobante contra las calumnias con que le amenazaba Blanco de Paz. Embarcóse en el navío de maese Antón Francés con otros cautivos rescatados, pagando fray Juan Gil 15 doblas por el pasaje; el 24 de octubre de 1580 llegó a Denia y Valencia, y en diciembre a Madrid. En mayo de 1581 recibió en Tomar de Portugal, de parte de Felipe II, que se hallaba allí a la sazón posesionándose de aquel reino, una comisión para Argel, con 50 ducados para parte de la ayuda de costa, y vuelto de ella en junio, recibió otros 50 ducados en Cartagena. Pero desengañado de pretender en vano, se retiró a sus estudios literarios, y acaso estuvo en Salamanca de ayo de algún estudiante rico, como Carriazo y Avendaño, que de hecho estaban matriculados por entonces en aquella Universidad.

En 1583 se publicó el *Romancero* de Pedro de Padilla, con su elogio hecho en un soneto por Cervantes, y murió Juan López de Hoyos, aprobador del *Romancero*. Aquel año estuvo Cervantes en Madrid, y de 1583 a 1587 se representaron más de veinte comedias suyas, como se dice en el Prólogo de ellas y en la *Adjunta al Parnaso,* donde se hallan los títulos de otras diez. En 1584 o poco antes nació su hija natural Isabel de Saavedra, y se publicó la *Austriada,* de J. Rufo, con un soneto de Miguel en su alabanza; conocióle en Italia, pues asistió a Lepanto, y le celebró en el *Canto de Calíope.* Este mismo año de 1584 se aprobó *La Galatea* y casó Cervantes con doña Catalina de Palacios, vecina de Esquivias, de diecinueve años, teniendo él treinta y siete. Era huérfana de padre y vivía con su madre, que le dejó al morir algunos bienes. En 1585 salió a la luz la *Primera parte de la Galatea, dividida en seys libros.* En 8 de junio de este año hizo su testamento Rodrigo de Cervantes, padre de Miguel, y murió el 13 del mismo mes. En el *Jardín espiritual,* de fray Pedro de Padilla, Madrid, 1585, hay dos poesías de Cervantes alusivas a la toma de hábito de su amigo en la Orden del Carmen y un soneto a San Francisco. A fines de año, Cervantes se hallaba en Sevilla. En 1586 se publicó el *Cancionero* de López Maldonado,

Madrid, con un soneto y unas quintillas de Cervantes, y en Esquivias se otorgó la escritura dotal de su mujer. En 1587 se publicaron la *Philosophia cortesana moralizada,* Madrid, de Alonso de Barros, con un soneto de Cervantes, y las *Grandezas y excelencias de la Virgen,* Madrid, de Pedro de Padilla, con otro soneto. Este mismo año de 1587 comienzan sus comisiones en Andalucía, que duran cerca de diez años, tratando de aceite, trigo y cebada con arrieros, molineros, carreteros y alguaciles, rindiendo cuentas, prestando fianzas, sufriendo excomuniones inmotivadas y encarcelamientos por quiebras ajenas, litigando pleitos injustos, caminando sin tregua de pueblo en pueblo por diez y doce reales de salario, y todo para quedar más pobre que antes, alcanzado en 700 y pico reales, gracias a su honradez, que no le permitió enriquecerse.

Para abastecer la *Armada Invencible,* nombró Felipe II por proveedor general al consejero de Hacienda Antonio de Guevara, que había de residir en Sevilla, y en tanto llegaba, delegó este en el juez de la Audiencia de Sevilla, don Diego de Valdivia, sus facultades. Con esperanza de lograr empleo en tal sazón, partió Cervantes a Sevilla, y fue de hecho comisionado por Valdivia para recoger abastos, y luego, a fin de año, por Antonio de Guevara. En 1588 hizo un soneto para el *Tratado de todas las enfermedades de los riñones,* del doctor Francisco Díaz, Madrid, y dos canciones sobre la *Armada Invencible.* Cansado de comisiones, dirigió en 1590 al rey un *Memorial* pidiendo un empleo en América, respondiéndosele: "Busque por acá en que se le haga merced." En 1591 hizo 60 versos de pie de romance a *Los celos,* publicados en *Flor de varios nuevos romances..., por Andrés de Villalta,* Valencia, estimados por su autor en el *Viaje del Parnaso* (c. 4). También se le atribuye el romance *El desdén,* publicado en *Flor de romances* por Sebastián Vélez de Guevara, Burgos, 1592. De este mismo año es la carta de Pedro de Isunza, a cuyas órdenes pasó Cervantes, dirigida al rey, en la que le elogia como a hombre honrado y de su confianza; y el concierto que Miguel hizo con Rodrigo Osorio, autor de comedias en Sevilla, comprometiéndose a entregarle seis de ellas, aunque no se sabe si lo cumplió; acaso no, por haber entrado en la cárcel de Castro del Río; bien que, habiendo apelado, fue dejado por libre. En 1593 murió doña Leonor de Cortinas, su madre; la esposa, doña Catalina, seguía viviendo en Esquivias. En 1595 concurrió Cervantes con una glosa a un certamen poético de los frailes dominicos de Zaragoza por la cononización de San Jacinto, y obtuvo por primer premio tres cucharas de plata; imprimióse en la *Relación* de aquellas fiestas, Zaragoza, 1595. El siguiente año de 1596 se publicó el *Comentario en breve compendio de disciplina militar en que escribe la jornada de las islas Azores,* Madrid, del licenciado Cristóbal Mosquera de Figueroa, en el cual hay un soneto de Cervantes. Otro satírico, y de los mejores suyos, compuso contra el duque de Medinasidonia el mismo año, con ocasión de la entrada de la Armada inglesa en Cádiz el 1 de julio. En 1597, mandado rendir cuentas, y no hallando la fianza exigida, el licenciado Vallejo le encerró en la cárcel; pero habiendo suplicado al rey, hubo de soltarle. En 1598 parece escribió un soneto en alabanza de la *Dragontea,* de Lope, y otro, el más famoso de los suyos, al túmulo de Felipe II en Sevilla, mencionado en el *Viaje del Parnaso* (c. 4); además, doce quintillas y un soneto, que se pusieron en el túmulo.

En 1599 trajo Cervantes a casa de su hermana doña Magdalena, como para servirla, y de hecho para tenerla cerca de sí, a Isabel de Saavedra, hija natural que tuvo en 1584 de Ana de Rojas. Estuvo Cervantes entonces en Madrid; pero en 1600 otra vez se hallaba en Sevilla. El mismo año murió de un arcabuzazo en Flandes su hermano el alférez Rodrigo de Cervantes. En 1604 escribió Lope de Vega una carta a un médico desde Toledo, y en ella muestra tener noticia del capítulo del *Quijote* en que se habla de su teatro con cierto menosprecio: "De poetas no digo buen año es este; muchos están en cierne para el año que viene; pero ninguno hay tan malo como Cervantes, ni tan necio que alabe a Don Quijote..., no más por no imitar a Garcilaso en aquella figura *correctionis,* cuando dijo: 'A sátira me voy mi paso a paso', cosa para mí más odiosa que mis librillos de Almendárez y mis comedias a Cervantes." El mismo año de 1604, a 20 de septiembre, se fechó el *Privilegio* en Valladolid, por diez años, para el *Quijote,* y se puso a la venta a mediados de enero de 1605. El título es: *El Ingenioso Hidalgo Don Quijote de la Mancha, Compuesto por Miguel de Cervantes Saavedra, Dirigido al Duque de Beiar, Marqués de Gibraleón, Conde de Benalcaçar, y Bañares, Vizconde de la Puebla de Alcocer, Señor de las villas de Capilla, Curiel y Burguillos. Con privilegio. En Madrid. Por Iuan de la Cuesta. Año 1605.* Este mismo año, en junio, fue la herida y muerte de don Gaspar de Ezpeleta, y la causa seguida sobre ello a Cervantes y su familia, que fueron nobles y generosas víctimas del injusto y prevaricador juez. En 1606, con la corte debió Cervantes trasladarse a Madrid, donde salió en 1608 la tercera edición madrileña del *Quijote,* más esmerada y adicionada, con variantes que no parecen ser más que de Cervantes, y así la han seguido la

Academia, Pellicer, Clemencín y Cejador. En 1608 se hicieron las capitulaciones matrimoniales y los desposorios entre la hija de Cervantes, Isabel de Cervantes, y don Luis de Molina, viviendo en la calle de la Montera, frente a la de los Jardines, donde hoy está el pasaje de Murga, y en 1609 las velaciones. El mismo año entró Cervantes en la Hermandad del Santísimo Sacramento y recibieron el hábito de la Tercera Orden doña Andrea y doña Catalina de Salazar, muriendo la primera el mismo año. En 1610 hizo Cervantes un soneto en elogio de las obras de don Diego Hurtado de Mendoza, impresas en Madrid aquel año; profesó doña Magdalena en la Orden Tercera e hizo testamento doña Catalina de Salazar, mujer de Cervantes, en cuya compañía solo estuvo los últimos diez años y los dos primeros, habiendo pasado ella sola en Esquivias otros veinte. El mismo año profesó en la Orden Tercera doña Catalina e hizo doña Magdalena su testamento, muriendo al año siguiente de 1611. Cervantes debió de pasar una temporada en Esquivias; pero en 1612 volvió a Madrid, donde concurrió a la *Academia selvaje,* en casa de don Francisco de Silva, en la calle de Atocha. Presentó a la censura sus *Novelas ejemplares* el 2 de julio de 1612, y se le dio licencia el 22 de noviembre; la *Dedicatoria* es del 14 de julio de 1613, y salió el libro a primeros de septiembre, vendiéndolas a Robles por 1.600 reales. Del mismo año es la *Dirección de secretarios,* de Gabriel Pérez del Barrio, con unas redondillas de Cervantes; la *Primera parte de varias aplicaciones,* de Diego Rosel y Fuenllana, con un soneto, y la oda al conde de Saldaña, don Diego Gómez de Sandoval, hijo segundo del duque de Lerma. En 1614 se publicó el *Quijote* de Avellaneda, publicó Cervantes el *Viaje del Parnaso* y escribió la canción *A los éxtasis de nuestra Beata Madre Teresa de Jesús,* incluida en el *Compendio* de sus fiestas, Madrid, 1615. En 1615 publicó las *Comedias y Entremeses* y la *Segunda Parte del Ingenioso Cavallero Don Quijote de la Mancha. Por Miguel de Cervantes Saavedra, autor de su primera parte. Dirigida a D. Pedro Fernández de Castro, Conde de Lemos..., En Madrid. Por Juan de la Cuesta. Año 1615.* En 1616 compuso un soneto para *Los amantes de Teruel,* de Juan Yagüe de Salas, Madrid, 1616, y otro a doña Aldonza González de Salazar, monja profesa en el convento de monjas de Constantinopla, de esta corte, y se publicó en la *Minerva sacra,* del licenciado Miguel Toledano, Madrid, 1616. Del mismo año es la notable carta que escribió en 26 de marzo al cardenal de Toledo, don Bernardo de Sandoval, diciéndole que el mal que le aqueja no tiene remedio y acabará con él, aun cuando no con su agradecimiento. El 2 de abril profesó Cervantes en la Orden Tercera, el 18 del mismo mes recibió la Extremaunción, el 19 escribió la *Dedicatoria* al conde de Lemos, de los *Trabajos de Persiles y Sigismunda,* admirable último escrito de un corazón agradecido, y el 23 del mismo abril y año de 1616 falleció en su casa de la calle del León, de mal del corazón, manifiesto en la hidropesía que él dice en el *Persiles.* Fue sepultado el 24 en el convento de las Trinitarias, llevado en hombros de los Terceros de San Francisco, "con la cara descubierta como a Tercero que era". El 24 de septiembre logró doña Catalina de Salazar el privilegio para el *Persiles,* y acabó de imprimirse a fines del mismo año 1616, en casa de Juan de la Cuesta, a costa de Juan de Villarroel, el famoso comprador de las *Comedias y Entremeses,* y salió a luz en 1617 en Madrid, reimprimiéndose este mismo año en Madrid, París, Barcelona, Valencia, Pamplona y Lisboa, y el siguiente en Bruselas.

El retrato físico de Cervantes hízolo él mismo en el Prólogo de las *Novelas ejemplares;* el moral de su alma pónese de relieve en todas sus obras: alegría sana, socarronería ingeniosa y benévola, conformidad en los trabajos, nobleza de sentimientos, aliento siempre sin desesperanza, optimismo y brío, entereza y grandeza de ánimo extraordinaria. Y tal era la España de entonces y tales los personajes todos que nos pinta, hermoseando hasta los más feos y odiosos, dejando siempre flotar un aire de salud confortable y alegre que ensancha el corazón y eleva la mente a grandes y generosas empresas. Los grandes ingenios se retratan en sus obras y estilo: el estilo de Cervantes, transparente como el agua que salta de la fuente, descubre en el fondo de los asuntos que trata, en los personajes que dibuja, en los acaecimientos que cuenta, tomados todos de hechos reales y muchas veces propios, un alma grande, noble y hermosísima."

Obras de Cervantes:

La Galatea—1585, Alcalá.
Ocho comedias y ocho entremeses —1615—; pero estas obras teatrales, como otras muchas aludidas por el propio Cervantes, y desconocidas hoy, fueron escritas a partir de 1583.
Poesías sueltas—de muy distintas épocas.
Primera parte del Ingenioso Hidalgo Don Quijote de la Mancha—Madrid, 1605.
Novelas ejemplares—1613, Madrid.
Viaje del Parnaso—Madrid, 1614.
Segunda parte del Ingenioso Hidalgo Don Quijote de la Mancha—Madrid, 1615.
Los trabajos de Persiles y Sigismunda, historia septentrional—Madrid, 1617.

Obras atribuidas a Cervantes:

Los habladores (entremés).
La cárcel de Sevilla (entremés).
El hospital de los podridos (entremés).
La Soberana Virgen de Guadalupe (comedia).
Los refranes (entremés).
Los romances (entremés).
Los mirones (entremés).
La carta a don Diego de Astudillo Carrillo, en que se le da cuenta de la fiesta de San Juan de Alfarache (relación en prosa).
Doña Justina y Calahorra (entremés).
Acaso la atribución de las piezas escénicas tenga su fundamento en las afirmaciones de Cervantes de que algunas de sus obras menores andaban descarriadas y sin el nombre de su dueño.

La Galatea fue la primera novela publicada por Cervantes; y, como dice este, es una *égloga* o novela pastoril del género de *La Diana*—¿1559?—, de Montemayor; de la *Diana enamorada*—1564—, de Gil Polo, y *El pastor de Fílida*—1582—, de Gálvez de Montalvo, obras que conoció perfectamente Cervantes. Y, naturalmente, todas derivaban de *La Arcadia*—1502—, de Sannazaro. *La Galatea* tuvo menos éxito, en su época, que las mencionadas. Sin embargo, es, acaso, la más original de las novelas de este género... "cosas soñadas y bien escritas, para entretenimiento de los ociosos y no verdad alguna". En *La Galatea* se mezclan ingeniosamente recuerdos de la vida del autor y pasajes de la doctrina platónica de los *Diálogos,* de León Hebreo, que Cervantes conocía por la traducción del inca Garcilaso. Y hay también en ella alusiones a personas reales bajo nombres pastoriles, algunas de ellas fácilmente comprobables: *Tirsi* es Francisco de Figueroa; *Meliso* es don Diego Hurtado de Mendoza; *Larsileo,* Mateo Vázquez; *Lauso,* Cervantes mismo; *Siralvo,* Gálvez de Montalvo; *Astraliano,* don Juan de Austria; *Crisio,* Cristóbal de Virués; *Silvano,* Gregorio Silvestre; *Damón,* Pedro Láinez...

La Galatea hubo de escribirla Cervantes, ya vuelto a Madrid—1580—de su cautiverio en Argel, entre 1581 y 1583. En febrero de 1584 se firma su *aprobación.* Vendióla al librero Robles por 1.336 reales. Reimprimióse, viviendo Cervantes, en Lisboa, 1590, y en París, 1611.

De las dieciséis ediciones que cita Ríus, solo la de Madrid, 1863, tuvo a la vista la *princeps.* Hubo tres versiones alemanas, dos inglesas, y adaptada en francés, por Florián, en 1783, vertióse al inglés, al alemán, al italiano, al griego, al portugués y... ¡hasta al castellano—1797—por Casiano Pellicer! Cándido María Trigueros hizo una insípi-

C

da continuación: *Los enamorados, o Galatea y su novia.*

Mucho más bellos los versos que la prosa de *La Galatea,* siendo esta prosa admirable, en esta obra primera la inventiva ya despunta, y el estilo y el lenguaje parecen ya con las cualidades personales de sonoridad, claridad y elegancia. Dentro del acotado terreno del género logró Cervantes una obra original e introdujo en ella pequeñas novelas, que anuncian ya las *ejemplares,* y, en parte, son recuerdos de su propia vida.

Cervantes tuvo siempre en mucho a su *Galatea,* cuya segunda parte ofreció continuadas veces: en la dedicatoria de las *Comedias,* en el prólogo de la *segunda parte* del *Quijote,* en la dedicatoria del *Persiles...* Menéndez Pelayo, *Oríg. novel.,* tomo I, página DXVI: "Cervantes, que con la cándida modestia propia del genio siguió todos los rumbos de la literatura de su tiempo, antes y después de haber encontrado el suyo sin buscarle, cultivó la novela pastoril, como cultivó la novela sentimental y la novela bizantina de peregrinaciones, naufragios y reconocimientos. Obras de buena fe todas, en que su ingénito realismo lucha con el prestigio de la tradición literaria, sin conseguir romper el círculo de hierro que le aprisiona. No solo compuso *La Galatea* en sus años juveniles, sino que toda la vida estuvo prometiendo su continuación y todavía se acordaba de ella en su lecho de muerte. Aun en el mismo *Quijote* hay episodios enteramente bucólicos, como el de Marcela y Grisóstomo. No era todo tributo pagado al gusto reinante. La psicología del artista es muy compleja, y no hay fórmula que nos dé íntegro su secreto. Yo creo que algo faltaría en la apreciación de la obra de Cervantes si no reconociésemos que en su espíritu alentaba una aspiración romántica, nunca satisfecha, que, después de haberse derramado con heroico empuje por el campo de la acción, se convirtió en actividad estética, en energía creadora, y buscó en el mundo de los idilios y de los viajes fantásticos lo que no encontraba en la realidad, escudriñada por él con tan penetrantes ojos. Tal sentido tiene, a mi ver, el bucolismo suyo, como el de otros grandes ingenios del Renacimiento. La posición de Cervantes respecto de la novela pastoril es, punto por punto, la misma en que aparece respecto de los libros de caballerías. En el fondo los ama, aunque le parezcan inferiores al ideal que los engendró, y por lo mismo tampoco le satisfacen las pastorales, comenzando por la de Montemayor y terminando por la suya. Si salva a Gil Polo y a Gálvez de Montalvo, es, sin duda, por sus méritos poéticos. Nadie ha visto con tan serena crítica como Cervantes los vicios radicales de estas églogas, nadie los satirizó con

tan picante donaire. Juntos estaban los libros de caballerías y los pastoriles en la biblioteca de Don Quijote, y cuando se inclina el cura a mayor indulgencia con ellos, por ser "libros de entretenimiento sin perjuicio de tercero", replica agudamente la sobrina: "Ay, señor, bien los puede vuestra merced mandar quemar como a los demás; porque no sería mucho que habiendo sanado mi señor tío de la enfermedad caballeresca, leyendo estos se le antojase de hacerse pastor y andarse por bosques y prados cantando y tañendo, y, lo que sería peor, hacerse poeta, que, según dicen, es enfermedad incurable y pegadiza."

Extraordinaria importancia tiene el *teatro* de Cervantes, siempre aficionado al género. En la *Adjunta al Parnaso* dice que compuso varias comedias, "y a no ser mías, me parecieran dignas de alabanza". También afirma que "fui el primero que representase las imaginaciones y los pensamientos escondidos en el alma, sacando figuras morales al teatro".

De las comedias que escribió en su primera época, antes de meterse a cobrador de alcabalas en Andalucía, apenas si se conocen los títulos de algunas de ellas, por mencionarlas su autor en la *Adjunta al Parnaso* y en el Prólogo de sus comedias.

"Se vieron—dice en el Prólogo de sus *Comedias*—en los teatros de Madrid representar *Los tratos de Argel,* que yo compuse; *La destrucción de Numancia* y *La batalla naval,* donde me atreví a reducir las comedias a tres jornadas de cinco que tenían —por aquel tiempo, pues ya otros anteriormente habían hecho piezas en tres actos—... Con general y gustoso aplauso de las gentes, compuse en este tiempo hasta *veinte* comedias o *treinta,* que todas ellas se recitaron sin que se les ofreciese ofrenda de pepinos ni de otra cosa arrojadiza; corrieron su carrera sin silbos, gritas ni barahúndas; tuve otras cosas de que ocuparme; dejé la pluma y las comedias y entró luego el monstruo de la Naturaleza, el gran Lope de Vega, y alzóse con la monarquía cómica; avasalló y puso debajo de su jurisdicción a todos los farsantes; llenó el mundo de comedias propias, felices y bien razonadas, y tantas, que pasan de diez mil pliegos las que tiene escritas, y todas, que es una de las mayores cosas que puede decirse, las ha visto representar u oído decir, por lo menos, que se han representado." De las comedias de aquella primera época se conocen, además, los títulos de otras diez por la *Adjunta al Parnaso:* "Y vuestra merced, señor Cervantes, dijo él, ¿ha sido aficionado a la carátula? ¿Ha compuesto alguna comedia?" "Sí, dije yo, muchas; y a no ser mías, me parecieran dignas de alabanza, como lo fueron: *Los*

C

tratos de Argel, la Numancia, La gran turquesa, La batalla naval, La Jerusalem, La Amaranta, o la del mayo; El bosque amoroso, La Unica y La bizarra Arsinda, y otras muchas de que no me acuerdo; mas la que yo más estimo y de la que más me precio, fue y es de una llamada La confusa, la cual, con paz sea dicho, de cuantas comedias de capa y espada hasta hoy se han representado, bien puede tener lugar señalado por buena entre las mejores." Olivares parece tuvo ejemplares de La batalla naval, y Matos Fragoso mienta la Arsinda en La corsaria catalana, del año 1673.

Comedias (ed. 1615): El gallardo español, La casa de los celos y selvas de Ardenia, Los baños de Argel, El rufián dichoso, La gran sultana doña Catalina de Oviedo, El laberinto de amor, La entretenida, Pedro de Urdemalas.

Entremeses: El juez de los divorcios, El rufián viudo, llamado Trampagos; La elección de los alcaldes de Daganzo, La guarda cuidadosa, El vizcaíno fingido, El retablo de las maravillas, La cueva de Salamanca, El viejo celoso. No se representaron los entremeses como nos dice Cervantes; pero después se leyeron, se imprimieron, se plagiaron como verdaderas obras maestras que son en su género, no sobrepujadas por las de ningún otro autor. El Entremés famoso de los habladores, el Entremés famoso de la cárcel de Sevilla y El hospital de los Podridos, salieron en la Séptima parte de las comedias de Lope, Madrid, 1617. Los habladores, además, en Cádiz, 1646, a nombre de Cervantes. No cabe duda que son suyos los tres para quien conozca los demás entremeses y el estilo del príncipe de nuestros ingenios: de ellos a cualesquier otros entremeses, hay un abismo. De La cárcel de Sevilla y de Los habladores hay un manuscrito en el códice de la Colombina (A. A., tabla 141, número 6). Doña Justina y Calahorra, entremés, fue hallado en la Biblioteca Colombina, y don Adolfo de Castro se lo atribuyó a Cervantes, publicándolo en 1874. Está en verso y es del género bufo. Los mirones, entremés, se halló en el mismo códice, juntamente con Los refranes, Los romances y otros trabajos, que don Adolfo de Castro publicó como de Cervantes: Varias obras inéditas de Cervantes, sacadas de códices de la Biblioteca Colombina, Madrid, 1874. De Los mirones, dice Castro: "Llámase entremés, y yo le llamaría mejor coloquio. Más aún: en el estilo se asemeja mucho al de los perros Cipión y Berganza. Hay la misma manera de presentar los pensamientos filosóficos y la de contar las aventuras y describir las costumbres; y hasta a veces, con la libertad que hoy nuestro siglo no perdonaría a autor contemporáneo. Es una pintura amenísima por la discreción, vivacidad, exactitud y gala... Es un cuadro animadísimo y rico de costumbres sevillanas..." La unidad de la acción, el estilo y lenguaje son tan de Cervantes, que yo me inclino a tenerlo por suyo, lo mismo que Adolfo de Castro. Los romances, entremés, pudiera ser de Cervantes, que hizo muchos romances durante su primera época teatral. Los de este entremés son inmejorables, pues es un tejido de romances viejos y de los mejores del tiempo de Cervantes. Realmente, "todo el pensamiento del Quixote se halla resumido" en los primeros versos, como dice Castro. Se escribió y representó en 1604. "¿Cabe, en lo posible—añade—que Cervantes, que, según él mismo, excedía a tantos en la invención, tomase de un entremés conocido el pensamiento del Quijote?" La Soberana Virgen de Guadalupe—comedia—, se publicó en Sevilla, 1605—como auto—, 1615, 1617, 1868—Sociedad Bibliófila Andaluza—; tiene licencia de 1598. No es de la manera y estilo de Cervantes, aunque Asensio y otros se la atribuyan.

De las comedias, El rufián dichoso es de las calificadas devotas o de santos; de moros y cristianos, La gran sultana, Los baños de Argel, El trato de Argel y El gallardo español; de enredo, La entretenida; picaresca, Pedro de Urdemalas; crónica dramática, La Numancia; caballeresca, La casa de los celos. "Los entremeses de Cervantes son unos maravillosos aguafuertes, de gran vigor y valentía en los trazos; excelentes cuadros del género, llenos de vida, en que abundan las notas del ambiente picaresco, del mundo del hampa, trasladado a la escena en breves situaciones, con exactitud y profundidad admirables; la penetración psicológica es aquí tan intensa como en las novelas más afortunadas de Cervantes; la savia popular más genuina circula por ellos, sin extraños aditamentos; el toque satírico es tan llano y natural, que, sin perder su agudeza, parece como que se presenta por sí mismo. Cervantes, en sus entremeses, es el lazo de unión entre los pasos de Lope de Rueda y las obras inmortales de Quiñones de Benavente, preludio digno de los sainetes de don Ramón de la Cruz." (H. y P.)

Del teatro de Cervantes ha escrito Menéndez Pelayo—Id. est., tomo III, volumen I, página 374—: "Entre los innumerables dramaturgos anteriores a Lope de Vega, ¿quién es el que puede entrar en comparación con Cervantes, si se exceptúan acaso Torres Naharro y Micael de Carvajal? Prescindiendo de la grandiosa y épica Numancia, que todavía no estaba impresa ni descubierta cuando Nasarre escribía, ¿por qué había de avergonzarse Cervantes ni nadie de ser autor de una comedia de costumbres tan ingeniosa y amena como *La entretenida,* de una comedia de carácter tan original como *Pedro de Urdemalas,* de una comedia de moros y cristianos tan bizarra y pintoresca como *El gallardo español,* de un drama novelesco tan interesante y fantástico como *El rufián dichoso,* y de una serie de entremeses que son cada cual, sobre todo los escritos en prosa, un tesoro de lengua y un fiel y acabado trasunto de las costumbres populares?"

Hallándose Cervantes en Sevilla—1592—firmó con el *autor* de comedias Rodrigo Osorio un contrato leonino. Cervantes se comprometía a escribir y entregar seis comedias, "que si resultasen de las mejores" cobraría por cada una 50 ducados—551 1/2 reales—; en cambio, si la obra "no parecía buena", el *autor* nada pagaría por ella.

El gran crítico alemán Schack ha escrito en su *Historia de la literatura y del arte dramático en España,* tomo II, página 60: "Así como Cervantes amontonó en su última novela las aventuras de los libros de caballería que antes criticara con tanto rigor, así también acumuló en ellas sin escrúpulo todos aquellos extravíos dramáticos de bambolla y efecto de la época, llevando hasta la exageración tal licencia..., aridez en la composición y ligera suma en su desarrollo. Justamente el mismo poeta, que dio tantas pruebas de su maestría en la pintura de caracteres, se contenta en ellas con bosquejarlos muy superficialmente, y profundizando hasta tal punto otras veces, carece en sus comedias de verdadera intención poética...; como intentaba rivalizar con Lope y su escuela, creyó, acaso, que el mejor modo de lograr el triunfo era imitar la parte externa de sus obras, acumulando maravillas, aventuras y golpes teatrales"; luego dice que *El rufián dichoso,* "por su licencia y mal gusto, es la peor de todas las *comedias de santos* que conocemos". "Infinitamente superiores a estas comedias son los ocho entremeses... Cervantes tenía todas las cualidades necesarias para brillar en este género dramático, y sin vacilar podemos decir que no ha sido superado por ninguno de los que le sucedieron. Sabido es que estos cuadros burlescos de la vida ordinaria no tienen, por lo común, grandes pretensiones poéticas; pero cuando campea en ellos tanta gracia e ingenio como en los de Cervantes, cuando abundan en ellos tantas sentencias y rasgos tan agudos como discretos, no se les puede negar altísimo mérito. El entremés de *El retablo de las maravillas,* que sirvió a Piron de modelo para componer su *Faux prodige,* es inimitable y una verdadera obra maestra... *La cueva de Salamanca,* farsa muy divertida, fundada en el proverbio popular, de que sacó Hans Sachs *Die fahrenden Schüler,* y

en que se funda la opereta francesa titulada *Le soldat magicien...* La edición de estos entremeses... ofrece maravillosamente ejemplos de la fusión del lenguaje de la vida ordinaria con la cultura literaria más refinada."

Poesías sueltas. En el *Viaje del Parnaso* se lamentó Cervantes de su falta de talento poético:

> Yo que siempre me afano y me desvelo
> por parecer que tengo de poeta
> la gracia que no quiso darme el cielo...

Sin embargo de esta humildísima confesión y de las burlas que como poeta recibió Cervantes de muchos de sus contemporáneos—Suárez de Figueroa, Villegas, Lope de Vega—, no es cierto que no fuera poeta. No lo fue de primer orden; sus versos valen muchísimo menos que su prosa, pero es indudable que tuvo *una personalidad poética.* En el *Quijote,* en algunas de sus novelas y comedias pueden espigarse poesías notabilísimas—romances, canciones, letrillas, sonetos, romancillos—, dignas de la mejor antología. El mismo Lope, ya muerto Cervantes, le hizo justicia como poeta en *El laurel de Apolo.* Cejador ha escrito: "El verdadero poeta, el poeta nacido, ni busca pensamiento que envestir con sus rimas, ni rimas con que vestir su pensamiento; nacióle el pensamiento ya rimado, tanto, que cuando escribe en prosa, su prosa es verso diluido. Tal sucede a Bécquer en sus leyendas. En este sentido, Cervantes no es poeta, y él mismo lo reconocía a cada paso, confesando que el cielo le había negado este don de la poesía. Como artista que maneja maravillosamente el idioma, que tiene fino oído, sentimientos delicados, rica imaginación, hace a veces versos magníficos, dignos de un verdadero poeta, y, sobre todo, versifica fácilmente sus obras dramáticas, y sobresale en los versos festivos, humorísticos y burlescos, más allegados al ingenio prosaico que al poético; pero raras veces tiene aquella facilidad que muestran los verdaderos poetas a quienes el pensamiento les sale ya rimado, en quienes pensamiento y forma rimada brotan enteramente fundidos y como un todo natural y espontáneo."

Entre tales bellísimas poesías cervantinas sobresalen: el lindo romance que canta *Preciosa* en *La Gitanilla:*

> Hermosita, hermosita,
> la de las manos de plata,
> más te quiere tu marido
> que el rey de las Alpujarras...

Los sonetos *Al túmulo de Felipe II en Sevilla, A la entrada del duque de Medina Sidonia en Cádiz,* a *Un valentón de espátula y* gregüesco, el *Canto a Calíope,* inserto en *La Galatea;* la *Epístola a Mateo Vázquez;* la *Canción de Grisóstomo,* en el *Quijote;* el romancillo morisco de *El gallardo español,* que empieza: "Escuchadme los de Orán..."; el *Canto de Mireno,* en *La Galatea,* que recuerda "el dulce lamentar de dos pastores"; algunos trozos del *Viaje del Parnaso...*

En el *Viaje del Parnaso*—Madrid, 1614—, sátira en tercetos y ocho capítulos, imitó al comenzar y en el título el *Viaggio in Parnaso,* de César Caporali; al fin añadió la *Adjunta al Parnaso,* diálogo graciosísimo y picante en defensa de sus propios dramas y contra los actores que no los querían representar. El *Viaje* y *El canto a Calíope*—de *La Galatea*—nos dan una reseña de los poetas de aquel tiempo, juzgados por Cervantes con la indulgencia propia de su noble corazón.

Novelas ejemplares—Madrid, 1613—. Como novelista, no ha tenido Cervantes competidor posible. El solo reina en la cumbre del género de ficción. Sus *Novelas ejemplares* pueden distribuirse en cuatro clases:

1.ª Las de "pura invención": *El amante liberal, La fuerza de la sangre, La señora Cornelia.*

2.ª Las "realistas": *La Gitanilla, La española inglesa, Las dos doncellas.*

3.ª Las "picarescas": *Rinconete y Cortadillo, La ilustre fregona, El casamiento engañoso, El celoso extremeño.*

4.ª Las "extrañas": *El licenciado Vidriera* y *El coloquio de los perros.*

Con razón pudo decir Cervantes:

"Yo soy el primero que he novelado en lengua castellana; que las muchas novelas (de los citados autores) que en ella andan impresas, todas son traducidas de lenguas extranjeras, y estas son mías propias, no imitadas ni hurtadas; mi ingenio las engendró y las parió mi pluma, y van creciendo en los brazos de la estampa."

En el año 1613, con la publicación de sus *Novelas ejemplares,* abrió camino a este nuevo género literario en España. Claro está que el cuento popular siempre lo hubo, y no menos la anécdota literaria, como la de Timoneda, Melchor de Santa Cruz, Luis de Pinedo, Juan de Arguijo. "Pero la novela corta—dice Menéndez Pelayo, *Orígenes de la novela,* tomo II, página CXL—, el género de que simultáneamente fueron precursores don Juan Manuel y Boccaccio, no había producido en nuestra literatura del siglo XVI narración alguna que pueda entrar en competencia con la más endeble de las novelas de Cervantes: con el embrollo romántico de *Las dos doncellas,* o con el empalagoso *Amante liberal,* que no deja de llevar, sin embargo, la garra del león, no tanto en el apóstrofe retórico a las ruinas de la desdi-

chada Nicosia como en la primorosa miniatura de aquel "mancebo galán, atildado, de blancas manos y rizos cabellos, de voz meliflua y amorosas palabras, y finalmente todo hecho de ámbar y de alfeñique, guarnecido de telas y adornado de brocados". ¡Y qué abismos hay que salvar desde estas imperfectas obras hasta el encanto de *La Gitanilla,* poética idealización de la vida nómada, o la sentenciosa agudeza de *El licenciado Vidriera,* o el brío picaresco de *La ilustre fregona,* o el interés dramático de *La señora Cornelia* y de *La fuerza de la sangre,* o la picante malicia de *El casamiento engañoso,* o la profunda ironía y la sal lucianesca de *El coloquio de los perros,* o la plenitud ardiente de vida que redime y ennoblece para el arte las truhanescas escenas de *Rinconete y Cortadillo!* Obras de regia estirpe son las novelas de Cervantes, y con razón dijo Federico Schlegel que quien no gustase de ellas y no las encontrase divinas, jamás podría entender ni apreciar debidamente el *Quijote.* Una autoridad literaria más grande que la suya y que ninguna otra de los tiempos modernos, Goethe, escribiendo a Schiller en 17 de diciembre de 1795, precisamente cuando más ocupado andaba en la composición de *Wilhelm Meister,* las había ensalzado como un verdadero tesoro de deleite y de enseñanza, regocijándose de encontrar practicados en el autor español los mismos principios de arte que a él le guiaban en sus propias creaciones, con ser estas tan laboriosas y aquellas tan espontáneas. ¡Divina espontaneidad la del genio que al forjarse su propia estética adivina y columbra la estética del porvenir." Lope, *Filomena,* fol. 58: "También ay libros de Novelas, dellas traduzidas de Italianos, y dellas propias, en que no faltó gracia y estilo a Miguel de Cervantes." Quevedo, *Perinola:* "Para agravarlas las hizo (Montalbán) tan largas como pesadas, con poco temor y reverencia de las que escribió el ingeniosísimo Miguel de Cervantes... Deje las novelas para Cervantes y las comedias a Lope." Tirso, *Cigarrales,* fol. 73: "Paréceme, señores, que después que murió nuestro Español Boacio, quiero dezir Miguel de Cervantes..." Salas Barbadillo, *Aprob.:* "Con esta confirma Cervantes la justa estimación que en España y fuera de ella se hace de su claro ingenio, singular en la invención y copioso en el lenguaje, que con lo uno y lo otro enseña y admira, dejando de esta vez concluidos con la abundancia de sus palabras a los que, siendo émulos de la lengua española, la culpan de corta y niegan su fertilidad." Del *Crotalón,* de Cristóbal de Villalón, a quien trató familiarmente Cervantes y debió de dejárselo leer manuscrito, hay huellas harto manifiestas en las *Novelas ejemplares.* Aun para la de *El curioso im-*

C

pertinente del *Quijote* ha de leerse el canto tercero, al fin, y el canto décimo. Tan increíble le pareció a Cervantes no ceder en la ocasión que de aquí le ocurrió lo de Lotario y su amigo. Para *La tía fingida*, véase en el canto séptimo el cuento de doña María en Salamanca y Valladolid. Para la tempestad del *Persiles* (lib. II, cap. I), véase el canto nono, al principio. Para *Las dos doncellas,* el mismo canto nono, más adelante. Véase, además, Serrano y Sanz, prólogo, *Ingeniosa comparación,* de Villalón, página 91. Claro está que, como siempre, más tomó Cervantes de sucedidos reales que de cuentos escritos. Por lo cual dijo en el *Quijote* (2, 62): "Las historias fingidas tanto tienen de buenas y deleitables cuanto se llegan a la verdad o a la semejanza della, y las verdaderas, tanto son mejores cuanto son más verdaderas."

Por la índole del *Rinconete,* de *El celoso extremeño* y *La española inglesa,* así como por haber hecho mención Cervantes de las dos primeras en el *Quijote* y por lo que al final de la última insinúa del arzobispo y de Porras de la Cámara y no menos, por hallarse las dos primeras con *La tía fingida* en las copias del mismo Porras de la Cámara, se puede sacar que las compuso Cervantes en Sevilla. *La ilustre fregona* y *La fuerza de la sangre* tienen trazas de haberse planeado en Toledo. *La Gitanilla,* por lo mismo, en Madrid, y *El casamiento engañoso* y *El coloquio,* en Valladolid, en la casa que habitó cerca del hospital de la Resurrección. Con todo, pudo valerse del recuerdo, como en *La tía fingida,* que no se hizo en Salamanca, sino en Sevilla, donde Porras la copió.

"*La tía fingida* se halló en manuscrito que el licenciado Francisco Porras de la Cámara, racionero de Sevilla, había hecho de varias novelas, entre ellas *Rinconete y Cortadillo* y *El celoso extremeño,* de Cervantes, tomadas de borradores, pues todavía no se habían impreso, para el arzobispo de aquella ciudad. Imprimióla García Arrieta, Madrid, 1814, por una copia, con erratas; sin ellas, Navarrete, en Berlín, 1818; después, Arrieta, París, 1826; Barcelona, etc. Gallardo halló otro manuscrito en la Biblioteca Colombina (AA., 141..., 4), véase *El Criticón,* 1835, número 1. Publicóse con estudio crítico por Julián Apráiz, con las tres variantes, Madrid, 1906; y con las dos (colombina y berlinesa) y estudio por A. Bonilla, 1911. En estos estudios y en el de J. Apráiz, *Don Isidoro Bosarte,* Madrid, 1904, se halla toda la cuestión acerca de esta novela. En el *Boletín de la Academia Española,* 1914, ha querido probar Icaza que no es de Cervantes, por ser casi una copia de un trozo de los *Ragionamenti,* del Aretino;

pero no convencen sus pruebas, porque las coincidencias que de entrambos trae lo mismo se hallan en cuantos han pintado tales damas, y la corrupción de costumbres que la novela supone y que dice ser exclusiva de Italia, lo era no menos de Salamanca y de otras partes de España: Barbadillo, el *Lazarillo* segundo, el *Crotalón* (cap. VII) y los datos que en manuscritos de la Universidad salmantina se hallan de la vida estudiantil, lo comprueban. Los pensamientos de tales damas son hoy día los mismos y hasta las frases, y lo fueron siempre en tiempo del Aretino, de Delicado y de Cervantes. Un pensamiento de aquí, otro de acullá, en que haya tales coincidencias, no es prueba de que la trama, que no se halla en el Aretino, ni mucho menos la novela entera, esté de él tomada. El sello cervantino está en *La tía fingida* tan de bulto como en las demás novelas; es cuestión de ojos. Cuando me presenten otro autor parecido a Cervantes, creeré que el tal pudiera haberla escrito y que no menos pudiera haber escrito las *Novelas ejemplares. La tía fingida* es una de tantas como él dice haber compuesto y que andaban por ahí y que no quiso incluirlas en sus *Novelas ejemplares* por temor de que por su fuerte realismo y asunto escabroso dejaran de serlo para la gente menuda." (Cejador.)

Schack, *Hist. lit. y art. dram. en Esp.,* tomo II, pág. 33: "*La Gitanilla* sirvió a Montalbán y a Solís para componer dos piezas de igual nombre. *La ilustre fregona,* para una de igual título de Lope de Vega, otras dos de Vicente Esquerdo y Cañizares, y *La hija del mesonero,* de Diego de Figueroa y Córdoba. *El licenciado Vidriera,* para otra de igual título de Moreto. *La señora Cornelia,* a Tirso de Molina, para su comedia *Quien da luego, da dos veces. El celoso extremeño,* para dos de igual título, de Lope y Montalbán. *La fuerza de la sangre,* para la de igual nombre de Guillén de Castro.

En las literaturas extranjeras encontramos las imitaciones siguientes: *La force du sang,* de Hardy; *L'amant liberal,* de Bouscal y de Bey, y una tragicomedia de Scudery. *Les deux pucelles,* de Rotrou, de *Las dos doncellas,* de Cervantes. *The Spanish Gipsie,* de Middleton Rowley, de *La Gitanilla* y *La fuerza de la sangre. Love's Pilgrimage,* de Beaumont y Fletcher, de *Las dos doncellas. The chances,* de los mismos, de *La señora Cornelia.*"

Fitzmaurice - Kelly, *Literatura española,* 1913, pág. 285: "Dejemos a un lado los imitadores que tuvo en España: más seguro indicio de su éxito nos proporciona la cualidad y el número de los imitadores septentrionales, de los que solo podemos señalar algunos. *La Gitanilla* no es concepción original, porque la gitana Preciosa procede de la Tarsiana del *Libro de Apollonio;* pero el personaje de Cervantes es quien resurge en la *Preciosa,* de Weber y de Wolff; en la *Esmeralda,* de Víctor Hugo, y en *The Spanish Gipsie,* de Middleton y Rowley, que han añadido algunos rasgos tomados de *La fuerza de la sangre.* Son de notar las imitaciones de Fletcher: *The Queen of Corinth* se funda en *La fuerza de la sangre; Love's Pilgrimage,* en *Las dos doncellas; Rule a Wife and have a Wife,* en *El casamiento engañoso; A very Woman or The Prince of Tarent,* en *El amante liberal,* y *Chances,* en *El celoso extremeño* (de donde, mucho tiempo después, sacó Bickerstafe *The Padlock).* No hace falta indicar las fuentes de *Cornélie, La force du sang* y *La belle Egyptienne,* de Alexandre Hardy; de *Les deux pucelles,* de Rotrou; de *L'amant libéral,* de Georges de Scudery; de *Le docteur de verre,* de Quinault, ni de *La belle prevençale,* de Regnard; más interesante sería saber si la escena del soneto en *La misanthrope* le fue sugerida a Molière por *El licenciado Vidriera.* Sábese que Fielding se enorgullecía de considerar maestro suyo a Cervantes. Hagamos constar que sir Walter Scott confesó que 'las *Novelas* de este autor le habían inspirado desde un principio el deseo de sobresalir en ese género literario'. Algo de ellas quedó en la memoria de Scott: la famosa descripción de Alsacia en *The Fortunes of Nigel* fue sugerida, sin duda, por un pasaje de *Rinconete y Cortadillo.*"

Aun sin haber escrito el *Quijote,* sería Cervantes, autor de estas prodigiosas *Novelas ejemplares,* uno de los más grandes novelistas del mundo.

Don Quijote de la Mancha (Madrid, 1605 —*primera parte*—y 1615—*segunda parte*—). Para muchos críticos y autores, españoles y extranjeros, de todas las épocas, es el *Quijote* la obra literaria cumbre de la Humanidad, por ser "la más amplia, honda y universal".

"Cervantes, en el *Quijote,* habiéndose propuesto parodiar los libros de caballerías para desterrarlos por falsos y perniciosos, saliendo así por el realismo español, contra el aire quimérico venido siglos había de otras partes, y enamorado de sus dos principales personajes, Don Quijote y Sancho, idealizó los dos tipos principales de la sociedad española del siglo XVI y de la Humanidad entera de todos los tiempos; y haciendo intervenir en su obra todo linaje de gentes con sus propias costumbres y lenguaje, inventó la novela moderna de costumbres y caracteres, componiendo, no solo la mejor novela caballeresca, la mejor de sus novelas ejemplares, la mejor novela picaresca y la mejor novela realista moderna, sino la novela

social española de su tiempo y aun de todos los tiempos. El *Quijote* es un nuevo y antes desconocido manantial épico, el de la novela moderna; es la tumba de los géneros épicos antiguos llamados a desaparecer y de los géneros de transición; en él fenecen y se transforman el género caballeresco, el género italiano, el género pastoril. El ingenio doblegadizo de Cervantes se inspiró en todos los modelos y tanteó todos los géneros que le precedieron; pero su realismo español, al infundir nueva sangre en la épica, la transformó, dejándolos a todos ellos oscurecidos y creando la novela moderna de caracteres y costumbres, la única épica no ficticia que correspondía a los tiempos de mayor reflexión y de la pura razón. La lengua de Cervantes es la lengua castellana .en el momento de su mayor esplendor, y en el *Quijote* presenta los más acabados modelos en toda su rica variedad de tonalidades y matices, del habla caballeresca y anticuada, del habla erudita, del habla popular, del habla pastoril, del habla picaresca. Es Cervantes el que más diestramente supo aunar la refinada elegancia clásica de los antiguos y del Renacimiento con el realismo y casticismo del habla popular, siendo su decir propio y limpio, armonioso y recio, y el más rico en voces y construcciones de los escritores castellanos." (Cejador.)

El *Quijote* es la parodia y obra burlesca más famosa que se ha escrito en el mundo. Antes de él conocemos en castellano *La Asneida,* de Cosme de Aldana, y el poema del seudónimo Cintio Meretisso; después del *Quijote,* las obras burlescas que en España se escribieron fueron sinnúmero. Es manera literaria tan del pueblo español como la socarronería que se halla en los refranes, cantares populares y en los más antiguos romances. No nace, pues, en España la parodia del estilo afectado, como alguien ha creído, aunque desde que reinó la afectación gongorina, el ingenio español, amante de lo real y sincero, acogióse a la parodia y a lo burlesco, no sufriendo las afectaciones del clasicismo dio de sí como cosa de imitación y de escuela. Cervantes, español hasta los tuétanos, al parodiar los descabellados libros de caballerías, no hizo más que volver por el realismo castellano contra los idealismos, fantasías y sueños de aquella literatura extranjera. Fue el *Quijote* el triunfo del temperamento serio, sincero, realista, del ingenio y del arte español, que sepultaba para siempre aquella manera extraña a él, que había señoreado en España durante siglos. Tal fue el primer intento de Cervantes, tenido en poco por la crítica, pero de enorme trascendencia en la historia de la literatura castellana y tal, que, aunque más no hubiera en el *Quijote,* pondría a este libro como a

C

uno de los faros que la ilustran y le devuelven la luz y los fueros propios y nacionales, barriendo de España una de las lacras que la habían manchado durante tanto tiempo. No hay intento más claramente manifestado por su autor en todo el libro. Contra lo milagrero y fantástico de la literatura caballeresca álzase en todo él el realismo español con un brío incomparable. Don Quijote, caballero de nobles pensamientos, pero real y vivo, hunde para siempre a los caballeros antiguos. Las damas endiosadas a la provenzal de los libros de caballerías, figuradas en la fantástica Dulcinea, deshácense como humo al olor a ajos de Aldonza Lorenzo, que zarandea trigo, y no candeal, en las eras, y al olor de cochambre de la Maritornes en el lecho de la venta. Jamás el realismo español brilló con tal chillón colorido, oscureciendo las quiméricas literaturas de allende, solo gustadas en España por niños y doncellas o por hidalgos soñadores, mientras que la fuerza de la escueta verdad del *Quijote* llegó a todos, a sabios e ignorantes, y fue y será siempre la lectura preferida de todo el mundo.

"Cervantes fue un gran poeta, uno de los contados altísimos poetas del mundo. Poeta significa trovador o inventor de nueva belleza, como lo fue Homero descubriendo el minero poético de la época heroica, que tantos tras él beneficiaron; como lo fue Dante descubriendo el minero poético de la comedia divina, del empleo de la divina justicia con penas y castigos en los mortales. Ya lo dijo el mismo Cervantes por boca de Mercurio, en el *Viaje:* "Y sé que aquel instinto sobrehumano, — que de *raro inventor* tu pecho encierra, — no te le ha dado el padre Apolo en vano." Cervantes halló otro nuevo y hasta él desconocido minero poético, supo ver poesía donde nadie la veía, sacóla de la seca y adusta llanura manchega. Hidalgos como Alonso Quijano, labradores como Sancho, molinos de viento, zafias lugareñas, rebaños, yangüeses, cuevas, palacios ducales, muchos los habían visto, sino que no habían visto más, no habían calado en personas y cosas tan comunes y baladíes. Dentro de todo eso común y trivial estaba, sin embargo, el minero de poesía que solo supo verlo cual zahorí del arte Cervantes, y supo alumbrar la venta, y fue tan copiosa, que todavía corre y correrá hasta que otro altísimo poeta nos descubra otra nueva. La novela moderna es la vena que Cervantes alumbró, el nuevo minero poético que descubrió. ¿El cómo? Como los poetas hallan la poesía, sin reflexión, sin querer, con solo dejarse arrebatar del ansia de la belleza que les abre los ojos para verla donde los demás no la ven. En lo hondo de la novela caballeresca había una gran poesía. Cervan-

tes estaba enamorado de ella. Condena los disparates, que como escoria la envolvía; pero estaba encantado de *Amadís,* y aun ensalza acaso más a *Tirante el blanco* y a *Palmerín de Inglaterra.* "Lo que Cervantes condena—dice Valera—, lo que es blanco de sus burlas, es la exageración, el amaneramiento, las extravagancias viciosas; casi siempre lo exótico y nunca lo castizo." ¿Qué es Don Quijote sino un verdadero caballero andante? ¡Y cómo lo ama Cervantes! ¡Y qué poesía en Don Quijote! Verdad es que Don Quijote no es como los demás caballeros andantes, porque es la flor y nata de la andante caballería. Esa flor y nata era la fina y verdadera poesía que encerraba la novel caballeresca, de la cual Cervantes estaba enamorado, y supo sacarla de entre lo que en aquellas novelas no era nata ni flor, sino disparates sin cuento. "Cervantes—dice Menéndez Pelayo—se levanta sobre todos los parodiadores de la caballería, porque Cervantes la amaba y ellos no. El Ariosto mismo era un poeta honda y sinceramente pagano, que se burla de la misma tela que está urdiendo, que permanece fuera de su obra, que no comparte los sentimientos de sus personajes ni llega a hacerse íntimo con ellos ni mucho menos a inmolar la ironía en su obsequio. Y esta ironía es subjetiva y puramente artística, es el ligero solaz de una fantasía risueña y sensual. No brota espontáneamente del contraste humano, como brota la honrada, serena y objetiva ironía de Cervantes." Es que Cervantes amaba a Don Quijote, al nuevo caballero andante, que, siendo el alma de los antiguos andantes caballeros, había pasado por la criba del ideal del poeta, se había ido acendrando y purificando, renaciendo con nueva vida. Amábale a Don Quijote Cervantes como a su propia criatura, ¿cómo iba a reírse de él? ¿Cómo iba a herirle con la ironía? La ironía brotará para los lectores del contraste con la fea realidad. El ideal poético caballeresco de Cervantes pasará por locura en el mundo, será apaleado por yangüeses, será acoceado por puercos y toros, por la España exclusivamente torera; Cervantes está enamorado de Don Quijote, que supo sacarlo de las novelas de la caballería y que se diferencia de los antiguos caballeros en ser castizamente caballero español, como Cervantes, desnudo de todas aquellas exóticas sandeces que los caballeros andantes trajeron de allende, la falta de contenido histórico, como dice Menéndez Pelayo, su perpetua infracción de todas las leyes de la realidad, su geografía fantástica, sus batallas imposibles, sus desvaríos amatorios, que oscilan entre el misticismo descarriado y la más baja sensualidad, el disparatado concepto del mundo y de los fines de la vida, la población inmensa de gi-

C

gantes, enanos, encantadores, hadas, serpientes, endriagos y monstruos de todo género, habitadores de ínsulas y palacios encantados, los despojos y reliquias de todas las mitologías y supersticiones del Norte y del Oriente. Todas estas quimeras de la caballería exótica, venida a España y cultivada, como vimos, a falta de otras obras de entretenimiento durante el siglo XVI, las llevaba Don Quijote en su cabeza; pero tan solo en sus momentos de locura, y como locuras se las puso en la cabeza Cervantes, para irle curando de ellas al contrastar con la realidad, y para de ellas curar a los lectores de tales novelas caballerescas, viendo lo ridículas que eran, merced a la suave ironía cervantina, que tan ridículas supo presentarlas. Pero Don Quijote se quedaba para perpetuo dechado de otras nobles cualidades que de los caballeros antiguos tomó y acendró al pasar por el generoso y nobilísimo corazón de Cervantes. Aquella verdadera pasión por llevar el bien a todas partes, aquella sincera cristiandad, aquella verdad y abertura de pecho, sin segundas intenciones, sin motivos bastardos, en dichos y en hechos, aquella valentía y arrojo a toda prueba, aquel desinteresado amor a la justicia, aquella igualdad social con que trataba a Sancho, a los cabreros, a los bandoleros mismos y galeotes; aquella hombría de bien, en suma, y bondad ingénita que Cervantes había hallado en los caballeros andantes y de ella estaba enamorado, porque la llevaba en sí mismo: esa era la poesía del nuevo caballero que Cervantes nos descubrió. Y esa poesía hallábase en las secas llanuras de la Mancha y en toda España. Porque Don Quijote es el hidalgo español de aquellos tiempos. "Mientras los hidalgos, nuestros abuelos—dice Gómez Ocaña-–, triunfaban orgullosos por los extensísimos dominios de la Monarquía hispana, perecían en la estrechez los que se quedaban en el patrio solar. Allende los mares había hidalgos que poseían más leguas de territorios vírgenes que fanegas de tierras heredaron de sus padres en las cansadas campiñas castellanas. Había licenciados que en Ultramar gobernaban más súbditos que los antiguos reyes de los Estados españoles, y por contraste con estos magnates de las Indias occidentales, los licenciados de por acá pasaban grandes apuros para ganarse el sustento, ya defendiendo pleitos, ya sirviendo los empleos públicos. De los apuros y achaques de pobreza de los letrados e hidalgos están llenas las novelas de nuestro siglo de oro. Poned enfrente de los 20 ducados (que ganaba al año como letrado de Córdoba Juan de Cervantes, abuelo de Miguel) la suma que repartieron los soldados de Pizarro a cuenta del Tesoro del Inca: a cada infante tocaron 1.440 pesos de oro

y 180 marcos de plata, y el doble a los de caballería. Es decir, que mientras nuestros hidalgos emigrantes, soldados y aventureros vivían como reyes y gobernaban reinos y poseían inmensos territorios en América, los hidalgos de por acá casi perecían de hambre. Despoblada y empobrecida España, los hidalgos se consolaban con los devaneos de la imaginación. ¿Y qué imaginación, por pobre que fuera, no había de encenderse con el relato estupendo de los que volvían de América contando...? ¿Os figuráis a estos hidalgos pobres, aparentemente dueños del mundo y con la imaginación henchida de descubrimientos, triunfos y conquistas?" Uno de estos hidalgos que afanando no sacaba ni para comer era Cervantes. ¿No había de solicitar el pasar a América? Uno de estos hidalgos soñadores era Cervantes, y como él veía a todos los hidalgos españoles, y a sí y a todos los metió en el cuerpo de Don Quijote, retrato verdadero de Cervantes y de los hidalgos españoles, llena la cabeza de grandes intentos, de alientos magníficos y rodando por el suelo al chocar con la fría realidad, con la pobreza y con la picardía española. Que Don Quijote y Miguel sean una sola persona, lo prueba *El ingenioso hidalgo Miguel de Cervantes,* o sea su vida, escrita por Navarro Ledesma; lo sabe todo artista que lo es por meter un pedazo de su alma en su más querido personaje, y lo proclamó el mismo Cervantes al fin del *Quijote:* "Para mí solo nació Don Quijote, y yo para él; él supo obrar y yo escribir; *solo los dos somos para en uno.*" Que Don Quijote sea retrato de los hidalgos españoles, condensando los caracteres de nuestra raza, lo sabe el mundo entero. Así supo, pues, Cervantes sacar de la Mancha y de sus hidalgos la poesía que encerraban, porque la llevaba dentro de su propia alma, con toda su bondad y belleza. Y no menor poesía, bondad y belleza había en Sancho, en el labrador manchego y en el labrador español, que "no es contraposición—dice Valera—, sino complemento de Don Quijote. Sancho es el rústico ideal español de aquella época, como Alonso Quijano el bueno es el modelo ideal del hidalgo español de la época misma, sobre todo no bien recobra su cabal juicio, poco antes de su tranquila y cristiana muerte". Cervantes amó a Sancho tanto como a Don Quijote, porque buscando poesía, también le halló en los libros caballerescos y le halló en la Mancha, y le fue descortezando de su rustiquez hasta hacerle dechado de labradores.

"La obra inmortal de Cervantes es un clarísimo espejo de su alma de poeta. Vese en ella cómo buscando la poesía en los libros caballerescos y en la seca llanura mancheca, en aquel lugar de cuyo nombre no quiere acordarse, porque era símbolo de toda España, encantando libros y llanura con su mágica varilla de virtudes, les hizo brotar venas más ricas que las de Hipocrene y Castalia. Halló en los libros caballeros y escuderos, y escuderos y caballeros halló en la Mancha. Pero en unos y otros la fea realidad, y mucho más en los libros, la exótica manera de ver el mundo de los autores de libros caballerescos, habíalos forjado tan extravagantes como poco naturales. En el fondo, a pesar de todas aquellas impurezas, vio Cervantes lo que buscaba su ansia de belleza; su alma de artista vio lo que los demás no vieron: elementos bastantes para formar un caballero sin tacha y un intachable escudero. Cualquier otro ingenio hubiérase detenido en poner de relieve las locuras del caballero andante y las sandeces del escudero, tal como la realidad manchega y la caballería escrita se los ofrecían. Como tal comenzó Cervantes a escribir su obra. Su único intento, al parecer y al sentir de su propio autor, era burlarse de los libros de caballerías; pero Cervantes, gran poeta, estaba enamorado de aquellos mismos libros de los cuales pretendía burlarse, porque hallaba en el fondo de ellos algo que le encantaba, una fuente de verdadera poesía, en la cual saciaba la sed de belleza que le aquejaba. Sabía de algunos españoles que, embaucados con los libros de caballerías, habían dado muestras parecidas a las que él puso en Don Quijote. Conocía a *Ribaldo,* escudero del caballero Cifar, gran ensartador de refranes, rústico malicioso y avisado, socarrón y ladino, y había hallado por la Mancha y por toda España muchos *Ribaldos,* la mayor parte de nuestros labriegos, tan avisados y socarrones como él, y retratados en aquellos refranes de los cuales tomó sin duda el nombre de Sancho: *Allá va Sancho con su rocino, Topado se ha Sancho con su rocino, Al buen callar llaman Sancho* (véase Cejador, *Lengua de Cervantes,* II, *Sancho*). La traza de la obra se redujo, pues, a presentar a un hidalgo manchego tocado de la manía de los libros caballerescos, que quiso hacerse caballero andante, con toda la balumba de hazañas y encantamientos, que había leído, en la cabeza, de suerte que, al contraste con la realidad, el buen hidalgo fuese el hazmerreír de los lectores, y aprendiendo estos en él se dejasen de la lectura de las caballerías. En la segunda salida del héroe añadióle Cervantes el escudero Sancho Panza, con cuyo realismo chocase más todavía el ideal caballeresco. Era una sencilla parodia de los libros de caballerías para burlarse de ellos. Pero repitamos que Cervantes estaba enamorado de tales libros, los cuales, como dijo por boca del Canónigo, daban largo y espacioso campo para que un buen entendimiento pudiese mostrarse en ellos. Codicioso del rico tesoro de nobles prendas que había puesto en el hidalgo manchego, sacadas del hondón de los caballeros andantes y del no menor que su ojo de poeta hallaba en los hidalgos y en los labradores reales de la Mancha y de toda España, sin querer, sin darse cuenta, fue aprovechándolo y sacándolo a luz, según se iba encariñando con sus dos criaturas y se iban dando a conocer en el continuo dialogar que traían por esos campos sobre cuanto les acontecía: el caballero, viendo y esperando siempre acaecimientos estupendos como los que tenía leídos y le verbeneaban en la cabeza; el escudero, queriendo hacerle ver que todo ello eran disparates imaginados y que el mundo y la realidad eran muy otros de como el loco hidalgo se los figuraba. "El héroe—dice Menéndez Pelayo—, que en los primeros capítulos no era más que un monomaníaco, va desplegando poco a poco su riquísimo contenido moral; se manifiesta por sucesivas revelaciones; pierde cada vez más su carácter paródico; se va purificando de las escorias del delirio; se pule y ennoblece gradualmente; domina y transforma todo lo que le rodea; triunfa de sus inicuos o frívolos burladores, y adquiere la plenitud de su vida estética en la segunda parte. Entonces no causa lástima, sino veneración; la sabiduría afluye en sus palabras de oro: se le contempla a un tiempo con respeto y con risa, como héroe verdadero y como parodia del heroísmo", y, según la feliz expresión del poeta inglés Wordsworth, la razón anida en el recóndito y majestuoso albergue de su locura. Su mente es un mundo ideal donde se reflejan, engrandecidas, las más luminosas quimeras del ciclo poético, que, al anudarse en violento contacto con el mundo histórico, pierden lo que tenían de falso y peligroso y se resuelven en la superior categoría del humorismo sin hiel, merced a la influencia benéfica y purificadora de la risa. Así como la crítica de los libros de caballerías fue ocasión o motivo, de ningún modo causa formal ni eficiente para la creación de la fábula del *Quijote,* así el protagonista mismo comenzó por ser una parodia benévola de *Amadís de Gaula;* pero muy pronto se alzó sobre tal representación. En Don Quijote revive Amadís, pero destruyéndose a sí mismo en lo que tiene de convencional, afirmándose en lo que tiene de eterno. Queda incólume la alta idea que pone el brazo armado al servicio del orden moral y de la justicia; pero desaparece su envoltura transitoria, desgarrada en mil pedazos por el áspero contacto de la realidad, siempre imperfecta, limitada siempre; pero menos imperfecta, menos limitada, menos ruda en el Renacimiento que en la Edad Media. Nacido en una epoca crítica, entre un mundo que se derrumba y otro que con desordenados movimientos comienza a dar señales de vida, Don Quijote oscila entre la razón y la locura, por un perpetuo tránsito de lo ideal a lo real; pero, si bien se mira, su locura es una mera alucinación respecto del mundo exterior, una falsa combinación e interpretación de datos verdaderos. En el fondo de su mente inmaculada continúan resplandeciendo con inextinguible fulgor las puras, inmóviles y bienaventuradas ideas de que hablaba Platón." Quiere esto decir que Cervantes, por inconsciente obra de su ingenio, como siempre oscila a los altísimos ingenios acontece, había sacado de los libros caballerescos la belleza inmaculada, descostrándola de la sucia ganga que la envolvía, que su hambre de poesía había dado con el tesoro poético en ellos encerrado, lo había limpiado y sacado a luz, forjando el dechado de caballero, que era el ideal de los caballeros españoles de su tiempo, y en el fondo el tipo de los caballeros en todo tiempo de nuestra raza. Por igual inconsciente procedimiento halló el dechado del labrador español de siempre, sacándolo del *Ribaldo* y de cualquier Panza manchego. "Puerilidad insigne sería—dice Menéndez Pelayo—creer que Cervantes lo concibió de una vez como un nuevo símbolo, para oponer lo real a lo ideal, el buen sentido prosaico a la exaltación romántica. El tipo de Sancho pasó por una elaboración no menos larga que la de Don Quijote... Lo que en su naturaleza hay de bajo e inferior, los apetitos francos y brutales, la tendencia prosaica y utilitaria, si no desaparecen del todo, van perdiendo terreno cada día bajo la mansa y suave disciplina, sin sombra de austeridad, que Don Quijote profesa; y lo que hay de sano y primitivo en el fondo de su alma, brota con irresistible empuje, ya en forma ingenuamente sentenciosa, ya en inesperadas alusiones de cándida honradez. Sancho no es una expresión incompleta y vulgar de la sabiduría práctica; no es solamente el coro humorístico que acompaña a la tragicomedia humana; es algo mayor y mejor que esto: es un espíritu redimido y purificado del fango de la materia por Don Quijote; es el primero y mayor triunfo del Ingenioso Hidalgo, es la estatua moral que van labrando sus manos en materia tosca y rudísima, a la cual comunica el soplo de la inmortalidad. Don Quijote se educa a sí propio, educa a Sancho, y el libro entero es una pedagogía en acción, la más sorprendente y original de las pedagogías, la conquista del ideal por un loco y por un rústico; la locura aleccionando y corrigiendo a la prudencia mundana; el sentido común ennoblecido por su contacto con el ascua viva y sagrada de lo ideal. Hasta las bestias que estos personajes montan participan de la inmortalidad de sus amos. La tierra que ellos hollaron quedó consagrada para siempre en la geografía poética del mundo, y hoy mismo, que se encarnizan contra ella hados crueles, todavía el recuerdo de tal libro es nuestra mejor ejecutoria de nobleza, y las familiares sombras de sus héroes continúan avivando las mortecinas llamas del género humano." Así, lo que fue parodia al principio de la obra, se hizo nueva, inesperada y estupenda creación de un nuevo género literario, sobre todo en la segunda parte, por arte inconsciente del genio que empujaba a Miguel de Cervantes a buscar la belleza poética en nuevos y no descubiertos mineros, en el fondo de las destartaladas vaciedades de la caballería y en el fondo de los hidalgos y labradores de la Mancha. Esta es la razón de la perfección soberana de la segunda parte del *Quijote,* que la pone a cien codos sobre la primera. La primera es parodia que persigue y destierra del mundo la novela caballeresca a fuerza de solemnes carcajadas y de las finas ironías de un grande escritor y pensador ingenioso; la segunda es creación nueva en el mundo del arte, por el genio inconsciente del altísimo poeta, que, buscando bellezas donde otros no las buscan, da con el ideal de caballeros y labradores españoles, lo saca de la escoria de los libros y de la realidad, elevándose a la soberana altura donde moran las platónicas y puras ideas, a donde pocos alcanzaron, Homero, el mismo Platón, Dante y pocos más.

"En una época como la moderna, en que la razón, la reflexión, lo es todo, despreciado todo linaje de quimeras, de héroes, semidioses, mitología y encantamientos, solo quedaba un manantial épico: el de la vida común presente, el de las almas de los hombres vivos, el del mundo real que vemos, tocamos, en que vivimos. A la raza española, la más realista y ética en el arte, tocaba hacer brotar ese último manantial, no descubierto antes, y Cervantes, nuestro mayor poeta, quiero decir nuestro mayor buscador y hallador de poesía, de belleza artística, fue el que lo hizo brotar. Cervantes fue realmente el padre de la moderna novela, que es la épica de los tiempos de la razón y de la reflexión. Fue el primero que había *novelado* en lengua castellana, según él mismo dijo, esto es, que había hecho novelas cortas, que eran las que así se llamaban, sin tomarlas del italiano, como otros. Pero la novela larga moderna hallóla al querer al escribir el *Quijote.* Cuatro partes quería darle, a imitación del *Amadís:* la primera tiene ocho capítulos; la segunda, seis; la tercera, trece; la cuarta, veinticinco; esto es, casi el doble de las tres primeras partes.

C

Esto quiere decir que, cuando debiera haber acabado la obra, hallóse tan engolosinado con el nuevo manantial, que se olvidó ya de las cuatro partes y siguió enhebrando capítulos. Y todavía tuvo para otro tomo entero. Es que la parodia caballeresca habíase convertido en novela moderna, en la novela ideal del hidalgo y del labrador, de las dos clases de personas principales que vivían en España, añadiendo en torno de ellas 669 personajes, que son los que en el *Quijote* hablan; 607 varones y 62 mujeres. Todo linaje de gentes, España entera pasa por esta novela. Bastaba el incansable y maravilloso dialogado entre el caballero y su escudero para hacernos penetrar en el carácter de los dos tipos eternos, no solo de España, sino de los hombres de cualquier nación y tiempo; pero además quiso pasase por delante de nosotros toda la sociedad española con sus costumbres propias, en escenas pintadas con el pincel más castizamente español. Esta es, no solo la novela moderna de unos cuantos personajes, sino la novela social española, la más amplia y comprehensiva acaso que se haya compuesto. Pinturas de costumbres, caracteres tan acabados como Don Quijote y Sancho, que no tienen par en otro libro alguno; elegancia en el decir, propiedad y derroche de voces y frases populares, todos los géneros novelescos juntos y todos los estilos y maneras de lenguaje. (Véase Cejador, *El "Quijote" y la lengua castellana*.)

"Acaso no haya en el *Quijote* persona ni personilla, caso ni acaecimiento que Cervantes no tomara de la realidad. Los comentadores van descubriendo cada día el fulano y el suceso que Cervantes tenía en la cabeza al componer este o aquel trozo de su libro. Lo que ningún comentarista ha descubierto hasta hoy, ni descubrirá en adelante, es el libro o autor de donde Cervantes pudo sacar el pensamiento de su obra, la traza del plan, los personajes y caracteres. Todo ello es enteramente nuevo en el mundo del arte, todo hijo de su fantasía creadora. En el mundo del arte teníamos un carácter de varón guerrero, como Aquiles, y un carácter de varón ingenioso, como Ulises: las dos creaciones más grandes conocidas, debidas al Padre Homero; tuvimos un Otelo, un Romeo y una Julieta y un Hamlet, hijos de Shakespeare; tuvimos un don Juan, tipo de conquistadores enamorados; una doña María de Molina, tipo de mujer prudente, obras de Tirso; tuvimos un alcalde de Zalamea, creación de Calderón. Estas criaturas del arte, las más vivas, las más grandes que el mundo admira, son personificación del valor, del ingenio, de los celos, del amor profundo, del triunfo en amores y pendencias, de la prudencia, de la entereza de carácter, cua-

lidades que, en mayor o menor grado, hallamos todos los días entre los hombres que conocemos. No habían, sin embargo, venido todavía al mundo del arte los dos caracteres cabalmente más comunes y universales: el del quijotismo y el del pancismo, el del ideal loco y el del ramplón sentido común, el del amo y el del criado, el del hidalgo y el villano, caracteres que, no solo hallamos entre los hombres que conocemos, sino que no hay hombre en el mundo, ni lo hubo ni lo habrá, que no sea uno u otro, que no tenga de Quijote o de Panza. Tan vulgares, tan eternos son estos tipos de la Humanidad, tan universales, tan humanos, que no hay quien de esta disyuntiva de caracteres pueda salirse afuera. Acaso por tan comunes no habían dado en ellos los poetas, o no los vieron o no supieron hacer que los viésemos. En esto está para mí la potencia creadora de Cervantes, no igualada, en consecuencia, por la de ningún otro poeta o creador artístico de hombres. Desde que Cervantes escribió su libro, queramos que no, todos pensamos en él, porque a cada momento juzgamos a las personas con quien tratamos, y, queramos que no, vemos en ellas el quijotismo o el pancismo, las tenemos por Quijotes o por Panzas. Este es el criterio moderno ético que Cervantes trajo al mundo y que nadie ya suelta de las manos, sin saber y sin poder desprenderse de él. Ya no vemos más que Quijotes o Panzas en el mundo. Hasta los valientes, los ingeniosos, los enamorados, los conquistadores, los prudentes, los enteros, los celosos, son para nosotros, en sus mismas cualidades, o idealistas o prosaicos, Quijotes o Panzas. Tan universales y humanas son estas dos categorías éticas en la filosofía cervantina: es lo alto y lo bajo, lo sublime y lo ramplón, lo grande y lo pequeño, el espíritu y la materia, lo ideal y lo positivo, en la vida, en el obrar, en el carácter del hombre, por el solo hecho de serlo. Y como la novela moderna no es más que espejo de la vida, del obrar, de los caracteres de los hombres reales, al crear Cervantes el quijotismo y el pancismo, creó por el mismo hecho la novela moderna. No es, pues, un libro nuevo lo que el ingenio poético de Cervantes nos dio; fue un nuevo género literario que, ni es épica, ni lírica, ni dramática, sino que lo es todo a la vez, porque todo a la vez es el género de la moderna novela, que abarca la Humanidad entera, como la razón, la reflexión, señora del mundo moderno, abarca entera toda la creación." (Cejador.)

Menéndez Pelayo, *Discurso acerca de Cervantes y el "Quijote"*: "El espíritu de la antigüedad había penetrado en lo más hondo de su alma, y se manifiesta en él, no por la inoportuna profusión de citas y reminiscencias clásicas, de que con tanto donaire se burló en su prólogo, sino por otro género de influencia más honda y eficaz: por lo claro y armónico de la composición; por el buen gusto que rara vez falla, aun en los pasos difíciles y escabrosos; por cierta pureza estética que sobrenada en la descripción de lo más abyecto y trivial; por cierta grave, consoladora y optimista filosofía que suele encontrarse con sorpresa en sus narraciones de apariencia más liviana; por un buen humor reflexivo y sereno, que parece la suprema ironía de quien había andado mucho mundo y sufrido muchos descalabros en la vida, sin que ni los duros trances de la guerra, ni los hierros del cautiverio, ni los empeños, todavía más duros para el alma generosa, de la lucha, cotidiana y estéril, con la adversa y apocada fortuna, llegasen a empañar la olímpica serenidad de su alma, no sabemos si regocijada o resignada. Esta humana y aristocrática manera de espíritu que tuvieron todos los grandes hombres del Renacimiento, pero que en algunos anduvo mezclada con graves aberraciones morales, encontró su más perfecta y depurada expresión en Miguel de Cervantes, y por esto principalmente fue humanista más que si hubiese sabido de coro toda antigüedad griega y latina...; por su alta y comprensiva indulgencia, por su benévolo y humano sentido de la vida, él fue quien acertó con la flor del aticismo, sin punzarse con sus espinas."

"Aquel tipo de prosa que se había mostrado con la intemperancia y lozanía de la juventud en las páginas del *Corbacho;* que el genio clásico de Rojas había descargado de su exuberante y viciosa frondosidad; que el instinto dramático de Lope de Rueda había transportado a las tablas, haciéndola más rápida, animada y ligera, explica la prosa de los entremeses y de parte de las novelas de Cervantes; la del *Quijote* no la explica más que en lo secundario, porque tiene en su profunda espontaneidad, en su avasalladora e imprevista hermosura, en su abundancia patriarcal y sonora, en su fuerza cómica irresistible, un sello inmortal y divino. Han dado algunos en la flor de decir con peregrina frase que Cervantes no fue *estilista;* sin duda los que tal dicen confunden el estilo con el amaneramiento. No tiene Cervantes una *manera* violenta y afectada, como la tienen Quevedo o Baltasar Gracián, grandes escritores por otra parte. Su estilo arranca, no de la sutil agudeza, sino de las entrañas mismas de la realidad, que habla por su boca. El prestigio de la creación es tal, que anula al creador mismo, o más bien le confunde con su obra, le identifica con ella, mata toda vanidad personal en el narrador, le hace sublime por la ingenua humildad con que se somete a su asunto, le otorga en plena edad crítica algunos de los dones de los poetas primitivos, la objetividad serena, y, al mismo tiempo, el entrañable amor a sus héroes, vistos, no como figuras literarias, sino como sombras familiares que dictan al poeta el raudal de su canto. Dígase, si se quiere, que ese estilo no es el de Cervantes, sino el de Don Quijote, el de Sancho, el del bachiller Sansón Carrasco, el del Caballero del verde gabán, el de Dorotea y Altisidora, el de todo el coro poético que circunda al grupo inmortal. Entre la Naturaleza y Cervantes, ¿quién ha imitado a quién?, se podrá preguntar eternamente."

Menéndez Pelayo, *Discurso acerca de Cervantes y el "Quijote":* "La obra de Cervantes no fue de antítesis ni de seca y prosaica negación, sino de purificación y complemento. No vino a matar un ideal, sino a transfigurarle y enaltecerle. Cuanto había de poético, noble y hermoso en la caballería, se incorporó en la obra nueva con más alto sentido. Lo que había de quimérico, inmoral y falso, no precisamente en el ideal caballeresco, sino en las degeneraciones de él, se disipó como por encanto ante la clásica serenidad y la benévola ironía del más sano y equilibrado de los ingenios del Renacimiento. Fue de este modo el *Quijote* el último de los libros de caballerías, el definitivo y perfecto, el que concentró en un foco luminoso la materia poética difusa, a la vez que, elevando los casos de la vida familiar a la dignidad de la epopeya, dio el primero y no superado modelo de la novela realista moderna."

El éxito del *Quijote* fue enorme, impresionante. Un éxito que año tras año ha ido aumentando. Hoy, únicamente la Biblia excede en traducciones e impresiones a la *divina* novela cervantina. Naturalmente, las imitaciones han sido numerosas.

El *Quijote de los teatros,* de Cándido María Trigueros (contra los desafueros de los cómicos).

Don Lazarillo de Vizcardi (sobre la música), del P. Eximeno.

Vida y empresas literarias de Don Quijote de la Manchuela—1789—(contra el sistema pedagógico), de Cristóbal de Anzarena.

Adiciones a la Historia del Ingenioso Hidalgo Don Quijote de la Mancha—1786—(contra la manía nobiliaria), de Jacinto María Delgado.

El *tío Gil Mamuco*—1789—(contra el anhelo de formas industriosas), de autor anónimo.

Historia del más famoso escudero (contra los vicios de la administración), del Bachiller Gatell.

Historia de don Pelayo, infanzón de la

Vega—1792—(contra la hidalgomanía), de A. Ribero y Larrea.

La Historia de don Rodrigo de Peñaranda —1823—(contra los liberales), de Arias de León.

Don Papis de Bobadilla, o Crítica de la seudofilosofía—1829—, de Rafael Crespo.

El Quijote del siglo XVIII (contra los enciclopedistas), de F. Siñériz.

Capítulos que se le olvidaron a Cervantes —1882—, del americano Juan Montalvo.

Persiles y Sigismunda.—La última obra de Cervantes es la titulada *Los trabajos de Persiles y Sigismunda, historia septentrional,* dedicada al conde de Lemos cuatro días antes de la muerte de su autor (19 de abril).

"*Los trabajos de Persiles y Sigismunda, historia septentrional,* Madrid, 1617, obra del ocaso del ingenio de Cervantes, la más querida por él, como su Benjamín que era, muestra en la imitación que pretendió hacer en ella de *Teágenes y Cariclea,* novela del bizantino Heliodoro, que, cual anciano que vuelve a las niñeces, se embelesa con cuentos fantásticos y de luengas tierras y tornaba a rebrotar en su alma el viejo amor de sus mocedades por el clasicismo. Debidas a ello son la trama novelesca y fantasmagórica, las continuas mudanzas de lugares, personas y acaecimientos raros; la falta de análisis psicológico de los personajes, que pasan como en un caleidoscopio manteniendo la atención con sola la variedad del colorido y la blanda y sosegada melancolía que envuelve toda la novela, como las nieves septentrionales envuelven las tierras por donde caminan los personajes. En nada había perdido, sin embargo, el ingenio de Cervantes su vigor, cuando a la inagotable vena de su inventiva; antes aquí, más que en parte alguna, ofrécese lozana y rica hasta en demasía, enredándose la acción principal con infinitos y variados episodios. No menos campea la fuerza de su imaginación en describir lugares, personas y sucesos, aunque con la vaguedad de cosas soñadas y nunca vistas. Cuanto al estilo y manera del decir, fuera del habla popular, que solo emplea en la segunda mitad, en que los viajeros entran en España, es el más acabado del lenguaje culto narrativo, propio del que ha logrado manejarlo con todo desembarazo." (Cejador.)

Cervantes parece comenzó a escribir el *Persiles* después de 1609, en que salieron los *Comentarios reales,* del Inca Garcilaso, del cual reproduce en el libro primero la descripción de la isla de Mauricio. En 1613 mencionólo por primera vez en el prólogo de sus *Novelas,* dando a entender lo llevaba bien adelantado, lo cual también se saca del *Viaje* (cap. IV), poema que se cita como acabado en el mismo prólogo: "Yo estoy, cual decir suelen, puesto a pique—para dar a la estampa el gran *Persiles.*" Promételo de nuevo en la dedicatoria de las *Comedias* (verano de 1615). Y en la de la segunda parte del *Quijote* (31 de octubre de 1615). La dedicatoria del *Persiles* la hizo en 19 de abril de 1616, muriendo el 23 del mismo mes. Acabóse de imprimir el 15 de diciembre del mismo año, y se publicó el siguiente de 1617. Trabajó, por consiguiente, Cervantes en esta novela durante los siete últimos años de su vida. Más de la primera mitad trata de *trabajos,* esto es, de viajes, por mares y tierras enteramente fantásticos, como si contara cuentos soñados a sus nietos. El decaimiento propio de la vejez le volvía a las fantasías que los niños saborean y al clasicismo de sus primeros años de escritor. Ahora bien: clasicismo y niñez son las cualidades de la novela bizantina, y la bizantina novela *Teágenes y Cariclea,* de Heliodoro, quiso Cervantes imitar, añadiendo que con ella "se atreve a competir". Propiedades de la novela bizantina y del *Persiles* son, como dicen Schevill-Bonilla, "la maquinaria novelesca, los cambios escénicos, el modo de presentar los personajes, la total ausencia de análisis psicológico de los caracteres". La melancolía de que está empapado el *Persiles,* aunque blanda y sosegada, como cabía en el noble pecho de aquel anciano, sería acaso efecto de la nieve que su fantasía veía cubrir las tierras y mares por donde sus héroes navegaban; pero también lo sería de la nieve que cubría la cabeza de su autor. Y, sin embargo, al mismo tiempo que escribía el *Persiles* escribía Cervantes la segunda parte del *Quijote.* En el *Persiles* volvía a la niñez y al clasicismo de su primer estilo; en el *Quijote* alzábase a la cima de la madurez del arte. Esto solo se explica por la velocidad adquirida al escribir su obra maestra: el empuje de Don Quijote le sacaba de sí, le arrobaba; en dejando a Don Quijote, escribía como anciano que torna a sus primeras aficiones de niño.

Menéndez Pelayo, *Discurso acerca de Cervantes y el "Quijote":* "Mucho más de personal hay en la obra de la vejez de Cervantes, en el *Persiles,* cuyo valor estético no ha sido rectamente apreciado aún, y que contiene en su segunda mitad algunas de las mejores páginas que escribió su autor. Pero hasta que pone el pie en terreno conocido y recobra todas sus ventajas, los personajes desfilan ante nosotros como legión de sombras, moviéndose entre las nieblas de una geografía desatinada y fantástica, que parece aprendida en libros tales como el *Jardín de flores curiosas,* de Antonio de Torquemada; y la noble corrección del estilo, la invención siempre fértil, no bastan para disimular la fácil y trivial inverosimilitud de

C

las aventuras, el vicio radical de la concepción, variada en los moldes de la novela bizantina: raptos, naufragios, reconocimientos, intervención continua de bandidos y piratas. Dijo Cervantes, mostrando harta modestia, que su libro "se atrevía a competir con Heliodoro, si ya por atrevido no salía con las manos en la cabeza". No creo que fuese principalmente Heliodoro, sino más bien Aquiles Tacio, leído en la imitación española de Alonso Núñez de Reinoso, que lleva el título de *Historia de Clareo y Florisea,* el autor griego que Cervantes tuvo más presente para su novela. Pero, de todos modos, corta gloria era para él superar a Heliodoro, a Aquiles Tacio y a todos sus imitadores juntos, y da lástima que se empeñase en tan estéril faena. En la novela greco-bizantina, lo borroso y superficial de los personajes se suplía con el hacinamiento de aventuras extravagantes, que en el fondo eran siempre las mismas, con impertinentes y prolijas descripciones de objetos naturales y artificiales, y con discursos declamatorios atestados de todo el fárrago de la retórica de las escuelas. Cervantes sacó todo el partido que podía sacarse de un género tan muerto; estampó en su libro un sello de elevación moral que le engrandece; puso algo de sobrenatural y misterioso en el destino de los dos amantes; y, al narrar sus últimas peregrinaciones, escribió en parte las memorias de su juventud, iluminadas por el melancólico reflejo de su vejez honrada y serena. Puesta de sol es el *Persiles,* pero todavía tiene resplandores de hoguera."

Principales ediciones de las obras de Cervantes durante los siglos XVII y XVIII:

La Galatea: Alcalá, 1585; Lisboa, 1590; París, 1611; Valladolid, 1617; Baeza, 1617; Lisboa, 1618; Barcelona, 1618; Madrid, 1736, 1772, 1784, 1805, etc.

El Ingenioso Hidalgo Don Quixote de la Mancha: Madrid, 1605, edición primera, desconocida durante casi dos siglos; excepto las dos de Lisboa, todas las impresas durante más de doscientos cincuenta años siguen el texto de la segunda de Cuesta, la cual salió el mismo año 1605, en la misma imprenta de Cuesta, con variantes desde la portada, en la segunda de las cuales hay: "Con privilegio de Castilla, Aragón y Portugal", por haberse apresurado a reimprimirla en Lisboa, 1605 (dos ed.); Madrid, Cuesta, 1605, es la que ha pasado por primera durante tanto tiempo; Valencia, 1605 (dos ed.); Bruselas, 1607; Madrid, 1608, copiada de la segunda de Cuesta, pero enmendadas las erratas y con adiciones y variantes, que parecen ser de Cervantes, que entonces estaba avecindado en Madrid; Milán, 1610; Bruselas, 1611, 1617. *Segunda Parte del Ingenioso Caballero Don Quixote de la Mancha:* Ma-

drid, Cuesta, 1615 (1.ª edición); Bruselas, 1616; Valencia, 1616; Lisboa, 1617. *El Ingenioso Hidalgo Don Quixote de la Mancha. Segunda Parte del Ingenioso cavallero...:* Barcelona, 1617 (1.ª edición de las dos partes en dos tomos); Madrid, 1636 (1.ª parte) y 1637 (2.ª parte); Madrid, 1647 (las dos partes), 1655. *Vida y Hechos del Ingenioso Cavallero Don Quixote de la Mancha:* Bruselas, 1662 (las dos partes); Madrid, 1662, 1668 (dos ed.); Bruselas, 1671; Amberes, 1673; Madrid, 1674; Amberes, 1697; Barcelona, 1704; Madrid, 1706, 1714; Amberes, 1719; Madrid, 1723; Sevilla, Madrid, 1730, 1735, etcétera.

Novelas exemplares: Madrid, 1613, 1614; Pamplona, 1614; Bruselas, 1614; Pamplona, 1615; Milán, 1615; Venecia, 1616; Madrid, 1617; Pamplona, 1617; Lisboa, 1617; Madrid, 1622; Pamplona, 1622; Sevilla, 1624; Madrid, 1625; Bruselas, 1625; Sevilla, 1627; Barcelona, 1631; Sevilla, 1641, 1648; Madrid, 1655, 1664; Sevilla, 1664; Zaragoza, 1665; Londres, 1703; Barcelona, 1722; Madrid, 1722, 1732; La Haya, 1739; Amberes, 1743; Valencia, 1769, 1783; Madrid, 1783; Valencia, 1797; Madrid, 1797, 1799, 1803; París, por Arrieta. *El curioso impertinente,* con traducción francesa, en la *Silva curiosa,* de J. Medrano, París, 1608, por César Oudin. *Rinconete y El celoso extremeño,* hallados en manuscritos de la Biblioteca de San Isidro, publicólos Isidoro Bosarte en los números 4 y 5 del *Gabinete de Lectura Española,* tienen variantes. Las *Novelas* se tradujeron dos veces al italiano, Venecia, 1616, 1626, y Milán, 1629; varias en francés, París, 1615; Amsterdam, 1700, etc.; varias en inglés, Londres, 1640, 1741; en alemán, *Rinconete y Cortadillo,* en 1617, y después, aparte las demás. En Ríus hay 92 ediciones castellanas, 41 francesas, 23 alemanas, 21 inglesas, ocho italianas, cuatro holandesas, dos suecas, una portuguesa, una latina; total, 195 ediciones.

Viaje del Parnaso: Madrid, 1614 (dos ediciones); Milán, 1624; Madrid, 1736, 1772, 1784, 1805, 1829, etc.

Ocho comedias y ocho entremeses nuevos: Madrid, 1615, 1749; Cádiz, 1816, etc.

Los trabajos de Persiles y Sigismunda: Madrid, 1617 (tres edic.); Barcelona, 1617; Valencia, 1617; Pamplona, 1617; Lisboa, 1617; Bruselas, 1618; Madrid, 1619, 1625; Pamplona, 1629; Madrid, 1719; Barcelona, 1724; Madrid, 1728; etc. En francés, dos versiones en 1618; en inglés, en 1619; en italiano, en 1626.

De las ediciones modernas de las obras cervantinas, son las más importantes: *Obras completas,* edición prologada, anotada y preparada por el catedrático Valbuena y Prat, Madrid, 1946, Editorial M. Aguilar.

Obras completas, ed. J. E. Hartzenbusch,

273

Madrid, 1863-1864, dos vols.; *Obras* [sin el teatro], Bibl. de Aut. Esp., t. I; *Don Quijote*, edición D. Clemencín [con comentario], Madrid, 1833-1839, 6 vols.; *Don Quijote*, edición J. Fitzmaurice-Kelly y J. Ormsby, 1899-1900, 2 vols.; *Don Quijote*, ed. C. Cortejón [con comentario], Madrid, 1905-1913, 6 volúmenes publicados; *Don Quijote*, ed. F. Rodríguez Marín, Madrid, 1911-1913, 8 vols.; *Don Quijote* [facsímile de las dos ediciones de Madrid, 1605, y de la edición de Madrid, 1615, por la Hispanic Society], New-York, s. f., 3 vols.; *Don Quixote*, ed. R. Foulché-Delbosc, 4 vols. (en prensa); ed. crítica Francisco Rodríguez Marín, con comentario, Madrid, 1916 (del Centenario, en prensa). *El casamiento engañoso y El coloquio de los perros*, ed. A. G. de Amezúa y Mayo [con buen comentario], Madrid, 1912; *Rinconete y Cortadillo*, ed. F. Rodríguez Marín, Madrid, 1905; *Cinco novelas ejemplares* [edición R. J. Cuervo], Estrasburgo, 1908; *Los rufianes de Cervantes: El rufián dichoso y El rufián viudo*, edición J. Hazañas y la Rúa [con comentario], Sevilla, 1906; *Entremeses* (nueve) [incluso el *Entremés de los habladores*], ed. E. Cotarelo y Mori, Nueva Bibl. de Aut. Esp., t. XVII; *Varias obras inéditas* [apócrifas o dudosas], ed. A. de Castro, Madrid, 1874; *Epístola a Mateo Vázquez*, edición E. [Cotarelo y Mori], Madrid, 1905; *Obras completas de Miguel de Cervantes Saavedra*, ed. R. Schevill y A. Bonilla; A. Cotarelo y Valledor, *Comedias de Cervantes*, con estudio crítico; *Obras completas*, Madrid. M. Aguilar, 1932, 1933, 1935, 1936, 1940, 1944, 1946. Edición y notas de A. Valbuena y Prat.

La bibliografía cervantina es inmensa. Resulta casi imposible ni seleccionar la mejor. Pasan de 6.000 los libros dedicados a Cervantes y su obra, y de 60.000 los estudios monográficos, y de 500.000 los artículos periodísticos. Por ello creemos lo más pertinente remitir al lector a los mejores repertorios bibliográficos cervantinos. En ellos puede encontrarse parte muy considerable de esa ingente labor dedicada a examinar y a comentar en la obra, a escudriñar en la vida del más genial de los novelistas de todos los tiempos.

V. RÍUS, L.: *Bibliografía crítica de las obras de Miguel de Cervantes Saavedra*. Madrid, 1895-1905. Tres vols.—GIVANEL MAS, J.: *Cataleg de la colecció cervántica formada por I. Bomsoms*. Barcelona, 1916-1925. Tres volúmenes.—BENAGES, J. S., y FOMBUENA, S.: *Bibliografía crítica... de las ediciones del "Quijote"... impresas desde 1605 a 1917*. Barcelona, 1917.—COTARELO Y MORI, E.: *Bibliografía de los principales escritos publicados con motivo del tercer Centenario del "Quijote"*. Madrid, en *Rev. Archivos*, 1905.—Do-

RER, E.: *Cervantes und seine Werkenach deutschen Urteilen, mit einen Anhaug uber Cervantes bibliographie*. Leipzig, 1881.—FITZMAURICE-KELLY, J.: *Notes sur la bibliographie française de Cervantes*, en *Revue Hispanique*, 1894.—CHASTENAY, J.: *Quelques additions a la bibliographie de Cervantes*, en *Revue Hispanique*, 1901.—SERÍS, H.: *La colección cervantina de la Sociedad Hispánica de América*, en *University of Illinois Studies in Language and Literature*, 1920.

CERVELLÓ MARGALEF, Juan Antonio.

Ensayista, narrador, periodista, traductor. Nació—1939—en Tarragona. Estudió el bachillerato en el Instituto Francisco Ribalta, de Castellón. Entre 1956 y 1959, filosofía en el Colegio Superior de los PP. Carmelitas, en Onda (Castellón). Entre 1959 y 1962, teología en el Collegio Albertinum, de Roma. En 1961 obtuvo diploma de Estudios Sociales en la Universidad degli Studi Sociali Pro Deo, y en 1962, el "Premio Internacional de Filosofía" en la Academia Romana di S. Tommaso. En 1967, Diplom-Bibliothekar por el Bibliothekar-Lehr-Institut des Landes Nordrhein-Westfalen en Colonia, y asesor científico para los países de habla española, francesa e italiana en la Erzbiscöfliche-Diözesan-Bibliothek de Colonia; y bibliotecario titular y asesor científico en el Istituto Italiano di Cultura de Colonia. En 1968, profesor de Lengua y Literatura Españolas en la Volkshochschule de Porz am Rhein.

Domina—hablados y escritos—, además del castellano y el catalán, los idiomas inglés, francés, alemán, italiano, latín, griego y portugués. Su tesis doctoral versa acerca de la figura poética y dramática de Alejandro Casona.

Sus numerosos ensayos y estudios con temas de literaturas española, alemana, italiana y francesa están publicados en las más selectas revistas de aquellos países, sin que hasta ahora hayan sido recogidos en libro.

CERVERÍ DE GIRONA.

Juglar catalán del siglo XIII. Estuvo adscrito a la corte del rey don Jaime I. Marchó a Castilla—1269—acompañando al infante don Pedro, primogénito de aquel monarca, que se dirigía a entrevistarse con su cuñado, Alfonso X.

Llevó una vida inquieta y aventurera, y mientras algunos de sus compañeros lograron llegar a ricos o a ocupar importantes cargos, él hubo de vivir de *razós en vez de hacerlo de pan y vino*. No supo, o no quiso, alabar cumplidamente a los poderosos. Fue un poeta del pueblo y para el pueblo, acusando siempre, airadamente, su posición asalariada y las humillaciones derivadas de ella.

Ha sido llamado "el último de los trovadores catalanes". Su producción fue enorme, habiendo llegado a nosotros unas 120 composiciones.

"No fue un poeta inspirado—escribe Rubió Balaguer—ni de emoción comunicativa, ni de altos pensamientos, aunque sabía expresarse con severa dignidad. Pero tuvo facilidad, humor, buen sentido, cierta fantasía amable y alegre y naturalidad graciosa de expresión... cuando no se empeñaba en parecer demasiado agudo o en lucirse técnicamente. Supo reflejar el ambiente social de su tiempo, y su poesía, de fondo didáctico y moral casi siempre, anecdótica a veces, tiene una gran variedad de tonos nada frecuente en las páginas de los trovadores de la categoría de Cerverí."

Edición: *Obras completas* de Cerverí de Girona, ed. Martín de Riquer, Barcelona, Instituto Español de Estudios Mediterráneos, 1947.

V. RUBIÓ BALAGUER, Jorge: *Literatura catalana* [medieval], en el tomo I de la *Historia general de las literaturas hispánicas.* Barcelona, 1949.—RIQUER, Martín de: *El trovador Cerverí de Girona.* Texto, traducción y comentario de veinte de sus poesías. Universidad de Barcelona, 1946.—RIQUER, Martín de: *Treinta composiciones del trovador Cerverí de Girona,* en *Boletín de la Academia de Buenas Letras,* Barcelona, 1945, XVIII.—MILÁ Y FONTANALS, M.: *Los trovadores provenzales en España.* Barcelona, 1861. MENÉNDEZ PIDAL, R.: *Poesía juglaresca y juglares.* Madrid, 1924.

CÉSPEDES, Augusto.

Novelista, prosista, cronista boliviano. Nació en 1904. En su patria pasa por ser uno de sus más admirables narradores. Carecemos de noticias concretas de su vida. Pero conocemos y admiramos su conjunto de relatos impresionantes reunidos bajo el título de *Sangre de mestizos,* entre los que el titulado *El pozo* es digno de figurar en las mejores antologías dedicadas al cuento.

"*Sangre de mestizos*—escribe Díez de Medina—es el mejor libro de relatos surgido de la guerra del Chaco. Nada falta a Céspedes: talento novelístico, aguda visión del paisaje, captación intuitiva de las psicologías, prosa robusta y vibrante. He aquí un hermoso libro que arroja luz cálida sobre el alma mestiza. Por su temperamento dramático y por su técnica depurada de narrador, Augusto Céspedes es uno de los prosistas descollantes de la generación vernácula."

Otra obra: *El metal del diablo.*

V. DÍEZ DE MEDINA, Fernando: *Perfil de la literatura boliviana,* en *Thunupa,* La Paz, 1947.

CÉSPEDES, Man.

Poeta boliviano contemporáneo. Según Díez de Medina, su obra *Símbolos profanos* es una de las joyas de la literatura lírica de Bolivia.

"Es el único poeta en prosa que figura en la historia de las letras bolivianas. Poeta en la expresión vital de la palabra y no en lo que tiene de contenido aédico, de sentido sibilino, de profetismo estético y de embellecedor de los valores de la vida. En Céspedes se encuentra el poeta, que no solo ha hecho de su vida una obra de armonía y de emoción, sino el constante y perpetuo místico de la religión de lo bello que cumple su sacerdocio en un culto al panteísmo de la belleza en el hombre y en la Naturaleza, expresando franciscanamente su amor por todas las criaturas. Diríase que la mejor parte de su obra reside más en su vida que en sus obras, aunque su libro *Poemas* bastaría por sí solo para autenticarle como poeta de elevada alcurnia. Diestro manipulador del lenguaje, del ritmo interior de las palabras, y alquimista de metáforas, destilada con la maceración de las flores más suntuosas de su imaginación, su lectura nos recuerda a Tagore, a San Francisco de Asís, a Turgueniev, autor de *Senilia,* o a Baudelaire, el de los *Poemas en prosa.*" (G. A. Otero.)

V. OTERO, Gustavo Adolfo: *Literatura boliviana,* en el tomo XII de la *Historia universal de la literatura,* de Prampolini. Buenos Aires, Uteha Argentina, 1940.—DÍEZ DE MEDINA, Fernando: *Perfil de la literatura boliviana,* en *Thunupa,* La Paz, 1947.

CÉSPEDES, Pablo de.

Notable escritor, pintor, escultor y arquitecto español. Nació—1538—en Córdoba. Murió—1603—en Córdoba. De las nobles familias de los Céspedes de Ocaña y de los Arroyos de Alcolea de Torote. Estudió en Alcalá de Henares, siendo discípulo predilecto de Ambrosio de Morales y Cristóbal de Loaisa. Graduóse en Teología y Artes, aprendió griego y hebreo y estuvo varias veces, durante varios años, en Italia. A los veintiún años sufrió un proceso por la Inquisición de Valladolid con motivo de haberse hallado una carta suya entre los papeles del famoso arzobispo fray Bartolomé Carranza de Miranda, carta en que se menospreciaba a la Inquisición y al inquisidor general Valdés. Obtuvo una prebenda en Córdoba, de la que tomó posesión en 1577. Y fue enterrado en la capilla de San Pablo, de la catedral cordobesa.

Como literato, se conocen de Céspedes las siguientes producciones: un estudio sobre la antigüedad de la catedral cordobesa; un discurso dirigido a Pedro de Valencia sobre

C

275

la comparación de la pintura antigua y moderna; otro sobre el templo de Salomón; una colección de cartas sobre antigüedades de la Bética; una carta dirigida a Pacheco sobre los diferentes modos de pintar; un tratado de perspectiva; otra colección de cartas sobre las antigüedades de Córdoba; *Poema sobre el cerco de Zamora, Elogio de Fernando de Herrera, Poema de la Pintura,* en octavas reales, muy notable por su elegante y noble expresión, ingenio, buen gusto y fuerza descriptiva; varios sonetos y octavas reales.

V. Tubino, Francisco M.: *Pablo de Céspedes.* Madrid, 1868.

CÉSPEDES Y MENESES, Gonzalo de.

Gran novelista. ¿1585?-1638. Nació en Madrid. Y un martes—escribe él mismo—, "cuyo proverbio desgraciado puedo decir no ha salido a ninguno más verdadero que a mí".

Fue tan desdichado, en efecto, como él se quiso hacer en colaboración con su mala estrella. Una aventura amorosa, salpicada de sangre, le llevó, *casi,* hasta las gradas del cadalso. Ciertos robos a mano airada dieron con él en la cárcel de Villa. Nuevos desaguisados: ciertas cartas—chantaje, diríamos hoy—a un personajillo, y destierro en Zaragoza y en Portugal. Muy escarmentado—buen *gato* escaldado—, publicó en Lisboa —1631—su *Historia de Felipe IV,* obra interesante, bastante seria, en la que se muestra benévolo con los grandes personajes de la corte, y especialmente con el conde-duque de Olivares. Y, como es natural, a la buena obra del arrepentido corresponde el premio y el perdón generosos. Se le nombra cronista de su majestad y se le permite reintegrarse a Madrid.

"El diablo, harto de carne...", dice el refrán. Y dice bien. Céspedes toma el gusto a la vida buena. Se casa con doña María de Escobar, quien fuera hoy una burguesa de pingüe dote; ingresa en la Venerable Orden Tercera; combate con la pluma patriótica al gran enemigo de España: el cardenal Richelieu, y muere "como un santo", siendo enterrado en el convento que estuvo sobre el solar que ocupa hoy el Congreso, en la carrera de San Jerónimo.

Céspedes y Meneses, además de la obra histórica citada, escribió: una *Historia apologética* de las alteraciones de Aragón —1621—, el folleto *Francia engañada, Francia respondida, Historias peregrinas y ejemplares*—1623—, *Fortuna varia del soldado Píndaro*—1624—y el *Poema trágico del español Gerardo y desengaño del amor lascivo* —1615—.

Textos: *El español Gerardo,* tomo XVIII de la "Biblioteca de Autores Españoles";

Historias peregrinas, ed. Cotarelo Mori, Madrid, 1906.

V. Cotarelo Mori, E.: Prólogo a la edición. Madrid, 1906.—Place, E. B.: *Una nota sobre las fuentes españolas de "Les nouvelles", de Nicolás Lancelot,* en *Rev. Fil. Esp.,* 1926, XIII.

CESTERO, Tulio A.

Poeta, prosista y periodista dominicano. Nació en 1877. Murió en 1955. Doctor en Derecho diplomático de la Universidad de Santo Domingo, miembro del Instituto Americano de Derecho Internacional, miembro correspondiente de la Junta Americana de Historia y Numismática de Argentina, secretario del presidente de la República Dominicana—1906 y 1908—, cónsul general en Hamburgo—1906—, primer secretario de la Delegación dominicana a la segunda Conferencia de la Paz, de La Haya—1907—, encargado de Negocios en Cuba—1908-1912—, delegado a la Conmemoración del Cincuentenario de la Unidad Italiana—1913—, enviado extraordinario y ministro plenipotenciario en Madrid, París y Roma—1915—, delegado plenipotenciario a la quinta Conferencia Internacional Americana—1923—, subsecretario de Relaciones Exteriores—1924—, enviado extraordinario y ministro plenipotenciario en Argentina, Brasil, Chile y Uruguay—1925—y embajador en misión especial en Río de Janeiro—1926.

Ha dirigido *El Hogar,* revista literaria —Santo Domingo, R. D., 1895—; redactó *La Campaña,* interdiario político—Santo Domingo, R. D., 1905—, y fue subdirector del *Heraldo de Cuba*—la Habana, 1917-1920.

Cestero es un literato de finas calidades: gran cultura, mucha sensibilidad, prosa elegante, viva imaginación.

Obras: *Notas y escorzos*—J. R. Roques, Santo Domingo, R. D., 1898—, *El jardín de los sueños*—J. R. Roques, Santo Domingo, R. D., 1903—, *Citerea*—Viuda de Rodríguez Serra, Madrid, 1907—, *Sangre de primavera* —Viuda de Rodríguez Serra, Madrid, 1908—, *Ciudad romántica*—Ollendorff, París, 1911—, *Hombres y piedras*—editorial América, Madrid, 1915—, *La sangre*—Ollendorff, París, 1917—y otras de menor interés: *Colón* —1933—, *César Borja*—1935—, *Hostos, hombre representativo de América*—1940—, *Rubén Darío, Los Estados Unidos y las Antillas...*

V. García Godoy, F.: *Literatura dominicana,* en *Revue Hispanique,* XLIII.—Henríquez Ureña, Pedro: *Literatura dominicana,* en *Revue Hispanique,* XL.—Mejía Fernández, Abigaíl: *Historia de la literatura dominicana.* Ed. "El Diario", Santiago, R. D., 5.ª edición. 1943.

CETINA, Gutierre (v. **Gutierre de Cetina**).

CID, Miguel del.

Poeta religioso español. Nació—¿1549?—en Sevilla. Y murió—1617—en la misma ciudad. Se hizo famoso en 1613 con motivo de unas coplas que compuso en loor de la Inmaculada Concepción, como desagravio por ciertas dudas que tuvo en el púlpito cierto religioso en relación con lo que hoy es un dogma inefable. Las coplas se repartieron con profusión por toda España y se recitaron y cantaron con verdadero entusiasmo. Cervantes elogió a Cid en el *Viaje del Parnaso;* Cristóbal del Castillo, Alonso de Bonilla y Diego de Castro glosaron las coplas de Cid en forma de chanzonetas. Francisco Pacheco le retrató a los pies de la Virgen con el papel de las coplas en la mano. El estribillo de las famosas coplas era así:

> Todo el mundo en general
> a voces, Reina escogida,
> diga que sois concebida
> sin pecado original.

Obras: *Relación verdadera de lo que ha sucedido en algunos lugares de la Andalucía y de la Mancha, por causa de ocho moriscos...*—Valencia y Barcelona, 1615—; *Justas sagradas del insigne y memorable poeta Miguel Cid...*—Sevilla, 1647—. Este segundo libro lo publicó el hijo de Cid, llamado igualmente Miguel.

En la *Floresta de rimas antiguas,* ordenada por Böhl de Fáber, en la "Biblioteca de Autores Españoles"—tomo de poetas líricos de los siglos XVI y XVII—, se encuentran composiciones de Cid.

CID PÉREZ, José.

Narrador, ensayista, crítico y autor teatral cubano. Nació—1906—en Guanabacoa. Siguió estudios de Letras y Derecho en la Universidad de la Habana, ampliándolos en la Universidad de Columbia, en Nueva York. Organizador del Teatro de la Escuela Técnica Industrial. Director del teatro de las Escuelas Municipales habaneras. Profesor de teatro hispanoamericano en la Escuela de Verano de la Universidad de la Habana. Ha dado conferencias por todos los países de Hispanoamérica. Magnífico director de escena, ha traducido incontables obras de teatro extranjero para él mismo montarlas con gran maestría. Presidente de la Corporación Municipal de Autores de Cuba (1950-1951). Director del teatro hispanoamericano de la famosa *Enciclopedia dello Spettacolo,* de Roma. En la actualidad—1970—, profesor en la Universidad de Purdue, Lafayette, Indiana (U. S. A.).

Obras no teatrales: *Pensando*—ensayos—, *Por los caminos de América*—crónicas—, *Cincuenta años de teatro cubano, Apuntes para la historia teatral de Bolivia, El teatro hispanoamericano de ayer y de hoy, El teatro en Guatemala, Secreto de confesión*—novela corta que obtuvo el primer premio en un concurso celebrado en Madrid en 1927...

Obras teatrales: *¡Justicia!, Estampas rojas, La duda, Su primer cliente, Azucena, Altares de sacrificio, Biajaní, Cadenas de amor, Y quiso más la vida, La comedia de los muertos, Hombres de dos mundos.*

En colaboración con su esposa (V. MARTÍ DE CID, Dolores) ha publicado, comentado, historiado el *Teatro Indio precolombino*—Aguilar, 1964, Madrid—. *Teatro indoamericano colonial*—Edit. Aguilar, 1972.

CID PÉREZ, Dolores (v. **MARTÍ DE CID, Dolores**).

CIENFUEGOS, Nicasio Alvarez (v. **Alvarez Cienfuegos, Nicasio**).

CIEZA DE LEÓN, Pedro de.

Historiador español. 1518-1560. Nació en Sevilla. Muy joven, marchó a Indias, donde permaneció más de veinte años, sirviendo a España con las armas en numerosas empresas, más o menos afortunadas. Colaboró en la fundación de las ciudades de Santa Ana de los Caballeros y Cartago. Las tierras del Perú fueron los campos de sus principales hazañas y desventuras. En 1547, ayudado económicamente y estimulado por La Gasca, Cieza de León inició su obra inmortal: *Crónica del Perú,* llena de erudición y de interés.

Volvió Cieza a España en 1550; y tres años después imprimió en Sevilla la parte primera de su *Crónica,* reimpresa en Amberes—1554 y 1555—y en Roma—1555—, traducida al italiano por Agostino Cravaliz.

Cieza figura en el *Catálogo de autoridades de la Lengua.*

Ediciones: *Historia de la Nueva España...*—Madrid, 1877—, *Segunda parte de la "Crónica del Perú"...*—Madrid, 1880—, *Crónica del Perú*—Madrid, Calpe, 1922.

V. NICOLÁS ANTONIO: *Bibliotheca hispana nova.*

CIGES APARICIO, Manuel.

Escritor español. Nació—1873—en Enguera (Valencia). Murió en 1936. Cursó la segunda enseñanza en Badajoz. Sentó plaza de soldado y marchó a Cuba. Estuvo recluido y sufrió duros martirios en el castillo de La Cabaña (la Habana). Vivió algún tiempo en París. Fue redactor de *El Imparcial* y colaboró en la más importante prensa española. Gobernador civil de Avila.

Obras: *Del cautiverio, Del cuartel y de la guerra, Del hospital, Del periódico y de la política, El vicario*—novela—, *Villavieja*—novela—, *El juez que perdió su conciencia* —novela—, *Los vencedores, Los vencidos, Marruecos, Costa, el gran fracasado*—biografía—, *España bajo los Borbones.*

Ciges Aparicio fue un escritor culto, personal, ameno y castizo.

V. GONZÁLEZ BLANCO, Andrés: *Ciges Aparicio*, en *Los Contemporáneos*. Primera serie, II, París, Garnier, 1907.—CANSINOS ASSÉNS, Rafael: *Manuel Ciges Aparicio*, en *La Lectura*. Madrid, 1914.—CANSINOS ASSÉNS, Rafael: *La nueva literatura*. IV. *Evolución de la novela*. Madrid, 1927, págs. 170-186.

CIMORRA, Clemente.

Novelista, biógrafo, periodista español. Nació—1900—en Oviedo. Murió—1958—en Buenos Aires. Desde muy joven, en distintos periódicos y revistas españolas, hizo popular su nombre con reportajes magníficos de realismo, de oportunidad y de literatura.

Las novelas de Clemente Cimorra son vigorosas, impresionantes de realismo, entonadas en el colorido más crudo y entero. En conjunto, su obra novelesca, ribeteada de angustia, recuerda la "manera" de hacer, la intencionalidad, la dureza expresiva, la ternura recóndita de Máximo Gorki.

Obras: *El bloqueo del hombre, Gente sin suelo, Dock, La simiente, Godoy en la España de los majos*—1946—, *Galdós*—1947—, *El cante jondo: origen y realidad folklórica* —1943—, *Los gitanos*—1944—, *Historia de la tauromaquia*—1945—, *Cuatro en la piel de toro*—novela, 1945—, *El caballista*—novela, 1957.

V. MARRA-LÓPEZ, José R.: *Narrativa española fuera de España* (1939-1961). Madrid, Guadarrama, 1963, págs. 487-489.

CIRIQUIAIN GAIZTARRO, Mariano.

Humorista, prosista, investigador de grandes méritos. Nació en Beasaín (Guipúzcoa) el año 1898. Vivió su juventud en Durango (Vizcaya), donde cursó el bachillerato. Hizo la licenciatura de Derecho en Madrid, y en la actualidad es secretario de la Excma. Diputación Provincial de Guipúzcoa.

Simultanea los estudios históricos locales con sus afanes literarios. En orden a aquellos, es miembro destacado del actual renacimiento de los estudios vascos, y como tal, uno de los ocho "Amigos" de número de la Real Sociedad Vascongada de los Amigos del País, madre de las Económicas de Amigos del País de España y de la América latina. Lleva la dirección compartida del *Boletín de la Real Sociedad Vascongada de los Amigos del País* y de *Egan*, suplemento de literatura de aquel, y es director-fundador de la Editora de esta Sociedad, que viene publicando interesantes estudios de historia y filología vascongadas.

Tiene publicadas, aparte de trabajos en revistas científicas, las siguientes obras: *Monografía histórica de la Noble Villa y Puerto de Portugalete*—1942—, *La formación de las villas de Guipúzcoa*—1947—y *Los puertos marítimos vascongados*—1951.

En el campo literario publicó, en el año 1934, una novela, *La leyenda del pirata*, y más tarde, *Pesca en la mar vasca*—1952—y *Acuario*—1952.

Ha sido laureado por dos veces, en los años 1947 y 1949, en el Concurso Nacional Premio Virgen del Carmen, por crónicas y artículos de tema marinero. Por su participación en la conmemoración del VII Centenario de la fundación de la Marina de Castilla—1948—le fue otorgada la medalla del Mérito Naval de segundo grado, con distintivo blanco. En el año 1949 le fue concedido un accésit en el Premio Nacional de Literatura, por una novela humorística que no se ha publicado todavía.

CIRLOT, Juan Eduardo.

Nació en Barcelona en 1916. Cirlot es uno de los poetas dados a conocer entre los grupos catalanes. Sus primeros poemas se publicaron en la revista de Barcelona *Entregas de Poesía*. Sus estudios tuvieron especial atención por la música y la Historia. Ha publicado algunas obras musicales. Como crítico e historiador de arte tiene una tendencia excesivamente detonante y artificial, y un afán desmedido de significarse afín con las escuelas más extravagantes y falsas.

Maneja Cirlot un lenguaje de gran plasticidad y rico en sugerencias, con el cual construye sus poemas, frecuentemente esmerados en la versificación, bien medida y a veces rimada, de rigor clásico. En esta belleza formal se ordena su poesía de esencias superrealistas, creadora de un mundo propio y mágico.

El arranque de esta vena poética de Cirlot podría relacionarse con el superrealismo de un Pablo Neruda, cuya fabulosa riqueza expresiva recuerda a veces.

Obras: *La muerte de Gerión*—editorial Berenguer, Barcelona, 1943—, *Seis sonetos y un poema del amor celeste*—Barcelona, 1943—, *Arbol agónico*—revista *Fantasía*, Madrid, 1945—, *En la llama*—edit. Argos, Barcelona, 1945—, *Canto de la vida muerta* —Carlos Fisas, editor; Barcelona, 1945—, *Donde las lilas crecen*—edit. Helikon, Barcelona, 1946—, *Cordero del abismo*—edit. Argos, Barcelona, 1946—, *Susan Lenox*—editorial Helikon, Barcelona, 1948—, *Helios*

—Barcelona, 1948—, *Diccionario de ismos*
—Barcelona, 1949—, *Pintura catalana contemporánea*—1966—, *El espíritu abstracto
desde la Prehistoria a la Edad Media*—1965—,
Cubismo y Figuración—1957—, *El estilo del
siglo XX*—1952—, *Introducción al surrealismo*—1953.

V. SAINZ DE ROBLES, F. C.: *Historia y antología de la poesía española*. Madrid, Aguilar, 5.ª edición, 1969.—VALBUENA PRAT, A.:
Historia de la literatura española. Barcelona,
Gili, 1969, tomo IV.

CIRUELO, Pedro.

Humanista y erudito español. ¿1470?-des-
pués de 1554. Nació en Daroca (Zaragoza).
Estudió en Salamanca y en París, doctorándose aquí y siendo profesor de su Universidad. Preceptor de Felipe II. Catedrático de
Teología de la Complutense. Su erudición
fue vastísima en Teología, Filosofía, Matemáticas, Historia, Música... Murió siendo canónigo de Salamanca. Pronunció un magnífico panegírico en las exequias de Nebrija.
Siendo catedrático en París—donde riva-
lizaba con el famoso Lefévre d'Etaples—,
publicó: *Aritmética especulativa,* la *Geometría de Bradwardine,* el *Tractatus arithmeti-
cae practicae qui dicitur Algorismus*—impreso en París—1496—y reimpreso muchísimas
veces en la misma ciudad; *Comentario a la
Esfera de Hollywood*—París, 1498—. Siendo
catedrático en Alcalá, dio a la imprenta su
Cursus mathematicarum artium liberalium
—1516—, el primer curso completo de Matemáticas publicado en España.
Pedro Ciruelo fue defensor de la metafísica luliana y del escolasticismo, y declarado
enemigo de Erasmo. Escribió en castellano
algunas obras ascéticas y morales.
Otras obras: *Expositio libri Missalis*—Alcalá, 1528—, *De laudibus cardinalis Ximenes
de Cisneros...*—Alcalá, 1517—, *Paradoxe
questiones decem*—Salamanca, 1538—, *Reprobación de las supersticiones y hechice-
rías*—Salamanca, 1539—, *Contemplaciones
muy devotas sobre los misterios sacratísimos
de la Pasión de Nuestro Redentor Jesucristo...*—Alcalá, 1547...

V. LATASSA-GÓMEZ URIEL: *Diccionario biográfico-bibliográfico de escritores aragoneses*.
Zaragoza, 1885.—MENÉNDEZ PELAYO, M.:
La ciencia española.—SALDONI: *Efemérides
de músicos españoles*. Madrid, s. a.—ZARCO,
Padre Julián: *Pedro Ciruelo,* en *La Ciudad
de Dios*. Enero 1912, pág. 53.—BONILLA SAN
MARTÍN, Adolfo: *Historia de la Filosofía española*. Madrid, 1908, tomo I.

CISNEROS, Luis Benjamín.

Poeta y prosista peruano. 1837-1904. Nació y murió en Lima. Estudió en el Convic-

torio Carolino y en la Universidad de San
Marcos. Completó sus estudios en la Sorbona y en el Colegio de Francia. Funcionario
del Ministerio de Relaciones Exteriores entre
1855 y 1858. Cónsul en El Havre de 1861 a
1872. Vivió en Madrid el año 1865. Atacado
por la ceguera, regresó a Lima, donde sufrió un ataque de parálisis. Paralítico y ciego, fue coronado en el Ateneo limeño.
Obras: *El pabellón peruano*—teatro, 1855—,
Alfredo el sevillano—teatro, 1856—, *Julia,
o Escenas de la vida en Lima*—novela, 1861—,
Edgardo, o Un joven de mi generación—novela, 1864—, *Aurora Amor*—1866—, *De libres alas*—poesías completas, 1914.

CLADERA, Cristóbal.

Escritor español. Nació—1760—en La Puebla (Mallorca). Murió—1816—en Alcudia.
Estudió en Palma y en Murcia. Se doctoró
en Derecho civil y canónico en Valencia y
en Teología en Orihuela. Tesorero—1792—
de la catedral de Palma. Viajó mucho por el
extranjero y fue ministro de la Gobernación
durante el efímero reinado de José Bonaparte. En 1812 tuvo que huir de España; pero
en 1814, con permiso de Fernando VII, regresó a Mallorca para oponerse a que se
declarara vacante la Tesorería que él desempeñaba.
Obras: *El Juicio Final*—poema, Madrid,
1785—, *Espíritu de los mejores diarios literarios que se publican en Europa*—1787 a
1790, nueve volúmenes—, *Investigaciones
históricas sobre los principales descubrimientos de los españoles en el mar Océano...*
—1794—, *Examen de la tragedia "Hamlet",
Del dios Hércules y otras divinidades paganas, Familias árabes de Mallorca...*

V. SANTOS OLIVER, M.: *La literatura en
Mallorca*. Palma, 1903.

CLARAMONTE Y CORROŸ, Andrés.

Notable autor y comediante español. Nació probablemente en Murcia, a finales del
siglo XVI. Murió después de 1630. Rojas Villandrando le menciona—en su *Viaje entretenido*—como uno de los mejores directores
de compañías teatrales. Asistió a la famosa
Academia literaria del conde de Saldaña.
Como comediante, conquistó muchas alabanzas y muy justos aplausos. La Barrera, en
su Catálogo, cita hasta 18 obras de este peregrino ingenio, algunas de las cuales se
atribuyen ahora a Lope de Vega.
Claramonte manejaba a la perfección la
lengua castellana, tenía una inventiva poderosa, era un fácil e inspirado poeta, dominaba como muy pocos la técnica teatral, en
la que era, lógicamente, un consumado maestro. La Academia Española ha incluido a Cla-

C

ramonte en el *Catálogo de autoridades del idioma.*

Obras: Fragmento a la Purísima Concepción de María—Sevilla, 1617—, Dos famosas loas a lo divino—Sevilla, 1621—, *Villancicos*—1625—, un *Catálogo* de actores, *Letanía moral*—1613.

Entre las producciones dramáticas: *El valiente negro en Flandes*—su obra más notable—, *La infelice Dorotea, El mayor Rey de los reyes, El dote del Rosario, De los méritos de amor, el silencio es el mayor; De lo vivo a lo pintado, El honrado con su sangre, Deste agua no beberé, El secreto en la mujer, De Alcalá a Madrid, El horno de Constantinopla...*

Algunas obras de Claramonte se hallan en la parte 26 de las *Comedias* de Lope, en la parte 1.ª de *Autos*—1655—, en los *Dramáticos contemporáneos de Lope de Vega*—"Biblioteca de Autores Españoles".

CLARASÓ, Noel.

Novelista, cronista, autor teatral, guionista de cine y televisión, experto en jardinería, biógrafo, ensayista... Nació—1902—en Alejandría. Estudió Derecho en las Universidades de Madrid y Barcelona. Del cual ha escrito Eugenio de Nora: "Es la encarnación, afortunadamente rara entre nosotros, del 'fabricante', del proveedor de libros, del escritor que parece tomar la literatura como producto industrial, en el que es posible 'conquistar un mercado' por saturación, a fuerza de cantidad... La calidad de estos libros varía entre lo mediocre y simplemente comercial, y lo estimable y discreto, no solo dentro de una inevitable 'segunda clase' de la letra impresa, sino a veces (más bien excepcionalmente) como expresión de un punto de vista original..."

En menos de veinte años ha publicado cerca de un centenar de libros de la más variada doctrina, y seguramente más de ocho mil artículos de prensa. Para sostener esta *montaña literaria* se necesita una genialidad impar; lo que no es, ni mucho menos, Clarasó. Aun cuando se sume en su haber chistes, imágenes, paradojas, puntos de observación, retratos, descripciones verdaderamente felices. Su castellano es bien pobre y su sintaxis se "desencuaderna" a veces.

Obras (las que estimamos más importantes, claro está): *Enrique Segundo el Indeciso, Blas, tú no eres mi amigo; El espectro de mi difunta esposa, Campeones del bien, Treinta años y un día, El loro gris, Pigmalión, Mi vida un poco íntima, Olla de grillos...*

V. NORA, Eugenio de: *La novela española contemporánea.* Madrid, edit. Gredos, 1962, tomo II bis, págs. 363-364.

«CLARÍN» (v. Alas, Leopoldo).

CLAVERÍA, Carlos.

Erudito y crítico literario español. Nació—1909—en Barcelona. Doctor en Filosofía y Letras. Desde muy joven salió de España, habiendo profesado Lengua y Literatura españolas en incontables Universidades extranjeras. Catedrático de Universidad, dirige el Instituto Español en Munich. Se ha especializado en literatura clásica y medieval. Sin embargo, ha publicado ensayos con temas modernos.

Miembro de número de la Real Academia Española desde 1971.

Obras: *Cinco estudios de literatura española moderna*—1948—, *Temas de Unamuno*—1952—, *Estudios sobre los gitanismos del español*—1951—, *Notas sobre el significado y fortuna del Caballero determinado...*

CLAVIJERO, Francisco Javier.

Historiador y jesuita mexicano. Nació—1731—en Veracruz y murió—1787—en Bolonia (Italia). Estudió primeras y segundas letras en los Colegios de San Jerónimo y de San Ignacio de Puebla. En 1748 ingresó en los Jesuitas de Tepotzotlan. Enseñó retórica en México. Y habiendo marchado a España, desempeñó la cátedra de Filosofía en el Colegio de Valladolid. Expulsados de España los jesuitas, Clavijero marchó primero a Ferrara y, definitivamente, a Bolonia. De gran cultura, le fueron familiares las obras de Descartes y Leibniz. Cronológicamente fue el primer gran historiador mexicano. Escribió sus más importantes obras en italiano, siendo traducidas poco después al castellano.

Obras: *Historia antigua de México*—Cesena, 1780 a 1781, cuatro tomos—, *Historia de California*—Venecia, 1789—, *Ensayo de la historia de Nueva España, De las colonias Tlaxcaltecas, De los linajes de la Nueva España, Diálogo entre Filateles y Paleófilo...*

V. CASTRO, A.: *Elogio del P. Clavijero.* Ferrara, 1787.—MANEIRAS, J. A.: *De vitis ali quot Mexicanorum.* Bolonia, 1791.

CLAVIJO, Ruy González de (v. González de Clavijo, Ruy).

CLAVIJO Y FAJARDO, José.

Interesante escritor y naturalista español. Nació—1726—en Lanzarote (una de las islas Canarias). Murió—1806—en Madrid. Viajó mucho por toda Europa. En Francia amistó con Buffon y Voltaire, profesando ideas enciclopédicas. En Madrid tuvo amores con Louise Caron, hermana del famoso escritor francés Beaumarchais, quien, por medio de un duelo, quiso obligarle a casarse con su hermana. No hubo duelo entre los dos aventureros. Clavijo se limitó a escribir una carta exculpatoria, tan humillante para el suscriptor como poco honrosa para el que la había exigido. Con este suceso escandaloso, Goethe escribió su soso drama romántico *Clavijo.*

Durante veinte años dirigió Clavijo el *Mercurio histórico y político de Madrid.* Fue vicedirector del Museo de Historia Natural. Desempeñó también el cargo de guarda de los Archivos de la Corona, y perdió no poco dinero con un diario, *El Pensamiento,* que redactaba él mismo casi por completo. Sus ensayos, aparecidos en este diario, demoledores y poco profundos, escritos con cierta gracia audaz, impugnaban las tradiciones españolas y ponían como hoja de perejil incluso a líricos de la talla de fray Luis de León y Quevedo. Obras: *El tribunal de las damas, Los jesuitas, culpados de lesa majestad, divina y humana; Estado general, histórico y cronológico del ejército y ramos militares de la monarquía.*

Clavijo tradujo admirablemente las *Obras completas* de Buffon.

V. Espinosa, Agustín: *Clavijo y Fajardo.*

CLEMENCÍN, Diego.

Literato, filólogo y político español. Nació —1765—en Murcia. Murió—1834—en Madrid, a consecuencia del cólera. Estudió en el colegio de San Fulgencio, de su ciudad natal, Gramática latina, Jurisprudencia, Filosofía y Teología. Ingresó en el seminario. Ya sacerdote, se trasladó a Madrid para desempeñar el cargo de preceptor de los hijos de la duquesa de Benavente. En seguida se hicieron famosas sus traducciones del *Apocalipsis* y las tres *Epístolas* de San Juan, la *Germania* y *Claudio el Agrícola,* de Tácito, y sus *Lecciones de gramática y ortografía castellanas.* Acompañó a París al duque de Osuna. Defendió los derechos de Fernando VII en la *Gaceta* y *El Mercurio,* por lo que a punto estuvo de ser fusilado por Murat. Oficial de la Secretaría de Estado —1812—. Académico de la Lengua y de la Historia. Diputado a Cortes—1813—. Ministro de Ultramar—1822—y de la Gobernación. Fue el director de la edición de las obras de Leandro Moratín por la Academia Española; maestro de ceremonias en la coronación de Isabel II, fundador del Museo Arqueológico y bibliotecario de la reina regente doña María Cristina. Hombre de ideas liberales y de gran cultura. Perteneció a casi todas las corporaciones científicas y literarias de España. Y la Academia de la Lengua le incluyó en el *Diccionario de auto-*

ridades. Escritor fácil y correcto. Hombre laborioso. Crítico erudito. Investigador paciente y hábil.

Obras: *Elogio de la reina Isabel la Católica*—Madrid, 1821—, los *Comentarios* y las *Notas* al *Quijote*—1833—, muy comentados y combatidos por Cortejón, Menéndez Pelayo, Ríus y Fernando de Castro: *Disertación crítica sobre las historias antiguas del Cid Ruy Díaz el Campeador,* escrita hacia 1826.

V. Lista, A.: *Juicio crítico de don Diego Clemencín.*—Urdaneta, J.: *Cervantes y la crítica.* Caracas, 1877.—Benjumea: *La estafeta de Urganda.* Londres, 1861.

CLEMENTE ROMEO, Esteban.

Nació en Valladolid el 3 de agosto de 1887. Murió—16 de abril de 1969—en Bilbao. Recibió la primera enseñanza del gran pedagogo abulense don Juan Manuel Fernández. Comenzó el bachillerato en Santa Cruz y lo terminó en San Gregorio, con nota de sobresaliente; fue discípulo de Macías Picavea.

Estudiante de Medicina, fue interno, por oposición, de Histología normal y Anatomía patológica, terminando en 1911 con la nota de sobresaliente. En 1918 aprobó los cursos del doctorado en Madrid.

Desde niño, y simultáneamente con sus estudios, hizo en la Escuela de Bellas Artes, de Valladolid, los cursos de dibujo lineal, de figura y de modelado, vaciado y cerámica, obteniendo al final el premio extraordinario 1911, mediante oposición, por un medallón en bajo relieve del gran histólogo don Santiago Ramón y Cajal.

Ha sido médico titular en Hoyos (Cáceres) y en Cubo de Bureba (Burgos), habiendo ejercido en Bilbao su especialidad de médico y cirujano de niños.

Poeta precoz, componía versos cuando apenas sabía leer y escribir. Estudiando preparatorio y Anatomía, compuso un voluminoso comentario lírico, en verso, de las obras de Shakespeare. Sus composiciones, que llamó, felizmente, "solerillas", se harán populares en cuanto se conozcan bien, constando su libro *Mallorca, Flor de España,* de doscientas cincuenta y siete de ellas.

En 1907, sus condiscípulos del segundo año publicaron su primer libro: *Versos de la Aurora.* Más tarde siguieron: *Fronda literaria*—1922—volumen "casi antológico", editado en Coimbra a petición de varios literatos portugueses, después de varios recitales íntimos en Oporto, Coimbra y Lisboa; *Jardín lírico, Devocionario de amor*—1923—, *Canciones humanas*—1923—, con una original portada del pintor Aurelio Arteta; *Hálama. Canciones de serranía*—1924—, *Poemas del tormento amoroso*—1925—, con una

C

rica portada de Lozano Sidro; *Mar bella y noche azul*—1931—, edición de quinientos ejemplares, que entregó a los pescadores de Bermeo para aliviar su desgracia después de una galerna que dejó muchos huérfanos; *Noches marinas*—1933—, *Romances de Castilla*—1938—, *El Cristo de la Luz*—1942—, *Fuente amorosa*—1944—, preciosa edición de veinticuatro ejemplares, hecha por mano de don Lorenzo Clemente Romeo, hermano del poeta; *Querer*—1946—, *El pastor de San Medel y otros poemas*—1947—, del que se hicieron dos tiradas: una a todo lujo, de cien ejemplares, para cien amigos de la poesía, suplicada por el señor cónsul de la Argentina en Bilbao, con retrato del poeta por Iván Chuklin, y dibujos, a pluma, de Francisco Rodríguez; *Versos del amor de Dios; Jesús, poeta*—veinticinco sonetos oferentes, 1947— y *Camino*—veinticinco sonetos latréuticos, 1947—, *Mallorca*—1948.

De su obra copiosa dijo el sabio filólogo don Julio Cejador—que recitaba de memoria varias de las "solerillas" de Clemente Romeo—: "Su poesía selecta solo es para los selectos, y así se explica que sea desconocido este poeta en su patria."

V. Sainz de Robles, F. C.: *Historia y antología de la poesía española*. Madrid, Aguilar, 2.ª edición, 1950.

CODERA ZAIDÍN, Francisco.

Arabista, helenista, hebraísta e historiador español. Nació—1836—en Fonz (Aragón). Murió en 1917. Doctor en Filosofía y Letras. Por oposiciones brillantes desempeñó cátedras de latín y griego, de árabe y hebreo. Desde 1872 fue catedrático de griego y árabe en la Universidad Central. Académico de la Historia—1879—y de la Lengua—1910—. De fenomenal erudición. Maestro eximio de arabistas insignes, gloria de la Universidad española.

Sus monografías son innumerables.

Obras: *Tratado de numismática arábigo-española*—1879—, *Biblioteca arábigo-hispana*—1882 a 1895, diez tomos—, *Algo de los dialectos españoles a principios del siglo XIII, Estudios críticos de historia árabe española...*

COELLO Y OCHOA, Antonio.

Notabilísimo poeta y autor dramático español. Nació—1600—y murió—1653—en Madrid. En su juventud fue capitán de Infantería, a las órdenes del duque de Alburquerque. Felipe IV, en 1642, le hizo merced del hábito de Santiago. Diez años después obtuvo el cargo de ministro de la Junta de la Casa de Aposento. Tanto le apreciaba el monarca español, también con aficiones literarias, que se llegó a decir que colaboraron juntos en algunas obras dramáticas, como el

famoso drama *El conde de Essex*, atribuido a Felipe IV, y que se publicó—1638—a nombre de Coello. Al morir este gran autor, su cadáver fue enterrado en el popular convento de Nuestra Señora de la Victoria.

Coello alcanzó gran fama en su época y gozó de una popularidad justa, hasta el punto de que Calderón, Vélez de Guevara, Rojas, Solís y Montalbán colaboraron con él. Con Calderón y Solís escribió *El pastor Fido* y *El monstruo de la fortuna;* con Calderón, *Yerros de naturaleza y aciertos de fortuna;* con Rojas y Vélez, *La Baltasara, También la afrenta es veneno* y *El catalán Serrallonga.*

Su nombre figura en el *Catálogo de autoridades de la Lengua,* de la Academia Española.

Lope de Vega—en *El laurel de Apolo,* silva VIII—le colmó de elogios.

Otras comedias: *Celos, honor y cordura; Empeños de seis horas, Los dos Fernandos de Austria, El árbol de mejor fruto, Lo que puede la fortuna, Peor es hurgallo, Lo dicho, hecho;* y dos autos sacramentales: *La cárcel del mundo* y *La Virgen del Rosario.*

Coello carecía de inventiva, pero sabía escenificar primorosamente, versificar con naturalidad y ponderar los efectos. *El conde de Essex* o *Dar la vida por su dama* es su mejor obra, notable por la nobleza al juzgar a la reina Isabel de Inglaterra, enemiga de España, y por la poesía honda y melancólica que fluye de ella.

Textos: Tomos XIV, XLV y LIV de la "Biblioteca de Autores Españoles"; *Yerros de naturaleza,* ed. Juliá, Madrid, 1930.

V. Cotarelo y Mori, E.: *Dramáticos del siglo XVII: Don Antonio de Coello,* en *Boletín de la Academia Española,* 1918-1919.

COELLO DE PORTUGAL Y PACHECO, Carlos.

Autor dramático y literato español. Nació —1850—y murió—1888—en Madrid. Licenciado en Leyes por la Universidad Central. Residió en Constantinopla durante algún tiempo. Colaboró en importantes periódicos de Madrid. Adaptó a la escena española el *Hamlet,* de Shakespeare, para que lo representase el gran trágico Antonio Vico.

Fue Coello de Portugal un poeta fino, un tanto declamatorio, y un habilísimo autor dramático en el género menos trascendental de la zarzuela.

Obras teatrales: *De Madrid a Biarritz, Roque Guinart, La mujer propia, La monja alférez, El paño de lágrimas, El siglo que viene, El maestro Estokati, La magia nueva, El alma en un hilo, La vida es soplo, El cetro de caña*—drama—, *Antaño y hogaño.*

Escribió también unos *Cuentos inverosímiles.*

C

COLMÁN, Narciso Ramón.

Poeta y prosista paraguayo contemporáneo. Universitario y espíritu delicado y fecundo. La crítica de su país le estima considerablemente, calificándole de propulsor admirable de la poesía en lengua guaraní. Es también excepcional folklorista y paremiólogo.

Quizá por la peculiaridad de su poesía, su fama no ha excedido de las patrias fronteras.

Es creador de *Ñande-ypy-cuera* (1930).

V. DÍAZ PÉREZ, Viriato: *La literatura del Paraguay,* en el tomo XII de la *Historia universal de la literatura,* de Prampolini. Buenos Aires, Uteha Argentina, 1940.

COLMENARES, Diego de.

Erudito, historiador y literato español. Nació—1586—en Segovia. Y murió—1651—en la misma ciudad. De noble familia. Doctor en Derecho por la Universidad de Salamanca. Cura párroco—1617—de San Juan de los Caballeros (Segovia) y usufructuario de una de las cuatro capellanías de que eran patronos los poderosos Contreras. Se le enterró en su parroquia, y en 1837 sus restos fueron trasladados al monasterio del Parral.

Obras: *Historia de Segovia*—1637—, *Vida del maestro fray Domingo de Soto, Genealogía historiada de los Contreras..., Historia de la reina doña Berenguela, madre del rey don Fernando III; Genealogía de los González del Salvador, de la ciudad de Segovia; Traducción en verso castellano del epigrama heroico de Guillermo Petit...,* varios epitafios latinos en verso, *1ercetos del milagro de la judía despeñada, Décima al segoviano Juan de Quintela...,* unos versos al monasterio de El Escorial, dos octavas acrósticas en loor de fray Juan de Orche...

En todas las obras de Colmenares resplandecen la pureza del estilo, el acierto y fineza de la crítica, la riqueza de la erudición, la asombrosa propiedad del lenguaje. Con justicia, la Academia Española le ha incluido en el *Catálogo de autoridades de la Lengua.*

V. VERGARA Y MARTÍN, Gabriel María: *El licenciado don Diego Colmenares y su "Historia de Segovia"...* Madrid, Imp. G. Hernández, 1895.—BAEZA Y GONZÁLEZ, Tomás: *Apuntes biográficos de escritores segovianos.* Segovia, 1877.

COLODRERO DE VILLALOBOS, Miguel.

Poeta. 1611-¿1660? Nació en Baena. Fue muy amigo y admirador de Góngora, cuya influencia se nota en sus obras.

Obras suyas son: *Varias rimas*—Córdoba, 1629—, *Alfeo y otros asuntos en verso*—Barcelona, 1639—, *Golosinas del ingenio*—Zaragoza, 1642—, *Divinos versos o cármenes sagrados*—Zaragoza, 1656.

La primera de estas obras la publicó apenas tenía dieciocho años, y en ella están los poemas *Teseo y Ariadna* e *Hipomenes y Atalanta,* en los que se encuentra el *gongorismo* más exasperado. Habiendo estudiado Colodrero en Córdoba, de allí salió fanático sectario "del heresiarca de la poesía", como llamó Gallardo a Góngora. Fue administrador del duque de Sessa—el famoso protector de Lope—en sus estados de Cataluña y Aragón, y a quien dirigió las mencionadas *Rimas,* así como al marqués de Poza el *Arfeo*—Barcelona, 1639—, y al marqués de Cabra, *Divinos versos y cármenes sagrados*—Zaragoza, 1656.

Bartolomé José Gallardo escribe de él: "Su lenguaje es oscuro; su sintaxis, enhebrada, con voces nuevas de su propio cuño, tales como *arundinoso, imaginoso, tragedioso, airosear, singultizar* y otras. Con dificultad habrá poesías peores que hayan salido con más elogios en verso." Diecisiete poetas les alabaron. Entre ellos: Lope, Valdivielso, Montalbán, Sotos de Rojas... Alabó Lope "el estilo florido, lenguaje advertido o propio y pensamientos honestos". Y Valenzuela añadió que "en los sonetos y canciones discurrió gallardamente; en las octavas, cuerdamente avisado; en los romances, galanamente gustoso; en las décimas, endechas, glosas y epigramas, curiosamente entendido; y en lo divino, modestamente acertado, guardando en todo el estilo poético". Cejador resume diciendo que "es un gongorino de tomo y lomo, bueno para leerse como muestra".

V. CEJADOR Y FRAUCA: *Historia de la lengua y literatura castellanas.* Tomo V.—BIBLIOTECA DE AUTORES ESPAÑOLES: Tomos XXXV y XLII.

COLOMA, Carlos, Marqués de Espina.

Notable escritor y militar español. Nació —1567—en Alicante. Murió—1637—en Madrid. De la noble familia de los condes de Elda. Abrazó la carrera de las armas, y teniendo catorce años acompañó al duque de Alba en la guerra contra Portugal. Sirvió en las galeras de Messina cuatro años. Y pasó a Flandes en 1588. Se distinguió notablemente en la batalla de Aumale y en el sitio de Ruán, y a su pericia y decisión se debió en gran parte la victoria alcanzada en Doullens por el conde de Fuentes. Se halló en el sitio de Cambray y en la conquista de Calais, Andres, Huls, Comont... Maestre de campo y caballero de Santiago. Gobernador de Perpignán y de Mallorca. Consejero de los monarcas de los Países Bajos, Isabel Clara Eugenia y Alberto. A las órdenes del marqués de Spínola, cuando este invadió el Palatinado, le cupo la gloria a Coloma de conquistar Kreuznach. En 1635 alcanzó una nueva victoria sobre el duque de Parma ante los muros de Valencia del Po.

Obras: *Las guerras de los Países Bajos* —Amberes, 1625—, una de las más admirables crónicas de la época, escrita con perfecto estilo y un dominio absoluto del idioma; tradujo de modo impecable las *Obras* de Cayo Cornelio Tácito.

La Academia Española ha incluido a Coloma en el *Catálogo de autoridades*.

V. ANTONIO, Nicolás: *Bibliotheca Nova.*— REVILLA, Manuel de la: *Historia de la literatura española*. Tomo II.

COLOMA, P. Luis.

Notable novelista español. Nació—1851—en Jerez de la Frontera (Cádiz). Murió—1915— en Madrid. Ingresó a los doce años en la Escuela Naval; pero la abandonó poco después para cursar la carrera de Leyes en la Universidad de Sèvilla. Inició sus aficiones literarias alentado por la famosa escritora, ya anciana, Cecilia Böhl de Fáber, "Fernán Caballero". Colaboró en el periódico madrileño *El Tiempo* y en el jerezano *El Porvenir*, encaminando sus esfuerzos a preparar la restauración de don Alfonso XII. Una gravísima herida de arma de fuego—que se le disparó estándola limpiando—le puso al borde del sepulcro. Salvado casi milagrosamente, decidió ingresar en la Compañía de Jesús. Hasta 1884, ya sacerdote, no volvió Luis Coloma a escribir en el público desde las columnas de *El Mensajero del Corazón de Jesús*. En 1908 ingresó en la Real Academia de la Lengua.

Obras: *Solaces de un estudiante, Lecturas recreativas*—Bilbao, 1884—, *Por un piojo* —1889—, *Pequeñeces*—novela, 1891—, *Retratos de antaño*—1895—, *La reina mártir* —1898—, *Nuevas lecturas*—1902—, *El marqués de Mora*—1903—, *Jeromín*—novela histórica, 1905—, *Boy*—novela, 1910—, *Recuerdos de "Fernán Caballero"*—1910—, *Fray Francisco*—1914—, *Cuadros de costumbres populares...*

La novela *Pequeñeces* alzó una polvareda de escándalo como muy pocas obras han conseguido en España. Escándalo de éxito en la venta. Escándalo de comentario en pro y en contra. Escándalo en el rápido encumbramiento del autor. Escándalo en la reacción de la crítica. En *Pequeñeces,* "aunque su propósito fue moral, hizo una verdadera novela, en la que sobresale como narrador satírico, ameno, irónico y de buen humor, de las costumbres aristocráticas, con proporcionada acción en cada parte de la vida de la protagonista, abundancia de escenas dramáticas, cuadros animados, lances imprevistos, episodios interesantes y bien trabados con el asunto principal. Flaquea en la pintura de retratos y caracteres y en el estudio psicológico de las almas, señalándose, sin ser acabado, el carácter de la protagonista. Sin llegar a colorista brillante, es Coloma sobre todo sobrio y vivo pintor realista de costumbres, aunque seco, sin ternura de afectos y algo incorrecto en el lenguaje." (C.)

El Padre Coloma es, ciertamente, un notable novelista de segundo orden—como Ortega Munilla, como Picón, como Mathéu— una época en que la novela española alcanza un nivel extraordinario y los novelistas de primer orden se llaman Alarcón, Galdós, Pereda, la Pardo Bazán, "Clarín", Valera, Palacio Valdés... Narra con soltura, con amenidad, con delicadeza. Domina lo que se llama "el oficio". Quizá peca de frialdad para sus criaturas, a las que no se atreve a hacer "nada más que de carne-hueso".

V. PARDO BAZÁN, Emilia: *El Padre Luis Coloma. Biografía y estudio crítico*. 1891.— VALERA, Juan: *Carta de Currita Albornoz al Padre Luis Coloma*. Madrid, 1890.—MASRIERA, Arturo: *Cómo escribe el Padre Coloma sus libros*, en *Diario de Barcelona*, abril 1902.—ALAS, "CLARÍN", Leopoldo: *Ensayos y Revistas*. Madrid, 1892.—PIDAL Y MON, A.: *Discurso* de contestación. (En el ingreso del Padre Coloma en la Real Academia de la Lengua, 1908.)

COLUMELA, Lucio Junio Moderato.

Filósofo, astrónomo, poeta, tratadista de agricultura hispano-latino. Nació en Cádiz, el año 3 o el 4 de la Era de Cristo, perteneciente a la tribu Galeria. Fue educado excelentemente por su tío Marco Columela, inteligentísimo agricultor de la Bética. Cuando contaba alrededor de treinta años, marchó a Roma, donde poseía numerosas fincas y donde se hizo amigo de Volusio, Anneo Novato y Publio Silvino. A este último dedicó su obra inmortal: *De re rustica*. Poseyendo una gran fortuna, viajó detenidamente por Asia, deteniéndose en Siria y Cilicia. Jamás tuvo ambiciones ni se mezcló en la política, debiendo a esto último el haber evitado la crueldad de aquellos emperadores que se llamaron Tiberio, Calígula, Claudio y Nerón. Se dedicó exclusivamente al estudio y al cuidado de sus muchas haciendas, tratando de llevar a las gentes de su época a la antigua—y ya olvidada en las costumbres licenciosas—afición a la vida agrícola, llena de encantos y de serenidad. Se cree que el eximio gaditano murió el año 54 en algún lugar de Asia.

De su obra inmortal, verdadero poema, hizo dos redacciones: una, muy compendiada, de la que nos quedan fragmentos en el monobibios *De arboribus*. El éxito de este compendio le animó a la redacción definitiva, muy más amplia, de su obra en doce libros, de los cuales, el tercero, cuarto y quinto comprenden la primitiva redacción.

Escribió, además, acerca de la astrología, de las lustraciones y sacrificios, de las viñas y de los árboles.

Tanto en prosa como en verso, escribió Columela con elegancia, con brillantez, con naturalidad, con elevado criterio e ideales nobilísimos, en un latín purísimo, que en nada desmerece del de los mejores literatos del siglo de oro.

Ediciones: Venecia, 1472—de la que fue traducida al inglés, al alemán, al francés, al castellano, en más de 40 reimpresiones—; Gasner, Leipzig, 1735 y 1774; Scheineder, Leipzig, 1794 y 1797; Cotereau, París, 1551; Saboureux, París, 1771; Ress, 1795; la crítica de Lundstroem, Upsala, Leipzig, 1897 ss.

V. BARBERET: *De columellae uita et scriptis*. 1888.—BECHER, W.: *De Columellae uita et scriptis*. Leipzig, 1897.—KOTTMANN: *De elocutione C. Iunii Moderati Columellae*. Rottweil, 1903.—SOBEL, R.: *Studia Columelliana paleographica et critica*. Göteborg, 1928.—DOLÇ, Miguel: *Literatura hispano-romana*, en el tomo I de la *Historia general de las literaturas hispánicas*. Barcelona, 1949.

COLL, Pedro Emilio.

Literato y periodista venezolano. Nació —1872—y murió—1947—en Caracas. Descendiente de una antigua familia española. Estudió Derecho, Filosofía y Literatura. En 1893 fundó en su ciudad natal la revista *Cosmópolis,* en la que dio entrada a todos los escritores noveles de su tiempo, originando así una generación del máximo interés literario. Llevó una vida bohemia por toda América y en Europa. Establecido durante mucho tiempo en París, fue redactor del *Mercure de France,* en cuyas páginas publicó incontables estudios de literatura hispanoamericana. Puede decirse que fue un magnífico embajador de las letras de Hispanoamérica en el corazón de Europa.

Pedro Emilio Coll rindió un fervoroso culto al modernismo imperante, trabajando su estilo con amor y paciencia de orfebre, hallando nuevos vocablos y quintaesenciando las emociones. Sirvió de expertísimo guía a sus compatriotas para el conocimiento de los movimientos literarios europeos: el simbolismo, el expresionismo... Algunos de sus cuentos—*Diente roto, Opoponax*—son hermosísimos trozos literarios, dignos de las mejores antologías.

Obras: *Palabras, El castillo de Elsinor, La escondida senda, Lectura y glosa de escritores venezolanos*—1929—, *Decadentismo y americanismo...*

V. RATCLIFF, Dillwyn F.: *Venezuelan Prose Fiction*. Nueva York, Instituto de las Españas, 1933.—TRENT, PETERFIELD y otros: *Cambridge History of American Literature*. Cuatro tomos. Putnam' Sons, Cambridge, 1927.

COLL Y VEHÍ, José.

Notabilísimo crítico, preceptista, poeta y filólogo español. Nació—1823—en Barcelona. Y murió—1876—en Gerona. Se doctoró en Leyes en Barcelona. Y de Filosofía y Letras, en Madrid. Profesor—1861—de Retórica y Poética en el Instituto de San Isidro, de la capital de España. Y de la misma asignatura en el de Barcelona, del que fue director desde 1871 hasta su muerte. Perteneció a las Reales Academias de Buenas Letras y de Bellas Artes barcelonesas, y fue socio correspondiente de la Real Academia Española.

Mérito excepcional tuvo Coll y Vehí como preceptista literario. Poseía intuición y clarividencia estética. Creó un verdadero cuerpo de doctrina, original y eminentemente práctico. Fue uno de los más elegantes y castizos hablistas del castellano. Puede afirmarse sin exageración alguna que sus doctrinas han influido en cuantas *Preceptivas* se han publicado después de 1875. Coll y Vehí fue, igualmente, un competentísimo crítico literario, erudito, sagaz, justo y elegante.

Obras: *Retórica y Poética*—Barcelona, 1862—, *Elementos de literatura*—1856—, *La sátira provenzal*—Madrid, 1861—, *De los trovadores en España*—Barcelona, 1861—, *Diálogos literarios*—Barcelona, 1868—, *Modelos de poesía castellana*—Barcelona, 1871—, *Los refranes del "Quijote" ordenados y glosados* —Barcelona, 1874...

COLLADO, Casimiro del.

Poeta español. Nació—1822—en Santander. Murió—1898—en México, país al que se trasladó de muy niño. Su educación literaria fue rigurosamente clásica. En 1841, sin desatender sus prósperos negocios mercantiles, fundó *El Apuntador,* periódico literario y de crítica teatral, donde publicó sus primeras composiciones, que delataban cierto romanticismo "a lo duque de Rivas". Más tarde imitó a Zorrilla en varias leyendas y orientales, "escritas con mayor corrección de estilo y lenguaje" que las del famoso bardo vallisoletano.

Según Menéndez Pelayo, que prologó uno de sus libros, fue Collado "acicalado hablista, maravilloso versificador y espléndido poeta".

Y, verdaderamente, las composiciones literarias de sus últimos años revelan un estilo de transparencia y perfección admirables. Collado perteneció a la Academia Mejicana, correspondiente a la Española de la Lengua.

Obras: *Orientales, A Chapultepec, Canto*

C

a *Santander, Oda a Méjico, Adiós a España, Poesías*—Madrid, 1880, con un prólogo de Menéndez Pelayo.

COLLANTES, Alejandro.

Nació—1901—y murió—1933—en Sevilla. Fundó—con Rafael Laffón—, en la ciudad bética, la revista *Mediodía*, que publicó, en total, dieciséis números entre los años 1926-1933.
Obras: *Versos*—1926—, *Poemas*—póstuma, 1949.

COMAS PUJOL, Antonio.

Crítico literario español en lengua catalana. Doctor en Filosofía y Letras. Nació—1931—en Mataró (Barcelona). Ha preparado excelentes ediciones de clásicos. En 1965 obtuvo la cátedra de Lengua y Literatura catalana, en la Universidad de Barcelona. Autor, con Martín de Riquer, de una monumental *Historia de la Literatura catalana*. Comas es autor de los tomos correspondientes a la literatura contemporánea.

COMELLA, Luciano Francisco.

Poeta y dramático español, que gozó de gran popularidad en su época. Nació en Vich—1751—. Murió—1812—en Madrid. Es autor de más de ciento treinta obras teatrales. Como no tuvo gran inventiva, se dedicó a refundir, falsear y mutilar obras de los más grandes gramáticos nacionales y extranjeros, desde Shakespeare, Lope y Calderón, hasta Racine, Corneille y Schiller. Falseó sin escrúpulo alguno la Historia. Hay que reconocer, sin embargo, que no fue el autor incapaz que nos ha querido pintar la crítica contemporánea. Comella conocía bien los resortes dramáticos, sabía sacar un buen partido de las situaciones escénicas; era su dicción, a veces, gallarda y majestuosa, y sus versos, fluidos y espontáneos, y sus diálogos, en ocasiones, estaban llenos de interés.
Comella, indudablemente, tuvo mucho público, y estrenó cuanto quiso. *Algo* verían en su teatro sus numerosos admiradores, repartidos en todas las clases sociales.
El mal gusto de Comella sacó de quicio a Moratín, cuya enemiga personal se hizo famosa en Madrid. En la admirable comedia *El café*—1792—, el gran escritor madrileño ridiculizó a Comella. Este publicó un folleto declarando a Moratín traidor a la patria. Moratín replicó ferozmente en *La derrota de los pedantes*, y desde entonces pasa por dechado de mal gusto el desdichado Comella. "Almacenista de lugares comunes" le ha llamado un crítico. Y "fabricante de dramas", otro. Con demasiada injusticia. Comella valía más como sainetero o comediógrafo que como dramaturgo.

Obras: *La familia indigente, El menestral sofocado, El alcalde proyectista, Federico II en el campo de Torgau, Alejandro Magno, Guillermo Tell...*
V. CAMBRONERO, Carlos: *Comella, su vida y sus obras,* en *Revista Contemporánea,* 1896.

COMMELERÁN Y GÓMEZ, Francisco Andrés.

Literato y catedrático español. Nació—1848—en Zaragoza. Murió—1919—en Madrid. Doctor en Filosofía y Letras—1870—y en Derecho—1895—. Catedrático de Lenguas latina y castellana—1872—en el Instituto del Cardenal Cisneros, de Madrid. Senador del reino desde 1899. Académico de la Real Española de la Lengua—1889—y su censor perpetuo desde 1903.
Obras: *Autores sagrados y profanos*—1879—, *Don Pedro Calderón de la Barca*—1881—, *Gramática de la lengua castellana, Diccionario clásico-etimológico latinoespañol*—1886—, *De las lenguas castellana y latina, Gramática comparada de las lenguas castellana y latina*—1889.

«CONCOLORCORVO» (v. **Bustamante, Calixto**).

CONDE, Carmen.

Gran poetisa y prosista. Nació—1907—en Cartagena, donde pasó los primeros años de su vida. De 1914 a 1920 residió en Marruecos español, regresando después a Cartagena. Tiene la carrera del Magisterio, que no profesó oficialmente. Estudios de Filosofía y Letras. Con breves viajes a Barcelona y a Madrid, residió en Cartagena hasta 1936. De 1937 a 1939 vive en Valencia. Después, en El Escorial. Actualmente, en Madrid. Incluida en la antología de Mathilde Pomés, *Poètes espagnols d'aujourd'hui*—Bruselas, 1934.
Arranca Carmen Conde de un superrealismo moderado, que no se olvida muchas veces de la rima, e incluso de *una profunda raíz española,* pero que realza y cultiva con verdadera fortuna la imagen y las asociaciones simultáneas. "Estamos frente a una poesía considerable, profunda, donde lo erótico se anuda a lo patético, y en la que un delirio y un clamor íntimos buscan su forma, lográndola con impresionante sinceridad. De la pléyade poética femenina española, Carmen Conde destaca la autenticidad de su mensaje y la solidez de su pensamiento poético."
Colaboradora de las principales revistas de poesía y de varios diarios madrileños. Con el seudónimo de "Florentina del Mar" publicó varios volúmenes de novela, biografía y ensayo. Después de un largo período de si-

lencio, su firma aparece de nuevo en *España*, de León; *Mediterráneo*, de Valencia; *Entregas de Poesía*, de Barcelona, y en las madrileñas *La Estafeta Literaria* y *El Español*.

Publicó: *Júbilos*—1934—, *Pasión del verbo* —Madrid, 1944—, *Ansia de la gracia*—1945—, *Mujer sin Edén*—1947—, *Sea la luz*—1947—, *Iluminada tierra*—poemas, 1951—, *En manos del silencio*—novela, Barcelona, 1951—, *Mientras los hombres mueren*—Milán, 1953—, *Cobre*—novelas, Madrid, 1954—, *Vidas contra su espejo*—novela—, *Soplo que va y no vuelve*—relatos—, *Mi libro de El Escorial*, *Las oscuras raíces*—"Premio Elisenda de Montcada", novela, 1954—, *Mi fin en el viento*—poemas, 1947—, *Brocal*—poemas, 1929—, *En un mundo de fugitivos*—1960—, *Jaguar puro inmarchito*—1963—, *Obra poética* —1967—, *Derribado arcángel*—1960—, *Vivientes de los siglos*—1954—, *Menéndez Pidal* —biografía, 1969—, *Viejo venís y florido* —leyendas del Romancero...

V. VARIOS: *Homenaje a Carmen Conde,* en *Mensajes de Poesía.* Vigo, 1951.—MISTRAL, Gabriela: Prólogo a *Júbilos,* 1934.—SAINZ DE ROBLES, F. C.: *Historia y antología de la poesía española.* Madrid, 1951, 2.ª edición.— MORENO, Alfonso: *Poesía española actual.* Madrid, Ed. Nacional, 1946.—VALBUENA PRAT, A.: *Historia de la literatura española.* Barcelona, Gili, 1950, 3.ª edición, tomo III.— DÍAZ-PLAJA, Guillermo: *Historia de la poesía española.* Barcelona, Labor, 1948, 2.ª edición. ALONSO, Dámaso: *Pasión de Carmen Conde,* en *Poetas españoles contemporáneos.* Madrid, edit. Gredos, 1952.

CONDE, José Antonio.

Historiador y arabista español. Nació —1765—en Peraleja (Cuenca). Murió—1820— en Madrid. Estudió en Salamanca y enseñó en Alcalá de Henares. Miembro de las Reales Academias de la Lengua y de la Historia. Correspondiente de la Academia de Berlín. Perseguido por sus ideas políticas y desterrado por Fernando VII, vivió en Francia en la más absoluta indigencia. Y en la miseria murió, pues por orden del monarca había sido desposeído de todos sus cargos, y tuvieron que costear su entierro algunos amigos, como Ticknor, Moratín, Martínez de la Rosa, Argüelles... Fue duramente atacado por Dozy y los arabistas españoles, quienes le llegaron a acusar de no saber el árabe y de haber desaprovechado los tesoros bibliográficos de que dispuso, llegando a falsear los hechos.

La crítica posterior ha sabido devolver a Conde a su auténtico merecimiento.

Obras: *Historia de la dominación de los árabes en España, sacada de varios manuscritos y memorias arábigas*—Madrid, 1820—, *Califas cordobeses*—1820—, *Poesías orientales*—Madrid, 1819—, *Sobre las monedas árabes...*—Madrid, 1917—, *El Evanteo*—poema, traducción, 1787...

V. DUQUE DE SAN MIGUEL: *Discurso*. Academia de la Historia, Madrid, 1853.

CONDE, Francisco Javier.

Ensayista, historiador y político español. Nació—1908—en Burgos. Catedrático de Derecho Político en la Universidad de Madrid. Embajador de España. Director del Instituto de Estudios Políticos y de la revista *Clavileño*—1950—. Ha dado cursos y conferencias en importantes universidades europeas y americanas.

Obras: *Teoría y sistema de las formas políticas*—Madrid, 1944—, *El saber político en Maquiavelo*—Madrid, 1948—, *El hombre, animal político*—1957.

CONTARDO, Luis Felipe.

Poeta y prosista chileno. 1880-1912. Nació en Molina. Estudió en los seminarios de Talca y Concepción y lo continuó en el Colegio Pío Latino-Americano de Roma y en la Universidad Gregoriana. Se ordenó de sacerdote en 1903. Viajó por Tierra Santa y por varios países de América. Párroco de Chillán, donde alternó sus deberes evangélicos con el cultivo de una poesía heroica, religiosa y de exaltación del hogar. Dirigió los periódicos *El País* y *La Unión.*

Sus poemas "suenan puros, sencillos, plácidos, impregnados de una unción suavísima y tierna". La emoción íntima, sinceramente expresada, ha dado fama a sus poemas.

Obras: *Patria y hogar*—1898—, *Canto a la Cruz*—1900—, *Flor del Monte*—1903—, *El catolicismo ante la vida moderna*—1910—, *La Iglesia y la mujer*—1918—, *Cantos del camino*—1918.

V. LILLO, Samuel: *La literatura de Chile.* Santiago, 1930.—LATORRE, Mariano: *La literatura chilena.* Buenos Aires, Facultad de Filosofía y Letras, 1941.

CONTE, Rafael.

Crítico, periodista y narrador español. Nació—1935—en Pamplona, ciudad en la que cursó la segunda enseñanza y las disciplinas de Derecho, licenciándose en 1958. Habiéndose trasladado a Madrid, ingresó en la Escuela Oficial de Periodismo, terminando sus estudios y dedicándose inmediatamente al ejercicio de su profesión. Fue secretario de redacción de la revista universitaria *Acento Cultural* y colaborador asiduo de la revista, también universitaria, *Aulas.* A partir de 1968 se hizo cargo de la dirección de las páginas

C

literarias del diario madrileño *Informaciones,* acaso las más variadas, originales y ambiciosas de cuantas se publican en la prensa española.

Es colaborador de *La Estafeta Literaria, Cuadernos para el Diálogo, Cuadernos Hispanoamericanos, Revista de la Universidad de México, La Nación,* de Buenos Aires; *Il Corriere della Sera,* de Milán...

Conte, en plena juventud, pletórico de buena erudición y de excelente prosa, es uno de los mejores y más seguros guías de los actuales movimientos literarios en todo el mundo.

Obras: *Valle-Inclán. Estudio y antología* —1966—, *Narraciones de la España desterrada*—estudios y antología, 1970—, *Blasco Ibáñez: lecciones de un centenario*—ensayo—, *"Azorín" en el purgatorio*—ensayo—, *La novela española del exilio*—ensayo.

CONTRERAS, Alonso de.

Famoso aventurero y literato español. Nació —1582— en Madrid. Murió hacia 1642. Su verdadero nombre fue Alonso de Guillén y de Contreras. Primogénito de una noble familia. Su sed de aventuras fue insaciable. Apenas salido de la niñez, disputó con el hijo de un alguacil, en la plaza de la Concepción Jerónima, matándole con un pequeño cuchillo. En 1595 salió de Madrid con las tropas del príncipe Alberto. Como soldado de audacia pasmosa, combatió en Sicilia, en Flandes, en Malta, en Grecia, en Cuba, en Puerto Rico, en Santo Domingo, otra vez en Flandes, en Italia, en Francia... Se hizo pirata y saqueó las naves turcas y berberiscas, ganando así una inmensa fortuna, que derrochó en poco tiempo. Se hizo ermitaño en el Moncayo y dio con sus huesos en la cárcel, por habérsele encontrado en su caverna un depósito de armas y ser acusado de rey oculto de los moriscos de Hornachos.

La Orden de Malta, a cuyas órdenes combatió, le nombró gobernador de la isla Pantelaria.

Amigo íntimo de Lope de Vega, este le convenció para que escribiese sus memorias, cuya veracidad histórica ha sido comprobada en parte. De valor y audacia inauditos, Alonso de Contreras, simpático y generoso, tiene algo de *mítico.* Lógicamente, sus *Memorias*—o *Vida*—, escritas con desaliño y gran sinceridad, es una obra del mayor interés, del máximo encanto, con numerosas noticias de gran valor histórico.

Ediciones: Real Academia de la Historia, en su *Boletín,* tomo 37; ed. Serrano y Sanz, 1900; editorial Hispano-Americana, París, 1912; *Revista de Occidente,* Madrid, ¿1935?; S. G. Morley, The Autobiography of a Spanish Adventurer, en *Rev. Fil. Esp.,* IV, 436.

V. Serrano y Sanz, M.: Prólogo a la edición de 1900. Madrid.—Serrano y Sanz, M.: *Memorias y autobiografías.* Madrid, 1905.— Lami y Rouanet: *Mémoires du capitaine Alonso de Contreras.* París, 1911.

CONTRERAS, Francisco.

Poeta y prosista chileno. 1877-1932. A los veintiún años publicó su primer libro poético: *Esmaltines,* reflejo de una gran influencia francesa. En 1905 marchó a Francia, donde trabajó fervorosamente en la divulgación de las letras hispanoamericanas. Colaboró en *Mercure de France, Le Monde Nouveau, La Vie, La Nouvelle Revue Critiques, Caras y Caretas, Zig-Zag, Mundial, Nosotros, Cuba Contemporánea...*

Obras poéticas: *Esmaltines*—1898—, *Raúl* —1902—, *Toisón*—1906—, *Romances de hoy* —1907—, *La piedad sentimental*—1911—, *Luna de la patria y otros poemas*—1913.

Obras en prosa: *Los modernos*—1909—, *Almas y panoramas*—1910—, *Tierra de reliquias (España)*—1912—, *Los países grises* —1916—, *La maravilla de la virtud*—1919—, *El pueblo maravilloso*—1927—, *Rubén Darío, su vida y su obra*—1930—, *Pedro Urdemalas* —1936—, *El huallipen y la aojada*—1945.

V. Rubén Darío: *Prefacio a La piedad sentimental,* 1911.

CONTRERAS, Jerónimo de.

Novelista español del siglo XVI. Se le supone nacido en Aragón. En las portadas de sus libros se titula capitán, y es él quien afirma haber obtenido—1560—, por merced del rey don Felipe II, un entretenimiento en el reino de Nápoles, donde marchó para terminar el resto de sus días. Su muerte acaeció hacia 1585. Su nombre figura en el *Catálogo de autoridades del idioma.*

Su obra más importante es la titulada *Selva de aventuras,* publicada—1565—en Barcelona, y dedicada a la reina doña Isabel de Valois, tercera esposa de don Felipe II. El éxito de esta novela, escrita en elegante y casticísimo estilo, de asunto interesante, fue muy grande. Se reimprimió varias veces en muy pocos años. Hay ediciones de Alcalá —1588—, de Bruselas—1598—, de Zaragoza —1615—, de Cuenca—1615—. Chapuys la tradujo al francés con el título de *Etranges aventures*—Lyon, 1580—, y aún volvió a traducirse al mismo idioma con el título de *Histoires des amours.*

Menéndez Pelayo, después de alabar esta novela, en la que encontró remotas semejanzas con el *Peregrino,* de Caviceo, afirmó que era el antecedente más inmediato del *Peregrino en la patria,* de Lope de Vega.

Otra obra de Jerónimo de Contreras es

Dechado de varios sujetos, libro de ameno entretenimiento, entreverado de verso y prosa, del que se conocen ediciones de Zaragoza—1572—y Alcalá de Henares—1581.

Edición moderna: De la *Selva,* tomo III de la "Biblioteca de Autores Españoles", de Rivadeneyra, págs. 489-505.

V. BROWNING: *Anc. poetry and rom. of Spain.* Londres, 1824.—TICKNOR, George: *History of Spanish Letter.* Londres-Nueva York, 1849, tomo III.—MENÉNDEZ PELAYO, Marcelino: *Orígenes de la novela.* I.

CONTRERAS, Raúl.

Poeta y crítico literario salvadoreño. Nació —1896—en Cojutepeque (Cuscatlán). Abogado, político, diplomático, ha ocupado en su patria numerosos altos cargos. Durante mucho tiempo vivió en Europa, principalmente en Madrid, donde le conocimos hacia 1922, ya que asistió a las tertulias literarias de "Pombo" y "Platerías". Contreras pertenece, como poeta, a la generación posmodernista. Admirador de Rubén Darío, redactó una glosa escénica de la famosa *Sonatina* de este, con el título de *La princesa está triste.*

En Madrid colaboró en distintas revistas, dejando constancia en ellas de su poesía brillante, sincera y cálida.

CONTRERAS CAMARGO, Enrique.

Periodista y literato español. Nació —1872—en Madrid. Estudió en el Instituto de San Isidro, Escuela de Artes y Oficios y Nacional de Bellas Artes, de Madrid. Ha sido redactor del *Resumen, Diario Universal, El Imparcial, Nuevo Mundo, Mundo Gráfico, Blanco y Negro, La Esfera...* Dirigió *El Teatro.*

De ágil y amena pluma, ha obtenido en el teatro excelentes éxitos con *Amor sin alas, El miedo a la verdad, Paloma que huyó del nido, La provincianita, La española que fue más que reina, Sonata sentimental, El último sueño de Mozart...*

Entre sus novelas destacan: *El secreto, Delitos de amor...*

Otros libros: *Letras y monos, De la vida, Allá van historias, Los toros, De la piedad al amor, Entre la vida y la muerte.*

CONTRERAS Y LÓPEZ DE AYALA, Juan.

Marqués de Loyoza. Literato, crítico de arte e historiador español. Nació—1893—en Segovia. Doctor en Derecho por la Universidad de Salamanca y en Filosofía y Letras por la Universidad de Madrid. Catedrático de Historia moderna y regente de la cátedra "Luis Vives", en la Universidad de Valencia. Correspondiente de la Real Academia de la Historia, del Instituto de Coimbra y de varias entidades culturales españolas y extranjeras. "Premio Fastenrath"—1920—de la Real Academia Española de la Lengua. Director de la Escuela de Bellas Artes de España en Roma.

Contreras y López de Ayala es un excelente poeta, un prosista castizo, un historiador competente y un crítico de arte de finísima comprensión.

Obras: *Poemas arcaicos*—1913—, *Poemas de añoranzas*—1915—, *Sonetos espirituales* —1918—, *Poemas castellanos*—1920—, *Romances del llano*—1924—, *Cantar de las tierras altas*—1928—, *Doña Angelina de Grecia* —Segovia, 1913—, *Vida del segoviano Rodrigo de Contreras, gobernador de Nicaragua* —1920—; *La campaña de Navarra: 1793-1795*—Valencia, 1925—, *El concepto romántico de la Historia*—Valencia, 1930—, *La casa segoviana*—Madrid, 1921—, *El monasterio de San Antonio el Real de Segovia* —1918—, *Historia del arte hispánico*—cinco tomos, Barcelona, 1931-1946—, *El corregidor* —novela, Madrid...

CONTRERAS PAZO, Francisco.

Novelista, cronista, poeta, ensayista español. Nació—1913—en Almería. Muy niño, se trasladó con su familia a Madrid. Estudió en la Escuela Normal Superior y en la Facultad de Filosofía y Letras de Madrid. Ejerció como profesor de Segunda Enseñanza. Desde 1939 reside en Montevideo (Uruguay), donde es profesor de Lengua y Literatura españolas en el Liceo Zorrilla, asesor de la Dirección de Artes y Letras del Consejo Departamental de Montevideo, colaborador del diario *El País* y de la revista *Mundo Uruguayo,* director de la revista *España en el Uruguay.*

Contreras Pazo, de riquísimo vocabulario, castizo y culto, muy peculiar, cultiva un realismo crudo, patético, casi desolador, pero cuyo constante contrapunto es la piedad sin límites.

Obras: *Otro Platero*—poema, 1949—, *Alambradas*—novela, 1950—, *Los meandros de la vida de Sila Fabra*—ensayos, 1951—, *El proscrito*—novela, 1953, "Premio de Literatura del Banco de la República"—, *Temas trashumantes*—1955—, *Cuando la semilla muere intacta*—novela, 1956—, *La creciente viene turbia o mi polvo pecador*—novela, 1963—, *La Varona*—1964—, *Los desarraigados*—novela—, *Sinaí*—novela, 1966.

CORABIAS, Dimas.

Poeta y cronista chileno. Su nombre civil es Hugo Goldsak Blanco. Nació—1925—en Santiago. Viajero incansable por América y Europa. Corresponsal de incontables periódicos. Profesor de Literatura chilena, jefe de prensa de la Universidad de Santiago y de la Presidencia de la República.

Obras: *En torno a cierto fuego*—poemas, Santiago, 1949—, *Las elegías de I-tor*—Santiago, 1955—, *Encuentro con Bolivia*—Santiago, 1956—, *Panamá al sol y a la sombra* —crónicas de viaje—, *España: itinerario sin prejuicio*—crónicas...

CÓRDOBA, Fernando de.

Polígrafo español. Nació—1422—en Córdoba. Y murió—1486—posiblemente en Roma. Estudió en Salamanca y en varias Universidades italianas. Fueron prodigiosos su talento, su erudición y su memoria. En Roma asombró a los más admirables humanistas, entre los que se contaba Lorenzo Valla, que le distinguió con su protección. De concepción rapidísima, auxiliado por sus enormes conocimientos de filosofía, teología, matemáticas, astronomía, se convirtió en el mejor de los polemistas. En París, luego de haber vencido en pública controversia a los más famosos teólogos y filósofos, fue tenido por hechicero, y hubo de huir. Sirvió de secretario a los Pontífices Sixto IV y Alejandro VI, asesorándoles en los más sutiles problemas. Escribió ensayos sobre Astronomía, Música, Teología, Exégesis Bíblica, Política, Cánones, Filosofía, Medicina... Se cree su mejor obra la titulada *Artificio para indagar y hallar toda verdad asequible al conocimiento natural*, tratado de lógica con indiscutibles influencias platónica y luliana.

Otras obras: *Commentaria in Almagestum Ptolomei, De Pontificii Pollii misterio et an pro eo aliquid temporale absque simoniae labe exigi possit, Ferdinandi Cordubensis de Artificio omnis scibilis.*

V. RENOM, Juan: *Vida de Fernando de Córdoba y Bocanegra*. Madrid, 1717.—ANTONIO, Nicolás: *Bibliotheca Hispana Vetus.*

CÓRDOBA, P. Martín de.

Notable escritor, escriturario y predicador español del siglo XV. Profesor en las Universidades de Tolosa y Salamanca. Gran amigo y consejero del famoso valido don Alvaro de Luna. Enseñó Teología en Francia. Perteneció a la Orden de San Agustín. La Real Academia Española le ha incluido en el *Catálogo de autoridades de la Lengua.*

Obras: *De próspera y adversa fortuna, Alabanzas de la virginidad, Jardín de las nobles doncellas*—Burgos, 1500—, libro rarísimo compuesto para la educación de la infanta doña Isabel ["la Católica"], y que es un precedente de *La perfecta casada*, de fray Luis de León.

CÓRDOBA, Fray Matías de.

Poeta y erudito guatemalteco. Nació —¿1774?—en Ciudad Real de Chiapa, territorio agregado a México en 1824. Y murió en 1829. Muy joven, ingresó en la Orden de Predicadores, de la que fue gala y orgullo. En 1801 recibió el grado de licenciado en Teología en la Universidad Pontificia de San Carlos, de la que llegó a ser uno de los más célebres y respetados maestros. En 1803, para negocios de la Orden, llegó a España, y en Madrid le sorprendió el famoso y glorioso 2 de mayo de 1808. De regreso a América, residió en su ciudad natal, donde introdujo la primera imprenta y fundó una Sociedad Económica a semejanza de la Matritense de Amigos del País.

En 1797, en competencia con otros diez escritores, ganó el premio de la Sociedad Económica de Guatemala, con una Memoria cuyo título era este: *Utilidades de que todos los indios y ladinos se vistan y calcen a la española, y medios de conseguirlo sin violencia, coacción y mandato.*

Dejó en romance endecasílabo un poema —apólogo que lleva por título: *La tentativa del león y el éxito de su empresa*—en el que exalta el triunfo de la clemencia sobre la fuerza, virtud, la primera, que el hombre traduce generosamente en detener su brazo sin herir al león... "El *triunfo de la celestial clemencia* contrasta con la maligna, picaresca y utilitaria filosofía que generalmente se desprende de los apólogos de Lafontaine y Samaniego." (Menéndez Pelayo.)

V. MENÉNDEZ PELAYO, M.: *Historia de la poesía hispanoamericana*. Madrid, 1911, tomo I, págs. 188-190.—BATREB JÁUREGUI, Antonio: *Biografías de literatos nacionales*. Guatemala, 1889.—BATREB JÁUREGUI, Antonio: *Literatos guatemaltecos*. Guatemala, 1896.—SALAZAR, Ramón A.: *Desenvolvimiento intelectual de Guatemala*. 1897.—URIARTE, Ramón: *Galería Poética Centroamericana*. Guatemala, 3 tomos, 1888.—GUTIÉRREZ, Juan María: *Poesía americana*, 2 tomos, 1866.

CÓRDOBA, Sebastián de.

Poeta español. Nació—¿1545?—en Ubeda (Jaén). Murió—¿1604?—en Madrid. Mientras vivió alcanzó alguna fama con sus composiciones de temas religiosos en formas clásicas.

Su obra principal es: *Las obras de Boscán y Garcilaso trasladadas en materias cristianas*—Granada, 1575; Zaragoza, 1575 y 1577—, en la que trató de transformar en *místicos* los temas tratados en *profano* por los dos inmortales poetas. Tal superchería no consiguió la menor trascendencia, aun cuando el libro tuviera éxito episódico y se reimprimiera dos veces en Granada y una en Zaragoza.

Otras varias poesías de Sebastián de Córdoba pueden leerse en el tomo XXXV de la "Biblioteca de Autores Españoles".

V. ALONSO, Dámaso: *La poesía de San Juan de la Cruz*. Madrid, 1942.

CÓRDOVA ITURBURU, Cayetano.

Poeta y crítico de arte argentino. Nació —1902— en Buenos Aires. Desde muy mozo se dedicó fervorosamente al periodismo. Durante algún tiempo fue secretario y, más tarde, vicepresidente de la Agrupación de Intelectuales y Artistas. En 1926 obtuvo el premio de poesía otorgado por la Ciudad de Buenos Aires. Enviado especial del diario porteño *Crítica* en España durante la guerra civil. Desde hace años es crítico de arte de *Clarín* y colaborador asiduo en *La Nación*.

Obras: *El árbol, el pájaro y la fuente* —poemas, 1923—, *La danza de la luna*—poemas, 1926—, *España bajo el comando del pueblo*—1938—, *Vida y doctrina de Sócrates* —1940—, *Cuatro perfiles*—ensayos, 1941—, *Soledad*—novela, 1941—, *El viento en la bandera*—poemas, 1945—, *Diccionario de la actualidad mundial*—1947—, *Cómo ver un cuadro*—1955—, *Antología*—de poemas, 1954.

COROMINAS Y MONTAÑA, Pedro.

Literato y político español. Nació —1870— en Barcelona. Murió —1939— en Buenos Aires. Doctor en Derecho. De ideas muy avanzadas, perteneció al grupo catalán *Foc Nou* y a la Institución Libre de Enseñanza, que presidía Francisco Giner de los Ríos. Varias veces estuvo procesado y huido a causa de sus ideas políticas. Vivió mucho tiempo en Francia. Concejal del Ayuntamiento de Barcelona. Diputado a Cortes. Director del *Poble Català*. Fundador del *Institut d'Estudis Catalans*. Presidente del Ateneo barcelonés. Pensador recio y profundo. Prosista lleno de nervio.

Obras: *La vida austera*—1908, ensayos—, *Les hores d'amor serenes*—poesías, 1911—, *El pensament filosofic dells jueus espanyols al'Etat Mitja*—1912—, *El sentiment de la riqueza en Castilla*—1917—, *Por Castilla adentro*—1930, ensayos—, *Cartes d'un visionari sobre la monarquía i la república* —1921—, *Sindulf el castellá*—cuentos—, *La mort d'En Joan Apóstol*—novelas breves, 1928—, *Els jardins de Sant Pol*—ensayos, 1927—, *L'amor traidor*—comedia—, *Silen y Pigmalió*—novelas del ciclo en *Tomás de Bajalta*—, *Les grácies de l'Empordá*—poema, en prosa, 1919—, *Les llagrimes de Sant Lorenç*—novela, 1929—, *Elogi de la civilizació catalana*—1922...

CORONADO, Carolina.

Notabilísima poetisa española. 1823-1911. Nació en Almendralejo (Badajoz). A los veinte años era famosa ya como poetisa en España, Cuba y los Estados Unidos.

En 1848 trasladó su residencia a Madrid, y fue coronada de laurel en una velada solemne del Liceo. Públicamente la alabaron los más grandes poetas de su época. Al casarse con el diplomático norteamericano Justo Horacio Perry, su casa madrileña de la calle de Lagasca se convirtió en el centro de la vida literaria madrileña y en el asilo de políticos fracasados y perseguidos. A causa de la profesión de su esposo, residió mucho tiempo fuera de España. Viuda, marchó a su palacio de Mitra (Portugal), y en él pasó su vejez prolongada, y murió "cuando ya no era sino un alma flotando en sus recuerdos".

Si fuera necesario comparar a esta poetisa con algún poeta de su época, afirmaríamos que era el Bécquer femenino. Sí; y la Avellaneda, el Espronceda femenino. La Coronado, como Bécquer, no sabe sino de suavidades, de ternuras limpias y recónditas, de melancolías iluminadas, de comprensiones fervorosas. Como Bécquer, es la Coronado un lírico *de piano*, de penumbra, de bellezas pálidas. Como Bécquer, no siente vergüenza alguna en presentar su alma desnuda para que todos la miren bien, la comprendan bien. Ama y desea que todos sepan qué ama y cómo ama...

No hay canto que igualar pueda a tu acento
cuando tu amor me cuentas y deliras
revelando la fe de tu contento;
tiemblo a tu voz y tiemblo si me miras,
y quisiera exhalar mi último aliento
abrasada en el aire que respiras.

Los anhelos se tienen que expresar así: valientemente. Cuando Carolina Coronado escribe poesías religiosas, narrativas o de circunstancias, no es realmente ella; se la nota hermética, desasida de los temas, inconforme con el motivo o con la forma de su efusión—más valdría decir de la efervescencia, porque es esta momentánea e inconsciente en la poesía—. Carolina Coronado, como Bécquer, no responde ni reacciona con alma y carne sino al amor. El amor la transfigura. El amor la encalidece. El amor la hace enajenarse y balbucir...

¿Cómo te llamaré para que entiendas
que me dirijo a ti, ¡dulce amor mío!,
cuando lleguen al mundo las ofrendas
que desde oculta soledad te envío?

El amor de los amores, el más bello poema de Carolina, el que perdurará en las antologías como una pieza culminante de la lírica castellana, abunda en verdadero éxtasis, en ternezas maravillosas por lo naturales y femeninas; todo él aparece como es el auténtico amor: irreflexivo, desordenado, pleno de poesía inasible y pura.

Precisamente en el desorden que presenta el poema reside su encanto; una fusión constante de la poetisa enciende el ambiente, complicando el paisaje para que la mujer sirva de continente fervoroso al tema eterno y siempre nuevo. Rumores indecisos, anhelos vagos, afanes inciertos, sensaciones inexplicables, angustias deliciosas... Todo ello movido por un labio encalenturado en ese único trance en que la conciencia turbada va a entrar en una zona delirante...

> Tú eres el tiempo que mis horas guía,
> tú eres la idea que a mi mente asiste,
> porque en ti se concentra cuanto existe:
> mi pasión, mi esperanza, mi poesía.

Con *El amor de los amores* merecen mencionarse *La rosa blanca*, *La palma*—muy elogiada por Espronceda—y las dedicadas *A Alberto*.

Obras: *Poesías*—Madrid, 1843, con un prólogo de Hartzenbusch—, *Jarilla*—novelas, 1850—, *La siega*—novela, 1854—, *La rueda de la desgracia*—novela, 1873—, *Manuscrito de un conde*—1874—, *Paquita, La luz del Tajo, Adoración*—novelas—, *El cuadro de la esperanza*—comedia—, *Alfonso IV de Aragón*—drama—, *Poesías sueltas*.

V. Castelar, E.: *Doña Carolina Coronado*. Madrid, 1869.—Cascales y Muñoz: *Carolina Coronado: su vida y sus obras*, en *La España Moderna*. Abril 1911.—Gómez de la Serna, Ramón: *Mi tía Carolina Coronado*. Buenos Aires, 1944.—Fernández de los Ríos, A.: *Apuntes biográficos de... Carolina Coronado*.—Díaz Pérez, N.: *En honor de una extremeña (Carolina Coronado)*, en *Revista Contemporánea*, 1890, II.

CORONADO, P. Guillermo de la Cruz.

Poeta y prosista español. Nació—1921—en Quintana de la Serena (Badajoz). Estudió Humanidades y bachillerato en los Colegios Claretianos de Bética. Profesó en Jerez de los Caballeros—1937—. Cursó Filosofía y Teología en los Colegios Claretianos de Beire, Jerez de los Caballeros, Aguas Santas y Zafra. Fue ordenado sacerdote en Badajoz—1945—. Hizo los cursos universitarios de Filosofía y Letras en Sevilla, y especialidad de Filología románica, en Madrid—1948-1950—. Está seleccionado para representar a la Universidad española en el Curso Internacional de Filología de la Universidad de Coimbra. Lleva publicados numerosos artículos y estudios en las revistas internas claretianas y en revistas nacionales. Su primer

libro de poesía: *Poemas de intimidad*, editado en Madrid—1950—. Próximos a aparecer: *Oración de las cosas* y *El poema de María*.

V. Sainz de Robles, F. C.: *Historia y antología de la poesía española*. Madrid, Aguilar, 1950, 2.ª edición.

CORONADO, Martín.

Argentino. 1850-1919. Presidió la Academia Argentina. Escribano de profesión y jefe de una sección del Registro Civil. Poeta y autor dramático de mérito. Vivió entre dos épocas antagónicas: el romanticismo y el realismo. Y por ello su producción participa de las influencias de una y otra.

Obras: *La rosa blanca*—1877—, *Luz de luna y luz de incendio*—1878—, *Salvador*—1885—, *Cortar por lo más delgado*—1893—, *Justicias de antaño*—1897—, *La piedra de escándalo, El buen gaucho, El sargento Palma, La charca de San Lorenzo, Vía libre, Culpas ajenas, Tormenta de verano...*

V. *Martín Coronado: Su tiempo y su obra*, en *Cuaderno de Cultura Teatral*, núm. 15. Buenos Aires, 1940.

CORONEL Y ARANA, María (v. Agreda, Sor María de Jesús de.

CORONEL URTECHO, José.

Poeta y prosista nicaragüense. Nació —1906—en Granada. Estudió el bachillerato en su ciudad natal, con los jesuitas. Y Letras, en las Universidades de Norteamérica. Periodista, escritor político, catedrático, historiador, crítico literario, diputado en el Congreso Nacional. Vive en Granada, o retirado en su hacienda "San Francisco", junto al río Desaguadero.

De él ha escrito Ernesto Cardenal: "En su poesía, al igual que en su vida, Coronel ha ensayado también toda clase de caminos, sin quedar nunca satisfecho. Burlesco, popular, hermético, humorista, serio, superrealista, clásico, su arte lo ha sido todo con una variedad de forma que mueve a la comparación con Picasso. Es un acosar por todos lados a la poesía para rendirla, como el amante a tientas que nunca sabe exactamente dónde tendrán efecto sus caricias... Su gran variabilidad y constante transformación y renovación de sí mismo se deben especialmente a una característica de su talento, contraria a todo encasillamiento e idea fija; una facultad de visión múltiple que le permite ver las varias partes, diversas y aun contrarias, de una misma cosa."

Entre sus poemas destacan: *Los parques, Oda a Rubén, Polvos de arroz, Oda al Mombacho, Oda al Tío Coyote, Idilio en cuatro endechas*.

Entre sus narraciones: *Narciso, La muerte del hombre símbolo.*

Entre sus obras escénicas: *La petenera, La chinfonía burguesa.*

V. NUEVA POESÍA NICARAGÜENSE: *Introducción de Ernesto Cardenal. Selección y notas de Orlando Cuadra Downing.* Madrid, 1949.

CORPANCHO, Manuel Nicolás.

Poeta, autor teatral, historiador y crítico literario peruano. 1830-1863. Nació en Lima. Nada le faltó para que quedara bien definido su carácter romántico: su exasperada inspiración melancólica, sus amoríos fracasados, su trágica muerte en el incendio del vapor *México,* al regresar de una misión diplomática. Estudió la carrera de Medicina, pero no llegó a ejercerla. Sus primeras poesías aparecieron en el *Ateneo Americano.* Y en 1848 fue redactor del *Semanario de Lima.* En 1850, pensionado por el Gobierno, viajó por Europa —Italia, España, Francia, Inglaterra—. Y en 1860 fue nombrado ministro del Perú en México. Cuando se dirigía a Cuba, al incendiarse el barco y cuando él estaba envuelto en llamas, se pegó un tiro.

En la obra que dejó —muy varia—, vale más "lo que prometía" que lo realizado.

Obras: *El poeta cruzado*—drama, 1851—, *El templario*—drama, 1855—, *Brisas del mar*—poemas, Lima, 1853—, *Magallanes*—poema, 1853—, *Ensayos poéticos*—París, 1854—, *Ensayo literario sobre la poesía lírica en América*—México, 1862.

V. MENÉNDEZ PELAYO, M.: *Historia de la poesía hispanoamericana.* Madrid, 1913, tomo II, pág. 259.—GARCÍA CALDERÓN, Ventura: *Del romanticismo al modernismo.* París, Ollendorf, 1910.—SÁNCHEZ, Luis Alberto: *La literatura peruana.* Santiago de Chile, 1936. Tres tomos.—RIVA AGÜERO, J. de la: *Carácter de la literatura del Perú independiente.* Lima, 1905.

«CORPUS BARGA».

Seudónimo de Andrés García de la Barga. Nació en 1887 y en Madrid. Periodista y crítico literario. Durante mucho tiempo colaboró asiduamente en el diario madrileño *El Sol* y en la famosa *Revista de Occidente.* A raíz de la guerra de Liberación salió de España, habiendo vivido desde entonces en Francia y en varios países hispanoamericanos. "Su labor crítica y teorética —escribe Torrente Ballester—revela una gran curiosidad por fenómenos culturales de naturaleza bien distinta, y aun alejada, una agudeza crítica poco común y un gran conocimiento de los fenómenos estéticos de la década 1920 al 30." Profesor en la Universidad de Lima. En 1970 regresó a España, pero luego volvió a Lima.

Obras: *La vida rota.* I—1908—, II—1910—, *Pasión y muerte apocalipsis*—1930—, *Los pasos contados* (una vida española a caballo de dos siglos: 1887-1957)—1963—, *Puerilidades burguesas*—1964—, *Las delicias* —1967—, *Hechizo de la triste marquesa* —1971.

V. TORRENTE BALLESTER, Gonzalo: *Panorama de la literatura española contemporánea.* 2.ª edición, Madrid, edit. Guadarrama, 1961, pág. 260.

CORRAL, Andrés del.

Poeta y catedrático español. Nació—1784— en Salamanca. Murió en 1818. Agustino. Discípulo de fray Diego González. En la Escuela Salmantina de Poesía fue conocido con el nombre de *Andrenio.* Catedrático de la Universidad de Valladolid. Amigo de Meléndez Valdés y de Jovellanos. Buen orador.

Casi todos sus versos se han perdido, entre ellos el poema *Las exequias de Arión,* tan alabado por los agustinos Miguel de Miras y Juan Fernández de Rojas. Pero la composición *Vecinta a Delio* nos hace admirar a un poeta suave, sonorísimo, de ideas neoclásicas mitigadas, de una gran soltura lírica y cierta influencia del mejor Meléndez Valdés.

CORRAL, Gabriel del.

Poeta y dramaturgo. 1588-¿1652? Nació en Valladolid, a fines del siglo XVI; fue sacerdote y estuvo en Roma, hacia 1633, al servicio del conde de Monterrey. Más tarde consiguió una canonjía en Zaragoza. Y pasó los últimos años de su vida en la ciudad de Toro. Era Corral doctor en ambos Derechos y tradujo al castellano, en verso, las obras poéticas del Papa Urbano VII.

Las poesías de Gabriel del Corral, publicadas en su mayoría en un librito intitulado *La Cintia de Aranjuez,* están escritas con gran facilidad y gracejo, y merecen la estimación de todos los aficionados a la poesía satírica.

Obras de Gabriel del Corral, además de las mencionadas, son: *La prodigiosa historia de los amantes Argenis y Poliarco,* en prosa y verso—Madrid, 1626—, *Las tres diosas*—fábula burlesca, Madrid, 1628—, *La trompeta del juicio*—única comedia que de él se conoce, Madrid, 1634.

Lope de Vega, en *El laurel de Apolo*—silva III—, lo ensalza así:

> Don Gabriel del Corral, cuya famosa
> *Cintia* al laurel aspira,
> desde Italia suspira,
> y valido de dama tan hermosa,
> verde laurel procura,
> como por su valor, por su hermosura.

C

Montalbán—en su *Orfeo* y en la *Memoria*—dice de él: "como quien quiere probar la pluma en lo menos, excelentísimamente". Pellicer de Ossau le proclama "docto amigo y competidor valiente".

La mayoría de sus obras están publicadas en el tomo XLII de la "Biblioteca de Autores Españoles".

V. RENNERT, H. A.: *The Spanish Pastoral Romances*. 2.ª edición. Philadelphia, 1912.—ALONSO CORTÉS, Narciso: *Miscelánea vallisoletana*. Valladolid, 1912.

CORRAL, Pedro del.

Novelista español del siglo XV, de cuya vida se desconocen los pormenores.

Fernán Pérez de Guzmán—*Generaciones y semblanzas*—dice que, hacia 1443, "un liviano y presuncioso hombre, llamado Pedro del Corral, hizo una que llamó *Crónica sarracina*, que más propiamente se puede llamar trufa o mentida paladina".

La *Crónica sarracina o Crónica del rey don Rodrigo con la destruyción de España*, atribuida por su autor a los fabulosos Eleastras, Alanzuri y Carestes, pero derivada en verdad de la *Crónica del moro Rasis*, se hizo sumamente popular. En ella se mezclan los hechos históricos con las leyendas y cuentos y patrañas relativos al último rey godo y a Florinda la *Caba*. Y ha sido calificada, con acierto, como la *primera novela histórica española*, ya que está escrita con ingenio y amenidad de estilo. En opinión de Menéndez Pelayo, es "una ampliación monstruosa y dilatadísima del libro de Rasis".

Libro auténtico de "caballería", la *Crónica* ha servido de fuente a los *Romances* de don Rodrigo, anteriores al siglo XVI; a la *Historia* del P. Mariana; a la *Verdadera historia del rey don Rodrigo*—Granada, 1592—, del morisco granadino Miguel de Luna; a *El último godo*, de Lope de Vega; a *La princesa doña Luz*, de Zorrilla; a *La madre de Pelayo*, de Hartzenbusch; a varias historias de Washington Irving; al poema inglés *Rodrigo*, de Robert Southey.

Ediciones: Sevilla, 1499, edición príncipe; para las restantes, consúltese el *Manual* de Paláu.

V. MENÉNDEZ PELAYO, M.: *Orígenes de la novela*, I, 352-364.—MENÉNDEZ PIDAL, Juan: *Leyenda del último rey godo*. Madrid, 1906.—GODOY Y ALCÁNTARA: *Los falsos cronicones*. Madrid, 1869.

CORRALES EGEA, José.

Novelista español. Nació—1909—en Larache. Desde muy joven ha llevado una nerviosa vida viajera.

Como novelista mantiene una preocupación autobiográfica entreverada con un afán de testimonio en acusación de los males de su tiempo.

Obras: *Hombres de acero*—Madrid, 1935—, *Por la orilla del tiempo*—Madrid, 1954—, *El haz y el envés*—publicada hasta ahora solo en francés con el título *L'autre face*, París, 1960.

V. NORA, Eugenio G. de: *La novela española contemporánea*. Madrid, edit. Gredos, 1962, tomo II bis, págs. 52-53.

CORREA, Julio.

Dramaturgo paraguayo contemporáneo. Aun cuando no hemos podido obtener—después de constantes pesquisas—detalles de su vida y de sus obras, ni ha llegado a nuestras manos el ensayo que le dedicara Campos Cervera, no queremos que su nombre ilustre y la justicia de sus méritos falte en nuestro DICCIONARIO.

La crítica paraguaya le ha consagrado como el "creador del teatro guaraní y la figura más original en una dirección vernácula de supremo interés". "De musa popular y, a la vez, refinada... Canta la injusticia social y el dolor de los humildes, con técnica admirable en estrofas acres, vibrantes, del presente áspero. Cultiva con éxito la poesía y el teatro en lengua guaraní, habiendo obtenido merecidos triunfos." (Díaz Pérez.)

V. CAMPOS CERVERA, Hébib: *Julio Correa, creador del teatro guaraní*, en *Asunción*, número 4, Buenos Aires, enero de 1941.—DÍAZ PÉREZ, Viriato: *La literatura del Paraguay*, en el tomo XII de la *Historia universal de la literatura*, de Prampolini. Buenos Aires, Uteha Argentina, 1941.

CORREA CALDERÓN, Evaristo.

Poeta, prosista, catedrático, investigador español. Nació—1899—en Neira del Rey (Lugo). Licenciado en Ciencias Históricas —1927—por la Universidad de Santiago de Compostela. Lector de español en la Universidad de Toulouse (Francia). Catedrático de Literatura en los Institutos de Almería, Las Palmas, Valladolid, Salamanca y Alcalá de Henares.

Obras: *El milano y la rosa*—novela, 1924—, *El arte racial de Suárez Couto*—1925—, *Luar* —1923—, *Conceición singela do Ceo*—novela, 1925—, *Margarida, a da sorrisa d'Aurora* —cuento infantil, 1927—; *Ontes*—poemas gallegos, 1928—, *Obras completas de Baltasar Gracián*—1944—, *La leyenda de Fernán González*—Madrid, Aguilar, 1946—, *Polémica del teatro y el cine*—revista *Escorial*, 1949—, *Costumbristas españoles*—Madrid, Aguilar, 1950 y 1951—, *La Parzo Bazán en su época* —Madrid, Facultad de Filosofía y Letras, 1952—, *Gracián. Su vida y su obra*—Madrid, Gredos, 1961—. Entre sus obras de creación, destacan *La noche céltica. Cuentos galaicos* —Madrid, Aguilar, 1955—, y *Teoría de la Atlántida y otras historias fabulosas*—Madrid, *Revista de Occidente*, 1959.

CORREDOR MATEOS, José.

Nació en Alcázar de San Juan el 14 de julio de 1929. Ha residido posteriormente en Villanueva y Geltrú, y vive actualmente en Barcelona. En la Universidad barcelonesa cursó la carrera de Derecho, que no ejerce. Trabaja en la editorial Espasa-Calpe como jefe de la Redacción de Barcelona. Ha viajado por España y Francia. Asistió al Congreso Internacional de Poesía de Salamanca, celebrado en 1953. Es "Premio de Poesía Juan Boscán, 1961", por su libro *Poema para un nuevo libro*. Formó parte en 1962 del Jurado del "Premio Ciudad de Barcelona de Poesía Castellana", y en 1961 y 1962, del de los "Premio de Mayo de Pintura y Escultura". Colabora con poemas, artículos y crítica de arte en diversas revistas: *Papeles de Son Armadans, Cuadernos Hispanoamericanos, Poesía de España, Poesía Española, Insula*, etc. Ha publicado los siguientes libros: *Ocasión donde amarte*—Colección "Atzavara", Barcelona, 1953—, *Ahora mismo* —Colección "Adonais", Madrid, 1960—y *Poema para un nuevo libro*—"Premio Boscán", Instituto de Estudios Hispánicos, Barcelona, 1962—. Ha traducido una *Antología poética* de la poetisa catalana Clementina Arderíu —edición bilingüe, Colección "Adonais", Madrid, 1962—. En 1960 estrenó una obra teatral en un acto, titulada *Una partida de cartas*.

CORTADA Y SALA, Juan.

Novelista e historiador español. Nació —1805—y murió—1868—en Barcelona. Estudió Derecho en las Universidades de Tarragona, Cervera y Barcelona. Agente fiscal —1837—de la Audiencia barcelonesa. Redactor del *Diario de Barcelona* y de *El Telégrafo* durante más de treinta años, y en los que publicó millares de artículos enjundiosos con los seudónimos de "Aben Abulema" y "Benjamín". Profesor de Geografía e Historia en el Instituto de Barcelona. Catedrático de Historia Universal en la Universidad de Barcelona. Académico de la de Buenas Letras de esta ciudad, correspondiente a la de la Historia de Madrid, miembro de la Sociedad Arqueológica de Tarragona.

Juan Cortada fue uno de los más fecundos, discretos y leídos autores de novelas y folletines.

Obras: *Novelas morales*—diez tomos—, *La heredera de Sangumi*—1835—, *El bastardo de Entenza, El templario y el villano, El rapto de doña Almodis*—1836—, *Tancredo*

en Asia, Lorenzo... Todas ellas novelas muy extensas, complicadas y románticas.

Escribió, además, *El libro verde de Barcelona*—miscelánea—, una *Historia de España, Cataluña y los catalanes, Viaje a la isla de Mollarca, Las revueltas de Cataluña, Historia Universal* y varios otros libros de diversos temas.

CORREA CALDERÓN, E.: *Costumbristas españoles*. II. Madrid, 1961, págs. 122-141.

CORTÁZAR, Julio.

Novelista y cuentista argentino, nacido —1914—en Bruselas, donde su padre, de la carrera diplomática, representaba a su patria. Estudió en varios países y vivió intensamente la bohemia literaria en París y en Buenos Aires; bohemia que se refleja magistralmente en la mejor, hasta hoy, de sus novelas: *Rayuela*—1963—, famosa en varios idiomas.

Las novelas y relatos de Cortázar son una amalgama seductora de onirismo, superrealismo, sarcasmo, poesía épica, y están escritos en una prosa áspera, violenta, plagada de barbarismos... En ocasiones, sus obras se resienten de un intelectualismo moroso. Acaso delata Cortázar en demasía sus entusiastas lecturas de Sartre, Aragón, Céline. Hoy es uno de los más universales novelistas que escriben en castellano.

Otras obras: *Los premios*—relatos, 1960—, *Historias de cronopios y de famas*—1962—, *Los reyes*—1949—, *Bestiario*—1951—, *Final del juego*—1956—, *Las armas secretas* —1959—, *La vuelta al día en ochenta mundos*—1967—, *Ceremonias*—que comprende los relatos *Final del juego* y *Las armas secretas*, 1968—, *El perseguidor*—1959—, *Todos los fuegos al fuego*—cuentos, 1966.

CORTEJÓN Y LUCAS, Clemente.

Literato y catedrático español. Nació —1842—en Meco (Madrid). Murió—1911—en Barcelona. Estudió Teología en el monasterio de El Escorial. Se doctoró en Filosofía y Letras en la Universidad Central. Catedrático de Retórica—1877—en el Instituto de Barcelona. Canónigo—1910—de la catedral barcelonesa. Profesor eminente. Hombre bueno. Sabio modesto. Escritor correcto. Investigador concienzudo. Correspondiente de la Real Academia de la Lengua. Miembro de la barcelonesa de Buenas Letras. Poseía una magnífica biblioteca cervantina.

Obras: *Gramática de la lengua castellana, Compendio de Poética*—1881—, *El "Quijote" no se engendró en la cárcel de Argamasilla de Alba*—1903—, *El derecho en el "Don Quijote", Algunos secretos sobre el estilo y el lenguaje de "Don Quijote", Primera edición crítica de "El Ingenioso Hidalgo Don Quijote de la Mancha"*—con variantes, notas y vocabulario—, *Arte de componer en lengua castellana*—1895—, *Examen del texto de la edición príncipe de "Don Quijote", Estudio sobre Piferrer como crítico y poeta* —1898—, *Catalanes que han escrito en lengua castellana, Historia crítica de la epístola de Horacio a los Pisones*—1902—, *Elementos de historia general de la literatura, Duelos y quebrantos, comentarios a una frase del "Quijote".*

Las *notas* de Cortejón al *Quijote,* su obra fundamental, son certeras en su mayoría, muy superiores a las de Clemencín y a las de Rodríguez Marín.

CORTÉS, Alfonso.

Poeta nicaragüense, nacido a fines del siglo XIX. De quien ha escrito Orlando Cuadra: "Es el heredero nato de Rubén Darío, a quien supera a veces por su profundidad llena de vértigo y por su dominio del sueño, del misterio y de las formas vitales. Alfonso ha sido caso extraño y único en la literatura americana: en la flor de su edad se volvió loco, pero siguió escribiendo en sus alucinaciones. Vivió durante mucho tiempo en la casa de Rubén Darío, en León. Actualmente, ya por completo inactivo y enajenado, ha sido recluido en un manicomio de la capital. Su padre y hermanas han publicado tres libros, recogiendo, sin mayor orden y sin cuidado, su poesía de juventud y de madurez alternada con su obra de loco."

Obras: *Poesías*—León, 1931—, *Tardes de oro*—León, 1934—, *Poemas eleusinos*—Managua, 1935.

V. NUEVA POESÍA NICARAGÜENSE: *Introducción* de Ernesto Cardenal. *Selección y notas* de Orlando Cuadra Downing. Madrid, 1949.

CORTÉS, Hernán.

Conquistador, caudillo y escritor español. Marqués del Valle de Oaxaca. Nació—1485— en Medellín (Badajoz). Murió—1547—en Castilleja de la Cuesta. De este español maravilloso no puede interesarnos aquí sino su *aspecto literario.* Estudió en Salamanca y conocía las Humanidades.

Sus *Cartas y relaciones* (1523-1525), dirigidas al emperador Carlos I, son un modelo en su género: constituyen una joya de primer orden y un monumento literario admirable por su lenguaje sencillo y familiar y por el tono humano y el espíritu de observación que pone de relieve. Su modelo parece haber sido Julio César; sin embargo, afirma justicieramente Fueter: "Describe [Hernán Cortés] el pueblo vencido, sus instituciones, sus edificios, sus costumbres, etc., con una complacencia y un cariño que no se ve en modo alguno en su *Guerra de las Galias*." El estilo de Cortés resulta encantador y sen-

cillísimo. Sin proponérselo, escribe páginas literarias de enorme interés, pues no se limita a dar cuenta sucinta de los hechos, sino que describe minuciosamente batallas, lugares, costumbres, tipos, supersticiones.

El éxito de las *Cartas* fue grande ya en su época, siendo traducidas al latín, al francés y al italiano.

Ediciones: De Gayangos, París, 1866; "Biblioteca de Autores Españoles", tomo XXII; Espasa-Calpe, Madrid, 1922, dos tomos.

V. PALÁU, A.: *Manual,* II, 311.—FUETER, A.: *Historiogr.,* 365.

CORTÉS DE TOLOSA, Juan.

Escritor español. Nació—1590—y murió —después de 1640—en Madrid. De noble y acaudalada familia. Estudió en el Seminario de Jesuitas de Tarazona. Antes de terminar sus estudios regresó a Madrid, entrando en la servidumbre del rey don Felipe III, al que acompañó en sus viajes, sirviéndole de secretario de cartas. Escribió: *Discursos morales de cartas y novelas*—Zaragoza, 1617—y *El Lazarillo de Manzanares y cinco novelas*—Madrid, 1620—. Esta última, la que nos ha conservado la importancia literaria de Cortés de Tolosa, está inspirada en el *Lazarillo de Tormes,* modelo del que queda muy lejos en calidad literaria, pero al que quizá aventaja en variedad de episodios y de anécdotas de la picaresca más palpitante.

CORTINES Y MURUBE, Felipe.

Fino poeta y literato español. Nació —¿1886?—en Sevilla. De mucha cultura y personalísimo estilo, colorista y cálido. En 1907 llamó la atención de los profesionales de la crítica con su obra *Las ideas jurídicas de Saavedra Fajardo.* Y en 1925 volvió a conseguir un éxito grande con su libro la *Fisonomía,* escrito para conmemorar el centenario de Antonio de Nebrija. Pero Cortines y Murube es, antes que nada, un poeta delicado, impresionista, de musicalidad hondamente andaluza, rico de imágenes y rico de color.

Obras: *De Andalucía*—rimas, Sevilla, 1908—, *El poema de los toros*—Sevilla, 1910—, *Nuevas rimas*—Sevilla, 1911—, *Jornadas de un peregrino: Viaje a Tierra Santa*—Sevilla, 1911—, *Romances del camino*—Madrid, 1918—, *La collera de avutardas, El blasón andaluz*—versos, 1928...

COSSÍO, Francisco.

Periodista, literato y dramaturgo español. Nació—1887—en Sepúlveda (Sevogia). Licenciado en Derecho por la Universidad de Valladolid. Entró, casi un niño, a formar parte de la Redacción de *El Norte de Castilla,* diario vallisoletano, en el que ha publicado más de cinco mil artículos. En 1929 obtuvo la más alta recompensa a que puede aspirar un periodista español: el "Premio Mariano de Cavia", instituido por el gran diario madrileño *A B C*. Ha viajado por toda la América hispana, pronunciando magníficas conferencias de literatura y arte. Francisco de Cossío es un espíritu sagaz y flexible, de una sensibilidad exquisita. Su estilo es limpio, castizo y fácil. Su producción dramática y novelesca es de una dignidad literaria absoluta, de una originalidad suficiente, de mucha amenidad, de atrayente expresividad.

Obras: *La casa de los linajes*—novela—, *El estilete de oro*—novela—, *Las experiencias del doctor Henson*—novela—, *El caballero de Castilnovo*—novela—, *La rueda* —novela—, *Clara*—novela—, *Manolo, Taxímetro*—novela—, *En el limpio solar*—drama—, *Román el rico*—drama—, *La mujer de nadie*—comedia—, *Cincuenta años*—novela, 1952—, *Aurora y los hombres*—1951—, *Elvira Coloma, o Al morir un siglo*—1942—; *Confesiones: mi familia, mis amigos, mi época* —1954.

V. NORA, Eugenio G. de: *La novela española contemporánea*. Madrid, Gredos, 1962, tomo II, págs. 353-357.

COSSÍO, José María de.

Gran ensayista y crítico literario. Nació —1893—en Valladolid. Ha estudiado en el Instituto de Santander y en las Universidades de Valladolid y Madrid. Desde muy joven empezó a colaborar en los principales diarios y revistas de España... *El Sol, Revista de Occidente, A B C, Arriba, Escorial, Vértice...* José María de Cossío está considerado hoy como uno de nuestros más sutiles, cultos y amenos críticos literarios. Una lucidez felicísima le hace captar los más recónditos matices y sentidos de las obras poéticas. Su erudición, vasta y profunda, no es una erudición fría, un quehacer de laboratorio investigador, sino que nos llega siempre investida de una claridad expresiva incomparable, de una cálida sugestión original, de un fervor apasionado y fecundo. Fina y aguda es su crítica. Clara y penetrante, su exégesis. Y su prosa, castiza, limpia, brillante. Y su estilo, ameno, muy personal. De la pluma de José María de Cossío han salido algunos de los más bellos y penetrantes ensayos de crítica literaria de que pueden envanecerse las letras españolas actuales. Académico de la Real Academia de la Lengua—1948.

Obras: *La obra literaria de Pereda. Su historia y su crítica*—Santander, 1934—, *José María de Pereda*—al frente de las *Obras completas* de dicho autor, Madrid, M. Aguilar, 1933—, *Los toros en la poesía española.*

Estudio y antología—Madrid, C. I. A. P., 1931, dos tomos—, *Poesía española*—ensayos de crítica literaria, Madrid, 1936—, *Siglo XVII*—ensayos de crítica e interpretación, Madrid, 1939—, *Los toros*—historia, antología...—, Madrid, 1943 a 1960, cuatro tomos, Espasa-Calpe—, *Romancero tradicional de la Montaña, Polo de Medina*—estudio y notas, en "Clásicos Olvidados", C. I. A. P., Madrid—, *Lope, personaje de sus obras*—discurso de ingreso en la Real Academia de la Lengua, 1948—, *Fábulas mitológicas de España*—1952—, *Cincuenta años de poesía española (1850-1900)*—Madrid, 1960, dos tomos.

COSSÍO, Manuel Bartolomé.

Historiador, crítico de arte español. 1858-1935. Nació en Haro (Logroño). Profesor de Historia del Arte en la Universidad de Barcelona. Catedrático de Pedagogía Superior en la Universidad de Madrid. Director del Museo Pedagógico. Continuador de la obra de Giner de los Ríos en la Institución Libre de Enseñanza. De extraordinaria cultura. Gran caballero y educador eximio. Su fama excedió de las fronteras españolas.

Obras: *El Greco*—Madrid, 2 tomos, 1908—. *Historia de la Pintura*—Enciclopedia Gillman—, *De mi jornada*—Madrid, 1929—, *Lo que se sabe de la vida del Greco*—Madrid, 1914—, *Las Universidades en el extranjero* —Madrid, 1919, 4 tomos.

V. XIRÁU, J.: *Manuel B. Cossío y la educación en España*. México, 1945.—Río, Angel, y BENARDETE, M. J.: *El concepto contemporáneo de España. Antología de ensayos.* 1895-1931. Buenos Aires, Losada, 1946. En la página 65 contiene una extensa bibliografía en notas y artículos.

COSTA Y LLOBERA, Miguel.

Notable poeta español. Nació—1854—en Pollensa (Mallorca). Murió—1922—en Palma de Mallorca. Estudió las disciplinas eclesiásticas en el Seminario Gregoriano de Roma. Sacerdote en 1888. Doctor en Teología —1889—. Viajó por toda Italia y parte de Europa. Obtuvo en varios Juegos florales la *violeta*—1900—, la *flor natural* y la *Englantina*—1902—. Mestre en Gay Saber. Correspondiente de las Reales Academias de la Lengua y de la Historia. Académico de la de Buenas Letras de Barcelona y de la Arqueológica tarraconense.

Obras: *Líricas*—1899—, *Poesíes*—1885, Palma—, *Del ayre de la terra*—1897—, *Tradicions y fantasies*—Barcelona, 1903—, *Horaciones*—Palma, 1903—, *Poesíes*—Palma, 1907—, *Visiones de Palestina*—1908—, *Viacrucis*—versos—, *Mes de Maig, La forma poética, De l'agre de la terra, A Horaci* —oda...

C

De Costa y Llobera, lírico magnífico, deslumbrante, clásico, dijo Menéndez Pelayo que era "la inspiración más alta de la musa catalana". Y el gran poeta Alcover: "Una alta y serena emoción, un sentido innato de la euritmia, una claridad mediterránea le caracterizan... Más que la cultura, la íntima pureza era el secreto de esta limpidez ética y estética que resplandece ya en sus ensayos de adolescencia. Fue el clásico por excelencia..." Y el gran crítico Manuel de Montolín: "Si se pudiera dar alguna definición de Costa y Llobera que resumiera el conjunto de las notas características de su fisonomía poética, yo daría esta: Costa es el poeta de la serenidad. La grandeza de su poesía proviene, principalmente, del profundo sentido que tiene de la vida. El misterio sagrado de la existencia lo tiene él constantemente ante los ojos. Y cuando se asoma a ese abismo insondable que la inteligencia humana no puede llenar, surge siempre ante él, llenando todas las esferas, como un hálito inflamado, la presencia inefable de la Divinidad."

La poesía de Costa El pino de Formentor pasa por ser una de las más hermosas de la lírica universal.

V. Montolín, Manuel de: Estudis de literatura catalana. Barcelona, 1912.—Plana, Alejandro: Antología de poetes catalans moderns. Barcelona, 1914.—Plana, Alejandro: El romanticisme de mossén Costa i Llobera, en La Revista, Barcelona, 1922.—Masriera, Arturo: Poesías de mossén Costa y Llobera. Barcelona, 1906.

COSTA Y MARTÍNEZ, Joaquín.

Notable jurista, crítico, historiador y literato español. Nació—1844—en Monzón (Huesca). Murió—1911—en Graus. Sus padres fueron labradores, y él, el primero de once hermanos. Un tío suyo, sacerdote, don José Salamero, prendado de las disposiciones del muchacho, le costeó generosamente sus estudios. Bachiller en Huesca. Maestro superior. Delineante. Agrimensor. Doctor—1872— en Derecho y en Letras—1873—. Estuvo —1867—en la Exposición de París, pensionado por la Diputación Provincial oscense. Auxiliar de cátedra de Legislación comparada en la Universidad Central—1874—. Número uno en las oposiciones a la notaría de Granada—1874—. Abogado del Estado en Guipúzcoa, Guadalajara y Huesca. Vocal de la Comisión de Legislación extranjera en el Ministerio de Gracia y Justicia—1884—. Ejerció la abogacía en Madrid hasta 1890. Profesor de la Institución Libre de Enseñanza, de Madrid. Académico—1901—de la Real de Ciencias Morales y Políticas. Fundador de la famosa Liga de Contribuyentes de Ri-

bagorza, origen de la no menos famosa campaña de la Liga Nacional. Renunció varias veces al acta de diputado por Madrid, Zaragoza y Gerona. La pérdida de las últimas colonias españolas—1898—le produjo un hondísimo pesar y una enorme indignación.

Costa fue un fiero español, un pensador hondo y sutil, un verbo encendido y flagelador, un escritor lleno de enjundia, expresándose en una prosa recia y castiza.

Como escritor puramente literario—aspecto único que interesa aquí—, tuvo indudables aciertos de investigación y de exposición, de divulgación y de creación. Sin embargo, Costa, literato, apenas tiene hoy importancia. El Costa político, el Costa agrario, el Costa sociólogo, le relegaron a un último término, lleno de penumbras. Sin embargo, en el conocimiento del alma española, hallada en refranes, en el lenguaje, en las instituciones populares, no ha tenido en España quien le igualase. Costa es uno de los más elevados pensadores y más persuasivos escritores de la raza española.

Obras literarias: Poesía popular española y Mitología y literatura celto-hispanas—1881 y 1888—, La religión de los celtíberos —1917—, Ultimo día del paganismo—póstuma, sin acabar—, Poesía religiosa en España durante la Edad Media—en Revista Española, 1880—, Poesía lírico-dramática en España durante la Edad Antigua—en Revista Española, 1881—, Poesía dramática hispano-latina y forma de la poesía celto-hispana—en Revista Española, 1881—, Mitología bético-extremeña—en Revista Española, 1880...

V. Ciges Aparicio: Joaquín Costa, el gran fracasado. Madrid, 1932.—García Mercadal, J.: Ideario español: Costa. Madrid, 1923.—Infante Pérez, Blas: La obra de Costa. Sevilla, 1916.—Antón del Olmet, Luis: Costa. Madrid, 1917.

COSTA DU RELS, Adolfo.

Novelista y autor dramático boliviano. Nació en 1891. Hijo de un ingeniero francés, cursó sus estudios secundarios y universitarios en Francia. Sus primeros ensayos literarios, escritos en francés, aparecieron en Le Temps, L'Illustration, Revue de Paris...

Los críticos han señalado "el singularísimo caso de este boliviano, impregnado de cultura clásica (a quien durante algún tiempo se le creyó francés), que, al realizar su obra literaria fuera de su país, ha sabido conservar intactas las fuentes vernáculas de su inspiración".

La gran novela Tierras hechizadas—Buenos Aires, 1940—, "cuyas peripecias transcurren en medio de los campos petrolíferos del Chaco boliviano, deja una real sensación vernácula, como el dato físico de los aromas del naranjal, fuertes y exasperantes, o la luz verdegay de esas tierras hechizadas capaces de dar cuatro cosechas de caña de azúcar al año y de agostar una muchacha con una sola caricia". (Leguizamón.)

Otras obras: *Hacia el atardecer*—comedia dramática—, *El traje de Arlequín*—cuentos—, *Tesoros ocultos en Bolivia*—novelas breves, publicadas, 1923, en *La Nación,* de Buenos Aires—, *El embrujo de oro*—novela...

V. LEGUIZAMÓN, Julio A.: *Historia de la literatura hispanoamericana.* Buenos Aires, 1945.—FINOT, Enrique: *Historia de la literatura boliviana.* México, Porrúa, 1943.—DÍEZ DE MEDINA, Fernando: *Perfil de la literatura boliviana,* en *Thunupa,* La Paz, 1947.—OTERO, Gustavo Adolfo: *Literatura boliviana,* en el tomo XII de la *Historia universal de la literatura,* de Prampolini. Buenos Aires, Uteha Argentina, 1941.

COSTAFREDA, Alfonso.

Poeta nacido—1927—en Tárrega (Lérida). Su infancia transcurrió entre su ciudad natal y Fraga, en unas posesiones familiares. Cursó sus primeros estudios en Barcelona. En la misma ciudad empezó la licenciatura de Filosofía y Letras, que dejó sin terminar. Posteriormente, y en la Universidad de Madrid, alcanzó el título de Licenciado en Derecho. Viajó por Africa durante el verano de 1948, y desde el año 1949 al 1953 residió en el extranjero, en distintos países europeos: Francia, Italia, Inglaterra, Irlanda, etc. En el Trinity College, de Dublín, y en la Sorbona siguió cursos monográficos sobre literatura inglesa y francesa. En 1953 fijó su residencia en Madrid.

Obtuvo el "Premio Boscán, 1949", con su libro *Nuestra elegía,* publicado en 1950 (Instituto de Estudios Hispánicos, Barcelona). En 1951 publicó una nueva colección de poemas con el título de *Ocho poemas.*

COSTANA.

Poeta español de finales del siglo XV. Nada sa sabe de su vida. Ha pasado su fama a la posteridad por el poema *Conjuros de amor,* escrito en coplas de pie quebrado, pletórico de conceptismos y de sutileza, e impreso en el *Cancionero general* de Hernando del Castillo—Valencia, 1511—. Este poema fue recogido por Quintana en la denominada *Colección Fernández.*

En la edición toledana—1527—del *Cancionero* figura otra composición de Costana: *Nao de amor,* que no es sino una imitación pobre del poema con el que con el mismo título escribió Juan de Dueñas y que figura en el *Cancionero de Stúñiga.*

V. MENÉNDEZ PELAYO, M.: *Historia de la poesía lírica castellana en la Edad Media.*

COTA, Rodrigo de.

Gran y originalísimo poeta. ¿1405?-1470. Poca, muy poca paciencia y grandes despachaderas las de este semita de colmillo retorcido que fue Rodrigo de Cota, nacido y muerto en Toledo. Se le llamó el *Viejo* y el *Tío,* para diferenciarle de algún sobrino suyo del mismo nombre, y me le figuro ruando las calles más encrucijadas, los recovecos más sombríos, los vertederos más rápidos, los paseos más umbrosos y apartados de la ciudad del Tajo. Me lo imagino husmeando en las sinagogas y huroneando en las mezquitas. Es que lo veo entremetiéndose en el mercado de Zocodover y en los patios de crujías de las posadas aledañas, cotejando precios, regateando mercancías que no ha de comprar, terciando en agrias disputas en las que nadie le dio vela, llevando comentarios salaces a las noticias atrapadas "al vuelo", intentando poner comisión a sus consejos ladinos. Alto, huesudo, con sus ojos alufrados y su barba rojiza caprina, embutido en su taladura parda, intentaría ser siempre como una sombra, como un ramalazo de viento encontradizo y fugaz. Pasar rápido. Pasar inadvertido. Pasar sin dejar rastro.

Rodrigo de Cota de Maguaque, por conveniencia más que por convicción, se convirtió al catolicismo, procurando que las campanas no se alborozasen en sus alcándaras. Abochornado por su apostasía, que bien pronto fue pregonada, cobró un odio feroz a sus antiguos correligionarios. Les endilgó violentas sátiras. Concitó las turbas contra ellos. Y si no sus manos, su rencor y su intención quedaron tintos en sangre hermana.

La conversión y el bautismo no le libraron a Rodrigo de Cota de las eternas suspicacias. Los cristianos no le querían bien. La Inquisición, siempre *con la mosca en la oreja,* le persiguió en distintas ocasiones. Su nombre figura en una lista de reconciliados publicada en 1497 con autorización de los Reyes Católicos. Pero la conversión y el bautismo le valieron para alcanzar alguna preeminencia. Como *doctor* figura en una relación de *premios o penas a hijos o nietos de condenados* de la collación de San Vicente de Toledo, en uno de cuyos asientos se lee: "*Leonor Arroyal, mujer que fue del doctor Cota.*" Tal vez fue cronista del rey de Castilla don Enrique IV, como le echa en cara su correligionario — también converso — Antón de Montoro, el *Ropavejero de Córdoba.*

Rodrigo de Cota, al que apedrearon y levantaron túrdigas los poemas burlescos—muy enconados—de los poetas semitas, tan nu-

C

merosos en la corte castellana durante los reinados del cuarto Enrique y del segundo Juan, debió pasar en los últimos años de su vida tragos muy amargos, debió vivir horas cuajadas de melancolías intensas, debió tener los sueños llenos de fantasmas y ver cada uno de sus anhelos hecho añicos por los porrazos de la realidad. Lo mismo que perro vagabundo y sarnoso, con el rabo entre las patas, Rodrigo de Cota, hebreo falso y hebrado de plata, vagaría por su ciudad natal, tonitrosa de Tajo y de tajos pespunteada, como siempre había querido ser: sombra huidiza, ramalazo de viento súbito y fugaz.

Foulché-Delbosc atribuye a Rodrigo de Cota *Las coplas del provincial*—149 en total—, sátira violentísima contra los cortesanos de Enrique IV, a los que se les dirige las inculpaciones más afrentosas. Otros críticos le señalan como autor de las *Coplas de Mingo Revulgo,* igualmente enderezadas a herir los vicios de la nobleza. Hasta hace muy pocos años se señalaba a Rodrigo de Cota como autor del primer acto de *La Celestina.* Y el mismo Foulché-Delbosc le adjudica la paternidad de un *Canto nupcial burlesco,* escrito en 58 cuartetas.

Sin embargo, la única obra que con certeza se reputa como suya, la que le ha dado justa fama y le ha llevado a ser incluido en el *Catálogo de autoridades de la Lengua* de la Real Academia Española, es la que se imprimió, quizá por primera vez, en el *Cancionero general de Hernández del Castillo* —1511—con este título: *Diálogo entre el Amor y un caballero viejo...* Pieza capital en la literatura del siglo XV, perteneciente por completo a la dramática; drama en miniatura, de tema humano y filosófico, que guarda alguna semejanza con la leyenda de Fausto. Para Menéndez Pelayo, es esta lindísima composición de Rodrigo de Cota uno de los más genuinos monumentos del teatro español. Hay en ella contraste y lucha de pasiones, argumento desarrollado con clásica sencillez, viva expresión de los afectos, diálogo ágil. Y no pueden servirla de precedentes, *ni hacerla sombra,* en la historia teatral, ni el *Pleito,* de Juan de Dueñas; ni las *Coplas,* de Portocarrero; ni la *Querella al dios Amor,* del comendador Escrivá; ni el *Bias contra Fortuna,* del marqués de Santillana, que, aun estando dialogados, pertenecen a la historia de la poesía lírica. En estas composiciones, la acción está subordinada al debate; en la obra de Cota, el debate queda subordinado a la acción.

Moratín, en los *Orígenes del teatro español,* reproduce este diálogo, pero mutilado en más de ciento cincuenta versos, y cree que anteriormente a él sólo pueden mencio-

narse como piezas teatrales la *Danza general, en que entran todos los estados de gentes,* el autor anónimo y de fecha 1356; la *Comedia alegórica,* del marqués de Villena, de 1414, y una comedia, de autor anónimo, mencionada por Nasarre—quien la atribuye con error de bulto a Juan del Enzina—y representada en 1469, en el palacio del conde de Ureña, para obsequiar al príncipe de Aragón, don Fernando, con motivo de sus desposorios con doña Isabel de Castilla.

Guarda también el *Diálogo entre el Amor y un viejo* una semejanza remota con el episodio del anciano Filetas, de *Dafnis y Cloe,* de Longo. Y en él se han inspirado, sin mejorarle ni equiparársele jamás, otro diálogo, de autor anónimo, que va en el *Cancionero de Enzina,* titulado por Gallardo *El triunfo del Amor;* otro diálogo igualmente sin la nota de su poeta, hallado por el erudito Alfonso Miola en un códice de la Biblioteca Nacional de Nápoles; la rarísima *Egloga de Cristina y Febea,* de Juan del Enzina, cuyo único ejemplar conocido perteneció a Menéndez Pelayo; las *Coplas de la Muerte cómo llama a un poderoso caballero,* composición impresa en un pliego suelto gótico, sin indicación de lugar ni de año, y en las cuales algún erudito como Said Armesto ha creído ver uno de los gérmenes de *El convidado de piedra,* la *Disputa y remedio de amor o Comedia de Preteo y Tibaldo,* del comendador Perálvarez de Ayllón, y sacada a luz en 1552 por Luis Hurtado de Toledo.

El *Diálogo entre el Amor y un viejo,* de Rodrigo de Cota, además de figurar en todas las ediciones del *Cancionero* de 1511, fue impreso innumerables veces, juntamente con otros opúsculos. En 1564, con las *Coplas de Mingo Revulgo*—lo que dio motivo para que, desconocido el autor de estas, se atribuyeran al propio Cota—; con las *Cartas en refranes,* de Blasco de Garay, en 1564 y en 1632; con los *Refranes o proverbios castellanos,* de César Oudín, en 1609 (París), 1614 (Lyon), 1634 (Bruselas), y en todas las siguientes, hasta la de París de 1823; con *La Celestina* del impresor Amarita (1822); en los *Orígenes del teatro español,* de Moratín, bastante mutilado; en la *Floresta,* de Böhl de Fáber.

V. MENÉNDEZ PELAYO: *Antología de poetas líricos castellanos.* Tomo VI.—PIDAL, P. José: Prólogo del *Cancionero de Baena.* Madrid, 1851.—MORATÍN, Leandro F. de: *Orígenes del teatro español.*—AMADOR DE LOS RÍOS, J.: *Historia crítica de la literatura española.* VI.—BARRERA Y LEIRADO: *Teatro antiguo español.*—GALLARDO, B. J.: *Ensayo de una biblioteca española...,* II.—SORAVILLA: *"La Celestina", por Rodrigo de Cota y Fer-*

nando de Rojas. Madrid, 1895.—BONTER-
WECK: ... *Spanischen Literatur.* 1829.—COTA-
RELO, E.: *Algunas noticias nuevas acerca de
Rodrigo de Cota,* en *Boletín de la Academia
Española,* 1926. XIII. — FOULCHÉ-DELBOSC:
Obras de Rodrigo de Cota. En "Nueva Bi-
blioteca de Autores Españoles", XXII, 580.—
FOULCHÉ-DELBOSC: En *Revue Hispanique,*
tomos V y VI.—PIDAL, Marqués de: Prólogo
en la edición del *Cancionero de Baena.* Ma-
drid, 1851.

COTARELO Y MORI, Emilio.

Gran erudito, historiador y literato español. Nació—1857—en Vega de Ribadeo (Asturias). Murió en 1935. Doctor en Derecho
—1877—por la Universidad de Oviedo. Doctor en Filosofía y Letras y Diplomacia. Ejerció algún tiempo la abogacía, pero la abandonó para dedicarse exclusivamente a la literatura. Académico—1898—de la Real Española de la Lengua, y desde 1913, su secretario perpetuo. Senador. Fundador de la Sociedad Hispánica de Nueva York. Medalla de
oro—1930—de la Exposición de Barcelona.

Cotarelo y Mori fue un escritor de una fecundidad y de una cultura asombrosas. Sus
obras de investigación son verdaderos arse-
nales de noticias curiosísimas—y "de primera mano"—, donde van a proveerse muchos
otros eruditos de "vía estrecha". Acaso en
alguno de sus libros falte el método riguroso
y la claridad absoluta, pero en todos ellos
campean el saber pleno, el certero juicio, la
crítica documentada, la interpretación admirable. Discípulo de Menéndez Pelayo—quien
le ayudó en sus comienzos—, bien pronto
quedó consagrado como auténtico maestro.
Obras: *El conde de Villamediana...*—Madrid, 1886—, *Don Ramón de la Cruz y sus
obras*—Madrid, 1899—, *Tirso de Molina*
—1893—, *Vida y obras de don Enrique de Villena*—1896—, *Iriarte y su época*—1897—,
... *María del Rosario Fernández "la Tirana"*
—1897—, *Juan del Enzina y los orígenes del
teatro español*—1901—, *Lope de Rueda y el
teatro español*—1901—, *Isidoro Máiquez y el
teatro de su tiempo*—1902—, *Bibliografía de
las controversias sobre la licitud del teatro
en España*—1904—, *Herenio*—novela histórica—, *El hijo del Conde-Duque*—novela histórica—, *Los Morantes*—1906—, *Don Francisco de Rojas Zorrilla...*—1911—, *Luis Vélez
de Guevara y sus obras dramáticas*—1917—,
... *Don Pedro Calderón de la Barca*—1924—,
Historia de la zarzuela española..., y otras
muchísimas más, todas de enorme mérito.

Durante muchos años, en el *Boletín* de la
Academia de la Lengua, Cotarelo y Mori publicó numerosos trabajos de investigación
acerca del *teatro español,* tema en el que era
la autoridad máxima.

COTARELO Y VALLEDOR, Armando.

Literato y erudito español. Hijo de Emilio. Nació—1880—en Vega de Ribadeo (Asturias). Murió—1950—en Madrid. Doctor en
Filosofía y Letras por la Universidad Central. Catedrático—1904—de Lengua y Literatura españolas en la Universidad de Santiago. En 1912, la Real Academia Española
otorgó el "Premio Alba" a su obra *El teatro
de Cervantes.* En 1929 ingresó en esta docta
corporación.

Obras: *Una cantiga célebre del Rey Sabio, fuente y desarrollo de la leyenda de sor
Beatriz...*—Madrid, 1904—, *Fray Diego de
Deza*—Madrid, 1905—, *La leyenda de doña
Estefanía "la Desdichada" en la Historia y
en la Literatura*—Santiago, 1907—, *Introducción al estudio de la literatura española*
—1911—, *Lubicán*—cuento dramático, en verso, Santiago, 1924—, *Prisciliano*—1930—, *La
belleza femenina en Cervantes, Vida política
y literaria de Alfonso III "el Magno"...*

COVARRUBIAS Y HOROZCO, Sebastián de.

Famoso gramático español. Nació—1539—
en Toledo. Murió en 1613. Canónigo en Cuenca. Capellán de Felipe III. Consejero del
Santo Oficio. Dominaba el latín, el griego,
el árabe y el hebreo. Muy versado en Historia antigua.

La Real Academia Española lo ha incluido en el *Catálogo de autoridades de la lengua.*

Obras: la más importante, fundamental
en la lexicografía española, es el *Tesoro de
la lengua castellana o española*—Madrid,
1611—, dedicada a Felipe III y reimpresa
—1944—en Barcelona por el profesor Martín Riquer; los *Emblemas morales*—1610—,
dedicados al duque de Lerma; *Horacio traducido al español*—manuscrito.

Del *Tesoro* ha dicho el crítico moderno
Valbuena: "Es un diccionario lleno de elementos pintorescos y anecdóticos. No estamos ya en la objetiva sobriedad de Nebrija,
sino en un mundo abigarrado, detallista y
vivo, que anima la concepción puramente
filológica del catálogo de palabras. Estas, en
Covarrubias, cobran vida real, en rica y
ágil variedad y matización, debida a los
ejemplos, anécdotas y comentarios propios,
junto a intentos de etimologías más o menos
pintorescas que sugiere el recopilador. El
Tesoro destaca muchas veces los modos más
animados de expresiones y refranes..."

Texto: *Tesoro,* ed. Martín Riquer, Barcelona, 1944.

V. GONZÁLEZ PALENCIA, A.: *Datos biográficos del licenciado Sebastián de Covarrubias
y Horozco,* en *Boletín de la Academia Española,* 1925.—RIQUER, Martín: Prólogo a
la ed. de Barcelona, 1944.

C

CRÉMER ALONSO, Victoriano.

En el año 1910—en Burgos—nació Victoriano Crémer.

Sus padres, no humildes, sino pobres, tiraban penosamente de una extensa prole de seis hijos. Muchos años después pudo recordar con dolorida angustia: "Le nacían los hijos como una gran desgracia temida y deseada..."

Victoriano era el mayor de los hermanos, y ya a los ocho años hubo de alternar el colegio con el trabajo. Fue pasante de un abogado, mancebo de botica y tipógrafo. Y antes de todo eso vendió periódicos bajo el arco de Santa María, tiritando de frío, al amparo de aquellas piedras, coronadas por los severos jueces de Castilla.

Naturalmente, no cursó estudiós universitarios y su formación fue una lenta y dolorosa lección aprendida en la vida.

Colabora en la prensa española con miles de artículos. Funda y dirige varias revistas de vida fugaz. En el año 1933 es premiado en un concurso de narraciones breves en Madrid.

Escribe para el teatro y consigue estrenar alguna comedia, que pasa sin pena ni gloria. Edita su comedia En la escalera. Y se hace conferenciante.

Funda, en unión del poeta Eugenio de Nora y del crítico Antonio de Lama, la revista de poesía y crítica Espadaña, cuya influencia en la joven generación poética se advierte de manera ostensible. Aparece el primer número de esta publicación en mayo de 1944 y sigue publicándose.

En este primer año, y patrocinado por la Filarmónica de León, a la que prestó su concurso generoso el ilustre poeta don José María Pemán, aparece su primer libro de versos, Tacto sonoro.

En el año anterior—1943—había alcanzado un premio en el certamen literario anual que la ciudad de Cádiz convoca.

Da conferencias, recitales poéticos y escribe más teatro: Los hombres se matan, que es aceptada en el teatro Lara, pero que, naturalmente, no se estrena.

En el año 1946 aparece su segundo libro de poemas, Caminos de mi sangre, editado por la Colección Adonais.

Escribe novela: La extraña aventura de Román Blanco, aún en busca de editor; estudios sobre economía, que son galardonados y se publican, "Premio Nacional de Poesía Leopoldo Panero, 1962", creado excepcionalmente.

Obras: Tendiendo el vuelo—poemas, León, 1928—, En la escalera—teatro, editada, 1940—, La gente habla mucho—teatro, en colaboración, estrenada en Gijón con éxito de crítica y de público, 1943—, Tacto sonoro —poemas, 1944—, Los hombres se matan —teatro, 1945—, Caminos de mi sangre—poemas, 1946—, La espada y la pared—1949—, Las horas perdidas...—1949—, Nuevos cantos de vida y esperanza—Barcelona, 1955—, El libro de Santiago—León, 1954—, Libro de Caín—novela, México, 1958—, Con la paz al hombro—León, 1960—, Furia y paloma —1956—, Tiempo de soledad—"Premio Nacional de Poesía Leopoldo Panero, 1963"—, El amor y la sangre—1966—, Poesía total —1967.

CRESPO, Angel.

Nació en Ciudad Real el 18 de julio de 1926. Es maestro nacional y licenciado en Derecho. Crítico de arte y de literatura en lengua portuguesa, sus poemas han aparecido en traducciones al francés, portugués, italiano, holandés, búlgaro y griego moderno. Ha dirigido la revista Deucalión (1951-1953), y actualmente dirige la Revista de Cultura Brasileña. Con el poeta Gabino Alejandro Carriedo ha sido codirector de El pájaro de paja (1950-1953), y, actualmente, lo es de Poesía de España.

Su poesía, muy radicada en la tierra y en los hombres del pueblo, mostró desde el principio un premonitorio acento realista que ha ido dando paso a un humanismo que se solidariza con los problemas de nuestro tiempo.

Obras poéticas: Una lengua emerge —1950—, Quedan señales—1952 y 1953, dos ediciones—, La pintura—1955—, Todo está vivo—1956—, La cesta y el río—1957—, Oda a Nanda Papiri—1959—, Junio feliz—1959—, Antología poética—1960—, Puerta clavada —1961—, Suma y sigue—1962—, Pausa de otoño—1962—, No sé cómo decirlo—1967.

CRESPO, Rafael José.

Literato español. Nació—1800—en Alfajarín (Zaragoza) y murió—1858—en Zaragoza. Estudio Leyes en la Universidad zaragozana. Fue oidor de la Audiencia de Aragón e individuo del Consejo de S. M.

Obras: Poesías epigramáticas—Zaragoza, 1827—, Don Papis de Bobadilla, o sea, Defensa del Cristianismo y crítica de la seudofilosofía—Zaragoza, 1829—, Vida de Nuestro Señor Jesucristo—Valencia, 1840.

CRESPO TORAL, Remigio.

Literato y político ecuatoriano. Nació —1860—en Cuenca. Murió en 1939. Sin haber terminado sus estudios de Derecho fue nombrado diputado de la Convención, en cuyas sesiones se hizo popular por su oratoria fulgarante y apasionada. En 1887 fue vicepresidente de la Cámara de los Diputados, y presidente en 1888. Miembro de la Academia Ecuatoriana. Director del Liceo de Azuay. Viajó por Europa y América.

Crespo Toral está considerado justamente como uno de los literatos y de los políticos más ilustres de su país. En sus críticas se han forjado muchas promociones de escritores. Sus poemas delatan aún las altisonancias del último romanticismo y ya las primicias de un modernismo mitigado, pero seguro. En 1917 fue coronado públicamente en Cuenca (Ecuador).

Obras: *Ultimos pensamientos de Bolívar* —poema premiado por la Universidad de Quito, 1884—, *América y España*—"Premio de la Academia Ecuatoriana, 1888"—, *Mi poema, El "Requiem" de Mozart*—poema—, *Liras nuevas, La despedida de los dioses* —poema...

V. MEJÍA, Abigaíl: *Historia de la literatura... hispanoamericana.* Barcelona, Araluce, ¿1934?—MERA, Juan León: *Antología ecuatoriana.* Quito, 1892, dos tomos.—MERA, Juan León: *Ojeada histórico-crítica sobre la poesía ecuatoriana.* Quito, 1868; Barcelona, 1893. ARIAS, Augusto: *Panorama de la literatura ecuatoriana.* Quito, 1936.

CRUCHAGA SANTA MARÍA, Angel.

Poeta y prosista chileno. Nació en 1893. En 1948 le fue otorgado el "Premio Nacional de Literatura".

"La intuición de este poeta descubre insospechadas relaciones entre las cosas. La soledad—que ya ha caminado en la estrofa de algunos—nunca alcanza, como en Cruchaga, tanta hondura, tan desgarrado acento, tan religiosa resonancia. El desamparo de la vida, las ansias del amor, el secreto de la muerte, son los temas constantes de sus versos. Se trata, sin duda, de uno de nuestros más altos valores líricos. La publicación de *Las manos juntas*—1915—señala un nuevo rumbo a nuestra poesía." (H. del Solar.)

Obras: *La selva prometida*—1920—, *Los mástiles de oro*—1923—, *La ciudad invisible* —1929—, *Afán del corazón*—1933—, *Job* —1922—, *Paso de sombra*—1939, "Premio Municipal"—, *Antología*—1946.

V. NERUDA, Pablo: Prólogo a la *Antología.* 1946.

CRUSAT, Paulina.

Periodista, poeta y novelista española. Nació—1900—en Barcelona. No conocemos pormenores de su vida. Vivió algunos años en Sevilla. Y desde 1939 hemos visto su firma en revistas importantes. En 1952 publicó en Madrid una admirable *Antología de poetas catalanes contemporáneos,* con agudísimas notas. En sus novelas prodiga la

imaginación, el intelectualismo y el lirismo, en un estilo exquisito y muy equilibrado.

Obras: *Mundo pequeño y fingido*—Barcelona, 1953—, *Historia de un viaje: I. Aprendiz de persona*—Barcelona, 1956—, *II. Las ocas blancas*—Barcelona, 1959—, *Relaciones solitarias*—1967.

V. NORA, Eugenio G. de: *La novela española contemporánea.* Madrid, edit. Gredos, 1962. Tomo II bis. Págs. 247-249.

CRUSET, José.

Nació—1912—en Esplugas de Llobregat (Barcelona). Licenciado en Derecho. Abogado en ejercicio. Colaborador de revistas poéticas y diarios importantes.

Es un lírico de iniciación juanramoniana, más atento al fondo que a la forma, de hondura filosófica en ocasiones, y, a veces, de sencillez emocionante. "Premio Boscán" de poesía 1953. "Premio Ciudad de Barcelona" de poema 1960.

Obras: *Azul inútil, Libro del segundo amor perdido, Novia de marzo*—1945—, *Sombra elegida*—1953—, *La niebla que ha quedado*—1958—, *La infinita manera* —1961—, *Personajes definitivos*—1964—, *Los ojos del corazón*—1967.

CRUZ, Manuel de la.

Prosista y crítico literario. 1861-1896. Nació en la Habana y murió en Nueva York. Fue de los que lucharon denodadamente por separar Cuba de España..., haciendo "el caldo gordo" a los yanquis. Periodista desde los quince años. Colaborador de la *Revista Cubana, El Fígaro, El País, La Habana Elegante, La Nación,* de Buenos Aires. Viajó algún tiempo por Francia y España, y al regresar a su patria se afilió al partido separatista, que acaudillaba José Martí, siendo enviado, al estallar la revolución, a Nueva York, como secretario de la Delegación cubana—que pedía la ayuda norteamericana—, presidida por Estractu Palma.

Cruz consagró su vida y sus anhelos a la causa de la independencia de su país.

Tuvo juicio habitualmente sagaz, talento literario, percepción sutil y rápida. De no haber muerto tan joven, hubiera llegado a ser el crítico más estimable de su generación. Su formación intelectual debía mucho a Francia. Su estilo no fue peculiar. Su prosa es pobre y adolece de galicismos infinitos.

Usó en la prensa y algunas publicaciones los seudónimos de "Juan Sincero", "Bonifacio Sancho" y "Juan de las Guásimas".

Obras: La editorial S. Calleja, de Madrid, dando pruebas de una nobleza grande y de una comprensión mayor, publicó en seis tomos—1924 a 1925—las *Obras escogidas* de este implacable enemigo de España; *Carmen*

C

Rivero—novela—, *La hija del montero*—novela—, *La hija del guardiero*—novela—, *Cromitos cubanos, Tres caracteres, Episodios de la revolución cubana, Reseña del movimiento Literario en Cuba, Revista de libros, Literatura cubana, Estudios literarios, Crítica y filosofía...*

V. MITJÁNS, Aurelio: *Literatura cubana.* "Biblioteca Andrés Bello", Madrid, 1918.—REMOS Y RUBIO, J. J.: *Historia de la literatura cubana.* La Habana, 1925.—SALAZAR Y ROIG, S.: *Historia de la literatura cubana.* La Habana, 1939.

CRUZ, San Juan de la (v. **Juan de la Cruz, San**).

CRUZ, Sor Juana Inés de la (v. **Asbaje, Juana de**).

CRUZ CANO Y OLMEDILLA, Ramón de la.

El más famoso de los saineteros españoles. Nació—1731—en Madrid, en la calle del Prado, siendo bautizado en la iglesia de San Sebastián. Murió—1794—en Madrid, en la calle de Alcalá, siendo sepultado en la capilla del Cristo de la Fe, de la parroquia de San Sebastián. Por parte de su madre, doña Rosa Cano, alcanzaba don Ramón de la Cruz cierto parentesco con el célebre teólogo Melchor Cano, con el beato Melchor Cano y con fray Agustín Cano y Olmedilla, de la Orden de Predicadores.

No debió cursar siquiera las Humanidades. En el prólogo de su zarzuela *Quien complace a la deidad, acierta a satisfacer*—1757—declara: "Me conozco débil de condición y falto de instrucciones, no obstante que he procurado adquirir y estudiar algunas, para dar a entender que no camino ciego enteramente."

A la edad de trece años vivía en Ceuta, donde su padre ejercía un cargo administrativo en el penal. En 1759 fue nombrado oficial tercero de la Contaduría de Penas de Cámara, que por aquella época se hallaba establecida en un casón de la calle de Segovia. Contrajo matrimonio—1760—con doña Margarita Beatriz de Magán, natural de Salamanca y vecina de Zamora. El cargo oficial de don Ramón devengaba... ¡cinco mil reales anuales! Y hasta 1771 no logró un apetecido ascenso a oficial primero de la misma dependencia, con doble sueldo y la gratificación que por Navidad solía concedérsele. En 1767 solicitó un préstamo—seis mil reales—del Ayuntamiento madrileño para publicar un volumen de obras teatrales ya estrenadas con éxito. El libro no salió hasta 1768, y el siempre alcanzado económicamente don Ramón pasó la pena negra para devolver al erario municipal la cantidad recibida. A principios de 1770 estuvo dos meses gravemente enfermo, habiéndole sobrevenido después una fluxión a los ojos, que le impedía *salir aun a misa en los días preceptivos*, como él mismo dice en una solicitud, en que pedía por esta causa ayuda de costa.

Don Ramón de la Cruz estuvo muy protegido por el duque de Alba, a quien solía acompañar en sus expediciones al palacio de Piedrahíta (Avila), y recibió también valioso apoyo de la duquesa de Benavente, para cuyo teatro particular escribió muchos sainetes. También El Concejo de Madrid le encargó la composición de loas o apropósitos en determinadas ocasiones, trabajos que remuneraba con largueza, pues una vez, con motivo del nacimiento de los infantes gemelos, hijos del príncipe de Asturias y nietos de Carlos III, por la asesoría y dirección de las funciones teatrales que se celebraron le gratificaron con 6.000 reales.

Don Ramón de la Cruz vivió siempre muy modestamente, es cierto, pero no fue jamás el tipo de bohemio y hambriento que han pretendido algunos críticos. Bohemio perito en el *sablazo* o capaz de ir a la puerta de los conventos a pedir la sopa boba. A don Ramón le pagaban 500 reales por cada sainete y 1.000 por cada obra en dos o más actos. (Y téngase en cuenta que muchas veces cobró más.) Ajustando por alto la cuenta de lo que le produjeron sus 542 obras, a razón de 500 y 1.000 reales, resulta un total de 75.000 pesetas percibidas en el espacio de treinta y cinco años. El único retrato existente del gran sainetero—conservado en el vestíbulo del teatro Español, de Madrid—confirma la impresión de un caballero distinguido y modesto.

Durante el mes de abril de 1793, don Ramón cayó enfermo de pulmonía. Salió del trance, pero quedó muy achacoso y resentido; de resultas de ello tuvo tres recaídas peligrosas, la última de las cuales—5 de marzo de 1794—puso fin a su existencia.

Don Ramón era un hombre de buen humor y muy corto de vista; sin embargo, escribía siempre sus sainetes de noche, a la luz incierta y escasa de los candiles. Como persona, fue siempre de intachable conducta, hasta el punto que uno de sus impugnadores proclamó paladinamente: "Le tengo por hombre de bien, atento a sus obligaciones, buen ciudadano y perfecto en esta clase."

Don Ramón de la Cruz sintió la atracción de la poesía y del teatro desde muy joven. El mismo hace constar que a los trece años escribió la primera décima, y a los quince, un *Diálogo cómico*, que se imprimió en Granada, sin su nombre y a expensas de un amigo. *Se sintió* sainetero desde los primeros instantes de su vida literaria. Las primeras obras escénicas que de él se han encontrado en el orden cronológico, son la zarzuela *Quien complace a la deidad, acierta a satisfacer*—1757—y el sainete *La enferma de mal de boda*—1758—. La primera, muy defectuosa, pertenece a un género extravagante, aplaudido entonces por el *patio* y la *cazuela,* y en el que se pretendía armonizar—con empaque y énfasis franceses—lo humano y lo moral con lo mitológico y maravilloso; el sainete estaba inspirado en la obra de Molière *Amor médico.* Que siempre estuvo muy metido entre bastidores y que fue muy amigo de cómicos, lo prueba su sainete de costumbres teatrales *La hostería de Ayala,* en que hace salir a escena, con sus propios nombres y su auténtica personalidad, a la Sebastiana Pereira, primera dama del coliseo del Príncipe; a la Granadina, a la Palomina, conocida por la *Pichona;* a Miguel Ayala, a Diego Coronado, a Juan Ludvenant, y al mismísimo Manuel Martín, director de la compañía.

No es exacto tampoco que don Ramón de la Cruz, en su primera época de autor dramático, escribiera tragedias y dramas, con frecuencia traducciones del francés y del italiano—sobre todo de Metastasio—o arreglos de Calderón, Cañizares, etc. En 1767, cuando se dedicó a producir *obras serias,* ya llevaba escritos, y estrenados su mayoría, más de cincuenta sainetes, entre ellos, además de los mencionados, *La fingida Arcadia* —1758—, *Los despechados, El músico de repente*—1760—, *La batida, La junta de los payos, El pueblo sin mozas* y *El robo de Plasencia*—1761.

Entre las tragedias de don Ramón sobresalen: *Aecio, Atilio y Talestris*—traducidas de Metastasio—, *Bayaceto*—de Racine—, *Sesostris*—basada en obras de Herodoto y de Dupin—, *Hamleto*—no traducida de Shakespeare, sino del arreglo francés de Ducis—. Entre sus comedias: *Aquiles en Sciro*—traducida de Metastasio—, *La escocesa*—traducida de Voltaire—, *Eugenia*—versión de otra de Beaumarchais—, *Andrómeda y Perseo* —arreglo de Calderón—, *Ifigenia*—refundición de Cañizares.

Don Ramón, felizmente, abandonó pronto la senda dramática, en la que no halló ni gloria ni provecho. El sainete era la parte esencialmente cómica de las representaciones dramáticas, para entretener y divertir al espectador poco ilustrado. Don Ramón, descubriendo este gran filón, supo dignificar el género, levantándolo a la altura que merecía; pero los literatos afrancesados y eruditos de su época no le comprendieron y aun le zahirieron violentamente. Entre estos detractores estaban—y los mencionamos para que purguen en la vergüenza su falta de comprensión y su escaso ojo clínico—: Miguel de la Higuera, Tomás de Iriarte, Francisco Mariano, Nipho, Samaniego, los Moratines, Malo y Bargas, Clavijo y Fajardo...

El valor de los sainetes de don Ramón de la Cruz es extraordinario, más en su parte anecdótica, histórica o documental, que en su parte poética. Se ha dicho con razón que el teatro de don Ramón de la Cruz, las *Letters from Spain* de Blanco White y los grabados de Goya constituyen las mejores fuentes y documentos para la historia interna de España en el último tercio del siglo XVIII. Y sin exageración alguna pudo decir de estas obras suyas el inmortal sainetero: "Yo escribo, y la verdad me dicta", reflejando con maravillosa precisión, en todo su delicioso colorido y en toda su gracia extraordinaria, las costumbres del Madrid de su tiempo, y singularmente las de las clases populares, y acertando, con pinceladas de asombro, a reflejar en sus sainetes los tipos más vitales de la época: manolas, castañeras, presumidas, majas, abates, petimetres, cortejos cómicos, barberos, aguadores, vendedores ambulantes, etc., y presentando con un realismo impresionante bailes del candil, botillerías, fandangos, posadas, saraos, fiestas populares, tertulias, visitas, ferias, refrescos, excursiones veraniegas, merendolas campestres, verbenas de barrio...

Fue don Ramón observador agudo y perspicaz; su lenguaje era fácil, natural y animado; su invención, fecunda; su donaire, decisivo e inagotable; su destreza dialogal, inimitable y portentosa. Sin embargo, le arredró siempre el desarrollo sucesivo, el enlace lógico de una trama escénica de cierta extensión, y se limitó, por instinto, a hacer bosquejos y no cuadros. Por eso se lució en piezas cortas de veinticinco minutos. Don Ramón de la Cruz heredó de nuestros mejores clásicos la facilidad de dialogar con gracia y viveza, a las que añadía una malicia fina y madrileñísima; supo evitar la afectación y el tono exagerado y chillón; abandonó la versificación artificiosa y se quedó con el habla llana.

Don Ramón de la Cruz figura a la cabeza de un género teatral netamente español: el del *teatro pequeño,* el del entremés y el paso, el de Juan del Enzina, Gil Vicente, Naharro, Sánchez de Badajoz, Rueda, Cervantes y Quiñones de Benavente..., con los que se codea don Ramón sin desventaja alguna.

Los sainetes de don Ramón pueden ser considerados *por grupos.*

El más importante e interesante es el que se refiere a las costumbres de Madrid, que el buen madrileño tan bien conocía y supo inmortalizar con ingenio tan agudo. En este grupo sobresalen: *El Rastro por la mañana, El Prado por la noche, La pradera de San*

Isidro, Los bandos del Avapiés, La plaza Mayor por Navidad...

Otro grupo es el de los sainetes parodias de tragedias, al gusto neoclásico francés: *Manolo, El muñuelo, Inesilla la de Pinto, Zara, El marido sofocado...*

En otro grupo se satirizan las costumbres teatrales, que "con tal verdad y eficacia presenta don Ramón, que, en ocasiones, más que creaciones de poeta, parecen estudios y documentos de historiador". Así: *El coliseo por de fuera, El teatro por dentro, La comedia de las maravillas, El sainete interrumpido...*

En otro grupo, la crítica bizarra se endereza contra los *abates mundanos*, verdadera plaga de aquellos años. Así: *El abate Pirracas, Los abates vengados, El tutor enamorado...*

Son igualmente sainetes muy notables: *Las majas vengativas, La maja majada, El careo de los majos, El sarao, Las tertulias de Madrid, La comedia casera, El deseo de seguidillas, La Petra y la Juana, o La casa de Tócame-Roque; Las castañeras picadas, El cortejo fastidioso, La visita de duelo, El fandango del candil, Los payos en la corte, Las naranjeras en el teatro, El espejo de la moda, Todo el año es Carnaval, Los panderos, La chupa bordada, No hay candados para el amor...*

Don Ramón de la Cruz escribió numerosas zarzuelas de extraordinario interés: *Las segadoras, Las foncarraleras, La isla del amor, El tutor enamorado, El licenciado Farfulla, Briseida, Las segadoras de Vallecas...* Y es igualmente autor de loas, introducciones, intermedios, tonadillas y fines de fiesta.

El teatro sainetesco de don Ramón conserva hoy, íntegramente, todos sus valores de historia, gracia y sabor local.

Los principales textos de las *Obras* de don Ramón de la Cruz son: la edición de E. Cotarelo en la "Nueva Biblioteca de Autores Españoles", XXIII; *Sainetes*, Barcelona, 1882, dos tomos, "Armas y Letras"; *Sainetes inéditos de don Ramón de la Cruz en la Biblioteca Municipal de Madrid*, Madrid, 1900; *Cinco sainetes inéditos de don Ramón de la Cruz*, introducción y notas de C. E. Kany, en la *Revue Hispanique*, 1924; la edición —1786 a 1791, en diez tomos—de la Imprenta Real, Madrid; la del tomo V de la *Historia y antología del teatro español*, de Sainz de Robles, Madrid, 1943; edición Baudry, París, 1845; setenta y tres sainetes en la edición Durán; edición Medina Navarro, Madrid, ¿1874?, tres tomos, con veintiséis sainetes; *Teatro selecto de don Ramón de la Cruz*, con una biografía de Roque Barcia, Madrid, 1882.

V. Pérez Galdós, B.: *Don Ramón de la Cruz y su época*, en *Revista España*, XVII,

1870.—Cotarelo Mori, E.: *Don Ramón de la Cruz y sus obras*. Madrid, 1899.—Homenaje del Ayuntamiento de Madrid *a don Ramón de la Cruz*. Madrid, 1900.—Sainz de Robles, F. C.: *Historia y antología del teatro español*. Tomo V. Madrid, 1943.—Vega, José: *Don Ramón de la Cruz y su época*. Madrid, 1944.

CRUZ RUEDA, Ángel.

Ensayista, crítico literario y narrador español. Nació—1888—en Jaén. Murió—¿1957?—en Madrid. Doctor en Derecho y licenciado en Filosofía y Letras. Auxiliar en el Instituto de Jaén. Catedrático de Filosofía en el Instituto de Cabra (Córdoba), del que fue director. En la actualidad, catedrático del Instituto Lope de Vega, de Madrid. Ha colaborado en *A B C, La Esfera, Nuevo Mundo, El Español, Bibliografía Hispánica, La Estafeta Literaria, Cuadernos de Literatura Contemporánea...* En 1929 obtuvo el "Premio Nacional de Literatura" con su obra *Las gestas heroicas castellanas contadas a los niños*. Académico correspondiente de la de Ciencias y de la de Bellas Letras y Nobles Artes de Córdoba. Comendador de la Orden de Alfonso X el Sabio.

Obras: *Examen crítico de Bernardo López García*—Jaén, 1909—, *Dolor sin fin*—novela, Jaén, 1911—, *Huerto silencioso*—novelas y cuadros, Jaén, 1919—, *Armando Palacio Valdés*—estudio crítico y biografía, París, 1925—, *Peregrinaje de estío*—Madrid, 1934—, *Horizontes espirituales*—Zaragoza, 1945—, *Significación de "Azorín" en la literatura contemporánea.*

Cruz Rueda ha prologado magníficamente y ordenado las *Obras completas* de "Azorín", editadas en nueve tomos por M. Aguilar, Madrid, 1947-1952...

CRUZ VARELA, Juan.

Notable poeta y dramaturgo argentino. 1794-1839. Estudió Humanidades en el Colegio de San Carlos. Por voluntad de sus padres, marchó a Córdoba, donde inició la carrera eclesiástica, que no llegó a terminar por no sentirse con vocación, y sí muy apegado a los placeres mundanos. Sin embargo, quedó graduado—1816—en Teología y Cánones.

Según propia confesión, desde los quince años escribía poesías amorosas y anacreónticas, sin sentir *la cuerda patriótica*. Durante su estancia en el seminario terminó un poema, imitación de *Lutrin*, de Boileau.

El año 1817 marchó a Buenos Aires y prendió en él la exaltada realidad de la gesta revolucionaria. En varios periódicos—*El Tiempo, El Centinela, El Mensajero Argentino, El Porteño*—defendió su liberalismo y la política de Rivadavia. En casa de este gran político leyó su tragedia *Dido*. A la caída de Rivadavia, Cruz Varela emigró a Montevideo, dedicándose a vivir de los recuerdos de la patria y a traducir a Horacio y Virgilio. Su versión de los dos primeros libros de *La Eneida* ha sido muy elogiada por Menéndez Pelayo.

La musa de Cruz Varela estuvo transida de suaves ternuras, de poéticas emociones, de una melodía noble e intensa, de un delicioso erotismo. Magníficas son sus composiciones: *Elvira*—poema—, *A la libertad de Lima, Canto a la victoria de Maipo, A la libertad de la Prensa, El 25 de mayo de 1838 en Buenos Aires, Al triunfo de Ituzaingó...*

Las *Poesías* de Cruz Varela han sido reeditadas en la edición de "Clásicos Argentinos". Otra obra: *Argia*—tragedia, 1843, inspirada en Alfieri.

V. MÚJICA LÁINEZ, M.: *Estudio preliminar* a las *Poesías* de Cruz Varela. En "Clásicos Argentinos".—BOSCH, Mariano V.: *Teatro antiguo de Buenos Aires*. Buenos Aires, 1904. BOSCH, Mariano V.: *Historia del teatro en Buenos Aires*. Buenos Aires, 1910.—BOSCH, Mariano V.: *Cuadernos de cultura teatral*. Número 14.—MENÉNDEZ PELAYO, M.: *Historia de la poesía hispanoamericana*. Madrid, 1913.

CUADRA, José de la.

Novelista y poeta ecuatoriano. 1903-1941. Con Jorge Icaza representan el indigenismo ecuatoriano, uno de los más revolucionarios de la América hispana, con más intenso carácter social que literario. Según Leguizamón, "el arte de José de la Cuadra es sincero, fuerte y perdurable. Nos parece más alto que el de sus poemas, excesivamente adheridos a los vanguardismos ingenuos".

En sus narraciones *Horno, Repisa, Las sangurimas*—1934—, "el impresionante cuadro de la vida ecuatoriana en toda su intensidad y tragedia—muy semejante a la de los demás países tropicales americanos—desfila, desnuda y real, con un vigor sorprendente".

Otras obras: *El amor que dormía, La vuelta de la locura*.

V. ARIAS, Augusto: *Panorama de la literatura ecuatoriana*. Quito, 1936.—VITERI, Atanasio: *El cuento ecuatoriano contemporáneo*. Quito, ¿1940?—LEGUIZAMÓN, Julio A.: *Historia de la literatura hispanoamericana*. Buenos Aires, 1945.

CUADRA, Pablo Antonio.

Poeta, dramaturgo, novelista, crítico nicaragüense. Nació—1912—en Managua. Estudió el bachillerato y las licenciaturas de Letras y Derecho en Granada. Ha viajado por Centroamérica, Norteamérica, España, Italia, Francia y Africa del Norte. Ha dirigido las revistas *Vanguardia*—1933—, *Reacción* —1934-1935—, *Trinchera*—1938—, *Orden* —1939—. *Los Lunes de la Prensa*—1940—, *Cuadernos del Taller de San Lucas*—1942—. Entre 1945 y 1948 residió en México.

Desde 1948 desempeñó en España el cargo de representante de su país. Miembro de la Academia Nicaragüense de la Lengua, correspondiente de la Española y de la Real Academia de Bellas Artes de San Fernando. En 1946 fue elegido en España presidente internacional de los Institutos Culturales de Iberoamérica. Diputado a Cortes.

Obras: *Hacia la Cruz del Sur*—Madrid, 1936, prosas—, *Breviario imperial*—prosa, Madrid, 1940—, *Promisión de México*—prosa, 1945—, *Entre la cruz y la espada*—Madrid, 1946—, *Poemas nicaragüenses*—1933—, *Corona de jilgueros*—poemas—, *Cantos de pájaro y señora, El hijo del hombre*—poemas—, y las obras teatrales: *Por los caminos van los campesinos, El árbol seco, Satanás entra en escena, La cegua...*

V. NUEVA POESÍA NICARAGÜENSE: *Introducción* de Ernesto Cardenal. *Selección y notas* de Orlando Cuadra Downing. Madrid, 1949.

CUARTERO CIFUENTES, José.

Gran periodista y literato español. Nació —1869—en Villarrobledo (Albacete). Murió —1946—en La Granja (Segovia). Bachiller. Licenciado en Derecho y en Filosofía y Letras por la Universidad de Madrid. Redactor de *El Nacional*, redactor jefe de *El Gráfico*, redactor jefe de *El Imparcial*. Desde 1911 hasta su muerte fue redactor y editorialista ilustre de *A B C*.

Cuartero es posiblemente el único caso del periodista que se hizo famoso sin firmar la mayoría de los artículos. Gran polemista. Maestro de la prosa. Muy intiligente, muy culto y muy modesto. En 1928 le fue otorgado el "Premio Mariano de Cavia", supremo galardón en el periodismo español.

Obras: *El orador, La vida pública, La patria chica*.

CUBILLO DE ARAGÓN, Álvaro.

Gran poeta dramático. ¿1596?-1661. Cubillo de Aragón nació en Granada. ¿En 1596? Quizá un año antes. Acaso uno o dos después. El 1596 es una fecha centro de una oscilación de dos o tres períodos similares. Cubillo de Aragón acusó, como casi todos los ingenios, su tierra de origen en sus obras fundamentales. Granada es una ciudad inefable: suave, acariciante, melancólica, sin nervios. Cubillo de Aragón es un autor ingenioso, delicado, leve. Ninguna de sus obras vibra. Ninguna de sus obras crispa. La poesía corre por ellas, en escaso y claro caudal,

C

lo mismo que los ríos granadinos por la vega. No se piense en un Cubillo escultor, ni arquitecto, ni pintor. Figurémoslo artífice de lindas obras menores, casi decorativas. Como un orfebrero. Como un lapidario. Y mucha categoría, indudablemente le dio a Cubillo *su sangre mora.*

> También los moros de España
> somos, Bernardo, españoles,

proclama un Abenyusef-Cubillo en la primera parte de *El conde de Saldaña.*

En la Universidad de Granada estudió Cubillo de Aragón Humanidades. Y hasta es probable que siguiese y ejerciese en la Chancillería granadina la carrera forense. Calidad esta última que niega Cotarelo, quien afirma "que no llegó a recibirse de abogado, pues su profesión no pasó de la de escribano *de provincia,* como entonces se llamaba a los que hoy *de actuaciones".* Fue alcaide de la cárcel real de Calatrava. De 1622 a 1640, en Granada y en Sevilla, su actividad literaria es mucha. Aprueba una comedia de Mira de Amescua, publica su poema alegórico de la *Curia leonina*—1625—, se relaciona con Vélez de Guevara; es secretario de la Academia Hispalense patrocinada por el conde de la Torre de Ribera, se hace comediante—y lo es bueno—, se casa con doña Inés del Mar —dama granadina bella y que debió ser

> para agasajarle, amante;
> y para sufrirle, esposa—;

empieza a ser padre cada año de un hijo y hasta de doce; pasa mil ahoguíos económicos...

El año 1641 fija su residencia en Madrid. Y cómo el hambre obliga a muchas cosas..., se dedicó a escribir poesías laudatorias, con ánimo de lucro, que arrojaba—lo mismo que memoriales—al paso de los reyes y de los nobles; compró, con el producto *de unos sablazos,* un oficio de escribano y lo ejerció en la Sala de Alcaldes de Casa y Corte; se hizo mal hablado y mal intencionado; fue, lo que diríamos con crudo grafismo moderno, un perfecto *sablista* y un cobrador *del baratillo.* El fraude y el cohecho le fueron familiares. Y por burlarse de Olivares y de otros personajes de prestancia, que no acudieron muníficos *al reclamo,* le rondaron el linternazo, la cuchillada trapera, el calabozo inquisitorial y el destierro. Era tan acomodaticia su musa, que con las mismas lágrimas lloraba felicidad por una infanta bien parida o por las pesadas profecías sobre "el príncipe sin nacer", que dolor por un magnate satélite aerolizado sin lumbre o el óbito de un personaje con ricos herederos. Cubillo falleció en la calle de los Ministri-

les y en las casas pertenecientes al doctor Tamayo, el día 21 de octubre de 1661. Su partida de defunción quedó en el archivo de la parroquia de San Sebastián, y fue hallada por el docto investigador Cotarelo y Mori.

"La gracia andaluza—escribe Valbuena—, el sarcasmo algo achulapado a veces, no faltan a Cubillo en las composiciones burlescas. Esta gracia fuerte es, más que nada, cordobesa; quizá, a veces, sevillana; pero muy poco granadina. Cubillo pudo acostumbrarse a ello en sus relaciones con escritores de las otras ciudades. Lo que sí es de toda Andalucía, la malicia irónica, eleva un poco sus aduladores cantos. Pero no podía faltar la mueca ascética española, que ya en el Séneca cordobés modeló una actitud ante la vida y ante la muerte. No hay nunca en Cubillo la severidad pesimista de Mira de Amescua..., pero algo barruntamos de ese tono mayor, serio, ético..."

Como comediante, tiene Cubillo un suave tono menor. Sus piezas teatrales son delicadas y pequeñas piezas de orfebrería. Cubillo no impresiona; se hace admirar con sus primores; es un artista fino, perfecto, casi moderno, que penetra en la fina trama y en la sólida contextura del arte escénico del ciclo de Calderón. Quien huya—alma abrumada de nervios—de las descargas eléctricas que son las obras de Lope, de Tirso, de Calderón..., encontrará un remanso sedante en las de Cubillo. Como quien angustiado de contemplar al Greco o a Goya, busca la contemplación de Rubens y de Rosales. Como quien deja de oír, obseso, delirante, las sinfonías de Beethoven o las oberturas de Wagner, y busca con fruición las tocatas de Mozart o los lieder de Schubert.

Cubillo es primoroso y menudo en todo. En la sátira. En el chiste. En el tema. En la psicología de los personajes. Sus ideas sobre la comedia nos la da en la "Carta que escribió el autor a un amigo suyo, nuevo en la corte".

> Si a la «comedia» fueres inclinado,
> y dejares tu casa estimulado
> de tus propios dolores,
> nunca vayas a ver en ella horrores;
> que si aquel breve espacio
> te desvías del peso de palacio,
> del pleito de las trampas e inquietudes,
> y a la comedia acudes
> quizá muerto y rendido
> a desahogar el ánimo afligido,
> no es desahogo ver en la «comedia»
> el insulto, el agravio, la tragedia,
> el blasfemo de Dios amenazado,
> el duelo ejecutado,
> la virtud ofendida,
> y a precio de una vida y otra vida,
> con bárbara violencia,
> la traición, la maldad y la violencia.

¿Qué linaje de gusto se halla en esto,
si aun a los mismos brutos es molesto,
y vuelves a tu casa
con la pena de ver lo que allí pasa,
que por torpe e injusto,
aunque representado, da disgusto?
Tengo por muy poco hombre y muy menguado
al que va a la comedia muy preciado
de oír cosas de seso,
que el tablado no se hizo para eso.

....
....

Si gustas de las veras, aquel rato
vete a oír un sermón, que es más barato;
si gustas de lo grave, y por ventura
has estudiado, lee la Escritura;
y si a los argumentos te dispones,
oye unas conclusiones,
que allí te explicarán con excelencia,
tal vez del alma y tal de Dios la esencia.

....
....

Mas la «comedia» búscala graciosa,
entretenida, alegre, caprichosa.
Y breve, que no es bien, faltando el tiempo,
que gaste mucho tiempo el pasatiempo.

¿Qué más podría añadirse a estos atinadísimos preceptos teatrales de Cubillo?
Monería. Filigrana. Encaje. Juguetería.
Delicadeza. Cubillo es todo esto. Su estilo
cae en el culteranismo, en la ampulosidad
a veces. Cubillo no es original, pero no imita
servilmente; modifica y mejora en ocasiones. Su fuerte no es el dramón heroico, para
el que le falta aliento poético, sino la comedia de costumbres, para la que le sobran donaire y picardía. En su afán desmedido por
lo primoroso, correcto y afiligranado, guarda no pocas semejanzas Cubillo con Moreto.
La obra teatral de Alvaro Cubillo de Aragón puede dividirse en: a) Comedias históricas: El rayo de Andalucía o Genízaro de
España, Los comendadores de Córdoba, El
conde de Irlos; b) Comedias de carácter:
Las muñecas de Marcela, El señor de Noches Buenas, y c) Comedias de figurón: El
invisible príncipe del baúl.
Diferentes obras de Cubillo aparecieron
impresas en las distintas partes de las "Comedias nuevas escogidas de los mejores genios de España", Madrid..., 1642-1679. Y
otras muchas sueltas.
Las ediciones modernas de Cubillo son escasísimas. Este autor ha permanecido injustamente olvidado hasta muy entrado el
siglo xx. Corresponde el acierto de su resurrección al doctísimo catedrático Valbuena
Prat, quien dio a conocer al público —1928—
dos de las mejores obras de carácter de Cubillo: Las muñecas de Marcela y El señor
de Noches Buenas, precedidas de un luminoso estudio. Antes que Valbuena, ya había
iniciado el movimiento reparador de tal injusticia el académico de la Española don
Emilio Cotarelo. Sin embargo, justo es apun

tar que en 1826 se publicó en Madrid una
selección del teatro de Cubillo —cuatro
obras—, y que en 1834, don Félix Enciso
Castrillón refundió Las muñecas de Marcela
con el título Las muñecas o El amor por el
tejado.
Cubillo fue muy querido y admirado de
sus contemporáneos. Su soberana simpatía
no le ganaba sino amigos y elogios sin cuento. En el Para todos —1632—, Pérez de Montalbáu le califica de "bizarro poeta". Avellaneda, en el "Certamen de la Soledad"
—1664—dice de él: "Alvaro Cubillo, ingenio
de alquitrán por ser de Granada y por el
fuego de sus obras, pues ha dado tanta
lumbre, que corren muy validas en la región
del aire; porque en alas de cohetes han
penetrado en esas esferas azules." Vélez de
Guevara, en su Diablo cojuelo, alude a su
"ingenio granadino, con aquel fuego andaluz
que todos los que nacen en aquel clima
tienen".

V. Cotarelo Mori, E.: Alvaro Cubillo de
Aragón, en Boletín de la Academia de la Lengua, 1918, 4.—Valbuena Prat, A.: Estudio
en la "Colección Clásicos Olvidados". Madrid,
1928, III.—Barrera, C. A. de la: Catálogo del teatro antiguo español.—Menéndez
Pelayo, M.: Obras de Lope de Vega. VII y
X.—Schack, Adolfo Federico, Conde de:
Historia de la literatura y del arte dramático
español. 1887, V.—Schaefer: Estudios acerca del teatro español.—Sainz de Robles,
Federico C.: Historia y antología del teatro
español. Madrid, M. Aguilar, siete tomos,
1944.

CUCURULL, Félix.

Poeta, ensayista, novelista, conferenciante.
Nació —1919—en Arenys de Mar (Barcelona).
Escritor español en lengua catalana. Ha dado
incontables conferencias en distintos lugares
de Francia y Portugal. En este país es muy
admirado y sus obras han sido traducidas al
portugués. Pero también algunos de sus escritos han sido traducidos al francés, provenzal, italiano, alemán, búlgaro, checo. Es un
poeta lleno de intimidad, pero en modo alguno olvidado de los temas humanos de su
tiempo. Novelista de un realismo entero,
implacablemente reflejado, pero envuelto en un
halo de poesía enternecida. En 1966 obtuvo
el "Premio Yxart" de ensayos.
Obras: A mig camí del seny—poesía,
1946—, Vida terrena—poesía, 1948—, Els
altres mons—poesía, "Premio Joaquín Folguera, 1953"—, L'ultim combat—novela,
1954—, A les 21,13—novela, 1956—, Només
el miratge—novela, 1956—, El temps que se'ns
escapa—poesía, 1959—, La pregunta i l'atzar
—cuentos, 1959—, El silenci y la por—novela, 1962.

CUÉLLAR, Jerónimo de.

Notable poeta dramático español. Nació —1608—en Madrid. Y en la misma ciudad —1669—murió. Su padre, Juan Lorenzo, fue contador de la Real Casa; y su madre, doña Ana de Chaux, nacida en Lorena, camarera fidelísima de la reina Isabel de Borbón, primera esposa de Felipe IV. En 1650 era Jerónimo ayuda de cámara de su majestad, que en el propio año le hizo merced del hábito de Santiago. Con el rey fue—1660—a la frontera de Francia para la entrega de la infanta doña María Teresa, que iba a contraer matrimonio con el monarca francés. A su regreso a Madrid obtuvo las Secretarías de los Reales Descargos y de la Cámara del Consejo de la Cruzada. Desde 1665 desempeñó la de las Ordenes Militares.

Fue Cuéllar un notable dramaturgo, del que se conocen dos obras teatrales: *Cada cual a su negocio* y *El pastelero de Madrigal.* La segunda, basada en el famoso proceso de Gabriel Espinosa—1595—, después de la desaparición del rey portugués don Sebastián, es su producción maestra. Drama intenso, perfectamente escenificado, en versos fáciles y fluidos, algunas de cuyas escenas en nada desmerecen de las mejores de Lope y de Calderón. En este drama de Cuéllar se inspiró Zorrilla para el suyo *Traidor, inconfeso y mártir.*

Jerónimo de Cuéllar ha sido incluido por la Real Academia Española en el *Catálogo de autoridades de la Lengua.*

Cada cual a su negocio puede leerse en el tomo XLVII de la "Biblioteca de Autores Españoles": *Dramáticos posteriores a Lope de Vega.* Para *El pastelero de Madrigal* hay que recurrir a reimpresiones del siglo XVIII.

V. BARRERA, C. A. de la: *Catálogo... del teatro antiguo...*—SAINZ DE ROBLES, F. C.: *Historia y antología del teatro español.* Madrid, 1943. Tomo III.

CUÉLLAR, José Tomás.

Novelista mexicano. Nació—1830—y murió—1894—en la ciudad de México. Cursó estudios militares en la Academia de Chapultepec, y combatió heroicamente contra los invasores norteamericanos en 1847. Habiendo abandonado la milicia, estudió Arte en la Academia Nacional de San Carlos, llegando a ser un pintor de positivo mérito. Secretario en la Legación mexicana en Washington y subsecretario de Relaciones Extranjeras. Utilizó el seudónimo de "Facundo" para firmar sus colaboraciones en la prensa. Como novelista cultivó un realismo bastante melodramático, pero con indudables virtudes genéricas.

Obras: *El pecado del siglo, Ensalada de pollos, Historia de Chucho el Ninfo, Isolina*

la exfiguranta, Los mariditos, Gabriel el cerrajero o Las hijas de mi papá, Las gentes son así, Los Fuereños, La Nochebuena.

CUENCA, Carlos Luis de.

Periodista, poeta y autor dramático español. Nació—1849—en Madrid. Murió—1927—en Avila. Doctor en Derecho por la Universidad Central. Alcanzó el grado de auditor de división en el Cuerpo Jurídico Militar. Colaborador muy solicitado en revistas y periódicos, y asiduo, durante muchos años, de *El Debate, A B C* y *Blanco y Negro,* de Madrid.

Como poeta lírico, de exuberante vena cómica, tuvo un público tan numeroso como adicto. Pero también produjo poemas épicos y religiosos tan hermosos como los dedicados a la *Eucaristía* y a *España ante la guerra con los Estados Unidos.* Usó en su colaboración periodística los seudónimos "Luis de Charles", "Fulano de Tal" y "Mefistófeles". Escribió más de 8.000 composiciones poéticas cómicas y más de 5.000 artículos del mismo género, estos y aquellas henchidos de verdadera gracia y escritos con una pasmosa facilidad de rima.

Obras: *Alegrías*—versos—, *Fruslerías selectas*—versos, 1929—, y las producciones escénicas: *La herencia de un rey*—drama—, *Cristóbal Colón*—ópera—, *Entregar la carta*—comedia—, *Mambrú, Fama inmortal, Un nudo morrocotudo, De Madrid a la luna, Lisístrata, La tarjeta de Canuto, La divina zarzuela, Franceses y prusianos...*

CUERVO, Rufino José.

Filólogo y crítico magistral. El más insigne que produjo la raza española en el siglo XIX, en opinión de Menéndez Pelayo. 1844-1911. De Bogotá (Colombia). Gran conocedor de la lengua castellana, enseñó durante muchos años en su ciudad natal. Vivió —desde 1882—y murió en París. Es curioso observar cómo Colombia y Venezuela han producido los mejores hablistas hispanoamericanos. Cuervo fue un coloso de la filología, sabio admirable y modestísimo, de paciencia benedictina, uno de los primeros que introdujeron la comparación histórica en el estudio de nuestra lengua, y el más sutil analizador de las variantes del habla popular de Bogotá. Durante muchísimos años vivió en París, encerrado en una modestísima habitación, y dedicado con fervor infatigable a la ciencia del lenguaje y a cuanto con ella estuviera relacionado. Su *Diccionario de construcción y régimen de la lengua castellana* es una monumental obra maestra, en dos volúmenes de más de dos mil páginas; obra que no llegó a concluir por falta de recursos y porque las citas preparadas las había tomado de la "Colección de Autores Españoles", de Rivadeneyra, y después conoció estar dichas ediciones llenas de errores.

El Prólogo de su *Diccionario* se lo aderezó el admirable escritor P. Miguel Mir, pues Cuervo no escribía con la elegancia que él quisiera, ni desechaba por completo, como deseara, los galicismos. "Su valer—escribe Cejador—está en el criterio exactísimo con que aplicó la lingüística histórica comparada al estudio de las palabras, y, sobre todo, en el ojo clínico con que hacía anatomía psicológica de las voces, de su construcción y evolución."

La *Gramática latina* que escribió en su juventud, en colaboración con Caro, es la mejor, dijo la Academia Española, de las que se habían publicado hasta 1891. Y el gran filólogo alemán Rudolf Lenz declaró eje de la revolución filológica en América el *Castellano popular y castellano literario* de Cuervo.

También Cuervo añadió un prólogo admirable y unas notas sutilísimas a la *Gramática de la lengua castellana*, de Andrés Bello. Por su doctísimo criterio, su erudición vasta y honda, su estilo severo y su modestia singular, ha merecido Cuervo una de las glorias más indiscutibles de las letras hispanoamericanas.

Otras obras: *Apuntaciones críticas sobre el lenguaje bogotano*—Bogotá, 1867—, *El castellano en América*—ensayo.

V. VALERA, Juan: *Cartas americanas*. Madrid, 1889.—CEJADOR, Julio: *Pasavolantes*. Madrid, 1913.—FABO, Fray Pedro: *Rufino José Cuervo y la lengua castellana*. Bogotá, 1912. Tres tomos.—DIHIGO, J. M.: *Rufino José Cuervo*. La Habana, 1912.—TANNENBERG, Boris de: *Cuervo, íntimo*, en *Bulletin Hispanique*, 1911, XIII.—ARANGO FERRER, Javier: *La literatura colombiana*. Universidad de Buenos Aires, 1940.

CUETO, Leopoldo Augusto.

Marqués de Valmar. Crítico, literato e historiador español. Nació—1815—en Cartagena. Murió—1901—en Madrid. Doctor en Derecho. Diplomático. Viajó como tal por todo el mundo, adquiriendo generales simpatías. Consejero y secretario de Estado. Senador vitalicio. Mayordomo de Palacio. Académico de la Española de la Lengua—1858—y de la de Bellas Artes de San Fernando. Hábil político. Diplomático perspicaz. Escritor pulcro y cultísimo. Crítico ecuánime. Investigador serio. Compuso poesías líricas elegantes, refinadas y cultas. Pero le hizo más famoso la erudición literaria. Desde 1839 publicó en el famoso *Semanario Pintoresco Español* artículos de crítica literaria, teatral y ligera acerca de las novedades del día. Su magis-

tral discurso de ingreso en la Academia Española versó sobre el poeta Quintana; y no menos admirable es su *Discurso necrológico en elogio del duque de Rivas*, cuñado suyo.

Obras: *Historia crítica de la poesía castellana en el siglo XVIII*—Madrid, 1893, tres volúmenes—, edición de *El Cancionario de Baena*—1853—, *El arte pagano y el arte cristiano, Fraternidad constante de las lenguas y las letras de Castilla y Portugal*—1872—, *La leyenda de Virginia en el teatro, Los hijos vengadores en la literatura dramática, Estudio sobre el "Don Juan Tenorio"*—1882—, edición de *Las Cantigas del Rey Sabio*—1889, obra premiada por la Real Academia Española y editada magníficamente a sus expensas—, *Poesías líricas y dramáticas, Estudios de crítica literaria*—1900—, *Doña María Coronel*—drama, 1844—, *Cleopatra*—1845, drama—, *Biografía del conde de Toreno*...

V. MENÉNDEZ PELAYO, M.: *Crítica literaria*. 1898. 5.ª serie.

CUEVA, Jorge y José de la.

Periodistas, críticos y dramaturgos españoles. Nacieron—1884 y 1887, respectivamente—en La Palma (Huelva). José murió—29 de diciembre de 1955—en Madrid. Y Jorge, en Madrid, el 23 de mayo de 1958. Desde muy jóvenes se dedicaron al periodismo. Su prestigio nació en 1907, al organizar *Heraldo de Madrid* un concurso para premiar la mejor zarzuela o sainete. Los hermanos Cueva alcanzaron el premio con su obrita *¡Aquí hase farta un hombre!*, a la que puso música el maestro Chapí, y que fue estrenada con mucho éxito en el teatro Apolo, de Madrid, en 30 de enero de 1909.

Desde esta fecha, estos autores, de fina gracia y de gran sensibilidad, dominadores de la técnica teatral y de los efectos escénicos, han escrito muchas obras para el teatro, todas ellas limpias y sentimentales, obteniendo grandes éxitos.

Desde hace muchos años, Jorge, en el diario *Ya*, y José, en *Informaciones*, de Madrid, ejercieron con autoridad la crítica teatral. Acaso esta dedicación motivara el que apenas volvieran a estrenar.

Obras: *Penas buscadas, Agua de mayo, Al alcance de la mano, Buena recomendación, Creo en ti, Como era en un principio*...

CUEVA DE GAROZA, Juan de la.

Gran poeta y famoso dramaturgo español. ¿1543?-1610. Juan de la Cueva nació en Sevilla como pudo nacer en Burgos. El se apresura a decirnos en el historial genealógico de su apellido—escrito por él mismo con el fervor y con la prosopopeya del caso—que su linaje apunta en el mismísimo don Bel-

C

trán de la Cueva, valido de don Enrique IV de Castilla y supuesto amante de la reina doña Juana; que tuvo por padre al hidalgo castellano don Martín López de la Cueva, y un primo carnal, Andrés Zamudio de Alfaro, médico de Felipe II, y un abuelo, don Francisco de Zamudio, caballero de Calatrava, y un hermano—su único hermano varón, Claudio—, arcediano inquisidor y superintendente... Mucho, mucho se pavonea Juan de la Cueva de su castellanía. Diríase que no se encuentra a gusto sino embutido en ella, porque la nota ajustada a su empaque y dándole toda la apariencia debida de caballero serio a quien pueden retratar, sin menoscabo de sus nobilísimos pinceles, Sánchez Coello o el *Greco*. Los retratos todos que nos quedan de Juan de la Cueva nos le presentan así: cabellos rizados, bigote cuidado, mosca grande, gola escarolada o encañonada, ojos de gran severidad. Y en todo su continente un no sé qué—o un qué sé yo—de solemnidad seca, de plante muy estudiado, de nobleza conseguida a fuerza de irse sin desánimo sobre sí mismo, de espíritu rectilíneo, que pretende olvidarse de un pasado real por el que no siente la menor simpatía.

Las primeras escapatorias de un alma tan conmovida por salirse de su tierra, de su pasado y hasta de sí, fueron... ahí cerca, A Cuenca. A Guadalajara. Iba a visitar a su hermano Claudio, que ya gozaba, tan jovencito, de aquel arcedianato. Después... De nuevo a Sevilla. A estudiar con el maestro Mal-Lara, quien al morir—1571—le cede su estudio, le traza una norma... ¡tan aburrida, ¡ay!..., que Juan no puede, no quiere seguirla! Después..., a enamorarse platónicamente de Felipa de la Paz, a quien en vez de cantar por fandangos prematuros, cantará con versos clásicos caducos. Después..., a enamorarse carnalmente de Brígida Lucía de Belmonte, juventud ardiente, con la que se conectó en la tertulia poética de Argote de Molina. Después... ¡Cómo le apremian a Juan sus veinticuatro años, estériles aún, cuando sus anhelos montan ya desbocados potros! Con su hermano Claudio, en sigilo, prepara la gran aventura de los caballeros castellanos. Y en el último tercio de 1574 se largan a Nueva España. ¿Qué piensan hacer allí? Claudio, que es mucho menos soñador que Juan, y que le acompaña remolón, por no dejarle irse solo..., se engancha bien pronto en lo suyo: la Iglesia. Moya de Contreras, arzobispo de México, escribe —marzo de 1575—acerca de él así: "Claudio de la Cueva, medio racionero, natural de Sevilla, vino de España por el septiembre pasado; da buena muestra de su persona, porque parece humilde y virtuoso, sirve bien su oficio y muestra habilidad, es de veynte y cuatro años y ase ordenado de euangelio." ¿Y Juan? ¿Qué hará Juan, que ni es humilde, ni demasiado virtuoso, ni sabe oficio alguno, ni muestra habilidad cualquiera? ¿Qué haría don Juan? Escribiría versos. Que no le servirían para nada. Cambiaría estocadas. De cuyo cambio no le vendrían beneficios grandes ni pequeños. Se lanzaría a descubrir fuentes de ríos y vertientes de cordilleras. Con cuyas hazañas no llevó nuevos trazos a las cartas geográficas más modestas. ¡Ah! Lo más plausible que hizo durante su estancia en México fue suplicar, en un soneto, al bárbaro asistente general, don Bernardino de Avellaneda, que perdonase al simpático y joven poeta Alonso Alvarez de Soria, quien estaba preso y condenado a muerte por haber apodado con cierta gracia y mejor fortuna a don Bernardino. Cueva escribió el soneto. Avellaneda lo leyó. Alvarez Soria murió ahorcado. La vena poética de aquel no debió tener la menor fuerza emotiva. Cueva, en este caso, hace el efecto de esos abogados defensores novatos que con la mejor buena fe evitan su peroración acusatoria al fiscal. Su sinceridad impetuosa le pierde a Juan de la Cueva. ¡Cuántas veces y con qué acentos le aconsejaron paciencia y prudencia sus deudos y amigos! ¡Y cuántas él se propuso y prometió enmendarse! Inútilmente. Dos años después, a principios de 1577, amargado, más castellano que nunca, por lo que ha ganado de melancolía temperamental; pobre, casi viejo en sus veintisiete años, sin otro equipaje que el poético, harto abultado, regresa a España con su hermano Claudio. ¿Qué harán en España? Claudio, en seguida se alza con el arcedianato de Guadalajara. Juan... ¿Qué proyectos trae el desilusionado, el desengañado, el amargado Juan de la Cueva? Para curarse en salud..., desdeñarlo todo. ¿Ventura? La que buenamente le traiga la vida. ¿Programa? Que nos lo confiese él. Y en verso.

Gozaré a mi placer del aire puro,
cantaré libremente en la ribera
del Betis, que rodea el patrio muro;

repartiré la vida de manera
que me tengan envidia los presentes
y los que el siglo por venir espera.

Templaré los altivos accidentes
de la envidia, del mundo señoreada,
cortando el hilo a libres maldicientes...

Dejaré al arrogante en su locura,
al altivo en su vana confianza,
al avaro en su hambre sin hartura.

Reiréme del que pone su esperanza
en el que espera en otro su remedio,
siendo menos que nada su privanza.

Puesto, señor, en este justo medio,
huiré lo malo, elegiré lo bueno,
a la razón siguiendo que anda en medio.

Sabré aprobar aquello que condeno
por malo, y conocer abiertamente
el odio oculto del doblado seno.

Sabré, si me agravara el accidente
de la necesidad, que tanto estraga,
aplicarle el remedio conveniente.

Ya con pie firme en Sevilla, tornan a bazuquearle los comezones literarios. Vuelve a los cenáculos, tertulias y mentideros. Pretende en la Audiencia. Satiriza de autoridades y émulos. Compone y estrena comedias con resultados diversos. Derrocha pronto lo que tarda en ganar. Ama y odia. ¿Qué más podía hacer? ¿Ni qué otras cosas? Sus dos alegrías más grandes: los estrenos de sus obras dramáticas. *Los siete infantes de Lara* —1579—y *El infamador*—1581—. Las dos en la famosa "Huerta de Doña Elvira"; la primera, representada por Alonso Rodríguez, y la segunda, "por el excelente y gracioso" Alonso de Cisneros.

En el año 1609, Juan de la Cueva firma una nueva copia de su *Exemplar poético*. Nada más se sabe de él. Su más puntual cronista, Icaza, calla. Juan de la Cueva murió en Sevilla, fervoroso, en 1610.

Como lírico, el valor de Juan de la Cueva es muy relativo. Me libraré muy mucho de aceptar la chuscada crítica del malhumorado Gallardo, quien dijo de los romances de Juan de la Cueva que eran "acaso los peores que se leen en castellano". Tampoco creo, con Icaza, que, más aún que del teatro lopesco, sea Cueva precursor de la poesía española del siglo XVIII. Antes de su viaje a Nueva España, Cueva fue petrarquista. Más tarde abominó de esta tendencia. Y se hizo, más que herreriano, vena suelta de Castilla. La mayoría de sus composiciones son autobiográficas, eróticas o descriptivas, "viéndose a través de ellas el alma sincera e infantil del poeta". Ni como preceptista ni como discípulo de la escuela herreriana puede considerársele, remacha Menéndez Pelayo, con la cual tuvo relaciones más que hostiles; su verdadero puesto está en la escuela independiente y popular, "sublimada luego por el ingenio de Lope de Vega".

La importancia grande de Juan de la Cueva es considerada como dramaturgo. Como tal, su mejor elogio lo hace Cervantes en el *Canto a Calíope*:

Dad a Juan de las Cuevas el devido
lugar, cuando se ofrezca en este asiento,
pastores, pues lo tiene merecido
su dulce musa y raro entendimiento.
Sé que sus obras del eterno olvido,

a despecho y pesar del violento
curso del tiempo, librarán su nombre,
quedando con su claro alto renombre.

No sé hasta qué punto cabe considerar a Juan de la Cueva como precursor de Lope; lo que sí es necesario concederle es el ser él quien primero inició el auténtico drama nacional, el drama derivado de nuestra gloriosa y vieja Historia. Y, sin discusión, uno de los aspectos más castellanos—o españoles, que vale más ampliar el concepto—de este drama: el llamado de capa y espada. Hasta cuando Cueva acude, en pocas obras, a los argumentos de la antigüedad clásica, sin querer él, los hispaniza por completo. Muchas veces su escasa cultura redujo sus obras a embriones bárbaros y un tanto confusos. Y en esto estriba, tal vez, el olvido en que durante siglos ha permanecido. Como a todo precursor titubeante y torpe, le atropellaron con compasión los triunfos de cuantos venían detrás aprovechando sus enseñanzas.

Sus principales dramas, basados en la antigüedad clásica, son: *La muerte de Virginia, La tragedia de Ayax Telemón, La libertad de Roma por Mucius Scévola* y *El vil amador*. En las tradiciones españolas están basados: *Los siete infantes de Lara, Muerte del rey don Sancho y reto de Zamora, La libertad de España por Bernardo del Carpio, El saco de Roma y muerte de Borbón* y *El degollado*.

Como poeta puro escribió: *Coro febeo de romances historiales, Llanto de Venus en la muerte de Adonis, La conquista de la Bética* —1603—y el *Viaje de Sannio*—1585—. Como preceptista, el *Exemplar poético*—1606—, cuyas discretísimas reglas él fue quien primero no cumplió. Como narrador: la *Historia de la Cueva y descendencia de los duques de Alburquerque*—1604—, en la que estudia el origen de su propio apellido.

Del lírico Juan de la Cueva escribe el finísimo crítico Icaza: "Entre las poesías líricas y la vida de este autor hay un nexo directo e inmediato; pero la impersonalidad del escritor dramático es desconcertante. El alma de ese poeta—llena de piedad filial—, en quien los afectos íntimos pasan con frecuencia de lo tierno a lo ridículo, en dedicatorias y en descripciones familiares, no hay manera de descubrirla en el impulso brutal del que, por razón de Estado, perdona el fratricidio en el príncipe tirano, y llega a loarlo y a admirarlo en la constancia de Arcelina, por razón de amor.

"Y es que Cueva, sincero hasta la puerilidad en su lírica, es improvisador e inconsciente hasta lo descabellado e injusto en su dramática. De ahí sus aciertos y sus errores: la bondad y la gracia de algunos de sus versos, y el prosaísmo de muchos. La prosa de nuestra vida diaria no se tornará jamás en poesía, redimida por la música del verso; antes se hará este prosaico al contacto con la vulgaridad vivida, si el poeta, primero que la rima y el ritmo, no encuentra en sí, íntimamente, la esencia de poesía que existe en el diario vivir, y Cueva la halló pocas veces."

Creo que las más interesantes ediciones antiguas de las obras de Juan de la Cueva: *Coro febeo*—Sevilla, 1587—, por Juan León; *Primera parte de las comedias y tragedias de Juan de la Cueva*—Sevilla, 1580 y 1588.

Ediciones modernas excelentes son: *Tragedias y comedias de Juan de la Cueva*—Madrid, 1917, edición de "Bibliófilos Españoles"—, *Viaje de Sannio*—1886, edición Wulff; edición "Clásicos Castellanos", Madrid, 1941, Espasa-Calpe; tomo XCV de las "Bibliotecas Populares Cervantes", Madrid, C. I. A. P.; tomo I de la *Historia y antología del teatro español,* de Sainz de Robles, Madrid, 1943.

V. Icaza, Francisco A. de: *Estudio* a las obras de J. de la C., en la "Edición de Bibliófilos Españoles", Madrid, 1917.—Icaza, Francisco A. de: *Estudio* en el tomo LX de la "Colección de Clásicos Castellanos", 1941, 2.ª edición.—Icaza, Francisco A. de: *Sucesos reales que parecen imaginarios... de Juan de la Cueva.* Madrid, Hernando, 1919.—Wulff: *Poèmes inédits de Juan de la Cueva,* en *Anales de la Universidad Sueca de Lund,* 1886-1887.—Walberg, E.: *Juan de la Cueva et son "Exemplar poético".* Lund (Suecia), 1904.—Menéndez Pelayo: *Historia de las ideas estéticas en España.* Tomo II de la primera edición.—Schack, Conde de: *Historia del arte dramático en España.*—Sainz de Robles, F. C.: *Historia y antología del teatro español.* Madrid, 1943, tomo I.—Sainz de Robles, F. C.: *Historia y antología de la poesía castellana.* Madrid, 1946.

«CUEVAS, Francisco de las».

Su verdadero nombre y apellido: Francisco de Quintana. Nació—¿1595?—en Madrid. Y en Madrid murió—1658—. Fue sobrino del famosísimo historiador Jerónimo de Quintana; y varón de excelentes prendas, virtudes y sabiduría; gran teólogo, filósofo, orador y literato. El 13 de mayo de 1625 ingresó en la Congregación de la Venerable Orden de San Pedro, para sacerdotes naturales de Madrid, que había fundado su tío, al que sucedió—1644—como rector del Hospital de la Latina, en la villa y corte. Capellán mayor tres veces de aquella Congregación. Entrañable amigo de Lope de Vega. En su testamento ordenó que se le enterrase—como así se hizo—en el convento de San Francisco.

Obras: *Las experiencias de amor y fortuna*—Madrid, 1626, obra traducida al italiano

por Bartolomé de Bella y publicada en Venecia el año 1654—, *Historia de Hipólito y Aminta*—Madrid, 1627, poema imitación de Heliodoro, en prosa y verso—, *Epítome de todas las historias de España, República imaginada, Del precio eterno de los justos*—Alcalá, 1645, en un tomo de *Sermones varios*—, *Oración fúnebre*—1635, impreso en la *Fama póstuma,* de Montalbán, pronunciado en las exequias que dedicó al glorioso Lope de Vega la Congregación de San Pedro.

CUEVAS, José y Jesús de las.

Periodistas, poetas, narradores y eruditos españoles. Nacieron—1918 y 1920—en Arcos de la Frontera (Cádiz). Jesús es licenciado en Filosofía y Letras. Ambos de mucha cultura, prosistas excelentes y *motores intelectuales* de la actual efervescencia lírica de su tierra natal.

Juntos han escrito: *Vivir contigo*—Sevilla, 1955—, *Cuando los ángeles hablaban con los hombres*—teatro, 1946—, *Pueblo dormido*—teatro, 1946—, *La bodega entrañable*—novela, 1957—, *Historia de una finca*—novela, 1958.

Son obras de Jesús: *Nuevas páginas sobre la viña y el vino de Jerez*—1952—, *Epistolario de Reinoso y Roldán,* "Fernán Caballero" y G. Gómez de Avellaneda, *Una carta inédita de Bécquer, Francisco Pacheco* y *Una polémica andaluza sobre el Greco en el siglo XIV.*

Los dos hermanos colaboran en los más importantes diarios y revistas de España.

CUEVAS, Mariano.

Erudito y crítico mexicano. Nació—1879—en México. En 1896 ingresó en la Compañía de Jesús, estudiando en las Universidades de San Louis, de Missouri; Gregoriana, de Roma, y de Lovaina. Durante algún tiempo vivió en Sevilla, con el deseo de estudiar los fondos maravillosos del Archivo de Indias.

El P. Mariano Cuevas ha conseguido justa fama como investigador, como historiador y como crítico.

Obras: *Documentos inéditos para la historia de México (siglo XVI)*—México, 1914—, *Cartas y otros documentos de Hernán Cortés,* nuevamente descubiertos—Sevilla, 1915—, *Historia de la Iglesia en México* (1921-1928); *Album histórico guadalupano del cuarto centenario*—1930.

CUEVAS GARCÍA, Mariano de las.

Nació—1876—en Valladolid. "Poeta fácil, abundante, rico y desigual, cantó unas veces motivos de raza hispánica y otras penetró en la sensibilidad confusa del jardín modernista. Y hay siempre en Cuevas verbo y aliento también, sonoridad de verso e ímpetu épico a través de toda su obra." (V. P.)

Vivió en México desde 1894 a 1922. Su teatro es hábil, de una fuerte vehemencia romántica.

Obras: *Los rosales florecen*—1924—, *Toledo, el diablo y la luna*—poema, 1931—, *Arqueta lírica*—1933—, *La dama del tapiz*—leyenda, 1943...

CÚNEO VIDAL, Rómulo.

Historiador y literato de prestigio. Del Perú. Nació—¿1876?—en Arica. Doctor en Derecho. Diplomático. Ha viajado por todo el mundo, como consejero o agregado a las Legaciones del Perú en distintos países. Ha colaborado en importantísimas revistas: *Boletín del Instituto Histórico del Perú, Boletín de la Real Academia Española de la Historia, El Comercio,* de Lima; *Hispania,* de Madrid. Individuo de número del Instituto Histórico del Perú, correspondiente de la Real Academia Española de la Historia, de la Real Academia Hispano-Americana de C. y A., de Cádiz; honorario del Ateneo Hispano-Americano de Buenos Aires y de la Junta de la Historia Nacional de Montevideo; director honorario del Centro de Cultura Valenciana, de Valencia; individuo de la Sociedad Boliviana del Perú, del Directorio de la Sociedad Geográfica de Lima, correspondiente de la Sociedad Geográfica de La Paz.

De mucha y severa cultura. De prosa castiza. Muy ameno en la exposición de los temas.

Obras: *Historia de la civilización peruana,* precedida de un ensayo y de determinación de la ley de traslación de las civilizaciones americanas (Maucci, Barcelona); *Vida del conquistador del Perú, don Francisco Pizarro y de sus hermanos Hernando, Juan y Gonzalo Pizarro y Francisco Martín de Alcántara* (Maucci); *Historia de las guerras de los últimos incas peruanos contra el poder español* (Barcelona); *Historia de las insurrecciones de Tacna por la independencia del Perú* (Imprenta Gil, Lima); *España: Impresiones de un suramericano* (Garnier Frères, París); *Historia de los cacicazgos del sur del Perú; Historia de la fundación de la ciudad de San Marcos, de Arica; Historia de la rebelión de José Gabriel Condorcanqui Tupac Amaro; Cristóbal Colón, italiano; Diccionario histórico-biográfico del sur del Perú, Enciclopedia incana* y *Mariano Melgar; su vida, sus amores, sus versos.*

CUNQUEIRO, Álvaro.

Poeta y prosista español contemporáneo, nacido en Mondoñedo (Lugo) el día 22 de diciembre del año 1912. Estudió en la Universidad de Santiago de Compostela. Entre 1939 y 1949 ejerció ardorosamente el periodismo en Madrid. De la Real Academia Gallega. Estilista admirable, sin igual, de una pulcritud desusada en nuestros días, sus crónicas son verdaderas obras de recamada orfebrería, con sabor antiguo y vigor eternos. Emparentado con Vicetto y Valle-Inclán, en las aulas compostelanas recibió una erudición, que supo mojar en las buenas tabernas, como la del "Padre Benito". Enamorado de la Edad Media y de todos sus fantasmas célticos, su prosa y su verso tienen una auténtica huella característica. Escribió en gallego versos peregrinos, de buena "fabla" antigua.

Escritor rodeado de anecdotario vivísimo, es tan interesante su vida como su obra. Es autor de *Marao norde*—1932—, *Poemas de sí e non y Cantiga nova que se chama riveira* —"Premio Gil Vicente, 1934"—, *Paisajes y retratos*—1936—, *Elegías y canciones*—1940—, *Rogelia, en Finisterre*—1940—, *Balada de las damas del tiempo pasado*—1944—, *San Gonzalo*—1945—, *El caballero, la muerte y el diablo*—1947—, una edición de las *Obras completas* de Gil Vicente—1948—, *Merlin y familia*—Barcelona, 1957—, *Las crónicas del Sochantre*—Barcelona, 1959—, *Escola de Menciñeiros*—Vigo, 1960—, *Las mocedades de Ulises*—Barcelona, 1960—, *Cuando el viejo Simbad vuelva a las islas*—Barcelona, 1962—, *Un hombre que se parecía a Orestes* —novela, "Premio Nadal, 1968"—, *Flores del año mil y pico de ave*—1968.

Es curioso decir que Alvaro Cunqueiro es un inteligente gastrónomo, erudito en cosas de cocinas y vinos de Europa. Ha sido subdirector del diario *A B C* y ha colaborado en las mejores revistas y diarios españoles.

CURROS ENRÍQUEZ, Manuel.

Notable y popular poeta, literato y periodista español. Nació—1851—en Celanova (Orense). Murió—1908—en la Habana. Licenciado en Derecho. En 1870 marchó a Madrid, ingresando en la Redacción de *El Imparcial,* periódico en el que escribió curiosísimas crónicas de la guerra carlista. De ideas liberales, colaboró en otras muchas publicaciones, como *Madrid Literario, Ilustración Republicana Federal, El Porvenir, El Combate*... En 1876 regresó a Orense, donde ocupó un cargo en la Administración de Hacienda, y obtuvo numerosos premios por varias deliciosas poesías gallegas. En 1904 fue coronado públicamente en La Coruña. Poco después marchó a la Habana para seguir ejerciendo el periodismo. Y en la capital cubana murió. En 1893 fundó en la Habana

Tierra Gallega, y fue muchos años redactor del *Diario de la Marina.*

Curros Enríquez está considerado como uno de los dos más grandes poetas que ha tenido Galicia. El otro, Rosalía de Castro. Para muchos críticos, superior a esta. Realmente, su lirismo es hondo, emocionante, patético, de una musicalidad inefable, de una sensibilidad exquisita, que a veces roza con la sensiblería; de un localismo lleno de colorido y de verdad permanente.

Obras: *El maestre de Santiago*—1892—, *El Padre Feijoo*—drama—, *Poesías escogidas* —Madrid, 1909 y 1910—, *Cartas del Norte, La condesita, Paniagua y Compañía (Agencia de Sangre), El último papel, Hijos ilustres de Galicia, Artículos escogidos*—Madrid, 1911—, *Vida de Eduardo Chao*—biografía—, *Aires d'a miña terra*—poesías, traducidas al castellano por Constantino Llombart. Madrid, 1892—, *Collar de perlas*—novela—, *O divino sainete*—La Coruña, 1888—, Edición: *Obras escogidas,* Madrid, Aguilar, 1956.

V. CARRÉ ALDAO, Eugenio: *Literatura gallega,* 2.ª edición. Barcelona, 1911.—BLASCO IBÁÑEZ, Vicente: Prólogo a la edición de *Aires d'a miña terra.* Madrid-Valencia, 1902. GAMALLO FIERROS, D.: *Curros Enríquez,* "Premio del Centro Gallego de la Habana, 1951". COUCEIRO FREIJOMIL, A.: *El idioma gallego (Historia. Gramática. Literatura).* Barcelona, 1951.—COUCEIRO FREIJOMIL, A.: *Diccionario biobibliográfico de escritores gallegos.* Tomo I, A-E. Santiago de Compostela, 1951.

CH

CHABÁS MARTÍ, Juan.

Poeta, novelista y crítico literario. Nació —1898—en Denia (Alicante). Murió—1954— en Santiago de Cuba. Licenciado en Derecho y doctor en Filosofía y Letras por la Universidad de Madrid. Profesor de Literatura española en la Universidad de Génova (Italia). Colaborador del Centro de Estudios Históricos, de Madrid, y de buenas publicaciones literarias, como la *Revista de Occidente* y la *Gaceta Literaria*. Viajó por Europa y América. Como poeta, delata ciertas reminiscencias juanramonianas. Vale mucho más como prosista. Sus novelas, de acción lenta y de estilo terso, sorprenden por su originalidad constructiva. Sus ensayos críticos son agudos.

Obras: *Espejos*—poesías, 1920—, *Sin velas, desvelada*—novela, 1923—, *Puerto de sombra*—novela, 1926—, *Tornaluz de Sevilla* —novela, 1927—, *Italia, fascista*—1930—; *Peregrino sentado*—narraciones—, *Agor sin fin*—novela, 1930—, *Historia de la literatura española*—Barcelona, Iberia, 1932—, *Vuelo y estilo*—crítica literaria, tomo I—, *Literatura española contemporánea* (1898-1950) —la Habana, 1952—, historia que abunda en errores y en peregrinos considerandos. *Fábula y vida*—narraciones, Santiago de Cuba, 1955—, *Arbol de ti nacido*—la Habana, 1956—, *Con los mismos ojos*—la Habana, 1956.

CHACEL, Rosa.

Novelista, poeta y cuentista española. Nació—1898—en Valladolid. Ha vivido casi siempre en el extranjero: Inglaterra, Italia, Francia, Estados Unidos, México. Apenas salida de la niñez, inició su aprendizaje de dibujo; y a los dieciséis años ingresó en la Escuela de Bellas Artes de San Fernando, y frecuentó las tertulias del Ateneo. Colaboró en la *Revista de Occidente,* y formó en el grupo de Francisco Ayala, Antonio Espina, Valentín Andrés Alvarez, César Arconada...

Como novelista, Rosa Chacel pertenece a una tendencia en la que el realismo queda diluido en las imágenes y en las lucubraciones muy personales.

Obras: *Estación. Ida y vuelta*—novela, Madrid, edit. Ulises, 1930—, *A la orilla de un pozo*—poemas, Madrid, 1936—, *Teresa* —Buenos Aires, edit. Nuevo Romance, 1941—, *Memorias de Leticia Valle*—novela, Buenos Aires, edit. Emecé, 1945—, *Sobre el piélago*—relatos, Buenos Aires, edit. Imán, 1952—, *La sinrazón*—novela, Buenos Aires, edit. Losada, 1960—, *Ofrenda a una virgen* —relatos, 1960.

V. MARRA-LÓPEZ, José R.: *Narrativa española fuera de España* (1939-1960), Madrid, Ediciones Guadarrama, 1963, págs. 133-147.— NORA, Eugenio G. de: *La novela española contemporánea*. Madrid, edit. Gredos, 1962, tomo II, págs. 204-207.

CHACÓN Y CALVO, José María.

Crítico literario y prosista cubano. Nació —1893—en Santa María del Rosario (provincia de la Habana). Murió—1969—en la Habana. Doctor en Leyes y en Filosofía y Letras. Consejero de la Secretaría de Justicia—1915 a 1918—. Agregado—1918—, secretario del embajador—1918-1926—y secretario de la Embajada de Cuba en Madrid—1926-1934—. Miembro de la Academia de Artes y Letras de la Habana y de la Academia Nacional de la Historia. Miembro correspondiente de la Academia Española de la Lengua y de la Española de la Historia. Director de Alta Cultura de la Secretaría de Educación.

Durante su larga estancia en España dio innumerables y magníficas conferencias en el Ateneo de Madrid, en la Universidad de Salamanca y en otros importantes centros de cultura.

Chacón y Calvo fue un crítico excepcional por su mucha cultura, la finura y hondura de sus juicios, su redacción sucinta y categórica y su clarísima y noble comprensión.

Obras: *Orígenes de la poesía en Cuba* —1913—, *Romances tradicionales de Cuba* —1914—, *Gertrudis Gómez de Avellaneda: las influencias castellanas*—1914—, *Vida universitaria de Heredia*—1916—, *Cervantes y* el romancero—1917—, Hermanito menor —San José de Costa Rica, 1919—, Tablas de variantes en las poesías de la Avellaneda —1920—, Ensayo de literatura cubana—Madrid, 1922—, Las cien mejores poesías cubanas—Madrid, 1922—, Ensayos sentimentales —San José de Costa Rica, 1923—, Manuel de la Cruz—Madrid, 1925—, Del epistolario de Heredia—en homenaje a Menéndez Pidal, Madrid, 1926—, Los comienzos literarios de Zenea—en homenaje a San Martín, Madrid, 1927—, Ensayos de literatura española—Madrid, 1928—, Cedulario cubano: los orígenes de la colonización—Madrid, 1929—, El documento y la reconstrucción histórica—1929—, Nueva vida de Heredia—Santander, 1930—, El Consejo de Indias y la historia de América—en homenaje a Artigas, Santander, 1932.

CHAMIZO, Luis.

Poeta y dramaturgo español. Nació a fines del siglo XIX en Extremadura. Murió en 1944. Sobresalió con sus Poesías extremeñas, muy influenciado por Gabriel y Galán y Vicente Medina. Cultivó un localismo exagerado, muy colorista, muy robusto, pero un tanto recargado de voces dialectales.

Obras: El miajón de los castúos, Las brujas—drama—, Extremadura—1942.

V. LÓPEZ PRUDENCIO, José: Prólogo a la edición de Extremadura.

CHAMPOURCÍN, Ernestina de.

Poetisa y novelista. Nació—1905—en Vitoria. Su primera poesía la escribió en francés, a los quince años. En 1936 contrajo matrimonio con el poeta Juan José Domenchina, y desde 1939 vive en México, aun cuando su esposo falleció en 1960.

Valbuena Prat ha escrito de su poesía: "Vasca como Basterra, Ernestina de Champourcín es la escritora de más sentido arquitectural, lineal—norteño—de esta hora. Sus poemas denotan firmeza, y en ellos, por un cauce seguro, fluye la aguda sensibilidad femenina de zumos de vida y amor, junto a vientos surrealistas. Cerebral y exquisitamente femenina, me recuerda, transfigurada en hoy, a la verdadera secentista sor Juana."

Juicio tan penetrante como exacto. Honda emoción, delicadeza, cadencia sugestiva, tienen las poesías de Ernestina de Champourcín. Y un remoto atisbo de la melancolía de Juan Ramón Jiménez.

Obras: En silencio—poesías, 1926—, Ahora—poesía, 1928—, La voz en el viento —1931—, La casa de enfrente—novela, 1936—, Presencia a oscuras—1952—, El nombre que me diste—poema.

CHESTE, Conde de (v. González de la Pezuela, Juan).

CHIRVECHES, Armando.

Poeta y novelista boliviano. 1883-1926. Se dedicó al periodismo y a la literatura, destacando rápidamente por sus excepcionales cualidades de imaginación y expresividad. Novelista autóctono y de orientaciones regionalistas. Poeta plenamente romántico. La contradicción en el poeta y el novelista quedó resuelta en un nacionalismo literario boliviano esencial, vigoroso y pleno. Chirveches cortó voluntariamente su vida en plena juventud. Pese a esta circunstancia, fue una de las figuras más sobresalientes de la literatura boliviana de su época.

"Pero el novelista de medula, el que mejor resume la época y el género, es Armando Chirveches, que, por la extensión y calidad de sus obras constituye un caso de excepción en nuestras letras... Su valor está en la observación ambiental, en la pintura de paisajes y costumbres, en la captura de ciertos rasgos esenciales del carácter nacional... Para un crítico severo, en las novelas de Chirveches no se advierte una columna vertebral; los episodios secundarios no se subordinan armoniosamente en torno a un eje central; su técnica no es muy segura para encadenar al lector exigente; pero en un país donde pocos escriben y muy pocos lo hacen bien, en un medio desprovisto de buenos narradores, Chirveches es, sin duda alguna, uno de nuestros mejores novelistas." (Díez de Medina.)

Obras: Añoranzas—1912—, Lili—poemas, 1901—, Noche estival—poemas, 1904—, Flor del trópico—1926—, A la vera del mar —1926—, Celeste—1905—, La candidatura de Rojas—1909—, Casa solariega—1916—, La Virgen del Lago—1920...

V. DíEZ DE MEDINA, Fernando: Perfil de la literatura boliviana, en Thunupa, La Paz, 1947.—FINOT, Enrique: Historia de la literatura boliviana. México, 1943.

CHOCANO, José Santos.

Gran poeta. 1875-1934. Nació en Lima (Perú). Apasionado y con un espíritu vehemente, quiso vivir las más tremendas aventuras. A los veinte años, una revolución le arrojó a la cárcel y a la popularidad por su libro Iras santas, impreso en tinta roja. Viajó por toda la América hispana. Estuvo en España con una misión diplomática. En México fue el rapsoda que animó los vivaques revolucionarios. Expulsado del país, pasó a Honduras y Guatemala; en esta nación fue consejero íntimo del dictador Estrada Cabrera. Arrojado este del poder, Chocano fue acusado del bombardeo de la capital, y condenado a la pena de muerte. La intervención de varios Gobiernos y Congresos de distintos países le salvó la vida. En 1922 volvió al Perú, siendo casi glorificado por el pueblo y encargándole el presidente Leguía un poema sobre Bolívar, *La epopeya del libertador,* a desarrollar en seis cantos, cada uno bajo el nombre de una batalla decisiva. Solo publicó el cuarto: *Ayacucho y los Andes.* Como consecuencia de una violentísima disputa periodística con el escritor Edwin Elmore, al encontrarse ambos en el edificio del diario *El Comercio,* Elmore murió a consecuencia del tiro de revólver disparado por Chocano o escapado en el forcejeo. El poeta pasó a Chile. Y allí murió, víctima del sino trágico que presidió su vida entera, a manos de un desequilibrado, y bajo la hoja de un puñal, en un tranvía, al atardecer del día 13 de diciembre de 1934.

José Santos Chocano había sido un aventurero genial, cantor y ministro de Pancho Villa, revolucionario en todas partes, árbitro de una pendencia centroamericana por cuestión de fronteras, don Juan sempiterno, derrochador y dadivoso sin tasa, gran amigo de Rubén Darío y de todos los poetas de su promoción.

"Clásico y de entonación quintanesca, romántico a lo Víctor Hugo, robusto a lo Walt Whitman, enamorose de las liras de recias cuerdas y del empuje brioso de los poetas más grandilocuentes y sonoros, fabricándose para sí una muy suya de metálicos y brillantes sones, conforme a su altisonante y verbosa, a la vez que bien bruñida y escultural manera de expresión. Su grandilocuencia no es huera, ni se desfoga en filosofías trascendentes como Hugo, con sus exaltaciones y sus caídas, ni de puras metáforas, vistosas y resonantes, como Lugones. Su voz, realmente metálica, de instrumento de cobre, es vibrante y lírica, henchida de graves pensamientos y de sentimientos sinceros; pero su temperamento es objetivo, a la vez que lírico; canta lo que fuera de él le arrebata con cierto lirismo difuso y vago, que empapa todos sus pensamientos, más bien que sus expresiones. Su tonalidad es, por consiguiente, más romántica que clásica. Su voz es robusta, varonil y noble; ensancha, eleva, vigoriza. Canta a la Naturaleza, pero humanándola y convirtiéndola por este camino en poesía. Acaso por eso sea el tipo de poeta americano, el épico de la Naturaleza heroica, a la que dedica su lirismo, no como frío naturalista, sino como poeta que ve en las bellezas naturales un reflejo del alma humana..."

Notas características de Chocano: su señorío de la rima y del ritmo y la variedad de metros, que parece ley de su organismo indomeñable. Dos proposiciones admirables sentó Chocano: "En el arte caben todas las escuelas, como en un rayo de sol todos los colores", y "Poesía es el arte de pensar en imágenes".

Obras: *En la aldea*—Lima, 1893—, *Iras santas*—Lima, 1895—, *Azahares*—Lima, 1896—, *La epopeya del Morro*—1899—, *El canto del siglo*—1900—, *La selva virgen* —1900—, *Alma América*—Madrid, 1906—, *Obras completas*—Barcelona, 1906—, *Los conquistadores*—drama, 1906—, *Fiat Lux!* —Madrid, 1908—, *El Dorado, epopeya salvaje*—Santiago de Cuba, 1908—, *Primicias de oro de Indias*—versos, Santiago de Chile, 1934, primer tomo de su obra cíclica, a desarrollarse en nueve libros: *Tierras mágicas, Las mil y unas noches de América, Alma de virrey, Corazón aventurero, Pompas solares, Sangre incaica, Fantasía errante, Estampas neoyorquinas y madrileñas y Nocturnos intensos*—, *Poema del amor doliente*—Santiago de Chile, 1937—, *El fin de Satán y otros poemas*—Guatemala, 1907—, *Poesías escogidas* —Montevideo, 1941—, *Las dictaduras organizadas*—prosas polémicas, 1922—, *Interpretación sumaria de los principios de la revolución mexicana*—1914—, *El carácter agrario de la revolución mexicana...*

V. GONZÁLEZ-BLANCO, Andrés: *Los contemporáneos,* segunda serie.—LEGUIZAMÓN, Julio A.: *Historia de la literatura hispanoamericana.* Buenos Aires, 1945.—GARCÍA CALDERÓN, V.: *José Santos Chocano.*—GARCÍA CALDERÓN, V.: *Semblanzas de América.* Madrid, 1920.—GARCÍA CALDERÓN, V.: *La literatura peruana,* en *Rev. Hispanique,* París, tomo XXI.—SÁNCHEZ, Luis A.: *La literatura peruana.* Lima, 1928, tres tomos.—RODRÍGUEZ, José María: *Poetas y bufones.* París-Madrid, Ag. Mundial, s. a.

CHUECA Y GOITIA, Fernando.

Biógrafo, literato, historiador. Nació —1911—en Madrid. Arquitecto. En 1940 obtuvo el premio de la Academia de San Fernando en el concurso celebrado para conmemorar el centenario de don Juan de Villanueva. Premio extraordinario en el Concurso Nacional de Arquitectura de 1942 por el proyecto de terminación de la catedral de Valladolid. Segundo premio en el concurso para proyectos de Delegación de Hacienda de Almería—1943—. Premio Nacional de Arquitectura en 1944 por su proyecto de terminación de la catedral de la Almudena, de Madrid, cuyas obras dirige. Pensionado en los Estados Unidos con la beca de la Fundación Conde de Cartagena. Del Instituto de Estudios Madrileños. Conservador del Museo Nacional de Arquitectura. Arquitecto conservador de Monumentos del Patrimonio Histórico Nacional. Miembro correspondiente de la Hispanic Society of America. De la Real Academia de la Historia.

CH

Obras: *Modelo para un palacio en Buenavista, Ventura Rodríguez*—en colaboración con Carlos de Miguel, 1935—, *Ventura Rodríguez y la escuela barroca romana*—1942—, *Dibujos de Ventura Rodríguez para el Santuario de Nuestra Señora de Covadonga* —1943—, *Ventura Rodríguez en los Estudios Reales de Madrid, Un proyecto notable de Biblioteca pública*—1944—, *Sobre arquitectura y arquitectos madrileños del siglo XVII* —1945—, *Biografía de don Juan de Villanueva*—en colaboración con Carlos de Miguel—, *Invariantes castizos de la arquitectura española*—Madrid, 1947—, *La catedral de Valladolid*—Madrid, 1947—, *La catedral nueva de Salamanca*—Salamanca, 1951—, *Nueva York (Interpretación de un hecho urbano)*—Madrid, 1952—, *Semblante de Madrid*—Revista de Occidente, 1952—. Y otros estudios aparecidos en *Arte Español, Revista de Ideas Estéticas...*

D

DÁMASO, San.

Pontífice y poeta hispano-latino. Según el *Liber Pontificalis* y algunos de sus propios versos, nació en España, en los primeros años del siglo IV. Murió en el año 384. Y fue Pontífice desde el 366. De noble familia. Muy joven aún, se trasladó a Roma. Y su cultura clásica debió de ser mucha, ya que la atestiguan las reminiscencias, en sus versos, de Virgilio, Ovidio, Catulo, Tíbulo y otros grandes poetas latinos. Muy fervoroso del culto de los mártires, mandó hacer grandes excavaciones en las Catacumbas romanas, y para los sepulcros hallados escribió una serie de inscripciones históricas—*tituli*—en hexámetros, de gran valor histórico, aun cuando el escaso literario.

También escribió: *himnos* a varios santos; dos *acrósticos* al nombre de Jesús; una *oda* en sáficos al nacimiento de Nuestro Señor; un *himno* a Cristo, "con versos que parecen virgilianos"; otro *himno* a los *Nombres de Cristo*, en que le asigna cuarenta y dos sobrenombres, y la notable *elegía* a Jerusalén. También dejó diez *cartas* y epístolas sinodales, con la *Fides* o *Tomus Damasi* de veinticuatro anatematismos contra los herejes.

Ediciones: La crítica de Ihm (M.), *Damasi Epigrammata*, Leipzig, 1895; la crítica de A. Ferrúa, *Epigrammata Damasiana*, Roma, 1942.
V. VIVES, José: *Sant Damas, compatrici nostre*, en *Paraula Cristiana*, 18, 1933, páginas 303-338.—VIVES, José: *San Dámaso, Papa español, y los mártires.* Discurso de ingreso en la Real Academia de Buenas Letras de Barcelona, 1943.—VIVES, José: *Damasiana*, en *Analecta Sacra Tarraconensia*, tomo 16, 1944, págs. 1-6.—SCHAEFER, E.: *Die Bedeutung der Epigramme des Papstes Damasus I für die Geschichte der Heiligenverehrung.* Roma, 1932.—GARCÍA, Z.: *La cripta y la patria de San Dámaso*, en *Razón y Fe*, febrero de 1904.

DAMIRÓN, Rafael.

De la República Dominicana. Poeta y prosista. Se ha especializado en las estampas criollas, en las que pinta con precisión y gracia las costumbres dominicanas. Nació en 1882.

Ha publicado: *Del cesarismo*—novela, 1911—, *El monólogo de la locura*—novela, 1914—, *Alma criolla*—teatro, 1916—, *Cómo cae la balanza, Mientras los otros ríen y La trova del recuerdo*—teatro—, *La sonrisa de Concho*—cuadros de costumbres, 1921—, *¡Ay de los vencidos!*—novela, 1925—, *Estampas*—cuadros de costumbres, 1938—, *Pimentones*—artículos, 1944—, *La cacica*—novela, 1944—, *¡Hello, Jimmy!*—novela, 1945—y *Cronicones de antaño*—estampas de costumbres, 1946.

DANVILA, Alfonso.

Literato y diplomático español de prestigio. Nació en 1879. Ha sido secretario de Embajada en Londres, la Habana, Montevideo y Buenos Aires. Embajador en Buenos Aires y en París.

Obras: *Don Cristóbal de Moura*—biografía—, *Lully Arjona*—novela—, *La conquista de la elegancia, Luisa Isabel de Orleáns*—estudio histórico—, *Odio*—cuentos—, *Nina la loca*—drama—, *Cuentos de infantas, Fernando VI y doña Bárbara de Braganza*, y los diez títulos que comprenden *Las luchas fratricidas de España*, su obra maestra, historia novelesca de los años 1700 a 1720, de parecido desarrollo a los *Episodios Nacionales*, de Galdós. Los títulos son: *El testamento de Carlos II, La Saboyana, Austrias y Borbones, El primer Carlos III, Almansa, La princesa de los Ursinos, El archiduque en Madrid, El Congreso de Utrech, El triunfo de las lises, Aún hay Pirineos.*

Danvila es un novelista interesante y un historiador que sabe hacer de su investigación escrupulosa una sugestiva relación encendida de humanidad y de realismo inmarcesibles.

DARANAS ROMERO, Mariano.

Prosista, ensayista y periodista. Nacido en Las Palmas (Canarias) el 6 de octubre de 1897, de padre catalán y madre isleña. En

321

Santa Cruz de Tenerife, donde hizo el bachillerato, se reveló antes de cumplir los quince años como un caso de vocación y aptitud periodísticas. En 1913 fundaba allí el semanario *El Terruño,* y su firma aparecía en los diarios del archipiélago. En Madrid, desde el año siguiente, simultaneó sus actividades periodísticas con los estudios de Derecho. Trabajó con Delgado Barreto en *La Acción*—1916-1921—; en seguida, en *El Debate*—1921-1930—, como redactor político, primero, y luego, como corresponsal en París, puesto que pasa a ocupar en *A B C* pocos meses antes de la caída de la monarquía hasta 1944. Sus colegas le eligieron allí presidente del Sindicato de la Prensa extranjera. De mayo de 1947 a mayo de 1949 figura como corresponsal del mismo diario en Buenos Aires. Editorialista de *A B C* y de Radio Nacional de España, Daranas colabora también en *La Vanguardia,* de Barcelona, y en los más importantes semanarios y revistas. Ha dado numerosas conferencias sobre temas profesionales y literarios, y viajado, en funciones de enviado especial de Prensa, por Brasil, Africa del Norte, Italia, Suiza y Bélgica. Desempeña asimismo la jefatura de Prensa del Ministerio de la Gobernación, que obtuvo por fallo unánime del Tribunal.

Mariano Daranas es un periodista y articulista de la estirpe de los maestros que se llamaron Cavia, Moya, Fernández Bremón, Castrovido, Ortega y Munilla...

DARÍO, Rubén (Félix Rubén García Sarmiento).

El más universal de los escritores hispanoamericanos. 1867-1916. Nació en Metapa, aldea del departamento de Nueva Segovia, en la República de Nicaragua, el 18 de enero. Fue hijo de Manuel García y de Rosa Sarmiento. Un tío suyo, ya viejo, el coronel Ramírez, y su esposa, doña Bernarda Sarmiento, le prohijaron muy ternes y entusiasmados. Sus primeros estudios los cursó en el Instituto de Occidente, de León (Nicaragua), bajo la dirección amical y premonita de Leonard, profesor de Literatura. A los catorce años, para ayudarse a vivir, enseñaba Gramática castellana—¡sin él saberla!—en un colegio de párvulos. Antes de cumplir los diecisiete, obtuvo un puesto oficial en la Biblioteca Nacional. Poco tiempo después marchó a la República del Salvador, donde un presidente rumboso y lírico le agasajó de lo lindo y hasta le concedió una pensión... "por una vez y sin que sirviera de precedente". En 1886 marchó a Chile, colaborando en *El Mercurio,* de Valparaíso, y en *La Epoca,* de Santiago.

1888: fecha memorable, en la que publica *Azul,* el libro que marca el inicio de su fama;

1890: Europa... París... Madrid... Vida bohemia... Empacho de champán y de tópicos franceses... Pinitos diplomáticos... Rarezas elegantes... Creencia absoluta en ser un perfecto "boulevardier"... Funambulismos nocturnos... Estridencias... Extravagancias... Más champán... Amoríos con las emperatrices del cancán y con las damas de las camelias... Entre 1893 y 1897 recorrió Rubén Darío toda la América española, pronunciando discursos en Juegos florales, recitando poesías con un acento mestizo inaguantable y presumiendo de haber injertado en su naturaleza tropical la linfa azul de París. 1898: Rubén Darío vive en Madrid como corresponsal de *La Nación,* de Buenos Aires. Pero en seguida escapa a su París topiquero de indio deslumbrado y papanatas. 1904: Rubén es nombrado cónsul general de Nicaragua en París. Bebe champán, por supuesto. Prueba alguno de los paraísos artificiales, en los que le inició años antes Verlaine. El hastío le oprime. Se cree un nuevo judío errante con chaqué y gardenia en el ojal... a través de Europa. París, de nuevo. Ajetreo. Ajetreo. Ajetreo. Invierno en Mallorca, donde se disfraza de cartujo—en la Cartuja de Valldemosa—, escribe poesías circunstanciales y engorda. Parece un auténtico abad. Otra vez a la vorágine. Más versos. Más mujeres. Más alcohol. Más fantochadas para "epatar". Más diplomacias de relumbrón. 1914: El poeta abandona España..., a la que no volverá más. Nueva York le llama con el irresistible acento de su voz de dólar rebotado. Rascacielos. Conferencias. Y una pulmonía doble le entrampilla entre la chatarra y el cemento. Mas, apenas repuesto, ya con la impresión legítima de la muerte próxima, pía por volver a su tierra...

Rubén Darío murió en León (Nicaragua) el 6 de febrero de 1916, a las diez de la noche. Todas las campanas líricas echadas a vuelo solemnísimo le dieron la bienvenida al Olimpo.

Por derecho propio le corresponde a Rubén Darío la gloria de renovador de la poesía moderna de Hispanoamérica. Y aun cuando no le correspondió la misma gloria en España, porque se le había adelantado un poco Salvador Rueda, sí le pertenece la de una influencia mucho más decisiva y fecunda que la del gran vate malagueño. Renovador más de la forma que del fondo, Rubén, que era un sinfónico mejor que un lírico puro, abandona los metros de las rígidas liras arcaicas, los octosílabos, los endecasílabos, los romances, los sonetos, las silvas. Y él, que tiene una asombrosa intuición poética, descubre—no es un inventor, sino un descubridor—ritmos maravillosos libertados de la cárcel de la preceptiva y exentos de las flagelaciones de la retórica. Los descubre espigándolos de todas las literaturas de todos los tiempos y combinándolos con gusto exquisito y tino pasmoso. Cuanto hasta Rubén parecía arbitrario, inarmónico, disonante en poesía, adquiere, gracias a Rubén, una valorización—y un valor trascendente—de novedad rítmica, de sorpresa melódica, de rareza consonante. La fórmula de Rubén no se escamotea. Consiste en saber cambiar rítmicamente la acentuación. Consiste en alternar los versos largos y cortos a base de disonancias. Consiste en inventar palabras bellas para las ideas preconcebidas que no podían expresarse (recuérdese aquello de "los cisnes unánimes"). Consiste en una exaltación lírica de mayor a menor, reiterando las palabras, reiterando las ideas. Rubén Darío es el máximo renovador de la forma en la poesía castellana moderna. Como en su fondo lo fue Góngora. Con quien dignamente puede ser emparejado.

En su primera época—adviértase que Rubén no conocía España, que no ha recorrido sino unas leguas tropicales a la redonda—no exalta el poeta a España, no se enorgullece de pertenecer a su raza, no se siente cachorro del león español. Se limita a ser auténticamente hispano, sirviendo con servilismo la modalidad poética española. Y desde la aparición de *Azul* y de *Prosas profanas,* cuando, luego de conocer España, el genial poeta—y por genial, innovador—se deforma en los antiguos módulos estrictos para *conformarse* diverso y múltiple, es cuando precisamente, sin imitar a ningún poeta español—ya que será desde ahora el imitado inimitable—, ¡con qué hermosísima sinceridad, reiterada con machaconería, se declara español, confiesa su orgullo racial, exalta la hispanidad, se recalca en el dominio espiritual de España! Después de leídas y releídas esas sus composiciones pasmosas, que son las *Letanías de Nuestro Señor Don Quijote, A Goya, A Roosevelt, Salutación del optimista, Español, A España, Trébol, Elogio de la seguidilla, A Cervantes, Cosas de España, Cyrano, en España...,* ¡cómo negar la soberbia fiebre hispánica que posee y bazuquea a Rubén Darío!

El "indio que se europeizó" le ha llamado alguien. El poeta que realizó en su musa la más atrevida operación de cirugía estética. Hasta la aparición de *Azul,* la musa de Rubén Darío era una musa matronil, cansada, repintada, que se parecía demasiado a las musas matroniles de Campoamor, de Núñez de Arce, de Grilo..., sino que "menos de raza" que la suya. Gran espíritu, exquisita sensibilidad, "sintiendo lo que sentía", ¡cómo debió de sufrir Rubén con aquella musa suya pesada y pasada y rancia, que no sabía expresarse sino con giros, ritmos, retórica y frases hechas ya suficientemente vulgares!

Como quien toma una resolución heroica, "muriendo para resucitar distinto", Rubén "operó" sobre su musa. Tajó. Recortó. Rectificó. Eliminó. Despiadadamente. Con saña. Pudo morir su musa en la operación. Revivió, que fue como resucitar, liberada en absoluto de su pasado, con amnesia total de él. Y a todos, súbitamente, se nos apareció la musa rubeniana ligera, fulgurante, apasionada, sugestiva diana intocable para las cien mil flechas disparadas por los cien mil poetas turbados, catecúmenos de la nueva salvación poética.

De los poetas modernos de habla castellana es Rubén Darío el más universal y, lógicamente, aquel a quien se han dedicado a centenares los artículos de crítica literaria, en su mayoría encomiásticas hasta la hipérbole. Y con justicia. Su influencia ha sido inmensa.

La extraordinaria categoría poética de Rubén ha perjudicado considerablemente el valor de su prosa. ¿Quién habla de Rubén prosista? ¿Quién discute los valores de este aspecto literario del gran nicaragüeño? ¿Qué tanto por ciento, ridículo, de los millares y millones de admiradores del poeta reafirman su admiración al prosista? Y, sin embargo, Rubén Darío, sin escribir sus versos, hubiera merecido un lugar preeminente entre los cuentistas, entre los cronistas contemporáneos de Hispanoamérica. Con un estilo terso, poemático, con un fácil dominio del idioma, dueño de las más difíciles y rútilas imágenes, fantaseador en ebullición perenne, certero, pregonador de dianas en el interés narrativo, Rubén merece la máxima estimación como cronista, como cuentista.

Obras: *Epístolas y poemas*—Managua, 1885—, *Abrojos*—Valparaíso, 1887—, *Las rosas andinas*—Valparaíso, 1889—, *Rimas*—Valparaíso, 1889—, *Azul*—Valparaíso, 1888—, *Prosas profanas*—Buenos Aires, 1896—, *Cantos de vida y esperanza*—Madrid, 1905—, *El canto errante*—Madrid, 1907—, *Poema de otoño y otros poemas*—Madrid, 1907—, *Canto a la Argentina, oda a Mitre y otros poemas, Lira póstuma*—Madrid, 1921—, *Los raros*—Buenos Aires, 1903—, *España contemporánea*—París, 1901—, *Peregrinaciones*—París, 1901—, *Todo al vuelo*—Madrid, 1912—, *Tierras solares*—Madrid, 1904—, *Viaje a Nicaragua e historia de mis libros, Opiniones, La caravana pasa, Letras*—París, 1911—, *Cabezas, Parisiana*—Madrid, 1909—, *Emeliana*—novela—, *El oro de Mallorca, Autobiografía*—Barcelona, 1912—, *Prosa dispersa, Prosa política,* y algunas otras de menor importancia.

Las ediciones de las obras de Rubén son numerosísimas y muy importantes. Madrid, Editorial Corona, 1914 a 1916, las poesías es-

D

cogidas en tres volúmenes; Madrid. Ed. Mundo Latino, *Obras completas,* en diecisiete tomos, 1917 a 1920; Madrid, *Obras completas,* en quince volúmenes, dirigida la edición por un hijo del poeta; Madrid, M. Aguilar, *Poesías completas,* varias ediciones, preparadas—1952—por Méndez Plancarte.

V. DÍAZ-PLAJA, Guillermo: *Rubén Darío. La vida. Las obras.* Barcelona, 1930.— VARGAS VILA, J. M.: *Rubén Darío.* Sin año. (¿1918?) Barcelona.—GONZÁLEZ-BLANCO, Andrés: *Rubén Darío.* Madrid. Hernando, 1910. CANSINOS-ASSÉNS, R.: *Poetas y prosistas del novecientos.* Madrid, 1919.—SOTO HALL, Máximo: *Revelaciones íntimas de Rubén Darío.* Buenos Aires, 1925.—VALERA, Juan: *Cartas americanas.* 1.ª serie.—HENRÍQUEZ UREÑA, M.: *Rodó y Rubén Darío.*—RODÓ, Enrique J.: *Rubén Darío,* en *Cinco ensayos.* Madrid, editorial América.—CESTERO, Tulio: *Rubén Darío. El hombre y el poeta.* La Habana, 1916.—LUGONES, Leopoldo: *Rubén Darío.* Buenos Aires, 1919.—CONTRERAS, Francisco: *Rubén Darío. Su vida y su obra.* Barcelona, 1930.—ORY, Eduardo de: *Rubén Darío.* Cádiz, 1918.—GONZÁLEZ-BLANCO, Andrés: *Rubén Darío y Salvador Rueda.* Madrid, 1909.—GONZÁLEZ-BLANCO, Andrés: *Escritos representativos de América.* Madrid. CABEZAS, J.: *Rubén Darío.* Madrid, Morata, 1943.—SALINAS, Pedro: *La poesía de Rubén Darío,* 1948.—GARCIASOL, Ramón de: *Acción de Rubén Darío.* Madrid, 1961.

DARÍO, Rubén (hijo).

Poeta, novelista y crítico nicaragüense. Nació en la Legación de Nicaragua en San José de Costa Rica el 11 de noviembre de 1891. Sus padres fueron Rubén Darío, el innovador del verso castellano, y la escritora salvadoreña Rafaela Contreras ("Stella"). Educado en el St. Edmund's College, de Inglaterra, se recibió de bachiller en la Universidad de Cambridge, y en 1907 se trasladó con su familia a Barcelona, en donde cursó nuevamente el bachillerato bajo la tutela intelectual de don Hermenegildo Giner de los Ríos y del R. P. Clemente Cortejón. Estudió Medicina en la Universidad de Heidelberg, y después de haberse recibido, regresó a Barcelona, de donde partió para Buenos Aires en marzo de 1916. En la República Argentina volvió a cursar íntegramente la carrera de Medicina y alcanzó este segundo doctorado en 1927. Entre tanto, y desde su llegada a la capital argentina, se dedicó al periodismo como miembro de la Redacción del diario *La Nación,* en donde no solo colaboraba con material literario, sino también se especializó en la difícil rama de las traducciones, gracias a su conocimiento del inglés, francés, alemán, italiano y

portugués. Su prestigio en este terreno fue acrecentándose, y así se dio el caso de que diversas empresas editoras de América y Europa le confiaron trabajos a veces delicados, ya sea de Medicina o de literatura. Antes de dedicarse a su propia producción intelectual, llevaba traducidas más de doscientas obras, entre ellas la famosa *Historia de la civilización norteamericana,* de los esposos Charles y Mary Beard, considerada como una de las mejores fuentes de información histórica de los Estados Unidos.

Entre las obras más comentadas de este autor centroamericano cabe mencionar: *En busca del alba*—poesías, edit. Quillet, Buenos Aires, 1942—, *Wakonda*—poesías, Kraf Ltda., Buenos Aires, 1945—, *De la tierra, del mar y del alma*—poesías, edición del autor, Montevideo, 1945—, *Cerebros y corazones*—ensayos, edit. Nova, Buenos Aires, 1947—, *La amargura de la Patagonia*—novela, edit. Nova, Buenos Aires, 1950—, y varias otras novelas, entre las que figura *El manto de Nangasasú,* de ambiente americano, cuya trama se desarrolla en los días de la conquista por don Pedro de Alvarado.

Ha sido representante diplomático de Nicaragua por espacio de treinta años, y actuó como embajador en Buenos Aires, Río de Janeiro, Montevideo y Santiago de Chile.

DÁVALOS, Juan Carlos.

Poeta, novelista y autor dramático argentino. Nació—1887—y murió—1959—en Salta. Estudió en Buenos Aires, y muy joven aún, empezó a colaborar en la prensa. Está considerado como el más hondo cantor de su tierra natal. Vicerrector del Colegio Nacional de Salta. Director del Archivo General de Salta y de la Biblioteca Provincial. Miembro de la Academia Argentina de Letras.

Entre sus obras figuran: *De mi vida y de mi tierra*—prosas, 1914—, *Salta*—prosas, 1921—, *Cantos agrestes*—1921—, *Cantos de las montañas*—1921—, *Viento blanco* —1922—, *Los casos del Zorro*—1925—, *Buscadores de oro*—novela, 1925—, *Airampo* —1925—, *Los gauchos, Los valles de Cachi, Otoño, La epopeya salteria, Relatos lugareños, Don Juan de la Viniegra*—poema dramático—, *La tierra en armas*—drama—, *Molinos* —1938—, *Aguila renga*—1946—, *Ultimos versos*—1943—, *Cuentos y relatos del norte argentino*—1946.

En todos los relatos de Dávalos se refleja la fuerza telúrica de la tierra que describe y un amor entrañable hacia ella. Dávalos tiende a una literatura regional, en la que lo psicológico se equilibra con el descriptivismo. Juan Carlos Dávalos es un producto genuino del ambiente, conocedor profundo de sus tradiciones y comentarista agudo de sus costumbres.

V. COVIELLO, Alfredo: *De la esencia de la contradicción.* Buenos Aires, ¿1942?

DÁVILA, Juan Bautista.

Humanista, filósofo, poeta y catedrático español. Nació—¿1604?—en Madrid. Y en Madrid murió el 8 de mayo de 1664. Religioso de la Compañía de Jesús. Maestro de Humanidades y Filosofía. Catedrático de Escritura en Murcia. Lector de letras hebreas, caldeas y siríacas en los estudios del Colegio Imperial de Madrid durante catorce años. Lope de Vega—en su *Laurel de Apolo*—elogió cumplidamente "al poeta Juan Bautista Dávila", y unas décimas suyas, muy inspiradas, se leyeron—1660—en un certamen poético dedicado a Nuestra Señora de la Soledad, con motivo de ser colocada su imagen en una capilla del convento de la Victoria, de Madrid. Nicolás Antonio llama a este gran español "Juan de Avila".

Obras: *Pasión del hombre Dios*—París, 1661, poema en décimas—, *De originali Mariae impeccabilitate,* y otras muchas en verso y prosa, hoy perdidas, pero de las que sabemos por los muchos elogios de sus contemporáneos.

DAZÁN, Mario.

Nació en Rancagua (Chile), provincia de O'Higgins, el 19 de agosto de 1929.

Estudió Humanidades en el Instituto Marista de Rancagua y en el Liceo de Hombres de San Fernando.

Forma parte del "Grupo Literario Los Afines", del cual es presidente y fundador.

Director del Teatro Escuela Experimental, secretario del Centro Español y director del Círculo de la Prensa, de San Fernando. En 1953 obtuvo el Premio Municipal de Poesía de Colchagua.

Su primer libro, *Entre el olvido y el sueño*—poesías—, tiene la presentación de Vicente Aleixandre y de Juvencio Valle.

Ha sido seleccionado para una *Antología de poesía nueva americana,* que publicó en Estados Unidos la Fundación Cathervood, de Pensylvania.

Obras: *Herida de Canto, Varón de Contrabúsqueda, Este sabor tan tuyo*—poesías—, *Los seres otoñados*—relatos.

DECIANO.

Filósofo, jurisconsulto y poeta hispanolatino. Nació en Mérida el año 14 de la Era cristiana. En el año 37, reinando Calígula, llegó a Roma, donde se hizo popular y consiguió grandes amistades por su sencillez y su simpatía, por su energía y su magnanimidad. Marcial le llamó "sabio jurisconsulto y docto e inspirado poeta, impregnado de las artes de la Minerva ática y latina" (*Epig.,* I, 39). El mismo famoso epigramista le dirigió la carta-prefacio de su libro III.

V. MENÉNDEZ PIDAL, Ramón: *Historia de España* (dirigida por...). Tomo II: *España romana.* Madrid, Espasa-Calpe, 1935.

DECOUD, José Segundo.

D

Literato y político paraguayo. 1849-1909. Nació y murió en Asunción. Se educó y estudió Filosofía y Derecho en el Seminario Anglo-Argentino de Buenos Aires. En 1865 se alistó con las tropas argentinas que lucharon contra el opresor de su patria, Solano López. Ministro del Interior, Instrucción Pública y Culto y Justicia. Ministro plenipotenciario del Paraguay en los Estados Unidos. Juez de la Suprema Corte. Rector del Colegio Nacional. Delegado paraguayo en importantes conferencias en Washington y Londres. Embajador en Montevideo y Buenos Aires. Gran orador y conferenciante. Poseedor de una vasta y bien asimilada cultura. Prosista correcto y pensador original. Colaboró en *La Reforma, La Regeneración* y otros muchos diarios y revistas.

Obras: *Recuerdos históricos, La educación, La literatura en el Paraguay*—Asunción, 1889—, *Paraguay, El patriotismo o el evangelio de los pueblos libres...*

V. CALZADA, Rafael: *Rasgos biográficos de José Segundo Decoud.* Buenos Aires, 1913.— DÍAZ PÉREZ, Viriato: *Literatura del Paraguay,* en el tomo XII de la *Historia universal de la Literatura,* de Prampolini, Buenos Aires, Uteha Argentina, 1941.

DELEITO Y PIÑUELA, José.

Historiador y literato español. Nació —1879—y murió—1957—en Madrid. En Madrid realizó sus estudios universitarios, ampliados en la Escuela Normal y en el Centro de Estudios Históricos. Doctor en Filosofía y Letras. Catedrático de Historia en la Universidad de Valencia. Académico correspondiente de la Real de la Historia.

Obras: *La tristeza en la literatura contemporánea*—1911—, *La emigración política española durante el reinado de Fernando VII*—1919—, *El Madrid de Felipe "el Grande"*—1924—, *Lecturas americanas* —1920—, *El regreso de los afrancesados de 1820*—1927—, *La España de Felipe IV* —1928—, *Solo Madrid es corte, El rey se divierte, También el pueblo se divierte, La mujer, la casa y la moda; Estampas del Madrid teatral:* I. *Teatros de declamación;* II. *El género chico...*

DELGADO, Jaime.

Poeta, historiador, ensayista. Nació —1923— en Madrid. Doctor en Filosofía y Letras (sección de Historia). Catedrático de Historia de América en la Universidad de Barcelona. Miembro titular del Instituto de Cultura Hispánica y correspondiente de la Academia de la Historia de la República Argentina. En 1956 obtuvo el "Premio Ciudad de Barcelona de Poesía Castellana" con su libro *Memoria del corazón*, y en 1966, el "Premio Nacional de Literatura Hermanos Machado", de poesía, con su libro *Lo nuestro*.

Otras obras: *La independencia de América en la Prensa española*—1949—, *España y México en el siglo XIX*—tres tomos, 1953—; *La independencia hispanoamericana*—1960—, *Suramérica, alta tensión*—1962—, *La América contemporánea*—1968—, *Bajo el signo de Aries*—poemas, 1969.

DELGADO, Rafael.

Novelista mexicano. Nació—1853—en Córdoba (Veracruz). Murió—1914—en Orizaba. Está considerado como uno de los mejores novelistas mexicanos de todos los tiempos.

Inició su vocación literaria en el teatro, estrenando, con un éxito sensacional, su drama *La caja de dulces*. También adaptó con mucho tino la obra del francés Feuillet *Un caso de conciencia*. Pero su auténtica vocación era la de novelista.

En 1902 publicó *Cuentos y notas*, entre los que destaca *El desertor*, narración admirable digna de las antologías.

Cinco son sus grandes novelas: *La Calandria*—1891—, *Angelina*—1895, con la que quiso emular la de Jorge Isaacs *María*—, *Los parientes ricos*—1903—, *Historia vulgar*—1904—y *La apostasía del padre Arteaga*—1905.

El ambiente mexicano de la época se encuentra reflejado primorosamente en estas novelas. Fue, además, un buen prosista, de sencillez deliciosa, capaz de infundir calor humano en los personajes y colorido sugestivo en los paisajes.

"Mexicanísimo, como López Portillo y Rojas, de ellos se distingue por una más delicada sensibilidad, que infunde en sus páginas grato soplo de poesía; por su regionalismo y por su sentido de lo pintoresco, todavía más acentuados; y, muy particularmente, por sus extraordinarias facultades descriptivas que, en cuanto a sentir la Naturaleza y reproducir, animado, palpitante, el paisaje, lo colocan en primer lugar entre los novelistas mexicanos." (González Peña.)

V. González Peña, Carlos: *Historia de la literatura mexicana*. 2.ª edición. México, 1940.—Jiménez Rueda, Julio: *Historia de la literatura mexicana*. México, 1928, 1934, 1942.—Henríquez Ureña, Pedro: *La novela en América*. La Plata, 1927.—Iguiniz, Juan B.: *Bibliografía de novelistas mexicanos*. México, 1926.

DELGADO, Sinesio.

Poeta, autor dramático y periodista español. Nació—1859—en Támara (Palencia). Murió—1928—en Madrid. Licenciado en Medicina. En Madrid se dedicó de lleno a la literatura, siendo uno de los principales mantenedores del prestigio de la gran revista satírica *Madrid Cómico*, de la que llegó a ser director y propietario. Colaboró en casi todos los periódicos y revistas de España, y principalmente en *El Liberal*, *Nuevo Mundo*, *Blanco y Negro* y *A B C*, de Madrid. Su obra más importante y desinteresada fue la fundación, contra viento y marea, de la Sociedad de Autores Españoles, obra que le dará gloria mientras exista teatro en España, y con la que libró a autores, músicos y a cuantos viven de la escena de las garras de los editores e intermediarios.

Fue Sinesio Delgado un apóstol de la literatura alegre, ligera, intrascendental; poeta fácil, buen cronista en prosa y autor dramático de buen gusto y brío, que compuso más de cien obras entre zarzuelas, sainetes y comedias, de muy desigual mérito.

Obras: *Mi teatro* (autobiografía)—1905—, *Pólvora sola*—versos, Madrid, 1888—, *Almendras amargas*—versos, Madrid, 1888—, *...Y pocas nueces*—versos, Madrid, 1894—, *Lluvia menuda*—versos, Barcelona, 1895—, *Artículos de fantasía*—cuentos, Madrid, 1896—, *España al terminar el siglo XIX;* y las siguientes principales producciones escénicas: *Baile de máscaras*, *El gran mundo*, *Paca la pantalonera*, *La baraja francesa*, *Ligerita de cascos*, *El siglo XIX*, *La balsa de aceite*, *Mangas verdes*, *La ilustre fregona*, *El diablo con faldas*, *La moral en peligro*, *Mano de santo*, *La ley del embudo*, *El retablo de maese Pedro*, *Salud y pesetas*, *Himno al amor*, *Quo vadis?*, *La vacante de Cañete*, *La infanta de los bucles de oro...*

DELGADO BENAVENTE, Luis.

Dramaturgo. Nació—1915—en Getafe (Madrid). Licenciado en Filosofía Románica en la Facultad de Letras de Madrid. Pintor. Encuadernador. En 1951 obtuvo el "Premio Calderón de la Barca" con su obra *Días nuestros*. En 1952 obtuvo el mismo premio su obra *Humo*. En 1952 alcanzó el "Premio Ciudad de Barcelona" con *Tres ventanas*. Y en 1955, con *Media hora antes*, consiguió el "Premio Lope de Vega", el más alto galardón escénico de España.

También es autor de varios guiones cinematográficos: *La muralla feliz, Y así fue El funcionario, Gloria en... las nubes.*

Otras obras teatrales: *Presagio, Jacinta, El diablo sonríe, Cuando cae el telón, Una balsa a la deriva, Días nuestros, La voz de dentro, Fábula en blanco y negro...*

Y un interesante libro de cuentos: *El samovar hierve.*

DELGADO VALHONDO, Jesús.

Nació—1911—en Mérida (Badajoz). Estudió bachillerato en Cáceres, donde ha residido muchos años. Actualmente ejerce el magisterio nacional en la ciudad donde nació.

Uno de los más intensos líricos españoles de hoy. Intenso tanto por la temática como por la expresividad. En sus poemas, un impresionismo cálido, acusadamente melancólico, cubre el tema, siempre trascendente.

Ha publicado: *Hojas*—1948—, *El año cero*—1950—, *La esquina y el viento*—1952—, *La muerte del momento*—1953—, *Yo soy el otoño*—cuentos, 1953—, *Canto a Extremadura*—1956—, *La Montaña*—1957—, *Aurora, Amor, Domingo y Primera antología*—1961—, *El secreto de los árboles*—inédito.

DELIBES, Miguel.

Novelista y periodista español. Nació —1920—en Valladolid. Doctor en Derecho. Intendente mercantil. Durante la guerra de Liberación combatió como marinero del crucero nacional *Canarias.* Catedrático de la Escuela de Comercio en su ciudad natal. Ha sido director del diario vallisoletano *El Norte de Castilla.* En 1948 le fue concedido el "Premio Nadal" de novela. Desde esta fecha su fama como novelista ha ido creciendo poco a poco, pero con absoluta seguridad, sin necesidad de ayudarse con publicidad escandalosa o con declaraciones estridentes. Su realismo—casi siempre apoyado en temas crudos y duros, en personajes habitantes de la mediocridad o de la bajura social—está expresado en un estilo peculiar, de rico y oportuno vocabulario. Pero aun cuando toca la tesis más impresionante o el sucedido más espeluznante, sabe contenerse dentro de los límites del buen gusto. Emociona, angustia, pero no irrita.

Obras: *La sombra del ciprés es alargada* —Barcelona, 1948—, *Aún es de día*—Barcelona, 1949—, *El camino*—Barcelona, 1950—, *Mi idolatrado hijo Sisí*—Barcelona, 1953—, *La partida*—Barcelona, 1954—, *Diario de un cazador*—Barcelona, 1955—, *Diario de un emigrante*—Barcelona, 1958—, *Siestas con viento sur*—Barcelona, 1957—, *La hoja roja* —Barcelona, 1962—, *Las ratas*—Barcelona,

1963, "Premio de la Crítica"—, *La caza de la perdiz roja*—1963—, *El libro de caza menor* —1964—, *Viejas historias de Castilla la Vieja* —1964—, *Cinco horas con Mario*—1967—, *La primavera de Praga*—1968—, *Parábola del náufrago*—1969—, *La mortaja*—1970.

V. NORA, Eugenio G. de: *La novela española contemporánea.* Madrid, edit. Gredos, 1962, tomo II bis, págs. 155-164.—ALBORG, José Luis: *Hora actual de la novela española.* Madrid, edit. Taurus, 1958, tomo I, páginas 153-165.—HOYOS, Antonio de: *Ocho escritores actuales.* Murcia, Aula de Cultura, 1954.—PÉREZ MINIK, D.: *Novelistas españoles de los siglos XIX y XX.* Madrid, edit. Guadarrama, 1957.

DELICADO, Francisco.

Francisco Delicado o Delgado. Famoso escritor español del siglo XVI. Nació en la Peña de Martos. Fue discípulo de Nebrija y sacerdote. Residió en Venecia y en Roma, donde vivió dedicado a los vicios, que le trajeron unas asquerosísimas bubas. También se ocupó de corregir y dar a la estampa obras españolas de caballerías, como el *Amadís de Gaula*—Venecia, 1533—y *Los tres libros del cavallero Primaleón y Posendos, su hermano, hijos del emperador Palmerín de Oliva, traducidos del griego en romance castellano*—Venecia, 1534—. En Roma terminó—1524—su obra famosa el *Retrato de la lozana andaluza,* y el año 1528, tras el saco de Roma, regresó a Venecia, donde la publicó, con algunas añadiduras, el mismo año, pero sin nombre de autor, "por no vituperar el oficio escribiendo vanidades". *La lozana andaluza* es una novela picaresca muy obscena, pero interesantísima en relación con las costumbres y el lenguaje. Delicado conocía las obras de Luciano, *La Celestina* y *El asno de oro,* de Apuleyo, pero no las de Aretino, que se publicaron después de 1528; por tanto, si hubo imitación, Aretino imitó a Delicado y no a la inversa, como han afirmado tan ternes críticos de vía estrecha y entenderás cortas.

La *Lozana* encierra muchos elementos folklóricos y frases españolas, muchos italianismos de baja estofa, una lascivia caliente, una gracia gorda, trozos y frases en castizo y familiar lenguaje, mucho color y brío, un sentido picaresco netamente español.

Buenas ediciones de la *Lozana* son: la de la *Colección de libros raros y curiosos*—Madrid, 1871—; la de París—1888—, con la traducción francesa; la de Madrid, 1889, en la *Colección de libros picarescos,* y la aparecida, 1913, en la *Colección Nelson,* de París.

V. SALILLAS, Rafael: *Hampa, antropología picaresca*. Madrid, 1899.—MENÉNDEZ PELAYO, M.: *Orígenes de la novela*.

DELIGNE, Gastón Fernando.

Extraordinario poeta dominicano. Nació —1861—en Santo Domingo. Al sentirse atacado por la terrible enfermedad que llevó al sepulcro a su hermano Rafael, se suicidó—1913—en San Pedro de Macorís. Bachiller. Durante veinte años fue jefe de contabilidad en una casa comercial de San Pedro de Macorís. Dominó el latín, y llegó a poseer una magnífica biblioteca. Fue un autodidacta excepcional, y en torno a su personalidad señera agrupó promociones de excelentes escritores. Colaboró—con su nombre o con diferentes seudónimos—en *Prosa y Verso, Revista Ilustrada, El Lápiz, Cuba Literaria, Letras y Ciencias, El Teléfono, La Cuna de América*.

Gastón Fernando Deligne está considerado como el principal de los poetas dominicanos por su originalidad creadora, por su profundidad y el acabado desarrollo de los temas, por su singular eficacia expresiva. Si no tuvo, en su tiempo, la fama que merecía en los países de lengua castellana, debióse "a la índole profunda, a la manera sobria y al sentido de la estructura del gran poeta dominicano", tan en pugna con la brillantez y la levedad del modernismo triunfante. "Para él—escribe Pedro Henríquez Ureña— todo es problema: la estructura de sus mejores poemas es la del proceso espiritual que se bosqueja con brevedad, se desenvuelve con amplitud, culmina con golpe resonante y se cierra, según la ocasión, rápida o lentamente, en síntesis de intención filosófica." Obras: *Soledad*—poema, 1887—, *Galaripsos*—poesías, 1908—, *Romances de la Hispaniola*—poesías, 1931—, *Páginas olvidadas* —poesías y prosas, 1944.

V. GARCÍA GODOY, Federico: *La literatura dominicana*, 1916.—GARCÍA GODOY, Federico: *La hora que pasa*. 1910.—MENÉNDEZ PELAYO, Marcelino: *Historia de la poesía hispanoamericana*. Madrid, 1913.—MEJÍA, Abigail: *Historia de la literatura dominicana*. 110-117. HENRÍQUEZ UREÑA, Pedro: *La literatura dominicana*, en la edición española de la *Historia universal de la literatura*, de S. Prampolini, XII, 1941.

DELIGNE, Rafael A.

Poeta, dramaturgo y cuentista dominicano, hermano de Gastón Fernando. Nació —1863—en Santo Domingo, y murió—1902— en San Pedro de Macorís. Abogado. Colaborador asiduo de *El Cable*, con el seudónimo de "Pepe Cándido". Director—con Luis Arturo Bermúdez—de la revista literaria *Prosa y Verso*. Cultivó la poesía, el ensayo, el teatro y el cuento con acento muy personal y una muy decorosa expresión. Poseyó sensibilidad, imaginación y apasionamiento.

Obras: *La justicia y el azar*—drama en verso, 1894—. *Milagro*—narración en verso, 1896—, *Vidas tristes*—drama, 1901—, *En prosa y verso*—1902—, *Cuentos del lunes, Cosas que son y cosas que fueron...*

V. CESTERO, Tulio M.: Prólogo a *En prosa y verso*. Santo Domingo, 1902.—MEJÍA, Abigail: *Historia de la literatura dominicana*, páginas 117-120.—HENRÍQUEZ UREÑA, Pedro: *Literatura dominicana*, en la edición española de la *Historia universal de la literatura*, de S. Prampolini, XII, 1941.

DELMONTE Y APONTE, Domingo.

Humanista y bibliógrafo, considerado como cubano, aun cuando nació—1804—en Maracaibo (Venezuela). Murió—1853—en Madrid. Desde los seis años vivió en Cuba, y muy pocos naturales de esta gran isla se ocuparon tanto de su progreso material e intelectual como Delmonte. Es, pues, de justicia que Cuba le reclame por suyo. Doctor en Derecho y en Filosofía. Poseyendo una gran fortuna, entre los años 1830 y 1840, su casa en Matanzas fue una especie de tertulia literaria, o más bien de academia, por donde pasaron y hasta se educaron intelectualmente todos los escritores ilustres de Cuba. Ocupó muchos altos cargos administrativos. Defendió ardientemente la abolición de la esclavitud. Colaboró en *El Puntero, La Moda, Diario de La Habana, La Aurora de Matanzas, El Aguinaldo, El Plantel* y en otros muchos diarios y revistas. Firmó sus poesías con el seudónimo del "Bachiller Toribio Sánchez de Almodóvar". En 1842 no quiso aceptar la cátedra de Humanidades que se le ofreció en la Universidad de la Habana. Fue un generosísimo mecenas de la juventud literaria. Sufrió algunos procesos y persecuciones por sus campañas abolicionistas. Viajó por Europa a partir de 1844, viviendo por temporadas en París y Madrid. Sus mejores amigos españoles los tuvo en Nicasio Gallego, Gallardo y Quintana. Del primero, a sus expensas, publicó—Filadelfia, 1829—una edición de los *Versos de J. Nicasio Gallego*.

Domingo Delmonte fue un poeta clasicista sumamente estimable y un excelente erudito y crítico.

Entre sus poesías sobresalen: *Romances cubanos, Epístola a Elizio*, las odas *El desencanto, El himno del navegante, Su voz, El poeta*, la sátira *La rábula*, la letrilla *Una ilusión...*

Dejó inéditos: *Diccionario de voces cuba-*

nas, Teatro de la isla Fernandina, Bibliografía cubana...

Con José Antonio Saco y otros doctos escritores redactó la *Revista Bimestre de la Isla de Cuba* (1831-1834), que fue una de las más importantes aparecidas en aquel país.

V. MENÉNDEZ PELAYO, M.: *Historia de la poesía hispanoamericana.* Madrid, 1911, tomo I, págs. 250-253.—REMOS Y RUBIO, Juan: *Historia de la literatura cubana.* La Habana, 1925.—SALAZAR Y ROIG, S.: *Historia de la literatura cubana.* La Habana, 1939.—CHACÓN Y CALVO, José María: *La literatura de Cuba,* en el tomo XII de la *Historia universal de la literatura,* de Prampolini. Buenos Aires, Uteha Argentina, 1941.

DESCLOT, Bernat.

Historiador catalán de fines del siglo XIII y principios del siglo XIV. Nos son poco conocidos los detalles de su vida. De familia noble. Según Amador de los Ríos, Desclot fue más erudito que literato, y un auténtico cronista de la corte, bien opuesto a Muntaner, muy artista y cronista de los campamentos y del pueblo. Critchlow, traductor inglés de Desclot, basándose en las muchas y exactas citas evangélicas de este, cree que debió de ser eclesiástico.

Una sola obra se conoce de él: *Libre del Rey En Pere e dels seus antecessors passats,* crónica de Pedro *el Grande,* que el autor intentó enlazar con una crónica general dinástica a partir de la unión de Cataluña y Aragón en tiempos de Ramón Berenguer IV. La obra está escrita, con gran minuciosidad de datos, en un estilo detallista y exacto. Y permaneció cuatro siglos inédita en la biblioteca de los carmelitas descalzos de Barcelona, encontrándola Serra y publicándola —1616—Rafael Cervera en la misma ciudad condal. El mismo Cervera la tradujo al castellano con el título de *Historia de Cataluña hasta la muerte de Pedro "el Grande",* tercero deste nombre... En Madrid—1793—se publicó otra traducción castellana.

Ediciones: Texto catalán, en la "Colección Panteón Literario"; Palma, 1850, por José María Quadrado (la parte relativa a Mallorca); M. Coll Alentorn, en la "Colección Els Nostres Clássics", 1949, dos tomos.

V. MASSÓ TORRENS: *Historiografía de Catalunya en catalá durant l'época nacional,* en *Revue Hispanique,* XV, 1906.—MASSÓ TORRENS: *Exposició d'un pla de publicació de les Cróniques catalanes.* Barcelona, Institut d'Estudis Catalans, 1912.—ALÓS-MONER, R. d': *Autors catalans antics:* I. *Historiografía.* Barcelona, edit. Barcino, 1932.—COLL ALENTOR, M.: *Estudio,* en la ed. de 1949, en "Els Nostres Clássics".—RUBIÓ BALAGUER, Jorge: *Literatura catalana* [medieval], en el

tomo I de la *Historia general de las literaturas hispánicas.* Barcelona, 1949.

«D'HALMAR, Augusto».

Novelista, cuentista, ensayista chileno de merecida fama. Nació en 1882. Murió el 27 de enero de 1950, en Santiago de Chile. Estudió en Santiago. Ingresó en la carrera diplomática y ha viajado por todo el mundo —vivió varios años en España—, adquiriendo una cultura occidental y un estilo elegante, fluido, lleno de originalidad y de gracia. Su nombre y apellidos verdaderos son Augusto Goeminne Thomson. Constituye una firme gloria de las letras de su patria, y su patria lo ha reconocido así al otorgarle en 1942 el "Premio Nacional de Literatura", recompensa discernida en esta ocasión por primera vez.

El historiador y crítico leguizamón, con su acostumbrada sutileza, le *ha visto* así: "Su evolución estilística sigue una carrera paralela a la de su vida. Cuando en 1902 apareció su novela *Juana Lucero,* pudo considerarse a su autor como un recio novelista del tipo naturalista, con influencias de Zola, los Goncourt y Dostoyevski. Pero al ingresar al servicio de la carrera consular y desarraigarse de su patria, pareció seguir a la evasión física una verdadera evasión espiritual. Su obra reflejará otros paisajes y otros problemas... A partir de su regreso a Chile, en 1934, ha comenzado la publicación de sus *Obras completas.* Estas incluyen además impresiones de viaje, estudios sobre arte y cuentos breves, entre ellos *En provincia,* premiado en el concurso de la revista madrileña *Estampa.* El conjunto deja una impresión poemática, de creación imaginativa pura. Es la afirmación de una personalidad distante ya de su obra primera."

D'Halmar es, ante todo, una sensibilidad extraordinaria de artista. Todo lo ve y lo expresa a través del color más cálido y brillante. También tiene un alma impetuosa e iluminada de poeta. Por ello resulta natural que lo que más sugestiona en sus obras sea *la belleza;* belleza no solamente expresiva, sino igualmente *interna:* de temas poéticos, en ocasiones morbosos, y de disquisiciones de un sentimentalismo extremo en la delicadeza. Pero en ocasiones la pluma de D'Halmar sabe ser fuerte, cruda, violenta, turbadora.

Obras: *Juana Lucero*—1902—, *Nirvana, La sombra del humo en el espejo, La lámpara en el molino, Pasión y muerte del cura Deusto, Capitanes sin barcos...*

V. LATORRE, Mariano: *La literatura de Chile.* Universidad de Buenos Aires, 1941.—LILLO, Samuel: *La literatura chilena.* San-

D

tiago, 1930.—TORRES RIOSECO, A.: *La novela en la América hispana*. Berkeley, 1939.

DIAMANTE, Juan Bautista.

Famoso poeta y dramaturgo español. Nació—1625—en Madrid. Y en Madrid—1687—murió. Fue bautizado en la parroquia de San Ginés. Su madre, doña Magdalena de Castro, muerta pocos años después de nacer Juan Bautista, era también madrileña. Pero su padre, Jácome, había nacido en Mesina. Y sus ascendientes, paternos, que no se apellidaban Diamante, sino Diamanti, eran originarios de Corón, en la Morea.

¡Famosos aventureros los Diamanti! Un tatarabuelo, don Pablo, capitán de caballos, servidor del césar Carlos I, sobre la cubierta de una carabela desmantelada y abordada por los corsarios berberiscos, tumbó a varios de estos y ganó la costa a nado, con la espada en los dientes. Un bisabuelo, don Juan, casado con una hermosa dama veneciana—Regina de Inmenzo—, fue prestamista de la República y estableció en Mesina una casa de banca. Solía cobrar sus créditos con una oratoria suasiva o a estocadas de última instancia.

Juan Bautista, hijo de un mercader rico, y que se las echaba—al parecer, con razón—de hijodalgo, hizo estudios muy elementales en la villa. Porque a él, que le hervía la sangre, le gustaban las artes propias del caballero: esgrimir las armas, manejar los caballos, holgar con las mujeres. Quizá por templar su natural bravío, resolvió su padre dedicarle a la Iglesia, y aunque un poco tarde, pasó a Alcalá de Henares en el otoño de 1647 a estudiar Cánones. En octubre de 1648 figuraba Juan Bautista como el primero de los canonistas, habiendo aprobado ya Gramática, Física, Decretales y Decreto. En 1652 se graduó de bachiller en Cánones. Desde el año de su ingreso en la Universidad complutense estaba ordenado de Epístola por mano del obispo de Siria, y la había cantado por vez primera en dicho año en el convento de San Felipe el Real, de esta corte. Sin embargo, ya había armado Diamante la primera de sus imponentes fechorías. Acompañado de su amigo Gregorio de Palencia, y estando en casa de una mujer "llamada Jusepa, que se decía doña Josefa de Villanueva, y habitaba calle de San Ginés, casas de Diego Prieto, viuda, de treinta años, y oficio guardainfantera, a cuya casa iba de ordinario nuestro estudiante con otros camaradas", se desafió con un valentón, soldado de la vieja Guardia y de oficio prensador, llamado Francisco Sánchez, a quien mató de una estocada. Huyó. Se refugió en el colegio de jesuitas de Alcalá. Y gracias a los 400 ducados que su padre dio a la viuda del muerto, pudo verse libre de la justicia.

Por entonces empezó su fama de poeta y dramaturgo, escribiendo la comedia *El veneno para sí*. Se ordenó de presbítero hacia 1655, y entró, como caballero profeso, en la ínclita Orden militar de San Juan de Jerusalén. Pero ni estas dignidades pudieron corregir sus hábitos y tendencias al desorden, que le llevaron a sufrir un nuevo y más serio proceso. He aquí los términos en que cuenta la nueva fechoría de Diamante el célebre Barrionuevo, en sus *Avisos*: "Víspera del Corpus entraron ocho enmascarados en casa de don Pedro de Aponte, gran tahúr. Vivía en un jardín unido al Hospital General, junto a la Galera de mujeres; y le pidieron por una lista que llevaban todo cuanto tenía: 200 doblones de a 8; 4.000 reales de a 8 más, entalegados; cadenas, sortijas, joyas; en efecto, de 12 a 14.000 escudos. Han preso a algunos caballeros mozos. Tiénese por cierto se han de descubrir, por ser muchos los que andan en la danza."

Pues bien: uno de los ocho enmascarados era nuestro clérigo poeta Juan Bautista. Otro, Jusepe Marín, músico de la Encarnación, "el mejor que haya en Madrid". Diamante huyó a Valencia. Barrionuevo le atribuye nuevas fechorías y hasta le da por ahorcado en la ciudad levantina. "Anoche le dieron tormento a Diamante, clérigo, el guapo y crudo de la Puerta del Sol. Negó... Habiéndole dado otras cuatro vueltas y dos garrotes a los muslos..." "... y que habían ahorcado a un hijo de Diamante, mercader rico de esta corte, por una muerte, teniendo hechas acá no pocas, en particular la del regidor de Alcalá de Henares, que habrá cuatro años amaneció fuera de aquel lugar, ahorcado de una cruz."

¡Caray con Barrionuevo! ¡Vaya gacetillero de imaginación en terrible y constante igniscencia! Un poquito me parece que exageró las cosas... Porque la verdad es que Juan Bautista salió absuelto de la causa y obtuvo la dignidad de prior de Morón, convento de su Orden, sin necesidad de residir en él.

Desde 1657, más apaciguado de su temperamento por la edad, comienza para Diamante el período de mayor actividad en su composición literaria. En 1660 concurrió, obteniendo uno de los premios, al certamen celebrado con ocasión del traslado de la célebre imagen de la Soledad a su nueva capilla en el convento de la Victoria, de la villa. Presentó unas décimas y un romance. En este mismo año murió su padre, dejando "unas casas propias" en la calle Mayor y una muy saneada fortuna, además de la gran tienda referida. Amistó con los famosos poetas dramáticos Matos Fragoso, Gil Enríquez, Sebastián de Villaviciosa, Juan Vélez de Guevara, Pedro Lanini y Sagredo, con alguno de los cuales colaboro en diversas obras escénicas. En 1670 publicó la *Primera parte* de sus comedias, y en 1674, la *Segunda;* dedicada aquella al prócer italiano-español don Juan Bautista Ludovisio, príncipe de Piombino, y esta al famosísimo valido don Fernando de Valenzuela. No consta que saliera Diamante de Madrid durante sus últimos años, ni tampoco ningún suceso interesante de su vida. El 30 de octubre de 1687 hizo testamento. Deseaba que le enterraran en la iglesia de Montserrat, sita en la plaza de Antón Martín; que le dijeran cincuenta misas por su alma; que fueran sus testamentarios sus hermanos consanguíneos Pablo y Francisco Diamante, caballeros de Montesa; que sus bienes muebles—muy pocos: una cama de nogal, un escritorio, media docena de sillas, dos bufeticos y otros adherentes—los heredase su sobrina doña María de Castro, "que tan bien le había asistido en todo tiempo".

La opinión más concreta es la de que esta doña María de Castro era hija del dramaturgo. Y confirma más esta creencia haberse encontrado con la parroquia misma donde consta la partida de defunción otra que dice: "Doña María Diamante y Castro... Murió en 25 de septiembre de 1706..." Son los mismos apellidos de padre y madre de nuestro dramaturgo. Juan Bautista Diamante falleció el 2 de noviembre de 1687, en una casa—de don Francisco de Galvarrón—sita en la calle de Atocha, esquina a la de San Pedro. Le dijeron las cincuenta misas de su pío. Pero no le enterraron en Montserrat, sino en el convento de San Felipe el Real.

Así pasó este trueno de los Madriles, magnífico don Juan, de existencia más atormentadora que atormentada, gran dramaturgo, poeta barroco, capaz de todas las corazonadas y de todas las sinrazones.

Unas cincuenta comedias, más una docena de autos, loas, entremeses y bailes componen la labor literaria de Diamante. A pesar de su fecundidad, no es un dramático de primer orden; no se le puede comparar siquiera a los segundones gloriosos como Vélez, Mira de Amescua, Guillén de Castro, Cubillo de Aragón... Le faltó inventiva y originalidad, le sobró el estilo, afectadamente culto. Para Mesonero Romanos, en las comedias de Diamante, "al través de la monotonía en el manejo de los argumentos, hay cierto vigor en el trazado de los caracteres, cierto lujo de incidentes, cierta hinchazón pomposa y afectada." Para el conde de Schak: "Sobresalió Diamante en las re-

presentaciones de sucesos de la historia de España, siendo pocos los poetas que pueden comparársele..."

Cotarelo, el meor biógrafo de Diamante, escribe: "En resumen: Diamante no es original, como tampoco lo es ningún dramático de su tiempo, ni eso era ya posible después de haberse escrito cinco o seis mil comedias, todas ellas dentro de ciertos moldes, que fueron los señalados por Lope y sus primeros discípulos; pero da proporciones más artísticas y simplifica los asuntos ya tocados por otros. En cambio, exagera los caracteres de los personajes, como los de héroes antiguos, a los que convierte en insolentes valentones, audaces y provocativos; y para prestarles lenguaje propio, abulta también el sentido de las frases, empleando a veces imágenes y comparaciones impropias, resultando de todo un lenguaje, no gongorino, pero ampuloso y falso en fuerza de extremado. Sin embargo, en la versificación es suelto y aun armonioso, dentro de la tendencia, que ya empezaba a notarse, hacia el desprecio de la rima, origen del prosaísmo que sobrevino luego, prodigando el romance octosílabo. El lenguaje es puro, castizo y propiamente aplicado a las escenas y situaciones normales. El elemento cómico, que no falta en sus obras, es bueno y de buen gusto, ingenioso, y tal vez reviste novedad. En fin, que todavía mantiene Diamante vivo el sagrado fuego del altar de nuestra incomparable musa dramática."

Diamante es un dramaturgo de la escuela de Calderón, por su énfasis y por su tendencia escenográfica y musical, más que por la inventiva.

Sobresalen entre sus comedias: *La judía de Toledo*—basada en *La desgraciada Raquel*, de Mira de Amescua, e inspiradora, a su vez, de la *Raquel* de García de la Huerta—, *El honrador de su padre*—inspirada en *El Cid*, de Guillén de Castro—, *El cerco de Zamora*, *La reina María Estuardo*, *El restaurador de Asturias*, *La devoción del rosario*—que recuerda *La devoción de la cruz*, de Calderón—, *El hércules de Ocaña*, *La cruz de Caravaca*, *Juanilla la de Jerez*, *Pedro de Urdemalas*, *Alfeo y Aretusa*, *Cumplir a Dios la palabra*, *El valor no tiene edad*...

Las ediciones más importantes del teatro dramático de Diamante son: *Primera parte de las comedias*—Madrid, 1670—, *Segunda parte de las comedias*—Madrid, 1674—, *Tesoro del teatro español*—París, 1838 (con prólogo de don Eugenio de Ochoa)—, "Biblioteca de Autores Españoles", Madrid, 1859, tomo XLIX.

V. Cotarelo Mori, Emilio: *Don Juan Bautista Diamante y sus comedias,* en *Boletín de la Academia Española*, 1916.—Fee, A. L. A.: *Etudes su l'ancien théâtre spagnol: Les*

D

trois Cid (Guillén, Corneille y Diamante).
París, 1873.—MESONERO ROMANOS, R.: *Teatro de Diamante,* en *Semanario Pintoresco Español,* 1853, pág. 58.—LATOUR, A. de: *Pierre Corneille et Jean Baptiste Diamante.* París, 1861.—RENNERT, H. A.: *Mira de Amescua y "La judía de Toledo",* en *Revue Hispanique,* 1900, VIII, 119.—SCHACK, Conde de: ... *Arte dramático en España.* Tomo V.

DIANA, Manuel Juan.

Novelista y autor dramático. Nació—1814—y murió—1881—en Sevilla. Muy joven llegó a Madrid y empezó a escribir en los periódicos con el seudónimo de "El Curioso Impertinente". Oficial segundo del Archivo General del Ministerio de la Guerra—1843—, con la graduación de capitán de infantería. Jubilado en 1877. Su fama la debe a su comedia *Receta con las suegras,* que tradujo al alemán el rey Luis de Baviera y se representó en su corte. Esta obra, sumamente ingeniosa, fue imitada por Victoriano Sardou en su *La belle maman.* La Academia Española premió dos novelas de Diana: *La calle de la Amargura*—1841—y *El rostro y la condición*—1873.

Otras obras: *Una y tres*—novela, 1843—, *Un prisionero en el Rif*—novela, 1859—, *Memoria histórico-artística del teatro Real de Madrid*—1850—, *Capitanes ilustres...* —1851—, *Cien españoles célebres*—1864—, *No siempre el amor es ciego*—comedia, 1841—, *Ella es*—comedia, 1843—, *Yo no me caso*—comedia—, *Es un bandido*—en colaboración con Hartzenbusch—, *La cruz de la Torreblanca*—drama, con Romero Larrañaga—, *Los encantos de la voz*—1844, con Villoslada—, *Cuánto vale una lección*—comedia, 1848—, *El destino*—drama, 1856—, *Dos españoles en Flandes*—1860—, *El último que lo sabe*—comedia, 1863—, *A Roma por todo*—comedia bufa, 1863—, *Venganza murciana*—parodia, 1864—, *La perdición de los hombres*—cuadro, 1865...

V. CEJADOR Y FRAUCA, J.: *Historia de la lengua y literatura españolas.* Tomo VII, 340-341.—OVILO Y OTERO, M.: ... *Biografía y bibliografía de los escritores españoles del siglo XIX.* París, Rosa y Bouret, 1859, tomo I.

DÍAZ, Eugenio.

Novelista y periodista colombiano. Nació —1804—en Soacha (Cundinamarca) y murió—1865—en Bogotá. Cursó estudios en el Colegio de San Bartolomé de la capital. En 1858 fundó el periódico *El Mosaico,* en el que publicó incontables artículos de costumbres. Como novelista cultivó el melodramatismo populachero, pero con indudables calidades literarias.

Obras: *La Manuela, Una ronda de don Ventura Ahumada, Bruna la Carbonera, El rejo de enlazar, Los aguinaldos en Chapinero, Pioquinto o El valle de Tenza...*

DÍAZ, José María.

Autor dramático español. Nació—1800—en ¿Madrid? Murió—1888—en la Habana. De juventud romántica. Tomó parte activa en las luchas políticas de 1814 a 1854. Estuvo preso varias veces por ideas políticas. Y varias emigrado en Francia y Portugal. Desempeñó un puesto de confianza en el despacho del famoso banquero don José de Salamanca, quien, con su influencia omnipotente, hizo a Díaz empresario del teatro del Príncipe, primero, y más tarde, consejero de administración en Cuba.

Romántico en su vida y en su obra, José María Díaz fue gran amigo de Espronceda y de Zorrilla. Con este, en colaboración ceñida, compuso el hermoso drama *Traidor, inconfeso y mártir.*

Su obra es de una gran fecundidad. Tragedias clásico-románticas—que recuerdan las de Alfieri o Voltaire—como *Julio César* y *Catalina.* Dramas románticos plenamente, como *Elvira de Albornoz*—1836—, *Baltasar Cozza, Gabriela de Bergny, Juan sin Tierra, Una noche de máscaras, Creo en Dios, Para vencer, querer; Un poeta y una mujer, Enrique III, Juan de Pacheco, El matrimonio de conciencia, Catalina, Carlos IX y los hugonotes, Mártir, siempre; reo, nunca; Una reina no conspira, conspiran sus cortesanos; Redención*—arreglo maravilloso de *La dama de las camelias,* de Dumas (hijo).

José María Díaz era un facilísimo e inspirado poeta. Y poseía una inventiva acalorada y patética.

DÍAZ, Leopoldo.

Poeta argentino. Nació—1862—. Murió en 1947 en Chivilcoy (provincia de Buenos Aires). Diplomático. Residió muchos años en Europa—París, Ginebra Cristianía, Madrid...—. Fue uno de los incontables excelentes poetas hispanoamericanos que se alucinaron por todo *lo francés,* llenando de vocablos galos el sonoro castellano luminoso que les legara España. Muy amigo de parnasianos y simbolistas franceses, amó con fervor lo helénico, la belleza formal de la poesía, las estrofas esculpidas como mármoles o cinceladas como joyas. Su modelo próximo fue el amanerado y exquisito cubano-francés José María de Heredia. No puede negarse que Leopoldo Díaz es un interesante lírico y un dominador del idioma castellano, aun cuando haya perpetrado contra él terribles atentados muy bien recibidos... por los franceses exquisitos.

También escribió poemas directamente en francés, siendo traducidos a este idioma varios libros suyos—*Les ombres de Hellas, L'Atlantique conquise*.

Obras: *Fuegos fatuos. Los genios*—1888—, *La cólera del bronce*—1894—, *En la batalla*—1894—, *Canto a Byron*—1895—, *Bajorrelieves*—1895—, *Poemas*—1896—, *Traducciones*—1897—, *Las galeras de oro*—1901—, *Las sombras de Hellas*—1902—, *La Atlántida, conquistada*—1904—, *Las ánforas y las urnas*—1923—, *El sueño de una noche de invierno*—1928.

V. Alonso Criado, Emilio: *Literatura argentina*. Buenos Aires, 1916, 4.ª ed.—García Velloso, Enrique: *Historia de la literatura argentina*. Buenos Aires, 1914.—Jiménez Pastor, Arturo: *Historia de la literatura argentina*. Buenos Aires, edit. Labor, dos tomos.—Reynal O'Connor, Arturo: *Los poetas argentinos*. 1904.

DÍAZ ARRIETA, Hernán.

Crítico literario y periodista chileno que ha popularizado el seudónimo de "Alone". Nació—1891—en Santiago de Chile, en cuyo Seminario Conciliar e Instituto Comercial estudió Humanidades. Fue jefe del Registro Civil en el Ministerio de Justicia. Miembro de la Academia Chilena, correspondiente de la Real Academia Española de la Lengua. Miembro de la Academia Chilena de la Historia, correspondiente de la Real Academia Española de la Historia. Desde 1921 a 1939 ejerció la crítica literaria en el gran diario santiagueño *La Nación*. Desde 1939 hasta hoy, en *El Mercurio* de la misma ciudad.

Su cultura es grande, su criterio sutil, su crítica llena de objetividad. Pero él mismo advierte que le importa más el *hombre literario* que su obra. De aquí que la mayoría de sus críticas resulten *retratos*. Su prestigio es muy grande, y sin discrepancias, en Hispanoamérica. En España se le conoce poco, porque él se ha desinteresado demasiado de lo español.

Obras: *Prosa y verso*—poemas, cuentos, 1909—, *La sombra inquieta*—novela, 1915—, *Panorama de la literatura chilena durante el siglo XX*—1931—, *Don Alberto Blest Gana, biografía y crítica*—1940—, *Gabriela Mistral*—1946—, *Historia personal de la literatura chilena* (desde Alonso de Escilla hasta Pablo Neruda)—1954—, *La tentación de morir: crónicas y ensayos*—1954—, *Aprender a escribir*—reflexiones literarias, ¿1955?

V. Lillo, Samuel A.: *Literatura chilena*. 5.ª edición, 1930.—Montes, Hugo, y Orlanoi, Julio: *Historia de la literatura chilena*. Santiago, 1955.—Vera, José Santos: *Alone*, en *Rev. Nacional de Cultura*. Caracas, septiembre-diciembre de 1955.—Espinoza, Enrique: *Alone*, en *Atenea*, Concepción (Chile), núm. 360, junio de 1955.

DÍAZ CALLECERRADA, Marcelo.

Poeta español del siglo XVII, del que se tienen escasísimas noticias. En 1627 imprimió —en Madrid—su poema narrativo *Endimión*, dedicándolo a su protector Rodríguez de Ledesma, rector de la Universidad de Salamanca. El propio poeta, en una advertencia al lector, dice que su poema, en octavas reales, "va repartido en tres cantos. En el primero, Venus, baldonada de la Luna, incita al Amor a que la enamore y rinda. Abrásase por Endimión la helada diosa en el segundo. Y en el tercero la adormece para el recatado fin de sus amores". El autor se inspiró libremente en *Las metamorfosis*, de Ovidio, y logró un poema atractivo y elegante, en versos no tanto culteranos.

Díaz Callecerrada fue un admirador entusiasta de Lope de Vega, en cuya escuela militó, y a quien alabó sin tasa en la misma dedicatoria de su poema.

V. Hurtado y Palencia: *Historia de la literatura española*. Madrid, 1943, 522-523.

DÍAZ CANEJA, Guillermo.

Notable novelista español. Nació—1876—y murió—1933—en Madrid. Aprendió dibujo. Cursó declamación en el Conservatorio de Madrid. Terminó los estudios mercantiles. No se dedicó a la literatura sino pasados los treinta años.

De él ha dicho Cejador: "No tiene resabio alguno de aprendizaje; castizo y realista, no ha tomado nada de las rarezas en ideas y lenguaje de los naturalistas e idealistas extranjeros; conciso y sobrio, sin que nada falte, desenvuelve el asunto con naturalidad; dibuja con gran propiedad los personajes, que reflejan, aun los peores, el fondo de nobleza ingénita del autor; escribe con llaneza, propiedad y limpieza, en castizo castellano."

El éxito de público de este novelista, que responde a la prescripción de instruir deleitando, ha sido grande. En 1918, la Real Academia Española otorgó el "Premio Fastenrath"—su más codiciada recompensa—a la novela de Caneja *El sobre en blanco*. Otras novelas suyas han sido llevadas al cine y al teatro, y traducidas a varios idiomas. El realismo netamente español de Caneja jamás ha prescindido del orgullo del buen decir y de un elegante buen gusto expresivo.

Otras novelas: *Escuela de humorismo, La deseada, La pecadora, Pilar Guerra, El vuelo de la dicha, La virgen paleta, La mujer que soñamos, La novela sin título, Garras blancas, Una lección de amor, El carpintero*

D

y los frailes, El misterio del hotel. Y la comedia *Un beneficio.*

V. ENTRAMBASAGUAS, Joaquín de: *Las mejores novelas contemporáneas* (1915-1919). Barcelona, Planeta, 1959, págs. 981-1018. (Contiene una biobibliografía exhaustiva.)

DÍAZ CANEJA, Juan.

Literato español. Nació—1880—en León. Abogado. Periodista. Diputado a Cortes. Excelente orador. Ha dado incontables y muy interesantes conferencias por toda España en Ateneos y Academias. Con un verdadero fervor, en prosa casi poética, ha cantado a Castilla y Asturias.

Obras: *Vagabundos de Castilla*—1909—, *Apuntes sobre la emigración castellana* —1909—, *La cumbre*—novela, 1907—, *Cumbres palentinas*—1915—, *Verde y azul*—1927.

DÍAZ CAÑABATE, Antonio.

Nació en Madrid, el 21 de agosto de 1898. Estudió la carrera de Derecho. Se hizo abogado. Ganó unas oposiciones a secretarios judiciales. Ejerció muy poco tiempo, tomando posesión de la Secretaría de un Juzgado y dejándola a los pocos días. Así visitó Viella, Atienza y Coín. En Madrid iba mucho al Ateneo. Empezó a escribir a los veinte años, mientras se curaba de una larga enfermedad. Pero de aquella época no publicó nada. Por el azar de una amistad, su primera colaboración periodística fue en *Le Figaro,* de París, y en *La Republique,* de la misma capital. Por ese tiempo, 1931 ó 1932, también publicó artículos en *La Epoca,* de Madrid. Cronista oficial de Madrid.

Obras: *Historia de una taberna,* que apareció en 1944. La segunda edición es de 1945. Y la tercera, de 1947. Las dos primeras, en Barcelona, por José Janés. Y la otra, en Buenos Aires, en la Colección Austral, de Espasa-Calpe; *La fábula de Domingo Ortega*—Madrid, 1951—, *Historia de una tertulia*—1953—. Y en preparación muy avanzada, la *Historia de una chavala* y una recopilación de sus charlas por Radio Madrid. Otras obras: *Lo que se habla por ahí* —Madrid, 1954—, *Historias del tren*—Madrid, 1959...

Colabora en periódicos y revistas de Madrid y ejerce la crítica teatral en la revista *Semana.* En su literatura predomina un costumbrismo madrileño *actualizado* lleno de garbo, ingenio y sutileza.

DÍAZ CASANUEVA, Humberto.

Poeta y prosista chileno. Nació en 1905. Profesor de castellano. Por cuestiones políticas vivió algún tiempo desterrado en el Uruguay. Estudió en Alemania. Profesor de Estética en el Instituto Pedagógico. Encargado de Negocios—1941—en El Salvador. Diplomático.

Su lirismo es hondo, simbólico; en ocasiones va más allá del superrealismo. Le obsesionan los misterios de la vida y de la muerte, ante los que encalidece la angustia de sus interrogaciones.

Obras: *El aventurero de Saba*—1926—, *Vigilia por dentro*—1931—, *El blasfemo coronado*—1940—, *Requiem*—1945—, *La estatua de sal*—1947...

DÍAZ DEL CASTILLO, Bernal.

Famoso militar y escritor español. Nació —1492—en Medina del Campo (Valladolid). Murió—¿1581?—en México. Hijo del regidor Francisco Díaz del Castillo, llamado *el Galán.* Muy joven, niño casi, marchó a Indias en la comitiva del caballero Pedrarias de Avila, nombrado por aquel entonces gobernador de Tierra Firme. De aquí pasó a Cuba, regentada por Diego Velázquez. Tomó parte en la expedición de Grijalba—1518—, que descubrió y exploró el Yucatán. Después se alistó en las huestes de Hernán Cortés, de quien ya no se separó Díaz del Castillo hasta el fin de la conquista de México.

Heroico soldado, Bernal tomó parte en *ciento diecinueve combates,* entre batallas y escaramuzas. Para recompensar su valor y su patriotismo inmensos, se le concedió una encomienda en Guatemala, y se le nombró regidor de la ciudad de Santiago de los Caballeros.

Habiendo llegado a manos de Bernal Díaz del Castillo la obra de López de Gomara —publicada en 1552—*Crónica de la conquista de Nueva España,* en la que el cronista, para enaltecer a Hernán Cortés, oscurecía el esfuerzo de los compañeros de este, se indignó profundamente, y decidió, testigo presencial él y actor de los hechos más salientes de aquella empresa, escribir la *Verdadera historia de los sucesos de la conquista de Nueva España.* La obra permaneció inédita hasta 1632, en que la dio a la estampa—en Madrid—el mercedario fray Alonso Remón. Su prosa es enérgica, sobria, áspera; su estilo, rudo; su amenidad, grande; su veracidad, incuestionable, y con abundancia de detalles pintorescos, en los que se delata la sinceridad y en los que abunda la gracia. Castillo poseía verdaderas dotes de hablista y sentido de la amenidad de la narración.

Son ediciones interesantes de esta obra: Madrid, 1632; Madrid, 1794-1795; Salem, 1823; París, 1837, y en el tomo XXVI de la "Biblioteca de Autores Españoles". Jourdanet y J. María Heredia la tradujeron al francés; M. Restinge, al inglés, Londres,

1800 y 1803; el doctor Julius, al alemán, Hamburgo, 1848.

En 1941, el Consejo Superior de Investigaciones Científicas ha editado la *Historia de Bernal Díaz*. Otras ediciones: México, 1904-1905, por Jenaro García; Guatemala, 1933-1934, por Mayora.

V. FUÉTER: *Historiografía...*, 373.

DÍAZ DE ESCOBAR, Narciso.

Notable periodista, literato, poeta y autor dramático español. Nació—1860—y murió —1935—en Málaga. Estudió Humanidades en el seminario de su ciudad natal y Derecho en la Universidad de Granada. Diputado provincial. Cronista oficial de la ciudad malagueña. Correspondiente de las Academias de la Historia, de Bellas Artes de San Fernando, de Buenas Letras de Sevilla y de otras muchas de España, Francia, Italia y América.

Su fecundidad es asombrosa. Pasan de trescientos los títulos de sus obras, y de diez mil los artículos de su firma diseminados en las mejores publicaciones y en los más importantes diarios.

Poeta popular y delicadísimo, maestro de la copla andaluza. Autoridad grande en los temas de historia teatral. Autor dramático lleno de garbo y de emoción. Cuentista de extraordinario ingenio y humor.

Entre sus obras teatrales sobresalen: *Déme usted su cédula, El autor del crimen, Pasión de mulato, Monje y emperador, ¡A Buenos Aires!, María la Malagueña, Escala de redención, Lo que no castiga el Código*.

Entre sus obras históricas: *Anales de Málaga*—1900—, *Curiosidades históricas de Andalucía*—1900—, *Efemérides de Málaga y su provincia*—1889—, *Don Juan de Ovando* —1903—, *Galería literaria malagueña* —1898—, *Málaga ilustrada*—1905...

De asuntos escénicos: *Historia del teatro español, Biografías de actrices, Alonso de Olmedo, Mira de Amescua, Catálogo general del teatro español, Historia de la declamación, Siluetas escénicas del pasado, Décadas teatrales, Nicolás de los Ríos, Bibliografía teatral, El teatro en Málaga, Rita Luna, Actores antiguos, Apuntes escénicos cervantinos...*

Como poeta, son obras notables suyas: *Guitarra andaluza, Malagueñas, Cantares escogidos, Percheleras y trinitarias, Mis cantares, Poesías y cantares, Mis coplas...*

DÍAZ FERNÁNDEZ, José.

Periodista, ensayista y novelista español. Nació—1898—en Aldea del Obispo (Salamanca). Murió—1940—en Toulouse (Francia). Licenciado en Derecho por la Universidad de Oviedo. En 1920 se inició como periodista en el diario de Gijón *El Noroeste*. Cinco años después se pasó a *El Sol*, de Madrid, como crítico literario. Desde 1931 fue redactor de *Crisol*. Durante la segunda República española desempeñó algunos cargos oficiales de segundo orden. En la campaña de Marruecos de 1921 se batió bravamente por España. Alcanzó—1927—el premio extraordinario de cuentos en un concurso organizado por el diario madrileño *La Libertad*. Director—1931—de la revista de ideas políticas *Nueva España* y colaborador en otras extranjeras muy importantes, como *Nouvel Age, Monde y Europe*, de París.

Fino crítico, prosista correcto, cuentista original y fuerte, sugestivo narrador, Díaz Fernández es uno de los escritores jóvenes españoles más cuajados y originales.

Obras: *El blocao*—novela, 1928—, *La Venus mecánica*—novela, 1929—, *El nuevo romanticismo*—ensayos, 1930—, *La largueza* —novela, 1931—, en el tomo *Las siete virtudes*, editado por Espasa-Calpe, Madrid...

V. NORA, Eugenio G. de: *La novela española contemporánea*. Madrid. Edit. Gredos, 1962, tomo III, págs. 25-30.

DÍAZ DE GÁMEZ, Gutierre.

Historiador y prosista español. Se desconocen el lugar y la fecha de su nacimiento; pero debió de ser gallego y vivió entre 1378 y 1448. Posiblemente estuvo al servicio de don Pero Niño, conde de Buelna, cuya vida escribió Díaz de Gámez en su *Crónica de don Pero Niño*, llamada también *El Victorial*. Don Pero Niño vivió de 1378 a 1453; la *Crónica* no alcanza sino hasta 1446. Es, pues, presumible la muerte de Díaz de Gámez poco después.

Tomando como modelos la *Crónica general* y *La gran conquista de Ultramar*, como observa Carriazo, entran en *El Victorial* tres principales elementos: la doctrina de la caballería, los ejemplos de la misma en los grandes personajes y la vida de don Pero Niño.

Es obra *El Victorial* que revela un gran sentido literario y un finísimo sentido crítico; y está llena de interés por las leyendas, cuentos, detalles históricos de batallas y torneos, relatos de amores y alusiones clásicas que recoge. Y según Hurtado y González Palencia: "Pero hay en *El Victorial*, que por el estilo se puede parangonar a veces con *El conde Lucanor*, observaciones psicológicas muy atinadas sobre el carácter de los ingleses, franceses y españoles; abundan los datos curiosos referentes a la vida marítima y campestre. Y las empresas del famoso don Pero Niño prueban, como *El paso honroso*, cuán cerca de la vida real es-

D

tán las hazañas inmortalizadas por los libros de caballerías."

El manuscrito de *El Victorial* se conserva en la Academia de la Historia.

Ediciones de *El Victorial:* Llaguno y Amirola, Col. Sancha, 1782; Circourt y Puymaigre, París, 1867.

De la *Crónica:* R. Iglesia, Madrid, Colección Signo, 1935; Juan de Mata Carriazo, Madrid, 1940, Espasa-Calpe.

V. MATA CARRIAZO, Juan: *Estudio y notas* en la ed. 1940. Madrid.—VARGAS PONCE, J.: *Vida de don Pero Niño.* Madrid, 1807.—GONZÁLEZ PALENCIA, Angel: *Don Pero Niño y el condado de Buelna,* en el *Boletín Menéndez y Pelayo,* 1932.

DÍAZ GARCÉS, Joaquín.

Periodista, erudito, narrador chileno. Nació—1877—y murió—1921—en Santiago. Estudió el bachillerato en el Colegio de San Ignacio y la carrera de Leyes en la Universidad Católica de su ciudad natal. Tomó parte en la fundación de varios periódicos: *El Mercurio, Instantáneas, Zig-Zag, Las últimas noticias, Pacífico Magazine.* Alcalde de Santiago. Secretario en las Legaciones chilenas en Italia, Bélgica y Holanda. Diputado en el Congreso y candidato—1920—a la presidencia de la República. Utilizó el seudónimo "Angel Pino" para firmar sus crónicas de costumbres y de humor. Durante su vida publicó solo dos libros: *Páginas chilenas*—1908—y *Páginas de Angel Pino* —1917—. Como novelista cultivó un realismo costumbrista con vetas históricas.

Otras obras: *Incendiario, La voz del torrente. Un siglo en una noche, El maestro Tin-Tin, La muerte de O'Higgins, Leyendas y episodios nacionales, Mi enfermedad.*

DÍAZ MIRÓN, Salvador.

Gran poeta. Nació—1853—en Veracruz (México). Murió en 1928. Licenciado en Letras. Catedrático en Literatura. Orador elocuente y político militante desde muy joven. Por haber combatido fieramente al dictador Porfirio Díaz, tuvo que huir a Cuba, donde vivió misérrimamente. Varias veces diputado del Congreso de la Unión. Famoso por sus cárceles, duelos y éxitos tribunicios. Dirigió *El Imparcial* los años 1913 y 1914. El pueblo mexicano humilde sentía por él una verdadera adoración. Amó lo justo, lo sincero, lo bello, lo caballeroso. Le atraían España y Castilla, por lo que sabía de ellas de firme, de enhiesto, de principal y hermoso. Como poeta, fue el adalid de los parnasianos en América.

En sus poesías pueden separarse dos épocas: las de su juventud son imaginativas, impetuosas. Las de su madurez, mesuradas, clásicas. Pero muchas de ellas, de las dos épocas, corren en antologías y revistas por todo el mundo, y dos generaciones se las han aprendido de memoria. Sobresale Díaz Mirón por la fuerza sincera de expresarse y por las sentencias y comparaciones primorosamente cinceladas.

Todo lo sacrificó a la técnica del ritmo. Díaz Mirón, con Gutiérrez Nájera, marcan el paso de transición del romanticismo al modernismo.

"Victorias animadas parecen las estrofas del poeta. Arrancó a la de Samotracia de su base rostral, le reintegró su testa soberana y animó su ímpetu... La rememoración de Grecia luminosa se impone siempre al correr la obra de Díaz Mirón. Así, los gestos heroicos, contenidos por la grave armonía, se multiplican, y cree el lector transitar por una avenida de Olimpia o de Corinto, decorada por las estatuas de los púgiles célebres y de los aurigas victoriosos. Así, el énfasis de una frase hace pensar en las inscripciones lapidarias, y un poema de sensual melancolía produce idéntica impresión que la Afrodita de Epidauros, velada por el himatión y con la frente llena de pensamientos... Después de la publicación de *Lascas*—1901—, de ese maravilloso libro, cuya perfección de forma no tiene en castellano precedente ni continuación, el poeta ha seguido por otros senderos su gloriosa peregrinación. Tal libro no es popular, porque es una obra de arte intransigente, de altiva aristocracia y de honda sabiduría." (José Juan Tablada.)

Obras: *Poesías*—México, 1886—, *Poesías* —1895—, *Lascas*—Xalapa, 1901—, *Triunfos* —1910—, *¿Qué es poesía?*—en *España Moderna,* noviembre 1900...

Díaz Mirón renegó de todas sus poesías anteriores a *Lascas,* "... colección de poemas de corte parnasiano, que, por lo castigado del estilo, la sabia e impecable factura del verso y hasta por cierta frialdad emotiva, han sido justamente equiparados a trozos de mármol pulido".

V. TABLADA, J. J.: *S. D. Mirón,* en *Revista Moderna,* 1906.—BRUMMEL: *Los poetas mexicanos contemporáneos.* México, 1888.— GONZÁLEZ PEÑA, C.: *Historia de la literatura mexicana.* México, 1940, 2.ª edición.—JIMÉNEZ RUEDA, J.: *Historia de la literatura mexicana.* México, 1942.

DÍAZ ORDÓÑEZ, Virgilio.

Firma "Ligio Vizardi". Poeta. Nació en San Pedro de Macorís (República Dominicana) en 1895. Es doctor en Derecho y licenciado en Farmacia. Actual secretario de Relaciones Exteriores. De una gran cultura. Clasicista. Ha sido rector de la Universidad de Santo Domingo. Su verso es refinado y preciosista. Juega la metáfora con discreción y buen gusto.

Ha publicado *Los nocturnos del olvido* —1925—, *La sombra iluminada*—1929—y *Figuras de barro*—1930.

DÍAZ PÉREZ, Nicolás.

Literato, erudito y periodista español. Nació—1841—en Badajoz. Murió en 1891. Republicano desde su mocedad, fue secretario del primer Comité democrático creado en su ciudad natal y corresponsal de *La Discusión* y *El Pueblo*. En 1859 tuvo que huir a Portugal. De regreso a España, pasó dos años encarcelado, a consecuencia de sus discursos y conferencias socialistas. Nuevamente se refugió en Portugal en 1866. Tomó parte activa, desde Madrid, en la revolución del 68, fundando el diario *El Hijo del Pueblo*, primer periódico federal que se conoció en la capital de España. Atraído por los estudios artísticos y por los trabajos literarios, desdeñó varios importantes cargos oficiales que le ofrecieron Figueras y Castelar.

Fue secretario de la Sociedad Económica Matritense y vocal de los Congresos Americanos—IV—de Instrucción—de Neufchâtel, 1882—y del Internacional, celebrado en Roma el mismo año.

Obras: *Bandera negra*—leyenda, en verso, Huelva, 1863—, *En alta mar*—novela, Madrid, 1868—, *Estudios sobre Camoens y la literatura portuguesa*—Madrid, 1876—, *Historia de Talavera la Real*—1879—, *Ecos perdidos*—poesías, 1881—, *Causas célebres contemporáneas*—1883—, *Viaje por mi patria*—1881—, *Recuerdos de Extremadura* —1884—, *Diccionario histórico, biográfico, crítico y bibliográfico... de artistas extremeños ilustres*—Madrid, 1886—, *Un año en Portugal, Historia general de Badajoz, Recuerdos literarios, Un viaje a Italia, El Plutarco extremeño...*

DÍAZ-PLAJA, Fernando.

Profesor, periodista, ensayista, historiador. Nacido en Barcelona el 24 de abril de 1918. Estudió Filosofía y Letras en las Universidades de Barcelona y Valencia. Se doctoró en Historia en Madrid en 1945.

Su actividad se ha repartido entre el cultivo de la Historia y el del periodismo.

En el primer campo ha publicado los siguientes folletos: *Bizancio y la herencia de Roma*—Barcelona, 1942—, *Viaje histórico por España y Europa*—Barcelona, 1943—, *Aspecto clásico de una revolución histórica* —Barcelona, 1944—, *Tres veces Héctor* —Madrid, 1949.

Libros: *Cuando los grandes hombres eran niños...*—Barcelona, 1942—, *Teresa Cabarrús* —Barcelona, 1943—, *Historia universal de la cultura*—Barcelona, 1945—, *La vida española en el siglo XVIII*—Barcelona, 1946—, *La historia de España en la poesía*—Barcelona, 1946—, *El ejército imperial*—Barcelona, 1951.

Otras obras: *La muerte de la poesía española*—1951—, *El hombre y sus alrededores, La vida española en el siglo XIX* —1952—, *Verso y prosa de la historia española, La historia de España en sus documentos*—Madrid, 5 tomos, 1954 a 1963.

Ha obtenido grandes éxitos con sus libros: *El español y los siete pecados capitales* —1966—, *El francés y los siete pecados capitales*—1969—, *Los siete pecados capitales en U. S. A.*—1967—, *La piedra en el agua y otras historias crueles*—1968.

Ha dado conferencias en el Ateneo barcelonés, Facultad de Filosofía y Letras de la Universidad de Cagliari (Cerdeña), Centro de Estudios Internacionales de Bolonia, Universidad Bocconi, de Milán; Congreso de la Modern Languages Association, en Nueva York; Centro Español de State College, Pensilvania (Estados Unidos); Instituto de España en Londres...

Profesor ayudante en Barcelona—1943-1945—, lector de español en Milán—1948-1949—, profesor visitante en State College, Pensilvania (Estados Unidos)—1950-1951—. Miembro correspondiente de la Real Academia de la Historia.

Colaborador de los principales periódicos españoles desde 1940. Corresponsal en Roma de *Madrid* y *Diario de Barcelona* desde 1946 a 1948. En Bélgica y Holanda, en 1949, de *A B C*. En los Estados Unidos, 1950-51, de *Semana* y *Destino*.

Ha viajado por los países mencionados y por Francia, Suiza y Austria.

DÍAZ-PLAJA, Guillermo.

Ensayista, poeta, crítico literario, investigador español de extraordinario valor. Nació—1909—en Manresa (Barcelona). Estudió el bachillerato en Gerona, Melilla y Lérida. Licenciado en Derecho. Doctor en Filosofía y Letras, con premio extraordinario, por la Universidad de Madrid—1931—. Ha viajado por toda Europa y América. Catedrático de Lengua española y Literatura en el Instituto "Jaime Balmes", de Barcelona. "Premio Nacional de Literatura, 1935". Director del Instituto del Teatro de Barcelona. Correspondiente de la Real Academia Española. Miembro del Consejo Superior de Investigaciones Científicas y de la Hispanic Society of America, de Nueva York. Miembro numerario de la Real Academia Española de la Lengua.

Obras: *Rubén Darío. La vida. La obra* —Barcelona, 1930—, *El lenguaje. Su gramática*—Barcelona, 1933—, *Visiones contempo-*

D

ráneas de España—1935—, La técnica del verso—1936—, El arte de quedarse solo, y otros ensayos—1936—, Introducción al estudio del romanticismo español—1936—, La poesía lírica española—1937—, La ventana de papel—ensayo sobre el fenómeno literario, 1940—, El espíritu del barroco—1941—, Primer cuaderno de sonetos—1941—, Historia del español—1941—, Hacia un concepto de la literatura española—1942—, Historia de la literatura española a través de la crítica y de los textos—1943, dos tomos—, El engaño a los ojos—notas de estética menor, 1943—, Métrica y composición castellanas —1944—, Ensayos escogidos—Madrid, M. Aguilar, 1944—, Carmen Granadí—poesías, 1945—, Intimidad—poesías, 1946—, Federico García Lorca—Buenos Aires, 1948—, Modernismo frente a Noventa y ocho—Madrid, 1951—, Poesía y realidad—Madrid, 1952—, Vencedor de mi muerte—poema, Madrid, 1953—, El reverso de la belleza—Barcelona, 1956—, El estilo de San Ignacio y otras páginas—Barcelona, 1956—, El teatro. Enciclopedia del arte escénico—Barcelona, 1958—, Juan Ramón Jiménez en su poesía—Madrid, 1958—, Ensayos elegidos—Madrid, 1965.

DÍAZ RODRÍGUEZ, Manuel.

Novelista, ensayista y periodista venezolano. Nació en 1868. Murió en 1927. Desde muy joven se dedicó al periodismo en su patria, pero viajó por Europa y colaboró en otras muchas publicaciones, principalmente el Diario de la Marina. La Academia venezolana, correspondiente de la Real Española de la Lengua, le concedió la medalla de oro por su libro Sensaciones de viaje—1906...

Díaz Rodríguez fue un sereno pensador, un excelente novelista, un artista de espíritu becqueriano, con un estilo armonioso, pintoresco, cuajado de bellas metáforas. Literato que unía a la gracia de su educación francesa el casticismo de un castellano elegante, musical y pictórico. "Hizo—escribe Cejador—novelas satírico-sociales, psicológicas, de carácter, y descripciones de viaje muy gustadas, sobresaliendo siempre por la magia encantadora de su estilo, por sus primores de forma, sin los cuales el fondo perdería gran parte de su valer."

Dominó, con trazos geniales, la narración elegante y escueta. Su principal defecto fue la poca soltura con que manejaba el diálogo. En ocasiones se llega a la mitad de una de sus novelas sin que se sepa cómo maneja dicho resorte.

Para Picón-Febres: "El rasgo más saliente y luminoso, el que eclipsa a los demás de este eximio escritor, ornamento de la patria, es el de estilista, el de estilista diestro, refinado, exquisito, esplendoroso de joyas de elocución en su originalidad perspicua, en la cual se han juntado, para producir un conjunto armoniosísimo, la amplitud musical del castellano y la graciosa alegría del francés..."

En muy pocos años alcanzó la fama en Venezuela y la extendió por todo el continente americano, y hasta por Europa.

Obras: Sitio, batalla de Pavía y prisión del rey de Francia—Barcelona, 1883—, Sensaciones de viaje—París, 1896—, Confidencias de Psiquis—Caracas, 1897—, De mis romerías—Caracas, 1898—, Cuentos de color —Caracas, 1899—, Idolos rotos—París, 1901, novela—, Sangre patricia—novela, Caracas, 1902—, Trovadores y trovas, Camino de perfección—París, 1911—, Sermones líricos —Caracas, 1918—, y otras de menos importancia.

V. Picón-Febres, G.: Notas e impresiones. 1899.—Picón-Febres, Gonzalo: La literatura venezolana. Caracas, 1906.—Picón-Febres, Mariano: Formación y proceso de la literatura venezolana. Caracas, 1941.—Ratcliff Dyllwyn, F.: Venezuelan Prose Fiction. Nueva York, 1933.

DÍAZ SÁNCHEZ, Ramón.

Ensayista y novelista venezolano. Nació —1903—en Puerto Cabello. Desde muy joven se dedicó por entero al periodismo y a la literatura. Entre 1936 y 1937 editó el diario Ahora. Jefe de Publicaciones del Ministerio de Agricultura durante dos años. De 1942 a 1944, director de la Oficina Nacional de Prensa. Diputado en varias legislaturas. Director de Cultura en el Ministerio de Educación Nacional. "Premio Nacional de Literatura, 1952". Murió en 1968.

Cultivó un realismo noble, muy nacional, lleno de colorido.

Obras: Guzmán, elipse de una ambición de poder; Mene—1936—; Cumboto, Cam —1933—, Transición—1937—, Ambito y acento—1939—, El sacrificio del padre Renato, Caminos de amanecer—1941—, Historia de una historia—1941—, La Virgen no tiene cara...

DÍAZ TANCO DE FREGENAL, Vasco.

Poeta y dramaturgo español. Nació en Fregenal de la Sierra hacia 1514. Murió después de 1570. Aventurero extraordinario. Estuvo cautivo en tierras de infieles antes de 1547. Tradujo obras latinas. Redactó sinodales y constituciones diocesanas. Anduvo por Portugal, Francia, Italia, Grecia y Turquía. Fue impresor, poeta improvisador de versos lascivos, que recitaba maravillosamente; astrólogo y adivinador del porvenir humano, historiador, clérigo de la diócesis de Badajoz; lo mismo escribía y representaba una tragedia bíblica, que recomponía breviarios por encargo de los prelados, o que cortaba y cosía los más extraordinarios atuendos orientales. Era socarrón, sinvergüenza, cínico, despreocupado, alegre y de corazón muy tierno.

En el prefacio del *Jardín del alma cristiana*—1552—, dirigido al cabildo y clero de Orense—donde fue impresor—, da una lista de las numerosas obras que había escrito desde que salió de la cautividad de los infieles: "Cuarenta y ocho libros..., entre grandes y pequeños, en parte traducidos y en parte recopilados y en parte compuestos... en mi punto y tijera." De estos cuarenta y ocho libros, treinta son obras dramáticas, casi todas de asunto bíblico, entre ellas tres tragedias: *Absalón; Amón y Saúl,* y *Jonatás en el monte de Gelboé.*

Tradujo y completó la obra de Paulo Jonio, *De Turcarum rebus historia,* con el título de *Palinodia de la fiera y nefanda nación de los turcos...*—1547.

Otras obras: *Los veinte triunfos, Portante de casas nobles, en que se trata de los títulos de dignidades temporales y mayorazgos de España...*—1552.

Díaz Tanco está incluido en el *Catálogo de autoridades de la lengua.*

V. Moreno García, C.: *Migajas literarias: V. D. T.,* en *Revista Cast.,* 1916, II, 7-13.—Rey Soto, A.: *Discurso sobre V. D. T.,* en *Boletín Com. Monum.,* Orense, 1923.—Macías, M.: *V. D. T.,* en *Boletín Com. Monum.,* Orense, 1924.—Gillet, J.: *Obras de Díaz Tanco,* en *Rev. Arch.,* 1924.

DICENTA, Joaquín.

Poeta y dramaturgo español de mucho relieve, hijo de Dicenta y Benedicto. Nació —1893—y murió—1967—en Madrid. Desde muy joven se dedicó al periodismo y al teatro. La Academia de la Lengua premió su drama, en verso, *Son mis amores reales,* y el Ayuntamiento de Madrid, su drama *Leonor de Aquitania,* igualmente en verso.

Ha estrenado: *El bufón, Gente de honor, La Casa de Salud, Este no es mi Juan, La tía Javiera, La mujer de Bandera, Madre Alegría, Hernán Cortes*—trilogía dramática.

Otras obras: *El libro de mis quimeras* —poesías, 1912—, *Lisonjas y lamentaciones* —poesías, 1913—, *El baile de Panaderos* —novela corta.

Joaquín Dicenta (hijo) es un gran poeta, delicado, fácil, musical, en el que no han influido las modernas extravagancias poéticas.

DICENTA Y BENEDICTO, Joaquín.

Periodista, poeta, novelista y dramaturgo español muy popular en su época. Nació

—1863—en Calatayud (Zaragoza). Murió —1917—en Alicante.

Estudió las primeras letras con los escolapios de Getafe y el bachillerato en Alicante. Huérfano de padre, vino a Madrid, donde se entregó de lleno al periodismo, a la bohemia más absoluta, al periodismo republicano, al vino y a los amoríos, escribiendo al mismo tiempo, sin reposo alguno, dramas y zarzuelas para el teatro, crónicas para los periódicos y novelas y cuentos para los editores. Por su temperamento brioso y ardiente, fue en sus comienzos un escritor romántico, exuberante y derrochador de palabras. Poco a poco se hizo más sobrio y realista, más moderno, pero sin renunciar a su romanticismo íntimo.

Dicenta alcanzó gran fama como novelista recio, de estilo muy personal; como dramaturgo, defensor de la justicia en todos los postulados sociales; como cronista, ameno y de mucha enjundia. En todas sus obras hay pasión, ansia de justicia, estilo pujante, personajes y situaciones del realismo más insobornable, generosa doctrina a la manera romántica española.

Obras teatrales: *Juan José*—1895—, su producción más famosa, éxito pleno, en el que se llevaba por primera vez al teatro el drama social con extraordinaria sinceridad, realismo y energía; *Curro Vargas*—zarzuela—, *El Lobo*—1913—, *Daniel*—drama social sindicalista—, *Sobrevivirse*—de gran intensidad y bastante psicología—, *El suicidio de Werther, Irresponsables, Luciano*—1894—, *Honra y vida*—1891—, *Aurora, Lorenzo, El señor feudal, El crimen de ayer, Amor de artistas.*

Otras obras: *Del tiempo mozo*—poesías—, *Encarnación*—novela—, *Por Bretaña*—viajes—, *Mares de España*—viajes—, *Los bárbaros*—novela—, *Novelas, De la vida que pasa*—novelas cortas—, *Los de abajo*—cuadros sociales—, *Mi Venus*—novela—, *El caudillo*—novela—, *Galerna*—novelas cortas—, *Tinta negra*—artículos—, *El Spoliarium, Piedra a piedra...*

V. Sainz de Robles, F. C.: *La novela corta española (La promoción de "El Cuento semanal"). Estudio y notas.* Madrid, Aguilar, 1952.

DIEGO, Gerardo.

Notable poeta español. Nació—1896—en Santander. Estudió Filosofía y Letras en Deusto (Bilbao), con los padres jesuitas, y se licenció en Letras en las Universidades de Salamanca y Madrid, estudiando en esta última el doctorado. Catedrático de Instituto desde 1920. Ha explicado Literatura en Soria, Gijón, Santander y Madrid. Ha viajado por Francia, Portugal y la América española. Ha dado numerosas conferencias de poesía y música en diversas ciudades de España y América. El mismo confiesa: "No he sido escritor precoz. Mis comienzos no pudieron ser más brillantes, pues tuve el honor de estrenarme como prosista en *La Revista General*, de la Editorial Calleja, donde colaboré en 1918 con Homero, Esquilo, Shakespeare, Racine, Díez-Canedo y Moreno Villa, a consecuencia de un premio que la misma casa me otorgó en un concurso pedagógico literario. En ese mismo año comencé a intentar versos. Obtuve el Premio Nacional de Literatura—1924-1925—, al alimón con Alberti, por mis *Versos humanos*. Creo que han influido en mis gustos y en mis versos algunos clásicos, Lope sobre todo, a quien adoro... También han influido en mi formación poética mis aficiones a la Naturaleza, a la Pintura y, sobre todo, a la Música."

Es miembro de la Real Academia Española.

Tampoco Gerardo Diego oculta jamás sus iniciativas ultraístas y el influjo que tuvo sobre él el chileno Vicente Huidobro, paladín del *creacionismo*. Pero Gerardo Diego es un poeta de tal densidad, que bien pronto quedó libre y purificado de las apuntadas influencias. Y dio medida exacta de gran fuerza creadora, después de pasar por unos episodios gongorinos y superrealistas. Felizmente para Diego, pudo más que todo, en él, la esencia lírica castellana. Poeta castellano por excelencia es Gerardo Diego. Y delicado con tersura. Hondo con limpieza. Musical con perduración recóndita. Difícil —a veces—, con naturalidad. No creemos, como Federico de Onís, que el lirismo más personal de Diego se halle en su parte ultraísta y creacionista; estimamos que el gran poeta se adentra perdurablemente en sí mismo cuando logra humanizar y estilizar sus emociones. Es, hoy, posiblemente, uno de los líricos más claros, sugestivos y desligados de toda posible incidencia subversiva.

Muchos aciertos se encuentran en *Imagen* —1922—y en el *Manual de espumas*—1924—, libros en los que se recogen desintegraciones ultraístas e imágenes creacionistas; pero muchos más pueden espigarse en *Versos humanos*—1924—, *Soria*—1923—, *Vía crucis* —1931—, *Alondra de verdad, Versos divinos, El Romancero de la novia, Angeles de Compostela*—poema, 1940—, *Primera antología de mis versos, Poemas adrede*—1943—, *Soria* —nueva edición, ampliada, 1948—, *Limbo* —1951—, *Hasta siempre*—1949—, *La luna en el desierto*—Santander, 1949—, *Biografía incompleta*—Madrid, 1951—, *Amazona*—Madrid, 1953—, *Paisaje con figuras*—Palma de Mallorca, 1956—, *Amor solo*—Madrid, 1958—,

Canciones a Violante—Madrid, 1959—, *La suerte o la muerte*—Madrid, 1963—, *El jándalo*—1964—, *Poesía amorosa*—1965—, *El Cordobés dilucidado*—1966—, *Vuelta del peregrino*—1967.

V. GÓMEZ DE BAQUERO, E.: *Pen Club: Los poetas.* Madrid, 1929.—PEÑA, Manuel: *El ultraísmo en España.*—TORRE, Guillermo de: *Literaturas europeas de vanguardia.* Madrid, 1925.—ALONSO, Dámaso: *Ensayos sobre la poesía española.* Madrid, 1944.—VALBUENA PRAT, Angel: *Historia de la literatura española.* Barcelona, 1950, 3 tomos, 3.ª edición.—DÍAZ-PLAJA, Guillermo: *Historia de la poesía lírica española.* Barcelona, 1948, segunda edición.—ALONSO, Dámaso: *La poesía de Gerardo Diego,* en *Poetas Españoles Contemporáneos.* Madrid, edit. Gredos, 1952.— GALLEGO MORELL, A.: *Vida y poesía de Gerardo Diego.* Barcelona, 1955.—VIVANCO, Luis Felipe: *Introducción a la poesía española contemporánea.* Madrid, 1957.—CANO, José Luis: *Poesía española contemporánea.* Madrid, 1960.

DIEGO, José de.

Poeta, prosista, orador puertorriqueño. Nació—1866—en Aguadilla. Murió en 1918. Estudió el bachillerato en España y la carrera de Derecho en las Universidades de Barcelona y la Habana. Magistrado del Tribunal Supremo. Presidente de la Cámara de los Diputados. Miembro del Consejo Ejecutivo. Subsecretario del Interior y de Justicia. Miembro correspondiente de la Unión Iberoamericana, de Madrid; de la Sociedad de Historia Internacional, de París, y de la Academia de Toulouse. Magnífico orador forense y político.

Obras: *Sor Ana*—poema—, *Pomarrosas* —poesías, Barcelona, 1904—, *Jovillos*—ensayos, Barcelona, 1904—, *Cantos de rebeldía* —1916.

"Inspirado—escribe Abigail Mejía—, entona cantos a América hispana, a la patria, grita en vano profecías y los emplaza—[a los norteamericanos]—ante la Historia. Eso cuanto al fondo; que en lo referente a la forma de sus versos, no es atrevida ni exagerada nunca, sino sencilla, elegante, sin recargamiento de adornos novedosos; procura versificar como si hablara, y su noble idea redentorista, patriota, hace simpatizar con él y no ser exigente ante el vaso lírico en que los vacia, recipiente de plata con solo ribetes de las aleaciones de hoy."

V. MEJÍA, Abigail: *Historia de la literatura... hispanoamericana.* Barcelona, Araluce, 1913.—FERNÁNDEZ JUNCOS, Manuel: *Antología portorriqueña.* Puerto Rico, 1907.—TORRES RIVERA, Enrique: *Parnaso portorriqueño.* Barcelona. Maucci, 1920.—VALBUENA

BRIONES, Angel: *La poesía puertorriqueña contemporánea*. Tesis doctoral. Madrid, 1952. ROMANACEE, Sergio: *José de Diego y el modernismo*. P. R. I., 38-28, núm. 40.—MELÉNDEZ, Concha: *Signos de Iberoamérica*.

DIEGO-PADRÓ, J. I. de.

Poeta y prosista puertorriqueño. Nació —1896—en Vega Baja. Durante su juventud recorrió España, Francia y los Estados Unidos. En 1914 se alistó voluntario, como simple soldado, en el ejército norteamericano que luchó en Europa. Como lírico, es muy emotivo, y de carácter independiente.

"La formación estructural del verso—escribe Valbuena Briones—es muy cuidada. En su explayarse poético va adquiriendo distintas modalidades. Su obra es extensa y varia. Emplea el adjetivo y la imagen con precisión e intuición selecta. Recibe, en sus comienzos, una influencia de los poetas franceses, que burbujea en él a través del modernismo de Herrera y Reissig. Mediante esta influencia extranjera se le despierta la afición por los clásicos griegos. Su estilo va adquiriendo elegancia y corrección. Tal vez enfríe su sentimiento y se transforme un poco marmóreo a medida que va madurando su expresión. Esta depuración poética se vuelve más lacia en la forma, abandona formalismos y modos convencionales que le habían atado a una postura histórica: el modernismo. Se vuelve libre. Su inspiración es directa. Existen, ahora, en su poesía, ciertos dejos de Whitman, mezclados con un romanticismo atemporal, al que son muy dados los poetas puertorriqueños. Las reglas métricas son abandonadas valientemente. Hay cierto desaliño en la forma, que parece eventual, pero en el fondo responde a una concepción poética en la que se plasma directamente el instante vivido en un estremecimiento de tonalidades íntimas. Se decide plenamente por la suprema claridad y sencillez del verso, imponiendo cierto sabor agrio e irónico, dentro de un ritmo suave y peculiar."

Obras: *La flauta encantada, La última lámpara de los dioses*—1920, 2.ª edición, 1950. V. VALBUENA BRIONES, Angel: *La poesía puertorriqueña contemporánea*. Tesis doctoral. Madrid, 1952.—VALBUENA BRIONES, Angel: *La nueva poesía puertorriqueña*. Antología. Madrid, 1952.—RIBERA CHEVREMONT Y ALEGRÍA: *Antología de poetas jóvenes de Puerto Rico*. San Juan, 1918.

DIÉGUEZ OLAVERRI, Juan.

Poeta guatemalteco. Nació—1822—y murió —1882—en la ciudad de Guatemala. Doctor en Leyes. Intervino activamente en la política, sufriendo persecuciones a causa de sus ideas liberales. Al llegar a la gobernación de su país el partido liberal, fue nombrado Diéguez juez de primera instancia y catedrático de Derecho en la Universidad de Guatemala.

Juan Diéguez es un poeta de *transición*. Su educación fue perfectamente neoclasicista, pero sus gustos le llevaron más adelante a imitar a los románticos franceses y españoles, preferentemente a Víctor Hugo y a Enrique Gil y Carrasco.

Entre sus poesías sobresalen: *El cisne* —canto a la muerte de Andrés Chénier—, *La garza, A mi gallo, Tardes de abril...*

Sus *Poesías líricas* se publicaron póstumamente, en 1893.

V. SALAZAR, Ramón A.: *Historia del desenvolvimiento intelectual de Guatemala*. 1897.—BATRES JÁUREGUI, Antonio: *Biografías de literatos nacionales*. Guatemala, 1889. URIARTE, Ramón: *Galería poética centroamericana...* Guatemala, 1888, tres tomos.— FALLA, Salvador: *Juan Diéguez*, en las *Biografías* publicadas por la Academia Guatemalteca, págs. 261-343.

DIESTE, Eduardo.

Crítico y ensayista u r u g u a y o. Nació —1893—en Montevideo y murió—1954—en San Francisco de California. Se educó en España. Estudió Leyes y Letras en su ciudad natal. De la carrera consular. Ha vivido en varios países de Europa, particularmente en España. Su cultura es grande, refinada y muy europea. De fino humor y de ideas originales.

Su obra principal es *Buscón poeta y sus teatro (Recorrido espiritual y novelesco del mundo)*—dos tomos—, en la que ha reunido obras dramáticas, autobiografía, impresiones de viaje, crítica y ensayos diversos.

Otras obras: *Teorías disparatadas y cuentos de burlas, Demostraciones del poder de la gracia, Los místicos, Teseo*—sutil y sorprendente visión de los "ismos" literarios y artísticos—, *Arte nacional...*

Eduardo Dieste es uno de los más admirables ingenios de las letras uruguayas.

DIESTE, Rafael.

Narrador, dramaturgo y ensayista español. Nació—1899—en Rianjo (La Coruña). Desde muy joven se dedicó al periodismo, siendo algún tiempo secretario de Redacción de *El Pueblo Gallego*. Durante los años de la República dirigió el Teatro Guiñol de las Misiones Pedagógicas. De ideas izquierdistas, al terminar la guerra de Liberación, salió de España. En Buenos Aires ejerció actividades editoriales. Fue lector de español en la Universidad de Cambridge y en la mexicana de Nuevo León. Tenemos noticias

D

de que hace poco ha regresado a su tierra natal.

Como literato, pertenece a la promoción de intelectuales que hacen pesar su cultura sobre sus obras, tal que Jarnés, Salinas, Antonio Espina. En todos sus libros—sea cual fuere el género a que pertenezcan—abundan las lucubraciones, las paradojas, las digresiones. Y todos dejan idea cabal de que han sido pensados y compuestos con rigurosa arquitectura mental.

Obras: *Rojo farol amante*—poemas, 1933—, *Quebranto de doña Luparia y otras farsas* —Madrid, 1934—, *La vieja piel del mundo* —ensayos, Madrid, 1936—, *Historia e invenciones de Félix Muriel*—Buenos Aires, 1943—, *En Galicia y en las nubes*—Buenos Aires, 1944—, *Tratado mínimo del arte de la escena*—Buenos Aires, 1944—, *Viaje, duelo y perdición*—teatro, Buenos Aires, 1945—, *Luchas con el desconfiado*—ensayos, Buenos Aires, 1948—, *Nuevo tratado del paralelismo*—ensayos, Buenos Aires, 1955—, *Pequeña clave ortográfica*—ensayos, Buenos Aires, 1959...

V. MARRA-LÓPEZ, José R.: *Narrativa española fuera de España* (1939-1961). Madrid, edit. Guadarrama, 1963, págs. 485-87.—NORA, Eugenio G. de: *La novela española contemporánea*. Madrid, edit. Gredos, 1962, tomo II, págs. 209-11.

DÍEZ-CANEDO, Enrique.

Notabilísimo prosista, poeta y crítico español. 1879-1944. Nacido en Badajoz, fue un auténtico madrileño. En Madrid vivió siempre. Cultura extraordinaria y exquisito gusto, practicó el periodismo, las conferencias, la diplomacia y las críticas teatral y literaria. Catedrático de la Escuela de Idiomas, de Madrid. Su autoridad era máxima en todas las efusiones literarias concertadas —o desconcertadas—entre 1925 y 1936. Intelectual ante todo—esto es: poco efusivo, disciplinado, equilibrado—, Canedo es un poeta de minorías; un poeta con finura de ingenio, con delicadeza de matices, con sutileza de conceptos, con una serenidad rara de *forma*. Por sus primeras poesías—*Versos de las horas*, 1906; *La vista del sol*, 1907—, pertenece al modernismo típico rubeniano:

> Los dos faunos más jóvenes luchan en la
> [pradera.
> Los demás, el combate van siguiendo, en espera
> de lo que ha de ocurrir. A veces un obsceno
> chiste pica el orgullo del que pierde el terreno...

Y como todo en Canedo es penetración, buen gusto y cultura, pero muy poca creación, queda muy por bajo del modelo y aun de otros muchos buenos discípulos de la misma escuela. En *La sombra del ensueño*

—1910—se muestra como desconcertado. Ha desistido de lo rubeniano... Está muy interesado por el *intimismo* de Juan Ramón Jiménez...

> Flor de azahar:
> un príncipe tu rostro quiere ver,
> y sus galeras vienen por el mar.
> Flor de azucena:
> bañada está la huerta por la luna,
> y el alma está de tu hermosura llena.

En *Algunos versos*—1924—, Canedo se muestra ganado por la desgana, el rusticismo, la patética villanesca que ha puesto de moda Valle-Inclán con sus *farsas* y sus *esperpentos*. ¿Quién no afirmaría que es valle-inclanesca la *Balada de los tres naipes*, de Canedo...?

> Se durmió como la marmota
> entre la colilla y el jarro;
> ya no tiene lumbre el cigarro.
> ya el jarro no tiene ni gota.
> Y, aun dormido, la palabrota
> en sus torpes labios se cuaja.
> Sobre la mesa, la baraja:
> el rey, el caballo y la sota.

En 1928, con sus *Epigramas americanos*, Díez-Canedo encuentra su *voz personal* y duradera. Temas hondos y concretos. Expresión concisa y justa. Musicalidad última, como de acorde roto o resuelto. Véase con qué novedad de poesía pura trata un tema actual: una alusión a Santiago de Chile, ciudad medida:

> Toda en ángulos rectos los tuyos te querían,
> toda en cuadras iguales,
> tal como Ercilla y Oña, severos, componían
> sus poemas heroicos en octavas reales...

Espíritu fino y exigente, sensibilidad exquisita, cultura extraordinaria, buen gusto muy cultivado y cauto, Díez-Canedo desempeñó—principalmente en el gran diario madrileño *El Sol*—la crítica teatral, hallándose en ella el maestro indiscutible y temido, pleno de autoridad. Murió en México.

Otros libros: *Del cercado ajeno*—Madrid, 1907—, *Imágenes*—Madrid, 1910—, *Los joses del Prado*—Madrid, 1931—, *Conversaciones literarias*—Madrid, 1921—, *El teatro y sus enemigos*—México, 1939—, *La nueva poesía*—México, 1942—, *Juan Ramón Jiménez en su obra*—México, 1944—, *El desterrado*—poemas, 1940.

Tradujo admirablemente a Francis Jammes, a Verlaine y a otros muchos líricos franceses contemporáneos.

La Editora Joaquín Mortiz, de México, fundada y dirigida por un hijo del gran escritor, ha publicado sus Obras Completas desde 1950. Y comprende: *Conversaciones literarias, Estudios de literatura española, Estudios de poesía española contemporánea, Letras de América, Sala de retratos, Lecturas extranjeras, Revista de libros, Crítica teatral, Crítica de arte, Poesías, Versiones poéticas, Cuestiones de teatro...*

V. CANSINOS-ASSÉNS, Rafael: *Poetas y prosistas del novecientos.* Madrid, 1919.—CANSINOS-ASSÉNS, Rafael: *La nueva literatura (1898-1900-1916).* Madrid, 1917.—MONTESINOS, J. F.: *Estudio en Die Moderne Spanish Dichtung.* Leipzig-Berlín, 1927.—RÍO, Angel, y BENARDETE, M. J.: *El concepto contemporáneo de España. Antología de ensayos. 1895-1931.* Buenos Aires, 1946. La pág. 456 contiene amplia bibliografía, de notas y artículos, sobre Díez-Canedo.

DÍEZ DEL CORRAL, Luis.

Ensayista y profesor e s p a ñ o l. Nació —1911—en Logroño. Catedrático de la Universidad de Madrid. De gran cultura y estilo noble y diáfano. En sus obras puramente literarias hay gran fuerza descriptiva y un indudable contrapunto poético. En sus ensayos políticos y estéticos predominan la aguda intuición y el juicio equilibrado.

Obras: *Mallorca*—1942—, *El liberalismo doctrinario*—1945—, *El rapto de Europa* —1955—, *La función del mito clásico en la literatura contemporánea*—1957—, *Ensayos sobre Arte y Sociedad*—¿1959?—, *Del Nuevo y Viejo Mundo*—1963.

Ha traducido excelentemente el libro poético de Hoelderling *El Archipiélago.*

DÍEZ CRESPO, Manuel.

Poeta y crítico español muy personal. Nació—1911—en Sevilla. Desde muy joven colaboró en las más importantes publicaciones poéticas, desde *Mediodía* hasta las más recientes.

González-Ruano ha escrito acerca de él: "Calló y viajó. Recuerdo al gran silencioso Díez Crespo en las tardes de Sevilla y Roma, con su rostro hermético de sordomudo misterioso. Lo poco que hablaba era dulce, mesurado y opaco. Ultimamente, Díez Crespo escribe y vive en Madrid. Ha sido crítico teatral del diario *Arriba.* Poeta esbelto, se incorpora gozoso al neoclasicismo y llega con frescos ramos de flores del Sur hasta los altares de una fe que le une aún más con la tradición española." Y otro crítico moderno remacha: "Ha llegado Díez Crespo a una poesía sin retórica, pero llena de imágenes." "Las voces inspiradas llegan a él a semejanza del soplo del aire que pasa por entre las cuerdas del arpa, poniéndolas en movimiento." La lectura de muchas de sus poesías "deja un encanto indecible de lo alado y espiritual".

Obras: *La voz anunciada*—poemas, 1941—, *Memorias y deseos*—accésit del "Premio Nacional Garcilaso, 1951".

V. PÉREZ DE URBEL, Fray Justo: Prólogo a *La voz anunciada.* 1941.

DÍEZ DE MEDINA, Eduardo.

Poeta, prosista y diplomático boliviano. Nació—1881—en La Paz. Hijo del gran jurisconsulto y político boliviano Federico Díez de Medina. Con gran lucimiento siguió la carrera diplomática. Y ha viajado por todo el mundo, representante caballeresco y cultísimo de su país en la Argentina, Francia, España y otros muchos países de Europa y América.

Díez de Medina posee una excepcional cultura, que le ha permitido practicar con brillantez la poesía, la crítica, el periodismo, la pedagogía.

Su labor literaria es vasta, sugestiva y fecunda, pues posee una mente original y feliz y un lenguaje limpio, elegante y preciso.

Entre los libros de crónicas destacan: *Bagatelas y Variando prismas. Mallcu-Kaphaj* es un admirable exponente de la poesía descriptiva. Su mejor lirismo está recogido en *Tríptico sentimental* y *Estrofas nómadas.* El sentimiento de la tierra y de la raza lo ha dejado plasmado en *Paisajes criollos.* En muchas antologías figura su narración *Lulú y Puck.* Ha trazado magistralmente las biografías de *Colón, Bolívar y Sucre...*

Otras obras: *El problema continental, La cuestión del Pacífico, Apuntes sobre tópicos internacionales, Bolivia, Mariposas...*

Eduardo Díez de Medina fundó las revistas *Literatura y Arte y Atlántida.* Y es, según ha dicho un gran crítico de su nacionalidad, "un romántico en el siglo XX. Pero un romántico a lo Metternich, mundano y eficiente a un tiempo mismo, que si consagra inteligencia y voluntad a su patria, aún sabrá darse modos para hacer de su vida una obra de arte".

V. FINOT, Enrique: *Historia de la literatura boliviana.* México, 1943.—DÍEZ DE MEDINA, Fernando: *Perfil de la literatura boliviana,* en *Thunupa,* La Paz, 1947.

DÍEZ DE MEDINA, Fernando.

Escritor y periodista boliviano. Nació —1908—en La Paz. Redactor de los principales diarios nacionales. Director de *Hombres, Ideas y Libros*—1929-1932—. Director de Radio Illimani—1934—. Subdirector de *Ultima Hora*—1940-1942—. Director de *Combate* y del *Boletín del Pachakutismo*—1948-1950.

En 1929 plantea la revisión de valores con *Los valores negativos.* En 1935 polemiza

D

sobre el conflicto de generaciones con *Insurgencia de la juventud*. En 1936 pide la revolución de la responsabilidad mediante *El destino de una generación*. En 1941 plantea el punto de vista sudamericano a Henry Wallace en *¡Siéntate, hombre del Norte, y atiende al Sur!* En 1942 entabla polémica con Franz Tamayo, y refuta su *Para siempre* con el *Para nunca*. En 1947 destruye las diatribas de Giovanni Papini contra América en *El magnífico ignorante*, tesis presentada al Congreso de Cooperación Intelectual de Madrid de 1950. En 1948, en *Imperio del fraude, imperio del estaño*, y en una serie de artículos bajo el nombre de *La revolución económica*, atacó al superestado minero que tiene postrada a Bolivia. Sus tres conferencias:- *Pachakuti*, en 1948; *Siripaka*, en 1949, y *Ainoka*, en 1950, son tres medulares ensayos acerca de la realidad boliviana y sus posibles soluciones. De 1948 a 1950 incursionó transitoriamente en política, fundando el *Pachakutismo*, grupo renovador que postuló una democracia responsable, orgánica y dinámica, pidiendo justicia económica para las mayorías olvidadas. Condecorado por el Gobierno de Bolivia con la placa de Gran Oficial del Cóndor de los Andes.

En octubre de 1950, el II Congreso Nacional de Estudiantes señaló su obra por haber dado "nuevos rumbos de transformación cultural y superación moral en arte y política", agregando que *Thunupa* y *Nayjama* son el evangelio de las nuevas generaciones bolivianas.

En 1951 ganó el gran "Premio Nacional de Literatura" por su libro *Nayjama* y por su continuada obra literaria.

En 1951 refutó el *Bolívar* de Madariaga desde el punto de vista sudamericano, y las ideas del profesor Toynbee sobre las culturas milenarias del Ande, que para Díez de Medina fueron "kollas" primero y después "quechuas".

Obras: *La clara senda*—poemas, 1928—, *Imagen*—poemas, 1932—, *El velero matinal* —ensayos, 1935—, *El arte nocturno de Víctor Delhez*—biografía fantástica, 1938—, *Franz Tamayo, hechicero del Ande*—biografía fantástica, 1942—, *Thunupa*—ensayos, 1947—, *Pachakuti*—política y polémica, 1948—, *Siripaka-Ainoka*—política y polémica, 1950—, *Nayjama*—introducción a la mitología andina, 1950—, *Libro de los misterios*—teatro poemático, 1951—, *Literatura boliviana*—1953—, *Sariri*—ensayos, 1954—, *Bolívar, Libro de Pacha, Kopakawana*—fantasía india.

Colabora en numerosos diarios y revistas de Europa y América. Algunos de sus trabajos fueron traducidos al inglés, francés, alemán, italiano, portugués y rumano.

DÍEZ DE TEJADA, Vicente.

Uno de los más admirables cuentistas que ha tenido la literatura española de todos los tiempos. Nació—1867—en Madrid. Murió —¿1940?—en Barcelona. Estudió el bachillerato en el Instituto del Cardenal Cisneros, de Madrid. Y no llegó a terminar la licenciatura de Derecho en la Universidad Central. Del Cuerpo de Telégrafos. Viajó por Marruecos y varios países de Europa. Y colaboró en las más importantes revistas españolas y americanas. Su firma alcanzó la máxima cotización entre las de los narradores más famosos. Sus cuentos, para muchos, emparejan con los mejores de la Pardo Bazán y Pedro Antonio de Alarcón.

De una fecundidad sorprendente, Díez de Tejada reunió las más excelsas virtudes del novelista: inventiva inagotable, original y sugestiva; delicioso y peculiar estilo; prosa castiza y tersa; técnica de una maestría sin precedentes; forma pletórica de garbo y de ingenio, de viveza y desenfado.

Díez de Tejada ha sido un verdadero *acaparador* de primeros premios en cuantos concursos literarios se ha presentado.

En su bagaje de escritor excepcional suma más de 5.000 cuentos y más de 250 novelas breves, géneros narrativos en los que muy pocos le pueden igualar.

Obras: *El primer acorde*—poesías—, *Cuentos piadosos, Chinitas*—poesías—, *Prosa*—artículos y fábulas—, *Ninette*—novela, 1908—, *Los elegidos*—novela, 1910—, *Cuentos de "Blanco y Negro"*—1912—, *Eros*—novela—, *El enemigo malo*—novela—, *Sin palo ni piedra*—novela—, *Cuando se perdió el "Regente"*—novela—, *Tántalo*—novela—, *Las arras* —novela—, *La nueva sinfonía*—novela—, *Como las hojas*—novela—, *La araña*—novela—, *El gachó del arpa*—novela—, *La punta del cuchillo*—novela—, *Cuentos de "El Debate", Cuentos mundanos, Fango*—cuentos—, *De la Ceca a la Meca*—viajes—, *¡Que queman, que queman!*—novela.

V. SAINZ DE ROBLES, F. C.: *La novela corta española (La promoción de "El Cuento Semanal")*. Estudio y notas. Madrid, Aguilar, 1952.

DOLÇ Y DOLÇ, Miguel.

Nació el 4 de diciembre de 1912 en Santa María del Camí, Mallorca (Baleares). Bachillerato en el Instituto de Palma de Mallorca. Educación preferentemente literaria y humanística. 1939-1942: estudios de Filosofía y Letras en la Universidad de Barcelona. Especialización en Filología clásica. Premio extraordinario de Licenciatura. 1943: Cátedra, por oposición, de Lengua y Literatura latinas en el Instituto de Enseñanza Media de Huesca. Viajes: Italia, sur de Francia,

Marruecos español, la mayor parte de la Península. Hoy, catedrático en la Universidad de Madrid.

Obras: Traducciones: Marcial: *Antología epigramática* (Palma de Mallorca, 1942); *Tabla de Cebes* (Barcelona, Montaner y Simón, 1943).—Séneca: *De la brevedad de la vida y otros diálogos* (Barcelona, Montaner y Simón, 1944).—Marco Aurelio: *Soliloquios* (Barcelona, Montaner y Simón, 1945). Comentarios: Ovidio: *Tristia. Libro I* (Barcelona, Bosch, 1943).—Marcial: *Epigramas selectos* (Barcelona, Bosch, 1945).— Quintiliano: *Institución oratoria. Libro X* (Barcelona, Consejo Superior de Investigaciones Científicas, 1947).

Textos para la enseñanza del latín: Gramática latina y tres libros de traducción y ejercicios (Barcelona, Barna, 1945-1947).

Poesía (catalana). *El somni encetat*—Palma de Mallorca, 1943—, *Ofrena de sonets* —Barcelona, edit. Estel—, *Elegies de guerra* —Barcelona, edit. Estel.

DOMENCHINA, Juan José.

Poeta, crítico y novelista español. Nació —1898—en Madrid. Murió—1960—en México. En su ciudad natal estudió el bachillerato y las disciplinas del Magisterio, que no llegó a ejercer. Desde muy joven colaboró en periódicos y revistas tan importantes como *Los Lunes de El Imparcial, España, La Pluma, Revista de Occidente* y *El Sol*. Fue crítico literario—sagaz—en este último diario, popularizando el seudónimo de "Gerardo Rivera".

Domenchina es un poeta frío, culterano, barroco, en el que el pensamiento—quizá demasiado abstracto—predomina sobre la sonoridad y sobre la claridad. Poeta cerebral, de sabiduría técnica, que si se inició con ciertas influencias de Juan Ramón Jiménez, maduró con influencias del Valéry último. A partir de 1947, su inspiración varía radicalmente, y su cerebralismo se deshiela en una humana, honda y trascendental angustia, que le coloca entre los más intensos líricos contemporáneos.

Como novelista, es Domenchina fuerte, originalísimo; violenta los caracteres; violenta el estilo; violenta—viola, mejor—la técnica. "Extrañamente humanas" son sus novelas.

Obras: *Del poema eterno*—Madrid, 1917—, *Las interrogaciones del silencio*—Madrid, 1918—, *La corporeidad de lo abstracto* —1929—, *Poesías escogidas, El tacto fervoroso*—1930—, *Dédalo*—1932—, *Magen*—1933—, *Elegías barrocas*—1934—, *El hábito*—novela corta, 1932—, *La túnica de Neso*—novela, 1929—, *Poesías completas*—1936—, *Pasión en la sombra (Itinerario)*—1944—, *Exul um-*

bra—1948—, *Perpetuo arraigo*—1949—, *La sombra desterrada*—1950—, *Destierro*—sonetos—, *Antología de la poesía española contemporánea (1900-1936)*—2.ª edición, 1950—, *El diván de Abz-Ul-Agrib (Poemas orientales)*—1945—, *Exul Umbra*—México, 1948—, *La sombra desterrada*—México, 1950...

V. JIMÉNEZ, Juan Ramón: Prólogo a *Dédalo*, 1932.—PÉREZ DE AYALA, Ramón: Prólogo a *Del poema eterno*. 1917.—VALBUENA PRAT, A.: *Historia de la literatura española*. Barcelona, 1950, 3.ª edición.—SAINZ DE ROBLES, F. C.: *Historia y antología de la poesía española*. Madrid, Aguilar, 1951, 2.ª ed.

DOMINGO, Marcelino.

Periodista, novelista y dramaturgo español. Nació—1884—en Tortosa (Tarragona). Murió—¿1940?—en Francia. Maestro nacional. Diputado a Cortes con carácter republicano. Ministro de Instrucción Pública —1931—durante la segunda República española.

De recias ideas no demasiado originales y de estilo fácil, ajeno a florituras.

Obras: *La política, ¿Adónde va España?, Autocracia y democracia, En la cárcel y en la calle, Libertad y autoridad, ¿Qué es España?, La isla encadenada, Vidas rectas*—drama—, *Juan Sin Tierra*—drama—, *Encadenadas*—drama...

DOMÍNGUEZ, Luis L. (v. López Domínguez, Luis).

DOMÍNGUEZ, Manuel.

Prosista paraguayo. Historiador, pedagogo, crítico literario. 1866-1935. Está considerado como el patriarca de las letras paraguayas y un gran ejemplar representativo de su cultura. Redactor de *El Progreso, La Nación, La Prensa*. Doctor en Letras. Diputado. Vicepresidente de la República de 1902 a 1906. Académico correspondiente de la Real Española de la Historia. Diplomático ilustre. Pensador de altura y artista de la forma. Catedrático de Historia y Geografía y de Geometría e Historia Natural. Viajó por toda América y Europa, delatando en conferencias y artículos su mucho saber y su magnífico espíritu de artista. Le dieron gran reputación sus *Ensayos críticos* (Menéndez Pelayo, Valle-Inclán, Poe, Renán, Flaubert...). Y en otra obra singular: *Raíces guaraníes*, intentó probar el origen onomatopéyico del lenguaje. Con gran elocuencia y excelentes documentos defendió los derechos de su patria a las zonas litigiosas del Chaco boreal.

Obras: *La lengua de Cicerón, La traición a la patria, El Asia, El historiador Schmidel, El año nuevo, De la Constitución del Para-*

D

guay—1909—, *El dictador Francia, La escuela en el Paraguay...*

V. DÍAZ PÉREZ, Viriato: *Historia de la literatura paraguaya,* en el tomo XII de la *Historia general de las literaturas,* de Prampolini. Buenos Aires, 1940.—DECOUD, José Segundo: *La literatura en el Paraguay,* Asunción, 1889.

DOMÍNGUEZ, María Alicia.

Gran poetisa y prosista argentina, nacida en 1908. Su primer libro de poemas, *La rueca,* publicado cuando acababa de cumplir los dieciséis años, mereció los mejores elogios de la crítica y causó gran sensación entre los buenos catadores de auténtica poesía.

De entre las muchas poetisas hispanoamericanas—escribe el excelente historiador y crítico Roberto F. Giusti—, "ninguna más rica de recursos expresivos que María Alicia Domínguez, pródiga sembradora a voleo de las mil impresiones de su primavera precoz; cabeza pensativa que mira a la realidad trascendente, convirtiendo en cambiante fantasmagoría el vivo sentimiento cósmico que le ensancha el corazón o la pasión que le enciende y hace grave la voz".

En las obras de María Alicia Domínguez no se encuentra la menor artificialidad; todo es en ellas espontáneo, vehemente, cálidamente humano, infinitamente sensible, asombrosamente audaz en la sinceridad máxima.

Entre sus mejores obras cuentan: *Crepúsculos de oro*—poemas—, *Música de siglos*—poemas—, *Idolos de bronce*—prosas—, *El hermano ausente*—prosas—, *Las alas de metal*—1930—, *El nombre inefable*—1931—, *Canciones de la niña Andersen*—1933—, *Romanzas de lucero*—1927—, *Mar de retorno*—cuentos, 1942—, *Campo de luna*—1944—, *Bécquer y el amor*—ensayos, 1943—, *El huésped de las nieblas*—1946—, *Vidas de una calle*—novela, 1949—, *Libro de poemas*—1949.

V. MAUBÉ Y CAPDEVIELLE: *Antología de la poesía femenina argentina.* Buenos Aires, 1930.—BORGES, OCAMPO, BIO y CASARES: *Antología poética argentina.* Buenos Aires, 1941.—GIUSTI, Roberto F.: *Panorama de la literatura argentina contemporánea,* en *Nosotros,* 2.ª época, núm. 68, Buenos Aires, noviembre de 1941.—SUÁREZ CALIMANO, Emilio: *El narcisismo en la poesía femenina hispanoamericana.* Buenos Aires, 1931.

DOMÍNGUEZ BÉCQUER, Gustavo Adolfo (v. Bécquer, Gustavo Adolfo).

DOMÍNGUEZ BERRUETA, Juan.

Literato y hombre de ciencia español. Nació—1866—en Salamanca. Desconozco la fecha y lugar de su muerte. En esta ciudad

cursó el bachillerato, y se doctoró en Ciencias en Madrid. Catedrático de Matemáticas en el Instituto salmantino.

Obras: *La cientificomanía*—1895—, *Música nueva*—1900—, *La canción de la sombra*—1910—, *Fray Juan de los Angeles*—1927—, *Teoría física de la música*—que mereció la medalla de oro de la Academia de Ciencias de Madrid—, *El cardenal Cisneros*—1929—, *Un cántico a lo divino*—1930—, *Sofrosine, Fray Luis de León*—1952...

V. LEGENDRE, Maurice: *Littérature espagnole.* París, 1930.

DOMÍNGUEZ CAMARGO, Hernando.

Poeta colombiano que vivió entre 1590 y 1656, y de cuya vida se tienen escasas noticias. Posiblemente nació en Santa Fe de Bogotá. Residió algunos años en Lima, asistiendo a las más importantes tertulias literarias. Y desempeñó—según algunos críticos—el curato de Guatavita.

En el *Ramillete de varias flores poéticas,* editado—1676—por Jacinto de Evia, se conservan varias poesías de Domínguez Camargo, en un estilo barroco culterano muy retorcido.

Según Menéndez Pelayo, fue poeta muy interesante e ingenioso, versificador robusto y valiente.

Entre sus poemas destaca el titulado *A un salto por donde se despeña el arroyo de Chillo.*

En 1666 fue editado en Madrid su *Poema heroyco de San Ignacio de Loyola,* sumamente culterano, pero lleno de muy interesantes detalles.

V. MENÉNDEZ PELAYO, Marcelino: *Historia de la poesía hispanoamericana.* Madrid, 1911-1913, cap. VII.—DIEGO, Gerardo: *Antología poética* (en honor de Góngora). Madrid, 1927. (Se recoge un fragmento del poema *San Ignacio.*)—CAPARROSO, Carlos Arturo: *Antología lírica: cien poemas colombianos.* Bogotá, 1951.—GÓMEZ RESTREPO, Antonio: *Historia de la literatura colombiana.* Bogotá, 1938. (Recoge, además, poesías de Domínguez Camargo.)

DOMÍNGUEZ CHARRO, Francisco.

Poeta. Nació en San Pedro de Macorís (Santo Domingo) el 22 de agosto de 1912. Falleció en 1943. Su obra refleja un hondo sentido humano y una no menos honda preocupación por el hombre.

Publicó *Tierra y ámbar*—1940—, *América en genitura épica*—1943—y *Romance del espigal*—1943.

DOMINICI, Aníbal.

Literato, político y jurisconsulto venezolano. Nació—1837—en Barcelona (Venezuela).

Murió—1897—en Caracas. Abogado. Diputado liberal. Senador. Ministro de Fomento y de Instrucción Pública. Rector de la Universidad de Caracas. Fundador de la Academia de Venezuela y correspondiente de la Real de la Lengua de España. Catedrático de Derecho civil. Figura muy representativa de la cultura de su tiempo y de su país. Fue uno de los primeros en oponer al viejo concepto del honor las legítimas reivindicaciones de la mujer, desde un punto de vista moderno y ponderado. Poseyó cultura, buen gusto y una fina sensibilidad claramente afrancesada.

Entre sus novelas figuran: *La tía Mónica, Juliana la lavandera, La viuda del pescador.*

Entre sus obras escénicas: *La honra de la mujer, Sin corazón, El lazo indisoluble, Al borde del abismo, Pagar en buena moneda, Entre moros, Miss Multon...*

Otras obras: *El Cid, Bolívar y Petion, Felipe II y Antonio Pérez, La conspiración de Bruto, Sucre, El castillo libertador, Las mujeres que matan, Los últimos instantes de Tiberio...*

V. Picón Febres, Gonzalo: *La literatura venezolana en el siglo XIX.* Caracas, 1906.— Picón Salas, Mariano: *Formación y proceso de la literatura venezolana.* Caracas, 1941.— Calcaño, Julio: *Reseña histórica de la literatura venezolana.* Caracas, 1888.—Güel y Mercader, José: *Literatura venezolana.* Dos tomos. Caracas, 1883.

DOMINICI, Pedro César.

Novelista venezolano. Nació en 1872. Periodista. Diplomático. Ha vivido muchos años en Europa y en distintos países de América. A imitación de Pierre Louys, *Afrodita,* Dominici escribió su novela arqueológica *Dyonysos*—el erotismo en los tiempos alejandrinos—, que alcanzó mucha fama, ya que está escrita con gran habilidad y perfecta documentación.

Según Luis Alberto Sánchez, "Dominici trata de hallar un término medio entre la sensualidad primitiva de Bobadilla y el recato estilista de Rubén Darío. Y no le cupo otro camino que la novela histórica de evocación pagana. En él se ponen de manifiesto las cualidades y defectos típicos de aquella generación, cuyos medios naturales de expresarse fueron el poema y el ensayo".

Otras obras: *La tristeza voluptuosa, El triunfo del ideal, Relatos bizantinos, Libro apolíneo, Tronos vacantes, Un sátrapa, De Lutecia, Amor rojo*—teatro—, *La casa*—teatro.

DONATO, Magda.

Periodista, articulista, crítica, autora dramática. Nació—1903—en Madrid. De amplia cultura. Domina varios idiomas. Ha colaborado con éxito en diarios y revistas españoles e hispanoamericanos con temas feministas, cuentos delicados y críticas de fina y honda comprensión. Desde 1941 es colaboradora asidua de *La Mañana,* de México. En colaboración con el gran dibujante español Bartolozzi, llevó a cabo en América campañas fecundas en pro del arte hispano.

Obras: *La estrella fantástica*—1944—, *El niño de mazapán y la estrella de cristal* —1944—, *La duquesita Cucuruchito y el dragón*—1945—, *Pinocho en la isla de Calandrajo*—1945...

Con anterioridad, en España publicó incontables y deliciosos cuentos infantiles.

DONOSO, Armando.

Reputado prosista y crítico literario. Nació—1887—en Talca (Chile). Estudió humanidades en el Liceo de su ciudad natal. Muy joven aún, marchó a Alemania, donde estudió a fondo la literatura de este país. Estudió también Filosofía en el Seminario de Lübeck. Redactor de *El Mercurio,* de Valparaíso, el más antiguo diario hispanoamericano de habla española. Colaborador insigne de *Los Diez, Pluma y Lápiz, La Revista Chilena, Zig-Zag, Pacific Magazine* y otros muchos diarios y revistas de América y España.

Ha viajado por el mundo. Y de él ha dicho Melián Lafinur que "posee ese don de animación que hace de la crítica, no una policía literaria, sino una viva y ardiente interpretación, según la frase de Ruyters, que él ha escogido como epígrafe".

Armando Donoso es, hoy, uno de los críticos literarios más competentes y admirados de la América española. Posee gran claridad de juicio, una ecuanimidad amplia y comprensiva, erudición verdaderamente extraordinaria y un estilo expresivo y elegante. En España se le considera y admira.

Obras: *Menéndez y Pelayo y sus obras* —Santiago, Imp. Universitaria—, *Los nuevos*—Valencia, Sempere y Compañía—, *Bilbao y su tiempo*—Santiago, Empresa Zig-Zag—, *La sombra de Goethe*—Madrid, editorial América—, *La senda clara*—Buenos Aires, Cooperativa Editorial—, *Dostoiewski, Renán, Pérez Galdós* Madrid, Calleja—, *La otra América*—Madrid, Calpe.

Folletos: *Lemaitre, crítico y literario* —Santiago, Empresa Zig-Zag—, *Vida y viajes de un erudito: Don José Toribio Medina* —Santiago, Empresa Zig-Zag—, *Una amistad literaria: Barros Arana y Mitre*—Santiago, Imprenta Universitaria—, *Recuerdos de medio siglo: Don José Victorino Lastarria* —Santiago, Imp. Universitaria—, *En torno a la Metafísica: La obra de José Ingenieros* —Santiago, Imp. Universitaria—, *Un filósofo*

D

347

de la Biología: Le Dantec—Santiago, Imprenta Universitaria—, *Un hombre libre: Rafael Barret*—Buenos Aires, Ediciones América.

Ediciones con estudios y anotadas: *Francisco Bilbao: Evangelio americano* (Colección de escritores americanos)—París, Maucci—, *Nuestros poetas* (Antología moderna de la poesía chilena)—Santiago, Nascimento—, *Pedro Antonio González: Poesías completas* —Santiago, Nascimento—, *Rafael Barrett: Páginas dispersas*—Montevideo, Barreiro—, *Doctor Valdés Cange: Por propias y extrañas tierras*—Santiago, Nascimento—, *Pequeña antología de poetas chilenos contemporáneos*—Santiago, Los Diez—, *Sarmiento, en el destierro* (La formación del polemista) —Buenos Aires, Gleizer—, *Carlos Pezoa Velis: Poesías completas*—Santiago, Nascimento—, *Rubén Darío: Obras de juventud*—Santiago, Nascimento—, *La clara senda*—Santiago de Chile, 1919—, *Sarmiento, en el destierro*—1927...

V. Latorre, Mariano: *La literatura de Chile.* Facultad de Filosofía y Letras. Buenos Aires, 1941.—Amunátegui Solar, D.: *Bosquejo histórico de la literatura chilena.* Santiago, 1915.—Lillo, Samuel: *La literatura chilena.* Santiago, 1930.

DONOSO, José.

Novelista y cuentista. Nació—1924—en Santiago de Chile y en el hogar de una familia acomodada de abogados y médicos. Estudió la primera enseñanza en su ciudad natal. Inclinado por su afición a las aventuras durante algún tiempo, y siendo aún adolescente, recorrió las tierras australes de Magallanes, pastoreando para ganarse la vida. En la Universidad de Santiago terminó sus estudios, ampliándolos en la Universidad de Princeton (EE. UU.). Ha enseñado literatura inglesa en la Universidad Católica de Chile, y lengua y literatura hispánicas, en el "Taller de Escritores" de la Universidad de Iowa (Estados Unidos). Durante cuatro años fue redactor de la revista cultural *Ercilla.* En 1968 obtuvo la codiciada beca "Guggenheim".

José Donoso pertenece a la promoción de novelistas hispanoamericanos que han saltado a la fama universal coincidiendo con la decadencia de la novela española a partir de 1950. Escribe en un castellano rico y vivísimo. Cultiva un realismo crudísimo, original, acusatorio de una sociedad y de unas costumbres anquilosadas y reaccionarias que marchan rápidamente a su aniquilamiento. Pero su realismo turbador siempre queda envuelto como por una galaxia de fantasía impresionante.

Obras: *Veraneo y otros cuentos*—1955—, *El charlestón*—cuentos, 1960—, *Coronación* —novela, 1958—, *Este domingo*—novela,

1966—, *El lugar sin límites*—novela, 1967—, *El obsceno pájaro de la noche*—novela, 1970—, *Cuentos*—1971.

DONOSO CORTÉS, Juan.

Marqués de Valdegamas. Notable literato, ensayista y orador español. Nació—1809—en Villanueva de la Serena (Badajoz). Murió —1853—en París. Estudió en Salamanca Lógica y Metafísica. Y en Sevilla, Jurisprudencia. En 1830, ya en Madrid, la publicación de su *Memoria sobre la situación actual de la monarquía,* dirigida a Fernando VII, le colocó rápidamente entre los hombres más populares de la época. Oficial de la Secretaría del Ministerio de Gracia y Justicia. Diputado a Cortes. Secretario del Consejo de Ministros presidido por Mendizábal, de quien le apartaron una profunda diferencia de ideas y de ideales. Secretario particular de la reina María Cristina mientras esta vivió desterrada en Francia—1840 a 1843—. Maestro de Isabel II. Embajador en Berlín y en París. Académico de la Real de la Lengua, de la Real de la Historia y de la Sevillana de Buenas Letras. En 1849, Donoso Cortés abjuró públicamente—en el Parlamento—de sus tendencias liberales, proclamando la supremacía de la Iglesia en materia política.

Donoso Cortés, descendiente del famoso conquistador de México, ha sido incluido en el *Catálogo de autoridades de la Lengua.*

Gran fama tuvo Donoso como orador. Grave la idea. La palabra, encendida. La pasión, proselitista. Lo sustancioso del fondo y la belleza de la forma hacían de sus discursos verdaderas "obras de arte". Leídos hoy estos discursos, pierden una parte enorme de interés y de importancia. Es, en verdad, un prosista magnífico, acaso un tanto altisonante y conceptuoso.

Obras: *Ensayos sobre el catolicismo, el liberalismo y el socialismo*—1851—, *El cerco de Zamora*—ensayo épico—, *Padilla*—tragedia—, *Consideraciones sobre la diplomacia y su influencia...*—1834—, *De la monarquía absoluta en España, El clasicismo y el romanticismo, Bosquejos histórico-filosóficos, Apuntes sobre los reinados de menor edad, Vico y la Filosofía de la Historia...*

En 1855 se publicaron en Madrid—precedidas de un prólogo de don Gabino Tejado— las *Obras completas* de Donoso Cortes. Y en París—1859—, Luis Veuillot publicó *Obras escogidas* en tres tomos. En Madrid—1946—, se han reimpreso nuevamente las *Obras completas* en dos gruesos volúmenes por la Editorial Biblioteca de Autores Cristianos. Manuel Donoso Cortés y Ortí Lara publicaron otra edición en cuatro tomos.

V. Schramm, Edmund: *Donoso Cortés.* Madrid, Espasa-Calpe, 1936.—Tovar, Antonio:

Prólogo a la *Antología de Donoso Cortés*. Madrid, 1940, Ed. Nacional.

DORESTE, Ventura.

Poeta y crítico literario español. Nacido —1922—en Las Palmas de Gran Canaria. Bachillerato en el Instituto Pérez Galdós y en el Colegio Viera y Clavijo. En este último centro, durante unos meses, fue profesor auxiliar de Literatura. Estudios de Magisterio y de Derecho.

Comenzó a escribir en 1932, o acaso antes. Publicó por primera vez en mayo de 1936, en una revista estudiantil. En 1938 se decidió a enviar artículos—ya con su nombre, ya bajo seudónimo—a diversos periódicos.

Ha colaborado con artículos y notas de crítica en *Insula*—Madrid—. Poemas en *Al-Motamid, Espadaña, Mensaje, Manantial* y otras revistas españolas. También en *Unicornio*—Argentina.

Obras: *Ifigenia*—poema, Colección para 30 bibliófilos, 1943—, *Dido y Eneas*—poema, Colección para 30 bibliófilos, 1945—, *Sonetos a Josefina*—Cuadernos de poesía y crítica, 1946—, *Antología cercada* (Con otros poetas), *El arca*—1947.

V. SAINZ DE ROBLES, F. C.: *Histoira y antología de la poesía española*. Madrid, Aguilar, 1951, 2.ª edición.

DOTOR GONZÁLEZ, Santiago.

Ensayista y biógrafo. Nació—1923—en Aguilafuente (Segovia). Hijo de Angel Dotor y Municio. Estudió Derecho en la Universidad de Madrid. De gran cultura y forma magistral.

Obras: *Dante. Estudio y antología*—Madrid, 1963—, *Goethe. Estudio y antología*—Madrid, 1964—, *Ibn'Arabi, musulmán español*—Madrid, 1965—, *Virgilio. Estudio y antología*—Madrid, 1968.

DOTOR Y MUNICIO, Angel.

Novelista, periodista, crítico literario español. Nació—1898—en Argamasilla de Alba (Ciudad Real). Estudió las carreras de Filosofía y Letras y Magisterio. Ejerció el profesorado en algunos centros privados. Pero su verdadera vocación es la literatura. Posiblemente es el escritor español actual que colabora en mayor número de diarios y revistas de España e Hispanoamérica, derrochando en ellos sus crónicas llenas de interés, de sagacidad. Es, además, un prosista admirable que armoniza el personal estilo, el brillante colorido y la fuerza evocadora.

Figura como miembro de numerosas corporaciones sabias españolas y extranjeras, entre otras, la Real Academia de Bellas Artes de San Fernando, de Madrid; la Real Academia Hispanoamericana de Ciencias y Artes, de Cádiz; la Real Academia de Bellas Artes y Ciencias Históricas, de Toledo; la Real Academia de Bellas Artes de San Telmo, de Málaga; la Academia Mexicana de la Historia; el Centro de Estudios Literarios de la Universidad de Guayaquil.

Obras: *Uceda la Blanca*—novela, "La Novela Manchega", 1922—, *Vida literaria*—crítica, 1926-27—, *La catedral de Burgos* (guía histórico-descriptiva), Burgos, 1928—, *Don Quijote y el Cid*—viajes, Madrid, 1928—, *Mirador* (Las letras y el arte contemporáneos) —Madrid, 1929—, *Segovia* (Divulgación histórico-artística)—Barcelona, 1930—, *La Mancha y el "Quijote"* (Divulgación histórico-artística)—Barcelona, 1930—, *La catedral de Sevilla* ("El arte en España", bajo el Patronato Nacional del Turismo)—Barcelona, 1942—, *Museo de la catedral de Sevilla* ("El arte en España", bajo el Patronato Nacional del Turismo)—Barcelona, 1942—, *La catedral de Segovia* ("El arte en España", bajo el Patronato Nacional del Turismo)—Barcelona, 1942—, *Las maravillas del universo* (Divulgación histórico-artística, en colaboración con otros autores)—Barcelona, 1932—, *María Enriqueta y su obra* (Estudio crítico-biográfico)—Manuel Aguilar, editor, Madrid, 1943—, *Los grandes maestros de la pintura española* (Colección monográfica de diez volúmenes). Van publicados los correspondientes a "El Greco" y "Velázquez"—Barcelona, 1943—, *Juan de Juanes y la pintura española de su época*—"Biblioteca de Arte y Arqueología", Gerona, 1944—, *Cuatro pintores españoles del siglo de Oro*—"Biblioteca de Arte y Arqueología", Gerona, 1947—, *Hernán Cortés, el conquistador genial e invencible*—"Colección Histórica", editorial Gran Capitán, Madrid.

«DUENDE DE LA COLEGIATA, EL» (v. Fernández Arias, Adelardo).

DUEÑAS, Juan de.

Poeta español de singular interés. Nació a principios del siglo XV. Murió hacia 1460. Y, como él mismo confiesa, estuvo a punto de perder el juicio por el amor de una "hermosa gentil judía".

Muy joven aún, estuvo protegido por el rey don Juan II y por su poderoso valido don Alvaro de Luna. Pero como se permitiese aconsejarles con nobilísimas miras, cayó en su desgracia y hubo de pasarse al campo de los infantes, hijos de don Fernando de Antequera, a los que guardó tanta fidelidad como antes al monarca castellano. Con ellos estuvo en Aragón y Navarra. Y acompañó a don Alfonso de Aragón a la conquista de Nápoles, asistiendo al combate de Ponza,

D

donde fue hecho prisionero—1435—. De regreso a España, siguió viviendo en la corte de doña Blanca, reina de Navarra.

Obras: *Nao de amor*—poema muy confuso, en 22 estrofas de nueve versos, que compuso estando prisionero en Nápoles—, *El pleyto que ovo Juan de Dueñas con su amiga*—diálogo dramático muy interesante, acaso representado en alguna fiesta cortesana—; un *Dezir* en loor del marqués de Santillana; otro *Dezir* en contestación a un desafío que el propio magnate envió a navarros y aragoneses—1429.

Varias composiciones poéticas de Dueñas han sido publicadas en el *Cancionero general*, de Gallardo; en el *Catálogo razonado de los manuscritos españoles*—París, 1844—, y en las *Rimas inéditas de don Iñigo López de Mendoza... y de otros poetas del siglo XV*—París, 1844—; otras se guardan en la Biblioteca Nacional de Madrid y en la Biblioteca del Real Palacio.

V. MENÉNDEZ PELAYO, M.: *Antología de poetas castellanos*. Tomo V.—VENDRELL GALLOSTRA, F.: *La corte literaria de Alfonso V de Aragón...*

DUQUE, Aquilino.

Poeta, novelista. Nació—1931—en Sevilla. Licenciado en Derecho. En 1960 obtuvo el "Premio Ciudad de Sevilla", de poesía; el "Premio Washington Irving, 1960", de cuentos; el "Premio de Poesía Leopoldo Panero, 1967".

Como poeta, manteniéndose en la línea tradicional, capta todas las innovaciones de un tiempo dramático y abstracto. Como novelista sigue igualmente la línea tradicional, pero con un realismo cuajado en un mundo entre la tragedia y el delirio.

Obras: *La calle de la Luna*—Sevilla, 1958—, *El campo de la verdad*—Madrid, 1958—, *Réquiem para Ana Ajmatova*—1967—, *De palabra en palabra*—Madrid, 1967—, *La operación Marabú*—novela, 1966—, *Los consulados del Más Allá*—novela, 1966—, *La rueda del fuego*—1970—*La linterna mágica*—novela, 1971.

DUQUE, Doctor Matías.

Poeta y prosista español. Pariente del capitán Diego Duque de Estrada. Fue cura propio de la parroquia de San Miguel de la villa de Saldaña (Palencia). Nació hacia 1622. Escribió en 1669 *Flores de dichos y hechos sacados de varios y diversos autores*. "Es una colección de anécdotas de varias procedencias, abundando los dichos y hechos famosos tomados de escritores clásicos." En ella hay algunas composiciones del doctor Matías Duque. Obra de mucha amenidad, en la que son curiosísimos los detalles históricos. El manuscrito se conserva en la Bi-

blioteca Nacional de Nápoles, y de él han entresacado numerosas poesías Teza, Mele, Vollmöller, Miola y otros hispanistas famosos. Hay una edición debida a Amat, en 1917.

V. MELE, E.: En *Rev. Crit. Hist. y Lit.*, 1901, VI, números 4 y 5 y 73-85.—MELE, E.: En el *Bull. Hispanique*, 1901.—MIOLA, A.: *Notizie di manuscritti della Biblioteca Nazionale di Napoli*. 1895.—VOLLMÖLLER, Karl: *Der "Cancionero" von Neapel...* En *Romanische... Forschungen*. Erlangen, 1893, 138-144.—TEZA, E.: En *Atti del R. Istituto Veneto*, 1888-1889 y 1889-1890.

DUQUE DE ESTRADA, Diego.

Poeta y prosista español. Nació—1589—en Toledo. Murió—¿1647?—en Cerdeña. Soldado en Nápoles. Caballero de la Orden de San Juan. Los últimos años de su vida los pasó en un convento de Cerdeña, oculto bajo el nombre de Justo de Santa María.

Por su propio testimonio sabemos que escribió numerosas poesías y hasta 17 comedias, de las que da los títulos.

De sus obras poéticas nos queda una corta colección, reunida con el título de *Octavas rimas a la insigne victoria que la serenísima Alteza del Príncipe Filiberto ha tenido, conseguida por el excelentísimo señor marqués de Santa Cruz...*—Mesina, 1624.

Su obra más interesante es la titulada *Comentarios del desengañado de sí mismo, prueba de todos los estados y elección del mejor de ellos, o sea Vida de don Diego Duque de Estrada, escrita por él mismo*.

Este libro singularísimo, mezcla de verdad y de ficción, permaneció inédito hasta que Pascual Gayangos—1860—lo insertó en el *Memorial histórico* de la Academia de la Historia, tomo XII.

V. SERRANO Y SANZ, Manuel: *Autobiografías*, II, c.—CROCE, B.: *Realtá e fantasia nelle memorie di Duque de Estrada*. Napoli, 1928. CEJADOR Y FRAUCA, J.: *Historia de la lengua y literatura españolas*. Tomo IV, 308-309.

DURÁN, Agustín.

Erudito y literato español de subido mérito. Nació—1793—y murió—1862—en Madrid. Estudió en el Seminario de Vergara y en la Universidad de Sevilla. Ejerció la abogacía en Valladolid. Fue discípulo de Lista, gran amigo de Quintana y partidario fervoroso del gran hispanista Böhl de Fáber.

Para una parte muy considerable de la buena crítica española, fue Durán el verdadero implantador del romanticismo en España con su *Discurso sobre el influjo de la crítica moderna en la decadencia del teatro antiguo español y sobre el modo con que debe ser considerado para juzgar convenien-*

temente de su mérito peculiar—Madrid, 1828—, reimpreso en el tomo I de las *Memorias de la Real Academia Española.*

"Vio como nadie—escribe Cejador—que el teatro español era manifestación del pueblo español, continuador de la épica del romancero, y puso como fundamento de la verdadera literatura el arte popular, nacido de las circunstancias etnográficas, de las creencias religiosas, de la historia de la raza, y así rechazó el clasicismo, como cosa extraña que se había querido acomodar a un pueblo educado en el cristianismo. Esta honda visión del arte, visión folklórica, nacional, popular, fue el primero en tenerla en España, y por ella está muy por encima del mismo Menéndez Pelayo, que tuvo por principal criterio estético la belleza de la forma externa del clasicismo" "Mientras los demás literatos admiraban lo extraño y, sobre todo, lo francés, Durán defendió la literatura española en la epopeya, el teatro y la lírica; asentó la crítica literaria sobre los firmes fundamentos del elemento popular y de la distinción entre lo clásico pagano y lo romántico cristiano, y así puede llamarse fundador de la crítica histórica de nuestra literatura. En ideas literarias, comprehensivas y hondas, no sé que le haya sobrepujado todavía nadie en España."

Obras: *Colecciones de romances antiguos o Romanceros*—Valladolid, 1821—, *Trovas en antigua parla castellana*—1829—, *Trovas a la reina*—1832—, *Talía española*—1843—, *Colección de sainetes de don Ramón de la Cruz* —1843—, *Colección de romances castellanos anteriores al siglo XVIII*—cinco tomos—, anulada por la que, en dos volúmenes, incluyó en la "Biblioteca de Autores Españoles", tomos X y XVI—Madrid, 1849 y 1851—, *La poesía popular, El drama novelesco, Juicio de Lope, el discurso* preliminar a *El condenado por desconfiado,* de "Tirso de Molina"; *La leyenda de las tres toronjas del vergel de amor*—1856—, en metros varios y habla antigua, y *La infantina.*

V. BALLESTEROS ROBLES, Luis: *Diccionario biográfico matritense.* Madrid, 1912.—CUTANDA, F.: ... *A la memoria de Agustín Durán,* en *Memor. Acad. Esp.,* I, 582.—GALERÍA DE ESPAÑOLES CÉLEBRES. TOMO VII.—VALERA, Juan: *Florilegio de poesías castellanas del siglo XIX.* Con una introducción y notas biográficas y críticas. Madrid, F. Fe, 1904, cinco tomos.

DURÁN Y TORTAJADA, Enrique.

Poeta y prosista español. Nació en Valencia el 27 de agosto de 1895.

Muy joven comenzó su colaboración literaria en diarios y revistas españoles. Fue colaborador de *Blanco y Negro,* de Madrid,

donde publicó cuentos y poesías. Es colaborador literario asiduo de *Las Provincias,* de Valencia. En el año 1941 obtuvo el "Premio Periodístico Teodosio Llorente", que concede anualmente la Asociación de la Prensa valenciana. Su más voluminosa producción literaria está dedicada a la poesía valenciana, en el cultivo de la cual ocupa muy destacado lugar. Ha publicado siete volúmenes de poesía, escrita en lengua valenciana, y obtenido los máximos galardones en los tradicionales Juegos florales de Valencia.

En el año 1946 fue proclamado "Mestre en Gay Saber", título máximo en las justas poéticas de origen provenzal.

D

DUYOS, Rafael.

Nació en Valencia del Cid el 23 de noviembre de 1906, residiendo en su ciudad natal hasta 1920, año en que destinaron a su padre, que era militar, a Madrid. Terminó sus estudios de bachillerato en el Colegio del Pilar, de los Padres Marianistas. En este colegio, y teniendo como compañeros de promoción inmediata a los actuales grandes poetas Agustín de Foxá y Luis Felipe Vivanco, inició con ellos, en los ejercicios literarios escolares, los primeros ensayos de verso.

Ha estudiado Medicina en Madrid; y a los veintiún años, con su título de médico-cirujano de la Facultad de San Carlos, fue a hacer cursos de especialista del corazón en las Universidades de Heidelberg y Viena, enviado por su maestro el doctor don Luis Calandre.

En Tánger ha escrito su libro de poemas *Fragmentos de cartas jamás escritas* y el titulado *Mojtar* (poemas de la ciudad de Tánger).

Durante dos años ha recorrido Argentina, Uruguay, Bolivia, Chile y Paraguay en misión de hispanidad, iniciando en esa época su labor de recitador de sus propios poemas.

Debe a José González Marín, para quien sobra todo adjetivo encomiástico, la difusión de sus poemas más populares. El los estrenó por todas las ciudades de América y de España, siendo su constante alentador en la labor poética de sus últimos años.

Desde el año 1942 reside en Madrid, sin ejercer ya la Medicina, y dedicando toda su actividad a la poesía y al teatro.

Obras poéticas: *Toros y pan*—Valencia, 1932, agotada—, *Cabanyal*—Valencia, 1933, agotada—, *Fragmentos de cartas jamás escritas*—Tánger, 1936, agotada—, *Junto al Plata* (poemas de América)—Montevideo (Uruguay), 1941, inédita en España—, *Romances de la Falange* (Edición oficial)—Buenos Aires, 1938. Valencia, Tipografía Moderna, 1939—, *Siempre y nunca*—rimas, Valencia, 1941, agotada—, *Mojtar* (Poemas de Tánger)—Madrid, revista *Fantasía,* núm. 4, 1945—, *Penumbra*—rimas, Valencia, Tipografía Moderna, 1945—, *Los ángeles hacen palmas* (Romancero taurino)—Valladolid, editorial Gráficas Perdiguero, 1946—, *A la luna de Valencia* (Versos de mi ciudad).

Teatro: *Mi prima la ursulina*—en colaboración con José Antonio Ochaíta—, *A subir la marea, Rumbo a pique*—con Vicente Vilabelda y maestro R. Luna—, *Los cachorros* —adaptación lírica de la comedia de don Jacinto Benavente, con José Ojeda y maestro J. Romo—, *Laila*—comedia dramática marroquí, en tres actos (inédita)—, *Volodia* —zarzuela en tres actos, con Armando Moreno y maestro J. Romo—, *Mi cadena perpetua*—comedia dramática en tres actos—, *Un clavel en la solapa*—opereta, con Federico Galindo y maestro J. Romo—, *Mientras tú duermes*—opereta, con Vicente Vilabelda y maestro Moraleda—. Ninguna de estas obras teatrales ha sido publicada.

Su último libro de poesías, *Almuédanos y campanas*—1952—, ha logrado un éxito definitivo de público y de crítica.

E

ECHAGÜE, Juan Pablo.

Literato argentino. Nació—1877—en San Juan. Murió en 1950. Estudió en su ciudad natal y en Buenos Aires. Es uno de los escritores que más y mejor han luchado por un gran teatro nacional argentino. Presidente de la Comisión Nacional de Bibliotecas Populares. Profesor de Historia en el Colegio Nacional Bernardino Rivadavia y de Historia del Teatro en el Conservatorio de Música y Arte Escénico de Bueno Aires. Miembro de la Academia Nacional de la Historia, de la Argentina de Letras, de la Institución Mitre, del Instituto Cultural Argentino-Uruguayo, de las Juntas de Estudios Históricos de Mendoza y San Juan, de la Asociación de Escritores y Artistas de la Habana. Crítico teatral de *La Nación*. Vivió mucho tiempo en Europa.

De Echagüe ha escrito un crítico contemporáneo: "Admirable el arte de Juan Pablo Echagüe, cuya pluma recuerda los mejores cronistas de la época, Faguet o Blum; admirable su crítica, llena de facilidad armoniosa y aristocrática, que castiga sonriendo, como en la frase latina."

Echagüe fue uno de los espíritus más profundos y de las sensibilidades más finas con que hoy cuentan las letras argentinas.

Obras: *Una época del teatro argentino, Puntos de vista, Prosa de combate, Apreciaciones, Hombres e ideas, De historia y de letras, Letras francesas, Los métodos históricos en Francia en el siglo XIX, Escolios de estética teatral, Pasajeros, correspondencia y carga; Tres estampas de mi tierra, Seis figuras del Plata, Artes en función: lírica y dramática europeas, Por donde corre el Zonda, La vida literaria, Monteagudo*—biografía—, *Las relaciones intelectuales franco-argentinas, Teatro argentino*—Madrid, 1917—, *Al margen de la escena...*

ECHAGÜE, Pedro.

Novelista y autor dramático argentino. Vivió entre 1800 y 1875. Fue hombre de múltiples actividades: soldado, viajante de comercio, maestro y visitador de escuelas, periodista, político... Dirigió *El Zonda*, periódico fundado por Sarmiento. Ministro de Gobierno e Instrucción Pública de la provincia de la Rioja. Sus ideales políticos le acarrearon persecuciones y hubo de huir de su patria durante la tiranía de Rosas.

Pedro Echagüe representa en la novela y en el teatro el inicio de un romanticismo melodramático, pero bien sentido y honradamente expresado.

Entre sus obras teatrales merecen recordarse: *Rosas*—drama, 1860, su mejor producción escénica—, *Padre, hermano y tío; Los niños, Un beso, Amor y virtud*—drama, 1868—, *Primero es la patria...*

Del teatro de Echagüe ha escrito Julio A. Leguizamón: "Trátase de un teatro de modestos contornos, en el que la técnica incipiente apenas modela los caracteres. Pero tal vez sea injusto aplicarle exigencias no siempre cumplidas, ni aun en la madurez del género. Dentro de su tiempo y de su medio, Echagüe se nos aparece como un honrado artista, trabajador paciente en la cantera apenas explorada."

Otras obras: *La rinconada*—título definitivo de su novela *Elvira o El temple de un alma sanjuanina, Un lego de San Francisco*—cuento—, *Amalia y Amelia*—novela—, *La Chapanay*—novela—, *Ecos postreros*—poemas...

V. ROJAS, Ricardo: *La literatura argentina*. Buenos Aires, 2.ª edición, 1924, tomo IV. LEGUIZAMÓN, Julio: *Historia de la literatura hispanoamericana*. Buenos Aires, 1945, tomo II.—MOYA, Ismael: *Los orígenes del teatro y de la novela argentina*. Buenos Aires, 1925.—BOSCH, Mariano V.: *Historia de los orígenes del teatro nacional argentino...* Buenos Aires, 1929.—BOSCH, Mariano V.: *Historia del teatro en Buenos Aires*. Buenos Aires, 1910.—CORTI, Alfonso: *Contribución al estudio histórico del teatro argentino*. Buenos Aires, 1918.

ECHARRI, Xavier de.

Periodista y literato español. Nació—1913—en Madrid. Murió—1969—en Barcelona. Estudió Leyes en las Universidades de El Escorial y Madrid. En plena mocedad entró como redactor del diario conservador madrileño *La Época*. De 1939 a 1949 desempeñó la dirección del diario madrileño *Arriba*. Vicepresidente de la Asociación de la Prensa y profesor de la Escuela Oficial de Periodismo durante algunos años. Agregado de Prensa en la Embajada de España en Portugal. De 1951 a 1958, corresponsal en Lisboa del diario madrileño *A B C*. Poseyó el "Premio Francisco Franco" de periodismo. Actualmente—1964— dirigió el gran diario barcelonés *La Vanguardia*. Xavier de Echarri ha escrito varios miles de crónicas—con temas de capital interés— en un estilo noble, preciso, magistral.

ECHEGARAY Y EIZAGUIRRE, José.

Autor dramático y poeta famosísimo en su época. 1832-1916. José Echegaray y Eizaguirre, hijo de padre aragonés y de madre guipuzcoana, nació en Madrid, calle del Niño —hoy Quevedo—, el 19 de abril de 1832, y fue bautizado en la parroquia—de tanta tradición en la dramática española—de San Sebastián.

Lo que menos pensaba el niño José, que estudió las primeras letras en Murcia, era en el teatro; ni siquiera se notaba inclinado a la literatura. Todos sus anhelos eran puramente matemáticos. Calculando era un prodigio. Débil, enfermizo y como "ido de sí", sus musarañas eran los números y sus misterios. Su tesón buscaba el ser maestro de los logaritmos y gran brujo del cálculo diferencial. Entró en la Escuela de Ingenieros de Caminos con el número 1; y con el mismo número salió de ella, a la que volvió como profesor eminente para explicar, hasta 1868, precisamente aquellas materias de cálculo diferencial, estereotomía, mecánica en las que siempre se soñó gran prestímano, gran combinador y sumo santón.

Desde 1856 se sintió atraído fuertemente por los estudios económicos; y con entusiasmo sin igual, uniéndose a Figuerola, Colmeiro, Moret, Luis María Pastor y Gabriel Rodríguez, se afilió a la modernísima escuela del librecambio, combatiendo a los proteccionistas como Pi y Margall en el Ateneo, en el Congreso y en las revistas. Diputado en las Cortes Constituyentes de 1869, fue director de Obras Públicas—1868—, ministro de Fomento—1869 y 1872—, de Hacienda—1872, 1874 y 1904—, presidente de Instrucción Pública—1905—y director del Timbre—1908—. En 1873 estuvo emigrado en París durante siete meses. Firmó con Martos y Salmerón el manifiesto de 1 de abril de 1880, del que nació el partido republicano progresista. En la Academia Española ingresó en 1896, ocupando el sillón vacante por la muerte de Mesonero Romanos, y en la de Ciencias Exactas, Físicas y Naturales, el 3 de abril de 1865. En 1904 se le otorgó, juntamente con el gran poeta provenzal Mistral, el Premio Nobel, el más alto galardón mundial de literatura.

¿Cuándo empezaron las aficiones dramáticas de Echegaray, quien no se estrenó hasta 1874—contando cuarenta y dos años—, siendo ministro de Hacienda? Si hemos de creerle a él mismo, desde los años en que terminaba su carrera de ingeniero. "Los últimos años de mi carrera habían sido muy parecidos a los primeros en punto a ocupaciones y gustos. Leer obras de Matemáticas, todas las que podía comprar; leer novelas, cuantas encontraba en las librerías; asistir al teatro con toda la frecuencia posible y no perder ni un estreno."

Sin embargo, hasta 1874 no se atrevió a estrenar, y ello con el seudónimo de "Jorge Hayaseca", anagrama de su nombre. Murió Echegaray cuando su teatro estaba por completo olvidado; cuando su valor como dramaturgo había sufrido el menosprecio de una crítica despiadada, tan injusta como aquella otra que le puso por las nubes años antes declarándole "fenómeno nacional".

Echegaray llegó a la escena española cuando pasaba esta por un estado comatoso. Las atrocidades del romanticismo habían sido repudiadas por el público. Tamayo y Ayala habían dejado de escribir. El primero, de un modo absoluto. Compás de espera. Tensión de expectativa. ¿Quién o quiénes librarían a la escena gloriosa española de su marasmo, y cómo y por cuáles derroteros la encaminarían?... Y apareció Echegaray. Audaz. Violento. Tremebundo. Un meteoro de los que convulsionan. "Yo también, por mi cuenta—declara en sus *Memorias*—, he escrito atrocidades del mismo género [se refiere a los dramones franceses de Dumas, Scribe...], y casi siempre me han salido bien. Lo que en el teatro nunca triunfa, verdad es que tampoco triunfa en la vida, es la cobardía o la timidez. La timidez y la cobardía son buenas para educandas de colegio o para sacristanes de monjas."

La declaración no puede ser más franca. Echegaray, escribiendo teatro, no se contuvo ni se detuvo. Como vulgarmente se dice, "no se paró en barras". Exageró. Se desenfrenó. Le arrastró el vértigo de todos los efectismos. Y téngase muy en cuenta que, aun cuando él no lo declarase, empezaba a escribir sus obras por el final. Es decir: buscaba *el desenlace teatralísimo de un tema audaz*, y sobre él construía todo el drama, sin importarle tener que forzar las situaciones, fantasear los caracteres, desencajar la verosimilitud. Los finales de actos y, sobre todo, el final del último acto, era lo que únicamente preocupaba a Echegaray. Arrancar el entusiasmo del público "a costa de lo que fuese", aun cuando luego el público, *ya en frío,* cayera en la cuenta de la trampa que el autor le había tendido. Sí, autor era Echegaray que hacía perder los estribos hasta a la más serena y asentada crítica. Y es que todo lo subvertía, lo trastrocaba, lo sacaba de quicio con cierto arte innegable y con un dominio absoluto de los recursos escénicos y de los gustos de la época.

Echegaray no fue un realista romántico, ni un romántico realista, ni un realista, ni un neoclásico, ni un clásico. Fue un neorromántico, que pretendió desarrollar los problemas más candentes de la realidad entre los extremos del más feroz romanticismo trasnochado y del más afectado retoricismo incipiente. Un neorromántico, pero no español, sino influenciado por los románticos franceses de la decadencia. De esa pretensión de querer *casar* la cruda realidad de fondo con la enfática forma rancia proviene la detonación imponente que es el teatro de Echegaray. Prosista vulgar, versificador deplorable, al que solicitan los ripios más graciosos, sus personajes tienen poca humanidad, sus situaciones se desconectan de la humanidad; unas y otros han salido no de la Vida, sino de la fogosa fantasía del autor. Como todo el teatro romántico, es el de Echegaray exagerado, enfático, lacrimoso, irreal. Pero en ese mismo falseamiento de la realidad hay un fondo de realidad—y valga lo paradójico—en sus dramas, que subyuga y ata de pies y manos: la lucha en la conciencia del deber y la pasión, tan desmenuzada, tan fuertemente desenvuelta, que llega a todos, porque en todos arde esa lucha más o menos esbozadamente, en mayor o menor grado.

Que no se busque fresca inspiración, poesía natural, situaciones normales o sencillas, palabras discretas, sentencias suavemente oportunas en las obras de Echegaray, en las que todo es trama muy reflexiva, trabajo de voluntad más que de arte, versificación calculada, como si de resolver un problema matemático se tratara, sentencias enormes "colocadas con calzador", palabras enfáticas.

Si Echegaray escribió para el teatro, debió de ser porque en su talento fenomenal pensó: "Yo también puedo escribir dramas. Todo es proponérmelo. Voluntad. Voluntad. Voluntad. Método. Método. ¿La obra teatral no tiene algo de acueducto, de canal, de dársena? Materiales... Cálculos... Y, sí, cierta belleza a primera vista que arranque la admiración."

Algo por el estilo debió de pensar nuestro autor. Y... manos a la obra. Y triunfó. Sus obras son grandiosas—algunas—, con una grandiosidad de obra pública; más aún: de obra de utilidad pública. Sino que como tal

carece de sentido poético. Sino que como tal no resiste otro análisis que "el técnico". Bien construidas. Sólidas en su parte temática. Sino que... Claro está, el soplo divino falta.

Abundantísima es la obra teatral de Echegaray. Entre 1870 y 1906 escribió más de cien obras. Obra abundantísima y desigual, en la que se mezclan las exorbitancias románticas y los problemas nuevos y apremiantes de la época positivista, la grandeza de la concepción y el efectismo de la expresión, lo patético y lo sensiblero hasta un grado superlativo. Por ello esta abundantísima producción oscila entre lo genial y lo estrafalario. Echegaray, a fuerza de neorromanticismo, consigue los efectos más explosivos del concepto del honor o de los problemas religiosos en pugna. Y si logra poderosos efectos emotivos con ese cóctel, en que remueve latiguillos de propaganda política, pasiones románticas—pálidas ya del trasnocheo y apuntada el alba de lo real—, modalidades y modas de drama urbano, potencia trágica y efectismos impresionantes, es, indudablemente, por su indiscutible dominio de la arquitectura teatral.

Si nuestros grandes dramáticos—Lope, Tirso, Calderón, Rojas—lucharon por hacer del teatro Vida—o trozos de vidas—, y lo consiguieron hasta tal punto de que, en su época, "el teatro" estaba fuera de la escena, y en esta la verdad absoluta, Echegaray consiguió *teatralizar el teatro.* Esto es: que la Vida—o los trozos de vidas—se alejaran de la escena: que *hacer teatro* fuera representar *una imitación* de la Vida sobre los escenarios.

Desdichadamente para España, desde Echegaray el teatro es solo eso: teatro. Teatro que divierte. Teatro que emociona. Teatro que alecciona. Pero... teatro. Lo ficticio. Lo enfriado.

Echegaray es un dramático intelectual, aun cuando él se cree más encalenturado de emociones, ya que, sin perder el control de su voluntad, sujeta sus sentimientos rigurosamente a un plan trazado con ecuanimidad absoluta. Las pasiones jamás desbordan o derriban su técnica, sólida como el paredón de una presa construida por el mejor ingeniero.

Es sumamente curiosa la opinión de Pi y Arsuaga acerca del teatro de Echegaray: "Echegaray tiene una imaginación calenturienta, concibe con rapidez extraordinaria y ejecuta con velocidad incomparable; no da a luz, aborta... Tras los sollozos del moribundo, lanza la carcajada del libertino; tras el sentido arrullo del amor dulce, ideal y melancólico, deja escapar el sarcasmo y la burla del escéptico... Por un solo afecto, cambia los caracteres del mejor drama; por

E

una escena que espante y horrorice, de todos los dramas del mundo. Siente, en fin, un mundo de ideas, unas sublimes, otras absurdas, y las aprovecha todas y todas las entreteje y amalgama, repartiéndolas a manos llenas entre sus personajes, que ora salen gananciosos, ora lastimados en su fuerza y en su colorido. De aquí que sus dramas, que apreciados en detalle tienen tantas bellezas, apreciados en conjunto son siempre imperfectos."

Puede afirmarse que Echegaray, lo mismo que un tormentazo imprevisto, asustó, admiró, *dejó sin habla* al público y a la crítica. Pasados unos años, el público siguió creyendo a pie juntillas en la maravilla sobrenatural de aquella apoteosis del trueno y del relámpago; pero la crítica, ya un tanto curada del espanto, empezó a creer que en aquella tormenta había mucho de tramoya teatral: truenos conseguidos con piedras removidas dentro de una lata, relámpagos logrados con bengalas y magnesio. Y como quien sale de una conmoción violenta, empezó la crítica a echar abajo sin duelo cuanto ella misma, a par del público, había levantado como glorioso pedestal del celebrado dramaturgo. Tuviéronle por un fenómeno de la Naturaleza, como un cometa de brillante cola, que trajo a todo el mundo, críticos y legos, boquiabiertos y embelesados. Y sigue teniéndosele como a fenómeno y cometa, sino que el cometa ya es ido para no volver, y el fenómeno ya no lo parece ni ha dejado rastro de sí.

La norma de Echegaray fue la inflexibilidad. Gustó de caminar en línea recta y derecho a su objeto. Violento, impetuoso, indomable, aborreció las trabas y deseó amplio campo donde exaltar sus concepciones. Una vez disparado, no le arredró abandonarse a su fantasía. Lo original le entusiasmaba. Lo excepcional le nutría. Le reanimaba lo maravilloso. No podía prescindir de señalar lo que él pensaba nuevos derroteros. Lo que sucede es que, como cuantos empiezan arrastrando a las multitudes, Echegaray acabó arrastrado él por los corceles desbocados de su genio. Sublimidades y absurdos, sí, se los acumulaba él ante su marcha para darse el gustazo de vencerlos, de soslayarlos, a saltos, desvariando a veces, dueño de sí mismo otras, cayendo y levantándose, pero llegando al fin. "Clarín" llegó a comparar el espectáculo de una obra de Echegaray con el de una corrida de toros, por la angustia, por el colorido, por el arte, por el aburrimiento, por la falsedad, por el realismo, por la grandiosidad y por la vulgaridad que puede haber en las dos, en el tiempo breve de su duración.

Pero más que cuanto yo pudiera destacar de la obra de Echegaray, lo destacó el propio dramaturgo en este soneto conocidísimo:

> Escojo una pasión, tomo una idea,
> un problema, un carácter. Y lo infundo.
> cual densa dinamita, en lo profundo
> de un personaje que mi mente crea.
>   La trama al personaje le rodea
> de unos cuantos muñecos que en el mundo
> o se revuelcan en el cieno inmundo
> o se calientan a la luz febea.
>   La mecha enciendo. El fuego se propaga.
> el cartucho revienta sin remedio.
> y el astro principal es quien lo paga.
>   Aunque a veces también en este asedio
> que pongo al arte y que al instinto halaga,
> me coge la explosión de medio a medio.

Sí, muchas veces el autor quedó cogido, triturado por la explosión de tantos ingredientes a los que acercó el fuego su propia vehemencia consciente. Pero en su fecundidad grande aún quedan numerosas obras en que él se salva, y con él el arte y la emoción dramática de la mejor ley.

Justo es consignar que los éxitos de Echegaray pasaron las fronteras de España y reverdecieron en todo el mundo. En Alemania causaron profunda emoción *El gran galeoto, O locura o santidad*. Esta segunda obra gustó mucho en Estocolmo; *Mariana*, en Lisboa, en Londres y en Bruselas; *Mancha que limpia*, en Atenas y Budapest; *El loco dios* y todas las mencionadas, en París. Echegaray llegó a ser comparado a Ibsen, a Sudermann, a Bjornson, los más célebres dramaturgos europeos de las nuevas tendencias realistas sociales.

De la copiosa producción de Echegaray merecen destacarse: *El libro talonario*—por ser su primera obra estrenada, 1874—, *O locura o santidad*—1877—, *En el seno de la muerte*—1879—, *La muerte en los labios* —1880—, *El gran galeoto*—1881—, *Manantial que no se agota*—1889—, *Mariana*—1892—, *Mancha que limpia*—1895—, *El loco dios, Malas herencias* y *A fuerza de arrastrarse*.

De las obras de Echegaray, son buenas ediciones las publicadas por la Sociedad de Autores Españoles.

V. Revilla, Manuel de la: *Obras*. Madrid, 1883.—Alas, Leopoldo ("Clarín"): *Palique*. Madrid, 1893, 5-16.—Antón del Olmet y García Carrafa: *Echegaray*. Madrid, 1912. ["Los grandes españoles".]—Gallego Burín, A.: *Echegaray: su obra dramática*. Conf. Granada, 1917.—Herranz, Fermín: *Echegaray: su tiempo y su teatro*. Madrid, 1880.—Pi y Arsuaga, Francisco: *Echegaray, Sellés y Cani*. Madrid, 1884.—Leal, José Ramón: *Teatro nuevo*. Madrid, 1880.—Curzon, U. de: *La théâtre de José Echegaray. Etude analytique*. París, 1912.—Moret, Segismundo: *Discurso sobre José Echegaray* en el Ateneo de Madrid, 1905.—Valentí y Camp, S.: *José

Echegaray, en *Rev. Estudio*. 1916.—MÉRI-MÉE, Ernest: *José Echegaray et son oeuvre dramatique*, en *Bull. Hispanique*, 1916.— MARVAUD, Angel: *Don José Echegaray*, en *La Quinzaine*, LXIII, 145-164, 1905.—TAN-NEMBERG, Boris de: *José Echegaray*, en *La Renais. Latine*, IV-2.—SANTANDER, Federico: *Echegaray y su teatro*, en *Rev. Castellana*. 1917.—ZARANTE, S.: *Echegaray*, en *Revista Contemporánea*. Cartagena.—ALFONSO, Luis: *Echegaray*, en *Aut. Dram. Contemp.*, II, 535.—EGUÍA RUIZ, C.: *Echegaray*, en *Razón y Fe*, 1917.—SAINZ DE ROBLES, F. C.: *Historia y antología del teatro español*. Madrid, 1943. Tomo VII.

ECHEGARAY Y EIZAGUIRRE, Miguel.

Dramaturgo español muy afamado en su época. Nació—1848—en Quintanar de la Orden (Toledo). Murió—1927—en Madrid. Abogado. Licenciado en Filosofía y Letras. Diputado a Cortes—1873—. Secretario de los Ministerios de Fomento y Hacienda al desempeñar su hermano don José el cargo de ministro en dichos departamentos. Académico de la Lengua—1913.

Su primera obra teatral, *Cara y cruz*, la estrenó en el teatro del Circo, de Madrid, contando dieciséis años de edad.

Autor de más de un centenar de obras, entre las que destacan: *Caerse de un nido, Los demonios en el cuerpo, Vivir en grande, Sin familia, Los hugonotes, Viajeros para Ultramar, La niña mimada, El octavo, no mentir; La señá Francisca, Abogar contra sí misma, El dúo de la Africana, La rabalera, La viejecita, Juegos malabares, El pretendiente, El último drama, Agua de noria, Gigantes y cabezudos...*

Muchas de estas obras son zarzuelas a las que pusieron música inspiradísima los maestros Fernández Caballero y Vives.

Miguel Echegaray sobresalió por su vis cómica de mucho efecto, por su gran conocimiento de la escena y la exacta pintura de los caracteres y situaciones escénicas. Su versificación era fácil y correcta. Formaba con Ramos Carrión y Vital Aza el terceto de libretistas más admirado por el público y más buscado por los músicos durante treinta años, de 1880 a 1910.

ECHEVARRÍA, Aquileo J.

Poeta y prosista costarricense. 1866-1909. Cantor optimista y sincero del alma de su pueblo y de la Naturaleza. Escribió cuadros populares y estudios costumbristas llenos de color y vida amable.

Sus *Concherías*—romances vulgares con el lenguaje de los conchos o campesinos—alcanzaron gran popularidad por su gracia, su sal y su verdad.

Entre sus mejores poesías cuentan: *El curandero, En febrero, El angelito, La visita del compadre*.

La incorrección de sus poemas no impidió que el pueblo amase a su gran poeta y supiera sus poemas de memoria.

V. SOTELA, Rogelio: *Escritores y poetas de Costa Rica*. San José, 1923.—FERNÁNDEZ, Máximo: *Lira costarricense*. San José, 1890-1891.—BOLÍVAR CORONADO, Rafael: *Parnaso costarricense*. Barcelona, Maucci, 1921.—MERLOS, S. R.: *La poesía en Costa Rica*. San Salvador, 1916.

ECHEVERRÍA, Esteban.

Gran poeta. Nació—1805—en el Barrio Alto o de San Telmo, de Buenos Aires. Murió en 1851. Su padre era vizcaíno y su madre porteña. El mismo confiesa los tres "honrosos" títulos que tenía de mozalbete: "carpetero, jugador de billar y libertino". Además, guitarrista de habilidad portentosa. A los dieciocho años vivía de las sensaciones, de los amoríos y, pocas veces, de la reflexión. Asistió algún tiempo al Colegio de la Unión del Sud. Para ganarse la vida, trabajó como dependiente de Aduana en la casa de Sebastián Lezica. En 1825 embarcó con rumbo a Francia en el bergantín *La Joven Matilde*, llegando, luego de innumerables peripecias, a El Havre en febrero de 1826. Cuatro años vivió en París, estudiando Geometría, Química, Algebra y otras materias, y saboreando la intensa vida bohemia de los primeros románticos. En 1830 regresó a su patria, y se vio envuelto en las turbias contiendas políticas. Una afección cardíaca le impulsó a viajar de nuevo, dirigiéndose a Mercedes del Uruguay cuando era ya grande su fama y ocupaba el puesto directivo de su generación. En el Uruguay, desde el Salón literario de Marcos Sastre, dirige los medios intelectuales. Fue Echeverría quien empujó a su vocación a Gutiérrez, a Alberdi, a Mitre, a Sarmiento...

Al clausurar el tirano Rosas el Salón literario de Marcos Sastre, quienes lo frecuentaban pensaron fundar—según Alberdi—la "Asociación de Mayo, o logia secreta de lo que llamamos la joven generación argentina".

Echeverría y Gutiérrez redactaron el *Código o Declaración de los principios que constituyen la creencia social de la República Argentina*... Por ello marchó Echeverría a Montevideo, continuando aquí su labor civil, alternada con la publicación de poesías y artículos en los periódicos.

Murió el 19 de febrero de 1851, soñando con la patria.

E

De vida intensa y atormentada, de sensibilidad enfermiza y efervescente, influido notablemente por sus años de residencia en París, donde bebió hasta emborracharse los vinos más fuertes del romanticismo incipiente, y, por ende, encabritado, Echeverría es "el padre del romanticismo argentino".

"Pocos escritores—escribe Ricardo Rojas—hay en la literatura americana tan difíciles para la crítica imparcial como Echeverría, pues ninguno presenta más íntima contradicción entre sus posibilidades y sus sueños, ni más rara complejidad de aptitudes condenadas a tentar las varias vías de la acción y del arte."

Según Leguizamón, Echeverría, en la poesía, alcanza una significación específica, bien que no una jerarquía altísima.

De mucho colorido, de enorme facilidad versificadora, retratista habilísimo, inspiración honda en ocasiones, Echeverría, a veces, peca de superficial y "de acuoso". Largas tiradas de sus versos nada dicen, nada significan, no son sino hojarasca. Acaso le faltó un exacto conocimiento de su arte. Su desbordamiento lírico tuvo, por momentos, indudable grandeza. En otro fue como un arrasamiento estéril.

Obras: *El ángel caído*—poema—, *Elvira, o La novia del Plata*—1832—, *Profecía del Plata*—poema—, *Consuelos*—1834—, *Rimas*—1837—, *La cautiva*—poema, su obra maestra—, *La Diamela*—poema—, *La ausencia*—poema—, *La insurrección del Sur*—poema, 1839—, *Avellaneda*—poema—, *La guitarra*—poema—, *Cartas a don Pedro de Angelis, Peregrinaje de Gualpo*—prosas—, *La leyenda de don Juan, Pensamientos, ideas y opiniones; El matadero*—cuento—, *Mangora*—drama—, *La Pola*—drama—, *Apología del matambre, Literatura mashorquera, Fondo y forma de las obras de imaginación*—ensayo—, *Proyecto y prospecto de una coleccion de canciones nacionales...*

Las *Obras completas de Echeverría* fueron publicadas en Buenos Aires entre 1870 y 1874.

V. Cháneton, Abel: *Introducción a la vida contradictoria de Esteban Echeverría*, en *La Nación*, Buenos Aires, 5-V-1940.—Gutiérrez, Juan María: *Vida de E. Echeverría*, en tomos I y V de las *Obras completas* de E. E. García Mérou, M.: *Ensayo sobre Echeverría*. Buenos Aires, 1894.—Urien, Carlos M.: *Echeverría*. Buenos Aires, 1905.—Rojas, Ricardo: *La literatura argentina*. Buenos Aires, 1924, tomo III.—Furt, J. M.: *Echeverría*. Buenos Aires, 1938.—Arrieta, Rafael Alberto: *Contribución al estudio de E. Echeverría*, en *Boletín de la Academia Argentina de Letras*, núm. 35.

EDWARS BELLO, Joaquín.

Novelista muy original. Ensayista. Uno de los más firmes valores de las letras contemporáneas chilenas. Descendiente por línea materna del insigne filólogo y erudito Andrés Bello. Nació en 1888. Periodista desde la mocedad. Y periodista ágil, vehemente, lleno de sutileza y de hondura ideológica. En 1910, con la publicación de su novela social *El inútil*, alcanzó un éxito de los calificados "de escándalo". En verdad, se trata de una obra fuerte, brusca, dura, dolorosa, de las que irritan el espíritu del lector, quien, sin embargo, se nota sujeto hasta su última página. Porque aun cuando en la obra total de Edwards Bello abundan las pinceladas crudas, las descripciones barrocas, los diálogos exasperados, las intenciones socializantes, también se delata un fuerte y nobilísimo idealismo.

Por sus innegables merecimientos de novelista y de literato, en 1943 le fue concedido el "Premio Nacional de Letras", la más alta distinción que su patria otorga a sus escritores.

En Edwards Bello se dan, además, otras calidades muy excelsas: acre observación muy minuciosa y exacta, crítica aguda e implacable, don del retrato con cuatro trazos vigorosamente y netos, feliz naturalidad en el lenguaje.

Obras: *Tres meses en Río de Janeiro*—1911—, *El monstruo*—1912—, *Cuentos de todos los colores, La tragedia del "Titanic", La cuna de Esmeraldo, El roto, La muerte de Vanderbilt, El chileno en Madrid, Cap Polonio, Valparaíso, la ciudad del viento; Criollos en París, La chica del Crillón...*

V. Alone, Hernán: *Panorama de la literatura chilena durante el siglo XX*. Santiago, 1931.—Latorre, Mariano: *La literatura en Chile*. Buenos Aires, 1941, Fac. Filosofía y Letras.—Cerruto, Oscar: *Panorama de la novela chilena*, en *Nosotros*, Buenos Aires, diciembre 1937.—Silva Arriagava, Luis J.: *La novela en Chile*. Santiago, 1910.

EGUÍLAZ, Luis de.

Notable y popular poeta, novelista y dramaturgo español. Nació—1830—en Sanlúcar de Barrameda (Cádiz). Murió—1874—en Madrid. Fue discípulo del famoso humanista y fraile exclaustrado don Juan María Capitán. Estudió Derecho en Madrid. Y se dio a conocer literariamente en Madrid con un estudio crítico muy fino y justo acerca de la novela de "Fernán Caballero" *Clemencia*. A los catorce años estrenó en Jerez de la Frontera la comedia en un acto *Por dinero baila el perro*.

En la corte le protegió el famoso hombre de letras don Eugenio de Ochoa, y gracias a esta protección pudo estrenar—1853—su primera obra seria: *Verdades amargas,* cuyo éxito grande colocó a su autor entre los más populares de aquel tiempo.

Las obras de Eguílaz son de una vigorosa concepción, de un lirismo excesivo y acaso poco flexible, de una forma correcta, de gran naturalidad de acción, y se vitalizan con personajes perfectamente vistos. Virtudes que hicieron del teatro de Eguílaz uno de los predilectos del público y aun de la crítica.

Sus obras teatrales pueden dividirse en tres grupos: Obras semihistóricas de rasgos líricos, como *Las querellas del Rey Sabio* —puesta en perfecta *fabla* de la época—, *El patriarca del Turia*—referente a Timoneda—, *La vaquera de la Finojosa, El caballero del milagro*—referente a Agustín de Rojas—, *Los dos camaradas*—Cervantes y don Juan de Austria—, *Alarcón, Una aventura de Tirso, Una broma de Quevedo...* Obras de tendencia moralizadora y práctica, como *Mentiras dulces, Verdades amargas, Los soldados de plomo, La cruz del matrimonio*—1860, su éxito mayor—, *Grazalema...* Y obras libretos de zarzuela: *El salto del pasiego, El molinero de Subiza...*

Eguílaz escribió también algunas novelas históricas: *La espada de San Fernando, El talismán del diablo, El milagro...*

La mejor edición de sus obras dramáticas es la publicada por Baudry, París, 1864.

V. Barbadillo, Manuel: *Luis de Eguílaz. Su vida, su época, su obra.* Jerez de la Frontera, 1964.—Calvo Asensio, G.: *El teatro hispanolusitano en el siglo XIX.* Madrid, 1875.—Sainz de Robles, F. C.: *Historia y antología del teatro español.* Madrid, 1943. Tomo VI.

EGUREN, José María.

Poeta peruano. Nació—1882—y murió —1942—en Lima. Poeta y músico. La crítica le señala como un neosimbolista exquisito. De noble y rica familia, Eguren pudo dedicarse con pasión al cultivo de una poesía extraña, de imágenes sorprendentes, radicalmente desgajada del modernismo. Su espléndida imaginación cuajó en poemas de matices exóticos y deslumbrantes. Revelándose contra la tradición, tuvo talento e inspiración suficientes para mostrarse original y muy sugestivo en sus intentos renovadores.

Para el crítico Pedro S. Zulen, Eguren "viene a iniciar una nueva tendencia en nuestra poesía nacional [peruana], y quizá un nuevo concepto del simbolismo en la poesía misma".

Gómez Carrillo afirmó que de la poesía de Eguren fluía una suave música espiritual. Isaac Golsberg, el gran crítico norteamerica-

no, le ha dedicado grandes elogios. Pero Rufino Blanco Fombona le acusa de pobreza de léxico, de ideas y de rimas. Luis Alberto Sánchez tilda su arte de deshumanizado, quintaesenciado, sin plasma sanguíneo ni vibración de vida.

Obras: *Simbólicas*—1911—, *La canción de las figuras*—1916—, *Sombras*—1920—, *Poesías*—1929—, *Rondinelas*—1929.

V. Gómez Carrillo, Enrique: Prólogo a *La canción de las figuras.* Lima, 1916.—Sánchez, Luis Alberto: *La literatura peruana.* Lima, 1936, tres tomos.—Sánchez, Luis Alberto: *La literatura del Perú.* Buenos Aires, 1943, 2.ª edición.—Sánchez, Luis Alberto: *Indice de la poesía peruana contemporánea, 1900-1937.* Santiago de Chile, 1938.—García Calderín, Ventura: *Parnaso peruano.* Barcelona, Maucci, 1914.—Núñez, Estuardo: *Panorama actual de la poesía peruana.* Lima, 1938.

EICHELBAUM, Samuel.

Narrador y autor teatral argentino. Nació—1894—en Domínguez (Entre Ríos). En 1930 obtuvo el "Premio Municipal de Teatro" y el "Premio Jockey Club" para narraciones. Y se hizo acreedor al famoso "Premio Alberto Gerchunoff", bienio 1952-1953, por el valor de su producción dramática. En 1946 representó a su patria en el Congreso de Sociedades de Autores, reunido en Washington. Ha sido presidente interino y vicepresidente de la Sociedad Argentina de Escritores.

"Aspero, frío, analítico y sagaz, Eichelbaum tiene un estilo teatral personalísimo. Su dramaturgia, muy moderna, no le ha hecho flaquear en ningún momento el rigor de su propio y singular estilo."

Obras: *Un monstruo en libertad*—novela—, *Tormenta de Dios*—narración—, *El viaje inmóvil*—narración—, *Dos brasas*—drama—, *La mala sed*—teatro, 1920—, *Un hogar*—teatro, 1922—, *La hermana tercera*—teatro, 1924—, *Cuando tengamos un hijo*—1929—, *Vergüenza de querer*—teatro, 1930—, *Soledad es tu nombre*—teatro, 1932—, *En tu vida estoy yo*—1936—, *El gato y su selva*—teatro, 1936—, *Pájaro de barro* —teatro, 1940—, *Un tal Servando Gómez, Un grupo del 900*—teatro.

V. Berenguer Carissomo, Arturo: *Teatro argentino contemporáneo.* Madrid, Ed. Aguilar, 1959.

EIXIMENIS, Francesc.

Religioso y polígrafo español. Nació —¿1340?—en Gerona y murió—¿1409?—en Perpiñán. Estudió Filosofía y Teología en Valencia. Franciscano. Amplió y completó sus estudios en Colonia, París, Oxford y Roma. En 1374 regresó a España con el

E

título de maestro teólogo, residiendo algunos años en Barcelona. Desde 1383 hasta 1408 vivió en Valencia. Fue comisario apostólico de la cruzada contra los piratas que merodeaban en las costas valencianas. Patriarca hierosolimitano—1408—. Administrador apostólico perpetuo de Elna.

Francisco Eiximenis poseyó mucha y buena cultura, y escribió incansablemente. Representó en el Levante español, por su fecundidad varia, lo que en Castilla Alonso de Madrigal *el Tostado*. Tuvo también un gran talento expositivo y una prodigiosa facultad de asimilación. Según el gran crítico Rubió y Lluch, Eiximenis fue el cronista de la vida política y especulativa de Cataluña y Valencia. Su enorme y varia producción tiene un gran interés lingüístico y bibliográfico. "Una sola de sus obras, el *Crestiá,* sobrepasa en mucho, por la extensión y riqueza de materiales, no solo al famoso *Speculum* de Vicente de Beauvais, sino a cualquiera otra producción similar de aquellos siglos..."

Otras obras: *Regiment de la cosa pública*—Valencia, imp. en 1499—, *Llibre de les dones*—imp. en Barcelona, 1485—, *Vida de Jesucrist*—imp. en Granada, 1496—, *Pastorale*—imp. en Barcelona, 1495—, *Psalterium laudatorium*—imp. en Gerona, 1495—, *Expositio in psalmos penitentiales*—imp. en Gerona, 1495—, *Llibre dels ángels*—imp. en Barcelona, 1494—, *Regiment civil dels hómens e de les dones*—imp. en Valencia, 1484...

V. GRAHIT, Emilio: *Memoria sobre la vida y la obra del escritor... Francesch Eximenes,* en *La Renaixença,* tomo III, Barcelona, 1873.—MASSÓ Y TORRENTS: *Les obres de fra Francesch Eximeniç. Essaig d'una bibliografía...,* en *Anuari de l'Institut d'Estudis Catalans,* año III, 1909-1910.—BORDOY TORRENS: *Fray Francisco Eximenis,* en *Revista Franciscana,* Vich, 1906.

ELÍAS DE TEJADA, Francisco.

Ensayista e historiador español. Nació —1917—en Madrid. Estudió en las Universidades de Madrid, Berlín y Oxford. Catedrático—1964—en la Universidad de Sevilla. Dirige la revista *Montejurra* y la editorial de este mismo nombre. Su cultura es extraordinaria. Polemista impar. Sus ideas y sus ideales—netamente hispanos y tradicionales—pugnan a diario con los de muchos de sus contemporáneos, más atentos a lo acomodaticio y circunstancial. Pasan de doscientos sus ensayos, publicados en importantes revistas.

Obras: *Nápoles hispánico*—¿1952?—, *Las doctrinas políticas de la Cataluña medieval* —1950—, *La monarquía tradicional*—1954—, *Sociología del Africa negra*—1956—, *Cerdeña hispánica*—1961...

ELIPANDO DE TOLEDO.

Prelado, heresiarca y escritor español. No se sabe dónde nació. El P. Mariana dice en su *Historia:* "Elipando venía de la antigua sangre de los godos." El P. Flórez cree que nació en Toledo. En una carta a Félix de Urgel, el propio Elipando confiesa: "Sabed que ya llegué a la senectud de los ochenta y dos años el día octavo de las calendas de agosto..." Y como el año de la carta era el 799, rebajando de este ochenta y dos años, resulta ser el 25 de julio del 717 la fecha de su nacimiento. Nada se sabe tampoco de su infancia y de su juventud. Su vocación eclesiástica debió de ser temprana y decisiva. Sucedió a Cixila en la prelatura primada de España el año 783. Y su primer cuidado fue asombrar a los cristianos con una defensa impecable e implacable de la ortodoxia frente a los errores de Migecio, el cual predicaba que la primera persona de la Trinidad era David, y la segunda, Cristo, que en cuanto hombre descendía de David, y la tercera, San Pablo. Pero Elipando, que blasonaba de haber estrangulado el migecismo, cayó en la herejía adopcionista, que enseñaba que Jesucristo, como hombre, no era hijo natural de Dios, en la acepción rigurosa de la palabra, sino únicamente hijo adoptivo, mediante la regeneración. El Concilio de Francfort y el Pontífice Adriano I condenaron esta herejía en el año 794.

De Elipando se conservan únicamente siete *Cartas:* contra Migecio, a los obispos de las Galias, a Carlomagno, al abad Fidel, a Alcuino, a Félix de Urgel, y otra sin mención de a quién fuera dirigida, que pudiera ser la dirigida contra Beato y Heterio, incluida por estos en su *Apologético.* Las tres primeras fueron impresas por el P. Flórez en el apéndice del tomo V de la *España Sagrada;* la cuarta y la séptima se encuentran en el *Apologético* de Beato; la quinta y la sexta, en el libro de Alcuino. Posteriormente, Menéndez Pelayo las recoge en su *Heterodoxos.*

V. WALCHIO: *Hist. Adoptionorum.* Gotinga, 1755.—MENÉNDEZ PELAYO, M.: ... *Heterodoxos españoles.* Madrid, 1880, tomo I.—RIVERA, J. F.: *Elipando de Toledo.* Toledo, 1940. AMANN, E.: *L'adoptianisme espagnol du VIII siècle,* en *Rev. de Sciences Religieuses,* tomo 16, 1936, págs. 281-318.—ABADAL Y DE VYNYALS, Ramón: *La batalla del adopcionismo...* Barcelona, 1949.—SAINZ DE ROBLES, F. C.: *Elipando y San Beato de Liébana.* Madrid, Aguilar, 1934.

ELOLA Y GUTIÉRREZ, José de.

Literato y hombre de ciencia español. Nació—1859—en Alcalá de Henares. Murió —¿1935?—en Madrid. Estudió en el Instituto del Noviciado, de Madrid, y en la Academia de Estado Mayor. Profesor de Geometría descriptiva y Topografía en la Academia General Militar y en la Escuela Superior de Guerra. Inventor de varios aparatos, como la brújula-taquímetro, la mira permeable al viento y el transportador taquímetro universal. Viajó por toda Europa y América.

Como literato fue un novelista fecundo, originalísimo, ameno, de prosa castiza y de estilo correcto. Sus novelas pueden dividirse en dos grupos: novelas puramente de ficción—psicológicas o de costumbres—y novelas científicas a la manera de Julio Verne.

En el primer grupo sobresalen: *Eugenia, La prima Juana, Corazones bravíos, Bosquejos, Remedio contra ceguera, La nietecita, "In articulo mortis", Luz de belleza, El salvaje, Precocidad...*

Pero su justa fama de narrador excepcional se la dieron sus novelas científicas, en nada inferiores a las mejores de Verne o Wells, y algunas de ellas superiores por su solidez científica. Entre estas novelas están: *De los Andes al cielo, Del océano a Venus, El mundo venusino, La desterrada de la tierra, El mundo sombra, El amor en el siglo cien, Los vengadores, Los modernos Prometeos, Los náufragos del glaciar, Ana Battori, La profecía de don Jaime, Policía telegráfica...*

José de Elola utilizó, literariamente, los seudónimos de "Don Nuño" y "Coronel Ignotus".

ENCINA, Juan de la (v. **Gutiérrez Abascal, Ricardo**).

ENCINA, Juan del (v. **Enzina, Juan del**).

ENCINAS, Francisco de.

Humanista y prosista. Nació—1520—en Burgos y murió—1552—en Estrasburgo. Se educó y estudió en Lovaina. Partidario acérrimo de Melanchton, de quien posiblemente fue discípulo. Helenizó su apellido en la forma *Dryander*. Por *Du Chesne* le conocieron los franceses. En Alemania se firmó *Eichmann*, y *Van Eick* en Flandes. Desde 1543 empezó a escribir sus *Memorias*, luego de haber estudiado varios cursos en la Universidad de Witemberg. En 1543 acabó su traducción del *Nuevo Testamento*, por lo que fue encarcelado en Bruselas, mientras Carlos I ordenaba fueran recogidos todos los ejemplares de dicha traducción. Encinas logró fugarse de la cárcel, en complicidad con los mismos magistrados y carceleros, pues era sumamente querido. Volvió a Witemberg —1545—. Casóse en Estrasburgo con Margarita Elter y marchó a Inglaterra, donde le dio Crammer una cátedra de Griego en Cambridge. En 1552 fue a Ginebra, deseoso de conocer a Calvino. De regreso a Estrasburgo, falleció, víctima de la peste.

De muchísima cultura. Sutil comentarista y crítico. De prosa brillante y muy propia.

Obras: *Nuevo Testamento de Nuestro Redemptor*—1543—, *Breve y compendiosa institución de la religión cristiana*—Gante, 1540—, *Historia del estado de los Países Bajos y de la religión de España*—1558—, *Memorias de Francisco Enzinas*—1543 a 1545—, *Compendio de las catorze décadas de Tito Livio*—1550—, *El primer volumen de las vidas de illustres y excellentes varones griegos y romanos*—traducción de Plutarco, Estrasburgo, 1551—, *Historia verdadera de Luciano, traduzida del griego...* —1551...

Tradujo bellísimamente algunos *Diálogos* de Luciano—1550—y *El amor fugitivo*, idilio de Mosco, en cuartetas de arte mayor.

Textos: De las *Memorias*, ed. Campáu, 1863.

V. PELLICER, J. A.: *Ensayo de una biblioteca de traductores españoles*. Madrid, 1778. CASTRO, Adolfo: *Historia de los protestantes españoles*. Cádiz, 1851.—MENÉNDEZ PELAYO, M.: *Heterodoxos españoles*, II, 223.

ENCINAS, Fray Pedro de.

Poeta y ascético. Nació hacia 1530 en Burgos. Murió en 1595. Dominico, que estudió en Salamanca. Después de su muerte apareció su curiosísima obra *Versos espirituales, que tratan de la conversión del pecador, menosprecio del mundo y vida de Nuestro Señor*—Cuenca, 1597.

De este poeta opinó el P. Julián Zarco: "Pasa la raya de lo discreto, aunque no escale lo sublime, y un tanto recargado de bagaje mitológico."

Entre sus composiciones sobresalen la *Oda* "al Summo Rector de la alta Esfera" y la *Canción primera del pecador*.

Otras poesías suyas en *Flor de varios romances diferentes... Novena parte*—Madrid, 1597—y en *Séptima y octava partes de Flor de varios romances nuevos...*—Alcalá, 1597.

Texto moderno: *Eglogas espirituales*, edición Aguado, 1924.

V. AGUADO, P.: *Biografía de Pedro de Encinas*, en ed. 1924.—ZARCO, Fray Julián: *De re litteraria*, en *La Ciudad de Dios*, 1925, CXLI, 127.

ENRÍQUEZ DEL CASTILLO, Diego.

Célebre cronista y literato español. Nació —1433—y murió—1480—en Segovia. Capellán privado, cronista oficial y consejero del rey Enrique IV de Castilla, a quien siempre sirvió lealmente, tanto en hechos bélicos —conquista de Alfaro, villa cercada por el

E

conde de Foix—, como en misiones diplomáticas ante el Pontífice y el rey de Portugal. Después de la batalla de Olmedo—1467—, al retirarse del campo, contra la opinión de Enríquez, Enrique IV y sus huestes, aquel fue hecho prisionero y saqueada su casa de Segovia, en la que guardaba muchos documentos preciosos y la *Crónica del rey don Enrique IV.*

Los partidarios del infante don Alfonso entregaron los escritos de Enríquez a Alfonso de Palencia, cronista del opuesto partido, para que los corrigiese, el cual dice los llevó al arzobispo de Toledo, Carrillo, uno de los que peor salían librados de la batalla.

Enríquez confiesa que, privado de sus borradores, confió a la memoria los trece primeros años del reinado de Enrique IV, y aun más tarde modificó su *Historia* él mismo, de modo que las ambigüedades, la retórica y la literatura amena encubren o velan los verdaderos sentimientos del autor.

La *Crónica* de Enríquez del Castillo revela su buen estilo de prosista, sus vastos conocimientos, su viva imaginación para suplir realidades desagradables, sus destrísimas pinceladas para hacer resaltar a los personajes. Testigo excepcional del reinado que relata, sin embargo le hacen sospechoso sus deseos de servir al monarca y de encubrir algunos sucesos de aquel reinado, que, posteriormente, han sido aclarados en contra del testimonio de Enríquez. La crítica moderna, luego de conocer algunos documentos coetáneos, ha declarado el superior valor histórico de las *Décadas,* obra de Alfonso de Palencia, el cronista del bando opuesto.

Después, como dice el propio Enríquez, de haber rehecho, en parte, su *Crónica...,* "siguió observando—escribe Valbuena—y escribiendo, llegando a una excelente pieza en prosa, en que la animación humana de su sociedad, en que el lamento por las sublevaciones y rebeldías contra Enrique y aun la ingenua alusión en defensa de lo indefendible de aquel tímido insuficiente, se reúnen en un conjunto intensamente dramático... Como valor literario, esta crónica revela un gran progreso respecto a la misma de Juan II o de don Alvaro de Luna".

Se desconoce la fecha de la primera edición de la *Crónica del rey don Enrique, el Quarto de este nombre, de gloriosa memoria.* La segunda edición es de 1787; la publicó Sancha, y cuidó de ella J. M. Flores (*Crónicas españolas,* tomo VI).

La *Crónica* se recoge también en el tomo LXX de la "Biblioteca de Autores Españoles".

V. PUYOL, Julio: *Los cronistas de Enrique IV,* en *Boletín de la Academia de la Historia,* 1921.—SITGES, J. B.: *Don Enrique IV y la Excelente Señora.* 1912.—MARA-

ÑÓN, G.: *Ensayo biológico sobre Enrique IV de Castilla y su tiempo.* Madrid, 2.ª edición, 1934.

ENRÍQUEZ GÓMEZ, Antonio.

Muy notable poeta, novelista y dramaturgo español. Nació—1600—en Segovia. Murió después de 1660. Su padre fue el judío converso portugués Diego Enríquez Villanueva. Soldado y bravo desde muy joven, en Castilla era conocido por Enrique Enríquez de Paz. Y llegó a ser capitán. Aun cuando de niño profesó la religión católica, abrazó al cabo el judaísmo. Sus méritos bélicos le hicieron merecedor al hábito de San Miguel; pero la Inquisición de Sevilla le persiguió por judaizante, y Enríquez tuvo que huir de España. Hacia 1636 llegó a París, donde, cambiándose de nombre, fue secretario y mayordomo de Luis XIII, que le apreciaba en mucho. Vivió más tarde en Amsterdam, y la Inquisición sevillana le quemó en estatua—1660—. Al enterarse Enríquez de este suceso, exclamó rápida y alegremente: "¡Allá me las den todas!"

Enríquez Gómez figura en el *Catálogo de autoridades de la Lengua,* publicado por la Academia Española. Fue un ingenio notabilísimo, sin excesiva inventiva, pero lleno de humor, de fuerza expresiva, de sentido humano. De sus poesías ha escrito Amador de los Ríos: hay en ellas "algo más que la belleza de la forma: hay en ellas bellezas de expresión y de sentimiento, lo cual contribuye a darles cierta frescura, que las hace no pocas veces interesantes". Y Sainz de Robles ha dicho, refiriéndose igualmente al poeta: "No logró fusionar siempre felizmente la manera culterana y la manera conceptuosa, aun cuando en sus poesías pueden hallarse fragmentos de positivo valor lírico. Y ha de tenerse en cuenta que Enríquez manejó la metáfora de modo tan admirable, que ni Góngora le excedió."

Como comediógrafo, puede ser incluido Enríquez en la "escuela de Calderón", a quien imita en sus defectos y jamás llega ni a los méritos de menos bulto. Fácil versificador, Enríquez carecía de inventiva y del soplo creador que inmortaliza a los personajes. Sus 22 comedias tienen el interés de los rasgos de ingenio y de la descarnada patentización de las costumbres.

Como novelista satírico, tiene mucha más importancia. Tiene ingenio para urdir los sucesos "viejos" de modo que parezcan originales. Tiene una prosa viva y bizarra. Es un maestro en el arte de urdir la intriga y de dosificar el interés. Imita con cierto "ángel" a don Francisco de Quevedo. Derrama un sarcasmo enteramente humano que irrita o hace meditar.

Entre sus comedias sobresalen: *A lo que obliga el honor, Celos no ofenden al sol, Lo que pasa a medianoche* y *El capitán Chinchilla.*

Otras obras: *La culpa del primer peregrino*—poema, Ruan, 1645—, *Luis dado de Dios a Luis y Ana, Samuel dado de Dios a Elcana y Ana*—prosa, París, 1645—, *Política angélica*—Ruan, 1649, en prosa—, *La torre de Babilonia*—prosa, Ruan, 1649—, *El siglo pitagórico y vida de don Gregorio Guadaña* —Ruan, 1649, en prosa y verso—, *Academias morales de las musas*—poesías, Burdeos, 1642—, *El Sansón nazareno*—Ruan, 1656, poema heroico en 14 cantos.

Hay que lamentar en casi todas las obras de Enríquez "la servidumbre y el extravío del ingenio" por los dictados del culteranismo más exacerbado.

En el tomo XLII de la "Biblioteca de Autores Españoles" figuran algunas poesías de Enríquez; comedias, en el tomo XLVII; la *Vida de don Gregorio Guadaña,* en el tomo XXXIII, y en *La novela picaresca española,* Madrid, Aguilar, 1943 y 1946.

V. AMADOR DE LOS RÍOS, J.: *Estudios históricos, políticos y literarios sobre los judíos de España.* Madrid, 1848.—VALBUENA PRAT, Agustín: *Novela picaresca española.* Madrid, Aguilar, 1943 y 1946.—BARRERA, C. A. de la: *Catálogo del teatro español.* Madrid, 1860.— MENÉNDEZ PELAYO, M.: *Heterodoxos españoles.* —PUIGBLANCH: *Opúsculos gramáticosatíricos.* Londres, 1833.—VERGARA, G. M.: *Escritores de Segovia.*

ENTRAMBASAGUAS Y PEÑA, Joaquín.

Erudito, literato, ensayista español. Nació —1904—en Madrid. Licenciado en Ciencias Históricas. Doctor en Letras. Catedrático de Lengua y Literatura en las Universidades de Murcia y Madrid. Jefe de la Sección de Literatura en el Instituto Antonio de Nebrija. Vocal y jefe de estudios sobre Lope de Vega en la Real Academia Española. Director de los *Cuadernos de Literatura Contemporánea.* Del Instituto Menéndez Pelayo y del Instituto de Estudios Madrileños. Director de los Cursos para Extranjeros. Miembro de numerosas Academias. Está en posesión de incontables condecoraciones españolas y extranjeras. Ha dado numerosos cursos de conferencias en diversas Universidades de Europa.

Uno de los más interesantes divulgadores de la literatura española. Correcto prosista. Ameno expositor. Investigador de fina intuición e interpretación feliz.

Obras: *El doctor don Cristóbal Lozano* —1927—, *Una guerra literaria del Siglo de Oro: Lope de Vega y los preceptistas aristotélicos*—1932—, *Miguel de Molinos*—1935—,

Lope de Vega—biografía, 1936—, *Determinación del romanticismo español*—ensayos, 1939—, *El alma sorprendida*—ensayos, 1939—, *El hombre al teléfono*—ensayos, 1938—, *Santo Domingo de la Calzada* —1941—, *Ensayos sobre Lope de Vega*—dos tomos, 1946—, *Los gemelos al revés*—ensayos, 1941—, *La catedral sumergida*—1946—, *Voz de este mundo*—1946—, *Madrigales sin ternura*—1947—, *Poemas de la ciudad* —1949—, *El corazón lejano*—1950—, *El canto del hombre*—1950—, *Oda a Federico García Lorca*—1950—, *El latido de los seres* —ensayos, 1944—, *Vivir y crear de Lope de Vega*—1946—, *El Madrid de Lope de Vega* —Madrid, 1952—, *Filmoliteratura*—ensayos, 1954—, *Miscelánea erudita*—1957—, *Determinación del romanticismo español, Las mejores novelas españolas contemporáneas*—estudios, prólogos, once tomos, 1956-1969.

Entrambasaguas ha prologado, preparado y anotado numerosas obras clásicas, principalmente de Lope de Vega—comedias—y *La Jerusalén conquistada,* 1936.

Tardíamente—1946—se ha iniciado como lírico; y tiene ya una indiscutible personalidad en un superrealismo que busca más la propia humanidad que la poesía objetiva.

V. VALBUENA PRAT, A.: *Historia de la literatura española.* Barcelona, 1946.—BENÍTEZ CLAROS, R.: *"Voz de este mundo" en la poesía actual.* Madrid. "Cuadernos de Literatura Contemporánea"... 1946.—CABAÑAS, P.: *El mundo poético de Entrambasaguas.* Madrid, 1947.—GARCÍA NIETO, J.: *"Madrigales sin ternura".* Madrid, 1947.

ENZINA, Juan del.

Extraordinario poeta y dramático español. 1469-1529. Nació en La Encina, cerca de Salamanca. Estudió con Nebrija las Humanidades en la ciudad del Tormes. Fue músico del duque de Alba y cantor en la capilla del Pontífice León X. Vivió en Roma cuantos años pudo. Tomó posesión por procurador del Arcedianato de Málaga. Y aun fue nombrado prior de León por el mismo Papa en 1519. Ya cincuentón, muy serio ya, peregrinó por los Santos Lugares en busca de contriciones. Su primera misa la rezó en el Monte Sinaí. Debió de morir en León, desempeñando su priorato, en 1529, pues ya en 1530 figura otro prior de León.

La mayor parte de sus poesías "fueron hechas desde los catorce hasta los veinticinco" años, y están contenidas en su *Cancionero,* publicado en 1496. Pueden dividirse en *profanas* y *a lo divino.* Entre las primeras figuran: *Triunfo de la fama*—con que celebró la conquista de Granada—, *Tragedia trovada a la dolorosa muerte del príncipe*

E

don Juan y el *Triunfo del amor.* Entre las segundas—poco interesantes—: salmos, cánticos dedicados a las festividades religiosas, y muy tocadas de un simbolismo mucho más dantesco y confuso que el de Juan de Padilla. "Mucho mayor interés tienen aquellas sus composiciones en que el elemento popular, tanto poético como musical, logra poner en sus labios un raudal de poesía dulce y sabrosa, natural y ligera, que traduce sin esfuerzo las impresiones de la juventud, de la primavera sonriente, del amor fácil. Sus villancicos pastoriles, sacros y profanos, son de lo mejor de la poesía bucólica española, no superados por ningún trovador del siglo xv." (M. P.)

De un finísimo oído musical, de un ingenio fresco, de gran ingenuidad de sentimiento, de vena cómica espontánea, Juan del Enzina logró aciertos extraordinarios, subordinando la letra poética a la música popular. Sesenta y ocho composiciones suyas se encuentran en el *Cancionero musical* editado por Asenjo Barbieri, a cuál más linda, lozana y pegadiza. Juan del Enzina es autor de una *Preceptiva* muy curiosa, en la cual las teorías trovadorescas están influidas densivamente por las ideas clásicas del Renacimiento. El modelo de esta *Preceptiva* fue, sin duda alguna, el *Arte de romance,* de su gran amigo Nebrija. Fue un magnífico—para la época—traductor de Virgilio, cuyas *Eglogas* debieron de servir de pauta a las del salmantino.

Muchos críticos modernos se refieren a la poesía de Juan del Enzina en el período del Renacimiento. Discrepo de ellos. Y no porque Enzina escribiera sus poesías en el siglo xv, sino porque creo firmemente que representa una transición con más de medievalismo aún que de renaciente. Aun cuando no reputemos inadmisible la sugestión de Valbuena Prat acerca de cómo la existencia de Juan del Enzina quedó adscrita a tres ciudades: Salamanca, Roma y Jerusalén, las cuales matizan su obra de rustiquez, renacimiento y sentido ascético. Porque en esta admisión no queda desvirtuada nuestra creencia, ya que el mejor Enzina se encuentra en el primero y en el tercer aspectos, los dos castellanos y medievales.

Pero si Juan del Enzina tiene un extraordinario valor como poeta, no menor lo tiene como dramaturgo.

Casi todas sus obras las escribió Juan del Enzina antes de los treinta años, entre 1490 y 1500. Su obra maestra, el *Cancionero,* se imprimió por vez primera en Salamanca —1496—; después, en Sevilla—1501—, en Burgos—1550—, en Salamanca—1507—, en Zaragoza—1512—, en Zaragoza—1516—... El *Cancionero,* modernamente reimpreso en

facsímil por la Real Academia Española —1928—, contiene: *Un arte de poesía castellana,* la *Paráfrasis de las "Eglogas" de Virgilio, Poesías religiosas y devotas, Poemas alegóricos: El triunfo de la fama*—dedicado a los Reyes Católicos—, *El triunfo del amor* —dedicado a don Fadrique de Toledo, muerto en la rota de Gelves—y la *Tragedia trovada a la dolorosa muerte del príncipe don Juan, Poesías de amores y de burlas, glosas y villancicos y las representaciones dramáticas,* que son las siguientes:

a) *Eglogas de Navidad.* Representadas en 1492.

b) *Representación de la Pasión.* 1493.

c) *Representación de la Resurrección.* 1493.

d) *Farsas de Carnaval.* 1494.

e) *Egloga de Nochebuena.* 1494. (Por vez primera figura una mujer en la obra teatral.)

f) *Egloga de Nochebuena.* 1495.

g) *Egloga de Navidad.* ¿De 1496? Hoy perdida. Citada por Salvá.

h) *Triunfo del amor.* Representada en Salamanca. 1497.

i) *Egloga de las grandes lluvias.* Representada en Alba de Tormes. 1498.

j) *Auto de Repelón.* Farsa estudiantil. ¿1507?

k) *Egloga de Fileno y Febea.* ¿1509?

l) *Egloga de Cristino y Febea.* 1509.

m) *Egloga de Plácida y Victoriano.* Representada en Roma. 1513.

Además de estas obras, tiene Juan del Enzina *Tribagia o via sacra de Hierusalem* —Roma, 1521—. Y como músico figura con sesenta y ocho composiciones en el *Cancionero musical* editado por Asenjo Barbieri en el pasado siglo—1890—. Composiciones en su mayor parte los villancicos con que terminan sus obras dramáticas.

A Juan del Enzina se le ha llamado "el patriarca del teatro español". "Joannes de la Enzina, Salmantinus, musicae artis cognitione poeticoeque amore...", escribe de él Nicolás Antonio. Covarrubias le proclamó "hombre muy docto", y Menéndez Pelayo —tomo VII de la *Antología de poetas castellanos*—afirma con su absoluta autoridad: "En torno a Juan del Enzina se agrupó una falange bastante numerosa de poetas, que constituyen nuestra primera escuela dramática. Algunos de ellos, como Francisco de Madrid, apenas pueden llamarse discípulos suyos, puesto que la única égloga que conocemos de él es de 1494. Pero la mayor parte de los restantes sí lo son, descollando entre ellos, como el más próximo al maestro, Lucas Fernández, salmantino como él, y como él músico y poeta—según toda apariencia—, menos fecundo que Enzina, y quizá menos espontáneo que él, pero más reflexivo, más artista, no inferior en los donaires cómicos y en las escenas pastoriles, y mucho más viril, más austero en las representaciones sagradas, hasta llegar a la elocuencia trágica, que rebosa en el *Auto de la Pasión.*

"Pero ni Lucas Fernández, ni Diego de Avila, ni el clásico y correcto Hernán López de Yanguas, a quien bien se le mostraba ser latino, según la expresión de Juan de Valdés; ni el pedantesco Bachiller de la Pradilla, ni Martín de Herrera, ni otros de los cuales todavía nos queda alguna obra, prescindiendo de todos aquellos de quienes solo restan nombres y títulos de farsas, desgraciadamente perdidas o no descubiertas hasta ahora, innovaron cosa alguna sustancial en la fórmula dramática dada por Juan del Enzina.

"Por el número y variedad de sus producciones; por el feliz consorcio que en muchas de ellas hicieron la música popular y la erudita; por su doble carácter de poeta y preceptista; por su importancia en la historia del arte único musical, y, finalmente, por su venerable representación en los orígenes de nuestra escena, es Juan del Enzina el ingenio más digno de estudio entre cuantos florecieron en tiempo de los Reyes Católicos."

La Real Academia Española reimprimió en 1893 el *Teatro completo* de Juan del Enzina.

V. MENÉNDEZ PELAYO, M.: *Antología de poetas líricos castellanos.* Madrid. "Biblioteca Clásica". 1893. Tomos IV y V.—CAÑETE y ASENJO BARBIERI: *Teatro completo de Juan del Enzina.* Madrid. Real Academia Española. 1893.—ASENJO BARBIERI: *Cancionero musical de los siglos XV y XVI.* Madrid, 1890.—KOHLER, E.: *Representaciones de Juan del Enzina.* Estrasburgo, S. a. Biblioteca Románica.—ALVAREZ DE LA VILLA, Alfredo: *El auto del Repelón.* París, 1910.—COTARELO, Emilio: *Cancionero de Juan del Enzina.* Edición facsímil de la de 1492. Academia Española, Madrid, 1928.—DÍAZ JIMÉNEZ, Eloy: *Juan del Enzina en León.* Madrid, 1909.—MITJANA, Rafael: *Sobre Juan del Enzina, músico y poeta,* en la *Revista de Filología.* 1914.—ESPINOSA MAESO: *Nuevos datos biográficos de Juan del Enzina,* en el *Boletín de la Academia Española.* Madrid, 1921.—WYZEWA, T.: *Juan del Enzina y los orígenes del teatro español,* en *Revue des Deux Mondes.* Noviembre 1894.—WICKERHAM CRAWFORD, J. P.: *The source of Juan del Enzina's. Egloga de Fileno y Zambardo,* en *Revue Hispanique.* 1914.—GIMÉNEZ CABALLERO, Ernesto: *Hipótesis a un problema de Juan del Enzina,* en la *Revista de Filología Española,* 1927.—GIMÉNEZ CABALLERO, E.: *Juan del Enzina.* Edit. Ebro. Zaragoza, 1940.

ERAUSO, Catalina de.

Extraordinaria mujer española. Nació —1592—en San Sebastián. Desapareció en 1635. De noble familia, que decidió ingresara en un convento de dominicas. Pero Catalina, de genio brusco, decidido y aventurero, después de maltratar a varias monjas, se escapó del convento. Vagabundeó por pueblos y ciudades, vestida de hombre, repartiendo estocadas, jugando a los naipes y bebiendo. Y, para disimular, cortejando a las mujeres. Como grumete de un barco español, marchó a América. Y en este continente fue administrador de un rico hacendado, capataz de una plantación, soldado en las compañías españolas, haciéndose famosa por su valor y audacia en las batallas contra los indígenas. Alcanzó el grado de alférez.

Estando una vez gravemente enferma, al recibir la visita de un obispo, resolvió declararle su verdadero sexo. El espanto del prelado fue grande, y solamente lo creyó cuando se lo confirmaron varias matronas, quienes afirmaron, además, *que era virgen.* Catalina regresó a España, donde Felipe IV le concedió una pensión de 800 escudos. En Roma fue agasajada por Urbano VII. De nuevo vestida de hombre, volvió a América, con el nombre de Antonio de Erauso. Un huracán hizo zozobrar la nave frente a Veracruz... y el bravísimo "don Antonio" desapareció...

Catalina de Erauso dejó escrita una curiosísima *Autobiografía,* que la crítica ha reputado apócrifa. La *Historia de la monja alférez* permaneció inédita hasta que en 1829 la publicó en París don Joaquín María Ferrer. En el Archivo Nacional de Indias se conserva el *Memorial de los méritos y servicios del alférez Erauso.*

Edición: Madrid, editorial "El Sol", 1919 (y también reimpresiones).

V. FERRER, Joaquín María: *Historia de la monja alférez.* París, 1829.—TAULÓ, José: *Historia de la monja alférez.* Barcelona, 1838. SERRANO Y SANZ, M.: *Autobiografías y Memorias.* Madrid, 1905.—SÁNCHEZ MOGUEI, A.: *La monja alférez,* en *Ilustración Española y Americana.* Madrid, 1892.

ERCILLA Y ZÚÑIGA, Alonso de.

Famoso poeta español. Nació—1533—y murió—1594—en Madrid. Era de uno de los más limpios linajes de España. Paje de Felipe II, tuvo durante toda su vida la confianza del gran rey, al que acompañó a Flandes—1548—y a Inglaterra—1554—. Entre 1555 y 1563 estuvo en Indias, asistiendo a la guerra de Chile y tomando parte en fieras batallas y en muchos trances difíciles. En 1563 regresó a España; gentilhombre de Su Majestad—1566—, se casó cuatro

E

años después con doña María de Bazán. En
1571 fue armado caballero de Santiago, y
desde 1578 puede decirse que no se movió
de Madrid, de su casa familiar—situada
junto a la casa del conde de Puñonrostro—,
donde murió, sin dejar descendencia, ya
que su hijo natural, don Juan de Ercilla,
murió en el desastre de la *Invencible*.

La Araucana—poema dedicado a Felipe II—es el más alto exponente de la épica
castellana. *La Araucana* ha sido alabada in-
condicionalmente desde la fecha de su publicación. Voltaire—en su *Essai sur la poésie
épique*—afirmó que en las arengas y discursos de los héroes ganaba Ercilla al mismo
Homero. Entusiastas páginas acerca del poema escribieron Chateaubriand, Menéndez Pelayo y el chileno J. T. de Medina. Abraham
König vio en Ercilla al fundador de la
historia nacional de Chile. Juan Ducamin
considera el poema como digno de figurar
al lado de *Orlando* y de *Os Lusiadas*. En
La Araucana se incorporan los temas de
Indias a la poesía castellana por vez primera. Ercilla no debió de tener plan alguno
preconcebido para escribirla. El guerreaba
con ardor e iba escribiendo lo que veía con
una objetividad absoluta; objetividad que
es, creo yo, uno de los valores más permanentes del poema. La verdadera unidad de
La Araucana reside en todo lo atinente al
cacique Caupolicán, desde su proclamación
hasta su muerte; por lo demás, es el poema
como una bella crónica bellamente rimada,
que sigue un orden cronológico. En *La
Araucana* se combinan hábilmente los elementos históricos y los poéticos y los fantásticos. Pocos de estos. La misma sinceridad del poeta y el espontáneo calor con que
narra logran ensamblar dichos elementos
hasta el punto de que parezcan naturales
entre sí y como llegados para reforzarse y
añadirse colorido. Ercilla era, indiscutiblemente. un gran temperamento poético. Sus
descripciones son animadas y brillan, *pinta*
con vigor y justeza lo que ve. Sabe infundir
alientos humanos en sus personajes. Emplea
bien los epítetos. Resalta con garbo el sentido primoroso de los detalles. Se asimila
el ambiente y las costumbres americanas
con verdadero empaque. Sobrias y pintorescas son sus comparaciones. Y cuando hay
que debatirse en el realismo más audaz, no
retrocede ante lo horrendo. Valbuena Prat
insiste con acierto en la belleza de muchas
de las imágenes realistas de Ercilla. Un indio que se lanza fiero contra las lanzas de
los españoles es semejante a un ciervo que
en el horror del verano se arroja jadeante
al agua. Dos guerreros que huyen ante el
enemigo parecen jabalíes seguidos de perros

rabiosos. La celada de los araucanos para
triturar a unos cuantos conquistadores...

> Como el caimán hambriento cuando siente
> el escuadrón de peces, que cortando
> viene con gran bullicio la corriente,
> el agua clara en torno alborotando;
> que abriendo la gran boca cautamente
> recoge allí el pescado, y apretando
> las cóncavas quijadas lo deshace,
> y el insaciable vientre satisface...

Aun cuando *La Araucana* queda por bajo,
en valores universales, del *Orlando* y de *Os
Lusiadas,* en tres cosas, capitales las tres,
no cede Ercilla a ningún otro narrador poético de los tiempos modernos: en la creación de caracteres—los de los indios especialmente—, en las descripciones de batallas
y desafíos y en las expresivas comparaciones. Menéndez Pelayo afirma que en la
descripción de batallas y encuentros personales, Ercilla no ha tenido rival después de
Homero. El arte de contar está llevado en
La Araucana a un grado de perfección a
que han llegado muy pocas obras en prosa
o en verso.

¿Defectos del poema? Los tiene. El desaliño frecuente de la versificación. Lo desma-
yado y trivial de muchas locuciones prosaicas. La intercalación de ciertos episodios extraños a su asunto que rompen la unidad.
El exceso de sinónimos y antítesis rebuscadas. Con sus defectos y sus virtudes, es *La
Araucana* el mejor de nuestros poemas históricos. Y, tal vez, la primera obra de las
modernas literaturas en que la historia se
ve elevada al rango de epopeya.

La primera parte de *La Araucana,* que
consta de quince cantos, se publicó en Madrid en 1559; la segunda, hasta el canto XXX, en 1578; los siete últimos cantos, en
la tercera, 1589. Todo el poema está escrito
en octavas reales.

En 1902, Archer M. Huntington publicó
en Nueva York una edición facsímil de la
primera y segunda partes; y una edición
completa, muy cuidada, José Toribio Medina, en Santiago de Chile, 1913. La Real Academia Española publicó—1866—una edición
muy cuidada, con un prólogo de don Antonio Ferrer del Río.

De *La Araucana* son impresiones importantes las de Madrid: 1590, 1610, 1632, 1733,
1776, 1828 y 1854; las de Barcelona: 1590,
1591, 1592; la de Perpiñán, 1596; la de Amberes, 1597. Alejandro Nicolás la tradujo
decorosamente al francés y la publicó—1869—
en París. Y C. M. Winterling la puso en de-
corosas octavas alemanas—Nuremberg, 1831.

Textos modernos de *La Araucana:* ed. facsímil, Nueva York, 1903; "Biblioteca de
Autores Españoles", tomo XVII; ed. T. Medina, Santiago de Chile, 1910; ed. Academia

Española; ed. "Colección Crisol", Madrid, 1946.

Cervantes, en el capítulo IV, parte primera, de su *Quijote*, en que trata del donoso y grande escrutinio que el cura y el barbero hicieron en la librería del loco inmortal, pone en boca de aquel, al encontrarse *La Araucana*, *La Austríada*—de Rufo—y *El Montserrate*—de Virués—, el siguiente juicio: "Estos tres libros son los mejores que en verso heroico en lengua castellana están escritos, y pueden competir con los más famosos de Italia; guárdense como las más ricas prendas de poesía que tiene España."

V. VOLTAIRE: *Essai sur la poésie épique*, en su *Henriade*.—MARTÍNEZ DE LA ROSA, F.: *Apéndice sobre la poesía épica española*, en el tomo II de sus *Obras literarias*. París, 1827.—VARGAS PONCE: *Estudio sobre Ercilla*, en las *Mem. Academia Española*, VIII.—BELLO, Andrés: *Opúsculos literarios*. Tomo I.—ROYER, A.: *Etudes littéraires sur "L'Araucana"*. Dijon, 1880.—DUCAMIN, J.: *"L'Araucana"*. París, 1900.—PÉREZ PASTOR, C.: *Documentos referentes a Ercilla*. Madrid, 1915.—"AZORÍN", en su obra *Los dos Luises*.—MENÉNDEZ PELAYO, M.: *Historia de la poesía hispanoamericana*. Tomo II.—LILLO, S. A.: *Ercilla y "La Araucana"*, en *Anales Universitarios de Chile*, 1928.—LATCHAM, R. A.: *"La Araucana", de Ercilla*, en *Rev. Católica de Santiago de Chile*, 1923.—BILBAO Y SEVILLA, P.: *Don Alonso de Ercilla: el vasco, el soldado, el poeta*. 1917.—BALLESTEROS ROBLES, L.: *Diccionario biográfico matritense*. Madrid, 1912.—FERRER DEL Río, A.: *Estudio* en la ed. de la Academia Española.—ARAGONÉS, Adolfo: *Ercilla-Ocaña*. Toledo, 1938.

ESCALANTE, Eduardo.

Notable poeta y sainetero español. Nació —1834—en Valencia. Y murió—1895—en esta misma ciudad. Huérfano a los cinco años. Estudió dibujo en el Liceo valenciano y se ganó la vida pintando abanicos. Un tío suyo le trajo a Madrid, donde permaneció muy poco tiempo. Aficionadísimo a la lectura, se decidió a escribir. Su primera producción fue un drama romántico y enfático, *Raquel*. Pero inmediatamente su buen instinto le llevó hasta su verdadero camino: el del sainete valenciano, que cultivó ya siempre con singularísimo acierto y alcanzando grandes éxitos.

La musa de Escalante, siempre limpia, graciosa y risueña, le dictó más de 60 sainetes, modelos en el género.

Un crítico moderno ha dicho de él que "fue Escalante dentro del género cómico y en el teatro valenciano lo que Pitarra, en

una mayor esfera, en el teatro catalán: el alma del teatro regional".

Obras: *La Chala, Matasiete y espantaocho, Bufar en caldo chelat, Tadea la corsetera, El tío Cavila, La Moma, Les coeutes, La falla de Sen Chusep, Un bon moso, La casa de Meca, Endevina endevinalla o El tío Perico, El rey de las criaillas, Les tres palomes, La sastreseta, Tres forasters en Madrid, La herencia del rey Bonet, ¡Tonico!*...

ESCALANTE Y PRIETO, Amós («Juan García»).

E

Poeta y novelista español de noble prestigio. Nació—1831—en Santander. Y murió —1902—en la misma ciudad. Escribió la mayoría de las obras con el seudónimo de "Juan García". Recibió en varios colegios franceses la enseñanza primaria. Estudió Humanidades y Filosofía en el Instituto Cántabro. Y Ciencias físico-químicas y Matemáticas en la Universidad de Madrid. Vivió en la capital de España una juventud bohemia y romántica, muy envenenada de literatura, colaborando en numerosas publicaciones de importancia, como el *Semanario Pintoresco Español, El Día, La Epoca, Ilustración Española y Americana*...

"Su alma de poeta lírico—ha escrito Menéndez Pelayo—quedó estampada en sus versos y en su prosa, tan honda y eficazmente, que los relatos históricos, las descripciones de paisajes, los cuadros de costumbres, la fábula novelesca, cuanto tocó su pluma, está envuelto en una atmósfera lírica y líricamente interpretado en la más alta aceptación que puede tener esta palabra: *lirismo*. La observación en él es precisa y exacta, como de hombre graduado y experto en Ciencias naturales; fidedigna la notación del detalle pintoresco, y, sin embargo, lo que en nuestro gran Pereda es cuadro de género tocado con la franqueza y brío de los maestros holandeses y españoles, es en Amós Escalante vaga, misteriosa y melancólica sinfonía, que sugiere al alma mucho más de lo que con las palabras expresa..."

Obras: *Del Ebro al Tíber*—viajes, 1864—, *Del Manzanares al Darro*—viajes, 1863—, *Costas y montañas (Libro de un caminante)* —1871—, *En la playa*—1873—, *Ave María Stella*—novela histórica, 1877—, *Poesías* —1890.

El mismo crítico mencionado ha dicho de *Costas y montañas* que "como obra de arte, como geografía poética de un territorio, como epopeya en prosa de una raza que la historia nacional había olvidado casi por completo después de su heroica aparición en los anales del pueblo romano, ni ha sido superada ni probablemente lo será nunca".

V. MENÉNDEZ PELAYO, Marcelino: *Don*

Amós Escalante ("Juan García"), en Estudios de crítica literaria. 4.ª serie.—MENÉNDEZ PELAYO, Enrique: *Amós Escalante, en De Cantabria.* Santander, 1890.

«ESCAMILLA, Pedro» (v. Castellanos y Velasco, Julián).

ESCARDÓ, Florencio.

Poeta y crítico argentino. Nació—1904—en Mendoza. Doctor en Medicina. Colaborador incansable en diarios y revistas, con los seudónimos de "Piolín de Macramé", "Juan de Garay" y "Enrique de Andrade". Se ha hecho popular con sus versos satíricos y de humor, sumamente ingeniosos y fáciles. Se dice de él—y él lo dice—que ha inventado un nuevo humorismo denominado *hilografía.*
Obras: *Poemas de la noche y del silencio*—1926—, *Siluetas descoloridas*—1929—, *¡Oh!*—hilografías, 1939—, *Cosas de argentinos*—1939—, *Anatomía de la familia*—1954...

ESCLASÁNS, Agustín.

Poeta, ensayista y novelista español. Descendiente de franceses y provenzales, nació—1895—en Barcelona. Cursó los primeros estudios en la Escola Catalana Mossen Cinto y en las Ecoles Françaises de la ciudad condal. Mozo aún, viajó y vivió durante mucho tiempo en Francia, estudiando libremente Filosofía.
Esclasáns es un escritor fecundísimo y muy personal. Bajo el título general de *Sistema de ritmología,* ha escrito y publicado casi un centenar de libros en castellano, catalán y francés. Pocos espíritus tan universales, tan flexibles, tan interesantes como el de Esclasáns, cuyo dominio de varias lenguas le hace, igualmente, uno de los maestros de la traducción.
Obras: *Musicienne du silence, Iberia magna, Viaje a Castilla, Las piedras de Salamanca, Concierto en sí bemol, Libro de horas franciscanas, Pueblo...*

ESCOBAR, Baltasar de.

Notable poeta español del siglo XVI. Nació en Sevilla, pero se ignora en qué fecha. Ignorándose igualmente la fecha de su muerte. Debió de ser clérigo y muy amigo del "divino Herrera", a quien dedicó un soneto bellísimo, que mereció ser traducido al castellano y que siglos después fue muy elogiado por Quintana. Cervantes alabó a Escobar en su *Canto de Calíope;* y Cristóbal de Mesa, en su *Resurrección de España;* y Herrera, en un soneto que le dirigió cuando Escobar debía de residir en Roma.
Varias de las más bellas poesías de Bal-

tasar de Escobar se encuentran en la famosa antología formada por Pedro de Espinosa, *Flores de poetas ilustres*—Valladolid, 1605—, y tres de sus mejores sonetos pueden leerse en el tomo XLII de la "Biblioteca de Autores Españoles" de Rivadeneyra.

ESCOBAR, Julio.

Novelista y cronista español. Nació—1901—en Arévalo (Avila). Apenas cumplidos los quince años, empezó a colaborar en la prensa local y en la de las capitales castellanas inmediatas. En 1921 fundó y dirigió la revista arevalense *La Llanura.* En 1922, viviendo ya en Avila, fue nombrado secretario de redacción del diario *La Voz del Pueblo.* Poco después se trasladó definitivamente a Madrid, siendo secretario de redacción de la revista semanal *Castilla Gráfica* y colaborando en los principales diarios y revistas de España. Redactor de *El Imparcial,* de Madrid, desde 1929. A partir de 1939, Julio Escobar se convierte en uno de los mejores cronistas españoles, colaborando en los diarios madrileños *Madrid* y *Pueblo.*
Obras: *La mujer de cera*—teatro, 1935, en colaboración con Guillén Salaya—, *Azulejos españoles*—costumbres y paisajes—, *Andar y ver*—breviario lírico de un observador—, *El hidalgo de Madrigal*—novela, ¿1947?—, *Teresa y el cuervo*—novela, 1954, premiada por la Sociedad Cervantina de Madrid—, *Cinco mecanógrafas y un millonario*—novela, 1955—, *La viuda y el alfarero*—novela, ¿1957?—, *Una cruz sobre la tierra*—novela, 1960—, *El viento no envejece*—novela, 1964—, *Itinerario por las cocinas y bodegas de Castilla*—1964—, *Se vende el campo*—1966—, *La sombra de Caín*—1968.

ESCOBAR KIRKPATRICK, Luis.

Autor y director teatral. Nacido en Madrid en el año 1908. Cursa los estudios de Derecho, y siguiendo la tradición familiar, inicia su carrera periodística ingresando como colaborador en el diario *A B C* hasta el año 1936. Hace la guerra en el frente Norte, en el Tercio de Montejurra. En el año 1938 recibe el encargo de crear un teatro del Estado, y da su primera representación en Segovia ante la catedral, durante las fiestas del Corpus. De aquí nace el Teatro Nacional, que ha proseguido su labor hasta el día en el teatro María Guerrero, de Madrid, del que fue director mucho tiempo.
Su labor literaria hasta la fecha: Colaboración en la prensa y autor de obras teatrales originales: *La voz amada,* en colaboración con Hans Rothe; *Los endemoniados,* con Arvid de Bodisco, y *El vampiro de la calle de Claudio Coello,* con Juan Ignacio Luca de Tena; *Fuera es de noche*—1957—,

El amor es un potro desbocado—1959—, Elena Ossorio—1958—, Un hombre y una mujer —teatro, 1961.

Actualmente inicia su carrera como guionista y director de "cine".

Luis Escobar, que suma a su cultura extraordinaria un gusto exquisito y ponderado y un conocimiento admirable de la técnica escénica moderna, es hoy uno de los mejores directores teatrales. En las obras por él dirigidas siempre se encontrarán el recurso sorprendente, la realización original y audaz.

ESCOBAR Y MENDOZA, Antonio de.

Notable casuista y poeta español. Nació —1589—en Valladolid. Y murió—1669—en la misma ciudad. Jesuita de gran fama como orador, y "a quien cupo la extraña suerte de simbolizar a su Orden, haciéndole blanco de la mayor parte de las acusaciones y calumnias que se han lanzado contra dicho cuerpo eclesiástico so pretexto de laxitud de opiniones morales".

Obras literarias: San Ignacio—Valladolid, 1613—, "poema heroico", sumamente interesante por su magnificencia barroca, por el claroscuro de su estilo, por muchos de sus sonoros versos, por los episodios anecdóticos y por la noble retórica que lo anima: Historia de la Virgen Madre de Dios, desde su Purísima Concepción sin pecado original hasta su gloriosa Assumción, poema heroico —Valladolid, 1618—; Nueva Jerusalén María—1625—, obra que es una refundición de la anterior, y en la que se compara a Nuestra Señora con una mística ciudad, cuyos doce preciosos cimientos son otras tantas piedras preciosas: jaspe, zafiro, calcedonia, esmeralda, sardónix, sardio, crisólito, berilo, topacio, crisopeso, jacinto y amatista.

V. Valbuena Prat, A.: Historia de la literatura española. Barcelona, 3.ª edición, 1950. Tomo II.

ESCOHOTADO, Román.

Periodista y literato español. Nació—1908— y murió—1970—en San Lorenzo del Escorial (Madrid). Estudió Leyes en las Universidades de Madrid, Oviedo y Valladolid. De 1944 a 1946 fue director de Radio Nacional de España. De 1946 a 1954, agregado de Prensa a la Embajada de España en el Brasil. Cronista corresponsal de varios diarios en Marruecos, Italia, Portugal e Hispanoamérica. Siendo mozo, en 1928, fundó la revista poética Papel de vasar. Le han sido otorgados los premios de periodismo "Mariano de Cavia"—1944—, "Francisco Franco"—1945— y "José Antonio Primo de Rivera"—1947.

Obras: La respetable primavera—1940—, Teresa Cabarrús—biografía, 1942...

ESCOSURA, Patricio de la.

Notable poeta, dramaturgo y novelista español. Nació—1807—y murió—1878—en Madrid. Sus primeros estudios los cursó en Valladolid. En Madrid asistió a los colegios de Doña María de Aragón y San Mateo, regentado este último por don Alberto Lista. Perteneció a la sociedad secreta liberal "Los Numantinos", por cuya causa tuvo que emigrar a Francia. A fines de 1826, ya en España, ingresó en la Academia de Artillería, siendo promovido oficial en 1829. Ayudante del general don Luis Fernández de Córdoba. Peleó contra los carlistas. Terminada la guerra, abandonó su carrera y se dedicó de lleno a la literatura. Oficial del Ministerio de Estado. Subsecretario del de Gobernación, cuya cartera le confió Narváez. Comisario regio en Filipinas. Representante de España en Berlín. Senador. Orador de maravillosa verbosidad, batallador y de extraordinarios recursos. Desde 1847, miembro de la Real Academia Española, a la que prestó auxilios eficacísimos. A él se debe la fundación de Academias correspondientes en la América española, y más de mil cédulas con enmiendas o adiciones para la nueva edición del Diccionario vulgar.

De espíritu romántico—acaso poco profundo y muy versátil—, Escosura, quizá supo intentar sobresalir en muchos géneros literarios, no llegó a triunfar decisivamente en ninguno. Pero poseía indiscutibles calidades literarias: mucha inventiva, facilidad versificadora, apasionado temperamento, gracia para las imágenes, naturalidad para los diálogos, vivo colorido para las descripciones.

Entre sus novelas históricas sobresalen: El conde de Candespina—1832—, Ni rey, ni Roque—1835—, El patriarca del valle —1847—, Memorias de un coronel retirado —1868.

Entre sus dramas: La corte del Buen Retiro—1837, inspirada en la muerte de Villamediana—, También los muertos se vengan, Bárbara Blomberg, Don Jaime "el Conquistador", La aurora de Colón, Las mocedades de Hernán Cortés—1850—, La comedianta de antaño—acerca de "la Calderona"—, Higuamota—de tema americano.

Notables son sus comedias El tío Marcelo, Las flores de don Juan, Las apariencias, El amante universal, de corte bretonesco.

Escosura publicó un Manual de Mitología —1845—y unos Estudios históricos sobre costumbres españolas. Muy hermosa es su leyenda en verso El bulto vestido de negro capuz—1835—, acerca de los comuneros de Castilla.

V. Piñeiro, E.: El romanticismo en España.—Valera, J.: Florilegio de poesías caste-

llanas—con introducción y notas biográficas y críticas. Madrid, 1904, 5 tomos.—SAINZ DE ROBLES, F. C.: *Historia del teatro español.* Madrid, 1946, VI.—GARCÍA MERCADAL, José: *Historia del romanticismo en España.* Barcelona, Labor, 1945.—BROWN, R. F.: *Patricio de la Escosura as a dramatist,* en *Liverpool Studies,* 1940.

ESCRIVÁ, Comendador Joan.

Delicado poeta español, nacido en la segunda mitad del siglo XV, en Valencia. Murió hacia 1520. Fue embajador de los Reyes Católicos cerca de la Santa Sede desde 1497. Versificó en valenciano y castellano. Famosísima es su breve poesía *Ven, muerte, tan escondida,* citada por Cervantes—*Quijote,* II, 38—y Calderón—*El mayor monstruo, los celos*—, y glosada por Lope de Vega. Es autor también de un diálogo—casi teatral—, titulado *Una quexa que da de su amiga ante el dios de Amor,* y de veintiocho composiciones más que figuran en el *Cancionero general*—1511.

V. MENÉNDEZ PELAYO, M.: *Antología de poetas líricos castellanos,* VI.

ESCRIVÁ DE ROMANÍ Y ROCA DE TOGORES, Francisco (Conde de Oliva).

Nació en Madrid el 26 de julio de 1897. Murió—¿1956?—en la misma ciudad. Ya en el Colegio de las Escuelas Pías, donde cursó el bachillerato, empezó a cultivar la poesía siendo muy niño. En la revista del colegio, denominada *Páginas Calasancias,* publicó sus primeros trabajos literarios. Descendiente directo del marqués de Molíns, pronto se destacó por sus extraordinarias dotes de poeta, y ganó todos los certámenes escolares donde concurrió con algún poema.

En 1920 publica su primer libro de versos: *Pomas maduras.*

En 1927 publica su segunda obra lírica: *Manantial,* en edición cuidadísima, que el autor dirigió personalmente. Este libro no salió a la venta, y, lo mismo que el anterior, constituye una rareza bibliográfica.

En 1950, impresas en Montevideo (Uruguay), han aparecido sus *Poesías completas,* que comprenden, además de todos sus libros, muchos poemas inéditos.

Su obra poética inédita es considerable, y entre ella figuran los originales de los libros denominados *Intermezzo* y *Canciones en el refugio,* el *Poema de Santa Teresa,* que escribió por encargo de la Orden Carmelitana, y fue leído por su autor en el templo de la plaza de España, de Madrid; la serie de sonetos titulada *Sonetos apasionados,* el poema *El patio,* escrito durante la guerra de liberación en su refugio de la Embajada de

Chile, y en el que describe la vida de los refugiados, y otras obras menores.

ESLAVA, Antonio.

Notabilísimo cuentista. Nació—¿1570?—en Sangüesa (Navarra). Murió en fecha y lugar inciertos. Escasísimos son los datos biográficos que tenemos de Antonio Eslava. Que era de Sangüesa (Navarra), porque el interesado nos lo confiesa en la portada de su obra, editada en Pamplona, el año 1609, por Carlos de Labayeu. Que era escribano y portero real, por una escritura censal de Sangüesa, fechada a 4 días del año 1603. Y por este mismo documento, que estaba casado con una tal Susana Francés, convecina suya. Que su hermano, don Juan de Eslava, era racionero de la catedral de Valladolid, porque el autor se pavonea de ello, enderezándose una de las composiciones laudatorias preliminares—dos sonetos humedecidos en esa agüilla salivosa de las dulzuras del engreimiento.

Sí; debemos figurarnos a un buen señor, de cortas luces y de torpe estilo, en el cuchitril de su *simbólica portería,* enfrascado en la lectura de mamotretos infolios, porque él "ha procurado siempre hablar con los muertos, leyendo diversos libros de historias antiguas, pues ellos son testigos de los tiempos e imágenes de la vida". Y debemos figurárnoslo rumiando dichas lecturas "en la oficina de su corto entendimiento, con intención de tomar en seguida en su diestra la pluma de ave, bien cortada, eso sí, y bien peinada, y pergeñar "toscos y mal limados diálogos", con el deseo nobilísimo de "aliviar las pesadumbres de las noches holgando los oídos del lector con algunas preguntas de filosofía natural y moral, insertas en apacibles historias".

¡Famoso tipo Antonio Eslava! ¡Cómo podía figurarse él su importancia futura, paseante él por Sangüesa, al carasol, entre las bardas, con el cura y el barbero, dados los tres a los galimatías ascéticos y a los acertijos históricos! ¡Cómo había de pensar él que nada menos que un inglés, cómico y autor, llamado Shakespeare, había de inspirarse en uno de los cuentos, en las *Noches de invierno,* para una de sus admirables obras teatrales: La tempestad!

La obra de Eslava, a pesar de la tosquedad y falta de lima que, en efecto, se echa de ver en ella, tuvo muy buena acogida en los días de su aparición. Escribe Menéndez Pelayo: "Eslava, cuyos argumentos suelen ser interesantes, es uno de los autores más toscos y desaliñados que pueden encontrarse en una época en que casi todo el mundo escribía bien, unos por estudio, otros por instinto. Tienen, sin embargo, las *Noches de invierno* gran curiosidad bibliográfica, ya por el remoto origen de alguna de sus fábulas, ya por la extraordinaria fortuna que alguna de ellas, original al parecer, ha tenido en el orbe literario, prestando elementos a una de las creaciones de Shakespeare."

El libro las *Noches de invierno* adopta la forma de diálogos. Sus interlocutores Camila, Leonardo, Fabricio, Silvio y Albanio. Antes y después de cada cuento—once en total—, hay consideraciones sobre diferentes temas. He preferido prescindir de estas y seleccionar exclusivamente la parte narrativa.

Las *Noches de invierno* se volvieron a imprimir el mismo año de su aparición, en Zaragoza, a costa del mercader de libros Miguel Menescal, y en casa de Hierónimo Margarit. En 1610 se editó en Bruselas por Roger Velpuis y Huberto Antonio. Y se tradujo al alemán, apareciendo, con el mayor éxito, en Viena—1649—y en Nüremberg —1666.

Texto moderno: Ed. "Saeta", Madrid, 1942.

V. MENÉNDEZ PELAYO, M.: *Orígenes de la novela.* Tomo II.—ZALBA, José: *Dos escritores navarros inspiradores de Lope de Vega y Shakespeare,* en *Boletín de la Comisión de Monumentos de Navarra,* 1924.—MONTEGUT, E.: *Une hypothèse sur "La Tempête", de Shakespeare,* en *Rev. des Deux Mondes.* Agosto 1865.—GONZÁLEZ PALENCIA, A.: En la editorial "Saeta", Madrid, 1942.—SAINZ DE ROBLES, F. C.: *Cuentos viejos de la vieja España.* Madrid, Aguilar, 3.ª edición, 1949.

ESPARZA, Eladio.

· Novelista y periodista español. Nacido hacia 1885. Ha vivido siempre por las provincias españolas del Norte, colaborando en revistas y periódicos. Y por propios merecimientos, sin vivir en Madrid—lugar el más adecuado para la rápida exaltación literaria—ha logrado destacar su nombre en el campo de la narrativa. En la muy popular *Biblioteca Patria* alcanzó varios premios.

Eladio Esparza es un novelista de realismo sano, de feliz inventiva, pintor de mano maestra de ambientes y de caracteres, fácil y naturalísimo dialogador.

Obras: *La sombra del pecado, Los caminos del Señor, La isla de los ensueños, Tu hermosura.*

También ha salido de su pluma una maestra *Breve historia del Reino de Navarra.*

ESPEJO, Eugenio Francisco Javier.

Literato ecuatoriano. Nació—1747—y murió—1795—en Quito. Mestizo. Médico. Secretario de la Sociedad emancipadora Escuela de la Concordia. Dirigió y redactó el pri-

mer periódico publicado en la Audiencia, con el título de *Las Primicias de la Cultura de Quito.* Estuvo muy perseguido por sus ideas políticas y varias veces encarcelado. Murió pocos días después de haber sido libertado por una de aquellas causas.

"El mestizo más notable de la época colonial, tanto por la extensión de sus conocimientos como por el ahondamiento genial que hizo de muchos de ellos. No criticó solamente el método educacional implantado por los jesuitas, sino que su interés se desparramó en varias direcciones, demostrando una curiosidad insaciable y una penetración que admira." (I. J. Barrera.)

Obras: *Nuevo Luciano, o Despertador de ingenios; La ciencia blancardina, o Contestación a las "Memorias" de Moisés Blancardo; Cartas riobambeses*—publicadas, 1888, en Cuenca, como folletín de *El Progreso* y *La Golilla...*

V. BARRERA, Isaac J.: *Literatura del Ecuador,* en el tomo XII de la *Historia universal de la literatura,* de Prampolini. Buenos Aires, Uteha Argentina, 1941.

ESPINA, Concha.

Notable novelista y poetisa española. Nació—1871—en Santander. Murió el día 19 de mayo de 1955 en Madrid. Sus primeras poesías—cuando era aún una niña—las publicó el diario de su ciudad natal *El Atlántico.* Vivió su mocedad en Chile, colaborando en diversos periódicos de la América española, y principalmente en *El Correo Español,* de Buenos Aires. Ya en España, a principios del siglo actual, llamó inmediatamente la atención del público y de la crítica por su estilo terso, limpio, jugoso, castizo y personalísimo, por su exquisita sensibilidad, por sus temas de melancolía impresionante, por su maestría en la pintura de los caracteres y en la descripción de los escenarios.

La Academia Española ha premiado tres obras suyas: *La esfinge maragata*—novela, 1914—, *El jayón*—drama—y *Tierras de Aquilón*—cuadros y bocetos de costumbres, 1924—. Su novela *Altar mayor* mereció el "Premio Nacional de Literatura 1927".

Concha Espina fue nombrada en 1925 miembro honorario de la *Hispanic Society,* de Nueva York. Y sus obras están traducidas a la mayoría de los idiomas europeos. La ciudad de Santander ha elevado un sencillo monumento a la mayor gloria de su exquisita hija.

Otras obras: *Despertar para morir*—novela—, *Agua de nieve*—novela—, *La niña de Luzmela*—novela—, *El metal de los muertos* —novela—, *La rosa de los vientos*—novela—, *La virgen prudente*—novela—, *Las niñas desaparecidas*—novela—, *Siete rayos de*

E

sol—cuentos—, *Simientes*—cuentos—, *Ruecas de marfil*—cuentos—, *Pastorelas*—crónicas—, *Dulcenombre*—novela—, *Al amor de las estrellas*—crónicas—, *Copa de horizontes* —cuentos y crónicas—, *El más fuerte*—novela—, *Victoria en América*—novela—, *La llama de cera*—novela...

En 1950 ganó el "Premio Nacional Cervantes" con su novela *Un valle en el mar*.

V. BOUSSAGOL, M.: *Mme. Concha Espina*, en *Bulletin Hispanique,* tomos XXV y XXVII. CANSINOS-ASSÉNS, Rafael: *Literatura del Norte: Concha Espina*. Madrid, 1924.—ROSENBERG, Miliard: *Concha Espina*. Los Angeles, 1927.—LAGONI, Fria: *Concha Espina y sus críticos*. Toulouse, 1929.—AMBÍA, Isabel de: *Concha Espina*, en *Cuadernos de Literatura Contemporánea*, núm. 1. Madrid, 1942.— BEHN, Irene: *La obra de Concha Espina*, en *Cuad. de Lit. Contemp.*, núm. 1. Madrid, 1942.—ROMO, Josefina: *Biografía de Concha Espina*, en *Cuad. de Lit. Contemp.*, núm. 1. Madrid, 1942.—NORA, Eugenio G. de: *La novela española contemporánea*. Madrid, Gredos, 1962, tomo I, págs. 328-341.—ENTRAMBASAGUAS, Joaquín de: *Las mejores novelas españolas contemporáneas* (1910-1914). Barcelona, Planeta, 1959, págs. 1195-1259 (contiene una bibliografía exhaustiva).—MAZA, Josefina de la: *Vida de mi madre: Concha Espina*. Alcoy, Marfil, 1957.

ESPINA GARCÍA, Antonio.

Poeta y prosista español. Nació—1894— y murió—1972—en Madrid, donde estudió el bachillerato y cuatro años de Medicina. Ha viajado por Francia, Portugal y Marruecos, y colaboró en periódicos y revistas tan importantes como *El Sol, Luz, Revista de Occidente, Nueva España...*

Como poeta—nació con el *ultraísmo*—, es audaz, cerebral, paradójico y metafórico. Carece de lirismo y de musicalidad; pero posee imágenes y sugestiones sutilísimas.

Como prosista, posee un estilo bizarro y barroco, quebrado y vibrante, de una agilidad juvenil y jugosa. Su ironía turba. Su desenfado encanta. Narra Espina con un peculiarísimo sabor. Si en sus novelas falta la creación y la inventiva, abundan las caricaturas admirables y las más ingeniosas disquisiciones. Sus biografías tienen el mérito extraordinario de *reavivar* a los personajes evocados hasta darles un alma y un cuerpo, con los que *se cuelan* a convivir con nosotros y consiguen nuestras simpatías.

Obras: *Umbrales*—versos, 1918—, *Signario*—versos, 1923—, *Divagaciones*—artículos, 1920—, *Pájaro pinto*—novelas, 1927—, *Lo cómico contemporáneo*—ensayos, 1928—, *Luna de copas*—novela, 1929—, *Luis Candelas, el bandido de Madrid*—biografía novelesca, 1929—, *Romea, o El comediante*—biografía novelesca, 1934—, *El nuevo diantre* —ensayos, 1934—. Ultimamente ha publicado las biografías de Quevedo, Cervantes y Cánovas del Castillo.

V. VALBUENA PRAT, A.: *Ensayos. La obra poética de Antonio Espina*, en *Atlántico*, noviembre 1929.—BERGAMÍN, José: *Antonio Espina*, en *Verso y Prosa*, marzo 1927.— NORA, Eugenio G. de: *La novela española contemporánea*. Madrid, Gredos, 1962, tomo II, págs. 192-195.

ESPINÁS, José María.

Nació en Barcelona el 7 de marzo de 1927. Cursó la carrera de Leyes. En *Antología Poética Universitaria*, 1949, el nombre de José María Espinás fue seleccionado. Su primer artículo, como periodista, le valió el "Premio Guimerá", convocado por editorial Selecta en ocasión del veinticinco aniversario de la muerte del gran trágico.

En 1953 ganó el "Premio Joanot Martorell" con su novela *Con ganivets o flames*.

En poco tiempo ha escrito novelas que han obtenido éxito, consiguiendo prestigio y consideración. Sus novelas más descollantes son: *El gandul, La trampa, Tots som iguals, Ciutats de Catalunya, Viatge al Pirineu de Lleida*, etc., etc., y multitud de artículos, cuentos, ensayos.

Ultimamente ganó el "Premio José Ixart" de narraciones cortas, y desde hace años es jurado del "Premio Nadal", que convoca la revista *Destino*, de Barcelona.

ESPINEL, Vicente.

Famosísimo poeta, novelista y músico español. Nació—1550—en Ronda (Málaga). Murió—1624—en Madrid.

Rondeño y flamenco. Por su naturaleza y por su gracia, respectivamente. A la Universidad de Salamanca llegó con un arriero, y se graduó en Artes, y dio lecciones de canto, "antes dadas que pagadas". Regresó a su tierra, según él mismo confiesa, "caminando a la apostólica". Cuando ciertos tíos suyos fundaron una capellanía, Espinel, "mancebo virtuoso", fue su primer capellán. Y siempre flamenco—jaque de la vida—y siempre rondeño—toreador de la mala fortuna bien encornada—, frecuentó las tertulias literarias de Góngora y de los Argensola; multiplicó en Sevilla sus escandalosos desórdenes; embarcó para Italia, le apresaron los corsarios argelinos y le liberaron los marinos genoveses; se incorporó al ejército de Alejandro Farnesio, en Milán; regresó a Ronda, y como acto de contrición que le facilitase las órdenes sacerdotales, escribió la *Canción a su patria* y la *Epístola* enderezada a su amigo el obispo Pacheco, en la que condenaba sus aventuras; fue sacerdote en Málaga, bachiller en Artes en Granada, capellán del Hospital Real en Ronda, *virtuoso* de la quinta cuerda de la guitarra en Madrid, autor de villancicos y maestro de música, cofrade de los esclavos del Santísimo Sacramento...

Murió en Madrid. Le enterraron en la bóveda de la parroquia de San Andrés. Y ha resucitado, inmortal, en el Olimpo español.

Esto es lo que pudiera calificarse de biografía esquemática. Pero tratándose de tan importante escritor, vale la pena ampliarla.

Su padre, Francisco Gómez, procedía de las Asturias de Santillana. Su madre, Juana Martín, de familia de conquistadores. En Ronda enseñó Gramática y Música a Espinel el bachiller Juan Cansino.

En 1572, unos tíos suyos le concedieron una capellanía que habían fundado, por consejo del trinitario fray Rodrigo de Arce. Con el favor de este mismo religioso pudo Espinel volver a Salamanca, donde, merced a la gracia de sus cuentos y al encanto de su música, se hizo amigo de personajes tan importantes como Luis de Vargas, Manrique, los Argensola, Liñán de Riaza, Marco Antonio de la Vega, Luis de Góngora, Gálvez de Montalvo y otros muchos más, abriéndosele las puertas de los palacios del marqués de Tarifa, de los Alba y Girones. Aún asistió más a la casa de la noble señora doña Agustina de Torres, con quien se reunían músicos tan afamados como el gran Matute, el celebrado Lara, el divino Julio, Castilla... Vivió Espinel algún tiempo en Zaragoza con los Argensola. En Valladolid, de 1574 a 1577, fue escudero del conde de Lemos, don Pedro de Castro. Tuvo intención de acompañar a este cuando el de Lemos siguió al rey don Sebastián en la infausta expedición africana, pero se quedó en Sevilla, viviendo con disipación, a lo golfo o a lo pícaro, en lupanares y figones, sacando mucho provecho a su gracia extraordinaria y su música encantadora, y presumiendo de jaque y de valentón. El marqués de la Algaba, que le protegió con afecto, hubo de abandonarle. Entonces, Espinel, huyendo de la Justicia, hubo de acogerse a sagrado. Con el favor del marqués de Denia pasó a Italia, sirviendo al duque de Medina-Sidonia, don Alonso Pérez de Guzmán, nombrado para gobernar Milán. Desembarcó —1573— en Génova. Poco después marchó a Flandes, yendo a parar al ejército de Alejandro Farnesio, cuando se aprestaba al asalto de Maestrich. Allí encontró a don Hernando de Toledo, el tío, a quien dirigió una bellísima *Egloga*, que canta sus amores con doña Antonia de Calatayud en Salamanca y Sevilla. Volvió a Milán con Octavio de Gonzaga. Y durante tres años recorrió toda

la Lombardía, ya como soldado, ya como músico de la casa de don Antonio de Londoño. Cansado de la milicia y del vagabundeo, regresó a España. Ya habían muerto sus padres, por lo que se dirigió a Málaga, de donde era obispo su amigo don Francisco Pacheco de Córdoba. Por entonces escribió la *Canción a su patria* y la *Epístola* al obispo malagueño, poesías de arrepentimiento con las que parece ser *ganó su derecho* a ordenarse sacerdote. Completó en Ronda sus estudios de Moral y cantó misa en Málaga, logrando un beneficio en aquella ciudad. En 1589 se graduó *bachiller en Artes* en Granada. En 1591 puso un sustituto en la capellanía del Hospital Real de Santa Bárbara, en Ronda, y marchó a Madrid; este mismo año publicó sus *Rimas,* que había censurado—1587—Alonso de Ercilla, quien declaró que "las había hallado de las mejores de España". En 1596 le quitaron su beneficio, a causa de su vida y costumbres desarregladas en la corte. En 1599 graduóse maestro de Artes en Alcalá y tomó posesión de la plaza de capellán en la capilla del obispo de Plasencia, en Madrid, que don Fadrique Vargas Manrique le tenía reservada, con 30.000 maravedís anuales de emolumentos y 12.000 más como maestro de música. Este cargo lo desempeñó hasta su muerte. Perteneció Espinel a la Cofradía de Esclavos del Santísimo Sacramento y a la Academia Poética, que protegía don Félix Arias Girón. Acudió al certamen literario organizado—1622—con motivo de la canonización de San Isidro.

Durante los últimos años de su vida recibió Espinel las alabanzas de los mejores ingenios de la época, que se enorgullecían de llamarse discípulos suyos.

Cervantes le alabó con entusiasmo en varias partes; en el *Canto de Calíope:*

> Del famoso Espinel cosas diría
> que exceden al humano entendimiento,
> de aquellas ciencias que en su pecho cría
> el divino de Febo sacro aliento;
> mas, pues no puede de la lengua mía
> decir lo menos de lo más que siento,
> no diga más sino que al cielo aspira,
> ora tome la pluma, ora la lira.

Lope de Vega—en su *Laurel de Apolo*—le califica de "único poeta latino y castellano de estos tiempos"; y en su dedicatoria de *El caballero de Illescas* dice a Espinel que el bello arte "no olvidará jamás en los instrumentos el arte y dulzura de vuesa merced"; y en la dedicatoria a Marta de Nevares de *La viuda valenciana,* al ponderar la voz y destreza musical de su amante, dice que, oyéndola, "el padre de la música, Vicente Espinel, se suspendiera atónito".

Gran músico, gran poeta y soberano pro-

E

sista fue Espinel. Dos inventos notables llevan su nombre: en música, la quinta cuerda de la guitarra, que transformó este instrumento, tomando el nombre de *guitarra española;* en poesía, la décima llamada *espinela,* combinación métrica sencilla y musical. Antes de él, la décima se componía de dos quintillas diferentes entre sí. La *espinela* consta de dos estrofas de cuatro versos octosílabos cada una—consonantes el primero y cuarto y el segundo y tercero—, entre las que se introducen otros dos versos octosílabos, auxiliares del pensamiento, para ligar entre sí la tesis y la conclusión; estos dos versos riman el primero con el cuarto y el segundo con el séptimo.

Espinel escribió poesías muy hermosas para el *Cancionero*—1586—de López Maldonado; para el *Guzmán de Alfarache* —1599—; para el *Peregrino indiano*—1599—, de Saavedra Guzmán; para el *Modo de pelear a la jineta*—1605—, de Simón de Villalobos; para la *Historia de Nueva México,* del capitán Caspar de Villagrá; para *El español Gerardo*—1616—, de Céspedes y Meneses; para la *Muerte de Dios por vida del hombre*—1619—, de fray Hernando Camargo; para el *Secretario de señores*—1622—, de Pérez del Barrio. Y muchas para la *Flores,* de Espinosa.

Espinel era solicitadísimo—por su comprensión, liberalidad, maestría literaria y sutil juicio—para la censura de libros. Censuró más de ochenta. Solamente de Lope, las partes *Sexta*—1615—, *Séptima*—1617—, *Doce, Decimoquinta*—1620—a *Decimonona.*

Pero su gloria máxima literaria la debe Espinel a su libro novelesco *Vida del escudero Marcos de Obregón*—Madrid, 1618—, del género picaresco, "mejor tramado en conjunto que el *Guzmán de Alfarache*—opina Cejador—, porque corre más derechamente a la acción, sin tan pesadas digresiones y moralidades..., con invenciones ingeniosas, en estilo llano, aunque no popular, sino literario, lenguaje castizo, elegante y corrido...".

El *Marcos de Obregón* tiene no poco de autobiografía de Espinel. Y es una novela extraordinaria, llena de lances curiosos, de anécdotas deliciosas, de felicísimos rasgos de ingenio, tan realista, tan natural y tan amena—y bien distinta a ellas—como lo pueden ser *El lazarillo de Tormes, Guzmán de Alfarache* y *El Buscón.* Algunos caracteres del *Marcos de Obregón,* como los del doctor Sagredo y la parlanchina y malhumorada doña Mergelina, compiten con las más geniales de Molière.

Para Valbuena Prat, "en la amenidad y variedad del relato, en la emoción de cosa vivida, está el mérito principal de este libro de aventuras, un dejo picaresco".

Vida del escudero Marcos de Obregón es una de las más hermosas novelas de todos los tiempos. En ella buscó inspiración Lesage para su *Gil Blas,* a decir del francés Voltaire: "Il est [el *Gil Blas*] entièrement pris du roman espagnol intitulé *La vida del escudero don Marcos d'Obregon.*" El famoso crítico alemán L. Tieck abundaba en la misma opinión.

Abundan las ediciones del *Marcos de Obregón.* Son excelentes: las de Madrid, 1618, 1657, 1744, 1804; las publicadas en la "Biblioteca de Autores Españoles", de Rivadeneyra—tomo XVIII—y en "Clásicos Castellanos" de "La Lectura", con un estudio de Gili Gaya, y la preparada por Valbuena para la Editorial Aguilar, Madrid, 1944; las de Barcelona, 1618—dos ediciones—, 1863, 1868 y 1881, con un magnífico estudio esta de J. Pérez de Guzmán; la de París—1618—, con la traducción de Vital de Audiguier; la de Breslau—1827—; la de Londres—1816—, con la traducción de Algernon Langton, y la de Sevilla—1641.

Algunas poesías de Espinel pueden leerse en el *Bulletin Hispanique*—1901—, publicadas por E. Mele; en las *Flores de poetas ilustres,* de Espinosa, y en las *Diversas rimas...*—Madrid, 1599—, ya mencionadas.

V. MURET: *Notes sur "Marcos de Obregón",* en *Melanges de lingüistique et de littérature offerts a J. Jeanroy.* París, 1928.— CALABRITTO, J.: *Y romanzi picareschi di Mateo Alemán a Vicente Espinel.* Valetta, 1929. PÉREZ DE GUZMÁN, J.: Prólogo a la edición de Barcelona, 1881.—CLARETIE, L.: *Lesage romancier.* París, 1890.—LLORENTE, Antonio: *Observations critiques sur le roman de "Gil Blas de Santillana".*—TIECK: Prólogo a la traducción alemana del *Marcos de Obregón.* Breslau, 1824.—GILI GAYA, S.: Prólogo a la edición del *Marcos* en "Clásicos Castellanos". 1922.—VALBUENA PRAT, A.: *La novela picaresca española.* Madrid, M. Aguilar, 1946.

ESPINEL ADORNO, Jacinto.

Escritor y dominico español. Nació —¿1580?—en algún lugar de Vizcaya. Murió —1635—asesinado en las costas del Japón. Estudió en Salamanca y fue profesor en varios colegios de su Orden. En 1625 marchó a Manila como misionero, estudió el japonés y se decidió por fin a marchar con otro dominico al Cipango misterioso, de donde acababan de ser expulsados todos los religiosos cristianos. No llegó a pisar tierra firme de pagodas y crisantemos. El capitán del junco que los llevaba hizo meterles en sendos sacos y los arrojó al mar.

Obras: *El premio de la constancia y Pas-*

tores de Sierra Bermeja—novela pastoril, 1620—, *Vocabulario japonés-español*—Manila, 1630—, *La doctrina cristiana en lengua de los indios de Tan-Chuy* (Formosa)—Manila, 1691.

ESPINOSA, Angel.

Poeta y pintor. Nació—1889—en Calatayud (Zaragoza). Estudió pintura en Madrid y París. Ha viajado por todo el mundo, alcanzando gran fama con sus numerosos retratos de personas ilustres. Gran Oficial de la Orden del Sol, del Perú, y Cruz de Comendador de la Orden de Isabel la Católica.

Pero su afán por la pintura lo ha unido a su fervor por la poesía lírica.

Angel Espinosa es un poeta intenso, fácil, de un modernismo sugestivo. Y en sus poemas se delata el maestro en el colorido, en el ritmo de la línea.

Obras: *Linterna, Por llegar a la luz*—1950.

ESPINOSA, Juan Antonio.

Novelista y periodista español. Nació —1898—en Granada. En esta ciudad aprobó algunos cursos de la Licenciatura de Derecho. En la Escuela Náutica de Bilbao se hizo piloto en 1918. Capitán mercante en 1922. Navegó durante muchos años. Actualmente presta sus servicios en la Junta de Obras del Puerto de Alicante. En 1949 obtuvo el "Premio Internacional de Primera Novela", de la editorial Janés, de Barcelona. Y en 1952 ganó el "Premio Ciudad de Barcelona" para novelas. Colabora en importantes diarios y revistas.

Obras: *La Feria del Mar*—crónicas, 1945—, *El lema del mar en las letras españolas*—antología—, *El libro de Zubeldía*—novela, Barcelona, 1948—, *Amorrortu*—novela, Barcelona, 1952—, *La niña de Aimogasta*—novela, 1955...

ESPINOSA, Nicolás.

Singular poeta español. Nació—hacia 1520—en Valencia. Fue capitán bizarrísimo en los ejércitos gloriosos del césar Carlos I. Nada más se sabe de este escritor. Ni siquiera cuándo y dónde murió. Le hizo famoso su poema *Segunda parte de Orlando, con el verdadero suceso de la batalla de Roncesvalles y la muerte de los doce Pares de Francia*—Zaragoza, 1555, y Amberes, 1556.

Imitación bastante discreta de Ariosto, el poema de Espinosa consta de 35 cantos en octavas reales, y no sigue, como el inmortal Ludovico, la crónica de Turpín, sino que reúne y zurce varias leyendas bastante inverosímiles, sustituyendo, como héroe, el francés Rolando por el español Bernardo del Carpio.

Espinosa alcanzó en este largo poema aciertos de imágenes, de escenas, de retratos y de naturalidad versificadora.

ESPINOSA, Pedro.

Gran poeta español. Nació—1578—y murió—1650—en Antequera (Málaga). Estudió Cánones y Teología probablemente en Sevilla. Fue uno de los concurrentes más asiduos a la famosa Academia poética granadina, que timoneaba Pedro Venegas. Perpetuo y apasionado enamorado de la poetisa doña Cristobalina Fernández de Alarcón, pasó por el amargo trago de verla casarse con el mercader Agustín de los Ríos. Que no es todo lirismo en los poetas. Viuda en 1603 la buena señora, tampoco atendió las fidelísimas insistencias de Espinosa, binubando —1606—con el estudiante Juan Francisco Correa. Que no todo es espíritu en los poetas. Espinosa vivió algún tiempo en Valladolid y Madrid, siendo gran amigo de Quevedo, Lope, Tirso, Vélez y otros grandes escritores, y preparando su rica antología *Flores de poetas ilustres de España.*

Desengañado del mundo y *de la mujer,* Espinosa se retiró como penitente a la ermita de la Magdalena, cerca de Antequera, cambiando su nombre por el de *Pedro de Jesús,* y componiendo exclusivamente versos religiosos. Se ordenó sacerdote en Málaga. Vivió en otra ermita de Archidona. Sirvió al conde de Niebla y fue capellán de la iglesia de la Caridad, en Sanlúcar de Barrameda, y rector del colegio de San Ildefonso. Fue testigo de las andanzas—que desaprobó—del duque de Medina-Sidonia para sublevar la Andalucía y proclamarse rey.

"Era Espinosa esencialmente fino y delicado lírico, propio de la escuela del ambiente en que se formó y vivió. En los recodos poéticos del antequerano percibimos finos matices de la nota amorosa y descriptiva, irisaciones de nácar, suntuosidad marmórea, débiles cenizas, "tapetes de esmeralda" de los campos que sirven de fondo a una retórica difuminada en tonos exquisitos. Suavidad de aliento, inquietud de alas de ángel en los temas religiosos..." (Valbuena Prat.)

Obras en prosa: *Bosque de doña Ana* —1624—, *Espejo de cristal*—antes de bien morir, 1625—, *El perro y la calentura*—novela peregrina, 1625—, *Panegírico a la ciudad de Antequera*—1626—, *Pronóstico judiciario a los sucesos deste año de 1627 hasta el fin del mundo, Panegírico del duque de Medina-Sidonia.*

Obras en verso: *Fábula del Genil, Soledad de Pedro Jesús, Salmos* y la famosa antología *Flores de poetas ilustres de España,* "libro de oro" y "el mejor tesoro de la poesía castellana", según Gallardo.

E

Textos: *Obras*, ed. Rodríguez Marín, Madrid, 1909; *Flores*, ed. Quirós y R. Marín, Sevilla, 1892; *El Perro*, ed. Laurencín, en *Boletín de la Academia de la Historia*, 1923, LXXXII.
V. RODRÍGUEZ MARÍN, F.: *Pedro Espinosa. Estudio biográfico, bibliográfico y crítico.* Madrid, 1907.—HENRÍQUEZ UREÑA, P.: *Notas sobre Pedro Espinosa*, en la *Revista de Filología Española*. 1917.—COSSÍO, José María: *Notas y estudio de crítica literaria*. Madrid, 1939.

ESPINOSA Y MALO, Félix de Lucio.

Literato e historiador español. Nació —1646—en Zaragoza. Murió—1691—en Palermo (Italia). Se doctoró en Derecho en la Universidad de Nápoles. Caballero del hábito de Calatrava. Secretario de Estado y de Guerra en el reino de Sicilia. Del Consejo de Su Majestad Carlos II. Cronista de los Reinos de Aragón, Castilla y León y de las Indias.
Fue famoso por su cultura, talento y oratoria. La prosa de sus obras, si muy castiza, delata la influencia excesiva del culteranismo.
Obras: *Relaciones históricas generales, Diálogo satírico contra el gobierno y la corte de Carlos II, Epístolas varias*—Madrid, 1675—. *Escarmientos políticos y morales* —Madrid, 1674—, *Poesías diversas*—1679—, *Genealogía de la casa de Salazar, Genealogía de don Félix de Lucio Espinosa, La ociosidad ocupada y la ocupación ociosa*—Roma, 1674—, *Vidas de los filósofos Demócrito y Heráclito*—Zaragoza, 1676—, *Carolo II Augusto, Glorias del pincel...*

ESPINOSA MEDRANO, Juan de.

Literato y sacerdote peruano. 1632-1688. Nació en Calcauso. De origen indio. Llamáronle *el Lunarejo*, debido a los varios lunares que tenía en el rostro. Fue muy estimado por sus contemporáneos. Estudió en el colegio de San Antonio, del Cuzco. Aún no había cumplido quince años y ya escribía comedias, como *El robo de Proserpina*. Catedrático de Artes a los veinte años. Habiéndose ordenado sacerdote, llegó a magistral, tesorero, chantre y arcediano de la catedral de Cuzco. Excelente músico y orador sagrado de muchísima fama. Fue el más notable representante del barroco literario en América. Viviendo aún, mereció que sus contemporáneos le dedicaran una obra panegírica titulada: *Gloria enigmática del doctor Juan de Espinosa Medrano*.
Obras: *La novena maravilla*—1695—, *Sermones en alto grado conceptuosos, El aprendiz de rico*—narración poética y novelesca sobre la suerte de un minero falsificador de

moneda—, *Ollanta*—drama en lengua quechua—, y, la más notable, *Apologético en favor de don Luis de Góngora, príncipe de los poetas lyricos de España, contra Manuel de Faria y Sousa*—Lima, 1662—, libro de extraordinaria agudeza y de mucho interés, "perla caída en el muladar de la poesía culterana", según Menéndez Pelayo.
V. BOLOÑA, Eleazar: *Literatura peruana del coloniaje.* (Tesis.) *Anales de la Universidad del Perú*, tomo XVIII.—SÁNCHEZ, Luis Alberto: *La literatura peruana.* Lima, 1928-1929. 3 tomos.

ESPRIÚ, Salvador.

Poeta, prosista y autor teatral español en lengua catalana. Nació—1913—en Santa Coloma de Farnés (Gerona). Pertenece a la llamada—en Cataluña—"promoción de 1936", que repudió el postmodernismo y neopopularismo, para seguir las tendencias superrealistas o neorrealistas—con hondas preocupaciones religiosas y sociales—iniciadas por José María López-Picó y Carlos Riba. Hoy está considerado como uno de los cinco o seis grandes líricos de Cataluña. En Espriú hay resonancias de Paul Claudel y de Rilke. Ha ganado la importante distinción "Lletra d'Or 1955".
Obras: *Or Rip*—prosa, 1931—, *Ariadna al laberint grotesc*—prosas, 1935—, *Letizia, Fedra, petites proses blanques*—1938—, *Cementiri de Sinera*—poema, 1946—, *Primera historia d'Esther*—teatro, 1948—, *Cançons d'Ariadna*—1949—, *Les hores*—poemas, 1951—, *Mrs. Death*—poemas, 1952—, *Anys d'aprenentatge*—1952—, *El caminant i el mur*—poemas, 1954—, *El final del laberint*—poemas, 1955—, *Fedra*—teatro, 1955—, *Antígona*—teatro, 1955—, *Evocació de Rosselló-Pórcel i altres notes*—1957—, *La pell de brau*—poemas, 1960—, *Aproximació a tres escultures de Subirachs*—1960—, *Libro de Sinera*—texto bilingüe catalán-castellano, Barcelona, "Col. El Bardo", 1966—, *Ronda de Mort a Sinera*—teatro, 1966.
En 1952 publicó su *Obra lírica*, conteniendo *Cementiri de Sinera, Les hores* y *Mrs. Death*.

ESPRONCEDA, José de.

Magnífico poeta romántico español. 1808-1842. Circunstancialmente, nació en Almendralejo, a las seis y media de la mañana del día 25 de marzo. Su padre, el teniente coronel de Caballería don Juan, yendo por Extremadura, en plena guerra de la Independencia, seguido de su esposa, doña María del Carmen Delgado, ocurrióle a esta, apremiada por la dura marcha, dar a luz en dicho lugar. Espronceda estudió en el Colegio de San Mateo, de Madrid, bajo la dirección del retórico Alberto Lista. Miembro de la Academia poética del Mirto a los trece años, y afiliado a la Sociedad liberal de Los Numantinos, fue detenido y condenado a encierro en un convento de Guadalajara. Mientras duró su prisión compuso el poema *El Pelayo,* que quedó incompleto. Cumplida la condena, volvió a Madrid. Conspiró. Y no creyéndose seguro, marchó a Gibraltar, y desde allí a Lisboa, donde conoció a Teresa Mancha, hija de un coronel español, emigrado igualmente. Verse y amarse... todo fue uno. Espronceda tuvo que marchar a París. Se alejó confiado en los juramentos de la amada. Pero al llegar Espronceda a Londres, en su busca, la encontró casada con un rico y maduro comerciante español, don Gregorio Bayo, de quien ya tenía un hijo. La *cosa* se arregló con cierta facilidad, dado el carácter de la dama, quien, abandonando a hijo y marido, se largó a París con su poeta. En París tomó parte Espronceda en la revolución de 1830-1833: regreso a la patria. Juntos los dos: José y Teresa. Y en Madrid, Espronceda asiste al *Parnasillo,* colabora en los periódicos, conspira, arenga a sus correligionarios y se ama desesperadamente con Teresa. Digo *desesperadamente,* ya que entre ellos existen celos, enojos, fuertes disputas, reconciliaciones exaltadas. En 1834, Teresa dio a luz una niña, bautizada con el nombre de Blanca. En 1841, Espartero nombró al poeta secretario de la Legación de La Haya. Allí estuvo poco tiempo, porque Almería le nombró su diputado. Pero regresó muy gastado físicamente, enfermo. Desde que muriera Teresa—1838—, el poeta se desvivía aprisa. Y murió el 23 de mayo de 1842, a consecuencia de una inflamación de garganta, cuando tenía concertada su boda con una honesta y dulce señorita: Bernarda de Beruete.

Vida muy compleja la de Espronceda. Y, por compleja, romántica. Muchas pasiones refrenadas. Muchos deseos incumplidos. Carcajadas y lágrimas. Maldiciones y súplicas. Desesperaciones y arrepentimientos. Y *el tipo* haciendo *juego* con la vida. El perfecto tipo romántico: gallardo, de airoso porte, de varonil belleza...; corazón impulsivo...; presumido de hastío y desengaño, con modales y muecas...; mofador incansable de la sociedad y de sus prejuicios...; caritativo, hasta el punto de visitar y de consolar a los pobres enfermos de cólera morbo...; y sin dar importancia al adulterio y capaz de hacer chascarrillos a costa de los maridos burlados; y, sí, venga aquí, como anillo a su dedo, la imagen romantiquísima: "joya caída en un lodazal, donde había perdido todo esmalte y trocádose en escoria". Y el hacerse querer y temer de todos cuantos le trataban.

El público y la posteridad suelen perdonar todo a sus héroes, con tal que estos *ajusten* fidelísimamente su vida a su obra. Nada resulta más inadmisible que un burgués autor de tragedias lacrimosas, que un romántico gobernando al país *por las buenas,* que un hombre casto escribiendo pornografía. En este sentido, nada más perfecto que la semejanza entre la vida y la obra de Espronceda. De aquí la simpatía que irradian una y otra. Y, acaso, de aquí también los valores de entrambas. Sí, Espronceda podía ser, como de él decía su maestro Lista, "una plaza de toros muy grande, pero con mucha canalla dentro". Y también—como aseguraba Valera—un Goethe español con la vida y la obra incompletas.

La obra lírica de Espronceda puede ser dividida en tres secciones: *a)* Un poema narrativo: *El Pelayo. b)* Poesías sueltas. *c)* Poemas mayores: *El estudiante de Salamanca* y *El diablo mundo.* De *El Pelayo* nos quedan únicamente unos fragmentos en octavas reales. Lo compuso Espronceda en el convento de Guadalajara, al que le habían llevado sus románticos escarceos conspiradores en pro de la libertad. Pero en estos fragmentos se descubren los andadores, aún tirantes, de su maestro, el retórico y poético Lista. Fácil versificación, aun cuando inexperta, el poema se ajusta *formalmente* al gusto clásico, resulta una composición de clase de bachillerato; se nota que Espronceda intenta sacar *un diez* de un maestro del que se sabe el ojito derecho. Pero... no puede el mozo comprimir su personalidad, que se le rezuma por no pocas quiebras y fisuras del intento. El tema, la técnica, la rigidez de *El Pelayo* son rigurosamente clásicas. Sin embargo..., ¡cuántos elementos románticos se descubren aquí y allá! La adjetivación, la exuberancia de exclamaciones sentimentales, la peculiar importancia que se da al paisaje, los comezones de un *yo* que pugna por salir a escena en seguida...

> La noche el cielo en su sombroso manto
> lóbrega encapotó: tal vez brillaba
> relámpago sombrío, que el espanto
> y el horror de la noche acrecentaba;
> lúgubre, sola y temerosa en tanto
> la voz de los vigías se escuchaba,
> y en torno de los campos tenebrosos
> volaban mil espectros espantosos.

Las poesías líricas de Espronceda son muy escasas en número. Con un prólogo de García de Villalta aparecieron en un volumen en mayo de 1840. Y, siendo pocas, resultan de un interés excepcional para el estudio y comprensión del romanticismo. De ellas, algunas son aún neoclásicas, carecen de fuerza expresiva, las circunstancias las han dictado. Pero en la mayoría de ellas, el *Himno*

E

al *Sol, El canto del cosaco, El pirata, A un ruiseñor, A Jarifa en una orgía, El verdugo, El mendigo, A una estrella, El reo de muerte, El templario, A Laura, Despedida del joven griego de la hija del apóstata,* palpita la más espléndida fantasía, vibra la entonación más robusta, prende la máxima osadía en todas las formas, cimbra el estilo más nervioso. Todas ellas están escritas con un garbo y desenfado extraordinarios, con una impetuosidad irreflexiva. En todas ellas son admirables el sentido—y, sí, el sentimiento—del color, el exacerbado subjetivismo, la arrogancia y el plante de quien se cree lidiando con la gloria en condiciones de vencerla y sojuzgarla de un momento a otro. El orgullo varonil terrible, el jaque mate que da en cada estrofa el *yo*, hace estas composiciones discutibles en cuanto al mérito poético, indiscutibles de valor humano plenamente romántico. Nada tiene que ver que delaten la influencia de Chatterton, de Byron, de Beranger, de Vigny. Espronceda hace de esa influencia un anhelo y una expresión netamente españoles. En alguna de dichas composiciones—*El reo de muerte, El mendigo, El verdugo*—desborda la generosidad cordial del poeta hacia los miserables y apostrofa su indignación y su desprecio hacia todos aquellos a los que las riquezas o el poder han tornado en egoístas o indiferentes.

El estudiante de Salamanca es una pequeña obra maestra en cuatro partes, cuya raíz se encuentra en lo más genuino y valioso de la tradición española. Félix de Montemar, el protagonista, es un Tenorio redivivo. Aventuras, amores, crímenes. La punta de su estoque los va ensartando, mientras ríe con sarcasmo inaudito, demoníaco. Seduce a las mujeres. Mata a los hombres. Mata a los fantasmas. Se burla de todo lo humano y de todo lo divino. Blasfema. Se desespera. Y como Tenorio a su doña Inés, Montemar halla a su doña Elvira, el *puntito de contrición* que puede dar la salvación a su alma, aun cuando de la de Montemar se desconfíe más que de la del Tenorio. Hay ciertas reminiscencias byronianas en la carta con que doña Elvira se despide de Montemar; recuerda esta carta la de Julia a don Juan en el poema del genial inglés. Y el episodio en que Montemar presencia, vivo aún, su entierro, tiene muchos precedentes en la literatura española; así, el doctor don Cristóbal Lozano, en *Las soledades de la vida y desengaños del mundo,* ya describe el entierro que de sí mismo ve pasar el estudiante Lisardo. Y Céspedes y Meneses había contado algo muy parecido. Lo más dulce, melancólico y sentimental de cuanto escribió Espronceda se halla en la pintura de doña Elvira, la infeliz mujer abandonada por Montemar.

El diablo mundo—1840—es un poema—introducción y seis cantos—que se quedó sin terminar. Su concepción era tal, que acaso haya sido un bien que el poema haya quedado en intento. Porque una obra que pretende ser el símbolo de la Humanidad entera y de sus luchas, afanes y desengaños, resulta casi imposible llevarla a feliz término, aun para un Homero o un Dante que se lo hubieran propuesto. Confiesa el autor:

Nada menos te ofrezco que un poema,
con lances varios y revuelto asunto,
de nuestro mundo y sociedad emblema,
que hemos de recorrer punto por punto.
Si logro yo desenvolver mi tema,
fiel traslado ha de ser, cierto trasunto
de la vida del hombre y la quimera
tras de que va la Humanidad entera.

El diablo mundo nos presenta a un Adán redivivo, fuera del Paraíso, teniéndose que enfrentar con su inexperta ingenuidad a una vida dura y cotidiana, miembro de una colectividad cruel y egoísta, que acabará por pervertirle. ¿Quiso Espronceda en este poema, como pretende la crítica moderna, plantear el tema del *hombre natural,* perfecto en su rudeza, tan ensalzado por Rousseau? ¿Deriva *El diablo mundo* de *L'ingénu,* de Voltaire? Posiblemente, Espronceda no llevó a su obra sino esas reminiscencias de lecturas que se quedan en cada espíritu como sin querer y que van integrando una posición y un afán personalísimos. Los avatares por que debía pasar el protagonista, tales eran y de tal envergadura, que exceden a los de cualquier sugestión o intento de copia.

Pieza maravillosa, con vida propia y prosapia excepcional, intercalada en la vasta máquina del poema, es el *Canto a Teresa,* la poesía más hermosa del poeta, verdadera elegía romántica de un valor autobiográfico muy grande, "desahogo de mi corazón", como dijo su autor, el "grito romántico más agudo y sostenido de cuantos se oyeron en la Península", en sentir de un crítico. Realmente, y para ponernos a tono de adjetivos con el *Canto a Teresa,* podemos afirmar que sus versos están escritos con la sangre de su corazón traspasado de dolor, que van humedecidos de lágrimas. Si en la forma logra primores, si el lenguaje más febril se hace dócil instrumento para traducir la explosión terrible de los afectos, el fondo recoge las máximas posibilidades humanas de la pasión hecha clima. La angustia del ideal perdido ilumina apoteóticamente la música de las cuarenta y cuatro octavas sin par en la literatura castellana. Después de indicar el gran crítico don Juan Valera que no cree que los alemanes puedan llamar *genio* a Goethe y los ingleses a Byron con más derecho que los españoles a Espronceda, aña-

de que si el inglés y el alemán exceden al
español en la educación científica, en el saber que alumbra y guía a la inspiración...
"En el estro, en la virtud impetuosa y creadora de la imaginación, en la vehemencia
de los afectos y en la galanura espléndida
de la expresión, ni Goethe ni lord Byron se
adelantan a Espronceda; casi estoy por afirmar que son inferiores."

Creemos, pese a cuanto hemos dicho acerca de la obra de Espronceda, en la que se
entreveran los aciertos felicísimos y las caídas lamentables, que el poeta es muy superior a su poesía. Porque si en esta se encuentran atisbos que exceden o no llegan a
las características fundamentales del romanticismo, el hombre es el arquetipo romántico: en el sentimiento y en la acción. Espronceda es el desdén y el sarcasmo, el hastío de quien se sació en la materialidad, el
idealismo con el gusano de la desesperación,
el tempestuoso buscador de los amores imposibles y de las imposibles libertades que
aquella sociedad española soñó románticamente. Como hombre romántico, no hay poeta romántico que exceda ni aun se acerque
a Espronceda; porque a cuantos hubieran
podido alcanzarle, la vida larga los fue trans-
formando en burgueses, poniéndolos en ridículo frente a su propia juventud. Recordemos los casos de Núñez de Arce, de
Zorrilla, de tantos otros.

También escribió Espronceda algunas obras
en prosa. Sancho Saldaña, o el Castellano de
Cuéllar—1834—, imitación muy pálida de las
obras históricas de Walter Scott. Un corto
relato de viaje: De Gibraltar a Lisboa. Y
un folleto político titulado El Ministerio
Mendizábal—1836—, contra dicho ministro.
Más que la prosa, pero tampoco con méritos semejantes a los de sus poesías líricas,
valen las producciones escénicas de Espronceda. Blanca de Borbón, drama trágico en
cinco actos y en verso; Amor venga sus
agravios—1836—, drama en cinco actos y
en prosa, que aparece firmado por don Luis
Senra y Palomares, en colaboración con Eugenio Moreno López; Ni el tío ni el sobrino,
comedia en tres actos y en verso—de corte
bretonesco—, en colaboración con don Antonio Ros—1834—. En todas estas obras hay
demasiada prisa, muchas puerilidades e incongruencias. Muy de tarde en tarde aparecen en ellas detalles esproncedianos de romanticismo violento, audaz, arrollador.

Muy buenas ediciones de las obras de Espronceda son: Obras poéticas de don José
de Espronceda, precedidas de la biografía
del autor. Impresión completísima y muy
cuidada. Valladolid, 1900. Obras poéticas y
escritos en prosa. Madrid, 1884. Obras poéticas completas. Madrid, Edit. Aguilar, varias
ediciones—1934, 1940, 1945, etc.—. Obras

completas, en Biblioteca de Autores Españoles. Tomo LXXII, 1954, estudio de Jorge
Campos. Sancho Saldaña, Madrid, 1914. Blanca de Borbón, edición de P. H. Churchmann,
en la Revue Hispanique, 1907. Poesías desconocidas—more inedita—, edición de P. H.
Churchmann, en Revue Hispanique, 1907.

V. CASCALES Y MUÑOZ, J.: Don José de Espronceda: su época, su vida y sus obras. Madrid, 1914.—LÓPEZ NÚÑEZ, J.: Vida anecdótica de José de Espronceda. Madrid, ¿1919?—
MORENO VILLA, J.: Prólogo a la edición de
Poesías de Espronceda, en Clásicos Castellanos.—CHURCHMANN, P. H.: An Espronceda's Bibliography, en Revue Hispanique,
1907.—CHURCHMANN, P. H.: Byron and Espronceda, en Revue Hispanique, 1907.—
CHURCHMANN, P. H.: Espronceda, Byron and
Ossian, en Modern Languages notes.—HÄ-
MEL, A.: Der Humor bei José de Espronceda. Halle, 1921.—BANAL, L.: Il pessimismo
di Espronceda, en Rev. Crítica, 1918.—Es-
COSURA, Patricio de la: Discurso de ingreso
en la Real Academia española, 1870.—COR-
TÓN, A.: Espronceda. Madrid, s. a.—RODRÍ-
GUEZ SOLÍS, E.: Espronceda: su tiempo, su
vida y sus obras. Madrid, 1883.—BONILLA, A.:
El pensamiento de Espronceda, en España
Moderna, 1908.—DOMENCHINA, J. J.: Prólogo
a las Obras poéticas de Espronceda. Madrid,
M. Aguilar, 1934 a 1946.—FOULCHÉ-DELBOSC,
R.: Quelques réminiscences dans Espronce-
da, en Revue Hispanique, 1909.—ROMANO,
Julio: Espronceda (el torbellino romántico).
Madrid, Ed. Nacional, 1949.—CASALDUERO,
Joaquín: Espronceda. Madrid, editorial Gre
dos, ¿1959?

ESQUILACHE, Príncipe de (v. **Borja y Aragón, Francisco**).

ESTALA, Pedro.

Prosista, retórico y crítico literario español. Vivió entre 1740 y 1820. Nació en Madrid. Se educó en Salamanca. Sacerdote escolapio. Catedrático de Literatura en los
Reales Estudios de San Isidro, de Madrid.
Habiéndose salido de las Escuelas Pías, fue
rector del Seminario de Salamanca y canónigo de Toledo.

Algunos de sus escritos los firmó con el
seudónimo de "Damón" y otros con el nombre de su barbero: "Ramón Fernández".

Fue un excelente helenista, latinista y retórico. Tradujo, con anotaciones críticas, a
Sófocles y Aristófanes. Abrazó con entusiasmo las ideas del enciclopedismo y los ideales de la Revolución francesa, secularizán-
dose hacia 1798 y renunciando a todas sus
dignidades. Fue gran amigo de Godoy y del
conde de Aranda, y maestro muy estimado
de Leandro Fernández de Moratín y de For-

E

ner. De ideas afrancesadas, tuvo que salir de España. Y en Francia murió, empobrecido y amargado.

Menéndez Pelayo siente *gran debilidad* por Estala. Nosotros creemos que como crítico valió poco, y que sus ideas fueron harto mezquinas y resabiadas de erudición pedantesca. Pero no puede negarse que ejerció gran influencia literaria en su época. Y figura en el *Catálogo de autoridades de la Lengua.*

Obras: *Bello gusto satírico-crítico de inscripciones para la inteligencia de la ortografía castellana*—1785, publicada con el seudónimo de "Don Claudio Bachiller"—, *Estudios críticos sobre poetas castellanos, Cuatro cartas de un español a un anglómano*—Londres, 1804—, *Cartas a Forner*—en *Boletín de la Academia de la Historia,* 1914—, Prólogos de la "Colección de poetas españoles", seis tomos, 1789-1798.

V. CUETO, Leopoldo Augusto: *Historia crítica de la poesía castellana en el siglo XVIII.* Madrid, 1893.—MENÉNDEZ PELAYO, M.: *Historia de las ideas estéticas...*, tomo III.—CEJADOR, Julio: *Historia de la lengua y literatura castellanas.* Tomo VI.

ESTEBAN SCARPA, Roque.

Poeta, prosista y crítico literario chileno. Nació en el extremo austral del continente americano, ciudad de Punta Arenas, sobre el estrecho de Magallanes, el 26 de marzo de 1914. Realizó sus estudios secundarios en el Liceo de su ciudad natal. Estudios universitarios, en la Universidad Católica de Chile, donde se doctoró en Letras. Fue catedrático de Literatura española en esa Universidad desde 1938. Obtuvo por oposición la cátedra de Literatura general comparada de la Universidad de Chile (Universidad del Estado) en diciembre de 1945, que desempeña juntamente con otra cátedra complementaria en la Facultad de Filosofía y Educación. Visitó España y otros países de Europa en 1947-1948. Fue designado académico correspondiente de la Real Academia de Buenas Letras de Sevilla y de Ciencias, Bellas Letras y Nobles Artes de Córdoba. Dictó conferencias en las Universidades de Madrid, Barcelona. Valladolid, Santiago de Compostela, etcétera. A su regreso a Chile fundó el Instituto Chileno de Cultura Hispánica, del que fue director desde 1948 a 1951. En este año fue elegido académico de número de la Academia Chilena de la Lengua, correspondiente de la Real Española. Es miembro de honor del Instituto de Cultura Hispánica de Madrid y del Instituto Chileno de Cultura Hispánica. Comendador de número de la Orden de Alfonso el Sabio y comendador de Isabel la Católica. Fundó, además, el Teatro

de Ensayo de la Universidad Católica y el teatro del Saint George's College.

Obras: *Dos poetas españoles (García Lorca y Alberti)*—Gnadt., Santiago, 1935—, *El maestro de soledades* (ensayos)—edit. San Francisco, 1940—, *Poesía religiosa española* (antología y ensayo)—E. Ercilla, 1938—, *Poesía del amor español* (antología y ensayo) —edit. Zig-Zag, 1941—, *Primavera del hombre* (ensayo)—edit. Universidad Católica, 1941—, *Lecturas medievales españolas*—Zig-Zag, 1941—, *Lecturas clásicas españolas*—Zig-Zag, 1941—, *Lecturas modernas españolas* —Zig-Zag, 1942—, *Mortal mantenimiento* (poesía)—Premio Sociedad de Escritores de Chile, 1941. Prensas Univ. de Chile, 1942—, *El tiempo* (poema dramático)—Estudios, 1942—, *Poesía de Quevedo* (antología)—Espasa-Calpe, Buenos Aires, 1943—, *Lecturas americanas*—Zig-Zag, 1944—, *Lecturas chilenas* —Zig-Zag, 1944—, *Voz celestial de España* (antología y ensayo)—Zig-Zag, 1944—, *Poetas españoles contemporáneos* — Zig-Zag, 1945—, *"El caballero de Olmedo", de Lope* (edición y prólogo)—Zig-Zag, 1945—, *Páginas escogidas de Cervantes* (selección)—Zig-Zag, 1948—, *Luz de ayer* (poesía)—edit. Universitaria, 1951.

Parte de su poesía ha sido traducida por Warren Carrier y publicada en *World Poet's Drama.*

ESTÉBANEZ CALDERÓN, Serafín («El Solitario»).

Notable erudito, literato—costumbrista y poeta—español. Nació—1799—en Málaga. Murió—1867—en Madrid. Abogado. Profesor de Griego, Retórica y Poética en su ciudad natal. Auditor general—1834—del ejército liberal del Norte que luchaba contra los carlistas. Por su valor en los combates ganó la preciada cruz de San Fernando. Jefe político—1837—de Cádiz y Sevilla—1838—. Diputado desde 1846. Miembro togado del Supremo Tribunal de Guerra y Marina. Auditor general del ejército español. Senador vitalicio desde 1853. Dominaba el latín, el griego, el árabe, el francés, el inglés y el italiano. En los últimos años de su vida fue profesor en el Ateneo de Madrid. Fue famosa la polémica que sostuvo con Bartolomé José Gallardo con motivo de la publicación del famoso *Buscapié,* de Adolfo de Castro. Estébanez retrató a Gallardo en aquel celebérrimo soneto que empieza:

Caco, cuco, faquín, bibliopirata...

La gracia, el garbo, la sal, el atractivo de lo auténtico andaluz bulle en forma deliciosa en los escritos en prosa de "El Solitario", que se inspiró muy acertadamente en la lengua del pueblo, tendiendo a lo arcaico, cuya afectación tiene en él más de atractiva que de pedantesca.

Entre sus poesías, las tiene bellamente románticas, festivas de buena ley y picarescas excelentes, algunas de las cuales "son dignas de Quevedo".

Su obra principal es la titulada *Escenas andaluzas*—1847—, traducidas a varios idiomas, célebres en todo el mundo, admirables cuadros de costumbres de la gente humilde y plebeya de dicha región; obra castiza como muy pocas y de una amenidad extraordinaria.

Otras obras: *Poesías*—1831—, *Cristianos y moriscos*—novela histórica, 1837—, *De la conquista y pérdida de Portugal*—1835—, *Cuentos del Generalife*—1843—, *Los tesoros de la Alhambra, Novela árabe*—1831.

Una buena edición de las obras de Estébanez Calderón es la publicada en la "Colección de Escritores Castellanos", Madrid.

V. Cánovas del Castillo, A.: *"El Solitario" y su tiempo*. Madrid, 1883.—Correa Calderón, E.: *El escritor costumbrista*, en la *Revista del Ayuntamiento de Madrid*, 1938.— Correa Calderón, E.: *Los costumbristas españoles*. Madrid, Aguilar, dos tomos, 1950 y 1952.—Núñez Arenas: *Génesis de unas memorias...*, en *Bulletin Hispanique*, 1947.

ESTELRICH, Juan.

Notabilísimo literato español. Nació —1896—en Mallorca. Murió—1958—en París. Propagandista, orador, publicista, crítico, editor, político de calidades extraordinarias. Ha viajado por todo el mundo, pronunciando muy comentadas conferencias. Ha colaborado en los más importantes diarios y revistas del mundo hispano. Diputado a Cortes en 1931. Experto humanista, que conoce a fondo el griego y el latín. Miembro de la Classical Society, de Cambridge; socio de honor de la Nuova Cultura, de Nápoles, y de la Société des Etudes Latines, de París, habiendo sido recibido en el seno de la Ecole des Hautes Etudes, de la Sorbona, en 1926.

Propulsor en Cataluña de todas las exposiciones y sociedades pro libros que se han celebrado en España. Hombre de ideas hondas y de acción fecunda, corresponsal de prestigios europeos, como Vossler, Meillet, Zielinski y Keyserling.

Su cultura es enorme. Su pensamiento, siempre original y vivo. Su prosa, bellísima.

Obras: *Un nuevo humanismo*—Buenos Aires, 1928—, *Entre la vida y los libros* —Barcelona, 1926—, *La falsa paz*—1949—, *Las profecías se cumplen*—1949.

Durante muchos años, Estelrich ha estado al frente de la fundación "Bernat Metge", dedicada a la publicación de textos griegos y latinos y famosa universalmente. Para ella

estableció el texto original y la traducción catalana de la *Vida de Alejandro*, de Curcio Rufo.

ESTELRICH Y PERELLÓ, Juan Luis.

Poeta, prosista y erudito español. Nació —1856—en Artá (Mallorca). Murió—1923— en Palma de Mallorca. Gran amigo de Menéndez Pelayo, de Milá Fontanals, de Antonio Rubió y Lluch. Catedrático de Literatura en los Institutos de Soria, Cádiz y Mallorca. Correspondiente de la Academia Española de la Lengua, corporación que en 1902 le otorgó el primer premio y la medalla de oro. Miembro de las Academias de Bellas Artes de San Fernando, de Buenas Letras de Barcelona y Sevilla e Hispanoamericana de Cádiz.

Sus poesías han sido traducidas al latín, italiano, húngaro, francés, holandés y alemán.

Obras: *Primicias*—poesías, 1884—, *Saludos*—poesías, 1887—, *Poesías*—1900—, *Páginas mallorquinas*—1912—, *Influencia de la lengua y literatura italianas en la castellana*—Madrid, 1913—, *Fundaciones españolas en Roma*—Palma, 1911.

Estelrich y Perelló ha traducido a Heine —*Cuadros de viaje*—, a Schiller—*Poesías líricas*—, a Goethe—*Poesías líricas*.

ESTELLA, Diego de.

Famoso escritor ascético y religioso español. Trocó su apellido Ballestero de San Cristóbal por el de su ciudad natal—Estella, de Navarra, 1524—al profesar como franciscano. Murió—1578—en Salamanca. Sobrino de San Francisco Javier, estudió Diego en Toulouse y en la Universidad salmantina. Felipe II le nombró su consultor, predicador y teólogo. Fue gran amigo del célebre Ruy Gómez de Silva, príncipe de Eboli, y residió mucho tiempo en Portugal. Al regresar a España fue encarcelado por no se sabe qué falta; comprobada su inocencia, se le quiso hacer provincial de su Orden, a lo que se negó en absoluto.

Obras: *Tratado de la vanidad del mundo, dividido en tres libros*, y del que hay numerosas traducciones en muchos idiomas; *Meditaciones devotísimas del Amor de Dios* —Salamanca, 1576—, su producción maestra, que tanto influyó en el *Tratado del Amor de Dios*, de San Francisco de Sales, y que mereció la predilección de Pascal, obra ejemplar de nuestra noble y rica literatura del Siglo de Oro, "braserillo de encendidos afectos", como la ha calificado un crítico moderno.

Otras muchas obras teológicas y glosadoras escribió en lengua latina fray Diego de Estella.

E

Las *Meditaciones* pueden leerse en la edición preparada por el buen escritor Ricardo León, Madrid, Col. "Gil Blas", 1920. El *Tratado de la vanidad*, en el tomo XLIV de la "Colección de los mejores autores españoles".

V. PÉREZ DE URBEL, J.: *Fray Diego de Estella*, en *Revista Eclesiástica*, 1924.—LÓPEZ, A.: *Suplemento biográfico de fray Diego de Estella*, en *Arch. Iber.-Amer.*, 1925, XXIV.

ESTRADA, Angel de.

Poeta y prosista. Nació el 28 de septiembre de 1872 en Buenos Aires. Falleció a bordo del vapor *Massilia*, cerca de Río de Janeiro, en viaje de regreso a Buenos Aires, en 1923. Abogado. Dueño de una gran fortuna, pasó gran parte de su vida viajando por todo el mundo. Fue, durante algún tiempo, profesor del Colegio Nacional. Gran caballero, sentimental y cristiano, sensibilidad exquisita.

Ha publicado: En verso: *El huerto armonioso* y *El sueño de una noche del castillo y otros poemas*. En prosa: *El color y la piedra, Formas del espíritu, Alma nómada, La voz del Nilo, Redención, La ilusión, Los cisnes encantados, Calidoscopio, Visión de paz, Cadoreto, Las tres gracias, Pedro Goyena, Cervantes y el "Quijote", Los espejos, La plegaria del sol* y *La flor de Borgoña*. Su obra póstuma fue *La esfinge*.

Angel de Estrada fue un fino espíritu de escritor que vivió con el pensamiento proyectado hacia épocas ya muertas de la historia del hombre. El Renacimiento lo atrajo con su vida múltiple y su fasto. Su obra es la de un artista refinado, exponente de una cultura decantada y raro gustador de belleza. Por los caminos del mundo buscó aquel espíritu inmortal de los grandes poetas que han buscado peregrinando hacia todas las mecas del arte.

V. GARCÍA VELLOSO, Enrique: *Historia de la literatura argentina*. Buenos Aires, 1914. ESTRADA, Angel de: *Bibliografía* de [A. E.], en *Antología: Prosa*. Buenos Aires, 1943.

ESTRADA, José Manuel.

Historiador y ensayista argentino. Nació —1842—en Buenos Aires y murió—1897—en Asunción (Paraguay). Estudió en el Instituto de San Francisco, en la Escuela Normal y en la Universidad de Buenos Aires. Fundador de periódicos juveniles. Profesor de Historia en la Escuela Normal—1866—y en el Colegio Nacional—1868—. Decano de la Facultad de Filosofía y Letras. Catedrático de Derecho constitucional en la Facultad de Derecho. En 1868 fundó la famosa *Revista Argentina*. Por la defensa de sus ideales católicos hubo de huir al Paraguay.

Obras: *Lecciones de historia argentina: Génesis de nuestra raza*—1861—, *Catolicismo y democracia*—1862—, *Ensayo histórico sobre la revolución de los comuneros del Paraguay en el siglo XVII*—1865—, *La política liberal bajo la tiranía de Rosas, Derecho constitucional*.

ESTRADA, Jenaro.

Poeta y crítico literario. Mexicano. 1887-1937. Hizo sus estudios en las escuelas del Rosario y Culiacán, de Sinaloa, y en el Colegio Rosales, del mismo Estado. Periodista en Sinaloa y en la ciudad de México. Corresponsal de guerra en 1911. Secretario y profesor de la Escuela Nacional Preparatoria. Corredor de Bolsa en 1916. Funcionario de 1917 a 1921 en el Ministerio de Industria y Comercio, y desde 1921, en la Secretaría de Relaciones. Subsecretario, encargado del despacho. Director del *Archivo Histórico-Diplomático Mexicano* y de las *Monografías Bibliográficas Mexicanas*, publicaciones de la Secretaría de Relaciones Exteriores de México. Ha colaborado en diversos periódicos. Miembro de la Academia Mexicana de la Historia, Real Academia de la Historia, de Madrid; Academia de Ciencias y Letras de Cádiz, Academia Americana de la Historia de Buenos Aires, Real Academia de Bellas Artes y Ciencias Históricas de Toledo, Sociedad Mexicana de Geografía, Academia de la Historia de Cuba y Academia de Bellas Artes de Cuba. Ha sido profesor de Lengua española en la Escuela Nacional Preparatoria, de Literatura mexicana en la Escuela Nacional de Estudios y de Historia de México en la Facultad de Filosofía y Letras.

En España permaneció algunos años como embajador de su país, estudiando a fondo la literatura de nuestra patria.

Es poeta muy delicado, de un elegante modernismo de tendencia *intimista*, y crítico comprensivo y sutil. Maneja el castellano con soltura y casticismo.

Obras: *Poetas nuevos de México*—1916—, Ediciones Porrúa, México—, *Visionario de Nueva España*—Cultura—, *Pero Galín*—Cultura—, *Crucero*—poemas, 1928—, *Escaleras*—poemas, 1925—, *Diario de un escribiente de Legación*—1925—, *Labor diplomática de Prim en México*—1928—, *Bibliografía de Amado Nervo*—1925—, *Las municipalidades en la América española*—1921—, *La misión de Corpancho*—1923—, y varios folletos con estudios diversos.

V. GONZÁLEZ PEÑA, C.: *Historia de la literatura mexicana*. México, 1940.—JIMÉNEZ RUEDA, J.: *Historia de la literatura mexicana*. México, 1944.

ESTRADA Y SEGALERVA, José Luis.

Nacido—1906—en Málaga. Abogado e inspector técnico de Timbre. Ha desempeñado distintos cargos, entre ellos, el de procurador en Cortes en tres legislaturas; jefe del Sindicato Nacional del Seguro; de la Secretaría Política de la Secretaría General del Movimiento, y alcalde de Málaga durante cinco años.

En la actualidad es presidente de la Real Academia de Bellas Artes de San Telmo, de Málaga, y presidente también de la Junta del Patronato del Museo Provincial de Bellas Artes.

Fundador y director de la gran revista poética *Caracola*, que se publica desde 1952. Como poeta, pertenece a un postmodernismo intimista, en ocasiones transformado en lirismo impresionista chorreado de luz y de color.

Obras: *Intimidad, Fuentes de oro, Llantos del cautiverio, Corte y Cortijo, Voces lejanas, Motivos del toro, Siete poemas cursis, Historia de Coín...*

ESTRELLA GUTIÉRREZ, Fermín.

Poeta, novelista y pedagogo argentino. Nació—1900—en Almería (España). Hijo del cónsul cubano en esta ciudad. Establecida su familia—1910—en la Argentina, en ella se nacionalizaron. Y en Buenos Aires siguió sus estudios hasta alcanzar el título de profesor superior de Letras. Durante los años 1928 y 1929 vivió en distintos países europeos, completando sus estudios. Es "Faja de Honor de la Sociedad Argentina de Escritores" por su libro *Sonetos de la soledad del hombre*—1949—. "Premio de la Comisión Nacional de Cultura" por el trienio 1947-1949.

Obras: *El cántaro de plata*—poemas, 1924—, *Canciones de la tarde*—1925—, *La ofrenda*—1927—, *Destierro*—1935—, *La llama* —1941—, *Nocturno*—poemas, 1943—, *El ídolo y otros cuentos*—1928—, *El río*—cuentos, 1933—, *Trópico*—novela, 1937—, *Panorama sintético de la literatura argentina* —1938—, *Historia de la literatura española* —1946—, *Índice de la poesía española moderna*—1938—, *Sonetos del cielo y de la tierra*—1941—, *Sonetos del tiempo y su mudanza*—1943—, *Memorias de un estanciero* —1949—, *San Martín. Páginas escogidas sobre el héroe*—1950...

ESTREMERA Y CUENCA, José.

Poeta y autor dramático español. Nació —1852—en Lérida. Murió—1895—en Madrid. Doctor en Derecho por la Universidad Central. Durante muchos años se dedicó al estudio de la historia del teatro español, materia en la que llegó a ser una autoridad. Estremera fue uno de los más asiduos colaboradores del *Madrid Cómico*, y en colaboración con Vital Aza estrenó una de sus primeras producciones escénicas: *Noticia fresca*—1876—, en el teatro Español, con gran éxito. Su primera obra teatral fue *Pruebas de fidelidad*, que se representó --1873—también en el teatro Español.

Amenos, graciosos y castizos sainetes, juguetes cómicos y zarzuelas salieron de su pluma en número superior a cincuenta. Maestros como Marqués, Arrieta, Fernández Caballero, Chueca, Valverde y Chapí pusieron música a varias de sus producciones.

Obras: *El demonio que lo entienda, Música clásica, Nada entre dos platos, Las hijas del Zebedeo, La czarina, Antón Perulero, El mesón del Sevillano, San Franco de Sena, Perros y gatos, De confianza, Mimí, Don Luis Mejía, La cuerda floja, Pares o nones, Ganar el tiempo, La reconquista, A tontas y a locas, Como Pedro por su casa, Los tiranos, Solitos, Tomasica, El ventanillo, La mujer de su casa...*

EUGENIO DE TOLEDO, San.

Poeta y prelado español. Fue obispo de Toledo del 646 al 657. Por encargo de Chindasvinto corrigió el *Hexámeron* de Dracocio. Se le atribuye la reforma de los cantos litúrgicos de la Iglesia española. Espíritu dulcísimo y delicado, sensibilidad exquisita, de carácter débil—él mismo se llama *misellus Eugenius*—, fue el único gran poeta de su siglo. Cantó con suma sencillez y gran emoción el heroísmo de los santos, la paz, el amor, la dignidad de la senectud, la inestabilidad de las cosas humanas... Flageló el vicio, el odio... Su versificación fue sumamente variada: hexámetros épicos, trímetros trocaicos, dísticos elegíacos, yámbicos, sáficos. Y en algunas de sus composiciones cambió, con gran audacia, hasta cuatro veces el metro.

No fue, no, San Eugenio un lírico genial; pero sí fue, sí, un poeta muy sugestivo, muy digno de alabanza y de la inmortalidad de que goza, precisamente por su sencillez, por su emoción, por su delicadeza...

Edición: F. Vollmer, en *Monumenta Germaniae Historica, Auctores antiquissimi*, tomo 14, Berlín, 1905, págs. 229-291.

V. ILDEFONSO DE TOLEDO, San: *De viris illustribus*, cap. 14.—MADOZ, José: *Escritores de la época visigótica*, en el tomo I de la *Historia general de las literaturas hispánicas*. Barcelona, 1949.—MENÉNDEZ PIDAL, R.: *Historia de España* (dirigida por...). Tomo III: *España visigótica*. Madrid, Espasa-Calpe, 1940.

E

EULOGIO DE CÓRDOBA.

Prelado, erudito y apologista español. Nació en Córdoba, a principios del siglo IX, y perdió su vida—859—en Córdoba, a manos de los musulmanes, en defensa de la fe de Cristo. Se conocen los detalles de su existencia por el libro que sobre él escribió su entrañable amigo Paulo Alvaro.

Se dedicó a la carrera eclesiástica en el templo de San Zoil, bajo la dirección del abad Speraindeo, y teniendo como discípulo a Paulo Alvaro, aun cuando este no pensaba en ser sacerdote. Desde el año 848 viajó Eulogio por toda la España cristiana, recogiendo de sus monasterios copias manuscritas de libros desconocidos en Córdoba: la *Ciudad de Dios,* de San Agustín; la *Eneida,* los *Epigramas* de Juvenal y de Aldhelmo, las poesías de Horacio, las *Fábulas* de Avieno, varios opúsculos de Porfirio...

Recrudecida la persecución contra los cristianos en la España musulmana, se suscitó la cuestión de si era lícito o no presentarse voluntariamente para ser martirizados. En defensa de los mártires escribió Eulogio de Córdoba el *Memoriale Sanctorum* (851-856), en sobrio estilo y elogiado hiperbólicamente por Paulo Alvaro. Encarcelado por los musulmanes, Eulogio redactó su *Documentum martyriale,* dedicado a las vírgenes Flora y María, como una exhortación al martirio. Puesto en libertad, aún escribió su *Apologeticus sanctorum martyrum* (857-858). Elegido arzobispo de Toledo, no llegó a posesionarse de su sede, y murió mártir en 859.

Edición del cardenal Lorenzana, reproducida por Migne, en su *Patrol. lat.,* tomo 115, columnas 731-870.

V. PÉREZ DE URBEL, Fr. Justo: *San Eulogio de Córdoba.* Madrid, "Voluntad", 1928.—MENÉNDEZ PELAYO, M.: *Heterodoxos españoles.* Madrid, 1880, tomo I.—SIMONET, F. J.: *Historia de los mozárabes de España.* Madrid, 1897-1903.—DOZY, R.: *Historia de los musulmanes de España.* Madrid, "Col. Universal", Calpe, 1920.

EXIMENIS, Francisco (v. Eiximenis, Francesc).

EZQUERRA ABADÍA, Ramón.

Historiador y literato. Nació en 1904 en Almuniente (Huesca). Reside en Madrid desde 1913. Doctor en Filosofía y Letras. Catedrático de Geografía e Historia del Instituto Lope de Vega, de Madrid. Profesor de la Universidad Central. Jefe de Sección del Instituto Fernández de Oviedo del Consejo Superior de Investigaciones Científicas. Miembro del Instituto de Estudios Madrileños.

Obras: *La capilla de la Concepción del Colegio Imperial*—1927—, *La conspiración del duque de Híjar (1648)*—"Premio Nacional de Literatura, 1934"—, *Moctezuma y Atahualpa en los jardines de Aranjuez*—1948.

EZRA, Abraham Ibn.

Célebre escritor español. Nació en Toledo —1092—. Murió en Rodas—1167—. (El docto Millás afirma que nació en Tudela y que murió en Calahorra.) En los escritos medievales se le nombra *Abraham Judaeus, Abendre y Avenara.* Exegeta maravilloso, mereció los sobrenombres de el *Sabio,* el *Grande,* el *Admirable.* Fueron proverbiales sus conocimientos como gramático, poeta, médico, astrónomo y filósofo. Viajó durante toda su vida, estudiando las lenguas cultas, por Italia, Francia y Egipto.

Su obra principal es un *Comentario sobre los Libros Santos,* en veinticuatro libros, impreso en Venecia—1526—, y reimpreso, parcialmente, en Constantinopla—1532—, París —1556, 1563, 1570—y Utrecht—1556—. La parte relativa al *Pentateuco* había sido publicada con anterioridad—1488—en Nápoles. Esta edición es de extraordinaria rareza. De Abraham Ibn Ezra nos son conocidos otros libros: una obra moral titulada *Chai-Ben-Megir,* es decir, *Vive el hijo que resucitó;* el *Libro de los seres animados,* en el que se prueba la existencia de Dios por la perfección estructural de los vivientes—obra escrita en árabe y traducida al hebreo por Jacob ben Alphander—; sus *Rimas y poemas,* que publicó, traducidos al alemán, Rosín, en 1885; *Initium Sapientiae,* y un poema de setenta y tres versos hebraicos sobre el juego de ajedrez, titulado *Delicias del rey* —*Mahadanne Melech*—. Abraham Ibn Ezra fue el primer expositor y defensor, en España, de las ideas platónicas.

V. AMADOR DE LOS RÍOS, José: *Historia social, política y religiosa de los judíos en España.* Madrid, 1875.—MENÉNDEZ PELAYO, M.: *La ciencia española.* Madrid, 1887.—MILLÁS VALLICROSA, J. María: *La poesía sagrada hebraico-española.* Madrid, 1940.—MUNK, S.: *Mélanges de philosophie juive et arabe.* París, 1.ª edición, 1857.—GRAETZ, H.: *Geschichte der Juden.* Leipzig, 4.ª edición, tomos 5-8.—GRAETZ, H.: *Les Juifs d'Espagne.* Versión francesa de Stenne. París, 1872.—SACHS, M.: *Die religiöse Poesie der Juden in Spanien.* 2.ª edición, Berlín, 1901.—BONILLA SAN MARTÍN, A.: *Historia de la filosofía española. Siglos VIII-XII* (Judíos). Madrid, 1911.—BAER, Fritz: *Die Juden in Spanien.* Berlín, 1928.—BACHER, William: *Abraham ibn-Ezra als Grammatiker.* Budapest, 1881.—BRACHER: *Ibn Esras Einleitung zu seinem Pentateuch Kommenter.* Viena, 1876.—BRACHER: *Und Abraham ibn Esras al Grammatiker.* Estrasburgo, 1882.

EZRA, Mosé Ibn.

Poeta judío español. Nació—entre 1055 y 1060—en Granada. De ilustre familia. Una gran fortuna le permitió llevar, durante su juventud, una vida placentera dedicada al amor, al vino y a la poesía. Habiendo contraído matrimonio muy de su gusto, modificó sus costumbres, y en algunas de sus poesías exaltó con fervor a la esposa y a los hijos. La invasión almoravide le obligó a emigrar a Castilla, donde vivió precariamente. Parece que en su vagar recorrió Navarra, Aragón, llegando hasta Barcelona. Y en muchas ocasiones, sus amigos tuvieron que socorrerle para que no pereciera de hambre. No se sabe la fecha cierta de su muerte, pero parece que hay que colocarla hacia 1138. Su fiel amigo Yehudá ha-Leví dedicó una sentida elegía a llorar las desgracias que se cebaron en la ilustre y noble familia de los Ibn Ezra.

Poco después de haber contraído matrimonio publicó Ibn Ezra su obra poética *Séfer ha-anaq (Libro del collar)*, escrita en rimas homónimas y dividida en diez capítulos, con temas propios de los años mozos del autor.

Ibn Ezra dejó 245 composiciones profanas, que son las contenidas en su *Diván*. Sus poesías sagradas, posiblemente otras tantas, aún no han sido reunidas. Y precisamente entre estas están las que le han dado más fama: las *penitenciales*, hasta el punto de merecerle el calificativo del "poeta penitencial" por antonomasia.

Edición: H. Brody, *Xiré ha-hol: Poesías profanas de Mosé Ibn Ezra,* vol. I, Berlín, 1935.

V. Brody, H.: *Estudio y notas* en la edición de Berlín, 1935.—Millás Vallicrosa, José María: *La poesía sagrada hebraico-española.* Madrid, 1940.—Millás Vallicrosa, José María: *Literatura hebraico-española,* en el tomo I de la *Historia general de las literaturas hispánicas.* Barcelona, 1949.—Amador de los Ríos, José: *Historia... de los judíos de España...* Madrid, 1875-1876. Tres tomos.—Kayserling, M.: *Romanische Poesien der Juden in Spanien.* Leipzig, 1859.

E

F

FABANI, Ana Teresa.

Poetisa y novelista argentina. Nació —1922—en Concepción del Uruguay y murió—1949—en Buenos Aires. En esta ciudad siguió sus estudios hasta alcanzar el título de maestra normal. Vivió algunos años en Mendoza, atendiendo a su salud, muy precaria, y enviando crónicas muy bellas a los diarios *Clarín* y *La Nación.* Los últimos años de su doliente y breve existencia los pasó en un sanatorio de la capital argentina.

De su poesía escribió un crítico argentino, Córdoba Iturburo: "El pensamiento de la muerte, el sentimiento mejor, domina esta poesía con su magia nocturna de hielo, de soledad y de oscuridades. Pero esta voz no está enamorada de la muerte, sino de la vida..."

Obras: *Nada tiene nombre*—p o e m a s, 1949—, *Mi hogar de niebla*—novela póstuma, 1950.

V. CÓRDOBA ITURBURO: Prólogo a *Nada tiene nombre.*—RUIZ, Luis Alberto: *Los ojos cerrados.* (Gran Requiem por Ana Teresa Fabani.) 1951.

«FABIÁN VIDAL» (v. Fajardo Fernández, Enrique).

FABIÉ ESCUDERO, Antonio María.

Literato y académico e s p a ñ o l. Nació —1834—en Sevilla. Murió—1899—en Madrid. Doctor en Farmacia y en Ciencias Exactas, Físicas y Naturales. Ateneísta de noble y sutil facundia. Redactor de *El Contemporáneo*—fundado por Salamanca—, la *Correspondencia de España* y *El Diario de Barcelona.* Diputado a Cortes varias veces. Senador. Académico de las Reales de la Lengua y de la Historia. Político conservador. Ministro—1890—de Ultramar. Presidente del Tribunal Supremo de lo Contencioso-Administrativo y del Consejo de Estado. Presidente de los Congresos americanistas celebrados en Copenhague—1886—y en Turín —1889.

Obras: *Vida y escritos de fray Bartolomé de las Casas*—1897—, *Vida y escritos de Diego López de Villalobos, médico de Su Majestad el emperador Carlos V*—1882—,

comentarios y notas a los *Diálogos de la vida del soldado de Núñez Alba, Colección de documentos inéditos para la historia de España,* con comentarios y notas—1890—, *Recuerdos de Sevilla, El cortesano de Baltasar Castiglione*—con prólogo y notas—, *Discursos parlamentarios...*

FACIO, Justo A.

Poeta y prosista de origen panameño. 1859-1931. Nació en Santiago de Veraguas, que entonces pertenecía a la Federación colombiana. Se educó y formó en Costa Rica, República en la que se nacionalizó. Tomó parte activa en la política, colaborando en *La República, El Pueblo, La Prensa Libre, Diario del Comercio, Revista de Costa Rica.* Maestro e inspector de escuelas públicas. Ministro de Instrucción Pública. Rector del Instituto Nacional, fundado por él. Presidente del Ateneo. Representante diplomático de Costa Rica en varios países de la América Central.

Sus *poesías*—muy inspiradas y personales, dentro de un mitigado romanticismo—aparecieron en distintas publicaciones. El buen decir, lo impecable de la forma fueron sus ideales como escritor. Y forjó sus estrofas como los cinceladores, pensando en alcanzar la perfección clásica. Famosísima es su composición *Mármol griego.*

V. SOTELA, Rogelio: *Escritores y poetas de Costa Rica.* San José, 1923.—BOLÍVAR CORONADO, Rafael: *Parnaso costarricense.* Barcelona, Maucci, 1921.—ORY, Eduardo de: *Los mejores poetas de Costa Rica.* Madrid, [¿1918?].

FAJARDO FERNÁNDEZ, Enrique.

Literato y periodista español. Popularizó el seudónimo de "Fabián Vidal". Nació—1884—en Granada. Murió—¿1946?—en México. Inició su labor de periodista en el bisemanario granadino *El Radical.* Redactor-jefe de *El Noticiero Granadino.* En 1905 se trasladó a Madrid y entró en la *Correspondencia de España.* Enviado especial de este periódico en Francia durante la gran guerra mundial de 1914-1918. Redactor de *El Sol.* Director de *La Voz,* de Madrid. Colaborador en la prensa española y en la hispanoamericana. Buen prosista.

Obras: *Crónicas de la Gran Guerra, Pasión*—novela—, *Crónicas de "Fabián Vidal"...*

FALLÓN, Diego.

Poeta colombiano. Nació—1834—en Santa Ana (Tolima). Murió—1905—en Bogotá. Se educó en Inglaterra, primero en un colegio protestante y después con los jesuitas. Ingeniero por el Colegio de Newcastle. Gran músico y compositor, autor de un *Nuevo sistema de escritura musical*. Conversador desordenado y fantástico, observador agudo y de brillante ingenio, poeta poco fecundo, de forma cincelada y de un romanticismo de anhelos trascendentes y de aspiraciones sobrenaturales. Por su objetividad y primor formal, cabe colocarle entre los parnasianos, aun cuando revela, ya lo hemos indicado, secuencias románticas. Perteneció a la Academia Colombiana y fue miembro correspondiente de la Real Academia Española de la Lengua.

Entre sus poemas sobresalen: *La luna, A la palma del desierto, Las roscas de Suesca, El rayo, En la montaña, Reminiscencias...* Sus *Poesías* fueron editadas en Bogotá —1882—, con un prólogo de Miguel Antonio Caro.

Según el gran crítico Carlos Arturo Caparroso: "No se presentan en Fallón la violencia y el desbordamiento poéticos tan frecuentes en muchos cantores de la época. Su lirismo es sobrio y ponderado, hasta donde ello es posible dentro de su filiación romántica. Una de las particularidades de Fallón fue su culto apasionado por nuestra naturaleza. Sus mejores poemas están construidos con temas y paisajes colombianos. Dominaba, sin dejarla desviarse tumultuosamente, su copiosa inspiración, y por eso, y a pesar del sentido cósmico y trascendental que la caracteriza, su obra es una significativa muestra de limitación poco frecuente en nuestras letras."

V. CAPARROSO, Carlos Arturo: *Antología lírica*. Bogotá, 1951.—CARO, Miguel Antonio: Prólogo a la edición de *Poesías*. Bogotá, 1882.—GÓMEZ RESTREPO, Antonio: *Historia de la literatura colombiana*. Bogotá, 1938.—VALERA, Juan: *Cartas americanas*. Madrid, 1889.—AÑEZ, Julio: *Parnaso colombiano*. Bogotá, 1887.

FARADI, Abu-l-walid 'Abd Allah al-.

Historiador, bibliógrafo y jurisconsulto musulmán español. Nació—962—y murió —1013—en Córdoba. Reunió una de las mejores bibliotecas de su ciudad natal. Realizó un largo viaje a la Meca. Cadí de Valencia. De regreso en Córdoba fue asesinado bárbaramente por los berberiscos, quienes se habían apoderado de la ciudad.

Obras: *Historia de los varones doctos de Al-Andalus, Historia de los poetas arábigo-españoles*.

FARIÑA NÚÑEZ, Eloy.

Poeta y prosista paraguayo. 1885-1929. Una de las más puras glorias de las letras paraguayas. Inició sus estudios de Humanidades y Filosofía en el Seminario de Paraná (República Argentina). Pero abandonó la carrera eclesiástica, poseyendo ya unos vastísimos conocimientos de latín, griego, filosofía, música y letras clásicas. Vivió casi siempre en la Argentina, pero se mantuvo, sin claudicaciones, en estrechas relaciones con la cultura y con los destinos de su patria.

Su poesía corresponde a un modernismo de inspiración neoclasicista o parnasiana. Fue llamado *Guaraní de alma helénica*.

Obras: *Ante las ruinas de Humaitá, Canto secular*—1911—, *Cármenes*—1922.

V. DE VITIS, Michael A.: *Parnaso paraguayo*. Barcelona, Maucci, 1924.—BUZÓ GOMES, S.: *Indice de la poesía paraguaya*. Buenos Aires, edit. Tupá, 1943.—CENTURIÓN, Carlos, R.: *Historia de las letras paraguayas.*—PANE, Ignacio A.: *La intelectualidad paraguaya*, en el *Album Gráfico del Paraguay*, 1911.—DÍAZ PÉREZ, Viriato: *La literatura boliviana*, en el tomo XII de la *Historia universal de la literatura*. Buenos Aires, Uteha Argentina, 1940.

FATONE, Vicente.

Filósofo y ensayista argentino. Nació —1903—en Buenos Aires. Doctor en Filosofía. Catedrático de Metafísica y Lógica en la Facultad de Ciencias Educativas de la Universidad Nacional del Litoral (Paraná). Profesor de Historia del Teatro Antiguo en el Conservatorio Nacional de Música y Arte Escénico. En 1937 estuvo en la India—con una beca de la Comisaría Nacional de Cultura—para estudiar la filosofía de la India antigua.

Obras: *Misticismo épico*—1938—, *Sacrificio y gracia*—1931—, *Brahmanas pati, el Señor de la Plegaria*—1940—, *Introducción al conocimiento de la filosofía de la India* —1942—, *Problemas de la Mística*—1947—, *El existencialismo y la libertad creadora* —1948—, premiada con la "Faja de Honor" de la Sociedad de Autores Argentinos—, *Lógica y teoría del conocimiento*—1951—, *Introducción al existencialismo*—1953...

FEIJOO Y MONTENEGRO, Benito Jerónimo.

Extraordinario erudito, ensayista y crítico español. Nació—1676—en Casdemiro, alde-

F

huela de la feligresía de Santa María de Melías, obispado de Orense, a dos leguas de esta ciudad. Murió en 1764. A los catorce años profesó en el monasterio benedictino de San Julián de Samos. Estudió en Salamanca. Fue profesor de Filosofía en los colegios de Samos y San Vicente, de Oviedo. Obtuvo la cátedra de Teología en la Universidad ovetense, ejerciendo el profesorado durante cuarenta años. De todos los países europeos llegaban hasta su retiro estudiantes y profesores, ávidos de sus enseñanzas. Y su correspondencia—respuestas a innumerables consultas—era tan excesiva, que había de dedicarle muchas horas diarias, lo cual le producía no poco disgusto, ya que le robaba a sus estudios un tiempo precioso. Nombrósele maestro general de su Orden, con voto perpetuo en el Capítulo. Tres veces desempeñó el cargo de abad de su colegio. La sordera y la debilidad de piernas fueron sus únicos achaques hasta los ochenta y siete años. En marzo de 1764 sufrió un ataque de fiebres y quedó casi sin habla. Aún vivió hasta el mes de septiembre, en cuyo día 26 falleció. Residía a la sazón en Oviedo y fue enterrado en el crucero de la iglesia de San Vicente. Encima se puso una lápida con una sencilla inscripción, en versos macarrónicos, que él mismo había redactado:

> Aquí yace un estudiante
> de mediana pluma y labio,
> que trabajó por ser sabio
> y murió, al fin, ignorante.

Feijoo era alto, enjuto, prócer, pálido. Tenía los ojos vivísimos y una complexión sana. Hablaba poco y despacio. Dormía apenas cuatro horas. Y rara vez abandonó sus escondrijos provincianos. La corte y los cortesanos infundíanle un santo temor...

A pocos hombres insignes ha interesado tanto el mundo con sus *porqués* y con sus *cómos* como al benedictino español Feijoo. Y no con un interés efímero y circunstancial o egoísta, sino otro deshumanizado, esto es: justo y puro. Cuantas interrogantes, cuantas admiraciones fue abriendo la vida ante la curiosidad alerta y buida de nuestro escritor, fueron resueltas naturalmente por este, quien desechaba la cáscara y saboreaba la almendrilla con un regodeo moroso de buen catador. Si Feijoo se equivocó en alguna de sus apreciaciones, si en otras no caló más hondo, débese a que él contempló el espectáculo vital *a vista de pájaro*. Aun viviendo muchos años, sus apremios y curiosidades fueron tantos y tan diversos, que no pudo perder el tiempo en comprobaciones ni en enmiendas. Tenía prisa y buen ojo, y con prisa se yerra algunas veces.

El padre Feijoo ha sido, sin duda alguna, el primer ensayista español moderno. Tuvo una curiosidad perenne, inquieta, como una rosa de los vientos. Tuvo unos afanes gloriosos de superación. Tuvo la obsesión del error, de la ignorancia y de la indiferencia. Tuvo una cultura general muy grande, un estilo cortado y ágil, y un sutil tacto crítico, y un fino alambicamiento de efectos y consecuencias. ¿No son tales las mejores virtudes del ensayista?

Feijoo amó la diversidad. ¿Cómo podía él dedicar años a un tema, por sugestivo que fuese, cuando tantos temas distintos se le brindaban a cada momento? Era lo del lego hambriento y glotón en la huerta, que, por picar de acá y de allí y dejar las guindas por las ciruelas y estas por los albérchigos, acababa por probar de todo, a gusto y bien, pero sin sacar de nada la debida delicia definitiva. Pero lo que se diría Feijoo: otros vendrán que amplíen y completen y rectifiquen los comezones que yo dejo así: apuntados y bien al descubierto, y dignos de nota inmarcesible.

Y ha sucedido lo que pensó Feijoo. Se le ha rectificado mucho. Se le ha desechado bastante. Pero en pie quedan los temas que él, fino sabueso, levantó de los surcos y de entre las malezas tupidas. Su búsqueda incansable ha estimulado a los más altos pensadores de España. Feijoo empezó *a encontrar a España*. Feijoo acostumbró a España a pisar fuerte, a sentir hondo y a pensar mucho. Y a equivocarse algunas veces, lo cual es mucho más divertido y humano que no equivocarse nunca.

Los escritos innumerables del padre Feijoo están caracterizados por su tendencia crítica, por su afición al método experimental, por su espíritu abierto a todas las manifestaciones extranjeras de la cultura, por su incansable deseo de reforma y mejora de los estudios en España, por su intransigencia absoluta con el error, la superstición y la ignorancia.

Ciento dieciocho disertaciones comprenden los nueve tomos de su *Tratado crítico*, y ciento sesenta y tres las contenidas en los cinco volúmenes de las *Cartas eruditas*, verdaderos *ensayos* por su extensión, por su desarrollo y por su dialéctica. En cuatro grandes grupos puede incluirlos con acertado criterio revelador: 1.º Ensayos de Medicina y ciencias. 2.º Ensayos de Filosofía y materias afines y relacionadas con ella. 3.º Ensayos de Literatura. 4.º Ensayos referentes a las supersticiones y errores.

Para el crítico francés Laborde, Feijoo abarcó todos los conocimientos de su época, y todos de una manera profunda; escribió con un estilo sencillo, claro, metódico; desplegó una crítica recta, atrevida y fecunda; rompió las cadenas de los prejuicios y echó por tierra la astrología judiciaria; fue el honor de su patria y el sabio de todo el mundo y de todos los siglos. Nuestro Menéndez Pelayo comentó de él así: "¡Cuánta y cuán varia y selecta cultura, aunque, por lo general, de segunda mano! ¡Cuánta agudeza, originalidad e ingenio en lo que especuló de suyo! ¡Qué vigor en la polémica y qué brío en el ataque! ¡Qué recto juicio en casi todo y qué adivinaciones y vislumbres de futuros adelantos!... Lo que pierde en profundidad lo gana en extensión... Peregrino incansable por todos los caminos de la mente humana, pasó sin esfuerzo de lo más encumbrado a lo más humilde, y firme en los principios fundamentales, especuló ingeniosa y vagamente de muchas cosas y divulgó verdades peregrinas..."

Feijoo tuvo, como no podía ser menos—ya que revolvió muchos intereses y concretó ridiculeces tremebundas—, numerosos enemigos y numerosos admiradores. Entre los primeros: el doctor Aquenza, Suárez de Ribera, Armesto y Osorio, Rodrigo Soto, Salvador José Mañer... Entre los segundos: el padre Martín Sarmiento, el médico Martín Martínez, el padre Isla, el rey don Fernando VI—que le nombró su consejero honorario y que publicó una real pragmática prohibiendo que fueran impugnadas las obras de Feijoo—, el rey don Carlos III —que le regaló las *Antigüedades de Herculano*—, el Pontífice Benedicto XIV, el cardenal Luinni...

En 1742 ya estaban traducidos al francés algunos de sus ensayos. En 1777 aparecieron en inglés. Tres veces durante el siglo XVIII se imprimieron en italiano—Nápoles, 1743; Roma, 1744, y Génova, 1745—. En alemán—1790—sus discursos médicos, y todo su *Teatro crítico* al año siguiente.

Obras de Feijoo: *Teatro crítico universal* —Madrid, 1765, ocho tomos—, *Obras apologéticas*—Madrid, 1765—, *Cartas eruditas y curiosas*—Madrid, 1765, cinco volúmenes.

Otras ediciones interesantes: *Teatro crítico, cartas, apología e índice general*, Madrid, 1777, en 16 volúmenes; *Demostración crítico-apologética del "Teatro crítico"*, Madrid, 1839; *Obras escogidas*, en la "Biblioteca de Autores Españoles", tomo LVI; *Obras escogidas*, en "Clásicos Castellanos", Madrid, 1925, con prólogo y notas de Agustín Millares Carlo, cuatro tomos; *Ensayos escogidos*, Madrid, 1945, Editorial Manuel Aguilar; *Antología*, edición de J. Entrambasaguas, en "Breviarios del pensamiento español", Madrid, 1942, tres tomos.

V. Millares Carlo, Agustín: Prólogo a las *Obras escogidas*, en "Clásicos Castellanos".—Millares Carlo, Agustín: *Feijoo y Mayáns*, en *Revista Filol. Esp.*, 1925.—Me-

néndez Pelayo, M.: *Heterodoxos españoles.* 2.ª edición, tomo V, y 1.ª edición, tomo III.— Marqués y Espejo, A.: *Diccionario feijoniano*. Madrid, 1802.—Pardo Bazán, Emilia: *Examen crítico de las obras del P. Feijoo.* Madrid, 1877.—Morayta, M.: *El P. Feijoo y sus obras.* Orense, 1876.—Sempere y Guarinos: *Escritores del reinado de Carlos III.* Tomo III.—López Peláez, A.: *Los escritos de Sarmiento y el siglo de Feijoo.* La Coruña, 1902.—Montero Díaz, Santiago: *Las ideas estéticas del P. Feijoo*, en *Boletín de la Universidad de Santiago*, 1934.—Marañón, Gregorio: *Las ideas biológicas del P. Feijoo.* Madrid, Espasa-Calpe, 1934.— Entrambasaguas, J.: *Estudio biográfico-crítico*, en "Breviarios del pensamiento español". Madrid, 1942.—Delpy, J.: *Feijoo et l'esprit europeen.* París, 1937.—Arenal, Concepción: *Juicio crítico de las obras de Feijoo*, en *Rev. Española*, LV, 110, 187, 398...— Macías, M.: *Elogio de Feijoo.* 1887. "Biblioteca Gallega", XII.—Santos, J.: *Indice de las obras de Feijoo.* Madrid, 1774 y 1785.— Pérez-Rioja, José Antonio: *Proyección y actualidad de Feijoo.* Madrid, Instituto Estudios Políticos, 1965.

FELIPE, Carlos.

Narrador, cronista y autor dramático cubano. Nació—1914—en la Habana. Estudió las primeras letras con los Escolapios de Guanamacoa. Careciendo de recursos, hubo de abandonar los estudios para ejercitar varios oficios: camarero, empleado de Aduanas... Autodidacta. Domina varios idiomas. De enorme vocación dramática, falto de apoyo, hubo de valerse de los concursos públicos para llegar a estrenar sus primeras obras. En 1939 obtuvo el "Premio Nacional de Teatro" con *Esta noche en el bosque*. En 1947 ganó el primer premio en el Concurso del Teatro ADAD con *El Chino*. Cuatro años después volvió a conseguir el "Premio Nacional" con *El travieso Jimmy*. Carlos Felipe cultiva un teatro en el que se armonizan la poesía y el realismo, el humor sutil y la ternura. Y domina el diálogo con una gran maestría.

Obras: *El divertido viaje de Adelita Cossi, Tambores, Capricho en rojo, Ladrillos de plata...*

FELIPE CAMINO, León.

Notable poeta español. Nació—1884—en Tábara (Zamora). Murió—1969—en México. Su infancia transcurrió en Salamanca. Estudió el bachillerato en Santander y la carrera de farmacéutico en Valladolid y Madrid. Durante algún tiempo ejerció su profesión en algunos lugares de la Alcarria. Varios años trabajó como actor en diversos teatros de

F

España y América. Más tarde desempeñó lectorados de español en distintas Universidades americanas.

Su primer libro, *Versos y oraciones del caminante*—1920—, le hizo famoso entre las minorías literarias.

Con el mismo título publicó—1930—en Nueva York su segundo libro poético. Y en Madrid—1935—, una *Antología*, en la que está contenido su poema *Drop a star*, dinámico y fuerte, impresionante y sugeridor.

León Felipe delata en sus primeras composiciones ciertas reminiscencias de Unamuno y Antonio Machado. Después sufrió, en la forma y en el fondo, las influencias del superrealismo.

León Felipe, ya plenamente reafirmado en sí mismo, libre de toda escuela y de cualquier rito poético, es un poeta de esencia sentimental, de honda ternura teñida de claro lirismo, de impresionante desnudez expresiva; a veces, de un fogoso dinamismo; en ocasiones, renovador violento de una temática mecánica. Y siempre interesante y original, intenso y cálido.

Otras obras: *El hacha*—1944—, *Ganarás la luz*—1944—, *Antología*—1947—, *La insignia*—1937—, *El payaso de las bofetadas y el pescador de caña*—1938—, *Español del éxodo y del llanto*—México, 1939—, *El gran responsable*—México, 1940—, *Poeta promoteico*—México, 1942—, *Ganarás la luz*—México, 1943—, *Parábola y poesía*—México, 1944—, *Llamadme publicano*—México, 1950—, *El viento y la paz, De Antofagasta a La Paz, El ciervo*—México, 1958.

V. VALBUENA PRAT, A.: *Historia de la literatura española*, 1946. Tomo II.—TORRE, Guillermo de: *León Felipe, poeta del tiempo agónico*, en *La Aventura y el Orden*. Buenos Aires, 1943.—DÍAZ-PLAJA, Guillermo: *Poesía lírica española*. Barcelona, 1948, 2.ª edición.

FELÍU Y CODINA, José.

Periodista, novelista y dramaturgo español. Nació—1847—en Barcelona. Y murió—1897—en Madrid. Abogado. Desde muy joven se dedicó al periodismo, colaborando en *La Rambla, La Barretina, Lo Tros de Paper, Lo Noy de la Mare*. Fundó los semanarios *La Pulilla*—1867—y *Lo Nunci*—1877—y el diario *La Jornada*. Establecido definitivamente en Madrid el año 1886, fue redactor de *El Imparcial, La Democracia* y *La Iberia*.

De gran ingenio y de temperamento neorromántico, todos los escritos de Felíu y Codina son dignos de estima. Pero su fama la debe a sus producciones escénicas escritas en castellano. Felíu se mostró en ellas discípulo aventajado de Echegaray; sin embargo, con muchos matices propios y dueño de una técnica personal.

Recorriendo con entusiasmo y fervor distintas regiones españolas, intentó Felíu llevar al teatro las palpitaciones del corazón del pueblo, con su peculiar idiosincrasia y sus pintorescas maneras de expresión y manifestación etnográfica. El resultado de tales estudios fue la producción de sus dramas *Miel de la Alcarria, María del Carmen* —premiado en 1896 por la Academia Española como el mejor estrenado aquel año—, *La real moza, Boca de fraile* y el popularísimo *La Dolores*, estrenado en el teatro de la Comedia, de Madrid, con éxito enorme, y convertido más tarde en drama lírico, al que puso música el maestro Tomás Bretón.

Felíu llevó al teatro su naturalismo sano y vigoroso.

Otras obras escénicas: *El buen callar, Un libro viejo, La balada de la rosa, El camaleón, Ocaso y aurora, Amor y nervios, Los ovillejos*—obra póstuma, a la que puso música el maestro Granados.

Novelas: *Mateo Bardella, La millonaria, Las hadas del mar, La Dolores (historia de una copla)*. Felíu escribió también muchas novelas y obras teatrales en catalán.

V. TUBINO, Francisco M.: *Historia del renacimiento literario en Cataluña...* Madrid, 1877.—MOLÍNS, Elías de: *Diccionario de escritores... catalanes*. Barcelona, 1886.—LA LECTURA POPULAR. Cuadernos 147 y 271. Barcelona, 1911.

«FERNÁN CABALLERO» (v. Böhl de Fáber, Cecilia).

FERNÁNDEZ, Juan Rómulo.

Historiador y periodista argentino. Nació—1884—en San Juan. Desde muy joven se dedicó al periodismo, habiendo dirigido el diario *La Provincia* y colaborado en incontables diarios y revistas. Diputado por la provincia de San Juan.

Juan Rómulo Fernández, exaltador continuo de su patria chica, es un escritor reposado y castizo, concienzudo y con un gran sentido de la superación. No le interesa acumular títulos de libros, sino *crearlos* gozosamente, meticulosamente, atento a su valor de perennidad y de trascendencia.

Obras: *La provincia de San Juan*—en colaboración con Alberto Castro—, *Civilización argentina, Historia de San Juan, Historia del periodismo, Saavedra y la revolución de mayo, Serranía*—1930—, *El valle de Tulún Aberastain y las autonomías provinciales, Sarmiento*—biografía—, *Hombres de acción, San Juan: 1810-1862, Historia del periodismo argentino...*

FERNÁNDEZ, Lucas.

Famoso autor dramático español. Nació —¿1474?—y murió—¿1542?—en Salamanca. No sé por qué siempre nos hemos imaginado al castellanísimo Lucas Fernández con una apariencia física miguelangelesca. Grandote. Pesado. Poco ceremonioso. Brusco de ademanes. Bronco de voz. Vultuoso de miradas. Tipo de evangelista colosal para colocar en el nicho de un retablo mayor, a quince metros de altura. Un San Mateo, sin ángel—y sea *ángel* ser empíreo, y sea *ángel* imagen retórica, y ya casi populachera, de lo gracioso y de lo ágil—; o un San Lucas sin toro. Y signifique esto como la pérdida de cuanto de garbo y emotivo tiene el lance taurómaco.

Nació en Salamanca. Fue hijo de María Sánchez y de Alfonso de Cantalapiedra. Por entonces, las piedras de Salamanca ya tenían la pátina de lo ilustrísimo; ya se recortaban con la netitud suficiente para servir de fondo auriminiado a las mayúsculas de los antifonarios y de los códices y para servir de viñetas en los primeros alardes de los incunables.

En 1498, Lucas Fernández birla a Juan del Enzina el cargo de cantor de coro en la catedral. Juan del Enzina, prieto de comezones renacentistas, marcha a Italia, a desespañolizarse—cuando menos, a descastellanizarse—un tanto. Se mirará en Erasmo. Se mirará en Maquiavelo. Se mirará en los Borgia. Espejos ustorios que, como es lógico, acaban por quemarle. Lucas Fernández se queda en España, en Castilla. No le tientan las sirenas de lo imprevisto y de lo sospechado. Unicamente le seduce la voz recóndita de lo tradicional. Se enraíza bien. Será cerril y frondoso. En otros climas, Lucas Fernández se amustiaría, se apocharía. En Castilla se endurece de tronco y se afronda. Si Enzina va a representar la influencia renacentista italiana en los orígenes del drama español, él representará el aspecto puramente racial de religiosidad ardiente, de castizo castellanismo. La poética de Lucas Fernández es pía. Su piedad, poética. ¡Parece mentira en un personaje tan grandote, tan pesado, tan brusco! Cuando vive alude a lo herculeo. Cuando escribe pinta lo esencialmente delicado. Sin efectismos y sin alfeñiquismos, eso sí.

En 1501 ya eran conocidas en representaciones sus *Eglogas* y *Farsas* de las fiestas del Corpus. En 1513 consiguió un beneficio en la iglesia de Santo Tomás Canturiense, de Salamanca. Abad de clerecía lo era en 1520. Y maestro de música de la Universidad en 1526. Y sin salir de su ciudad, en la que abrió y dirigió un estudio particular, murió un día cualquiera de 1542 de una enfermedad corriente. Mucho debió de gustar Lucas Fernández de pasear por las tranquilas riberas del Tormes a hora de maitines, soslayando los olmos, sacudiéndose suavemente con las espadañas al paso. Mucho debió de gustar de las anchas solanas que dominan las huertas recónditas, de las labradas escaleras de piedra que arrancan de lo hondo de los zaguanes, de los corredores penumbrosos con una puertecilla de cuarterones al fondo, de los silloncicos de madera guarnecidos de cuero rojo y de las sillas de tijera con embutidos mudéjares, de las tablas pintadas por artistas anónimos, cuyas imágenes—mucho bermellón, mucho oro—se reflejan en el alinde de un ancho espejo colocado en la pared frontera, de las grandes cocinas con los artefactos pulidos y cacharros de azófar que cuelgan de la espetera y los cántaros y alcarrazas de vientre redondo, limpio y rezumante... Mucho debió de gustar Lucas Fernández del chiar de las golondrinas y de los vencejos en la paz de la tarde, flechas bajo el añil aéreo; del caer deshilachado, en una franja, del agua de una fuente sobre las tazas mutiladas, de mármol, rodeadas de adelfos y jazmineros; de los anchos viales de los huertos secretos entre los cipreses inmutables y oreados de un aroma penetrante de acacias; del solejar desde el que, sentado y con el codo puesto en el brazo del sillón y la mejilla reclinada en la mano, puede contemplar el panorama diamantino de claro y exquisito de colores y siluetas; de los melodiosos y lánguidos sones de un clavicordio, que en el silencio melancólico pueden llegarle de pronto; de las nubes distintas que pasan; de las luces como esmaltadas que se suceden; del quedarse absorto porque sí, y un poco triste sin porqué... Lucas Fernández debió de gustar de todo lo sencillamente, lo profundamente, lo indeleblemente castellano. Por ello su personalidad es esencialmente española, refractaria a toda influencia renacentista, eliminadora de todo síntoma humanístico. Lucas Fernández es un impresionante y típico caso de castellanismo religioso en aquella Castilla que mantenía, conviviéndolos en *El Corbacho* y en *La Celestina*, los géneros alegórico-moral y religioso del drama.

¡Parece mentira que aquel ser tan brusco, tan grandote, tan pesado, que aludía a lo hercúleo viviendo, pasara tan sencillo y leve y suave por Salamanca, amando la emoción íntima y la expresión correcta!

La obra de Lucas Fernández—de quien se presume fuera hijo de Antonio Fernández, camarero del rey Don Fernando el *Católico*, más tarde regidor de Salamanca y después sentenciado a muerte por haberse unido a los Comuneros—estuvo ignorada hasta que en los números 5 y 7 de *El Criticón*, perio-

F

diquillo de Bartolomé José Gallardo, este ingenio sutil y quisquilloso la dio a conocer. Más tarde, en 1866, al publicarse el tomo segundo de la obra magistral de Gallardo: *Ensayo de una Biblioteca española de libros raros y curiosos,* sus editores—don José Sancho Rayón y don Manuel Ramón Zarco del Valle—aprovecharon las notas del gran bibliófilo y las ampliaron convenientemente. En 1867, el buen crítico y académico don Manuel Cañete, por encargo de la Real Academia de la Lengua, estudió minuciosamente en un extenso prólogo la obra de Lucas Fernández y la reimprimió totalmente, conforme a la edición de 1514.

Las composiciones que conocemos del dramático salmantino—menos conocido que Juan del Enzina y muy digno de figurar a su lado, según opina Cañete—son siete, entre églogas, farsas y comedias.

Una comedia en la cual se introducen dos pastores, dos pastoras y un viejo, los cuales son llamados Bras Gil, Miguel Turra, Beringuella, Olalla y Juan Benito.

Un diálogo para cantar sobre: "¿Quién te hizo, Juan, pastor?"

Una farsa o cuasi comedia en la que intervienen una doncella, un caballero y un pastor.

Otra farsa o cuasi comedia en la que actúan una pastora, dos pastores y un soldado.

Una égloga o farsa del nacimiento de Nuestro Señor Jesucristo.

Una farsa o auto del nacimiento de Nuestro Señor Jesucristo.

Y el *Auto de la Pasión,* en el que intervienen San Pedro, San Dionisio, San Mateo, Jeremías y las tres Marías.

De estas siete piezas dramáticas, la última es generalmente reputada como la mejor. La más patética. La más grandiosa. En las farsas y églogas se encontrarán tiernos amores, celos graciosos, sencillas picardías, fragilidad de mujeres y plante de varones. En el *Auto de la Pasión* no se respira sino un ambiente enteramente dramático. Fue representado dentro de las iglesias. Todo es en él llanto, sangre y dolor. Trazos vigorosos. Caracteres de una pieza. Patetismo un tantico envarado, semejante al que se expresa en esas tablas pintadas del "cuatrocientos". Versos delicados, pero con la debida entereza. De la obra toda de Lucas Fernández, Cañete opina así: "Estas obras no carecen de jugo poético, pero en las cuales prevalece el elemento cómico, jocoso y alegre por lo común, aunque se desliza alguna vez desde la urbanidad y el donaire hasta tocar el límite de lo chocarrero, patentizan que las musas del teatro conocen ya el camino de la verdadera comedia de costumbres, desligada por completo de toda inspiración eclesiástica, y muestran una ciencia del diálogo

impropia de la infancia del arte, y a que están lejos de llegar muchos que hoy pasan y se tienen por escritores dramáticos."

En el *Auto de la Pasión,* sencillo y delicado, las lamentaciones del Apóstol Pedro, por haber negado a su Divino Maestro, compiten en fervor íntimo y en sonoridad grata con otras semejantes del siglo XVII, el de *oro* de nuestro teatro.

Textos: *Farsas y églogas,* ed. Academia Española, por M. Cañete, Madrid, 1867; tomo I de la *Historia y antología del teatro español,* Madrid, 1943, por F. C. Sainz de Robles; edición facsímil, Madrid, 1929, por Emilio Cotarelo.

V. GALLARDO, Bartolomé José: *El Criticón,* números 5 y 7.—GALLARDO, Bartolomé José: *Ensayos de una Biblioteca española de libros raros y curiosos.* Madrid. Tomo II, 1866.—CAÑETE, Manuel: Prólogo a la edición de la Real Academia Española de las *Farsas y églogas...,* 1867.—HERRERO, J. J.: *Lucas Fernández.* Discurso pronunciado en la Real Academia de Bellas Artes de San Fernando.—ESPINOSA MATEO: *Lucas Fernández. Estudio biográfico,* en el *Boletín de la Academia Española,* 1923.—MOREL-FATIO: *Notes sur la langue des "Farsas y églogas de Lucas Fernández".* Romania. París, 1881, pág. 239.

FERNÁNDEZ, Bachiller Sebastián.

Literato español del siglo XVI, autor de la *Tragedia Policiana,* publicada—1547—en Toledo. Declaró su nombre en las iniciales de los versos de cuatro estancias de arte mayor, leyéndose así: "El bachiller Sebastián Fernández".

Wolf encontró en la Biblioteca Imperial de Viena una segunda edición de esta obra, fechada en Toledo el año 1548, con otras estancias, en las que se decía: "Luis Hurtado al Lector", de lo que Wolf dedujo ser este y no Sebastián Fernández el autor de la *Tragedia Policiana.* Pero Menéndez Pelayo ha probado, con poderosas razones, que Luis Hurtado no fue sino el corrector, para la segunda edición de la obra.

La *Tragedia Policiana* "no se presenta, pues, como una continuación, sino más bien como preámbulo de *La Celestina,* pero es lo cierto que le sigue al pie de la letra, con personajes idénticos, con la misma intriga, y a veces con los mismos razonamientos y sentencias" (M. P.). Es más casta y recatada que las otras imitaciones del inmortal libro, pero tan realista como ellas. Posee gusto para remediarla. Su composición es elegante y rico su idioma.

Sebastián Fernández figura en el *Catálogo de autoridades* del idioma.

Edición: Menéndez Pelayo: *Orígenes de la novela.* Madrid, 1910, III, págs. 2-59.

V. MENÉNDEZ PELAYO, M.: *Orígenes de la novela*. Ed. Consejo Superior de Investigaciones Científicas, 1943, IV, págs. 128-37.— WOLF, F.: *Sobre una colección de romances españoles*.

FERNÁNDEZ DE ALARCÓN, Cristobalina.

Poetisa. Nació—1573—y murió—1646—en Antequera (Málaga). Sus contemporáneos la llamaron "la dulce antequerana Clío". Lope la alabó con entusiasmo en *El laurel de Apolo*. Espinosa la incluyó en sus *Flores de poetas ilustres*. Estuvo casada dos veces. Tuvo varios hijos. Su garrida belleza física y su garrida belleza espiritual inspiraron grandes pasiones a escritores ilustres, entre ellos a Pedro Espinosa, quien, al verse defraudado, se hizo sacerdote. Según Nicolás Antonio, sabía a la perfección el griego y el latín.

Su nombre figura en el *Catálogo de autoridades* del idioma. Ganó varios premios literarios. Algunas de sus poesías figuran en los tomos XXXV y XLII de la *Biblioteca de Autores Españoles*.

V. NICOLÁS ANTONIO: *Biblioteca Nova*.— SERRANO Y SANZ, M.: ... *Escritoras españolas*. Madrid, 1903. Tomo I.

FERNÁNDEZ ALMAGRO, Melchor.

Ensayista, historiador y crítico literario de gran prestigio. Nació en Granada el 4 de septiembre de 1893. Murió—1966—en Madrid. Hizo sus estudios en el Instituto y en la Universidad—Facultad de Derecho—de Granada, doctorándose en la de Madrid —1918.

Inició su actividad periodística, paralelamente a sus estudios universitarios, en las revistas que el Movimiento de las Juventudes Mauristas hizo surgir en toda España, fundando él en Granada el semanario *Voluntad*, en 1914.

Trasladada su residencia a Madrid en 1918, comenzó a colaborar en la Prensa diaria, entrando a formar parte de la Redacción de *La Epoca* en 1920, encargándose de la crítica teatral al cesar en ella—1922—don Eduardo Gómez de Baquero ("Andrenio"), y publicando, además, en dicho periódico artículos de tema literario e histórico.

Como crítico teatral pasó a *La Voz* en 1927 y a *El Sol* en 1933. Al fundarse, en 1934, el diario católico *Ya*, fue requerido para encargarse de la crítica teatral, colaborando, a la vez, con artículos de tema vario.

Por natural coincidencia cronológica con los escritores de su generación—la de la anterior posguerra: Salinas, Guillén, Vela, Marichalar, Jarnés, García Lorca, Gerardo Diego, Dámaso Alonso, Claudio de la Torre, Guillermo de Torre, Giménez Caballero, Eugenio Montes, Sánchez Mazas, etc., etc.—, participó en las revistas de esa época, *Revista de Occidente, La Gaceta Literaria, España, Verso y Prosa, Gallo, Revista de las Españas*, etcétera, más otras de carácter general: *Cosmópolis*, por ejemplo.

Durante la guerra civil residió en Salamanca y Burgos, colaborando en los servicios de Prensa y Propaganda.

Finalizada la guerra, y reintegrado a su residencia de Madrid, le fue encomendada la crítica literaria en *A B C* y en *La Vanguardia*, de Barcelona, que continúa ejerciendo, colaborando, además, con artículos literarios e históricos.

En 1942 fue elegido académico de número de la Real Academia de la Historia, siendo contestado en el acto de la recepción—2 de febrero de 1944—por el duque de Maura. Es también jefe de la Sección de Historia Contemporánea en el Instituto de Estudios Políticos y miembro de la Real Academia Española de la Historia desde 1951.

Colabora actualmente, a más de en *A B C*, en *España*, de Tánger; *Ideal*, de Granada; revistas *Mundo, El Español, Escorial, Semana, Vértice, Revista de Estudios Políticos, Boletín de la Academia de la Historia*, etc.

Obras: *Vida y obra de Angel Ganivet* —edit. Sempere, Valencia, 1925 ("Premio Charro Hidalgo", instituido en el Ateneo de Madrid)—, *Orígenes del régimen constitucional en España*—edit. Labor, Barcelona, 1928—, *Historia del reinado de Alfonso XIII*—Barcelona, 1933. Edit. Montaner y Simón—, *Repúblicas Centro y Sudamericanas*—época contemporánea. Barcelona, 1936 (Tomo 39 bis de la *Historia Universal*, de Oncken)—, *Catalanismo y República española*—Espasa-Calpe, 1932—, *Histoire de la révolution nationale espagnole*—París, Societé Internationale d'Editions et de Publicité, 1939—, *Jovellanos*—antología. Madrid, Editora Nacional, 1940—, *Historia de la República española* —Madrid, Biblioteca Nueva, 1940—, *Vida y literatura de Valle-Inclán*—Madrid, Ed. Nacional, 1943—, *La emancipación de América y su reflejo en la conciencia española*—Madrid, Instituto de Estudios Políticos, 1945—, *Política naval de la España moderna y contemporánea*—Madrid, Instituto de Estudios Políticos, 1946, "Premio Nacional Virgen del Carmen"—, *Cánovas: su vida y su política*. Madrid, *Revista Derecho Privado*, 1951—, *Política naval de la España moderna contemporánea*—Madrid, 1957—, *Historia política de la España contemporánea*—Madrid, 2 tomos, 1956, 1960—, *Viaje al siglo XX* —Madrid, 1962.

V. ARAÚJO COSTA, Luis: *Biografía de "La Epoca"*.—GONZÁLEZ RUIZ, Nicolás: *La litera-*

F

tura española.—HURTADO Y GONZÁLEZ PALEN-
CIA: *Historia de la literatura española.*—
MAURA, Duque de: Contestación al discurso
del excelentísimo señor don Melchor Fernández Almagro a su ingreso en la Real
Academia de la Historia, el 2 de febrero de
1944.—GÓMEZ DE LA SERNA, Ramón: *Pombo.*
GUTIÉRREZ RAVÉ, J.: *Yo fui un joven mau-
rista.*

FERNÁNDEZ DE ANDRADA, Andrés.

Famoso poeta español. Nació—hacia 1560—
en Sevilla. Murió en fecha y lugar inciertos. Se graduó—¿1591?—bachiller en Derecho canónico en la Universidad hispalense. Más tarde se le llama "capitán de armas".
Era de noble estirpe y de florido ingenio, y
se trató con lo más selecto de la intelectualidad sevillana. Con Rioja, con Arguijo, con
Rodrigo Caro...

Como poeta ha logrado una fama inmensa hace muy pocos años, al serle atribuida
la paternidad de la famosísima *Epístola moral
a Fabio,* joya incomparable de la lírica castellana, que anteriormente habíase atribuido a
Rioja.

"El hasta hace poco ignorado autor de la
Epístola moral a Fabio—escribe el docto
Méndez Bejarano en su *Historia general de
la literatura española*—se ha colocado de un
golpe entre los primeros poetas del mundo,
pues en ninguna literatura existe una epístola que pueda superar a la de Fernández
de Andrada. En boca de todo el mundo andan sus versos, a un tiempo severos y armoniosos; sus imágenes, adecuadas y oportunas; sus pensamientos, profundos y sólidos; sus expresiones, gráficas y felices. La
epístola, aun cuando parece que no se han
fijado en ello los críticos, no es propiamente
una poesía cristiana, sino un retoño de la
moral pagana, entendida con el hondo sentido de Epicteto en vez de las risueñas interpretaciones de Anacreonte y Horacio."

Durante mucho tiempo se atribuyó a Rioja la *Epístola moral a Fabio.* Pedro Estala
lo afirmó así en sus *Rimas de Bartolomé
Leonardo de Argensola*—1805—. Adolfo de
Castro descubrió en un manuscrito—del siglo XVII—de la Biblioteca Colombina una
copia de la *Epístola* con este título: "Copia
de la carta que el capitán Andrés Fernández
de Andrada escribió a don Alonso Tello de
Guzmán, pretendiente en Madrid, que fue
corregidor en México." Aun no siendo definitiva esta prueba, ya que el manuscrito es
una copia, hoy se cree a Fernández de Andrada autor de la *Epístola.* Posteriormente
acrecentaron esta creencia la aparición de
dos códices—en Madrid y Granada—con la
misma atribución a Fernández de Andrada.

"Si hay en nuestra lengua—escriben Hurtado y Palencia—alguna poesía notable por
su exquisito buen gusto, ponderación admirable en el pensamiento y en la expresión,
perfección casi inmaculada en la forma, atractiva gravedad, naturalidad y sencillez extremas libres de todo artificio, es esta prodigiosa
Epístola moral... En tercetos, verdaderamente
áureos, expuso máximas de vida desengañada,
que tienen no poco del estoicismo clásico,
templado por la luz de la fe."

La *Epístola moral a Fabio* figura por derecho propio en todas las antologías de la
poesía castellana.

V. FOULCHÉ-DELBOSC, R.: *Les manuscrits
de "l'Epístola moral a Fabio",* en *Revue Hispanique,* 1900, VII.—ARTIGAS, M.: *Algunas
fuentes de la "Epístola moral a Fabio",* en
Boletín Menéndez y Pelayo, 1925, VII, 27.—
MENÉNDEZ PELAYO, M.: *Dos opúsculos de
Adolfo de Castro,* en *Estudios de crítica literaria,* 1941, II, 233.

FERNÁNDEZ ARDAVÍN, Luis.

Gran poeta y dramaturgo español. Nació
—1891—y murió—1962—en Madrid. Cursó
el bachillerato en el Instituto del Cardenal
Cisneros, de la ciudad natal, licenciándose
en Derecho en la Universidad Central. Fue
presidente de la Sociedad de Autores Españoles y secretario de la Sección de Literatura del Ateneo de Madrid. Académico correspondiente de la de Bellas Artes de Toledo.
Estuvo en posesión de las Palmas Académicas
francesas. Y colaboró en los más importantes
periódicos y revistas de España e Hispanoamérica.

Ardavín es uno de los escritores españoles
contemporáneos más interesantes y originales. Como poeta, es un lírico intenso—intensos son los temas que le seducen—, muy
descriptivo y dramático, de felicísima versificación. Su indiscutible modernismo está
mezclado con una íntima emoción de la mejor tradición lírica española. Unamuno, Antonio Machado y Rubén Darío fueron los
primeros modelos de Ardavín. Pero bien
pronto este poeta, tan brillante como personal, eliminó de su poesía todas las influencias, y la presentó suya y cálida, exuberante de tonos y de matices, pródiga en imágenes singulares y en musicalidades exquisitas.

Acaso mayor fama que sus poesías le han
conseguido a Fernández Ardavín sus obras
teatrales. Rico en inventiva, dueño absoluto
de la técnica escénica, con grandes recursos
de expresión, maestro en la creación de personajes palpitantes, Ardavín ha dado al teatro español muchos y felicísimos éxitos. Su
fecundidad jamás ha sido conseguida con
menoscabo de la calidad. En toda la producción dramática de Ardavín destacan su ver-

so o su prosa, castizos y sonoros, limpios en sus colores enteros, el españolismo de los temás, la fuerza de las pasiones, el interés de la trama, la elevación de su moral, la trascendencia de su intención. En el año 1952 desempeñó la presidencia de la Sociedad de Autores Dramáticos de España.

Obras líricas: *Meditaciones*—1913—, *Láminas de misal y de folletín, La eterna inquietud, El Cristo mutilado, A mitad del camino.*

Obras teatrales: *El delito, La dama del armiño, El doncel romántico, El bandido de la sierra, La estrella de Justina, Doña Diabla, Rosa de Madrid, Lupe la malcasada, La vidriera milagrosa, Rosa de Francia, Vía Crucis, La cantaora del puerto, La florista de la reina, La maja, Cuento de aldea, Han cerrado el portal, El rigodón del amor, La dogaresa rubia, La sombra pasa, La reina clavel* y otras muchas.

La Real Academia Española ha premiado en varias ocasiones la producción escénica de Ardavín.

Ardavín es autor también de un tomo de cuentos muy bellos: *El hijo*—1921—, y ha traducido a Verlaine, a Goethe, a Musset, a Balzac y a Sófocles.

V. UNAMUNO, Miguel: Prólogo a *La eterna inquietud.* Madrid.—DÍEZ CANEDO, Enrique: Prólogo al libro de Ardavín *Meditaciones y otros poemas.* Madrid, 1913.—DOMÍNGUEZ BORDONA, Jesús: *Ardavín,* en *La Lectura.* Febrero 1914. Madrid.—SAINZ DE ROBLES, F. C.: Prólogo al libro *A mitad del camino.* Madrid, Aguilar, 1944.—SAINZ DE ROBLES, F. C.: Prólogo a *Tres comedias de Ardavín.* Madrid. Aguilar, 1944.

FERNÁNDEZ ARIAS, Adelardo («El Duende de la Colegiata»).

Periodista, novelista y dramaturgo español. Nació—1880—en Ubeda (Jaén). Murió —1951—en Barcelona. Estudió Leyes en la Universidad Central y se licenció en la de Salamanca. Cursó algunos de los estudios de ingeniero mecánico electricista en Zurich y Charlottemburgo. Pero abandonó toda disciplina universitaria para dedicarse al periodismo y a la literatura. Ha viajado por toda Europa y América. En 1909 fundó el diario *La Mañana,* y en 1913, el famoso periódico satírico *El Duende,* muchos de cuyos reportajes le acarrearon ruidosísimos procesos y duelos. Fernández Arias fue redactor de *La Correspondencia Militar, El Gráfico, Correspondencia de España, Heraldo de Madrid.*

Durante su prolongada estancia en la Argentina, entre 1922 y 1930, formó parte de las Redacciones de *Caras y Caretas, Crítica* y *América.* Años antes, en Italia, se dedicó intensamente a la asesoría literaria de varias entidades cinematográficas. En 1906 ingresó en la carrera consular y desempeñó su primera misión en Manila.

Obras más importantes: *Mi prima Luisa* —novela—, *El otro hogar*—novela—, *La India en llamas*—novela—, *La conquistadora de América*—novela—, *Lysistrata*—fantasía lírica, con música del famoso compositor alemán Linker—, *El asistente*—comedia—, *El tren*—comedia—, *La canción del amor*—zarzuela—, *Cuando se ama*—comedia—, *Lo más hermoso*—comedia—, *La tragedia del faro, La guarida de las fieras*—drama...

Fernández Arias, con el seudónimo de "Pedro Moreno", escribió crónicas teatrales en *El Suplemento,* de Buenos Aires. Y con el de "Jack Forbes" ha publicado algunas novelas policíacas de poco interés.

FERNÁNDEZ DE AVELLANEDA, Licenciado Alonso.

¿Quién fue el licenciado Alonso Fernández de Avellaneda, autor de la *Quinta parte del Ingenioso Hidalgo Don Quijote de la Mancha y de su andantesca caballería,* aparecida en 1614, cuando Miguel de Cervantes daba de mano a la segunda parte de su libro inmortal?

Mucho se ha conjeturado y mucho se sigue conjeturando acerca de tal incógnita desde que de las prensas de Felipe Roberto, en Tarragona, saltó a la curiosidad de las gentes este *Quijote* singular, obra desmedrada, aun cuando no del todo infeliz.

Con el acicate del éxito universal que obtuvo la primera parte, obra de Cervantes, atraído, más que por el grato olor de la fama, con la esperanza de pingües ganancias o con la malévola intención de perjudicar al alcalaíno inmortal, el literato pedantuelo y procaz, mendaz y mordaz, si se atrevió a dar a luz a un osado, segundón espurio, sintió la cobardía de prohijarlo con su nombre vulgar, pero sujeto a la chacota. Y prefirió cubrir las apariencias con un campanudo y orondo seudónimo... que no lo parecía.

El averiguar la personalidad del famoso licenciado Alonso Fernández de Avellaneda ha constituido una verdadera obsesión para los cervantistas de todas las épocas. Como si en el desenmascaramiento, acusación y coraza pública del ballacuelo imitador radicara como el descanso inmortal y fenomenal del genio alcalaíno. ¡La de nombres que se han sacado a colación para someterlo a un detenido examen erudito-crítico-interpretativo!

¡Que "era una persona muy poderosa e influyente", y que por ello no se atrevió Cervantes a desenmascararle! Así pensó muy

F

engreído Mayáns, primer biógrafo de Cervantes.

¡Que era aragonés, cosa "que se descubre y hace manifiesto por ciertas frases y modismos de Aragón"! Así opinó—1797—don Juan Antonio Pellicer.

¡Que era "dominico, aragonés, autor de comedias y protegido del poderoso confesor de Felipe III, fray Luis de Aliaga"! Así terció Martín Navarrete—1816.

¡Que era el mismísimo fray Luis de Aliaga! (Opinión de don Cayetano Rossell, don Aureliano Fernández Guerra y don Adolfo de Castro.)

¡Que era fray Andrés Pérez!

¡Que era el doctor Blanco de Paz! (Opinión de Ceán Bermúdez.)

¡Que era Juan Martí, el "Mateo Luján de Sayavedra", continuador del apócrifo *Guzmán de Alfarache*! (Opinión de Paul Groussac.)

¡Que era "un tal Alfonso Lamberto"! (Opinión de Menéndez Pelayo.)

¡Que era Guillén de Castro! (Opinión de Cotarelo Mori.)

¡Que era Tirso de Molina! (Opinión de doña Blanca de los Ríos.)

¡Que era Bartolomé Leonardo de Argensola!

¡¡Que era Lope de Vega!!

¡¡¡Que era fray Luis de Granada!!!

Todavía muy recientemente, don Francisco Vindel ha querido demostrar con muchas razones que Avellaneda no fue otro que Alonso de Ledesma, natural de Segovia, "poeta elegante e ingenioso", a decir de Nicolás Antonio en su "Biblioteca Hispana Nova", pero muy amanerado y artificioso.

Según Vindel, Ledesma fue enemigo implacable de Cervantes, conocía al dedillo los modismos aragoneses y tenía el suficiente mal gusto para lanzarse a la empresa.

Libro tan zarandeado, tan editado y tan comentado, ¿vale, como vulgarmente se dice, lo que cuesta? ¿Es su valor el simple valor de lo escandaloso? Nada de eso. Es una obra de lenguaje castizo, de admirable naturalidad, de chiste espontáneo—quizá un tanto grosero o zafio—, de fuerza cómica indudable—aun cuando abrutada—. Lo que pasa es que en modo alguno hemos de buscar sus valores comparándola con la obra maravillosa a la que intenta imitar.

Textos modernos: Edición Menéndez Pelayo, con un prólogo; ed. Bergua, Madrid, 1934; ed. "Colección Crisol", Madrid, 1944; edición Sopena, Barcelona [s. a. ¿1920?].

V. MENÉNDEZ PELAYO, M.: *El "Quijote" de Avellaneda*, en *Est. crít. literaria*, 4.ª serie. Madrid, 1907.—GROUSSAC, M. Paul: *Une énigme littéraire: Le "Don Quixote" d'Avellaneda*. París, A. Picard, 1903.—MOREL-FATIO, A.: *Le "Don Quichotte" d'Avellaneda*,

en *Bulletin Hispanique*, V, 1903.—COTARELO MORI, Emilio: *Sobre el "Quijote" de Avellaneda y acerca de su verdadero autor*. Madrid, 1934.—NIETO, J.: *Cervantes y el autor del falso "Quijote"*. Madrid, 1905.—MARTÍNEZ Y MARTÍNEZ, F.: *Don Guillén de Castro no pudo ser A. F. de Avellaneda*. Valencia, 1935. BAIG BAÑOS, A.: *Quién fue el licenciado Alonso de Avellaneda*. Madrid, 1915.—ARMAS, J.: *El "Quijote" de Avellaneda y sus críticos*. La Habana, 1884.—ESPÍN RAEL: *Investigaciones sobre el falso "Quijote"*. Madrid, 1942.—VINDEL, F.: *A. de Ledesma, autor del falso "Quijote"*. Madrid, 1941.—ASENSIO, José María: *Los continuadores del "Ingenioso Hidalgo"*, en *Revue Hispanique*, 1930, tomo LXXVIII.—J. B. S. P.: *Avellaneda*. Madrid, 1940.—SERRA VILARÓ, J.: *El rector de Vallfogona, doctor Vicente García, autor del "Quijote" de Avellaneda*. Barcelona, 1940.—MEDINA, J. Toribio: *El disfrazado autor del "Quijote" impreso en Tarragona fue fray Alonso Fernández*. Santiago de Chile, 1918.—ALONSO CORTÉS, N.: *El falso "Quijote" y fray Alonso de Fonseca*. Valladolid, 1920.

FERNÁNDEZ-BRASO, Miguel.

Periodista, crítico y narrador. Ignoramos la fecha y el lugar de su nacimiento, pues ha dado la callada por respuesta a nuestras preguntas. Pero la fecha de su nacimiento ha de estar próxima a 1940. Su vocación literaria es ardiente, combativa, incansable. Le gustan la entrevista audaz y la polémica escandalosa. Entiende mucho del arte y de la literatura novísimos, con los que doctrina a veces, y a veces juega hasta la subversión.

Colaborador asiduo de diarios y revistas importantes. Es casi obsesiva su intención de diagnosticar y defender las más modernas y revulsivas tendencias literarias y artísticas. Y niega, apasionadamente, cuanto no armoniza con sus gustos. En sus escritos abundan el ingenio, la sátira, la sutileza imaginativa.

Obras: *Historias de cal y barro*—narraciones—, *Con el viento húmedo de la siesta* —narraciones—, *Pablo Bocanegra*—crítica—, *Menéndez Pidal*—biografía—, *García Márquez, una conversación infinita*—crítica polémica—, *De escritor a escritor*—intento de esclarecimiento del fenómeno literario.

FERNÁNDEZ BREMÓN, José.

Periodista y dramaturgo español de no poco ingenio. Nació—1839—en Gerona. Murió—1910—en Madrid. Huérfano de padre y madre desde muy niño, emigró a Cuba, donde se hubiera enriquecido con su laboriosidad y talento natural, si no renunciara a su posición económica por el anhelo de volver a su patria. Ya en España, ingresó en la Redacción del diario *España*, del que llegó a ser director. Después trabajó y colaboró en los más importantes diarios y revistas: *La Epoca, El Liberal, Ilustración Española y Americana, El Diario del Pueblo, Blanco y Negro, Nuevo Mundo...*

Fernández Bremón tuvo tanto ingenio como bondad para escribir. Y un estilo limpio y justo, libre de preciosismos y de pruritos extranjerizantes.

Obras teatrales: *La estrella roja, El espantajo, Pasión ciega, Lo que no ve la justicia, Dos hijos, Los espíritus, El elexir de la vida...*

Publicó—1879—en Madrid un tomo de *Cuentos*, tan amenos como bien escritos.

FERNÁNDEZ COLLADO, Diego.

Poeta, periodista y novelista español. Nació—1912—en Cuevas de Almanzora (Almería).

Desde muy joven se dedicó al periodismo, y en 1936 la Cámara Oficial del Libro, de Madrid, le premió una colección de artículos. Ha colaborado desde 1939 en casi toda la Prensa española: *El Español, La Estafeta Literaria, Vértice, Mundo Hispánico, Arriba, Fantasía...*

Fernández Collado ha conseguido ya un lugar preeminente entre la "generación de 1939", tanto con sus poemas, llenos de fina sensibilidad, como por sus cuentos y novelas.

Obras: *Amarillos de la tarde*—poesías, 1940—, *Almizara*—novela, 1949...

V. SAINZ DE ROBLES, F. C.: *Historia y antología de la poesía española*. Madrid, Aguilar, 1951, 2.ª edición.

FERNÁNDEZ DE CONSTANTINA, Juan.

Notable poeta español. Nació probablemente en Constantina (Sevilla) a fines del siglo XV. Murió después de 1520. No se conocen detalles de su vida. Era vecino de Bélmez y copiló el rarísimo *Cancionero llamado Guirnalda Esmaltada de galanes y elocuentes dezires de diversos autores.*

La mayoría de los críticos del pasado siglo XIX creen que este *Cancionero* no solo sirvió de modelo al de Hernando del Castillo, sino que entró íntegramente en él. Esta opinión ha sido refutada por Foulché-Delbosc, quien asegura la prioridad del *Cancionero General* de Castillo, basándose en que su composición 238—71 del de Constantina—está mucho menos completa y cuidada que en este.

El valor principal de la *Guirnalda* está en recoger por vez primera romances tan admirables como el del *Conde Claros*, el de *Fontefría*, el de la *Rosa fresca*, el de *Durandarte*,

y algunos otros, verdaderas joyas de la lírica castellana.

Modernamente ha reimpreso la *Guirnalda* la Sociedad de Bibliófilos Madrileños.

V. MENÉNDEZ PELAYO, M.: *Antología... poetas castellanos.*—ALONSO, Dámaso: *Poesía de la Edad Media*. Madrid, 1935.

FERNÁNDEZ CUENCA, Carlos.

Nació en Madrid el 8 de mayo de 1904. Por su parentesco con el escritor Carlos Luis de Cuenca, de quien era sobrino carnal, frecuentó desde la infancia los ambientes literarios y periodísticos, en los que se encauzó su vocación. Estudió el bachillerato en los colegios de San Mauricio y de San José, adscritos ambos al Instituto de San Isidro, de Madrid; al mismo tiempo seguía la carrera de piano, obteniendo las máximas calificaciones en los exámenes de cada curso en el Real Conservatorio de Música y Declamación. Comenzó luego en la Universidad Central los estudios de Derecho y Filosofía y Letras, que no llegó a terminar, para consagrarse a las tareas periodísticas y literarias y, posteriormente, a las cinematográficas. Ha sido director de la revista *Primer Plano*—1942—y de la Delegación en Madrid de la agencia Servicio Español de Prensa, de Barcelona—1930-1931—; redactor de los diarios *La Epoca*—1927-1933—, *La Voz y El Sol*—1934—, *Ya*—1935-1942—y *Marca*—desde 1944—; crítico y comentarista cinematográfico de Radio Nacional de España—1944—; colaborador de los principales diarios y revistas de España. Posee, entre otras distinciones, el premio de la Cámara Oficial del Libro—1932—y la medalla del Círculo de Escritores Cinematográficos—1946—. Ha viajado por Francia e Italia; conoce bien varios idiomas: francés, inglés, portugués e italiano. Ha dirigido varias películas de largo metraje y numerosos documentales; ha representado a la crítica en varios concursos nacionales de guiones cinematográficos. En su especialidad cinematográfica ha reunido un completísimo archivo de historia universal del cine.

Publicaciones: *Estética del desnudo*—ensayo sobre el desnudo en el arte. Madrid. Ediciones Tobogán, 1925—, *Madrid en la mano* (guía anecdótica de la villa y corte) —Madrid, 1925—, *La verdad sobre Rodolfo Valentino*—Madrid, Publicaciones Mireya, 1926—, *Fotogenia y arte* (ensayos de estética cinematográfica)—Madrid, Ediciones Proyección, 1927—, *Vida de Edgard Poe*—Madrid, C. I. A. P., 1930—, *La caja oblonga* (traducción de cuentos de Edgard Poe, inéditos, en español)—Madrid, C. I. A. P., 1930—, *Biografía de Charlie Chaplin*—Madrid, editorial Cenit, 1930 (edición argenti-

F

na, Buenos Aires, Colección Páginas, 1936)—, *Historia anecdótica del cinema*—Madrid, C. I. A. P., 1930—, *Panorama del cinema en Rusia*—Madrid, C. I. A. P., 1930—, *Espartero*—Madrid, editorial Vulcano, 1932—, *Manuel Abril* (tirada aparte de la revista *Arte Español*)—Madrid, 1943—, *Viejo "cine" en episodios*—Madrid, Ediciones Rialto, 1943—, *Cincuenta y cinco vidas del "cine"*—Madrid, Ediciones Rialto, 1943—, *El club del crimen* (de Salomón a Edgard Wallace)—Madrid, Ediciones Rialto, 1943—, *Cervantes y el "cine"*—Madrid, Ediciones Orión, 1947—. En 1948 empezó a publicar su monumental—en seis tomos—*Historia del cinema*, obra maestra.

V. ARAÚJO COSTA, Luis: *Biografía de "La Epoca"*. Madrid, editorial Libros y Revistas, 1946, págs. 157-59.

FERNÁNDEZ ESPINO, José.

Poeta, crítico y dramaturgo de prestigio. Nació—¿1809?—en Alanís (Sevilla). Y murió—1875—en Sevilla. Estudió Humanidades en el Colegio de Santo Tomás, y Filosofía y Leyes en la Universidad hispalense, centro en el que desempeñó, desde 1847, la cátedra de Literatura general y española. Diputado varias veces. Director general de Instrucción Pública. Censor de teatros. Director de la Academia Sevillana de Buenas Letras. Y académico correspondiente de la Real Española de la Lengua.

De mucha cultura. De prosa muy castiza. Investigador de primera fila.

Obras: *Estela, Don Fadrique, Don Carlos de Viana*—dramas—; *Estudios de literatura y crítica, Elementos de literatura general, Curso histórico de literatura española, El origen de la emoción trágica*—ensayo—, *El doctor Benito Arias Montano*—ensayo—, *De las causas que influyen en el origen y progreso de las ciencias, la literatura y las artes*—ensayo—, *Reseña histórica de la elocuencia*—ensayo—, *El paso honroso sostenido por Suero de Quiñones...*

Su poesía más famosa es la dedicada a *El sitio de Sevilla*, premiada con el clavel de oro por la Academia Sevillana de Buenas Letras.

FERNÁNDEZ FLORES, Isidoro.

Escritor satírico y periodista. Nació —1840—y murió—1902—en Madrid. Estudió Humanidades en el Instituto madrileño de San Isidro. Ingresó en la Armada, pero abandonó la Escuela Naval sin terminar sus estudios, movido por su vocación a la literatura y al periodismo. Fundó las hojas literarias conocidas con el título famosísimo de *Los Lunes de "El Imparcial"*. Fue redactor en este diario y de *El Liberal, Razón*

Española, La Ilustración Ibérica—de Barcelona—y otros muchos diarios y revistas. Popularizó los seudónimos de "Un lunático" y "Fernanflor". Miembro de la Real Academia Española de la Lengua—1898—.

Poseía innegables dotes de satírico, tacto envidiable para sintetizar, mucho ingenio y peregrina gracia en la frase.

Obras: *Cuentos rápidos*—1886—, *El teatro de Tamayo*—1882—, *La literatura de la Prensa*—discurso de ingreso en la Academia Española—1898—, *Periódicos y periodistas*. Después de su muerte fueron publicados dos volúmenes de artículos suyos, bajo el título de *Cartas a mi tío*—1903 a 1904—, con sendos prólogos de Echegaray y Galdós.

FERNÁNDEZ FLÓREZ, Darío.

Novelista y crítico español. Nació—1909— en Valladolid. Estudió el bachillerato con los jesuitas de Burgos. Licenciado en Leyes. Ha viajado por Europa. Licenciado en Filosofía y Letras. Crítico literario de la emisora Radio Nacional, de Madrid.

Darío Fernández Flórez, escritor magníficamente dotado para el género narrativo, logró en 1950 un éxito sensacional con su novela *Lola, espejo oscuro*, de la que se agotaron seis ediciones en menos de un año. Ha sido traducida a varios idiomas y llevada a la pantalla. Exito tan grande como justo. *Lola, espejo oscuro* es una novela intensa, cruda, cálidamente humana, ambiciosa de postulados, firme de caracteres, vivísimo cuadro de la más acusada "escuela picaresca" española.

Obras: *Inquietud*—novela, 1931—, *Maelstrom*—novela, 1932—, *Dos claves históricas: Mío Cid y Roldán*—1939—, *La vida ganada* —teatro, 1942—, *La dueña de las nubes*—teatro, 1944—, *Zarabanda*—novela, 1944—, *Crítica al viento*—1948—, *Frontera*—Barcelona, 1953—, *La hora azul*—Madrid, 1953—, *Alta costura*—Madrid, 1955—, *Memorias de un señorito*—Madrid, 1956—, *Señor Juez*—Barcelona, 1958—, *Los tres maridos burlados* —1957—, *Yo estoy dentro*—Madrid, 1961—, *Nuevos lances y picardías de Lola, "espejo oscuro"*—1971.

V. NORA, Eugenio G. de: *La novela española contemporánea*. Madrid, edit. Gredos, 1962, tomo II, págs. 387-794.—ALBORE, Juan Luis: *Hora actual de la novela española*. Madrid, Taurus, 1962, tomo II, págs. 289-310.

FERNÁNDEZ FLÓREZ, Wenceslao.

Notable periodista, humorista y novelista español. Nació en La Coruña (Galicia) hacia 1885. Murió—29 de abril de 1964—en Madrid. Muy joven—1903—fue redactor de *Tierra Gallega*. En muy poco tiempo, siendo redactor de *A B C*, de Madrid, se hizo popu larísimo con sus diarias impresiones de las sesiones del Congreso, tituladas *Acotaciones de un oyente.* La Real Academia Española ha premiado varios de sus libros y le eligió miembro de número. Fernández Flórez fue uno de los escritores más solicitados y leídos en los principales diarios y revistas de España y América. "Gallego impregnado de bondadoso lirismo, sobre un fondo corrosivo y escéptico, es amable, ameno, satírico, el creador de un mundo de humor, vario, actual y de auténtica e inconfundible originalidad." (Valbuena.)

La mayoría de las obras de Fernández Flórez están traducidas a varios idiomas, y su éxito es tan claro y decisivo en el extranjero como en España. Se han llevado al "cine" muchas producciones de este humorista admirable. Sus novelas—al carecer de *tema humano palpitante* y de criaturas originales en carne y hueso—son como mosaicos atractivos de episodios a cuál más gracioso y sutil.

Obras: *La tristeza de la paz*—novela, 1910—, *La procesión de los días*—novela, 1915—, *El poder de la mentira*—novela, ¿1916?—, *Luz de luna*—novela, 1915—, *Volvoreta*—novela, 1917—, *Silencio*—novela, 1918—, *Las gafas del diablo*—ensayos, 1918—, *El secreto de Barba Azul*—novela, 1923—, *El espejo irónico*—ensayos—, *Visiones de neurastenia*—ensayos, 1924—, *Ha entrado un ladrón*—novela—, *Las siete columnas*—novela, 1926—, *Relato inmoral*—novela, 1928—, *Unos pasos de mujer*—relatos, 1929—, *Los que no fuimos a la guerra*—1930—, *Fantasmas*—cuentos, 1930—, *El malvado Carabel* novela, 1931—, *Aventuras del caballero Rogelio Amaral*—novela, 1933—, *El bosque animado*—novela, 1943—, *El toro, el torero y el gato*—relatos, 1946—, *El método Pelegrín* y otras muchas, hasta más de treinta volúmenes...

Textos: *Obras completas.* Madrid, M. Aguilar, en nueve tomos, 1945 y 1964.

V. PILLEPICH, P.: *Scritori spagnoli: Wenceslao Fernández Flórez,* en *Colombo,* 1929, IV.—FERNÁNDEZ-FLÓREZ, W.: *Discurso* de ingreso en la Real Academia Española. Madrid, 1945.—VALBUENA PRAT, A.: *Historia de la literatura española.* Barcelona, Gili, 1950, 3.ª edición, tomo III.—SAINZ DE ROBLES, F. C.: *La novela corta en España (La promoción de "El Cuento Semanal"),* Madrid, Aguilar, 1952.

FERNÁNDEZ Y GONZÁLEZ, Francisco.

Catedrático y literato español. N a c i ó —1833—en Albacete. Murió—1917—en Madrid. Doctor en Filosofía y Letras. Catedrático a los veinte años de Retórica y Poética en el Instituto madrileño del Noviciado;

más tarde, de Lógica y Etica en Teruel, y de Literatura general española y de Metafísica en la Universidad Central. Académico de la Historia—1867—, de la de Ciencias Morales y Políticas—1867—, de la de Bellas Artes de San Fernando—1881—y de la Lengua Española—1889—. Senador por las ciudades de Valladolid y de la Habana. Rector de la Universidad de Madrid. Presidente de la Sección de Ciencias Históricas del Ateneo matritense.

Muy erudito, conocedor como pocos de las lenguas clásicas y orientales, prosista correcto, su labor es inmensa y sumamente apreciable, principalmente en aquellas de sus obras que se refieren a la historia, literatura e instituciones de los pueblos musulmán y judío.

Acaso la fama de Fernández y González fuera mayor en el extranjero que en España.

Obras: *La escultura y la pintura en los pueblos de origen semítico, Instituciones políticas del pueblo de Israel... en Iberia, El mesianismo en la Península Ibérica, Los moros que quedaron en España... Estética, Idea de lo bello, Naturaleza, fantasía y arte; Lo sublime y lo cómico, Lo ideal y sus formas, Las doctrinas del doctor iluminado R. Lulio, Primeros pobladores históricos de la Península Ibérica, Historia de la crítica literaria, Berceo o el poeta sagrado en la España cristiana del siglo XIII, Estudios clásicos en las universidades españolas...*

FERNÁNDEZ Y GONZÁLEZ, Manuel.

Famosísimo novelista, poeta y dramaturgo español. Nació—1821—en Sevilla. Murió —1888—en Madrid. Licenciado en Filosofía y Derecho por la Universidad granadina. En el servicio militar alcanzó la graduación de sargento, y fue caballero de la Orden militar de San Fernando. A los doce años escribió su primer libro de versos. Y a los diecisiete—1838—publicó con gran éxito su primera producción novelesca: *El doncel de don Pedro de Castilla.* Desde entonces no dejó de producir constantemente. La prodigiosa fecundidad de su talento fue el peor enemigo de su asombroso ingenio, porque, confiando demasiado en ella, su labor se ha hecho más famosa por la cantidad que por la calidad.

Fernández y González se hizo popularísimo dentro y fuera de España. Ganó grandes cantidades, que derrochó casi inmediatamente, viviendo aparatosamente. A veces trabajaba para cuatro o cinco editores a la vez. Y dictaba indistintamente a dos o tres secretarios dos o tres novelas distintas. Extremos estos que se saben por haberlos divulgado dos de aquellos amanuenses que

F

más tarde se hicieron famosos: Tomás Luceño y Vicente Blasco Ibáñez.

En la portezuela de su magnífico coche iban pintadas las iniciales de su nombre: M. F. G., que él interpretaba graciosamente: *Mentiras Fabrico Grandes*. En su fastuosa vivienda, los criados iban de calzón corto, y los amigos del novelista tenían siempre un puesto en la mesa. Algún editor—Guijarro—le pagaba diariamente cincuenta duros, cantidad enorme para la época. Y Manini le entregó, en poco más de cinco años, como derechos de autor, 250.000 pesetas. Sí, tan popular como por sus obras amenas, entretenidas y llenas de emoción, lo fue por su vida desordenada y fastuosa en los tiempos prósperos. Su fama saltó las fronteras y vivió algún tiempo en París—entre 1865 y 1868—, encantando al público parisiense con sus folletines y con su repajolera gracia sevillana.

Pocos escritores han tenido inventiva tan pronta y feliz, facilidad expresiva tan natural y atractiva como Fernández y González. Es el autor español que más se acerca a la facundia maravillosa de Lope de Vega. Las obras de Fernández y González ocupan ¡más de 300 volúmenes!

Al final de su vida, pobre, despreciado, viviendo en una buhardilla, Fernández y González puso de manifiesto la grandeza de su alma. A nadie aborreció. A nadie culpó de sus desastres. Y supo morir gallardamente, como un perfecto caballero cristiano, lleno de resignación y de paz. Solo cuando ya no existía, la crítica literaria, que tanto le había combatido, cayó en la cuenta de que había perdido España un formidable novelista, un delicado poeta y un autor dramático lleno de valores. Melchor de Paláu acertó al afirmar que Fernández y González, física, moral y temperamentalmente, pertenecía al siglo XVII. Hubiera sido un creador prodigioso entre los grandes creadores como Lope, Tirso, Vélez, Calderón, Quevedo...

Aun cuando la fama póstuma de Fernández y González se debe más a su obra novelesca, literariamente es muy superior el poeta y también el dramaturgo al novelista. Su poesía *La batalla de Lepanto* es una de las más hermosas composiciones del género épico que se han escrito en lengua castellana. Y su drama *Cid Rodrigo de Vivar* y su primorosa comedia de capa y espada *Aventuras imperiales* en nada desmerecen de las mejores producciones escénicas del Siglo de Oro español.

Imaginación brillante y fantástica, enorme sentido de la habilidad en el relato, innata riqueza expresiva, gracia imponderable en el desarrollo de las intrigas, Fernández y González fue, indiscutiblemente, aun reconociéndole falto de contención y de reflexión, un escritor *superdotado*.

Acaso porque la poesía y el drama no admiten la prisa y el descuido en la composición como la novela, es por lo que Fernández y González vale mucho más, literariamente, como poeta—lo es sencillo y delicado y musical y poético—y como dramaturgo—lo es fuerte, primoroso e intenso—que como novelista.

Sería demasiado difícil mencionar toda la labor literaria de Fernández y González. Y necesitaríamos excesivo espacio. Optamos por mencionar las más importantes de sus producciones.

Novelas: *La dama de noche, Los enemigos del alma, La leyenda de Madrid, Don Miguel de Mañara, Doña Isabel la Católica, El castillo de las Siete Mancas, La Virgen de la Paloma, Historia de los siete murciélagos, El cocinero del rey, Men Rodríguez de Sanabria, El condestable don Alvaro de Luna, Los hermanos Plantagenet, José María "el Tempranillo", El pastelero de Madrigal, El rey de Sierra Morena, Lucrecia Borgia, Los siete infantes de Lara, Bernardo el Carpio, La piel de la justicia, Cid Rodrigo de Vivar, Doña María Coronel, Doña María "la Brava", El marqués de Siete Iglesias, El corregidor de Almagro, El conde-duque de Olivares, El horóscopo, Los negreros, La esclava de su deber, La cabeza del rey don Pedro...*

Teatro: *El bastardo y el rey, Susana, Entre el cielo y la tierra, El Tasso, Los amores de Inesilla, La copa roja, Cid Rodrigo de Vivar, Amores imperiales, Deudas de la conciencia, Padre y rey, La infanta Oriana, La muerte de Cisneros, Nerón, Viriato, Los encantos de Merlín, Don Luis de Ossorio, Un duelo a tiempo, Luchar contra el sino...*

V. Sánchez Moguel, A.: *Discurso* (acerca de Fernández y González). 1888.—Rogers, P. P.: *Spanish influence or literature of France*, en *Hispania*, 1926, IX, 205.—Sánchez Pérez, A.: *Fernández y González*, en la *Ilustración Ibérica*, 1888, pág. 39.—Ossorio y Bernard, M.: *La decena*, en *Ilustración Católica*, 1888, pág. 13.

FERNÁNDEZ GRILO, Antonio.

Poeta y periodista español de cierta fama en su época. Nació—1845—en Córdoba. Murió—1906—en Madrid. Estudió las primeras letras protegido por el conde de Torres-Cabrera, pero no llegó a conseguir título alguno. En su ciudad natal publicó—1869—sus *Poesías*, reimpresas en Madrid diez años más tarde con éxito extraordinario. En la capital fue redactor de *El Contemporáneo*, de *El Tiempo*, de *La Libertad* y de *El Debate*. Le distinguieron con su amistad Isa-

bel II y Alfonso XII, quienes se sabían de
memoria muchas poesías de Grilo. Castelar
y Zorrilla le reputaban como uno de los
primeros poetas de la época. En 1897 obtuvo la flor natural de los Juegos florales gaditanos. Y en 1906 fue nombrado académico
de la Española, sin que llegara a leer su
discurso de ingreso, por su inmediata muerte. Por cuidarse más de la forma que del
fondo, se le llamó el "Castelar de la poesía".
No cabe más exacta calificación. Armoniosos y sonoros son sus versos, aprendidos
de memoria hasta por las reales personas;
pero como cascabeles bien timbrados, dentro de ellos no había apenas nada. Alguna
descripción cuidada y de colorido gracioso
en *El invierno*, en *La chimenea campesina*,
en *Las ermitas de Córdoba*. Algún arranque
patético de indudable espontaneidad en *El
Dos de Mayo*, en *Al mar* y en *La monja*.

V. REVILLA, M.: *Críticas*. Tomo II.

FERNÁNDEZ GUARDIA, Ricardo.

Historiador, narrador, ensayista, autor teatral costarricense. Nació—1867—en Alajuela
y murió en 1950. Desde 1873 a 1883 vivió
en París, pues era hijo de un diplomático.
Licenciado en Leyes. De la carrera Diplomática. Representó a Costa Rica en Honduras,
Panamá y México. Varias veces subsecretario
de Relaciones Exteriores. De mucha y sólida
cultura. En sus obras históricas delata su
amenidad de novelista, y en sus novelas
delata su condición de historiador. Poseyó un
estilo noble y muy castizo; y se mostró siempre apasionado hispanista.

Obras: *Magdalena*—comedia—, *Hojarasca,
Historia de Costa Rica*—1905—, *Juan Santamaría, el soldado héroe de Costa Rica
—1937—*; *Don Florencio del Castillo en las
Cortes de Cádiz*—1925—, *La independencia
y otros episodios*—1928—, *Costa Rica en el
siglo XIX*—1929—, *Crónicas coloniales, Cosas y gentes de antaño, Morazán en Costa
Rica*—1942...

FERNÁNDEZ-GUERRA Y ORBE, Aureliano.

Ilustre crítico literario, dramaturgo, erudito y periodista español. Nació—1816—en
Granada. Murió—1894—en Madrid. Cursó y
ejerció la carrera de Derecho en su ciudad
natal. Ya en Madrid, obtuvo un empleo en
el Ministerio de Gracia y Justicia. Y el ministro Claudio Moyano le nombró secretario
general de Instrucción Pública. Académico
de la Real Española de la Lengua y de la de
Historia. Individuo y director honorario del
Instituto Arqueológico de Berlín. Gran cruz
de Isabel la Católica y poseedor de numerosas condecoraciones extranjeras.

De vastísima y sólida cultura, trabajador
infatigable, espíritu lleno de inquietudes y

sutilezas, certerísimo en sus juicios e interpretaciones, Fernández-Guerra fue uno de
los mejores investigadores literarios del pasado siglo.

Entre sus obras escénicas merecen ser re-
cordadas: *La peña de los enamorados, La
hija de Cervantes, o La Torre del Oro; El
trato de Argel* y *Alonso Cano*.

Su gran fama la debe a sus estudios críti-
co-literarios sobre Quevedo; sus monografías *Cantabria* y *Deitania, La conjuración
de Venecia de 1618*—discurso leído al ingresar en la Academia de la Historia—, *El fuero
de Avilés*, un informe académico sobre la
Munda Pompeyana y el *Libro de Santoña*.

V. SEÑÁN Y ALONSO, E.: *Ensayo biográfico-
crítico de Aureliano Fernández-Guerra*. Discurso universitario. Granada, 1915.—ASEN-
SIO, J. M.: *Discurso* en la Academia de la
Historia.—RADA Y DELGADO, F. G., en *Ilustración Española y Americana*, 1872.

FERNÁNDEZ-GUERRA Y ORBE, Luis.

Insigne crítico literario, investigador y
dramaturgo español. Nació—1818—en Granada. Murió—1890—en Madrid. Abandonó
la abogacía—que había cursado en su tierra
natal—para dedicarse a la pintura bajo la
maestría de Esquivel y Madrazo, llegando a
obtener recompensas en varias exposiciones
de Bellas Artes. Fue oficial de los Ministerios de Gracia y Justicia, Gobernación y Ultramar. Y en sus ratos de ocio compuso
varias obras dramáticas, notables por su
gracia, invención y cultura, y varios libros
de erudición de la mejor ley, uno de los
cuales, *Don Juan Ruiz de Alarcón y Mendoza*—1871—, le valió un premio de la Real
Academia Española y ser elegido socio de
número de la misma al año siguiente.

Obras dramáticas: *Un juramento, Merecer por alcanzar, El peluquero de su alteza,
La novia de encargo, El niño perdido*...

Entre sus obras de investigación sobresalen la ya mencionada acerca del gran dramático del siglo XVII y el Prólogo que puso
al tomo—preparado también por él—de las
Comedias escogidas de don Agustín Moreto,
con biografía y estudio. Igualmente es muy
notable su discurso de ingreso en la Real
Academia acerca de la *Teoría métrica de
los romances castellanos*.

FERNÁNDEZ DE HEREDIA, Juan.

Historiador español. ¿1310?-1396. Nació en
Munébraga (Calatayud). De la Orden de San
Juan de Jerusalén. Comendador de Alfam-
bra—1334—, de Villel—1356—, de Aliaga
—1340—, Castellán de Amposta. Intervino
con mucho relieve en los sucesos políticos de
la época de Pedro IV el *Ceremonioso*, de
Aragón. Se mezcló como soldado y como di-

F

plomático en la guerra de los Cien Años, resultando gravemente herido en la batalla de Crecy—1346—. En una expedición contra los piratas turcos fue hecho prisionero en Patrás—1381—, permaneciendo cautivo durante tres años. Los últimos años de su vida los dedicó a la erudición histórica. Poseyó una magnífica biblioteca, que fue a parar, en parte, a manos del famoso marqués de Santillana.

A sus expensas mandó traducir al dialecto aragonés las *Vidas paralelas,* de Plutarco; el *Libro de Marco Polo,* la *Flor de historias de Oriente,* de Hyton; las *Historias,* de Orosio. También por iniciativa suya se inició la redacción del *Cartulario magno de la Orden de San Juan de Jerusalén.*

Obras: *Gran Crónica de España*—inspirada en la de don Alfonso *el Sabio,* pero más crítica y literaria que esta—, *Gran Crónica de los Conquiridores*—serie de biografías de emperadores romanos y de otros medievales como Carlomagno, Gengis Khan, San Fernando, Jaime I—. Los manuscritos de las *Crónicas* de Fernández de Heredia se conservan en la Biblioteca Nacional de Madrid. Morel-Fatio publicó—1909—un fragmento: *Gestas del rey don Jaime de Aragón.*

V. MOREL-FATIO, A.: Prólogo a las *Gestas del rey don Jaime.* 1909.—SERRANO Y SANZ, M.: *J. F. de H.* Discurso en la Universidad de Zaragoza, 1913.—VIVES, J.: *J. F. de H., gran maestre de Rodas.* Barcelona, 1927.—LATASA, Félix de: *Biblioteca de escritores aragoneses.* Zaragoza, 1796.

FERNÁNDEZ DE LIZARDI, Jose Joaquín («El Pensador Mexicano»).

Poeta y prosista sumamente interesante. 1778-1827. De México. Era mestizo, hijo de un modesto médico del Seminario de Jesuitas de Tepozotlán. Por falta de recursos, no pudo estudiar de una manera sistemática. Aprendió el latín con el maestro Enríquez, y Filosofía, en el Colegio de San Ildefonso. Pero su fervoroso autodidactismo asombra. Es una especie de "Fígaro americano". Fundó un periodiquín, en el que publicó sus *Cartas* con el seudónimo de "El Pensador Mexicano".

Acaso por alguna de ellas estuvo preso; y simpatizó con la revolución de Morelos —1812—, escribiendo su himno burlesco: *Polaca en honor de nuestro católico monarca el señor don Fernando Séptimo.* Libelista y polemista mordaz, volvió a ser encarcelado por su *Diálogo entre Chamorro y Dominiquín.* Y la Iglesia le excomulgó por su *Defensa* de los francmasones. Excomunión que le fue levantada a petición propia. Hacia el final de su vida fue redactor de la *Gaceta*

del Gobierno y disfrutó del sueldo de capitán retirado. Murió de tuberculosis.

Le hizo célebre su novela de pícaros *El Periquillo Sarniento,* considerada como el *Gil Blas mexicano,* en la que se nota la influencia decisiva de las buenas novelas picarescas españolas, con gran tendencia a moralizar, cual en la de Mateo Alemán. La novela *El Periquillo* es muy interesante y valdría mucho más sin la interpolación de excesivas digresiones morales. Hay en ella *demasiados sermones.* Pero las aventuras son vivas y muy realistas, y el protagonista atrae y derrocha sus calidades palpitantes. También alcanzan calidad estética muchas de sus escenas, de plástico relieve. La sátira es muy fina, muy parca, aun cuando delata demasiado las influencias de sus modelos, principalmente de Quevedo.

La fecundidad de Fernández de Lizardi fue realmente asombrosa. Se cuentan hasta ciento noventa y tres títulos, entre libros y folletos.

Otras obras: *La Quijotita y su prima* —1818, novela—, *Vida y hechos del famoso caballero don Catrín de la Fachenda*—novela, 1832—, *Noches tristes y día alegre*—1818—, *Fábulas*—1818—, *El negro sensible*—poesía dramática—, *Auto Mariano*—dedicado a la Virgen de Guadalupe—, *La noche más venturosa o El premio de la inocencia*—pastorela—, *La tragedia del P. Arenas, El unipersonal don Agustín de Iturbide*—monólogo en verso...

V. TORRES RIOSECO, Arturo: *La novela en la América hispana.* California, 1939.—LEGUIZAMÓN, Julio A.: *Historia de la literatura hispanoamericana.* Buenos Aires, 1945.—GONZÁLEZ OBREGÓN, L.: *Don Joaquín F. de Lizardi...* México, 1888.—SPELL JEFERSON REA: *The Life and works of J. F. de L.* Universidad Pensylvania, 1931.—CASTILLO LEÓN, L.: *Orígenes de la novela en México,* en *Anales Museo Nacional de Arqueología...,* de México, 1922.—PIMENTEL, Francisco: *Novelistas mexicanos.* Tomo V de sus *Obras completas.* México, 1904.—TORRES RIOSECO, A.: *Bibliografía de la novela mexicana.* Mass, Harvard, Univ. Press., 1933.

FERNÁNDEZ DE MADRID, Alonso.

Erudito y literato español. Nació—1475—y murió—1559—en Palencia. Hijo del tesorero de la Santa Hermandad de Castilla. Discípulo del famoso maestro fray Hernando de Talavera. Clérigo, Arcediano del Alcor. Fue muy amigo de Erasmo, con quien mantuvo nutrida correspondencia, y a quien le tradujo al castellano el *Enchiridium militaris cristiani,* obra que condenó la Inquisición de Valladolid.

Su obra principal es la *Silva palentina,*

fundamental para el estudio de la llamada Tierra de Campos. Se trata de una obra miscelánea, mezcla de historia, de anecdotario, de periodismo, de relaciones de costumbres.

FERNÁNDEZ MADRID, José.

Poeta y dramaturgo colombiano. Nació —1789—en Cartagena de Indias, y murió —1830—en Londres. Doctor en Derecho y en Medicina. Durante la guerra de la Independencia—1810—desempeñó cargos de importancia. Diputado. Presidente de la República. Ministro plenipotenciario de Colombia en Londres—1827—. Poseyó gran talento y mucha cultura. Escribió algunas excelentes poesías anacreónticas: las diez *Rosas, La hamaca, Mi bañadera...* Pero su importancia literaria se afirma en haber sido, junto con Vargas Tejada, el fundador del teatro colombiano, pese a que sus tragedias seudoclásicas *Atala* y *Guatimozín* obtuvieron escaso éxito. Menéndez Pelayo afirmó la superioridad literaria de Fernández Madrid como prosista.

Otras obras: *Poesía*—la Habana, 1822—, *Elegías nacionales*—Cartagena de Indias, 1825.

En 1889, año en que se conmemoró el centenario de su nacimiento, el Gobierno publicó una edición de las *Obras* de Fernández Madrid.

V. MENÉNDEZ PELAYO, M.: *Historia de la poesía hispanoamericana.* Madrid, 1911-1913. MARTÍNEZ SILVA, Carlos: *Biografía de don José Fernández Madrid.* Bogotá, 1889.— AMUNÁTEGUI, Miguel Luis y Víctor: *Juicio crítico de algunos poetas hispanoamericanos.* Santiago de Chile, 1861.—GÓMEZ RESTREPO, Antonio: *Historia de la literatura colombiana.* 1938 y 1940, 2 tomos.—ORTEGA RICAURTE, José Vicente: *Historia crítica del teatro en Bogotá.* Bogotá, 1927.—ORTEGA RICAURTE, José Vicente: *El teatro en Colombia.* Bogotá, ¿1930?

FERNÁNDEZ MARTÍN, Cristóbal.

Nació en 1898, e hizo sus estudios eclesiásticos en los colegios de la Congregación de los Misioneros Hijos del Inmaculado Corazón de María, a la que pertenece, graduándose en las Facultades de Filosofía, Teología y Derecho canónico. Los estudios literarios los hizo en la Universidad de Madrid, doctorándose en Letras el 4 de noviembre de 1929. Su tesis doctoral versó sobre *Los precedentes literarios del marqués de Santillana.*

El Padre Fernández se ha dedicado preferentemente a la enseñanza en diversos centros, principalmente de materias filosóficas y literarias, sin descuidar las filológicas, que constituyen su especialidad.

También ha escrito en revistas, como en *Ilustración del Clero* (Madrid), artículos en serie sobre técnica oratoria y literaria. Desde 1943, sin abandonar las tareas de la enseñanza, viene dirigiendo la revista ilustrada *El Iris de Paz* (Madrid).

Casi por compromiso, como él mismo confiesa, se lanzó a historiador: primero en dos obritas de divulgación: *Flores claretianas* —Madrid, 1942—y *Madre Carmen Sallés,* fundadora de las Religiosas Concepcionistas de la enseñanza—Madrid, 1944.

Pero la obra histórica que más relieve ha dado al autor es la titulada *El Beato P. Antonio María Claret: historia documentada de su vida y empresas*—editorial Coculsa, Madrid, 1947—. Dos volúmenes en 17-24 centímetros, de 1.065 y 930 páginas, respectivamente, que la crítica ha recibido con unánimes elogios a su contenido y a su forma histórica y literaria.

La figura del P. Claret, tan discutida y tan desconocida, se ofrece completa y caracterizada, gracias al cúmulo de documentos que el autor ha tenido el acierto y la suerte de reunir y armonizar, entretejiendo con su mismo texto la historia, que, por esto mismo, se llama bien *documentada.* Dada la personalidad del P. Claret como arzobispo de Cuba, confesor de Isabel II y presidente de El Escorial, esta obra llena vacíos que se dejaban sentir, y es de consulta obligada para el conocimiento de muchas realidades de aquellos tiempos. La Historia eclesiástica de España, se ha escrito, no podrá estudiarse sin ella. Su estilo fácil, claro y correcto semeja una corriente tranquila, a través de cuyos cristales se transparentan por sí mismos los acontecimientos.

Entre las críticas aparecidas en la Prensa pueden consultarse las de *Razón y Fe*—marzo de 1948—, *Verdad y Vida*—octubre de 1948—, *Ciudad de Dios*—diciembre de 1948—, *Liturgia*—Santo Domingo de Silos, enero de 1949.

FERNÁNDEZ DE MINAYA, Lope.

Teólogo y prosista español. Vivió entre 1410 y 1485. Perteneció a la Orden agustiniana, según ha demostrado el también agustino fray Lorenzo Frías. Y vivió mucho tiempo en Toledo. Nada más se sabe de su vida.

En la Real Biblioteca del Monasterio de El Escorial se conserva un manuscrito de la obra de Fernández de Minaya: *Espejo del alma,* libro de magnífica prosa, en el que con apólogos y alegorías se demuestra el beneficio que reporta a las almas la tribulación soportada con ánimo entero.

En el mismo manuscrito, a continuación del *Espejo del alma,* hay otro tratado intitulado *Libro de las tribulaciones,* que, por tener la misma doctrina, estilo y lenguaje

F

que el *Espejo del alma,* ha sido atribuido a la misma pluma.

V. Amador de los Ríos, J.: *Historia crítica de la literatura española.* Tomo I.

FERNÁNDEZ MONTESINOS, José (v. Montesinos, José F.).

FERNÁNDEZ DE LA MORA, Gonzalo.

Ensayista, crítico, historiador español. Nació—1924—en Barcelona. Se licenció en Filosofía y Letras y en Derecho con Premio Extraordinario en la Universidad de Madrid. A los veinticuatro años ingresó en la Carrera Diplomática. Ha sido cónsul de España en Frankfurt y Encargado de Negocios de España en Bonn. También Consejero de la Embajada de España en Atenas. Ha representado, además, a nuestro país en la VI Asamblea General de la UNESCO de Nueva Delhi, en la II Reunión del Comité Intergubernamental de Derechos de Autor de París, en la Conferencia Europea de Wilton Park (Inglaterra), en el VIII Congreso de la Unión Europea de Bad Ragaz (Suiza) y en el Comité de Expertos Culturales del Consejo de Europa.

Está en posesión del "Premio García Eguren", de la Universidad de Madrid, y de los premios de periodismo "Luca de Tena", "Mariano de Cavia" y "Gibraltar español". Tiene, además, el "Premio Nacional de Literatura Pardo Bazán, 1970".

Entre sus numerosas publicaciones figuran: *Las aporias de Núremberg, Etica del colaboracionismo, La quiebra de la razón de Estado, Maeztu y la noción de Humanidad, Maeztu y la teoría de la Revolución, El artículo como fragmento, Maquiavelo visto por los tratadistas políticos españoles de la Contrarreforma, De la libertad a la seguridad, La Estasiología en España* y el reciente libro *Ortega y el 98, El Pensamiento español*—seis tomos, 1963-1968.

Ha pronunciado conferencias en Londres, Bonn, París, Atenas, Maguncia y en numerosas capitales españolas. Ministro de Obras Públicas en 1970-1972.

FERNÁNDEZ DE MORATÍN, Leandro.

Admirable dramático, poeta, y erudito. 1760-1828. Madrileño, hijo de don Nicolás, oficial de joyería, y asiduo a cuantas tertulias literarias asistía su padre. Siendo un muchacho aún obtuvo dos premios de la Real Academia Española por un romance a la conquista de Granada y por una lección poética contra los vicios de la poesía castellana. Estuvo en París como secretario de Cabarrús; presenció los disturbios de la Revolución francesa; pasó a Londres; regresó a España, donde fue nombrado secretario de la Interpretación de Lenguas e individuo de la Junta de Teatros. En la época de la guerra de la Independencia española tomó partido por José I, quien le nombró su bibliotecario. Vuelto a España Fernando VII, Moratín regresó a París y allí murió el año 1828.

La importancia de Moratín en la literatura española es excepcional. Todo lo hizo bien. El teatro. La crítica. Las traducciones. La poesía. Lleno de buen gusto, de elegancia espiritual, de tono y de tino, de inspiración y de técnica, ha dejado obras verdaderamente encantadoras.

Los ascendientes de Moratín siempre anduvieron al retortero de las reales personas. El tufillo palatino les hacía despepitarse. El abuelo paterno, don Diego Fernández de Moratín, madrileño, fue jefe del guardajoyas de la reina viuda doña Isabel Farnesio. El padre—don Nicolás—, ayudante del guardajoyas de la misma excelente señora, a quien los pintores de casaca Ranc y Mengs dieron toda su prestancia.

Leandro nació *en una casa que hace frente a la fuentecilla de San Juan y otra a la de Santa María,* y que tenía los números 43, 45 y 47, el día 10 de marzo. Le bautizaron en la parroquia de San Sebastián dos días después, poniéndole por nombre Leandro, Antonio, Eulogio, Melitón. Su madrina—su tía Ana—contaba doce años. A los cuatro sufrió las viruelas, que desfiguraron su rostro y su espíritu, tornándole tímido, desconfiado, huraño, caprichoso. Asistió a una escuela dirigida por don Santiago López, y tanto le cuidó este buen dómine de levitín pardo y la palmeta bajo el brazo por disposición del padrazo que era don Nicolás, que Leandro salió del colegio sin haber adquirido una amistad, sin que se le hubieran pegado ni un vicio, ni un resabio, sin saber jugar al trompo, a la taba, a la rayuela, a las aleluyas. Su primera pasión amorosa —a los diez años—la suscitó Sabina Conti, hija del literato italiano Juan Bautista, vecinos de los Moratines en la calle de la Puebla—hoy Fomento—, número 30. A Sabina—chiquilla escurridiza, marisabidilla y fea del ole y del olé, si hemos de creer a críticos imparciales—endilgó sus primeras poesías el precoz amador. A los veinte años se quedó Leandro huérfano de padre. Por el grave y poético don Nicolás sintió siempre nuestro autor cariño, respeto y admiración sin límites. Gracias a su jornal de doce reales de joyero, pudo Leandro atender al sostenimiento de su madre. Por entonces empezó a dedicarse de lleno a la literatura. Frecuentaba el café de La Fontana de Oro, situado en la carrera de San Jerónimo, cerca de la calle del Lobo—hoy Echegaray—;

realizaba frecuentes excursiones a El Pardo, Aranjuez, El Escorial, con sus amigos Pablo Forner, Juan Antonio Melón, el P. Estala y el P. Navarrete; asistía a las tertulias de Campomanes y Jovellanos...

Muerta su madre—1785—y enterrada en la iglesia de San Ginés, Moratín se desentendió de todo cuanto no fuera su afán por la poesía y el teatro. En 1786 leyó *El viejo y la niña* a la compañía de Manuel Martínez; no llegó a representarse, por *los cortes* que exigió el censor de teatros y por los dengues de una cierta cómica, que pretendía representar la mitad de sus cuarenta años.

Para obtener un beneficio simple de 300 ducados sobre el arzobispado de Burgos, fue ordenado de primera tonsura—1789—por el obispo de Tagaste. Francisco Bernabéu, antiguo compañero de Godoy, le presentó al príncipe de la Paz, quien ya no dejó de protegerle, facilitándole el estreno de sus obras y *añadiéndole* una pensión de 600 ducados sobre la mitra de Oviedo y un beneficio de 200 en la iglesia parroquial de la villa de Montoro... Permaneció Moratín algún tiempo en Pastrana, cuna de su abuela paterna, en cuyo ambiente de reposo compuso *La mojigata* y *La comedia nueva.* Con los treinta mil reales que le concedió Godoy se marchó a París..., donde quedó espantado al encontrarse en plena revolución y presenciar matanzas, saqueos, repetidos desfiles de cabezas y manos cortadas ensartadas en picas... En Inglaterra quedó saturado de... Inglaterra desde el 27 de agosto de 1792 hasta el 5 de agosto de 1793, en que se marchó a Italia y en la que permaneció hasta el 11 de septiembre de 1796.

Desde entonces..., ¡cuántas calamidades y aventuras vivió Leandro Fernández de Moratín! La primera, conocer y enamorarse de Paquita Muñoz, la musa de *El sí de las niñas*..., que se le casó con otro. La segunda, que el pueblo, enfurecido contra el príncipe de la Paz y sus protegidos, le asaltase y desvalijase—18 de marzo de 1808—su casa de la calle de Fuencarral. La tercera, que le embargaran sus bienes. La cuarta, que el rey José I le nombrara *Caballero del Pentágono,* orden nueva creada por *Pepe Botellas.* La quinta, tener que huir de Madrid en calesín y refugiarse en Peñíscola contra las atrocidades del guerrillero el *Fraile.* La sexta, creyéndose perdonado por Fernando VII, estuviera a punto de que el furor patriotero del general Elío le hiciera deshuesarse en los fosos de alguna ciudadela... ¿Para qué enumerar más? El miedo no le dejó venir a Madrid a tomar posesión de su plaza de académico en la Academia de Nobles Artes de San Fernando, para la que había sido elegido a principios de 1822.

Con su amigo Manuel Silvela—y la numerosa familia de este, que consideraba a Moratín como uno de ellos, tan amado—el poeta anduvo de la Ceca a la Meca en Francia. Con Manuel Silvela tuvo un colegio para niños españoles, primero en Burdeos, luego en París... El día 12 de agosto de 1827 hizo Moratín su testamento. ¡Le debía todo el mundo! La Real Hacienda Española, 58.544 reales y 24 maravedís. Don Juan Grassot, comerciante de Barcelona, 78.000 reales que le entregó en depósito y que perdió al quebrar Grassot. El obispo de Oviedo, más de 70.000, de su pensión anual sobre la mitra, que el eclesiástico no le pagó durante años. La villa de Montoro, por el beneficio de su iglesia parroquial, cerca de 45.000... El día 21 de junio de 1828 murió Moratín. Su entrañable amigo Silvela le enterró en el cementerio del Père Lachaise, entre las tumbas de Molière y Lafontaine. El día 15 de julio de 1853 se decretó por el Gobierno español que sus restos fueran traídos a Madrid, juntamente con los de Meléndez Valdés. Primero reposaron en la colegiata de San Isidro. El 11 de mayo de 1900, las cenizas de Moratín, de Goya, de Meléndez Valdés y de Donoso Cortés fueron conducidas con pompa procesional al cementerio de San Isidro.

El 16 de julio de 1799 Goya comenzó el maravilloso retrato de Leandro Fernández de Moratín. Un busto largo sobre un fondo oscuro. Ninguna descripción, por afortunada que sea, puede convencer tanto como la vista de ese retrato. Moratín fue *así.* No pudo ser más que *así.* Mirada profundamente intelectual. Gesto tímido de quien no sabe por dónde le llegará el golpe... Gesto cobarde de quien se amoldará a todas las posturas... El empaque falso de quien no acaba de decidirse por el plante y el desplante que le convengan... Cierta melancolía expresiva de quien fue de susto en susto, de desgracia en desgracia, de disputa en disputa... Cierto aire enfermizo de quien tuvo lombrices de niño y de quien, ya mozo, no hacía sino caer para levantarse de dolencias sin nombre aún... Cierto ceño algo rencoroso de quien padeció que la novia se le escapara con un militar más decidido...

Pocos escritores como Moratín representan de una manera tan perfecta el sentido del equilibrio y de la armonía en una época de reajuste, de reafirmación, de recuento, de recelo. Es el único comediógrafo del siglo XVIII digno de sumarse a los mejores de la centuria diecisiete. Su forma de expresión es impecable. Su verso, fluido y clásico. Su cultura, muy vasta y finamente recogida.

F

Sus principales obras teatrales son: a) Originales: *El viejo y la niña*—1786—, *El barón* —1786—, *La mojigata*—1790—, *La comedia nueva*—1791—y *El sí de las niñas*—1806—; b) Traducciones: *Hamlet,* de Shakespeare, y *La escuela de los maridos* y *El médico a palos,* de Molière.

Son numerosísimas las ediciones de las obras dramáticas de Moratín. Muy correctas las de París—1821—, publicadas por el propio autor con el seudónimo de "Inarco Celenio"; Madrid, 1830-1834, seis tomos, publicados por la Real Academia Española; Barcelona, "Museo Dramático Ilustrado", 1863; París, "Colección de Autores Españoles", de Baudry, 1838; Madrid, "Biblioteca de Autores Españoles", de Rivadeneyra, 1857; Madrid, "El Teatro Español", 1859; París, "Comedias", 1881; "Bibliothek Spanicher Schrifsteller", Leipzig, 1904; Edición Colección "Crisol", Madrid, 1945.

Moratín fue un prerromántico sin sospecharlo. Su concepción neoclásica del mundo literario le llevó a necesarias limitaciones. Pero su buen gusto le salvó muchas veces de aquellos afanes suyos de sujetarse con rigorismo a la intangible ley de las unidades: lugar, tiempo y acción; ley que tan bonitamente se saltaban a la torera nuestros grandes dramáticos. Para Moratín era la comedia "imitación en diálogo (escrito en prosa o verso) de un suceso ocurrido *en un lugar y en pocas horas* entre personas particulares, por medio del cual, y de la oportuna expresión de afectos y caracteres, resultan puestos en ridículo los vicios y errores comunes de la sociedad, y recomendadas, por consiguiente, la verdad y la virtud".

Moratín creó el estilo fino típico del siglo XVIII. Sus comedias son gratas, humanas. "Desde la muerte de Calderón—escribe Valbuena—no había visto la escena española una obra más bella—*El sí de las niñas*—, que ha sido comparada finamente a un paisaje de invierno. Más que invernal es otoñal esta producción de medias tintas, de tonos suaves. La nota pedagógica, molesta, apenas queda patente en esta producción más que en dos o tres frases. Los caracteres, el ambiente—entre irónico y sentimental—, la acción y su desarrollo, todo es perfecto, de estilo dignamente clásico, en la miniatura de *El sí de las niñas*. Moratín puede emparentar a la larga, inconscientemente, con Menandro, y, sobre todo, con Terencio; y a la próxima, con Alarcón, Cubillo y Moreto, y directamente con Molière..."

El delicado y fino espíritu de Moratín supo entusiasmarse con la obra ingente de Shakespeare. Y entenderla. Su traducción del *Hamlet* es muy hermosa. Pero aún entendió mejor a Molière, su modelo en el matiz cómico. Y las traducciones que llevó a cabo de las molierescas obras *Le médecin malgré lui* y *L'école des maris* es sencillamente magistral, hasta el punto de no perderse, al transvasarlas, ni uno de los deliciosos valores de los originales.

V. SILVELA, Manuel: *Biografía de Leandro Fernández de Moratín,* en la edición de sus *Obras póstumas.* Madrid, 1867-1868. Tres tomos.—SILVELA, Manuel: *Moratín,* en *Revista Contemporánea,* IV, 23.—RUIZ MORCUENDE, F.: Prólogo y notas a la edición de *Clásicos Castellanos de "La Lectura": Moratín.* Madrid, 1924.—AROLAS JUANI, J.: *El teatro de Moratín.* Manresa, 1897.—HOLLANDER, E.: *Les comédies de don Leandro Fernández de Moratín.* París, 1855.—ORTEGA Y RUBIO, Juan: *Don Leandro Fernández de Moratín,* en *Revista Contemporánea,* 1904, CXXIX.—SANTOS OLIVER, M.: *Los españoles en la Revolución francesa.*—MARTÍNEZ RUBIO, M.: *Moratín.* Valencia, 1893.—VEZINET, F.: *Moratin et Molière,* en *Rev. d'Hist. litter. esp. de la France.* París, 1909.—ALCALÁ GALIANO, Antonio: *Juicio crítico sobre el célebre poeta cómico Leandro Fernández de Moratín.* Madrid, 1856.—RUIZ MORCUENDE, F.: *Vocabulario de las obras de Moratín.* Madrid, 1946 ("Premio de la Real Academia Española").

FERNÁNDEZ DE MORATÍN, Nicolás.

Notable poeta y dramaturgo. 1737-1780. Nació en Madrid. Y fue ayudante del guardajoyas real, del que era jefe su padre. A don Nicolás Fernández de Moratín le vemos un poco borroso. Y es que le vemos siempre a través de su hijo Leandro, meteoro luminoso no del todo transparente, sino bastante traslúcido. Sí; detrás de Leandro vislumbramos una figura recia, concretamos unos ademanes vivos, retenemos una terrible impaciencia de ir de aquí para allá, buscando más el caño que el coro. Fijándonos, fijándonos mucho, aún concretamos algo más: un pelo espeso y encarrujado, un contorno de cara redonda, una silueta robusta, una estatura más que corriente. Este vagaroso personaje es don Nicolás Fernández de Moratín. Goya, pintor de claras desvergüenzas redichas, pero de oscuridades pintadas, no acabó tampoco de sacarnos de dudas con su don Nicolás en facha de arriero de aledaños matritenses y con faz dura de piquero desmontado. Don Nicolás mismo tuvo no poca culpa de que su valor humano y su valor literario quedaran como rezagados, semiocultos o semidesvelados. Su afán de xenofilia, su caso de hombre engañado por los prejuicios le redujeron a un segundo término de actor, que solo tiene un parlamento breve en cada acto. Escribió menos de lo que pudo. Hablo más de lo que debía.

En la Fonda de San Sebastián, en La Fontana de Oro, en La Cruz de Malta, en El Levante Español, en la Bodega del Jarabo, en cuantos salones barrocos riberescos de pujos y de pruritos literarios se abrían en Madrid, allí acudía don Nicolás—mal colocada la peluca, flojas las medias, arrugado el casaquín, manchada la chupa de rapé, capada la capa, caído hacia el colodrillo el tricornio—para reunirse con los escritores y amigos y charlar por los codos de mujeres, de comedias, de toros y de política. Toda la fuerza se le iba a don Nicolás por los codos. Iba a escribir... Tenía mediada una composición poética... Se le había ocurrido un argumento para una farsa... Pensaba estrenar una comedia... Le había llamado el ministro Esquilache... Se estaba colando por una suripanta del Coliseo del Príncipe... Quizá se decidiese a unirse como asesor literario con el impresor Ibarra... Lo dicho: toda la fuerza se le iba por la boca al buen don Nicolás mientras jugaba a la malilla o paladeaba los caldos gordos de la tierra jarameña. Toda la fuerza se le iba por la boca... Menos la fuerza del orgullo, de que, al nombrarle arcade la Academia de Roma, le hubiera otorgado el absurdo —para el vulgo necio—nombre de *Flumisbo Thermodonciaco*. Esta denominación de tanta miga era su banda cruzada, su condecoración de buen metal—el tintín y el chinchín resonantes—, su tratamiento reverencioso, su imperecedera gloria. Carlos III perfilaba su empaque gurrumino y un tantico volteriano en las onzas relucientes. Pero él, don Nicolás, perfilaba su... *Flumisbo Thermodonciaco* sobre un resplandor supuesto de aurora inmortal.

Sí, seguramente al fin de su existencia don Nicolás se hubiera entregado al trabajo más constante, venciendo a su floja voluntad, con ánimo de dejar huella más honda de sí. Pero... ¡Lo que son las cosas! ¡El sino de las criaturas! Cuando ya casi se había domeñado a sí mismo y tenía firmemente decidido laborar con vértigo, ávido, férvido, pródigo..., ¡empezó la Academia Española a darle premios a su hijillo Leandro, un madrileñito fino que no levantaba un palmo del suelo, estudiante aún, su ojito derecho! ¿Qué podía hacer él sino alegrarse hasta la tontería, irle dando incensadas al retoño ante los amigos y aconsejar a Leandrillo, procurar que las imprentas *gimiesen* con las obras filiales, rogar a su buen protector, el señor conde de Aranda, que concediese al infantil portento algún beneficio a costa de cualquier mitra? En verdad que Dios lo dispuso así. Frotándose las manos,

don Nicolás desistió de sus terribles esdrújulos y se limitó a colocarse de manera que fuese sombra de su hijo, y su contraste a veces. La sombra sigue, exacto, imprecisa. Pero la sombra cubre, benigna, exacto.

Fue—esta es la pura verdad—don Nicolás Fernández de Moratín un escritor muy culto y españolísimo, pese a estar saturado, y a derramarse en ocasiones, del preceptismo, del retoricismo, del rigorismo, del pedantismo que se vertía, ya de recuelo, desde Francia a España, y aun cuando en su obra se delaten, a veces, gustos y regustos cerebrales de la época, de los que se habían empachado y agriado por todo el mundo dieciochesco. Sus escasos aciertos líricos—de una digna retórica poética de seminario—aluden a temas españoles: *Fiestas de toros en Madrid*—en sentir de la crítica, la más bella poesía lírica del siglo XVIII—, *Las naves de Cortés, destruidas*. Hasta en sus agudos epigramas la nota obsesiva es la hispanidad. El sufría una indigestión de algo terrible de lo que no volvería a comer en su vida. Es preciso repetirlo: España no tuvo mejor propagandista que este madrileño, con alma de poeta y con carácter de charlatán de plazuela, que envidiaba las diabluras de los chulos banderilleros y garrochistas en los quiebros a los toros jarameños y monstruosos que inventó don Francisco de Goya en los aguafuertes de la *Tauromaquia*.

Nicolás Fernández de Moratín estudió Filosofía en el colegio de los jesuitas de Calatayud y se doctoró en Leyes en la Universidad de Valladolid. En La Granja se casó con doña Isidora Cabo Conde, de la que tuvo cuatro hijos, siendo Leandro el único que no se le malogró. Sustituyó a Ignacio López de Ayala en la cátedra de Poética en los Estudios del Colegio Imperial de San Isidro. Fue miembro de la Sociedad Económica Matritense y fundó la famosa tertulia de la Fonda de San Sebastián, a la que concurrían, entre otros, el músico Luis Misán, el gran latinista Juan de Iriarte, el erudito P. Flórez, el escultor Felipe de Castro, el historiador y crítico don Agustín de Montiano y Luyando y la famosa comedianta María de Ladvenant, orgullo de la escena española. En esta a modo de *Academia* no podía hablarse sino de teatro, poesía, mujeres y toros. A ella llegaban, curiosamente intrigados, no pocos viajeros literarios extranjeros, a quienes se recibía con la mayor cordialidad.

Fue don Nicolás quien animó al poeta italiano a que tradujera a su idioma los mejores versos de Garcilaso, Herrera, Figueroa y los Argensola. Fue don Nicolás quien ayudó al crítico Signorelli a escribir la *Historia crítica de los teatros*. A don Nicolás le dolió

F

como una coz dada *a modo* el que la Academia Española desdeñase su composición *Las naves de Cortés, destruidas,* para premiar un poema calamitoso de don Joseph Cabeza de Vaca.

En plena madurez falleció don Nicolás Fernández de Moratín, en Madrid, el 11 de mayo de 1780.

Nicolás Fernández de Moratín fue uno de los enemigos más implacables del teatro español del Siglo de Oro. Por dictamen suyo fueron prohibidas las representaciones de los autos sacramentales en una real cédula de Carlos III, dada en junio de 1765. En su obra *Desengaño al teatro español*—1762—atacó durísimamente el sistema dramático de Calderón. A Lope le llamó "primer corrompedor del teatro", y a Calderón, "segundo corrompedor". Y sentó la premisa de que no era posible una bella obra dramática "si no se ajustaba rigurosamente a los preceptos del arte". Así, de un plumazo, acababa con Lope, con Tirso y hasta con Shakespeare y Esquilo.

Nicolás Fernández de Moratín fue un dramático que pospuso todos los elementos esenciales del teatro: inspiración, energía, gracia, amenidad, soltura, patetismo..., a las frías y rígidas normas del arte. "Con todo el rigor del arte" escribió sus comedias. Medidas. Recortadas. Lamidas. Graves. Intelectuales. Y los representantes de ellas habían de cuidar mucho de no descomponer el gesto, de no exasperar el ademán, de engolar la voz, de acentuar la circunspección. Nicolás Fernández de Moratín, influido "a su pesar" por todo el clasicismo y rococó francés y por todo el énfasis alambicado italiano que predominaron en la centuria decimoctava, fue el creador de un teatro amanerado y cursiloncete, en el que se adivinan estranguladas a conciencia todas las buenas cualidades de muchos de los autores para un teatro genuinamente español fuerte y apasionado y rebelde.

De una de sus obras, su propio hijo Leandro dice que "carece de fuerza cómica, de propiedad...", y que "mezclados los defectos de las antiguas comedias con la regularidad violenta a que su autor quiso reducirla, resultó una imitación de carácter ambiguo y poco a propósito para sostenerse en el teatro, si alguna vez se hubiera representado". Y cuando se ensayaba *La Hormesinda,* Espejo, el gran actor, dijo a don Nicolás: "La tragedia es excelente, señor Moratín, y digna de su buen ingenio de usted. Yo, por mi parte, haré lo que pueda; pero, dígame usted la verdad: ¿a qué viene este empeño de componer a la francesa...?"

Las obras dramáticas de Nicolás Fernández de Moratín son: *La Hormesinda,* única que logró estrenar—1770—; *Guzmán el Bueno*—1777—, *Lucrecia*—1768—y *La Petimetra*—1762.

Ediciones interesantes de estas obras son: *Obras póstumas de Nicolás Fernández de Moratín*—Barcelona, 1821—, publicadas por su hijo Leandro; Londres, 1828, también dirigida por Leandro; "Biblioteca de Autores Españoles", de Rivadeneyra, tomo II.

V. FERNÁNDEZ DE MORATÍN, Leandro: *Biografía de don Nicolás Fernández de Moratín.* Precediendo a las *Obras póstumas.* Barcelona, 1821.—ANÓNIMO: *Biografía de Nicolás Fernández de Moratín,* en *Semanario Pintoresco Español,* 1842.—ARIBÁU, B. Carlos: Prólogo a la edición "Biblioteca de Autores Españoles", II, 1842.—DÍAZ DE ESCOBAR, N.: *Historia del teatro español.* I. Barcelona, sin año.—SCHACK, Conde de: *Historia... de la literatura dramática en España.* V.

FERNÁNDEZ MORENO, Baldomero.

Poeta y prosista de relieve. Hijo de padres españoles. Nació —1886— y murió —1950—en Buenos Aires. Vivió, de niño, algunos años en España, donde estudió Humanidades. En 1899 se reintegró a su patria nativa. Doctor en Medicina. Luego de ejercer su profesión en varios pueblos de la provincia de Buenos Aires, se dedicó por completo a la literatura. Ha colaborado constantemente en periódicos y revistas. Su obra es popularísima en la Argentina, y lo va siendo en España y en las restantes naciones hispanoamericanas. Es de los contadísimos escritores que ha reunido los dos galardones literarios más codiciados de su patria: el "Premio Nacional" y el "Premio Municipal de Letras".

"La poesía de Fernández Moreno—escribe Leguizamón—corresponde a la de un temperamento sensible a las sugestiones de las cosas más simples. Ellas se traducen en forma directa y desnuda, muchas veces trivial en los elementos y en la composición, como si celara—o eludiera—una angustia esencial y honda. Es característica suya la ironía "leve y simpática" señalada por Onís, más adaptable al aire aforístico—ensayado en prosa—por su don de ingenio estilizador, rico en paradojas, virtuosista siempre, alguna vez buido y otras fresco y ligero como brisa burlona."

Pero Fernández Moreno tiene otras calidades: una emotividad deliciosa, una ternura conmovedora, un colorido de gamas impresionantes, una gracia inmejorable para exaltar las bellezas íntimas de los seres, de los hechos y de las cosas; una musicalidad más recóndita e inolvidable que estruendosa.

Obras: *Las iniciales del misal*—1915—, *Intermedio provinciano*—1916—, *Por el amor y por ella*—1918—, *Campo argentino*—1919—,

Versos de negrita—1920—, *Nuevos poemas* —1921—, *Canto de amor, de luz, de agua* —1922—, *Mil novecientos veintidós, El hogar en el campo*—1923—, *Aldea española* —1925—, *Antología*—1915-1918—, *Antología*—1915-1940...

V. BIBLIOGRAFÍA de *Fernández Moreno*. Espasa-Calpe. Buenos Aires, 1941.—GIMÉNEZ PASTOR, A.: *Historia de la literatura argentina*. Buenos Aires, edit. Labor.—GIUSTI, Roberto J.: *Nuestros poetas jóvenes*. Buenos Aires, 1912.—BERENGUER, Arturo: *Fernández Moreno, poeta español y argentino*. Conferencia. Madrid, 1952.

FERNÁNDEZ MORENO, César.

Poeta, crítico y prosista argentino, hijo del gran poeta Baldomero Fernández Moreno. Nació—1919—en Buenos Aires. Fundó y dirigió la colección poética *Fontefriada*. Durante algunos años fue crítico de cine en la revista *Nosotros*. Colaborador del diario *La Nación* y de la revista literaria *Sur*. Fundador y director de la revista literaria *Correspondencia*.

Poeta de extraordinaria originalidad, peculiarísima expresión—nunca sometida a modas ni caprichos ajenos—y mensajes siempre nobles en los que se conjugan las gracias y las fortunas todas del ritmo y de su contrapunto melódico.

Obras poéticas: *Gallo ciego*—1940—, *El alegre ciprés*—1941—, *La palma de la mano* —1942—, *Veinte años después*—1953.

Ensayos: *Informe sobre la nueva literatura argentina*, en *Nosotros*, XIII—1943—, *Poesía argentina desde 1920*, en *Cuadernos Americanos*—México, vol. XIX, 1946.

Varias: *Julio Verne y América*—Buenos Aires, edit. Emecé, 1944—, *Vida de la mujer de Martín Fierro*—1945—, *Pelayo y los románticos*—1946.

V. GIUSTI, Roberto F.: *Historia de la literatura argentina*, en el tomo XII de la *Historia universal de la literatura*, de Santiago Prampolini.

FERNÁNDEZ MORENO, Manrique.

Poeta y prosista argentino. Nació—1928— en Buenos Aires. Universitario. Completó sus estudios en la Universidad de Santiago de Chile. En 1949 le fue otorgado el "Premio Iniciación en Poesía" a su libro *Poemas de casi amor*. Fundó—1948—y dirigió las ediciones—poesía y pintura—*El balcón de madera*. Crítico de arte y de libros en diarios y revistas.

Obras: *Poemas, Poemas hasta 1951, Suicidio natural*—novela, 1953—, *Sus otras muertes*—novela...

FERNÁNDEZ DE NAVARRETE, Martín.

Notable escritor y marino español. Nació —1765—en Abalos (Logroño). Murió—1844— en Madrid. Estudió Humanidades en el Real Seminario de Vergara, siendo admitido en 1780 como guardia marina en el departamento de El Ferrol. Navegó durante muchos años. Tomó parte en numerosas expediciones y combates. Académico de la Real Española de la Lengua—1792—, de la de Nobles Artes de San Fernando—1792—, de la de la Historia—1800—. Socio ilustre de la Sociedad Económica de Madrid. Napoleón le nombró consejero de Estado e intendente de Marina, cargos que renunció Navarrete con la mayor indignación, retirándose a la vida privada. Desde 1825 ocupó, hasta su muerte, el cargo de director de la Academia de la Historia.

Fernández de Navarrete fue un investigador notable, un escritor castizo, un crítico literario muy agudo.

Obras: *Discurso sobre la formación y progreso del idioma castellano...*—1792—, *Colección de viajes y descubrimientos que hicieron por mar los españoles desde fines del siglo XV, Disertación histórica sobre la parte que tuvieron los españoles en las guerras de Ultramar o de las cruzadas..., Vida de Miguel de Cervantes Saavedra*—edición de la Academia Española, 1819—, *Noticia histórica de las expediciones hechas por los españoles en busca del paso del noroeste de América...*

FERNÁNDEZ NIETO, José María.

Poeta y periodista español. Nació—1920— en Mazariegos (Palencia). Estudió el bachillerato en Palencia y la licenciatura de Farmacia en la Universidad de Granada. Cofundador, en Palencia, de las revistas literarias *Nubis* y *Rocamor,* habiendo dirigido esta última. "Premio Guipúzcoa de Poesía".

Obras: *Sin primavera*—Palencia, 1946—, *Poesía*—Granada, 1946—, *Aunque es de noche*—Palencia, 1947—, *Paisaje en sangre viva* —Madrid, 1949—, *La muerte aprendida* —Valladolid, 1949—, *A orillas del Carrión* —Palencia, 1957—, *La trébede*—Bilbao, 1961—, *Capital de provincia*—Madrid, 1961.

FERNÁNDEZ NICOLÁS, Severiano.

Novelista español. Nació—1920—en León. Licenciado en Derecho. Secretario de Juzgado Municipal en Madrid. Ha quedado finalista en varios concursos importantes de novela: "Premio Planeta", "Premio Nadal"...

Novelista fiel a la línea tradicional española, de un realismo fuerte, pero sin estridencias reprobables y sin lenguaje desgarrado. Construye perfectamente, tiene inven-

F

tiva y sabe dialogar y describir con naturalidad. Su última novela, *El desahucio*—1963, "Premio Selecciones", de Barcelona—ha obtenido un gran éxito. Acaso porque su tema —angustioso—le es familiar por su profesión, y rompe lanzas contra una legislación caduca y, por lo general, injusta.

Otras obras: *Tierra de promisión*—Barcelona, 1953—, *La ciudad sin horizontes*—Barcelona, 1952—, *Las muertes inútiles*—1961—, *El desahucio*—1963—, *Después de la tormenta*—1964.

FERNÁNDEZ DE OVIEDO, Gonzalo.

Notable cronista, historiador y literato español. Nació—1478—en Madrid. Murió —1557—en Valladolid. Descendiente de una noble familia de Oviedo. En 1490 empezó a servir al duque de Villahermosa, y luego pasó a la cámara del príncipe don Juan, hijo único varón de los Reyes Católicos, que tenía los mismos años que él. El propio Oviedo—capítulo VII, libro II de su *Historia Natural de Indias*—afirma que vio fundar la villa de Santa Fe, que se halló de paje en el cerco de Granada, y que presenció la entrega de la ciudad en 1492. Muerto el príncipe don Juan muy mozo, pasó Oviedo a servir a Fadrique, rey de Nápoles, ciudad donde estaba aún en 1507. Fue luego secretario en España del Gran Capitán, guardaalhajas de la reina Germana, segunda esposa de don Fernando el *Católico*. Este Monarca le envió —1513—a América, de veedor de las fundiciones de oro en Tierra Firme, en donde se ocupó de la conquista y pacificación de algunas partes de aquella tierra, volviendo a España—1515—a informar al rey acerca de las Indias; pero habiéndole sucedido en la corona el ausente mancebo Carlos I, pasó Oviedo a Flandes a entrevistarse con el joven monarca. Regresó el gran cronista a América como regidor y teniente del darien en Tierra Firme y gobernador electo de la provincia de Cartagena. Nombróle Carlos I cronista de Indias, alcaide de la fortaleza y regidor de Santo Domingo. Nuevamente en España, falleció en Valladolid, a los setenta y nueve años de edad. "Ni la confianza de los españoles en el Nuevo Mundo, ni la predilección de la Corte fueron bastantes a engendrar en su pecho bastardas ambiciones, contento siempre con la medianía que le había tocado en suerte, trabajando sin cesar por la justicia de aquellas partes. Doce veces cruzó el Océano, yendo a América los años 1514, 1520, 1536 y 1549. Las ciudades del Darien, Panamá y Santo Domingo, mirándole como su libertador, acudieron constantemente a su lealtad para que les sacase de los mayores apuros... Y entre tantos y tan espinosos negocios y correrías tantas,

tuvo tiempo para escribir todos los acontecimientos de su tiempo, a los cuales había asistido o conocido a los principales personajes, y aun tratándoles con familiaridad y amistad, a Colón, al rey don Fernando, al Gran Capitán, a Las Casas, a Carlos I, a los conquistadores. Pero su obra de mayor momento fue la que enseñó a España y Europa entera las maravillas de la Naturaleza de América, la historia de la conquista, los intentos e intereses de los que la llevaron a cabo. No tienen precio sus infinitas noticias sobre las hazañas y sobre las torpezas mismas cometidas por los españoles en América, sobre las costumbres de los indios, naturaleza de plantas, animales y muchedumbre de cosas que describe como quien las ha visto, en estilo llano y sin pretensiones, con aquella fresca naturalidad del historiador imparcial y grande observador de las cosas, de los hombres y de sus acciones.

Es el Plinio americano y el más transparente historiador de aquella época, la más importante de la vida de la nación española... No abarca, como filósofo, en conjunto los grandes acontecimientos; pero, en cambio, se detiene en pormenores, que otros menospreciarán, pintándonos con mayor viveza los hechos, los hombres y los objetos, sin faltarle de vez en vez el calor que le comunica la visión de cosas tan maravillosas, de tan grandiosos acontecimientos y de tan pasmosas empresas." (J. Cejador.)

Obras de Fernández de Oviedo: *El libro del muy esforçado et invencible caballero de la Fortuna propiamente llamado don Claribalte*—Valencia, 1519—, obra que escribió apenas vuelto por vez primera de América, cuando todavía los pasmosos hechos militares de los conquistadores le llenaban el alma de las ficciones caballerescas, tan en boga a la sazón; *La respuesta a la epístola moral del Almirante*—1524, manuscrito de la Biblioteca Nacional—, *Relación de lo subçedido en la prisión del rey don Francisco de Francia desde que fue traydo a España...*—1525, pintura maestra de la corte en aquella época—, *Sumario de la natural y general istoria de las Indias, o Historia de Indias*—Toledo, 1526—; *Libro de la Cámara real del príncipe don Juan y offiçios de su casa é serviçio ordinario*—1546—, *Reglas de la vida espiritual y secreta theologia*—Sevilla, 1548—, *Batallas y quincuagenas*—escritas en 1550, obra de genealogista, con muchas noticias y anécdotas del tiempo de los Reyes Católicos—, *Tractado general de todas las armas é diferençias dellas é de los escudos...*—1551, obra de blasón, muy curiosa—, *Libro de linajes y armas*—1552, manuscrito en la Academia de la Historia—, *Las quinquagenas de los generosos e illustres varones é no menos famosos reyes, príncipes, duques...*—escritas en 1555, publicadas en Madrid, 1880—; poema en 7.500 versos de arte menor, en tres quinquagenas de a 50 estanzas, y cada estanza de 50 versos, y con muchas noticias, sentencias y proverbios morales.

Pero la obra maestra de Oviedo—monumento histórico y literario imperecedero— es la titulada *Historia general y natural de las Indias, islas y Tierra Firme del mar océano,* compuesta de 50 libros, divididos en tres partes. La primera—19 libros—fue impresa en Sevilla en 1535, aumentada en 1547 en Salamanca, en folio, y traducida al italiano por Juan Bautista Ranusio, y al francés por Juan Poleur, que la publicó en París en 1556. La segunda parte comprende otros 19 libros, que empezó a publicar—1557—su autor en Valladolid; pero impreso el tomo primero, que trata del Estrecho de Magallanes, falleció Oviedo y quedó aquella sin terminar. La tercera parte, que la constituyen los 12 tomos siguientes, quedó manuscrita y fue depositada en la Casa de Contratación de Sevilla, de donde pasó a poder de don Luis de Salazar, quien, con toda su librería, la donó al monasterio de Montserrat, de Madrid.

La Academia de la Historia publicó—1851 a 1854—la *Historia general y natural de las Indias,* en cuatro volúmenes. Un extracto de ella puede leerse en el tomo XXII de la "Biblioteca de Autores Españoles".
Edición frag.: Madrid, 1942, por E. Alvarez López. También la Academia de la Historia ha reimpreso—1880—*Las quinquagenas; Escritos de Indias,* I y II, selección y estudios de M. Ballesteros, edit. Ebro, Zaragoza, 1941.

V. AMADOR DE LOS RÍOS, J.: *Vida y obras de Fernández de Oviedo.* En la edición de la Academia de la Historia. 1851.—FUENTE, Vicente de la: Prólogo a la edición académica de *Las quinquagenas.* 1880.—MOREL-FATIO, A.: *Fernández de Oviedo,* en la *Revue Hispanique,* 1883. Tomo XXI.—REY, A.: *Book XX of Oviedo's Historia,* en *Romania Revue,* 1927, XVIII, 52.—LÓPEZ MENESES, A.: *Gonzalo Fernández de Oviedo, traductor del "Corbaccio",* en *Revista del Ayuntamiento de Madrid,* 1935, XII, 111.—MENÉNDEZ PELAYO, M.: En *Estudios de crítica literaria,* 1942, VII, 69.—ALVAREZ LÓPEZ, E.: *Estudio* en la edición frag. Madrid, 1942.—BALLESTEROS, Manuel: *Selección y estudio* en la edición de "Escritores de Indias". Zaragoza, editorial Ebro, 1941.

FERNÁNDEZ DE PALENCIA, Alonso (v. **Palencia, Alonso Fernández de**).

FERNÁNDEZ DA PONTE, Pedro (v. **Ponte, Pero da**).

FERNÁNDEZ RAMÍREZ, Salvador.

Filólogo español. Nació—1896—en Madrid. Trabajó muchos años en el Centro de Estudios Históricos, Seminario de Filología, al lado de don Ramón Menéndez Pidal y de don Dámaso Alonso. Catedrático de Lengua griega de Instituto. Académico de número de la Real Española de la Lengua.

"La obra de Fernández Ramírez, que supone el conocimiento y manejo de toda la ciencia gramatical contemporánea, en el primer intento, tan importante como logrado, de poner en orden las cuestiones gramaticales de nuestra lengua, detenidas desde las obras de Bello y Cuervo." (Torrente Ballester.)

Obra: *Gramática española*—primer tomo, Madrid, 1951.

V. TORRENTE BALLESTER, G.: *Panorama de la literatura española contemporánea.* Segunda edición. Madrid, edit. Guadarrama, 1961, pág. 382.

FERNÁNDEZ DE LA REGUERA, Ricardo.

Novelista. Nació—1916—en Barcenillas (Santander). De niño vivió algún tiempo en Chile. Estudió en las Universidades de Madrid y de Barcelona. En la actualidad es profesor adjunto en la Universidad barcelonesa. Durante la guerra de Liberación combatió esforzadamente en las filas del ejército de Franco. En sus novelas plantea con buen sentido temas de mucha crudeza con almendrilla de tesis sociales o individuales desestimadas, o injustamente resueltas en la colectividad. Fernández de la Reguera pregona con sus novelas que no es escritor de puro pasatiempo o de pura emoción, observador y descriptor impasible de lo que ve, sino que en cada una de sus novelas intenta noblemente desarrollar la preocupación que le enerva, siempre por motivo con grandeza espiritual.

Obras: *Un hombre a la deriva*—Barcelona, 1947—, *Cuando voy a morir*—Barcelona, 1950—, *Cuerpo a tierra*—Barcelona, 1954—, *Perdimos el paraíso*—Barcelona, 1955—, *Bienaventurados los que aman*—Barcelona, 1957—, *Vagabundos provisionales*—Barcelona, 1959—, *Héroes de Cuba*—Barcelona, 1962, en colaboración con su esposa, Susana March—, *Héroes de Filipinas*—Barcelona, 1963—, *Fin de la Regencia*—1964—, *La boda de Alfonso XIII*—1965—, *La Semana trágica* —1966—, *La España neutral*—1967—, *El desastre de Annual*—1968—, *La Dictadura* —dos tomos, 1969 y 1970—, *La caída de un rey*—1971. (Estos *Episodios Nacionales* en colaboración con su esposa, Susana March.)

V. NORA, Eugenio G. de: *La novela española contemporánea.* Madrid, edit. Gredos,

F

1962, tomo II bis, págs. 190-193.—ALBORG, José Luis: *Hora actual de la novela española*. Madrid, edit. Taurus, 1958, tomo I, páginas 201-208.—PÉREZ MINIK, D.: *Novelistas españoles de los siglos XIX y XX*. Madrid, edit. Guadarrama, 1957, pág. 336.

FERNÁNDEZ DE RIBERA, Rodrigo.

Escritor español muy notable. Nació —1579—y murió—1631—en Sevilla. Viajó mucho por España y bastante por Europa. Fue secretario del marqués de La Algaba y amigo de los principales ingenios de su época. Encubrió, en ocasiones, su nombre con el seudónimo de "Toribio Martín, sacristán menor de La Algaba".

Para muchos críticos sevillanos, Fernández de Ribera es un escritor de primer orden, dos de cuyas novelas—de tendencia social y satírica—son de lo mejor de su género, inclusive superiores al *Buscón*, de Quevedo. Las novelas sociales de Ribera representan, en verdad, el tránsito de la narración naturalista a una deformación caricatural y fantástica, el entronque de la sátira social con el comienzo de la técnica alegórica.

Ribera dio un sentido simbólico a cuanto escribió, expresándolo de una forma retorcida, conceptista, con un estilo violento, de muy difícil realización. Indiscutiblemente, es mucho el interés y mucha la importancia de Ribera en el desarrollo de la prosa castellana de su tiempo.

Obras: *Las lágrimas de San Pedro*—poema impreso en Sevilla, 1609—, *Escuadrón humilde levantado a devoción de la Inmaculada Concepción...*—cien décimas deliciosas. Sevilla, 1616—, *Canción al Santo Monte de Granada*—1616—, *Los anteojos de mejor vista*—precioso cuadro social, antecedente de *El diablo Cojuelo*, de Guevara—, *Epitalamio de las bodas de una viejísima viuda... y un beodo soldadísimo...*—silva en 319 versos. Sevilla, 1625—, *Lecciones naturales contra el común descuido de la vida*—Antequera, 1629—, *La Asinaria*—poema en 13 cantos y en tercetos, manuscrito—, *El mesón del mundo*—novela satírica, que lleva la censura laudatoria de Lope de Vega y versos de este y de Montalbán, Madrid, 1631.

Textos: De *El mesón del mundo*, ed. de lujo, Sevilla, 1946, Librería Hispalense.

V. HAZAÑAS Y DE LA RÚA, G.: *Biografía del poeta sevillano Rodrigo Fernández de Ribera*. Sevilla, 1889.—MÉNDEZ BEJARANO, Mario: *Diccionario de escritores de la provincia de Sevilla*.—PETIT CARO, Carlos: Prólogo en la edición de Sevilla, 1946.

FERNÁNDEZ DE LOS RÍOS, Ángel.

Escritor y periodista español. Nació —1821—en Madrid. Murió—1880—en París.

Se educó en el convento de Santo Tomás, de la villa y corte. Fue miliciano nacional, liberal de ideas y muy aficionado a las revueltas políticas y a las conspiraciones. Diputado varias veces. Concejal del Ayuntamiento de su ciudad natal. Senador tres veces, elegido por la provincia de Santander. Renunció reiteradamente el cargo de ministro, así como la Alcaldía madrileña. En 1866 tuvo que huir a París, para no ser condenado a muerte. Diez años después, la Guardia Civil le llevó a Portugal, de donde fue expulsado. Nuevamente refugiado en París, aquí murió cuatro años después.

Fundó—1864—*Las Novedades*, primer periódico de gran circulación en España, y el periódico marcadamente revolucionario *La Soberanía Nacional*. Dirigió *La Ilustración*, el *Semanario Pintoresco Español*, *El Siglo Pintoresco* y *Los Sucesos*. Fundó también la popular *Biblioteca Universal*, que publicó obras históricas, científicas y literarias notables por su baratura y por su buena presentación.

La labor periodística de Fernández de los Ríos fue inmensa. Tradujo excelentemente obras de Sué, Lamartine, Goldsmith, Laurent y Alejandro Karr.

Obras: *Estudio político y biográfico sobre Olózaga, El futuro Madrid, Las luchas políticas en la España del siglo XIX, La tierra, Muñoz Torrero, Guía de Madrid, Mi misión en Portugal, Itinerario pintoresco de Madrid a París...*

FERNÁNDEZ DE ROJAS, P. Juan.

Notable poeta y prosista español. Nació —¿1750?—en Colmenar de Oreja (Madrid). Murió en 1819. Profesó de agustino en San Felipe el Real, de Madrid—1768—. Cuatro años después estaba en Salamanca, estudiando bajo la protección del famoso poeta y catedrático fray Diego González, quien, reconociendo el talento de su discípulo, le afilió al *Parnaso Salmantino*, en el que figuraban poetas y escritores como Meléndez Valdés, Jovellanos, Forner, Andrés del Corral... Explicó Fernández Rojas Filosofía en Toledo y Teología en Alcalá. Fue varias veces prior, y estuvo designado para continuar la magna obra del Padre Flórez *La España sagrada*, aun cuando no llegó a trabajar en ella. Pasó por el dolor y el orgullo de ver morir en sus brazos a su amado maestro, fray Diego González.

En el *Parnasillo Salmantino*, fundado por este, recibió Fernández de Rojas el bucólico sobrenombre de *Liseno*. Pocas son sus poesías, y se conservan inéditas en su mayoría. Pidal las calificó de "frías e infelices". De "estimables", el Padre Muiños. Fernández de Rojas, espíritu más inclinado a la sátira, debió de escribir sus poesías bucólicas por puro compromiso con su delicado maestro. Donde él se despachó a su gusto fue en la *Crotalogía o arte de tocar las castañuelas*—Madrid, 1792—, finísima y dura sátira contra el furor enciclopedista y el rigorismo de la escuela ultraclásica.

Otras obras: *Adiciones al año cristiano*, del Padre Croiset; *Vida del Padre fray Diego González*—que precede a la edición de las poesías de este afamado agustino—, *Libro de la moda, o ensayo de la historia de los Currutacos, Pirracas y Madamitas del nuevo cuño*—Madrid, 1795—; *El Paxaro en la Liga, Epístola gratulatoria al traductor de la Liga de la Teología moderna con la Filosofía...*—Madrid, 1798.

Las poesías de Fernández de Rojas se conservan manuscritas en el Colegio Agustino de Valladolid; algunas de ellas han sido publicadas por los Padres Cámara y Muiños Sáenz, en la *Revista Agustiniana*, tomos I, III, V, VII, VIII y IX.

V. VALMAR, Marqués de: *Bosquejo histórico de la poesía castellana del siglo XVIII*, en "Biblioteca de Autores Españoles", tomo LXI.—MUIÑOS SÁENZ, P. Conrado: *Influencia de los Agustinos en la poesía castellana*, en *La Ciudad de Dios*, tomos XVII y XVIII.—VELA, Santiago: *Biblioteca Iberoamericana de la Orden de San Agustín*. Madrid, 1915, tomo II.—MENÉNDEZ PELAYO, M.: *Heterodoxos españoles*. 1880. Tomo III.

FERNÁNDEZ-RÚA, José Luis.

Literato español. Nació en Gijón el 20 de septiembre de 1916. Desde muy joven mostró aficiones literarias, escribiendo en algunas publicaciones de tono menor. Al concluir su carrera de profesor mercantil, se dedicó activamente al periodismo. Formó parte de las redacciones de los diarios *Voluntad*, de Gijón, primero, y después de ·*Córdoba*, de Córdoba.

En 1944 se traslada a Madrid, en donde comienza a colaborar en la Prensa de la capital de España. Sus artículos aparecen en *Pueblo, Arriba, El Español, Fantasía*, diversos periódicos de provincias, y mantiene una sección—*Reparto de medianoche*—en la revista *La Estafeta Literaria* durante la existencia de esta publicación. También colabora con asiduidad en la revista *Fotos* desde hace varios años, donde últimamente ha logrado, con sus populares reportajes retrospectivos, señalados éxitos. Y así mismo escribe crónicas sobre España para el diario *La Esfera*, de Caracas.

Su primer libro, escrito en colaboración con Francisco Mota, fue la *Biografía de la Puerta del Sol*, publicada en 1951. Al año siguiente apareció otro libro suyo, la *Historia de la gente de trueno (Astutos, bellacos y bergantes)*. En la actualidad tiene en prensa una obra suya de impresiones viajeras, titulada *Italia a ojos vista*.

Ahora, en colaboración con Francisco Mota, prepara dos nuevos libros, de próxima publicación: *El arte de embellecerse a través de los tiempos* e *Historia y geografía del matrimonio*.

FERNÁNDEZ DE SAN PEDRO, Diego (véase San Pedro, Diego de).

FERNÁNDEZ SANTOS, Jesús.

Novelista y cuentista español. Nació —1926—en Madrid. Licenciado en Filosofía y Letras. Colaborador de las principales revistas literarias. En 1956 le fue otorgado el "Premio Gabriel Miró". Escribe guiones para el cine. Prefiere los temas realistas en las clases bajas o medias. Construye con gran maestría y sabe ir reforzando la tensión dramática conforme se acerca al desarrollo final de los argumentos. José Luis Alborg agrega: "Añadamos que esta perfección tiene una de sus manifestaciones más acusadas en el diálogo. Pocos novelistas veo que hayan logrado desde sus primeros escritos esa precisión en el hablar de sus personajes, esa supresión total de garrulería vana, y den tan justa medida de un personaje a través de su verbo. Su mérito mayor es el saber combinar la naturalidad de un lenguaje conversacional—propio siempre hasta en la boca del gañán más ignorante—con una dignidad literaria, limpia de vulgares desgarros facilones, que son casi siempre recursos de incapacidad."

Obras: *Los bravos*—novela, 1954—, *En la hoguera*—novela, 1957—, *Cabeza rapada*—cuentos, Barcelona, 1958, "Premio de la Crítica"—, *El hombre de los Santos*—"Premio de la Crítica, 1969"—, *Laberintos*—1967—, *Las catedrales*—1969—, *Libro de las memorias de las cosas*—novela, "Premio Eugenio Nadal, 1970".

V. ALBORG, José Luis: *Hora actual de la novela española*. Madrid, Taurus, 1962, tomo II, págs. 373-382.—NORA, Eugenio G. de: *La novela española contemporánea*. Madrid, edit. Gredos, 1962, tomo II bis, págs. 310-316.

FERNÁNDEZ SANZ, Manuel.

A nuestro requerimiento pidiéndole datos de su vida y de sus obras, este original, fuerte, ingenioso poeta nos ha dicho:

"Me llamo Manuel Fernández Sanz, soy madrileño, nací el día 11 de septiembre de 1909 en la calle de Tetuán, número 30.

Hará cosa de cinco años comencé a escribir versos; hasta entonces había leído. Es-

F

timo mi obra un mucho destartalada, pues me atraen por igual los motivos populares y los objetos bellamente inanimados. Voy de la bullanga al silencio con facilidad. Me veo místico, bohemio, romántico y rupestre.

Conservo alrededor de cinco mil versos; una mitad la guardo yo y la otra mis amigos. A no ser por esas "Alforjas para la Poesía española", estuviera condenado al sueño eterno. Jamás publiqué una línea. Indolencia."

Fernández Sanz es, además, uno de los poetas españoles de léxico más rico, castizo y sugestivo. En cuantas recitaciones ha dado de sus poemas ha obtenido un éxito extraordinario. Recuerda al mejor Valle-Inclán de la musa desgarrada, pintoresca, dramática y con zumba.

FERNÁNDEZ-SHAW, Carlos.

Notable poeta y dramaturgo español. Nació—1865—en Cádiz. Murió—1911—en Madrid. En su ciudad natal cursó las primeras letras; y la segunda enseñanza, en el Instituto del Noviciado, de Madrid. Abogado por la Universidad Central. Fue secretario y director más tarde de la Sección de Literatura del Ateneo madrileño y colaborador de muchos periódicos y revistas... La Ilustración, El Correo, La Epoca, A B C, Blanco y Negro, Nuevo Mundo, Por Esos Mundos...

Como poeta—delicado, colorista, musical, brillante, muy emotivo—, Fernández-Shaw es un precursor del modernismo, juntamente con Manuel Reina y Ricardo Gil. Como dramaturgo—lleno de gracia andaluza, de zumba y de garbo, imaginativo y sensible—compuso piezas escénicas deliciosas, que se hicieron centenarias en los carteles, y que aún hoy se representan con gran éxito.

Colaboró en muchas de estas obras—sainetes y zarzuelas inolvidables—con el graciosísimo e ingenioso poeta madrileño López Silva.

Entre sus producciones para el teatro sobresalen: La tragedia del beso, Margarita la Tornera, Don Lucas del Cigarral, La canción del náufrago, Las bravías, La revoltosa, Los buenos mozos, Los pícaros celos, La chavala, El tirador de palomas, La maja de rumbo, La vida breve...

Los músicos españoles más insignes: Falla, Chapí, Vives, Morera, Giménez, Emilio Serrano y Bretón pusieron música a obras escénicas de Fernández-Shaw.

Dejó libros de poemas tan notables como Poesía de la sierra, La vida loca, Poemas del pinar, El alma en pena, El poema del caracol, Cancionero infantil y Los últimos cánticos.

Textos: El canto que pasa—antología—, Madrid, 1947, edición "Colección Crisol".

V. FERNÁNDEZ-SHAW, Guillermo: Prólogo a El canto que pasa. Madrid, 1947. Un poeta de transición: vida y obra de Carlos Fernández-Shaw (1865-1911), Madrid, edit. Gredos, 1969.

FERNÁNDEZ-SHAW, Guillermo.

Periodista y autor dramático español, hijo de Carlos, nacido en Madrid el 26 de febrero de 1893. Murió—1965—en la misma ciudad. Estudió el bachillerato en el Colegio de la Concepción, de Madrid, y luego Derecho en la Universidad Central. Se dio a conocer muy joven como periodista, ingresando en la redacción de La Epoca en 1911, y en ella permaneció hasta el mes de julio de 1936, en que fue prohibida por el Gobierno de entonces la publicación de aquel periódico. Allí, al lado del marqués de Valdeiglesias, realizó una intensa labor anónima y publicó, firmadas, numerosas crónicas, poesías e informaciones. También publicó diferentes trabajos literarios en Blanco y Negro, A B C y Los lunes de "El Imparcial". Perteneció a la Redacción en Madrid del Diario de Barcelona, y colaboró con asiduidad en este periódico y en Las Provincias, de Valencia. Con Enrique Casal ("León Boyd") compartió las tareas de redactar la revista Vida Aristocrática, fundada por aquel prestigioso y malogrado cronista de salones madrileños. En 1915 visitó el frente francés de guerra, y más tarde le fue concedida la cruz de la Legión de Honor.

Al morir su padre, en 1911, estrechó su amistad con Federico Romero, cuyos proyectos de colaboración teatral con aquel había frustrado la larga enfermedad, y, después, la muerte del autor de Poesía de la sierra, y decidieron iniciar juntos su carrera de autores de zarzuelas, para la que sentían idéntica vocación y en la que habían de obtener muchos y resonantes éxitos.

En efecto, éxitos enormes y perdurables han conseguido con La canción del olvido, Doña Francisquita, Los fanfarrones, La serranilla, El dictador, La sombra del Pilar, La severa, La meiga, Peñamariana, La villana, La rosa del azafrán, La moza vieja, Luisa Fernanda, La tabernera del puerto, La chulapona, Monte Carmelo, La labradora, Luna de mayo, Loza lozana, Las alondras, Juan Lucero, Pepita Romero y otras muchas zarzuelas inolvidables, modelo perfecto del género.

Colaboró con su hermano Rafael: Colorín, colorao, El canastillo de fresas...

Póstuma ha sido publicada su obra Un poeta de transición: vida y obra de Carlos Fernández-Shaw (1865-1911). Madrid, edit. Gredos, 1969.

FERNÁNDEZ SPENCER, Antonio.

De la República Dominicana. Poeta. Nació en Santo Domingo de Guzmán (hoy Ciudad Trujillo) en 1922. Licenciado en Filosofía y Letras. Actualmente reside en España, donde amplía sus estudios. Su poesía, hacia las mismas zonas seguidas por Vicente Aleixandre, pero con preocupaciones propias. Ha publicado *Vendaval interior* (1944).

Refiriéndose a Antonio Fernández Spencer, Valldeperes señala que "dentro de la misma tónica creadora está más cerca de los elementos surrealistas que Franklin Mieses Burgos. El "yo" tiene importancia preponderante en su poesía, hecha de experiencias y de la interpretación sutil de tales experiencias; pero su poética está más imbuida del ambiente nacional, porque en ella se recoge con mayor precisión el aliento, el signo geográfico y la espiritualidad de la tierra y del hombre que la inspiran".

En 1952 ha sido otorgado el "Premio Adonais", en Madrid, a su libro *Bajo la luz del día.*

FERNÁNDEZ DE VELASCO, Bernardino (duque de Frías).

Poeta y prosista. ¿1701?-¿1769? Don Bernardino Fernández de Velasco, duque de Frías, era alto, desgarbado y huesudo. Llevaba peluca de muchos cañoncillos, muy empolvada; calzones de punto color de café claro, chupa bordada, casaca de revuelos, tabaquera de Ultramar, un par de relojes, pañizuelos, escarpines con hebillas y bastón.

Vivía en su viejo caserón, frontero a *las góngoras,* del barrio del Barquillo. Gustaba de tomar rapé y de pegar él mismo, a grandes salivazos, las obleas con que se cerraban los pliegos confidenciales. Solía acudir muchas veces a Palacio y aun al castillo de Villaviciosa de Odón para ejercer su cortesanía, interesándose con grandes aspavientos por los alifafes de la reina, doña Bárbara de Braganza. Era muy amigote del ministro marqués de la Ensenada, con quien solía enhebrar pláticas eruditas y jocosas. Si concurría a los bailes de Lerma y Medinaceli, veíasele apoyado en el mármol de una consola, adjunto a un candelabro de bronce con veinticinco bujías rizadas, enristrado el impertinente, observador perspicaz y futuro murmurador de singular gracejo.

Muy lentamente, muy lentamente, sobre su bufete de palo santo y adornacos de metal, iba puliendo y ordenando su seductor libro *Deleite de la discreción y fácil escuela de agudeza,* conjunto de cuentos, anécdotas, dichos y filosofías de gracia fina y de cierto empaque literario.

El duque de Frías y conde de Peñaranda, que se atufaba con el braserillo de copete y esparcía los grandes papeles con el viento de sus estornudos, fue un espíritu culto y un temperamento cortesano por excelencia.

La crítica de fama ha silenciado el nombre de este cuentista benemérito. En los manuales de literatura española no se le suele dedicar ni una alusión. Y, sin embargo... El Padre fray Nicolás Gallo, censor de su libro, lo alaba con entusiasmo, luego de confesar que *la época* estaba ya harta de los libros serios de Filosofía, Teología, Historia y Jurisprudencia.

El agustino fray Martín Salgado se expresó así acerca del *Deleite de la discreción:* "Son los libros como los guisados, que a unos agradan unos; a otros, otros; pero creo que este libro es como el pan, que hace a todos los paladares."

Don Manuel Quintana, examinador sinodal, luego de alabar el linaje y la cultura del duque de Frías, pondera de su libro: "... presenta a todos un pomo de preciosísimos aromas. Labra de exquisitos metales que estaban ocultos en las entrañas del olvido, rica joya de diamantes abrillantados..."

Y del mencionado agustino es esta décima laudatoria, poco poética y hasta con su pretendido chiste:

> Señor, en tanta afluencia
> de natural elegancia,
> se ve que sois, sin jactancia,
> discreto por excelencia;
> a la cumbre de la ciencia
> subieron vuestras porfías,
> y en las dulces melodías
> conocerá quien os trata
> que entre velones de plata
> gastasteis las noches, Frías.

V. Sainz de Robles, F. C.: *Cuentos viejos de la vieja España. Estudio y notas.* Madrid, Aguilar, 1949, 3.ª edición.

FERNÁNDEZ DE VELASCO, Bernardino (duque de Frías).

Poeta y dramaturgo español. Nació—1783—y murió—1851—en Madrid. Militar. Gran patriota. Aun cuando su padre fue partidario del rey José Bonaparte, él se puso al servicio de España, tomando parte en muchas operaciones, encuentros y batallas.

A los veinte años de edad ingresó en la Real Academia de la Lengua. Ganó en los campos de batalla la cruz laureada de San Fernando. Se casó en segundas nupcias con doña María de la Piedad Roca de Togores, dama famosa por su hermosura y talento, cuya temprana muerte provocó sentidas elegías de los poetas más famosos de la época.

De 1820 a 1823 fue representante de España en Inglaterra. Por miedo a Fernando VII, se refugió en Montpellier, con su amigo Juan Nicasio Gallego. Muerto el rey,

F

regresó a España, formando parte del Estamento de Próceres. Embajador en París. Académico de la Historia. Sus *Obras poéticas* fueron publicadas—1857—por la Academia Española y costeadas por sus herederos.

Sus *Poesías* fueron publicadas en 1857, y recuerdan modelos de Quintana y Gallego, a quienes admiraba Frías. Sus odas *A Pestalozzi* y *A las bellas artes* confirman la anterior afirmación. Unicamente en *El llanto conyugal*, elegía con que contribuyó a la *Corona poética* dedicada por los mejores poetas contemporáneos a la muerte de su esposa, la duquesa de Frías, doña Piedad Roca de Togores, se muestra ganado por *sentimientos íntimos,* se olvida un tanto de las reglas, apunta exclamaciones e imágenes de indudable romanticismo. Pero con posterioridad volvió a su manera lírica y dieciochesca.

Escribió Frías *Don Juan de Lanuza* —1837—, leyenda en forma dramática, de limpio estilo y sonora versificación.

V. MOLÍNS, Marqués de: Prólogo en la edición de las *Obras poéticas de Fernández de Velasco.* Madrid, 1857.—VALERA, Juan: *Florilegio de poesías castellanas.* Con introducción y notas biográficas y críticas. Madrid, 1904, 5 folios.—SAINZ DE ROBLES, F. C.: *Cuentos viejos de la vieja España.* Madrid, Aguilar, 1949, 3.ª edición.

FERNÁNDEZ DEL VILLAR, José.

Autor dramático español. Nació—1888—en Málaga y murió en ¿1945? Cursó en Granada los estudios superiores de la facultad de Derecho. Pero inmediatamente se dedicó con exclusivismo a la literatura, publicando poesías, artículos y cuentos en diarios y revistas de tanta importancia como *El Liberal, Heraldo de Madrid, La Noche, La Tribuna, Nuevo Mundo, Mundo Gráfico, A B C, Blanco y Negro, La Esfera, Madrid Cómico, España Libre...*

En el teatro Cervantes, de Málaga, en abril de 1906, estrenó su primera producción teatral: el diálogo *En la ventana.* En 1912 se trasladó a Madrid, donde—1913—la compañía de María Guerrero y Fernando Díaz de Mendoza le estrenaron el entremés *El caprichito,* que obtuvo un éxito grande.

Ingenioso, con gracia de buena ley, conocedor como pocos *del oficio dramático,* desde esta fecha Fernández del Villar ha escrito numerosísimas obras teatrales, la mayoría de las cuales alcanzaron muchas representaciones.

Obras escénicas: *¡Te la debo, Santa Rita!; Los ídolos, El pañolón de Manila, La primera de feria, Primavera de la vida, Punta de viuda, El patio de los naranjos, Mañanita de San Juan, La caseta de feria, Alfonso XII, 13; El Otelo del barrio, Inmaculada, Cons-*tantino Pla, Cándido Tenorio, El clavo, El primo, El paso del camello, Pimienta, Lola y Loló, La señorita Primavera, La educación de los padres, La fuga de Bach, Mimí Valdés, La Prudencia, Colonia de lilas,* y otras muchas, caracterizadas por la fuerza de las situaciones, por la justeza y gracia del diálogo, por los ingeniosos rasgos caricaturescos de los personajes, por la amenidad de los argumentos.

FERNÁNDEZ VILLEGAS, Francisco («Zeda»).

Crítico, periodista y autor dramático español. Nació—1856—en Murcia. Murió—1916—en Madrid. Estudió la carrera de Filosofía y Letras en Salamanca, doctorándose en Madrid. Fue redactor de *La Monarquía, La Libertad* y *La Epoca,* periódico este último en el que permaneció más de veinte años, hasta su muerte, como crítico teatral y de libros.

Muy culto, correcto prosista, de sobrio estilo, fino espíritu de muchas facetas, de gustos cálidos y juicio acertado, "Zeda" tradujo *El honor,* de Sudermann, y *Casa de muñecas* y *Un enemigo del pueblo,* de Ibsen; y refundió notablemente obras españolas como *La Celestina, El mágico prodigioso,* de Calderón; *Reinar después de morir,* de Vélez de Guevara; *El caballero de Olmedo,* de Lope.

Obras escénicas originales son: *Día de prueba, La alquería* y *Sin rumbo.*

Otros libros: *Salamanca por dentro* —crónicas—, *Por los Pirineos* —crónicas—, *La novela de la vida* —novelas cortas—, *Desamor* —novela—, *El monasterio del Paular* —crónicas.

FERNÁNDEZ DE VILLEGAS, Pedro.

Poeta y humanista español de prestigio. Nació—1453—y murió—1536—en Burgos. Estudió disciplinas teológicas, doctorándose, y tomó las órdenes sagradas. Entre 1485 y 1490 residió en Roma. En este año era abad de la Colegiata de Cervatos. En 1496, canónigo arcediano de la catedral de Burgos. Desde 1500 fue juez conservador del convento real de San Salvador, de Oña.

Obras: *La traducción de Dante de lengua toscana en verso castellano...,* Con otros dos tratados, uno que se dize querella de la fe, y otro aversión del mundo y conversión a Dios...*—Burgos, 1515—; *Sátira dezena del juuenal en que reprende los vanos deseos...* —1519—; *Libro de Plutarco cheroneo de la utilidad que se recibe...,* Sobre la adquisición del Reyno de Nápoles...*

«FERNANFLOR» (v. Fernández Flores, Isidoro).

FERRÁN, Augusto.

Delicado poeta y prosista español. Andaluz. Nació hacia 1830. Y murió—1880—en Chile. Amigo fraternal de Bécquer. Con este vivió una vida bohemia y sentimental. Colaboró en varias publicaciones como *La Ilustración* y el *Semanario Pintoresco Español*. Muerto Bécquer, Ferrán marchó a Chile, donde desempeñó varios oficios y profesiones, entre ellos el de librero.

Ferrán fue un interesantísimo poeta "menor", muy influido por Heine y por Bécquer. Pero sus acentos andaluces están llenos de color, de emoción y de luz.

Obras: *La soledad*—1861—, *La pereza*—1871.

V. BÉCQUER, Gustavo Adolfo: Prefacio a *La soledad*.

FERRÁN, Jaime.

Poeta. Nació—1928—en Cervera (Lérida), ciudad en la que transcurrieron su infancia y adolescencia. Pasó después a Barcelona, en cuya Universidad se licenció en Derecho, y cursó estudios de Filosofía y Letras sin terminarlos. Reside actualmente en Madrid, donde es profesor ayudante de la cátedra de Ciencia de la Cultura.

En las publicaciones de la revista *Laye* reunió algunos poemas iniciales bajo el título de *La piedra más reciente*. Su libro *Desde esta orilla* alcanzó un accésit al "Premio Adonais" 1952, y está publicado en esta colección de poesía. Finalmente, otro libro escrito en el verano de 1953—*Poemas del viajero*—, en un viaje por Europa (Sarre, París e Inglaterra), ganó el "Premio Ciudad de Barcelona, 1953".

Otras obras: *Descubrimiento de América*, *Canciones para Dulcinea*—1959—, *Libro de Ondina*—1964.

FERRÁN DE POL, Lluis.

Narrador español en lengua catalana. Nació—1911—en Arenys de Mar, provincia de Barcelona. Licenciado en Derecho por la Universidad de Barcelona. Abogado en ejercicio. A partir de 1939 salió de España, habiendo vivido varios años en México.

Cultiva un neto realismo con una gran fuerza, en un estilo muy personal, sin que falte en ninguna de sus obras una dosis de sutil psicología. Obtuvo el "Premio Narcís Oller" con su libro de narraciones *Tríptic*—1964—y el "Premio Víctor Catalá" con sus cuentos *La citat i el tropic*—1956.

Otras obras: *Erem quatre*—novela—, *Miralls Trébols*—cuentos.

FERRAND, Manuel.

Novelista y periodista. Nació—1925—en Sevilla. Licenciado en Filosofía y Letras. Desde 1958 trabaja en el diario *A B C*, de Sevilla, donde ha popularizado su seudónimo "Tic". Es también excelente dibujante. Ha publicado centenares de artículos en la popular revista *La Codorniz*.

De mucho ingenio, espontáneo humor.

Obras: *El otro bando*—novela, "Premio Elisenda de Montcada, 1967"—, *Con la noche a cuestas*—novela, "Premio Planeta, 1968—, *La sotana colgada*—novela, 1971.

FERRANDES DE JERENA, Garci.

Poeta español del siglo XIV—fines—y de influencia trovadoresca menos que mediana, "al que perdieron aquellas moriscas tan caras al arcipreste de Hita". Por casarse con una de ellas, "pensando que avía mucho tesoro", perdió el favor de Juan II, y luego "falló que su mujer non tenía nada". Se acogió entonces a una ermita y escribió versos a la Virgen, viviendo en gran penitencia. Pero al poco tiempo, pretextando que se dirigía a Jerusalén, se quedó en Málaga con su mujer, donde se circuncidó, abrazando el islamismo. Viejo, cano, calvo, lleno el rostro de arrugas y el cuerpo de bizmas de socrocio, el arrepentimiento y la miseria le volvieron a Castilla, donde arrastró el resto de su pecadora vida entre las chuflas y los respingos despreciativos de sus cofrades de gaya ciencia. Sus poesías son aún peores que las de Villasandino, ya que ni siquiera tenía el dominio técnico ni la facilidad de este.

Sin embargo, Amador de los Ríos opina que fue "Garci Ferrandes uno de aquellos ingenios a quienes concede el cielo imaginación lozana y pintoresca; sus poesías, que no carecen de pensamientos profundos y alguna vez elevados, muestran que le era familiar el conocimiento de las formas artísticas de la escuela provenzal, y que, dominado por influjo más favorable a la nacionalidad castellana, hubiera podido levantarse a más alta esfera".

Textos: Véanse ediciones del *Cancionero de Baena*.

V. MENÉNDEZ PELAYO, M.: *Antología de poetas líricos castellanos*. Tomo I.—CEJADOR Y FRAUCA, J.: *Historia de la lengua y literatura españolas*. Tomo I, núm. 346.—AMADOR DE LOS RÍOS, J.: *Historia crítica de la literatura española*. Tomo V, 187-189.

FERRARI, Emilio P.

Poeta y periodista español. Nació en 1850. Murió en 1907. Emilio Pérez Ferrari fue natural de Valladolid. Doctor en Derecho y en Filosofía y Letras. Ingresó en el Cuerpo de

Archiveros y se trasladó a Madrid, donde le protegió decididamente Gaspar Núñez de Arce.

Ferrari fue de los primeros poetas que leyeron sus obras en el nuevo Ateneo de la calle del Prado. Sus principales volúmenes de poesías son: *En el arroyo*—1885—y *Por mi camino*—1908—. Ingresó—1905—en la Real Academia Española y fue secretario de la Asociación de Escritores y Artistas. Como poeta—de segundo orden, pero muy colorista y esmerado de forma—, es un discípulo de la escuela seudofilosófica que tuvo por corifeo a Núñez de Arce.

Otras obras: *Pedro Abelardo*—poema, 1884—, *La muerte de Hipatía*—poema—, *En el arroyo*—poema—, *Consummatum*—poema—, *Quien a hierro mata...*—drama poético—, *La poesía en la crisis literaria actual* —discurso de ingreso en la Real Academia Española—1905—, *Dos cetros y dos almas* —poema dramático, 1884—, *Poemas vulgares*—1891—, *La justicia del acaso*—drama, 1881...

Textos: *Obras completas,* tres volúmenes, 1908-1910, Madrid.

V. Cuenca, C. L. de: *Emilio Ferrari.* Madrid, 1907.—Picón y Febres, G.: *Notas y opiniones.* Caracas, 1889.—Ríos, Blanca de los: *Ferrari,* en *Raza Española,* 1921.—Navas, conde de las: En *Cultura Española,* XVI, 880.—Díez de Tejada, F.: *Ferrari,* en *Revista Contemporánea,* 411.—Alonso Cortés, N.: *Jornadas.* Valladolid, 1920.

FERRARI BILLOCH, Francisco.

Novelista, cronista, historiador español. Nació—1901—en Manacor (Mallorca) y murió—1958—en Madrid. Estudió en Palma de Mallorca, y siendo estudiante formó parte como redactor en el diario *Almudaina.* Habiéndose trasladado a Madrid, fue durante varios años redactor del diario *Informaciones.* Después de 1939 perteneció al cuerpo de redactores de la *Hoja del Lunes* matritense. El Ayuntamiento de la capital y el Ministerio de Educación Nacional le otorgaron sendos premios por sus trabajos de prensa. En 1956 ganó el "Premio Pedro Antonio de Alarcón" con su novela *La sombra detrás del corazón.* Y en 1957 la Real Academia Española otorgó el "Premio Manuel Llorente" a su biografía *Ramón y Cajal.*

Obras: *La Masonería al desnudo*—1935—, *Mallorca contra los rojos*—1956—, *La innominada*—narración, 1939—, *La monja fugitiva*—novela, 1939—, *El bulo*—1942—, *El regalo de Danaos*—novela, 1940—, *Barceló* —biografía, 1941—, *Dos mujeres*—novela, 1941—, *El hombre que recuperó su alma* —teatro—, *La isla de los Enamorados* —1952—, *Ramón Llull*—biografía, 1951—, *La*

vida llama—novela, 1955—, *Una aventura sin importancia*—narración, 1957—, *Espías en acción*—reportaje, 1955—, *Historia de los Reyes de España*—cuatro tomos, Madrid, 1958-1963.

FERRATÉ, Juan.

Nació—1924—en Reus. Cursó estudios secundarios en su ciudad natal y en Burdeos, Mataró y Barcelona. En la Universidad de Barcelona estudió Derecho y Filosofía y Letras, habiéndose licenciado en Filología clásica en 1953.

Ha publicado, entre otros, los siguientes libros: *Carles Riba, avui*—Barcelona, Alpha, 1955—, *Líricos griegos arcaicos*—Barcelona, Seix Barral, 1968—, *Dinámica de la poesía.* *Ensayos de explicación* (1952-1966)—Barcelona, Seix Barral, 1968—y *Les taules de Marduk i altres coses*—Barcelona, Proa, 1970.

Desde noviembre de 1954 hasta octubre de 1960 enseñó lenguas clásicas en la Universidad de Oriente, de Santiago de Cuba. En 1961 ejerció de asesor técnico del Ministerio de Educación del Gobierno revolucionario de Cuba. Desde enero de 1962 trabajó en la Universidad de Alberta, de Edmonton (Canadá), donde enseñó literatura española y comparada.

FERRATER MORA, José.

Filósofo, ensayista y pensador español. Nació—1912—en Barcelona. Doctor en Filosofía y Letras por la Universidad de su ciudad natal. De 1939 a 1941 residió en Cuba, donde dio notables conferencias. Desde 1941 es profesor de Filosofía Moderna y Contemporánea en la Universidad de Chile.

Ferrater Mora es una de las mentalidades españolas contemporáneas más sólidas, claras y hondas. Paulatinamente, con una seguridad absoluta, ha ido ganando prestigio universal. Es, además, un literato notable. Cuantas obras salen de su pluma suman a su agudeza de precisión la amenidad y la solvencia intelectual más rigurosa.

Obras: *España y Europa*—1942—, *Diccionario de Filosofía*—obra fundamental en la materia, varias veces reimpresa desde 1942—, *Las formas de la vida catalana*—1944—, *Unamuno: bosquejo de una filosofía*—1944—, *Cuatro visiones de la historia universal* —1945—, *La ironía, la muerte y la admiración*—1945—; *Variaciones sobre el espíritu* —1945—, *Cóctel de verdad*—Madrid, 1935—, *Ortega y Gasset. Etapas de una filosofía* —Barcelona, 1958—, *La filosofía en el mundo de hoy*—Madrid, 1959—, *Tres mundos: Cataluña, España, Europa*—Barcelona, 1963—, *El ser y la muerte*—Madrid, Aguilar, 1962, "Premio 1963" concedido por los escritores europeos.

FERREIRA, Eduardo.

Literato, periodista, profesor universitario uruguayo. Nació el 6 de octubre de 1869, en Guadalupe (Uruguay). Escritor de elegante forma y ponderado juicio. Dedicó toda su existencia al periodismo, haciendo prestigiosos sus seudónimos de "Teógenes", en los temas generales, y de "Gil-Pérez", en los de crítica pictórica y musical. Dirigió por espacio de muchos años *La Tribuna Popular,* luego *La Razón,* hasta 1916; de entonces hasta 1919, *El Siglo;* desde ese momento hasta 1922, nuevamente *La Razón.* Más tarde fundó *Imparcial,* que dirigió desde 1924 hasta 1933. Actuó largamente como profesor universitario de Literatura, y atendió también la *Revista Nacional de Literatura.* Presidió la Asociación de la Prensa, y posteriormente el Círculo de la Prensa, que sucedió a aquella. Falleció en Montevideo en 1946.

FERRER DEL RÍO, Antonio.

Literato, historiador, periodista y político español. Nació—1814—en Madrid. Y murió —1872—en El Molar. Cursó Humanidades en Madrid como discípulo de don Alberto Lista. Muy joven, marchó a la Habana, donde, con el seudónimo de "El Madrileño", colaboró con frecuencia en la Prensa cubana. De regreso a España, fue nombrado bibliotecario del Ministerio de Instrucción Pública, departamento del cual llegó a ser director general. Académico de la Real Española de la Lengua desde 1853. Colaborador de los principales periódicos y revistas madrileños. Gran amigo de Molíns, de Espronceda, de Cheste y de los más famosos literatos y artistas románticos.

Obras: *Examen histórico-crítico del reinado de Don Pedro de Castilla, Historia del levantamiento de las Comunidades de Castilla, Galería de la literatura española, Introducción a los anales del reinado de Isabel II, Historia del reinado de Carlos III, De patria a patria*—novela—, *La senda de espinas y Francisco Pizarro*—dramas—, *Noticias de los certámenes literarios de la Real Academia Española, A la muerte de don Alberto Lista*—oda—, *Al general Castaños* —oda.

FERRER-VIDAL TURULL, Jorge.

Cuentista y novelista español. Nació —1926—en Barcelona, en cuya Universidad cursó la licenciatura de Derecho.

Es de los contados narradores jóvenes que saben para qué sirve la imaginación, aun cuando permanezca fiel al realismo. "Premio Ateneo de Valladolid, 1963".

Obras: *El trapecio de Dios*—1954—, *El carro de los caballos blancos*—1957—, *Sába-*

do, esperanza—1960, "Premio Café Gijón"—, *Sobre la piel del mundo*—narraciones, 1957—, *Fe de vida*—narraciones, 1959—, *Cuando lleguen las golondrinas con la primavera*—narraciones, 1960—, *Caza mayor*—novela, 1961, "Premio Ciudad de Oviedo"—, *Historias de desamor y malandanza*—narraciones, 1962—, *El racimo de uvas*—1963.

FERRÉS, Antonio.

Novelista y ensayista. Nació—1924—en Madrid. De quien no tengo noticias que afecten a su personalidad. Por referencias conozco su intensa vida viajera y su dedicación entera a la literatura. Pero lo importante en él es que se trata de un narrador fuerte, alapado a las tendencias más de vanguardia, con un lenguaje sumamente sugestivo, maestro en la composición genérica, elector de temas de candente actualidad, de emotividad inolvidable.

Obras: *La piqueta*—novela, 1959—, *Caminando por las Hurdes*—1960, en colaboración con Armando López Salinas—, *Los vencidos* —novela, 1962—, *Tierra de olivos*—1964—, *Con las manos vacías*—novela, "Premio Ciudad de Barcelona, 1964".

FERRETIS, Jorge.

Novelista mexicano contemporáneo, nacido a principio del siglo actual. Desconocemos pormenores de su vida, pero no algunas de sus obras—*Cuando engorda "Don Quijote", Tierra caliente, Hombres en tempestad, El Sur, quema*—que estimamos como novelas extraordinariamente sugestivas, llenas de violento y humano vigor, de sorprendente originalidad, de humor crudo, de deliciosa pirotecnia imaginativa.

Jorge Ferretis posee un estilo brusco, desconcertante a veces, siempre cálido y enormemente ceñido a los temas.

Entre sus cuentos—verdaderas joyas del dificilísimo género—abundan los dignos de las antologías; así, los titulados *Hombres químicamente puros, La risa del jumento, Aire...*

FERRÚS, Pero.

Poeta español que vivió en los tiempos del rey don Pedro I y alcanzó a cantar la muerte de Enrique II.

En la escuela galaicoportuguesa, las preocupaciones de los poetas parecen reducirse a encontrar la resolución de un enigma o a la contestación de una *requesta* amorosa. Dos géneros muy conocidos en la poética provenzal responden a las dos actitudes: el *serventesio,* al cual corresponden los *dezyres* políticos y satíricos, y la *tenson,* que equivale a la *requesta.* El más antiguo poeta de esta escuela es Pero Ferrús, de quien se tie-

F

nen escasísimas noticias...—que era gran amigo del canciller Ayala, que conocía los tres primeros libros del *Amadís*, que anduvo en dimes y diretes con los rabinos de Alcalá, que su amada era llamada *Bellaguisa*, que deploró la muerte de Enrique II, entre ellas—está representado en el *Cancionero de Baena* con cinco poesías, de erudición indigesta, en las que mezcla con los personajes bíblicos los que pululan por los libros de caballerías, que tanto debió de leer.

Textos: véanse impresiones del *Cancionero de Baena*.

V. AMADOR DE LOS RÍOS, J.: *Historia crítica de la literatura española*. Tomo V, 177-179. CEJADOR Y FRAUCA, J.: *Historia de la lengua y literatura españolas*. Tomo I, núm. 346.— MENÉNDEZ PELAYO, M.: *Antología de poetas líricos castellanos*. Tomo I.

FIALLO, Fabio.

Poeta y prosista dominicano. Nació —1866—en Santo Domingo. Murió—1942— en la Habana. Desde su mocedad, temperamento apasionado y liberal, intervino en política, participó en diversos movimientos armados y padeció persecuciones. Por su patriotismo frente al imperialismo yanqui, estuvo algún tiempo en la cárcel. Fue cónsul de la República en Hamburgo, Nueva York y la Habana. Director del semanario *El Hogar* (1894-1895). En 1905 fundó—con Tulio M. Cestero—*La Campaña*, y en 1920 la Unión Nacionalista Dominicana le encargó la dirección de su órgano *Las Noticias*. Fue profesor en las Escuelas Normales.

Posiblemente es Fiallo el poeta dominicano más conocido fuera de su patria, y uno de los más populares en esta.

Poseyó gracia y delicadeza en la versificación, y dio a sus composiciones un tono galante y sentimental—erótico en ocasiones— muy del gusto de las mayorías. Su modernismo resultó muy mitigado, pese a la gran amistad que le unió con Rubén Darío; fue siempre un delicado romántico, tan limpio de acritud como lleno de ternura. Como prosista sobresalió por sus admirables cuentos.

Obras: *Primavera sentimental*—poesías, Caracas, 1901—, *Cantaba el ruiseñor*—poesías, Berlín, 1910—, *Canciones de la tarde* —Santo Domingo, 1920—, *La canción de la vida*—Madrid, 1926—, *El balcón de Psiquis* —poesías, la Habana, 1935—, *Sus mejores versos*—Santiago, 1938—, *Cuentos frágiles* —Nueva York, 1908—, *La cita*—drama, 1924—, *Las manzanas de Mefisto*—cuentos, la Habana, 1934—, *Poemas de la niña que está en el cielo*—Santo Domingo, 1935.

V. GARCÍA GODOY, Federico: *Perfiles y relieves*, 1907.—GARCÍA GODOY, Federico: *La literatura dominicana*. 1916.—BLANCO FOMBO-

NA, Rufino: *El Modernismo y los poetas modernistas*. Madrid, 1929.—PRATS RAMÍREZ, Francisco: *Despedida a Fabio Fiallo*. Ciudad Trujillo, 1942.—CONTÍN AYBAR, P. R.: *Antología poética dominicana*. 1943.—*Antología de la literatura dominicana*. 2 tomos. Ciudad Trujillo, 1944.

FIGUERA AYMERICH, Angela.

Nace en Bilbao en 1902. Desde muy niña ama apasionadamente dos cosas: su tierra —árboles y mar, lluvia menuda y fresco césped—y la lectura. Sin saber cómo ni para qué, en secreto, escribe versos. Bachillerato. Las letras la atraen. Sin embargo, las mejores notas las consigue en Matemáticas. Aborrece el estudio memorístico. Primogénita entre numerosos hermanos, ama y comprende a los niños. Carrera de Filosofía y Letras. Libre, en Valladolid, y oficial, en Madrid el último curso, en 1927. Huérfana de padre, trabaja en Bilbao un par de años, y en 1930 se traslada a Madrid. Trabajo sin tregua, lecciones, vida dura. Siempre en la intimidad sigue haciendo poesías. Eso la eleva. La llena de vida interior. La redime. Durante tres cursos desempeña la cátedra de Lengua y Literatura en distintos Institutos. En 1934, matrimonio. Un hogar feliz, un hijo. La vena poética sigue fluyendo de un modo natural y apasionado, pero sin salir a la superficie. Alguien la descubre; parientes, amigos. En 1948 aparece su primer libro: *Mujer de barro*. Su segundo libro poético es *Soria pura*—1949—, y en 1950, *Vencida por el ángel*, que obtuvo el "Premio Verbo, 1949".

Angela Figuera Aymerich es una de las más interesantes poetisas contemporáneas. Son admirables su fuerza temática, su expresividad cálida y vibrante, la gracia y sencillez de su forma, la hondura de su emoción, posiblemente no igualada hoy, sino por las hispanoamericanas Alfonsina Storni y Juana de Ibarbourou. En la poesía de Angela Figuera Aymerich—de las que rezuma, en ocasiones, un delicado erotismo—la plasticidad y la evocación alcanzan temperaturas de fiebre.

Otras obras: *Víspera de la vida*—1951—, *El grito inútil*—1952—, *Los días duros* —1953—, *Belleza cruel*—1958.

V. SAINZ DE ROBLES, F. C.: *Historia y antología de la poesía castellana*. Madrid, Aguilar, 2.ª edición, 1951.

FIGUEROA, Agustín de.

Cuentista y biógrafo español contemporáneo. Nació—1905—en Madrid. De gran cultura, mucha y original imaginación y prosa brillante.

Obras: *La condesa de Merlín, musa del ro-*

manticismo; Memorias del recluso Figueroa, 1894 (La vida de un año), La sociedad española bajo la Restauración, El reloj parado.

FIGUEROA, Francisco de.

Famoso poeta español, llamado "el Divino". 1536-1620. De Alcalá de Henares. Hidalgo. Conocía el latín, el griego y el italiano. Muy joven marchó a Italia, viviendo varios años en Siena, ocupado en *negocios propios,* y otros tantos en Roma, ocupado en negocios de Carlos I y Felipe II. Casó en Alcalá y pasó a Flandes, al servicio de don Carlos de Aragón, duque de Terranova. Retirado a su ciudad natal, vivió en ella muchos años, ni envidiado ni envidioso de la gente, en paz y en gracia de Dios. Y muy respetado y consultado por sus convecinos. Acaso recordando el ejemplo de Virgilio, poco antes de morir encargó Figueroa que fueran destruidas sus obras. Se salvaron algunas, gracias a la intervención del señor de Pozuelo, don Antonio de Toledo, que fueron publicadas—Lisboa, 1626—por Luis Tribaldos.

Saturado de sabor y de estilo renacientes, apasionado devoto de Garcilaso, Francisco de Figueroa imitó a este, y su imitación aparece tanto más precisa cuanto que los dos bebieron en unas fuentes mismas. Figueroa—como es lógico en todos estos poetas del grupo italianizado—vivió el tópico de un amor imposible derivado hacia una infinita e incurable melancolía. De la producción de Figueroa, sobria y jugosa, sobresalen sus *Canciones,* en modo alguno libres de la influencia italianizante. Consiguió el admirable juego poético de alternar en alguna composición—la epístola al marqués de Montesclaros, por ejemplo—los versos redactados en toscano y los escritos en castellano. Imitó a Girolamo Parabosco en la bellísima canción

> Sale la aurora, de su fértil manto
> rosas suaves esparciendo y flores...;

a Garcilaso, en la égloga, de verso suelto, *Tirsi, pastor del más famoso río,* y en las liras de *Los amores de Damón y Galatea;* a Horacio, en la canción—precedente tal vez de la similar de Lope

> Cuitada navecilla,
> por mil partes hendida...

El gran mérito de Figueroa, a quien llamaron "el Divino" sus contemporáneos, es el haber connaturalizado el verso suelto en España, en cuya composición nadie le igualó. Se conservan de él más de setenta poesías, escritas la mayor parte de ellas antes de 1575. *Tirsi* se llamó a sí mismo, y con nombre tal le introdujo Cervantes en *La*

Galatea, y *Fili* a su amada, que lo fue desde niño—sonetos 37 y 44—, luego o después de sus viajes *Dafne,* bautizándola Cervantes con el de *Galatea.*

Las poesías de Figueroa fueron publicadas en Lisboa—1626—por Tribaldos. Y esta edición es la reproducida por Hungtington —1903—en Nueva York.

Edición moderna es la de Angel Gonzalez Palencia—1943—en la *Bib. Española.*

V. MENÉNDEZ PIDAL, R.: *Observaciones sobre las poesías de Francisco de Figueroa,* en *Boletín de la Academia Española,* 1915.— SCHEWILL, R.: *Láinez, Figueroa y Cervantes,* en *Homenaje a Menéndez Pidal,* I, 425.— MELE, E., y GONZÁLEZ PALENCIA, A.: *Notas sobre Francisco de Figueroa,* en *Revista Filológica Española,* 1941, XXV.—CRAWFORD, J. W.: *The source of a Pastoral Eglogue attributed to F. de F.,* en *Modern Language Notes,* 1920, tomo XXXV.—CRAWFORD, J. W.: *Francisco de Figueroa y sus poesías,* en *Homenaje a Menéndez Pidal,* tomo II.—ZAMORA VICENTE, Alonso: *Estudio* en la edición de *Poesías* de F. de F. "Clásicos Castellanos", Madrid, 1944.

FIGUEROA Y CÓRDOBA, Diego y José.

Notables poetas y dramaturgos españoles. Del noble linaje de los Lasso de la Vega. Sevillanos. Diego nació en 1619 y murió en 1673. José, 1625 y 1678. Fueron ambos caballeros del hábito de Santiago y San Juan. Ambos concurrieron a la Academia literaria el "Jardín de Apolo", que presidía Melchor de Fonseca, y al concurso poético organizado con motivo del traslado de Nuestra Señora de la Soledad, de Madrid, a su nueva capilla, siendo ambos premiados. Diego era bachiller por Salamanca, y José, capitán audaz. Diego perteneció a la Orden de Alcántara y estuvo casado con doña Francisca de Salazar, de quien se separó muy pronto.

No fueron dramaturgos de primera fila. Les faltó fuerza inventiva y vuelo poético. Pero escribieron con mucha gracia y agilidad sorprendente, aprovechando los temas ya tratados por otros ingenios.

Obras dramáticas de Diego: *La hija del mesonero, Todo es enredos, amor y diablos son las mujeres; La lealtad en las injurias.*

De José se conserva *Muchos aciertos de un yerro.*

Y de Diego y José: *Vencerse es mayor valor, Pobreza, amor y fortuna; Leoncio y Montano, La dama capitán, Mentir y mudarse a tiempo, A cada paso un peligro, Rendirse a la obligación...*

V. COTARELO MORI, E.: *Dramáticos del siglo XVII: Los hermanos Figueroa y Córdoba,* en el *Boletín de la Academia Española,*

F

1919.—Méndez Bejarano, M.: *Diccionario de escritores hispalenses.*

FIGUEROA Y TORRES, Alvaro (conde de Romanones).

Escritor y político español. Nació—1863— y murió—1950—en Madrid. Abogado, con doctorado por la Universidad de Bolonia. Alcalde—1894 y 1898—de Madrid. Diputado a Cortes ininterrumpidamente más de cuarenta años. Ministro, varias veces, de distintas carteras. Presidente, varias veces, del Consejo de Ministros. Académico director de la de Bellas Artes de San Fernando. Presidente del Senado.

De mucha cultura, prosa limpia y agudo en sus juicios.

Obras literarias: *Notas de una vida, Sagasta o el político, Salamanca, gran señor; Doña María Cristina, la discreta gobernante; Isabel II y Olózaga...*

FILGUEIRA VALVERDE, José.

Poeta, crítico literario, historiador. Nació —1908—en Pontevedra. Escribe indistintamente en gallego—siempre su poesía—y en castellano. Catedrático de Lengua y Literatura española. Ha estudiado con tesón y sabiduría la poesía de los *Cancioneros* y otros temas medievales.

Obras: *Santiago de Compostela*—1950—, *Camoens*—1958—, *Noción del tiempo y gozo eterno en la narrativa medieval*—1936—, *Cancionero musical de Galicia*—1942—, *El primer vocabulario gallego y su colector el bachiller Olea*—1947—, *Don Quijote y el amor trovadoresco*—1948—, *El tesoro de la catedral compostelana*—1960.

FINOT, Emilio.

Poeta y bibliógrafo boliviano. 1886-1915. Nació en Santa Cruz.

"Finot ha realizado una obra fecunda e intensa. Como poeta, representa una manifestación de la tristeza literaria; no es un desesperado, ni un pesimista, pero sí un poeta altivo y melancólico que amaba los solitarios dolores. Obtuvo la flor natural en los Juegos florales de 1912. Su labor bibliográfica es importante, aunque ella no se realizó en toda su trayectoria por su desaparecimiento prematuro." (G. A. Otero.)

Obras: *Breves, Antología boliviana, Poetas bolivianos, Gabriel René Moreno y sus obras, La revolución de 1809 en Chuquisaca, El falso brillo, Ana Barba.*

Dejó inéditas: *Las apariencias engañan, El cobarde, Tradiciones bolivianas, Alma boliviana, Precocidad sin gloria.*

V. Finot, Enrique: *Historia de la literatura boliviana.* México, Porrúa, 1943.—Otero, Gustavo Adolfo: *La literatura de Bolivia,* en el tomo XII de la *Historia universal de la literatura,* de Prampolini. Buenos Aires, Uteha Argentina, 1941.

FINOT, Enrique.

Crítico e historiador literario, pedagogo boliviano. Nació—1891—en Santa Cruz. Estudió en el Instituto Nacional de Sucre. Fundador y colaborador de revistas y diarios. Diputado. Diplomático. Ha representado a su país en diferentes naciones y—1929— ante la Comisión de Conciliación y Arbitraje en Washington.

Entre sus obras ha escrito una novela: *El cholo Portales* (1926) y varios libros pedagógicos—destacan: *Historia de la conquista del Oriente boliviano* e *Historia de la literatura boliviana*—México, 1943.

La primera de dichas obras, bien escrita y muy documentada, ha merecido la unanimidad en los elogios. Por el contrario, la segunda, muy vasta y también muy documentada, ha sido objeto de críticas muy dispares. Los críticos adversos le niegan el criterio sutil y la sistematización, así como le señalan determinadas incongruencias y juicios partidistas. Los críticos panegiristas ponen de relieve sus pacientes investigaciones, la tenacidad puesta al servicio de tan noble empresa, el constituir su obra la única extensa historia de la literatura que posee Bolivia, las referencias verdaderamente impresionantes.

Por nuestra parte añadiremos que, metidos en parecidas difíciles empresas en nuestra España, no nos chocan ni los ataques ni los elogios cosechados por Finot. El historiador, por mucha buena fe que ponga en su espinosísima labor, nunca logra contentar a todos. Es un calvario previsto... que no se puede evitar. Admiro y compadezco a Enrique Finot.

V. Díez de Medina, Fernando: *Perfil de la literatura boliviana,* en *Thunupa,* La Paz, 1947.

FLORANES VÉLEZ DE ROBLES, Rafael.

Erudito y prosista. Nació—1743—en Tanarrio, territorio de Liébana (Santander). Murió en Valladolid en 1801. Señor de Tavaneros. Bachiller en Leyes, que estudió en Valladolid. Procurador del corregimiento de la villa de Bilbao, aun cuando no pudo ejercer el cargo por ser forastero. Entre 1770 y 1775 vivió en Vitoria. Desde esta fecha permaneció en Valladolid.

Eruditísimo en Derecho español, historia vascongada y castellana. "Escribió mucho para sí y para sus amigos, no habiendo publicado nada en su vida; pero se aprovecharon muchos eruditos de sus noticias. Ayudó al P. Risco, veneró al P. Flórez, facilitó notas al P. Méndez para su *Tipografía española*... Dos grandes colecciones de sus obras inéditas compraron la Academia de la Historia y el duque del Infantado; la segunda, hoy en la Biblioteca Nacional."

Algunas obras: *El fuero de Sepúlveda, Vida literaria del canciller Ayala, Vida de Galíndez de Carvajal, Memorias históricas de las Universidades de Castilla, Apuntes sobre las behetrías*, la *Suma de las leyes del maestro Jacobo*.

Textos: Tomos XIX y XX de *Documentos inéditos para la historia de España*... Madrid, 1837; *Dos opúsculos inéditos*, ed. Menéndez Pelayo, en *Revue Hispanique*, 1908.

V. MENÉNDEZ PELAYO, M.: En la ed. *Revue Hispanique*, 1908.—CEJADOR Y FRAUCA, J.: *Historia de la lengua y literatura españolas*. Tomo VI, 191.

FLORES, Alonso.

Escritor e historiador considerable del siglo XV. Nació en Salamanca. Y su vida debió transcurrir entre 1476 y 1520. Fue familiar del duque de Alba. Su obra más importante es una *Crónica de los Reyes Católicos*, que se conserva manuscrita en la Real Academia de la Historia. La *Crónica* se inicia con los últimos años del borrascoso reinado de Enrique IV y termina con la guerra de Sucesión, sostenida por los Reyes Católicos contra las pretensiones de Alfonso V de Portugal. Esta *Crónica* "no ha sido apreciada, porque no da la cronología de los sucesos narrados y por ser incompleta; pero es veraz, a pesar del juicio contrario del cronista Alonso de Santa Cruz, y su lenguaje puro, cortado, sin mezcla de latinismos, claro y en muchos períodos verdaderamente elocuente, le da cierto interés. Como Pulgar, e imitando a Tito Livio y Salustio, introduce breves peroraciones, que dan vida a la narración, enérgica y a veces pintoresca. Merecen citarse las semblanzas de don Fernando y doña Isabel, vistos muchas veces por el autor" (M. P.).

FLORES, Antonio.

Literato y periodista español. Nació —1818—en Elche (Alicante) y murió—1865— en Madrid. Sin grandes bagajes culturales, llegó muy joven a Madrid. Su inteligencia aguda y chispeante, su sano humorismo, le abrieron las puertas de muchos periódicos importantes: *La América, La Prensa, La Época*... Dirigió con Ferrer del Río el semanario *El Laberinto*. Y por recomendación de O'Donnell consiguió la plaza de secretario de la Intendencia General del Real Patrimonio.

Antonio Flores sobresale por su amenidad narrativa, por la galanura de su estilo, por su sano humorismo. Hoy es considerado como uno de los mejores escritores costumbristas del siglo XIX. Madrid le debe no pocos primores en su elogio.

Obras: *Ayer, hoy y mañana*—preciosos cuadros de costumbres y su producción más considerable—, *Fe, Esperanza y Caridad; La historia del matrimonio, Doce españoles de brocha gorda*...

V. CORREA CALDERÓN, E.: *Costumbristas españoles*. Madrid, Aguilar, 1950 y 1952, dos tomos.

FLORES, Juan de.

Interesante escritor español. Nació —¿1470?—en Lérida. Debió de morir en Zaragoza hacia 1525. Nada se sabe de la vida de este magnífico escritor español, a pesar de que fue popularísimo dentro y fuera de España, como lo demuestran las muchas ediciones, traducciones, adaptaciones e imitaciones que se hicieron de sus obras. Juan de Flores ha sido incluido en el *Catálogo de autoridades* del idioma de la Real Academia Española.

Flores es autor de dos novelas curiosísimas, de éxito inmenso en su época y en la inmediata siguiente. Éxito que se explica porque Flores supo añadir con tino excelente al carácter caballeresco que entonces privaba en la narración unos amoríos sentimentales de mucho efecto. La combinación dio un resultado por demás agradable; causó una verdadera revolución en la técnica y en la táctica novelescas.

La primera de dichas novelas, titulada *Grimalte y Gradissa*, apareció en Lérida hacia 1495. Es como una continuación de *La fiammetta*, de Boccaccio, y lleva intercalados algunos versos de Alonso de Córdoba. Esta novela fue traducida al francés por Mauricio Sceva y se imprimió en dos años consecutivos: 1535 y 1536.

Más importante es la otra novela de Flores: *Historia de Grisel y Mirabella, con la disputa de Torrellas y Braçayda*—Lérida, Botel, ¿1495?—, cuestión de amor, por el estilo de las del *Filocolo*, de Boccaccio, que tuvo gran éxito comercial. Se tradujo al italiano—1521—con el título de *Historia de Aurelio e Isabella*; al francés, en 1520; al inglés, en 1556; y sirvió de texto para la enseñanza de idiomas en ediciones bilingües y poliglotas. Influyó esta novela de Flores en el *Orlando*, de Ariosto; y fue utilizada por Lope de Vega en *La ley ejecutada*; por Fletcher, en *Women pleased*, y por Scudery, en *Le prince déguise*.

V. MENÉNDEZ PELAYO, M.: *Orígenes de la novela*. I.—WARD OLMSTED, E.: *Story of Grisel and Mirabella...*, en *Homenaje a Me-*

néndez Pidal, II, 369.—Barrara Matulka: *The novels of J. de F. and their European difussion.* Nueva York University.—Steiner, A.: *J. de F., Barclay and Georges de Scudery,* en *Rom. Rev.,* 1931, XXII, 323.

FLORES, Manuel María.

Poeta y prosista mexicano. Nació—1840— en San Andrés de Chalchicomula (Puebla) y murió—1885—, pobre y ciego, en la ciudad de México. Poeta obsesivamente erótico, que tuvo gran popularidad en su época. Menéndez Pelayo se escandalizó de la contumacia sensual de Flores, pero, indudablemente, hubo en su erotismo mucho de ternura, de angustia y de desesperación. Y es que la Vida no fue amable, ni siquiera misericordiosa, con el infeliz vate.

"El poeta—escribió el gran lírico Luis G. Urbina, su contemporáneo—no engaña: sufre las sublimes angustias de su deseo insaciable. Y en la hoguera de su fantasía crujen y tienen brillo de ascua las vesánicas ilusiones. Manuel María Flores cantó, casi exclusivamente, a la mujer, hecha carne y llama, con un romanticismo extraordinario y febril. Puede afirmarse que fue Flores el más romántico de los románticos mexicanos. Su composición *La orgía* es tan popular y famosa y exaltada como la de Acuña *Ante un cadáver.*

Pocos años antes de morir publicó su único libro de poemas, titulado *Pasionarias,* que obtuvo—y aún obtiene—un éxito grande, principalmente entre las mujeres.

Flores—excelente políglota—tradujo poesías de Shakespeare, Dante, Schiller, Heine, Byron...

V. Roa Bárcena, José María: *Antología de poetas mexicanos.* Publicada por la Academia Mexicana. México, 1892-1894.—Chumacero, Alí: *Poesía romántica mexicana.* México, 1941.—Menéndez Pelayo, M.: *Historia de la poesía hispanoamericana.* Madrid, 1911-1913.—González Peña, Carlos: *Historia de la literatura mexicana.* México, 1940, segunda edición.—Jiménez Rueda, Julio: *Historia de la literatura mexicana.* México, 1942, tercera edición.—Domínguez, Ricardo: *Los poetas mexicanos.* México, 1888. 1912.—Puyal y Acal, Manuel: *Los poetas mexicanos contemporáneos.* México, 1888.

FLORES ARENAS, Francisco.

Poeta y comediógrafo español. Nació —1801—en Cádiz y murió—1877—en esta misma ciudad. Fue ingeniero militar, y en 1823 cayó prisionero de los franceses. Cuatro años después solicitó el retiro, y entonces empezó a cursar brillantemente la carrera de Medicina, que terminó en 1836 y ejerció con fama en su tierra natal—de cuya Fa-

cultad fue catedrático—hasta su muerte. Fundó la revista *La Moda*—1842—, que al ser trasladada a Madrid, en 1869, adoptó el título de *La Moda Ilustrada.*

Ingenio fácil y chispeante, fino observador, delicado poeta y experto discípulo de Bretón de los Herreros en afanes dramáticos, escribió tres excelentes comedias de costumbres: *Pagarse del exterior*—1831—, *Hacer cuentas sin la huéspeda*—1831—y *Coquetismo y presunción*—1833—, notables por la exactitud de la observación y por lo ingenioso del diálogo.

En Cádiz—1878—se publicó el primer tomo de unas *Obras escogidas* de Flores Arenas.

V. Rubio y Díaz, Vicente: *Biografía de Flores Arenas,* en el tomo I de las *Obras escogidas* de este autor. Cádiz, 1878.

FLORES GARCÍA, Francisco.

Periodista, literato y autor dramático español. Nació—1846—en Málaga. Murió —1917—en Madrid, víctima de un accidente ferroviario. De mozo, hijo de padres humildes, desempeñó oficios de herrero y tipógrafo. De veinte años estuvo en Francia. Entonces se inició su vocación literaria. En Málaga—1868—fundó el periódico *El Nuevo Día.* Un año después se trasladó a Madrid, donde colaboró en diarios de matiz republicano y fue perseguido por sus ideas izquierdistas. Algún tiempo estuvo escondido en su ciudad natal. De regreso en la capital, dirigió—1877—*El Pueblo* y empezó a dedicarse a la crónica literaria y al teatro, firmando algunos de sus artículos con el seudónimo de "Córcholis".

Muchísimos son los libros publicados y las obras estrenadas por Flores García, autor de vena cómica indudable, muy culto, muy buen observador, fácil versificador y prosista excelente.

Su teatro tuvo el mismo éxito de público que el de Ramos Carrión, Vital Aza y Miguel Echegaray, costumbristas notables todos y muy conocedores del gusto de las gentes de su época.

Entre sus libros sobresalen: *Cuentos y novelas, Una página de la guerra, Cosas del mundo, Galería de tipos, Memorias del teatro, Memorias de la Revolución.*

Entre sus producciones escénicas: *Saber amar, La cuerda sensible, Quien piensa mal..., De Cádiz al puerto, La madre de la criatura, El coco, La ley del embudo, Los vidrios rotos, De pesca, Guzmán el Malo, Mixto de inglés y canario, Clases pasivas, El número uno, Fea, La aguja de marear...*

FLÓREZ, Julio.

Poeta de extraordinaria inspiración. 1877-1923. Nació en Chiquinquirá (Colombia). Llevó una vida bohemia y aventurera, muy en consonancia con su temperamento, pues fue un poeta romántico, de brillante fantasía y rico corazón, derramado en metáforas y exquisiteces, verdadero trovador popularísimo entre las clases humildes, cuyas poesías han pasado a través de todas las modas sin marchitarse.

"En plena estridencia modernista, permaneció fiel a su temperamento. De ahí que por la figura y los tópicos parezca un romántico trasnochado, infatigable y abundante rimador de penas intrascendentes. Pero esta actitud, que en los comienzos del siglo XX aparece atrasada en algo más de medio siglo, fue redimida por una grande y original jerarquía lírica; una rica afluencia de calidad, si bien más lujosa que refinada, no exenta de abundantes y decorativas bellezas. Así se explica que este poeta haya sido, tal vez, el más popular de Colombia, hasta merecer como otros grandes el mérito de la coronación oficial en Usiacuri, el 14 de enero de 1923." (Leguizamón.)

Para Luis María Mora, Flórez es "como un árbol sensible, que a la menor sacudida deja caer las flores de sus estrofas".

El romanticismo de Flórez es esencial y se desborda en la expresión de temas subjetivos pesimistas o eróticos, que, en unión de Carlos Arturo Torres, "revelan por vario modo la misma cuerda dolorosa, como al través de los cambiantes de las olas azules y de las espumas irisadas se adivina siempre el fondo negro del abismo. Dijérase que su musa, desgreñados los abundosos rizos, la faz doliente, inmóvil en la contemplación de un horizonte tristísimo, se hubiese petrificado, como Niobe, en la eternidad de un dolor sin nombre".

Sin embargo, este romanticismo parece absolutamente espontáneo y verdadero en Flórez, y no forzada compostura teatral, como en otros muchos poetas de la misma cuerda. Debió de sufrir mucho. Debió de sentirse inmensamente desgraciado. El amor y la muerte debieron de tener para él exacta significación. Flórez—y es este el gran secreto de la sugestión de su lirismo—no vivió sino su poesía. No le tentaron las sirenas de las apetencias humanas de poder, mando, riqueza, rebeldía, gloria... Fue un solitario. Fue un gran independiente. Fue un perfecto desdeñador de halagos. De él pudo decirse lo que Carlyle dijo de Byron: "El único empleo que supo hacer de sus maravillosas dotes fue el de contar al mundo que no era feliz..."

Obras: *Horas*—Bogotá, 1893—, *Cardos y lirios*—Caracas, 1905—, *Manojo de zarzas, Cesta de lotos, Fronda lírica*—Madrid, 1908—, *Gotas de ajenjo*—Barcelona, ¿1911?—. Y dejó inéditas: *De playa en playa, Retoños y Flores negras.*

V. Gómez Restrepo, Antonio: *Parnaso colombiano.* Cádiz, 1915.—Torres, Carlos Arturo: *Estudios.* 1906.—Gómez Restrepo, Antonio: *Historia de la literatura colombiana.* Bogotá, 1938.—Arango Ferrer, Javier: *La literatura colombiana.* Universidad de Buenos Aires, 1940.

FLÓREZ DE SETIÉN, Enrique.

Gran historiador y literato español. Nació—1702—en Villadiego. Murió en 1773. Su padre era corregidor del Barco de Avila, villa donde el P. Flórez estudió las primeras letras. La Filosofía, en Piedrahita, con los dominicos. A los diecisiete años profesó en el Colegio Agustino de Salamanca. Cursó Artes en Valladolid, Teología en Salamanca, doctorándose en las Universidades de Santo Tomás, de Avila, y Alcalá de Henares.

El P. Flórez hablaba a la perfección el griego, el hebreo, el latín, el francés y el italiano.

Vida sencilla, laboriosa, útil, simpática la de este religioso ejemplar, que a los veinticinco años era "un monumento de erudición".

Atemoriza un tanto acercarse a hombres como el P. Flórez. No porque intimide su presencia, llana, sonriente, comprensiva, sino porque cuanto más se está en proximidad de ellos, tanto más se siente el asombro de unas vidas privilegiadas, de unos talentos fuera de clase. Es algo extraño que atenta justamente contra la pedantería, y que se inicia con un presentimiento y concluye con un sentimiento.

Pero aún fue algo más el P. Flórez en su existencia monástica: rector del Colegio de Alcalá—1739—, provincial de la Orden —1748—, definidor general—1754—. Fernando VI le otorgó su melancólica y real protección para que pudiera dedicarse de lleno a sus estudios, alcanzándole las exenciones y privilegios de provincial absoluto.

En 1742 concibió el P. Flórez el proyecto de su monumental obra la *España Sagrada*. El monarca y la Orden agustiniana lo acogieron con singulares complacencias. Aquel proporcionó al sabio religioso libre acceso a todos los archivos y bibliotecas del reino. Esta, amanuenses cultos y laboriosos. A partir de 1748 se puede decir que el P. Flórez recorrió sin tregua toda España en busca de manuscritos, códices, medallas, estampas, inscripciones, restos arquitectónicos, cuantos materiales pudieran servirle para sustentar una verdad casi absoluta acerca de

F

425

la Historia de España. Pueblo a pueblo, región a región, ¡cómo supo el P. Flórez conocer su patria, ir arrancándole todos sus antiguos secretos, reducir a sencillas claves las fórmulas, que parecían artes mágicas, del conocimiento histórico español!

De su obra magnífica publicó el P. Flórez, entre 1747 y 1755, la primera edición, que fue ampliando sucesivamente, hasta el tomo XXIX. Del valor de la *España Sagrada* dan idea estas palabras del maestro Menéndez Pelayo: "Si quisiéramos cifrar en una obra y en un autor la actividad erudita de España durante el siglo XVIII, la obra representativa sería la *España Sagrada*, y el escritor, fray Enrique Flórez, seguido a larga distancia por sus continuadores, sin exceptuar al que recibió su tradición más directamente." Pero aún cabe afirmar algo más: En España, aún hoy, no puede realizarse ningún estudio histórico serio sin consultar este monumento de saber excepcional.

Pero no se limitó la pluma ágil y doctísima del P. Flórez a escribir la obra mencionada. Otras muchas, a cuál más interesante, se deben al singular agustino, autodidacto asombroso, que tuvo que educarse a sí propio en todas las disciplinas históricas, improvisándose paleógrafo, numismático, arqueólogo, geógrafo, epigrafista, naturalista, cronologista...

Obras: *Totius doctrinae de generatione et corruptione, de coelo et mundo et anima; Mapa de todos los sitios de batallas que tuvieron los romanos en España... Modo práctico de tener oración mental, Medallas de colonias, municipios y pueblos antiguos de España; La Cantabria, Clave geográfica para aprender la Geografía los que no tienen maestro, De formando Theologiae studi, libro IV; Viaje desde Madrid a Bayona, Utilidad de la Historia Natural, Memorias de las reinas católicas...*—Madrid, 1761, 1945—. Esta última obra del P. Flórez es la más literaria y amena. La componen numerosísimas y pequeñas biografías de las reinas españolas, desde Ingunda, mujer de San Hermenegildo —año 579—, hasta María Amalia de Sajonia, esposa de Carlos III—1738—. En esta obra, que el P. Flórez debió de componer "como por sencillo entretenimiento y para descanso de otras empresas mayores", quedaron patentes como en ninguna otra la sensibilidad, la serenidad de juicio, la rectitud del corazón sencillo, la agudeza de talento del gran agustino.

Textos: *Reinas católicas,* ed. completa, "Colección Crisol". Madrid, 1945, dos tomos; edición frag. "Colección Cisneros", Madrid, 1943.

V. SALVADOR Y BARRERA, José María: *El Padre Flórez y su "España Sagrada".* Madrid, 1914.—MÉNDEZ, F.: *Noticias sobre la vida, escritos y viajes del P. Enrique Flórez.* Madrid, 1860.—ANTOLÍN, P. Guillermo: *Datos biográficos del P. Flórez,* en *La Ciudad de Dios,* LXXI.—MUIÑOS, P. Conrado: *El Padre Flórez, modelo de sabios cristianos,* en *La Ciudad de Dios,* LXXI.—SANTIAGO, G. de: *Ensayos,* II, 107-607.

FLORIT, Eugenio.

Poeta cubano. Nació—1903—en Madrid (España), pero residió desde su infancia en Cuba, y siendo considerado isleño por su poesía, aun cuando en esta se adviertan claras influencias del tradicionalismo lírico hispano, y más aún, de nuestro genial Juan Ramón Jiménez.

Entre sus obras figuran: *Trópico, Doble acento*—1937—, *Reino*—1938—, *Cuatro poemas*—1940—, *32 poemas breves*—1947—, *Poema mío*—1947.

V. JIMÉNEZ, Juan Ramón: *La poesía cubana en 1936.* La Habana, 1937.—MARINELLO, Juan: *Veinticinco años de poesía cubana,* en *Literatura Hispanoamericana.* México, 1937.

FOIX, J. V.

Poeta, periodista y crítico español en lengua catalana. Nació—1894—en Barcelona, ciudad en la que siguió todos sus estudios. Publicó sus primeros poemas en revistas minoritarias: *L'amic de les arts, Hélix, Quaderns de poesia.* Durante varios años fue cronista literario de *La Publicitat.*

Poeta superrealista de temas muy ambiciosos y de expresión plagada de imágenes de mucha originalidad y audacia.

Obras: *Gertrudis*—1927—, *KRTU*—1932—, *Sol, i de dol*—1936—, *Les irreals omegues* —1948—, *Quatre nus*—1953—, *On he deixat les claus*—1953—, *Del "Diari, 1918"*—1956—, *Onze nadals*—1960—, *Desa aquets llibres al calaix de baix*—1963.

FOLCH Y CAMARASA, Ramón.

Novelista y dramaturgo español en lengua catalana. Nació—1926—en Barcelona. Hijo del gran narrador José María Folch y Torres. Licenciado en Derecho por la Universidad de su ciudad natal. En 1954 publicó su primera novela: *Camins de la ciutat,* y su comedia *Aquesta petita cosa* obtuvo el "Premio Ciudad de Barcelona" para obras teatrales en catalán. Con la novela *La maroma* ganó el "Premio Joanot Martorell" y el "Premio Ignaci Iglesias, de teatro", al siguiente año.

Otras obras: *Aigua negra*—poemas, 1957—, *El meu germá gran*—1958—, *El nàufrag feliç* —1959—, *La sala d'espera*—"Premio Víctor Català, 1961", de cuentos—, *La visita*—"Premio Sant Jordi, 1964"—, *L'alegre festa*—novela, 1965.

FOLCH Y TORRES, José María.

Cronista, novelista, cuentista, autor teatral español en lengua catalana. Nació—1880—y murió en Barcelona. Estudió el bachillerato con los PP. Escolapios, sin llegar a terminar estudios superiores por haberse dedicado desde muy joven al periodismo activo, colaborando pronto en el famoso folletín del periódico *La Reinaxença*. Por motivos políticos hubo de vivir expatriado en Francia de 1905 a 1908. Con su novela *Animes blanques* ganó el primer premio de los Juegos Florales de Barcelona en 1904. Y en 1907, el de la popular "Biblioteca Patria", de Madrid, con su novela *L'anima en camí*. En 1911 fue nombrado mantenedor secretario del Consistorio de los Juegos Florales de Barcelona. Durante muchos años alcanzó enorme popularidad en toda Cataluña con sus semanales colaboraciones en la popular revista infantil *En Patufet*, bajo el epígrafe *Págines viscudes*. Estrenó con éxito incontables obras escénicas, tanto de costumbres como de temas infantiles. Es, sin duda, uno de los escritores más fecundos y populares que ha tenido Cataluña.

Obras: Las novelas *Sobiranía, Joan Eudal, Laria, Aygua avall, El lluminós horitzó, El camí de la felicitat, La gloria d'en Jaumó Rabadá, La fortuna d'en Pere Virolet...* Obras teatrales: *Els pastorets*—que se representa todos los años y en toda Cataluña durante las Navidades—, *La filla del moliner, El menut del sac, La marqueseta que non sap que té, La xinel, La preciosa, La resposta, Con els ocells...*

FOLGUERA, Joaquín.

Poeta y crítico español en lengua catalana. Nació—1883—en Santa Coloma de Cervelló (Bajo Llobregat) y murió—1919—en Barcelona. De vida muy dolorosa, pues desde muy niño padeció la parálisis progresiva que había de llevarle al sepulcro cuando tenía treinta y seis años. Su gran amigo José María López Picó publicó sus primeros poemas en *La Revista*. Como poeta se manifestó en un posmodernismo sensual y musical.

Obras: *Poemes de neguit*—1915—, *El poema espars*—1917—, *Les noves valors de la poesia catalana*—1919.

FONSECA, P. Cristóbal de.

Notable literato español. Nació—1550—en Santa Olalla (Toledo). Y murió—1621—en Madrid. Agustino. Famoso predicador. Como escritor, fue elogiado por Lope de Vega—en *La Jerusalén conquistada*—, Cervantes—en el *Quijote*—y Espinel—en el *Marcos de Obre-*

gón—. Y la Academia Española le ha incluido en su *Catálogo de autoridades*. Es uno de los mejores expositores en el género de la homilía, aunque en forma de sencillos comentarios, de la Sagrada Escritura, y de los que más rica y sueltamente manejan el castellano. El crítico Alonso Cortés ha sugerido la idea de que Fonseca pudo ser el licenciado Alonso Fernández de Avellaneda, autor del *Quijote* apócrifo.

Obras: *Tratado del Amor de Dios*—Salamanca, 1592—, *Vida de Christo Señor Nuestro*—Toledo, 1596—, *Discursos para todos los evangelios de la Quaresma*—Madrid, 1614—y *Sermones para las domínicas*.

Literariamente, las dos primeras obras son muy superiores a las restantes. De ellas se hicieron numerosas ediciones, fueron traducidas al italiano, al francés y al latín, y son libros ricos en frases y locuciones castizas.

V. Santiago, G. de: *Ensayos*. II.—Alonso Cortés, Narciso: *El falso "Quijote" y fray Cristóbal de Fonseca*, Valladolid, 1920.—Moxán, C. G.: *Fray Cristóbal de Fonseca*, en *España y América*, 1921.—Menéndez Pelayo, M.: *Ideas estéticas*. Madrid, 1940, II, página 102.

FÓRMICA, Mercedes.

Novelista y cronista española. Nació —¿1918?—en Cádiz. Licenciada en Derecho, ha ejercido en Madrid la abogacía con admirable eficiencia. Y en la Prensa quedan las pruebas de la pasión y de la justicia con que ha defendido las justas exigencias jurídicas de la mujer casada.

Las novelas de Mercedes Fórmica contienen temas de apasionada tesis, expuesta y defendida con maestría expresiva, con interés humano, a compás de un contrapunto de muy delicado lirismo. Mercedes Fórmica posee condiciones muy singulares para el cultivo del género novelesco, pues es observadora muy sutil y sabe "escenografiar" como pocos novelistas.

Obras: *Vuelve a mí*—1944—, *Mi mujer eres tú*—1946—, *Monte de Sancha*—1950—, *La ciudad perdida*—1951—, *A instancia de parte*—1955—.

V. Nora, Eugenio de: *La novela española contemporánea*. Madrid, edit. Gredos, 1962, tomo II.—Pérez Minik, D.: *Novelistas españoles de los siglos XIX y XX*. Madrid, Ediciones Guadarrama, 1957, pág. 335.

FORNARIS, José.

Poeta y ensayista cubano. Nació—1827—en Bayama y murió—1890—en la Habana. Abogado. Regidor de Bayama. Profesor de Literatura, Historia, Gramática, Latín y Griego en algunos colegios de la Habana. Director de la Sección literaria del Ateneo y del

F

Liceo habaneros. Vivió algunos años en Italia, Inglaterra y Francia. De regreso en su patria—1879—fundó algunas publicaciones y colaboró en otras muchas. Hombre de gran cultura y formación clásica. Poeta famosísimo y discutidísimo. Sus *Cantos del Siboney* —1855—alcanzaron un éxito editorial sin precedentes en la literatura cubana. Los poemas de Fornaris son una especie de epopeya novelesca indígena; y han sido tildados de falsos y superficiales por la crítica cubana. Sin embargo, aun admitiendo su artificialidad y su debilidad lírica, no baja de un alto nivel literario el valor de Fornaris.

El "poeta de los siboneyes" se le llamó; y no ha faltado algún competente crítico que haya dicho de los poemas indígenas de Fornaris que son "las flores más exóticas que podía producir la floresta cubana".

Otras obras: *Flores y lágrimas*—1862—, *El libro de los amores, La hija del pueblo* —drama—, *Amor y sacrificio*—drama—, *Figuras de Retórica, Compendio de Historia universal, Elementos de Retórica y Poética, Cantos tropicales*—París, 1878—, *El harpa del hogar*—poemas, París, 1878...

V. FORNARIS, J., y LUACES, J.: *Cuba poética*. La Habana, 1855, 1861.—LÓPEZ PRIETO, Antonio: *Parnaso cubano*. La Habana, 1881. MITJANS, Aurelio: *Literatura cubana*. "Biblioteca Andrés Bello". Madrid, 1918.—REMOS Y RUBIO, Juan: *Historia de la literatura cubana*. La Habana, 1925.—SALAZAR Y ROIG, Santiago: *Historia de la literatura cubana*. La Habana, 1939.

FORNER, Juan Pablo.

Erudito, poeta y dramaturgo notable. 1756-1797. Natural de Mérida, acudió a la corte con el fin de concluir la carrera de sus estudios, "un joven adusto, flaco, alto, cejijunto, de una condición tan insufrible y de un carácter en sumo grado mordaz... Su genio, naturalmente seco y ajeno a toda adulación servil, le llevaba a atropellar por todo inconveniente por el gustazo de ajar la vanidad y bajar el toldo a cualquiera que se complaciese en ajar a todos".

Así se retrató con su propia pluma, un día cualquiera, Juan Pablo Forner. Se había educado bajo la férula de su tío materno el doctor Piquer, y en su espíritu juvenil se delataban todos los sellos—ideas, prejuicios, métodos y cultura—filosóficos del batallador extremeño. Durante nueve años, en Salamanca, Juan Pablo cursó Filosofía y Jurisprudencia; siendo aún estudiante, la Real Academia Española premió su *Sátira contra los abusos introducidos en la poesía castellana;* con Estala, Iglesias y Meléndez, a orillas del Tormes, había cultivado la literatura, echándoselas los tres de selectos y

muy mirados de la paja en el ojo ajeno. Realmente, cuando, en 1778, Juan Pablo pisó Madrid, cuidándose muy mucho de hacerlo con el pie zurdo, por aquello de llevar la contraria al suficiente—como todos sus congéneres—refrán, era un mozo insoportable. A cuantas frases se le dirigían pretendía sacarles punta. En cuantos ojos se le echaban encima creía encontrar un reto. Se pirraba por negar la luz del sol, por opinar distinto del color, por entender a contrapelo con tal de llevar la contraria, en todo lo divino y humano, y por ser más papista que el Papa. Y que valía, no cabía duda. Era la *vox populi*. El consejero Nava, en un informe que sobre él dio a Floridablanca, luego de otros elogios, declara que "es mozo de grandes principios y esperanzas, de quien con el tiempo se puede sacar mucha utilidad para el adelantamiento de la literatura. Dicen que es de muy buenas costumbres, melancólico y tan retirado y entregado a los libros, que ya es vicio".

Levantábase cada día con la obsesión de quién habría de pagar los vidrios rotos de su mal humor, inminente. Y hoy era Iriarte, a quien ridiculizó sangrientamente en la parodia de fábula *El asno erudito*. Y mañana, Vargas Ponce, a quien acusará de "miserable plagiario", de "zurcidor de cantares", de "literatillo cuyo bulto apenas se divisa", en *La corneja sin plumas*. Y pasado mañana, el atrabiliario Huerta, a quien dedicará el panfleto feroz titulado *El ídolo del vulgo*. Si bien es cierto que Huerta no se estuvo apocado, sino que le endilgó estrofas como la siguiente:

> Ya salió la «Apología»
> del grande orador Forner;
> salió lo que yo decía;
> descaro, bachillería,
> no hacer harina y... moler.

Sucesivamente Juan Pablo se fue metiendo con el anodino comediógrafo Trigueros —*Carta de don Antonio Varas*—, con el pedantuelo Sempere Guarinos, con el prosopopéyico don Ignacio López de Ayala, con el ordinariote Tomás Antonio Sánchez—*Carta de Bartolo*—. Y se metía regodeado, ingenioso, agresivo, hasta levantar túrdigas en el amor propio de sus adversarios. Jamás se manifestó ni cansado ni arrepentido de este ejercicio de segregar bilis y de inyectarla a puñaladas. Fue necesario que la censura oficial interviniera muchas veces—profilaxis moral—, negándole permiso para publicar sus libelos. Varias veces, Moratín, uno de sus más íntimos amigos, antítesis suya por el temperamento, hubo de aconsejarle, lamentándose, en una de sus cartas: "¡Deja en paz a los Iriarte, y a Ayala, y a Valladares, y a Moncín, y a Huerta, y a las tres o cuatro docenas de escritores de quienes te has declarado enemigo, y ocupa el tiempo en tareas que te adquieran estimación y no te inciten persecuciones y desabrimientos!"

¿Del terrible temperamento de Juan Pablo fueron causas penalidades económicas, disgustos familiares, fracasos literarios? ¡En absoluto! Era Forner una especie de *niño de la bola,* a quien todo le salía a pedir de boca. En 1783 desempeñaba ya los oficios de abogado honorario e historiador de la casa de Altamira, con una pensión—fabulosa entonces—de diez mil reales anuales. En 1788 cobraba, como censor de obras de historia y crítica, otra pensión anual de seis mil reales. En 1790 se casó en Sevilla con doña María del Carmen Carassa, que le trajo una dote de doscientos mil reales; ganando él, como fiscal del crimen en la Audiencia sevillana, doce mil reales. En 1796 fue nombrado fiscal del Consejo Supremo de Madrid y socio de mérito en la Academia de Derecho español.

Siempre anduvo Juan Pablo muy sobrado de dinero y de honores. Familiarmente, gozó de la áurea mediocridad tan apetecida por el clásico. ¿Fue su natural genio irrefrenable el único motivo de polémicas tan escandalosas, que dieron pie a que por real decreto —1785—se le prohibiese publicar nada sin autorización real?

El valor de Forner en la literatura española es muy grande. Según dijo Lista, con su habitual sencillez y tino, Forner "estaba dotado de una imaginación más fácil para concebir las verdades que las bellezas". Su cultura era firme. Su patriotismo, conmovedor. Su estilo, nervioso, lleno de agilidad. Su prosa, acerada y contundente. Buida su sutileza crítica.

La labor poética de Forner fue realizada en los momentos contados que le dejaban libres sus borrascosas polémicas. Y en ella —exenta no del todo de la sátira y de la mordacidad—resplandecen sus mejores calidades de literato. La Academia Española le premió en 1782 su *Sátira contra los vicios introducidos en la poesía castellana,* composición que resulta ya todo un programa estético, velado por una lata disquisición satírica contra la turba de poetastros. Para Forner no existe otra poesía admirable que la bucólica, iniciada por Garcilaso de la Vega, "porque no sé de cierto—dice—si en alguna de ellas (se refiere a otras lenguas europeas) hay tanta disposición como en la nuestra para tratar con elegancia el estilo pastoril y campestre, sin que por la cultura pierda el sabor de la rustiquez". En odas, silvas, anacreónticas y letrillas rindió Forner culto a la moda neoclásica; pero cui-

dando mucho, dentro de ella, de la sencillez, del ordenado uso de las imágenes; porque si combatió a Calderón, fue porque este basó su sistema dramático *en el antojo;* y a Gracián, porque estableció el imperio de la metáfora; y a Góngora, porque creó la escenografía mitológica. Sí; tuvo mucha perspicacia Lista cuando aseguró que Forner estaba dotado de una imaginación más fácil para concebir las verdades que las bellezas.

La obra más importante de Forner es la titulada *Exequias de la lengua castellana,* sátira menipea, mezcla de verso y prosa, en la que se estudia el progreso y la decadencia de nuestra literatura. "Nadie en la España de entonces—escribe Menéndez Pelayo—fuera capaz de escribir otra obra igual ni parecida."

Le sigue en méritos la *Oración apologética por la España y su mérito literario*—1786—, en que contestaba cumplidamente a la estúpida pregunta de M. Masson de Morvilliers: "¿Qué se debe a España?", formulada —1782—en la *Nueva Enciclopedia Metódica.*

Otras obras de Forner: *Discurso sobre el modo de escribir y mejorar la Historia de España*—sátira en contra de la Real Academia de la Historia y exposición magnífica de una teoría estética, 1791—, *Discursos filosóficos sobre el hombre*—1787—, *Canto a la paz*—¿1789?—, *El filósofo enamorado*—comedia, 1790—, *El ateísta*—comedia, 1792—, *La cautiva*—comedia perdida, que le prohibieron por censura de Ayala—, *Los falsos filósofos*—comedia.

Numerosos libelos: *Los gramáticos: historia chinesca; El asno erudito, Reflexiones de Tomé Cecial, Carta de don Antonio Varas, Carta de Bartolo, La corneja sin plumas...*

Y varios fragmentos de comedias tituladas *Las vestales, La vanidad castigada, Moctezuma y Francisco Pizarro.*

Ediciones muy interesantes de las obras de Forner son: *Obras.* Editadas por L. Villanueva, Madrid, 1844 (con un elogio de Forner, por Joaquín María de Sotelo). En "Biblioteca de Autores Españoles". Tomo LXIII; *Reflexiones sobre el modo de escribir la Historia...* Madrid, Imprenta de Burgos, 1816; *Exequias...* Edición Sainz y Rodríguez, en Clásicos Castellanos "La Lectura". Madrid, 1925; *Antología,* Madrid, Editora Nacional, 1942.

V. MENÉNDEZ PELAYO, M.: *Historia de las ideas estéticas...* 2.ª edición. Tomo V.— COTARELO MORI, E.: *Iriarte y su época,* Madrid, 1897.—SAINZ Y RODRÍGUEZ, P.: *Las polémicas sobre la cultura española,* Madrid, 1919.—SAINZ Y RODRÍGUEZ, P.: Prólogo y notas a la edición de *Exequias.* Clásicos Cas-

F

tellanos. Madrid, 1925.—GONZÁLEZ-BLANCO, Andrés: *Ensayo sobre un crítico español del siglo XVIII.* "Nuestro Tiempo", 1917.—JIMÉNEZ SALAS, María: *Vida y obras de J. P. Forner.* Madrid, 1944.—GONZÁLEZ RUIZ, Nicolás: *Estudio en la Antología.* Madrid, Editora Nacional, 1942.

«FORTÚN, Elena» (seudónimo).

Encarnación Aragoneses Urquijo. Nació en Madrid el 17 de noviembre de 1886. Murió—1952—en la misma capital de España. Estudió en Madrid Filosofía y Letras. Se casó en 1908 con don Eusebio de Gorbea Lemmi, también escritor, fallecido el día 16 de diciembre de 1948. De su matrimonio tuvo dos hijos.

Empezó a escribir para niños el año 1928, en la revista *Blanco y Negro*, resucitando la sección de "Gente menuda", y con el seudónimo de "Elena Fortún". Ha trabajado en las revistas *Blanco y Negro, Cosmópolis, Crónica, Semana*, y en las infantiles de *Macaco, El perro, el ratón y el gato*, y otras en España y América.

Celia, Cuchifritín, Matonkiki, Mila, Roenueces, el *Mago Pirulo*, el *Profesor Bismuto, Lita y Lito* y la *Madrina*, son sus creaciones más felices.

Ha vivido casi siempre en Madrid, pero también ha residido en Canarias, San Roque, Zaragoza, Barcelona, Valencia, en Francia y América.

"Elena Fortún" es hoy la más popular de las escritoras españolas dedicadas a los temas infantiles.

Obras: *Celia, lo que dice; Celia, en el colegio; Celia, novelista; Celia, en el mundo; Celia y su amigas; Celia, madrecita; Celia, institutriz; Celia, en América; Cuchifritín, el hermano de Celia; Cuchifritín y sus primos, Cuchifritín y Paquito, Cuchifritín en casa de su abuelo; Matonkiki y sus hermanas, Las travesuras de Matonkiki...*

FORTÚN, Fernando.

Poeta y crítico español. 1890-1914. Sabemos muy poco de su vida. Tradujo, con Díez-Canedo, magistralmente una *Antología* de poetas franceses contemporáneos. Colaboró con asiduidad en algunas revistas universitarias. Como lírico, poseyó un hondo pensamiento filosófico, una expresión moderna y tersa, gran sensibilidad.

Obra: *Reliquias*—1914.

FOX MORCILLO, Sebastián.

Notable prosista y filósofo español. Nació—1528—en Sevilla. Murió—¿1560?—ahogado durante una travesía de Flandes a España. Estudió en Sevilla, en Alcalá y en Lovaina, donde fue discípulo de los famosos filósofos Pedro Nannio y Cornelio Valerio y del matemático Jerónimo Frivio. Descendía de una nobilísima familia, de Foix o Fox, de Aquitania, que había emigrado a Cataluña y después a Andalucía. Visitó varios países europeos. Su precocidad, talento y amor al estudio le hicieron célebre muy pronto dentro y fuera de España. Llamado por el rey don Felipe II para enseñar al príncipe don Carlos, pereció en un naufragio, muy joven, "cortando el hado las esperanzas que la Filosofía española de tan gran ingenio se prometía".

De espíritu superior, sutil discriminador, muy erudito. Dominaba el francés, el alemán, el inglés, el latín y el griego.

Obras: *Comentarios a los "Tópicos" de Cicerón*—¿1548?—, *Comentarios al "Timeo" de Platón*—1552—, *Etica*—1552—, *Filosofía natural*—1553 y 1554—, *Tratados* acerca de la institución real, de la dialéctica, de la demostración y del honor—1554 a 1556—, *Comentarios al "Fedon"*—1556—, *Comentarios a la "República"*—1556—, y otras muchas más llenas de originalidad y de interés.

V. GONZÁLEZ DE LA CALLE, Urbano: *S. F. M. Estudio histórico-crítico de sus doctrinas.* Madrid, 1902.—LAVERDE RUIZ, G.: *Sebastián Fox Morcillo*, 1858.—BORÉS Y LLEDÓ: *Fox Morcillo.* Sevilla, 1884.—MENÉNDEZ PELAYO, M.: *La ciencia española.*—LUEBEN, R.: *Morzillo und seine erkenntnistheoretische Stellung zur Naturphilosophie.* Bonn, 1911.

FOXÁ, Agustín de.

Notable poeta y dramaturgo español. Nació—1903—y murió—30 de junio de 1959—en Madrid. Abogado. Diplomático. Conde de Foxá.

Ha recorrido Europa y América dando conferencias admirables y recitales de sus poemas, con los que ha logrado éxitos extraordinarios.

Agustín de Foxá fue un incomparable conversador, un ingeniosísimo controversista y un gran caballero. Posiblemente fue uno de los líricos españoles más admirados en Hispanoamérica, el más popular, aquel que más ediciones agotó de sus poemas. En el teatro —para el que estuvo singularmente dotado—consiguió éxitos definitivos.

Sus primeros versos recuerdan temas y exquisiteces, con más esmero de forma que profundidad emotiva. Sus últimas poesías aluden a Lorca y Alberti. Pero Foxá tiene una personalidad suficiente para sacar de tales influencias originales aciertos en una expresividad magnífica. Fácil colorista y facilísimo versificador, dueño de felicísimas imágenes, de temas de suprema delicadeza o de indiscutible emoción. Foxá fue uno de los líricos más brillantes con que cuenta la poesía castellana contemporánea. En ninguna antología poética puede faltar el nombre de este gran poeta.

No deja de ser poeta en su prosa barroca, personal, deslumbrante.

Obras: *La niña del caracol*—poemas, 1933—, *El almendro y la espada*—1940, versos—, *Cui-Ping-Sing*—leyenda poética escenificada—, *Baile en Capitanía*—drama—, *Madrid, de corte a checa*—novela—, *Gente que pasa*—comedia, premiada por la Academia Española—, *El beso a la bella durmiente*—poema escénico—, *Antología poética: 1933-1948*—Madrid, 1948—, *El gallo y la muerte*—poemas, 1949—, *Un mundo sin melodía*—Madrid, 1950—, *Obras completas*—Madrid. Prensa española, 1963-64.

V. NORA, E. G. de: *La novela española contemporánea*. Madrid. Gredos, 1962. Tomo III, págs. 86-88.—SAINZ DE ROBLES, F. C.: *La novela española en el siglo XX*. Madrid. Pegaso. 1957.—ENTRAMBASAGUAS, Joaquín de: *Las mejores novelas contemporáneas (1935-1939)*. Barcelona. Planeta. 1963, págs. 889-939 (contiene una biobibliografía exhaustiva).

FOXÁ Y LECANDA, Narciso.

Poeta y prosista puertorriqueño. Nació —1822—en San Juan y murió—1883—en París. Por haberse educado en Cuba y por haber vivido en esta isla la mayor parte de su vida, se le considera cubano y aun se le incluye en las antologías cubanas. De familia adinerada, pudo Foxá dedicarse desde muy joven a la literatura.

En 1839 publicó en el periódico *La Siempreviva* su romance morisco *Aliatar y Zaida*, que le alcanzó muchos plácemes y alguna popularidad en Cuba. Varias veces estuvo en Europa, y tuvo amistad con literatos franceses y españoles. En 1846, el Liceo de la Habana premió su *Canto épico sobre el descubrimiento de América por Cristóbal Colón*. En 1849, estando en Madrid, aparecieron los *Ensayos poéticos de don Narciso de Foxá,* con un prólogo muy elogioso del académico y crítico español Manuel Cañete.

Según Menéndez Pelayo, Foxá imitó tanto las silvas de Bello, que más que imitación parecen paráfrasis, en las que queda muy por bajo de su modelo. Pero afirma que fue Foxá un ingenio discreto y que se mantuvo muy celoso de la pureza del idioma.

Otras composiciones destacadas de Foxá: las odas *Al comercio* y *A la fe cristiana.*

Siempre se manifestó Foxá gran amante de España, y creemos que fue a él a quien Isabel II concedió—1866—el título de conde de Foxá.

V. MENÉNDEZ PELAYO, M.: *Historia de la poesía hispanoamericana.* Madrid, 1911, tomo I, págs. 339-340.—LASO DE LOS VÉLEZ, P.: *Poetas de Cuba y Puerto Rico.* Barcelona, 1875.—TORRES ROSADO, Félix: *Panorama poético portorriqueño.* Medellín - Colombia, Universidad de Antioquía, núm. 51, marzo-abril de 1942.—FERNÁNDEZ JUNCOS, Manuel: *Antología portorriqueña.* Puerto Rico, 1907.

FOZ, Braulio.

Historiador y literato. Nació—1791—en Fórnoles (Teruel). Murió—1865—en Borja. Fue Foz uno de los tipos ejemplares de la literatura aragonesa, de mucha cultura clásica, gran observador, crítico sutil, inteligencia clara y rápida con muchas ideas propias. En 1837 fundó en Zaragoza *El eco de Aragón,* dirigiéndolo hasta 1842. De muchacho tomó parte heroica en la lucha contra los invasores franceses, siendo hecho prisionero y enviado a Francia. Ganó una cátedra de Historia retórica y Latín en Huesca. En 1823 era catedrático de Griego en la Universidad de Zaragoza. Perseguido por los absolutistas fernandinos, huyó a Francia, permaneciendo aquí hasta 1834. También fue profesor en el colegio francés de Vossy.

Su obra más famosa fue la *Vida de Pedro Saputo,* publicada anónimamente, especie de novela que podía suscitar el recuerdo del *Quijote,* como advertía Menéndez Pelayo: "Si Don Quijote fue el símbolo del ideal caballeresco, símbolo fue Pedro Saputo de la razón natural; y si Don Quijote fue un espíritu supranormal de las tendencias idealistas, Pedro Saputo fue espíritu supranormal del buen sentido."

Otras obras: *El testamento de Don Alfonso "el Batallador"*—drama—, *Tierra y cielo, Arte latino, Literatura griega, Historia de Aragón, Sobre los caracteres de Jesucristo...*

V. GASTÓN BURILLO, Rafael: *Caracteres espirituales aragoneses en la obra de don Braulio Foz.* Zaragoza, Imp. Octavio y Peláez, 1951. (Discurso de ingreso en la Real Academia de Nobles y Bellas Artes de San Luis, de Zaragoza.)

FRAGA IRIBARNE, Manuel.

Ensayista, historiador español. Nació —1922—en Villalba (Lugo). Doctor en Derecho y en Ciencias Políticas. Miembro del Instituto de Cultura Hispánica—1953—, del Consejo Nacional de Educación—1955—, director del Instituto de Estudios Políticos —1961—, Consejero de Estado—1961—, Procurador en Cortes, ministro de Información y Turismo—1963 a 1969—, catedrático en la Universidad de Madrid. Ha representado a España en incontables Conferencias y Congresos de Política y Economía, y ha dado

F

numerosas conferencias dentro y fuera de España. De muy amplia cultura, juicio claro y objetivo, y forma expresiva llena de claridad y amenidad. Miembro de número de la Real Academia de Ciencias Morales y Políticas.

Obras: *La reforma del Congreso de los Estados Unidos*—1952—, *La crisis del Estado*—1955—, *Savedra Fajardo y la diplomacia de su época*—1955—, *Guerra y Diplomacia*—1960—, *El Parlamento Británico*—1961—, *Cinco loas*—1965.

FRAGA DE LIS, Manuel.

Nació—1910—en San Jorge de Sacos (Pontevedra), y desde sus primeros años siente inclinación por la literatura. Pero, aconsejado por sus familiares, después de unos estudios preliminares de clásicos y Humanidades, hace la carrera de profesor mercantil, quedando entonces bien patente su incompatibilidad con los números y su vocación por las letras.

Sus primeros trabajos literarios los publica en *El Diario de Pontevedra* y *Faro de Vigo.*

Más tarde trabaja ya como periodista en la Agencia Faro, en la Stéfani luego y, por último, en la Agencia Efe.

Corresponsal de *El Pueblo Gallego* en Madrid, escribe varias crónicas sobre arte y los artistas gallegos que exponen en Madrid. Desde la Secretaría de Cultura y Arte del Centro Gallego desarrolla una gran actividad en pro de los valores artísticos de Galicia en varias colaboraciones literarias publicadas en los diarios gallegos, en especial en el *Correo Gallego,* de Santiago; *La Noche,* y en casi todos los de la región.

Ultimamente, con motivo del año santo en Santiago de Compostela, publica una magnífica monografía, *Año santo*—Peregrino a Santiago—que es una separata de su interesante publicación *Galicia en la Edad Media.*

Miembro correspondiente de la Real Academia Gallega.

FRAILE RUIZ, Medardo.

Cuentista, crítico literario. Nació—1925—en Madrid. Colabora en numerosas revistas literarias españolas. Y ejerce la crítica literaria—1964—en *La Estafeta Literaria.* Doctor en Letras. Lector de español en la Universidad de Southampton y profesor de lengua y literatura españolas en la Universidad de Strathclyde (Glasgow). "Premio Sésamo 1956", para cuentos.

Obras: *Cuentos con algún amor*—Madrid, 1954—, *A la luz cambian las cosas*—Torrelavega, 1959—, *Cuentos de verdad*—1964—, *El hermano*—teatro, 1948—, *Ha sonado la muer-*

te, Comedia sonámbula, Un día más, Los de enfrente, Capítulo de sucesos—teatro—...

FRANCÉS, José.

Novelista, dramaturgo y crítico de arte español. Nació—1883—y murió—1964—en Madrid. Cursó el bachillerato en el Instituto madrileño del Cardenal Cisneros. Ingresó por oposición en el Cuerpo de Correos. Desde muy joven empezó a colaborar con éxito en diarios y revistas y a publicar novelas, que le dieron rápidamente fama justa en España y en el extranjero. En 1905, su cuento *Alma errante* fue premiado por la gran revista *Blanco y Negro.* En 1906 obtuvo el primer premio de cuentos de *El Liberal* con el titulado *Ley de amor.* Con el seudónimo de "Silvio Lago" ha escrito miles de crónicas y pronunciado cientos de conferencias acerca de temas artísticos, estando considerado como uno de los mejores críticos contemporáneos en tal materia. Ha viajado por Europa. Es secretario perpetuo de la Real Academia de Bellas Artes de San Fernando. Comendador de la Orden del Mérito Civil. Oficial de la Legión de Honor. Comendador de la Corona de Italia, de Leopoldo de Bélgica...

Sus cuentos—más de cuatrocientos—son un modelo en el género. Intensos. Apasionados. Amenos. Escritos en una prosa personalísima, muy barroca, y esmaltada de imágenes sorprendentes.

Sus novelas—una veintena—, inferiores a los cuentos, son, sin embargo, muy notables. Pertenecen a la escuela naturalista. Y contienen valores muy auténticos. Entre ellos, la maestría en el colorido de las descripciones y de los retratos. En el teatro obtuvo algunos éxitos estimables.

Obras: *Dos cegueras, Abrazo mortal, Alma viajera, La guarida, La débil fortaleza, La danza del corazón, Como los pájaros de bronce, La raíz flotante, La mujer de nadie...* Todas ellas novelas.

Entre los libros de cuentos y narraciones breves: *Miedo, La ruta del sol, El espejo del diablo, El muerto, Cuentos del mar y de la tierra, La peregrina enamorada, Entre el fauno y la sirena, El café donde se ama, La estatua de carne, Adán y Eva, Páginas de amor, El misterio del kursaal...*

Obras escénicas: *La doble vida, La moral en el engaño, Cuando las hojas caen. Más allá del honor, Libro de estampas, El corazón despierta, Lista de Correos, La moral del mar...* Ha obtenido el "Premio Nacional de Literatura" con su drama *Judith*—1944.

Obras de crítica de arte: *Pintura española, La caricatura española contemporánea, El año artístico*—diez volúmenes—, y muchas más de mérito.

V. CANSINOS-ASSÉNS, R.: *La nueva litera-*

tura, ¿1923?—González-Blanco, A.: *Los Contemporáneos.*—Sainz de Robles, F. C.: *La novela corta española (La generación de "El Cuento Semanal"). Estudio y notas.* Madrid, Aguilar, 1952.—Sainz de Robles, F. C.: *La novela española en el siglo XX.* Madrid. Pegaso, 1957.—Entrambasaguas, Joaquín de: *Las mejores novelas españolas contemporáneas (1910-1914).* Barcelona. Planeta, 1959, páginas 911-56. (Contiene una bibliografía exhaustiva.)

FRANCO, Alberto.

Poeta y prosista argentino. Nació—1903— en Buenos Aires. Estudió Derecho y Filosofía y Letras. Fue jefe del Departamento de Cultura de la Municipalidad de la capital Federal y director de las Bibliotecas Públicas Municipales de la ciudad de Buenos Aires. En 1951 obtuvo el "Premio de Literatura" de la provincia de Buenos Aires.

Obras: *Estudio biobibliográfico y crítico sobre don Marcelino Menéndez Pelayo*—"Premio del Ateneo Ibero-Americano" de Buenos Aires, 1920—, *Kermesse*—1930—, *Mediodía* —1935—, *Rabel*—1938—, *El tañedor*—"Premio de Poesía" de la Municipalidad de Buenos Aires, 1939—, *La Sibila*—1940—, *Retablo de Navidad*—selección y prólogo, 1942—, *El enamorado cazador*—1943—, *Leyendas del Tucumán*—1944—, *El Buhonero y Libro de la Rosa y el Delfín*—"Premio Nacional de Poesía", 1947-1949—, *Antología poética*—1954—...

FRANCO, Luis L.

Poeta y prosista argentino. Nació—1898— en Belén (provincia de Catamarca). Ha sido durante muchos años colaborador del gran diario *La Prensa.* En 1932 obtuvo el "Premio Jockey Club", de Buenos Aires, con su libro *América inicial.* Y en 1941, el "Premio Nacional de Literatura", con su obra *Suma.* En 1948 la Sociedad de Escritores Argentinos concedió la "Faja de Honor" a su libro de versos *Pan.*

Otras obras: *La flauta de caña*—1920—, *Coplas del pueblo*—1920—, *Libro del Gay Vivir*—1923—, *Coplas*—1927—, *Los trabajos y los días*—poemas, 1928—, *Walt Whitman* —biografía y crítica, 1940—, *Catamarca* en *Cielo y Tierra*—1945—, *El otro Rosas* —1946—, *Rosas entre anécdotas*—1947—, *El general Paz y los dos caudillajes*—1951—, *Biografías de animales*—1953—...

FRANCOS RODRÍGUEZ, José.

Literato, periodista, dramaturgo y político español. Nació—1862—en Madrid. Y en Madrid—1931—murió. Médico. Concejal y alcalde del Ayuntamiento de Madrid. Diputado a Cortes. Gobernador civil de Barcelona. Director general de Correos y Telégrafos. Consejero de Estado. Ministro de Instrucción Pública y de Gracia y Justicia. Presidente de la Asociación de Autores y de la Asociación de la Prensa de Madrid. Académico electo de la Real Academia Española de la Lengua.

Desde muy joven alternó la Medicina con el periodismo. Dirigió *La Justicia, El Globo* y *Heraldo de Madrid.*

Obras teatrales: *La encubridora*—drama—, *Los plebeyos*—drama—, *El catedrático*—drama—, *Chispita,* o *El barrio de Maravillas* —zarzuela—, *El coco*—zarzuela—, *Varios sobrinos y un tío*—comedia—, *El señorito* —zarzuela.

Novelas: *La muñeca, Como se vive se muere, La hora feliz, El caballo blanco, El espía, El primer actor, El quite, Sanos y enfermos, La novela de Urbesierva.*

Pero la obra más interesante de Francos Rodríguez la constituyen las numerosas crónicas retrospectivas, publicadas en el *A B C,* de Madrid, con el título general de *Memorias de un gacetillero,* y reunidas en tres volúmenes, titulados: *En tiempos de Alfonso XII, Días de la Regencia* y *Cuando el rey era niño.*

También son muy interesantes, desde el punto de vista anecdótico, las obras de Francos Rodríguez *Contar vejeces* y *El año de la derrota: 1898.*

FRANCOVICH, Guillermo.

Pensador, historiador y crítico boliviano contemporáneo. Nació en Chuquisaca y se halla en plena madurez de su gran talento. Ha ocupado altos cargos administrativos y políticos, y ha representado diplomáticamente a su país en distintos países europeos y americanos. De extraordinaria cultura. Gran conferenciante. Estilista primoroso. De originales ideas y de nobilísimos ideales. Su sensibilidad exquisita se enfrenta decididamente con el materialismo de nuestro tiempo.

"Pensador severo y armonioso, más cerca de la tradición clásica que de la aventura revolucionaria..., sostiene la universalidad de la cultura, la primacía del arte sobre la ciencia. Formado en la pura moral cristiana y en la clara estética helénica, Francovich encarna la sabiduría antigua en los moldes modernos. Sus diálogos tersos y profundos revelan un espíritu socrático, un estilista, un defensor de la pedagogía colectiva por la superación individual. Guillermo Francovich es otro de los adalides de la generación actual."

Obras: *Supay, Los ídolos de Bacon, La Filosofía en Bolivia, Introducción a la Historia de Bolivia.*

F

V. Díez de Medina, Fernando: *Perfil de la literatura boliviana,* en *Thunupa.* La Paz, 1947.—Finot, Enrique: *Historia de la literatura boliviana.* México, 1943.

«FRAY CANDIL» (v. **Bobadilla, Emilio).**

«FRAY MOCHO» (v. **Alvarez, José Sixto).**

FRESNEDO Y ZALDÍVAR, María Ascensión.

Nació en Santander. Poetisa y narradora contemporánea. De honda y castiza cultura. Empezó a escribir versos a los quince años, y a esta misma edad terminó la novela *Dos sombras blancas,* publicada en Madrid—editorial Afrodisio Aguado—. Colaboradora de muchas revistas literarias, ha dado conferencias y recitales, entre estos uno muy notable en el Círculo de Bellas Artes, de Madrid —1943—. En la actualidad vive en Suiza.

FREYRE, Ricardo Jaimes (v. **Jaimes Freyre, Ricardo).**

FRÍAS, Duque de (v. **Fernández de Velasco, Bernardino).**

FRONTAURA Y VÁZQUEZ, Carlos.

Novelista, autor dramático, costumbrista y periodista español muy notable. Nació —1834—y murió—1910—en Madrid. Abogado. Jefe de Sección de la Presidencia del Consejo de Ministros. Gobernador civil de varias provincias. Director de la *Gaceta de Madrid.* Desde muy joven se dedicó al periodismo, colaborando en *La España, El Reino, El Gobierno, El Estado, El Día* y *El Grillo.* Nadie ha fundado más revistas que Frontaura. Para los niños: *La Risa, La Edad Dichosa, La Infancia, Los Niños.*

En 1863 fundó el famosísimo *El Cascabel,* que por espacio de doce años fue el primer periódico satírico de España, y en el que colaboraron Hartzenbusch, Mesonero Romanos, Tamayo y Baus, Eguílaz, Zorrilla...

De Frontaura ha escrito el gran crítico padre Blanco García: "Desde el *Viaje cómico a la Exposición de París* y la *Galería de matrimonios,* hasta *Las tiendas* y *Tipos madrileños,* ha recorrido Carlos Frontaura una senda uniforme, con el decidido y firme propósito de la verdadera vocación. El mundo cursi de ex empleados hambrientos, viudas olvidadizas, pisaverdes relamidos, bellezas en expectación y demás naipes de esta baraja interminable, se presentan de cuerpo entero en exactas fotografías... Su inventiva y sus dotes propiamente literarias están muy debajo de las que le distinguen como intérprete pasivo de la realidad; tipos y diálogos, fondo y forma, se aproximan al perfil ordinario de

lo que se ve y se palpa todos los días. De aquí la apariencia vulgar y la falta de interés compensadas con cierto apacible temperamento en conformidad con el predominio de las medias tintas... La sencillez característica de las obras en prosa o en verso de Carlos Frontaura lo es particularmente de las escritas para la escena, en las cuales se advierten la ternura de las situaciones parciales o la espontaneidad y la gracia del chiste."

Pero Frontaura valió mucho más de lo que afirma el padre Blanco. En sus obras hay humanidad, interés. Su prosa es castiza. Su verso es decoroso. Y no es ninguna exageración proclamarle maestro en el arte de buen decir, pensar y escribir para el público.

Obras escénicas: *El duende del mesón, La señora del sombrero, Los criados, Un caballero particular, El caballo blanco, Doña Mariquita, El hombre feliz, El elixir de amor, En las astas del toro, El mundo, El filántropo, Los conspiradores, El novio de la China.*

Novelas: *Brígida, Miedo al hombre.*

Cuadros de costumbres: *Las tiendas, Los sermones de doña Paquita, Galería de matrimonios, Tipos madrileños, Blanco y Negro...*

V. Correa Calderón, E.: *Costumbristas españoles.* Estudio y notas. Madrid, Aguilar, 1950-1952, 2 tomos.

FRUGONI, Emilio.

Abogado, escritor, periodista, poeta uruguayo. Líder del Partido Socialista en el Uruguay. Nació en Montevideo el 30 de marzo de 1880. Autor de gran número de trabajos, en la Prensa y en el libro, en materia económico-social y de crítica literaria. Crítico de arte teatral en los diarios *El Diario Nuevo, La Prensa* y *El Día,* sucesivamente, bajo el seudónimo de "Urgonif". Poeta de renombre, autor de los libros de poesías: *La epopeya de la ciudad, El eterno cantar, Los himnos*—1916—, *Poemas montevideanos*—1923—. Publicó así mismo obras de índole social, de gran difusión, como *Ensayos sobre marxismo* y *La esfinge roja,* impresiones sobre el comunismo recogidas durante su estada en Rusia como ministro plenipotenciario del Uruguay. Catedrático de Literatura y decano de la Facultad de Derecho y Ciencias Sociales—1933-34—. Diputado en varias legislaturas, y Constituyente en 1917 y 1934. Presidente del Círculo de la Prensa del Uruguay. Fundador y director del diario *Justicia.* Más tarde del diario *El Sol.* Ha dictado ciclos de conferencias en la Universidad y en los principales centros culturales del país.

Sus primeros poemas merecieron grandes

elogios de Rodó. Su poesía es, principalmente, descriptiva, verista, como para hacer decir al gran crítico Zum Felde "que semeja el resultado de un hombre paseando con una Kodak". En la poesía de Frugoni, esta es la verdad, hay sombra y drama, pero también dulzura y claridad.

Otras obras: *Bichitos de luz, La epopeya de la ciudad, Bajo tu ventana*—primeros versos, 1902.

V. ZUM FELDE, Alberto: *Crítica de la literatura uruguaya.* Montevideo, 1921.—ZUM FELDE, Alberto: *La literatura de Uruguay.* Buenos Aires, 1939.

FUENTE, Ricardo.

Gran periodista español. Nació—1866—y murió—1925—en Madrid. Bachiller. Abogado. Pero, ante todo, periodista. En 1884 fundó el semanario estudiantil *La Universidad.* Muy joven, marchó a París, donde estuvo en la editorial Garnier. Redactor—1886— de *El País*, diario del que llegó a ser director. Posteriormente dirigió *El Radical*, fundado por Lerroux. Con Blasco Ibáñez, Junoy y Lerroux viajó por Francia y Bélgica. Director de Investigaciones Históricas del Ayuntamiento de Madrid. Fundador y director de la Hemeroteca Municipal madrileña. Fue varias veces candidato a diputado en Cortes. Tuvo justísima fama de bibliófilo. Poseyó gran cultura, extraordinaria memoria y prosa fácil y castiza. Su inteligencia y su actividad estuvieron consagradas a la gran pasión de su vida: los libros.

Obras: *De un periodista; Reyes, favoritos y validos.*

FUENTE, Vicente de la.

Notable historiador y literato español. Nació—1817—en Calatayud. Murió—1889—en Madrid. Bachiller en Filosofía por la Universidad de Zaragoza. Y en esta misma Universidad y en la de Alcalá estudió Teología, doctorándose en 1841. Conocedor del griego y del árabe. Catedrático de Teología, Ciencias eclesiásticas—1844—, Jurisprudencia, Derecho Canónico e Historia de la Iglesia en diversas Universidades. Académico de la Matritense de Legislación—1844—, de la Real de la Historia—1861—, de la de Ciencias Morales y Políticas—1875—. Rector—1875—de la Universidad Central.

Su erudición fue asombrosa. Por sus cátedras desfilaron dos generaciones completas. Y murió lleno de merecimientos, de dignidades y de simpatías.

Sus obras son numerosísimas. Entre las más interesantes están: *Vida de Santa Teresa de Jesús, La Virgen María y su culto en España, Don Rodrigo Jiménez de Rada,*

Los Concordatos, Historia eclesiástica de España, Las Comunidades de Castilla y Aragón..., Historia de la ciudad de Calatayud, Doña Juana "la Loca", vindicada...; Historia de las Universidades, Seminarios, Colegios...; Los Toribios de Sevilla, El divorcio, Las Adoratrices, Estudios críticos sobre la historia y el derecho de Aragón, Casas y recuerdos de Santa Teresa en España, En el engaño, el castigo; La sopa de los conventos, La expulsión de los jesuitas en España, La enseñanza tomística en España...

FUENTES, Carlos.

Novelista y ensayista mexicano, nacido en 1928. Hijo de diplomático, viajó con sus padres por varios países de Europa e Hispanoamérica. Estudió en varias Universidades. Y ha viajado, y viaja, incansablemente, mucho más por Europa que por América. Su revelación como gran novelista la alcanzó con su novela *La región más transparente*—1958—, considerada como "la Capilla Sixtina de la Revolución Mexicana" y escrita con el aire esperpéntico que hizo famoso a Valle-Inclán. Aire que persiste en las restantes novelas de Fuentes. Su lenguaje es superrealista, agresivo, y está plagado de barbarismos sugestivos y hasta oportunos. En 1967 obtuvo el "Premio Biblioteca Breve", de la editorial española Seix Barral, con su novela *Cambio de piel*, cruda, áspera, espejo de las inmoralidades de su tiempo.

Otras obras: *Cantar de ciegos*—1964—, *La muerte de Artemio Cruz*—novela—, *La buena conciencia*—novela—, *Casa con dos puertas* —ensayo—, *El tuerto es rey*—teatro—, *La nueva novela hispanoamericana*—ensayo, 1969—, *Todos los gatos son pardos*—teatro—, *Cumpleaños*—novela.

FUERTES, Gloria.

Gloria Fuertes nació—1920—en Madrid. Comenzó, antes que a nada, a escribir versos. A los quince años publicó sus primeras obras y leyó sus poemas en Radio España. La guerra la pasó padeciendo hambre. Durante los años 1939 a 1950 fue redactora de revistas infantiles, en las que publicó numerosos cuentos, historietas y versos para niños. Estrenó dos comedias de teatro infantil y tiene escritas otras dos, dramas, no infantiles. En 1950 nace su primer libro de poesía, *Isla ignorada*, que rápidamente quedó agotado. Y en 1950, *Canciones para niños*. Ha dado diversas lecturas de sus obras en todas las emisoras de Radio de Madrid y en numerosas salas y centros culturales. Acaba de aparecer su ya famoso libro *Aconsejo beber hilo*, compuesto por los poemas de su *Diario de una loca*. También es inminente

F

la edición de sus *Versos para párvulos*. Creadora del grupo femenino *Versos con faldas*, que semanalmente, durante dos años, estuvo dando recitales poéticos en Madrid.

Codirige la revista poética *Arquero*, y publica cuentos en la revista *Chicas*.

Obras: *Isla ignorada*—Madrid, 1950—, *Antología y poemas del suburbio*—Lírica Hispana, 1954—, *Canciones para niños*—edición Escuela española. Madrid, 1952—, *Aconsejo beber hilo*—Col. Arquero. Madrid, 1954—, *Villancicos*—edición Magisterio español. Madrid, 1955—, *Pirulí*—versos para jovenzuelos. Ediciones Escuela española, 1955. 2.ª edición, 1957—, *Todo asusta*—Lírica Hispana. (Primera mención del concurso internacional de poesía. Caracas, 1958.) *En pie de paz* —teatro—, *Nombre: Antonio Martínez Cruz* —cuentos para niños.

FUEYO, Jesús.

Ensayista, articulista. Nació—1922—en Langreo (Asturias). Doctor en Derecho. Letrado del Consejo de Estado. Catedrático de Derecho Político. Director del Instituto de Estudios Políticos. De gran cultura. Conferenciante en incontables Universidades extranjeras.

Obras: *La época insegura, La mentalidad moderna, Estudios de teoría política*.

FULLANA, P. Luis.

Filólogo y literato español de mérito. Nació—1871—y murió—¿1948?—en Alicante. Profesó—1890—en la Orden franciscana. Es hoy la autoridad más prestigiosa en cuanto afecta al idioma valenciano. Académico de la Real Española de la Lengua desde 1928. Director del Centro de Cultura Valenciana.

Obras: *Morfología del verbo en la llengua valenciana*—1906—, *Característiques catalanes en Valencia*—1907—, *Ullada general sobre la morfología valenciá*—1908—, *Gramática elemental de la llengua valenciana* —1915—, *Vocabulari ortografic valenciá* —1921—, *Geografía histórica del reino de Valencia*—1905—, *Historia de la villa y con-dado de Cocentaina*—1921—, *Evolución del verbo en la lengua valenciana*—discurso de ingreso en la Real Academia Española.

FURLONG CARDIFF, Guillermo.

Erudito, historiador y ensayista argentino. Nació—1889—en Villa Constitución (provincia de Santa Fe). Sacerdote jesuita. Estudió en la Universidad de Georgetown, de Washington. Entre 1920 y 1925 residió en el Colegio Máximo de Sarriá (Barcelona). Fundador, con el doctor Miguel A. Petty, del Colegio de Médicos Católicos. Desde 1947, director de la famosa revista *Estudios*.

Obras: *Los jesuitas y la Cultura Rioplatense*—1930—, *La catedral de Montevideo*—1931—, *Iconografía Rioplatense Colonial*—1936—, *Pampas, Serranos y Patagones* —1937—, *Entre los Abipones*—1938—, *Entre las Pampas*—1938—, *Bibliotecas Coloniales Rioplatenses*—1941—, *Músicos argentinos durante la dominación hispánica*—1945—, *Orígenes del arte tipográfico en América*—1948—, *Educación de la mujer en la época colonial* —1950—, *Nacimiento y desarrollo de la Filosofía en el Reino de La Plata (1536-1810)* —1952.

FUSTER, Joan.

Poeta, ensayista, crítico español en lengua catalana. Nació—1922—en Sueca (Valencia). Licenciado en Derecho. Muy apegado a la cultura del área catalana, colaborador en los principales diarios y revistas de Barcelona: *Destino, Serra d'Or*. Su prestigio es grande y justo en Cataluña, Baleares y Valencia.

Obras: *Sobre Narcís*—poemas, 1943—, *Ales o mans*—poemas, 1949—, *Terra en la boca*—poemas, 1953—, *La poesía catalana fins a la Renaixença*—1954—, *Escrit per al silenci*—poemas, 1954—, *Les originalitats*—ensayos, 1956—, *Figures de temps*—ensayos, 1957—, *Indagations possibles*—ensayos, 1958—, *Valencia*—guía en varios idiomas, 1961—, *L'home, mesura de totes les coses* —ensayos, 1967—, *Examen de conciencia* —ensayos, 1968—, *Heretgies, revoltés i sermons*—ensayos, 1968—...

G

GABIROL, Selomó Ibn.

Poeta y filósofo hispanojudío, 1021-¿1057? Nació en Málaga. Niño aún, quedó huérfano y solo, circunstancia que imprimió un sello de hondísima melancolía a su carácter e influyó decisivamente en sus obras. Habiendo llegado a Zaragoza para ganarse la vida con algún oficio manual, fue protegido por Yequtiel Ibn Hasán, poeta y personaje muy influyente en la corte zaragozana de los reyes Tuyibíes. De natural retraído y enfermizo—la tuberculosis minaba sus pulmones—, con ansia insaciable de saber, Gabirol dedicóse con absoluta plenitud a la poesía y a la filosofía. "Mi esposa es la ciencia", solía decir a quienes le animaban a contraer matrimonio. A la muerte de su protector, Gabirol abandonó Zaragoza y vivió mucho tiempo errante por la España musulmana, viviendo casi en la miseria. Las leyendas han embellecido el fin de su existencia, que posiblemente acaeció en Valencia. Según una de esas leyendas, Gabirol fue asesinado por un poeta árabe, envidioso de su talento, y enterrado por el homicida al pie de una higuera de su huerto. Al año siguiente la higuera dio frutos de un volumen y dulzura tan extremados, que llamó la atención al rey de Valencia—a quien dichos frutos, por su riqueza, habían sido ofrecidos—. Estrechado a preguntas por el monarca, el asesino acabó por confesar su crimen.

Gabirol fue un poeta realmente extraordinario, el verdadero restaurador de la poesía hebraica. Su nombre ocupa hoy el primer lugar entre los líricos judíos de la Edad Media, y fue también, quizá, uno de los más excelsos de su tiempo. Su poesía es trascendental de pensamiento, exquisita de sensibilidad, inspirada y de forma perfecta. Obras: *Megor Hayyim, o Fuente de la Vida*—de carácter metafísico dentro de la corriente neoplatónica—, *Libro de la corrección de los caracteres*—de estudio ético—. Como poeta, consagró el género de la *gueulá* o poesía de añoranza.

Las obras de Gabirol influyeron en Duns Scoto, en la escuela agustiniana y llegaron hasta Giordano Bruno.

Edición: H. Bialik-I. Rawnitzky: *Obra poética de Selomó Ibn Gabirol*, cuatro tomos, Tel Aviv, 1925-1932.

V. MEZAN, S.: *De Gabirol a Abrabanel, juifs espagnols promoteurs de la Renaissance*. París, 1936.—KAUFMANN, D.: *Studien über Salomon Ibn Gabirol*. Budapest, 1889.—KAYSERLING, M.: *Romanische Poesien der Juden in Spanien*. Leipzig, 1859.—AMADOR DE LOS RÍOS, J.: *Historia... de los judíos de España...* Madrid, 1875-1876, tres tomos.—MILLÁS VALLICROSA, José María: *La poesía sagrada hebraico-española*. Madrid, 1940.—MILLÁS VALLICROSA, José María: *Literatura hebraico-española*, en el tomo I de la *Historia general de las literaturas hispánicas*. Barcelona, 1949.

GABRIEL Y GALÁN, José María.

Notable poeta español. 1870-1905. Nació de padres labradores, en Frades de la Sierra (Salamanca). Ejerció desde los dieciséis años la carrera de maestro nacional en los pueblos de Guijuelo (Salamanca) y Piedrahíta (Avila). Después se hizo labrador en el aislado pueblo de Guijo de Granadilla (Cáceres), en donde poseía algunas tierras su adorada esposa. Se dio a conocer como poeta con su composición *El ama* en los Juegos florales de Salamanca—1901—. Y tuvo inmediatamente una gloria y una popularidad sin precedentes. Tal vez contribuyera a esta gloria y a esta popularidad excesivas no el entusiasmo por una obra poética, sino la protesta contra un modernismo audaz y desenfrenado que amenazaba dar al traste con los más puros valores de la tradición. Para hacer congruente tal protesta, Gabriel y Galán empezó por no utilizar otra expresión poética que la cuajada en los moldes castizos: el romance, la quintilla, la redondilla, la silva. Y, felizmente para el poeta, su clasicismo no fue el convencional y almidonado del siglo XVIII y principios del XIX, sino el sencillo, rústico, naturalísimo y tierno de la poesía que va desde Juan del Enzina

437

hasta Lope de Vega. "Por eso su tradicionalismo—escribe Federico de Onís—era sano, alegre y sereno, no triste y pesimista como el de los modernistas europeizados; era comprensivo y tolerante, no negativo y dogmático como el de los reaccionarios teorizantes, afrancesados también." Desgraciadamente, no supo librarse Gabriel y Galán de cierta pedantería retórica, de cierto exceso vano, de no poca vulgaridad perfectamente prosaica. De haber acertado a mantener su noble acento escueto y rústico, hubiera llegado a ser el verdadero gran poeta que llevaba dentro y que en verdad se manifiesta únicamente en contadas composiciones.

De ideología tradicional y cristiana, valoradora de las virtudes domésticas, por su fuerza y originalidad, pese a sus defectos y a sus detractores, Gabriel y Galán perdurará siempre con brillo propio en el cielo radiante de la lírica castellana. Su valor máximo, creemos, radica en haberse apartado de la bucólica efectista y falsa de Garcilaso y de Meléndez Valdés. Los pastores de Gabriel y Galán lo son en absoluto; viven, piensan, sienten y hablan como tales. Sus majadas huelen a campo efectivo. Sus paisajes no lo son de abanico, sino de trozos vistos detrás del marco de una ventana abierta al campo.

Sus obras principales son: *Extremeñas* —1902—, *Castellanas*—1902—, *Campesinas* —1904—y *Nuevas castellanas*—1905.

Hay una edición moderna, magnífica, de las *Poesías completas* de Gabriel y Galán: Madrid, M. Aguilar, 1941, 1944.

V. PARDO BAZÁN, Emilia: *Apuntes y retratos literarios.*—MUIÑOS, P. Conrado: *Gabriel y Galán*, en *La Ciudad de Dios*, LXVI.— RODRÍGUEZ, B.: *Memorias sobre Gabriel y Galán*, en *Rev. Celtique*, 1913.—SÁNCHEZ ROJAS, J.: *Elogio de Gabriel y Galán*, en *Nuestro Tiempo*, 1913.—GARCÍA CARRAFFA, A. A.: *Gabriel y Galán.* 1918.—ISCAR PEYRA: *Gabriel y Galán.* Madrid, Espasa-Calpe. "Vidas hispanoamericanas".—ALONSO CORTÉS, N.: *Anotaciones literarias.* Valladolid, 1923.— UNAMUNO, Miguel: Prólogo a las *Poesías* de *Gabriel y Galán.* 1923.

GACHE, Roberto.

Literato argentino. Nació en 1891. Diplomático. Ha representado a su país en Francia como secretario de la Embajada. Delegado argentino en el Congreso de Derecho Penal de París—1937—. Profesor de enseñanza secundaria. Asesor letrado del Ministerio de Agricultura. Conferenciante. Articulista. Humorista de pluma ágil y estilo elegante, que ha sabido adentrarse sutilmente en la psicología del porteño. El gran crítico Antonio Aita ha escrito: "Roberto Gache es

una de las pocas figuras literarias de contornos firmes con que cuentan nuestras letras."

Obras: *Glosario de la farsa urbana, Baile y filosofía, París: glosario argentino; Tres comedias, La delincuencia precoz, El código de menores, La mujer ajena, Las estatuas, El error de San Antonio.*

V. AITA, Antonio: *La literatura argentina contemporánea (1900-1930).* Buenos Aires, 1931.

GALA, Antonio.

Poeta, ensayista y autor dramático español. Nació—1935—en Córdoba. Licenciado en Derecho, Filosofía y Letras y Ciencias Políticas y Económicas. Muy joven aún, estando en Sevilla, fundó la revista poética *Aljibe.* Después, en Madrid, fue codirector de *Arquero de Poesía.* Ha colaborado en la revista *Cuadernos Hispanoamericanos* y dirigido Salas de Arte y Galerías de Exposición en Madrid y Florencia.

Obras: *Enemigo íntimo*—poemas, "Premio Adonais 1959"—, *Solsticio de invierno* —poemas, "Premio Las Albinas 1963"—, *Palabra de amor*—poemas, "Premio Mediterráneo 1960"—, *Los verdes campos del Edén* —teatro, "Premio Calderón de la Barca 1963"—, *La piara sobre el acantilado*—teatro—, *El caracol en el espejo*—teatro—, *La cenicienta no llegará a reinar, Noviembre y un poco de hierba*—teatro, 1967—, *Los buenos días perdidos*—1969—...

GALÁN, José María Gabriel y (v. Gabriel y Galán, José María).

GALINDO, Beatriz.

Ilustre dama y escritora española, más conocida por "la Latina". Nació—1475—en Salamanca. Murió—1534—en Madrid. Tuvo una educación selecta. Dominó el latín y poseyó un conocimiento perfecto de los clásicos. Aunque sus padres la destinaban al claustro, no llegó a profesar, y como su fama de doncella virtuosa y discreta era grande, Isabel la Católica la nombró camarera suya y su profesora de latín. Contrajo matrimonio con Francisco Ramírez de Madrid, secretario del rey Fernando V, y uno de los soldados más famosos de la época, llamado el *Artillero,* el cual murió—1510—en el campo de batalla. Desde esta fecha, doña Beatriz se dedicó a las obras de caridad y a la enseñanza de los hijos de los Reyes Católicos. Era muy admirada por los eruditos y humanistas.

Fundó el famoso Hospital de la Latina, el convento de la Concepción Jerónima y otros monasterios de monjas.

Sus consejos fueron solicitados muchas

veces no solo por los Reyes Católicos, que mucho la apreciaban, sino también por el regente cardenal Cisneros y por el césar Carlos I.

Se le atribuyen unos *Comentarios a Aristóteles*, unas *Notas sobre los antiguos* y varias *Poesías latinas*.

Su bondad y su dulzura fueron proverbiales. Fue enterrada en la iglesia del citado convento de religiosas jerónimas, por ella fundado, en el presbiterio, al lado de la epístola, en un sepulcro de alabastro, en cuya lápida se leía: "Aquí yace Beatriz Galindo, la cual, después de la muerte de la reina católica, se retrujo en este monasterio y en el de la Concepción Francisca, de esta villa, y vivió haciendo buenas obras hasta el año 1534, en que falleció."

V. XIMÉNEZ DE SANDOVAL, F.: *Varia historia de ilustres mujeres*. Madrid, Epesa, 1949. LLANOS Y TORRIGLIA: *Una consejera de Estado: doña Beatriz Galindo, "la Latina"*. Madrid, ¿1925?

GALINDO, Néstor.

Poeta boliviano. 1830-1865. Nació en Chocabamba. Estudió Leyes y Letras en el colegio Sucre, de su ciudad natal, con gran aprovechamiento. Poseyó un gran conocimiento de la literatura romántica inglesa y francesa, llegando a traducir poemas de Byron y Víctor Hugo. Fue uno de los fundadores de la *Revista de Cochabamba*—1852—y colaboró en los principales diarios y revistas de su país: *Reforma, Polémica, La Patria*. Muy joven aún, alcanzó gran popularidad y se colocó en primera línea entre los mejores líricos bolivianos.

Néstor Galindo fue infortunado amorosa y civilmente. "Sus versos no le han inmortalizado como poeta—escribe Gustavo Adolfo Otero—, si bien la inmolación en el patíbulo levantado por Melgarejo le rodean de un prestigio romántico." Indiscutiblemente, edificó el espíritu nacional y el carácter boliviano.

Obras: *Lágrimas*—poemas, Cochabamba, 1856—, *El proscripto*—poemas—, *Al pabellón boliviano*—octavas reales—, *La mujer*—poema lírico de 3.600 versos, en variedad de metros...

V. MENÉNDEZ PELAYO, M.: *Historia de la poesía hispanoamericana*. Madrid, 1911-1913, tomo II, págs. 285-87.—MORENO, René Gabriel: *Biografía de don Néstor Galindo*, en la *Revista de Buenos Aires*, 1868, tomo XVII. AMUNÁTEGUI, Miguel Luis y Víctor: *Juicio crítico de algunos poetas hispanoamericanos*. Santiago de Chile, 1868.—ROJAS, F.: *Antología boliviana*. Cochabamba, 1906-1914.— BLANCO MEAÑO, Luis F.: *Parnaso boliviano*. Barcelona, Maucci, 1919.—BEDEGRAL, Juan

Francisco: *Estudio sobre la literatura boliviana*. 1925.—FINOT, Enrique: *Historia de la literatura boliviana*. México, 1943.—OTERO, Gustavo Adolfo: *Literatura boliviana*, en el tomo XII de la *Historia universal de la literatura*, de Prampolini. Buenos Aires, Uteha Argentina, 1941.—DÍEZ DE MEDINA, Fernando: *Perfil de la literatura boliviana*, en *Thunupa*, La Paz, 1947.

GALINDO HERRERO, Santiago.

Ensayista, historiador y cronista español. Nació—1920—en Zaragoza, donde estudió las primeras letras. Doctor en Derecho y en Ciencias Políticas. Diplomado en Sociología. Desde 1940 hasta 1952 fue redactor del gran diario madrileño *Ya*. Fue director del diario madrileño *El Alcázar*. En la actualidad —1964—dirige la página literaria de la *Hoja del Lunes*, de Madrid, ejerciendo en ella la crítica literaria. Colaborador de importantes diarios y revistas. Ha publicado diversos libros y folletos de carácter histórico, político y social. En 1958 le fue concedido el "Premio Nacional de Literatura" para ensayos a su notable obra *Donoso Cortés*.

A su mucha cultura y a su ecuanimidad discriminadora añade Galindo Herrero la forma concreta y el limpio lenguaje propios de los mejores ensayistas.

GALIÓN, Lucio Junio.

Retórico hispanolatino del siglo I de la Era cristiana. Se cree que nació en la Bética, por haberle llamado M. Anneo Séneca *Gallio noster*, con quien le unió una gran amistad, ya que Galión adoptó a un hijo de M. Anneo Séneca, el cual cambió su nombre de Marco Anneo Novato por el de Junio Galión.

Lucio Junio Galión fue gran amigo de Ovidio. Por causas políticas, Tiberio le desterró a Lesbos, y, posteriormente, le encerró en una casa de Roma. Algunos críticos creen que fue asesinado por orden de Nerón; pero estiman otros que se quitó la vida poco tiempo después que se la quitaba el gran Séneca. Este elogió con entusiasmo a Galión, y también le elogiaron Publio Papinio Estacio y Quintiliano.

Quintiliano le atribuyó una *Retórica* que no ha llegado hasta nosotros. Pero Séneca nos ha conservado algunos fragmentos de ella, y San Jerónimo conoció sus declamaciones.

Su ahijado, hermano del gran Séneca, a quien este dedicó sus tratados *De ira* y *De vita beata*, se negó a formar parte del tribunal que juzgó a San Pablo, siendo el único español mencionado en el *Nuevo Testamento* (*Act. Apost.*, XVIII, 12).

V. LINDER, F. G.: *De Iulio Gallione com-*

G

mentarius. Hirschberg, 1868.—SCHMIDT, B.: *De L. Iunio Gallione rhetore.* Marburgo, 1866.—DOLÇ, Miguel: *Literatura hispano-romana,* en el tomo I de la *Historia general de las literaturas hispánicas.* Barcelona, 1949. MENÉNDEZ PIDAL, R.: *Historia de España* (dirigida por...), tomo II: *España romana.* Madrid, Espasa-Calpe, 1935.

GALVÁN, Manuel de Jesús.

Novelista dominicano. Nació—1834—en Santo Domingo y murió—1910—en San Juan de Puerto Rico. Fue alumno del colegio de San Buenaventura. En 1854 fundó—con otros jóvenes literatos—la Sociedad de Amantes de las Letras, a la que legó su gran biblioteca el ilustre don Rafael María Baralt. Vivió algún tiempo en Europa, visitando Madrid, Copenhague, París. En 1862 fundó el semanario *La Razón,* en defensa de la anexión de Santo Domingo a España, realizada el año anterior. Ministro de Relaciones Exteriores en 1876, 1893 y 1903. Como diplomático al servicio de su país, desempeñó felizmente comisiones en Dinamarca, Haití, Estados Unidos... Presidente de la Suprema Corte de Justicia (1883-1889). Catedrático de Derecho en el Instituto Profesional (1896-1902). Colaboró asiduamente en *La Actualidad, Listín Diario, El Teléfono, Revista Científica, Literaria y de Conocimientos útiles; El Hogar, Ciencias, Artes y Letras; Revista Ilustrada...*

Pasó los últimos años de su vida en San Juan de Puerto Rico, donde inspiró *La España Radical.*

Galván fue llamado el "príncipe de los escritores" de su patria como autor de *Enriquillo,* novela considerada como la mejor del género histórico producida por Hispanoamérica. En ella resplandecen la pureza y señorial elegancia del estilo, el tema humano, la grandeza de su fondo histórico, el orden y el equilibrio de la composición, los nobles ideales que la inspiran. En su esfera perfectamente *natural* se conjuntan la tragedia y la epopeya.

Otras obras: numerosos ensayos dispersos en distintas publicaciones y admirables prólogos que preceden a obras de amigos suyos. V. GARCÍA GODOY, Federico: *La literatura dominicana,* en *Revue Hispanique,* 1916.—MELÉNDEZ, Concha: *La novela indianista en Hispanoamérica.* Madrid, 1934.—MEJÍA, Abigail: *Historia de la literatura dominicana.* Santo Domingo, 5.ª edición, 1943.—ALONSO, Amado: *Ensayo sobre la novela histórica.* Buenos Aires, 1942.

GALVARRIATO, Eulalia.

Novelista y ensayista española. Nació —1905—en Madrid. Licenciada en Filosofía y Letras. Está casada con el poeta y crítico literario Dámaso Alonso. Ha traducido obras del inglés y publicado en revistas selectas ensayos y cuentos. Su única novela extensa es una pequeña obra maestra en la que el realismo de la acción queda envuelto en una atmósfera de idealidad, fecunda en sostenido lirismo.

Obras: *Cinco sombras*—Barcelona, 1947—, *Raíces bajo el agua*—novela.

V. NORA, Eugenio G. de: *La novela española contemporánea.* Madrid. Edit. Gredos, 1962, tomo II bis, págs. 249-52.

GÁLVEZ, Manuel.

Poeta, novelista, dramaturgo y biógrafo de muy acusada personalidad. Nació—1882—en Paraná, provincia de Entrerríos (Argentina). Murió—1961—en Buenos Aires. Abogado. Sin embargo, jamás ha ejercido su profesión. En 1907 publicó su primera obra: un libro de versos, *El enigma interior,* muy elogiado por la crítica. Pero antes había fundado la importante revista *Ideas,* órgano de su generación literaria, en la que se dio a conocer con crónicas muy agudas. Empleado en la burocracia durante más de treinta años. Ha viajado por Europa y Africa y recorrido la Argentina—*gota a gota,* pueblo a pueblo—como inspector de Enseñanza secundaria. Fundador de una editorial, una cooperativa de escritores y, en 1930, del P. E. N. de Buenos Aires, invitado por el Centro de Londres.

Su novela *Nacha Regules*—1919—ha sido traducida en once idiomas, vendiéndose de ella más de cien mil ejemplares; *Miércoles Santo,* a siete idiomas, habiéndose agotado diez ediciones francesas. *El solar de la raza* —1913—ganó el Primer Premio Municipal. Y *El general Quiroga*—1932—, el Primer Premio Nacional de Literatura, de 30.000 pesos.

Manuel Gálvez fue académico correspondiente de la Real Española de la Lengua y miembro de número de la Academia Argentina de Letras. En 1930, numerosos escritores presentaron su candidatura al Premio Nobel. La Institución Mitre premió *Los caminos de la muerte.*

Gálvez, con "Hugo Wast" y Rómulo Gallegos, forma la gran trilogía de los novelistas hispanoamericanos de fama universal. "Hugo Wast" y Gallegos le superan en el número de ediciones; pero Gálvez les vence en ser *el más literato de los tres,* aquel cuya obra ha penetrado más en los medios de la alta y rigurosa crítica literaria europea. Sobre Gálvez se ha escrito elogiosamente en casi todos los países e idiomas. Hay artículos acerca de sus obras hasta en lituano, en finlandés, en estoniano y en esloveno.

Como novelista, pertenece Gálvez a la "escuela realista"; es intenso, ameno, maestro de la técnica; dialoga con naturalidad absoluta; dibuja con firmeza los caracteres; describe con un colorido caliente y brillante; como poeta, es hondo, musical, muy moderno. Biógrafo excepcional, sabe unir a la más absoluta probidad histórica una sugestiva exposición que da a sus biografías calidades novelescas llenas de vitalidad.

Otras obras: *La maestra normal*—novela, 1914—, *Rosas*—biografía—, *Irigoyen*—biografía—, *El mal metafísico*—novela—, *La sombra del convento*—novela—, *Historia del arrabal*—novela—, *La Pampa y su pasión*, *La tragedia de un hombre fuerte*—novela—, *El cántico espiritual*—novela—, *Hombres en soledad*—novela—, *Miércoles Santo*—novela—, *Vida de fray Mamerto Esquiú, García Moreno*—biografía—, *El gaucho de los cerrillos*—novela—, *Sendero de humildad*—poesías, 1909—, *Cautiverio, Humaitá, Una mujer muy moderna, Obras escogidas*—Madrid, Aguilar, 1949—, *Don Francisco de Miranda, El santito de la toldería (Vida de Ceferino Namuncurá), Los caminos de la muerte, El general Quiroga, La ciudad pintada de Rojo...*

V. LEGUIZAMÓN, Julio A.: *Historia de la literatura hispanoamericana*. Buenos Aires, 1945.—SÁNCHEZ, Luis Alberto: *Historia de la literatura hispanoamericana*. Buenos Aires, 1946.—VALÉRY-LARBAUD: *M. Gálvez*. "Lettres Argentines", en *Les Nouvelles Litteraires*.—BARRIOS, Eduardo: *Figuras de América*.—MORENO, Juan Carlos: *Entrevista con Manuel Gálvez*, en *Obras escogidas*. Madrid, Aguilar, 1949.—GÁLVEZ, M.: Prólogo en *Obras escogidas* de M. G. Madrid, Aguilar, 1949.

GÁLVEZ, María Rosa de.

Poetisa y autora dramática española. Nació—1768—en Málaga. Y murió—1806—en Madrid. De mucha cultura y singular belleza. Bachiller en Filosofía. Esposa de don José Cabrera y Ramírez, capitán de Milicias y diplomático, con quien vivió algunos años en los Estados Unidos. Ya en Madrid, tuvo relaciones, al parecer, con Manuel Godoy, el famoso valido de Carlos IV. Promovido el pleito de divorcio por el marido, el escándalo fue grande. Cabrera marchóse nuevamente a los Estados Unidos, y María Rosa se dedicó a la poesía lírica—vivida y escrita—con cierto éxito. También logró, con el favor de su poderoso amigo, estrenar algunas obras en los teatros del Príncipe y de la Cruz, de Madrid. Un año antes de morir ella—1805—, Godoy mandó que se hiciera una edición de las poesías de María Rosa de Gálvez.

Entre sus producciones dramáticas merecen ser citadas: *El egoísta, Los figurones literarios, Un loco hace ciento, Las esclavas amazonas, Florinda, Safo, El califa de Bagdad, Blanca de Rossi, Saúl, Ali-Beck, La delirante, Catalina o La bella labradora, Zinda...*

El teatro de María Rosa de Gálvez marca una transición muy acusada entre el neoclasicismo y el romanticismo. Para las comedias de esta escritora, más apasionada que perfecta, el modelo fue Bretón de los Herreros.

V. SERRANO SANZ, M.: ... *Escritoras españolas...* Madrid, 1903, tomo I.

GÁLVEZ, Pedro Luis.

Poeta español. Nació—1882—en Málaga. Murió—1939—en Madrid. Fue seminarista en su ciudad natal y soldado en los Balcanes y presidiario en Ocaña por haber escrito contra el rey. Vagabundeó por toda Europa. Recorrió toda España dando conferencias, escribiendo versos o pidiendo limosna. En 1916 fundó el semanario *En la Puerta del Sol*, que vivió poco tiempo, pero que alcanzó mucha resonancia. Su vida fue una continuada serie de peripecias y desdichas. La bohemia más absoluta y la gorronería más desaprensiva le bazuquearon. Se degradó hasta el límite más inconcebible. Y, sin embargo, cuantos le conocieron afirman que tenía un gran corazón, cargado de nostalgias.

Sus poesías han sido alabadas unánimemente. Publicó sus composiciones en las mejores revistas españolas: *Nuevo Mundo, La Esfera, Por Esos Mundos, Hojas Selectas, Mundo Gráfico, Mundial...* Y en las revistas *Humanidad*—agosto 1919—y *Los Poetas*—¿1921?—aparecieron selecciones amplias de sus versos. Publicó varias novelas cortas en *El Cuento Semanal* y *Los Contemporáneos*.

V. SAINZ DE ROBLES, F. C.: *La novela corta española (La generación de "El Cuento Semanal")*. Selección, estudio y notas. Madrid, Aguilar, 1952.

GÁLVEZ DE MONTALVO, Luis.

Notable poeta y prosista español. Nació—¿1549?—en Guadalajara. Y murió—¿1591?—en algún lugar de Italia. Sus ascendientes procedían de las riberas del Adaja, probablemente de Arévalo. Su padre sirvió al marqués de Coria, y él mismo estuvo al servicio de don Enrique de Mendoza y Aragón. Muy joven, pasó a Italia, y aun cuando su muerte se ha supuesto en cualquier lugar de Italia, se sospecha que fuera en Palermo, al hundirse un muelle construido para recibir al virrey, conde de Alba de Liste. Toda su vida estuvo enamorado apasionadamente de una dama, a quien él llamaba *Fílida*, doncella nobilísima de Andalucía, que pudo ser doña Magdalena Girón, hermana del primer duque de Osuna. A esta

G

Fílida dedicó Gálvez de Montalvo sus versos mejores.

Su principal obra es la novela pastoril *El pastor de Fílida,* impresa en Madrid el año 1582, que se ocupa principalmente—en sus siete libros—de los amores del autor, *Siralvo,* por *Fílida,* y de su señor, *Mandivo,* por Elisa. La acción se desarrolla en las riberas del Tajo, quizá en Toledo. "Tuvo tanta boga como *La Galatea.* Aunque el paisaje es convencional, como en todas las obras pastoriles, se leen algunas bellas descripciones. Merecen citarse el *Canto de Erión,* en alabanza de las damas de la corte, y una égloga representable. Su principal modelo fue Sannazaro; los endecasílabos son flojos, pero en los versos cortos aventaja a Montemayor, siguiendo los pasos de Castillejo y mereciendo los elogios de Lope de Vega. Partidario de la escuela castellana, hizo alguna concesión a la de Italia; una discusión entre seguidores de ambas escuelas (parte sexta) tiene interés para la crítica literaria. Aunque algo conceptuoso, sutil y amanerado y con alguna afectación, es de buen gusto relativo." (M. P.)

Para Menéndez Pelayo, esta es una novela pastoril con clave y "una de las pastorales mejor escritas, aunque, por ventura, la menos bucólica de todas". Por su parte, opina Cejador que fue Gálvez de Montalvo "escritor culto y algo afectado, que en los versos fáciles, sobre todo en redondillas, aventajó a Montemayor y rivalizó con Gregorio Silvestre; pero malea a veces su poesía cierta punta de conceptismo, a pesar de su buen gusto".

Cervantes elogió en su *Canto de Calíope* a Gálvez de Montalvo, quien, en 1587, escribía desde Roma que estaba traduciendo la *Jerusalén,* de Tasso, en versos cortos. Antes había traducido varias poesías italianas, entre ellas *El llanto de San Pedro,* de Tansilo.

El éxito de *El pastor de Fílida* lo proclaman las varias ediciones que tuvo en muy pocos años: Madrid—1582—, Lisboa—1589—, Madrid—1590 y 1600—, Barcelona—1613—. Modernamente, Menéndez Pelayo ha incluido dicha novela en la "Nueva Biblioteca de Autores Españoles", tomo VII, 399-484.

V. MENÉNDEZ PELAYO, M.: *Orígenes de la novela.*—RENNERT, H. A.: *The Spanish Pastoral Romances.* 1912.—RODRÍGUEZ MARÍN, F.: *La "Fílida" de G. de M.* Discurso en la Academia de la Historia. 1927.—FUCILLA, J. G.: *On the vogue of T.'s "Lacrime di S. Pietro" in Spain...,* en *Rinascita,* 1939, I, 73.

GALLARDO, Bartolomé José.

Célebre crítico, polemista, investigador literario, poeta y bibliófilo español. Nació

—1776—en Campanario (Badajoz). Murió —1852—en Alcoy (Alicante). Estudió Latín y Medicina en Salamanca. Fue oficial de la Contaduría de Propios en la ciudad del Tormes; catedrático de Francés en la Real Casa de Pajes, de Madrid; secretario del conde de Montijo; bibliotecario de las Cortes de Cádiz.

Restaurado el régimen absolutista, huyó a Portugal y a Londres, donde el Gobierno inglés le asignó una pensión en gracia a su talento. En 1820 regresó a Madrid y formó parte de la Sociedad secreta Los Comuneros. De nuevo rey absoluto Fernando VII, Gallardo estuvo desterrado y vigilado en Sanlúcar, Castro del Río, Talavera y Ocaña. Diputado a Cortes por Badajoz en 1837. Los últimos años de su vida los pasó retirado en su finca La Alberquilla (Toledo), dedicado a sus libros. Verdadero polígrafo, fundador de la moderna crítica literaria, Gallardo fue un poeta de finas composiciones tradicionales.

Gallardo colaboró en la revista *Cartas Españolas* y publicó—1830—su famoso folleto *Cuatro palmetazos bien plantados por el dómine Lucas a los gaceteros de Bayona* (los cuales gaceteros eran Reinoso, Lista y Miñano).

En 1835 comenzó la publicación de la revista literaria *El Criticón,* de la que se imprimieron ocho números.

Otras obras: *Apología de los palos dados al excelentísimo señor don Lorenzo Calvo de Rozas*—1814—, *Diccionario crítico burlesco...*—1812—, *Las letras, letras de cambio, o los mercachifles literarios*—1834—; *El verde gabán o el rey en berlina*—poema—, *Calendario nuevo del año pasado o desengaño anticipado, Apuntes sobre el teatro, Prosodia, Del asonante y su uso especial en la rítmica española, Cuento oriental*—1834—, *Glosario del romance antiguo español, Apuntes sobre ortografía, El Dominus-tecum o la beata y el fraile, A Florinda*—oda—, *Blancaflor*—famosísima canción—, y muchos otros ensayos, panfletos y artículos. Muerto Gallardo, Zarco del Valle compró a sus herederos las papeletas que forman el célebre *Ensayo de una biblioteca española de libros raros y curiosos*—1863 a 1889—, monumento excepcional para la historia literaria de España.

Gallardo poseyó una cultura inmensa y un gusto castizamente español. Es el "padre de la crítica literaria española", y su nombre ha sido inscrito en el *Catálogo de autoridades* publicado por la Real Academia Española.

Gallardo fue un espíritu agudísimo; su sátira era implacable; su prosa, de la mejor ley; su crítica, tan pertinente como sólida. Su mordacidad acaso excedió varias veces toda corrección.

Sus poesías han sido publicadas en el tomo LXVII de la "Biblioteca de Autores Españoles". Varias obras en prosa pueden leerse en la Colección "Clásicos olvidados", Madrid, C. I. A. P., 1928.

V. Sainz Rodríguez, P.: *Bartolomé José Gallardo*, en "Clásicos olvidados". Madrid, 1928.—Sainz Rodríguez, P.: *Don Bartolomé José Gallardo y la crítica de su tiempo*. Madrid, 1921.—Marqués Merchant, M.: *Don Bartolomé José Gallardo*. Madrid, 1921. Artigas, M.: *Cartas de Gallardo*, en *Boletín de la Academia Española*, 1931.

GALLEGO, José Luis.

Poeta español. Nació—1913—en Valladolid. Residió algún tiempo en Bilbao. En Madrid cursó el bachillerato y otros estudios. Durante varios años se dedicó al periodismo. Con otros poetas igualmente jóvenes, fundó varias revistas literarias, que tuvieron vida efímera, pero que sirvieron para destacar la interesante personalidad poética de José Luis Gallego. Ha colaborado en todas las actuales publicaciones españolas dedicadas a la poesía pura, principalmente en *Garcilaso,* de Madrid.

José Luis Gallego es un poeta esencialmente orientado en las normas indelebles del arte. Posee intimidad, emoción y fuerza extraordinarias. Y merece quedar colocado entre los primeros líricos actuales españoles.

Obras: *Noticia de mí*—poema, 1947—, *Los sueños reunidos*—1949.

V. Sainz de Robles, F. C.: *Historia y antología de la poesía española*. Madrid, Aguilar, 4.ª edición, 1964.

GALLEGO, Juan Nicasio.

Célebre poeta y literato español. Nació en 1777. Murió en 1853. Nació en Zamora y estudió en Salamanca, donde se ordenó sacerdote. Fue canónigo en Sevilla, amigo de Meléndez, de Cienfuegos, de Quintana; en 1805, director de la Casa de Pajes del rey. Huyendo de la invasión francesa, marchó a Sevilla y a Cádiz. Diputado a Cortes en 1812, estuvo encarcelado en 1814 por sus ideas liberales. Sus méritos como poeta y como erudito le llevaron a desempeñar el cargo de secretario perpetuo de la Academia Española. Caso singular el de Gallego: siempre clásico y sin transigir jamás con el romanticismo—no obstante su larga vida, que le permitió asistir al triunfo rotundo de este—y, sin embargo, no se le puede *encasillar* como clásico puro, y hay que reconocer en él *síntomas* prerrománticos de la mejor calidad. Su buen sentido, su aplomo, su solidez, le tuvieron siempre a cubierto de ex-

tremismo, de todo compromiso de escuela. Fue natural ante todo. Por ello no debe extrañarnos que, viviendo en pleno período literario de transición, aun sin él darse cuenta, a efectos de su misma naturalidad, participe su poesía de las calidades clásicas y románticas y aun a veces las lleve yuxtapuestas. Ahora bien: lo que sí es obra voluntaria de Gallego es el esconder su sensibilidad conmovida, los exaltados sentimientos de su patriotismo—caso de la *Elegía al Dos de Mayo* y caso de la *Elegía a la muerte de la duquesa de Frías*—detrás del magnífico aparato de las formas artísticas, cuyo secreto poseía como pocos. Cierto: en Gallego, el artificio se sobrepone siempre a las emociones. Pero no puede por menos de reconocerse que dicho artificio es muchas de las veces destrísimo y hasta fascinador. La crítica ha proclamado a Gallego el Herrera del siglo XVIII, en atención a la entonación y magnificencia de la frase, a la soltura y redondez del período, al aquilatado esmero de la forma, a la temática nacional, virtudes todas que resplandecen en las composiciones de Gallego.

Aun cuando él mismo se proclamó discípulo de Cienfuegos y de Quintana, excedió a los dos en perfección formal. Su oda *Al Dos de Mayo* tuvo mucha mayor popularidad que la del mismo título de Quintana, a la que gana en brío, en escogido lenguaje, en expresión majestuosa, en íntima emoción, en musicalidad. Igualmente su *Elegía a la muerte de la duquesa de Frías*—1830—es la más hermosa de cuantas se escribieron para lamentar el fin de tan egregia dama por los más ilustres poetas, entre ellos Martínez de la Rosa y el propio esposo de doña María de la Piedad Roca de Togores.

No son muchas las poesías de Gallego. Entre ellas sobresalen: los sonetos *A Quintana, A la memoria de Garcilaso, A Judas;* las odas *A la defensa de Buenos Aires, A la muerte de doña Isabel de Braganza, Al nacimiento de Isabel II,* la *Plegaria al amor.* Los tercetos referentes a la segunda esposa de Fernando VII son realmente magníficos:

De ti esperaba el fin a los prolijos
y acerbos males que tirana impura
sembró con larga mano entre sus hijos.

No pocos, ¡ay!, no pocos, en oscura
mansión, al deudo y la amistad cerrada,
redoblan hoy su llanto de amargura.

Otros, gimiendo por su patria amada,
el agua beben de extranjeros ríos,
mil veces con sus lágrimas mezclada.

Había en Juan Nicasio Gallego—como en Quintana y Cienfuegos—un impulso irreprimible y derramado, que, encontrando su causa esencial en los temas patrióticos, producía de cuando en cuando una poesía viva, cuyo dramatismo era el más expresivo heraldo del movimiento romántico.

Las poesías de Juan Nicasio Gallego pueden leerse en el tomo LXVII de la "Biblioteca de Autores Españoles" y en la edición—1854—de la Academia Española.

V. GONZÁLEZ NEGRO, E.: *Estudio biográfico de don Juan Nicasio Gallego.* Zamora, 1901.—ARNAO, A.: *Elogio de don Juan Nicasio Gallego.* Madrid, 1876.—NÚÑEZ ARENAS, M.: *Miscelánea romántica,* en *Boletín Menéndez Pelayo,* 1927.

GALLEGO MORELL, Antonio.

Ensayista, historiador, crítico. Nació —1920—en Granada. Doctor en Filosofía y Letras (sección de Filología Moderna) por la Universidad de Madrid. Catedrático de Lengua y Literatura castellanas en la Universidad de Granada. Académico correspondiente de las Reales de la Lengua, de la Historia. Académico de número de la de Bellas Artes de Granada y de la de Bellas Artes de San Telmo de Málaga, de la de Ciencias Históricas y Bellas Artes de Toledo, de la Sevillana de Buenas Letras.

Obras: *Mito de Faetón en la literatura española*—1952, "Premio Menéndez Pelayo"—, *Vida y poesía de Gerardo Diego*—"Premio Aedos 1955, de biografía castellana"—, *Garcilaso y sus comentaristas*—"Premio Rivadeneyra 1958", de la Real Academia Española—, *Angel Ganivet, el excéntrico del 98*—1965.

GALLEGOS, Rómulo.

Novelista. Comparte actualmente con el argentino "Hugo Wast"—al que excede en calidades literarias—la fama universal, el exorbitante número de traducciones a distintas lenguas y las tiradas de cientos de miles de ejemplares. Nació—1884—y murió —5 de abril de 1969—en Caracas (Venezuela). En su juventud fue profesor de Ciencias en varios colegios de segunda enseñanza de su ciudad natal, y más tarde en el Liceo. Durante la dictadura gomecista estuvo exiliado en varios estados sudamericanos y europeos. Al morir el dictador, regresó a su patria, siendo ministro de Educación Nacional en 1936. Diputado al Congreso Nacional por el distrito federal. Presidente del Consejo Municipal de Caracas. Su nombre ha sido voceado por vastos sectores de la ciudadanía venezolana como el candidato ideal para la más alta magistratura de la República, que al fin alcanzó en 1948. Desde muy joven cultivó el género novelesco. En 1926, apenas publicada en España su novela *Doña Bárbara,* fue premiada por la "Asociación del Mejor Libro del Mes"—septiembre—, formando el jurado los insignes escritores Miró,

Salaverría, Pérez de Ayala, Gómez de Baquero y Díez Canedo.

Gallegos reúne todas las calidades del buen novelista: imaginación viva, fuerza creadora de personajes, pintura realista y brillante del ambiente, emoción narrativa, estilo natural.

Su primera novela—*Reinaldo Solar*—, que data de 1921, le consagró plenamente ante el público venezolano. "Gallegos ha llegado a un tal grado de maestría, que entre sus obras hay campo para la preferencia, pero no para regatearle a ninguna la más encendida admiración."

El ambiente tropical, con sus pasiones bárbaras, su clima angustioso, sus peligros infinitos, sus colores enteros y violentos, sus personajes inquietantes, sus maleficios y brujerías, sus calenturas del alma y del cuerpo, jamás ha sido pintado con tan asombrosa exactitud. En este aspecto, las novelas de Gallegos en nada desmerecen de *La vorágine,* de Rivera.

Gallegos, además, domina el castellano más puro, al que añade, con precisión y autoridad, aquellos vocablos localistas imprescindibles, algunos de los cuales han sido aceptados por la Academia Española. Gallegos es, en verdad, un maestro auténtico del dificilísimo género novelesco.

Otras obras: *Los aventureros, El milagro del año, Canaima, Cantaclaro, Pobre negro, Sobre la misma tierra, El forastero.*

V. ANGARITA ARVELO, R.: *Historia y crítica de la novela venezolana.* Berlín, 1938.—LEGUIZAMÓN, Julio A.: *Historia de la literatura hispanoamericana.* Buenos Aires, 1945.—PICÓN SALAS, M.: *Formación y proceso de la literatura venezolana.* Caracas, 1941.—SÁNCHEZ, Luis A.: *América, la novela sin novelistas.*—SAINZ DE ROBLES, F. C.: *Estudio* en *Obras escogidas,* de R. G. Madrid, Aguilar, 1951.

GAMALLO FIERROS, Dionisio.

Poeta y crítico literario español. Nació —1914—en Ribadeo (Lugo). Licenciado en Derecho por la Universidad de Santiago —1936—. Licenciado en Filosofía y Letras —1941—por la Universidad de Valladolid. Colaborador de *El Español, Ya, Informaciones, Arriba,* y otros diarios y revistas de Madrid y provincias. En 1943 logró el "Premio Pérez Lugín", otorgado por la Asociación de la Prensa de La Coruña. Miembro de la Real Academia gallega. Premio de poesía castellana en los Juegos florales de Santiago—1945—. Conferenciante y ensayista de prestigio.

Obras: *Una estirpe de escritores colombianos: los Caro*—1943—, *Aportación de Lugo y su provincia a la literatura galaico-*

castellana—1943—, *Páginas abandonadas de G. A. Bécquer. Estudio y notas*—1948—...

En 1951, el Centro gallego de la Habana otorgó el primer premio a su obra *Curros Enríquez*, escrita para conmemorar el centenario del gran lírico gallego.

GAMARRA, Abelardo.

Novelista y autor teatral peruano. Nació —1857—en Huamachuco y murió—1924—en Lima. Durante muchos años fue redactor del diario *El Nacional*. En 1884 fundó *La Integridad*, dirigiéndolo hasta que dejó de publicarse, en 1916. Gran músico.

Obras: *Novenario del tunante*—1885—, *Ya vienen los chilenos*—teatro, 1886—, *Ña Codeo*—teatro, 1887—, *Rasgos de la pluma* —1899—, *Algo del Perú y mucho de pelagatos*—1905—, *Detrás de la Cruz, el diablo* —novela, 1904—, *Ir por lana y salir trasquilado*—sainete—, *Una corrida de gala*—zarzuela—...

Abelardo Gamarra compuso la música de casi todas sus zarzuelas.

V. SÁNCHEZ, Luis Alberto: *La literatura peruana*. Tomo IV. Edit. Guaranía.

GAMBOA, Federico.

Mexicano. 1864-1939. Diplomático. Representante en México del naturalismo francés de Zola. Estilista. De mucha fuerza en la narración y brillante colorido en las descripciones.

Obras: *Impresiones y recuerdos*—1893—, *Mi diario*—1907 a 1938—, *Santa*—novela, 1903—, *Del natural*—1888—, *Apariencias* —1892—, *Suprema ley*—1896—, *Metamorfosis*—1903—, *Reconquista*—novela, 1908—, *La llaga*—novela, 1910—, *La novela mexicana*—1914.

V. LEGUIZAMÓN, Julio A.: *Historia de la literatura hispanoamericana*. Buenos Aires, 1945.—GONZÁLEZ PEÑA, Carlos: *Historia de la literatura mexicana*. México, 2.ª edición, 1940.—IGUINIZ, Juan B.: *Bibliografía de novelistas mexicanos*. México, 1926.—LLOYD READ, J.: *The mexican historical novel*, 1826-1910. Nueva York, Instituto de las Españas, 1939.—TORRES RIOSECO, Arturo: *La novela en la América hispana*. Berkeley, University of California, 1939.—TORRES RIOSECO, Arturo: *Bibliografía de la novela mexicana*. Cambridge, Mass. Harvard Univ. Press. 1933.

GANIVET, Ángel.

Gran prosista, pensador y ensayista español. Nació—1862—en Granada. Murió —1898—en Riga. Las aguas frías y violadas del Dwina guardarán eternamente este secreto. ¿Cuál fue el último gesto de Ganivet? En Granada estudió Leyes y Filosofía y Le-

tras. ¿Quién ha dicho, en prosa y en verso, recitando o cantando, que Granada es alegre? ¡Gran mentira! Podría serlo. Tiene una luz fuerte y limpia. Tiene un paisaje bello y muy coloreado. Tiene un ambiente sonoro, con una musicalidad recóndita exquisita. La orean vientos súricos, que delatan casi a la vista el oro de su procedencia africana y azuliverde—¡gran traje de luces!—de procedencia mediterránea. Sí; Granada podría ser alegre; debería ser alegre. Y, sin embargo..., es impresionantemente melancólica; con una melancolía que las prendas externas, recreo de los sentidos, hacen más viva, por contraste, y más patética. Conviene darse cuenta de la anterior confirmación para que a nadie le extrañe que el granadino Angel Ganivet fuera fundamentalmente triste. Triste porque sí. Triste sin porqué. Su tristeza estuvo siempre tintada de desesperanza y de desprecio. ¿De qué? ¿Por quién? Debió, desde muy joven, de desconfiar de los demás y de sí mismo.

Angel Ganivet formó parte de La Cuerda Granadina, famosa tertulia literaria de su tiempo; colaboró en *El Defensor de Granada*, ejerció la abogacía, ganó por oposición una plaza en el Cuerpo de Archiveros del Estado, siguió la carrera consular y representó a España en Amberes, Helsingfors y Riga...

Viajó mucho. De cuando en cuando regresaba a su Granada. Sus amigos le encontraban cada vez más retraído, más silencioso. Parecía mirar todo y no ver casi nada. Parecía oír a todos y no escuchar a casi nadie. De año en año su soliloquio era más expresivo y continuo. Parecía estar convencido de la profunda verdad del pensamiento agustiniano: *Noli foras ire: in interiore animae habitat veritas*. (No busques fuera de ti; la verdad la llevas dentro del alma.) Inútilmente pretendían animarle sus amigos. Y le veían marchar como había llegado: más que él, fantasma de sí mismo. Sus rasgos de humorismo y su gracia andaluza, muy de tarde en tarde iluminaban las cartas enviadas a los amigos, con esa iluminación del sol postrero del día, que parece el más bello y melancólico sol.

Angel Ganivet convenció a los hombres del Norte de que en el sol cegador y abrasador del Mediodía puede haber tanto fastidio y tanta melancolía, o más, que en ese sol sin brillo y sin fuerza, lívido, casi espectral, que es el sol de la medianoche nórdica.

Angel Ganivet, con un hondo sentido de la Naturaleza, renovando y armonizando con lo moderno las tendencias senequistas de su espíritu y su moral, con su perpetua inclinación al estudio del idealismo y de la idea,

G

fue como el último caballero español del pasado siglo, que defendiera heroica, invenciblemente, lo tradicional y lo castizo en lo español.

Cuando, en un barco, sobre el golfo de Riga, Angel Ganivet esperaba la llegada de su esposa, cayó al agua... Y las aguas frías y violadas del Dwina guardarán eternamente este secreto: ¿cuál fue su último gesto?

Ganivet escribió infatigablemente; pero escribió sin prisa y sin improvisar. Vivió muy poco. Su obra es relativamente breve: *Granada la bella*—1896—, *Cartas finlandesas* —1898—, *Idearium español*—1897—, *Conquista del reino de Maya por el último conquistador español, Pío Cid*—1897—, *Los trabajos del infatigable creador Pío Cid*—1898—, *Hombres del Norte*—1905—, *El escultor de su alma*—1916—, *Epistolario* y algunos artículos, ensayos y poesías, no coleccionados hasta la edición—1943—de sus *Obras completas* por el editor madrileño M. Aguilar.

A partir de su muerte, la obra de Ganivet quedó un tanto apagada. No se leía. Coincidió su muerte con la pérdida de las últimas colonias españolas. A la generación literaria llamada del 98—pocos talentos y muchos pedantes, de los que hoy colean algunos inalterables—le pareció imprescindible liquidar por derribo el pensamiento español anterior a ella. Lo intentó. No lo consiguió. Pero lo embadurnó, hasta el punto de que dio la impresión a los papanatas de haber desaparecido. Cuando España se dio cuenta de que la flamante generación revisionista y liquidadora nada aportaba de nuevo..., resolvió rebuscar sus viejos valores. Y entonces surgió Ganivet con todo su esplendor. Y el público pudo darse cuenta de cuánto había plagiado e imitado a Ganivet aquella generación del 98. El público se fue explicando el interés con que los noventaochistas habían intentado escamotear el pensamiento tradicional exaltado por Ganivet. ¡Menuda mina escondida! Para unos modernos críticos, Ganivet "es uno de los escritores modernos más sugestivos; en su alma, intensamente nutrida con lo castizo, popular y tradicional, se aunaron admirablemente el amor al espíritu local granadino, a lo español, sentido con sincero respeto y amplitud, y a lo europeo, que conocía por los libros y por la vida. Pocos han sabido unir en tanto grado como él el sentir humano y humanístico con el modo de ser modernos".

Pensador indudablemente genial, aun cuando un tanto extravagante, aprovecha lo mismo la poesía que la novela, que el ensayo, para derramar su exuberancia intelectual, inmensamente subjetiva. Siempre sincero, jamás pedante, erudito sin empacho, más filósofo o pensador original que superficial narrador, Ganivet no fue un pintor literario.

Jamás se detuvo a describir. Por el contrario, ¡cómo penetraba en el pensar y en el querer de sus personajes, cada uno de los cuales era un mucho su yo!

La mejor filosofía de la historia de España se halla condensada en ese breviario llamado *Idearium español,* que todos los españoles deberían releer infinitas veces.

Texto: *Obras completas.* Madrid, 1943, edición M. Aguilar, 3.ª edición, 1951, dos tomos; *Antología,* Editora Nacional, Madrid, 1945.

V. FERNÁNDEZ ALMAGRO, M.: *Vida y obras de Angel Ganivet.* Madrid, 1927.—FERNÁNDEZ ALMAGRO, M.: Prólogo a las *Obras completas* de Ganivet. Madrid, Aguilar, 1943.—ROUANE, L.: *Angel Ganivet,* en *Revue Hispanique,* 1898.—NAVARRO LEDESMA, F.; UNAMUNO y otros: *Angel Ganivet...* Granada, 1905.—CANSINOS-ASSÉNS, R.: *Ganivet,* en *Alhambra.* Granada, 1917.—SALDAÑA, Quintiliano: *Angel Ganivet.* Madrid, 1930.—ROSALES, Luis: *Estudio* en la *Antología.* Editora Nacional, Madrid, 1945.—ESPINA, Antonio: *Ganivet,* en *Revista de Occidente,* 1925.—ESPINA, Antonio: *Ganivet: el hombre y la obra.* Colección Austral, número 290, Buenos Aires, 1942.—GALLEGO BURÍN, Antonio: *Ganivet.* Granada, 1921.—CASTRO, Cristóbal de: *Semblanza de Angel Ganivet.* Madrid, 1918.—UNAMUNO, Miguel: *El porvenir de España.* Madrid, 1903.—VALENTÍ CAMPS, Santiago: *Ideólogos, teorizantes y videntes.* Barcelona, 1907.—HAVELLOCK ELLIS: *The Soul of Spain.* Londres, 1910.—DARÍO, Rubén: *España contemporánea.* París, 1901.—AZAÑA, Manuel: *Plumas y palabras.* Madrid, 1930.—VLIET, P. van: *Angel Ganivet.* Madrid, 1949; conferencia dada en el Instituto Cervantes.—ROMÁN SALAMERO, C.: *Angel Ganivet.* Valencia, 1905.—LEÓN SÁNCHEZ, M.: *Angel Ganivet: su vida y su obra.* México, 1927.—DÍAZ MARTÍN CABRERA, J.: *Angel Ganivet; datos biográficos y genealógicos.* Granada, 1920.—ENTRAMBASAGUAS, Joaquín de: *Las mejores novelas españolas contemporáneas* (1895-1899). Barcelona, Planeta, 1957, págs. 1127-1202. (Contiene una bibliografía exhaustiva.) HOMENAJE A ANGEL GANIVET. Núm. 23 de la *Revista de Occidente.* 2.ª época. Diciembre de 1965.—GALLEGO MORELL, Antonio: *Angel Ganivet, el excéntrico del 98.* 1965.

GAOS, Alejandro.

Poeta y prosista español. Nació—1907—en Orihuela (Alicante). Murió—1958—en Valencia. Catedrático de Lengua y Literatura españolas desde 1935. Colaboró en revistas de su generación, *Isla, Murta,* etc. Viajó por casi toda España, y por Italia, Francia y Marruecos. Publicó varios libros de versos y dos de ensayos: *Tertulia de campanas,*

Impetu del sueño, Vientos de la angustia, Crónicas literarias, etc. En el año 1951, *La sencillez atormentada.*

Su poesía posee tonos e ideales dramáticos, patetismos en carne viva, en una expresión desnuda y cálida.

V. Sainz de Robles, F. C.: *Historia y antología de la poesía española.* Madrid, 1951, Aguilar, 2.ª edición.

GAOS, Vicente.

Poeta de gran personalidad. Nació en Valencia el 31 de marzo de 1919. Sus padres son del norte de España. Estudió el bachillerato en el colegio de los padres jesuitas de su ciudad natal. La carrera de Filosofía y Letras, en Madrid. Ha ejercido la enseñanza en los Estados Unidos. Empezó a escribir poesía en su primera adolescencia. En 1943 obtuvo—con Suárez Carreño y Alfonso Moreno—el "Premio Adonais" con su libro de sonetos *Arcángel de mi noche.* Luego ha publicado *Sobre la tierra*—Madrid, 1945—, *Luz desde el sueño*—Valladolid, 1947—, *La poética de Campoamor*—Madrid, 1955—, *Profecía del recuerdo*—Santander, 1956—, *Temas y problemas de la literatura*—Madrid, 1959—, *Poesías completas*—Madrid, 1959—, *Concierto en mí y en vosotros, Mitos para tiempo de incrédulos*—1964.

Se han ocupado de su poesía los más destacados críticos. Véase, sobre todo, el libro de Dámaso Alonso *Ensayos sobre poesía española* (Revista de Occidente), donde se le ha dedicado un estudio.

Además de la poesía cultiva el periodismo literario, donde hace crítica. Ha dado conferencias. Ha viajado por España y Francia y ha traducido poesías de Péguy, de Rimbaud y de Pasternak.

V. Sainz de Robles, F. C.: *Historia y antología de la poesía española.* Madrid, Aguilar, 4.ª edición, 1964.—Bousoño, Carlos: *La poesía de Vicente Gaos,* en *Papeles de Son Armadans,* 1950.—Alonso, Dámaso: *Ensayos sobre poesía española.* Madrid, *Rev. de Occidente,* 1945.—Cano, José Luis: Prólogo a su *Antología de la nueva poesía española.* Madrid, Gredos, 1958.

GAOS Y GONZÁLEZ-POLA, José.

Literato, filósofo y profesor español. Nació—Gijón (Asturias)—en el año 1900. Murió—1969—en México. Doctor en Filosofía. Catedrático de la Universidad Central de Madrid—hasta 1938—y de la Universidad Nacional Autónoma de México. Discípulo notable de don José Ortega y Gasset. Conferenciante y profesor ilustre de originales perfiles y matices. De él ha dicho un crítico: "Sin acercarse al interés literario que despiertan los preciosos y profundos ensayos de su maes-

tro, ha aprendido de este la seriedad científica y se ha sabido soltar en los senderos filosóficos con estilo peculiar y criterio que se consolida y robustece al correr los años."

Ha obtenido excelentes resultados por su concepción de la Filosofía en relación con la Pedagogía.

Obras: *La crítica del psicologismo en Husserl*—1931—, *Los fragmentos de Heráclito*—1939—, *Dos ideas de la Filosofía*—1940—, *Antología filosófica*—1941—, *Bergson, según su autobiografía*—1941—, *Antología del pensamiento en lengua española en la Edad contemporánea (1744-1944)*—México, 1945—, *Pensamiento de lengua española*—1945—, *Filosofía contemporánea*—Caracas, 1962.

GARAY, Blas.

Literato, historiador, periodista y político paraguayo. Vivió entre 1860 y 1910. En su juventud ejerció un periodismo romántico y rebelde. Diplomático. Fue secretario de Legación en París y encargado de Negocios en Madrid a fines del pasado siglo. Fundó el diario *La Prensa,* desde cuyas columnas laboró incansablemente por la cultura y la moral de su patria. Poseyó gran cultura y una excelente prosa.

Obras: *Compendio elemental de historia del Paraguay*—Madrid, 1896—, *Breve resumen de la historia del Paraguay*—Madrid, 1897—, *El comunismo de las Misiones de la Compañía de Jesús en el Paraguay*—Madrid, 1897—, *La revolución de la independencia del Paraguay*—1897—, *Colección de documentos relativos a la historia de América, y particularmente a la historia del Paraguay*—Asunción, 1899.

V. Díaz Pérez, Viriato: *La literatura del Paraguay,* en la *Historia general de las literaturas,* de Prampolini. Tomo XII, Buenos Aires, 1941.

GARCÉS, Jesús Juan.

Poeta, prosista, crítico español. Nació en Madrid el día 24 de junio de 1917. Es nieto, por línea materna, del actor del siglo XIX Emilio Mario. Estudió el bachillerato en el Instituto del Cardenal Cisneros. Se licenció en Derecho en la Universidad Central, y desde el año 1944 pertenece, por oposición, al Cuerpo Jurídico de la Armada. En el verano de 1950 asistió como becario a un curso de "Problemas contemporáneos" en la Universidad Menéndez Pelayo, de Santander. Fue también, cuando estudió la carrera de Derecho, becario del Centro de Estudios Universitarios.

Ha publicado poemas y artículos en *A B C, Juventud, El Español, Fantasía*—núm. 14—, *La Estafeta Literaria, Fotos, Escorial, Proel,* de Santander, y otras publicaciones.

G

Es uno de los cuatro fundadores de la revista *Garcilaso*. En 1949 publicó su primer libro de poemas, con el título de *He venido a esta orilla*, con un prólogo de José María Pemán. Colaboró posteriormente en varios números de *Acanto*, suplemento de *Cuadernos de Literatura*, que edita el Consejo Superior de Investigaciones Científicas. Tiene en la actualidad un libro inédito de poemas, titulado *Lo nuestro es pasar*, que ha leído en la Cátedra Ramiro de Maeztu, del Instituto de Cultura Hispánica, en 1951. Tiene escrito un libro titulado *Al margen de la vida y obra de Sor Juana Inés de la Cruz*, destinado a una colección de las publicaciones de dicho Instituto. Ha viajado por casi toda España y residido algunos años en Galicia y Andalucía.

Otra obra: *Lo nuestro es pasar*—Madrid, 1963.

GARCÉS, Julio.

Poeta y prosista. Nació—1917—en Soria. Bachiller. Licenciado en Derecho y Filosofía y Letras por la Universidad de Barcelona. Ha viajado con delectación por España y Francia y ha residido largas temporadas en Soria, en el monasterio de San Polo, que posee su familia.

De este poeta ha escrito su gran amigo González-Ruano: "La iniciación de Garcés en la poesía fue lorquiana. Conoció y trató a Lorca, y no es extraña la influencia de una personalidad así en un joven casi adolescente. Después, Julio Garcés evoluciona buscando sus propios acentos y encontrando su expresión natural en la escritura automática y en los hondos y legítimos subterráneos surrealistas. Es, en esta modalidad, uno de los más logrados de todos los tiempos y probablemente el mejor heredero en fortuna y universalidad del surrealismo de Alberti entre nosotros. Como Picasso en la pintura, Garcés ha demostrado siempre que ha querido sus dotes neoclásicas, correctísimas como las del primero. Su primerísimo puesto en la joven poesía es evidente."

Obras: *Peregrinaje*—Zaragoza, 1937—, *Primer romancero del recuerdo*—1938—, *Gris*—Barcelona, 1942—, *El amor brujo*—1942—, *Odas*—1943—, *Oda a José Roca*—1943—, *Poesía sin orillas*—poemas.

GARCI FERRANDES DE JERENA (v. Ferrandes de Jerena, Garci).

GARCI SÁNCHEZ DE BADAJOZ.

Gran poeta español. ¿1460-1526? Oriundo de Badajoz, pero natural de Ecija. El *Cancionero general*—1511—recoge gran número de sus composiciones. Gran poeta y gran amador. Gran cortesano y hombre ingeniosí-

simo en chistes, donaires y piropos. Parece ser que una gran pasión amorosa le llevó a la locura; sin que falten las creencias de que fue un castigo divino a sus irreverencias y profanaciones en versos tersos y admirables.

Obras suyas muy interesantes son: *Liciones de Job*—parodia del libro santo, muy perseguido por la Inquisición—, *Claro oscuro*, *El sueño*, *El infierno del amor* y las *Lamentaciones de amores*.

Las coplas de Garci Sánchez las alabó mucho Juan de Valdés en su *Diálogo de la lengua*. Y Lope de Vega decía: "¿Qué cosa iguala a una redondilla de Garci Sánchez...?"

Tal vez de la familia del dramaturgo Diego Sánchez de Badajoz, es uno de los poetas mejor representados, por la calidad y por la cantidad, en el *Cancionero general*. Según fray Jerónimo Román—en *Repúblicas del mundo*—, "su ingenio en vihuela no lo pudo haber mejor en tiempo de los Reyes Católicos, y así, dándose mucho a amar y querer y a la música, perdió el juicio". Sí, se volvió loco de amor por una prima suya, quien había sido modelo de gentiles y discretos cortesanos. Su poema las *Liciones de Job apropiadas a las pasiones de amor*, parodia un tanto sacrílega, entusiasmó a la juventud y escandalizó a los graves moralistas... La Inquisición las hizo expurgar para ser publicadas en el *Cancionero general*. Alegoría dantesca es su *Infierno del amor*, compuesta con retazos de canciones eróticas, debidas a la inspiración de poetas ya muertos, que Garci Sánchez supone eternamente penando. En *El sueño*—suposición de su propio entierro—y en el romance *Caminando por mis males*, es fácilmente perceptible un sentimentalismo enfermizo, ajeno a la poesía castellana de la época, y que parece un anticipo prematuro y asombroso del romanticismo. Sencillez, soltura, delicadeza exquisita, gracia realista muy castellana, tienen las *requestas*, las *canciones*, los *villancicos* y *dezires* de este poeta singular, cuyas *Lamentaciones de amores* fueron muy elogiadas por Fernando de Herrera. Lope de Vega aseguró en el prólogo de su *Isidro* que no había cosa que igualase a una redondilla de Garci Sánchez o de don Diego de Mendoza. Y Juan de Valdés—en el *Diálogo de la lengua*—alabó el estilo de Garci Sánchez, cuyos versos se encuentran principalmente en el *Cancionero general*, en el *Cancionero de romances* y en pliegos sueltos.

El *Cancionero general* puede consultarse en la edición facsímil—Nueva York, 1904—, realizada por Huntington, y en la edición —1882—de los "Bibliófilos Españoles".

V. COTARELO, E.: *Estudios de historia literaria*. Madrid, 1901.—LÓPEZ PRUDENCIO, J.: *Garci Sánchez de Badajoz*—MENÉNDEZ PELAYO, M.: *Antología de poetas castellanos...*

MICHÄELIS DE VASCONCELLOS: *Revista crítica*. Abril 1897.

GARCÍA, Doctor Carlos.

Notable escritor y médico español. No se sabe dónde nació ni cuándo. Ni tampoco el lugar y fecha de su muerte. Aun cuando pueden señalarse las fechas de 1575 y 1630 como límites de su existencia. Durante mucho tiempo la crítica ha creído que era el seudónimo de algún conocido escritor que intentaba encubrirse para determinados escritos. Pero hoy se da como segura la existencia de un doctor Carlos García, mencionado con ironía y maledicencia por un contemporáneo suyo, Marcos Fernández, que vivía en París y escribió un libro titulado *Olla podrida a la española...* El doctor Carlos García debió de ser alguno de aquellos aventureros españoles que a principios del siglo XVII vivían en Francia y en otras naciones sirviendo a algún magnate o buscándose la vida enseñando castellano, o, si más no podían, entregados a la vida picaríl en antecámaras y posadas, encrucijadas y calles, como Guzmanillo, Estebanillo y otros de nuestras novelas picarescas.

Era el doctor Carlos García elegante y fino escritor, entendido y leído; pero sin folla de vana erudición, como escribe Cejador. "El estilo, claro, propio y galano. Sus dos obras son de agradable lectura y modelos de castellano. Se titulan: *La oposición y conjunción de los dos grandes luminares de la tierra*—París, 1617; Cambray, 1628; Gante, 1645—, con la versión francesa al frente, y *La desordenada codicia de los bienes ajenos*—París, 1619—, traducida al francés en 1622.

En la primera de estas obras—traducida al inglés y al italiano, y publicada en Ruán, 1627 y 1630, y en Cambray, bajo el título de *Antipatía de los franceses y españoles*—se contraponen con mucha gracia e ingenio las características de unos y otros, sus costumbres, vestidos y tratos. La segunda es una novela picaresca, interesante y saladísima, que trata de la antigüedad y nobleza de los ladrones, con aventuras parecidas a las que en las otras novelas picarescas se describen. Estas dos obras fueron publicadas en el tomo VII de los *Libros de antaño*, Madrid, 1877.

V. SBARBI, José María: *In illo tempore y otras frioleras*. Madrid, 1903.—PFANDL, L.: *Carlos García und sein Anteil...*, en *Münchener Museum*, 1913, II, 1.—LÓPEZ BARRERA, J.: *La literatura hispanófoba del siglo XVII*, en *Boletín Menéndez Pelayo*, 1925.—REY, A.: *A French source of one Carlos García's Tales*, en *Rom. Rev.*, 1930, XXI.—VALBUENA PRAT, A.: *Estudio prelimi-*

nar a *La novela picaresca española*. Madrid, Aguilar, 1946.

GARCÍA, José Gabriel.

Literato e historiador dominicano. Nació —1834—y murió—1910—en Santo Domingo. Militar—oficial de Artillería—durante su juventud. En 1855 tuvo que huir—por causas políticas—a Venezuela, donde permaneció cinco años. Empleado de Aduanas. Regidor del Ayuntamiento de Santo Domingo. Presidente de la Convención—1866—. Ministro de Justicia y de Instrucción Pública. En 1868 hubo de emigrar nuevamente. Y en 1876 fue otra vez ministro bajo la presidencia de Espaillat. No fue, ni mucho menos, amigo de España. Colaboró en *El Oasis*, la *Revista Quincenal*, *El Patriota*. Miembro de los Amantes de las Letras.

La labor de José Gabriel García para reconstruir la historia nacional dominicana fue verdaderamente extraordinaria y fecunda. Ha sido llamado "padre de la historia dominicana".

Obras: *Compendio de la historia de Santo Domingo*—1867—, *Rasgos biográficos de dominicanos célebres*—1875—, *Memorias para la historia de Quisqueya*—1876—, *Guerra de separación dominicana*—1890—, *Coincidencias históricas*—1891—, *Nuevas coincidencias históricas*—1892—, *Historia moderna de la República Dominicana*—1906—...

V. MEJÍA, Abigail: *Historia de la literatura dominicana*, págs. 141-48, 5.ª edición, 1943. GARRIDO, Miguel Angel: *Siluetas*. Santo Domingo, 1902.—RICART, Rafael E.: *Estudio en Cromos*. Septiembre de 1928.—ANTOLOGÍA DE LA LITERATURA DOMINICANA. Santo Domingo, 1944, tomo II.

«GARCÍA, Juan» (v. Escalante, Amós de).

GARCÍA, Juan Agustín.

Dramaturgo, narrador, ensayista argentino. Nació—1862—y falleció—1923—en Buenos Aires. Fue un maestro de la juventud. Profesor de Introducción al Derecho, en la Facultad de Derecho de Buenos Aires y de Historia de América, en la Facultad de Filosofía y Letras. Publicó: *Régimen Colonial, Introducción al estudio de las ciencias sociales argentinas, La ciudad indiana* (su obra maestra), *Sobre nuestra cultura, Chiche y su tiempo, La chepa leona, El jardín del convento y Cuadros y costumbres snobs*. Para el teatro escribió: *Del uno al otro, El mundo de los snobs* y *La cuarterona*. En Juan Agustín García se unió al historiador y al jurisconsulto el crítico avezado al juicio sereno, pero justo, vertebrado por una profunda cultura filosófica e histórica.

G

GARCÍA, Manuel Adolfo.

Poeta peruano. 1830-1883. Perteneció a la *bohemia* lírica descrita por Ricardo Palma. Y su existencia fue una cadena de desdichas y de infortunios. Vivió en la miseria, murió loco y le enterraron de limosna. Esta vida explica el romanticismo angustioso de sus poesías, publicadas en su mayor parte en *La Revista de Lima* y en *El Correo del Perú.* Entre sus mejores composiciones figuran unas quintillas *A Bolívar* y una bellísima oda titulada *Mis recuerdos.*

Según Palma, Calderón, Arolas y Víctor Hugo fueron los modelos de Manuel Adolfo García. De Hugo tradujo varias poesías. Menéndez Pelayo niega la influencia de Calderón, pero cree en la de Zorrilla y en la de las *Orientales,* de Arolas.

Obras: *Composiciones poéticas*—El Havre, 1872.

V. PALMA, Ricardo: *La bohemia de mi tiempo.* Lima, 1899.—MENÉNDEZ PELAYO, M.: *Historia de la poesía hispanoamericana.* Madrid, 1913. Tomo II, pág. 263.—SÁNCHEZ, Luis Alberto: *La literatura peruana.* Santiago de Chile, 1936, 3 tomos.—RIVA AGÜERO, José de la: *Carácter de la literatura del Perú independiente.* Lima, 1905.

GARCÍA, Vicente, «Rector de Vallfogona».

Notable poeta y sacerdote español. Nació—1582—en Tortosa. Murió—1623—en Vallfogona de Riucorp (Tarragona). Estudió en la Universidad de Lérida y le ordenó sacerdote—1606—el obispo Robaster y Sala. Oficial de Curia y Secretaría. Rector de Vallfogona desde 1607. Secretario de cámara —1623—del obispo de Gerona don Pedro de Moncada, con quien permaneció Vicente García un año. De Gerona marchó a Madrid, donde recibió no pocos desengaños. Estando de paso en Zaragoza—1623—, se dice que sus enemigos (¡ !) intentaron envenenarle. El 31 de agosto de este último año hizo testamento, confesó, comulgó y tuvo ánimos e inspiración para escribir un conmovedor *Cant d'agonia,* muriendo dos días después. Se dice que antes de morir, Vicente García quemó muchas de sus poesías. Estas—las saladas, las copiadas de manuscritos rotos y de papeles dispersos—no fueron publicadas hasta 1703. En 1840, Joaquín Rubió y Ors publicó todas las composiciones que halló a nombre de García, algunas de ellas bien groseras. De este dictado de poeta procaz pretendió librarle—1921—el padre Corbera con un libro apologético.

Vicente García poseyó un gran talento poético, una imaginación muy viva, una inspiración apasionada, pero, a veces, excesivamente violenta o sensual. La mayoría de sus composiciones son de tema festivo, habiendo merecido por ello el dictado del "Quevedo catalán".

Su más bella poesía es el *Cant a la soledad,* que un crítico moderno ha llegado a comparar a *La vida del campo,* de fray Luis de León.

Obras: Se han impreso: 1703—Barcelona—, 1712—Barcelona—, 1820—Barcelona—, y en la misma ciudad las de 1840, 1856 y 1872.

V. RUBIÓ Y ORS, Joaquín: *Biografía del doctor Vicente García...* Barcelona, 1880.—NICOLÁU D'OLWER, L.: *Literatura catalana. Perspectiva general.* Barcelona, 1917.—CORBELLA, Ramón: *El rector de Vallfogona...* Barcelona, 1921.—PASTOR Y LLUIS, F.: *Apuntes biográficos de don Vicente García...* Tortosa, 1916.—SABATER, Sinesio: *Biografía del rector de Vallfogona...* Tortosa, 1897.

GARCÍA ÁLVAREZ, Enrique.

Ingeniosísimo y graciosísimo poeta y comediógrafo español. Nació—1873—en Madrid. Y en Madrid—1931—murió. Desde muy joven se dedicó a la literatura, enviando cuentos y poesías llenos de sal y de optimismo a los principales periódicos y revistas. Escribió asiduamente en *Madrid Cómico, Barcelona Cómica, Actualidades, Nuevo Mundo, Mundo Gráfico...* Su primer éxito teatral se tituló *La trompa de caza,* juguete cómico, escrito en colaboración con Antonio Palomero, y estrenado en el teatro Eslava, de Madrid. Desde esta obra, García Alvarez escribió más de un centenar, alguna de ellas, representada más de cinco mil veces y aun hoy de repertorio. Pero de natural apoltronado, García Alvarez siempre necesitó de un colaborador que espolease su natural y extraordinaria vis cómica. Paso, Abati, Arniches y Muñoz Seca fueron sus principales colaboradores.

García Alvarez compitió con éxito con autores tan prestigiosos como Ramos Carrión, Vital Aza, Sinesio Delgado, López Silva, Miguel Echegaray, a los que poco a poco fue arrebatando la predilección del público.

García Alvarez es el creador del género denominado *astracán,* género en el que todos los valores escénicos se subvierten o someten al único interés de la jocosidad, del chiste gordo, del ingenio disparatado. El *astracán* es aún hoy el género predilecto del gran público.

García Alvarez es autor de miles y miles de rasgos de ingenio de una gracia irresistible e incopiable.

Obras más importantes: *La marcha de Cádiz, Los rancheros, La alegría de la huerta, Los niños llorones, El terrible Pérez, El perro chico, El iluso Cañizares, El pícaro mundo, El pollo Tejada, La gente seria, La* suerte loca, Alma de Dios, El método Górriz, El trust de los Tenorios, Gente menuda, El fresco de Goya, Las cacatúas, Fúcar XXI, Pastor y Borrego, La niña de las planchas, La frescura de Lafuente, La escala de Milán, El verdugo de Sevilla, Los cuatro Robinsones, La tragedia de Laviña, o El que no come, la diña; El puesto de antiquités de Baldomero Pagés, Larrea y Lamata, Calixta la prestamista...

V. Casado, José: Las pirámides de sal. Madrid, 1918.

GARCÍA ARISTA Y RIBERA, Gregorio.

Historiador y literato español. Nació —1876—en Tarazona. Doctor en Filosofía y Letras por la Universidad Central. Del Cuerpo Facultativo de Archiveros, Bibliotecarios y Arqueólogos. Bibliotecario y profesor auxiliar de la Universidad de Zaragoza. Académico correspondiente de la Real Española de la Lengua, de la Real de la Historia y de número de la de Nobles y Bellas Artes de San Luis. Discípulo y auxiliar durante cuatro años de don Marcelino Menéndez Pelayo. Varias veces laureado en Juegos florales. Se le llama "el poeta popular de Aragón", por haber compuesto más de dos mil coplas que ha hecho suyas el pueblo. El Ayuntamiento de Zaragoza se le ha concedido la medalla de oro de la ciudad "por su inestimable y copiosa labor literaria e histórica sobre Aragón".

Obras: Fruta de Aragón, Del solar aragonés—cuentos—, Cánticos aragoneses, Canto a la jota, El Pilar de Zaragoza, Felipe II y Antonio Pérez, Tarazona la muerta, Iñigo Arista y los orígenes de Aragón, San Juan de la Peña y el santo Gratal, Cuadros históricos de Aragón, Tierra aragonesa—cuentos—, El olivar—zarzuela—, El heredero —zarzuela—, Los valientes y el buen vino..., La zuda de Zaragoza y las zudas de Aragón, Cantas baturras, La francesada—episodios de los sitios de Zaragoza—, Dice la Historia...

V. Cejador y Frauca, J.: Historia de la literatura española. Tomo XI.

GARCÍA AYUSO, Francisco.

Filólogo y orientalista español. Nació —1835—en Valverde del Camino (Segovia), y murió—1897—en Madrid. Estudió Humanidades en Segovia. Contando veinticuatro años, marchó a Tánger y Tetuán, donde aprendió a la perfección las lenguas hebrea y árabe. Estudió griego y latín en El Escorial. Y en 1868 marchó a Munich, donde completó sus estudios filológicos, llegando a dominar el siríaco, el árabe, el etíope, el sánscrito, el zenda, el persa. Catedrático de alemán en la escuela de Comercio de Ma-

drid. Profesor auxiliar de la Universidad Central. Miembro de la Real Academia de la Lengua Española—1893.

Obras: Gramática árabe—1871—, La filología en su relación con el sánscrito—1872—, traducción de los dramas de Kalidasa: Sakuntala—1875—y Vikramorvasi—1872—, Ensayo crítico de Gramática comparada de los idiomas indoeuropeos—1877—, El Nirvana budista en relación con otros sistemas filosóficos—1885—, Estudios sobre Oriente —1872 a 1874—, en la Revista de España...

GARCÍA BACCA, Juan David.

Filósofo y prosista español. Nació—1901— en Pamplona. Doctor en Filosofía por la Universidad de Barcelona. Su tesis doctoral, La estructura lógica de las ciencias físicas, llamó poderosamente la atención, delatando a un excepcional pensador y a un expositor magnífico. Amplió sus estudios en el "Institut für theoretische Physik", de Zurich, bajo la dirección de Sommerfeld, en Lovaina, Bruselas y París. Son extraordinarios sus conocimientos en matemáticas, ciencias físicas y griego clásico. Ha traducido impecablemente y comentado con gran agilidad a Platón, Aristóteles, Jenofonte y los presocráticos.

La fama de García Bacca es mundial. Une a su agilidad y a su profundidad mental, a su vastísima cultura, una suprema elegancia para escribir. Con Ortega y Gasset y Zubiri, García Bacca forma la gran trilogía de pensadores españoles de hoy, cuya voz se escucha con respeto y curiosidad en el mundo universal de las ideas.

García Bacca ha recorrido Europa y América, dando cursos de conferencias en Academias y Ateneos, ante una admiración unánime.

Obras: Algunas consideraciones sobre el problema epistemológico—1932—, Las nociones de causa, efecto y causalidad en las ciencias físicas modernas—1933—; Estructura lógica de las ciencias físicas—1936—, Introducción a la lógica moderna—1936—, Introducción a la logística—1936—, Interpretación histórica de la lógica clásica y moderna —1939—, Introducción al filosofar, Invitación a filosofar, Filosofía de las Ciencias: presencia y experiencia de Dios en Plotino—1943—, Filosofía en metáforas y parábolas—1945—, Siete modelos de filosofar—Caracas, 1950.

GARCÍA BAENA, Pablo.

Nació—1923—en Córdoba. Colaboró en La Estafeta Literaria, en El Español, en Fantasía. En 1947 fundó, con Juan Bernier y Ricardo Molina, la revista poética Cántico, que aún se publica en Córdoba. Ha ganado

G

el "Premio Juan de Mena", de su ciudad natal.

En la actualidad publica sus poemas en *Raíz, Posío* y otras publicaciones selectas de poesía.

Es García Baena un superrealista de hondura y de sensibilidad magnífica. Y asombran en él el dominio, la tersura y la propiedad del idioma. Sus estrofas, según Gerardo Diego, son "bellísimas e intocables, no superándolas las mejores de Alberti".

Obras: *Rumor oculto*—en *Fantasía*—, *Mientras cantan los pájaros*—1948—, *Antiguo muchacho*—"Adonais, 1950".

GARCÍA DE LA BARGA, Andrés (v. «Corpus Barga»).

GARCÍA BENAVENTE, Lorenzo.

Novelista y autor dramático español. Nació—1915—en Getafe (Madrid). Estudió el bachillerato en las Escuelas Pías de su pueblo natal. Actualmente es funcionario del Banco Español de Crédito. Colaborador de las revistas *Primer Plano, Arte Comercial* y otras.

Obras: *Nosotros, la juventud cobarde* —1946, novela—, *Cuando amanece anocheciendo*—novela, 1948—, *Armisticio*—comedia—, *Porotita*—revista musical—, y numerosos cuentos.

De su primera novela comentó el diario *A B C*—2 de junio de 1946—: "... El drama y también las aspiraciones de ciertas zonas sociales mesocráticas y burocráticas están recogidas en este volumen—*Nosotros, la juventud cobarde*—, escrito con un estilo ardiente, exaltado, vivo y directo, donde se revela un gran temperamento de escritor, un espíritu de observación y de introspección ágil y de aguzada sensibilidad y excelente don de soltura en el relato..."

GARCÍA CALDERÓN, Francisco.

Ensayista y crítico literario de prestigio. Nació—1883—y murió—1953—en Lima. Cursó su país Filosofía y Jurisprudencia. Vicecónsul peruano en París durante algún tiempo. Ha vivido casi siempre en la capital francesa. Ministro del Perú en Bélgica. Delegado del Congreso de la Paz en París —1919—y ante la Sociedad de las Naciones—1920.

"Adalid de los jóvenes escritores de su tierra, de espíritu curioso, sin llegar a inquieto; grave y entendido, que huye de fáciles literaturas de adorno y del diletantismo, peste de América; vive en París, entregado a la Filosofía manual, sociológica y del día, que sabe aderezar en artículos y libros, en críticas y estudios, de variado tono y movimiento, con aire ameno, algo medio entre Sainte-Beuve y Taine, y atendiendo siempre a generalizar en grandes cuadros, sin dogmatismos ni pedanterías. Su obra *El Perú contemporáneo*, de encendido patriotismo y de abierta esperanza, fue premiada por la Academia Francesa." (Cejador.)

Y añade Abigail Mejía: "Gala y prez de la literatura peruana, su más alta presea, impulsó el movimiento literario de su nación desde la capital de Francia, en donde residió mucho tiempo, dirigiendo, en compañía de su hermano—Ventura—(también notabilísimo escritor), la *Revista de América* con singular intuición y buen tino, en la cual colaboraban las mejores firmas de nuestras tierras. Su misión fue dar a conocer, en lo posible, desde ese París frívolo, y que si piensa, solo lo hace "exclusivamente en francés", todo lo desconocido que guardaba la aún para muchos virgen América."

García Calderón, en crónicas de rica variedad y de fecunda levadura, ha sabido llevar a las letras americanas la densidad, la gracia y el espíritu del movimiento cultural europeo.

Claridad y galanura de expresión, serenidad y firmeza en los juicios, inteligencia abierta a todos los vientos espirituales, arraigado amor a las letras, han hecho de Francisco García Calderón uno de los más admirables literatos hispanoamericanos contemporáneos.

Obras: *Litteris*—crítica, 1904—, *Hombres e ideas de nuestro tiempo*—1907—, *Profesores de idealismo*—1910—, *La creación de un continente*—1914—, *Menéndez Pidal y la cultura española, Ideas e impresiones, El espíritu de la nueva Alemania, La herencia de Lenín, Democracias latinas de América, Las corrientes filosóficas en la América latina, El dilema de la Gran Guerra, Europa, inquieta*—Madrid.

V. Rodó, José Enrique: *El mirador de Próspero*. 1913, págs. 324 y sigs.—García Godoy, F.: *Americanismo literario*. Madrid, 1918.—Melián Lafinur, Alvaro: *Literatura contemporánea*, 1918.—Poincaré, Raymond: Prólogo a *Les dèmocraties latines*. París, 1912.—García Godoy, F.: *La literatura americana*. 1915.—Sánchez, Luis Alberto: *La literatura peruana*. Lima, 1928, 1929 y 1936, tres tomos.—Boutroux, Emile: Prólogo a *Le Pèru contemporain*. París, 1907.

GARCÍA CALDERÓN, Ventura.

Notable periodista, ensayista y crítico literario. Nació—1886—y murió—1959—en Lima (Perú). Desde muy joven se dedicó con fervorosa vocación al periodismo. Colaboró en *El Mercurio*, de Nueva Orleáns; *El Gráfico*, de Nueva York; *Mundo Gráfico*, de Madrid; *Revue Hispanique*, de París. Dirigió la *Revista de América*. Y en la capital de Francia, donde ha vivido casi siempre, la *América La-tina* e *Hispania*. Su contacto con la cultura occidental ha dado solidez y universalidad a su cultura y perfección y exquisitez a su estilo. Trabajador infatigable, ha laborado con éxito en la exaltación de los valores intelectuales de España e Hispanoamérica en Europa. Gran caballero. Amenísimo conversador. Mecenas generoso de cuantos españoles e hispanoamericanos llegaban por vez primera a París.

"Prosista exquisito, irónico suavemente, ligero a la francesa y delicado, escribió crónicas sobre la vida parisiense con ingenio y soltura, y mariposeó con volubilidad y gracia; después se dio a la historia y crítica de la literatura de su tierra, en donde todos le reconocen como autoridad competente." (Cejador.)

Y Gonzalo Zaldumbide—en *Letras,* enero 1913—escribió: "Es el mejor prosador de prosa artística que ha dado la juventud hispanoamericana en estos últimos cinco años..., por el cuidado del ritmo, la selección del epíteto, la elegancia en el pensar, en el sentir, en el decir... Su frase, tenue y tenaz, se adhiere como una caricia modeladora y exacta, o flota leve y áurea como un ropaje transparente, sin privar de su ligereza a la sensación más fugaz ni de su lírica esbeltez a la imagen... Suyas son la gracia que se desliza, la malicia que se insinúa furtiva. Pasa con suelto donaire de la ironía al entusiasmo, de la gravedad a la burla. Su frivolidad no es sino una elegancia... Alma exquisita, huraña y tierna, fuerte y blanda, alegre y triste, tiene el don divino de la simpatía y de la emoción, e impregna de esta doble gracia todos sus escritos."

Obras: *Frívolamente*—París, 1908—, *Del Romanticismo al Modernismo en el Perú* —1910—, *La literatura peruana: 1535 a 1914* —en la *Revue Hispanique,* XXXI, 1914—, *Dolorosa y desnuda realidad*—cuentos, París, 1914—, *Parnaso peruano*—Barcelona, 1915—, *Los primeros versos de Rubén Darío* —París, 1917, en la *Revue Hispanique*—, *Une enquête: Don Quichotte a Paris et dans les tranchées*—Cahors, 1916—, *La literatura uruguaya: 1757 a 1917*—1917, en *Revue Hispanique,* XL—, *Los mejores cuentos americanos* —Barcelona, 1919—, *Cantilenas*—1919—, *Semblanzas de América*—1919—, *Bajo el clamor de las sirenas*—artículos, París, 1920—, *La venganza del cóndor*—cuentos—, *Sueur du Sang*—cuentos—, *Danger de mort*—cuentos—, y trece volúmenes de divulgación de los valores peruanos...

V. SÁNCHEZ, Luis A.: *La literatura peruana.* Lima, 1928 y 1929.—GÓMEZ DE LA SERNA, R.: *Nuevos retratos contemporáneos.* Buenos Aires, 1945.—LEGUIZAMÓN, Julio A.: *His-toria de la literatura hispanoamericana.* Buenos Aires, 1945.

GARCÍA CERECEDA, Martín.

Historiador y prosista español. Natural de Córdoba, donde nació—¿1495?—y murió —¿1560?—. Fue arcabucero y asistió a casi todas las campañas del césar Carlos I, que luego supo relatar con imparcialidad, sin carácter oficioso y en un estilo claro y correcto.

Su obra se titula: *Tratado de las campañas y otros acontecimientos de los ejércitos del emperador Carlos V en Italia, Francia, Austria, Berbería y Grecia desde 1521 hasta 1545.* Fue publicada en Madrid—tres volúmenes—en 1873, 1874 y 1876 por la Sociedad de Bibliófilos Españoles.

V. FUETER: *Historiografía...,* 295.

GARCÍA CHUECOS, Héctor.

Ensayista, crítico e historiador venezolano. Nació—1899—en Mérida. Bachiller por la Universidad de su ciudad natal. Doctor en Ciencias Políticas por la Universidad Central de Caracas—1932—. Abogado de la República. Catalogador del Archivo Nacional. Catedrático de Historia crítica y documental de Venezuela en el Instituto Pedagógico Nacional. Profesor de Historia de Venezuela en el Instituto Libre de Cultura Popular. Académico de número de la Nacional de la Historia. Posee incontables condecoraciones y es miembro correspondiente de varias Academias hispanoamericanas. Ha representado a su país en numerosos Congresos y Conferencias de Cultura. Ha recorrido América y Europa, pronunciando notables conferencias. Y la Academia Venezolana de la Lengua le ha premiado varias veces.

Obras: *Historia de la cultura intelectual de Venezuela desde su descubrimiento hasta 1810*—1935—, *Don Fernando de Peñalver: su vida y su obra*—1938—, *Estudios de historia colonial venezolana*—dos tomos, 1937 y 1938—, *Vida y obra de un glorioso fundador* —1940—, *La Capitanía General de Venezuela* —1945—, *Hacienda colonial venezolana* —1946—, *Catálogo de documentos referentes a la historia de Venezuela y de América, existentes en el Archivo Nacional de Washington*—1950—, *Memoria sobre el Archivo General de la Nación*—1951.

GARCÍA DE DIEGO, Vicente.

Gran erudito y crítico literario español. Nació en Vinuesa (Soria) en 1878. Cursó en Soria sus estudios de bachillerato y se licenció en Filosofía y Letras en la Universidad de Zaragoza. Ingresó por oposición, en 1903,

G

en el Instituto de Pontevedra en la cátedra de Latín y Castellano. Desempeñó luego la cátedra de Latín en el Instituto de Burgos desde 1905 a 1916. Se trasladó a Zaragoza durante dos cursos. Catedrático del Instituto del Cardenal Cisneros en 1919, cuya dirección desempeñó durante varios años. Fue elegido académico de la Real Academia Española en 1926, de la que actualmente es bibliotecario perpetuo. Ha desempeñado como agregado en la Universidad algunos cursos de Latín y de Dialectología española. Ha trabajado en el Centro de Estudios Históricos y en el Consejo Superior de Investigaciones Científicas, dirigiendo actualmente las revistas de *Filología Española* y de *Dialectología y Tradiciones Populares*. En 1930 fue nombrado consejero de Instrucción Pública. Está condecorado con las Palmas académicas de Francia. Es correspondiente de las Academia Portuguesa, Real Academia Gallega y varias academias americanas.

Algunas obras: *Notas sobre el latín vulgar español*—1904—, *Antología latina* —1904—, *Elementos de gramática histórica gallega*—1909—, *Edición del "Epistolario espiritual" del beato Juan de Ávila*—vol. IV de "Clásicos Castellanos"—, *Edición de "Canciones y decires", del marqués de Santillana*—volumen XVIII de "Clásicos Castellanos"—, *interjecciones demostrativas*—1917—, *Edición de "Poesías" de Fernando de Herrera*—volumen XXVI de "Clásicos Castellanos"—, *Gramática histórica latina*—1912 (1.º y 2.º)—, *Ejercicios y trozos latinos*—1920 (1.º y 2.º)—, *Miscelánea etimológica, Dos series*—*Boletín de la Real Academia Española*, VI y VII—, *Gramática histórica castellana*—1914—, *Manual de Gramática castellana*—1921—, *Ejercicios de Gramática castellana*—1921—, *Contribución al Diccionario etimológico español*—1918—, *Temas gramaticales*—1910—, *El origen de los morfemas* —1916—, *Falsos nominativos españoles*—en la *Revista de Filología Española*, VI—, *Etimologías españolas, Dos series*—en la *Revista de Filología Española*, VI y VII—, *Caracteres fundamentales del dialecto aragonés*—1918—, *Formas progresivas españolas*—en *Modern Philology*, de Chicago, XVI—, *Cruces de sinónimos, Dos series*—en *The Romanic Review*, XI, y *Revista de Filología Española*—, *Voces concordantes · en francés y en castellano*—en *Bulletin Hispanique*, 1919—, *Edición de "República literaria", de Saavedra Fajardo* —vol. XLIV de "Clásicos Castellanos"—, *Contribución al léxico hispánico*—vol. II de la Biblioteca de la "Revista de Filología"—, *Notas filológicas*—*Revista de Filología Española*, XI—, *Método de latín* (1.º y 2.º) —1932—, *Literatura latina y antología* —1927—, *Elementos de Gramática latina*

—1904—, *Nuevo método de latín* (1.º, 2.º y 3.º)—1941—, *El lenguaje en la escuela* —1941—, *Lengua y literatura españolas* (1.º, 2.º y 3.º)—1940—, *Edición de "Idea de un príncipe político y cristiano", de Saavedra Fajardo*—en "Clásicos Castellanos"—, *El libro de España...*

GARCÍA ESCUDERO, José María.

Profesor, ensayista y crítico español. Nació—1916—en Madrid. Doctor en Derecho. Licenciado en Ciencias Políticas. Notario. Letrado de las Cortes Españolas. Coronel —1964—del Cuerpo Jurídico del Aire. "Premio Nacional de Periodismo". Director general de Cinematografía y Teatro en 1951 y en 1962.

Durante los últimos veinticinco años ha colaborado asiduamente en la Prensa Nacional, y de manera especial en los diarios madrileños *Arriba* y *Ya,* en los cuales ha hecho famosa su sección semanal *Tiempo,* a modo de glosario de ideas y hechos.

Obras: *Política española y política de Balmes, De Cánovas a la República, España pie a tierra, Catolicismo de fronteras adentro, La vida cultural, 1952-1962, Historia en cien palabras del cine español, Cine social, Mari-Dos*—narración infantil...

GARCÍA FERREIRO, Alberto.

Poeta, autor dramático, periodista. Nació —1862—en Orense. Y murió—1902—en Santiago de Compostela. Doctor en Derecho. Desde muy joven adquirió fama como jurisconsulto y como periodista. En 1890 ganó el primer premio del certamen organizado en La Coruña por el Liceo Brigantino con su canto épico *Lenda de groria,* dedicado a conmemorar las hazañas de la defensa de aquella ciudad contra los ataques ingleses en 1859. Cuando mayor era su popularidad en Galicia, se recluyó en un voluntario retraimiento para dedicarse a la educación de sus hijos.

Obras: *Volvoretas*—1887—, *Chorimas* —1890—, *Follas de papel*—1892—, *Luchar por la patria*—drama, 1879—, *Gritos del alma* —poemas en castellano, 1880—, *Discurso sobre Garcilaso de la Vega y sus obras.*

De *Volvoretas* escribió el gran lírico Emilio Ferrari: "La nota juguetona de la alegría cual la profunda del dolor; el acento viril del patriotismo igual que la tierna lágrima del sentimiento; el dulce madrigal y el epigrama regocijado, toda la gama poética, toda la recorre, ora trazando con mano franca grandes cuadros, ora concentrando el pensamiento en exquisita esencia para encerrarla en primoroso frasco; con rimas que suenan unas veces como campana tañida a rebato, otras como la esquila del ganado en los ribazos del país. Pero sobre tal variedad hay una unidad que enlaza: el amor a la patria gallega, locamente adorada..."

V. Couceiro Freijomil, Antonio: *El idioma gallego (Gramática, Historia, Literatura).* Barcelona, 1935, págs. 364-366.—Fernández Alonso, Benito: *Orensanos ilustres,* páginas 203-206.—Ferrari, Emilio: *Poetas regionales: Alberto García Ferreiro,* en *Galicia,* número 5, La Coruña, 1889.—Tarrío García, J.: *Alberto García Ferreiro y su libro "Follas de papel",* en *Galicia,* número 1, La Coruña, 1892.

GARCÍA GODOY, Federico.

Novelista y crítico literario dominicano. Nació—1857—en Santiago de Cuba y murió —1924—en La Vega. Su familia, como otras muchas cubanas, se trasladó a Santo Domingo en 1868. Estudió el bachillerato en el colegio de San Luis Gonzaga; pero su verdadero maestro fue su padre, don Federico García Copley, profesor y literato distinguido. Más tarde completó sus estudios en Santiago y La Vega. En esta última ciudad transcurrió la mayor parte de su vida, enseñando y escribiendo, reuniendo una incomparable biblioteca de obras nacionales. Redactor de *El Pueblo* (1896-1899) y director de *El Día* (1914-1916). Desde sus primeros escritos de juventud en *El Porvenir,* de Puerto Plata, hasta su muerte, apenas ha habido revista o publicación literaria de alguna importancia en el país donde no haya figurado el nombre de García Godoy.

"Su labor como crítico de amplia cultura literaria y filosófica le ha dado renombre en toda la América española; pero como escritor quizá haya que buscar sus mejores páginas en sus novelas dominicanas, escritas en prosa fácil y abundante e inspiradas en un nacionalismo literario que fue para Rodó bandera de americanismo."

Obras: *Recuerdos y opiniones*—Santiago de los Caballeros, 1888—, *Impresiones*—Moca, 1899—, *Perfiles y relieves*—Santo Domingo, 1907—, *Rufinito*—novela, Santo Domingo, 1908—, *La hora que pasa*—críticas, Santo Domingo, 1910—, *Alma dominicana* —novela, Santo Domingo, 1911—, *Páginas efímeras*—Santo Domingo, 1912—, *Literatura americana de nuestros días*—Madrid, 1915—, *Guanuma*—novela histórica, Santo Domingo, 1914—, *Bajo la dictadura*—Moca, 1914—, *De aquí y allá*—críticas, Santo Domingo, 1916—, *La literatura dominicana*—Nueva York, 1916—, *Americanismo literario*—Madrid, 1918—, *De la Historia*—La Vega, 1920...

V. Mejía, Abigail: *Historia de la literatura dominicana.* Santo Domingo, 5.ª edición, 1943.—Rodó, José Enrique: *El mirador de Próspero.*—Varios: Número de *La Opinión* —23 de febrero de 1924—, dedicado a Federico García Godoy, y escrito por Nestero, Bazil, Díaz Valldepares, Fuenmayor, Henríquez Carvajal y otros.—Balaguer, Joaquín: *Literatura dominicana,* 1950.

GARCÍA GÓMEZ, Emilio.

Literato, historiador y arabista español. Nació—1905—en Madrid. Doctor en Filosofía y Letras por la Universidad de Madrid. Catedrático de Lengua arábiga en las Facultades de Letras de Granada y Madrid. Pensionado en Egipto, Siria y Mesopotamia. Académico de la Historia y de la Lengua. "Premio Fastenrath, 1931". Individuo de The Mediaeval Academy of America (Cambridge y Estados Unidos) y de la Academia de Bellas Artes de Granada, y de Ciencias, Bellas Letras y Nobles Artes de Córdoba. Miembro del Consejo Superior de Investigaciones Científicas y del Instituto de Cultura Hispánica.

García Gómez es un arabista magistral y un literato admirable.

Obras: *Un cuento árabe, fuente común de Abentofail y de Gracián*—1926—, *Un texto árabe occidental de la leyenda de Alejandro* —1929—, *Poetas musulmanes cordobeses* —1929—, *Poemas arábigo-andaluces*—estudio y traducción, 1930—, *Cinco poetas musulmanes*—estudio, notas y traducción, 1944—, *Silla del Moro*—Rev. de Occidente, Madrid, 1948—, *Sevilla a comienzos del siglo XII*—Madrid, Sánchez Cuesta, 1948—, *Las jaryas mozárabes y los judíos de Al-Andalus*—Madrid, 1957—, *El collar de la Paloma, El libro de las Banderas de los Campeones...,* y numerosas traducciones admirables de textos árabes—prosa y verso.

GARCÍA GOYENA, Rafael.

Poeta y prosista considerado como guatemalteco, aunque nació—1766—en Guayaquil (Ecuador). Murió—1823—en Guatemala, país en que vivió casi siempre y desde muy niño. Estudió Leyes y Medicina. Viajó por Europa. Algunos de sus escritos fueron publicados, póstumamente, en *El Repertorio Americano,* fundado en Londres—1826—por Andrés Bello.

A García Goyena le dieron fama sus *Apólogos* y *Fábulas,* reimpresos numerosas veces, y en los que se armonizan el sentido pedagógico y moral con la limpia y fácil expresión.

V. Batres Jáuregui, Antonio: *Biografías de literatos nacionales.* Guatemala, 1889, págs. 1-85.—Salazar, Ramón A.: *Historia del desenvolvimiento intelectual de Guatemala.* 1897.—Uriarte, Ramón: *Galería poética centroamericana...* Guatemala, 1888, tres tomos.

G

GARCÍA GUTIÉRREZ, Antonio.

Gran poeta y dramaturgo romántico español. 1813-1884. Antonio García Gutiérrez, nacido en Chiclana, que cursó el bachillerato en Cádiz, inició su carrera de Medicina en Sevilla, y escribía, sin dar paz a la mano, versos a escondidas de su padre. Fue un muchacho tan romántico como el primero. Es decir: de los que son románticos empecatados porque se perecen por la gloria.

Un buen día, haciéndosele pequeño su mundo natal e insoportables los estudios, concertado con un camarada de ilusiones y esperanzas y llevando por toda impedimenta sendos hatillos, se vinieron a Madrid, unos ratos a pie y otros en diligencia. García Gutiérrez era propietario de ciento noventa reales. ¡Ah! Y de cuatro obras teatrales —*Una noche de emociones, Peor es hurgallo, Selim* y *Fingal*—, manuscritas con gran cuidado, que reputaba dogma de fe pedestales de su encumbramiento poético—¡he ahí lo romántico!—y, ¡ay!, de su bienestar económico... ¿Los románticos también...? ¡También los románticos!

Procurando entrar en la villa y corte con el pie derecho, apenas hospedado en cierta hospedería infernal de la calle de la Gorguera, García Gutiérrez, venciendo su timidez, concurrió, sin voz ni voto por el pronto, al "Parnasillo", tertulia literaria del café del Príncipe, al que asistían Larra, Espronceda, Ventura de la Vega, Togores, Antonio Guzmán, el futuro conde de Cheste, Esquivel, Madrazo, Alenza... García Gutiérrez logró que escucharan la lectura de su drama *El trovador*. Entusiasmo general. El famoso empresario Grimaldi, contertulio del "Parnasillo", decidió que la obra se estrenase en el teatro de la Cruz, de inferior categoría a la del Príncipe; pero los comediantes de aquel se encargaron de rechiflarla y hasta de que fuera retirada de los ensayos. Desanimado el novel autor, sin medios económicos para vivir, sentó plaza, acogiéndose al decreto de Mendizábal, que prometía a los que se alistasen voluntariamente y tuviesen dos años de estudios mayores nombrarles subtenientes al cumplirse el medio año de su ingreso en filas. Mientras García Gutiérrez se desesperaba en el cuartel de Leganés, Espronceda, con su calor entusiástico, hizo ambiente a *El trovador,* y consiguió que lo eligiese para su beneficio el famoso actor cómico Antonio de Guzmán, quien, por carecer la obra de papel adecuado a sus condiciones artísticas, no tomó parte en la representación.

Celebróse el estreno la noche del 1 de marzo de 1836. Para asistir a él, García Gutiérrez tuvo que escaparse saltando las tapias del cuartel. Llegó al teatro cuando ya se había acabado el segundo acto y el entusiasmo del público era extraordinario. Acabada la obra en medio de un delirio de ovaciones, *por vez primera en España* exigieron los espectadores que saliera el autor a saludar desde la escena. Y para poderlo hacer, estando vestido el autor de soldado raso y en uniforme no muy limpio, hubo de prestarle Ventura de la Vega su levita de capitán de Milicianos nacionales.

A consecuencia del éxito fenomenal—muy sutilmente comentado por "Fígaro"—, licenció Mendizábal al novel dramaturgo. García Gutiérrez se dedicó desde entonces, con todo su fervor, al teatro; y tras algunos éxitos discretos, alcanzó otro apoteótico—1843— con *Simón Bocanegra,* con el que reverdeció los laureles de su primera obra, hasta el punto que, "como no fuera el público preparado para el homenaje al autor, no habiendo coronas de laurel que echarle, entró a la guardarropía del teatro, y hallando una de papel descolorido, que solía sacarse en la representación de la ópera *Norma,* se la ofreció con el mismo entusiasmo y cariño que si estuviera tejida con flores". Menos romántico ya, buscando con la gloria el dinero, García Gutiérrez viajó por América desde 1844, deteniéndose en Cuba y en Mérida de Yucatán. En 1849 regresó a España. Como miembro de la Comisión de Hacienda, estuvo en Londres de 1854 a 1857. Un año antes, 1856, había sido nombrado comendador de la Orden de Carlos III. En 1862, académico de la Real Española de la Lengua. En 1872, director del Museo Arqueológico Nacional y del Cuerpo de Archiveros y Bibliotecarios. En 1868 y 1869 fue cónsul de España en Bayona y Génova.

De cuantos poetas produjo el romanticismo en España, ninguno con vocación más cerrada por la literatura y el arte dramático que García Gutiérrez. Otros, Martínez de la Rosa, el duque de Rivas, Larra, Hartzenbusch, Zorrilla, alternaron sus aficiones dramáticas con otras igualmente literarias, como la poesía lírica, la erudición, los artículos de costumbres, la historia, las memorias... García Gutiérrez, no. Allá en sus mocedades, antes de gustar las emociones escénicas, escribió algunas poesías, recogidas años más tarde—1840 y 1842—en unos volúmenes titulados *Poesías* y *Luz y tinieblas.* Ni originales, ni de forma perfecta, ni de grandes vuelos líricos. Bien olvidadas están. Desde 1836, fecha del estreno, con éxito enorme, de *El trovador,* García Gutiérrez no fue sino autor dramático. Vivió exclusivamente para el teatro. El teatro era su obsesión y su único motivo de escribir. No es, sin embargo, *El trovador* su obra más bella y perfecta, a pesar de su éxito. Es este drama un drama atropellado y de auténtica mocedad. Su trama es confusa y deshilada. Deben buscarse sus valores en el ímpetu juvenil y en la animada y ágil sonoridad poética. La verdadera culminación de su arte la representan *Venganza catalana*—1864—y *Juan Lorenzo*—1865—, frutos de la madurez. La primera, el mayor éxito de público. La segunda, la producción de que más orgulloso se mostraba García Gutiérrez. Y ambas, ejemplos ya de un romanticismo mitigado. Porque, como muy bien apunta un moderno crítico, entre *El trovador*—1835—y ellas mediaban treinta años, y en ellos Zorrilla había llevado a la escena sus dramas de madurez, en los que la forma poética, romántica y los temas tradicionales llevaban mitigados sus bríos por una profunda sospecha del mejor realismo.

Es sumamente difícil hacer una clasificación exacta de las sesenta obras—aproximadamente—escritas por García Gutiérrez, porque en ellas al elemento histórico se mezcla continuamente el elemento pasional. No es difícil ver en ellas, incrustados sobre el fondo más histórico riguroso, personajes de pura invención, cuya fuerza vital es tanta que, incluso, excede y oscurece a las de otros verídicos, y que derivan la acción que fue realidad hacia otra patética de ficción. Así, podría hacerse una clasificación provisional en: *a)* Obras en las que el conflicto pasional prevalece sobre el histórico *(El trovador, Samuel, El tesorero del rey, El paje)*. *b)* Obras en las que el juego histórico prevalece sobre el conflicto pasional *(Las bodas de doña Sancha, Venganza catalana, Doña Urraca de Castilla)*. *c)* Obras en que el interés de la intriga se sobrepone al pasional y al histórico *(Empeños de una venganza, Gabriel, De un apuro, otro mayor)*. Una división más radical sería: dramas, comedias y zarzuelas. Entre los dramas, además de *El trovador*—1835—y *La venganza catalana*—1864—, habrá que destacar: *El rey monje*—1837—y *El encubierto de Valencia*—1840—, *Simón Bocanegra*—1843—, *El bastardo Juan Dandolo*—en colaboración con Zorrilla—, *Juan Lorenzo*—1865—y *Doña Urraca de Castilla*—1874—. Entre las comedias: *De un apuro, otro mayor; Afectos de odio y amor*—1856—, *La bondad sin la experiencia*—1855—, *Las cañas se vuelven lanzas*—1864—. Entre las zarzuelas: *La espada de Bernardo, El grumete, La cacería real, La vuelta del corsario.*

García Gutiérrez tradujo y adaptó numerosas obras extranjeras. Así, su primer estreno, antes que el de *El trovador*, fue una traducción de *El vampiro*, de Scribe, llevada a la escena el 10 de octubre de 1834. Del mismo Scribe refundió *La pandilla o la elección de un diputado*. De Alejandro Dumas (padre), *Calígula* y *Don Juan de*

Marana, o La caída de un ángel. En *Un duelo a muerte* imitó la *Emilia Galotti*, de Lessing.

De los autores dramáticos de la época romántica es, quizá, García Gutiérrez el versificador más correcto y claro, el de estilo más esmerado, el de una maestría mayor en los planes, el de una forma dramática más eficiente ante el gran público. Exitos apoteóticos como los suyos no los consiguió ni Zorrilla, el primero de los dramáticos del romanticismo español.

Las ediciones más importantes de las obras dramáticas de García Gutiérrez, son: *Obras escogidas*, Madrid, 1886.—*Autores dramáticos contemporáneos y Joyas del teatro español del siglo XIX*. Madrid, 1881. Tomo I. *Clásicos castellanos*. Madrid, Espasa-Calpe, 1941.—*El trovador*. Madrid, C. I. A. P. "Las cien mejores obras de la literatura española", volumen 75.—*El trovador*. Ed. Bonilla San Martín, Madrid, 1916.—Este primer drama—si no el mejor, el más gustado por el público—sugirió al famoso compositor italiano Verdi una de sus más inspiradas partituras: *Il trovatore*.

V. ROSELL, Cayetano: Prólogo al tomo I de "Autores Dramáticos Contemporáneos". Madrid, 1881.—HARTZENBUSCH, J. E.: Prólolo a las *Obras escogidas*, Madrid, 1866.—LOMBA, José R. de: Prólogo a la edición "Clásicos Castellanos", Madrid, 1941.—LARRA, Mariano José de ("Fígaro"): *Crítica en El Español*, 5 de marzo de 1836.—BONILLA SAN MARTÍN, A.: Prólogo a la edición de *El trovador*, Madrid, 1916.—FERRER DEL RÍO, Antonio: *Galería de literatura española*. Madrid, 1846.—CASTILLO SORIANO, José del: *García Gutiérrez*, en *Revista Contemporánea*, 1880. XXV.—O[CHOA], E[ugenio]: *García Gutiérrez*, en *El Artista*, III, 121.—ADAMS, Nicholson B.: *The Romantic Dramas of García Gutiérrez*. Nueva York, 1922.—REGENSBURGER, Carl August: *Ueber den "Trovador" des García Gutiérrez, die Quelle von Verdis Oper "Il trovatore"*. Berlín, 1911.—PIÑEYRO, Enrique: *El romanticismo en España*. París, Garnier.—MARQUÉS, Eduardo P.: Prólogo a la edición de *El trovador*. Madrid, C. I. A. P.—SAINZ DE ROBLES, F. C.: *Historia y antología del teatro español*. Madrid, 1943. Tomo VI.

GARCÍA HORTELANO, Juan.

Novelista español. Nació—1928—en Madrid. Licenciado en Derecho. Funcionario público por oposición. En 1959 le fue otorgado el "Premio Biblioteca Breve", de Barcelona, que le sacó del anonimato. Y aumentó su prestigio, dentro y fuera de España, el haber ganado el "Premio Internacional Formentor" en 1961. Este premio motiva

G

que la novela premiada aparezca traducida a varios idiomas simultáneamente. Según Nora, "García Hortelano se adscribe a un realismo crítico muy consciente de sus medios expresivos (y también de sus limitaciones), a través de una técnica que—al menos en *Nuevas amistades*—se acerca a un objetivismo bastante riguroso ("ascético", para emplear la expresión del autor), pero no intransigentemente cerrado y "puro"; es decir, situado, dentro del grupo que estudiamos, a media distancia entre lo que representan Fernández Santos y Sánchez Ferlosio, en una posición tan equilibrada y "clásica" en lo sustancial de su libro, lejanamente por el título y el tema, y bastante más por el método y los objetivos perseguidos, me recuerda una obra tan típica del racionalismo maduro como *Les Liaisons dangereuses*, de Laclos".

Obras: *Nuevas amistades*—Barcelona, 1959—, *Tormenta de verano*—Barcelona, 1962—, *Gente de Madrid*—1967.

V. NORA, Eugenio G. de: *La novela española contemporánea*. Madrid, Edit. Gredos, 1962. Tomo II bis, págs. 345-348.

GARCÍA DE LA HUERTA, Vicente.

Notable poeta y dramaturgo español. El que a buen árbol se arrima... El árbol al que se arrimó García de la Huerta—jovenzuelo entonces, nacido en Zafra, el 9 de marzo de 1734, y cuya niñez transcurrió en Zamora y cuya mocedad estudió en Salamanca—fue nada menos que el duque de Alba, quien le hizo archivero de su casa. Vicente García de la Huerta era un buen mozo. Alto. Rubio. De kilos. Sonrosado. Sus modales eran vulgares. Sus maneras pecaban de bruscas. Su aspecto delataba al provinciano de familia pobre, al chicote que se ha tratado allá en su pueblo con el chico del sacristán, y con el chico del ventero, y con el chico del montante de la galera. Más que un jovenzuelo estudioso en Salamanca y perito en latín y retórica, parecía—aparecía y aparentaba—un mozallón con ciertas pretensiones taurinas de chulo de arponcillos, con ciertos tufos—y atufos—de jaque de merendolas con duquesas livianas y con cómicas tiranas y carambas. Nada delataba en su plante al futuro académico de la Lengua, de la Historia y de Bellas Artes de San Fernando. Y, sin embargo de su carácter duro y agresivo, era simpático. Al duque de Alba debieron de hacerle gracia aquella facilidad con que componía dísticos latinos panegíricos y aquel respingo con que se traslucía español en unos años de servil imitación afrancesada. La protección del duque, que aún fue más allá consiguiéndole el cargo de oficial primero en la Real Bibliote-

ca, atrajo a García de la Huerta la enemistad del grupo político-literario de afrancesados que capitaneaba el conde de Aranda y en el que militaban ingenios como Forner, Iriarte, Luzán, Samaniego, Jovellanos, Montiano, Moratín y Cadalso.

De casta brava, se creció García de la Huerta frente al enemigo. Y empezó su ataque por donde se empieza siempre el ataque... cuando la sangre no ha de llegar al río: la pullita verbal, la insinuación malévola, la risotada despectiva, el panfleto anónimo. Y el palenque era el de siempre: el rincón de la botillería, o la tertulia de la librería, o el salón de la procería seudoerudita, o el entorno de las consolas en las antesalas palatinas.

Con motivo de la entrada en Madrid de Carlos III, se le encargó oficialmente a García de la Huerta la redacción de los epitafios e inscripciones rimbombantes que debían dignificar los arcos triunfales de un barroquismo madrileño exasperado. Poco tiempo después, como consecuencia de cierta aventura amorosa, y a pretexto de acompañar al duque de Huéscar—hijo del duque de Alba—en su viaje a París, salió de España a cencerros tapados y más que de prisa, y en la capital de Francia vivió todo el año 1766. Aburrido allí de la pedantería literaria, del rococó artístico, de las piruetas ceremoniosas de rondó, de los amores intelectuales de epistolario hipocritón impreso, se dedicó a escribir al conde de Aranda cartas poco respetuosas en que le acusaba de ser el protector de cuantas personas habían causado su desdicha. Apenas regresado a Madrid, el irascible ministro volteriano le desterró al Peñón; y si influencias muy fuertes lograron traerle de él y dejarle desterrado en Granada, bien pronto Aranda, cogiendo de los cabellos la ocasión que dio otra carta imprudente del poeta, volvió a procesarle y lo envió de nuevo al Peñón, desde el que pasó al presidio de Orán. Aquí estuvo hasta 1777.

De nuevo en Madrid, ¿creen ustedes que apareció acoquinado, sumiso, con el santo temor a una nueva dentellada de la fiera ministerial, azuzado por los eruditos adversarios? Pues se equivocan de medio a medio. Inquieto. Iracundo. Mordaz. Más terne que nunca, arremetió contra Forner, contra Iriarte, contra Samaniego. Hirió y le hirieron. Los diez últimos años de su vida fueron una enconada lucha, una conmoción sentimental. Para demostrar que nada tenía por qué envidiar ni por qué imitar España a Francia, se lanzó a la magna obra de su *Theatro Español;* obra de tan plausible intento como desafortunada realización, ya que en sus diecisiete volúmenes para nada constan Lope, Tirso, Alarcón, Guillén de Castro, Mira de Amescua, Vélez de Guevara, Montalbán y los demás autores del llamado "ciclo" del Fénix de los Ingenios. El público de la época, y García de la Huerta con él, adoraba a Calderón y sus discípulos tan barrocos, tan sacramentales, tan españoles de fibra y de arranque; obra malograda, en que se llega a decir de Cervantes que fue "un inicuo satírico, denigrador, envidioso y enemigo del mérito ajeno, que escribió el *Quijote* solo para satisfacer despiques personales". Y en los diecisiete volúmenes, preámbulos fanfarrones, desconocimiento de lo mejor de nuestro teatro... Con iracundia terrible cayeron sobre los hombros de Huerta los zurriagos eruditos e ingeniosísimos de los enemigos de Calderón y de los amigos de Francia: Luzán, Iriarte, Samaniego, Forner... ¡Con qué saña descargaron sobre el españolísimo! Samaniego, en su *Continuación a las Memorias críticas de Cosme Damián.* Juan Pablo Forner, en sus *Reflexiones sobre la Lección Crítica,* firmada con el seudónimo de "Tomé Cecial", y en su *Fe de erratas al prólogo del Teatro Español,* y en su conocidísimo soneto titulado *El ídolo del vulgo,* que empieza:

A cervelo liviano de chorlito
añade el casco de coplista hambriento...

Tomás de Iriarte, en la décima aquella...

Estando junto a una esquina,
un carro de la limpieza
me trastornó la cabeza
con hediondez de la fina
....
son unos versos de Huerta.

Y con saña, que no contuvo ni la muerte del adversario, en aquel burlesco epitafio:

De juicio sí, mas no de ingenio escaso.
aquí Huerta, el audaz, descanso goza;
deja un puesto vacante en el Parnaso
y una jaula vacía en Zaragoza.

Jovellanos, en varias sátiras y jácaras y en la *Relación del caballero Antioro de Arcadia.* Y Moratín, en su *Huerteida.*
Acosado por todas partes, se revolvió Huerta con bríos terribles, como toro en coso que lanza encornadas embestidas a diestro y siniestro. A Samaniego le replicó en la *Impugnación a las Memorias críticas de Cosme Damián* y en *Señas y fazañas del Criticastro Esópico...*

Si oír queréis las señas
del nuevo criticastro,
que ya hasta los pollinos
osan trepar la cumbre del Parnaso...

A Forner, en *La Escena Hespañola defendida.* A Iriarte, en romances como aquel que empieza:

Habla, en fin, una alimaña,
de sátiro facha y señas,
y dixo, medio rumiando:
—El me llevará otra vuelta,
que para eso tengo yo
cosecha de desvergüenzas...

Justo es reconocer que en estas polémicas tremebundas y divertidísimas para el público—acérrimo partidario de Huerta, empachado ya de galicismos—llevó la peor parte el autor de *La Raquel.* Era menos ingenioso que sus adversarios. Y menos culto. De él dice Cejador que "quedó como adalid entre los enemigos de la imitación francesa hasta la muerte. Vencido, nunca; vencedor, tampoco, por haber sido prosaico poeta, pero pésimo crítico, que sentía la belleza sin saber razonarla; arrostró las iras de doctos y discretos, sin otro apoyo que su patriótica y firmísima convicción, que luego llegó a triunfar con la venida del romanticismo".
García de la Huerta estuvo casado con doña Gertrudis Carrera y Larrea. Y falleció en Madrid el 12 de marzo de 1787, a los nueve años de haber gozado de su único, verdadero y grandioso éxito: el estreno de *La Raquel,* este gran odiador de todo lo francés, que careció de las armas con que poder combatir con éxito: la cultura filosófica, estética y literaria.
García de la Huerta es el autor de una única obra ejemplar: *La Raquel.* El resto de su labor es anodino, aburrido, vulgar. Se estrenó su tragedia en 1778 con un éxito tal que no tuvo precedentes "en los fastos de nuestra gloria literaria". Todos los teatros de España la representaban simultáneamente. Dos mil coplas de ella se hacían manuscritas. Once ediciones se imprimieron en vida del autor. El público se la sabía de memoria y acudía a las representaciones para entusiasmarse hasta el delirio. *La Raquel,* a pesar de sujetarse a la observancia *de las tres unidades canónicas* del arte escénico, era un drama romántico hasta la medula, el único que, en su siglo, había acomodado a la práctica las ideas del antiguo teatro español que defendía; drama en el que se mostró brioso y armónico lírico. "*La Raquel*—escribe Menéndez Pelayo—solo en la apariencia era una tragedia clásica, en cuanto su autor se había sometido al dogma de las tres unidades, a la majestad uniforme del estilo y a emplear una sola clase de versificación. Pero, en el fondo, era una *comedia heroica,* ni más ni menos que las de Calderón, Diamante o Candamo, inspirada en *La judía de Toledo,* de Diamante, con

G

el mismo espíritu de honor y galantería, con los mismos requiebros y bravezas expresados en versos ampulosos, floridos y bien sonantes, de aquellos que casi nadie sabía hacer entonces sino Huerta, y que por la pompa, la lozanía y el número tan brillantemente contrastaban con las insulsas prosas rimadas de los Montianos y Cadalsos. *La Raquel* tenía que triunfar, porque era poesía genuinamente poética y genuinamente española. Es la única tragedia del siglo XVIII que tiene vida, nervio y alta inspiración."

"*La Raquel*—opina el marqués de Valmar—es de esas obras que sobreviven así a la censura de una crítica estrecha como a los dicterios del encono. En esa tragedia, cuyas imperfecciones se han complacido tantos en descubrir y en ponderar, se encierra copioso caudal de la índole tradicional del pueblo castellano, y este es su tesoro de alta valía que acaso no encontró en igual grado ninguno de los insignes adversarios del controvertista tenaz y agresivo."

Y cierra otro crítico: "Huerta había creado algo vivo. *La Raquel* bastaba para su gloria; y fue suprema injusticia de sus adversarios el querer escatimársela. Vive y vivirá aquella tragedia, a despecho de los romances y jácaras de Jovellanos, de la *Huerteida* de Moratín, del *Morión* de Forner y de sus infinitos epigramas, por lo general poco chistosos."

Y, desde luego, es *La Raquel* la tragedia de mejor gusto y de tendencia más española que se puede encontrar en el teatro español del siglo XVIII. De *La Raquel* se conservan ejemplares manuscritos en la Biblioteca Nacional de Madrid. Impresión muy notable es la de Madrid, 1814. Modernamente —sin año [1928]—se ha editado en "Las cien mejores obras de la literatura española", Madrid, Compañía Ibero-Americana de Publicaciones.

V. CANO Y CUETO, Augusto, marqués de Valmar: *Historia crítica de la poesía castellana en el siglo XVIII*. Madrid, 1903. I.— CANO Y CUETO, Augusto: Prólogo en el tomo LXI de la "Biblioteca de Autores Españoles".—MESONERO ROMANOS, R.: *Trabajos no coleccionados...* Madrid, 1905. II.—MESONERO ROMANOS, Ramón: *Estudio* en el tomo LXI de la "Biblioteca de Autores Españoles".—COTARELO MORI, Emilio: *Iriarte y su época*. Madrid, 1897.—MENÉNDEZ PELAYO, M.: *Historia de las ideas estéticas en España*. V. (Siglo XVIII.)—FERNÁNDEZ MARQUÉS, Eduardo: Prólogo a la edición de *La Raquel*. Madrid, "Las cien mejores obras...". C. I. A. P.— SAINZ DE ROBLES, F. C.: *Historia y antología del teatro español*. Madrid, 1943, tomo V.

GARCÍA ICAZBALCETA, Joaquín.

Erudito y literato de mucho mérito. 1825-1894. De México. Siendo de familia acomodada, y estando exento de todo tributo al trabajo, dedicó su vida a la investigación más severa y disciplinada. Llegó a poseer una riquísima biblioteca, con más de doce mil volúmenes preciosos. Se educó en Cádiz, donde vivió de 1829 a 1836. Ayudó luego a su padre en los negocios. A los veintiún años empezó seriamente sus estudios. Fundador y director de la Academia mexicana. Académico correspondiente de las Reales Españolas de la Lengua y de la Historia.

Su fama era universal. Fue humanista de gusto seguro. Tuvo un juicio crítico depurado y objetivo, cultura hondísima, correcto estilo, prosa fácil y muy natural. De su *Bibliografía mexicana del siglo XVI*—1886—, dijo Menéndez Pelayo que "en su línea era obra de las más perfectas y excelentes que poseía nación alguna".

Otras obras: *Diccionario universal de historia y geografía*—México, 1852 a 1856, diez volúmenes—, *Colección de documentos para la historia de México*—1858—, *Catálogo de escritores en lenguas indígenas de América, Fray Juan de Zumárraga, primer obispo y arzobispo de México; Diccionario de provincialismos mexicanos...* Tradujo la *Historia del Perú*, de Prescott.

V. GALINDO Y VILLA, Jesús: *Notas biográficas y bibliográficas de don Joaquín García Icazbalceta*, México, 1886.—BOLETÍN DEL INSTITUTO DE INVESTIGACIONES HISTÓRICAS: *Don Joaquín García Icazbalceta, su vida y sus obras*. Buenos Aires, 1926, año IV, tomo IV, ANALES DEL MUSEO NACIONAL DE MÉXICO: *Don Joaquín García Icazbalceta*. México, 1903, tomo VII.

GARCÍA LÓPEZ, Juan Catalina.

Literato e historiador español. Nació —1845—en Salmerón (Guadalajara). Murió —1911—en Madrid. Estudió el bachillerato en el Instituto de Guadalajara y la carrera de Filosofía y Letras en la Universidad de Madrid. En 1875 ingresó en el Cuerpo Facultativo de Archiveros, Bibliotecarios y Arqueólogos, del cual ocupaba el número uno al morir.

En 1894 ingresó en la Real Academia de la Historia, de la que fue secretario perpetuo. Catedrático de la Escuela de Diplomacia. Catedrático de Arqueología, Numismática y Epigrafía de la Universidad Central. Director del Museo Arqueológico. Senador del reino. En 1906 dirigió las excavaciones de la antigua Numancia (Soria). Cronista oficial de la provincia de Guadalajara.

Obras: *Historia de Nuestra Señora de la*

Almudena—1874—, *Datos bibliográficos acerca de la Sociedad Económica Matritense* —1877—, *La Edad de Piedra*—1878—, *Libro de la provincia de Guadalajara, El Municipio durante la monarquía visigoda, Bosquejo de una biblioteca cervántico-alcalaína, La Alcarria en los dos primeros siglos de la Reconquista*—discurso, 1894—, *El fuero de Brihuega, Topografía complutense*—1889—, *El madrigal de Auñón, Santa María de la Huerta*—1891—, *Biblioteca de escritores de la provincia de Guadalajara y bibliografía de la misma hasta el siglo XIX, Castilla y León durante los reinados de Pedro I, Enrique II, Juan I y Enrique III*—en la *Historia general de España*, redactada por los académicos de la Real de la Historia—; *Relaciones topográficas de España, Aumentos*—tomos 41, 42 y 43 del *Memorial histórico español*...

V. CEJADOR Y FRAUCA, J.: *Historia de la lengua y literatura castellanas*. Tomo VIII.

GARCÍA LORCA, Federico.

Uno de los más grandes poetas y dramaturgos españoles de todos los tiempos. Nació—1898—en Fuente Vaqueros (Granada). Y en Granada murió—1936—trágicamente.

Hijo de familia acomodada. Licenciado en Derecho por la Universidad de Granada. Pianista folklorista de personalísimo estilo. Dibujante y pintor de extraordinaria delicadeza. Viajero por Europa y toda América. Dramaturgo excelso, de alientos renovadores. García Lorca es autor de los libros líricos *Libro de poemas*—1921—, *Canciones* —1927—, *Romancero gitano*—1928—, *Poema del cante jondo*—1931.

Lorca es granadino. Queremos recalcar con esta aseveración que Lorca está loco perdido por el juego maravilloso de los aromas y de los rumores, por la sensación lejana de una nieve sonriente, por el pintoresquismo que suena a bronce y que tiene movilidad cristalina de agua, por el colorido efervescente y fúlgido, por las incongruencias admirables de las almas lánguidas y furtivas.

Lorca es granadino. Le encanta tener siempre en el oído un acorde turbador y en la mirada una exaltación de contraste:

> Dulce chopo,
> dulce chopo,
> te has puesto de oro.
> Ayer estabas verde,
> un verde loco
> de pájaros gloriosos.

En el primer libro de García Lorca—el *Libro de los poemas*—es sumamente fácil señalar ciertas reminiscencias rubenianas, y es notable la influencia del Juan Ramón de la primera época:

> Esquilones de plata
> llevan los bueyes.
> ¿Dónde vas, niña mía,
> de sol y nieve?

Pero en el libro ya presentan sus brotes los distintivos poéticos de Lorca: musicalidad y popularismo. "Transparencia, finura, fragancia, son las leves gasas de arte que envuelven lo emocional del libro." (V. P.) Y algo más nos dice el libro: de los afanes del poeta por todo lo infantil alegre, tierno, ilusionado.

Con su libro *Canciones*, ya no es otro Lorca que él mismo: limpio de afinidades, libre de influencias, impermeable a sugestiones ajenas.

Comentando este libro, dice Valbuena Prat, con su habitual perspicacia: "El libro... revela un enorme progreso en la depuración del estilo de Lorca. La melancolía del viejo mundo ha desaparecido ya; quedan lo emocional y musical estilizados, y lo fragante y popular contenidos, encerrados en un marco brillante a veces—pero no chillón—, de imágenes nuevas. El procedimiento de reducción no hace perder nunca la fluidez, la fragancia del poema... La sencillez es el resultado de una labor depuradora que se adivina, disimulada, en las exquisiteces de estos perfectos y tintineantes poemas... La imagen fresca y cristalina, como los surtidores del Generalife, nos halaga suavemente:

> Un brazo de la noche
> entra por mi ventana.
> Un gran brazo moreno,
> con pulseras de agua...

Y añade: "*Canciones* es, hasta hoy, la obra de jardinería lírica—nuevo paraíso cerrado de juguete—más fina, fragante y exquisita de la nueva lírica."

Sí; en *Canciones*, precisamente, es donde aparece Lorca nada más que *como él*, ya íntegro, ya impar, ya inimitable:

> ¡Ay, qué trabajo me cuesta
> quererte como te quiero!
> Por tu amor me duele el aire,
> el corazón
> y el sombrero.
> ¿Quién me compraría a mí
> este cintillo que tengo
> y esta tristeza de hilo
> blanco para hacer pañuelos?

¿Cabe nada más *hondo* sin parecerlo, nada más gracioso sin perder la seriedad, nada más sencillo sin salirse de lo difícil, nada más pintoresco sin dolerse de lo emotivo? ¿No *se adivina*, inmediata, la portentosa fortuna lírica del *Romancero gitano*?

En *Canciones*, como en el *Libro de poemas*, no pueden faltar las encantadoras composiciones infantiles, que nadie como Lorca ha sabido hacer perennemente inocentes y tiernas:

> —Mamá,
> yo quiero ser de plata.
> —Hijo,
> tendrás mucho frío.
> —Mamá,
> yo quiero ser de agua.
> —Hijo,
> tendrás mucho frío.
> —Mamá,
> bórdame en tu almohada.
> —¡Eso, sí!
> ¡Ahora mismo!

La plenitud de García Lorca está en su *Romancero gitano*, porque en este libro —portento de lirismo inefable—se aúna con todos los primores que hemos señalado en *Canciones* uno más, uno más importante, uno más humano: el dramatismo. Leído y releído el *Romancero*, no dudamos jamás de que Lorca cultivaría con éxito enorme el teatro poético. Toda la humana fuerza dramática que es la sustancia de este se embriona ya en el *Romancero*. Dramatismo caliente y palpitante. Acción vehemente y decisiva. Contrastes de excitación y de violencia. Unidos inseparablemente la anécdota y el lirismo de la creación. Y por si estos valores no bastaran aún para la glorificación del poeta, la más exquisita prueba de la unidad entre la efusión del creador y el inconsciente popular...

> La luna vino a la fragua
> con su polisón de nardos.
> El niño la mira, mira;
> el niño la está mirando.

¡Qué mundo como de ensueño, o, mejor, de trasueño, este del *Romancero gitano*! Albaicines quemados de deseos. Alhambras vacías de rumores. Lunas asesinadas por el alba. Gitanos como de cristal sonoro sacudidos por los mimbres húmedos de los dos ríos. Serranías alargadas más por los ecos fríos que por las palabras delirantes. Jinetes perdidos, tamborileros del llano, sin prisa por llegar nunca. Torazas zainas corneadas por sus sombras bajo los olivares sorprendidos con aplausos de aceitunas... ¡Maravilloso mundo de trasueño!

Y para evocarlo, los versos agitanados, marchosos, lentos y lentos y lentos como largas verónicas de seda caediza, morenos y morenos y morenos, dorados un tanto de soles penúltimos; ensimismados y ensimismados y ensimismados en un no sé qué que se va subiendo sobre un azoguillo de música lejana de tribu, y angustiosos con flema, y milenarios de resonancias jamás apagadas, y misteriosos de terceras intenciones y manchados de aceituna y lavados con jazmín...

El *Romancero gitano* es el libro de poesías más hermoso de cuantos se han publicado en España en lo que va de siglo.

En el *Poema del cante jondo*, Lorca consigue—¡maravillosa consecución!—darnos un andalucismo *desnudo*, es decir, sin lo pintoresco, sin lo anecdótico:

> Bajo las estremecidas
> estrellas de los velones,
> su falda de moaré tiembla
> entre sus muslos de cobre...

En el *Poema del cante jondo* maravillan la fortuna y la felicidad con que Lorca derrama las más atrevidas y encantadoras imágenes: "Pulpo petrificado" es la pita. "Laocoonte salvaje", la chumbera. "Escarabajo sonoro", el crótalo. "La guitarra hace llorar a los sueños".

> Con siete ayes clavados,
> ¿dónde irán
> los cien jinetes andaluces
> del naranjal?

Pero si como poeta lírico es excepcional García Lorca, también es excepcional como dramaturgo. Fue él quien trajo a España un verdadero teatro nuevo, en el sector de lo poético. Toda su producción escénica es una combinación admirable y lograda de tradicionalismo en los temas, de intenso contenido poético, de humanidad caliente y exaltada, de colorido brillantísimo, casi cegador; de espiritualidad que toca los límites de la tragedia helénica, de maestría técnica, de interés obsesionante.

El teatro de García Lorca, escrito en verso y en prosa, es siempre absolutamente poético. Ningún resorte de lo *esencial* falla en él. Y juegan en las distintas obras con una armonía semejante el fatalismo posromántico, los trazos satírico-psicológicos, el patetismo de un rectilíneo conflicto del alma, la gracia fina de una burla...

Obras teatrales: *Mariana Pineda*—1928—, *La zapatera prodigiosa*—1930—, *Amor de don Perlimplín con Belisa en su jardín* —1933—, *Doña Rosita la soltera, o El lenguaje de las flores; Bodas de sangre*—1933—, *Yerma*—1935—, *La casa de Bernarda Alba* —traducida al inglés y al francés y representada en París más de cien noches.

Textos: *Obras completas*, Buenos Aires, 1942, ocho volúmenes.—*Obras completas*. Madrid, Aguilar, varias ediciones.

V. Torre, Guillermo de: Prólogo a las *Obras completas de García Lorca*. Buenos Aires, 1942.—Gómez de Baquero, E.: *Pen Club*. I. *Los poetas*. Madrid, 1929.—Díaz-Plaja, G.: *Notas para una geografía lorquiana*,

en *El arte de quedarse solo.*—VALBUENA
PRAT, A.: *Historia de la literatura española.*
Barcelona, 1946, II.—DÍAZ-PLAJA, Guillermo:
Federico García Lorca. Buenos Aires, 1948.—
HONIG, H.: *García Lorca.* Norvalk, 1944.—
TORRE, Guillermo de: *Federico García Lor-
ca,* en *Tríptico del sacrificio.* Buenos Aires,
1948; *García Lorca (1898-1936): vida y obra,
bibliografía... Obras inéditas,* en *Revista
Hispánica Moderna,* 1941.—ALONSO, Dáma-
so: *Ensayos sobre la poesía española,* 1944.—
RÍO, Angel del: *Vida y obras de Federico
García Lorca.* 1951.—HOYO, Arturo del:
Estudio preliminar a las *Obras completas* de
García Lorca. Madrid. Edit. Aguilar.—TREND,
John Brande: *Federico García Lorca.* Oxford,
Dolphin Book, 1951.—SCHÖNBERG, J. L.: *Federico García Lorca: l'homme, l'oeuvre.* París, Plon, 1956.—BAREA, Arturo: *Lorca, el
poeta y su pueblo.* Buenos Aires, Losada,
1956.—CAMPBELL, Roy: *Federico García Lorca.* Nueva York. Univ. de Yale, 1952.

GARCÍA LORCA, Francisco.

Literato y profesor español. Nació—1904—
en Fuentevaqueros (Granada). Hermano del
gran poeta Federico. De la Carrera Diplomada. Desde 1939 vivió fuera de España,
habiendo enseñado lengua y literatura españolas en el Queen's College y en la Columbia University de Nueva York.
Obras: *Angel Ganivet. Su idea del hombre*—Buenos Aires, 1952—, *Federico García
Lorca*—unas ediciones—, *Espronceda.*

GARCÍA LUENGO, Eusebio.

Autor dramático contemporáneo, uno de
los más sugestivos y prometedores del momento actual. De él ha escrito un crítico de
hoy: "Con motivo de su obra *Por vez primera en mi vida,* decíamos que, si novel en
las lides teatrales, no era un escritor que
fuéramos a descubrir nosotros, ya que su
firma es bien conocida dentro del campo del
ensayo, la novela y el artículo, donde ha
dado sobradas muestras de su talento y de
su estudio. Hoy es en este terreno en el
que Eusebio García Luengo se presenta, para
mostrarnos el certero juicio crítico, que también es una característica de su labor.
Extremeño de origen (nació en Puebla de
Alcocer—Badajoz—), su literatura está impregnada de las esencias raciales de la región. Esas esencias raciales, que de ningún
modo significan localismo, sino, muy al contrario, universalidad, ya que son valores
profundos y no modos externos o folklore.
La angustia, la gravedad de conceptos, lo
preocupado y dramático, la presencia constante del hombre en lucha consigo mismo,
son fundamentos literarios permanentes y
universales. De esto participa la obra lite-

raria de García Luengo como indicativo para
todo su hacer, y a la resolución de estos
conflictos y tormentos del alma del hombre
están dedicadas sus mejores páginas.
Junto a todo lo anterior, una predisposición para la Filosofía le inclinó hacia esta
carrera, de la cual cursó varios años, así
como de la de Derecho. Pero—él lo confiesa—fue mal estudiante en ambas facultades,
aunque nosotros nos atreveríamos a afirmar
que fue el desasosiego propio de su personalidad angustiada quien le imprimió esa inquietud de no hallarse centrado totalmente
dentro de estas disciplinas. También intentó
—dado su gusto por el teatro—hacerse actor, y para ello se matriculó en el Real
Conservatorio de Música y Declamación,
donde tampoco se encontró a sí mismo. Su
destino era el del escritor, y en él está."
Colaborador de *Indice, El Correo Literario, Insula, El Español, Estafeta Literaria* y
otras grandes revistas españolas. En la actualidad—1952—es miembro de la Junta Nacional de Cinematografía y Teatro. En 1950
logró el "Premio Café Gijón", de Madrid,
instituido para narraciones breves, con su
novela *La primera actriz.*
Otras obras: *El celoso por infiel, El malogrado*—novela—, *El pozo y la angustia*
—drama—, *Entre estas cuatro paredes*
—1945—, *No sé*—novela, Valencia. Edit. Ty-
ris, 1950.

GARCÍA MÁRQUEZ, Gabriel.

Novelista, cuentista y articulista colombiano. Nació—¿1930?—en Aracataba, "bajo el
signo de Piscis". Ejerció el periodismo durante varios años. Y enviado a Europa
—1954—como corresponsal de su diario *El
Espectador,* se quedó a vivir en Roma, donde
siguió un curso de dirección en el Centro Cinematográfico Experimental. Ha viajado luego
por toda Europa. Al suprimir su diario el
presidente de Colombia Gustavo Rojas Pini-
lla, García Márquez inició una vida bohemia
casi dolorosa en el barrio Latino de París.
Colaboró en las revistas caraqueñas *Momento*
y *Elite.* Su novela *La hojarasca* alcanzó un
gran éxito en Hispanoamérica y le permitió
asentar su existencia, aun cuando, espíritu
siempre inquieto, estuvo en la Cuba de Fidel
Castro, en la Rusia de Jruschov, en los Estados Unidos de Kennedy... En 1967 publicó
Cien años de soledad, novela que le ha hecho
millonario y famoso en el mundo. Actualmente—1970, 1971—vive en Barcelona, mimado por la crítica, asediado por los periodistas del sensacionalismo...
Como Hemingway, como Truman Capote,
García Márquez lleva a sus novelas, de un
enorme y crudo realismo—en ocasiones alucinante—, la técnica del gran reportaje, la

G

maestría narrativa del gran periodista, desprovista de retóricas.

Otras obras: *El coronel no tiene quien le escriba, La mala hora, La siesta del martes, El otoño del patriarca*—inédita cuando escribo esta nota, 1970.

V. Fernández-Braso, Miguel: *Gabriel García Márquez (Una conversación infinita)*, Madrid, edit. Azur, 1969 (hasta hoy es el libro más interesante escrito sobre García Márquez..., *al alimón* con este). Tesis de Mario Vargas Llosa.

GARCÍA MARTÍ, Victoriano.

Gran escritor, ensayista y prosista español. Nació—1881—en la Puebla del Caramiñal, provincia de La Coruña. Murió—1966—en Santiago de Compostela. Terminada la carrera a los diecinueve años, fue a Madrid a estudiar el doctorado, practicando en el despacho del ex ministro don Eduardo Dato y ejerciendo luego la profesión de abogado desde los veintiuno a los veinticinco años. Con motivo de la muerte de su padre, tuvo que regresar a su pueblo natal, donde permaneció desde los veinticinco a los veintisiete, dedicado también al ejercicio de la profesión y colaborando en varios periódicos regionales, especialmente en *El Noticiero,* de Vigo, y estrenando por entonces en esta misma ciudad un drama en tres actos, titulado *Fidelidad.* Entre los veintisiete y los veintinueve años publica un libro, titulado *Del mundo interior,* que tuvo una gran resonancia en los medios literarios ocupándose de él en diferentes periódicos, con juicios críticos elogiosos, Maragall, Unamuno, Eugenio d'Ors, Benavente, Alomar, González-Blanco, Cristóbal de Castro, etc. Este libro fue traducido al polaco por mademoiselle Bela Lutoslawsky, teniendo también una muy benévola acogida en los centros literarios de Varsovia. Abandona luego el ejercicio de la profesión, que no le atrae, a pesar de haber tenido en ella éxitos, y se dedica a estudios de sociología, siendo pensionado a los veintinueve años por el Gobierno español para ir a París y Bruselas. Sigue en París los cursos de Durkheim en la Sorbona, de René Wormos en el Colegio de Altos Estudios Sociales, y de Bergson en el Colegio de Francia, obteniendo en la Escuela de Altos Estudios un diploma por su tesis, publicada más tarde en francés, sobre *La previsión en sociología.* De retorno en Madrid, sigue dedicando su actividad a trabajos periodísticos en colaboración, singularmente en *El Liberal,* dando a la publicidad varios libros de ensayos. Elegido vicepresidente de la Sección de Ciencias Pictóricas en el Ateneo, presidió los memorables debates que se plantearon y sostuvieron en torno al tema de España ante la guerra, durante los años del 14 al 18; designado luego para ocupar la primera Secretaría del mismo Ateneo, hizo de este cargo una delicada labor en instantes de exaltación de pasiones. Creó Cátedras como la de griego. Implantó reformas de servicios y mejoras materiales, y se debió a su iniciativa la adquisición y compra de una nueva casa colindante con el edificio social del Ateneo de Madrid.

El año 1929 fue invitado por la Facultad de Filosofía para hacer un curso de diez conferencias sobre literatura gallega, que han tenido un gran éxito, por lo cual se ha repetido algunos años más dicho curso.

Ha publicado más de treinta volúmenes de diversas materias literarias, jurídicas y sociales. Es académico profesor de la Real Academia de Legislación y Jurisprudencia, y de cuyas Juntas directivas ha sido miembro. Fue presidente del Centro Gallego de Madrid, ex secretario de la Junta Consultiva de Cajas generales de la Orden, jefe superior de Administración y colaborador de diversos periódicos y revistas.

Victoriano García Martí representa una modalidad literaria típica dentro del panorama general de las letras españolas. A pesar de haber cultivado otros géneros, como son la novela, la crítica y el teatro, donde más ha destacado y definido su personalidad es en el ensayo. Su obra mereció el elogio de figuras tan importantes en nuestra literatura como don Miguel de Unamuno, Ortega y Gasset, Maragall, Eugenio d'Ors, Benavente, Valle-Inclán y muchos otros, al ocuparse de sus trabajos—encomiásticamente—en prólogos o en estudios críticos de sus obras, cuando estas fueron publicadas.

Los títulos de sus obras valen por toda una revelación de su alma. Así, nos habla del "vivir heroico", del "mundo interior", de las "verdades sentimentales", del "sentimiento de lo eterno", "del amor" y de la "muerte". "Ha sabido forjarse una inquietud, para dar un fin a su vida; pero todo su afán consiste en mantener una serenidad ecuánime, como luz guiadora en su camino de explorador", ha dicho Gabriel Alomar; y añade: "García Martí pertenece a una generación tan diversa de las que señalaron los agotamientos del romanticismo. Mas no se entienda que es uno de esos pretendidos revisores de viejos conceptos que han querido disimular con pretextos de avance científico la destrucción de la obra libertadora y humana del siglo XIX. No. García Martí ha sabido acomodar sus palpitaciones al ritmo de la marcha histórica, que no todos saben percibir."

Obras: *Una punta de Europa, De la zona atlántica, La tragedia de todos, La voluntad* y el destino, Don Severo Carballo—novela—, La tragedia del caballero de Santiago —novela—, La muerte, El amor, El sentimiento de lo eterno, De la felicidad, Lugares de devoción y belleza, A través de la vida —cuentos—, Rosalía de Castro o el dolor de vivir, Climas de misterio—ensayos, 1947—, Don Quijote y su mejor camino—1948—, La vida no es sueño—1949—, Ateneo de Madrid —1948—, Ensayos escogidos—Madrid, Aguilar, 1950—, Tres narraciones gallegas—Madrid, 1950.

GARCÍA MATAMOROS, Alfonso.

Humanista y panegirista español. ¿1490?- 1572. Nació en Villarrasa (Huelva). Fue catedrático de Humanidades en Játiva, Valencia y—desde 1540—en Alcalá de Henares. Canónigo de Sevilla. Verdadero ciceroniano en el estilo y en el lenguaje. Exaltó y defendió las glorias del humanismo español y de los humanistas españoles, con magníficas y rotundas cláusulas latinas, en su obra De adserenda Hispanorum eruditione, sive de viris Hispaniae doctis narratio apologetica—Alcalá, 1555—, especie de historia de la literatura en forma de discurso panegírico, calificada por Menéndez Pelayo de "el himno triunfal del Renacimiento español".

Lo más interesante de esta obra, aparte su estilo altisonante y su latín perfecto, son los juicios que García Matamoros hace, con generoso pero exacto criterio, de sus contemporáneos.

Otras obras: De tribus dicendi generibus, sive de recta informandi styli ratione—Alcalá, 1570—, De methodo concionandi—Alcalá, 1570—, In Aelii A. Nebrissensis Grammaticae IV Librum scholia—Valencia, 1539.

Ediciones: Opera omnia, Valencia, 1769. De adserenda... ha sido reimpreso en la Hispania Illustrata del P. Andrés Schott, S. J., y recientemente—Madrid, 1946—, con traducción castellana y estudio, por J. López del Toro.

V. López del Toro, J.: Estudios y notas en la edición de Madrid, 1946.

GARCÍA MERCADAL, José.

Nació en Zaragoza el 2 de enero de 1883. Ya bachiller, orientóse hacia los estudios preparatorios de la carrera de ingeniero industrial, aprobando algunas asignaturas en la Facultad de Ciencias; mas sintiéndose poco apto para la comprensión matemática, siguió por libre la carrera de Derecho en la Universidad de Zaragoza y los estudios del doctorado en la Central.

Apenas iniciado el ejercicio de la abogacía, renunció a él para dedicarse al periodismo, que desde los primeros cursos de la Universidad le había atraído, publicando sus primeros artículos en La Derecha, periódico republicano, y en El Progreso, de Zaragoza, escribiendo más adelante en Diario de Avisos y en el Heraldo de Aragón, de la misma ciudad.

En 1906 publicó su primer libro, Del jardín de las doloras, comentarios sentimentales en prosa al margen de la poesía campoamorina, que Gómez de Baquero elogió desde las columnas de Los Lunes de El Imparcial. En 1907 fundó y dirigió Revista Aragonesa, que reunió en sus páginas trabajos de lo más destacado de la intelectualidad regional. En 1909 fundó el semanario regionalista Aragón, que dirigiera, así como los periódicos La Correspondencia de Aragón—1910—y La Crónica de Aragón—1912—, bajo su dirección durante varios años.

En 1908, año conmemorativo del primer centenario de los Sitios de Zaragoza, publicó tres libros: Frente a la vida, con prólogo de Rafael Pamplona Escudero; Zaragoza en tranvía y Ante el centenario, con prólogo de Francisco Aznar Navarro, recogiendo en ellos crónicas periodísticas.

En 1910, la Biblioteca Argensola dio su colección de cuentos Los que esperan, con prólogo de Andrés González-Blanco, de cuyo libro se ocuparon con gran elogio diversos críticos madrileños. Ese mismo año publicó una antología, Cuentistas aragoneses en prosa, y al siguiente, una novela, El viajero del 7, en la revista madrileña Los Contemporáneos. Sin abandonar Zaragoza, donde seguía dirigiendo La Crónica de Aragón, publicó en la capital de España tres novelas: Los cachorros del león—1912—y en la Biblioteca Ateneo, las tituladas Remanso de dolor—1912—y Primer viaje, primera entrevista—1913—, y en Zaragoza, dos conferencias: El estudio de nosotros mismos y Vida y milagros de nuestro señor don Miguel de Cervantes—1916—.

Trasladó su residencia a Madrid y entró como redactor de la Correspondencia de España, haciendo crítica de arte y literaria durante varios años. Después pasó a El Tiempo, donde fue redactor-jefe, y cuando el gran periodista aragonés Leopoldo Romeo, "Juan de Aragón", fundó Informaciones, le llevó allí como cronista y crítico de arte y literario.

Una vez en Madrid, continuó su labor de publicista, interviniendo en la fundación de la editorial Biblioteca Nueva, en cuyas publicaciones aparecieron sus dos volúmenes de Ideario español, el consagrado a Costa, con prólogo de Luis de Zulueta—1918—, del que van hechas tres ediciones, y el dedicado a Ganivet, con prólogo de Cristóbal de Castro—1920—. En la misma editorial inició la Colección Histórica con su obra España vis-

G

ta por los extranjeros, de la que aparecieron hasta tres volúmenes.

Dirigió y fundó *La Novela Mundial,* dedicada a la novela breve en publicación semanal. En 1935 obtuvo el "Premio Nacional de Literatura" con su obra *Historia del Romanticismo en España.* Fue propietario y director de la editorial Babel, en la que dio a conocer al público de habla castellana las obras de los mejores literatos europeos.

Otras obras: *Del llano a las cumbres* —1926—, *Entre Tajo y Miño*—1927—, *En zigzag*—1927—, *La Policía de París*—1928—, *Estudiantes, sopistas y pícaros*—1936—, *Cisneros*—1939—, *Doña Germana de Foix* —1942—, *Juan Andrea Doria*—1943—, *Beltrán Duguesclín, Antonio Pérez, secretario de Felipe II*—1943—, *La princesa de Eboli* —1944—, *Don Carlos de Aragón, príncipe de Viana*—1944—, *Churruca*—1946—, *Palafox, duque de Zaragoza*—1947...

V. SAINZ DE ROBLES, F. C.: *La novela corta española (Promoción de "El Cuento Semanal"). Estudio y notas.* Madrid, Aguilar, 1952.

GARCÍA MEROU, Martín.

Prosista y crítico literario de espíritu selecto y dilatada cultura. Nació—1862—en Buenos Aires. Murió—1905—en Berlín. Abogado de fama. Periodista muy solicitado. Diplomático de altura. Fue secretario de Miguel Cané en una ardua misión ante los Gobiernos de Venezuela y Colombia. Ministro de Relaciones Exteriores. De este puesto pasó a la Embajada en Berlín, donde falleció.

Poeta sincero y espontáneo, sencillo y de honda inspiración. Crítico literario de fina percepción de matices y objetividad justiciera; él fue quien mejor estudió y calificó el movimiento intelectual argentino de la *generación del 90.* Prosista castizo y fácil. El conjunto de su obra sugiere, como ha escrito sagazmente Leguizamón, "una curiosidad despierta y un juicio certero expresado en una forma limpia y bella. Por el camino de la admiración sincera llegó a compartir la belleza que los demás crearon despreocupada y dispendiosamente".

Obras: *Poesías*—1880—, *Nuevas poesías* —1881—, *Varias poesías*—1882—, *Reflejos* —1881—, *Impresiones*—1884—, *Estudios literarios*—1884—, *Libros y autores*—1886—, *Perfiles y miniaturas*—1889—, *Juan Bautista Alberdi*—1890—, *Recuerdos literarios* —1891—, *Confidencias literarias*—1894—, *Estudios americanos*—1900—, *El Brasil intelectual, Esteban Echevarría*—estudio crítico...

V. ROJAS, Ricardo: *La literatura argentina.* Buenos Aires, 1924.—GARCÍA VELLOSO, E.:

Historia de la literatura argentina. Buenos Aires, 1914.

GARCÍA MORENTE, Manuel.

Gran filósofo, ensayista y crítico español. Nació—1888—en Arjonilla (Jaén). Murió —1944—en Madrid. Cursó en Francia la segunda enseñanza. Bachiller por la Universidad de Burdeos. Licenciado en Letras por la Sorbona, de París, y doctor en Filosofía por la Universidad de Madrid. Catedrático —1912—de Etica en este último centro docente. Varias veces pensionado en las Universidades de Berlín, Munich y Marburgo. Subsecretario de Instrucción Pública y Bellas Artes. Decano de la Facultad madrileña de Filosofía y Letras. Académico de la Real de Ciencias Morales y Políticas. Fundador de la famosa "Colección Universal", de la editorial Espasa-Calpe. Profundo conocedor del francés, alemán, inglés, italiano y latín. Traductor excepcional de Kant, Stendhal, Spengler, Bergson y Keyserling. Conferenciante admirable en Europa y América, quizá de los más solicitados por el público y encomiados por la crítica. Maestro excepcional, pasmo de sus mejores alumnos.

Su saber era inmenso. Su filosofía, muy próxima a la de Ortega y Gasset, pero más profunda y firme. Su prosa, castiza y brillante.

Poco antes de morir se ordenó de sacerdote, y ya empezaban a causar justa admiración sus conocimientos teológicos.

Obras: *La Filosofía de Kant, Una introducción a la Filosofía, La Filosofía de Bergson, Ensayos*—edición póstuma, Madrid, 1945—, *Fundamentos de Filosofía*—en colaboración con don Juan Zaragüeta—, *Lecciones preliminares de Filosofía*—Buenos Aires, Losada, 1943, 3.ª edición—, y numerosos estudios, llenos de sutileza y de crítica, a multitud de obras ajenas históricas o filosóficas.

V. ZARAGÜETA, Juan: *Manuel García Morente.* Madrid, 1948.—IRIARTE, P.: *Manuel García Morente, sacerdote.* Madrid, 1951.

GARCÍA NIETO, José.

Nació en Oviedo el día 6 de julio de 1914. Su padre era asturiano, hijo de asturianos; su madre es vasca; también lo era su abuela, pero su abuelo materno nació en Sevilla. Pasó la infancia en Soria, hasta los ocho años. Allí murió su padre. Después de una corta estancia en Zaragoza, su madre y él se fueron a Toledo. Desde allí, ya con quince años, a Madrid, donde reside desde entonces.

Bachillerato en Toledo y Madrid. Estudió después Matemáticas. Empezó también a ganarse la vida. Así hasta ahora. Despertó en él, sin precocidades, la vocación; rompió al fin, y se encontró solo con los primeros versos, con las primeras Humanidades. Pasó la guerra en Madrid.

En 1939 se encontró con dos, tres libros de poesías, de los que no ha publicado un solo poema. Escribió en ese año *Víspera hacia ti,* que publicó en 1940. En 1943 fundó y dirigió la revista *Garcilaso.* Defiende contra tantos el mote tan vapuleado de "Juventud creadora".

Ha pronunciado conferencias sobre poética y poesía y ha dado varias lecturas de versos en diversos lugares de España y Portugal, y ha colaborado con artículos y versos en casi todos los periódicos y revistas de España.

Después de dirigir durante tres años—toda su vida—*Garcilaso* y *Acanto,* dirige actualmente *Poesía Española.*

También ha escrito algunos cuentos y se ha asomado con antifaz al teatro. Sus poetas preferidos: San Juan de la Cruz, Garcilaso y Antonio Machado.

En 1951 logró el "Premio Nacional Garcilaso" con su libro *Tregua.* "Premio Fastenrath, 1955", de la Real Academia Española.

Obras: *Víspera hacia ti*—Madrid, 1940—, *Poesía*—1940-43. Madrid, 1944—, *Versos de un huésped de Luisa Esteban* (Edición para amigos)—Madrid, 1944—, *Tú y yo sobre la tierra* (Entregas de poesía)—Barcelona, 1944—, *Retablo del ángel, el hombre y la pastora*—Madrid, 1945 (estrenado por el Teatro Español Universitario en el teatro Español)—, *Toledo (Fantasía,* núm. 3)—Madrid, 1945—, *Del campo y soledad*—Madrid, 1946—, *Daño y buen año del hombre*—misterio de vendimia, premiado en los Juegos florales de Jerez (Cádiz), 1950—, *Tregua* —Madrid, 1951—, *Primero y segundo libro de poemas*—Madrid, 1951—, *Sonetos por mi hija*—Madrid, 1953—, *La red*—Madrid, 1955—, *El parque pequeño y Elegía a Covaleda*—Madrid, 1960—, *Geografía es amor* —Madrid, 1961—, *La hora undécima*—Madrid, 1963—, *Corpus Christi y seis sonetos* —1962—, *Circunstancia de la muerte*—Sevilla, 1963—, *Memorias y compromisos*—1966.

V. SAINZ DE ROBLES, F. C.: *Historia y antología de la poesía española.* Madrid, Aguilar, 5.ª edición, 1969.—VALBUENA PRAT, A.: *Historia de la literatura española.* Barcelona, 1969, tomo IV.

GARCÍA PAVÓN, Francisco.

Ensayista, novelista, crítico español. Nació—1919—en Tomelloso (Ciudad Real). Estudió en la Universidad de Madrid, doctorándose en Filosofía y Letras. Catedrático de "Historia de la Literatura y del Arte Dramático" de la Real Escuela Superior de Arte Dramático de Madrid. Director de la misma escuela. Crítico teatral. "Premio Nacional de Crítica, 1964".

García Pavón es novelista y cuentista notabilísimo. Construye sus narraciones con una arquitectura tan sencilla y "aparente" como perfecta. Su inventiva es feliz y fecunda. Y utiliza un lenguaje natural, eficaz y castizo. Lo mismo en su única novela hasta hoy que en sus ya abundantes cuentos, García Pavón derrocha agudeza y malicia, fantasía y emoción, calidad. Su realismo contundente tiene siempre el contrapeso de un humor sin acidez.

De mucha cultura, bien filtrada, sus críticas resultan breves lecciones de bien enjuiciar y de bien sentenciar.

Obras: *Cerca de Oviedo*—novela, Madrid, 1946—, *Cuentos de mamá*—relatos, Madrid, 1952—, *Las campanas de Tirteafuera*—relatos, Madrid, 1955—, *Cuentos republicanos* —Madrid, 1961—, *Memorias de un cazadotes*—novela breve, Madrid, 1958—, *El teatro social en España*—ensayo, Madrid, 1962—, *España en sus humoristas*—ensayo, 1963—, *Los liberales*—novela, 1965—, *La guerra de los dos mil años*—1967—, *El reinado de Witiza*—1968—, *El rapto de las Sabinas*—1969—, *Las hermanas coloradas*—"Premio Nadal, 1969"—, *Los carros vacíos*—1965—, *Nuevas historias de Plinio*—1970—, *Una semana de lluvia*—1971.

V. NORA, Eugenio G. de: *La novela española contemporánea.* Madrid. Edit. Gredos, 1962, tomo II bis, págs. 370-371.

GARCÍA DE PRUNEDA, Salvador.

Novelista y cronista español. Nació—1912— en Madrid. Cursó el bachillerato en el Instituto de Guadalajara, ampliándolo en colegio francés en Tours. De 1928 a 1933 cursó en la Universidad de Madrid las licenciaturas de Derecho y Filosofía y Letras. En 1934 residió en Londres con una beca de la Junta Directiva de la Ciudad Universitaria de Madrid. Enseñó español en el Colegio de Mill Hill y dio conferencias de arte en la Universidad de Oxford. Tomó parte en la guerra española de Liberación como alférez de complemento de Ingenieros, terminándola con el grado de capitán. Profesor Auxiliar de Derecho Internacional Privado en la Universidad Central. En 1943 ingresó en la Carrera Diplomática. Secretario de Embajada en París en 1944. Primer secretario en Oslo en 1950. De 1954 a 1958 fue consejero en Bonn. En 1959 fue nombrado director de Asuntos Políticos de Europa en el Ministerio de Asuntos Exteriores. En 1960 fue nombrado cónsul general de España en Tetuán, en cuyo puesto ascendió a ministro plenipotenciario en 1961. Ha colaborado en *A B C,* de Madrid, y en *La Van-*

G

guardia, de Barcelona. Como novelista cultiva un realismo noble, bien observado, con criaturas de carne y hueso, en un estilo peculiar y con lenguaje eficaz. Construye sus novelas "a lo Baroja"; y como las de este genial narrador, procura que las suyas sean un testimonio crudo y sincero de su tiempo. "Premio Nacional Miguel de Cervantes, 1963".

Obras: *La soledad de Alcuneza*—Madrid, 1961—, *La encrucijada de Carabanchel*—Madrid, 1963.

Estas dos novelas forman parte de una trilogía denominada *Libros de Retamares.* La tercera novela de la serie, ya compuesta, aparecerá en 1964.

GARCÍA DE QUEVEDO, Heriberto.

Poeta, novelista y dramaturgo español. Aun cuando nació—1816—en Coro (Venezuela) y murió—1871—en París, víctima de un balazo que le alcanzó al cruzar una calle, durante la Commune, fue ciudadano español muy a su gusto, y sirvió fielmente a Isabel II como guardia real y como diplomático. Viajó por toda Europa, Asia y América. En 1855 tuvo un duelo con Pedro Antonio de Alarcón—director entonces del semanario republicano y anticlerical *El Látigo*—, y caballerescamente disparó al aire su pistola. Dominaba varias lenguas europeas. Como lírico, es un poeta de segundo orden. Su escasa fama la debe a su colaboración con José Zorrilla en los poemas *María, Ira del cielo* y *Un cuento de amores.* Y, naturalmente, se asimiló mucho el estilo de su célebre colaborador.

Como autor dramático tampoco acertó jamás rotundamente, y se ensayó en la tragedia, en el drama, en el melodrama, en la comedia y hasta en la zarzuela.

Obras: Los poemas filosóficos *Delirium* —1850—, *La segunda vida* y *El proscrito* —1852—; la leyenda fantástica *La caverna del diablo;* cuatro novelas cortas: *Pensamientos,* opúsculos de crítica y relatos de viajes, y las producciones escénicas *Coriolano, Isabel de Médicis, Don Bernardo de Cabrera, Contrastes*—en colaboración con el duque de Rivas—, *La huérfana, El candiota, Un paje y un caballero, Tinieblas y luz, Treinta mil duros de renta...*

Sus *Obras poéticas y literarias* fueron editadas en París—1863—por Baudry.

V. QUINTALLAVE, A.: *W. Goethe e García de Quevedo,* en *N. Ant.,* 1929. CCCXLIII, 395.

GARCÍA SANCHIZ, Federico.

Literato y conferenciante español. Nació —1886—en Valencia. Murió—1964—en Madrid. Recorrió toda Europa y América pronunciando sus *Charlas* sobre literatura, arte, viajes y tradiciones. Fue académico de la Real Española de la Lengua. Como buen valenciano, maestro en el *colorido expresionista* y en la imagen.

Publicó sus primeras novelas cortas en aquellas famosas publicaciones tituladas *El Cuento Semanal, Los Contemporáneos, La Novela Corta* y otras similares. En este género difícil de la narración breve ha escrito más de treinta obras, todas ellas llenas de interés, de humor, de ingenio, de gracia expresiva, en un estilo brillante y personalísimo. Colaboró en *A B C, Blanco y Negro, La Esfera, Nuevo Mundo, Estampa, Crónica* y en incontables periódicos y revistas de España y América.

Sus *Charlas,* de un "impresionismo" fulgurante y sugestivo, le colmaron de popularidad en todo el mundo de habla hispana. Ha sido uno de los literatos españoles más conocidos universalmente.

Obras: *Por tierra fragosa*—1906—, *Las siestas del cañaveral*—1907—, *La comedieta de las venganzas*—1909—, *Nuevo descubrimiento de Canarias*—1910—, *Pastorela* —1911—, *El barrio latino*—1914—, *Champagne*—1917—, *Al son de la guitarra*—1916—, *La Sulamita*—1918—, *Color*—1919—, *El caballerito del puerto*—1921—, *El viaje a España, Barcos y puertos, La ciudad del milagro: Shanghai*—1926—, *Más vale volando* —1938—, *Duero abajo*—1940—, *Nuevo sitio de Gibraltar*—1952—, *He dicho*—1953—, *Playa dormida*—novela, 1956—, *Tierras, tiempos y vida*—memorias, 2 tomos, 1958—, *Ya vuelve el español donde solía*—1958—, *América, españolear*—1963.

V. SAINZ DE ROBLES, F. C.: *La novela corta española (Promoción de "El Cuento Semanal").* Estudio y notas. Madrid, Aguilar, 1952.

GARCÍA SERRANO, Rafael.

Novelista y cronista español. Nació—1917— en Pamplona. Cursó en Madrid la licenciatura de Filosofía y Letras. En seguida se dedicó al periodismo y a la literatura. Ha sido redactor y director del diario madrileño *Arriba,* director de *Arriba España,* de Pamplona; y en la actualidad dirige la principal revista española de Cinematografía: *Primer Plano.* Ha publicado millares de crónicas en diarios y revistas. De exaltadas ideas—e ideales falangistas—procura, casi obsesivamente, poner su gran talento literario al servicio de aquellos. Lo cual otorga a su producción libresca cierto cariz monótono. Lo que es una lástima, porque García Serrano es uno de los escritores contemporáneos mejor dotados para cultivar la novela realista, pues tiene fuerza creadora, facilidad de invención, y domina la técnica con absoluta seguridad.

Pero aun en sus libros más apasionados en defensa de sus ideales hay una honda ternura, una gran honradez de sentimientos. En 1943 obtuvo el "Premio Francisco Franco" con su novela—episodio nacional— *La fiel infantería;* novela que, paradójicamente, ha estado muchos años prohibida en España.

Obras: *Eugenio, o proclamación de la primavera*—1938, Bilbao—, *Cuando los dioses nacían en Extremadura*—¿1948?—, *Plaza del Castillo*—1951—, *Madrid, noche y día* —1956—, *La ventana daba al río*—1963—, *Los ojos perdidos*—1958—, *La paz dura quince días*—1961—, *Los toros en Iberia* —1945—, *Bailando hasta la cruz del Sur* —1953—, *Madrid, noche y día*—1955—, *Feria de restos*—1959—, *El domingo por la tarde*—cuentos, Madrid, 1963—, *El pino volador y otras historias militares*—1964—, *Historia de una esquina*—1964—, *Al otro lado del río*—1954—, *Diccionario para un macuto*—1964.

V. NORA, Eugenio G. de: *La novela española contemporánea.* Madrid. Edit. Gredos, tomo II, 1962.

GARCÍA SUELTO, Tomás.

Poeta, erudito y médico español. Nació —1778—en Madrid y murió—1815—en París. Estudió en la famosa Universidad de Alcalá de Henares. Dominó a la perfección el griego, el latín, el francés y el italiano. Publicó sus primeras poesías en el *Semanario Erudito de Ciencias, Artes y Bellas Letras de la Ciudad de Alcalá,* cuya dirección desempeñó varios años. En la Real Escuela de Clínica de Madrid se doctoró, siendo nombrado médico del Hospital General. En 1803 fue médico del rey Carlos IV. De ideas afrancesas, hubo de huir a Francia—1812— al salir de España José Bonaparte. Tradujo, en mediocres versos, con fidelidad absoluta y buena carpintería teatral, *El Cid,* de Corneille, que se representó con éxito en el Coliseo del Príncipe. Estrenó alguna comedia de corte moratiniano: *El solterón y su criada.*

Otras obras: *A la paz*—poema—, *Diccionario de Medicina y Cirugía*—1805.

GARCÍA DE TASSARA, Gabriel.

Poeta español muy interesante. Nació —1817—en Sevilla y murió—1875—en Madrid. De noble familia. Estudió Filosofía y Humanidades en el colegio de Santo Tomás, bajo la dirección del famoso latinista fray Manuel Sotelo. En 1839 se trasladó a Madrid, donde cursó Leyes. Amistó con los más célebres poetas románticos; colaboró en los principales periódicos madrileños, y desempeñó el importante cargo de ministro plenipotenciario de España en los Estados Unidos. La mayor parte de sus poesías líricas se publicaron entre 1839 y 1842, en *El Correo Nacional* y en el *Semanario Pintoresco Español.* Tradujo a Virgilio y a Shakespeare.

Gran humanista, saturado, por ende, de lo clásico, representa en el romanticismo español lo ditirámbico, lo suntuoso, la actitud exaltada romántica hacia la grandilocuencia, precisamente por los temas tratados: las grandes ideas en abstracto, los grandes ideales aún vagamente sentidos. Tassara es la contrapartida de Nicasio Gallego: este, romántico de fondo y clásico de forma; aquel, romántico de forma y clásico de fondo. Poeta de exquisiteces. Poeta, como es lógico, repudiado por las muchedumbres de la época, ebrias de exaltación sin retórica. "Es difícil dar idea en pocas palabras del ingenio y de las obras de Tassara. En su estilo y en su ser, que el estilo refleja, hay perfecta unidad; pero esta unidad se difunde en variedad riquísima. Su lira tiene todas las cuerdas. Su lira es tan fecunda en melodías como en emociones, sentimientos, pensamientos; su alma es grande y simpática. En su alma había tonos, acentos e inspiraciones, no para uno, sino para quince poetas de primera magnitud."

Así pensaba Valera sinceramente y con no poca exageración. En el prólogo a sus *Poesías*—Madrid, 1872—, Tassara intenta dar un manifiesto poético y político. Y si acierta considerando el romanticismo como una revolución liberal en lo político, se equivoca en lo poético, creyendo que los románticos pueden únicamente responder a dos tipos: el de los poetas que fantasean y pintan la sociedad antigua y el concierto de los Estados europeos, para los que ha llegado la hora finita, y el de los poetas que cantan la hora finita prediciendo la sociedad futura. No; en los versos de Tassara será inútil buscar el motivo íntimo y delicado, la imagen melódica más que visual. El motivo externo, universal, será para él como una caja de resonancias. "Al paso de su numen ensordece el oído estrépito de escombros, ayes de despedida, derrumbamiento de vetustos imperios, choque de mundos iluminados con sangrientos resplandores. En Grecia hubiera sido Tirteo, no Anacreonte; en Roma, Juvenal, no Horacio; en España fue un cantor elocuente de moribundas hazañas. Con plena conciencia de su misión, se levanta sobre el pasado y lanza de cumbre en cumbre los ecos de su lira..." (M. Bejarano.)

Tassara dejó sin terminar el poema *Un diablo más.*

V. MÉNDEZ BEJARANO, M.: *Diccionario de maestros, escritores y oradores naturales de*

G

Sevilla.—MÉNDEZ BEJARANO, M.: *Tassara: Nueva biografía.* Madrid, 1928.—VIDART, L.: *Tassara,* en *Revista Europea,* V, 599.

GARCÍA VALDECASAS, Alfonso.

Ensayista y profesor español. Nació —1904—en Granada. Estudió en las Universidades de Granada, Bolonia y Friburgo. Catedrático en la Facultad de Derecho de Madrid. Miembro numerario de las Reales Academias de Jurisprudencia, Ciencias Morales y Políticas y de la Lengua Española—1963. Obras: *Las Creencias sociales y el Derecho, Juicio y Precepto, La idea de sustancia en el Código Civil, El sentido de la cultura española, El Hidalgo y el Honor...*

GARCÍA VELLOSO, Enrique.

Autor dramático, historiador y crítico literario de extraordinario prestigio en las letras argentinas. Nació—1880—en Rosario de Santa Fe (República Argentina). Murió—1938—en Buenos Aires. Estudió algunos cursos de la carrera de Leyes. Pero antes de los veinte años se dedicó de lleno al periodismo y a la literatura. En 1900 viajó por Europa, enviando brillantes crónicas de Francia, Italia y España al diario *El Tiempo.* En nuestro país permaneció algunos años. Profesor de Literatura del Colegio Nacional y de la Escuela Normal. Fundador de la Sociedad de Autores Argentinos.

Puede afirmarse de García Velloso que es el más fecundo de los autores dramáticos argentinos, pues su producción suma ciento treinta y dos obras, muchas de ellas representadas con enorme éxito en España y en toda la América española.

Su teatro es esencialmente nacional, habiendo cultivado con igual acierto el género dramático y el cómico.

De temas originales y valientes, sobrio de diálogo, ingenioso, sutil psicólogo, magnífico creador de caracteres, dueño de la técnica teatral, García Velloso es uno de los valores más firmes del teatro argentino; un teatro sin excesivos localismos, sin relumbrón de tópicos, sin chillones colores de feria; por el contrario, intenso, delicado, de una humanidad trascendente, que excede más allá de lo patrio, aun cuando lo patrio sea la sugestión decisiva.

Obras teatrales: *Gabino el mayoral, El chiripa rojo, Caín, Eclipse de sol, El zapato de cristal, Gualicho, ¡Morriña..., morriña mía!; Casa de soltero, Fruta picada, Las termas de Colo-Colo, El tango en París, La sombra, La palomita de la puñalada, La cadena, Una bala perdida, El secreto de Polichinela, El perfecto amor, Chin-Yonk, Fuego fatuo, Mamá Culepina, La loca del azul, Un hombre solo, Las viñas del Señor, La victo-*

ria de Samotracia, Barranca abajo, En familia, La rosa de hierro, Así les estoy pegando...

Otras obras: *Neurosis sentimental*—novela—, *Una hora millonario*—novela—, *Trinidad Guevara*—novela—, *Diario de amor y de muerte, Besos brujos, La tragedia de Chicharito, Historia de la literatura argentina* —1914...

V. ROJAS, Ricardo: *La literatura argentina.* Buenos Aires, 1924.—BIANCHI, Alfredo: *Veinticinco años de teatro nacional.* Buenos Aires, 1927.—ROSSI, Vicente: *Teatro nacional rioplatense.* Córdoba, 1913.—ECHAGÜE, Juan Pablo: *Una época del teatro argentino.* Buenos Aires, 1926.

GARCÍA VENERO, Maximiano.

Nació en Santander el 22 de julio de 1907. Estudió la carrera de Náutica. En 1924 comenzó su oficio de periodista. Ha escrito en *La Atalaya, Noticiero Montañés, La Región, El Pueblo Cántabro* y *La Voz de Cantabria,* de Santander. En el período 1924-1930 colaboró así mismo en *La Voz, El Sol, Nueva España, Nosotros,* de Madrid, y *El Liberal,* de Bilbao. También en *The Associated Press* y en revistas y periódicos de América.

De gran cultura, criterio sagaz y escritor magistral. Le preocupa hondamente la política española.

Antes de tener la edad reglamentaria oficialmente, ha dirigido periódicos en Santander. En San Sebastián, *La Voz de Guipúzcoa.* Ha fundado periódicos diarios en Zaragoza, Castellón de la Plana, Barcelona y Valencia. Actualmente escribe en el diario *Ya.*

Ha publicado: *Ríus y Taulet. Veinte años de Barcelona. 1868-1888*—Madrid, Editora Nacional, 1943—. *Antología nacional de Pérez Galdós*—Ediciones Fe, Madrid, 1944—, *Historia del nacionalismo catalán*—Editora Nacional, Madrid, 1944—, *Historia del nacionalismo vasco*—Editora Nacional, Madrid, 1945—, *Historia del parlamentarismo español*—Instituto de Estudios Políticos, un tomo, Madrid, 1946—, *Historia del ferrocarril* —1949—, *Vida de Cambó*—1952—, *Antonio Maura*—Madrid, 1953—, *Melquíades Alvarez* —Madrid, 1954—, *Cataluña, síntesis de una región*—Madrid, 1954—, *Biografía de la bohemia*—Madrid, 1956—, *Canarias: Biografía de la Región Atlántica*—Madrid, 1962—, *Alfonso Doce, rey sin ventura*—Madrid, 1960—, *Santiago Alba, monárquico de razón*—Madrid, 1963.

GARCÍA VIELBA, P. Félix, O. S. A.

Nació en Revilla de Santullán (Palencia), enclavado en lo que empieza a ser la montaña de Santander, el año 1897. Cursó la carrera religiosa en los colegios agustinianos de Valladolid y Nuestra Señora de la Vid (Burgos). Dijo su primera misa el año 1921. Fue profesor de Literatura en el Colegio Cántabro, de Santander, donde empezó a colaborar en varios periódicos de la capital: *La Atalaya, El Diario Montañés*. Completó sus estudios en Alemania y ha viajado por diversos países europeos. En 1930 terminó la carrera de Filosofía y Letras con el doctorado por la Universidad de Madrid. Fue colaborador de las revistas *España y América, Religión y Cultura, Cruz y Raya, Blanco y Negro;* de los diarios *El Debate, La Nación*, etc. Se ha señalado como conferenciante y orador sagrado. Su actividad literaria va compartida con su actividad ministerial, que es intensa. Desde 1926 reside en Madrid, donde ha desarrollado una gran actividad cultural y de apostolado. Desde 1939 ha ejercido diversos cargos dentro de su Orden. Ha colaborado en *Ya, Arriba, Informaciones, A B C, Escorial, Vértice, Ecclesia, Signo, Revista de Educación* y diversas publicaciones de provincias y americanas. Está en posesión de la cruz de Alfonso el Sabio y la del Consejo Superior de Misiones. Ha sido galardonado varias veces en certámenes nacionales.

Aparte de sus colaboraciones numerosas y frecuentes en revistas y en la prensa diaria, tiene publicados los siguientes libros: *Cisneros*—edit. Araluce, Barcelona, 1924—, *Introducción al Siglo de Oro*—trad. del alemán, introducción y notas. Barcelona, editorial Araluce. 1928—, *Un gran hispanista alemán (Ludwig Pfandl)*—Madrid, 1929—, *La conversión de la Magdalena*—tres volúmenes. Clásicos Castellanos "La Lectura". Ed., prólogo y notas. 1.ª edic., 1928; 2.ª edición, 1947, Madrid—, *Don Quijote y Fausto* —traducción del alemán e introducción. Editorial Araluce, Barcelona, 1931—, *Libertad e igualdad*, de Joseph Bickermann —traducción del alemán e introducción. Editorial Araluce, Barcelona, 1932—, *Araújo Costa* (Humanista y crítico)—Madrid, 1933—, *El espíritu de la liturgia*, de Romano Guardini—traducción del alemán, introducción y notas. Edit. Araluce, Barcelona, 1933—, *San Agustín* (En la serie "Flores y frutos de piedad")—edit. Vives, Barcelona, 1934—, *Santa Rita de Casia* (ídem íd.)—Barcelona, 1935—, *Primavera en Castilla* (Crítica)—"Biblioteca Nueva", Madrid, 1934—, *A través de almas y libros* (Crítica)—edit. Araluce, Barcelona, 1935—, *Lope de Vega, Lírica religiosa*—edit. M. Aguilar, Madrid, 1935—, *Palabras interiores* (Verso)—"Religión y Cultura", Madrid, 1936—, *Roto casi el navío* (Verso)—"Biblioteca Nueva", Madrid, 1939—, *Bajo el dolor de la guerra* (Verso)—Madrid, 1941—, *El bien del matrimonio*, de San Agustín—traducción, prólogo y notas. Edi-

ciones "Aspas", Madrid, 1943—, *El libro de las promesas*—Ediciones "Aspas", Madrid, 1944—, *Historia del gran reino de la China,* por el P. Juan de Mendoza—edición, prólogo y notas. Manuel Aguilar, Madrid, 1945—, *Obras completas castellanas* de fray Luis de León—edición, prólogo y notas. Biblioteca de Autores Cristianos. Madrid, 1944—, *San Juan de la Cruz y otros ensayos*—Madrid, 1948.

Dirige el P. Félix la Biblioteca de "España Misionera", de la que han salido ya varios volúmenes, y la colección de las *Obras de San Agustín*, en edición bilingüe.

GARCÍA DE VILLALTA, José.

Novelista y dramaturgo español. Nació —¿1798?—en Sevilla. Murió—¿1850?—en Madrid. Por sus ideas políticas huyó de España en 1831, y fue profesor de Física en Suiza. Ya estaba en Madrid a principios de 1834. Redactor—1834—de *El Siglo*. Ultimo director—1848—de *El Español* y de *El Labriego*—1849—. Gran amigo de Espronceda, con Espronceda estuvo preso en 1834, y para las *Poesías* de Espronceda escribió —1840—un prólogo panegírico.

Como novelista publicó —1835—una novela histórica, *El golpe en vago. Cuento de la decimoctava centuria,* en cuya obra figuran los jesuitas, y cuyo lema son los versos de Juan Castellanos, que después copió Espronceda en *El diablo mundo:*

> Y si, lector, dijerdes que es comento,
> como me lo contaron te lo cuento.

García de Villalta tradujo y refundió, en verso, *Macbeth*, de Shakespeare, y *El paria,* tragedia, de Casimiro Delavigne. Obras originales dramáticas son: *El astrólogo de Valladolid*—1839—y *Los amores de 1790* —1838—, comedia de costumbres históricas.

V. Zorrilla, José: *Recuerdos del tiempo viejo*. Barcelona, 1880, VI, 42-43.

GARCÍA VIÑÓ, Manuel.

Nacido en Sevilla, el 28 de octubre de 1928. Bachillerato en los Maristas y licenciatura en Derecho en la Universidad de Sevilla. Fundador y director de la revista de poesía *Guadalquivir*, que salió en Sevilla entre 1951 y 1953. Actualmente, del Consejo de dirección de la revista de poesía *Ixbiliah* y corresponsal en Sevilla de *La Estafeta Literaria*. Desde 1951 ha colaborado en casi todas las revistas poéticas españolas y ha dado algunos recitales y conferencias.

Obras poéticas: *Arabescos, Jardín de estrellas, Sonetos a una muchacha, Sonetos andaluces, La ciudad abandonada, El naufragio del beso, Encontrado paraíso, Ruiseñores del fondo, Antología breve...*

G

Libros sobre temas poéticos: *El paisaje poético de Antonio Machado, El poeta sevillano Rafael Laffón, Los poetas sevillanos de El Cancionero de Baena.*

Otras obras: *Novela española actual* —1967—, *La nueva novela española*—1968—, *La nueva novela europea*—1968—, *Nos matarán jugando*—novela, 1962—, *El infierno de los aburridos*—novela, 1963—, *La pérdida del centro*—novela, 1964—, *Construcción 53* —novela, 1965—, *La muerte en la granja* —1970.

GARCIASOL, Ramón de.

Poeta, novelista, biógrafo, ensayista. Nació —1913—en Humanes de Mohernando (Guadalajara). Ha terminado los estudios de la licenciatura de Derecho y colaborado en periódicos y revistas. Su biografía de *Cervantes* —1944—fue elogiada por destacados críticos. En 1949 le ha sido otorgado un accésit en el concurso "Premio Adonais" de poesía. "Premio Fastenrath" de la Real Academia Española, 1962, por su libro *Lección de Rubén Darío,* obra que en 1955 alcanzó el "Premio Pedro Enríquez Ureña". Su cultura es vastísima, su juicio sagaz y su prosa una de las más ricas y nobles de España.

Ramón de Garciasol es un poeta de voz y de eco, de hondura y de largueza. Dominan en su lirismo un sentido religioso unamunesco, cierta atractiva melancolía y una humanidad noble y sinceramente decepcionada.

Obras: *Presencia y lección de Rubén Darío*—1941—, *Defensa del hombre*—1950—, *Palabras mayores*—poemas, Col. Ilach, 1952—, *Canciones*—Col. Neblí, 1952—, *Tierras de España*—Madrid, 1955—, *Del amor de cada día*—Santander, 1956—, *La madre*—Madrid, 1958—, *Una pregunta mal hecha: ¿Qué es la poesía?*—Madrid, 1954—, *Claves de España: Cervantes y el Quijote*—1965—, *Poemas de andar España*—1962—, *Fuente serena* —1965—, *Antología provisional*—1967—, *Apelación al tiempo*—1968—, *Hombres de España*—1968—, *Los que viven por sus manos*—1970—, *Atila*—"Premio Alamo 1972", de poesía.

V. SAINZ DE ROBLES, F. C.: *Historia y antología de la poesía castellana.* Madrid, Aguilar, 4.ª edición, 1969.—LUIS, L. de: en *Insula,* número 52. Madrid, 1950.—BLEIBERG, F.: En *Arbor,* julio de 1950, Madrid.—CABAÑAS, P.: En *Cuadernos de Literatura,* número 16, volumen V, Madrid.

GARCILASO DE LA VEGA.

Uno de los más gloriosos poetas españoles de todas las épocas. 1503-1536. Nacido en Toledo, de familia prócer—hijo segundo del comendador mayor de León en la Orden de Santiago, Garcilaso de la Vega, y de doña Sancha de Guzmán, nieta de Fernán Pérez de Guzmán—, estudió hasta 1520 en su ciudad natal, sufriendo un año después el destierro de unos meses por causa de haber intervenido en un alboroto de diferencias con el cabildo sobre el patronato del Hospital del Nuncio. En 1520 entró al servicio de Carlos I, de quien obtuvo el nombramiento de *contino,* con 49.000 maravedís de salario. Tomó parte en las guerras comuneras. Pasó a Italia y combatió en Florencia. Estuvo de embajador en Francia. Por haber asistido a una boda no grata a Carlos I, fue desterrado a una isla del Danubio. En 1525 se casó con doña Elena de Zúñiga; pero su gran amor fue doña Isabel Freyre—la Elisa de sus versos—, hermosa dama portuguesa de la corte de la emperatriz Isabel, que no correspondió a tal pasión. En Nápoles—1532—fue amigo de Caracciolo, de Mario Goleota, del marqués del Vasto, de Bembo, de Tansillo, de Bernardo Tasso, de Juan de Valdés... Asistió a la jornada de Túnez. En 1533 y 1535 hizo viajes a Barcelona, con misiones cerca del emperador. Ya maestre de campo, en la campaña de Provenza—1536—, mandando la infantería que debía asaltar la fortaleza de Muy, a cuatro millas de Fréjus, para dar ejemplo de valor, sin casco ni coraza, Garcilaso inició el asalto el primero de todos. Una gran piedra, arrojada desde una torre, le derribó al foso, mortalmente herido. Muy pocos días después murió en Niza, asistido por su amigo el marqués de Lombay, futuro San Francisco de Borja. Dos años más tarde fue trasladado su cadáver a Toledo, recibiendo sepultura en el panteón familiar de la iglesia de San Pedro Mártir.

Físicamente, era Garcilaso "el más hermoso y gallardo de cuantos componían la corte del emperador". Muy inteligente, muy culto. Muy simpático y sencillo. Con una arrogancia natural. Sabía el latín, el griego, el toscano y el francés. De memoria recitaba largas estrofas de Virgilio, de Ovidio, de Dante, de Petrarca. Y maravillaba a todos con sus admirables calidades de hombre de armas. Gran jinete. Gran esgrimidor. Gran valiente. Audaz hasta la temeridad y sin perder su sonrisa. Sutil en la estrategia. Era "el amado de los dioses y su elegido". Su belleza varonil, la suavidad exquisita de su trato, le hicieron igualmente muy amado y elegido de las mujeres, a las que dedicó toda la ternura y toda la delicadeza de sus poesías, ya que ni una de estas alude a su condición y afición de hombres de armas. Era, además, Garcilaso "diestro en la música y en la vihuela y arpa". Lo que puede afirmarse con certeza absoluta es que fue Garcilaso de la Vega un perfecto símbolo de su tiempo, algo que, en cierto modo, lo compendia y lo define. Garcilaso encarna—si hemos de creer cuanto panegirizan sus biógrafos Tamayo de Vargas y Cienfuegos, cuanto mucho y bueno elogiaron de él todos sus contemporáneos—el tipo, o prototipo, de *El cortesano,* de Castiglione.

No es muy extensa la obra de Garcilaso. Una epístola, dos elegías, tres églogas, cinco odas, treinta y ocho sonetos, algunas composiciones menores, amén de un diálogo y unas odas en latín dedicadas a Antonio Telesio y a Juan Ginés de Sepúlveda. Toda esta obra está impregnada y rezumada de italianismo. Toda palpita—justo es decirlo—en un mundo artificioso bordeado del conceptismo. Los temas pastoriles de Garcilaso apenas si tienen de verdad alguna pincelada descriptiva; pero sus pastoras y pastores nada tienen de tales. Teócrito, Virgilio, Tíbulo, Petrarca, Boccaccio, han enseñado a Garcilaso el encanto poético de la falsificación, la sugestión que existe en la transposición del mundo real de los hechos vulgares al mundo ficticio de los hechos excepcionales. Con la fórmula pastoril de Garcilaso, Salicio, Nemoroso, Camila, Albania, Elisa, Tirreno, nada tienen que los personalice indeleblemente con la pelleja, la honda, la zamarra, el corpiño, el casquete haldudo y los zuecos. Son, simplemente, personajazos de la nobleza disfrazados para un baile de máscaras. Hasta su estilo en el moverse y su vocabulario son más que selectos: son teatrales. Sí, repito: en las poesías tersas, atractivas, de Garcilaso, apenas si son reales el río ejecutor de la música cristalina, el paisaje de fondo, prieto de serenidad y de reposo, forjado de colores simples, la gravedad del silencio cuajado de sonidos suaves: susurro de abejas, piar de pájaros, remecimiento de hojas... Una vez conformes con esta ficción, admitida en nuestro gusto —y hasta en nuestro regusto—, nada nos queda sino reconocer su inmenso valor poético, su trascendencia, revalidada en cada época poética siguiente. El ambiente eglógico sorprende en una vida dedicada en su mayor parte al ajetreo militar. Y luego, la perfección de la forma, el acierto imaginativo, el clamor y el reconcomio humanos que palpitan a través de lo artificioso, el dominio del metro y de la musicalidad. Y hay que reconocer que todos los ingredientes del mundo artificioso de Garcilaso—el petrarquismo, la afeitada elegancia del concepto, la inclusive *aromada cosmética* de la dicción—no llegan a ahogar su mundo real, la singularidad del espíritu del poeta. Porque nos es sumamente fácil *sentir* con el dolor de Salicio—enamorado sin correspondencia—y con el dolor de Nemoroso—a quien se le ha muerto la amada—el dolor apasionado de Garcilaso por la hermosa

dama lusitana doña Isabel Freyre, casada en 1529 y muerta en 1534.

La primera *égloga* está escrita en estancias y dedicada a doña Isabel Freyre. La segunda, escrita en tercetos y dedicada a contar incidencias de la casa ducal de Alba. La tercera, escrita en octavas, según conjeturas muy hábiles de Keniston, está dedicada a doña María Osorio Pimentel, esposa de don Pedro de Toledo. Las influencias de las églogas primera y tercera son exclusivamente virgilianas; las de la segunda, horacianas y de Sannazaro. De los treinta y ocho sonetos, los más originales son de tema amoroso-erótico o de tema melancólico-sentimental, como aquellos que empiezan:

Tu dulce habla, ¿en cúya oreja suena?...

o

Pensando que el camino iba derecho...

Otros sonetos, también de tema amoroso, son habilísimas interpretaciones de Virgilio...

¡Oh dulces prendas por mi mal halladas...!,

de Ovidio, de Ausonio...

En tanto que de rosa y azucena...

Igualmente en sus *canciones* imita indistintamente a Virgilio y a Horacio—en la canción primera: *Si a la región desierta inhabitable*—o a Petrarca y a Sannazaro. La más famosa de todas ellas es la dedicada a doña Violante de Sanseverino, dama hermosísima del barrio de Guido, en Nápoles, de la que estaba enamorado el gran amigo del poeta Fabio Galeola, y titulada *A la flor de Guido:*

Si de mi baja lira
tanto pudiese el son, que en un momento
aplacase la ira
del animoso viento,
y la furia del mar y movimiento...

A Garcilaso de la Vega se le debe la estrofa de cinco versos, de siete y once sílabas, utilizada en la canción *A la flor de Guido,* llamada estrofa *lira,* por encontrarse esta palabra en el primer verso; se le debe también la *rima interior*—rima al mezzo—, que no tuvo fortuna entre los poetas españoles, todo lo contrario que la *lira,* cuya aceptación fue entusiástica por parte de los grandes poetas del siglo XVI, como fray Luis de León, San Juan de la Cruz y otros muchos más. Garcilaso y Boscán emplearon por vez primera en España el endecasílabo suelto.

G

La fama de Garcilaso de la Vega durante su siglo y el siguiente fue muy grande. Se le consideraba como el primer poeta castellano, dentro del gusto italianizante. En la poesía actual española, Garcilaso ejerce una influencia tan grande o mayor que la de Góngora, y los dos han tenido pervivencia enjundiosa y cálida suficiente para dar de lado a las innovaciones novecentistas de Rubén Darío. "La lengua que creó el toledano—escribe Valbuena Prat—es la apropiada a su estilo elegante, sonora, rica en matices, sin desdeñar expresiones y aun refranes populares engarzados en los amplios endecasílabos a la italiana. Precisamente en el sentido de la selección de las expresiones castizas, junto a los neologismos y a las palabras de abolengo culto, está el mérito armónico del Garcilaso estilista... Pero el sentido elegante está, más que en el vocabulario, en la colocación y selección de las palabras poéticas, que dentro de su estilo realiza perfectamente de una manera análoga el caso de Góngora." El juicio de Díaz-Plaja es aún más contundente: "En todo caso, Garcilaso nos llega con la complicada belleza de su perfección formal y su dolido sentimiento, clásico por la expresión y eterno por su contenido humano."

Abundan las buenas ediciones de las poesías de Garcilaso. En "Biblioteca de Autores Españoles", "Clásicos Castellanos", "Biblioteca Universal", "Colección Universal Calpe", "Clásicos Ebro", "Colección Crisol".

V. KENISTON: *Garcilaso de la Vega*, en *A critical Study of his life and Works*. Nueva York, 1930; en *The Hispanique Society of American*.—ALTOLAGUIRRE, M.: *Garcilaso de la Vega*. Madrid, 1933.—CROCE, B.: *Intorno al soggiorno di Garcilaso de la Vega en Italia*. Nápoles, 1894.—ROGERIO SÁNCHEZ: Tomo XIV de la *Antología* de Menéndez Pelayo.—ARCE BLANCO, Margot: *Garcilaso de la Vega*, en *Revista Filológica Española*, 1930. Anejo III.—NAVARRO TOMÁS, T.: *Introducción* al tomo *Garcilaso de la Vega*, en "Clásicos Castellanos". — ENTWISTLE, William: *The loves of Garcilaso*, en *Hispania*, 1930.—BLASI, Ferrucio: *Dal classicismo al secentismo in Ispagna*. Aquila, Vecchioni, 1929.—VALBUENA PRAT, Angel: *Historia de la literatura española*. Barcelona, Gili, 3.ª edición, 1950, tomo I.—SAINZ DE ROBLES, F. C.: *Historia y antología de la poesía castellana*. Madrid, Aguilar, 1951. 2.ª edición.

Una amplísima bibliografía puede encontrarse en el tomo II de la *Historia general de las literaturas hispánicas*. Barcelona, 1951, páginas 536-538.

GARCILASO DE LA VEGA, «El Inca» (véase **Vega, Garcilaso, «El Inca»**).

GARFÍAS, Francisco.

Nació—1921—en Moguer (Huelva). Estudió el Bachillerato y el Magisterio en Huelva. Inicia después los estudios de Filosofía, que interrumpe por enfermedad. En 1944 ingresa en la Escuela Oficial de Periodismo, en Madrid, y desde entonces se dedica por entero a la literatura.

Garfias ha escrito versos desde los diez años. En la revista *Cauces* publica sus primeros poemas, y a la sombra de esta publicación da a la imprenta su primer libro. Desde entonces ha colaborado en las principales revistas literarias de España e Hispanoamérica. Ha dado numerosas conferencias y lecturas poéticas y en la actualidad trabaja en el Consejo Superior de Investigaciones Científicas. Es autor, con Albareda, de la *Antología de la Poesía Hispanoamericana*, en diez tomos. En 1958 publica su libro *Juan Ramón Jiménez*, y desde entonces viene trabajando en la compilación, selección y publicación de la obra inédita del gran poeta español. En 1961 le es concedida una pensión de Literatura de la "Fundación Juan March".

Garfias es un lírico auténticamente andaluz. Su poesía suma el colorido brillante, las imágenes sugestivas, la apremiante emoción y una melancolía sugerente. Ha dirigido la selección y la impresión de varios tomos de obras inéditas de Juan Ramón Jiménez, añadiéndoles sendos prólogos notables. "Premio Nacional José Antonio Primo de Rivera, 1971, de poesía", con su libro *La duda*.

Obras: *Caminos interiores*—Jerez de la Frontera, 1942—, *El horizonte recogido*—Madrid, 1949—, *Magnificat*—Madrid, 1951—, *Ciudad mía*—colección "xbiliah". Madrid, 1961—, *Cerro del Tío Pío*—Madrid, 1963.

GARFÍAS, Pedro.

Nació—1894—en Córdoba. Murió—1967—en Monterrey (México). Desde muy joven vivió en Madrid una (a veces alegre y a veces melancólica) bohemia literaria. Colaboró en diarios y revistas minoritarias. Fue uno de los poetas que con más entusiasmo se lanzó a la borrasca de los "ismos": dadaísmo, ultraísmo, creacionismo. Entre 1922 y 1923 fundó la revista poética ultraísta *Tableros*, en la que colaboró con asiduidad. Pedro Garfias, extraordinario lírico, pudo salvarse de los "ismos" y dar en la orilla feliz de su personalidad fuerte, honda, emotiva, rica de imágenes y cálida de colorido. Tomó parte activa en la guerra española del lado republicano. Al término de aquella se exilió en Inglaterra. En 1938 le otorgó el "Premio Nacional de Poesía" un jurado integrado por Antonio Machado, Díez-

Canedo y Tomás Navarro Tomás, mereciendo tal galardón sus *Poesías de la guerra española.* Desde 1940 residió en México. Figura en la Antología "parcial" de poetas andaluces de Alvaro Arauz—Cádiz, 1936.

Obras: *El ala del Sur*—1927—, *Coloquio de las tierras de Ecija, Poesías de la guerra*—1937—, *Héroes del Sur*—1938—, *Poesía de la guerra española*—1942—, *De soledad y otros pesares*—1948—, *Viejos y nuevos poemas*—1951—, *Primavera en Eaton Hastings.*

GARIBAY Y ZAMALLOA, Esteban de.

Notable literato español. Nació en 1533. Murió en 1599. Ningún escritor como este, en su tiempo, tan buceador en el mar de la erudición; mar de profundidades oceánicas. Ningún otro erudito tan hábil para escudriñar las bibliotecas más revueltas y los más polvorosos infolios, de los mellados en sus cantos por la ratonería.

Nació en Mondragón (Guipúzcoa) en el año de 1533. Estudió griego y latín en las Universidades de Salamanca y Alcalá. Fue un estudiante empollón, pero nada reacio a las trapisondas y a las jaranas de su tiempo, en el cual ser joven equivalía a soñar el imposible con medios perfectamente realistas. La emoción de las armas imperiales españolas le deslumbró un momento. Pero una leve cojera, causada por una piedra estudiantil—tan arrojadiza como arrojada—, frustró sus ideales bélicos. Vuelto a su tierra vasca y a su casa familiar en 1552, se dedicó con ahínco a los estudios históricos y filológicos de su idioma nativo.

El año 1566 fue nombrado por el rey don Felipe II bibliotecario, y aposentador—en 1576—, y cronista—en 1592—. A la protección del gran monarca le llevaron méritos propios. Cuando contaba poco más de treinta años publicó su magnífica obra—dividida en cuarenta libros—*Compendio historial de las crónicas e Historia universal de todos los reinos de España, donde se ponen en suma los condes señores de Aragón, con los reyes del mismo Reino, y condes de Barcelona, reyes de Nápoles y de Sicilia,* editada en Amberes. Obra que parece ser produjo una impresión honda en el ánimo de don Felipe II.

Desde 1580, Garibay y Zamalloa vivió en Madrid, alternando sus oficios escasamente retribuidos con sus aficiones a los estudios históricos. Fue gran amigo del gran analista de Aragón Jerónimo de Zurita, y hasta le ayudó no poco con noticias y datos del mayor interés. No tuvo la misma amistad con el celebérrimo P. Juan de Mariana, y sí hasta polémicas y *roces,* motivados indistintamente por las opiniones literarias y por los oficios y censuras. Los principales de

ellos, con ocasión de la censura, que se le encomendó al P. Mariana, de la *Poliglota regia,* de Amberes—1572.

Otras obras de Garibay y Zamalloa son: *Ilustraciones genealógicas de los Católicos Reyes de España*—Madrid, 1592—, *Del origen y discurso e ilustraciones de las dignidades seglares de España* y una colección de *Refranes vascos,* publicados en el "Memorial histórico de la Real Academia de la Historia"—1854, tomo VII.

Murió Esteban de Garibay y Zamalloa en Madrid, el año 1599, cuando el nuevo monarca español don Felipe III le había confirmado en sus cargos.

Los *cuentos* de Garibay están contenidos en un manuscrito de nuestra Biblioteca Nacional y en un legajo de la Academia de la Historia. El primero fue el que utilizó Paz y Meliá para su obra *Sales españolas o agudezas del ingenio nacional,* publicada en 1890 y en la "Colección de Escritores Castellanos".

Realmente, no existen pruebas decisivas de que Garibay y Zamalloa sea el autor o colector de estos cuentos. Pero la letra del legajo, así como la del manuscrito, corresponden al siglo XVI. Y en esta centuria, ¿qué otro Garibay zumbón, agudo y ático podía haber... cuando el que hay reúne tales virtudes?

Es muy importante consignar que, aun cuando a Garibay y Zamalloa se le reputa, como historiador, falto de sentido crítico, figura en el *Catálogo de autoridades de la Academia de la Lengua,* lo cual no deja lugar a dudas acerca de los primores de su estilo y de su dominio de la gramática.

V. CEJADOR Y FRAUCA, Julio: *Historia de la literatura española.* Madrid, 1915. Tomo III. HURTADO Y GONZÁLEZ PALENCIA: *Historia de la literatura española.* Madrid.—GALLARDO, Bartolomé José: *Ensayo de una biblioteca de libros raros y curiosos.*—SAINZ DE ROBLES, Federico Carlos: *Cuentos viejos de la vieja España. Estudios y notas.* Madrid, Aguilar, 1949, 3.ª edición.

GARMENDIA, José Ignacio.

Historiador y literato argentino. Nació —1841—y murió—1925—en Buenos Aires. Militar ilustre, que llegó a alcanzar el grado de general. Director del Colegio Nacional Militar. Jefe del Estado Mayor. Tomó parte activa y magnífica en numerosas campañas y se mezcló en distintos movimientos revolucionarios. Como agregado militar en las Embajadas y Legaciones de su país, visitó numerosos países europeos y americanos.

Fue un historiador erudito y un buen prosista.

Obras: *Recuerdos de la guerra del Para-*

G

guay. Campaña de Humaitá, Cartera de un soldado, Cuentos de tropa, Estudio sobre las campañas de Aníbal, Estudio crítico sobre la guerra del Transvaal, Viajes y exploraciones...

GARRIDO MERINO, Edgardo.

Novelista y cronista. Nació—1906—en Valparaíso (Chile). Estudió Derecho en la Universidad de Santiago. Colaborador, en distintos países de Europa, del gran diario argentino *La Nación.* En 1933 ingresó en el Servicio Diplomático, siendo enviado a España. En 1934 le fue otorgada a su novela *El hombre de la montaña*—1933—la Medalla de Oro de Roma, que por vez primera recayó en un escritor sudamericano.

Además de la mencionada gran novela *El hombre de la montaña*—que por su riqueza y pureza de léxico se analiza en Cátedras de Literatura Castellana, de Universidades Hispanoamericanas—, Garrido Merino ha publicado *La saeta en el cielo*—leyendas medievales, Madrid, 1935, "Espasa-Calpe"—, *Perfil de Chile*—1956—, *El dolor de triunfar, El barco inmóvil*—Madrid, 1927...

GASCÓ CONTELL, Emilio.

Biógrafo, narrador, cronista, crítico español. Nació—1898—en Valencia. A los dieciséis años entró a prestar servicios en la editorial Prometeo, de Valencia, que dirigía Blasco Ibáñez. De 1923 a 1953 vivió en París, dirigiendo la editorial Franco-Ibero-Americana, y siendo director literario del Departamento de Lengua Española de la editorial Aristi de Quillet. En 1954, ya en Madrid, director literario de la editorial Afrodio Aguado, S. A. En 1958, jefe de ediciones de la editorial Escelicer, S. A. Profesor visitante en las Universidades de París, Montpellier, Gotemburgo, Upsala, Estocolmo, Helsinki, "Menéndez Pelayo", de Santander; Puerto Rico... Colaborador de incontables revistas y diarios hispanoamericanos, portugueses y franceses. De mucha cultura y gran sensibilidad.

Obras: *Vida de Verdi*—París, 1925—, *Vida de Massenet*—París, 1926—, *Sarah Bernardt y su tiempo*—París, 1926—, *Poetas de España y de América*—París, 1926—, *Blasco Ibáñez: el escritor y el hombre*—París, 1927—, *Panorama de la literatura española*—Madrid, 1930—, *Las literaturas españolas*—París, 1933—, *Las literaturas en la antigüedad*—París, 1933—, *Las literaturas extranjeras*—París, 1933—, *Mitología universal*—México, 1958—, *Panorama de la historia del Arte*—México, 1962—, *Mes y medio en Puerto Rico*—Madrid, 1964.

En francés ha publicado: *Compiègne en passant*—1930—, *Variations sur l'Amiur*—1942—, *Entretiens*—1942—, *Causerie Es-*

pagnole—1945—, *Interieur*—1947—, *Quelques poèmes*—1961.

GASPAR, Enrique.

Autor dramático y novelista español de personalidad propia y muy original. Nació —1842—en Madrid. Murió—1902—en Olorón (Francia). Hijo de actores. Se educó en Valencia bajo la dirección de su padrastro, el afamado arquitecto Sebastián Monleón. Dedicáronle al comercio. Perteneció luego a la carrera consular. Desempeñó cargos de importancia en las oficinas del acaudalado marqués de San Juan. Pero dominado por una verdadera fiebre teatral, abandonó los negocios y su carrera para trasladarse a Madrid, donde inmediatamente se hizo muy amigo del gran actor Mario, quien le aconsejó con gran tino. Años más tarde, cuando ya era famoso autor teatral, reingresó en la carrera consular y estuvo destinado en Atenas, Saint-Nazaire (Francia), Macao, Cantón, Hong-Kong, Perpiñán, Marsella... Habiendo enviudado y habiéndose casado su única hija en Olorón, aquí residió sus últimos años.

Al empezar a escribir para el teatro, Enrique Gaspar siguió las huellas de Bretón de los Herreros y Narciso Serra, y escribió deliciosas comedias de costumbres en un acto: *El onceno, no estorbar; Candidito, ¡Pobres mujeres!, Corregir al que yerra, El sueño de un soltero...* Abordó después la comedia de *mayores proporciones: Moneda corriente, El piano parlante, Cuestión de forma, La escala del matrimonio...*; todas ellas muy bien urdidas e ingeniosas. Repentinamente, a los veintisiete años de edad, Gaspar cambió de táctica. Llevó a la escena la verdad desnuda, el realismo más impertérrito y vibrante, la audacia artística desconocida hasta entonces. *Las circunstancias* —que alcanzó un éxito indescriptible y que levantó enconados apasionamientos—fue la revelación de un *nuevo modo teatral.* Con esta obra, impresionante por su realismo desnudo, puede decirse que se inicia el modernismo escénico español. Sucesivamente, *La levita, Los niños grandes, Don Ramón y el señor Ramón, La gran comedia, Las personas decentes, La lengua, El estómago, Las luchadoras, El amigo de confianza* y otras muchas obras afianzaron su personalidad y le encumbraron justamente. Enrique Gaspar es uno de los ingenios más felices y sugestivos del teatro español del siglo XIX. Su teatro es el antecedente inmediato del de Jacinto Benavente.

Enrique Gaspar escribió novelas—*Anacróspote, Las personas decentes, Pasiones políticas*—llenas de ingenio, cuadros satíricos de gran fuerza, cuentos saladísimos, crónicas admirables, relatos de viajes llenos de amenidad. Muchas obras de Gaspar han sido traducidas a diversos idiomas.

V. SAINZ DE ROBLES, F. C.: *Historia y antología del teatro español*. Madrid, Aguilar, 1943, tomo VII.—POYÁN DÍAZ, Daniel: *Enrique Gaspar*—Madrid, Gredos, 1957, 2 tomos.

GASSOL, Buenaventura.

Poeta español. Nació—1893—en Selva del Camp (Tarragona). Cursó Humanidades y Teología en el Seminario conciliar tarraconense, sin llegar a ordenarse. Muy joven empezó a colaborar en importantes revistas catalanas. Entre 1920 y 1922 recorrió Gassol—juntamente con el gran musicólogo catalán Higinio Anglés—toda Cataluña, recogiendo canciones y leyendas populares y salvando del olvido algunos centenares de ellas. Asesor cultural—1923—del Ayuntamiento de Cataluña. Desde esta fecha se dedicó a la política, destacando como orador fogoso y florido. Durante la dictadura del general Primo de Rivera vivió refugiado en París. Ingresado en el partido extremista Acció Català, fue el asesor indispensable del coronel Francisco Maciá, jefe del partido. Con Maciá realizó un viaje de propaganda republicana y separatista por la América española. Al proclamarse la República española en 1931 fue elegido diputado a Cortes. En el Estat Català, a partir de 1934, fue consejero de Cultura. Desde 1939 vive en el extranjero.

Obras: *Amfora*—poemas, 1917—, *La nau* —poesías, 1920—, *Les tombes flamejants* —poesías patrióticas, 1923—, *La cançó del vell Cabrés*—drama poético, 1921—, *Mirra* —poemas, 1931—, *El gegant de 99 fonts* —poemas.

Gassol es un poeta lírico lleno de jugosidad y de delicadeza, de mucha modernidad—muy personal—en la forma, dueño de imágenes felices.

GATELL, Angelina.

Nació en Barcelona el 8 de junio de 1926. Obligada por las circunstancias, desde muy joven tomó parte activa en el negocio de su padre. Después de varias vicisitudes se traslada a Valencia. Su vocación por el teatro le lleva reiteradamente a los escenarios, en los que actúa como primera actriz dramática en más de doscientas obras de teatro nacional y extranjero. Su vocación literaria crece paralelamente a la dramática. La aparición de su nombre es constante en las publicaciones poéticas españolas. En 1954 obtiene el "Premio Valencia" con su primer libro, *Poema del Soldado*. Pertenece al cuadro de redacción de *Poesía Española*,

en donde ejerce la crítica de libros. Es actriz profesional de doblaje.

Otros libros: *Esa oscura palabra*—Santander. Col. "La isla de los ratones", 1953—, *Delmira Agustini y Alfonsina Storni: dos destinos trágicos*—1964—, *Una extraña impresión* —cuento, 1967.

GATÓN ARCE, Freddy.

De la República dominicana. Poeta. Nació en San Pedro de Macorís en 1920. Perteneció al grupo de "La Poesía Sorprendida". Doctor en Derecho. Hay en su poesía un profundo afán de búsqueda y un hondo misticismo, con mucho de furor y de osadía. Es un poeta altamente riguroso con su obra. Ha publicado *Vlía*—1944.

"Freddy Gatón Arce es, en su estructura, el más personal de los jóvenes poetas que hicieron sus primeras armas al calor de La Poesía Sorprendida.

Su poesía es densa, oscura, sincera, de una sinceridad casi cruel, que sorprende. Y es también esencialmente mística. Con un sentimiento de lo místico saturado de angustia y de desolación.

En los poemas de Gatón Arce, mezcla de delirios verbales, de furor y de osadía, saturados de pesimismo, asistimos al doloroso espectáculo de la desintegración universal.

El hombre y las cosas flotan en ella—su poesía—en franca confusión, influido, sin duda, por el barroquismo de los surrealistas franceses y por la turbulenta inclinación de Neruda; pero captando, en su esencial dominicanidad, la realidad misma de la época. Joven aún, resultaría osado pronosticar hacia dónde desembocará su instinto poético minoritario." (M. Valldeperes.)

GAUTHIER BENÍTEZ, José.

Poeta puertorriqueño. Nació—1851—en Caguas y murió—1880—en San Juan. Como militar—teniente de Infantería—sirvió en el Ejército español. Fue hijo de una célebre poetisa: Alejandrina Benítez de Gauthier, en cuya casa celebrábanse tertulias literarias muy interesantes. Aquel ambiente formó el espíritu y la sensibilidad del joven y apasionado poeta, "pobre ruiseñor canoro—malogrado al primer trino", como rimó el no menos notable poeta "El Caribe".

Fue, sin duda, José Gauthier Benítez, si no el primer poeta de su patria, sí uno de los más queridos y populares. Perteneció a la escuela romántica y tuvo acentos de auténtica emoción.

Obras: *Puerto Rico*—poema—, *Poesías*.

V. FERNÁNDEZ JUNCOS, Manuel: *Antología puertorriqueña*. Puerto Rico, 1907.—TORRES RIVERA, Enrique: *Parnaso puertorriqueño*. Barcelona, Maucci, 1920.—VALBUENA BRIO-

G

NES, Angel: *La poesía puertorriqueña contemporánea*. Tesis doctoral. Madrid, 1952.

GAVIDIA, Francisco A.

Poeta, prosista, dramaturgo salvadoreño. Nació—1865—en San Miguel. Fue uno de los precursores del modernismo lírico en América. Gran conocedor de los clásicos griegos y de la literatura francesa de su época, introdujo en la lengua castellana el hexámetro griego, el alejandrino francés y otras muchas innovaciones métricas. El mismo Rubén Darío—en su *Autobiografía*—reconoce que fue Gavidia quien le inició en el conocimiento del simbolismo, del parnasianismo y del expresionismo franceses.

Gavidia fue el organizador del parlamentarismo en su patria, y también el más imparcial y respetuoso historiador que tuvo esta. Periodista durante muchos años, colaboró en *El Economista, El Cosmos, Los Lindes,* de El Salvador; *La Revista Política,* de Costa Rica, y en otros de distintos países hispanoamericanos. Miembro correspondiente de la Real Academia Española de la Lengua.

En el teatro obtuvo éxitos excepcionales con *Deuda antigua, Misterios de un hogar* —en colaboración con Mayorga Rivas—, *Ursino y Júpiter* y *Comedia lírica*. Habla y traduce varios idiomas, y hasta imaginó un idioma universal, bautizado con el nombre de *Idioma salvador*—pura "carambola" de homenaje a su patria y panacea universal—. Ha traducido a Goethe, Hugo, Lamartine, Anacreonte...

En 1913 fueron editadas sus *Obras* por acuerdo de la nación.

Obras: *Versos, Pensamientos*—poesías.

V. RIVAS, R. M.: *La literatura de El Salvador,* en *Nueva Revista,* Buenos Aires, tomo VI.

GAYA NUÑO, Juan Antonio.

Narrador, historiador y crítico de arte, ensayista español. Nació—1913—en Tardelcuende (Soria). Estudió el bachillerato en el Instituto de Soria, y Filosofía y Letras en la Universidad de Madrid, doctorándose —1934—. Con Premio Extraordinario del Doctorado en 1935. Miembro de la Academia de los ONCE o Academia breve de Crítica de Arte fundada por Eugenio d'Ors. Miembro correspondiente de la "Hispanic Society of America", de Nueva York. Miembro correspondiente del Instituto de Coimbra (Portugal). Profesor de la Universidad de Puerto Rico. Miembro del Jurado Internacional de la Biennale del Jeunes Artistes, de París. Colaborador habitual de medio centenar de importantes revistas españolas y extranjeras: *Insula, Indice, Revista de Ideas Estéticas, Goya, Cuadernos Hispanoamericanos, The Studio*—de Londres—, *Texas Quarterly, L'Oeis*—de París—, *Coloquio*—de Lisboa—, *Archivo Español de Arte*... Ha viajado por toda Europa y por toda América, habiendo dado dos centenares de conferencias. El número de sus ensayos y crónicas es incalculable. Gaya Nuño posee una cultura varia y extensa. Como historiador y crítico de arte, en España, no le supera nadie, siendo autoridad máxima en la materia. Y como narrador es un auténtico maestro de la prosa, del humor, de la gracia expresiva, de la sutileza mental. Su libro *Tratado de mendicidad* podrían firmarlo sin desdoro, con honor, Torres Villarroel, Francisco de Quevedo.

Obras: *El santero de San Saturio*—narración, Valencia, 1953—, *Tratado de mendicidad*—Madrid, 1962—, *El arte en la intimidad*—Madrid, 1957—, *Entendimiento del arte* —Madrid, 1959—, *Historia del arte español*—Madrid, varias ediciones—, *Historia y guía de los museos de España*—Madrid, 1956—, *La pintura española fuera de España*—Madrid, 1958—, *La Arquitectura española en sus monumentos desaparecidos* —1961—, *De Van Eyck a Tiepolo. Pintura europea perdida por España*—Madrid, 1964—, *La pintura española del medio siglo*—Barcelona, 1952—, *Claudio Coello*—Madrid, 1957—, *Palomino*—Córdoba, 1958—, *Luis de Morales* —Madrid, 1961—, *Escultura española contemporánea*—Madrid, 1957—, *Picasso*—Barcelona, 1950...

GAYANGOS, Pascual.

Historiador orientalista, crítico y literato español. Nació—1809—en Sevilla. Murió —1897—en Londres. Cursó la primera enseñanza en Pontlevoy (Francia) y París. Estudió árabe con el gran maestro Silvestre de Sacy. En 1831 ingresó en el Ministerio de Estado como intérprete de lenguas orientales. Marchó a Londres, ciudad en la que vivió algunos años. Fue colaborador—en un inglés perfecto, que asombraba a los propios escritores ingleses—de la *Penny Cyclopaedia,* de la *Revista de Edimburgo* y de la *Revista de Westminster*. En 1843 regresó a Madrid para ocupar la cátedra de árabe en la Universidad Central. Académico—1844— de la Historia. Maestro de la erudición y bibliófilo extraordinario, Gayangos contribuyó a crear y organizar el Cuerpo Facultativo de Archiveros, Bibliotecarios y Arqueólogos. El *British Museum,* de Londres, le encargó de clasificar y ordenar los manuscritos y documentos españoles de su fondo riquísimo.

Gayangos ha sido el maestro indiscutible de las modernas generaciones de orientalistas españoles. Fue también director de Instrucción Pública y senador.

Obras: *Historia de las dinastías mahometanas en España, de Al-Makhari*—1843—, escrita primero en inglés; *Catálogo detallado de los manuscritos españoles conservados en el Museo Británico; Escritores [españoles] anteriores al siglo XV, Cartas del conde de Gondomar, Cartas y documentos que aclaran la historia de Inglaterra en sus relaciones con la historia de España durante el reinado de Enrique VIII.*

Gayangos publicó, anotó y comentó los tomos XIII a XIX del *Memorial histórico español,* publicación de la Real Academia de la Historia, y las famosas *Cartas de jesuitas.* Y tradujo al castellano la *Historia de la literatura española,* de Ticknor.

Desdichadamente para España, Gayangos contribuyó a que muchos libros preciosos españoles salieran de nuestro país para contribuir al enriquecimiento del Museo Británico.

«GAZIEL» (v. Calvet, Agustín).

GEMA, Fray Eduardo de.

Poeta y prosista español. Nació—1920—en Gema del Vino (Zamora). A los dieciséis años ingresó en los Capuchinos, terminando sus estudios en 1947. Ha trabajado en España y América, dedicado a un apostolado intensísimo en el periodismo y en la radio. Ha colaborado en *Acanto* y en otras muchas revistas de poesía.

Fray Eduardo de Gema es un lírico pletórico de intensidad, de emoción y de sentido religioso. Sabe culminar en los últimos límites de todas las formas, sin caer en lo desorbitado o en lo deformado, en superrealismos sibilinos o en tremendismos desmoralizantes. En la poesía de este admirable lírico el "sentido más oscuro" acaba por derramarse con la gracia y la claridad de los manantiales, gracias a su emocionada expresividad y a su perenne calidad humanísima.

Es difícil adscribir su poesía a ninguna tendencia; su mensaje apremiante es el de llegar a la raíz más viva de la inspiración perdurable y a la sorprendente anunciación de una forma tan propia como exquisita.

Obras: *San Antonio de Lisboa*—representación escénica, Lisboa, 1948—, *Clara*—representación escénica, Caracas, 1949—, *Tierra adentro*—poemas, 1949—, *El doctor José G. Hernández Cisneros: El hombre, el sabio, el santo*—biografía, Caracas, 1950—, *Ascensión*—poema—, *Las hermanas criaturas*—franciscanismo poético...

V. SAINZ DE ROBLES, F. C.: *Historia y antología de la poesía castellana.* Madrid, 1951, 2.ª edición.

GENER, Pompeyo.

Polígrafo español. Nació—1848—y murió—1919—en Barcelona. Doctor en Farmacia y Ciencias Naturales—1875—por la Universidad de Madrid. Doctor en Medicina—1878—por la Universidad de París. Vivió muchos años en Suiza, Alemania, Holanda y Francia.

Escribía indistintamente y con la misma facilidad en alemán, francés y español. Y sus aficiones le llevaban a los campos de la Filosofía, de la Historia, de la Literatura y del Arte. Trató con mucha competencia temas de Psicología, Sociología, Prehistoria, Etnografía, Etica, Teología, folklore, crítica y literatura anecdótica. En París fue muy querido de Renán, Víctor Hugo, Littré, Taine, Sainte-Beuve y Sarah Bernhardt. No le es demasiado favorable el juicio que hace Menéndez Pelayo en su *Historia de los heterodoxos españoles.*

Pero indiscutiblemente poseía Gener una gran cultura y una prosa magnífica para expresarse con gran seducción. Acaso la misma diversidad a que fue tan aficionado perjudique, y no poco, el valor de cada una de sus obras. Su perpetua inquietud le empujó en demasiadas direcciones.

Fue famosa la polémica que sostuvo—1890—con el gran crítico "Clarín". Y famosas fueron sus colaboraciones en la *Revista Contemporánea,* de Madrid; *La Renaixensa,* de Barcelona; *La Nación,* de Buenos Aires, y *Le Livre,* de París.

Obras: *La muerte y el diablo*—1880—, *Literaturas malsanas*—1890—, *Amigos y maestros*—1894—, *Herejías*—1887—, *Inducciones*—1894—, *Miguel Servet*—1904—, *Historia de la literatura*—1905—, *La dona mediterránea*—1910—, *Ana María*—novela histórica, 1902—, *Pensant, sentint y rihent*—1900—, *Monólechs humoristichs y monólechs extravagants*—1911—, *Els Cent Conceyls del Conceyl de Cent*—1900—, *Dones de cor*—1903—, *L'intelecte grech antich*—1904—, *Els fills del Irán*—estudios históricos, 1877—, *Senyors de paper*—drama—, *El patró Pére March*—leyenda dramática—, *Doctor Stumper*—comedia filosófica...

GENER CUADRADO, Eduardo.

Nació—1901—en Puerto Real (Cádiz). Poeta y publicista naval. Jefe del Cuerpo General de la Armada. Colaborador en diferentes revistas nacionales y americanas, y en Radio Nacional de España.

Eduardo Gener ha publicado *Cantares de travesía*—1945—, del que ha dicho Pemán: "¡Tan soleados, tan azules, tan salados y tan nuestros!" Y García Nieto: "El encanto de lo pequeño, la atención por lo más colorista e inmediato, la ternura hacia los detalles exactos están en estos *Cantares de*

G

travesía, dando independencia y categoría singulares a un libro andaluz y marinero que tanto pudo peligrar entre las tópicas orillas de estas dos palabras y que ha sabido salvar su frescura y su gracia definitivamente poéticas."

Eduardo Gener es el lírico de lo más evocador, de lo más expresionista, de lo más sentimental y musical que tiene la tierra más sur de España.

Otros libros: *Danzas de la gracia eterna* y *Las vírgenes de mi playa.* En 1951 ha publicado la segunda edición, aumentada, de *Cantares de travesía. El mar que llevo dentro* —poemas, 1965.

V. GARCÉS (J. J.): En *Cuadernos de literatura,* tomo II, núm. 4, 1947.—LUNA, J. C. de: En *A B C,* de Sevilla, 28 julio 1945.— SAINZ DE ROBLES, F. C.: *Historia y antología de la poesía castellana,* Madrid, Aguilar, 2.ª edición, 1951.

GERCHUNOFF, Alberto.

Narrador, ensayista y periodista argentino. Nació—1884—en Entre Ríos. Murió en 1948. Muy joven aún, fue redactor de *La Nación,* colaborando al mismo tiempo en otros periódicos importantes. De 1904 a 1915 fue vicedirector del *Boletín* del Ministerio de Instrucción Pública. En 1914 hizo un viaje por Europa, permaneciendo algún tiempo en Madrid, donde dio en el Ateneo varias conferencias notabilísimas.

Escritor de claro estilo, en su libro *La jofaina maravillosa* ha dejado páginas de extraordinaria belleza. Escritor humanista, se ha enfrentado con todos los problemas del hombre contemporáneo, y en especial del hombre argentino, sobre todo del entrerriano, a quien ha dedicado ensayos de viva emoción y como de quien no solo conoce la tierra, la siente y ama, sino de hombre que ha urgado en el pasado y compulsado documentos. El estilista está presente en todas las obras de Alberto Gerchunoff.

Obras: *Los gauchos judíos*—cuentos—, *Cuentos de ayer, La jofaina maravillosa, El nuevo régimen, La asamblea de la buhardilla, El hombre que habló en la Sorbona, Historias y proezas de amor. Pequeñas prosas, Imágenes del país, Los amores de Baruj Espinoza, Enrique Heine, el poeta de nuestra intimidad; El hombre importante, El cristianismo precristiano, La clínica del doctor Mefistófeles* y *Roberto J. Payró*—estudio crítico.

V. GIMÉNEZ PASTOR, Arturo: *Historia de la literatura argentina.* Buenos Aires, editorial Labor, 2 tomos.—GIUSTI, Roberto F.: *Panorama de la literatura argentina contemporánea,* en *Nosotros,* 2.ª época, número 68. Buenos Aires, noviembre 1941.

GETINO, Luis G. Alonso.

Notable escritor español. Nació—1877— en Luqueros (León). Murió—1946—en Madrid. Profesó dominico en 1893. Profesor de Lugares teológicos e Historia eclesiástica en el convento de San Esteban, de Salamanca. Organizador y primer director de la famosa revista *La Ciencia Tomista.* Varias veces prior y varias provincial de su Orden. Cronista oficial de Salamanca y su provincia.

El P. Alonso Getino fue un gran humanista y crítico, historiador y filósofo. Y de toda su obra trasciende una luminosa espiritualidad.

En los últimos años de su vida fundó la Asociación Francisco de Vitoria, dedicada a la exaltación del célebre jurisconsulto y humanista español.

El P. Alonso Getino ha publicado más de tres mil artículos y ensayos en revistas y periódicos de España, Portugal, Francia e Hispanoamérica, alcanzando con ellos fama universal de sabio y de excelente literato.

Obras: *La autonomía universitaria y la vida de fray Luis de León*—1904—, *El averroísmo de Santo Tomás*—1906—, *Historia de un convento (San Esteban de Salamanca)* —1904—, *El proceso de fray Luis de León* —1906—, *Florilegio dominicano*—1911—, *El maestro Francisco de Vitoria y el renacimiento teológico del siglo XVI en Salamanca*—1913—, *Primera vida de Santo Domingo de Guzmán*—1916—, *Dominicos españoles confesores de reyes*—1916—, *Origen del rosario*—1916—, *Historia de Santo Domingo el Real, de Madrid*—1919—; *La lira salmantina*—1929—y otras muchas.

GHIRALDO, Alberto.

Poeta, novelista, dramaturgo, periodista. Nació—1875—en Buenos Aires. Murió —1946—en Santiago de Chile. Casi un niño, de ideas rebeldes y anarquistas, fundó la revista *El Sol* y dirigió *La Protesta,* suprimida gubernativamente en 1905. Sufrió en su patria numerosas prisiones y fue desterrado varias veces. Más tarde publicó el semanario *Martín Fierro.* En 1917 se trasladó a España, donde igualmente fue encarcelado varias veces por sus ideas radicales y exaltadas. Colaboró en los diarios y revistas madrileños *El Sol, La Libertad, La Esfera, Nuevo Mundo, Mundo Gráfico, Crisol...* Dirigió una serie de publicaciones dedicadas a exaltar la obra de los escritores americanos, en las que dio a conocer al público varias antologías de poesía y de prosa, las obras de Martí y de Rubén Darío; también publicó—en diez tomos—obras inéditas de Galdós, de quien fue albacea testamentario. En 1937 regresó a su patria.

Su obra es varia y fecunda. Cejador ha

escrito de él: "La poesía de Ghiraldo significa el triunfo nuevo de la poesía castiza sobre la modernista. Metros y estrofas tradicionales en la forma; brío, concisión, arranque en el estilo; ardimiento pujante, fuerza de efectos varoniles en el fondo. Todo ello es más español que americano y no tiene el menor atisbo de modernismos franceses. Notas sobresalientes son la fuerza de sinceros afectos y el brío en expresarlos. Su tono apostólico, sentencioso, de protesta y rebeldía, no podía revestirse más que de un decir nervioso y decidido, sonoro, turbulento y batallador. Tiene gran concisión y nervio; sus frases son lapidarias; los versos, todo alma, porque con toda el alma grita, no que canta, sus ideas." De su libro *Música prohibida* escribió Rubén Darío: "Tu libro, fuera de la literatura, expresa tu alma sonora y valiente. Ardoroso, generoso, terrible, sigues en tu afán noble de demandador de la justicia y minero de la felicidad humana. Sabes que mis palabras son cordiales, pues ha tiempo aprendiste a leer en mi corazón. Sigue en tu hermoso camino, hermoso de torrentes y relámpagos; sigue amando la Belleza, el Amor y la Libertad."

Obras: *Alas*—1906—, *Alma gaucha* —1907—, *La cruz*—1909—, *La columna de fuego*—1913—, *Se aguó la fiesta*—1916—, *Doña Modesta Pizarro*—1916—, *Campera* —1918—, *Fibras*—1895—, *Gestas*—1898—, *Los nuevos caminos*—1904—, *La grotesca* —1905—. *Carne doliente*—1908—, *Triunfos nuevos*—1910—, *El peregrino curioso*—1917, tres tomos—, *Cuentos de la angustia*—1917—, *Sangre y oro*—1917—, *Yankilandia bárbara, Humano ardor*—novela argentina—, *Cuentos argentinos, La novela de la Pampa, Inmortal* —comedia...

V. MAS Y PI, J.: *Alberto Ghiraldo.* 1916.— ROJAS, Ricardo: *La literatura argentina.* Buenos Aires, 1924.

GIBERGA, Eliseo.

Poeta, prosista, orador cubano. Nació —1854—y murió—1916—en Matanzas, al terminar de pronunciar un discurso político. Se doctoró en Derecho por la Universidad de Barcelona. Y alcanzó gran fama como abogado en toda Cuba. Fue autonomista incansable. Y uno de los mejores oradores de su patria. Alcanzó grandes éxitos en el Parlamento español, como diputado cubano, y mereció el calificativo de "tribuno del panhispanismo".

"Jurista, hombre de profundas preocupaciones políticas y económicas, era un escritor de prosa ceñida, no obstante ser la elocuencia la forma natural de su estilo. Tenía una visión muy amplia como estadista; su pensamiento político, su doctrinarismo político llegaba a la verdadera especulación filosófica. Tribuno egregio, en quien la dialéctica desempeñaba verdadera función creadora, el fondo de la poesía que había en su espíritu trascendía a su vastísima labor oratoria." (Chacón y Calvo.)

Obra poética: *Témpora acta*—1909—, que constituye una verdadera rareza bibliográfica.

Sus demás escritos han sido recogidos en cuatro volúmenes nutridísimos.

V. CHACÓN Y CALVO, José María: *La literatura de Cuba*, en el tomo XII de la *Historia universal de la literatura*, de Prampolini. Buenos Aires, Uteha Argentina, 1941.

GIBSON PARRA, Percy.

Poeta, ensayista y autor dramático peruano. Nació—1908—en Arequipa. Cursó estudios superiores en la Universidad Nacional de San Marcos, de Lima. Completándolos en España, Francia e Inglaterra entre los años 1930 y 1936. En 1946 obtuvo el "Premio Nacional de Teatro". Dirigió mucho tiempo la página literaria de *La Prensa*, de Lima. En 1935 fundó la curiosa revista *Trilce*, dedicada a los ensayos y estudios. Graduado—1945—en la Escuela Nacional de Lima, de la que es secretario general.

Obras: *Motivos contemporáneos*—ensayos—, *Motivos ibéricos*—ensayos—, *Motivos peruanos*—ensayos—, *Esa luna que empieza* —poema escénico.

V. *Teatro Peruano Contemporáneo.* Madrid. Edit. Aguilar, 1959.

GIL, Ricardo.

Notable poeta lírico español. Nació—1858— y murió—1908—en Madrid. Se educó en Murcia, donde pasó largas temporadas. Terminó la carrera de abogado, pero no llegó a ejercerla. Llevó una existencia tranquila y ajena a toda barahúnda literaria. Colaboró en algunos periódicos y revistas: *Blanco y Negro, Revista Contemporánea, Hojas Selectas...*

De él ha escrito Cejador—en su *Historia de la literatura castellana*, tomo IX, 418—: "Retraído, modesto, pero gran poeta de tono sentimental, delicado, elegíaco sin lloriqueos, de anticipaciones modernistas, de sutilezas verlenianas, sin conocer a Verlaine; sin pizca de simbolismos, oscuridades ni afeminamientos, hábil manejador del metro, armónico en sus facultades, de hondo pensar e íntimo sentir."

Indudablemente, Ricardo Gil, poeta lleno de finezas y de finuras, de alientos origina-

G

les y renovadores, es uno de los más interesantes líricos españoles contemporáneos. Con Manuel Reina y Carlos Fernández-Shaw, forma la transición poética entre el romanticismo, decaído ya, y el modernismo implantado por Rubén Darío.

Obras: *De los quince a los treinta*—poesías, Madrid, 1885—, *La caja de música* —poesías, Madrid, 1898—, *El último libro* —poesías, Madrid, 1909.

V. Onís, Federico: *Antología de poetas hispanoamericanos.*—Sainz de Robles, F. C.: *Historia y antología de la poesía española (en lengua castellana).* Madrid, Aguilar, segunda edición, 1951.

GIL, Rodolfo.

Poeta y prosista español de mérito. Nació —1872—en Puente Genil (Córdoba). Murió —1938—en Valencia. Estudió en las Universidades de Granada y Madrid. Doctor en Filosofía y Letras. Periodista en *La Unión* y *La Voz*, de Córdoba, y en *El Día, El Diario Universal, La Opinión* y el *A B C*, de Madrid. Gobernador civil de Orense y Tarragona. Conocedor perfecto de varios idiomas europeos. Profesor de la Escuela de Idiomas, de Madrid. Individuo correspondiente de varias Academias.

Obras: *Córdoba contemporánea, Séneca y la Mezquita*—poesías, 1894—, *Oro de ley* —poesías traducidas de autores latinos e hispanoarábigos, 1897—, *El país de los sueños*—poesías, Granada, 1901—, *Romancero judeoespañol*—1911—, *Mirtos*—poesías, 1919.

GIL-ALBERT, Juan.

Poeta y prosista español. Nació—1906—en Alcoy (Alicante). Estudió Filosofía y Letras y Leyes en la Universidad de Valencia. Durante algún tiempo se dedicó al periodismo. Luego marchó a Hispanoamérica, habiendo vivido varios años en distintas repúblicas.

Obras: *Misteriosa presencia*—sonetos, Madrid, 1936—, *Son hombres ignorados*—elegías, himnos y sonetos, Barcelona, 1939—, *Las ilusiones con los poemas del convaleciente*—Buenos Aires, 1945—, *Poemas: el existir medita su corriente*—Madrid, 1949—, *Concertar es amor*—Madrid, Adonais, 1951...

V. Valbuena Prat, A.: *Historia de la literatura española.* Barcelona, 3.ª edición, 1950, tomo III.—González-Ruano, C.: *Antología de poetas españoles contemporáneos.* Barcelona, Gili, 1946.

GIL FORTOUL, José.

Historiador y novelista venezolano. Nació —1862—en Barquisimeto. Murió—1943—en Caracas. Gran renovador de la historia y de los estudios históricos en su patria. Patriarca de una generación literaria renovadora y fecundísima. Abogado. Doctor en Historia y Letras. Diplomático, representante de su país en Colombia—1904—, en Berlín—1908—, en París—1912—. Senador. Presidente del Congreso. Ministro de Instrucción Pública. Vicepresidente encargado de la Presidencia de la República. Recorrió varias veces Europa y toda América. Magnífico conferenciante. Poseyó gran cultura, probidad erudita y facilidad y limpieza en la expresión literaria. Por sus ideas políticas sufrió destierros y cárceles.

Inició su carrera literaria como novelista, alcanzando mucho éxito con sus tres obras *Julián*—Leipzig, 1888—, *¿Idilio?*—Liverpool, 1892—y *Pasiones*—París, 1895.

Más tarde se dedicó a la Historia y a la Sociología.

Otras obras: *Recuerdos de París*—1887—, *Filosofía constitucional*—París, 1890—, *Filosofía penal*—Bruselas, 1891—, *El humo de mi pipa*—crónicas, París, 1891—, *La esgrima moderna*—Liverpool, 1892—, *El hombre y la historia*—París, 1896—, *Historia constitucional de Venezuela*—empezada la publicación en 1907 y en Berlín—, *Resumen crítico de la literatura venezolana...*

V. Angarita Arvelo, Rafael: *Historia y crítica de la novela en Venezuela.* Berlín, August Pries, 1938.—Planchart, Julio: *Reflexiones sobre novelas venezolanas...* Caracas, 1927.—Picón Febres, Gonzalo: *La literatura venezolana en el siglo XIX.* Caracas, 1906.—Picón Salas, Mariano: *Formación y proceso de la literatura venezolana.* Caracas, 1940.

GIL LÓPEZ, Ildefonso Manuel.

Nacido en Paniza (Zaragoza) el 23 de enero de 1912. Estudios: Doctor en Derecho por la Universidad Central el año 1931. Ese mismo año aparece su primer libro de versos: *Borradores.*

En 1935, en "Colección Pen", volumen número 7, *La voz cálida* (poemas). De 1931 a 1936, colaboraciones en casi todas las revistas literarias y en diarios de Madrid y provincias. Fundó en 1934, con Ricardo Gullón, la revista *Literatura.*

Hasta 1943 no publica ni colabora. En 1943 publica en la "Colección Aula"—Librería General (Zaragoza)—una *Historia de la literatura extranjera*—agotada y en prensa la segunda edición.

En 1944, en *Ece*, Bilbao, *Poesía y dolor*, que es un ensayo sobre Gustavo Adolfo Bécquer.

En 1945, en la "Colección Adonais", volumen **XX**, *Poemas de dolor antiguo*.

En 1946, otro libro de poemas, *Homenaje a Goya*.

Ildefonso Manuel Gil es uno de los más interesantes poetas españoles contemporáneos.

Otras obras: *El corazón en los labios* —1947—, *La moneda en el suelo*—novela, "Premio Internacional de Novela, 1951". Barcelona—, *Ensayo sobre la poesía portuguesa*—1948—, *El tiempo recobrado*—poema, 1951—, *Juan Pedro, el dallador*—novela, 1953—, *Poesía*—(antología, 1928-1952), 1953.

V. SAINZ DE ROBLES, F. C.: *Historia y antología de la poesía (en lengua castellana)*. Madrid, Aguilar, 2.ª edición, 1951.

GIL POLO, Gaspar.

Magnífico poeta español. Nació—¿1529?— en Valencia y murió—1585—en Barcelona. Para premiar sus leales servicios, Felipe II le nombró—1572—primer coadjutor del maestre nacional o contador mayor de la Curia regia. Con tanta discreción desempeñó este cargo, que el monarca se concedió que pudiera, a su muerte, dejarlo a alguno de sus hijos en heredamiento. Como versificador, es de los bucólicos que más se parecen a Garcilaso, por su soltura elegante y delicada y por su suave musicalidad. De su *Diana enamorada*—continuación de la obra de Jorge de Montemayor—, Cervantes dijo "que se guardase como si fuera del mismo Apolo". En su *Canto al Turia* hizo el elogio de varios poetas contemporáneos, adelantándose con él al *Viaje del Parnaso*, de Cervantes, y al *Laurel de Apolo*, de Lope de Vega. Inventó unas estrofas, a las que llamó *provenzales y francesas*.

Gil Polo figura en el *Catálogo de autoridades de la lengua*.

"Como versificador, es de los bucólicos el que más se parece a Garcilaso por la soltura elegante y delicada y por la melodiosa facilidad, confundiéndose muchas veces con él." (Cejador.)

Gil Polo es un maravilloso colorista—como buen mediterráneo—y un sutilísimo creador de imágenes. Su *Diana enamorada* es el poema que más se acerca, entre las innumerables imitaciones que se escribieron, a su modelo inmortal, la *Diana* de Montemayor. El poema de Gil Polo tuvo un éxito inmenso. En pocos años aparecieron las siguientes ediciones de él: Valencia—1564—, Amberes —1567 y 1574—, París—1574—, Zaragoza —1577—, Pamplona—1578—, París—1611—, Bruselas—1617—, Madrid—1778—, Madrid —1802—, Madrid—1827—, Valencia—1862— y Barcelona—1886—... En el tomo XVII de

la "Nueva Biblioteca de Autores Españoles" se encuentra una cuidadosa impresión moderna. Edición de López Estrada, 1946. Edición "Clásicos Castellanos", Madrid, 1953, al cuidado del profesor Rafael Ferreres. Edición C. I. A. P., Madrid, 1929, al cuidado del profesor Agustín del Saz.

V. JIMENO, V.: *Escritores del reino de Valencia.*—RENNERT, H. A.: *The Spanish Pastoral Romances*. Filadelfia, 1912.—LÓPEZ ESTRADA, F.: *Estudio* de la edición 1946.—MENÉNDEZ PELAYO, M.: *Orígenes de la novela.*— FERRERES, Rafael: Prólogo, edición y notas de la *Diana enamorada*. Madrid, "Clásicos Castellanos", núm. 135, 1953.

GIL VICENTE (v. Vicente, Gil).

GIL Y CARRASCO, Enrique.

Gran poeta lírico y novelista romántico español. 1815-1846. El romanticismo norteño de Pastor Díaz, en sus facetas de melancolía, de intimidad, de emoción rezumada, lo comparte Enrique Gil y Carrasco, natural de Villafranca del Bierzo (León), y una figura literaria de la mayor simpatía. Espronceda le llevó a los principales cenáculos literarios madrileños: el Parnasillo, el Liceo, el Ateneo, donde el novel leyó algunas inspiradísimas composiciones: *Una gota de rocío, La violeta*. Colaboró en *El Pensamiento*. Y González Bravo le envió a Berlín como secretario de la Legación española. En la capital prusiana, Gil y Carrasco amistó grandemente con el famoso historiador barón de Humboldt..., y murió. Vaguedad, melancolía, subjetivismo, son las tres características de Gil y Carrasco. Sus influencias son fácilmente determinables: Lamartine, Chateaubriand, Espronceda; aun cuando sus aficiones instintivas acudan a lo popular, a lo folklórico. Poeta lírico "de intensa ternura, apacible y melancólico y de suavidad incomparable, siquiera alguna vez adolezca de difuso e incorrecto", le proclamó Laverde. Técnicamente, fue sencillo y armonioso; con flexible habilidad utilizó los versos más variados, aun dentro de una misma composición. Realmente, Gil y Carrasco nos parece el más sinceramente afligido y melancólico de los poetas españoles, en una época en que la tristeza parecía ser el rasgo común entre los cultivadores de la poesía seria.

Gil y Carrasco es, además, el autor de una de las mejores novelas del romanticismo español: *El señor de Bembibre*, de acción tradicional, de maestría narrativa, de prosa admirable, de gran interés, editada docenas de veces y aún hoy leída con gusto.

G

Otras novelas: *El maragato, El pastor trashumante*.

Las *Obras completas* de Gil y Carrasco se publicaron—1883—en dos volúmenes. Como lírico, figura por derecho propio Gil y Carrasco en todas las antologías.

Textos: *El señor de Bembibre:* ed. "Gil Blas", Madrid; edición C. I. A. P., Madrid, [¿1928?]; edición "Colección Crisol", 1944, Madrid.

V. LOMBA, J. R.: *Enrique Gil y Carrasco: su vida y su obra literaria.* Tesis doctoral, en *Revista de Filosofía Española*, 1915.— GOY, José María: *Enrique Gil y Carrasco: su vida y sus escritos.* Astorga, 1924.—PIÑEYRO, E.: *El romanticismo.*—GARCÍA MERCADAL, J.: *Historia del romanticismo español.*— NOIA, J. de: *Enrique Gil Carrasco's Treatment of History in "El señor de Bembibre",* North Carolina University, 1939.—GULLÓN, Ricardo: *Cisne sin lago. Vida y obra de Enrique Gil y Carrasco.* Madrid, Insula, 1951.

GIL Y ZÁRATE, Antonio.

Poeta y dramaturgo romántico español. Nació—1796—en San Lorenzo de El Escorial (Madrid). Murió—1861—en Madrid. Era hijo del tenor Bernardo Gil y de la actriz Antonia Zárate. Se educó en un colegio de Passy (París). En 1805 llegó a España sin saber el español. Fue miliciano nacional en Cádiz, muy liberal de ideas, empleado—1820—en el Ministerio de la Gobernación, en el que alcanzó categoría de secretario. Director general de Instrucción Pública. Consejero de Estado. Académico de la Real Española de la Lengua y de la de Bellas Artes de San Fernando. Su nombre figura en el *Catálogo de autoridades* publicado por la Academia de la Lengua.

Sus poesías líricas rebosan un apasionamiento que entorpece los temas y que por contradictorio llega a cansar. Mucho más vale como dramaturgo, aun cuando cuidaba más en sus producciones escénicas del movimiento y de lo complicado de la acción que del estudio profundo de los caracteres. Su inventiva era fácil. Indiscutiblemente, su drama *Carlos II "el Hechizado"*—1837—, en el que se inspiró el francés Casimiro Delavigne para su *Luis XI*—es uno de los mejores ejemplos de romanticismo teatral español. Obtuvo un éxito inmenso.

Gil y Zárate escribió tragedias según el gusto neoclásico francés: *Rodrigo, último rey de los godos*—1834—y *Blanca de Borbón* —1835—. Y dramas históricos aceptando la tendencia romántica: *Don Alvaro de Luna, El Gran Capitán, Guillermo Tell*—1838—, *Rosmunda*—1839—, *La familia Facklaud*

—1840—y *Guzmán el Bueno*—1847—. Y comedias de costumbres que recuerdan las de Bretón de los Herreros: *Cuidado con las novias, Un año después de la boda, El entremetido, Un amigo en candelero, Don Trifón, o Todo por el dinero...*

Las obras dramáticas de Gil y Zárate las publicó Baudry, 1850, en París.

V. VALMAR, Marqués de: *Gil y Zárate,* en *Autores dramáticos contemporáneos,* II, 217. SAINZ DE ROBLES, F. C.: *Historia y antología del teatro español.* Madrid, 1943. Tomo VI.—STOUDEMIRE, S. A.: *The dramatic works of Gil y Zárate.* University of Carolina, 1930.

GILI GAYA, Samuel.

Erudito y crítico literario español. Nació —1892—en Lérida. Doctor en Filosofía y Letras. Catedrático de Literatura. Discípulo y colaborador de don Ramón Menéndez Pidal en el Centro de Estudios Históricos de Madrid. De la Real Academia Española.

Ha publicado interesantes y eruditos ensayos en la *Revista de Filología Española* y en otras publicaciones similares. Y ha preparado ediciones críticas, muy valiosas, de varios autores clásicos: Mateo Alemán, Vicente Espinel, Francisco Moncada, Diego de San Pedro...

Gili Gaya es uno de los más importantes críticos literarios de la España actual.

Obras: *Curso superior de Sintaxis española, Tesoro lexicográfico (1492-1697), Elementos fónicos que influyen en la entonación castellana*—Madrid, 1924—, *Elementos de fonética general*—Madrid, 1950—, *Amadís de Gaula*—Barcelona, 1956—, *El ritmo en la poesía contemporánea*—Barcelona, 1956.

GIMÉNEZ ARNAU, José Antonio.

Periodista, novelista, autor dramático. Nació—1912—en Laredo (Santander). Estudió Derecho en las Universidades de Zaragoza y Madrid. Del Cuerpo Diplomático. Embajador en Nicaragua. Antes fue director general de Comercio Exterior. "Premio Lope de Vega 1952", de teatro, por su drama *Murió hace quince años.*

Obras: *Línea Siegfried*—Madrid, 1940—, *El puente*—1941—, *La colmena*—1945—, *La hija de Jano*—1946—, *La canción del jilguero*—1947—, *La cueva de ladrones*—1949—, *De pantalón largo*—1952—, *Luna llena* —1953—, *Carta a París*—comedia, 1953—, *El canto del gallo*—1954—, *Clase única* —1956—, *La tierra prometida*—1958—, *Este-Oeste*—1961—, *La mecedora*—1963—, *La cárcel sin puertas*—teatro, 1958.

V. NORA, Eugenio G. de: *La novela espa-*

ñola contemporánea. Madrid, edit. Gredos, 1962. Tomo II bis, págs. 216-221.

GIMÉNEZ CABALLERO, Ernesto.

Excelente ensayista español. Nació—1899—en Madrid. Doctor en Filosofía y Letras. Profesor de español—1919—en la Universidad de Estrasburgo. Catedrático de Literatura española en el Instituto Cisneros, de Madrid. Combatiente bizarro en la campaña española de Marruecos—1922—, con cuyas impresiones redactó su primer libro: *Notas marruecas de un soldado*—1923—, que obtuvo un gran éxito y que valió a su autor un proceso, del que salió absuelto. Licenciado del servicio militar, se entregó de lleno a la literatura, colaborando asiduamente en *El Sol*, de Madrid. En 1927 fundó la originalísima revista *La Gaceta Literaria*, que tuvo una extraordinaria influencia en el momento literario español y que contribuyó a que fueran conocidos en España numerosos escritores extranjeros y los movimientos literarios más o menos fundamentales o desenfocados. Desde su revista, Giménez Caballero organizó y fomentó exposiciones interesantísimas en pro del libro catalán, portugués, alemán y americano.

Giménez Caballero ha pronunciado conferencias atrayentes en los principales Estados europeos. Y ha utilizado para firmar sabrosísimos artículos los seudónimos "Gece" y "El Robinsón literario de España". Miembro del Instituto de Estudios Madrileños. Embajador de España en el Paraguay en 1963.

En Giménez Caballero destacan el dinamismo espiritual, la amplia cultura, el estilo moderno y un tanto dislocado, la sensibilidad agudísima, la fácil sistematización, la nota chillona y coloreada con crudeza, su pintoresco vanguardismo, lo más detonante de la forma y de la paradoja, y una desigual y equívoca, densa y extraña calidad literaria, en que juegan los más difíciles complejos.

Obras: *Carteles*—1927—, *Los toros, las castañuelas y la Virgen*—1927—; *Yo, inspector de alcantarillas*—1928—; *Julepe de menta*—1928—, *Hércules jugando a los dados*—1929—, *En torno al casticismo de España*—1929—, *Circuito imperial*—1930—, *Esencia de verbena, Trabalenguas de España*—1931—, *Genio de España*—1932—, *El "Belén", de Salzillo; Roma madre, Historia de la literatura...*

V. VALBUENA PRAT, A.: *Historia de la literatura española*. 1950. Tomo III.

GIMFERRER, Pedro.

Poeta y ensayista. Nació—1943—en Barcelona. Universitario. Ha colaborado en impor-

tantes diarios y revistas. Su poesía, de indiscutible hondura temática, se desentiende de toda retórica para manifestarse en fluidez formal ajena a cualquier atadura de rima o de metro.

Obras: *Arde el mar*—poemas, "Premio Nacional de Poesía José Antonio Primo de Rivera, 1966"—, *La muerte en Beverly Hills* —poemas, 1968.

GINARD DE LA ROSA, Rafael.

Nació en Santa Cruz de Tenerife—1848—. Murió en Madrid el año 1918. Doctor en Derecho por la Universidad de Manila. Periodista y narrador de mérito. De vida aventurera y caballeresca y de ideales noblemente republicanos. Viajó por todo el mundo. Director de *El Porvenir*—diario de Ruiz Zorrilla—, de *El País*, de *El Progreso*. Concejal del Ayuntamiento de Madrid. Colaboró en periódicos de China, Egipto, India y Filipinas.

En literatura general cultivó las Bellas Artes, las Ciencias y en especial la Astronomía, que dimanaron indudablemente de la gran amistad que tuvo con el gran Flammarión, escribiendo en la "Biblioteca Universal", fundada por don Joaquín Pi y Margall, diversos prólogos, siendo uno de los mejores el dedicado a lord Byron, y en la misma colección publicó la traducción, en verso castellano, de las obras de Víctor Hugo, *Ruy Blas,* y de una serie de cuentos en prosa.

Publicó, además, diversos libros, destacando entre ellos *Melodías de otros climas* —poesía lírica—, *Tragedias de mar y tierra* —novela indiana—, *El gran galeoto*—novela, en que desarrolla un pensamiento de Echegaray—, *Fin del mundo*—novela científica—, *Crítica de "La vida es sueño"*, de Calderón de la Barca, publicada con motivo del centenario del glorioso poeta, y otros varios, que quedan enterrados en las colecciones de los diarios españoles y extranjeros, sin el cuidado del coleccionista y menos del expurgador de los más selectos.

Por su vasta cultura y afán de estudio, poseía a la perfección el francés, el inglés, el italiano, y por sus visitas a Filipinas llegó a dominar también el tagalo.

GINER DE LOS RÍOS, Francisco.

Filósofo, literato y pedagogo español. Nació—1839—en Málaga. Murió—1915—en Madrid. Estudió el bachillerato en Cádiz y en Alicante. Y terminó en Granada la licenciatura de Filosofía y Letras. Fue secretario de su tío Ríos Rosas, socio del Ateneo y miembro del Círculo Filosófico. En 1866 ganó por oposición la cátedra de Filosofía

G

del Derecho en la Universidad Central, donde se declaró adepto a la nueva filosofía krausista. Fundador de la Institución Libre de Enseñanza. Giner de los Ríos viajó por Francia, Bélgica, Holanda, Inglaterra y Portugal, y rechazó con singular patriotismo la oferta que le hizo el Gobierno inglés de fundar en Gibraltar una Universidad española.

Giner de los Ríos, prohombre de conducta ejemplar y de moral sin tacha, gran español, modelo de buenos ciudadanos y de liberales integérrimos, fue un filósofo discreto, un comentador interesante, un correcto prosista.

Obras: *Estudios literarios*—1866—, *Estudios jurídicos y políticos*—1875—, *Estudios filosóficos y religiosos*—1876—, *Estudios de literatura y arte*—1876—, *Estudios sobre educación*—1886—, *Filosofía del Derecho* —1912—, *La persona social*—1899—, *Estudios sobre artes industriales*—1892—, *Filosofía y Sociología*—1904—, *Sobre el concepto de la ley en el Derecho positivo*—1910— y otras muchas de interés.

Magistrales ensayos suyos aparecieron en revistas tan importantes como *La España Moderna, La Lectura, La Ilustración Artística, Revista Popular, Revista Meridional, Boletín-Revista de la Universidad de Madrid...*

V. ALTAMIRA, Rafael: *Giner de los Ríos, educador.* Valencia, 1915.—Ríos URRUTI y GARCÍA MORENTE: *Don Francisco Giner de los Ríos: su vida y su obra.* 1918.—Ríos URRUTI, F.: *Ensayo sobre la "Filosofía del Derecho", de don Francisco Giner de los Ríos.* Madrid, 1916.—WATSON, F.: *El idealismo de la educación española,* en *Suplemento pedagógico* de *The Times.* 1919.

GINER DE LOS RÍOS, Francisco.

Ensayista, poeta y crítico español. Nació —1917—en Madrid. Muy joven aún, dirigió en su ciudad natal la original revista *Floresta.* De 1937 a 1938 vivió en los Estados Unidos, como agregado cultural de la Embajada de España. En 1939 marchó a México, donde es bibliotecario del Colegio de México y secretario del Centro de Estudios Sociales. Dirigió también la revista *Litoral* —1944—, una de las más importantes de aquella República hispanoamericana.

Obras: *Tesoro de romances españoles* (antología)—1939—, *La rama viva*—1940—, *Pasión primera y otros poemas*—1941—, *Romancerillo de la fe*—1941—, *Las cien mejores poesías del destierro* (antología)—1945—, *Oaxaca, notas y poemas de viaje*—1945...

GINER DE LOS RÍOS, Hermenegildo.

Literato, crítico y filósofo e historiador español. Nació—1847—en Cádiz. Murió —1923—en Granada. En esta ciudad cursó la segunda enseñanza. Y en Madrid se doctoró en la Facultad de Filosofía y Letras. Catedrático en los Institutos de Osuna, Burgos, Guadalajara, Alicante y Barcelona. Profesor de Retórica y Poética en la Institución Libre de Enseñanza, fundada por su hermano don Francisco. Concejal y teniente de alcalde de Barcelona—1904 y 1915—. Diputado a Cortes en 1908, 1910, 1914 y 1916. De ideas republicanas y radicales. De caballerosa conducta y moral intachable, gozó de una extraordinaria popularidad. Sabio profesor. Su obra escrita es considerable por la cantidad y por la calidad.

Obras: *Teoría del arte e historia de las Bellas Artes en la antigüedad, Filosofía y arte, Arte literario o retórica y poética, Manual de estética y teoría del arte..., Cuentos y aventuras, Resumen de lógica, Socialismo y educación, Manual de literatura nacional y extranjera..., Teoría de la literatura y de las artes, Artes industriales, Principios de moral universal...*

Para el teatro escribió: *Sin nombre, Por ir al baile, Milton, Historia de un crimen* y *Teresa Raquín...*

GIRÓ, Valentín.

Poeta. Nació en la ciudad de Seibo (República Dominicana) en 1883. Murió en 1949. Fue una de las primeras voces modernistas en la República Dominicana. Ejerció gran influencia en la evolución de la poesía dominicana.

Ha publicado: *Ecos mundanos, Clemente, Oda a Lindberg*—1935—, *Jacinto Dionisio Flores*—poema simbólico, 1935—, *Sinfonía heroica*—1941—y *Leyenda del pájaro azul* —1948.

De Giró ha dicho el gran crítico Manuel Valldeperes: "Poeta arquitectónico, construye el verso investido de su propia naturaleza poética. Su *Virgínea* tuvo la virtud de remover, en una época de apagadas inquietudes, el remanso lírico dominicano e impulsar las corrientes creadoras hacia nuevas rutas; pero el poeta se mantuvo discretamente apartado de los intentos renovadores posteriores, para ser fiel a su propia esencia.

Amante de las formas clásicas, su originalidad la hallamos, no en la manera poética de expresarse—tan original—, sino en la autenticidad emocional con que se acerca a la creación.

Giró se sitúa con cierta melancolía ante las realidades de la vida; pero domina en él casi siempre una influencia mística surgida de ese afán retador que le hace seguir veredas nuevas sin apartarse de su centro de observación.

De ahí que sumerja la idea en la luz de la imaginación y consiga, casi siempre, iluminar el verso con la imagen pura. Su independencia no tuvo por objeto, sin embargo, acentuar el afán morboso de una modernidad inculta e insustancial, sino todo lo contrario.

Lo que él perseguía era dotar el modernismo de contenido humano. Sin la innata modestia que lo dominó en todo momento, Valentí Giró hubiera podido ser un gran revolucionario."

GIRÓN, Diego.

Poeta y retórico español de prestigio. Nació—1530—y murió—1590—en Sevilla. Menéndez Pelayo afirma que fue uno de los más ilustres retóricos del siglo XVI. Reemplazó a Mal Lara en su Academia. Fue amigo entrañable de Juan de la Cueva, a las rimas del cual puso un prólogo que demuestra su cultura, profundo juicio y delicado gusto poético. Rodrigo Caro alabó mucho las traducciones que realizó Girón de Esopo, así como sus poesías latinas originales.

Las poesías castellanas de Diego Girón se hallan desperdigadas en numerosas obras de sus amigos. Entre ellas sobresalen un soneto encomiástico a los versos de Fernando de Herrera y ocho octavas reales dedicadas al famoso médico Fernando de Valdés, que este hizo figurar al frente de su *Tratado de la utilidad de las sangrías.*

V. LASSO DE LA VEGA, A.: *Escuela poética sevillana.*—MÉNDEZ BEJARANO, M.: *Diccionario de escritores sevillanos.*

GIRÓN DE REBOLLEDO, Ana.

Noble dama y escritora española, que vivió en la primera mitad del siglo XVI. Sus padres fueron don Juan Girón de Rebolledo y la marquesa de Heredia. Tío suyo fue el gran poeta Juan Fernández de Heredia. Su educación fue excelente. Contrajo matrimonio en Barcelona con el célebre poeta Juan Boscán, de quien tuvo una hija; y era de gran belleza, como se desprende de estos versos que Garcilaso dirigió a su fraternal amigo Boscán *(Elegía III):*

Tú, que en la patria entre quien bien te quiere
la deleitosa playa estás mirando
y oyendo el son del mar que en ella hiere,
y sin impedimento contemplando
la misma a quien tú vas eterna fama
en tus vivos escritos procurando,
alégrate, que más hermosa llama
que aquella que el troyano encendimiento
pudo causar, el corazón te inflama.

El mismo Boscán dedicó no pocos versos a la belleza de su mujer. Y don Diego Hurtado de Mendoza la llamó *sabia, gentil y cortés* en una epístola a Boscán. Juntos los dos esposos leían, en lengua griega o latina, a Homero, Virgilio, Catulo y Propercio... Y doña Ana llegó a hacer excelentes traducciones al castellano de tan excelsos poetas.

Gracias a esta ilustre mujer se conservan íntegras las poesías de Boscán y de su gran amigo Garcilaso de la Vega. Ella las coleccionó, las publicó—1543—y hasta las prologó con una inimitable maestría.

Doña Ana casó en segundas nupcias con el noble caballero valenciano don Martín de Bardají.

V. SERRANO Y SANZ, M.: *Escritoras españolas...* Madrid, 1903, tomo I.

GIRONELLA, José María.

Novelista, cronista y poeta español. Nació—1917—en Darníus (Gerona). Desde los doce años—a partir de su salida del seminario, donde permaneció dos años—no ha cursado estudios algunos. Es, pues, un autodidacto excepcional. A dicha edad entró de aprendiz en una fábrica de licores de San Felíu de Guixols. Al trasladarse su familia a Gerona, entró como botones en la sucursal de la Banca Arnús. Al estallar la guerra de Liberación se pasó a la España de Franco y combatió como soldado en un batallón de esquiadores. Terminada la contienda, ensayó toda clase de negocios: compraventa de cuadros, venta de tejidos, almacenista trapero; finalmente abrió una librería de lance en Gerona, dedicación que le permitió adquirir una cultura variada y sólida. Apenas hubo contraído matrimonio se dedicó de lleno a su auténtica vocación de escritor. El "Premio Nadal 1946", concedido a su primera novela, *Un hombre,* le dio rápida fama y cierta popularidad. Pero la enorme popularidad fuera y dentro de España le llegó con la publicación del primer tomo *Los cipreses creen en Dios*—1953—, de su ambiciosa trilogía acerca de la guerra de Liberación española y de sus antecedentes y de sus consecuencias; es decir, en un período de más de veinte años. Desde aquel año es Gironella, posiblemente, el narrador español más conocido en el extranjero y el más traducido a incontables idiomas. Esta fama le ha permitido viajar por todo el mundo y adquirir el privilegio que solo alcanzan contados escritores: ser defendidos y combatidos, a diario, con verdadero entusiasmo. Y, paradójicamente, y en mi criterio, acaso los dos escritores más famosos hoy en España, Gironella y Cela, no sean auténticos *novelistas,* sino magníficos narradores. El segundo volumen de la trilogía, *Un millón de muertos*

G

—1962—, de nutridísimo texto, como *Los cipreses,* aumentó la fama de Gironella y provocó, aún más denodadamente, las críticas de sus detractores y de sus defensores. Todo lo cual ha redundado, más lo primero que lo segundo, en beneficio *universal* del gran escritor.

Gironella, en su crónica de la guerra de Liberación, procura mantener su objetividad, disimulando casi a la perfección dónde quedan sus preferencias. Crónica la suya escrita con amenidad, con emoción, con crudeza, con un realismo que en ocasiones turba, o escalofría. En sus restantes obras, Gironella delata su vigor ético, su continuada reflexión sobre *la circunstancia humana* —la suya en relación "con la circundante"—, su interés por calar en sentimientos y sensaciones ajenas y propias, su tendencia a la expresión literaria no conforme con fronteras ni consignas. Posiblemente lo que impide a Gironella convertirse en un *puro novelista* sea el no saber cómo desprenderse *de su yo,* que se le filtra no solo interpretando paisajes y situaciones, sino por igual cuando trata de que sus criaturas —aun la más tomadas de la realidad—hablen por cuenta propia. Sí, Gironella está demasiado *presente* en lo que se habla y en lo que se piensa en cada uno de sus libros.

El estilo de Gironella no tiene grandes riquezas ni belleza; pero en él está siempre presente, fluido, un curso de emoción, de poesía, que le exige imágenes y paradojas casi siempre felices. Es estilo natural, sí, con apoyaturas en un léxico reducido pero sabroso. Curiosa observación: el estilo de Gironella se perfecciona cuando escribe sus cuentos, las confesiones de su neurastenia—o de su "morbo psíquico"—, las crónicas de sus viajes.

Otras obras: *La marea*—Madrid, 1949—, *Los fantasmas de mi cerebro*—1959—, *Todos somos fugitivos*—Barcelona, 1960—, *Mujer: levántate y anda*—Barcelona, 1962—, *Ha estallado la paz*—1966, tercera parte de *Los cipreses creen en Dios*—, *Personas, ideas, mares*—crónicas, 1964—, *El Japón y su duende*—crónicas, 1965—, *China, lágrima innumerable*—crónicas, 1965—, *Todos somos fugitivos*—1966—, *En Asia se muere bajo las estrellas*—crónicas, 1968—, *Condenados a vivir*—novela, "Premio Planeta, 1971".

En 1946 aparecieron en Barcelona, como "Entregas de poesía", los poemas de Gironella: *Ha llegado el invierno y tú no estás aquí.*

V. NORA, Eugenio G. de: *La novela española contemporánea.* Madrid, edit. Gredos, tomo II, 1962.—ALBORE, Juan Luis: *Hora actual de la novela española.* Madrid, Taurus, 1958, tomo I, págs. 135-152.—TORRENTE BALLESTER, Gonzalo: *Panorama de la literatura contemporánea.* Madrid, edit. Guadarrama, 2.ª edición, 1961, tomo I, págs. 424-425.—HOYOS, Antonio de: *Ocho escritores actuales.* Murcia, Aula de Cultura, 1954, páginas 58-86.—PÉREZ MINIK, O.: *Novelistas de los siglos XIX y XX.* Madrid, edit. Guadarrama, 1957, págs. 290-297.—SAINZ DE ROBLES, Federico Carlos: *La novela española en el siglo XX.* Madrid, edit. Pegaso, 1957.

GIUSTI, Roberto F.

Crítico literario y prosista. Nació—1887—en Lucca (Toscana, Italia). Llegó—1895—a la Argentina con su madre y hermano. Estudió Humanidades y Filosofía y Derecho en Buenos Aires, graduándose de doctor en 1911. Ha sido crítico teatral y secretario de Redacción de *El País,* de Buenos Aires—1908 a 1910—; fundador, con Alfredo A. Bianchi, de la revista *Nosotros*—1907—y subdirector. Miembro varias veces de la Comisión directiva del diario *La Vanguardia.* Profesor de Literatura española en el Instituto Nacional del Profesorado Secundario de Buenos Aires, y de Literatura en los Colegios Nacionales "Manuel Belgrano" y "Manuel Moreno". En 1916 se incorporó al partido socialista, de cuyo Comité ejecutivo y Comisión de Prensa ha sido miembro. Representó al partido en el Consejo deliberante de la Municipalidad de Buenos Aires durante dos períodos—1921 a 1926—. En el Consejo fue presidente de la Comisión de Revisión y Asistencia Social. En 1925, la Municipalidad de Buenos Aires le otorgó el Premio Nacional de Literatura, de 5.000 pesos—máxima recompensa literaria de la República Argentina—, por su obra *Crítica y polémica,* segunda serie. A su iniciativa debe la ciudad porteña la magnífica institución de los Jardines de Niños.

Giusti es uno de los críticos más ponderados y calificados de la América española. Posee buen gusto, cultura vasta, fina comprensión, estilo brillante.

Obras: *Nuestros poetas jóvenes*—revista crítica del actual movimiento poético argentino. *Nosotros,* Buenos Aires, 1912—, *Parinio de la gloria,* por Giacomo Leopardi —traducción, prefacio y notas. "El Convivio", San Juan de Costa Rica, 1917—. *Enrique Federico Amiel en su diario íntimo* —Nosotros, Buenos Aires, 1917—, *Florencio Sánchez: su vida y su obra*—Agencia Sudamericana de Libros, Buenos Aires, 1920—, *Clerambault,* por Romain Rollan —traducido en colaboración con Manuel Gálvez, editorial Pax, Buenos Aires, 1921—, *Mis muñecos*—cuentos y fantasías. Cooperativa Editorial Buenos Aires. Buenos Aires,

1923—, *Crítica y polémica*. Segunda y tercera series—Cooperativa Editorial Buenos Aires. Buenos Aires, 1927—, *La poesía argentina de este siglo*—1932.

V. LEGUIZAMÓN, Julio A.: *Historia de la literatura hispanoamericana*. Buenos Aires, 1945.—GONZÁLEZ, Manuel Pedro: *La crítica argentina y Roberto F. Giusti*, en *Nosotros*, número 91, 1943.

GIVANEL Y MAS, Juan.

Literato y erudito español. Nació—1868—en Barcelona. Estudió en su ciudad natal Filosofía y Letras, siendo alumno aventajado del gran investigador Milá y Fontanals. Más tarde se dedicó a las Ciencias. Y abandonó el estudio intenso de la Química por el de las Bellas Artes. Aconsejado por el meritísimo cervantista Cortejón, se reintegró definitivamente al campo de las Bellas Artes, especialmente al estudio y comentario de los clásicos castellanos. Es miembro correspondiente de The Hispanic Society of America—1943—, de la Academia barcelonesa de Buenas Letras—1917—y miembro honorario de The American Association of Teachers of Spanish—1918.

Sus obras más interesantes y famosas son las dedicadas al estudio de la obra cervantina: *Comentarios al capítulo XLI de la segunda parte de "Don Quijote"*—1911—, *Una edición crítica del "Quijote"*—1907—, *Una mascarada quixotesca celebrada en Barcelona en 1633*—1915—, *Tres documents inédits referents al "Don Quijote"*—1916—, *La obra literaria de Cervantes*—1917—, *Doce notas para un nuevo comentario al "Don Quijote"* —1920—, *El "Tirant lo Blanch" y "Don Quijote de la Mancha"*—1921—, *Catáleg de la col·lecció cervántica Bonsoms*—tres tomos, editados por el Institut d'Estudis Catalans—; numerosísimas notas para la edición del *Quijote*, que dejó sin terminar su maestro Cortejón...

Otras obras: *Examen de ingenios*—1912—, *Estudio crítico de la novela caballeresca "Tirant lo Blanch"*—1912—, y numerosos ensayos de literatura española—acerca de Galdós, Pereda, Valera, Palacio Valdés, Blasco Ibáñez, la novela caballeresca, la poesía mística, la novela picaresca, la prosa epistolar...—en revistas de la importancia de *Ateneo*, *España y América*, *Estudis Universitaris Catalans*, *Quaderns d'Estudi*...

GODÍNEZ, Felipe.

Poeta, orador y dramaturgo español de mérito. Nació—1588—en Sevilla. Murió en 1639. Descendiente de judíos. Doctor en Teología. Y famoso por sus discursos. Un infamante proceso inquisitorial que tuvo que sufrir en Sevilla le hizo huir de esta ciudad y trasladarse a Madrid, donde se relacionó con los mejores escritores, entre ellos Lope de Vega, a cuya muerte consagró una delicada oración fúnebre, publicada por Montalbán en la *Fama póstuma*.

Del doctor Felipe Godínez dice Cervantes en su *Viaje del Parnaso:*

> Este tiene, como mes de mayo,
> florido ingenio, que comienza ahora
> a hacer de sus comedias nuevo ensayo.

Y como poeta lírico, le coloca el cuarto entre los poetas convocados por el sacro Apolo para la defensa del Parnaso. El nombre de Godínez figura en el *Catálogo de autoridades* publicado por la Real Academia de la Lengua.

La ascendencia judía de Godínez se delata en la abundancia con que escribió obras escénicas con tema bíblico. Montalbán afirmó de él: "El doctor Godínez tiene grandísima facilidad, conocimiento y sutileza para este género de poesía, particularmente en las comedias divinas; porque entonces tiene más lugar de valerse de su ciencia, erudición y doctrina."

Como dramaturgo, perteneció Godínez a la llamada "escuela de Lope de Vega".

Se conocen de él unos veintiséis dramas y cinco autos sacramentales. Entre los primeros destacan: *Amán y Mardoqueo, Los trabajos de Job, Judith y Holofernes, El soldado del cielo, Las lágrimas de David, Aun de noche alumbra el sol, Ha de ser lo que Dios quiera; La mejor espigadera, La cautela de la amistad...*

Entre los autos: *El divino Isaac, El provecho para el hombre, El premio de la limosna y Rico de Alejandría.*

Abundan los manuscritos de Godínez en la Biblioteca Nacional de Madrid.

V. CASTRO, Adolfo: *Noticias del doctor Felipe Godínez*, en *Mem. Acad. Esp.*, VII, 277.—MENÉNDEZ PELAYO, M.: *Heterodoxos españoles*, II, 618.

GODOY, Lucila (v. «Mistral, Gabriela»).

GODOY Y SALA, Ramón de.

Poeta y dramaturgo español. Nació—1867—y murió—1917—en La Coruña. Desde casi niño, se dedicó al periodismo en su ciudad natal. A los veinte años se trasladó a Madrid y fue redactor de *Vida Nueva* y la *Correspondencia de España*. Más tarde publicó sus versos en *Nuevo Mundo, Mundo Gráfico, Por Esos Mundos, La Esfera...*, llamando poderosamente la atención por su lirismo musical, iluminado de simbolismo, y de los eternos valores y anhelos hispánicos.

Ramón de Godoy era un poeta fecundo, sonoro, de una imaginación poderosa y de

G

una finísima sensibilidad, con cierta influencia rubeniana, que fue diluyendo en su admiración por los poetas españoles del siglo XVII.

En la escena consiguió triunfos muy grandes que le calificaron como uno de los paladines del teatro poético español contemporáneo.

Obras: *Aspiraciones*—poesía, 1901—, *El eterno burlador*—drama, 1915—, *La tizona* y *La quimera*—dramas, 1915 y 1916, en colaboración con López de Alarcón—, *En el camino*—comedia, 1917—, *Los jácaros*—comedia premiada por el Ayuntamiento de Madrid, 1917—, *El viaje entretenido*—comedia—, *La canción sin esperanza*—drama, 1917...

GOICOECHEA, Ramón Eugenio de.

Poeta y novelista español. Nació—1922—en Bilbao. Desde muy joven empezó a publicar poemas y narraciones en revistas minoritarias en Madrid y Barcelona. Contrajo matrimonio con la novelista Ana María Matute. Su popularidad entre las minorías literarias fue anterior a la publicación de sus novelas.

Obras: *Dinero para morir*—Barcelona, 1958—, *El pan migado*—Barcelona, 1958—, *Memorias sin corazón*—Barcelona, 1959.

GOMARA, Francisco López de (v. López de Gomara, Francisco).

GÓMEZ, Valentín.

Novelista, poeta, dramaturgo y periodista español. Nació—1843—en Pedrola (Zaragoza). Murió—1907—en Madrid. Estudió Filosofía en Zaragoza y Leyes en Madrid. En esta ciudad se dedicó al periodismo, entrando a formar parte de la Redacción del diario tradicionalista *El Pensamiento Español*. Diputado a Cortes en 1871. Fundador de *La Reconquista*, tribuna vibrante del carlismo. Director de *El Cuarto Real*, órgano oficial del pretendiente Carlos VII. Académico —1905—de la Real Española de la Lengua. Valentín Gómez fue un excelente escritor, al que, acaso, faltó *personalidad* que hiciera de su obra copiosa un exponente vivo de las letras españolas.

Obras: *Los liberales sin máscara*—1870—, *La paloma blanca*—novela, 1873—, *Felipe II. Estudio crítico*—1879—, *La caza de una orquídea*—viaje novelesco al interior del Yemen, 1887—, *Harmonías cristianas*—estudios religiosos, sociales y literarios, 1888—, *El señor de Calcena*—novela, 1889.

Y las producciones teatrales: *La dama del rey*—1877—, *La comedia del amor* —1879—, *Un alma de hielo*—1881—, *La flor del espino*—1882—, *El celoso de sí mismo* —1882—, *Crecerse al hierro*—1883—, *El sol-*

dado de San Marcial*—1884—, *El perro del Hospicio, El mayordomo, El miércoles de Ceniza, La hija del réprobo*...

Para sacar del olvido injusto en que estaban los escritos de Valentín Gómez, la editorial madrileña Fax ha editado—1946—en un volumen lujoso las obras de este escritor católico.

GÓMEZ APARICIO, Pedro.

Periodista, narrador, historiador. Nació —1903—en Madrid. Licenciado en Filosofía y Letras por la Universidad de Madrid. Alumno de la primera Escuela de Periodismo, fundada en Madrid—1926—por la editorial Católica *El Debate,* diario este del que fue redactor Gómez Aparició. Director durante algunos años de *El Ideal Gallego,* de La Coruña. Jefe de la Prensa Nacional en Salamanca durante la guerra española de Liberación, y primer subdirector de la agencia periodística EFE, fundada—octubre de 1938—en Burgos. Presidente de la Asociación de la Prensa entre 1963 y 1967. Profesor de la Escuela de Periodismo de *El Debate.* Titular de la cátedra de Historia general del Periodismo español en la Escuela Oficial de Periodismo de Madrid. En la actualidad—1970—, director de la *Hoja del Lunes,* de Madrid. Editorialista político de diarios y revistas.

Obras: *A Bilbao (La campaña de Vizcaya), El idilio de Peporro*—novela—, *¡Bendita tú!* —comedia—, *Hacia una nueva guerra: ¿Una tercera guerra universal?*—1951—, *El Oriente Medio, encrucijada del mundo*—1952—, *Historia del periodismo español (1661-1868), Historia del periodismo español (1868-1902).*

GÓMEZ DE AVELLANEDA, Gertrudis.

Gran escritora, poetisa, novelista y dramaturga. 1814-1875. Nació en Puerto Príncipe (Cuba), pero desde muy niña residió en España, donde publicó sus primeras poesías y fue muy ensalzada por los mejores poetas, sus amigos: Quintana, Gallego, Frías, Espronceda, Zorrilla, Tassara, Bretón de los Herreros... Estuvo casada dos veces; pero su pasión amorosa, no correspondida, fue el sevillano Ignacio de Cepeda—o Gabriel García Tassara, según creen otros críticos—. Fue públicamente coronada en la Habana —1860—. Y murió en Madrid. Tal vez un tanto exagerando, don Juan Valera proclamó a la Avellaneda la mejor poetisa de los tiempos modernos, únicamente comparable a las Safos y Corinnas de la antigüedad clásica, superior a la misma deliciosa Victoria Colonna, marquesa de Pescara. Pero, indiscutiblemente, la Avellaneda fue una magnífica poetisa romántica.

En la extensa obra poética de esta mujer singular no es raro encontrar las poesías graves, enfáticas y hasta retóricas que *huelen* a neoclasicismo. Pero en estas poesías *no está* la auténtica Avellaneda. Son entrenamientos juveniles, cuando aún no han llegado a su alma y a su corazón los "efluvios deletéreos" de la época. La pasión no correspondida arroja a la poetisa a su verdadero clima, la hace vibrar en la justa temperatura. Sí; el desaliento, la desesperación byroniana, el hastío que la inspiran, nacen de esta pasión mal pagada. Por esta pasión, la Avellaneda se siente subjetiva, íntima. Y cuando esta pasión se ha convencido de su fracaso irremediable, la lleva a la segunda faceta de su lírica, igualmente íntima: la religiosa.

Por el amor profano y por el amor divino se hará la Avellaneda río grande, impetuoso, de lo romántico. Claro está que en esta especie de misticismo poético se encuentran no pocos posos del antiguo sensualismo inmensamente femenino. Cuando su famoso *Miserere*, exclama:

> ¡Tú eres, Señor, amor y poesía!
> ¡Tú eres la dicha, la verdad, la gloria!
> ¡Todo es, mirado en Ti, luz y armonía!
> ¡Todo es, fuera de Ti, sombra y escoria!...

se entiende muy a las claras que aún le duelen espantosamente las entrañas por haber creído que la luz y la armonía, que la verdad y la gloria, que la poesía y el amor eran... ¡un hombre! La Avellaneda manejó el verso castellano con una flexibilidad y con una riqueza de sonoridades y de tonos que muy pocos poetas de su tiempo consiguieron. Apenas si se encuentran en sus poesías prosaísmos ni afectaciones. Su femineidad le da una ventaja innegable para escoger las frases más delicadas y melódicas. Son patentes en ella las influencias de Lamartine y de Hugo, a quienes tradujo.

De su producción lírica destacan: *La Cruz, A la Ascensión, A El, Los Reales Sitios, La noche de insomnio, Juventud, Ley es amar, Amor y orgullo, Paseo por el Betis, A Dios.*

Sus versos líricos se publicaron en 1841 y 1851. Sus *Obras literarias*, en 1869.

Como novelista, destaca la Avellaneda en sus cuentos y leyendas más que en las novelas, no llegando nunca su prosa a la altura de sus versos.

Cultivó también el teatro romántico—con ciertas reminiscencias neoclásicas—, en el que logró muchos éxitos, y que se distingue por la grandeza de sus temas, por el vigor del estilo, por su corrección y buen gusto en el desarrollo de la acción.

Obras teatrales: *Alfonso Munio*—1844—, *El príncipe de Viana*—1844—, *Egilona* —1845—, *Saúl*—1849—, *Recaredo*—1850—, *Baltasar*—1858—, *Hortensia, Errores del co-*

razón, La hija de las flores, La hija del rey René, La sonámbula, La verdad vence, Simpatía y antipatía...

Novelas: *Dos mujeres, Sab, Espatolino y Guatimotzín.*

Leyendas: *La bella Toda, La balada del helecho, La ondina del lago azul, La dama de Amboto, La baronesa de Youx, El ama blanca, El artista barquero, La flor de ángel*...

V. Aramburu y Machado: *La Avellaneda. Su personalidad literaria*. Madrid, 1898.— Cruz de Fuentes, L.: *La Avellaneda*. Huelva, 1907.—Chacón y Calvo, José María: *Literatura cubana*. 1922.—Cotarelo, Emilio: *La Avellaneda y sus obras*, en *Boletín de la Academia Española*. 1928.—López Argüello, A.: *La Avellaneda y sus versos*. 1928.— Figarola Caneda, D.: *Gertrudis Gómez de Avellaneda*. Madrid, 1929.

GÓMEZ DE BAQUERO, Eduardo, «Andrenio».

Gran prosista, ensayista y crítico literario español. Nació—1866—en Madrid. Y en Madrid—1929—murió. Doctor en Filosofía y Letras y en Derecho por la Universidad Central, de Madrid. Periodista desde los veinte años, muy pronto llamaron la atención sus ensayos de historia social y religiosa, publicados en la *Revista de España*. Ejerció algunos años la abogacía, pronunciando interesantes conferencias jurídicas en la Academia de Jurisprudencia y Legislación. Colaborador asiduo y preferente de innumerables diarios y revistas... *La Epoca, El Imparcial, El Sol, La Vanguardia*—de Barcelona—, *Nuevo Mundo, La Esfera, Mundo Gráfico, España Moderna, Nuestro Tiempo, Ilustración Española y Americana, Caras y Caretas*—de Buenos Aires...

Durante más de treinta años, Gómez de Baquero, más conocido por el seudónimo gracianesco de "Andrenio", ha publicado miles y miles de artículos literarios llenos de enjundia, de sutileza, de elegancia espiritual—tocada de comprensivo escepticismo—, y escritos "de guante blanco", en un estilo diáfano y en una prosa inigualable de casticismo y de tersura; artículos tan variados, tan sugestivos, que, al pasar revista *a todo*, con tanta competencia como amenidad, constituyen un magnífico documento para la historia de las ideas en España entre 1895 y 1929.

Modelos del género son sus críticas literarias, nunca virulentas, siempre correctas, adecuadas y justas, siempre pletóricas de ideas y de sugestiones, nunca delatoras de mala pasión. El espíritu de Gómez de Baquero estuvo ungido por la serenidad más absoluta, asistido por la cultura más vasta, movido por la nobleza más fecunda. "An-

G

drenio" empareja dignamente con "Clarín".
Es el Sainte-Beuve español. Académico
—1924—de la Real de la Lengua.
Obras: *Letras e ideas*—Barcelona, 1905—,
Aspectos. *Diálogos filosóficos y comentarios
de costumbres*—París, 1909—, *Escenas de la
vida moderna*—Madrid, 1913—, *Novelas y
novelistas*—crítica, 1918—, *Soldados y paisajes de Italia*—Madrid, 1918—, *El valor de
amar*—cuentos, 1923—, *Cartas a Amaranta*
—Madrid, 1924—, *El renacimiento en la novela del siglo XIX*—Madrid, 1924—, *Guignol*
—1929—, *Pen Club*—1930—, *El triunfo de la
novela*—discurso de ingreso en la Academia
Española, 1924—, *Pirandello y Compañía*
—1928—, *Nacionalismo e hispanismo, De Gallardo a Unamuno*.

GÓMEZ CARRILLO, Enrique.

Ilustre prosista y cronista español. Nació
—1873—en Guatemala. Murió—1930—en París. Hijo de padre español y madre francesa.
Desde los doce años se acostumbró a vivir
en París. No estudió disciplina alguna, siendo, pues, un verdadero autodidacto. Su cultura se inició mientras colaboraba en la
redacción del *Diccionario Enciclopédico* de
la editorial Garnier, en la capital de Francia. Corresponsal—1898—en esta ciudad de
El Liberal, de Madrid. Director de este gran
diario en 1916. Cronista—el más admirado—
de *A B C*, de Madrid, desde 1925; de *La Razón*, de Buenos Aires, y del *Diario de la
Marina*, de la Habana. En 1917 obtuvo el
"Premio Montyon", de la Academia Francesa
—único que se da a obras traducidas—, con
su libro *En el corazón de la tragedia*.

Gómez Carrillo vivió una existencia magnífica de amoríos, desafíos, opulencias, bohemia dorada, viajes por todo el mundo.
En el fondo era un escéptico, lleno de melancolía. Su prosa, brillante y vivísima, refleja su vida maravillosa. El estilo de Gómez Carrillo es tan suyo, que acaso no
tenga precedente ni igual en la literatura española y en el género de *crónica...* Sensibilidad exquisita, cultura muy honda, refinamiento literario. Gómez Carrillo sugestiona
al lector inolvidablemente.

Casi todas sus obras están traducidas a la
mayoría de los idiomas europeos.

Entre ellas destacan: *Flores de penitencia, El evangelio del amor, Safo, Friné y
otras seductoras; La Grecia eterna, Japón
heroico y galante, Jerusalén, Vida errante,
La sonrisa de la Esfinge, El encanto de Buenos Aires, Campos de batalla, Bohemia sentimental, En plena bohemia, Tres novelas
inmorales, Vistas de Europa, Los labios ahu-
mados, La moda y Pierrot, El misterio de la
Mata-Hari, Las cien mejores obr.: de la
literatura universal, La nueva liter.tura fran-*

cesa—1927—, *Fez, o La nostalgia andaluza,
Literaturas exóticas*.

En Madrid, entre 1923 y 1926, se publicaron en la editorial Mundo Latino las *Obras
completas* de Gómez Carrillo, de las que llegaron a salir veintiséis tomos, sin que agota-
ran, ni mucho menos, su producción literaria.

GÓMEZ DE CASTRO, Alvar.

Humanista español. 1523-1590. Nació en
Toledo. Fue profesor de griego y de latín
en el Colegio de San Ildefonso, de Alcalá de
Henares, y en su ciudad natal. Compuso idilios, poemas y epigramas latinos de gran
mérito. Ayudado por el eruditísimo Pedro
Chacón, y por orden de Felipe II, preparó
magníficamente la edición de las *Etimologías* de San Isidoro de Sevilla, obra que salió, injustamente, a nombre del canónigo
calagurritano Juan Grial.

Su obra magistral es la titulada *De rebus
gestis a Francisco Ximenio, Cisnerio, Archi-
episcopo Toletano*—Alcalá, 1569—, que según la crítica, es la mejor historia que existe,
hasta hoy, del cardenal Cisneros.

Otras obras: *Edillia o Poematia*—Lyon,
1558—, *Publica Laetitia, qua D. Joannes M.
Silicaeus... ab Schola Complutensi susceptus
est*—Alcalá, 1546—, *Las fiestas con que la
Universidad de Alcalá... alçó los pendones
por el Rey D. Phelipe N. S.*—Alcalá, 1556—,
*Recebimiento que la Universidad de Alcalá
hizo a los Reyes*—Alcalá, 1560—, *In S. Isidori Origines*—1599...

V. CATALINA GARCÍA, J.: *Ensayo de una bi-
bliografía complutense*. Madrid, 1889.—FER-
NÁNDEZ DE RETANA, Luis: *Cisneros y su siglo*.
Madrid, 1929, dos tomos.

GÓMEZ DE CIUDAD REAL, Alvar.

Poeta y prosista español de mucho interés. Nació—1488—probablemente en Ciudad
Real. Murió—1538—en Toledo. Muy pocos
datos se tienen de su vida. Fue soldado y
asistió a la famosa batalla de Pavía. Desde
los cuarenta años se dedicó por completo a
la literatura. Su nombre figura en el *Catálogo de autoridades* de la Real Academia.
Obras: *El vellocino dorado y la historia
de la orden del tusón...*—Toledo, 1546—, *Sátiras morales, compuestas en arte mayor y
redondillas...*—en la "Primera parte del Tesoro de la divina poesía...", de Villalobos,
1587—, *Triunfo del amor*—en la "Diana",
de Montemayor, Lisboa, 1565—, *De las tres
Marías*, y otras varias obras en latín.

GÓMEZ DE CIUDAD REAL, Fernando.

Notable literato español del siglo XV. Nació—¿1408?—en Ciudad Real. Murió en la
misma ciudad en 1457. Médico de cámara

del rey Don Juan II, cuyos favores gozó siempre. Su nombre figura en el *Catálogo de autoridades del idioma,* publicado por la Real Academia Española.

Escribió muchas obras de Medicina y una inapreciable colección de cartas, titulada *Centón circular del bachiller Fernán Gómez, médico del muy poderoso y sublime rey Juan II,* publicada en el tomo XIII de la "Biblioteca de Autores Españoles", de Rivadeneyra. Esta obra es más conocida por el *Centón epistolario.* Las cartas son 125; se refieren a un período de veintinueve años, y van dirigidas a los principales personajes del reinado de aquel rey erudito: Juan de Mena, Lope de Barrientos, Juan de Contreras... En el *Centón* son muy de tener en cuenta los aspectos histórico, genealógico y lingüístico. Históricamente, el *Centón* sigue paso a paso la *Crónica de Juan II,* equivocándose donde ella se equivoca. Genealógicamente alude y ensalza a muchas familias nobles, a las que para nada alude la *Crónica.* Lingüísticamente, abunda en italianismos, "incompatibles con el castellano auténtico del siglo XV", según ha observado Rufino J. Cuervo.

"El estilo de *Centón* es suelto y ágil, resultando un libro ameno y elegante, en el que se ha remedado con fortuna lo arcaico y castizo del castellano de la época supuesta..." (M. P.)

Porque hay que advertir que parte de la crítica literaria de hoy cree el *Centón* una superchería de casi dos siglos después, atribuyéndosela a Gil González Dávila—1647—o a Pellicer Ossáu y Tovar—1649—, que fueron los primeros en mencionar el *Centón.* Además, se afirma que no existió en Burgos, y en 1499, ningún impresor Juan Rey, editor del aludido *Centón,* y que los caracteres externos e internos del libro demuestran que es una imitación muy posterior.

V. CASTRO, Adolfo de: *Memoria sobre la ilegitimidad del "Centón" y sobre su autor verdadero.* Cádiz, 1857.—PUIGGARI, J.: *Nuevas observaciones sobre la legitimidad del "Centón",* en *Ilustración Española y Americana,* 1876, II, 51, 75.—PIDAL, Marqués de: *Opúsculos literarios,* en "Col. Escritores Castellanos".—COTARELO MORI, E.: *Apuntes acerca del Centón",* en *Revista Española,* 1900.

GÓMEZ DOMÍNGUEZ, Elías.

Nació—1917—en Orense. Ingresó en la Orden Mercedaria y cursó en sus Seminarios, doctorándose en Teología por las Universidades de Salamanca y Angelicum, de Roma. Es sacerdote. Pertenece al Instituto "Jerónimo Zurita", del Consejo Superior de Investigaciones Científicas; es miembro del Centro de Estudios de Espiritualidad de la Universidad de Salamanca. Director de la revista científica *Estudios.* Fue rector de Estudios en su Orden Mercedaria. Delegado de la Sagrada Congregación de Religiosos. Es asistente religioso de la Federación de Monjas Mercedarias. Ha escrito innumerables artículos en revistas científicas y de divulgación.

Obras: *El teólogo y asceta fray Juan Falconi de Bustamante* (1596-1638)—estudio monográfico, publicado por el Seminario de Historia Moderna, de la Universidad de Madrid, y la Escuela de Historia Moderna, del Consejo Superior de Investigaciones Científicas, Madrid, 1956—, *Camino derecho para el cielo*—edición crítica, introducción, etc., publicado como tercer volumen de *Espirituales españoles,* Barcelona, 1960—, *Las cartillas de fray Juan Falconi*—edición crítica, introducciones, notas, etc., publicado por Ediciones Rialp-Nebli, Madrid, 1961—, *El pan nuestro de cada día*—primer volumen de "Publicaciones del monasterio de Poyo", Madrid, 1961—, *Dos cartas históricas*—Madrid, 1965—, *La Madre Mariana de Jesús (Aportaciones a una biografía)*—Madrid, 1966.

GÓMEZ DOMINGO, Manuel («Rienzi»).

Escritor y periodista español, nacido en Valencia (Villanueva del Grao) el 5 de marzo de 1891. Murió—¿1956?—en Madrid. Desde muy joven sintió una desmedida vocación literaria, que le obligó a abandonar los estudios de ingeniero industrial para acogerse a la carrera de Leyes, que terminó en la Universidad de Madrid en 1915. Empezó su carrera periodística en *El Correo,* de Valencia, en 1911, del que fue redactor-jefe meses después. Secretario de la Academia Jurídica de Valencia, su discurso de apertura de curso, en sesión presidida por don José Canalejas, a la sazón presidente del Consejo de Ministros, y que versaba acerca del moderno Derecho gremial, mereció la atención del citado hombre de Estado, que le ofreció un puesto de pasante en su bufete y una plaza en la Redacción del diario *La Mañana,* de Madrid, que aceptó, trasladándose a la capital del país en 1912. En Madrid trabajó en los más importantes diarios y revistas en calidad indistinta de redactor y colaborador, figurando entre aquellos *La Mañana, Diario Universal, La Jornada, Correspondencia Militar, Correspondencia de España, Estampa, Nuevo Mundo, As, Marca, La Vanguardia, Informaciones, La Voz y Madrid.* Siendo crítico de libros y de arte, en 1924, en plena dictadura, pasó de la *Correspondencia de España* a *Informaciones,* donde la abstención política de aquellos tiempos le llevó, provisionalmente, a hacer crítica de deportes, especialidad que ya no tenía que abandonar. En el deporte,

G

agazapado tras el seudónimo de "Rienzi", que pronto tendría que popularizar, creó un estilo de moderna crítica deportiva y alcanzó una destacada personalidad.

Escritor, no obstante, de ciertas inquietudes, con la formación de aquel Ateneo de Madrid de los Pérez de Ayala, Enrique de Mesa, Said Armesto, Díez-Canedo, Federico García Sanchiz y tantos otros, y curioso de todas las lecturas, se dedicó a diversos géneros literarios, publicando *La flauta encantada, Líquenes, De sol a sol y Raya en el agua,* todos volúmenes de versos; la novela *Niña Melo, Espejo cóncavo*—ensayos—, *De Zamora al rey Gaspar*—relatos deportivos—y dos libros de la guerra civil española, con los títulos de *¡Guerra!* y *Los bárbaros.* En el teatro estrenó las comedias *Luces de bengala* y *Porque sí* y *Gran revista* (opereta).

Escritor fácil, con mucha luz en su prosa, y de la fecundidad obligada en todo buen periodista.

GÓMEZ Y HERMOSILLA, José Mamerto.

Literato, crítico y helenista español. Nació—1771—y murió—1837—en Madrid. Doctor en Filosofía y Letras por la Universidad de Alcalá. Profesor de Griego y Retórica en los Estudios de San Isidro, de Madrid. Afrancesado, tuvo que vivir, emigrado, en Francia, de 1814 a 1820, durante el período constitucional.

Secretario—1821—de la Inspección General de Instrucción Pública. Su nombre ha sido incluido en el *Catálogo de autoridades* del idioma, publicado por la Real Academia Española. Fue gran amigo de Leandro Fernández de Moratín, otro afrancesado, a quien alabó con mengua de otros grandes escritores españoles.

Como retórico, tuvo Hermosilla un indiscutible valor, aun cuando este dependiera en parte de la crítica neoclasicista francesa del siglo XVIII y de los gustos literarios consiguientes. Como helenista, Hermosilla tradujo en verso la *Ilíada,* de Homero, sin fidelidad excesiva al texto ni grandes aciertos en el verso y en las características de tiempo y lugar, por lo que fue, y es, duramente censurada su versión. La erudición indiscutible de Hermosilla peca de indigesta y poco precisa.

Obras: *Arte de hablar en prosa y verso* —Madrid, 1826—, *El jacobinismo y los jacobinos, Principios de gramática general, Gramática analógica, Curso de crítica literaria.*

V. HURTADO Y PALENCIA: *Historia de la literatura española.* Madrid, 1943.—CEJADOR Y FRAUCA, J.: *Historia de la literatura española,* tomo VI.

GÓMEZ DE HERRERA, Rodrigo.

Poeta y dramaturgo español. Nació hacia 1580. Murió en 1641. Se tienen escasísimas noticias de su vida. Bachiller en Artes. Cervantes le alabó en su *Viaje del Parnaso,* y Lope de Vega, en su *Laurel de Apolo.*

Se conocen los títulos de más de veinte comedias suyas. Entre las cuales destacan: *El voto de Santiago, Batalla de Clavijo, El primer templo de España, El segundo obispo de Avila...*

Gómez de Herrera imitó cuanto le fue posible a Lope, de quien fue amigo, y aun le tomó temas, desenvolviéndolos con cierta originalidad. Sus versos adolecen, a veces, de culteranismo.

GÓMEZ DE LA HUERTA, Jerónimo.

Poeta, filósofo y erudito español. Nació —¿1568?—en Escalona (Toledo). Murió —1643—en Madrid. Estudió en la Universidad de Alcalá de Henares Humanidades y Filosofía, y en la de Valladolid, la Medicina. Durante varios años ejerció su profesión en la capital de España, en Valdemoro y en Arganda. Habiendo llegado a manos de Felipe II la traducción de los primeros libros de la *Historia Natural,* de Plinio, realizada con esmero singular por Gómez de la Huerta, pidió el monarca que compareciera ante él este médico erudito, y le rogó que continuara su versión, asignándole una cantidad remunerativa mientras realizara su trabajo. En 1624, Felipe IV nombróle médico de cámara, destino que desempeñó hasta su muerte. Su nombre está incluido en el *Catálogo de autoridades* del idioma, publicado por la Real Academia Española.

Científicamente, Gómez de la Huerta, con una labor profunda, contribuyó a destruir muchos errores y prejuicios de la época.

Literariamente, Gómez de la Huerta logró algunas obras dignas, a las que, si les falta el sello de la originalidad, les asisten numerosos rasgos y aciertos de lirismo un tanto culterano.

Obras: *El florando de Castilla, lauro de caballeros*—poema, Alcalá de Henares, 1588—, *Problemas filosóficos*—Madrid, 1628—, *De la precedencia que se debe a los reyes de España en presencia del Pontífice Romano...*

GÓMEZ LEDO, Avelino.

Nació en Chantada en el año 1895. En ese rincón de Galicia del que van huyendo las dos líneas férreas que parten de Monforte, como si temieran profanarle con sus estridencias, pasó su niñez entre el amor de una madre cristiana y la admiración hacia su padre, viejo hidalgo ejemplar, retirado de la milicia y consagrado a la lectura reposada y a la formación de su modesto hogar pacífico y sin agobios. Quedó huérfano a los siete años. El paisaje ejerció en su espíritu una atracción cósmica irrefrenable.

En 1907 vino a Madrid, con decidida vocación al sacerdocio. En su Seminario cursó toda la carrera de interno, con buen aprovechamiento y entusiasmo. Pronto se aficionó a la literatura, y comenzó desde la adolescencia a borrajear versos en los dos idiomas: gallego y castellano. Muchos se publicaron en periódicos y revistas de la región y se dieron a conocer en veladas literarias. De los gallegos, buena parte se coleccionó después en los libros *Romanceiro compostelano* y *Borreas*. Tradujo a Virgilio en versos galaicos, siendo el primero que inició la versión de un clásico de altura, demostrando con ello la perfección de una lengua medio olvidada o solamente utilizada en asuntos populares o jocosos. Alguna de sus composiciones en el idioma de Rosalía fue traducida después al italiano, alemán, francés y catalán.

En 1944 publicó *Templos serenos,* colección de ciento cincuenta y ocho sonetos castellanos, escritos en los ratos de serenidad durante su cautiverio en un batallón disciplinario, por los años 37 y 38. Otros trabajos literarios y filosóficos, junto con sus funciones parroquiales, anularon sus aficiones poéticas, siempre encendidas en el altar de su espíritu.

Ultimamente ha publicado una magnífica biografía del gran escritor gallego y sacerdote santo *Amor Ruibal*—Madrid, 1949.

GÓMEZ MANRIQUE.

Magnífico poeta y prosista español. ¿1412?-¿1490? La fama de las *Coplas* de Jorge Manrique ha tenido oscurecido el nombre de su tío Gómez Manrique con una injusticia manifiesta. Así escribe Menéndez Pelayo acerca de esta anomalía: "Al revés de Jorge Manrique, en cuyas restantes poesías nada hay que la crítica más benévola pueda considerar como digno del autor de la elegía a la muerte de su padre, nos quedan de Gómez Manrique más de un centenar de composiciones de todos géneros y estilos, entre las cuales son las menos las que pueden desecharse como insignificantes o débiles, y muchas las que, en relación con el arte de su tiempo, pueden calificarse de magistrales, y apenas ceden la palma a ninguna de las que antes del período clásico se compusieron. Tomada en conjunto su obra lírica y didáctica, Gómez Manrique es el primer poeta de su siglo, a excepción del marqués de Santillana y Mena. Su sobrino, que es de su escuela y que manifiestamente le imita,

tuvo un momento de iluminación poética, en que le venció a él y venció a todos..."

Poeta, orador, político, caballero leal y esforzado, personaje de mucha y digna cuenta en los reinados de Enrique IV y de los Reyes Católicos, Gómez Manrique nació en Amusco, de tierra de Campos, siendo quinto hijo del adelantado mayor del reino de León, don Pedro Manrique, y de doña Leonor de Castilla, nieta de Enrique II. De genio suave, conciliador y justo, fue nombrado árbitro de no pocas contiendas y de casos muy graves. Con su hermano mayor, el conde de Paredes, penúltimo maestre de Santiago, tomó parte en veinticuatro acciones bélicas victoriosas. Como todos los Manrique, se puso del bando opuesto a Enrique IV y tomó el partido del infante don Alonso y luego de doña Isabel la Católica. Quedó herido en Maqueda —1441—; asistió al sitio de Cuenca—1449—; compareció al juramento de Toros de Guisando—1468—; recibió en sus manos el pleito homenaje de los príncipes Fernando e Isabel en Valladolid—1469—; fue elegido por don Fernando de Aragón para ir a desafiar a Toro—1475—al rey de Portugal; nombrado corregidor de Toledo y defensor del Alcázar, puertas y puentes contra el turbulento arzobispo Carrillo, se portó como bueno, y con elocuencia logró poner al descubierto las tretas arzobispales; reedificó el puente de Alcántara—1484—y defendió noblemente a los judíos toledanos; en 1490 fechó su testamento, ordenando que se ie diera sepultura en el monasterio de Santa Clara de Calabazanos, santa casa de la que su madre, ya viuda, había sido abadesa. Gómez Manrique murió probablemente en Toledo. Gran caballero y gran simpático, fiel a sus reyes y a sus ideales, se vanaglorió más de las armas que de las letras, encubriendo siempre con gran modestia su aprovechamiento en los estudios y su gran facilidad en versificar. Tanta facilidad, "que solía hacer en un día quince o veinte trovas sin perder el sueño ni dejar de hacer ninguna cosa de las que tenía en cargo". Y tan poca estima de sus obras, que la conservación de ellas se debe a su gran amigo y deudo don Rodrigo de Pimentel, conde de Benavente. Opina Cejador que el códice ornado e historiado y con la divisa de Gómez Manrique—una cabeza de laúd o violo con seis clavijas y esta letra: "No puede templar cordura lo que destempla ventura"—que poseyó la biblioteca particular del rey de España, pudiera ser el mismo que Manrique remitió a Pimentel, a petición de este.

La poesía de Gómez Manrique puede dividirse en lírica *menor* y en lírica *mayor*. Consérvanse de él 108 composiciones de discreteos amorosos, preguntas o requestas, fe-

G

licitaciones o estrenos y aguinaldos, jocosería y burlas. Las composiciones eróticas o de galantería, en típicas coplas de la escuela galaico-provenzal, y algunas de ellas de pie quebrado, son ayes y lamentaciones de quien mucho y bien ama, o románticos dejos de ausencias, como la titulada *Sentimiento de partida;* son también composiciones de graciosa alegoría—como *La batalla de amores*—, en la que el ingenio más delicado fluctúa entre el amor y la guerra: son madrigales que en punto de finura íntima nada tienen que envidiar a los más delicados renacentistas. Agiles de estrofas, ingeniosas de espiritualidad, son las *esparsas* de tipo provenzal. En las preguntas o requestas al modo trovadoresco—género poético ya en decadencia—se dirige a los poetas más célebres de la época: Torrellas, Juan de Valladolid, Rodrigo Cota, Alvarez Gato, Fernando de Ludueña, Pero Guillén, y derrocha en ellas no poco ingenio y una fórmula bien agradable para hallar panaceas morales. Sorprendentes efectos y gracias sutiles logró Manrique al tratar sencillos asuntos cotidianos, de ambiente familiar o doméstico, originados por circunstancias diversas; así: *Momos* al nacimiento del infante don Alonso o de un sobrinito suyo; la *petición* a su tío el marqués de Santillana de un cancionero de obras suyas; *loores* a doña Isabel de Urrea, a mosén Joan, truhán y bufón de su hermano, el conde de Treviño; *estrenas* de Navidad, a modo de aguinaldos, dirigidas a personas queridas; *cancioncillas* religiosas puestas en boca de seres a los que guardaba una singular predilección: la infanta doña Isabel, sus hermanos los condes de Paredes de Nava; su esposa, doña Juana de Mendoza. Menos acierto tiene el poeta en las poesías satíricas o burlescas; y es que su carácter, grave y filosófico, *no casa* con la modalidad agresiva; carece de humorismo personal; quiere imitar a Montoro y queda muy por bajo de él. Pero el máximo valor poético de Gómez Manrique se halla en sus poemas de cierta extensión y fundamentalmente elegíacos y políticos, compuestos en la misma serie de coplas —con pie quebrado o sin él—que caracterizan la métrica galaica y provenzal y precedidos generalmente de un proemio o exordio en prosa, en el que razona el fundamento y contenido de la obra que sigue. En estos poemas de lírica *mayor* es donde se patentizan la serena grandeza y las preocupaciones filosóficas del alma del poeta.

Los *Consejos* a Diego Arias Dávila, contador de Enrique IV, la mejor poesía de Gómez Manrique, noble y filosófica lección acerca de la inestabilidad de las grandezas humanas y de la mentecatez de la vanidad del mundo, fueron la fuente inmediata de las famosísimas *Coplas* de Jorge Manrique; las *Coplas del mal gobierno de Toledo*—glosadas después por el doctor Pedro Díaz de Toledo—abundan en certerísimas alusiones políticas, a las cuales quitan toda aspereza la rima fácil y las imágenes felices; sencillo y elegante es el *Regimiento de príncipes*, doctrinal de buen gobierno, dedicado a los Reyes Católicos; la *consolatoria* a doña Juana de Mendoza, "su muy amada mujer", camarera mayor de la reina doña Isabel, endereza razones sutiles, apoyadas en la ley natural y en la fe católica; la *Defunción del noble caballero Garci Laso de la Vega*, sobrino del marqués de Buitrago, le arranca fervorosas lástimas, expresadas con una honda ternura. Al acaecer, en 1458, la muerte del marqués de Santillana, inspirándose en la elegía de este a mosen Jordi de Sant Jordi, escribió Gómez Manrique *El planto de las virtudes y Poesía por el magnífico señor don Iñigo López de Mendoza*, canción alegórico-dantesca llena de bellísimas comparaciones, en las que el poeta muestra su exaltada imaginación y la finura de sus pinceladas coloristas.

Es notabilísima en la historia del arte dramático español su *Representación del Nacimiento de Nuestro Señor*, hecha para el monasterio de Calabazanos—próximo a Palencia—, donde estaba su hermana María Manrique. Su asunto es el nacimiento de Jesús y la adoración de los Reyes. Rebosa ternura, honda emoción. Su arquitectura teatral primitiva es perfecta. Posee la melancolía exquisita, el arte detallista de un cuadro de Botticelli. La plástica de su conjunto resulta insuperable. Y carece de las irreverencias de los *misterios* franceses. Algo se le parecen las *Lamentaciones fechas para Semana Santa*, diálogo entre la Virgen, San Juan y la Magdalena, que no carece de atractivos de fondo y de primores de forma.

Con el códice de la Biblioteca Real y el de la Nacional—más antiguo aquel, pero falto de folios—preparó Paz y Meliá el *Cancionero de Gómez Manrique*, publicado—1885—en Madrid. Volvió a editarlo Foulché-Delbosc en el tomo II del *Cancionero castellano del siglo XV,* recogido en la "Nueva Biblioteca de Autores Españoles".

V. MENÉNDEZ PELAYO, M.: *Antología de la poesía lírica española.* Tomo VI.—ARCO, Juan María del: *Los Manrique.* Madrid, 1899.—ENTRAMBASAGUAS, Joaquín: *Los Manrique.* Zaragoza. Edición Ebro. 1941.—FOULCHÉ-DELSBOSC: *Cancionero castellano del siglo XV.* "Nueva Biblioteca de Autores Españoles", II.—PAZ Y MELIÁ: Edición del C. C. Madrid, 1885.—SCHACK, Conde de: *Historia del arte dramático en España,* I.—VAL-

BUENA PRAT, Angel: *Literatura dramática española.* Barcelona, Col. Labor, núms. 258 y 259.—SAINZ DE ROBLES, F. C.: *Historia y antología del teatro español.* Madrid, Aguilar, 1943, tomo I.—DÍAZ-PLAJA, Guillermo: *Historia de la poesía española.* Barcelona, 2.ª edición. Edit. Labor, 1948.—SAINZ DE ROBLES, Federico Carlos: *Historia y antología de la poesía española (en lengua castellana).* Madrid, Aguilar, 2.ª edición, 1951.

GÓMEZ DE LA MATA, Jacinto Germán.

Nació en Madrid el 11 de septiembre de 1888, hijo de un médico madrileño con abolengo manchego y de una señora perteneciente a antigua familia toledana. Murió —1964—en Madrid. Desde muy niño, escribió versos, y después de estudiar el bachillerato, a los dieciocho años ingresó por oposición en una corporación del Estado, contrariando la voluntad de sus padres, que preferían para él una profesión liberal, como la de su hermano mayor, médico así mismo. Su propósito era adquirir cierta pequeña independencia económica para dedicarse a la literatura en sus horas libres. Treinta años más tarde, con una categoría considerable ya, perdería este empleo por razones de orden ideológico y político.

Colaboró en los principales diarios y revistas españoles e hispanoamericanos y en algunos extranjeros. Ha traducido a muchos novelistas franceses, entre ellos Paul Bourget y J.-K. Huysmans, dando a conocer aquí a Francis de Miomandre y Henri Duvernois, que fueron entonces dos verdaderas revelaciones para el público español; también tradujo *El futurismo,* del poeta italiano Marinetti, creador del movimiento literario que tanto dio que hablar en su tiempo; hizo una versión íntegra de *El Decamerón,* de Boccaccio, y puso en castellano las célebres versiones de los clásicos griegos, debidas al poeta francés Leconte de Lisle. En 1923 se marchó a París, residiendo siete años allí, desde donde enviaba correspondencias literarias a España y América. Por lo que atañe a su obra personal, ha publicado *Orquídea*—novela, 1910—, *Mariposa*—novela, 1911—, *Muñecas perversas*—cuentos, 1915—, *La que llegó tarde*—novela, 1921— y *Las esfinges*—novela, 1923—; sin recoger en volumen sus novelas cortas, poesías, cuentos, ensayos y demás trabajos aparecidos en publicaciones periódicas. Se han traducido algunas producciones suyas al francés y al holandés.

Ha escrito un admirable *Estudio* para las *Obras completas* de Ibsen, que ha publicado la Editorial Aguilar, de Madrid, 1952. Es la crítica más certera que se ha publicado en España acerca del genial dramaturgo.

GÓMEZ MESA, Luis.

Nació en Madrid el 28 de marzo de 1902. Desde muy niño ha sentido una gran vocación por la literatura. Escribió entre los quince y veinte años novelas y obras teatrales, que ha preferido romper. Atraído por la novedad como tema por el cine, en 1921 empezó a escribir comentarios sobre este espectáculo. Ha cursado estudios en la Universidad de Madrid, y es licenciado en Derecho. Sus primeros trabajos de crítica y orientación sobre cine los publicó en revistas de Barcelona—*El Cine, El Mundo Cinematográfico*—dedicadas a esa especialidad. En 1931 se le nombra crítico cinematográfico de Unión Radio, de Madrid. Colabora en diversos diarios y revistas españolas: *A B C,* de Madrid; *Cinelandia,* de Hollywood; *Revista Internacional de Cinema Educativo,* de Roma... Y es director, en Madrid, de *Popular Film.* Crítico de *La Caceta Literaria,* interviene en la organización del Cineclub. Y luego ha participado directamente en todas las entidades de esta clase: Cinestudio 33, Geci (Grupo de Escritores Cinematográficos Independientes)... Ha visitado Francia e Italia. Y entre otros cargos, ha desempeñado el de tesorero del Congreso Hispanoamericano de Cinematografía, celebrado en Madrid en octubre de 1931; vocal del Comité Español de Cinema Educativo, afecto a la Sociedad de Naciones; presidente de la Sección de Cine del Aula de Cultura, de Madrid; secretario del Círculo de Escritores Cinematográficos. Ha desarrollado una amplia labor de crítico cinematográfico. Actualmente ejerce esta actividad en Radio Madrid y en *Ya.* Autor de libros, también ha dado varias conferencias. Ha ejercido la crítica teatral, e intervino en el Ciclo teatral del Aula de Cultura del año 1944. Ha escrito obras de teatro radiofónico, y tiene estrenadas en Madrid *¡Usted es el ladrón!* y *Por ahora, no.*

Libros: *Los films de dibujos animados* —C. I. A. P., 1930—, *Cinema educativo y cultural*—Instituto Cinematográfico Iberoamericano, 1931, Madrid—, *Variedad de la pantalla cómica*—una gran clase de cinema, Editorial Atlántico, 1932, Madrid—, *Necesidad de una cinematografía hispánica*—Geci, 1936, Madrid—, *Autenticidad del cinema* —1936, Geci, Madrid—, *España en el mundo sin fronteras del cinema educativo*—Unión Iberoamericana, 1935, Madrid—, *Veinticinco años de cine español*—Orión, 1947, Madrid.

GÓMEZ NISA, Pío.

Poeta español. Nació—1925—en Sevilla. Desde niño reside en Melilla, donde hizo sus estudios. En unión de un grupo de jóvenes escritores se dio a conocer con recitales,

G

conferencias y charlas por radio. Colaborador asiduo de la revista larachense *Al-Motamid;* en ella publicó sus primeros poemas. En el año 1949 fundó la revista *Manantial,* que actualmente dirige en unión de Jacinto López Gorgé. No ha publicado libro alguno hasta el momento, pero tiene inéditos dos: *Melilla en el aire*—canciones—y *Poemas de la amistad de la noche.* "Premio Boscán", 1954. *Elegía por uno.*

Actualmente trabaja en otro, titulado *Hombre mágico.*

V. SAINZ DE ROBLES, F. C.: *Historia y antología de la poesía española.* Madrid, M. Aguilar, 1951, 2.ª edición.

GÓMEZ PEREIRA.

Humanista, filósofo y médico español. 1500-1560. Nació en Medina del Campo. Su verdadero nombre fue Gómez. Estudió en Salamanca Filosofía y Medicina. Ejerció su profesión de médico en varias ciudades de Castilla—Medina, Burgos, Segovia, Avila—hasta que Felipe II le llamó para que asistiera a su hijo el príncipe don Carlos. Su ciencia fue soberana. Fueron sus mayores odios el dogmatismo y la rutina. Y el rasgo principal y motor de su carácter fue la audacia de su pensamiento. En Medicina se mostró adversario de Galeno, y en Filosofía se inclinó por los nominalistas. Genuino renacentista, Gómez Pereira se sintió atraído por las nuevas ideas y por los nuevos métodos. "En no tratándose de cosas de religión—dijo reiteradas veces—, no me rendiré al parecer y sentencia de ningún filósofo, si no está fundado en razón."

Una de sus más originales y audaces teorías fue la denominada del *automatismo de las bestias,* defendida contra la opinión general, que creía en el *alma sensitiva de los animales.* Descartes se apropió esta doctrina, siendo por ello acusado de plagiario por Huet y por Bayle. Para Gómez Pereira, el conocimiento no es cosa distinta de la facultad de conocer, ni esta es cosa distinta del alma. Negó la distinción real entre las facultades sensitiva e intelectiva. Defendió la teoría del conocimiento directo y combatió la hipótesis escolástica de las especies inteligibles.

Como filósofo, se ha inmortalizado con su *Antoniana Margarita. Opus nempe physicis, medicis ac theologis non minus utile quam necessarium*—Madrid, 1554—, cuyo título es un homenaje a sus padres Margarita y Antonio. La obra, llena de audaz originalidad, es un monumento clásico de la ideología filosófica de España, caracterizada por la independencia de pensamiento.

Gómez Pereira merece el calificativo honrosísimo de precursor de Descartes. Su frase *Nosco me aliquid noscere, et quidquid noscit est, ergo sum,* recuerda bastante el cartesiano *cogito, ergo sum.*

V. CUEVAS ZEQUEIRA, S.: *L. Vives, Fox Morcillo y Gómez Pereira.* La Habana, 1917.—MENÉNDEZ PELAYO, M.: *La "Antoniana Margarita" de Gómez Pereira.* En "La Ciencia Española", tomo II.—BULLÓN, Eloy: *Los precursores de Bacon y Descartes.* Salamanca, 1903.—GUARDIA, J. M.: *Philosophes espagnols: Gómez Pereira,* en *Revista Philos.,* 1889.—ALONSO CORTÉS, N.: *Gómez Pereira y Luis de Mercado,* en *Rev. Hisp.,* 1914.

GÓMEZ DE QUEVEDO VILLEGAS, Francisco (v. Quevedo Villegas, Francisco).

GÓMEZ RESTREPO, Antonio.

Poeta, prosista, historiador de mucho mérito. Nació—1869—y murió—1947—en Bogotá (Colombia). Estudió Humanidades en el Colegio Mayor del Rosario. A los quince años sostuvo brillantemente su primera polémica con uno de sus maestros. Doctor en Derecho. Ministro de Colombia en España, Perú y Méjico. Académico correspondiente de las Reales Españolas de la Lengua y de la Historia. Embajador extraordinario de su patria en muchos negocios de extraordinario interés. Senador. Ministro de Instrucción Pública y de Relaciones Exteriores. Subsecretario del Gobierno. Catedrático de Derecho internacional y de Literatura en la Universidad de Bogotá. De una simpatía arrolladora. Gran caballero. Espíritu delicado. De finísima sensibilidad y cultura portentosa.

Sus estudios críticos sobre Caro, el padre Coloma, Heredia, Carducci, Sully Prudhome, Rodó, Ricardo León, Menéndez Pelayo y Andrés Bello le alcanzaron un prestigio excepcional. Ha impreso una huella intelectual y espiritual decisiva en varias generaciones de juristas, políticos y literatos colombianos. Verdadero maestro de ideas fecundas y resoluciones humanas.

"La amplitud del gusto, la ponderación del juicio y el innato sentido artístico le convierten, como crítico, en uno de los más serios y maduros. Tiene, así mismo, el don de la prosa suelta, castiza y bella. Muchos le encuentran superior a Rodó, como artista, y a Groussac en el magisterio crítico." (Leguizamón.)

Obras: *Ensayos sobre los estudios críticos de Rafael M. Merchán*—Bogotá, 1886—, *Ecos perdidos*—poesías, París, 1893—, *Discursos, Literatura colombiana, Historia de la literatura colombiana*—1938, 1940...

V. RAMÍREZ, Virginio: *Bibliografía del doctor Antonio Gómez Restrepo,* en *Revista de Arte,* de Ibagué.—ARANGO FERRER, J.: *La literatura de Colombia.* Buenos Aires. Facultad de Filosofía y Letras, 1940.—Bayona Posada, N.: *Panorama de la literatura colombiana*. Bogotá, 1942.

GÓMEZ DE LA SERNA, Gaspar.

Ensayista, crítico, biógrafo y cronista español. Nació—1918—en Barcelona. Licenciado en Derecho por la Universidad de Madrid. Letrado de las Cortes Españolas—1945—por oposición. Inició su tarea literaria en 1940. Desde entonces ha colaborado en importantes diarios y revistas españolas: *A B C, Madrid, Arriba, El Español, Escorial, Finisterre, Revista de Estudios Políticos, Gaceta Ilustrada, Clavileño*... De esta última revista fue fundador y secretario. Jefe del Departamento de Cultura de Educación Nacional (1953-1956). Fundador y director del Círculo Cultural *Tiempo Nuevo* (1954-1956). Secretario general de la Universidad Internacional "Menéndez y Pelayo" (1953-1957). Fundador y director de las Jornadas Literarias por España desde 1954 hasta el día. Colaborador de la *Enciclopedia Americana*, de Nueva York. Primo del genial escritor Ramón Gómez de la Serna.

Obras: *Después del desenlace*—novela, Madrid, 1945—, *Libro de Madrid*—Madrid, 1949, "Premio del Ayuntamiento de Madrid"—, *Toledo*—Barcelona, 1953—, *España en sus episodios nacionales*—ensayos sobre la versión literaria de la Historia, Madrid, 1954—, *Viaje a las Castillas*—Los cuadernos de viaje: I, Madrid, 1957—, *Cuaderno de Soria*—Los cuadernos de viaje: II, Madrid, 1959—, *Cartas a mi hijo*—Madrid, 1961, "Premio 18 de Julio"—, *La pica en Flandes*—Los cuadernos de viaje: III, Madrid, 1963—, *Ramón, obra y vida*—Madrid, Taurus, 1963, Premio Nacional de Literatura "Menéndez y Pelayo"—, *Antología de Greguerías*, con una *Abreviatura de Ramón*—Salamanca, 1963—, *Castilla la Nueva*—Barcelona, 1964—, *Madrid y su gente*—Madrid, 1963—, *Del Pirineo a Compostela*—Madrid, 1965—, *Gracias y desgracias del Teatro Real*—Madrid, 1967—, *Goya y su España*—Madrid, 1969.

GÓMEZ DE LA SERNA, Julio.

Literato y traductor español. Nació—1896—en Madrid. Su educación primaria la recibió en Francia. Bachiller. Abogado. Domina el francés, el inglés, el portugués y el italiano. Ha vivido temporadas en París y en Londres. Fundó y dirigió desde 1929 a 1933, en Madrid, las Ediciones Ulises que dieron a conocer obras de los más prometedores literatos españoles.

Julio Gómez de la Serna tiene a gran orgullo haber sido un magnífico jugador de fútbol, defensa izquierdo y capitán de uno de los mejores equipos que ha tenido el Madrid C. de F. Gran amigo de los grandes literatos franceses: Malraux, Blaise Cendrars, Paul Morand, Mac Orland, Cocteau, cuyas obras ha traducido y dado a conocer en España. Ha dado numerosas charlas por radio y ha colaborado en incontables diarios y revistas.

Como traductor, es Gómez de la Serna un incomparable maestro. Cada una de sus versiones es una obra de arte auténtica. Gracias a él, el público español puede leer con absoluta fidelidad en el espíritu y en la forma a Oscar Wilde, Eça de Queiroz, Molière, D'Annunzio, Flaubert, Walt Whitman, Swinburne, Colette, Remy de Gourmont, Rodenbach...

Ha compuesto admirables piezas de teatro radiofónico; entre ellas, *Seis personajes en busca de micrófono*.

Es igualmente un excelente crítico. Tiene escrita la novela *Camino de ida*.

En 1964 le fue ofrecida la cátedra de Literatura (Edad Media y Romanticismo francés y español) en la Universidad de Puerto Rico.

Su cultura literaria es realmente excepcional. Sus conferencias en los Institutos Francés y Británico y en la Casa Americana de Madrid le han conseguido una reputación universal.

Es hermano del gran escritor Ramón Gómez de la Serna.

GÓMEZ DE LA SERNA, Ramón.

Uno de los más originales y sutiles escritores contemporáneos españoles. Novelista, cuentista, ensayista, biógrafo, dramaturgo... Nació—1888—en Madrid. Murió—1963—en Buenos Aires. Abogado a los diecisiete años. Pero no llegó a ejercer su profesión. El afán literario le absorbió. Ha viajado por Europa y América. Sus obras están traducidas en todos los idiomas. Disfruta de un enorme y justo prestigio universal. Ningún escritor actual le vence en fecundidad, pues ha publicado cerca de cien volúmenes. Y es sin disputa el ingenio literario que más y mejor ha influido en las modernas generaciones de literatos españoles.

"Gómez de la Serna es un magnífico ejemplo de producción extensa y genial. Entre sus flores de ingenio penetra una amplia corriente de diversos géneros literarios, que remansan, aun en sus desigualdades prolijas, en toda una serie de obras maestras. Además de su valor en sí, su figura es de una importancia capital en relación con la literatura siguiente, que llevó el calificativo de *vanguardia*." (Valbuena Prat.)

Gómez de la Serna es el maestro de la excentricidad literaria. Es el Picasso o el

G

Dalí de la literatura. Ha dado conferencias desde el trapecio de un circo—Madrid—, desde el lomo de un elefante gigantesco —París—, subido a un farol de gas—Gijón—, en un tugurio de gitanos y chulos —Granada—, uno de los cuales le amenazó con una pistola mientras preguntaba al auditorio: "¿Le mato ya?" Gómez de la Serna pertenece, con Charlot y Pitigrilli—los tres únicos extranjeros—a la "Academia Francesa del Humor". Gómez de la Serna es el fundador y el sumo pontífice de la más notable tertulia literaria contemporánea: la del café madrileño Pombo, inmortalizada por el pintor Gutiérrez Solana e historiada con amorosas estridencias por el propio RAMÓN, que así gustaba firmarse este prodigioso escritor. Ramón Gómez de la Serna "abre el novecientos con sus fecundos juegos de ingenio, en que predomina el puro juego, aséptico, original, matizado, paradójico".

Indiscutiblemente, el talento de RAMÓN es vasto, múltiple, prodigio de facilidad y de fecundidad. Uno de sus aciertos mayores es la invención de la *greguería*, frase breve, excitante, paradójica, agudísima, que, a veces, rezuma auténtica poesía, y, a veces, se revuelca en el chiste y aun en el retruécano. Para RAMÓN, greguería "es la flor de todo, lo que queda, lo que vive, lo que surge entre el descreimiento, la acidez y la corrosión, lo que lo resiste todo". Es lo contrario del trascendentalismo de la máxima. En cuanto al término, nos declara el inventor que lo escogió "por lo eufónico". Greguería es también "la sospecha venial que se puede tener de todo". En verdad, la greguería es un culto ardiente por la imagen—línea y color—o por la paradoja—sorpresa y sugestión—. Ramón Gómez de la Serna ha escrito miles y miles y miles de greguerías. Como esta: "La bombilla que se funde tiene un momento de luz de luna." O como esta: "El rayo es una especie de sacacorchos encolerizado."

Todos los géneros literarios tientan a este espíritu afortunado de logros. Y en todos ellos ha dejado una obra maestra. Todos los síntomas, los sentidos, las actitudes de la Vida le han arrancado páginas geniales. Naturalmente que en ingenio tan fecundo no pueden faltar las *caídas*, las repeticiones y las vulgaridades; pero aun en estas queda patente "un no sé qué" que las redime y nos las hace simpáticas.

El estilo de RAMÓN, inimitable, tiene un barroquismo, un garbo, un descoco—o desparpajo—que encanta o que irrita.

En la imposibilidad de enumerar todas las obras de Gómez de la Serna, destacamos las más interesantes:

Entrando en fuego, Morbideces, Pombo,

El libro mudo, Tapices, El teatro en soledad, El circo, Senos, Variaciones, Ramonismo, El incongruente, El lunático, El drama del palacio deshabitado, El doctor inverosímil, Greguerías, Flor de greguerías, El secreto del acueducto, Ismos, Elucidario de Madrid, El libro nuevo, Las muertas, Los muertos..., El alba..., El Rastro, Total de greguerías —1955—, Nostalgias de Madrid—1956—, Cartas a mí mismo—1956—, Lo cursi y otros ensayos, Cartas a las golondrinas.

Novelas: *La malicia de las acacias, El dueño del átomo, La quinta de Palmira, El chalet de las rosas, Seis falsas novelas, Gran Hotel, El torero Caracho, Cinelandia, La hiperestésica, La viuda blanca y negra, La Nardo, El caballero del hongo gris, El novelista, La mujer de ámbar, Las tres gracias, Piso bajo...*

Biografías: *Goya, "Azorín", El Greco, Mi tía Carolina Coronado, Efigies, Retratos contemporáneos, Nuevos retratos contemporáneos, Solana, Automoribundia*—1948, uno de sus mejores libros—, *Quevedo, Lope viviente, Valle Inclán...*

V. VALBUENA PRAT, A.: *Historia de la literatura española.* Tomo III, 1950.—CASSOU, Jean: *Panorama de la literatura española.* 1925.—PAPINI, G.: *Gog.*—PÉREZ FERRERO, M.: *Vida de Ramón.* Madrid, 1935.—LARBAUD, Valéry: *Estudio en la traducción francesa Echantillons.* París, 1923.—GRANZEL, Luis S.: *Retrato de Ramón.* Madrid. Guadarrama. 1963.—CANSINOS ASSÉNS, Rafael: *Poetas y prosistas del Novecientos.* Madrid, 1919, páginas 247-275.—CANSINOS-ASSÉNS, Rafael: *La Nueva Literatura.* IV. Madrid, 1927, páginas 351-383.—GÓMEZ DE LA SERNA, Gaspar: *Ramón: Vida y obra.* Madrid, 1963.—NORA, Eugenio G. de: *La novela española contemporánea.* Madrid. Gredos. 1962, tomo I, páginas 93-150.—ENTRAMBASAGUAS, Joaquín de: *Las mejores novelas contemporáneas* (1930-1934). Barcelona. Planeta. 1961, págs. 911-1064. (Contiene una biobibliografía exhaustiva.)

(Puede hallarse abundante bibliografía de artículos y notas acerca de Ramón Gómez de la Serna en la página 717 de la obra *El concepto contemporáneo de España. Antología de ensayos. 1895-1931.* Buenos Aires, Losada, 1946; libro compuesto por A. del Río y M. J. Benardete.)

GOMIS, Lorenzo.

Poeta y prosista español. Nació—1924—en Barcelona. Estudió el bachillerato con los Padres Jesuitas de Sarriá. Licenciado en Derecho por la Universidad de su ciudad natal. Colabora en las más importantes revistas españolas de poesía. En la actualidad—1970—, redactor de *La Vanguardia*, de Barcelona. Crítico literario de la revista barcelonesa *El Ciervo*, de la que es director.

En 1950 obtuvo el "Premio Poesía Breve" de *El Correo Literario*, de Madrid. Y en 1951 ha logrado el "Premio Adonais" con su libro de poemas *El caballo*.

Otras obras: *La ciudad a medio hacer* —crónicas, 1956—, *El hombre de la aguja en un pajar*—1966—, *Oficios y maleficios*—Barcelona, 1971.

GONDRA, Manuel.

Historiador, literato y político paraguayo. Nació—¿1850?—en Asunción. Ignoramos la fecha exacta de su muerte. En su juventud fue periodista y profesor particular y oficial. Rector del Colegio Nacional de Asunción. Político de acción, contribuyó a derribar al presidente Ezcurra. Ministro de Relaciones Exteriores. Ministro del Paraguay en el Brasil. Dos veces presidente de la República: en 1910 y en 1920.

Su monografía *En torno a Rubén Darío* —Asunción, 1899—, por la cual el gran lírico le llamó "mi ilustre demoledor del Paraguay", la presentó al mundo hispanoamericano como un maestro de la crítica. Su obra literaria e histórica sobrepasó las fronteras patrias, mereciendo los elogios de "Clarín", Salvador Rueda, Paul Groussac...

V. LEGUIZAMÓN, Julio A.: *Historia de la literatura hispanoamericana*. Buenos Aires, 1945, dos tomos.—DÍAZ PÉREZ, Viriato: *La literatura del Paraguay*, en el tomo XII de la *Historia universal de la literatura*, de Prampolini. Buenos Aires, Uteha Argentina, 1940.

GÓNGORA, Manuel de.

Poeta, dramaturgo y periodista español. Nació—1889—en Granada, en cuya Universidad estudió las disciplinas de Filosofía y Letras, doctorándose en la Universidad Central, de Madrid. Archivero de la Diputación granadina. Del Cuerpo Facultativo de Archiveros, Bibliotecarios y Arqueólogos desde 1913. Profesor auxiliar de la Facultad de Letras en su ciudad natal. Redactor jefe, durante varios años, de la gran revista madrileña *Blanco y Negro*. Corresponsal del diario *A B C* en la República Argentina —1944 a 1949—. Murió—1953—en Buenos Aires.

"Como poeta—escribe G.-Ruano—, es un poeta sonoro, un descendiente, en su tiempo, de Zorrilla, al que el andalucismo natal y los años nuevos han puesto los necesarios ribetes de modernidad y aproximación a lo descriptivo."

Como dramaturgo, sobresale por el colorido, por la vibración poética, por la belleza de los temas y la agilidad al tratarlos.

Obras: *Polvo de siglos*—poesías—, *Dolor y resplandor de España*—1940, poesías—, *Curro el de Lora*—zarzuela—, *La paz del molino*—zarzuela—, *Rosa de Flandes*—poema escénico—, *Un caballero español*—drama—, *La novia de Reverte*—comedia poética—, *Y el ángel se hizo mujer*—poema escénico—, *Cuento oriental*—poema escénico—, *La petenera*—poema dramático—, *Lo de siempre*—farsa de humor—, *La fama del tartanero*—zarzuela...

V. SAINZ DE ROBLES, F. C.: *Historia y antología de la poesía española (en lengua castellana)*. Madrid, Aguilar, 2.ª edición, 1951.

GÓNGORA Y ARGOTE, Luis.

Glorioso poeta español. 1561-1627. El maravilloso mago y mágico que fue don Diego Velázquez nos dejó un retrato del magno y magnífico poeta don Luis de Góngora. Un retrato de busto, pero que es un retrato de *cuerpo entero*. Un retrato que es *todo un poema de interpretación*. En el retrato contemplamos a un Góngora cincuentón y ensotanado. ¿Para qué más definiciones ni otras descripciones? Ahí está. Enjuto, como era. Entre verde y amarillo, limón agrio y zumoso. Tieso y terne, más sarmiento que rama. Ojos, ceño y boca enrabiscados y sin oasis alguno de serenidad. ¡Hablando está! Hablando mal, claro es. Lo de menos es que emplee giros culteranos y escude su inquina con vocablos en segundas y aun en terceras acepciones. Lo de más está en el retintín, en el acento, en el resuello, en las miradas, en el desplante y en el respingo, en la intención que delatan las escurriduras del limón corridas lo mismo que una babilla. ¡Portentoso retrato! Quien le contemple con atención se llevará el conocimiento más exacto del poeta. Sin eufemismos. Sin reservas. Ni el pincel pretendió encubrir ni el modelo puso interés en enmascararse. En este se impuso la realidad. En aquel, el realismo. Y todos hemos salido ganando. Porque aun cuando los versos de Góngora son lo suficientemente francos a dárnosle a conocer..., este retrato *que entra por los ojos* es la confirmación de la sospecha fundada y el *visto bueno* de quien gozó de toda la autoridad y de toda la autenticidad—sellos de cera y lacre.

Luis de Góngora y Argote, hijo del juez de bienes confiscados del Santo Oficio en Córdoba don Francisco de Argote, y de la noble dama doña Leonor de Góngora, nació en la ciudad de los califas. A los quince años estudiaba—poco y mal—en la Universidad de Salamanca, villa en la que tuvo Luis fama de pendenciero, de lengua viperina, de vena satírica y de sembrador de inquietudes. A los veinticuatro se le vuelve a encontrar

G

en Córdoba, ordenado *in sacris* y *comiéndose* un beneficio de bóbilis en la catedral, sin asistir a coro con la frecuencia debida; falta de la que le acusan ante el obispo Pacheco, amén de otras cosazas, como el de hablar mucho en la iglesia, murmurar del prójimo, asistir a las corridas de toros, vivir alegremente, muy apegado a las delicias humanas—y aun pagado de ellas—y componer versos fáciles de fáciles amoríos y de fáciles galimatías con perjuicios—por los prejuicios—del prójimo. Pero... ¡sí, sí! ¡Bueno era don Luis para callado! Se disculpa con modales. ¿Hablar él en coro cuando está sentado entre un sordo y un cantor berreante? ¿Murmurar él del prójimo cuando no deja que se le repudra en el cuerpo nada que sienta comezones de salir al ajeno conocimiento, caiga bien o caiga de coronilla? De los demás cargos... ¿es que no bastan a disculparle—atenuarle o eximirle—su juventud y el no estar aún ordenado de sacerdote? A partir de 1589 hace repetidos viajes. A Madrid, cuatro, entre este año y el de 1592. A Salamanca—1593—, para visitar, en nombre del Cabildo cordobés, a don Jerónimo Manrique de Figueroa, elegido obispo de Córdoba. A Granada —1600—, por puro afán de admirarse entre lo amoriscado y lo morisco. A Cuenca —1603—, para asistir a un información de limpieza de sangre. A Valladolid—1605—, con motivo de entregar algunas composiciones a Pedro Espinosa para las *Flores de poetas ilustres de España*. A Burgos—1609—, encargado de otra información genealógica. Por cierto que el tiempo que permaneció en la corte se lo pasó enemistándose y tirándose los trastos a la cabeza con todos los poetas cortesanos. Con Cervantes. Con Lope. Con Quevedo. Con Vélez. ¡Cómo se debía de refocilar con vivir del melodrama de él contra todos y todos contra él! ¡Qué noches pasaría de claro en claro—gustoso y regustado—, concretando los epítetos, afilando las sugerencias, parapetando las insidias, trenzando a la máscara poética las alusiones más despiadadas! ¡Qué días de turbio en turbio aireando sus epigramas *como al desgaire* en el mentidero de San Felipe, en las covachuelas del Palacio, en las Galerías de los Representantes, en el Prado de San Jerónimo! ¡Con qué gozo recibía su espíritu agresivo, ducho en los acideces y en las salacidades, los dardos envenenados que le disparaban los ingenios cortesanos! Diríase que Góngora únicamente vivía como el pez en el agua entre las rencillas.

Cuando, en 1609, regresa a Córdoba, llega extrañamente removido. Sus ideas se exteriorizan muy oscuramente. Su estilo se alambica, se trastrueca, se descompone. Su gusto se extravagantiza o se resquebraja. Las

poesías que escribe entonces... *Oda a la toma de Larache*—1610—, *Panegírico al duque de Lerma*—1617—, *El Polifemo* —¿1613?—, *Las soledades*—1613—... corren por todas partes en copias manuscritas. ¡Y qué polvareda levantan! ¡Y qué ecos sobresaltan! ¡Y qué pasiones exacerban! ¡Y qué emulaciones suscitan! Se le insulta. Se le glorifica. Se le imita. Se le parodia. Nadie permanece neutral. Todos lanzan a la rueda rueda el disco de su opinión, en verso o en prosa. Góngora pasa a ser un mito o un mote. En 1617, nombrado capellán del rey, marchó a Madrid definitivamente. Y en Madrid pasó y repasó mil apuros económicos. Su sotana empardecía. Su color enverdecía. Su genio se sulfuraba por *un quitame allá esas pajas*. Porque para *inri* más definitivo, a mayor fama literaria, mayor *fame* —hambre—padecida. ¡Afamado—¿de fama o de hambre?—hombre era! Muchas veces ya incluso se comía los insultos y las argucias. Y diríase que le aprovechaban... a su alma. León un tanto desmelenado ya, cansino y viejo, se le comían las moscas y las malas pulgas.

Privado totalmente de la memoria, regresó a Córdoba, para morir en ella, a los sesenta y seis años, de una apoplejía. Regresó, eso sí, señoril y señorón de gustos, muy a lo señor de sus tierras y al amparo de los veros azules y plata, en cruz, sobre campo rojo—de los Argote—y de los leones de oro, en cruz roja sobre campo de plata—de los Góngora.

Verdaderamente que Góngora no murió, porque, de día en día, está más vivo que nunca y por ahí anda jaleado y coreado estentóreamente. Es el poeta de hoy. El indiscutible. Su influencia es decisiva en la poesía actual, *que por él precisamente* se cree modernísima.

Y, sin discusión, cabe afirmar que Luis de Góngora, con fray Luis de León y Lope de Vega, forman el trío más prodigioso de los poetas españoles de todos los tiempos.

Ha quedado desacreditada ante la crítica moderna aquella teoría de que la lírica de Góngora había de ser considerada dividida en dos épocas: la primera, Góngora era un mero continuador de la lírica del Renacimiento afecta a los géneros populares—romances y letrillas—; en la segunda, con un brusco volverse del envés, quizá a causa de un desequilibrio mental, Góngora oscurecía su estilo, lo atormentaba inflexible. Teoría inexacta. La enfermedad llevó al poeta a una paralización de la fuerza creadora, pero nunca a una desviación de su gusto o de su fantasía.

El gongorismo no es, en modo alguno, la obra de un loco o el sueño de un cerebro enfermizo, sino la expresión de uno de los talentos más originales de la época, formado por completo en el ambiente del sentido barroco español, en medio del cual puede afirmarse que nació. Seguramente, la soberbia lógica de distinguirse fue la que le empujó por caminos nuevos y no trillados. Tuvo el conocimiento suficiente de sí mismo para comprender que tenía disposición más alta que la de poeta; y como poeta se permitió la osadía de innovar, de revolucionar.

Más aceptable es la teoría de que Góngora se echó francamente en brazos del culteranismo más integral, a consecuencia de la impresión que le produjo la lectura de las obras de don Luis Carrillo y Sotomayor, publicadas el mismo año—1611—, en que él, bruscamente, pasó de las letrillas y romances tradicionales a la oda *A la toma de Larache* y al soneto *Para la cuarta parte de la Pontifical del doctor Bavia,* poesías en las que *ya está íntegro el segundo Góngora.* Sin embargo, el más fino exegeta actual del poeta cordobés—aludimos a Dámaso Alonso—ha puesto en claro la unidad estilística de Góngora, demostrando que en algunos de sus romances de la primera época ya se encuentran todas las dificultades de su lenguaje y de su ideario.

Las dos teorías expuestas tienen mucho de probable. Envidioso y celoso Góngora, nada de particular tiene que pretenda sacar fruto *del descubrimiento* que el malogrado Carrillo no había llegado a explotar. El *Polifemo* del cordobés es una imitación despreocupada de la *Fábula de Atis y Galatea* de su paisano y predecesor. Pero también es muy cierto que el soneto a El Escorial—*sacros, altos, dorados capiteles*—, de 1590, y el soneto trilingüe *Las tablas del baxel despedazadas,* ya apuntan un neto culteranismo, libre del influjo de la obra de Carrillo. Con las dos teorías se llega a la conclusión apuntada por Díaz-Plaja de que es Góngora "el término de un proceso de acumulación de elementos estéticos, que se lleva a cabo desde el Renacimiento".

Los retratos de Góngora nos hacen *ver y comprender* a un hombre original y de talento, pero bilioso, agresivo, inclinado a la polémica violenta, mordaz. La tradición nos hace saber que poseyó una finísima sensibilidad musical, que cultivó con pasión el canto y la guitarra y hasta que compuso canciones. Estos gustos y apetencias musicales nos explican, en parte, su dirección por el ritmo dactílico. Y también el que fuera el poeta más buscado por los músicos de su época—Diego Gómez, Gabriel Díaz, Sablonara, Capitán—para musicar sus letrillas, coplas y romancillos.

Las características externas del cultismo —el neologismo, el hipérbaton y la metáfo-

ra—las dominó Góngora como ningún otro poeta. Góngora lleva a sus últimas consecuencias el enriquecimiento del lenguaje por la inventiva; es el proveedor de los máximos neologismos, que sorprenden y que confusionan. Su hipérbaton es más violento y atrevido que el de todos sus precedesores —Herrera y Carrillo, especialmente—, llegando al abuso cuando se trata de colocar el verbo al final de las oraciones, o de separar los elementos lógicamente encadenados por el sentido y la concordancia.

Del uso y aun del abuso de la metáfora hace Góngora su máxima virtud. Todo cuanto en la Naturaleza existe se realza nítido y se intensifica en el juego metafórico del cordobés insigne. ¿Se puede aludir más bellamente a un pájaro que llamándolo "la cítara de pluma"? ¿No son "áspides volantes" las flechas disparadas?

Las características internas del cultismo de Góngora son: la melancolía y el gusto por el contraste. "Goces interrumpidos, dicha perturbada, impedido deleite, placer torturante, dádivas de amor enfadosas, embarazosos beneficios", cree Wossler que fueron los determinantes de su aridez y de su melancolía. Es muy fácil imaginarse a Góngora construyendo con fino tacto y con mirada sutil de orfebre el aparato mecánico del cultismo. El oído de Góngora "percibe de veras tonos y ritmos"; sus ojos perciben "formas y colores". Pudiera ser el *secreto* de Góngora su tino y su tono en enlazar los elementos del color con los del oído y olfato, llegando con tal enlace a la imagen más audaz, consiguiendo así su máxima valoración, que es la del carácter descriptivo. Góngora es un pintor maravilloso. Vicencio Carduccio afirmó, ponderativo—en sus *Diálogos de la pintura,* 1633—, con su autoridad incuestionable de pintor, refiriéndose a Góngora: "No es posible que ejecute otro pincel lo que dibuja su pluma." Verdad absoluta. Ritmo mayestático en los versos, epítetos pasmosos, símbolos rutilantes, metáforas sorprendentes, alardes de erudición, artificios de latinización...

Las dos obras más importantes de Góngora son el *Polifemo* y las *Soledades.* La primera de ellas, y menos radical en el nuevo estilo, tiene su argumento basado en la *Odisea,* en las *Metamorfosis,* de Ovidio, y en la *Fábula de Atis y Galatea,* de Carrillo Sotomayor. Pero la mayor importancia del *Polifemo* no está en el asunto, sino en aquello en que Góngora se presenta como original e inimitable: en lo descriptivo (retratos y paisajes).

Las *Soledades* es su obra fundamental, y fue planeada en cuatro grupos, como un verdadero y admirable alcázar barroco: *Soledad de los campos, de las riberas, de las*

G

selvas y del yermo. No llegó a escribir sino la primera—1.091 versos—y un fragmento —979 versos—de la segunda. Las *Soledades* no tienen argumento. Es decir: lo tienen tan vago, tan sin interés, que verdaderamente resulta obra sin precedentes que con tan nimia base haya construido Góngora tan firme y bello edificio, que lo haya aprovechado hasta tal punto que de él haya extraído escenografía tan variada y aparatosa. ¿Qué significan estas cuatro *Soledades*? Las cuatro edades del hombre: la juventud, la adolescencia, la virilidad y la senectud. En la primera, para las alegrías y los juegos de exultación, los prados, los amores, los cánticos. En la segunda, para los afanes de diversidad, la pesca, la cetrería, las navegaciones. En la tercera, para el plante de la propia estimación, la caza y ejercicio de las armas, la economía y la prudencia. En la cuarta, para compensación de la debilidad corporal, la política sutil y el justo gobierno.

Muchos enemigos tuvo la poesía de Góngora, y entre ellos algunos de la categoría de Lope de Vega, Jáuregui, Quevedo, los Argensola... Pero igualmente tuvo apasionados seguidores de mucha calidad literaria: Villamediana, Polo de Medina, Paravicino, Trillo y Figueroa, Barrios...

Fácilmente se podría reunir aquí un ramillete de elogios dedicados a Góngora y al *gongorismo,* porque este nombre es aún grito de guerra y bandera de combate, porque su obra es la de más palpitante interés actual entre todas las de aquel Siglo de Oro, fecundo y deslumbrador. Pero... ¿para qué? El poeta es ya imponentemente firme y señero. Cabo de mar. Ápice de sierra. Y por si esto fuera poco, no solo admira hoy su poesía, sino que se guarda la admiración más fervorosa para su talante y para su pergeño. Hoy nos remueve el recuerdo de aquel Góngora hombre, por decirlo así, provisto de una menguada y fina materia vital; personaje pálido y verdoso, como visto a expensas de un resplandor de gas; sin brillo en las pupilas, sin metal en el acento, sin sensualidad en el gesto, laso y escaso el pelo y a quien jamás pigmentó las mejillas el arrebol saludable.

Ha sido muy feliz el parangón entre Góngora y el Greco. Y ahí quedan estas dos vidas paralelas para un moderno. Plutarco. Los dos grandes artistas y los dos grandes desequilibrados. Ambos con una originalidad violenta y agresiva. Ambos deformando naturalmente la realidad y con una visión anormal y astigmática de las cosas.

Góngora fue ingenio extraordinario. Aun en medio de sus extravíos, volvió de cuando en cuando a su primera manera, al verdadero arte popular. Cascales decía que había

dos Góngoras: uno, ángel de luz; otro, ángel de tinieblas. Las tinieblas no salieron de él; venían de lejos, de la imitación clásica, que falseó, quieras que no, el arte, como lo falsea toda imitación. Los nubarrones habían ido condensándose y apelotonándose. El sol esplendoroso de la nacionalidad española en la época de su mayor pujanza los diluía según nacían, los deshacía al momento. Cuando el poder español comenzó a caer, el sol del arte fue igualmente cayendo; los nubarrones engrosaron, y la primera chispa de aquella reventazón dio en la más alta cima poética. Góngora, por su misma grandeza de ingenio, hubo de ser el primero que sintió los efectos del bastardeamiento literario y el que más en él sobresalió y lo comunicó a los demás. De ángel de luz, hízose, como Luzbel, ángel de tinieblas. En todo fue grande. Fue su influencia tan perniciosa, que acabó realmente con la literatura castellana. Era aquel de esos males que acaban con el enfermo. El culteranismo y el gongorismo hundieron y anonadaron el arte español. Un nuevo arte tuvo que traerse de Francia, como única medicina contra la hinchazón: el arte canijo del seudoclasicismo. Contra la demasiada grosura, la finura llevada al extremo. Pero la literatura castellana de la época clásica había desaparecido. Al llegar acá los Borbones ni se conocían de nombre la mayor parte de los antiguos ingenios. Mediano dramaturgo, compuso *Las firmezas de Isabela*—1613—, la *Comedia venatoria* y *El doctor Carlino,* refundido después por Solís; dudoso es el entremés de la *Destrucción de Troya.* En Góngora se hallan los mayores extravíos del culteranismo, voces latinas a montones, comparaciones, metáforas y alegorías extravagantes, quisicosas o enigmas oscurísimos. Sus poesías necesitaron comentario, aun él viviendo. Es el dechado inimitable para Gracián, citándole en la *Agudeza* setenta y cuatro veces, siempre con grandes alabanzas." (Cejador.)

Alabadores de Góngora:

Carducho, *Diálogos de la pintura,* IV, página 61: "En cuyas obras está admirada la mayor ciencia, porque en su *Polifemo y Soledades* parece que vence lo que pinta y que no es posible que ejecute otro pincel lo que dibuja su pluma."

El elegantísimo Padre Hortensio Félix Paravicino, en el *Romance* que le dedicó, página 13.

Don Fernando de Vera, en el *Panegírico por la poesía,* período 13.

Don Tomás Tamayo de Vargas, en la adición al *Enquiridión,* de fray Alonso Venero, página 300, donde le llama Marcial segundo de España, por la seguridad de los números, agudeza de los conceptos, festividad de donaires, picante de las burlas e ingeniosas e inimitables travesuras con que ilustró la lengua castellana.

Lope de Vega, en su *Arcadia,* página 234; en su *Circe,* página 20, en el soneto que empieza: "Claro cisne del Betis, que sonoro"; en su *Laurel de Apolo,* silva I, página 4, y en la silva II, página 16; en su *Filomena,* página 154, epístola VIII.

Sebastián de Alvarado, en su *Heroída oviana,* páginas 42 y 173.

Don Francisco Bernaldo de Quirós, capítulo IX, página 97, y en el capítulo IX, página 102.

El licenciado Francisco Cascales, epístola VIII, dice, página 29: "Ha ilustrado la poesía española con peregrinos conceptos, enriqueciendo la lengua castellana con frases de oro, felizmente inventadas, escribiendo con elegancia, artificio y gala, con novedad de pensamientos, con estudio sumo, lo que ni la lengua puede encarecer, ni el entendimiento acabar de admirar atónito y pasmado."

Don José de Pellicer y Tovar y don García de Salcedo Coronel, en sus *Comentarios.*

El maestro José de Valdivieso, en el *Elogio* a don García:

> Dichoso en la dulzura postrimera
> el cisne cordobés, pues pluma tanta,
> que dulce escribe lo que dulce canta
> se mereció para que no muriera.

Alonso Jerónimo de Salas Barbadillo, en el libro que intituló *Casa del placer,* novela II, página 35, llama a don Luis moderno Marcial y segundo milagro Cordobés.

El doctísimo Padre Martín de Roa, en su *Principado de Córdoba,* página 26, le llama el Plauto y Marcial de nuestra edad, superior sin aprecio de los mejores latinos y griegos en cultura, agudeza, y mucho más en sal y donaire, sin comparación, de los conceptos.

Don Martín de Angulo y Pulgar, en sus *Epístolas satisfactorias,* y en su égloga fúnebre *Centón,* tejida y escrita con versos de don Luis.

Cristóbal de Salazar y Mardones, en la *Iustración a la fábula de Pírano y Tisbe.*

El autor anónimo que escribió su *Vida,* que salió impresa al principio de sus *Obras* en Sevilla, año de 1648.

Don García Coronel, en sus *Rimas,* en la *Elegía a su muerte,* página 98.

El maestro B. Jiménez Patón, en su *Elocuencia española,* página 78, capítulo XII.

El doctor Juan Pérez de Montalbán, en su *Orfeo,* canto IV, página 35, dice:

> Ninguno a la difícil cumbre vino
> por donde doctamente peregrinas,
> pues tú para ser único has hallado
> camino ni sabido ni imitado.

El ilustrísimo don Pedro González de Mendoza, arzobispo de Granada, libro III de la *Historia del monte Celia,* página 540, capítulo X.

Lorenzo Gracián, en diversas partes de su *Arte de ingenio.*

Y don Fernando de Villegas, en la dedicatoria al excelentísimo señor marqués de Caracena, en la *impresión* que *publicó* "para mayores lucimientos y aplausos de *nuestro don Luis en Bruselas,* año de 1659".

Juan López de Vicuña Carrasquilla, en su edición de Góngora de 1627: Dedicatoria: "Su modestia (de Góngora) fue tanta, *viviendo,* que llegó a ser el aborrecimiento y desesperación de los verdaderamente estudiosos, porque casi con pertinacia les defendió la fácil y agradable comunicación de sus *Obras,* de que gozaran, si las permitiera a la estampa...—En Madrid, a 22 de diciembre de 1627 años...—Juan López de Vicuña y Carrasquilla." Al lector: "Veinte años que comencé a recoger las obras de nuestro poeta, primero en el mundo. Nunca guardó original dellas: cuidado costó harto hallarlas y comunicárselas, que de nuevo las trabajaba, pues cuando las poníamos en sus manos apenas las conocía. Tales llegaban, después de haber corrido por muchas copias. Archivo fue dellas la librería de don Pedro de Córdoba y Angulo, caballero de la Orden de Santiago, veinticuatro y natural de Córdoba. Muchos versos se hallarán menos; algunos que la modestia del autor no permitió andar en público, y otros que en siete años, desde el veinte, compuso. En breve se darán a la estampa, con las *comedias* de *Las firmezas de Isabela* y el *Doctor Carlino:* la primera ya impresa, y la segunda que aún no acabó. Y aun se aumentará el volumen con los *Comentos del Polifemo y Soledades,* que hizo el licenciado Pedro Díaz de Ribas, lucido ingenio cordobés.—Vale, etc."

Menéndez Pelayo, *Ideas estéticas,* tomo II, volumen II, página 495: "Góngora se había atrevido a escribir un poema entero *(Las soledades),* sin asunto, sin poesía interior, sin afectos, sin ideas, una apariencia o sombra de poema, enteramente privado de alma. Solo con extravagancias de dicción *(verba et voces praetereaque nihil)* intentaba suplir la ausencia de todo, hasta de las antiguas condiciones de paisajista. Nunca se han visto juntos en una sola obra tanto absurdo y tanta insignificancia. Cuando llega a entendérsela, después de leídos sus voluminosos comentadores, indígnale a uno, más que la hinchazón, más que el latinismo, más que las inversiones y giros pedantescos, más que las alusiones recónditas, más que los pecados contra la propiedad y limpieza de la lengua, lo vacío, lo desierto

G

de toda inspiración, el aflictivo *nihilismo* poético que se encubre bajo esas pomposas apariencias, los carbones del tesoro guardado por tantas llaves. ¿Qué poesía es esa que, tras de no dejarse entender, ni halaga los sentidos, ni llega al alma, ni mueve el corazón, ni espolea el pensamiento, abriéndole horizontes infinitos? Llega uno a avergonzarse del entendimiento humano cuando repara que en tal obra gastó míseramente la madurez de su ingenio un poeta, si no de los mayores (como hoy liberalmente se le concede), a lo menos de los más bizarros, floridos y encantadores, en las poesías ligeras de su mocedad. Y el asombro crece cuando se repara que una obrilla, por una parte tan baladí y por otra tan execrable como *Las Soledades,* donde no hay una línea que recuerde al autor de los romances de cautivos y de fronteros de Africa, hiciese escuela y dejase posteridad inmensa, siendo comentada dos y tres veces letra por letra con la inmensa religiosidad que si se tratase de la *Ilíada.*"

Menéndez Pelayo, *Ideas estéticas,* tomo II, página 490: "Góngora, pobre de ideas y riquísimo de imágenes, busca el triunfo en los elementos más exteriores de la forma poética, y comenzando por vestirla de insuperable lozanía e inundarla de luz, acaba por recargarla de follaje y por abrumarla de tinieblas."

Cervantes, *Viaje del Parnaso:*

> Aquel agudo, aquel sonoro y grave
> sobre cuantos poetas Febo ha visto.

Alabóle, además, en el *Canto de Calíope:*

> En don Luys de Góngora os offrezco
> un vivo raro ingenio sin segundo;
> con sus obras me alegro y enriquezco
> no solo yo, mas todo el ancho mundo.
> Y si, por lo que os quiero, algo merezco,
> haced que su saber alto y profundo,
> en vuestras alabanças siempre viva,
> contra el ligero tiempo y muerte esquiva.

Las obras de Góngora fueron publicadas por López de Vicuña—Madrid, 1627—, Pellicer—"Lecciones solemnes", Madrid, 1630—, Hoces—Madrid, 1633—y Salcedo Coronel —Madrid, 1644 a 1648.

Más tarde las ediciones se han multiplicado en España y en el extranjero.

V. FOULCHÉ-DELBOSC, R.: *Obras poéticas de Góngora,* 1921.—FOULCHÉ-DELBOSC, R.: *Bibliographie de Góngora,* en la *Revue Hispanique.* 1906, XIV.—THOMAS, L. P.: *A propos de la bibliographie de Góngora,* en *Bulletin Hispanique.* 1909, XI.—ARTIGAS, Miguel: *Biografía y estudio crítico de don Luis de Góngora y Argote.* Madrid, 1925.—REYES, Antonio: *Reseña de estudios gongorinos,* en la *Revista de Filología Española,* VII, 315-

336.—CHURTON, Edward: *Góngora. An historical critical essay on the of Philip II & IV of Spain.* London, 1862.—CAÑETE, Manuel: *Observaciones acerca de Góngora y el culteranismo en España,* en *Rev. Ciencias, Lit. y Arte.* Sevilla, 1855.—RAMÍREZ DE ARELLANO, R.: *Góngora y el Greco.* Toledo, 1914.— BUCETA, Erasmo: *Algunos antecedentes del culteranismo,* en *Rom. Review.* 1920, XI, 328. RETORTILLO Y TORNOS, A.: *Examen crítico del gongorismo.* Madrid, 1890.—FARINELLI, A.: *Marinismus und gongorismus,* en *Deutsche Literaturzeitung.* 1912.—ALEMANY Y SELFA, B.: *Vocabulario de las obras de don Luis Góngora y Argote.* Madrid, 1930.—MILLÉ Y GIMÉNEZ, Juan: *Obras completas de don Luis de Góngora y Argote.* Edición y notas de —— y de Isabel Millé. Madrid, Aguilar, S. A. [¿1932?].—ALONSO, Dámaso: Prólogo a las *Soledades,* en *Rev. Occidente.* 1927.—ALONSO, Dámaso: *La lengua poética de Góngora.* Madrid, 1935.—PABST, Walter: *Estudio en Góngora y Schöö fung in seinen Gedichten "Polifemo" und "Soledades",* en *Revue Hispanique,* 1930.—ALONSO, Dámaso: *Góngora y el "Polifemo".* Madrid. Gredos. ¿1960? ARES MONTES, José: *Góngora y la poesía portuguesa del siglo XVII.* Madrid. Gredos, ¿1958?

GONZÁLEZ, Ángel.

Poeta y prosista. Nació—1925—en Oviedo (Asturias). Licenciado en Derecho por la Universidad de su ciudad natal. Desde hace años reside en Madrid y colabora en las más importantes revistas de poesía.

Como poeta se siente perfectamente situado en el mundo y en el tiempo en que vive, y cree necesario que su lirismo—de hondura emotiva y tremenda fuerza expresiva—se contagie de la ansiedad, de las desesperanzas y desilusiones, de las frustraciones de los sueños, de las irremediables tristezas que cada día se multiplican en torno suyo.

Obras: *Aspero mundo*—poemas, 1956—, *Sin esperanza, con convencimiento*—poemas, 1961—, *Grado elemental*—poemas, "Premio Antonio Machado, 1961"—, *Palabra sobre palabra*—poemas, 1965—, *Tratado de urbanismo*—1967.

GONZÁLEZ, Fray Diego Tadeo.

Buen poeta. 1733-1794. Natural de Ciudad Rodrigo, ingresó en la Orden de San Agustín, estudiando en el convento de San Felipe el Real, de Madrid, y en la Universidad de Salamanca. Con el seudónimo de "Delio" escribió muchas poesías de tendencia platónica, y tanto desconfiaba de su valer, que encargó a su gran amigo y discípulo fray Juan Fernández de Rojas que, a su muerte, quemase con sus papeles todos sus escritos literarios. Felizmente, el discípulo no cumplió los mandatos de inteligencia tan modesta.

Fray Diego González fue prior de los conventos de Salamanca, Pamplona y Madrid, y tanto destacó en la oratoria, que mereció que el gran Meléndez Valdés le dedicara una oda.

Caso curiosísimo el de esta alma delicada. Desde muy niño deleitábase leyendo versos y amando con embeleso a las mujeres. Y ya religioso, sin prescindir de su amado seudónimo, aún dedicaba versos inefables a una *Melisa* y a una *Mirta.* "Melisa fue su primer y único amor; a *Mirta* la sublima de modo que su nombre no lastima ni su pureza de austero moralista ni su autoridad de ejemplarísimo sacerdote." (Cejador.)

Fray Diego Tadeo González fue un poeta de fantasía muy viva, delicado y tierno. "Fue—escribe Cueto—el último de los escritores salmantinos que conservaron acendrada e incólume, así en el pensar como en el decir, la savia que había dado tan gloriosa vitalidad intelectual y guerrera a los españoles de otros tiempos. Cualquier desvío de la castiza senda repugnaba a su noble naturaleza."

Fray Diego Tadeo González sintió una inmensa adoración por la poesía de fray Luis de León; y se la asimiló de tal modo que pudo añadir a la *Exposición de Job,* del inmenso lírico, los capítulos que le faltaban "con tan buena mano, que a no estar lo suyo en bastardilla, difícilmente se distinguiría lo del uno y lo del otro".

Obras importantes de fray Diego son los poemas didácticos *Las edades* y *La niñez* —que escribió mal aconsejado por Jovellanos—, el burlesco, muy gracioso, *El murciélago alevoso.* Y las *Poesías,* de las cuales las ediciones más importantes son: Madrid, 1795 y 1812; Valencia, 1817; Barcelona, 1821; Zaragoza, 1831.

Textos: *Poesías,* en los tomos XLIV y LXI de la "Biblioteca de Autores Españoles"; *Poesías inéditas,* ed. E. Esteban, en "La Ciudad de Dios", XXV, 612.

V. Cejador y Frauca: *Historia de la lengua y literatura castellanas.* Tomo VI.—Cueto, Leopoldo A., marqués de Valmar: *La poesía castellana en el siglo XVIII.*—Santiago, J.: *Ensayos.* III.—Esteban, Fray E.: *Estudio.* En "La Ciudad de Dios", XXV, 612.

GONZÁLEZ, Fernando.

Nació en la ciudad de Telde, en la provincia de Las Palmas, en las islas Canarias, el día 4 de enero de 1901. Hizo la primera enseñanza en su ciudad natal y los estudios de bachillerato en el Instituto de Las Palmas, como alumno libre, al mismo tiempo que ejercía la profesión de periodista. En la Escuela Normal de la misma capital terminó la carrera del Magisterio. Residió en Las Palmas desde 1917 a 1922, siendo en esos años redactor de varios periódicos—*La Provincia, Renovación, La Jornada, El Liberal,* etcétera—. Fue también funcionario del Monte de Piedad y Caja de Ahorros de Las Palmas. En 1921, al terminar el bachillerato, le concedió una pensión, para que hiciese en la Universidad de Madrid los estudios de Filosofía y Letras, el Cabildo Insular de Gran Canaria—organismo que en el Archipiélago sustituye a la Diputación Provincial de otras regiones españolas—, haciendo el curso preparatorio en la Universidad de La Laguna. Aprobó algunas asignaturas en la Universidad de Sevilla, donde era entonces catedrático su amigo el poeta Pedro Salinas, y el resto de la licenciatura en la Universidad Central. En la misma Universidad y en la de Zaragoza aprobó las asignaturas complementarias para poder opositar al Cuerpo de Archivos. Fue durante algún tiempo funcionario técnico de la biblioteca del Ateneo de Madrid. Más tarde fue nombrado catedrático interino de Filosofía del Instituto de Vigo y de Literatura del de Calatayud. Trabajó después en las ediciones de clásicos de la Compañía Ibero-Americana de Publicaciones. En 1930 ganó por oposición la cátedra de Literatura española del Instituto de Tortosa, siendo nombrado secretario de este Centro. Por permuta pasó al Instituto de Logroño. En virtud de concurso de méritos entre catedráticos numerarios, fue nombrado para el Instituto Antonio de Nebrija, de Madrid, en 1932, siendo designado director del mismo. En 1935 permutó su cátedra de Logroño por la del Instituto de Bilbao. En ese mismo año fue nombrado, en virtud de concurso de méritos, para la cátedra de Literatura del Instituto Velázquez, de Madrid. En la actualidad es catedrático del Instituto de Valladolid.

Ha colaborado en *La Pluma, Blanco y Negro, España, Alfar, Mensaje, Garcilaso, La Rosa de los Vientos, Halcón, Posio, Corcel* y en otras importantes revistas de poesía, algunas de las cuales ha fundado y dirigido.

Fernando González es uno de los líricos españoles actuales más importantes, personales y sugestivos. Pudiera ser emplazado en el movimiento *intimista,* en el que se delata elegante y sobrio, con acento maduro y fervoroso, con calidades de una sugestiva humanidad eterna. En muchos de sus poemas fluye un melancólico pesimismo; en otros, un escepticismo irónico y cansado; en la mayoría, cierta trascendente emoción que apura todas las sensaciones y todos los sentimientos.

G

Obras: *Las canciones del alba*—1918—, *Manantiales en la ruta*—1923—, *Hogueras en la montaña*—1934—, *El reloj sin horas* —1929—, *Piedras blancas*—1929—, *Ofrendas a la nada*—1948—, *Yo, en torno mío; La flecha bajo el arco.*

V. VALBUENA PRAT, A.: *Historia de la literatura española.* Barcelona, 1969, tomo IV.— SAINZ DE ROBLES, F. C.: *Diccionario de la literatura.* Tomo II, Madrid, 1964—"AZORÍN: *Leyenda a los poetas.* Zaragoza, 1945.

GONZÁLEZ, Juan Natalicio.

Poeta, prosista e historiador paraguayo. Nació en 1897. Está considerado como una de las mentalidades más lúcidas y fecundas de su patria. Después de realizar diversos estudios y de viajar por Europa y América, sintiendo la trascendencia de sus deberes patrióticos, se dedicó al periodismo, a la política, a las conferencias, señalando directrices novísimas y dignas de la mayor atención. En la gran revista *Guarania*—que dirigió—publicó incontables poemas—algunos de ellos en guaraní—, artículos, ensayos, cuentos... Ha desempeñado en Paraguay importantes cargos políticos y administrativos. Pero en Juan Natalicio González predomina, sobre todas sus actividades, el gran pensador siempre atento a los más auténticos ideales, el magnífico literato digno de la fama que tiene en toda Hispanoamérica.

Obras: *Letras paraguayas, Baladas guaraníes*—1925—, *Cantos paraguayos, Cuentos y parábolas*—1922—, *Solano López y otros ensayos*—1926—, *El Paraguay eterno*—Asunción, 1935—, *El Paraguay contemporáneo, Mensaje a los intelectuales de América sobre el conflicto del Chaco*—1934—, y otras varias del mismo mérito.

V. DÍAZ PÉREZ, Viriato: *La literatura del Paraguay,* en la *Historia universal de la literatura.* Buenos Aires, Uteha, Argentina, tomo XII, 1940.

GONZÁLEZ, Juan Vicente.

Periodista, literato, erudito. 1810-1866. Nació en Caracas. Estudió Derecho, Medicina y Teología. Fundó—1838—y dirigió durante muchos años, en su ciudad natal, el Colegio del Salvador del Mundo. Redactor de varios periódicos, sostuvo famosas polémicas políticas en *El Diario de la Tarde, El Heraldo, La Prensa* y *La Revista Literaria.* Su facilidad para escribir era tal, y tal la claridad y la precisión de sus ideas, que dictaba tres y cuatro artículos a la vez sobre materias bien distintas. Diputado varias veces. De él pudo decirse que, durante la *guerra federal,* ganó más batallas con su pluma que todos los generales con la espada.

Su educación literaria fue excelente. Muy joven aún, tradujo admirablemente a Horacio, Virgilio y Dante. Y su aptitud de asimilación es tan sorprendente como la exuberancia de su sensibilidad.

El mismo definió su propio carácter en la *Meseniana* a Teófilo E. Rojas: "Mi estilo no es el plan laborioso del hombre, regado con el sudor del rostro: como la vegetación de los climas meridionales, espontánea, poderosa, él viste risueños valles o escarpadas rocas, multiforme, quimérico, extravagante, pero expresión purísima de mis pensamientos. Idéntico conmigo, si cristalizáis las ideas que hace visibles, no obtendríais un mosaico de abigarrados colores, sino un mineral fundido con la sangre de mi padre al fuego de mi corazón."

En el verso y en la prosa de González influyeron Chateaubriand, Michelet y Thierry, quienes le comunicaron el calor y el fervor y el ímpetu de lo romántico. Escritor pictórico y elocuente fue González. Y derrochó en sus escritos un brío convincente y comunicativo. La pasión enciende cada una de sus páginas, cosa natural, pues que eran el enfoque de una época tumultuosa y bárbara.

Obras: *Gramática castellana, Lecciones de elocuencia, Manual de Historia Universal, Estudio sobre el "Poema del Cid", Ecos de las bóvedas, Mesenianas*—elegías en prosa—, *Estudio sobre Mirabeau,* traducción en prosa de la *Divina Comedia, Historia moderna*—inconclusa—, *Lecciones de literatura, Biografía de José Félix Ribas...*

V. CEDILLO, Víctor José: *Juan Vicente González.* Caracas, 1939.—PICÓN SALAS, Mariano: *Formación y proceso de la literatura venezolana.* Caracas, 1940.—CALCAÑO, Julio: *Reseña histórica de la literatura venezolana.* Caracas, 1888.

GONZÁLEZ, Pedro Antonio.

Poeta chileno. 1863-1903. Oriundo de los campos de Curepto. Bisojo. Bohemio. Alcohólico. Vivió y murió en la mayor miseria. De una modestia ejemplar. Gracias a un amigo suyo, quien publicó sus poesías sin su consentimiento, se hizo popular en su patria y en toda Hispanoamérica. Fue uno de los precursores del Modernismo y el primero en rebelarse, en Chile, contra el Romanticismo. Sus modelos fueron los parnasianos y simbolistas franceses. La poesía era para su estética rudimentaria como "la formidable tempestad del verso". Lo que más entusiasmó a sus contemporáneos, fue su aparatoso lujo verbal—en el que abundan los esdrújulos—y también su tendencia seudofilosófica.

Obras: *Ritmos, Nuevos ritmos, Asteroides, La razón y el dogma, El proscripto, El toqui...*

En 1917, con el título de *Poesías,* Armando Donoso publicó las *Obras completas* de Pedro Antonio González.

V. SILVA CASTRO, Raúl: *Antología de poetas chilenos del siglo XIX,* en "Biblioteca de Escritores de Chile", vol. XIV, Santiago, 1937.—FIGUEROA, P. P.: *Antología chilena,* Santiago, 1908.—AMUNÁTEGUI SOLAR, D.: *Bosquejo histórico de la literatura chilena.* Santiago, 1915.—LATORRE, Mariano: *La literatura chilena.* Buenos Aires, Facultad de Filosofía y Letras, 1941.—LILLO, Samuel: *La literatura de Chile.* Santiago, 1930.

GONZÁLEZ DE AMEZÚA, Agustín.

Investigador y crítico literario español de mucho prestigio. Nació—1881—y murió—10 junio de 1956—en Madrid. Doctor en Derecho por la Universidad Central. Durante algunos años ejerció con éxito la abogacía y dio notables conferencias en la Academia de Jurisprudencia y Legislación, de la que es miembro de mérito y profesor doctísimo. Después se entregó de lleno a la investigación y crítica literaria. La Academia Española concedió—1909—la medalla de oro a su edición crítica de *El casamiento engañoso* y *Coloquio de los perros,* de Cervantes; obra de excepcional importancia, que confirmaba el valor de Amezúa, discípulo dilecto de Menéndez Pelayo, Pérez Pastor y Rodríguez Marín. Académico de la Real Española y director de la Real de la Historia. Presidente de la Sociedad de Bibliófilos Españoles. Secretario del Archivo Histórico Español. Presidente del Instituto de Estudios Madrileños.

González de Amezúa, dueño de una de las más hermosas bibliotecas particulares del mundo, ha reorganizado espléndidamente la de la Academia de Jurisprudencia y la de la Española.

De cultura vastísima y muy metódica. Sutil hasta lo inverosímil en la indagación y en la interpretación de los textos literarios. De estilo serio y claro. Muy rico de lenguaje. De cualquier obra estudiada por él puede asegurarse que lo ha sido definitivamente. Auténtico maestro de las letras españolas. En una de sus últimas obras: *Isabel de Valois*—en tres gruesos volúmenes—ha demostrado una maestría incomparable para el género biográfico, armonizando la rigurosidad documental, el estilo preciso y brillante y la seguridad temática con la máxima amenidad exigida por tan difícil género.

Obras: *La batalla de Lucena y el verdadero retrato de Boabdil*—1915—, *El marqués de la Ensenada*—1917—, *Fases y caracteres de la influencia del Dante en España, Juan Rufo y el apotegma en España, Las primeras Ordenanzas municipales de Madrid, Menéndez y Pelayo y la ciencia española, La novela cortesana*—1929—, *Epistolario de Lope de Vega Carpio*—cuatro tomos, 1935 a 1943—, *Antonio de Torquemada*—1943—, *Más honras frustradas de Lope de Vega* —1933—, *Cómo se hacía un libro en nuestro Siglo de Oro*—1945—, y otras muchas más.

En 1951 este maestro de las letras españolas marchó a México, en representación de la Real Academia Española, para presidir el Congreso de Academias Hispanoamericanas correspondientes de la Española, siendo nombrado presidente y llevando a cabo una labor tan fecunda como ejemplar.

GONZÁLEZ ANAYA, Salvador.

Notable novelista y poeta español. Nació —1879—y murió—el 30 de enero de 1955— en Málaga. Desde muy joven se dedicó al periodismo, llevando a feliz término campañas magníficas en pro de cuanto significara una mejora para su ciudad natal, amada por él entrañablemente. Hijo preclaro y cronista oficial de Málaga. Presidente de la Asociación de la Prensa malagueña. Alcalde eficientísimo de la misma ciudad. Presidente de la Academia de Bellas Artes de San Telmo, correspondiente de la de Bellas Artes de San Fernando, miembro de la Real Academia Española de la Lengua desde 1948.

Su estilo es castizo y está lleno de colorido y de fuerza expresiva. Es un profundo psicólogo. Sabe elegir temas de un interés y de un realismo extraordinarios. Maestro en el arte de narrar, asombra el tino con que describe "el ambiente" y con que estudia el alma y el cuerpo—la sensibilidad y los instintos—de los personajes por él creados. Cada novela de Anaya es un cuadro hermosísimo de vida española. Es uno de los mejores discípulos de los más grandes creadores españoles del siglo XIX: Alarcón, Valera, Pereda, Galdós, Palacio Valdés...

Obras: *Cantos sin eco*—poesías, 1899—, *Medallones*—poesías, 1900—, *Rebelión*—novela, 1905—, *La sangre de Abel*—novela, 1915—, *El castillo de irás y no volverás*—novela, 1921—, *Las brujas de la ilusión*—novela, 1923—, *Nido de cigüeñas*—novela, 1927—, *La oración de la tarde*—novela, 1929—, *Nido real de gavilanes*—novela, 1931—, *Las vestiduras recamadas*—1932—, *Los naranjos de la Mezquita*—novela, 1933—, *Luna de plata* —novela, 1942—, *Luna de sangre*—novela, 1944—, *El camino invisible*—1946—, *La jarra de azucenas*—1948—, *Tierra de señorío*—1951.

V. CEJADOR Y FRAUCA, J.: *Historia de la lengua y literatura españolas.* XI.—GONZÁLEZ-BLANCO, Andrés: *Historia de la novela española.* Madrid, 1909.—SAINZ DE ROBLES,

Federico Carlos: *La novela española en el siglo XX*. Madrid. Pegaso. 1957.—ENTRAMBASAGUAS, Joaquín de: *Las mejores novelas contemporáneas* (1930-1934). Barcelona. Planeta. 1961. Páginas 499-524. (Contiene una bibliografía exhaustiva.)—NORA, Eugenio G. de: *La novela española contemporánea*. Madrid. Gredos. 1958, págs. 349-350.

GONZÁLEZ ARINTERO, Juan.

Magnífico humanista, filósofo, ascético y literato español. Nació—1860—en Valdelugueros (León). Y murió—1928—en el convento de San Esteban, de Salamanca. En su pueblo natal estudió Latín y Humanidades. A los quince años ingresó en la Orden de Santo Domingo—convento de Corias—. Licenciado en Ciencias físico-químicas. Profesor en Ciencias eclesiásticas y profanas en diversos conventos de su Orden: Vergara, Corias, Valladolid, Roma. Maestro en Sagrada Teología. Naturalista y geólogo. Campeón de los estudios místicos en España, llegó a *crear su escuela*, en la que se han formado los más insignes maestros del pensamiento español contemporáneo. La cultura portentosa, la genial intuición, la fuerza proselitista, la sugestión de sus doctrinas, nadie se la ha disputado a este fraile singularísimo, orgullo de la Orden dominicana y de España. Sus obras, densas y luminosas, se han difundido por todo el mundo civilizado, siendo consideradas como el más vasto y mejor arsenal de doctrina y erudición mística. Durante mas de un cuarto de siglo, González Arintero fue el director de almas más renombrado y consultado dentro y fuera de España.

Sus obras son de carácter apologético o de carácter místico.

Entre las obras de carácter apologético —en las que pone al servicio de la Religión y de la Filosofía sus enormes conocimientos de Ciencias naturales—sobresalen: *El diluvio universal, La evolución y la filosofía cristiana*—1888—, *El Hexamerón y la ciencia moderna, La Providencia y la evolución,* y los dos primeros tomos de su obra máxima: *Desenvolvimiento y vitalidad de la Iglesia*—1900 a 1911.

El tomo tercero de esta obra marca el cambio de perspectiva en la mentalidad de González Arintero, entregado desde entonces a la mística.

Obras ascéticas y místicas: *Comentario al Cantar de los Cantares*—Salamanca, 1919—, *Cuestiones místicas*—Salamanca, 1916—, *Grados de la oración*—1918—, *La vida sobrenatural, La verdadera mística tradicional*—Salamanca, 1925—, *Las escalas del amor*—Salamanca, 1926—, *La perfección mística y el camino de perfección*—1927.

V. MAEZTU, Ramiro de: *Defensa de la hispanidad*.—GETINO, Padre Alonso: *González Arintero*.

GONZÁLEZ ARRILI, Bernardo.

Novelista, historiador, ensayista argentino. Nació—1892—en Buenos Aires. Durante su juventud se dedicó al periodismo. En 1917 fue director en la afamada *Revista Americana,* y en 1919, del diario de Salta *El Norte*. Es miembro correspondiente de la Academia de Artes y Ciencias de Cádiz.

Obras: *Protasio Lucero*—novela, 1919—, *La Venus de Calchaqui, El pobre afán de vivir, La ciudad reconquistada, La virgen de Luján, La invasión de los herejes, Tierra mojada*... Todas ellas novelas. *Vida de José Martí*—1948—, *Indios de América*—1949—, *Buenos Aires 1900*—1951—, *Bosquejo de historia nacional*—1952—, *Calle Corrientes, entre Esmeralda y Suipacha*—1952—, *El libertador de América, José San Martín*—1952...

GONZÁLEZ-BLANCO, Andrés.

Interesante poeta, novelista y crítico literario español. Nació—1886—en Cuenca. Murió—1924—en Madrid. Seminarista en Oviedo. Licenciado en Filosofía y Letras por la Universidad Central, de Madrid. Desempeñó diversos cargos en la Sección de Literatura del Ateneo madrileño. Colaborador prestigioso de las principales revistas literarias españolas. Polemista de mérito.

Su cultura era grande, aun cuando un tanto desordenada. Fue un crítico ecuánime y comprensivo, que estudió bien muchos aspectos de la literatura castellana y a muchos escritores españoles, americanos y portugueses. Como poeta es delicado y se muestra influido por Rubén Darío. Como novelista—acaso su máximo prestigio—, aparece vivo de imaginación, fácil de técnica, pintor notable de pasiones y de figuras, dueño de un estilo personal y de un lenguaje rico y brillante. Muerto en plena madurez, dejó una obra variada, copiosa y sumamente estimable, que convendría revalorizar.

Obras: *Poemas de provincia*—versos—, *Los contemporáneos*—crítica, tres tomos, 1907, 1910 y 1911—, *Los grandes maestros: Salvador Rueda y Rubén Darío*—1909—, *Historia de la novela contemporánea en España* —1909, premio del Ateneo de Madrid—, *Elogio de la crítica*—1911—, *Marcelino Menéndez y Pelayo*—1912—, *Campoamor: estudio biográfico y crítico*—1912—, *Dramaturgos españoles contemporáneos*—1917—, *Escritores representativos de América*—1918...

Entre sus novelas destacan: *La eterna historia*—1910—, *Doña Violante*—1910—, *Matilde Rey*—1911—, *Julieta rediviva*

—1912—, *El paraíso de los solteros*—1916—, *Mademoiselle Milagros*—1918—, *Las frívolas y las perversas*—1920—, *Regalo de reyes*—1923—, *María Jesús, casada y mártir*—1923—, *Alma de monja*—1924.

Escribió, además, gran número de novelas cortas para publicaciones tan importantes como *Los Contemporáneos, La Novela de Bolsillo, La Novela Semanal, La Novela Corta*, etc.

V. Cejador y Frauca, J.: *Historia de la lengua y literatura españolas.*—Salcedo Ruiz, Antonio: *La literatura española.* Tomo IV. Sainz de Robles, F. C.: *La Novela Corta en España (La generación de "El Cuento Semanal").* Madrid, Aguilar, 1952.—Nora, Eugenio, G. de: *La novela española contemporánea.* Madrid, Gredos, 1958. Tomo I, páginas 373-374.—Martínez Cachero, José M.ª: *Andrés González-Blanco: Una vida para la literatura.* Oviedo. Instituto de Estudios Asturianos. 1963.

GONZÁLEZ-BLANCO, Edmundo.

Ensayista, filósofo, novelista y literato español. Nació—1877—en Asturias. Murió —1938—en Madrid. Periodista. Ateneísta. Polemista de mérito. Ha dado numerosas conferencias en España y América. Ha sido colaborador de grandes diarios y revistas. Su cultura era vasta, pero, como la de sus hermanos Andrés y Pedro, algo desordenada. La diversidad de sus numerosos libros mengua el valor de fondo, sin que dejen de tener todos los escritos de Edmundo un sello de personalidad muy interesante. Gran traductor de numerosas obras inglesas, alemanas, francesas, italianas... de Hoffding, Fouillé, Carlyle, Morley, Emerson, Hume, Guizot, Girard, George, Ruskin, Nietzsche, Quincey, Renán...

Obras originales: *Iberismo y germanismo* —1917—, *Los orígenes de la religión, Alemania y la guerra europea*—1917—, *El materialismo*—1907—, *Filosofía de la Naturaleza, Jovellanos: su vida y su obra; Strauss y su tiempo, Voltaire, Historia del periodismo* —1920—, *El mundo invisible*—1929—, *La mujer según los diferentes aspectos de su espiritualidad*—1930—, y las novelas *Etapas de una degradación* y *Jesús de Nazaret; Muerte militar*—ensayo dramático—y otras varias obras de índole muy diversa.

En las famosas revistas *La Lectura, España Moderna, Helios* y *Nuestro Tiempo* ha dejado numerosísimos ensayos de mérito indiscutible.

GONZÁLEZ-BLANCO, Pedro.

Periodista y literato español. Hermano de Edmundo y de Andrés. Nació—1879—en

Luanco (Asturias). Periodista desde los quince años. Contribuyó a la vida efímera, pero gloriosa, de revistas como *Helios, Vida Literaria*, etc., en las que se dieron a conocer los espíritus más selectos de la llamada *generación del 98:* Maeztu, Benavente, Baroja, Valle-Inclán, "Azorín", Candamo, Villaespesa... Ha colaborado en *El Imparcial, El Liberal, La Lectura, La Revista Contemporánea.* Como sus hermanos, ateneísta y polemista, dueño de una cultura vasta, pero un tanto desordenada. Traductor benemérito de Lequier, Nietzsche, Sterling. Ha vivido muchos años en la América española, siendo revolucionario pintoresco con el poeta Lugones y el cabecilla Pancho Villa, de los cuales supo ganarse la confianza.

Pedro González-Blanco ha pronunciado, en más de veinte países, más de quinientas conferencias sobre literatura, arte, política, sociología y filosofía.

Entre sus mejores obras figuran: *Conquista y colonización de América por la calumniada España*—México, 1945—, *Vindicación y honra de España*—México, 1944; las dos de encendido españolismo y de magnífica doctrina—, *Teresa de Jesús (Rasgos biográficos)*—1944—, *Martín Alonso Pinzón*—1945.

La labor de Pedro González-Blanco en estos últimos años ha sido fecunda y digna de la mayor atención.

GONZÁLEZ DE CANDAMO, Bernardo.

Oriundo de Asturias e hijo de padres asturianos, nació en París el 1 de enero de 1881. Murió—1967—en Madrid. Estudió en la Facultad de Filosofía y Letras de Madrid y se dio a conocer muy joven por su asidua colaboración en la prensa madrileña, siendo redactor de *El Gráfico*, que dirigía Burell, y de *El Mundo*, en que tuvo a su cargo la crítica literaria y teatral. Posteriormente perteneció a las Redacciones de *El Fígaro* y *El Imparcial*, y Miguel Santos Oliver le confió la sección de comentarista de libros en *La Vanguardia*, de Barcelona. Durante la primera guerra europea se trasladó a París, donde se entrevistó con las grandes figuras de las letras francesas entonces en auge—Barrés, Bataille, Capus, Henri de Regnier, Brieux, Marcel Prévost—, de las que ha acertado a trazar finos y primosos trasuntos. Recientemente, y en alarde de juvenil renovación estilística, acreditó en *La Hoja del Lunes* el seudónimo de "Iván d'Artedo", bajo el que comentó con aguda ironía los más diversos temas intelectuales.

Epigono del 98, Bernardo G. de Candamo actuó en las filas del modernismo, con Ru-

G

bén Darío, los Machado, Villaespesa, Martínez Sierra y J. R. Jiménez.

GONZÁLEZ CARBALHO, José.

Poeta y prosista argentino. Nació—1901— en Buenos Aires. Durante varios años fue redactor del famoso diario *Las Noticias.* En 1930 le fue otorgado el "Premio Jockey Club" a su libro *Día de canciones.* Y en 1933, el "Premio Municipal" a su libro *Cantados.* Otras obras: *Campanas de la tarde* —1922—, *Casa de oración*—1924—, *Palabras del retorno*—1926—, *La ciudad del alba* —1938—, *Naturaleza y poesía*—1939—, *Nacimiento y destino de la canción*—1933—, *Vida, obra y muerte de Federico García Lorca*—1938—, *Indice de la poesía argentina contemporánea*—Antología, 1937—, *Orilla nocturna*—1942—, *Tiempo de amor perdido* —1942—, *Sólo en el tiempo*—1943—, *Canciones de la primera noche*—1948—, *Canciones con las hojas secas*—1953.

GONZÁLEZ CARVAJAL, Tomás.

Humanista, historiador y poeta español. Nació—1747—en Sevilla. Murió en 1834. Estudió en la Universidad hispalense. Maestro en Artes. Catedrático de Filosofía moral. Doctor en Leyes. Ministro interino de Hacienda—1812—, nombrado por las Cortes de Cádiz. Director de los Estudios de San Isidro, Madrid—1813—. Consejero de Estado —1821—. Patriota insigne, que huyó de España por no servir a José Bonaparte. Académico de la Historia y de la Lengua. Utilizó los seudónimos de "Silvano Filomeno" y el de "Capitán Muñatones", para publicar, respectivamente, en el *Correo Literario,* de Sevilla, composiciones poéticas y artículos de polémica. Su nombre está incluido en el *Catálogo de autoridades del idioma,* publicado por la Academia Española.

Obras: *Libro de los Salmos*—traducción hermosa—, *Elogio histórico del doctor Benito Arias Montano, Apuntamientos para la historia del rey don Felipe II...,* y varias poesías delicadas, que siguen las huellas de fray Luis de León.

V. GONZÁLEZ PALENCIA, A.: *La traducción de los "Salmos" de González Carvajal.* Madrid, 1931.

GONZÁLEZ DEL CASTILLO, Juan Ignacio.

Notable periodista y dramaturgo español. Nació—1763—y murió—1800—en Cádiz. Estudió sin profesor alguno el latín y el francés, llegando a traducir excelentemente ambos idiomas y con una increíble facilidad. Compuso multitud de obras escénicas, en su mayoría sainetes, que se estrenaron con éxitos ruidosos en su ciudad natal, aun en aquellos años turbulentos—entre 1809 y 1813—en que la ciudad de Cádiz fue el refugio de los políticos españoles y la sede de la Constitución española. Su nombre figura en el *Catálogo de autoridades* del idioma, publicado por la Real Academia.

González del Castillo compuso, primeramente, tragedias, como *Numa*—1799—, y comedias morales, próximas al género en que fue maestro Bretón de los Herreros. Pero su fama la debe a una serie de sainetes de espíritu análogo a los de don Ramón de la Cruz, sino que sustituyendo—en su mayoría—el ambiente madrileño por el gaditano. De estos sainetes son muchos los que asombran por su gracia, colorido, tipismo y amenidad, resultando verdaderos modelos del género. Así, *El día de toros en Cádiz, El desafío de la Vicenta, La feria del Puerto, El café de Cádiz, El cortejo sospechoso, El baile desgraciado y el maestro Pezuña, El chasco del mantón, La casa de vecindad, Los palos deseados, El robo de la pupila en la feria del Puerto, Los jugadores, Los cómicos de la legua, Felipa la Chiclanera, El aprendiz de torero, El maestro de la tuna, Los majos envidiosos, La maja resuelta, El fin del pavo, Los caballeros desairados...*

En la isla de León—1812—y en Cádiz —1813 a 1818—se imprimieron los sainetes de Castillo. También en Cádiz—1845 y 1846—, en cuatro volúmenes, por A. de Castro. Y en 1914-1915 se publicaron en las *Obras póstumas,* tres tomos, formando parte de la "Biblioteca Selecta de Clásicos Españoles".

González del Castillo fue apuntador en el teatro de su ciudad natal y maestro de lengua castellana del famoso erudito alemán don Juan Nicolás Böhl de Fáber, padre de "Fernán Caballero". No logró ver representadas sus obras en Madrid. Murió en la miseria y fue enterrado de limosna.

V. GONZÁLEZ RUIZ, N.: *González del Castillo y el teatro popular español del siglo XVIII,* en "Bca. Sp. St.", 1924, I, 135.— CEJADOR Y FRAUCA, J.: *Historia de la lengua y literatura españolas.*—SAINZ DE ROBLES, Federico Carlos: *Historia y antología del teatro español.* Tomo V.—COTARELO MORI, E.: *Isidoro Máiquez y el teatro de su tiempo.* Madrid, 1902.

GONZÁLEZ DE CLAVIJO, Ruy.

Historiador y prosista español de singular interés. Nació en Madrid a mediados del siglo XIV. Y en Madrid murió, probablemente, el año 1412. De nobilísima familia. Su casa solar ocupaba el lugar donde hoy se levanta la Capilla del Obispo, detrás de la iglesia de San Andrés, en Madrid. Y poco antes de morir se preparó un magnífico sepulcro en la capilla mayor del convento madrileño de San Francisco.

González de Clavijo fue enviado por el rey Enrique III al frente de una embajada al gran Tamerlán de Persia. Le acompañaron el fraile Alonso Páez de Santamaría y Gómez de Salazar. El viaje, curiosísimo y accidentadísimo, duró desde el 22 de marzo de 1403 al día 1 del mismo mes de 1406. Para reseñar a conciencia su viaje, escribió Clavijo la *Historia del gran Tamerlán, e Itinerario y enarración de la embaxada,* obra que publicó por vez primera—1582—Argote de Molina.

La obra de Clavijo, escrita con claridad, estilo simpático, detallista y animado y amenísima narración, es un vivero de noticias sorprendentes y de inauditas curiosidades. Parece que no se puede dudar de la veracidad de las cosas contadas en este sugestivo cronicón, aunque a veces pueda haber errores de observación.

Sancha, en 1782, volvió a imprimir este libro como formando parte de las *Crónicas de España.*

La Academia Española ha incluido a Ruy González de Clavijo en su *Catálogo de autoridades* del idioma. En 1943, en Madrid, López Estrada ha publicado la *Crónica* de forma meritísima.

V. López Estrada: Prólogo a la *Crónica.* Madrid, 1943.—Cambronero, C.: *Ruy Gómez de Clavijo,* en *Rev. Contemporánea.* 1899. CXIV.—Le Strange, G.: *Estudios y notas* en la traducción inglesa. Londres, 1926.—Ballesteros Robles, L.: *Diccionario biográfico matritense.* Madrid, 1912.

GONZÁLEZ DÁVILA, Gil.

Notable historiador y prosista español. Nació—1578—en Avila. Murió—1658—en Madrid. Estudió durante nueve años en Roma, donde fue familiar del cardenal Pedro Deza. En 1598, ya de regreso en España, obtuvo una prebenda en Salamanca. Cronista —1612—del rey don Felipe III. Lope de Vega le elogió cumplidamente en su *Laurel de Apolo.* Su nombre figura en el *Catálogo de autoridades* del idioma, publicado por la Real Academia Española.

Obras: *Historia de las antigüedades de la ciudad de Salamanca*—1606—, *Vida y hechos de don Alonso Tostado de Madrigal, obispo de Avila*—Salamanca, 1611—, *Teatro eclesiástico de las ciudades e iglesias catedrales de España*—Salamanca, 1618—, *Teatro de las grandezas de la villa de Madrid*—Madrid, 1623—, *Historia de la vida y hechos del rey don Enrique III de Castilla*—Madrid, 1638—, *Teatro de las iglesias de España*—1645, 1647

y 1650—, y alguna otra de menor importancia.

Dejó inédita una *Historia de Felipe III,* impresa más tarde—1770—por Pedro Salazar de Mendoza en su *Monarquía de España.*

V. Sainz de Robles, F. C.: *Algunos cronistas de Madrid* (Ensayo). Madrid, 1929.

GONZÁLEZ LANUZA, Eduardo.

Poeta, prosista y autor teatral español. Nació—1900—en Santander, pero a los pocos años fue llevado a la Argentina, donde ha vivido desde entonces. Fue, en Buenos Aires —1923—uno de los más entusiastas practicantes y propagadores del *ultraísmo poético,* en el grupo denominado "Martín Fierro". Colaborador asiduo de la famosa revista *Sur* y del gran diario *La Nación.* Ha sido miembro de la Junta Directiva de la Sociedad Argentina de Escritores.

Obras en verso: *Prismas*—1924—, *Treinta i tantos poemas*—1932—, *La degollación de los inocentes*—1938—, *Transitable cristal* —1943—, *Retablo de Navidad y de la Pasión*—1953—, *Cuando ayer era mañana* —1954.

Obras en prosa: *Aquelarre*—1938—, *Horacio Butler*—1941—, *Cinco poetas argentinos* —en *Sur*—, *El bastón del señor Polichinela* —teatro, 1935—, *Ni siquiera el diluvio*—teatro, 1939.

V. Ghiano, Juan Carlos: *Constantes de la literatura argentina.* Buenos Aires, Raigal, 1953.

GONZÁLEZ LÓPEZ, Luis.

Novelista, autor dramático y ensayista. Nació en Torrevieja (Alicante), el 7 de abril de 1889. Cursó estudios en el de Jaén y en la Normal de Maestros. Aficionado a la literatura desde niño, fundó con sus amigos las revistas *Arte, Ensayos* y otras. En 1911 ingresó por oposición en Correos, y actualmente es administrador principal de dicha capital, en la cual instituyó politécnica de importancia, y, siempre con vocación docente, es titular de Lengua y Literatura castellanas en la Real Sociedad Económica de Amigos del País, además de secretario. Fue mantenedor de varias justas literarias y conferenciante sobre temas de cultura general, arte y literatura, en diversas localidades.

Es académico correspondiente de la de Buenas Letras, de Málaga, y posee la medalla de oro de la Cruz Roja Española. Es académico de la Real de Ciencias, Bellas Letras y Nobles Artes, de Córdoba, y también académico de número de la Iberoamericana de Historia Postal, a más de otros honores sin distinciones.

G

Obras: *Bailén*—monografía, 1909—, *Un viejo verde*—monólogo, 1910—, *Cautivo de amor*—novela, 1911—, *La rosa de oro*—cuento escénico en un acto, 1918—, *La voluntad de Dios*—comedia en dos actos, 1919—, *Alondra*—poema escénico en un acto, 1920—, *Palabras*—disertación, 1921—, *Panalico de miel*—égloga en un acto, 1922—, *Estudio crítico de las obras del doctor don Manuel Muñoz Garnica*—premio del concurso convocado por la Excma. Diputación Provincial de Jaén, 1922—, *La otra*—premiada en certamen literario de *Blanco y Negro*, a propuesta de un Jurado compuesto por don Armando Palacio Valdés, don José Ortega Munilla y don Julio Casares, 1922—, *Santa del Valle*—tragedia en tres actos, 1923—, *La vida por ella*—comedia en tres actos, 1925—, *Abel es tu hijo*—comedia en tres actos, 1927—, *Hidalgos y villanos*—novela, 1928—, *Papá no quiere que salgas*—comedia en tres actos, 1928—, *Las hijas de Barrigón*—comedia en tres actos, 1928—, *Telo y Demona*—entremés, 1928—, *Guía sentimental de Jaén*—primer volumen, prólogo de A. Cruz Rueda, 1931—, *Las mujeres de don Juan Valera*—"Premio Juan Valera, 1933", otorgado por los académicos de la Española don Francisco Rodríguez Marín, don Serafín y don Joaquín Alvarez Quintero y don Ricardo León Román, 1934—, *La Jaenera*—estudio literario, 1939—, *Adoración del Santo Rostro, simiente para la fe*—1941—, *Paisaje forestal* (La repoblación en la provincia de Jaén) —1946—, *La sombra*, tragedia, sin estrenar.

GONZÁLEZ MARTÍNEZ, Enrique.

Uno de los "siete dioses mayores de la lírica mexicana", en opinión del gran crítico Enríquez Ureña. Nació en 1871. Ha muerto en 1952. Médico de profesión. Hasta los cuarenta años ejerció por los Estados. En 1909 se incorporó al movimiento intelectual y artístico de la capital. Profesor universitario. Representó diplomáticamente a su país en España, Chile y la Argentina. Su cultura es mucha y honda. Sus ideas, profundas y originales.

Este poeta tiene una importancia capital, porque, siendo amigo y admirador de Rubén Darío, fue el primero en rebelarse contra el modernismo simbolista y formulario del gran vate de Nicaragua. Su grito de protesta fue aquel magnífico soneto que empieza:

Tuércele el cuello al cisne de engañoso plu-
[maje...

Y oponía a este cisne, que pasea su gracia exclusivamente eterna, el búho meditabundo y misterioso. Es decir: se declaraba neorromántico pensante contra los modernistas-

simbolistas epidérmicos. La eterna sabiduría vale más para él que la exquisita gracia perecedera. Acaso su posición estética estuviera determinada por su intensa vida interior, ya que de niño estudió en el seminario. En Mocorito dirigió la revista *Arte*. Y ya en México fundó *Argos,* colaboró en *El Imparcial,* fue presidente del Ateneo y catedrático de Literatura de la Escuela Preparatoria.

Es el poeta del silencio, de la serenidad, del hondo concepto de la vida, de la suprema elegancia expresiva, de todo lo inefable y sutil.

La poesía de González Martínez participa de un doble carácter: de individualismo y de panteísmo a la vez, y posee una música propia, inimitable, para todos sus momentos. "Su poesía—escribe su prologuista Alfonso Reyes—es como su vida; hay en ella algo que yo llamaría cartesianismo poético, una constante referencia a las primeras evidencias del espíritu. El poeta sale al mundo, se asoma a la Naturaleza, hojea los libros, saluda a los hombres, cultiva un poco su viña, y luego huye por los senderos que él solo conoce, hacia el sagrario del silencio. Allí tiene que acabar todas sus poesías, porque el alma misma enmudece. Allí llega con el tesoro de sus visiones recién robadas, corrige los valores, los pesa; y el alma asimila calladamente las nuevas emociones, y así va creciendo en perfección. Esta es su poesía y esta es su vida."

González Martínez, en su magnífica antología *Jardines de Francia,* ha traducido con perfección asombrosa a Maeterlinck, Verhaeren, Rodembach, Francis James...

Obras: *Preludios*—versos, 1903—, *Lirismos* —1907—, *Silenter*—poesías, 1909—, *Los senderos ocultos*—1911—, *La muerte del cisne* —1915—, *La hora inútil*—poemas, 1916—, *El libro de la fuerza, de la bondad y del ensueño*—1917—, *Parábolas y otros poemas* —1918—, *Poemas de ayer y de hoy*—1918—, *Poesías*—selección definitiva, 1938 a 1940.

V. Osuna, Sixto: Prólogo a *Silenter.* 1909. Reyes, Alfonso: Estudio preliminar en *Los senderos ocultos.* Ed. de 1916.—Estrada, Jenaro: *Poetas nuevos de Méjico.* 1916.—González Peña, Carlos: *Historia de la literatura mejicana.* México, 1940, 2.ª edición.—Henríquez Ureña, P.: Prólogo a *Jardines de Francia.* México, 1915.

GONZÁLEZ MAS, Ezequiel.

Nació en Madrid en 1919, y en esta ciudad hizo sus primeros estudios y los de bachillerato. Es licenciado en Filosofía y Letras, y el Gobierno francés le concedió una beca para ampliar estudios de literatura contemporánea en la Sorbona.

El año 1944 publicó un cuaderno de sonetos que mereció favorables juicios de Eugenio d'Ors, Camón Aznar y otras relevantes personalidades de nuestra vida intelectual. En 1947 aparecieron sus *Sonetos al Greco y a Van Gogh*. Ha colaborado en las revistas españolas de poesía joven.

Profesor de Literatura española en las Universidades de Quito y Puerto Rico.

"No hemos de encontrar aquí—ha dicho un crítico, refiriéndose a sus sonetos—las suavidades, las arrogancias o las efusiones de Garcilaso, Góngora o Lope de Vega; ni el hervor de Rubén o la gallardía de Manuel Machado. Vive González más en íntimo coloquio con maestros más jóvenes: un Miguel Hernández, un Neruda, un Cernuda. Jamás evoca al Greco o a Van Gogh para retratarles según los usos convencionales; por el contrario, casi sin saber cómo, se encuentra compartiendo con ellos sus apetencias y sus desconsuelos, como si el coexistir con las almas hermanas fuese sustancial realidad."

En 1950 ha publicado *Elegías*.

GONZÁLEZ OLMEDILLA, Juan.

Poeta y novelista español. Nació—1893—en Sevilla. Fundó y dirigió a los dieciocho años—Sevilla, 1911—la revista *Andalucía*. Estudió Filosofía y Letras en la Universidad de Madrid. Periodista excelente, fue crítico literario de *Excelsior, El Fígaro y Heraldo de Madrid*. El año 1923 desempeñó el cargo de secretario primero de la Sección de Literatura del Ateneo madrileño. Colaborador de numerosos diarios y revistas españoles e hispanoamericanos. Conferenciante. Traductor correcto de poesías latinas y portuguesas.

González Olmedilla es un poeta modernista—con influencias rubenianas—lleno de pasión, sonoridad, sensualidad y colorido. Y un novelista hábil de técnica, castizo de lenguaje, vivo de inventiva.

Obras: *La llave de oro*—poesías, 1914—. *Poemas de Andalucía*—1912—, *La ofrenda de España a Rubén Darío*—crítica, 1916—, *El chaleco del diablo*—novela corta—, *Trenes de amor y de olvido*—novela corta—, *La sabrosa manzana amarga*—novela, 1923—, *La vida loca*—comedia, 1928—, *El tango de moda*—comedia, 1929...

GONZÁLEZ PALENCIA, Angel.

Investigador y crítico literario, arabista español. Nació—1889—en Horcajo de Santiago (Cuenca). Murió—1949—en un accidente de automóvil cerca del lugar de su nacimiento. Estudió Latín, Filosofía y Teología —de 1897 a 1909—en el seminario de Cuenca. Doctor—1915—en Filosofía y Letras.

Del Cuerpo Facultativo de Archiveros, Bibliotecarios y Arqueólogos. Catedrático de Literatura arábigo-española en la Universidad Central—1927—. Académico—1930—de la Real de la Historia. Académico de la Real Española de la Lengua. Colaborador de importantísimas revistas españolas y extranjeras de erudición. Director de la "Biblioteca de Asuntos Orientales" y de la "Biblioteca Saeta"—de literatura española—. Discípulo predilecto de los grandes maestros de estudios árabes Julián Ribera y Miguel Asín Palacios.

González Palencia logró fama como arabista y como crítico literario. Sus obras están profundamente concebidas y desarrolladas con gravedad, que no excluye la amenidad.

Obras: *Manuscritos árabes y aljamiados...* —1912—, *Tratado de Lógica, por Abusalt de Denia*—texto árabe, traducción y estudio previo, 1915—, *Indice de la "España Sagrada"*—1918—, *Testamento de Juan López de Hoyos, maestro de Cervantes*—1921—, *Historia de la literatura española*—en colaboración con don Juan Hurtado; varias ediciones desde 1921—, *El califato occidental*—en el tomo III de *The Cambridge Medieval History*, 1923—, *Historia de la literatura arábigo-española*—Barcelona, 1928—, *Pleitos de Quevedo con la villa de Torre de Juan Abad*—1928—, *Don Francisco Cerdá y Rico: su vida y sus obras*—1928—, *Miscelánea conquense*—1929—, *Los mozárabes de Toledo en los siglos XII y XIII*—cuatro tomos, 1926 a 1930—, *Las fuentes de la comedia de Juan Ruiz de Alarcón "Quien mal anda, mal acaba"*—1929—, *El amor entre los musulmanes españoles*—1930—, *El Islam y Occidente* —discurso de ingreso en la Academia de la Historia, 1931—, *El "Cancionero" de Jorge de Montemayor*—1931—, *Meléndez Valdés y la literatura de cordel*—1931—, y otras muchas, pues González Palencia fue de los eruditos más fecundos.

GONZÁLEZ PEÑA, Carlos.

Historiador, novelista y crítico literario mexicano. Nació—1885—en Lagos (Jalisco). Murió—1955—en México. Una de las figuras más interesantes de las letras mexicanas contemporáneas. Periodista ilustre. Doctor en Leyes y en Letras. Ha ejercido la crítica literaria en revistas de la máxima categoría. Colaborador de *La Patria, Arte y Letras, Revista de Revistas, El Universal, El Mundo Ilustrado...* Ha dirigido las revistas *México, Vida Moderna, El Universal Ilustrado*. En su cátedra de Literatura se han formado varias generaciones de intelectuales, magníficos exponentes de la actual cultura de su país.

G

Su *Historia de la literatura mexicana* es, posiblemente, la mejor escrita, la de más aguda y sincera crítica, entre cuantas obras se refieren a tema tan vasto y difícil.

González Peña fue un auténtico maestro, pletórico de la mejor doctrina y de la más serena y firme forma expositiva.

Entre sus novelas sobresalen: *De la noche*—1906—, *La chiquilla*—1907—, *La musa bohemia*—1909—, *El hidalgo del amor, La fuga de la quimera...*

Entre sus ensayos: *La vida tumultuosa.*

GONZÁLEZ DE LA PEZUELA Y CEBALLOS-ESCALERA, Juan.

Literato español. Nació—1809—en Lima. Murió—1906—en Madrid. Marqués de la Pezuela y primer conde de Cheste. Hizo sus primeros estudios en el célebre colegio madrileño de San Mateo, del que eran profesores Lista y Hermosilla. Fueron condiscípulos suyos Espronceda, Ventura de la Vega, Roca de Togores, Patricio de la Escosura... Siguió la carrera militar, mezclando sus estudios disciplinados con una alegre vida bohemia de señorito romántico rico. Llegó a capitán general y tuvo los mandos de Cataluña, Puerto Rico, Cuba. Senador. Gran cruz laureada de San Fernando. En 1845 ingresó en la Real Academia Española de la Lengua, de la que fue director desde 1875. Fundó—1850—en Puerto Rico la Academia Real de Buenas Letras de San Juan.

Durante su juventud publicó en los diarios y revistas varias poesías firmadas por "Delmiro". Y en 1832 inició su carrera literaria enviando a un concurso de la Academia Española su poema *El cerco de Zamora*. Un año después estrenó sin éxito su comedia *Las gracias de la vejez*.

El conde de Cheste debe su fama literaria a sus traducciones de Tasso—*La Jerusalén libertada*—, Camoens—*Los Lusiadas*—, de Dante—*Divina Comedia*—y Ariosto—*Orlando furioso*—; traducciones literalísimas, empleando el mismo metro de los grandes creadores. Sin embargo, la alta crítica ha tenido violentísimas censuras para estas traducciones, a las que estima carentes de arte y de sensibilidad.

V. ROZALEJO, marqués de: *Cheste, o todo un siglo*. Madrid, Espasa-Calpe, 1935.

GONZÁLEZ PRADA, Manuel.

Notable poeta y prosista. 1848-1918. Nació en el Perú. De esclarecido linaje. Durante ocho años vivió recluido en su hacienda de Mala, dedicado a las faenas campesinas. Luego se dedicó activísimamente a la política. Era librepensador, antiespañol furibundo, carácter de acero. Bien pronto se hizo famoso por sus elocuentes discursos y por

sus polémicas periodísticas. Con gran brío e injusticia, despotricó contra todo lo español, propugnando por "la extranjerización" del Perú. Trabajó solitario y malquerido por todos, ya que su carácter era agrio, duro y combativo en extremo. Viajó por Europa, y en París tuvo un curioso lance con Verlaine, a quien no conocía, por defender a una dama a quien el famoso lírico francés, beodo, había ofendido en plena calle. Fue el alma del Círculo Literario y de La Unión Nacional, desde cuyas tribunas lanzó inflamadas y furibundas proclamas de un nacionalismo eólatra.

Muchos críticos han estimado que en González Prada el polemista *apagaba* al poeta. Su castellano fue pobre y malo. "Gallardo animal de presa" le llamó su panegirista Blanco Fombona. Sustituyó a Ricardo Palma en la dirección de la Biblioteca Nacional de Lima.

¿A qué escuela pertenece Prada como poeta? "No es fácil, tampoco, deducir ordenadamente las influencias operadas sobre él. Trátase de un caso complejo, si bien aparece siempre como un romántico atenuado. En ese fondo sentimental se acusan formas clásicas, parnasianas y simbolistas, sobre toda clase de novedades y exotismos métricos. Por último, desemboca en expresiones directas y concisas, claro anuncio de novedosa modernidad." (Leguizamón.) Y añade este mismo crítico: "La insatisfacción ante los moldes concluidos se traduce por modos diversos. No es el menos significativo su tendencia a la adopción de una nueva ortografía. Después ensaya las más diversas formas rítmicas, incluso el metro alkmánico y el polirritmo sin rima. Ensaya también exóticas combinaciones estróficas o poemáticas: rondel *triolet,* balada, *espenserinas, pantum, estornelo, rispetto,* etc." Y Ventura García Calderón resume: "Un ensayista, un pensador apasionado, un pagano místico a la manera de su maestro Luis Menard; un soñador situado a igual distancia de la pura especulación y del lirismo sin medula, este parece representar González Prada en la literatura del Perú."

Obras: *Páginas libres*—París, 1894—, *Minúsculas*—poesías, 1901—, *Presbiterianas* —Lima, 1909—, *Exóticas*—Lima, 1911—, *Poesías selectas*—París, sin año—, *Trozos de vida*—París, 1913—, *Baladas peruanas*—Santiago de Chile, 1915—, *Grafitos*—París, 1917—, *Horas de lucha*—Lima, 1908...

V. BLANCO FOMBONA, R.: *Grandes escritores de América*. Madrid, 1917.—LEGUIZAMÓN, Julio A.: *Historia de la literatura hispanoamericana*. Buenos Aires, 1945.—MELIÁN LAFINEUR, A.: *González Prada*, en *Nosotros*. Buenos Aires, 1917.—GARCÍA CALDERÓN, V.: *La literatura peruana*, en *Rev. Hispanique,*

XXI.—Sánchez, Luis A.: *La literatura peruana.* Lima, 1928, tres tomos.

GONZÁLEZ ROJO, Enrique.

Fino poeta y prosista mexicano. Nació en Sinalva, el 25 de agosto de 1899. Murió en 1939. Hijo del magnífico poeta González Martínez. Hizo sus primeros estudios en su provincia y los terminó en la Escuela Nacional Preparatoria, de México. Muy joven, se dedicó al periodismo, que abandonó para desempeñar distintos puestos consulares en el extranjero. Estuvo al frente del departamento de Bellas Artes de la Secretaría de Educación, México—1923-24—. Muerto en plena juventud. Su poesía lírica es íntima, fervorosa, cálida, impaciente.

Ha publicado: *El puerto*—México, 1924—, *Espacio*—Madrid, 1926—y *Viviendas en el mar*—México, 1927.

V. Jiménez Rueda, Julio: *Historia de la literatura mejicana.* México, 1944.—Maples Arce, Manuel: *Antología de la poesía mejicana moderna.* Roma, 1940.—Angarita Arvelo, Rafael: *Antología de la poesía mejicana moderna.* México, 1928.

GONZÁLEZ-RUANO, César.

Interesante prosista, poeta, novelista y periodista español. Nació—1903—y murió—15 de diciembre de 1965—en Madrid, ciudad donde estudió el bachillerato. En las Universidades de Madrid, Santiago de Compostela y Zaragoza cursó la carrera de Leyes, licenciándose—1926—en la Central. Desde 1920 casi se entregó por completo a la literatura, colaborando en las primeras revistas ultraístas y minoritarias. En 1925 comenzó a publicar en los principales periódicos y revistas de la prensa hispanoamericana. Fue redactor de *La Epoca*—1927—, *Heraldo de Madrid*—1929 a 1931—, *Informaciones*—1931 y 1932—y *A B C.* Corresponsal de este diario en Berlín —1933—, en Roma—1936 a 1939—. De 1940 a 1944 vivió en París. Ha viajado por toda Europa y Africa del Norte. El año 1932 le fue concedido el "Premio Mariano de Cavia", la más alta recompensa periodística de España.

Fue uno de los más fecundos escritores contemporáneos. Tuvo un estilo personal, vibrante, lleno de colorido. Supo narrar con amenidad. Su poesía ha estado sujeta a todas las modas y a todos los modos en boga, pero, no obstante, conserva notas personales de indudable lirismo.

Obras: *Poemas de invierno*—1921—, *Alma* —1921—, *Poemas de la ciudad*—1922—, *Fervor de Bilbao*—1925—, *Loa de estirpes* —1927—, *Aún*—primera antología poética, 1934—, *Poemas*—1934—, *Misterio de la poesía*—Roma, 1935—, *Angel en llamas*—París,

1941—, *El errante*—1942—, *Vía áurea*—Barcelona, 1944—, *Balada de Cherche-Midi* —Barcelona, 1944—, *Poesía*—selección poética, 1944—, *Mata-Hari*—biografía—, *Baudelaire*—biografía—, *Casanova*—biografía—, *Manuel de Montparnasse*—novela—, *La luna en las manos*—comedia poética, estrenada en Madrid, 1934—, *Puerto de Santa María* —misterio en tres cuadros, estrenado en París, 1942—, *La inmolada*—novela—, *Invitación al amor*—1947—, *Ni César ni nada* —novelita, "Premio Café Gijón, 1951"—, *Mi medio siglo se confiesa a medias (Autobiografía)*—1950, aun cuando cuenta más de los demás, y no siempre con exactitud ni buena intención, que de él—, *Diario íntimo* —1952—, *Los oscuros dominios*—novela, 1953—, *Cita con el pasado*—Barcelona, 1954—, *Libro de los objetos perdidos y encontrados*—Barcelona, 1959—, *Nuevo descubrimiento del Mediterráneo*—Madrid, 1959—, *La carta*—Barcelona, 1959—, *La memoria veranea*—Barcelona, 1960—, *Madrid caliente* —Madrid, 1960...

V. Peña, Manuel de la: *El ultraísmo en España.* Madrid, 1923.—Cansinos-Asséns, Rafael: Prólogo a *La inmolada.*—Torre, Guillermo de: *Literaturas europeas de vanguardia.*—Verdevoye, Paul: Prólogo a la versión francesa *Ange de flammes.*—V. Nora, Eugenio G. de: *La novela española contemporánea.* Madrid, edit. Gredos, 1962. Tomo III, páginas 380-382.

GONZÁLEZ RUIZ, Nicolás.

Nació en Mataró (Barcelona), el 7 de noviembre de 1897. Murió—1967—en Madrid. Padres andaluces. Estudió bachillerato y Magisterio en Tarragona. Estudios superiores en Barcelona y Madrid. Perteneció al Centro de Estudios Históricos, bajo la dirección de Menéndez Pidal, en los años 1918-1920. Profesor auxiliar de Lengua y Literatura españolas en la Universidad de Liverpool (Inglaterra) en los cursos 1921-22, 1922-23, 1923-24. Precoz inclinación al periodismo. Trabajos de primera juventud en *El Noticiero Universal*, de Barcelona. (*Poesías y cuentos*, años 1915 y 1916.) Dedicación plena al periodismo desde agosto de 1923 en *El Debate,* de Madrid. Primeramente, como cronista desde Inglaterra. A partir de otoño de 1924 trabajó de editorialista en la Redacción. Miembro del Consejo Editorial. En 1935, redactor-jefe. Sufrió prisión durante los años de guerra en la Cárcel Modelo—1936—, en la de Porlier —1937—y en la de Baztán—1937-38—. Editorialista y crítico literario en *Ya* desde 1939. Asesor literario del teatro Español en 1942.

Estrenos: *Macbeth, Romeo y Julieta, Otelo, Sueño de una noche de verano, Ricardo III*—adaptaciones, de Shakespeare—, *Ma-*

G

ría Estuardo—adaptación, de Schiller—, *El precio de la victoria*—drama original.

Obras: *En esta hora*—crítica literaria, Madrid, 1925—, *La trayectoria de una revolución*—ensayos biográficos, Madrid, 1930—, *Azaña*—ideas religiosas, ideas políticas; el hambre; Madrid, 1932—, *Antología de literatura periodística*—Madrid, 1934—, *Lope de Vega*—biografía espiritual, Madrid, 1935—, *El polígamo inocente*—novela, Madrid, 1939—, *Normas generales de redacción*—Madrid, 1939—, *Cuentos del pasado glorioso*—Madrid, 1940—, *La literatura contemporánea*—Madrid, 1943—, *El duque de Rivas o La fuerza del sino*—Madrid, 1943—, *Azel de Fersen*—Barcelona, 1942—, *Vidas paralelas*—once volúmenes publicados; Barcelona, 1944-1946—, *Macbeth, Romeo y Julieta*—Madrid, 1944—, *Piezas maestras del teatro teológico español*—dos tomos, Madrid, 1946—, *La Caramba*—Madrid, 1944—, *El regreso de las sombras*—Madrid, 1954.

V. Nora, Eugenio G. de: *La novela española contemporánea.* Madrid, Gredos, 1962. Tomo III, págs. 376-377.

GONZÁLEZ DE SALAS, José Antonio.

Insigne humanista y literato español. Nació—1588—en Madrid. Y en Madrid—1654—murió. Señor de la antigua casa de los González de Vadiella, hijo del contador don Diego González de Salas y de doña Isabel de Jivaja Pisa y Quiroga. Tuvo una educación principesca. Aprendió a la perfección las lenguas latina, griega y hebrea. Adquirió así una gran erudición en todo género de letras. Con esto y su continuo estudio, alcanzó muy pronto fama de sabio. No pretendió jamás destino alguno. Contentóse con su patrimonio y vivió apartado del bullicio de la corte en medio de ella. Pero sus escritos le hicieron tan conocido, y le dieron tanta estimación entre los doctos, que se comunicó y trató con todos los de dentro y fuera de España. Felipe IV, en 1634, le hizo merced de un hábito de Calatrava. Murió repentinamente a los sesenta y seis años.

"Tétrico de carácter—escribe Menéndez Pelayo en sus *Ideas estéticas*—, enfático y sentencioso de estilo, algo misántropo y mal avenido con todo cuanto le rodeaba, comunicó estas cualidades a su estilo, que es la misma lobreguez y el mismo desconsuelo. Anduvo toda la vida con los griegos en las manos, y no se le pegó cosa alguna de la forma helénica, y solo le sirvieron para alardear de una erudición muy maciza y positiva, pero tortuosa y culterana." Pese a sus resabios, fue el español de su tiempo que mejor conoció las letras clásicas.

Publicó eruditos comentarios al *Satyri-*cón, de Petronio; a la *Historia Natural,* de Plinio; a la *Geografía,* de Pomponio Mela, y "como si se tratara de un escritor clásico de Grecia o Roma, las seis primeras *Musas,* de Quevedo, su íntimo amigo, poco después de la muerte de este, con el título *Parnaso español, monte en dos cumbres dividido*—1648—". Siendo severo y puro de costumbres, gustó de las licencias y atrevimientos de Quevedo y Petronio. Estimando y recomendando la claridad, cayó de lleno su estilo en las afectaciones pedantescas.

Su obra fundamental es la *Nueva idea de la tragedia antigua, o Ilustración al libro de la "Poética",* de Aristóteles—1633—, libro en el que si poco se alude a la tragedia, en compensación se trata mucho y bien de la doctrina aristotélica, añadiéndose mil curiosas notas sobre música, histrionismo, danzas, pantomimas...

V. Cerdá, J.: *Vida y escritos de González de Salas.* Prólogo a la *Nueva ilustración de la tragedia antigua...* 1778. II.—Menéndez Pelayo, M.: *Ideas estéticas...* 1940, II, 247.

GONZÁLEZ SERRANO, Urbano.

Literato, crítico y pedagogo español. Nació—1848—en Navalmoral de la Mata, y murió—1904—en Madrid. Profesor de Filosofía en el Instituto madrileño de San Isidro. Colaborador ilustre de don Francisco Giner de los Ríos en el Instituto Libre de Enseñanza, centro del que fue catedrático y pedagogo muy destacado. Diputado a Cortes radical. Fue, filosóficamente, un decidido krausista, y sustituyó en la cátedra de Metafísica a don Nicolás Salmerón. Colaboró en la *Correspondencia de España, La Ilustración Española y Americana, Nuestro Tiempo, La Ilustración Artística, Escuela Moderna, Revista de España, Revista Contemporánea...* En el Ateneo pronunció magníficas conferencias. Y si como filósofo no pasó de mediano, como crítico literario fue agudo, objetivo y magistral expositor.

Su labor anónima fue asombrosa. Casi todos los artículos de Filosofía y las biografías de filósofos, en el famoso *Diccionario enciclopédico hispanoamericano,* son debidos a su pluma.

Obras: *Elementos de ética o Filosofía moral*—1874—, *Manual de psicología, ética y lógica*—1880—; *La psicología científica*—1880—, *Preocupaciones sociales*—1882—, *La sociología científica*—1883—, *Cuestiones contemporáneas*—1884—, *La sabiduría popular*—1886—, *La psicología fisiológica*—1886—, *Psicología del amor*—1888—, *Estudios psicológicos*—1892—, *En pro y en contra*—1894—, *Cartas pedagógicas*—1895—, *Preocupaciones de los grandes*—1902—, *Bo-*

cetos filosóficos—1901 y 1902—, *Goethe* —1879—, *Estudios de moral, de Filosofía y de Crítica*—1888...

GONZÁLEZ TUÑÓN, Raúl.

Poeta y prosista argentino. Nació—1905— ¿en Buenos Aires? Uno de los innovadores de la actual poesía americana. Perteneció al célebre grupo de Boedo. Efectuó varios viajes a Europa, dos a España. Publicó en 1926 su primer libro, *Violín del Diablo*, "Premio Gleizer". Y sucesivamente, *Miércoles de Ceniza, La calle del agujero en la media, Todos bailan, Poemas de Juancito Caminador, La muerte en Madrid, Las puertas del fuego, Hay alguien que está esperando* y una antología en dos volúmenes, *La luna con gatillo*. Edit. Cartago, en 1958.

GORBEA LEMMI, Eusebio.

Novelista, ensayista y autor dramático español. Nació—1881—en Madrid. Murió en los Estados Unidos hacia 1945. Estudió el bachillerato en el Instituto madrileño de San Isidro. Ingresó en la Academia de Infantería de Toledo, saliendo de ella, a los diecisiete años, de segundo teniente. Tomó parte en la campaña africana de 1909, siendo herido en el barranco del Lobo. Colaborador de periódicos y revistas. En el concurso de comedias organizado—1909—por *El Liberal*, de Madrid, Gorbea obtuvo un premio con la titulada *La muñeca de los viejos*. Y el año 1929, la Academia Española concedió el "Premio Fastenrath" a su obra escénica *Los que no perdonan*, estrenada en el teatro Eslava, de Madrid, con un clamoroso éxito. Sus aficiones al arte dramático le llevaron a tomar parte como autor en los intentos más serios que se han hecho en España modernamente para reavivar el teatro. Así, en la compañía *El cántaro roto*, fundada por Valle-Inclán; en *El Mirlo Blanco*, dirigida por los Baroja, y en *Caracol*, dirigida por Rivas Cherif.

Otras obras: *Florículas y cariátides*—poesías satíricas, 1905—, *Jaime y Jaimín*—novela corta, en "Los Contemporáneos"—, *Don Quijote de Vivar*—novela—, *Los mil años de Elena Fortún: Magerit*—novela arqueológica—, y las comedias: *Veletas, Los amos de Curtidores, El molino de la mujer sola, Baile de trajes*...

Gorbea Lemmi poseyó un rico temperamento de creador literario, eligió con tino los temas más originales y los desarrolló en una prosa jugosa, limpia, cincelada.

GOROSITO HEREDIA, Luis.

Nació—1902—en Carcarañá, provincia de Santa Fe (Argentina). Poeta y prosista. Estudió con los Salesianos de Córdoba. En 1922 marchó a Roma para terminar sus estudios sacerdotales, ordenándose sacerdote el 12 de julio de 1926. Ha ejercido el profesorado en distintos colegios salesianos: Mendoza, Rosario, Buenos Aires. Ha ganado incontables premios en Juegos florales y Concursos de diarios y revistas. En 1948 amplió sus estudios en Europa, merced a una beca, recorriendo Italia, Francia, Inglaterra, España. Está considerado en la Argentina como uno de sus más altos poetas, siempre dedicado a dar a su lirismo preocupaciones espirituales y sociales de nuestro tiempo.

Entre sus mejores libros de poemas figuran: *Sonetos de la séptima soledad*—1945—, *Casi espuma, apenas aire*—1947—, *Península de cielo*—1948—, *La tórtola*—1958...

GOROSTIZA, Celestino.

Autor teatral, cronista mexicano. Nació —1904—en Villahermosa (Tabasco). Aún muy mozo, llegó a México decidido a triunfar en la que era su vocación absorbente: el teatro. Y cuando solo tenía diecisiete años, unido a Xavier Villaurrutia, Julio Castellanos, Roberto Montenegro, Gilberto Owen y Manuel Rodríguez Lozano fundaron el Teatro Ulises, para teatro de cámara y ensayo. En 1932 fundó y dirigió el Teatro de Orientación, para el que tradujo y montó obras de Lenormand, O'Neill, Pirandello, Achard. También fundó, y ha dirigido durante muchos años, la Academia de Cinematografía.

El teatro de Gorostiza, sin rehuir la temática autóctona, tiene una tendencia francamente universalista, y se apoya en fórmulas del teatro extranjero.

Obras: *El nuevo paraíso*—1930—, *La escuela del amor*—1933—, *Ser o no ser* —1934—, *Escombros del ensueño*—1938—, *El color de nuestra piel*—1952—, *Columna social*—1955.

GOROSTIZA, José.

Poeta mexicano nacido en 1901. Aun cuando en España no se le conoce sino por una obra: *Canciones para cantar en las barcas*—1925—y por cierto número de poesías recogidas en antologías y revistas, podemos afirmar su originalísima personalidad, una de las más vibrantes, coloristas y hondas de su patria.

"Su forma es clara—ha escrito un crítico mexicano—y sus ecos poéticos arrancan de lo tradicional, para detenerse con fruición en las auras populares con delicadeza y encanto."

V. ANGARITA ARVELO, Rafael: *Antología de la poesía mexicana moderna*. México, 1928.— MAPLES ARCE, Manuel: *Antología de la poesía mexicana moderna*. México, 1940.

G

519

GOROSTIZA, Manuel Eduardo.

Poeta, autor dramático. Nació—1789—en Veracruz (México), ciudad aún española, y de padres españoles. Murió—1851—en Tacubaya. A los cuatro años llegó a vivir a España. Capitán de granaderos durante la guerra de la Independencia española (1808-1812). Liberal exaltado, concurrió a las célebres tertulias político-literarias de los cafés La Fontana de Oro y La Cruz de Malta. Publicó sus primeras poesías—1819—en la *Crónica Científica y Literaria*. Y en 1818 estrenó con éxito su mejor comedia: *Indulgencia para todos*.

Al independizarse México, Gorostiza adoptó la nacionalidad mexicana, y prestó grandes servicios a su patria, como diplomático, en Londres y en los Estados Unidos. Fue ministro de Hacienda y de Relaciones Exteriores.

Poeta fácil, romántico, aun cuando no muy inspirado. Fue más afortunado en género festivo y de costumbres. Como autor teatral, siguió el patrón de Leandro Moratín y de Bretón de los Herreros, quedando muy bajo de estos. Adaptó hábilmente obras de Calderón, Rojas, Zorrilla, Regnard, Scribe y Melesville.

Obras escénicas: *Las costumbres de antaño, La pesadilla, Tal para cual, o Las mujeres y los hombres; El amigo íntimo, Contigo pan y cebolla, La casa en venta, Las cuatro guirnaldas, Paulina, o ¿Se sabe quién mueve los alambres?; Una noche de alarma en Madrid, Estela, o El padre y la hija; Don Dieguito, ¡Vaya un apuro!, Don Bonifacio...*

Pese a todos los intentos de la crítica mexicana para demostrar el *mexicanismo escénico* de Gorostiza, el teatro de este autor es *esencialmente español*.

V. OLAVARRÍA Y FERRARI, Enrique de: *Reseña histórica del teatro de México*. 2.ª edición, cuatro tomos. México, 1895.—USIGLI, Rodolfo: *México en el teatro*. 1932.—GÓMEZ FLORES, F. J.: *La poesía dramática en México*. Tomo V de la "Nueva Revista", de Buenos Aires.

GORRITI, Juan Ignacio.

Prosista, periodista y polemista. Nació —1766—en Jujuy (Argentina). Murió en 1842. Graduóse doctor en ambos derechos por la Universidad de Córdoba. Sacerdote. Tomó parte en la revolución de mayo, con fortuna. Representante en la Asamblea Constituyente de la provincia de Salta. En 1820, como gobernador de dicha provincia, al frente de unos miles de insurrectos, luchó contra el general español Marquiegui, al que obligó a retirarse a Mojó y Tupiza, en el Alto Perú. Continuó en el gobierno de Salta hasta 1829. Pero el alzamiento de los caudillos La-

torre y Quiroga le obligó, poco después, a desterrarse a Bolivia. Desempeñó el rectorado del Liceo de Sucre y el curato de Cochabamba. La muerte le sorprendió en el destierro, entregado a la meditación y a la pluma.

Sin abjurar ni un punto de sus ideas católicas, Gorriti hizo gala de un templado liberalismo, en el que se delatan algunas influencias de los enciclopedistas franceses.

Gorriti tuvo una severa y vasta formación humanística. Y un conocimiento excepcional de las modernas teorías políticas mundiales. Estuvo en correspondencia frecuente con los más altos espíritus liberales de Europa.

Su estilo es sobrio y elegante. Denso y humano su pensamiento. Nobilísimos sus ideales. Sus ensayos y artículos, diseminados en las revistas y periódicos, son innumerables; pero su fama es debida a su obra *Reflexiones sobre las causas morales de las convulsiones interiores de los nuevos Estados americanos y examen de los medios eficaces para reprimirlas*—Valparaíso, 1836.

V. ROJAS, Ricardo: *La literatura argentina: los proscriptos*. Buenos Aires, 1924.

GORRITI, Juana Manuela.

Argentina. 1818-1892. De vida romancesca y gran temperamento. Estuvo casada con el caudillo boliviano y presidente de la República Belzú. Separada de él, abrió una escuela en Lima. Fue hija de Juan Ignacio Gorriti.

Obras: *Sueños y realidades, Panoramas de la vida, El lucero del manantial, El tesoro de los Incas, La tierra natal, Lo íntimo, El pozo de Locci...*

V. ALIAGA SARMIENTO, Rosalba: *Artículo* en *La Nación*. Buenos Aires, 23 de abril de 1939.

GOY DE SILVA, Ramón.

Notable y originalísimo poeta y dramaturgo español. Nació—1888—en El Ferrol (La Coruña). Murió—1962—en Madrid. Desde muy joven se dedicó de lleno a la literatura en sus géneros más nobles y sorprendentes: el simbolismo y la leyenda poética. Acaso Goy de Silva y Jacinto Gráu son los dos dramaturgos españoles contemporáneos de mayor interés, de preocupaciones más sutiles, de esfuerzos más notables para la regeneración del teatro nacional en plena decadencia.

Goy de Silva es un magnífico poeta, con una riqueza orquestal y una sensibilidad exquisita, que recuerdan el más logrado bizantinismo. Cultiva los temas simbólicos como D'Annunzio y Maeterlinck.

Todas las obras de Goy de Silva, las líricas y las dramáticas, rezuman originalidad deliciosa, preciosismo expresivo, una turbadora riqueza de imágenes, una feliz fuerza evocadora, una "plasticidad coloreada" con una brillantez y una calidez asombrosas.

Obras: *La reina Silencio*—tragedia simbólica, 1911, sin precedentes en la dramática universal—, *La corte del cuervo blanco* —fábula escénica, 1914, de éxito europeo—, *Sirenas mudas*—drama, 1915, de un realismo trágico difícilmente superable—, *Sueños de noches lejanas*—poemas legendarios, en prosa, 1912—, *El eco*—drama, 1913—, *La de los Siete Pecados*—poemas bíblicos en prosa, 1913—, *El sueño de la reina Mab*—1914—, *El reino de los parias*—poema simbólico en prosa, 1915—, *El libro de las danzarinas* —1915—, *La caja de Pandora*—poesías que obtuvieron el primer premio de la Academia de la Poesía, no publicadas en volumen—, *Cuento de la lavandera*, con los libros *Vía Iris* y *Antenas siderales*—Madrid, 1927—, *Viaje a Belén*—1949—, *Mientras cantaban las ocarinas*—1949—, *Salomé*—1950—, *Las educandas*—1950—, *Doña Gárgola*—1950—y otras varias.

Goy de Silva, paradójicamente, goza de mayor prestigio fuera que dentro de España. Extraño caso, ya que este singularísimo y admirable poeta es uno de los valores más firmes de la moderna literatura hispana.

V. Cansinos-Asséns, R.: *Las escuelas literarias*. Madrid, 1915.—Cejador Frauca, J.: *Historia de la lengua y literatura españolas*. Tomo XIII.—Sainz de Robles, F. C.: *Historia y antología de la Poesía española* (en lengua castellana). Madrid, Aguilar, 1951.

GOYRI DE MENÉNDEZ PIDAL, María.

Investigadora literaria española, nacida en 1873. Esposa de don Ramón Menéndez Pidal. Durante varios años dirigió los estudios de Lengua y Literatura españolas en el Instituto-Escuela. Ha colaborado con su marido en la edición crítica de *La serrana de la Vera*, de Vélez de Guevara.

De cultura y modestia excepcionales, ha publicado en doctas revistas trabajos meritísimos de investigación y crítica: *Romance de la muerte del príncipe don Juan, Los sonetos de Lope de Vega, Los romances de Lope de Vega, Dos notas para el "Quijote", La difunta pleiteada*, de Lope de Vega—edición y notas—, *Don Juan Manuel y los cuentos medievales*—edición y notas—, *Fábulas y cuentos en verso*—edición y notas...

GOYTISOLO, Juan.

Novelista español. Nació—1931—en Barcelona. Estudió con los Jesuitas el bachillerato y se licenció en Derecho en la Universidad de Barcelona. Casi siempre vive en París, como asesor de literatura española

de la editorial Gallimard. Cultiva la novela social en la línea de modelos franceses. Algún crítico ha escrito que en las novelas de Goytisolo "se da la paradoja de superar la invención a la experiencia, lo imaginativo a lo tomado de la realidad. Este desequilibrio entre la naturaleza del material exigido por la filiación del novelista, por la función denunciadora de la novela, y su incompleto conocimiento de los ambientes descritos y de los personajes retratados, son causa de esa sensación de algo relativamente inacabado, improvisado, y a la postre falso, que dejan las primeras de estas obras y que, en menos grado, producen también las últimas". (Torrente Ballester.)

De todos modos, Goytisolo *sabe poco a español*. Impresión que corroboran su estilo y su vocabulario ásperos, pobres y difíciles. Hay que añadir que es el novelista español actual más conocido fuera de España, quizá por su posición en una gran editorial francesa.

Obras: *El soldadito*—1955—, *Juego de manos*—Barcelona, 1954—, *Duelo en el paraíso* —Barcelona, 1955—, *El mañana efímero: I. Fiestas*—Buenos Aires, 1958—, II. *El circo*—Barcelona, 1957—, III. *La resaca*—París, 1958—; *Problemas de la novela*—ensayos, Barcelona, 1959—, *Campos de Níjar*—viajes, Barcelona, 1960—, *Para vivir aquí*—narraciones, Buenos Aires, 1960—, *La isla*—México, 1961—, *Fin de fiesta*—Barcelona, 1962—, *La Chauca*—reportajes, París, 1962.

V. Torrente Ballester, G.: *Panorama de la literatura española contemporánea*. Madrid. Edit. Guadarrama, 2.ª edición, 1961, páginas 459-460.—Nora, Eugenio G. de: *La novela española contemporánea*. Madrid. Editorial Gredos. 1962. Tomo II bis, págs. 316-326.

GOYTISOLO GAY, José Agustín.

Poeta español. Nació—1928—en Barcelona. En esta ciudad realizó sus estudios universitarios. Colabora en todas las revistas literarias en España. De un lirismo superrealista, con temas esencialistas y existencialistas.

Obras: *El retorno*—Madrid, Accésit al "Premio Adonais, 1955"—, *Salmos al viento* —Barcelona, "Premio Boscán, 1956"—, *Claridad*—Valencia, "Premio Ausias March, 1961"—, *Años decisivos*—Barcelona, 1961—, *Algo sucede en Madrid*—1968—, *Poetas catalanes contemporáneos*—1968—, *Antología cubana*—1969.

GRACIÁN, Jerónimo.

Gran escritor ascético español. Nació —1545—en Valladolid. Murió—1614—en Bruselas. Hijo del gran humanista Gracián de

G

Alderete. Muy joven, ingresó en la Orden de los Carmelitas. A los veinte años era maestro de Filosofía. Discípulo predilecto de Santa Teresa, "formado a la medida de sus deseos, estuvo en continuo contacto con su espíritu, y fue el primer anotador, intérprete y apologista de sus libros". Elegido provincial de su Orden, intentó introducir algunas reformas en ella, por lo que fue expulsado. Marchó a Roma para conseguir de nuevo su admisión. Anduvo por Sicilia y cayó en poder de unos piratas argelinos. Habiendo sido rescatado, y otra vez en Roma, entró con gran contento—1595—en un convento carmelitano. Años después pasó a Bruselas, donde fue confesor de la archiduquesa Isabel Clara Eugenia.

Su nombre religioso era fray Jerónimo Gracián de la Madre de Dios, y figura en el *Catálogo de autoridades* del idioma.

Sus obras se publicaron en 1616. Y entre ellas destacan: *Lámpara encendida*—1586—, *Dilucidario del verdadero espíritu*—1604—, *Arte breve de amar a Dios*—1612—, *El devoto peregrino, Peregrinación de Anastasio* —resumen de las persecuciones sufridas por el autor—, *Camino del cielo*—1601—, *Vida y muerte del Patriarca San José*—1602—, *Mystica Teulogia...*—1609—, *Tratado de cómo se ha de decir la misa y oficio divino, Declaración del Padrenuestro, Declaración del Avemaría...*

La mejor edición de sus *Obras* es la publicada—Burgos, 1932—por el P. Silverio.

V. SILVERIO, P.: *Estudio* que precede a las *Obras* del P. Jerónimo Gracián. Burgos, 1932.—CRISÓGONO, P.: *La escuela mística carmelitana.* Avila, 1930.—SAN JUAN DE PIEDRAS ALBAS, Marqués de: *Discurso* en la Academia de la Historia, 1918.—PALÁU, M.: *Manual*, III, 392.

GRACIÁN DE ALDERETE, Diego.

Excelente prosista y humanista español. Nació—¿1510?—en Valladolid. Murió hacia 1600. Su padre, Diego García, fue armero mayor de los Reyes Católicos. Estudió lenguas sabias en Lovaina, al lado del famoso Luis Vives, quien le animó y ayudó en el estudio de la literatura. A Diego le llamaron en Lovaina *Gratianus;* de aquí el cambio del apellido paterno García en Gracián, que ya siempre llevaron los descendientes de este excelente humanista. Fue secretario e intérprete de Carlos I. Dominaba el latín, el griego, el árabe, el francés, el alemán y el inglés. Vivió más de noventa años. Su nombre está incluido en el *Catálogo de autoridades de la Lengua,* ordenado por la Real Academia Española.

Gracián de Alderete tradujo magníficamente a Plutarco—Alcalá, 1542; Salaman-

ca, 1571—, Jenofonte, Tucídides y multitud más de obras griegas y latinas con una pasmosa fidelidad y en una prosa castellana llena de jugosidad y vigor.

Compuso una obra original: *De re militari,* de mucha autoridad en su época—1558.

GRACIÁN DANTISCO, Lucas.

Notable escritor español. ¿1557-1615? Llamado también Tomás. Nació probablemente en Toledo. Posiblemente antes de 1560. Todo es conjetura en la existencia de este erudito, hijo de otro, don Diego, que tuvo en Toledo fama de mago, fama y efigie y hechuras. Lucas de Gracián era largo y agudo como un silbido. Gastaba *mosca* y *tupé.* Vistió siempre de terciopelo negro, con gorguera de cañones, mangas de nesgas, jubón acuchillado y capichuela. Fue ese caballero desconocido que asoma su melancolía a casi todos los lienzos del Greco.

Estuvo en Italia de curioso. Y en Flandes, de proveedor de víveres para los Tercios. Hacia 1584—¡siempre la conjetura!—debió de ser nombrado oficial de Secretaría de Lenguas y Cifras de Felipe II. Hasta principios de la centuria diecisiete su nombre figura en la censura de muchos de los libros más famosos publicados en España.

Dos únicos libros se conocen de Lucas Gracián: *El Galateo español, destierro de ignorancias, maternario de avisos*—Madrid, 1582—, y *Arte de escribir cartas familiares* —Madrid, 1589.

El primero—y el único de importancia—, refundición, quizá, de una obra del italiano Messer Giovanni della Casa, libro muy característico del Renacimiento, ligero, elegante, entreverado de erudición fácil y de anécdotas y cuentos agudos, con sus ribetes doctrinales y sus cabeceras de moral más en boga que al uso, logró un éxito grande, hasta el punto de hacerse de él, en cien años, nueve ediciones. Tres en Madrid: 1582, 1599, 1664. Dos en Barcelona: 1595 y 1680. Y una en Valencia, Valladolid, Zaragoza y Medina.

Estuvo casado Lucas Gracián con una poetisa llamada doña Laurencia de Zurita. Y a esta, a Lucas su esposo y a don Diego padre de Gracián, los menciona elogiosamente Lope de Vega en *El Laurel de Apolo:*

> Doña Laurencia de Zurita, ilustre
> admiración del mundo,
> ingenio tan profundo
> que la fama, la suya, para lustre
> de sí misma la pide,
> escribió sacros libros
> en versos tan divinos
> que con el mismo sol dímetros mide...

> Tomás Gracián, que fue su digno esposo,
> de las cifras de Apolo secretario,

como el gran Felipe,
yace también en inmortal reposo...

....

como un heroico padre, celebrado
por tantas lenguas y por tantas ciencias.

....

El nombre de Lucas Gracián figura en el *Catálogo de autoridades de la Lengua.* V. MENÉNDEZ PELAYO, M.: *Orígenes de la novela.*—CEJADOR Y FRAUCA, J.: *Historia de la literatura y lengua castellana,* tomo II.

GRACIÁN Y MORALES, Baltasar.

Magnífico pensador, filósofo y prosista español. Nació—1601—en Belmonte de Calatayud. Murió—1658—en Tarazona. Crióse en Toledo, como él dice, con un tío suyo, el licenciado Antonio Gracián. Por Belmonte pasa el Miedes, afluente del Jalón, y es una villa tranquila, pintoresca y muy aficionada a la jota. Algunos de los detalles antecedentes los sabemos por la inscripción que se lee al pie del retrato de Gracián—el único que se conoce—que se exhibe en el colegio de los jesuitas de Calatayud: "Baltasar Gracián, que ya se acerca a su orto, nació en Belmonte, cerca de Calatayud, patria de Marcial."

En el registro de bautismos de la parroquia de San Miguel, de Belmonte, con fecha 8 de enero de 1601, consta la partida de Gracián, hijo de Francisco y de Angela. Como en aquella época no era raro que los baustismos se retrasaran muchos días, pudiera darse el caso de haber nacido nuestro héroe en los últimos días de diciembre de 1600.

La familia de Gracián parecía tener derecho de infanzonía. Don Francisco Gracián era jurista, como indica su título. Su estancia en Belmonte puede explicarse si se le cree administrador de los bienes de alguna gran familia titulada. La de los Luna, por ejemplo, que tenía en Belmonte un gran palacio y muchas leguas de tierra. De este don Francisco Gracián dirá más adelante su preclaro hijo: "Era un hombre de profundo buen sentido y lleno de experiencia." Tuvo Gracián varias hermanas y varios hermanos, todos ellos profundamente inclinados a la vida religiosa. "Gloria y corona mía, más que hermano", llama Baltasar a su hermano mayor, Padre Felipe Gracián, clérigo menor, teólogo y profesor de Teología, predicador eminente y asistente de España en Roma. Otro hermano, Pedro, profesó en la Orden de los Trinitarios y se dedicó con gran celo a la redención de cautivos. Otro, Raimundo, fue carmelita descalzo. La hermana, Magdalena de la Presentación, llegó a priora de las carmelitas descalzas de San Alberto.

Muy joven, fue enviado Baltasar Gracián a Toledo con un tío suyo, Antonio. En *El Criticón* recuerda con gran emoción y justeza algunas maravillas toledanas: el artificio de Juanelo para elevar el agua, el alcázar, la terraza de Buenavista, la catedral—"centro de la ciencia eclesiástica, de la discreción secular y de la gravedad religiosa"—, la cortesía y los refinamientos de los naturales. Su educación la terminó, sin duda alguna, en Aragón. Entró en la Compañía de Jesús el 11 de mayo de 1619, probablemente en Tarragona, donde se encontraba el noviciado de la provincia. Debió de hacer profesión solemne de los cuatro votos el 25 de julio de 1635. Entre estos años de 1619 y de 1635 no debió de vivir ocioso, ni mucho menos, hombre como Gracián, lleno de impaciencias. Un documento demuestra que en 1628 estaba en el colegio de Calatayud, posiblemente de profesor. Algún tiempo después pasó al colegio de Huesca, para dedicarse igualmente a la enseñanza. La estancia en esta ciudad le fue muy favorable para el descubrimiento de sus aptitudes literarias. En Huesca hizo amistad con personajes tan nobles como cultos. Con Vicencio Juan de Lastanosa y Baráiz de Vera, de familia ilustrísima y rica, nieto de embajadores y de grandes marinos. Con el canónigo don Manuel Salinas y Lizana, profesor de Derecho de la Universidad y "de familia muy influyente". Con don Francisco Andrés de Ustarroz, doctor en Derecho y cronista de Aragón. Los cuatro eran como las cuatro columnas sobre las que descansaba y se erguía una tertulia de supuestos graves y de críticas solemnes. La tertulia de Lastanosa le editó a Gracián *El héroe*—1637—. Y Ustarroz consiguió que formara parte de la "Academia de los Anhelantes de Zaragoza", en la que Gracián hizo gala de su fino ingenio y de su gusto por la charla amena y erudita.

A partir de 1637 se dedicó Gracián a la predicación. Tenía una bien templada voz, nobles ademanes, mucha doctrina y una claridad admirable para exponerla. Muy pronto se hizo famoso en todo el reino de Aragón. Por cierto que, como predicador, le aconteció en Valencia algo de mucha miga. Habiendo tenido en cierta ocasión muy escaso auditorio, él, tan acostumbrado a verse asistido por las multitudes, ideó, para atraerse público, anunciar que abriría en el púlpito, ante el auditorio, una carta que acababa de recibir del infierno. El éxito de la propaganda fue fulminante. Sino que el censor eclesiástico le obligó a retractarse en público, con lo que quedó corrido y salió de Valencia tan amoscado, que aprovechó la primera ocasión que vino a pelo—en *El Criticón*—para hablar mal de Valencia.

G

En abril de 1640 se hallaba Gracián en Madrid. En la corte vivió muy aprisa. Visitó el Buen Retiro y el Alcázar. Habló con el conde-duque de Olivares. Se codeó con los grandes señores. Pudo darse cuenta de las celadas y perfidias de los subalternos. Predicó en la Encarnación. Presentó un ejemplar de su *Héroe* a Felipe IV—quien lo alabó diciendo que "era donoso librito, lleno de grandes cosas"—. Husmeó algo por las covachuelas de Palacio y por las gradas de San Felipe. Nervioso, irritado, salió de estampía para su tierra. En diciembre de 1640 ya estaba en Zaragoza. Madrid le había desilusionado. De la corte no se había llevado sino una recia amistad: la del poeta Antonio Hurtado de Mendoza, secretario de Felipe IV, al que había oído recitar varias veces, para él solo, en trance de auténtica amistad, por las galerías del Alcázar, entre aquellos enanos grotescos y curiosones, pedantes o menos, que servían de modelos a Velázquez.

Pero estaba de Dios que tendría que regresar bien pronto a Madrid. En 1641 se hallaba en la villa, y tan ocupado, al parecer, que no tenía tiempo ni para contestar a las cartas de Lastanosa, a quien tenía que escribir el Padre Manuel Hortigas, compañero de Gracián. ¿Cuáles eran las ocupaciones de este? Grandes acontecimientos políticos se avecinaban. Se preparaba una campaña contra Portugal. Gracián predicaba dos veces casi todos los días, y debía ir al Alcázar. Y a los palacios de Dios sabe cuántos nobles. Y a varias asambleas eclesiásticas. ¡Qué ajetreos los suyos! ¡Cuánto entrar y salir, que era como ir del caño al coro... y viceversa!

Asistió como capellán a la batalla de Lérida—1646—. Para descansar de este pinito bélico regresó a Huesca; y aquí terminaría —1647—el *Oráculo manual*. En este mismo año empezaron las contrariedades para el gran aragonés. Como siempre, quien primero disparó fue la envidia. Y, como también es lógico, la envidia de los compañeros. Gracián publicaba sus obras con el transparente seudónimo—y nombre de uno de sus hermanos—de "Lorenzo Gracián". Las obras, en realidad, tenían un carácter poco eclesiástico. Gracián fue delatado al general de su Orden "por haber publicado con nombre supuesto algunas obras poco serias y muy alejadas de su profesión". Se le debió imponer alguna sanción disciplinaria. Brusco, independiente, "muy fiero", Gracián se revolvió. Y desobedeció. Porque en 1653 publicó también sin permiso la segunda parte de *El Criticón*. Nueva amonestación por haber violado el voto de obediencia. Gracián pidió que le dejaran salirse de la Orden; no se lo consintieron. Y justo es consignar que,

pese a las amonestaciones, los de su Orden debían de apreciar en mucho su valor intelectual, ya que le nombraron profesor de Sagrada Escritura en Zaragoza.

En este mismo año Gracián se sometió al influjo de una popular superstición. Sonó sola la campana de Velilla, milagroso hecho que únicamente anunciaba los hechos luctuosos. La peste había hecho su aparición en Huesca; se corrió en seguida a Zaragoza. Gracián se desmoralizó y debió de huir a Calatayud y después a Graus. Ya tranquilo, siguió trabajando clandestinamente en su *Criticón*. Andrés y Lastanosa eran sus cómplices; le guardaban los manuscritos; se los copiaban; los preparaban para la imprenta. Diego de Sayas, futuro cronista de Aragón, era el encargado de buscar en Madrid cuantos libros necesitaba Gracián.

La publicación de la tercera parte de *El Criticón*—1657—colmó la paciencia de los superiores de la Orden. No atreviéndose a castigarle públicamente, por la mucha fama de que gozaba Gracián, acordaron alejarle de los centros de sus amistades y enviarle por una temporada a Alagón, so pretexto de ser allí muy necesarias sus predicaciones. Y allí marchó. Y desde allí a Tarazona, residencia la de este pueblo poco apreciada por los jesuitas, que la consideraban como un destierro, y en la que realmente no vivían sino los religiosos desprestigiados y los muy achacosos. En este pueblo, encierzado por las ráfagas del Moncayo, Gracián quedó vencido por los disgustos, por los trabajos y por los desengaños. Y murió el 6 de diciembre de 1658.

Las principales obras de Gracián son: *El héroe*—1637—, *El político don Fernando* —1640—, *Agudeza y arte de ingenio*—1642—, *El discreto*—1646—, *El oráculo manual* —1647—, *El Criticón*—1651, 1653 y 1657—y *El comulgatorio*—1655—, *Obras Completas*. Madrid, Aguilar, varias ediciones, con un extenso estudio de Arturo del Hoyo.

Baltasar Gracián es uno de los más grandes escritores que ha tenido España. Preceptista del conceptismo, dominador maravilloso del idioma, estilista de pasmosa originalidad, imaginación ardiente, fácil memoria, admirable vis cómica. El pesimismo de Gracián está mitigado por sus ideas católicas. Como crítico, como filósofo, puede comparársele sin desdoro con Quevedo; más amargo y mordaz este, pero menos profundo que Gracián.

Su fama excedió en seguida de España y se le admiró y se le imitó en toda Europa. Su *Oráculo* influyó en las *Máximas,* de La Rochefoucauld, y en *Los caracteres,* de La Bruyère. Voltaire se sabía sus obras casi de memoria. Para Schopenhauer era un verdadero ídolo.

"Hombre de poderosa inteligencia, de ingenio sutil como pocos, de viva fantasía, aunque de poca ternura de afectos; insaciable en la lectura, sobre todo de obras filosóficas y políticas, antiguas y modernas, experimentado por la práctica de confesonario, de las misiones y de los colegios, en su vida de jesuita, fue el Padre Baltasar Gracián uno de los más distinguidos escritores de la España del siglo XVII y acaso el más hondo pensador de la raza hispana, pudiéndosele tan solo comparar Quevedo y Séneca." (Cejador.)

Su mejor retrato—no como obra de arte, sino como de parecido—es el que perteneció al colegio de la Compañía, de Calatayud. Magro, ágil, de ojos alocados, de austero rostro, ensotanado y embonetado...

V. COSTER, Adolfo: *Baltasar Gracián,* en *Rev. Hispanique,* 1913.—LIÑÁN Y HEREDIA, N. J.: *Baltasar Gracián.* Madrid, 1902.—CORREA CALDERÓN, E.: Prólogo y notas a la edición de *Obras completas* de Baltasar Gracián. Madrid, M. Aguilar, 1944.—BORINSKI, K.: *Baltasar Gracián und die Hofliteratur in Deutschland.* Halle, 1894.—CROCE, Bened.: *I Trattatisti italiani del concettismo e Baltasar Gracián.* Madrid. Napoli, 1899.—MOREL-FATIO, A.: "... *Baltasar Gracián...",* en *Bulletin Hispanique.* 1910.—MOREL-FATIO, A.: *Gracián intrepreté por Schopenhauer,* en *Bulletin Hispanique,* 1910.—BATLLORÍ, Miguel: *La vida alternante de Baltasar Gracián en la Compañía de Jesús,* en *Archivum Historicum Societatis Iesu.* Roma, 1949.—CORREA CALDERÓN, Evaristo: *Baltasar Gracián.* Madrid. Edit. Gredos. 1961.

GRANADA, Fray Luis de.

Famosísimo orador sagrado, genial pensador y maravilloso prosista español. 1504-1588. Su verdadero nombre era Luis Sarriá. Sus padres fueron de condición sumamente humilde. Como tantos otros gallegos y castellanos, marcharon a poblar Granada, conquistada en 1492 por los Reyes Católicos. Y el futuro fray Luis llegó al mundo precisamente el año en que murió la gran Isabel I. El padre, panadero de profesión, falleció cuando Luis tenía cuatro años. Su madre tuvo que ganarse la vida como lavandera. Para ayudarla, el buen hijo, tan pronto como pudo, entró de acólito en el convento de dominicos de Santa Cruz de Granada, religiosos que habían protegido generosamente a la infeliz viuda. Con ocasión de una brava disputa infantil, presenciada desde un balcón de su palacio por el conde de Tendilla, parece ser que este noble mandó que trajeran a su presencia al más bizarro de los contendientes: el acólito Luis. Quien, sin asustarse de la presencia de tan alto señor, se expresó con tales razones y con oratoria tan extraordinaria para su edad, que encantó al de Tendilla. Nombróle éste paje de sus hijos, a quienes acompañaría en sus estudios.

En la casa del noble don Iñigo López de Mendoza, conde de Tendilla, debió de tener Luis como maestro al célebre humanista Pedro Mártir de Anglería. En 1524 fue admitido como dominico en el convento de Santa Cruz. Cuatro años después tomó posesión de una plaza en el famoso colegio de San Gregorio, de Valladolid, centro en el que permaneció cinco años, siendo discípulo de los grandes teólogos Melchor Cano, Bartolomé Carranza y Diego de Astudillo, y tan afecto a este, que hubo de prologar, en prosa y verso, la obra *De generatione et corruptione,* que aquel publicó—1532—en Valladolid.

De 1534 a 1537 permaneció fray Luis en el convento granadino de Santa Cruz. En 1541 fue elegido vicario del convento de Santo Domingo de *Scala Dei,* en la sierra de Córdoba. Y en 1543, prior del convento de Palma del Río. Por esta fecha, ya famosísimo en toda España como orador sagrado, obtuvo del general de la Orden un permiso especial para predicar por toda España libremente, acompañado de un religioso de su elección. También por esta época empezó a escribir sus libros admirables, prestamente difundidos por toda Europa, en versiones latinas, francesas, italianas, alemanas, inglesas, portuguesas... Probablemente fundó—1547—el convento de Santo Domingo, de Badajoz, del que fue prior y donde escribió su maravillosa *Guía de Pecadores.*

Hizo gran amistad con el beato Juan de Avila, San Francisco de Borja y con algunos nobles—como los condes de Priego y Feria—, que llevaban una vida austera y noble en medio de la general corrupción. No se sabe la fecha exacta en que pasó a Portugal, después de haber sido algún tiempo capellán del duque de Medina Sidonia. Ni tampoco la causa de tan precipitada partida y de una ausencia que debía ser definitiva. No es improbable la versión de que sus superiores quisieron librarle de la persecución que la Inquisición española empezaba contra los místicos, que se creía contagiados de luteranismo por sus exhortaciones a la vida interior y a la necesidad de que a las obras externas acompañara la piedad interna. Los más tachados eran Juan de Avila, Francisco de Borja, Luis de Granada, los dominicos de Granada y el arzobispo Carranza.

En Portugal, todo fueron plácemes y honores para fray Luis, donde su condición de español no le estorbó lo más mínimo para alcanzar los cargos más preeminentes. El

G

Infante don Enrique, cardenal-arzobispo de Evora, le nombró su confesor y teólogo. En 1556 fue elegido provincial en el Capítulo que se celebró con el convento de Batalha, siendo su primera obra la elección en priorato del célebre santuario de Nuestra Señora de la Luz. En 1562 hubo de marchar a Lisboa, donde residía el cardenal don Enrique, ya regente del reino, y la reina doña Catalina, que le había elegido su confesor. Renunció firmemente a los reiterados esfuerzos que hicieron el Pontífice y los reyes de Portugal y de España para que aceptara el obispado de Evora y el arzobispado de Braga. Se mantuvo neutral durante la guerra entre España y Portugal, aun comprendiendo los derechos legítimos de Felipe II al vacante trono portugués y a ser amigo y confesor del gran duque de Alba, conquistador de Portugal. En 1581 fue nombrado por el Pontífice vicario general, cargo del que le despojó el monarca español, resentido porque fray Luis no se puso de su parte en la pasada contienda. Sufrió grandes persecuciones del partido españolista en Portugal, de las que pudo librarle el general Sixto Fabri. Enfermo de hernia, casi ciego y sin dientes, más que octogenario, se dedicó a la dirección espiritual de religiosas y a la redacción de sus obras. Pero aun tuvo un último pesar. En el convento de la Anunziata, de Lisboa, hubo una monja milagrera, que fingía llagas y otras falsedades. Engañado fray Luis, como otros muchos, dio un dictamen equivocado, de conformidad con tales supercherías; pero descubierto su error, lo reconoció al punto, y escribió el *Sermón de las caídas públicas,* sobre el pecado del escándalo, que el arzobispo de Lisboa mandó imprimir rápidamente por acabarse por momentos la vida de su autor, y que, rematada la impresión el 28 de diciembre de 1588, se difundió en seguida, siendo recibido con general aplauso por su doctrina y elegancia. Dos días después fallecía fray Luis "en medio del dolor universal". A su entierro acudió una inmensa muchedumbre, "arrebatándole los fieles la ropa, los cabellos y hasta el último diente que le quedaba". Sus restos fueron colocados en un sepulcro de mármol blanco, en Santo Domingo, de Lisboa.

Santa Teresa de Jesús, el beato Juan de Avila, San Carlos Borromeo, el Papa Gregorio XIII, le dedicaron fervientes elogios por sus virtudes, sus obras y su elocuente predicación. Y San Francisco de Sales le tuvo por su modelo, y no dejó de leer sus obras durante toda su vida. Agustín Salucio afirmó que era el mejor predicador que había oído. Y la crítica está conforme en considerarle como el primero de los ascéticos es-

pañoles y el más elocuente de los predicadores en nuestra lengua.

Fray Luis de Granada escribió sus obras en castellano, portugués y latín. Son las principales, entre las castellanas impresas: *Libro de la oración y meditación...*—Salamanca, 1554—, traducida al francés, al inglés, al ruso, al turco, al italiano, al alemán... Con más de cuarenta impresiones. *Guía de pecadores...*—Lisboa, 1556—, traducida a doce idiomas, entre ellos el japonés, polaco y griego. Con más de cuarenta impresiones. *Memorial de la vida cristiana,* de la que se conocen dieciocho impresiones castellanas y otras tantas en portugués, francés, inglés, italiano. *Introducción al símbolo de la fe*—Salamanca, 1582—, obra maestra de fray Luis, no igualada todavía en la literatura universal. Con más de treinta y cinco impresiones. Y traducida a once idiomas, entre ellos el griego y el persa. *Breve memorial y guía de lo que debe hacer el cristiano* —¿1564?—. *Compendio de la doctrina espiritual.* Compuesto por cinco preciosos opúsculos. 1. *Libro de la oración y meditación*—cincuenta y cinco impresiones en diferentes idiomas—. 2. *De la oración vocal.* 3. *Instrucción y regla de vivir para todos.* 4. *Instrucción y regla para vivir los que desean mayor perfección.* 5. *Método para la buena confesión y comunión. Sermón... de las caídas públicas*—Lisboa, 1588—. *Diálogo de la Encarnación de Nuestro Señor,* publicado—Barcelona, 1605—por el historiador Diago en su *Vida de fray Luis de Granada. Vida del ilustrísimo... fray Bartolomé de los Mártires...* —Valladolid, 1615—. Publicada en la cuarta parte de la *Historia general de Santo Domingo y su Orden. Vida del venerable padre maestro Juan de Avila...*

En portugués: *Compendio de doctrina christiana*—Lisboa, 1559—. Nueve versiones en portugués, castellano, francés y latín. *Treice pregaçoes das principaes festas de Christo e de sua Santissima May.* Reimpresa innumerables veces.

En latín: *Concionum de tempore tomi quatuor*—Lisboa, 1575 y 1576—, *Conciones de praecipuis sanctorum festis tomi duo* —Lisboa, 1576—. *Rhetorica ecclesiastica sive de ratione concionandi libri sex*—Lisboa, 1576—, *Collectanea moralis philosophiae in tres tomos distributa*—Lisboa, 1571—, *Sylva locorum communium omnibus divini verbi concionatoribus*—Lyon, 1582—. Diez ediciones en latín, italiano, francés... *Concio de officio et moribus episcoporum habita in consecratione reverendissimi Domini Antonii Pinarii episcopi Mirandensis*—1565.

Fray Luis de Granada dejó muchos escritos inéditos, como *Vida de Melicia Fernández, portuguesa...; Vida de doña Elvira de Mendoza..., Vida de la M. R. Madre Sor Ana de la Concepción..., Apuntamientos de erudi-ción varia, Cartas al B. Juan de Ribera, Car-tas a Carlos Borromeo, Cartas a la duquesa de Alba, Discurso sobre unas palabras de Isaías..., Historia das virtudes e ofizio pas-toral del serenissimo cardenal don Henrique, arçobispo de Evora...*

Fray Luis de Granada tradujo en magní-fica prosa la *Escala espiritual,* de San Juan Clímaco—Lisboa, 1562—, y el *Contemptus mundi,* o sea la *Imitación de Cristo,* de To-más de Kempis—1555, Evora.

Las más importantes ediciones de *Obras completas* de fray Luis de Granada son: de las latinas, la realizada—1766—con gran es-plendidez por Juan B. Muñoz, en la oficina de la viuda de Orga. De las castellanas: la de Plantín—Amberes, catorce volúmenes—, a expensas del duque de Alba. La de Matías Gast—Salamanca, 1582 a 1583—; la de Ma-drid, de 1676 a 1679; la de Madrid, en dieci-séis tomos, 1756-1757, y la crítica y notabi-lísima del P. Cuervo, en catorce tomos, 1906 y siguientes. Varias obras pueden leerse en los tomos VI, VIII y XI de la "Biblioteca de Autores Españoles".

Capmany dijo de fray Luis de Granada que "parece que descubre a sus lectores las entrañas de la Divinidad y la secreta pro-fundidad de sus designios y el insondable piélago de sus perfecciones", y que "el Al-tísimo anda en sus discursos, como anda en el Universo, dando a todas partes vida y movimiento". Y Cejador ha escrito de él: "De hecho, como Virgilio, tenía un corazón tierno, y le eran más propios los afectos dul-ces y delicados que los recios y tempestuo-sos. Es un Cicerón en la galanura del estilo, en la dulcedumbre mansa de redondear on-duladamente el período y en el sentir hon-damente todos los movimientos suaves y afectuosos... Añádase la increíble facilidad con que ensanchaba su decir, rodando am-plio y sonoro, cual rozagante vestidura, tra-bando con gran riqueza de conjunciones las cláusulas, y se comprenderá la fluidez, la abundancia y suavidad de sus escritos... El castellano debe al Padre Granada el estilo oratorio, amplio y elegante, numeroso y bien trabado, y la literatura castellana, trozos ma-ravillosos de fervorosa piedad y delicados sentimientos, reflejos de su encendido y tier-no corazón."

El Padre Alonso Getino ha contado más de ¡seis mil ediciones! de las obras de fray Luis de Granada, en más de catorce idiomas, afirmando que ni las obras de San Francisco de Sales han tenido tanta difusión.

"Azorín" le coloca entre los más grandes maestros del habla castellana. Maravillan en este genial prosista su extremado amor a la Naturaleza, sus sorprendentes dotes de observador, sus amplios conocimientos en diversas disciplinas, el encanto y la inimi-table elegancia con que escribió. Gracias a esta sencillez, a este encanto, a esta natu-ralidad, a este inefable sentido poético con que escribió fray Luis de Granada—menos filósofo que su homónimo el de León, pero aventajándole en unción y en originalidad—, "posee la literatura castellana algo que no desmerece al lado de las insuperables *Geór-gicas* virgilianas".

V. MUÑOZ, Luis de: *Vida y virtudes del venerable Padre maestro fray Luis de Gra-nada.* Madrid, 1751.—MORA, José J.: Prólogo en la edición de la "Biblioteca de Autores Españoles". VI.—VALENTÍ, J. J.: *Fray Luis de Granada.* Ensayo biográfico-crítico. Pal-ma de Mallorca, 1889.—CUERVO, Justo: *Bio-grafía de fray Luis de Granada.* Madrid, 1906.—CUERVO, Justo: *Fray Luis de Granada y la Inquisición,* en *Homenaje a Menén-dez Pelayo,* tomo I.—CUERVO, Justo: *Fray Luis de Granada, verdadero y único autor del "Libro de la oración",* en *Rev. de Arch., Bibl. y Museos,* 1918-1919.—SWITZER, Rebec-ca: *The Ciceroniam Style in fray Luis de Granada,* en *Boletín del Instituto de las Españas.* Nueva York, 1927. — "AZORÍN", Martínez Ruiz, J.: *Los dos Luises.*—QUIRÓS, Paulino: *Verdadero retrato de fray Luis de Granada.* "La Ciencia Tomista", 1916.—QUI-RÓS, Paulino: *Biografía del venerable... fray Luis de Granada.* Almagro, 1915.—DIAGO, Francisco: *Historia de la vida..., libros y muerte del Padre fray Luis de Granada...* Barcelona, 1605.—ROUSSELOT, Paul: *Les mystiques espagnols.* París, 1867.

GRANADA, Nicolás.

Notable autor dramático argentino. 1840-1915. Nació en Buenos Aires. "Había corre-teado de firme las viejas callejas de su ba-rrio, entonces libérrimo campo de corridas infantiles, delicias de rapaces traviesos; ha-bía consagrado abundantes rabonas escola-res, según su autorizado testimonio, a hu-ronear en el teatro que el emplazamiento de su casa paterna en Victoria y Lima ponía a su alcance: el viejo teatro de la Victoria. Y hasta llegó a escalar su escenario como autor de una pieza en verso que allí se re-presentó teniendo él dieciocho años. Tam-bién había ya por entonces empezado a plumear en esta o en aquella revistas, más o menos efímeras, y la guerra del Paraguay le contó entre sus partícipes como ayudante del general Mitré. Todo esto, mucho antes de ser diputado uruguayo durante la anima-da presidencia del animado general Máxi-mo Santos." (Giménez Pastor.)

Granada tuvo una vida intensa y diversa. En ocasiones derrochó el dinero. En ocasio-nes apenas tuvo para comer. Pero su voca-

G

ción, el teatro y la poesía, fue siempre decidida, inquebrantable, compensadora. Nicolás Granada fue un gran apasionado. Y su pasión alimentó su teatro: un teatro costumbrista, de realismo impresionante, de personajes arrancados a la misma vida cotidiana, de expresión vibrante, de certero análisis psicológico; teatro muy animado, muy sugestivo.

Algunas obras: *Atahualpa*—d r a m a, en verso—, *¡Al campo!, La gaviota, La estatua, Bajo el parral, Las abejas, Día glorioso, El minué federal, El trofeo, Nochebuena, La partida de ajedrez, Juca Tigre, La bolsa verde, Colombinson...*

V. GIMÉNEZ PASTOR, Arturo: *Nicolás Granada: El hombre y su obra.* Instituto Nacional del Teatro. "Cuaderno de cultura teatral", número 14. Buenos Aires, 1940.—CORTÁZAR, Augusto Raúl: *Nicolás Granada, en Noticias para la historia del Teatro Nacional.* Instituto de Literatura Argentina. Número 1. Buenos Aires, 1937.—GARCÍA VELLOSO, Enrique: *Memorias de un hombre de teatro.* Buenos Aires, 1942.

GRANDE, Félix.

Poeta y narrador. Nació—1937—en Mérida (Badajoz). De familia sin recursos económicos, ha desempeñado numerosos oficios: pastor, vaquero, vinatero, vendedor ambulante, oficinista. En la actualidad—1970—es redactor-jefe de la revista literaria *Cuadernos Hispanoamericanos.* Autodidacto. En 1966 obtuvo el "Premio Eugenio d'Ors" para novela corta con tema social, y en el mismo año, el "Premio Gabriel Miró" de cuentos. Su poesía y su narrativa reflejan, lógicamente, la honda emotividad de sus estados de ánimo, sus reacciones ásperas y fuertes contra los fracasos y las injusticias del mundo circundante.

Obras: *Las piedras*—poesía, "Premio Adonais, 1963"—, *Música amenazada*—poesía, "Premio Guipúzcoa, 1965", de San Sebastián—; *Blanco Spirituals*—poemas, "Premio Casa de las Américas, 1967", de la Habana—, *Por ejemplo: doscientas*—relatos, 1968.

GRANDMONTAGNE, Francisco.

Gran ensayista, novelista y crítico literario español. Nació—1866—en Barbadillo de Herreros (Burgos). Murió—1936—en San Sebastián. Estudió las primeras letras en Fuenterrabía (Guipúzcoa). Y muy mozo marchó a la República Argentina, donde, en unión de un tipógrafo vizcaíno, llamado José R. de Uriarte, fundó *La Vasconia,* revista regional dedicada a la colonia vasca de aquellas tierras. Ha viajado por toda América y la mayor parte de Europa. Ha dado numerosísimas conferencias y publicado ensayos importantísimos en *La Prensa,* de Buenos

Aires—de la que fue redactor-jefe y corresponsal en Madrid—, *El País, El Tiempo, Caras y Caretas*—de Buenos Aires igualmente—y *El Sol* y la *Revista de Occidente,* de Madrid.

Grandmontagne ha recibido calurosos elogios de don Juan Valera, Unamuno, "Azorín", Pérez de Ayala, Navarro Ledesma... Grandmontagne es un espíritu excepcional, lleno de nobilísimas inquietudes; un crítico de vasta cultura y de sutilísima comprensión; un escritor—en el más alto y valorado sentido del sustantivo—de estilo personal y denso, de lenguaje vivo y castizo.

Obras: *Teodoro Foronda*—novela—, *La maldonada*—novela—, *Vivos, tilingos y locos lindos*—ensayos y sátiras—, *Los inmigrantes prósperos*—ensayos—, *Una gran potencia en esbozo*—ensayos...

GRANELL MUÑIZ, Manuel.

Nació en Oviedo (Asturias) el año 1906. Se graduó en Derecho y realizó un viaje de estudio por el extranjero. Siguió luego, en Madrid, los cursos de Ortega, Morente, Zubiri, Gaos, etc., en cuya Facultad se licenció en Filosofía (junio de 1936). En 1933 asiste al crucero universitario por el Mediterráneo, y publica sobre el mismo numerosos artículos en la Prensa. En 1934 le premia la Facultad de Madrid su *Diario de viaje* en dicho crucero, que edita Espasa-Calpe conjuntamente con otros dos *(Juventud en el mundo antiguo).* Como encargado de curso, explica Filosofía en los Institutos de Elche y Castellón.

En 1941, y con el seudónimo "Manuel Cristóbal", fue secretario de los *Cuadernos de Poesía,* revista creada por Ediciones Patria. El mismo año publica un volumen de sonetos y décimas. Traduce para Espasa-Calpe, Labor y otras editoriales, diferentes libros filosóficos y literarios. Es autor de varias antologías. Ultimamente ha escrito dos obras filosóficas, en una de las cuales expone con todo detalle las lógicas de Russell y Whitehead, Brouwer-Heyting, Reichenbach, Février, Ortega, etc.

Obras: *Umbral* (décimas y sonetos)—Ediciones Hesperia. Madrid, 1941—, *Cartas filosóficas a una mujer*—"Revista de Occidente". Madrid, 1946—, *Lógica*—"Revista de Occidente". Madrid. 1948.

GRANJEL, Luis S.

Ensayista, biógrafo, crítico literario español. Nació—1920—en Segura (Guipúzcoa). Cursó los estudios de Medicina en la Universidad de Salamanca, donde es titular —desde 1955—de la Cátedra de Historia de la Medicina. Fundador y director de un Seminario de Historia de la Medicina, en el que se edita desde 1962 la revista *Cuadernos de Historia de la Medicina Española.*

Luis S. Granjel, de enorme capacidad para el trabajo, de mucha cultura y de muy certero juicio, ha publicado monografías sobre médicos eximios: Miguel Salrico, Luis Solera de Avila, Cristóbal Pérez de Herrera, Gaspar Bravo de Sobremonte, P. Antonio José Rodríguez...

Obras: *Estudio histórico de la Medicina* —1961—, *Historia de la medicina española* —1962—, *Anatomía española de la Ilustración*—ensayo, 1963—, *Retrato de Pío Baroja* —Barcelona, 1953—, *Retrato de Unamuno* —Madrid, 1957—, *Retrato de "Azorín"* —1958—, *Baroja y otras figuras del 98*—Madrid, 1960—, *Gregorio Marañón: su vida y su obra*—1960—, *Retrato de Ramón. Vida y obra de Ramón Gómez de la Serna*—Madrid, 1963—, *Silverio Lanza*—biografía, 1964—, *La generación literaria del 98*—1966.

GRAU DELGADO, Jacinto.

Gran poeta y dramaturgo español. Uno de los valores más firmes, originales y auténticos del teatro contemporáneo. Nació —1877—en Barcelona. Murió—1958—en Buenos Aires. Su primer intento literario fue una novela: *Trasuntos*, muy alabada por el gran Maragall, que encontró en ella una visión del natural sumamente poética, una exuberancia de estilo y cierta propensión a filosofarlo todo. Pero, abandonando la novela, se lanzó a la conquista del teatro, estrenando *Las bodas de Camacho*—1903—, *El tercer demonio*—1908—y *Don Juan de Carillana*—1913—. Estas tres obras le consiguieron un alto prestigio dentro y fuera de España; pero le señalaron igualmente como dramaturgo de minorías selectas en su patria y de otros públicos más educados culturalmente, como el francés, el inglés y el alemán. En efecto, las obras de Grau han sido traducidas y representadas con éxito en Berlín, Praga, París, Londres y Nueva York.

De Grau ha dicho el excelente crítico Valbuena Prat: "Es, en el teatro contemporáneo, un valor realmente excepcional. Posee el sentido inteligente de los grandes mitos dramáticos y poéticos, y sabe reanimarlos con un soplo de vida actual. Así, grandes temas de la Biblia, del Romancero, de la cantera eternamente viva de lo esencial dramático, aparecen en las obras de este escritor. Grau es un autor inteligente, que adivina los choques pasionales, los motivos eternos de amor y dolor. Ha intuido la tradición de nuestra dramática por sus esencias."

Y Cejador juzga: "Podemos decir que tenemos un dramaturgo nuevo en España, y un nuevo teatro, pero de tantos quilates,

como no había aparecido por acá, no años, sino siglos ha. En madurez de ingenio, hondura filosófica, análisis psicológico, relieve de caracteres, propiedad de lenguaje, acabado primor de fondo y forma, no le llega, acaso, a Grau ningún dramaturgo español desde que el gran Calderón arrimó el cetro de la escena..."

Las alabanzas a Grau no son exageradas. Resulta triste que Grau no sea popular en España.

Obras: *Trasuntos*—novela, 1899—, *Las bodas de Camacho*—teatro, 1903—, *Entre llamas*—1905—, *Conseja galante*—1919—, *El conde de Alarcos*—1917—, *En Ildaria* —1918—, *El hijo pródigo*—1918—, *La redención de Judas, Sortilegio, Horas de vida, El rey Candaules, El señor de Pigmalión, El mismo daño, El caballero Varona*—1928—, *Los tres locos del mundo, Cuatro retablos de farsa, El demonio del mundo, El burlador que no se burla, Estampas*—1941—, *Unamuno y la España de su tiempo*—1943—, *Don Juan en el drama (Antología)*—1944—, *La Casa del Diablo*—1945...

V. VALBUENA PRAT, A.: *Historia de la literatura española.* Barcelona, 1946. Tomo II, 823-824.—CEJADOR Y FRAUCA, J.: *Historia de la lengua y literatura españolas.* Tomo XI, 234-244.—CASSOU, Jean: *Le théâtre de Jacinto Grau*, en *Mercure de France*, CLIV.

GREGORIA FRANCISCA DE SANTA TERESA, Sor.

Escritora y religiosa española. 1653-1736. Nació en Sevilla. En el siglo llamóse Gregoria Francisca de la Parra Queinoge. A los quince años entró en religión en el convento de Madres Carmelitas Descalzas de Sevilla, del que únicamente salió para ir a fundar otro monasterio de la Orden en la Puente de Don Gonzalo. Y resulta curioso observar en las composiciones de esta poetisa que murió ya muy entrado el siglo del racionalismo, el mismo afán de morir—de morir para vivir—que tuvieron las místicas de dos siglos antes.

Menéndez Pelayo admiró tanto a esta poetisa, que llegó a decir de ella que "cambiaría de buena gana todas las sátiras y epístolas y églogas y odas pindáricas que los preceptistas de aquel tiempo hicieron, por algunos trozos del romance del *Pajarillo*, de sor Gregoria Francisca de Santa Teresa". Y después afirma "que era un alma del siglo XVI".

Poseyó menos cultura que otras poetisas españolas de aquellos siglos; pero más sencilla y pura de corazón que la mayoría de ellas, sus propias pureza y sencillez le permitieron hallar imágenes de una fuerza expresiva maravillosa. "El eco de sus éxtasis

—dice una escritora contemporánea—parece el de una voz largo tiempo callada:

> Aquel profundo abismo
> del Sumo Bien que adoro,
> donde el alma se anega
> y es su dicha mayor el irse a fondo...

Dos años después de su muerte ejemplar mereció que escribiera su vida el magnífico Diego Torres de Villarroel.

V. TORRES VILLARROEL, Diego de: *Vida exemplar, virtudes heroicas y singulares recibos de la Venerable Madre Gregoria Francisca de Santa Theresa.* Salamanca, 1738.

GREIFF, León de.

Poeta y p r o s i s t a colombiano. Nació —1895—en Medellín. De origen escandinavo. Su verdadero nombre es León Luis Bogislao. En 1915 dirigió en su ciudad natal *Pánida,* la primera publicación vanguardista aparecida en Colombia. Ingeniero. Dirigió —1936—los primeros números de la *Revista de las Indias* (Bogotá). En 1948 fue nombrado director de Extensión Cultural.

"Greiff se inició bajo la advocación de Poe, Verlaine, Rimbaud y Laforgue. Mas posteriormente, y sorteando con patente éxito el ciclo de las influencias primerizas, su inspiración se ha enriquecido con personales matices hasta llegar a su actual formación de completo desarrollo. Su poesía, hoy, es un resultado de la conjugación de dos apreciables culturas, literaria y musical, operada sobre una sensibilidad nórdica (por su ascendencia racial), cruzada y aclimatada en el trópico, el sentido de su lirismo es fundamentalmente intelectual; áspero y duro de tono, porque toda su virtud reside en el fondo del poema cargado de infinitas posibilidades de emoción. Por eso es la suya una poesía que no se brinda en fácil entrega, sino que es necesario conquistarle, con voluntad resuelta, las bellezas que cela." (C. A. Caparroso.)

Obras: *Tergiversaciones*—Bogotá, 1925—, *Libro de signos*—Medellín, 1930—, *Variaciones alrededor de nada*—Manizales, 1936—, *Antología poética*—Bogotá, 1942—, *Dieciséis poemas*—México, 1942—, *Prosas de Gaspar*—1948...

V. CAPARROSO, Carlos Arturo: *Antología lírica (Notas críticas y biográficas).* Bogotá, 1951, 4.ª edición.—ORTEGA TORRES, P. José Juan: *Poesía colombiana.* Bogotá, 1942.—GÓMEZ RESTREPO, A.: *Historia de la literatura colombiana.* Dos tomos, 1938-1940.

GRIEN, Raúl.

Periodista y novelista e s p a ñ o l. Nació —1924—en La Coruña. Terminada la guerra de Liberación, ingresó como locutor en Radio Nacional de España y publicó incontables crónicas y cuentos en diarios y revistas: *La Estafeta Literaria, El Español, Arriba, La Hora, Juventud...*

Obra: *A fuego lento*—novela, 1959.

GRILO, Antonio Fernández (v. Fernández Grilo, Antonio).

GROSSO, Alfonso.

Novelista y cuentista. Nació—1928—en Sevilla. Estudió el bachillerato en el Instituto San Isidoro de su ciudad natal. Apenas conseguido el título de profesor mercantil —1949—, ingresó en la Administración del Estado, de la que se desentendió poco tiempo después para dedicarse con plenitud a la literatura y llevar una vida aventurera por el ancho y lejano mundo, ganándose la vida como periodista, guionista de cine, mozo de hospital, conductor de coches fúnebres. En 1967 fijó su residencia en Madrid.

Grosso es uno de los más interesantes y valiosos de los novelistas de hoy. Construye con maestría, describe con singular vigor, crea—o copia—criaturas de extraordinario atractivo humano, posee un vocabulario rico y plástico como pocos. Y si sus primeras novelas preferían los temas crudamente sociales, en las últimas aparece una clara preferencia por un realismo neto, sin tendenciosidades ni otras preocupaciones que las de la fidelidad a una estética magistral.

Obras: *La zanja*—novela, 1960—, *Un cielo difícilmente azul*—novela, 1961—, *Germinal y otros relatos*—1962—, *El capirote*—novela, 1963—, *Testa de copo*—novela, 1964—, *Los días iluminados*—ensayos, 1965—, *Inés Just Comming*—novela, 1968—, *Los cálidos demonios*—novela, 1969—, *Guarnición de silla* —novela, 1970, "Premio de la Crítica, 1970".

GROUSSAC, Paul.

Poeta, narrador y crítico literario de mucho prestigio. Hijo de padres franceses, nació—1848—en París. Murió—1929—en Buenos Aires. En 1866 llegó accidentalmente a Buenos Aires, e ingresó en la Universidad bonaerense. Tras un corto ensayo de adaptación rural, logró ser nombrado profesor del Colegio Nacional de la capital argentina, e inició una gran amistad con los hombres más ilustres de la República sudamericana. Avellaneda le nombró profesor en Tucumán, ciudad en la que vivió más de diez años. En 1883 regresó a Francia para estudiar a fondo las más modernas tendencias literarias europeas. De nuevo en Buenos Aires, fue nombrado inspector de Enseñanza secundaria y director de la Biblioteca Nacional—en 1885—, cargo este último que desempeñó hasta su muerte.

Groussac fue un ejemplo extraordinario de adaptación a un país extraño, a la familia y al nacimiento. Aun cuando muchos críticos piensan que tal adaptación no llegó jamás a ser completa, el reproche es injusto. Groussac se apropió magníficamente el idioma, las costumbres, los gustos, los afanes argentinos. Su cultura fue inmensa. Su sensibilidad, exquisita. Su criterio, sutil e inflexible. Su labor, fecunda. Ante nadie ni ante nada claudicó jamás su recta intención. Gobernaban su formación principios de orden clásico. Fue feroz, injusta, poquísimo elegante la saña con que combatió a España y todo lo español..., que contrasta con lo bien que dominó el castellano y con lo bien que, en ocasiones, quiso disimularlo.

Obras: *Las dos patrias*—drama—, *Fruto vedado*—narraciones—, *Relatos argentinos, Ensayo histórico sobre el Tucumán, Estudios de historia argentina, Santiago Liniers, Mendoza y Garay, Ensayo crítico sobre Cristóbal Colón, Crítica literaria, Del Plata al Niágara, El viaje intelectual, Prosper Merimée, Une enigme litéraire...*

V. Canter, Juan: *Contribución a la bibliografía de Paul Groussac.* Buenos Aires, 1930. Laferrere, Alfonso: *Paul Groussac,* en *Páginas de P. G.* Buenos Aires, 1918.—"Nosotros": Número extraordinario de esta revista, dedicado a Paul Groussac. Núm. 242. Leguizamón, Julio A.: *Historia de la literatura argentina.* Buenos Aires, 1945.

GUAL, Adrián.

Notable comediógrafo e s p a ñ o l. Nació —1872—en Barcelona. Murió en 1943. Bachiller. Durante algunos años se dedicó de lleno, con resultados muy lisonjeros, a la pintura. A finales del siglo xix organizó una tertulia de artistas con miras a la renovación del maltrecho teatro español; este grupo fue llamado *L'Avenç,* y representó obras como *La intrusa,* de Maeterlinck. Se animó Gual a escribir para el teatro, y se estrenó *Nocturn,* obra calificada por su autor de "andante morado", y que fue rechazada ruidosamente por un público no preparado para tales audacias escénicas. Sin desanimarse, Gual siguió escribiendo... *Morts en vida, Silenci, Misteri de dolor, La culpable, L'emigrant, Blancaflor, La fi de Tomás Reynald, Les alegres comediantes, Els pobres menestrals, La matinada, Els tres tambors, La presó de Lleyda, Donllez qui cerca muller, En Jordi-Flama, La pobre Berta, La comedia del hombre que va a perder el tiempo, Arlequí vividor, Hores d'amor y tristesa, La princesa dormida, La mentidera...*

De estas obras, unas alcanzaron grandes éxitos; otras, grandes fracasos. Todas son originales, fuertes, extrañas, audaces. Quizá su técnica sea forzada.

Gual, alejándose del gran público, creó el *Teatro Intim,* para las minorías muy selectas. Y dio a conocer la *Ifigenia en Táuride,* de Goethe; el *Edipo, rey,* de Sófocles, y otras muchas obras tan extraordinarias como difíciles. Más tarde, bajo los auspicios de la Diputación provincial, desempeñó una cátedra de Declamación, y fundó el grupo *Auditorium,* como una especie de continuación de su *Teatro Intim.*

Gual es un excelente poeta, lleno de inquietudes y de sensibilidad. En los Juegos florales de Barcelona de 1898, alcanzó dos premios. *Llibre d'hores*—1900—reúne varias de sus mejores poesías. A Gual se le deben muchas admirables conferencias acerca de temas teatrales, poéticos y artísticos.

GUANES, Alejandro.

Poeta paraguayo contemporáneo. Nació —1872—y murió—1925—en Asunción. Sus compatriotas le consideran como el *poeta por antonomasia.* Periodista ilustre y magnífico orador y recitador. En opinión de Cejador, "el mejor poeta paraguayo que ha cantado la poesía de las cosas abandonadas, viejas, las hojas secas del libro que nadie lee...".

Escribió en la prensa con el seudónimo "El sobrino Camándulas".

"Le inquietaba el enigma del mundo incomprensible... Quebrantó su mente con la cuarta dimensión, y acabó, como Amado Nervo, por descansar en ideas teosóficas, y en la filosofía de Maeterlinck, indecisa, pero promisora de esperanzas infinitas." (Dr. Domínguez.)

Publicó: *Leyendas, De paso por la vida* —poemas, Asunción, 1936—. "Hay en él valores desiguales. Al lado de poemas como *Ocaso y Aurora, o Allan Cardec*—mera prosa simétrica—, figuran otros no exentos de sentimiento y melodía." (J. A. Leguizamón.) *Del viejo saber olvidado*—1926.

V. Díaz Pérez, Viriato: *La literatura paraguaya,* en el tomo XII de la *Historia universal de la literatura,* de Prampolini. Buenos Aires, Uteha, Argentina, 1940.—Rodríguez Alcalá, José: *Antología paraguaya.* Asunción, 1910.—Buzó Gomes, Sinforiano: *Indice de la poesía paraguaya.* Buenos Aires, 1943.—De Vitis, Michael A. de: *Parnaso paraguayo.* Barcelona, Maucci, 1924.—Fleytas Domínguez: *Parnaso paraguayo.* Asunción, 1911.—Pane, Ignacio A.: *Poesías paraguayas.* Asunción, 1904.

G

GUARNER, Luis.

Poeta, prosista y catedrático español. Nació en Valencia—2 febrero 1902—, donde estudió las carreras de Derecho y Filosofía y Letras. Actualmente es catedrático de Lengua y Literatura española, de enseñanza media. Director de número del Centro de Cultura Valenciana. Correspondiente de la Real Academia de Buenas Letras, de Barcelona, y de la Internacional de Letras y Ciencias de Nápoles.

Como poeta valenciano ha alcanzado los más altos galardones en los Juegos florales de Valencia, y tiene el título de "Mestre en Gay Saber".

Colabora en las revistas literarias actuales: *Estafeta Literaria, Fantasía, Garcilaso, Azarbe, Verbo, Boletín de la Sociedad Castellonense de Cultura, Alma, Vientos del Sur* —Granada—, *Cuadernos de Literatura, Acanto,* etc.

Figura en las antologías siguientes: *Antología de poetas españoles contemporáneos en lengua castellana,* de C. González Ruano, 1946; *Las mil mejores poesías de la lengua castellana,* 1944; *Antología poética universal,* de J. Pérez de Izarra Sáenz, 1947; *Historia y antología de la poesía española* (en lengua castellana), de Sainz de Robles. Madrid, Aguilar, 1947 y 1951.

Obras poéticas: *Breviario sentimental* —1919-1921, Valencia, 1921—, *Llama de amor viva*—1921-1923, Valencia, 1923—, *Libro de horas líricas*—1923-1925, Madrid, 1925—, *Realidad inefable*—1925-1936, Valencia, 1942—, *Soledades*—1926-1936, inédita—, *Al aire de tu vuelo*—1939-1942, Madrid, 1946—, *Primavera tardía*—1942-1943, Madrid, 1945—, *Canciones al vuelo del aire*—1945, Granada, 1945—, *La soledad inquieta*—1945-1948, Madrid, 1949—, *Mar de tres riberas*—1945-1949, en prensa—, *Sinceridad* (Antología lírica)—en preparación.

Estudios de su obra en: *Historia de la literatura española,* de Angel Valbuena Prat, 1946; *Historia de la literatura española,* de Hurtado y Palencia, 1943; *Historia de la literatura española,* de Angel Lacalle; *Iniciación a la literatura universal,* de R. Esquerra y F. Gutiérrez; *La poesía lírica española,* de Guillermo Díaz-Plaja, 1948.

Ha traducido gran parte de la obra poética de Verdaguer, Heine, Verlaine, Rodenbach, Musset, Mistral, Maragall, etc.

Obras poéticas valencianas: *Floracions* —1924—, *Cançons de terra i de mar*—1936—, *Recança de tardor*—1949—, *Cançons*—1950.

GUELBENZU Y AYALA, Juan.

Nació en Ciudad Real el 2 de julio de 1912. Doctor en Derecho. Ha colaborado en los periódicos *Unidad* y *La Voz de España,*

en las revistas *La Gaceta Literaria* y *Siempre* y ha pronunciado notabilísimas charlas literarias por distintas emisoras españolas de radio. Entre sus mejores obras figuran *Islas sin puertos*—poemas, 1941—y *3 metros + de amor.*

«GUERRA, Angel» (v. **Betancourt, José**).

GUERRA, José Eduardo.

Poeta, ensayista, novelista boliviano. Nació en 1894. Estudió Derecho y Letras en La Paz y Sucre.

"Fino hombre de letras—escribe Díez de Medina—, cultivó con igual acierto ensayo y poesía. Bardo subjetivo, teñido en pesimismo—no en el trascendental de Schopenhauer o Leopardi, sino en el angustiado y disolvente de Kierkegaard o Antero de Quental—, tuvo sorprendente visión crítica. Su mejor obra: *Itinerario espiritual de Bolivia,* que, aun siendo de estructura menor, constituye una encendida exégesis del paisaje y la cultura nacionales. Pocos libros como este vieron con mayor verdad y belleza lo boliviano. *El Alto de las Animas* —1919—es una novela de rica subjetividad, que se destaca por su excelente construcción." (Díez de Medina.)

V. Díez de Medina, Fernando: *Perfil de la literatura boliviana,* en *Thunupa,* La Paz, 1947.—Finot, Enrique: *Historia de la literatura boliviana.* México, 1943.

GUERRA NAVARRO, Francisco.

Literato y periodista español. Nació —1909—en San Bartolomé de Tirajana (Gran Canaria) y murió—1961—en Madrid. Se hizo popular en su tierra natal con algunos sainetes de insulares colorido y gracejo. Pero la fama literaria la debe a la invención de un tipo popular "Pepe Monagas", protagonista de narraciones y crónicas llenas de humor, de sátira costumbrista. Francisco Guerra Navarro firmó muchos de sus originales como "Pancho Guerra".

Obras: *Los cuentos famosos de Pepe Monagas*—1948—, *Siete entremeses de Pepe Monagas*—1962.

V. Marrero, Vicente: Prólogo al frente de *Siete entremeses.*

GUERRERO ZAMORA, Juan.

Poeta, novelista y crítico español. Nació —1927—en Melilla, donde estudió el bachillerato y la carrera de maestro. Trasladándose a Madrid, en la Universidad Central cursó los estudios de la facultad de Filosofía y Letras.

En Melilla inició su vocación de poeta, dando con varios compañeros emisiones semanales de poesía en la radio local. Formó parte del Consejo de dirección de la revista de poesía *Al-Motamid*, de Larache. Fue director de la Academia Poética de la Facultad de Filosofía y Letras, de Madrid, y de la revista *Raíz*. "Premio Nacional de Teatro 1962".

Guerrero Zamora es un poeta personal. Director e historiador de teatro.

Obras: *Amargo fruto, Amarillo*—1949—, *Danza macabra*—poemas—, *Toros de tierra* —tragedia—, *Saco de muertos*—tragedia—, *Alma desnuda*—poemas, 1947—, *Lautreamont*—estudio ético y estético—, *Una tragedia en la vida*—drama en un acto—, *El teatro de Federico Lorca*—1948—, *La rama olvidada*—1950—, *Estiércol*—novela, 1953—, *Murillo, 11, Melilla*—novela, 1954—, *Enterrar a los muertos*—novela, 1957—, *Las máscaras van al cielo*—ensayos.

En 1951 publicó un muy agudo ensayo acerca del extraordinario poeta Miguel Hernández y en 1968 lleva publicados cuatro tomos de la *Historia del teatro contemporáneo*.

GUEVARA, Fray Antonio de.

Notable polígrafo español. Nació en ¿1480? Murió en 1545. Oriundo de Treceño, en las Asturias de Santillana. Llegó a la corte, y fue nombrado paje del príncipe don Juan. Vivió una juventud tempestuosa, chocando contra todos los escollos de la galantería, sin sortear los arrecifes de las pasiones y acudiendo, ilusionado y veloz, a las sirtes desde las que le cantaban las sirenas de Ulises. Amó mucho. Quizá fue perdonado por eso. A la muerte de la gran reina Isabel I se liberó de sus cárceles espirituales y profesó como franciscano. Muchos y muy importantes cargos desempeñó. Muchas y muy importantes empresas llevó a cabo. Predicador y cronista de Carlos I—1521—. Inquisidor de Toledo y Valencia—1525—. Obispo de Guadix—1528—. Obispo de Mondoñedo—1542—. Al lado del césar, intervino en el levantamiento de las Comunidades de Castilla y en las jornadas gloriosas de Túnez. Murió el año 1545. Fue enterrado en un convento de Valladolid. En el Museo de esta ciudad se conserva un retrato de fray Antonio de Guevara. Tipo de cortesano perfecto. Pulido. Esbelto. Sonrisa susceptible. Mirada maliciosa. Empaque un tanto almidonado. Talante de bastante teatralidad.

El amor humano puso tal pátina en el pergeño de fray Antonio, que inútilmente las horas de coro y de confesionario, las disciplinas y los ayunos, los actos de contrición y las lecturas espirituales pretendieron apagarla.

Las manos de fray Antonio, como las de cualquier prelado del Renacimiento, no eran de cera, amarillas, sino de carne, fogueadas. No olían a incienso, sino a esencias complejas.

Las principales obras de fray Antonio de Guevara son: *Libro llamado Relox de Príncipes*, conocido también por *Libro áureo del emperador Marco Aurelio*—1529—, *Menosprecio de corte y alabanza de aldea*—1539—, y las *Epístolas familiares*—1539 a 1545.

El primero de estos libros tuvo un éxito extraordinario, tanto—para algunos críticos—como el *Amadís* y *La Celestina*. Se difundió por todo el mundo en copias fraudulentas, ya que su original fue robado de la real cámara. Su influencia en toda Europa arraigó de prodigiosa manera. En Francia, lo copiaron Brantôme, Lafontaine, Montaigne. En Inglaterra, Pettie, sir Thomas Elyot, lord Berners, sir Thomas North. Su fama fue oscurecida por el *Telémaco*.

Textos: *Epístolas*, tomo XIII de "Biblioteca de Autores Españoles"; "Biblioteca Clásicos Españoles", Barcelona, 1886; *Arte de marear*, ed. 1895; *Menosprecio de la corte*: "Clásicos Castellanos"—1915— y "Colección Universal Calpe"; *Libro áureo de Marco Aurelio*, edición de Fouché-Delbosc, en *Revue Hispanique*, 1929; *Reloj de príncipes y Libro de Marco Aurelio*: selección en "Primavera y Flor". Madrid, Signo, 1936; *Antología*, ed. Martín de Riquer, Barcelona, 1940.

V. RIQUER, M. de: *Estudio en Antología*. Barcelona, 1940.—ROSEMBLAT, A.: *Estudio* en la ed. "Primavera y Flor". Signo. Madrid, 1936.—COSTES, R.: *Antonio de Guevara: sa vie*. París, 1925.—VAGANAY, H.: *Essai de bibliog.*, en *Bibliofilia*, 1916, XVII.—CLÉMENT, L.: *Antonio de Guevara: ses lectures et ses imitateurs*, en *Rev. d'Hist. littér. de la France*, 1900 y 1901.—MENÉNDEZ PELAYO, M.: *Orígenes de la novela*.—MARTÍNEZ DE BURGOS, M.: Edición *Menosprecio de corte*... Madrid, "La Lectura", 1915.—FOULCHÉ-DELBOSC, R.: *Bibliographie espagnole de fray Antonio de Guevara*, en *Rev. Hisp.*, 1915.— CLÉMENT, L.: *Antoine de Guevara*..., en *Rev. d'Hist. littér. de la France*, 1900-1901.—GÁLVEZ OLIVARES, José María: *Guevara in England*. Berlín, 1916.—THOMAS, H.: *The English translations of Guevara's works*, en *Estudios eruditos "in memoriam" de Adolfo Bonilla y San Martín*. Tomo II. Madrid, 1930.

GUIDO SPANO, Carlos.

Magnífico poeta argentino. Nació—1827— y murió—1918—en Buenos Aires. Su padre fue el general Tomás Guido. Su abuelo, el coronel Carlos Spano, italiano naturalizado en Chile y famoso por su heroica defensa de Talca. En 1840 pasó con su padre al Bra-

G

sil. De aquí marchó a Europa, donde vivió —en Inglaterra y Francia, principalmente— hasta 1851. Subsecretario del Ministerio de Relaciones Extranjeras durante la presidencia de Derqui. En 1865 abandonó la política y se entregó por completo al cultivo de las letras. De su volumen de poesías *Hojas al viento*—1871—afirmó el crítico Pedro Goyena "que contenía poesías tan perfectas y cabales que bastaría cualquiera de ellas para inmortalizar a su autor". "Casto Anacreonte" le llamó Larreta.

Guido Spano fue también director del Archivo General de la Nación.

No pocos críticos han encontrado grandes analogías entre las composiciones líricas de Guido Spano y las del inmortal poeta norteamericano Longfellow.

"Leyendo a Guido—escribe Berisso—, parece que el nombre olvida las rudas batallas de la vida, que la Humanidad es menos egoísta, que hay más bondad en los corazones, más esperanzas en el porvenir, y que hasta el espíritu, desatándose de la mortal envoltura, se eleva por encima de las miserias de esta vida."

Guido Spano, en opinión atinada de Leguizamón, "trata de ser—y hasta por sus traducciones lo revela—un ático. Como tal, es aproximado—por analogías, no por jerarquías—a Chénier y Leopardi. Su caudal es modesto, pero sereno, y discurre armoniosamente. Alguno que otro arrebato romántico—dimensión de ternura lírica—es pronto restituido al movimiento blando y ordenado. Pero el clasicismo de Guido Spano no es de retrocesión a las fuentes helénicas. Como advierte Rodó, su antigüedad consiste solo en simpatías de imaginación; su clasicismo no pasa de ciertas líneas generales de gusto y estilo, nacidas de natural propensión y afinidad, más que de iniciación profunda. Coincidencias de sentimiento, línea y color, pero no de comprensión o asimilación integrales".

Otras obras: *Ecos lejanos*—poesías, 1899—, *Ráfagas*—poesías—, *Poesías completas*—Buenos Aires, 1911.

V. GOYENA, Pedro: *Crítica literaria*, 1917. BERISSO, Luis: *El pensamiento de América*. Buenos Aires, 1898.—ALONSO CRIADO: *Literatura argentina*. Buenos Aires, 1900.—MENÉNDEZ PELAYO, M.: *Historia de la poesía hispanoamericana*. Madrid, 1913.

GUILLÉN, Alberto.

Poeta, novelista y prosista. Nació—1900—en Arequipa (Perú). Bachiller en Ciencias Políticas, en Letras y en Derecho. En 1923 fue enviado a México a estudiar los adelantos de la Secretaría de Educación Pública. Ha viajado por Europa e Hispanoamérica.

Ha colaborado en *Mundial, Variedades, La Prensa* y *La Crónica*, de Lima; *El Pueblo*, del Perú; *Diario de la Marina, Repertorio Americano, Sagitario, 1927, Nuestra América, Martín Fierro*.

Poeta de vibrante modernismo, influido por los *ismos* a partir de 1921, pero de fuerte personalidad, que ha salvado victoriosamente todas las normas generales y las fáciles coberturas.

Ha publicado: *Prometeo*—1917—, *Deucalión*—sonetos, ediciones 1920 y 1921—, *La linterna de Diógenes*—1.ª edición, edit. Andrés Bello, Madrid, 1921; 2.ª, Aurora Literaria, Lima, 1923—, *El libro de las Parábolas* —editorial Nosotros, Madrid, 1921—, *La imitación de nuestro señor Yo*—edit. Nosotros, Madrid, 1921—, *El libro de la democracia criolla*—política humorística, 1924—, *Laureles*—verso y prosa, 1925—, *Corazón infante* —novela, 1923, editorial La Novela Peruana—y otras de menor importancia.

V. SÁNCHEZ, Luis Alberto: *La literatura peruana*. Santiago, 1936. Tres volúmenes.

GUILLÉN, Jorge.

Gran poeta español. Nació—1893—en Valladolid. Cursó los estudios de Filosofía y Letras en las Universidades de Madrid y Granada, licenciándose en 1913 y doctorándose en 1924. Durante casi tres años, de 1909 a 1911, residió en Suiza. Durante casi seis, de 1917 a 1923, fue lector de español en la Sorbona. Catedrático de Literatura española—1925—en la Universidad de Murcia. Lector—de 1929 a 1931—de español en la Universidad de Oxford. Desde 1932, catedrático de la misma asignatura en la Universidad de Sevilla. Ha colaborado en revistas minoritarias de poesía pura como *Litoral, Carmen, Poesía...* Ha dirigido—con Juan Guerrero—*Verso y Prosa*—Murcia, 1927 y 1928—. También ha enviado artículos y poemas a periódicos y revistas de gran público: *La Libertad*, de Madrid, con el seudónimo de "Pedro Villa"; *Revista de Occidente, La Pluma, Indice, España...* Ha traducido en verso español poesías de Paul Valéry y Jules Supervielle. A su vez, sus poesías originales han sido traducidas y publicadas en varias revistas francesas, inglesas e italianas.

Autor de *Cántico*—1928—y de *Ardor* —1931—. La poesía de Guillén busca *lo inefable sentimental*. Para ello va eliminando el poeta *toda impresión personal;* porque si a lo inefable sentimental puede llegarse sin más que volverse hacia lo íntimo, como hacen Juan Ramón y Salinas, también puede llegarse *especulativamente,* como hace Guillén. A Guillén le bastará para conseguir la poesía pura—o simple, según él prefiere

llamarla—describir, exaltar *algo* sin compli-
carlo para nada consigo mismo. "Cabe—declara Guillén—la fabricación, la creación de
un poema compuesto únicamente de elementos poéticos en todo el rigor del análisis:
poesía poética, poesía *pura*." Por mucho primor que ponga el poeta, y Guillén lo pone,
en este juego lírico, que consiste en hallar
la poesía fuera de la sugestión del poeta,
la poesía, sin el calor subjetivo—que es traza y estilo, apasionamiento y desistimiento—, aparece demasiado *fría*. Interesa, pero
no emociona. Porque precisamente todo cuanto, por pasajero y vital, ha eliminado Guillén de su producción es lo que quita a
la poesía de su *impasibilidad* desconcertante. Seguramente es Guillén el poeta que ha
conseguido llevar la poesía a sus límites últimos y estrictos de forma y de expresión.
Jorge Guillén es uno de los líricos más
importantes e interesantes de la actual poesía española. Su influencia en parte de los
poetas jóvenes es inmensa y decisiva. Guillén es como el iniciador de la "poesía pura" en su *manera intelectualista*. En ocasiones se muestra con una impasibilidad desconcertante. Su poesía, desnuda y esencial,
lo es en ocasiones con cierto cultismo refinado y frío. Más que un afán por encontrar
la vena esencial de lo poético, diríase que
Guillén impone su fervor en eliminar cuanto
de *no poético* puede saltar al lirismo. Los
elementos poéticos que resisten *sin descomponerse* el análisis turbador de Guillén, son
los que procuran el trance fundamental de
su inspiración. Posiblemente, toda la honda
tortura de este gran poeta se quema, se vo-
latiliza en ese análisis trascendental. Y no
surge, en la expresión, sino su exaltación
—poética y aun religiosa—del espíritu, de
la sensibilidad, de las cosas... Guillén es un
poeta *difícil;* pero lograda la incursión en
su dificultad, presenta y proyecta con netitud espléndida la más exquisita de las com-
plejidades fecundas.

Obras: *Cántico (El aire de tu vuelo, Las
horas situadas, El pájaro en la mano, Aquí
mismo, Pleno ser)*—Madrid, 1928, 1935—,
Cántico (Fe de vida)—México, 1945; Buenos
Aires, 1950—, *Ardor*—1931—, *Maremágnum*
—México, 1957—, *Huerto de Melibea*—Madrid, 1954—, *Viviendo y otros poemas*—Barcelona, 1958—, *Que van a dar al mar*
—1960—, *A la altura de las circunstancias*—1963.

V. VALBUENA PRAT, A.: *Poesía contemporánea española.*—VALBUENA PRAT, A.: *Historia de la literatura española.* 1950. Tomo III.
BERGAMÍN, José: *La poética de Jorge Guillén*, en *Gaceta Literaria*, 1 enero 1929.—
ALONSO, Amado: *Jorge Guillén, poeta esencial*, en *La Nación*, de Buenos Aires, 21
abril 1929.—ROSELLÓ PORCEL, B.: *Notas a*

Guillén, en *Cuadernos de la Facultad de
Filosofía y Letras.*—CASALDUERO, J.: *Jorge
Guillén y "Cántico".* Buenos Aires, 1946.—
GUILLÓN, R., y BLECUA, J. M.: *La poesía de
Jorge Guillén*, en *Estudios Literarios*, II,
Zaragoza, 1949.—PLEAK, F. A.: *The Poetry
of J. Guillén.* Princeton, 1943.—ALONSO, Dá-
maso: *Los impulsos elementales en la poe-
sía de Jorge Guillén*, en *Poetas Españoles
Contemporáneos.* Madrid. Edit. Gredos, 1952.
GIL DE BIEDMA: *Cántico. El mundo y la poe-
sía de Jorge Guillén.* Barcelona, 1960.—CANO,
José Luis: *De Machado a Bousoño.* Ma-
drid, 1955.

GUILLÉN, Nicolás.

Original poeta mulato. Nació—1902—en
Camagüey. Estudió Leyes en la Universidad
de la Habana. Colaborador de las principales revistas hispanoamericanas dedicadas a
la poesía de vanguardia. Antes de ejercer
como abogado y de adquirir justa fama literaria, desempeñó los más diversos oficios.
De espíritu aventurero y pletórico de inquietudes, ha viajado mucho. Y conoce como
pocos todas las tendencias más audaces del
lirismo universal. La crítica de España y
América le ha consagrado como un gran
poeta de color.

Nicolás Guillén representa la expresión
más completa y valiosa del sentido y del
sentimiento líricos afrocubanos.

"Juan Marinello ha señalado, en su caso,
la sorprendente integración de naturaleza y
cultura. La primera allega el impulso espontáneo, la emoción fresca y directa, la insensible exósmosis de sangre auténticamente africana que bulle con fidelidad atávica.
La segunda encauza y define su expresión
en moldes de la mejor calidad tradicional.
Esta posesión raigal de la lengua le permite
cantar, ya sea en las formas artísticas ela-
boradas, o en las imitativas de la prosodia
bárbara del negro." (Leguizamón.)

En la poesía original y sugestiva de Guillén late íntimamente como una melancolía
infinita que pugna *por emborracharse* de colores crudos, de optimismos violentos, de
desvergonzadas fanfarronadas.

Obras: *Motivos de son*—1930—, *Sóngoro
cosongo*—1931—, *West Indies Ltd.*—1934—,
*Cantos para soldados y sones para turis-
tas*—1937...

V. CÚNEO, Dardo: *Esquemas americanos
(Tiempos en la poesía negra).* Buenos Aires,
1942.—TORRE, Guillermo de: *La aventura y
el orden (Literatura de color).* Buenos Aires,
1943.—PEREDA VALDÉS, I.: *Antología de la
poesía negra americana.*—MARINELLO, Juan:
Hazaña y triunfo de Nicolás Guillén, en *Literatura Hispanoamericana.*

G

«GUILLÉN, Pascual».

Autor dramático español. Nació—1891—en Valencia. Su verdadero nombre es Manuel Desco. En colaboración con Antonio Quintero ha estrenado numerosas obras, alcanzando grandes éxitos.

Obras: *La copla andaluza, Sol y sombra, Morena Clara, Los Caballeros, Oro y marfil, La luz, Como tú, ninguna...*

GUILLÉN, Rafael.

Poeta, prosista, autor teatral. Nació —1933—en Granada. Estudió Bachillerato y carrera de Comercio. Desde muy joven colaboró en la fundación y mantenimiento del grupo *Versos al aire libre.* Ha obtenido numerosos premios literarios y dado conferencias y lecturas en las más importantes capitales españolas. La difusión de su obra está ampliamente representada en los trabajos sobre la misma aparecidos en publicaciones de diversos países: España, Italia, Argentina, Venezuela, Bélgica, Uruguay, Ecuador, etcétera. Es miembro de honor de varias instituciones y centros culturales extranjeros. Fundó y dirige la colección de libros de poesía *Veleta al Sur.*

Obras: *Antes de la esperanza*—1956—, *Río de Dios*—1957—, *Pronuncio amor*—1960, 2.ª edición, 1961—, *Elegía*—1961—, *Cancionero-guía para andar por el aire de Granada* —1962—, *Canto a la esposa, El gesto* —1964—, *En el silencio del Padre* (teatro)—, *Breve antología*—1965—, *Hombre en paz* —1966—, *Tercer gesto*—1967—, *Gesto segundo*—1969—, *Los vientos*—1969.

GUILLÉN DE CASTRO (v. Castro y Bellvis, Guillén de).

GUILLÉN SALAYA, Francisco.

Periodista y ensayista español. Nació —1899—en Segovia. Murió—1965—en Madrid.

La labor literaria y periodística de Francisco Guillén Salaya tuvo ya amplísima y prestigiosa trayectoria. En realidad, se inicia cuando Guillén Salaya era apenas un adolescente, allá por el año 1914, en Segovia, donde, en unión de su hermano Mario, el marqués de Lozoya, Quintanilla y otros ilustres segovianos, funda una revista titulada *Don Quijote.*

En 1923 funda y dirige en Madrid la revista semanal *Castilla Gráfica,* que en poco tiempo adquiere gran popularidad, complementando su labor literaria de aquella época Guillén Salaya con la creación de la novela cinematográfica, bajo el título genérico de *España Films,* cuando el cine español era apenas una esperanza. Pasa en 1928,

como redactor-jefe, al diario *El Imparcial,* de memorable recordación en el periodismo hispano, y, al año siguiente, saca a la luz pública la gran revista universal *Atlántica,* que tan en alto pone el nombre de su creador y director Guillén Salaya. En 1931, Guillén Salaya funda y dirige, igualmente, la revista *Mirador.*

También le obsesiona y le atrae el teatro, de tan alta estimación popular en aquellos años, y, en colaboración con Julio Escobar, estrena en el teatro Muñoz Seca, de Madrid, el día 10 de mayo de 1935, la gran comedia titulada *La mujer de cera,* que obtuvo un éxito clamoroso.

Obras: *Cartones de Castilla*—narraciones, 1930—, *El diálogo de las pistolas*—novela, 1932—, *Parábola de la nueva literatura*—ensayos literarios, 1931—, *Bajo la luna nueva* —novela, 1935—, *La mujer de cera*—teatro, en colaboración con Julio Escobar, 1935—, *Anecdotario de las J. O. N. S.*—historia y anécdota de las Juntas de Ofensiva Nacional Sindicalista. Historia política, 1938—, *Qué son los Sindicatos verticales*—ensayos de la nueva economía, 1938—, *Más allá del infierno, La vida de Asturias roja bajo el látigo del marxismo*—reportaje autobiográfico, 1939—, *Luna y lucero*—novela de nuestro tiempo, 1941—, *La economía del porvenir* 2.ª edición, 1945—, *¿Quién gobernará el mundo?*—1952—, *Los que nacimos con el siglo*—1953—, *A la sombra de nuestras vidas*—1963.

GUILLÉN DE SEGOVIA, Pedro.

Gran poeta español. 1413-¿1474? Nació en Sevilla y vivió en Segovia y en un pueblo de la Carpetana, junto a Pedraza, una vida compleja de penalidades y desilusiones. Mientras vivió don Alvaro de Luna, de quien fue leal servidor, le sonrió la fortuna; muerto este, así como sus otros protectores, Santillana y Mena, quedó en la miseria y perdió la vista casi por completo, situación mucho más penosa cuanto que tenía que ganarse la mala vida de copista. Cuando estaba a punto de suicidarse, un religioso le recomendó al arzobispo de Toledo, Carrillo, de quien llegó a ser contador, y cuya historia escribió en el prólogo de su *Gaya ciencia.* Son escasos sus versos amatorios; los más, sagrados y morales; algunos, políticos. De los primeros, el *Dezir sobre el amor;* de los últimos, el *Dezir que fizo a Enrique IV* y el *Dezir que fizo sobre la muerte de don Alvaro de Luna.* Discípulo de Gómez Manrique, replicó a su *Querella de la gobernación* y a sus *Consejos,* y continuó con él *Los siete pecados capitales,* de Mena. Con los modelos de los *Setecientos,* de Pérez Guzman, y de las *Danzas de la muerte* compuso acaso su mejor obra, *Discurso de los doce estados del mundo,* especie de sátira social en 36 coplas. En el *Cancionero general* figura su composición—fácil la versificación, medidos los efectos—*Los siete salmos penitenciales trovados.* Aún puede apuntarse a favor de Guillén de Segovia un valor no desdeñable: compuso el más antiguo diccionario de la rima que tenemos, a semejanza de los provenzales y catalanes: tal es *La Gaya de Segovia* o *Silva copiosísima de consonantes para alivio de trovadores.* Las obras de Guillén de Segovia se encuentran en dos códices de la Real Biblioteca y de la catedral de Sevilla; el que posee la Nacional es una copia del segundo, muy descuidada.

Sus *Coplas* figuran en el *Cancionero general de Hernando del Castillo,* editado —1882—por la Sociedad de Bibliófilos Españoles. H. R. Lang ha editado sus poesías.

V. VERGARA, G. M.: *Ensayo de una colección bibliográfico-biográfica de noticias referentes a la provincia de Segovia.* Guadalajara, 1903.—MENÉNDEZ PELAYO, M.: *Antología de poetas líricos castellanos.* Tomo VI.

GUIMERÁ, Angel.

Gran poeta y dramaturgo español. Nació —1849—en Santa Cruz de Tenerife (Canarias). Murió—1924—en Barcelona. Estudió las primeras letras en Vendrell y Barcelona. En la ciudad condal, durante tres años, fue alumno de los Escolapios. No llegó a terminar estudios superiores. Rápidamente se dio a conocer, en revistas y Juegos florales, como admirable poeta lírico, consiguiendo en 1877 los tres premios reglamentarios para ser nombrado "Mestre en Gay Saber". Entre 1872 y 1886 publicó la mayoría de sus poesías en la revista quincenal literaria *La Renaixensa.* En 1895 entronizó la lengua catalana en el Ateneo barcelonés. En 1879 estrenó su primera producción escénica: una tragedia en verso, titulada *Gala Placidia.* Desde esta fecha, Guimerá se entregó de lleno al teatro, siendo traducidas al castellano y varios idiomas europeos muchas de sus obras. En 1909, al cumplir Guimerá los sesenta años, Cataluña le rindió un grandioso homenaje.

Como poeta lírico, Guimerá es admirable; hondo, delicado. Es bastante exagerado, como han hecho algunos críticos—Ixart, Blanco-Belmonte—, proclamarle "el mayor poeta de España". El mayor, no. Uno de los mejores, sí. Porque derrochaba la fantasía, las "sensaciones plásticas", el fervor patriótico, la pura emoción lírica—muy intensa—de su espíritu, la fuerza descriptiva, la expresión grandiosa, la avasalladora pasión.

Igualmente es uno de los más grandes dramaturgos. Los temas por él preferidos son nobles o magníficos. Domina la técnica, dueño de los mejores recursos del arte. Avasalla con la verdad psicológica de los caracteres. La humanidad más insobornable palpita en sus intenciones. Y su forma lírica es sobria, concisa, enérgica hasta la rudeza desnuda de todo artificio retórico.

Obras: *Judit de Welp*—1883—, *El hijo del rey, Mar y cielo*—1888—, *El rey monje* —1890—, *La boja*—1890—, *La Baldirona, La sala de espera, L'anima morta*—1892—, *Jesús de Nazareth*—1894—, *El camí del sol* —1904—, *Andrónica*—1905—, *Indibil y Mandonio*—1917—, *María Rosa*—1894—, *La festa del blot*—1896—, *Tierra baja*—1896, su obra maestra y uno de los dramas más hermosos del teatro español—, *La farsa*—1899—, *La filla del mar*—1899—, *La pecadora* —1902—, *Aigua que corre*—1902—, *Sol solet...*—1904—y otras más de menos importancia.

Libros de poemas: *Poesías*—1887—, *Segon llibre de poesies*—1920.

V. MIQUEL Y BADÍA, F.: *Las poesías de Angel Guimerá,* en *Diario de Barcelona,* 1887.— MONTOLÍU, Manuel: *Estudis de literatura catalana.* Barcelona, 1911.—GIVANEL, Juan: *El teatro de Guimerá.* Barcelona, 1909.—BERNAT Y DURÁN, J.: *Historia del teatre catalán.* Barcelona, 1924.—VIA, Luis: *Guimerá intim.* Barcelona, 1925.

GÜIRALDES, Ricardo.

Poeta y novelista de exquisita sensibilidad. 1886-1927. Nació en la Argentina y murió en París. Figuró desde muy joven en la literatura llamada de vanguardia. Con Jorge Luis Borges, Rojas Paz y Brandán Caraffa, fundó la revista minoritaria *Proa.* Su refinamiento espiritual, su expresividad barroca y difícil le alejaron del gran público. Su gran amigo, el exquisito escritor francés Valéry Larbaud, predijo de él: "¿Quién sabe si este poeta sutil, ·delicado, ultradecadente, formado en la escuela de Rimbaud, y surgido de esa nueva Alejandría que fue el París de 1870-1900, no llegará a ser considerado como uno de los grandes escritores nacionales de la gran República hispanoamericana?" La profecía se cumplió en 1926, al aparecer la novela de Güiraldes *Don Segundo Sombra,* que causó una sorpresa general y colocó a su autor en el primer plano de la fama. Novela extraña, intensa, un tanto extravagante, excepcional.

Tuvo Güiraldes una cultura refinada, una sensibilidad exquisita, una técnica personal y originalísima. Cejador le calificó de "prosista suelto y desenfadado, rico en lenguaje, que echa mano del habla popular, colorista y veloz, pero, a veces, con salidas extravagantes y enteramente gongorinas". "Maestro

G

de la novela argentina" se le ha llamado. Novelista de minorías selectísimas. Escritor de un refinamiento y de una sugestión incomparables.

En 1930, la gran editorial madrileña Espasa-Calpe emprendió la publicación de las *Obras completas* de este excepcional escritor.

Otras obras: *Cuentos de muerte y de sangre*—1915—, *Raucho*—1917—, *Rosaura* —1922—, *Xamaica*—1923—, *El cencerro de cristal*—1915...

V. Suárez Calimano, Emilio: *Directrices de la novela y el cuento argentino*. Buenos Aires, 1933.—Torres Rioseco, Arturo: *La novela en la América hispana*. University of California, 1939.—Torres Rioseco, Arturo: *Novelistas contemporáneos de América*. Santiago, "Nascimiento", 1939.—Coester, Alfred: *Historia literaria de la América española*. Madrid, Hernando, 1929.—Giménez Pastor, A.: *Historia de la literatura argentina*. Buenos Aires. Edit. Labor. Dos tomos.— Pinto, Juan: *Panorama de la literatura argentina contemporánea*. Buenos Aires, 1941.

GULLÓN, Ricardo.

Prosista y crítico literario. Nació—1908— en Astorga (León). Licenciado en Derecho. De la carrera fiscal. Muy joven aún, comenzó a escribir en revistas literarias de vanguardia: *Isla, Noroeste, Agora*... En 1933 fundó *Literatura*, revista llena de originalidad, verdadero exponente de las más audaces tendencias en las letras españolas, acogida con tanta curiosidad como entusiasmo por las más jóvenes promociones de literatos. Obras: *Fin de semana*—Madrid, 1933, mezcla de novela y diario íntimo—, *Novelistas ingleses contemporáneos*—1944—, *Cisne sin lago. Vida y obra de Enrique Gil y Carrasco*—ensayo biográfico y crítico. "Insula", 1951—, *Vida de Pereda*—Madrid, Editora Nacional, 1944—, *De Goya al Arte abstracto*—ensayos, 1952—, *Galdós, novelista moderno*—Madrid, 1958.

GUTIERRE DE CETINA.

Gran poeta español. 1520-¿1557? Nació en Sevilla, de familia noble y bien acomodada. Siguió la carrera militar y estuvo en Italia y Alemania, dedicado tanto como a pelear a amar y a poetizar. Sus amigos más queridos fueron don Diego Hurtado de Mendoza, el príncipe Ascoli, la princesa Molfeta, Jorge de Montemayor, Jerónimo de Urrea, la condesa Laura Gonzaga... Pero, según nos cuenta Pacheco, "llamándose su divino ingenio", se volvió a su patria, a la quietud de las musas". Partió en 1547 para México, llamado por uno de sus hermanos, compañero dilecto de Hernán Cortés. En Puebla de los Angeles (México), y en 1554, fue gravemente herido por Hernando de Nava al pie de las ventanas de doña Leonor de Osma. En 1557 ya había muerto.

Francisco Pacheco, en su *Libro de retratos*, le llama "poeta lírico, de maravilloso ingenio e invención, de grande elegancia i suavidad, de mucha agudeza i soltura en el lenguaje..." Todas las poesías de Cetina han sido recogidas e impresas—Sevilla, 1895— por don Joaquín Hazañas. Y son: cinco *madrigales*, doscientos cuarenta y cuatro *sonetos*, once *canciones*, nueve *estancias*, diecisiete *epístolas*, una *sextina* y una *oda*. Delicado y armonioso, Cetina ha sido considerado siempre como el poeta del amor. Rico de fantasía y de bellos pensamientos, apenas cabe imputarle cierta difusión prosaica. Sus modelos son Petrarca, Ausias March, Garcilaso de la Vega. De sus madrigales, es famosísimo y está recogido en todas las antologías el que empieza:

> Ojos claros, serenos...

cuyos antecedentes pudieran ser ciertos romances, como aquel citado por Cejador:

> Aunque con semblante airado
> me miréis, ojos serenos,
> no me negaréis, al menos,
> ojos, que me habéis mirado...

Y en otros dos que recoge Cossío del *Cancionero de Brudieu*:

> Ojos claros y serenos,
> caros me costáis si os vi,
> pues para todos sois buenos
> y tan malos para mí...
> Pues mi pena veis,
> miradme sin saña
> o no me miréis...

Herrera lamentó la falta de espíritu, brío y vigor de sus sonetos, aun cuando reconocía en ellos la precisión y elegancia del lenguaje, la ternura y los afectos. La temática es, indiscutiblemente, mucho menos amplia y diversa que en Garcilaso. Todas las canciones son amorosas, y en su mayoría están inspiradas en Petrarca, siendo alguna, como la quinta, una muy bella traducción de Ariosto. Donde se revela un Cetina con mayor soltura, naturalidad más sugestiva, mayor dominio de la versificación y una gracia personal ajena por completo a las pretensiones horacianas, es en las *epístolas*, escritas en tercetos, de carácter autobiográfico, y dirigidas a los amigos a que ya le mencionado.

La poesía de Gutierre de Cetina, influida decisivamente en los temas y en los metros por la italiana, se logró con delicadeza y musicalidad sumas en canciones, letrillas, sonetos y madrigales; en la composición de estos últimos no tuvo rival entre los poetas de su época. Cetina fue el poeta del amor. Rica fantasía, bellos pensamientos, fluidez y cierta difusión, son sus principales virtudes.

Textos: *Obras*, ed. Hazañas. Sevilla, 1895. V. Alonso Cortés, N.: *Sobre los amores de Cetina y su famoso madrigal*. Valladolid, 1930.—Whiters, A. M.: *The sources of the poetry Cetina*. Pensylvania, 1923.—Savj-López, P.: *Un petrarchista espagniolo: Cetina*. Trani, 1896.—Hazañas, J.: Prólogo a las *Obras de Gutierre de Cetina*. Sevilla, 1895.—Icaza, Francisco: *Sucesos reales que parecen imaginarios*. Madrid, [¿1919?]—Lapesa, Rafael: *La poesía de Gutierre de Cetina*, en *Hommage a Ernest Martinenche*, pág. 249.—Rodríguez Marín, F.: En *Boletín de la Academia Española*, VI, págs. 54 y 235.—Torre, Lucas de: En *Boletín de la Academia Española*, III, págs. 388 y 601.

GUTIÉRREZ, Eduardo.

Narrador y periodista popular en su tiempo. Nació—1853—y murió—1890—en Buenos Aires. A los trece años empezó su actividad periodística en *El Pueblo Argentino*, firmando sus crónicas con el seudónimo de "Hermenegildo Espumita". También colaboró en *La Patria Argentina, La Crónica* y *El Orden*. Su sino fue prodigarse hasta la extenuación en la labor diaria y circunstancial. Dominó el artículo político, el satírico, el puramente literario. No tuvo, pues, tiempo para una formación intelectual metódica y honda. Los defectos de sus obras son indisimulables. La crítica literaria *de altura* condesciende a referirse a él sin demasiados entusiasmos. Sin embargo, posee una acusada personalidad de novelista: facilidad narrativa, colorido caliente y brillante, percepción agudísima de la realidad.

Eduardo Gutiérrez fue militar durante diez años y participó en las luchas de la frontera o de las provincias del Norte. Y aprendió cuanto podía aprender por intuición o por atención espontánea: música, idiomas, arte...

Aun habiendo muerto muy joven, dejó una obra fecunda, de cerca de treinta obras, en su mayoría novelas publicadas como folletines en los periódicos ya nombrados. Ricardo Rojas divide su producción en tres grupos: *a)* Novelas gauchescas; *b)* Crónicas históricas, y *c)* Relatos policíacos. La mejor y más conocida es la primera serie, y de ella *Juan Moreira* y *Juan Cuello*, popularísimas en la Argentina. De sus relatos policíacos destaca su *Hormiga Negra*.

"Su estilo es llano, y su léxico, más vulgar que popular. Sin embargo, algunas de sus historias son particularmente vívidas.

Crea, a veces, un ambiente con elementos naturales, aun cuando su fondo romántico transforme al personaje e idealice sus motivaciones... No hizo, es indudable, literatura de alta jerarquía artística. Pero sus tipos han quedado en la imaginación popular como seres de fuerte vitalidad." (Leguizamón.)

V. Rojas, Ricardo: *La literatura argentina*. Buenos Aires, 1924.—García Velloso, E.: *Eduardo Gutiérrez...*, en *Memorias de un hombre de teatro*. Buenos Aires, 1942.—Lusarreta, Pilar de: *Un novelista malogrado*, en *La Nación*, Buenos Aires, 7 diciembre 1941.

GUTIÉRREZ, Ernesto.

Poeta nicaragüense de la última promoción, nacido hacia 1920. Ingeniero. Ha destacado juntamente con otros muy interesantes líricos: Silva Espinoza, Rodolfo Sandino...

Conocemos de él sus *Poemas de la sustancia súbita* y otros recogidos en distintas revistas y antologías.

Poeta *aún por definirse*, pero indiscutiblemente sugestivo, profundo y vigoroso.

Entre sus mejores composiciones están: *Canto a las matemáticas solemnes. En mi y no estando, Cristo, Canto de soledad y de silencio.*

V. Nueva poesía nicaragüense: *Introducción* de Ernesto Cardenal. *Selección y notas* de Orlando Cuadra Downing. Madrid, Seminario de Problemas Hispanoamericanos, 1949.

GUTIÉRREZ, Fernando.

Nació en Barcelona el 18 de octubre de 1911. Primera enseñanza en el colegio de los Misioneros del Sagrado Corazón de Jesús—las primeras letras las aprendió a los cuatro años, gracias a la paciencia de su abuelo materno—, donde cursó los dos primeros años del bachillerato, que siguió y terminó en el Instituto de Barcelona, como alumno oficial, en el tiempo reglamentario. Terminado el bachillerato, se decidió por la carrera de ingeniero industrial, que, apenas comenzada, hubo de abandonar. Su vida periodística comienza en 1930 en el incomprensiblemente prohibido periódico apolítico *Las Noticias*, de Barcelona, donde se encargó de la crítica de arte en 1936. Prohibido el periódico en 1939, ingresó en *La Prensa* como crítico de arte y libros, cargo que todavía detenta. En 1945, Juan Ramón Masoliver, Diego Navarro, y él fundaron y dirigieron la revista *Entregas de Poesía*, que por no ser la voz cantante de una determinada capillita, ha sido tildada de confusa y desordenada en cuanto a la presentación

G

de valores poéticos. Actualmente trabaja en la editorial de José Janés.

Obras originales: *Falso romance de la linda muerte*—Barcelona, 1942 (Especie de intento de ballet infantil)—, *Primera tristeza*—"Entregas de Poesía", Barcelona, 1945 (recoge unos cuantos poemas de los años 1942-1944)—, *Los ángeles diarios*—Barcelona, 1947.

Antologías: *Páginas escogidas del marqués de Santillana*—Luis Miracle, Barcelona, 1939—, *Páginas escogidas de San Juan de la Cruz*—Luis Miracle, Barcelona, 1940—, *Cancionero del amor antiguo*—ilustraciones de Vila Arrufat, Gustavo Gili, Barcelona, 1942—, *Gertrudis Gómez de Avellaneda y Rosalía de Castro*—Montaner y Simón, Barcelona, 1945—, *Bartolomé Leonardo Lupercio de Argensola*—Montaner y Simón, Barcelona, 1945—, *Carolina Coronado*—Montaner y Simón. Barcelona, 1946—, *La poesía alemana* (colaborando con Jaime Bofill y Ferro)—José Janés. Barcelona, 1947.

Ediciones críticas: *El diablo Cojuelo* (ilustraciones de Ricart)—Editorial Orbis. Barcelona, 1943—, *Las Novelas Ejemplares*—Editorial Juventud. Barcelona, 1945—, *La ingeniosa Elena*—S. A. Horta, I. E. Barcelona, 1947.

Otras obras: *Antología histórica de la poesía catalana*—José Janés. Barcelona (en catalán)—, *Antología de la poesía catalana*—José Janés. Barcelona (texto catalán y traducción castellana)—, *La poesía francesa*—texto original y traducción castellana—, *Poesía castellana*—Barcelona, 1951.

En 1951, Fernando Gutiérrez ha obtenido el accésit del "Premio Nacional Garcilaso" para poesía con su libro *Anteo e Isolda*. Un año antes, en Barcelona, le fue otorgado el "Premio Boscán". También le ha sido otorgado el "Premio Nacional de Poesía Garcilaso".

V. SAINZ DE ROBLES, F. C.: *Historia y antología de la poesía española*. Madrid, Aguilar, 1969, 4.ª edición.

GUTIÉRREZ, José Rosendo.

Poeta, historiador y autor dramático boliviano. Nació en 1840. Fue abogado, legislador y político de mucho prestigio. Ocupó altos cargos estatales. Su obra es abundante, variada y de valores desiguales. Para el teatro escribió el drama *Iturbide*, de temática y de estructura perfectamente románticas. También fue poeta ocasional, de muy corta inspiración. "Sus ensayos históricos, más aceptables que sus trabajos críticos y polémicos, contienen un arsenal de conocimientos." (D. de M.)

Obras: *Datos para la bibliografía boliviana, Documentos inéditos para la historia nacional, Alonso de Alvarado, corregidor de La Paz o Pueblo Nuevo; Mancio Sierra de Leguizamo...*

V. DÍEZ DE MEDINA, Fernando: *Perfil de la literatura boliviana*, en *Thunupa*, La Paz, 1947.—FINOT, Enrique: *Historia de la literatura boliviana*. México, 1943.

GUTIÉRREZ, Juan María.

Historiador y poeta argentino. Nació —1809—y murió—1878—en Buenos Aires. Estudió Humanidades en el Colegio-Universidad de su ciudad natal. Fue uno de los directores del movimiento romántico de 1824-1840. Fundador—con Vicente F. López y Alberdi—de la Asociación de Mayo —1837—. Habiendo conspirado contra el tirano Rojas, huyó a Montevideo—1838—, marchando a Europa en 1843. En 1852 regresó a su patria. Diputado provincial. Ministro rector de la Universidad de Buenos Aires (1861-1870).

No fue un poeta de primer orden, aun cuando Menéndez Pelayo afirmara que su fama de prosista y de político perjudicara a sus versos. Pero sí fue un gran polígrafo y un magnífico pedagogo, dueño de una cultura excepcional bien *digerida* y mejor aplicada a sus obras. Colaboró asiduamente en *La Moda, El Recopilador, El Museo Americano* y otras muchas revistas. Sus mejores poesías son las tituladas: *Caycobe*—poema—. *A mayo, A la bandera argentina, El payador, A mi caballo, La flor del aire*.

Obras: *La ciencia española durante el coloniaje*—1837—, *El lector americano*—1846—, *Pensamientos, sentencias y máximas*—1860—, *Estudios biográficos y críticos*—1865—, *Bosquejo biográfico del general San Martín* —1868—, *Florencio Balcarce*—1869—, *Poesías*—1869—, *Historia argentina*—1873—, *Origen del arte de imprimir en la América latina*—1875—, *Bibliografía de la primera imprenta de Buenos Aires*—1876—, *América poética*—antología de poetas americanos...

V. CRUZ PUIG, Juan de la: *Antología de poetas argentinos*. Buenos Aires, 1910. Diez volúmenes.—RODÓ, José Enrique: *J. M. G. y su época*, en *El mirador de Próspero*.—PAGANO, José León: *El Parnaso argentino*. Barcelona, Maucci, 1904.—GIRÁLDEZ, Tomás: *La guirnalda argentina*. Buenos Aires, 1863. MENÉNDEZ PELAYO, M.: *Historia de la poesía hispanoamericana*. Madrid, 1913, tomo II, páginas 456-458.—ROJAS, Ricardo: *La literatura argentina*. Buenos Aires, 1924, 2.ª edición.—VICUÑA MACKENNA, B.: *Juan María Gutiérrez*. Santiago de Chile, 1878.—ZINNY, Antonio: *Juan María Gutiérrez: su vida y sus escritos*. Buenos Aires, 1878.—URIEN, Carlos M.: *Apuntes para la vida y obra del doctor Juan M. Gutiérrez*. Buenos Aires, 1909.—MORALES, Ernesto: *Don Juan María*

Gutiérrez. Buenos Aires, El Ateneo, 1937.—
SOHWEISTEIN DE REIDEL, María: *Juan María Gutiérrez.* La Plata, 1940.

GUTIÉRREZ, Ricardo.

Poeta y novelista de mucho mérito. 1836-1896. Nació en Arrecifes (República Argentina). Doctor en Derecho y en Medicina. Combatió contra el Paraguay en los ejércitos de Cepeda y Pavón. Desde los campos de batalla enviaba poesías y crónicas a los periódicos y revistas de Buenos Aires y Santa Fe. Terminada la guerra, recorrió Europa completando sus conocimientos médicos. De regreso a su patria, fundó el Hospital de Niños de Buenos Aires, y con heroísmo y caridad admirables hizo frente a la famosa epidemia de peste amarilla del año 1867. Durante veintitantos años asistió gratuitamente a los hijos enfermos de los menesterosos. Fue Gutiérrez un ídolo para el pueblo argentino. Su caballerosidad, su generosidad, sus firmes ideales cristianos, su bondad y comprensión frente a los problemas angustiosos de la Humanidad, le dieron una fama imperecedera. En su ciudad natal y en la capital de la República, dos estatuas perennizan su reputación.

Como poeta, fue Ricardo Gutiérrez un romántico desdoblado y depurado en la angustia íntima y mordiente. "En el pesar desolado de sus vigilias—es suya la imagen—, el verso aflora purificador por entre las grietas del corazón."

La emoción lírica fue la calidad más estimable de su poesía. Cuando intentó los alientos épicos, cayó en el énfasis, en la inverosimilitud.

Entre sus poesías se hicieron populares: *El misionero, La Hermana de la Caridad, El poeta y el soldado, Las dos plegarias, La patria, La oración...*

Otras obras: *La fibra salvaje*—poema, 1860—, *Lázaro*—poema—, *Poesías escogidas* —1878, volumen que recogió *Libro de las lágrimas, Libro de los cantos* y *Composiciones sueltas*—, *Cristián*—novela breve...

V. MENÉNDEZ PELAYO, M.: *Historia de la poesía hispanoamericana.* Madrid, 1913.—ROJAS, Ricardo: *La literatura argentina.* Buenos Aires, 1924.—GARCÍA VELLOSO, E.: *Historia de la literatura argentina.* Buenos Aires, 1914.—GOYENA, Pedro: *Crítica literaria.* 1917.

GUTIÉRREZ ABASCAL, Ricardo.

Ensayista y crítico de arte español. Nació—1890—en Bilbao y murió—1963—en México. Ha popularizado el seudónimo de "Juan de la Enzina", con el que ha firmado miles de artículos en la Prensa española e hispanoamericana. Está considerado como uno de los maestros españoles contemporáneos de la crítica del arte. Durante muchos años desempeñó su magisterio artístico en *La Voz,* de Madrid, debiéndole muchos artistas modernos su consagración. Desde 1938 vivió en México. Profesor de la Casa de España, del Colegio de México, de la Escuela de Artes Plásticas. Ha dado cursos magníficos en las Universidades de Michoacán y Nacional Autónoma.

Obras: *Mogrobejo y su obra, Ignacio Zuloaga, Julio Antonio, La trama del arte vasco, Los maestros del arte contemporáneo, Crítica al margen, Victorio Macho, Goya en zigzag, El mundo histórico y poético de Goya*—1939—, *El paisaje moderno*—1939—, *La nueva plástica*—1939—, *El Greco, estudio biográfico y crítico*—1944—, *Velázquez, estudio biográfico y crítico*—1944—, *Estudios sobre el arte mexicano*—1945—, *Historia de la pintura de Occidente*—1945, siete tomos—, *Vida y milagros de Vicent Van Gogh*—1945...

GUTIÉRREZ ALBELO, Emeterio.

Poeta y prosista español. Nació—1905—en Icod de los Vinos (Tenerife). Sin haber salido de su tierra natal, tiene justa fama entre las minorías literarias. Intervino, muy joven aún, en las polémicas y revistas de los "ismos subversivos", entre 1920 y 1923. En su poesía—muy personal no obstante— se delatan todas las tendencias líricas predominantes en España a partir del posmodernismo.

Obras: *La fuente de Juvencio, Romanticismo y cuenta nueva*—1933—, *Campanario de la primavera, Cristo de Tacoronte, El enigma del invitado*—1936—, *Tus blancos pies en la tierra*—1951—, *Los milagros* —1959...

GUTIÉRREZ GAMERO, Emilio.

Notable novelista español. Nació—1844— en Madrid. Y en Madrid—1936—murió. Abogado. Secretario de la Academia de Jurisprudencia y Legislación. Diputado a Cortes —1872—. Gobernador civil de Valencia. Académico—1919—de la Real Española de la Lengua.

Gutiérrez Gamero, de intensa vida política, no empezó a escribir literatura hasta cerca de los cincuenta años. Su primera novela, *Sitilla,* data de 1897. Antes había escrito algunos artículos periodísticos y un pequeño libro de cuentos.

Gutiérrez Gamero es un buen novelista de sano realismo, buen discípulo de Galdós y de Palacio Valdés. Su sátira es benévola. Sus descripciones de las humanas flaquezas jamás ofenden. Tiene una muy sutil y honda penetración psicológica. Su estilo es castizo, correcto, elegante. Su vocabulario, tan

G

rico como natural y preciso. Es extraordinariamente hábil y ameno en la narración.

Obras: *Los de mi tiempo*—ciclo novelesco, que comprende las siguientes obras: *Sitilla* (1897), *El ilustre Manguindoy, El conde Perico, La olla grande, La piedra de toque;* estas obras están dedicadas a narrar, con precisión y verdad admirables, la vida política de fines del siglo XIX—; *El que a cuerno mata...*—narraciones breves—, *Telva* —novela—, *Clara Porcia*—novela—, *Entre purgatorio y gloria*—novela—, *Vidas truncadas*—cuentos—, *El placer del peligro*—novelas cortas—, *La derrota de Mañara*—cuentos—, *Carlos Edel*—drama

Casi a los noventa años empezó a publicar sus *Memorias*—sorprendentes de amenidad y gracia y pletóricas de la "pequeña historia" madrileña de un siglo, 1844 a 1925—, que comprenden los siguientes volúmenes: *Mis primeros ochenta años, Lo que me dejé en el tintero, La España que fue, Clío en pantuflas, Gota a gota, el mar se agota...*

V. CASARES, Julio: *Nota necrológica*, en el *Boletín de la Academia Española*. XXIII. 177.—ENTRAMBASAGUAS, Joaquín de: *Las mejores novelas contemporáneas* (1925-1929). Barcelona, Planeta, 1961. Págs. 3-39.

GUTIÉRREZ GONZÁLEZ, Gregorio.

Poeta y prosista colombiano. Nació —1826—en La Ceja del Tambo y murió —1872—en Medellín. Abogado. Rico hacendado, gastó gran parte de sus bienes en sostener las campañas políticas de 1860 a 1862. Se enamoró románticamente, *a primera vista*, de una joven, cuyos desdenes estuvieron a punto de llevarle al suicidio. Pero acabó olvidándola y casándose con la Julia de sus cantos líricos diez años después. Ocupó diferentes cargos políticos. Su poesía descriptiva *El cultivo del maíz*, robusta composición en cuartetas, fue calificada por Menéndez Pelayo como "lo más americano que hasta ahora ha salido de las prensas". A los veinte años publicó *El salto de Tequendama*, en el que ya son patentes un romanticismo vibrante y la influencia de Andrés Bello.

"Didáctico y realista, es también un lírico de tono menor, fácil y melifluo, de una sensibilidad matizada, a veces, de cierto leve pesimismo de escuela, rica en emociones primordiales." (C. A. Caparroso.)

Las poesías de Gutiérrez González pueden quedar divididas en cuatro grupos: *descriptivas (Aures, El cultivo del maíz); de amor y ternura (Canción, ¿Por qué no canto?); humoristas y satíricas (Una visita, Tresillo, Un sueño), y románticas y pesimistas (Morir, Miserere, Las dos noches, La oración).*

Ediciones: Nueva York, 1867; Bogotá, 1861; Bogotá, 1926.

V. CAMACHO ROLDÁN, Salvador: *Introducción* a la ed. de Bogotá, 1926.—CAPARROSO, Carlos Arturo: *Antología lírica.* Bogotá, 1951.—MENÉNDEZ PELAYO, M.: *Historia de la poesía hispanoamericana.* Madrid, 1911-1913.—GÓMEZ RESTREPO, Antonio: *Historia de la literatura colombiana.* Bogotá, 1938.

GUTIÉRREZ DE MIGUEL, Valentín.

Gran periodista español. Nació—1891—en Jaén. Abandonó muy joven los estudios para entregarse a su gran vocación: el periodismo, donde pronto alcanzó popularidad con sus crónicas, llenas de agilidad y de oportunidad y escritas en una prosa castiza y brillante.

Ha sido redactor de *La Mañana*—1912—, de *El Mundo, La Nación*—1918—y *El Sol*, diarios de Madrid. Fue uno de los fundadores de *La Voz*—1920—. En la actualidad escribe reportajes amenos e ingeniosos en varias revistas.

Ha viajado por Europa y América, *a la caza* de sucesos sensacionales, viviendo innumerables aventuras.

Gutiérrez de Miguel, muy culto y gran prosista, pertenece a la categoría mundial de los grandes reporteros.

Obra: *La Revolución en la Argentina* —1930.

GUTIÉRREZ NÁJERA, Manuel.

Magnífico poeta y cuentista. 1859-1895. Nació en México. Era feo y contrahecho. Un amigo suyo, describiendo su figura, decía que parecía "una joven japonesa cocida en barro". Paradójicamente, bajo aquella desdichada apariencia ocultaba un alma selecta y delicadísima. Desde muy joven se entregó con fervor a la poesía y al periodismo. Utilizó los seudónimos de "El duque Job", "Junius", "El cura de Jalatlaco", "Puck" y "Recamier". Escribió sus primeros artículos, jugosos y apasionados, en *El Federalista*. Más tarde colaboró en el *Liceo Mejicano*, en la *Revista Nacional*, en *El Partido Liberal*, con cuentos, crónicas y poemas, que inmediatamente le hicieron famoso. Fundó con Carlos Díaz Dufoo la *Revista Azul*—1892 y 1893—. Desde muy niño, pensando seguir la carrera eclesiástica, se entusiasmó con las obras de Santa Teresa, San Juan de la Cruz, fray Luis de León, Malón de Chaide y fray Luis de Granada.

Sus modelos fueron Bécquer y Musset. Tierno, hondo y sincero, Gutiérrez Nájera es el portaestandarte del modernismo en América y uno de los mejores poetas que han escrito en lengua castellana.

Es, realmente, el Bécquer americano; castizamente español por la métrica, el realismo y la claridad; clásico en la naturalidad, en la sencillez y en el esmero de cincelar los versos; moderno en la fuerza lírica subjetiva y en la sentida amargura. En América ningún otro poeta ha cantado el amor, la pena y la muerte con tono tan melancólico e impresionante. Siempre delicado. Siempre musical. Siempre íntimo. Siempre lleno de dulzura y de gracia.

Una nota, a veces muy acusada, que debe señalarse en las poesías de Nájera es la de un erotismo un tanto vago, pero sumamente atractivo.

De la mayoría de las composiciones de este extraordinario lírico americano puede afirmarse lo que de todas las de nuestro Bécquer: "que están en estado de gracia".

A nuestro juicio, es, sin embargo, en su prosa, alada y singularísima, donde mejor se revela su gusto innovador. Para el gran crítico Justo Sierra, Nájera era "un príncipe del país azul de la ilusión, un mago que pintaba, en abanicos de encaje y seda, figuras y paisajes deliciosos, rodeados de infinito y de ensueño".

Obras: *Cuentos frágiles*—México, 1883—, *Cuentos color de humo, Crónicas y fantasías, Hojas sueltas*—artículos, 1912—, *Poesías*—con un prólogo de Justo Sierra, 1896—, *Notas de viaje, Humoradas dominicales, Primera cuaresma del duque Job, Segunda cuaresma del duque Job, Amor y lágrimas*—poesías escogidas, 1912—, *Sus mejores poesías*—Madrid, 1916—, *Cuentos*—México, 1916...

V. ESTRADA, Jenaro: *Poetas nuevos*. México, ¿1919?—SIERRA, Justo: *Estudio* al frente de las *Poesías de Gutiérrez Nájera*. París, 1909.—BLANCO-FOMBONA, R.: *Epílogo* a Las *mejores poesías de Gutiérrez Nájera*. Madrid, 1916.—GONZÁLEZ PEÑA, Carlos: *Historia de la literatura mejicana*. México, 1940, 2.ª edición.

GUTIÉRREZ SOLANA, José.

Extraordinario pintor y escritor español. Nació—1886—y murió—1945—en Madrid. Su fama internacional como pintor ha oscurecido su indiscutible alta valoración como literato. En 1922 alcanzó la primera medalla en la Exposición Nacional de Pintura. En 1945, el mismo año de su muerte, póstumamente, ganó la medalla de honor. Su fama en el extranjero fue mayor, acaso, que en España. Sin embargo, Gutiérrez Solana era un espíritu insobornablemente carpetano: fuerte, melancólico, escéptico, de un ingenio sutilísimo en palabras llenas de vigor y de colorido. Si su profesión—por "el qué dirán"—le obligó a salir de España, salió como de mala gana. Se cuenta de él que la vez

primera que fue a París se presentó cargado con unas alforjas llenas de queso manchego, chorizos, jamón y otros manjares de igual reciedumbre ibérica, amén de una bota de vino de la tierra...

Creemos que Gutiérrez Solana es uno de nuestros escritores más plásticos, más crudamente humanos, más barrocos y sombríos. Tocó con su pluma los mismos—o parecidos—temas que tocó con sus pinceles, suburbios, crepúsculos violentos de luz y de nubes, personajes raros y aun estrafalarios, escenas de una picaresca sórdida. Y con su pluma, como con sus pinceles, Solana "inventa" los colores más agrios, las mezclas más sorprendentemente absurdas en su pasmosa sugestión. A Solana literato puede aplicársele lo mismo que a Solana pintor: desde Goya nadie ha dado como Solana, en sus cuadros y en sus libros, una visión dramática más intensa de la España sombría y barroca. El estilo literario de Solana es directo, casi rudimentario en apariencia, de un realismo sobrecogedor.

Obras: *Madrid: escenas y costumbres*—Madrid, 1913, primera serie, y 1918, segunda serie—, *La España negra*—Madrid, 1920—, *Madrid callejero*—Madrid, 1923—, *Los pueblos de Castilla*—Madrid, 1925—, *Obras literarias completas*—Madrid, ¿1958?

V. SÁNCHEZ CAMARGO, Manuel: *Solana*. Madrid, 1945. (La mejor biografía de este genial pintor.)—GÓMEZ DE LA SERNA, Ramón: *José Gutiérrez Solana*. Buenos Aires, Poseidón, 1944.—ABRIL, Manuel: *De la Naturaleza al espíritu*. Madrid, 1935.—RÍO, Angel, y BENARDETE, M. J.: *El concepto contemporáneo de España. Antología de ensayos. 1895-1931*. Buenos Aires, Losada, 1946. (En la página 448, abundante bibliografía de José Gutiérrez Solana.)

GUZMÁN, Augusto.

Novelista y periodista boliviano contemporáneo.

Figura hoy entre los mejores narradores, no solo de su patria, sino de toda Hispanoamérica. Entre sus novelas sobresalen dos: *La sima fecunda*—exaltación de la tierra—y *Prisionero de guerra*—documento valiosísimo, simple y crudo, en que se exalta la más impresionante de las peripecias vitales de nuestro tiempo.

De esta segunda novela ha dicho Díez de Medina: "Tiene pasajes patéticos, llameantes, que nunca olvidará el lector. Su realismo exasperante linda con el dramatismo eslavo, recuerda a veces lecturas de Dostoiewsky y de Andreiew... Sentidas descripciones del paisaje, relato vigoroso, observación rápida y precisa... Es una faceta de la guerra, bajo una lente muy personal."

G

De *La sima fecunda:* "Su novela primigenia es encantadora. Aquí todo ajusta en armonioso ritmo: tema, intención, hilo narrativo, estilo. Novela descriptiva, típicamente regional, donde la fuerza tremenda de los "yungas" de Cochabamba cubre trama y personajes con sus vahos y nieblas sofocantes y equivale a un canto panteísta. Es el *drama del vegetal* que empequeñece y desintegra al hombre, el heroísmo de la criatura humana frente al pavor de la Naturaleza virgen."

Otras obras: *Historia de la novela boliviana, Obispo Cárdenas*—biografía—, *Tuphaj Katari*—biografía...

V. Díez de Medina, Fernando: *Perfil de la literatura boliviana,* en *Thunupa,* La Paz, 1947.—Finot, Enrique: *Historia de la literatura boliviana.* México, 1943.

GUZMÁN Y FRANCO, Martín Luis.

Periodista y novelista mexicano. Nació —1887—en Chihuahua. Empezó a estudiar Leyes en la Universidad de México, cuando la revolución de 1911 le arrastró al torbellino de la política. Luchó contra Porfirio Díaz, y al caer este déspota fue nombrado delegado de la Convención Constitucional Progresista. Partidario acérrimo de Carranza y Villa, al separarse de estos, Guzmán tomó el partido del famoso Don Pancho, siguiéndole en sus audaces aventuras y convirtiéndose como en su cronista oficial. Apresado por Carranza, estuvo algún tiempo en durísima prisión y varias veces en trance de muerte. En 1914 recobró la libertad, siendo nombrado consejero del Ministerio de la Guerra—1915—por el presidente Eulalio Gutiérrez. Poco después marchó a Europa, visitando varios países como corresponsal de periódicos y revistas de su país. En España permaneció algún tiempo. En 1920 regresó a México y fundó el diario *El Mundo.* Diputado. Desde 1925 se estableció en España, y de 1931 a 1936 desempeñó importantes cargos con los gobernantes de la segunda República española. Colaborador asiduo de los importantes diarios madrileños *La Voz* y *El Sol.* Miembro de la Academia Mexicana de la Lengua.

Escritor de fuerza, ideología radical, estilo natural y vibrante, dibujo de trazos vigorosos, ameno y con ciertos matices de humor áspero.

Obras: *El águila y la serpiente*—1928—, *La sombra del caudillo*—1930—, *El hombre y sus armas, Campo de batalla, Panoramas políticos; La causa del pobre, Adversidades del bien.* Estos cinco últimos volúmenes son las "Memorias" del cabecilla Pancho Villa. *Mina "el Mozo"*—Madrid, 1932—, *Filadelfia, paraíso de conspiradores*—1933.

También ha escrito Guzmán algunas interesantes biografías, como la de *Mina "el Mozo".*

V. González Peña, C.: *Historia de la literatura mejicana.* México, 2.ª edición, 1940.— Jiménez Rueda, J.: *Historia de la literatura mejicana.* México, 2.ª edición, 1942.

GUZMÁN GRUCHAGA, Juan.

Poeta y prosista chileno. Nació en 1896. Cónsul de su país en México, Argentina, Bolivia, Perú, China, Colombia, Inglaterra, Estados Unidos...

De la poesía de Guzmán se ha dicho que es "la más fina, sutil y transparente que escriba un poeta chileno". Guzmán Gruchaga es un lírico en el que se marca precisamente la transición entre el neorromanticismo y el neomodernismo. Con ciertas vacilaciones y delicados tonos líricos se adentra por la *renovación rubeniana,* pero sin desprenderse por completo de las formas y de los temas anteriores.

Obras: *Junto al brasero*—1914—, *La sombra*—1918—, *La mirada inmóvil*—1919—, *Chopin*—1919—, *La princesa que no tenía corazón*—1922—, *El maleficio de la luna*—1922—, *La fiesta del corazón*—1922— *Agua del cielo*—1924—, *Poemas escogidos*—1929—, *Guitarra de la ausencia*—1940—, *Aventura*—"Premio Municipal, 1940"...

V. Poblete, Carlos: *Poesía chilena desde sus orígenes hasta 1941.* Buenos Aires, 1941. Solar, Hernán del: *Indice de la poesía chilena contemporánea.* Santiago, 1937.—Donoso, Armando: *Nuestros poetas.* Santiago, 1924.

GUZMÁN Y LA CERDA, María Isidra.

Poetisa y prosista española. Nació —1768— en Madrid. Murió en 1803. Condesa de Paredes. Hija de los condes de Oñate. Más privilegiada por las dotes de su clarísimo ingenio que por la alcurnia de sus apellidos, con ser estos tan esclarecidos. Discípula de don Antonio de Almarza. A los quince años dominaba el latín, el griego, el francés, la Filosofía y la Teología, la Retórica y la Historia, asombrando a toda España y consiguiendo la amistad y la protección de Carlos III. A los diecisiete años de edad—el 20 de abril de 1785—se doctoró en Filosofía y Letras humanas por la Universidad de Alcalá, con gran pompa, con tanto interés de todos, que sus ejercicios magníficos se convirtieron en acontecimiento español y en espectáculo público. Un año antes, contando esta mujer extraordinaria dieciséis años de edad, la Real Academia Española le abrió sus puertas por voto unánime de los graves académicos. Distinción esta que no ha logrado hasta ahora, ninguna otra mujer. Doña Ma-

ría Isidra casó en Madrid, y en la iglesia
de San Ginés, el 9 de octubre de 1789, con
don Rafael Alfonso de Sousa, marqués de
Guadalcázar e Hinojares, del que tuvo tres
hijos.

Realmente, las pocas obras que se conservan de esta erudita dama no son sino mediocres. El estilo, altisonante y empalagoso.
El ideario, corriente y moliente. Los temas,
vulgares y poco profundizados. Con los niños prodigios suele acontecer esto.

Obras: *Oración del género eucarístico que
hizo a la Real Academia Española*—1785—,
Oración de ingreso—1785—, *Oración del género eucarístico que hizo a la Real Sociedad
Española de Amigos del País*—1786—, *Oración eucarística*—1786.

Se conservan de ella algunos versos de
fuerte influencia neoclásica.

V. NEIRA DE MOSQUERA, Antonio: *Panegírico de doña María Ignacia Guzmán y La
Cerda*. Madrid, 1786.—SERRANO SANZ, M.:
... Escritoras españolas... Madrid, dos tomos, 1905.—SAINZ DE ROBLES, F. C.: *Ensayo
de un Diccionario de mujeres célebres*. Madrid, Aguilar, 1953.

G

H

HAFSA

Poetisa granadina, famosa tanto por su hermosura como por su ingenio. Tuvo numerosos, poderosos y apasionados pretendientes. Pero el gran amor de Hafsa fue el poeta Abu Dschafer.

Don Juan Valera, en su traducción a la obra de Schack *Poesía y arte de los árabes,* publica, por él traducida, una bella poesía de Hafsa, en que con gran recato da esta una cita a su amante, porfiado y celoso:

Tú, que presumes de arder
en más encendido afecto,
sabe que me desagradan
tu billete y tus lamentos.
Jamás fue tan quejumbroso
el amor que es verdadero,
porque confía y desecha
los apocados recelos.
Contigo está la victoria.
No imagines vencimientos.
Siempre las nubes esconden
fecunda lluvia en el seno.
Y siempre ofrece la palma
fresca sombra y blando lecho.
No te quejes, que harto sabes
la causa de mi silencio.

V. SCHACK, Adolfo: *Poesía y arte de los árabes.* Madrid, 1867, tomo I.

HALCÓN, Manuel.

Nació en Sevilla en 1899, y desde muy niño siente el brote de la vocación literaria—según él, la única "llamada vocacional"—, consagrándose con fervor a la lectura. A los veintiún años, "sirviendo al rey", escribe su primera novela, *El hombre que espera,* que obtiene un premio en el Ateneo sevillano. En 1927 publica *Fin de raza,* tomo de narraciones cortas, muy valoradas por la crítica. Desde esa fecha, Halcón no publica libros hasta 1941. Obtiene el "Premio Cavia" el año 1939. En 1941 publica *Recuerdos de Fernando Villalón,* y en 1944, *Aventuras de Juan Lucas,* llevada a la pantalla. Ha dirigido las revistas *Vértice* y *Semana,* de Madrid.

Miembro de número de la Real Academia Española. "Premio Nacional Miguel de Cervantes, 1961".

Obras: *Fin de raza*—Sevilla, 1927—, *El hombre que espera*—primer premio del Ateneo de Sevilla—, *Recuerdos de Fernando Villalón*—Madrid, 1941—, *Aventuras de Juan Lucas*—Madrid, 1944—, *Cuentos*—Madrid, 1948—, *La gran borrachera*—Madrid, 1953—, *Los Dueñas*—Madrid, 1956—, *Monólogo de una mujer fría*—1960—, *Desnudo pudor* —1964—, *Ir a más*—1967—, *Manuelo*—1970.

V. NORA, Eugenio G. de: *La novela española contemporánea.* Madrid, Gredos, 1962. Tomo III. Págs. 382-385.—ALBORG, Juan Luis: *Hora actual de la novela española.* Madrid, Taurus, 1962. Tomo II. Págs. 187-212.

En 1950 estrenó con éxito, en el teatro Beatriz, de Madrid, la comedia *La condesa de la Banda.*

HA-LEVÍ, Yehudá.

Poeta y filósofo hebreo español. Nació —¿1075?—en Tudela (Navarra). Murió entre los años 1161 y 1178. Muy joven aún, marchó a Andalucía, frecuentando los círculos literarios de Lucena, Granada, Córdoba y Sevilla. Trabó fuerte amistad con Ibn Ezra. Se ganó la vida ejerciendo la Medicina. Hacia 1091 volvió a Castilla, refugiándose en Toledo, donde encontró un mecenas en la persona del célebre *Cidellus,* diminutivo romance de Cid o Señor. Aun volvió Ha-Leví a Andalucía, viviendo en Córdoba algunos años. Por entonces, entre 1130 y 1140, publicó su célebre obra—escrita en árabe—*El Kuzarí,* título que alude a la conversión al judaísmo del rey de los Kuzares, y en la que Ha-Leví se propone exaltar su religión, independizándola de la filosofía imperante.

Pero su obra inmortal son las *Siónidas,* cerca de 827 composiciones poéticas, verdaderos poemas religiosos nacionales y de gran semejanza con los cantos de David. Según Graëtz: "Ha-Leví, llevando el luto de Sión, la dulce amada, nos penetra profundamente y remueve lo más íntimo de nuestras fibras." Menéndez Pelayo tradujo excelentemente el *Himno a la creación* de este admirable poeta judío-español.

El Kuzari, la obra filosófica de Yehudá Ha-Leví, influyó notablemente en la cultura española hasta bien entrado el siglo XVIII, y sus huellas se advierten bien a las claras en el *Libro de los Estados,* de don Juan Manuel y en el *Libro del gentil y los tres sabios,* de Raimundo Lulio.

V. GRAËTZ, H.: *Les Juifs d'Espagne.* Traducción francesa de Stenne, París, 1872.— AMADOR DE LOS RÍOS, José: *Historia... de los judíos en España.* Madrid, 1875-1876. Tres tomos.—SACHS, M.: *Die religiöse poesie der Juden in Spanien.* 2.ª edición. Berlín, 1901.— BRODY, H.: *Diwan des Jehuda ha-Leví.* Berlín, 1894, cuatro tomos.—BONILLA SAN MARTÍN, A.: *Historia de la filosofía española. Siglos VIII-XII (Judíos),* Madrid, 1911.—MILLÁS VALLICROSA, J. M.ª: *Jehudá ha-Leví como poeta y apologista.* Madrid-Barcelona, 1947.

HALMAR, Augusto d' (v. D'Halmar).

HARO DELAGE, Eduardo.

Nació en Madrid, en 1889. Terminado el bachillerato, comenzó el periodismo, compaginándolo con sus estudios universitarios, en el periódico *El Día,* como reportero judicial. Fue cronista en Madrid de *La Vanguardia,* de Alicante, y más tarde, de *La Voz de Guipúzcoa,* de San Sebastián.

Al propio tiempo estrenaba algunas obras en los principales teatros de Madrid. En Lara, *El marido ideal,* comedia cómica en tres actos. En el Cómico, *La alegre primavera,* revista en un acto, y *Mi querido amigo,* comedia cómica en dos actos. En Cervantes, *El brillante negro,* un acto de humor. Todas ellas en colaboración con Joaquín Aznar.

Posteriormente, ya él solo, estrenó en la Zarzuela *Las doctoras,* comedia satírica en tres actos. *El marido ideal, Mi querido amigo* y *Las doctoras* fueron traducidas al portugués y estrenadas en Lisboa. El número de sus títulos teatrales asciende a dieciocho.

En 1914 ingresó en la Redacción de *La Mañana,* diario que dirigía don Luis Silvela. Apenas empezada la primera guerra mundial, fue enviado a Inglaterra como corresponsal de guerra por dicho diario. El Foreign Office le adscribió al grupo de periodistas neutrales que presidía Ramiro de Maeztu. Permaneció en Londres, con viajes a Francia, a los frentes de combate, a algunas bases navales, etc., casi hasta la terminación de la guerra.

Se incorporó entonces de nuevo a la Redacción de *La Mañana,* y continuó sus colaboraciones, entre ellas en la famosa revista iberoamericana *Hispania,* de Montevideo, y en *Cosmópolis,* que dirigía Gómez Carrillo.

Un Jurado, compuesto por Valle-Inclán, Antonio Machado, Emilio Gutiérrez Gamero (de la Real Academia Española) y Cristóbal de Castro, le concedió el premio de crónicas del diario madrileño *La Libertad.* Ingresó en la Redacción de este, sustituyendo a Manuel Machado en la crítica teatral. Más tarde fue nombrado subdirector literario del mismo.

Hizo la versión de varias novelas inglesas para las editoriales Siglo XX y Aguilar; recientemente, una de Elisabeth Berridge para Albatros.

Ha realizado la versión española de varias películas, entre ellas *Cumbres borrascosas, Perfidia, Unión Pacífico, Fantasía de estrellas, El mayor y la menor* y *Siguiendo mi camino.*

La labor fundamental de Eduardo Haro es el periodismo: la crónica, la crítica teatral y los ensayos literarios.

HARO TEGGLEN, Eduardo.

Nació en Madrid, en 1924. La guerra le impidió el cumplimiento de su vocación universitaria. En 1939 ingresó en la Redacción del periódico *Informaciones,* de Madrid, del cual es hoy crítico teatral y literario.

Ejerció también la crítica teatral en diversas revistas madrileñas, y es colaborador de importantes revistas y diarios, así como de Radio Nacional de España.

En 1945 marchó a Marruecos para cumplir su servicio militar. Allí fue director de la emisora de la capital del Protectorado, Radio Tetuán, y redactor-jefe del *Diario de África.*

Ahora—a los veinticuatro años—acaba de publicar su primer libro de versos, cuyo título es *La callada palabra,* que ha sido considerado por la crítica como una revelación poética.

HARTZENBUSCH, Juan Eugenio.

Notable poeta, dramaturgo y erudito. 1806-1880. Madrileño, nacido el 6 de septiembre, hijo de un muy acreditado maestro ebanista alemán establecido en la villa y corte en los primeros años del siglo XIX. Con la guerra de la Independencia, los Hartzenbusch hubieron de salir de España, donde se englobaba para el odio a todos los extranjeros. La pobre madre del poeta murió de la impresión que le causó el haber contemplado cómo la plebe arrastraba por las calles a un desdichado acusado de espía del ejército invasor. En 1815 regresaron a Es-

H

paña padre e hijo, con ánimo los dos—más en el primero—de que el segundo siguiera la carrera eclesiástica en los Reales Estudios de San Isidro, donde Juan Eugenio, por no contrariar al bondadoso autor de sus días, permaneció hasta 1822. Pero la vocación no parecía por ninguna parte. Hubo de dejar el seminario. ¿A qué se dedicaría el estudioso y habilísimo Juan Eugenio? A la pintura. A la apasionada lectura de los clásicos. 1823. Mal año para los Hartzenbusch, de espíritu muy liberal. El absolutismo fernandino les priva de todos sus cuantiosos bienes. El padre cae enfermo. El hijo, para mantenerle y mantenerse, hubo de recurrir al oficio de ebanista. Mucho trabajo y pocas ganancias. Y el desistimiento de sus gustos. En 1830 murió Hartzenbusch padre. Y Juan Eugenio abandonó el oficio. Aprendió taquigrafía. Pasó hambre. Escribió dramas históricos a la luz de las velas de sebo; uno de los cuales, al ser estrenado con infausto resultado, estuvo a punto de dar al traste con las ilusiones del novel autor. ¡Gran voluntad la de Juan Eugenio! Más dramas. Entra—1831—de oficial temporero en la Redacción de la *Gaceta de Madrid*. Más lecturas de clásicos. Traducciones del teatro extranjero y refundiciones de algunas de las famosas producciones de nuestra escena antiguas; unas y otras, hechas con tal maestría, que no parecían ensayos de un principiante. Y más dramas históricos originales. ¡Gran voluntad de Juan Eugenio! El tesón alemán de su padre, unido a la graciosa simpatía modesta de la villa en que había nacido y a la que adoraba. Y en 1837, el éxito fulminante. El drama *Los amantes de Teruel*, estrenado en el teatro del Príncipe la noche del 19 de enero, le encarama en lo más alto de la gloria literaria. Y lo demás... como sobre ruedas. Otros éxitos teatrales. No tan grandes, pero sí lo suficiente para remachar la fama y solidificarla y dejarla indiscutida. En 1844 fue nombrado oficial primero de la Biblioteca Nacional. En 1847 ingresó en la Academia Española de la Lengua. En 1845 fue nombrado director de la Escuela Normal, y director de la Biblioteca Nacional en 1862; cargo este, el más amado, que desempeñó hasta su jubilación, en 1875.

¡Lo que trabajó Juan Eugenio en todas partes! Calladamente. Modestamente. Meritísimamente. Poco a poquito, el erudito que surgía en él fue matando al poeta dramático que había sido. Infinitas definiciones de las ediciones de 1852 y de 1869 del famoso Diccionario de la Academia, suyas son. La "Biblioteca de Autores Españoles" guarda en numerosos tomos sus prólogos, llenos de luminosas notas en torno a los clásicos; in-

vestigaciones sutiles de primera mano. Asusta su labor de fina divulgación en miles de artículos, desperdigados en docenas de diarios y revistas españoles y extranjeros. Cuando por sus achaques no puede asistir a las sesiones de la Academia, la Academia acordó considerarle como presente en cuantas sesiones celebrara. ¡Qué formidable tipo Juan Eugenio Hartzenbusch! Odió la política, hasta el punto de ponerse enfermo cada vez que la Academia pretendía nombrarle senador que la representase. Odió la intriga, el camino de rodeo, las palabras ásperas, el orgullo... Siempre andaba él vanagloriándose de su modesto origen y aun sacándolo a colación. Y en las mansiones aristocráticas, donde acudía muy reiteradamente invitado, buscaba con gran entusiasmo en las sillerías la marca que él acostumbraba poner en todas sus obras cuando era oficial ebanista y trabajaba para las buenas casas de Madrid. Odió el desplante, las actitudes almidonadas, el darse a valer, el hablar en primera persona. ¡Cuánto y cómo desdeñaba el yo! Y, ¡claro está!, le quería todo el mundo. Don Juan Eugenio, con su levitón, su poco de barriguita, sus gafas torcidas sobre la nariz, su expresión de cura bueno vestido de paisano, era popular en Madrid. ¿Quién vio en don Juan Eugenio una mala cara? ¿Quién oyó a don Juan Eugenio una palabra menos amable? Repartía las sonrisas de buena ley como los clérigos las medallitas a quienes se acercan a besarles las manos.

Cuando el día 2 de agosto de 1880—ya estaba casi ciego y medio paralítico—murió don Juan Eugenio Hartzenbusch, todo Madrid se echó a la calle con rostro compungido para encomiarle y asistir a su entierro. ¡Si hasta le alabaron los políticos y los eruditos!

Con ser mucho el mérito de Hartzenbusch poeta dramático, es aún mayor el de Hartzenbusch erudito, que tanto trabajó sobre la carne viva de nuestra gloriosa literatura del Siglo de Oro para ponerla en contacto inmediato con los gustos de su época. Menéndez Pelayo lo reputa como uno de los precursores de la moderna investigación literaria. Recorrió todos los géneros literarios, dejando en cada uno de ellos lucida muestra de su admirable talento. Su verso era fácil. Su prosa, correctísima.

Sí, indiscutiblemente, el saber tanto de versos y de dramas de otros tiempos le perjudicó algo en su crédito de autor original de dramas y versos. Claro está que, tal vez, precisamente esas aficiones suyas al mejor teatro español fueran las que le impulsaron a sus afanes dramáticos.

Hartzenbusch—¡otra paradoja!—, que fue

un concienzudo realista en su labor erudita, resultó un romántico imponente en sus obras dramáticas. Un romántico puro, de la escuela del duque de Rivas y de García Gutiérrez. "A fuerza de estudio—escribe Fernández Guerra—, observación y sabia advertencia, logró adquirir aquel estilo expresivo, serio y elegante, verdaderamente español, que enamora en el Romancero; sentencioso a semejanza de Alarcón; epigramático, a la manera de Tirso; elevado y conceptuoso a veces, recordando a Calderón, y a veces apropiándose el candor y la frescura de Lope."

Habilísimo y acertado en sus planes dramáticos, se ha dicho que sería un dramaturgo ideal quien reuniera en sí la versificación de García Gutiérrez, la fuerza en crear caracteres de Tamayo, la poesía pura de Zorrilla y la sutileza en preparar los planes de Hartzenbusch.

Hartzenbusch fue un fecundísimo dramaturgo. Escribió dramas históricos—*Las hijas de Gracián Ramírez o restauración de Madrid, La ley de raza, Alfonso el Casto, La madre de Pelayo, La jura de Santa Gadea, Doña Juana Coello, La vida por honor*—; dramas religiosos y simbólicos—*El mal apóstol y el buen ladrón, Primero, yo; Doña Mencía*—; comedias de corte moratiniano —*La visionaria, La coja y el encogido, Un sí y un no*—; comedias anecdóticas—*El bachiller Mendarias, Juan de las Viñas*—; comedias de magia—*La redoma encantada, Los polvos de la madre Celestina, Las píldoras del diablo, Las Batuecas*—; zarzuelas—*Heliodora o el Amor enamorado*.

Refundió muchas obras de los grandes dramáticos del siglo XVII: *El perro del hortelano*, de Lope; *Sancho Ortiz de las Roelas*—inspirada en *La estrella de Sevilla*, de Lope—, de Trigueros; *Desde Toledo a Madrid*, de "Tirso de Molina"; *El médico de su honra*, de Calderón; *Amo y criado*, de Rojas; *Por su rey y por su dama*, de Bances Candamo. También tradujo y refundió obras extranjeras: *Mérope*, de Alfieri; *Edipo*, de Voltaire; *El barbero de Sevilla*, de Beaumarchais; *Le retour imprevú*, de Regnard, y otras de Molière, y *El padre pródigo*, de Dumas.

Su primer intento dramático data de 1823, cuando contaba diecisiete años. Con su amigo y condiscípulo Juan González Acevedo, tradujo del francés una comedieja, con el título *El español y la francesa*, que se representó por unos aficionados en el teatrito particular de la calle de la Flor Baja, número 12, propiedad de doña María Hartzenbusch, prima del dramaturgo. El éxito familiar fue inenarrable. Su primer estreno público, en el teatro de la Cruz, se verificó

en marzo de 1831. La obra, *Las hijas de Gracián Ramírez o la restauración de Madrid*—refundición muy libre del drama de Rojas Zorrilla *Nuestra Señora de Atocha*—, en cuatro actos y en prosa, no gustó, representándose únicamente dos noches. De esta época data otro drama, que ni se representó ni se imprimió: *El infante don Fernando de Antequera o la jura de Juan II*. Como García Gutiérrez, desconocido un minuto antes de estrenarse su *Trovador*, Hartzenbusch lo era otro minuto antes de estrenarse sus *Amantes de Teruel;* hasta el punto que su compañero Ferrer del Río cuenta esta anécdota, en forma amena, al hacer la biografía de nuestro autor en la *Galería de la literatura*—1846—, de un incidente que precedió al estreno de *Los amantes*, en 1837.

Dice así: "A fines de 1836 se anunciaba para beneficio de Teresa Baus un drama nuevo; hablando de esta producción en son de mofa, un escritor de costumbres y un poeta que han fallecido en la flor de sus años pronunciaban el nombre del autor con desdeñosa indiferencia. "¿Y quién es ese individuo?", interrogaba el crítico al poeta. "Dicen que un sillero", respondía este. "Entonces su obra debe tener mucha paja", respondía el primero, y sus oyentes celebraban el equívoco con estrepitosas risas."

Como García Gutiérrez, un minuto después de terminar la representación de su *Trovador*, Hartzenbusch, al minuto de terminar la de *Los amantes*, era famoso. Colocado ya en primera línea entre los autores dramáticos, continuó estrenando con gran asiduidad... *Doña Mencía*—1838—, *Alfonso el Casto*—1841—, *Juan de las Viñas*—1844—, *La jura de Santa Gadea*—1845—. Quizá esta última su mejor obra, aun cuando no la de más público. Algo semejante a lo que acontece entre *Venganza catalana* y *El trovador*, de García Gutiérrez.

Pero, indiscutiblemente, *Los amantes de Teruel* es una obra perfecta, poética, emocionante, que resiste, en su encanto, la mudanza de gustos de los tiempos. Se lee hoy de un tirón. Y se escucharía, sobre los escenarios, con el mayor agrado. A su fama contribuyó no poco "Fígaro", con el artículo que acerca de ella escribió pocos días antes de partirse el corazón de un balazo.

Son las principales ediciones de las obras dramáticas de Hartzenbusch: *Obras escogidas*. Madrid, 1850; *Obras completas*. Madrid, 1888-1892, cuatro volúmenes; *Colección de los mejores autores españoles*. París, edición Bandry, tomo XLIX; *Obras escogidas*. Leipzig, 1873, edición corregida por el autor, tomos XIV y XV; *Obras escogidas*. París, 1897; *Colección de Escritores castellanos*. Madrid, 1887, cinco tomos; *Clásicos castella-*

H

nos. Madrid, Espasa-Calpe, 1935, tomo 113; *Los amantes de Teruel.* Madrid, Calpe, Colección Universal; *Los amantes de Teruel.* Madrid, C. I. A. P., "Las cien mejores obras de la literatura castellana".

V. Hartzenbusch, Eugenio: *Biografía de Juan Eugenio Hartzenbusch.* Madrid, 1900.— Hartzenbusch, Eugenio: *Bibliografía de Hartzenbusch.* Madrid, Rivadeneyra.—Fernández-Guerra, A.: Prólogo a las obras de Juan Eugenio de Hartzenbusch. "Colección de escritores castellanos". Tomo LIV.—Ferrer del Río, A.: *Galería de la literatura...* 1846.—Tamayo Baus, M.: *Actas de la Real Academia Española.* 4 diciembre de 1881.— Gil Albacete, A.: *Estudio al teatro de Hartzenbusch.* "Clásicos Castellanos". Tomo 113. Cotarelo Mori, E.: *Sobre el origen y desarrollo de la leyenda de "Los amantes de Teruel".* Madrid, 1907.—Piñeyro, E.: *El romanticismo en España.* Páginas 117-137.— Sainz de Robles, F. C.: *Historia y antología del teatro español.* Madrid, 1943. Tomo VI.

HAUPOLD GAY, Augusto.

Nació el 6 de diciembre de 1915 en el Puerto de Santa María. Su ascendencia paterna es alemana. Cursó el bachillerato en Jerez de la Frontera. Se licenció en Derecho en la Universidad de Sevilla, doctorándose con matrículas de honor en la de Madrid.

A los dieciocho años ganaba los primeros Juegos florales en su ciudad natal. Y colabora en los periódicos *Revista Portuense, Diario de Jerez, Información,* etc., teniendo carnet como periodista redactor del diario *El Guadalate* el año 1935. Con posterioridad a la guerra dirigió la página de las Organizaciones juveniles del diario de Lérida *La Mañana,* actividad vinculada al cargo de asesor provincial de Prensa y Propaganda.

En diversos certámenes ha obtenido hasta cinco veces la Flor natural y otros distintos premios, figurando en la *Antología Poética del Alzamiento,* y en *Las mil mejores poesías de la lengua castellana.* Ha publicado dos libros: *Camarada* y *Tríptico del amor humano,* de poesía lírica, y es autor de las comedias *Es mi voluntad, ... Y nació la mujer, El gran pecado* y *El águila y el gorrión,* estrenadas con éxito. Como guionista cinematográfico es también autor del documental *Suburbios,* premiado en concurso y patrocinado por la Dirección General de Primera Enseñanza.

Como poeta, pertenece a los tradicionales modos españoles, en armonía con una modernización de la imagen y el léxico, limitada por su concepto sobre la belleza y perfección del arte, en que se manifiesta como fervoroso idealista.

HAZAÑAS Y LA RÚA, Joaquín.

Investigador y literato español. Nació —1862—en Sevilla. Y en esta misma ciudad —1934—falleció. Cursó en Madrid el bachillerato. Y en su ciudad natal se doctoró en Filosofía y Letras. Catedrático—1898—de Historia Universal en la Universidad hispalense. Rector de esta misma Universidad. Académico de la de Bellas Letras y de Santa Isabel, sevillanas, y correspondiente de la Española; de la de Buenas Letras de Barcelona, de la de Bellas Letras de Córdoba y de la de Bellas Artes de Toledo. Colaborador de muy importantes revistas españolas.

Investigador de extraordinario talento y escritor de prosa limpia, muy castiza.

Obras: *Noticias de las Academias literarias, artísticas y científicas de Sevilla en los siglos XVII y XVIII*—1887—, *Biografía del poeta sevillano Rodrigo Fernández de Rivera...*—1889—, *La Imprenta en Sevilla...,* *Mateo Alemán y sus obras*—1892—, *Génesis y desarrollo de la leyenda de "Don Juan Tenorio"...*—1894—, *Los rufianes de Cervantes* —1905—, *La vida escolar en la Universidad de Sevilla en los siglos XVII y XVIII, La Rábida, los franciscanos y el descubrimiento de América; Cervantes, estudiante; Vázquez de Leca, Los estudiantes en las obras de Cervantes, Las danzas de la muerte, Obras de Gutierre de Cetina*—con un estudio importante y notas interesantísimas—, *La industria y el comercio sevillanos en los pasados tiempos...*

HEBREO, León.

Judá Abrabanel. Famoso escritor judío. Nació—¿1460?—. Murió después de 1521. En 1492, al ser expulsados de España los de su raza, marchó a Italia, viviendo en Génova y en Nápoles. En 1502 ya tenía acabados sus famosos *Diálogos,* al parecer en italiano —*Dialoghi d'amore*—, que no se imprimieron hasta 1535, en Roma. En ellos son notorias las influencias platónicas a través de Maimónides, Juhanam Alemanno, Pontano, Mario Equícola y fray Gil de Viterbo. El modelo inmediato fue la obra de Marsilio Ficino *Diálogo sopra l'amore.* Pero "León Hebreo supo exponer de un modo más completo, original y profundo la estética platónica y logró anular a su modelo. En efecto, todos los platónicos españoles del siglo XVI sufrieron la influencia de los *Diálogos* de Abrabanel. Se multiplicaron sus traducciones..., y fue puesta en *Indice* por los rasgos de cabalismo y teosofía". (H. y P.)

Se notan huellas clarísimas de los *Diálogos* en las obras de Castiglione, del cardenal Bembo, de Boscán, de Garcilaso, de Aldana, de Maximiliano Calvi, de Herrera, de Camoens, de Malón de Chaide, de Montaigne...

Cervantes escribió en el prólogo de *Don Quijote:* "Si tratáredes de amores, con dos onzas que sepáis de lengua toscana toparéis con León Hebreo, que os hincha las medidas."

Textos: Ed. "Nueva Biblioteca de Autores Españoles", XXI, la traducción admirable de Garcilaso de la Vega, *El Inca.* V. MENÉNDEZ PELAYO, M.: *Ideas estéticas,* 1940, II, 9.—PFLAUM, M.: *Die Idee Liebe. León Hebreo.* Tübingen, 1926.—SONNE, Isaia: *In torno a la vita de León Hebreo.* Firenze, 1934.—CARVALHO, Joaquín: *León Hebreo, filósofo.* Coimbra, 1918.—MACKENZIE, C. A.: *Apuntes sobre las traducciones castellanas de L. H.,* en el *Merc. Peruano,* 1940, XXII.

HENRÍQUEZ, Camilo.

Poeta, autor dramático, prosista y periodista. Nació—1769—en Vadivia (Chile). Murió en 1825. Se educó en Lima, donde, dirigido por el Padre Ignacio Pinner, estudió con afán Teología, Historia, Preceptiva, Medicina y Ciencias Naturales en el Colegio de San Camilo de Letis, de Padres de la Buena Muerte. Se ordenó sacerdote. Lector entusiasta de los escritores franceses del siglo XVIII, sus ideas fueron liberales. Trabajó por la independencia chilena, saludando —1811—desde el púlpito de la catedral de Santiago la instalación del Congreso chileno y fundando el primer diario, *La Aurora de Chile*—1812—, y la revista *El Monitor Araucano*—1813—, en los que publicó numerosos artículos patrióticos y políticos con el seudónimo de "Quirino Lemáchez". A raíz de la derrota de Rancagua, capitaneó una patrulla insurrecta y se trasladó a Buenos Aires, donde apostató y se graduó de médico, ejerciendo algún tiempo en esta profesión.

Henríquez fue redactor principal de la primera Constitución chilena. En 1822, llamado por O'Higgins, regresó a Chile. En Santiago fundó *El Mercurio*—de escasa vida—, y colaboró en *El Censor.* Diputado desde 1824.

Tuvo como modelos a Iriarte—en el *Poema de la música*—y a Trigueros—en *El poeta filósofo*—, quienes le aventajaron en corrección de versificación y en altura de ideales.

No fue Henríquez ni muy original ni muy hondo en sus escritos. La pasión política era su verdadera vocación. Se servía de su pluma para exaltarla. Escaso de inspiración, materialista de ideales, prosista vibrante, pero de escaso y vulgar vocabulario, el valor de sus escritos reside en la sinceridad.

Obras: *Catecismo de los patriotas, La procesión de los tontos*—drama, 1813—, *Camila* —drama—, *La inocencia en el Asilo de las*

Virtudes—drama—, *Ensayo acerca de las causas de los sucesos desastrosos de Chile, Himnos, Lautaro*—drama.

V. BOSCH, Mariano G.: *Historia del teatro en Buenos Aires.* Buenos Aires, 1910.—BELTRÁN, Oscar R.: *Los orígenes del teatro argentino.* Buenos Aires, 1941.—ROJAS, Ricardo: *La literatura argentina.* Buenos Aires, 1924.—MENÉNDEZ PELAYO, M.: *Historia de la poesía hispanoamericana.* Madrid, tomo II, 1913.—AMUNÁTEGUI SOLAR, Domingo: *Bosquejo histórico de la literatura chilena.* Santiago, 2.ª edición, 1920.—FIGUEROA, Pedro Pablo: *La literatura chilena.* Santiago, 1891. LILLO, Samuel: *La literatura chilena.* Santiago, 1930.—AMUNÁTEGUI, Miguel Luis y G. V.: *Las primeras representaciones dramáticas en Chile.* 1888.

HENRÍQUEZ, Rafael Américo.

De la República Dominicana. Poeta. Nació en Ciudad Trujillo, antigua Santo Domingo de Guzmán, en 1899. Perteneció a los postumistas. Su poesía es intuitiva y de gran sensibilidad. Fue fundador y dirigió el cenáculo La Cueva. Ha publicado *Rosa de tierra*—1944.

HENRÍQUEZ UREÑA, Max.

Poeta, prosista y crítico literario. Hijo de la poetisa Salomé Ureña de Henríquez. Nació—1885—en Santo Domingo. Muy joven, marchó a Cuba, donde fue director y profesor de la Escuela Normal de Santiago. Con Jesús Castellanos fundó en la Habana la Sociedad de Conferencias, que tanto impulso dio a la vida intelectual cubana. Miembro de la Academia Nacional de Artes y Letras de Cuba.

De vasta cultura, gran sensibilidad, fino criterio y don organizador extraordinario. Su palabra vehemente y sus obras intensas han influido en las modernas generaciones de intelectuales cubanos.

Obras: *Leyes de la versificación castellana*—1914—, *Diego Vicente Tejera*—1914—, *La enseñanza de la literatura cubana*—1915—, *Francisco Sellén*—1916—, *José Enrique Rodó* —1918—, *Rubén Darío*—1918—, *El ocaso del dogmatismo literario*—1919—, *La épica popular en España*—1923—, *Heredia*—1924—, y otros varios estudios acerca del teatro francés contemporáneo; *Enrique José Varona...,* *Anforas*—poesías, 1914—, *Tres poetas de la música*—1915—, *Los Estados Unidos y la República Dominicana*—1919—, *La vida y las obras de Jesús Castellanos*—1912—, *Whisler y Rodín*—conferencias, 1906...

Para Cejador, Max Henríquez Ureña es un "escritor de varia cultura, sereno y correcto, de abierto criterio, que sabe amenizar cuanto toca y revestirlo de muy perso-

H

nal y apropiado colorido. Clásico por temperamento y por sus aficiones eruditas..."
V. CEJADOR, Julio: *Historia de la lengua y literatura*. Madrid, 1920, tomo XII.—LEGUIZAMÓN, Julio A.: *Historia de la literatura hispanoamericana*. Buenos Aires, 1945.—MEJÍA, Abigaíl: *Historia de la literatura dominicana*. Santo Domingo, 1943.

HENRÍQUEZ UREÑA, Pedro.

Magnífico crítico y erudito. Nació—1884—en Santo Domingo. Murió—1946—en La Plata (Argentina). Hijo de la poetisa Salomé Ureña de Henríquez. Doctor en Filosofía y Letras. Profesor en las Universidades de México y Minnesota. Ha colaborado en las más importantes revistas de América y España.

"Se acredita como un firme maestro de la filología y de la crítica, cuya acción docente se ha ejercido, además de en su patria, en México y la Argentina. Vasto saber y formación humanística integran, en personalidad, a un erudito artista."

Enrique José Rodó juzgó así de la obra de Henríquez Ureña *El nacimiento de Dionisos:* "Es lo más hermoso que ha salido de su pluma, y una de las cosas más bellas de la nueva literatura hispanoamericana. El hondo y personal sentido del mito encarna en una noble belleza, de estirpe muy superior a la que deslumbra los ojos del vulgo literario."

De enorme erudición humanística y de refinado gusto estético. Y excelente prosista.

Obras: *Ensayos críticos*—la Habana, 1905—, *Estudios griegos*—1908—, *Horas de estudio*—1910—, *La enseñanza de la literatura*—1913—, *Tablas cronológicas de la literatura española*—1913—, *Romances de América*—1913—, *Literatura dominicana*—1917—, *La versificación irregular en la poesía castellana*—1933—, *La cultura y las letras coloniales en Santo Domingo, Seis ensayos en busca de nuestra expresión*—1926—, *Don Juan Ruiz de Alarcón...*

V. LEGUIZAMÓN, Julio A.: *Historia de la literatura hispanoamericana*. Buenos Aires, 1945.—GARCÍA GODOY, F.: *La literatura americana*. 1915.—GARCÍA GODOY, F.: *Literatura dominicana*, en *Revue Hispanique*, XLIII.—MEJÍA, Abigaíl: *Historia de la literatura dominicana*. Santiago, República Dominicana. 1943.

HEREDIA, José María de.

Gran prosista y poeta. 1803-1839. Nació en Santiago de Cuba, y era oriunda su familia de Santo Domingo. Primo del famoso poeta parnasiano francés de idénticos apellido y nombres. Desde casi niño se mezcló en los más violentos disturbios políticos. Condenado a destierro perpetuo, establecióse—1823—

en los Estados Unidos y en México—1825—. El mismo escribió de sí: "El torbellino revolucionario me ha hecho recorrer en poco tiempo una vasta carrera, y con más o menos fortuna he sido abogado, soldado, viajero, profesor de lenguas, diplomático, magistrado, historiador y poeta a los veinticinco años." Murió en Toluca, a los treinta y cinco años de edad, dejando una obra cuantiosa y muy desigual. Se le considera en su patria como símbolo y bandera de su independencia.

Su filiación poética corresponde a la escuela clásica. Tuvo un estilo terso, suave. "diríase una clámide de seda de amplios y elegantes vuelos", a veces deslucido por exceso de retórica y vana sensiblería. Sin embargo, en muchas de sus composiciones alternan la grave ideología y la armonía y majestad de los clásicos con la arrebatada imaginación y la enfermiza sensibilidad de los románticos. "Fogoso y enérgico, su verso guarda perfecta armonía con su personalidad. Maneja la oda sonora; pero bajo la grandilocuencia se adivina la robustez del pensamiento. Son famosas y quedarán en el parnaso americano sus odas *Ante el Teocalli de Cholula*, la admirable *Al Niágara*, el *Himno del desterrado, A la libertad de Cuba* —1823—y la hermosa *En una tempestad*." (Luis A. Sánchez.)

Para Leguizamón no fue Heredia un clásico en absoluto, porque "la hondura de su sentimiento y las azarosas circunstancias de su vida le abrieron horizontes más vastos que los de la mesurada escuela. Y así como a veces imita a Quintana y a Cienfuegos, lo hace también con relación a románticos franceses e ingleses, en especial a Byron. Por eso Heredia es un prerromántico, aunque como tal no se haya definido plenamente, y lo es de un modo insensible por la tónica de melancolía que predomina en sus composiciones más inspiradas".

Obras: *Lecciones de Historia universal* —Toluca, 1823—, *Los últimos romanos*—tragedia, Tlalpam, México, 1829—, *Poesías* —Nueva York, 1825—, *Poesías*—aumentadas, México, 1832—, *Antología Heredina*—la Habana, 1939, editada por el Consejo Corporativo de Educación.

Heredia tradujo y adaptó tragedias de Ducis—*Abufar*—, Chénier—*Tiberio y Cayo Graco*—, Jouy—*Sila*—, Voltaire—*Mahoma y el fanatismo*—y Alfieri—*Saúl*.

V. ALONSO, Amado: *Heredia como crítico literario*, en *Revista Cubana*, XV, 1941.—LEGUIZAMÓN, Julio A.: *Historia de la literatura hispanoamericana*. Buenos Aires, 1945. LACOSTE DE ARUFE, María: *Biografía de Heredia*, en *Poesías y Discursos*. La Habana, 1939.—MENÉNDEZ PELAYO, M.: *Historia de*

la poesía hispanoamericana. Madrid, 1913.—
REMOS Y RUBIO, J. J.: *Historia de la literatu-ra cubana.* La Habana, 1925.—PIÑEYRO, En-rique: *Biografías americanas.* París, 1906.

HERMOSILLA, José Mamerto Gómez y (véa-se **Gómez y Hermosilla, José Mamerto**).

HERNÁNDEZ, Alonso.

Poeta español. Nació—¿1460?—en Sevilla. Murió antes de 1516. Presbítero. Protonota-rio apostólico. Protegido en Roma por el cardenal Carvajal.

Obras: *Coronica del noble caballero Gua-rino Mesquino*—traducción, Sevilla, 1512, 1527 y 1548—, *Historia Parthenopea*—Roma, 1511—, obra póstuma, que editó su paisano Luis de Gibraleón, clérigo residente en Ná-poles. Es un poema mitad histórico, mitad alegórico, en octavas de arte mayor, dedi-cado a exaltar las hazañas del Gran Capi-tán, Gonzalo de Córdoba. Su mérito literario no es grande. Sí lo es el histórico, ya que Hernández no se apartó de la rigurosidad más encomiable.

V. CROCE, Benedetto: *Di un poema espa-gnuolo sincrono, intorno alle imprese del Gran Capitán nel Regno di Nápoli,* en *Ar-chivo Storico per le Provincia Napoletane,* año 19, fac. III.—MENÉNDEZ PELAYO, M.: *An-tología de poetas líricos...,* VI, 282.—MENÉN-DEZ PELAYO, M.: *Estudios de crítica litera-ria,* 1942.

HERNÁNDEZ, José.

Popularísimo poeta. 1834-1886. Nació en una estancia de Buenos Aires. Militar y es-tanciero, periodista y político, redactor de *La Reforma Pacífica* y *La Patria,* director de *El Río de la Plata.* Toda su infancia la consumió alegremente en aventuras y jue-gos con gauchos—es decir, mestizos crio-llos—y con indios, a los que llegó a conocer a fondo. Hombre de campo, jamás llegó a amar y comprender a los porteños, hasta el punto que cuando estalló el conflicto entre los capitalinos y provincianos, se puso de parte de los últimos. Al triunfar Buenos Aires sobre la Pampa, Hernández tuvo que emigrar al Brasil. Varias veces diputado del Congreso; pero todos sus entusiasmos los guardó para la vida campera.

En 1872 publicó su famosísimo *Martín Fierro*—algo semejante en la literatura ar-gentina como nuestro *Poema del Cid*—, y siete años después, *La vuelta de Martín Fie-rro,* la cual, a pesar de aquello de que "nun-ca segundas partes fueron buenas", no des-merece al lado de la primera.

El poema es realmente admirable por to-dos conceptos. Hernández es el mejor poeta lírico gauchesco, el que más impresionante-mente supo expresar las sensaciones, los afectos, la fantasía, el pensar filosófico po-pular de los habitantes de la inmensa Pam-pa argentina. El éxito del poema fue fulmi-nante. El doctor Nicolás Avellaneda, que tanto y tan bien habló de la obra de Her-nández, cuenta este pormenor: "Uno de mis clientes, almacenero al por mayor, me mos-traba ayer en sus libros los encargos de los pulperos de la campaña: *"Doce gruesas de fósforos, un barril de cerveza, doce "Vuel-tas de Martín Fierro",* cien cajas de sardi-nas..."

Al *Martín Fierro* se le ha llamado "la Bi-blia gaucha", por su arte y trascendencia.

Gabriela Mistral, la gran poetisa, "Premio Nobel", ha escrito de él: "Escritura funda-mental de la América del Sur, tonada y canción de gesta a la vez, especie del libro del *Génesis* con el que comienza nuestra Bi-blia americana y canción para ser aprendida por todos los miembros rurales de un con-tinente rural, desde Venezuela hasta Pata-gonia... Para mí, no sé qué aire de escri-tura sagrada, no sé qué dejo de dios lar impreso, que nos preservaría si la frecuentá-semos más..."

En solo diez años se hicieron de él diez ediciones, sesenta mil ejemplares, y además se reprodujo en innumerables periódicos.

El fino crítico Luis Alberto Sánchez ha escrito—en su *Nueva historia de la literatu-ra americana*—: "Cantando al compás de la vihuela, rememora, pinta las andanzas del gaucho enrolado por la fuerza en el ejército regular; los sufrimientos de los pobres cam-peros a causa de las arbitrariedades de la policía; la huida del poblado para refugiar-se donde los indios, cuyas costumbres refie-re sin acrimonía; los dichos del compadre Cruz, verdadero Sancho Panza de esta epo-peya pampeana; más tarde, el retorno de Martín Fierro y su dolor cuando sabe que Cruz ha muerto y que los hijos de su amigo yacen abandonados. En medio de todo esto, escenas inimitables, como la del inmigrante mercachifle y su mono, los malones indios, las payadas, los amores, tan virilmente des-critos, sin ninguna concesión al sentimenta-lismo. En realidad, Argentina, o, mejor di-cho, el gaucho argentino, había encontrado su auténtico cantor, su poema fundamental. Se trata de una obra genuinamente ameri-cana, exprimida de los arbustos, ordeñada de las nubes, extraída del suelo, condensa-da del viento de la Pampa. El autor, reve-lando maestrías y honduras geniales, obtie-ne efectos increíbles de sus al par hábiles y espontáneas combinaciones de lenguaje po-pular, mechadas de sentencias, citas alegres y aireadas dentro de un ritmo fácil: el octo-sílabo dispuesto en sextillas. Compuesto el libro para que se leyera en todas partes y

H

por toda clase de gente, Hernández se dio el placer de verlo vendiéndose en las pulperías y repetido por los más humildes labios, tal como, andando el tiempo, lo sería por los más expertos... Creo que el *Martín Fierro* es el poema más completo de toda la literatura americana, su primera epopeya al modo criollo, sin citas grecolatinas ni italohispánicas. Fruto directo del suelo, del genio de la tierra. José Hernández descubre ahí el incomparable tesoro de lo vernáculo argentino, halla en la Pampa un acento inédito y otorga a la guitarra categoría de lira. Desde entonces surgió una abundante corriente literaria tras sus pasos..."

Y nuestro Menéndez Pelayo: "El soplo de la Pampa argentina corre por sus desgreñados y pujantes versos, en que estallan todas las energías de la pasión indómita y primitiva, en lucha con el mecanismo social, que inútilmente comprime los ímpetus del protagonista y acaba por lanzarle a la vida libre del desierto."

Del *Martín Fierro* se llevan hechas más de cincuenta ediciones y vendidos más de medio millón de ejemplares. La primera edición hecha fuera de la Argentina salió en *El Correo de Ultramar*—1873—; la primera en Madrid, en la "Biblioteca Universal", hacia 1903. Otras ediciones españolas: "Colección Universal", Calpe, 1924; "Colección Crisol", Madrid, Aguilar, 1945, que reproduce las magníficas ilustraciones hechas por Güiraldes para la impresión inglesa de Oxford.

Pasa por ser la mejor edición, la de texto más depurado, con anotaciones filológicas, la hecha por Eleuterio F. Tiscordia, Buenos Aires, Editora Coni, 1925. También es excelente edición: Losada, Buenos Aires, 1941.

Otras obras: *Instrucciones al estanciero* —prosas, 1881—, *Prosas*—selección de Enrique Herrero, Buenos Aires, 1944.

V. LEGUIZAMÓN, Julio A.: *Historia de la literatura hispanoamericana.* Buenos Aires, 1945.—MAUBE, José C.: *Itinerario bibliográfico... del "Martín Fierro".* Buenos Aires, editorial Ombú, 1943.—AZEVES, Angel Héctor: *Acerca de J. Hernández,* en *Boletín de la Academia de Letras,* Argentina, X, número 38.—TISCORNIA, E. F.: *La vida de Hernández...* Buenos Aires, 1939. Cuaderno de la Asociación Argentina Folklórica.—SALAVERRÍA, J. M.: *Vida de Martín Fierro.* Madrid, Espasa-Calpe.—ROJAS, Ricardo: *Historia de la literatura argentina,* 2.ª edición, 1924.

HERNÁNDEZ, Lope.

Lope Hernández y Hernández nació en Salamanca el 26 de diciembre de 1896. Su padre, Enrique Hernández Gutiérrez, fue muy admirado como escritor y periodista en la ciudad del Tormes y gran amigo de Unamuno. En aquel ambiente cultural salmanticense de principios de siglo se fue formando Lope Hernández en el camino de las letras, despertándose pronto su vocación literaria. A los dieciséis años comenzó a publicar cuentos, narraciones y versos en la Prensa de Salamanca.

En 1913 se trasladó con su familia a Madrid. Desde la capital de España siguió colaborando en los periódicos de su ciudad natal. En los de Madrid empezó en 1917: *La Esfera, Nuevo Mundo, Mundo Gráfico, Mi Revista, Los Lunes de El Imparcial* y *La Libertad,* más tarde, acogieron frecuentemente sus versos.

En 1918 publica su primer libro, titulado *Cuadros sin color* (colección de cuentos), con prólogo de R. M. Blanco-Belmonte.

En 1920 aparece su segundo libro, *Melancolías,* de versos, con un brillante prólogo de Andrés González-Blanco.

En 1924 da a la estampa su tercer libro: *La sombra del mal,* conteniendo dos novelas cortas, precedidas, a guisa de prólogo, de una elogiosa y cariñosa carta de Concha Espina.

En 1947 publica su cuarto libro: *Humildad,* poesías, con un bello prólogo de Fernando José de Larra.

HERNÁNDEZ, Luisa Josefina.

Autora teatral mexicana. Ignoramos el lugar y la fecha de su nacimiento, aun cuando suponemos que esta última estará muy próxima a 1925. Estudió Teoría y Composición Dramáticas con Rodolfo Usigli. Y ganó el "Premio" del concurso organizado por el diario *El Nacional* con su obra *Botica modelo.* Planea y dialoga bien. Refleja con fidelidad costumbres y tipos. Busca tesis de indiscutible trascendencia. Pero su castellano es muy pobre y resulta terriblemente adulterado.

Obras: *Aguardiente de caña*—1951—, *Los sordomudos*—1953—, *Los duendes, La llave del cielo, La corona del ángel, Los frutos caídos.*

HERNÁNDEZ, Máximo.

Novelista, ensayista y periodista español. Nació—1890—en Béjar (Salamanca). Murió —1951—en Madrid. Estudió el bachillerato en Salamanca y la carrera de Derecho en Valladolid y Madrid, Licenciado en Filosofía y Letras. Desde 1915, del Cuerpo Técnico de Administración de Hacienda Pública.

Máximo Hernández ha colaborado en los principales diarios y revistas de España.

Como novelista pertenece al auténtico realismo español. Y posee fuerza descriptiva, imaginación, calidez y trascendencia humanas, el secreto de una amenidad creciente y la maestría de la técnica novelesca.

Obras: *Del mundanal ruido*—Madrid, 1923, ensayos—, *Del monte en la ladera*—novela, Madrid, 1926—, *El hijo ajeno*—novela, Madrid, 1927—, *Ellas dos y yo*—novela, Madrid, 1928—, *El héroe del ridículo*—novela, Madrid, 1930—, *Las encinas*—novelas y cuentos, Buenos Aires, 1938...

HERNÁNDEZ, Miguel.

Original y magnífico poeta español. Nació —1910—en Orihuela (Alicante). Y murió —1942—en la misma provincia alicantina. De familia modesta. Colaborador en las principales revistas españolas de "poesía pura".

De él ha escrito González-Ruano: "Quizá sea el más espontáneo y el más hondo de los poetas de su grupo. Hay una vena clásica en sus versos, incluso en las composiciones libres, unida a una recreación del mundo poético, un tanto desordenada y salvaje. Poeta de aliento fuerte, de lenguaje dramático justo y directo, combatido y triste. Dejó una labor más bien dispersa, composiciones que hacen advertir la presencia de un poeta que tiene en sus manos, con mucha ventaja, todos los triunfos que se necesitan para encumbrarse en el albur de la poesía. Hay en él aciertos sencillamente magistrales... Poeta, por lo general, ceñido y seco..." Hondamente humano, añadimos nosotros, con una secreta angustia y un secreto gozo de sensibilidades preciosas. "Brioso de espíritu y dominador de la técnica, autor de intensos poemas, religiosidad, lucha y paisaje..."

La muerte lamentable y prematura de Miguel Hernández, uno de los más extraordinarios líricos que ha tenido España, dejó, apuntado apenas, otro *ismo* poético de contención sumamente sugestivo. La denominación de este ismo, apenas esbozado, resulta sumamente peliaguda. Con enorme fuerza poética, con dolorosa violencia en la realidad y en el ensueño, con una expresividad sorprendente por su calidez y por su pegajosidad y por su sutileza, terrible de sinceridad, titánico en el espíritu y dominador absoluto de la técnica, Miguel Hernández no se sometió a ninguno de los ismos antecedentes de reacción o de retorno. Necesitó un mundo propio para moverse. Justo es decirlo: un mundo áspero y sospechoso de *fatalidad* más que de *destino*; un mundo oscuro sin bienaventuranzas, aun cuando con lejanos horizontes suavemente iluminados; un mundo, ya dominio de Caín, donde las almas apasionadas, como la suya, tienen que aprender a desgarrar y a desgarrarse; un mundo por el que hay que caminar desnudo de cuerpo y de espíritu, porque en él es imposible que nadie engañe a nadie; tantas son sus transparencias y sus sueños a gritos.

Miguel Hernández dejó esbozado un *ismo*, que sospecho hubiera madurado así: *la humanización absoluta de la poesía.* Es decir: que la poesía sirva para declarar únicamente valores humanos de la mayor trascendencia espiritual; valores íntimos, para exaltar los cuales sea precisa una casi feroz sinceridad; los valores que se oponen, precisamente, a las *negativas del medio humano:* a la injusticia, a la venganza, a la religión bastardeada, a la conculcación hipócrita—con ánimos de futuras contriciones o atriciones—de los diez sagrados mandamientos. Luchando titánicamente, como Jacob con su ángel, con las sombras, con los fantasmas, con los contrasentidos, con los dolores, con las injusticias y hasta con la sed de justicia propia, Miguel Hernández hubiera querido llegar a la suprema paz y a la definitiva luz: solo el hombre es la culminación de la eterna poesía.

Alguien ha insinuado que la poesía de Miguel Hernández enraizaba con la de Unamuno. Unamuno era más olímpico en su sentido humano, y menos sincero. Hay *más carne febril* en la poesía de Hernández, y una expresión poética más intensa, con una palabra más bronca, pero más brillante.

Yo enraizaría mejor a Miguel Hernández con Antonio Machado. Y hasta diría que Hernández es un Antonio Machado despojado de la infinita gracia melancólica y de la suavísima comprensión de las redenciones líricas sencillas.

Obras: *Perito en lunas*—Murcia, 1933—, *Quién te ha visto y quién te ve*—Madrid, 1934—, *El rayo que no cesa*—Madrid, 1936—, *Viento del pueblo*—Valencia, 1936—, *El labrador de más aire*—poema dramático, Valencia, 1937—, *El silbo vulnerado*—Buenos Aires, 1949, Col. Austral—, *Obras escogidas* —Madrid, Aguilar, 1952—, *Obras completas* —Buenos Aires, 1960.

V. Hoyo, Arturo del: *Estudios y notas* en la edición *Obra escogida.* Madrid, Aguilar, 1952.—Valbuena Prat, Angel: *Historia de la literatura española.* Barcelona, Gili, 1950, 3.ª edición, tomo III.—Sainz de Robles, Federico Carlos: *Historia y antología de la poesía española (en lengua castellana).* Madrid, Aguilar, 1964, 4.ª edición.—Díaz-Plaja, Guillermo: *Historia de la poesía lírica española.* Barcelona, Labor, 1948, 2.ª edición.—Cirre, J. F.: *Forma y espíritu de una lírica española...* México, 1950.—Guerrero Zamora, J.: *... Miguel Hernández...* Madrid, 1951. Larralde, P.: *La poesía de Miguel Hernández,* en *Correo Literario.* Buenos Aires, número 11, 1944.—Zardoya, Concha: *Miguel Hernández (1910-1942).* Nueva York, 1955.—

H

Romero, Elvio: *Introducción a "Viento del pueblo"*. Buenos Aires, 1956.—Ifach, María Gracia: Estudio en *Obras completas de Miguel Hernández*. Buenos Aires, 1960. Revista *Insula*, Madrid, diciembre de 1960. Revista *Agora*, Madrid, enero 1961.

HERNÁNDEZ AQUINO, Luis.

Uno de los poetas más representativos de la poesía de Puerto Rico. Nació—1907—en Lares. Fue uno de los dirigentes del movimiento poético denominado "Atalayismo". En 1940 fundó el *Integralismo*. Dirigió la revista *Insula* y fundó la de *Bayoán*.

Hernández Aquino fue uno de los más importantes líricos que combatió el modernismo. Desde sus primeras composiciones buscó con fervor y con fortuna la "depuración" de la poesía. Su métrica y su temática se aproximan francamente a la de los poetas españoles "de 1925": Dámaso Alonso, Valbuena Prat, Cernuda, Alberti, García Lorca, Salinas... Sin embargo, sus primeros poemas intimistas delatan las influencias de Juan Ramón Jiménez y de Antonio Machado, exactamente que la delatan los españoles.

Entre los temas predilectos de Hernández Aquino cuentan: la propia intimidad, la patria, la soledad, la música, el paisaje melancólico...

Inevitablemente, Hernández Aquino cayó en "la trampa" del superrealismo; pero con serenidad, con constancia, buscándose en su "primer y en su mejor yo", supo liberarse, reintegrándose a un estilo y a una expresividad auténticamente puros y perdurables.

Hernández Aquino "ha creado todo un mundo de metáforas, de estados anímicos que derraman poesía. Su grito fuerte contra el modernismo, momento en que nace la lírica, trae consigo un mundo poético. La calidad de su poesía es buena" (Valbuena Briones).

"Hernández Aquino es—dentro de la nueva modalidad poética—un poeta tierno, suave, que huye de la poesía maquinista, de la tendencia social, del estridentismo poético ya en decadencia. Le valdría bien el calificativo de neorromántico. Porque, no obstante la belleza plena del novismo en sus imágenes poéticas, juega sólo con el recuerdo de sus amores niños y cultiva otros temas de marcado espiritualismo neorromántico." (Enrique Halvares.)

Obras: *Las blancas veredas*—1925—, *Niebla lírica*—San Juan, 1931—, *Agua de remanso*—1939—, *Poemas de la vida breve* —San Juan, 1940—, *Isla para la angustia* —San Juan, 1943—, *Tiempo y soledad* (1944-1951).

V. Valbuena Briones, Angel: *La poesía portorriqueña contemporánea*. Tesis doctoral. Madrid, 1952.—Valbuena Briones, Angel: *La nueva poesía portorriqueña* (Antología). Madrid, 1952.—Villaronga, L.: *Luis Hernández Aquino, poeta magno*. San Juan de Puerto Rico, *El Mundo*, 15-X-1939.—Figueira, Gastón: Prólogo en *Isla para la angustia*. San Juan, 1943.

HERNÁNDEZ CATÁ, Alfonso.

Poeta, ensayista, cuentista, novelista, dramaturgo cubano. 1885-1940. Nació en Santiago de Cuba. Murió en un accidente de aviación sobre Río de Janeiro. En 1909 ingresó en el Cuerpo diplomático. Desde esta fecha empezó a viajar por toda Europa, viviendo principalmente en Madrid, hasta el punto de ser considerado, literariamente, como un escritor español. Colaboró en incontables publicaciones de España e Hispanoamérica. En el teatro obtuvo algunos éxitos, colaborando con su cuñado Alberto Insúa—*En familia, El amor tardío*—, con Eduardo Marquina—*Don Luis Mejía*—, o bien solo—*La casa deshecha, La noche clara*.

Pero Hernández Catá obtuvo sus mejores triunfos con sus cuentos y sus novelas breves, muchas de cuyas colecciones han sido traducidas al francés, al alemán, al inglés, al italiano, alcanzando la misma altísima estimación que en el idioma original.

Creemos que a Hernández Catá no se le ha hecho toda la justicia que merece. Como cuentista, apenas si tiene rivales en lengua castellana, emulando en ocasiones a "Clarín" y a doña Emilia Pardo Bazán. Sus novelas breves, de una originalidad y de una intensidad impresionantes, escritas en una prosa rica, castiza y limpia, pueden sostener la comparación con las más hermosas que conocemos de Stephan Zweig, Vicky Baum, Saroyan, Steimbeck...

Hernández Catá poseyó como pocos escritores la sobriedad narrativa que agudiza la emoción, la precisión del dibujo y de la pincelada para excitar mejor la sensibilidad, el poder de evocación capaz de marcar un imborrable recuerdo en la mente de sus lectores.

Novelas y cuentos: *Pelayo González, Cuentos pasionales*—1907—, *Novela erótica, La juventud de Aurelio Zaldívar*—1912—, *Los frutos ácidos, Fuegos fatuos, Los siete pecados, La muerte nueva, El bebedor de lágrimas, Una mala mujer, La voluntad de Dios, El corazón, El placer de sufrir, Libro de amor, Piedras preciosas, El ángel de Sodoma, Manicomio...*

Otras obras: *Escala*—poemas—, *Casa de fieras*—bestiario—, *Mitología de Martí*.

V. Sainz de Robles, F. C.: *La novela corta española (Promoción de "El Cuento Semanal")*. Madrid, Aguilar, 1952.

HERNÁNDEZ FRANCO, Tomás.

Poeta. Nació en Santiago de los Caballeros el 29 de abril de 1904. Se ha señalado por su inconfundible originalidad y por su limpieza de expresión. Su poesía reproduce la inmensa tragedia del negro tropical.

Ha publicado: *Rezos bohemios*—1921—, *De amor, inquietud, cansancio*—1923—, *Canciones del litoral alegre*—1936—y *Yelidá*—1942.

Ha publicado también dos libros de cuentos: *El hombre que había perdido su fe* y *Capitulario*.

HERNÁNDEZ GIRBAL, Florentino.

Biógrafo y cronista español. Nació—1908—en Béjar (Salamanca). Desde mozo se dedicó al periodismo, habiendo sido redactor de varios diarios madrileños. Se ha especializado en la biografía, género literario para el que tiene admirables disposiciones, pues al rigor con que investiga en documentos "de primera mano" une una especial amenidad para interesar al lector. Los personajes por él biografiados resultan *reavivados*. Obras: *Manuel Fernández y González* —Madrid, 1931—, *Salvador Sánchez "Frascuelo"*—Madrid, 1931—, *Julián Gayarre* —Madrid, 1955, en edición muy ampliada y corregida, definitiva, pues la primera apareció en 1931—, *José de Salamanca*—Madrid, 1962—, *Bandidos célebres españoles*—2 tomos, 1968 y 1970—, *Amadeo Vives*—biografía, "Premio Diputación de Barcelona, 1971".

HERNÁNDEZ DE GÓNCER, Federico.

Prosista y narrador español. Nació—1918—en Salamanca. Desde muy niño inició su viajar incesante por varios países de Europa. Licenciado en Derecho. Conferenciante. Combatiente nacional durante la guerra civil española. Colaborador de importantes diarios y revistas. Durante algún tiempo vive en la isla de Mallorca, dedicado al estudio de su arte, su paisaje y sus costumbres, publicando entonces su hermosa obra *¡Hay una isla en mi vida!*—fantasía biográfica—, uno de los libros más sugestivos y sutil de interpretación que ha inspirado Mallorca.

Otras obras: *Pensión Madame Noemia, C'an Sureda*—biografía fantástica de una familia mallorquina—, *El Club de los Anti* —crítica humorística de los méritos humanos...

Hernández de Góncer une a su gran cultura una viva fantasía y un estilo personalísimo lleno de color. Es también un magnífico dibujante, ilustrador de algunas de sus obras.

HERNÁNDEZ GONZÁLEZ, Luis.

Poeta y prosista. Nació—1896—en Zamora. Estudió el bachillerato en su ciudad natal y el doctorado de Leyes en la Universidad Central, de Madrid. Firmó algunos de sus primeros trabajos literarios con el seudónimo de "Luis-Andrés", su doble nombre de pila. Colaborador de *La Esfera, El Sol, La Libertad, La Voz,* de Madrid, y de otros importantes diarios y revistas.

En 1923 obtuvo un primer premio en los Juegos florales de Valladolid. Y en 1926 apareció en *Blanco y Negro* su novelita *Chanico el zagal,* seleccionada por un Jurado compuesto por Julio Casares, Pérez de Ayala y "Azorín". Notario desde 1928, y, en la actualidad, de Madrid. Conferenciante notable.

Excelente poeta y prosista adscrito a la más noble tradición hispana. Su modernismo queda *contenido* dentro de las normas ortodoxas que acentuaron Gabriel y Galán, Enrique de Mesa...

Obras: *Canciones de la mañana*—1929—, *Por Dios y mi patria*—1941—, *Vieja Castilla* —prosas, 1941—, *Zamora de mi amor*—poemas, 1941.

HERNÁNDEZ MARTÍN, Orlando.

Nació—1938—en la villa de Agüimes, de Las Palmas de Gran Canaria. Profunda vocación teatral desde niño, creó grupos artísticos con los que representó las más variadas piezas teatrales con los compañeros de estudio, tanto en su pueblo como luego en la capital. Desde los dieciocho años colabora en periódicos y emisoras locales de Las Palmas, llevando, concretamente en *Diario de Las Palmas,* una página diaria, con firma y seudónimo, y en la emisora Radio Atlántico, varios programas de su creación, uno de ellos de tipo costumbrista, desde hace cinco años.

Hombre prolífico, escribe versos, artículos, ensayos, relatos y, sobre todo, teatro, que es su gran vocación. Y así, junto al arsenal de artículos que ha sembrado en la prensa diaria, ha estrenado en el primer coliseo de Las Palmas, el teatro Pérez Galdós, las siguientes obras, con gran éxito, y solicitadas de todas las localidades de su isla, ya que Orlando no se ha decidido aún a dar el salto nacional: *Como en un sueño,* reportaje bíblico; *El barbero de Temisas,* comedia de costumbres; *Tierra de cuervos,* honda tragedia rural que mereció galardones locales y, tras su publicación en libro, opiniones como las del académico don José María Pemán, quien escribió: "... me ha llamado poderosamente la atención la seguridad dramática de *Tierra de cuervos:* tiene muchas situaciones taladrantes, que no se pierden ni esfuman por el sentido lírico de la palabra". Y el importante

H

crítico Domingo Pérez Minik se expresaba en términos parecidos: *"Tierra de cuervos posee el lirismo lorquiano, pero superando a este en la fuerza dramática. Estamos ante el más importante autor teatral de nuestro archipiélago."*

Al éxito de *Tierra de cuervos* siguió el estreno de la tragedia *La escandalosa,* con la que se presentara como actriz teatral la universal trapecista Pinito del Oro. Luego escribe la interesante pieza vanguardista *La ventana,* aún inédita, y estrena dentro de esta línea *Fantasía para tres,* farsa en un acto. Volviendo al costumbrismo, pone en escena con el más estruendoso éxito popular, ya que ha recorrido todos los pueblos de Gran Canaria y continúa representándose, la tragicomedia en tres actos ... *Y llovió en Los Arbejales.* Escribe, en colaboración con Jesús María de Arozamena, la comedia *Nadie llora en verano,* aún inédita; y volviendo a su teatro de vanguardia, estrena con desconcertante triunfo la pieza *Prometeo y los hippies,* pendiente de su aparición en libro.

En narraciones ha escrito el libro de costumbres *Sancocho;* de relatos, *Mascarones en la zafra;* de viajes, *De Canarias a Madrid en camello;* de poesía, *Claridad doliente,* y tiene inéditas varias comedias y dos libros de poemas a punto de salir: *Conversaciones con el mundo* y *Baladas del guanche.*

A pesar de su juventud, esta prolífica obra se ha visto galardonada con el primer accésit del "Premio Nacional de Teatro Pérez Galdós", de la Casa de Colón, 1966, y el "Premio Nacional Pérez Galdós, 1968", con su obra *La ventana.* Es premio "Luis Benítez Inglot", de periodismo, del Gabinete Literario de Las Palmas, y segundo premio de los Juegos Florales de Las Palmas del año 1968.

HERNÁNDEZ MIR, Guillermo.

Novelista y autor dramático de méritos indiscutibles. Nació en Antequera (Málaga) el 4 de marzo de 1884. Murió en Madrid el 13 de diciembre de 1955. Transcurrieron su niñez y su juventud en Sevilla, donde empezó a escribir para el teatro, y a estrenar, a los diecisiete años.

A los veinticinco años se avecindó en Madrid, y en el teatro de Apolo estrenó su zarzuela *La boda de la Farruca,* con música del maestro Alonso.

Entre otras obras de éxito son suyas *El pan nuestro* y *El abuelo Curro.*

En junio de 1909 se dio a conocer como novelista en el concurso organizado por *El Cuento Semanal,* con su novela, premiada, *Pedazos de vida.*

Posteriormente fue galardonado con el "Premio Gregorio Pueyo"—1920—, por su novela *El patio de los naranjos,* que ha sido

traducida al inglés y al holandés, y de la que se impresionó una película cinematográfica.

Suyas son también las novelas largas *El convento de los Reyes, El dolor, Las gradas de la catedral, La casa de la abuela, Martínez el Montañés*—1954—y las novelas cortas *Los que no triunfan, Historia de amor* y *Yo soy un señorito.*

HERNÁNDEZ DE OVIEDO, Gonzalo (v. Fernández de Oviedo, Gonzalo).

HERRERA, Darío.

Poeta y prosista panameño. Nació—1870—en Panamá y murió—1914—en Lima, siendo cónsul de su país en esta capital. Universitario. Desde 1895 a 1899 residió en Buenos Aires, trabajando como redactor en *El Mercurio de América.* Al independizarse su país fue nombrado ministro diplomático con la misión de lograr que Panamá fuera reconocido por los restantes países hispanoamericanos; lo que logró con un tacto admirable. Según Max Henríquez Ureña, Darío Herrera "fue el más alto representante, por no decir el único genuino, que tuvo Panamá dentro del movimiento Modernista". No fue poeta excepcional, pero dominó la forma como pocos, dándole un ritmo y una musicalidad exquisitos. Esta obsesión estilista se metió dentro de una honda neurastenia que llegó a convertirse en locura melancólica.

Obra: *Postumbra,* publicada póstumamente en 1927.

V. HENRÍQUEZ UREÑA, Max: *Breve historia del Modernismo.* México, 1954.

HERRERA, Ernesto.

Gran autor dramático, poeta y narrador. Nació—1886—y murió—1917—en Montevideo (Uruguay). Entroncado a prominentes familias, vivió una mocedad de bohemia triste y de penurias. Con el seudónimo de "Ginesillo de Pasamonte" colaboró en *El Pueblo*—1907—, *Bohemia* y *La Semana.* En 1909 y 1910 viajó por Europa. De regreso a su patria, alcanzó rápida y merecida celebridad con su obra *Su Majestad el Hambre* —cuentos brutales, como él mismo calificó—. En 1910 estrenó su drama realista *El estanque,* que acabó con afirmar su fama, ya que en él se advierte un aliento poderoso de dramaturgo y tiene el tema una patética intensidad.

"Ernesto Herrera—escribe Cejador con gran tino—fue el continuador de Florencio Sánchez, y acaso le sobrepujó, y hubiese llegado a ser dramaturgo de primer orden, pues con haber tan solo dado sus primicias, ellas son obras, diríase, de hombre maduro. Hondo pensamiento que no se impone a la realidad, sino que brota de ella, como observada por un ingenio agudo y fiel pintor de costumbres de almas, que es su nota sobresaliente, propia de los grandes artistas; estilo y lenguaje tomados de la misma realidad, sobrio, recio, expresivo, mayormente en los personajes gauchos del campo, en los cuales el habla es inimitable. La crítica social hállase velada por una ironía sutil y que apenas se parece, cual si no la pretendiera el autor, siendo por lo mismo mucho más certera y punzante que si se viera como de propósito deliberado."

Intenso realismo, aliento épico, ajuste perfecto de la estructura dramática, acentuadísima emoción humana, dibujo maestro de caracteres y ambientes, diálogo fluido y de la mismísima naturalidad, ternura honda, intención moral... son los valores del teatro de Ernesto Herrera.

Obras: *De mala laya, El caballo del comisario, La moral de misia Paca*—1911—, *El león ciego*—1911, su drama maestro—, *El pan nuestro*—de ambiente madrileño—, *Poesías...*

V. Teatro uruguayo de *Ernesto Herrera.* Montevideo, 1917.—Bonet, Carmelo M.: *El teatro de Ernesto Herrera,* en *Instituto de Literatura Argentina,* I, núm. 7. Buenos Aires, 1925.—Zum Felde, Alberto: *El proceso intelectual del Uruguay.* Montevideo, 1930. Tres tomos.—Zum Felde, Alberto: *La literatura del Uruguay.* Buenos Aires, 1939.—Zum Felde, Alberto: *Proceso intelectual del Uruguay y crítica de su literatura.* Montevideo, 1941.

HERRERA, Fernando de.

Soberano poeta español. Nació—1534—y murió—1599—en Sevilla. El jefe de la llamada escuela sevillana fue llamado *el Divino,* poeta que amplifica y revalora la obra poética de Garcilaso en cuanto al estilo, a la prosopopeya y a la brillantez. Herrera nació en Sevilla, en la colación de San Isidoro, donde su padre desempeñaba el modesto oficio de cerero. Cursó las letras humanas en el famoso estudio de San Miguel, en donde tuvo de maestro al no menos famoso Pedro Fernández de la Castilleja. Recibió las órdenes precisas para disfrutar de un beneficio de la parroquia de San Andrés, del que se sustentó toda su vida, pero sin llegar a recibir órdenes sacras. En las reuniones literarias que presidía don Alvaro Colón y Portugal, segundo conde de Gelves, y a las que concurrían Mal Lara, Cueva, Mosquera, Lomas Cantoral, Céspedes, Pacheco, Alcázar, Argote de Molina y otros muchos ingenios, conoció Herrera a doña Leonor de Milán, esposa de don Alvaro, de la que se enamoró con todo el apasionamiento de su alma. Quizá esta hermosísima mujer fue la que elevó la poesía de Herrera hasta un grado tan de sublimidad. El la divinizó llamándola *Lumbre, Estrella, Luz, Aglaya, Eliodora.* Según Rodríguez Marín, Herrera lo consiguió todo, *espiritualmente,* de doña Leonor. *Materialmente...,* muy poca cosa: unas miradas expresivas, unas sonrisas, el que durante los diez últimos años de su vida enlazara ella en su firma una F. Cosas realmente románticas o platónicas. Muerta doña Leonor, la pasión amorosa de Herrera convirtióse en casi religioso culto. La mayor parte de las poesías del genio sevillano versan sobre este verdadero y hondo, triste y no cumplido amor, que nada tuvo de ficticio ni de platónico, como vulgarmente se ha creído.

Por su carácter grave, silencioso, retraído, pasó Herrera por ser un personaje malhumorado y hosco. Tuvo, sin embargo, un alma grande, delicadamente sensible, nobilísima. Modesto y cortés, gustaba de vivir con sus pensamientos y sus libros. Jamás habló mal de nadie ni a nadie hizo mal. Murió a los sesenta y tres años.

Herrera fue un hombre volcado enteramente en la poesía, con el ansia de elevarse hasta el ideal. No practica las armas. No le atrae la política. Rehúye los solaces sociales. Es un vivo ejemplo de vocación lírica absoluta. Para sus contemporáneos, fue Herrera el *dios de la poesía.* ¡Tanto le alabaron, admiraron y copiaron!... Cervantes hace decir a la musa Calíope, en su *Viaje del Parnaso,* refiriéndose al gran poeta:

En punto estoy donde, por más que diga
en alabanza del divino Herrera,
será de poco fruto mi fatiga,
aunque la suba hasta la cuarta esfera.
Mas, si soy sospechosa por amiga,
sus obras y su fama verdadera
dirán que en ciencias es Hernando solo
del Gange al Nilo y de uno al otro polo.

Idólatra de la forma, gran crítico y pensador profundo, las doctrinas estéticas de Herrera son las del idealismo platónico. La lengua es por sí sola, en Herrera, una perfecta obra de arte personal. En el comentario que escribió a la poesía de Garcilaso —1580—ya manifiesta con claridad cuán esencial le parecía el aspecto puramente formal de la poesía lírica. Cuenta Francisco de Rioja que Herrera llevaba siempre consigo unos cuadernos en los que apuntaba cuidadosamente cuantos giros, frases y palabras nobles se le ocurrían o encontraba en sus continuas lecturas, y que jamás se ponía a escribir sin consultar estos cuadernos. Pocos poetas lograron sacar *tanto efecto y tanta*

H

musicalidad a las estrofas simplemente con cambiar las palabras de lugar...

> Hermosos ojos serenos,
> serenos ojos hermosos,
> de dulzura y amor llenos,
> lisonjeros y engañosos...

En efecto, poseyó Herrera, como ningún otro poeta de su época, nó sólo el virtuosismo de la técnica, sino el secreto de acomodar el tono de la versificación al espíritu de cada poesía. Y también el de dar a las palabras, giros, tropos y figuras, sentimientos y hasta ideas que ha tomado de sus modelos griegos, latinos, italianos y hebreos una personalidad singularísima e inconfundible. ¡Como que nos parecen nuevos y acaboditos de estrenar! Pero no solo posee Herrera el lenguaje, sino también el alma del verdadero lírico "y el don de aquel apasionado arrobamiento que le arrebata, completamente olvidado de sí mismo, a la esfera de la sobrenatural fantasía del sentimiento". Los temas primordiales de la vena poética de Herrera son el amor y la patria. Los temas secundarios, la religión y la Naturaleza.

En su tema amoroso se distinguen fácilmente tres momentos: el primero, cuando, enamorado con pasión de la de Gelves, suplica, requiere, se humilla, implora; el segundo, cuando, creyéndose correspondido, florea, ríe, madrigaliza, se exulta de gozo; el tercero, cuando, rechazado dulcemente por la hermosa y honesta mujer—enamorada *de su poeta*—, gime, se desalienta, se muestra melancólico... De los tres momentos poéticos amorosos de Herrera, es el tercero el más interesante, y aquel en que se muestra más original, más natural, más olvidado de todos los accesorios narrativos; es decir, que sus sentimientos han alcanzado su estática plenitud, aquella severidad característica de la concepción del amor que Platón, León Hebreo y Castiglione transformaron en sobrenatural. Toda su pasión concentrada e íntima dio sus quilates mejores y más numerosos en esta tercera fase.

> Tan encogido estuvo mi deseo,
> que aun del dolor no pretendió memoria;
> nunca se aventuró mi devaneo,
> y puse siempre en el temor mi gloria.
> Amando me contento, y no deseo
> esto de vos y pierdo esta victoria,
> si se puede decir que la ha perdido
> quien ama tan cortés y comedido.

Inmediata en importancia a la temática amorosa, salta en Herrera la heroica. ¡Extraña paradoja que conviene recalcar!... Garcilaso de la Vega, noble caballero siempre en el heroico ejercicio de las armas, apenas deja entrever en sus poesías amorosas reminiscencias de su vocación bélica.

Herrera, hombre de paz absoluta, de honda vida interior, se goza en exaltar el vigor imperial de su raza. Herrera, inspirándose en la Biblia, encuentra acentos magníficos, imágenes felicísimas, para cantar a la victoria de Lepanto, a don Juan de Austria, al infortunado rey don Sebastián, al santo rey San Fernando... Las poesías religiosas de Herrera son escasas, de poca unción y de interés relativo. Donde la lírica de Herrera se mueve con más desembarazo es en las nobles formas de las odas, sonetos y elegías; los epigramas, las sextinas y las redondillas aparecen en su obra general más de tarde en tarde.

Es muy corriente que la crítica haga mucho hincapié en el petrarquismo de Herrera. Dicho petrarquismo, existente en verdad, *no fue tanto* como vulgarmente se dice. Herrera no imitó a Petrarca sino en la técnica formal de los versos y estrofas, y para ello a través de nuestros Boscán y Garcilaso. En el *fondo*, todo son diferencias entre el italiano y el español. Un defecto puede apuntarse en la poesía herreriana: la altisonancia. La altisonancia en los temas heroicos es un camino tentador. La tentativa le dio a Herrera feliz resultado cuando la grandeza del asunto se avenía con la grandilocuencia de la dicción. Así, en la famosa *Canción a la batalla de Lepanto* en vano buscaríamos a través de sus doscientos trece versos una estrofa narrativa o meramente descriptiva del suceso, estrofa que hubiera sido un sedante, un remanso auténticamente lírico en el conjunto.

Herrera ha montado su evocación sobre una monumental armazón retórica, llena de resonancias bíblicas. Pero quiso, en ocasiones, que esta misma armazón le sirviera para montar temas de índole menos mayestática. Y ello le condujo a la amplificación seca y oscura, como se advierte en alguno de sus sonetos y elegías. Y siendo esto, en él, malo, no fue lo peor. Que al cabo su talento poético sorteaba con cierta compostura las sirtes más peligrosas. Sino que sus discípulos, sin su talento, echaron por el camino tentador y engendraron monstruos, preparando así la invasión de una poesía artificial y amanerada.

Son ediciones excelentes de Herrera:

Algunas obras de Fernando de Herrera... Sevilla, 1582.

Versos de Fernando de Herrera, enmendados y divididos por él en tres libros..., por Francisco Pacheco. Sevilla, 1619.

Algunas obras de Fernando de Herrera, edición crítica, por Adolphe Coster. París, 1908.

Poesías inéditas, ed. "Bibliófilos Andaluces", 1870.

Poesías de Fernando de Herrera, ed. y no-

tas de V. García de Diego. Madrid, 1914.
"Clásicos Castellanos".
Poesías completas, tomo XXXII de la "Biblioteca de Autores Españoles".
V. COSTER, A.: *Fernando de Herrera.* París, 1908.—RODRÍGUEZ MARÍN: *Fernando de Herrera y la condesa de Gelves.* Madrid, 1911.—MOREL-FATIO: *Fernando de Herrera...* París, 1893.—BOURCIEZ, A.: *Les sonnets de Fernando de Herrera,* en *Annales Fac. de Lettres de Bourdeaux,* 1891.—BEACH, R. M.: *Was Fernando de Herrera a Greek Scholar?,* 1908.—GARCÍA DE DIEGO, V.: *Estudio* en la edición "Clásicos Castellanos". Madrid, 1914. LASSO DE LA VEGA, A.: *Escuela poética sevillana.*—MÉNDEZ BEJARANO, Mario: *Diccionario de escritores, maestros y oradores naturales de Sevilla.* Sevilla, 1922-1925, tres tomos.—ORESTE MACRI: *Fernando de Herrera* —Madrid, Gredos, ¿1958? (Obra fundamental, exhaustiva).

HERRERA, Flavio.

Literato y profesor guatemalteco. Nació en 1895. Estudió en el Instituto Central y en la Facultad de Derecho y de Ciencias Sociales de la ciudad de Guatemala. Juez de primera instancia. Diplomático. Catedrático de Derecho penal de la Universidad de Guatemala. Conferenciante. Orador. Literato de acusado relieve y de imaginación brillantísima, que maneja el castellano con soltura y limpieza; narrador de un vigor excepcional y de una originalidad sorprendente.

Obras: *La lente opaca*—cuentos, 1921—, *El ala de las montañas*—poemas, 1921—, *Cenizas*—cuentos, 1923—, *Trópico*—1932—, *Sinfonías del trópico*—1933—, *Bulbuxya* —1934—, *Sagitario*—poemas, 1934—, *El tigre* —novela, 1934—, *El milagro hispanoamericano*—lecturas, 1934...
Como poeta, ha cultivado delicadamente el género de *haikais.*
V. PRAMPOLINI, S.: *Historia universal de la literatura.* Buenos Aires, 1942, tomo XII.— LAS PLACES, Alberto: *La novela en América,* en *Nosotros,* segunda época, núm. 4, Buenos Aires, julio 1936.—TORRES RIOSECO, Arturo: *Novelistas contemporáneos de América.* Santiago, 1939.

HERRERA, Gabriel Alonso de.

Humanista y erudito español. 1474-¿—? Nació en Talavera de la Reina, de una familia de agricultores acomodados. Hermano menor de Hernando. Estudió la carrera eclesiástica en Granada. Entre 1500 y 1514 viajó por Francia, Italia y Alemania. Fue capellán del cardenal Jiménez de Cisneros. En 1515 era beneficiado en la parroquia de San Miguel, de Talavera. Se ignora cuándo murió, pero se sabe que dirigió—1539—la edición

de su obra, en la que hay adiciones suyas muy curiosas en relación con la edición de 1528.
Su obra fundamental, en magnífica prosa, publicóla—Alcalá, 1513—con el título: *Obra de Agricultura, copilada de diversos auctores por Gabriel Alonso de Herrera de mandado del muy ilustre y reverendísimo señor el Cardenal de España Arzobispo de Toledo.*
Herrera recoge en su magnífica obra los mejores trabajos acerca de la materia de griegos y latinos, esmerándose en su corrección y añadiendo nuevas cosas aprendidas con la propia experiencia.
Como escritor, es de los mejores, manejando el castellano con elegancia, soltura y brillantez. Su nombre figura en el *Catálogo de autoridades* del idioma, publicado por la Real Academia Española.
La obra tuvo un éxito enorme, siendo reimpresa: Toledo—1520—, Alcalá—1524—, Toledo—1524—, Zaragoza—1524—, Logroño —1528—, Alcalá—1539—, Toledo—1546 y 1551—, Valladolid—1563—, Medina—1569, 1584—, Madrid—1598—, Pamplona—1605—, Venecia—1633—, Madrid, 1643, 1645, 1646, 1677, 1768, 1777, 1790.
Ediciones modernas: Madrid, 1818-1819, cuatro tomos, por la Sociedad Económica Matritense, con biografía y apéndices; A. de Burgos, Madrid, 1858, dos tomos.
V. DUBLER, C. E.: *Posibles fuentes árabes de la "Agricultura general" de G. A. de H.* En *Al-Andalus,* 1941, VI, 135.

HERRERA, Hernando Alonso de.

Humanista español, hermano mayor de Gabriel. 1460-1527. Nació en Talavera de la Reina. Su formación cultural fue excepcional, menos brillante que la de Nebrija. Marineo Sículo le dio la palma entre los latinistas de la época. Fue amigo del Pinciano. Enseñó Humanidades en Sevilla y en Córdoba. Protegido por Cisneros, entró en la Universidad de Alcalá para explicar Gramática y Retórica. En 1513 marchó a Salamanca, en cuya Universidad prosiguió su profesorado.
Audazmente se rebeló Herrera contra la autoridad de Prisciano en Gramática y contra la de Aristóteles en Filosofía. Contra aquel escribió sus *Gramática y Retórica.* Contra este: *Disputatio adversus Aristotelem aristotelicosque sequaces* y su romanceada *Breve disputa de ocho levadas contra Aristótil y sus secuaces*—edición bilingüe a dos columnas, 1517—. Esta última obra está escrita en un castellano castizo y riquísimo, y su forma es dialogada, interviniendo en el diálogo: Aristóteles, Pedro Hispano, Pedro Mártir, Gabriel Alonso de Herrera, Hernán Núñez, Juan Mair...

H

V. Fernández de Retana, Luis: *Cisneros y su siglo*. Madrid, 1929, dos tomos.—Catalina García, Juan: *Ensayo de una bibliografía complutense*. Madrid, 1889.—Menéndez Pelayo, M.: *Humanistas españoles del siglo XVI*, en *Estudios y Discursos*, Madrid, edición oficial, 1941, tomo VII.—Bonilla San Martín, Adolfo: *Un aristotélico del Renacimiento: Hernán Alonso de Herrera y su "Breve disputa de ocho levadas contra Aristótil y sus secuaces"* (texto castellano), en *Revue Hispanique*, 1920, 61-197, y tirada aparte, Nueva York, 1920.

HERRERA Y MALDONADO, Francisco de.

Prosista, poeta y erudito español. Nació en Oropesa a fines del siglo XVI. Murió en Madrid después de 1645. Doctor en Cánones. Canónigo de la iglesia de Arbas, de León. Alabado por Lope de Vega en *El Laurel de Apolo*. Su nombre figura en el *Catálogo de autoridades de la Lengua*, publicado por la Real Academia Española.

Obras: *Historia oriental de las peregrinaciones de Fernán Méndez Pinto*—Madrid, 1620, obra novelesca, pero real—, *Epítome historial del reino de la China*—Madrid, 1620—, *Discurso panegírico y decadencia de los Toledos de Castilla*—Madrid, 1622—, *Relación de los casamientos del sexto duque de Oropesa...*, *Libro de la vida y maravillosas virtudes del siervo de Dios don Bernardino de Obregón...*—Madrid, 1633—, *Sanazaro español*—1620—, con elogios de todos los poetas contemporáneos...

Sus mejores poesías, el *Elogio de Quevedo* y unas octavas *A la Virgen*, pueden leerse en los tomos XXV y XXXV de la "Biblioteca de Autores Españoles", de Rivadeneyra.

V. Cejador y Frauca, J.: *Historia de la lengua y literatura españolas*. Tomo IV, 378.

HERRERA OBES, Julio.

Jurisconsulto, periodista y político uruguayo. Nació en Montevideo en 1846. Hijo del doctor Manuel Herrera y Obes y de doña Bernabela Martínez Hidalgo. Figura intelectual descollante en el escenario de su patria. Redactó con otros políticos ilustres el diario *El Siglo* en 1870; ocupó el Ministerio de Relaciones Exteriores en 1872; fue diputado en 1873, distinguido como orador y polemista brillante. En 1875, la dictadura militar que ocupó el Gobierno le alejó de la patria. En 1882 volvió a la Prensa, fundando *El Heraldo*, diario de combate, y frente a la evolución de los sucesos políticos fue llevado al Ministerio de Gobierno en 1887, que ejerció hasta 1890, en que fue electo presidente de la República. Gobernó hasta el 1 de marzo de 1894. Luego fue senador.

Nuevos acontecimientos políticos lo llevaron al destierro desde 1897 hasta 1903, en que volvió a la patria. Publicista eminente, hizo nueva excursión por la Prensa con *El Heraldo*, en su segunda época—1910—. Falleció el 6 de agosto de 1912, disponiendo el Parlamento que sus restos fueran inhumados en el Panteón nacional.

HERRERA PETERE, José.

Novelista y cronista. Nació—1910—en Guadalajara, de España. Licenciado en Derecho por la Universidad Central. De ideas muy liberales, salió de España en 1939; desde entonces ha residido en Francia, en México y—desde 1947—en Ginebra.

Periodista de mucho talento y singular garbo, en muchas de sus narraciones se sobrepone el periodista al novelista, convirtiendo sus relatos en auténticos reportajes. Sin embargo, en otras muchas ocasiones acierta a novelar con seguridad, con brío, con crudeza, reaccionando con virilidad ante los problemas más exigentes del mundo actual. Herrera Petere intenta, siempre, que sus obras sean la defensa más o menos apasionada de "su estado de ánimo", de la exigencia "de sus ideales" ante "determinadas coyunturas".

Obras: *Acero de Madrid*—"Premio Nacional 1938"—, *Puentes de sangre*—1938—, *Nieblas de cuernos (Entreacto en Europa)*—México, 1946—, *Cumbres de Extremadura* (Novela de guerrilleros)—México, 1945—, *Dimanche, vers le Sud*—poemas, 1956.

V. Nora, Eugenio G. de: *La novela española contemporánea*. Madrid, editorial Gredos, tomo II, 1962.—Marra-López, José R.: *Narrativa española fuera de España (1939-1960)*. Madrid, Ediciones Guadarrama, 1963. Páginas 510-511.

HERRERA Y REISSIG, Julio.

Notable y originalísimo poeta. 1875-1910. Nació en Montevideo. Murió casi en la miseria. De noble familia. Estudió sin maestros y se formó en París. Estuvo una temporada en Madrid. Fundó—1899—*La Revista*. Los últimos años de su vida los pasó en el hosco aislamiento de la Torre de los Panoramas, rodeado de unos cuantos admiradores y discípulos y desdeñoso con el contacto del público. Para muchos críticos, encarna la significación más genuina del modernismo. Según su biógrafo Salaverri, "era de una gran belleza masculina, con su frente ancha y noble, con sus ojos soñadores, con el amargo rictus que fruncía su boca...". Altanero, hiperestésico, extravagante, vivió incomprendido en "su encumbrada buhardilla", que no otra cosa era su Torre de los Panoramas. Ser tertuliano de esta torre, era, hacia 1905, un signo de espaldarazo literario entre los jóvenes.

"En sus versos gongorinos, quintaesenciados, medio parnasianos y medio simbolistas, descuella como un artífice de la palabra evocadora del color, del sonido y de la línea, y como un humorista finísimo, sin parangón en nuestro continente. El ansia de novedad, el afán de *èpater les bourgeois,* cabalgando sobre su fantasía desorbitada, procúranle felices y curiosos hallazgos de expresión, pero truecan con frecuencia su poesía en un simple malabarismo verbal, hermético, frío y caprichoso." (Solar Correa.)

Tuvo exquisita sensibilidad, imaginación poderosa y temperamento naturalmente artístico. "El lector más enemigo de las afectaciones modernistas olvídase, al leerle, de sus rarezas y artificios, y embelesado se deja llevar de la rauda arrebatadora de sus metáforas y de su inmensa riqueza de ideas y colores, confesando, aun a su pesar, que se las ha con un poeta peregrino y magnífico. Tiene composiciones intachables y por maravilla originales y encantadoras" (Cejador.) "Poeta poderosísimo, de estupenda imaginación, a quien degolló el mismo modernismo que le abrió los ojos para recoger en su paleta todos los matices, todos los sonidos."

Obras: *Pascuas del tiempo, Aguas de Aqueronte*—poemas—, *Traducciones en verso*—1902—, *Los maitines de la noche, Las manzanas de Amarylis*—1903—, *La Vida* —conferencia, 1904—, *Los éxtasis de la montaña*—1905 a 1909—, *El alma del poeta* —epistolario, 1906—, *Poemas violetas, Sonetos vascos, Opalos*—1907—, *Atomos, El Renacimiento en España*—prosa, 1908—, *Los parques abandonados*—1909—, *El círculo de la muerte*—prosa, 1909—, *La sombra*—teatro, 1909—, *Ensayos sociológicos*—1910—, *Los pianos crepusculares...*

V. Salaverri, V. A.: *Estudio* a la edición de *Prosas.* Valencia, 1918.—Mas y Pi, Juan: *Estudio* acerca de Herrera y Reissig, en *Nosotros.* Buenos Aires, 1914, marzo.—Miranda, César: *Conferencia sobre Herrera y Reissig.* Salto, 1913.—Ribé, P.: *Veladas recreativas.* Barcelona, 1919.—Torre, Guillermo de: *Estudio* de Herrera y Reissig, en *La Aventura y el Orden.* Buenos Aires, 1943. Montero y Bustamante, R.: *El Uruguay a través de un siglo.*—García y Calderón, V.: *La literatura uruguaya.*—Roxlo, Carlos: *Historia crítica de la literatura del Uruguay.* Montevideo, 1912.—Zum Felde, Alberto: *El proceso intelectual del Uruguay.* Montevideo, 1930, 3 tomos.—Zum Felde, Alberto: *La literatura del Uruguay.* Buenos Aires, 1939.— Zum Felde, Alberto: *Proceso intelectual del Uruguay y crítica de la literatura.* Montevideo, 1941.

HERRERA Y RIVERA, Rodrigo [Gómez de].

Poeta y dramaturgo. Nació—1592—y murió—1657—en Madrid. Era hijo natural del primer marqués de Auñón y de doña Inés Ponce de León, a quien su padre otorgó un mayorazgo fundado exprofesamente. Fue alumno de los jesuitas en el Colegio Imperial y caballerizo de doña Inés María de Arellano, duquesa de Nájera. Se casó dos veces. La primera, con doña Polonia Angulo, y la segunda, con doña María Lobo. Cervantes—en el *Viaje del Parnaso,* capítulo 2, 1614—le llamó "insigne en letras y en virtudes raro". Y le alabaron igualmente Lope —en el *Laurel de Apolo*—y Montalbán—en *Para todos*—. Escribió muchos versos para certámenes y varias comedias.

Se distinguió por su gracia en las producciones burlescas, como en *Castigar por defender.* Obras suyas de algún mérito poético de bastante maestría técnica son: *El voto de Santiago y batalla de Clavijo, Del cielo viene el buen rey, La fe no ha menester armas y venida del inglés a Cádiz y El primer templo de España, San Segundo, obispo de Avila...*

Textos: Tomo XLV de la "Biblioteca de Autores Españoles".

V. Mesonero Romanos, R.: Prólogo al tomo XLV de la "Biblioteca de Autores Españoles".—Pérez Pastor, C.: *Bibliografía madrileña.* III, 385.—Ballesteros Robles, L.: *Diccionario biográfico matritense.* Madrid, 1912.—Alvarez de Baena: ... *Hijos ilustres de Madrid...* Tomo II.

HERRERA Y TORDESILLAS, Antonio de.

Gran historiador y prosista español. Nació—1549—en Cuéllar (Segovia). Murió —1625—en Madrid. Estudió en España Leyes y Filosofía. Pasó a Italia, donde fue secretario del virrey de Nápoles, Vespasiano Gonzaga. Historiógrafo de Castilla y León durante los reinados de Felipe II, Felipe III y Felipe IV.

Antonio de Herrera fue un erudito muy conocedor de nuestras historias y un escritor verídico y discreto. Su estilo es, en general, difuso y de composición defectuosa. Y no es muy sutil su sentido crítico. Pero sus libros están escritos con arreglo a los preceptos clásicos de los humanistas, y contienen en abundancia pormenores históricos expuestos con gran tino. Antonio de Herrera permaneció siempre fiel a la rigurosidad histórica. Y su nombre figura en el *Catálogo de autoridades de la Lengua,* publicado por la Real Academia Española.

Su obra fundamental es la titulada *Décadas o historia general de los hechos de los castellanos en las islas y Tierra Firme del mar Océano,* en cuatro volúmenes—Ma-

H

drid, 1601—, de la que se hicieron varias ediciones, siendo, además, traducida parcialmente al francés—París, 1659—por N. de la Costa, y al latín por Gaspar Barles. Aun cuando Herrera no cita nunca sus fuentes, en muchas partes de estas *Décadas* se adivina la influencia, en el aspecto literario, de la *Crónica de Nueva España,* de Cervantes de Salazar. Las *Décadas* fueron continuadas malamente, durante el reinado de Carlos II, por Pedro Fernández del Pulgar.

Otras obras: *Historia de lo sucedido en Escocia... durante los cuarenta y cuatro años que vivió María Estuardo...*—Madrid, 1589—, *Cinco libros de la historia de Portugal y conquista de las islas Azores...*—Madrid, 1591—, *Historia de los sucesos de Francia desde el año 1585 hasta el de 1594*—Madrid, 1598—, *Historia general del mundo del tiempo del señor rey Don Felipe el Segundo, desde el año 1559 hasta su muerte*—Madrid, 1601—, *Exequias de la reina Doña Margarita de Austria en Segovia, Comentarios de los hechos de los españoles, franceses y venecianos en Italia*—Madrid, 1624...

Las *Décadas* han sido publicadas por la Academia de la Historia—Madrid, 1935—, y el *Elogio de Vaca de Castro,* en la *Revista de Archivos*—1916 y 1917.

V. PÉREZ PASTOR: *Bibliografía madrileña.* III, 380.—FUETER, E.: *Estudio preliminar* en la edición de la Academia de la Historia de 1935.—SABÍN, J.: *Life of editions on the works of L. Hennepin and Antonio de Herrera.* Nueva York, 1876.

HERRERO GARCÍA, Miguel.

Nació—1885—en Sevilla y murió—1962—en Madrid.

Doctor en Filosofía y Letras, catedrático de Lengua latina en el Instituto Lope de Vega, jefe de Ordenación Bibliográfica del Instituto Nacional del Libro Español, miembro del Patronato Menéndez Pelayo, del Consejo Superior de Investigaciones Científicas; colaborador del Instituto de Estudios Políticos.

Fue lector de español en la Universidad de Cambridge (Inglaterra) durante los cursos 1925-1927. Visiting profesor de Middelbury College (Estados Unidos) durante dos cursos de verano, 1926 y 1928. Profesor de la Hispanish House (Londres), 1927. Profesor de los Cursos internacionales organizados en San Sebastián por Acción Católica, 1932. Profesor de la Universidad Católica de Santander, 1935. Profesor de Pedagogía en la Universidad Central, cursos 1939-1942, y jefe de Estudios de la Academia Nacional de Mandos "José Antonio".

Fue pensionado por la Junta de Ampliación de Estudios e Investigaciones Científi-

cas para estudiar la Segunda Enseñanza en Francia, Suiza y Bélgica. Fue redactor de *El Debate,* redactor-jefe de *Acción Española,* secretario general de la *Revista de Estudios Hispánicos,* codirector de la revista *Fénix,* para el tricentenario de Lope de Vega, y es en la actualidad director de la revista *Bibliografía Hispánica.*

Colabora actualmente en *Revista de Filología Española, Revista de Indias, Hispania, Revista de Ideas Estéticas, Africa, Correo Erudito, Revista de Bibliografía Nacional, Estudios Geográficos, Arte Español,* etc.

Obras: *Rimas béticas*—Sevilla, 1914, 225 páginas—, *El Madrid de Calderón: Loa en metáfora de la Hermandad del Refugio*—en *Revista de la Biblioteca, Archivos y Museos,* 1925, II, págs. 110-140—, *El Madrid de Calderón: Sainete de las calles de Madrid. Pintura de Madrid por sus moradores y Guía de los hijos de Madrid*—en *Rev. de la Biblioteca, Arch. y Mus.,* 1925, II, págs. 273-301—, *El Madrid de Calderón: Baile de las calles de Madrid. Sainete del Callejón de la Plaza y Sainete de la calle de San Pedro*—en *Revista de la Bibliot., Arch. y Mus.,* 1925, II, páginas 482-514—, *El Madrid de Calderón: Baile en las puertas de Madrid, Mojiganga de las Casas de Madrid*—en *Revista de la Biblioteca, Arch. y Mus.,* 1926, III, páginas 282-321—, *Cuentos del siglo XVI y XVII* (Biblioteca del Estudiante)—Madrid, 1926, en 8.º, 285, págs.—, *Ideas de los españoles del siglo XVII*—Madrid, 1928, en 4.º, 669 páginas—, *El Madrid de Calderón: Los mesones de Madrid*—en *Revista de la Biblioteca, Arch. y Mus.,* 1928, V, págs. 1-27—, *Las fuentes de Madrid*—en *Revista de la Biblioteca, Arch. y Mus.,* 1929, VI, páginas 187-204—, *Estimaciones literarias del siglo XVII*—Madrid, 1930, en 4.º, 423 páginas—, *Los relojes de Madrid*—en *Rev. de la Bibliot., Arch. y Mus.,* 1932, IX, páginas 46-67—, *El Rastro de Madrid*—en *Revista de la Bibliot., Arch. y Mus.,* 1932, IX, páginas 381-392—, *España en llamas*—en colaboración con Luis Ortiz Muñoz, con el seudónimo "Escritores Reunidos", 236 páginas, Madrid, 1932—, *La vida española del siglo XVII, I, Las bebidas*—Madrid, 1933, en 4.º, 258 págs.—, *La Semana Santa en Madrid en el siglo XVII*—Madrid, 1935—, *La cárcel de Lope*—en *Fénix,* 1935, págs. 537-549—, *Trilogía de Navidad*—con ilustraciones de Sáenz de Tejada, Madrid, 1939, en 4.º, 64 págs.—, *San Juan de la Cruz y el cántico espiritual*—ensayo literario, 105 págs., Madrid, 1942—, *Sermonario clásico* (con un ensayo histórico sobre la oratoria sagrada española de los siglos XI y XVII)—XC + 200 páginas. Madrid, 1942—, *Miscelánea marítima* —selección y prólogo, Madrid, 1943, 200 páginas—, *Suma poética* (Antología de poesía religiosa española. Prólogo de José María Pemán—LXXIX + 669 páginas. Madrid, 1944—), *Vida de Miguel de Cervantes*—1949.

HERVÁS, José Gerardo de («Jorge Pitillas»).

Notable poeta satírico español. Nació a fines del siglo XVII. Murió—1742—en Madrid. Clérigo. Doctor en Derecho canónico. Profesor en Salamanca. Abogado famoso en Madrid. Para no desprestigiar su austera condición sacerdotal, en sus trabajos literarios utilizó los seudónimos de "Jorge Pitillas" y "Don Hugo Herrera de Jaspedós". Su nombre figura en el *Diccionario de autoridades* de la Real Academia Española. Discípulo de las doctrinas de Luzán, aventajó a su maestro en la valentía y en el chiste, "cualidades nacionales por excelencia". Su obra poética más importante es la *Sátira contra los malos escritores de este siglo,* en tercetos de mucha enjundia.

El sentido crítico en la poesía satírica, que se entrevera de barroco desteñido y de aún recién pintado neoclasicismo, está representado por Hervás, que publicó—1742—en *El Diario de los Literatos* una violenta *Sátira contra los malos escritores de este siglo,* en tercetos, saliendo a favor del gusto de Luzán, a quien vence en gusto, valentía y chiste, que precisamente fueron las únicas en dar valor a la sátira. Casi todas las obras poéticas de Hervás son—curiosa promiscuación—a la vez castizas y de un influjo transpirenaico.

Las obras de Hervás fueron publicadas en el tomo LXI de la "Biblioteca de Autores Españoles", de Rivadeneyra.

V. Cueto, L. A.: *Poetas líricos del siglo XVIII.* En "Biblioteca de Autores Españoles". Tomo LXI.—Uriarte, E.: *¿Quién fue Hugo Herrera de Jaspedós?,* en *Razón y Fe,* 1901.

HERVÁS Y PANDURO, Lorenzo.

Polígrafo español de mérito singular. Nació—1735—en Horcajo de Santiago (Cuenca). Murió—1809—en Roma. En 1749 ingresó en la Compañía de Jesús. Estudió en el colegio de Alcalá. Profesor de Humanidades en Cáceres y de Filosofía en el Real Seminario de Nobles, de Madrid. Al ser expulsada de España—1767—la Compañía de Jesús, Hervás marchó a Italia, residiendo en Forli, más tarde en Cesena y después en Roma. Volvió a España en 1798, acogiéndose a un decreto que permitía a los antiguos jesuitas regresar individualmente. Nuevamente desterrado en 1802, fijó su residencia en Roma, nombrándole el Papa Pío VII bibliotecario del Quirinal.

Hervás fue eminente filósofo, historiador, matemático, teólogo, geógrafo, polemista y eruditísimo en toda clase de conocimientos.

Sin duda alguna, uno de los sabios más justamente afamados de su época. Con exactitud ha escrito de él Menéndez Pelayo —en *La ciencia española*—: "La riquísima mies lingüística la había de cosechar a fines del siglo XVIII uno de los más esclarecidos hijos del solar español, el jesuita Hervás y Panduro, de cuyo cerebro, como Minerva del de Júpiter, brotó armada y pujante la Filología comparada. ¡Con cuánto gozo vemos a Max Müller en sus inmortales *Lectures* sobre la ciencia del lenguaje, dadas en la Institución Británica en 1861, reconocer y proclamar en alta voz los méritos de Hervás, que estudió y conoció cinco veces más idiomas que Court de Gébelin y los demás lingüistas de entonces, y que en vez de lanzarse, como ellos, a sentar teorías precipitadas..., huyó cuidadosamente de toda hipótesis que no estuviera fundada en la realidad de los hechos; juntó noticias y ejemplos de más de trescientas lenguas; compuso por sí mismo las gramáticas de más de cuarenta idiomas, y fue el primero (entiéndase bien, el primero, así lo dice Max Müller) en sentar el principio más capital y fecundo de la ciencia filológica; es a saber: que la clasificación de las lenguas no debe fundarse (como hasta entonces empírica y rutinariamente se venía haciendo) en la semejanza de sus vocabularios, sino en el artificio gramatical."

A Hervás se le considera como a padre de la Filología comparada moderna.

La obra más importante—y magistral—de Hervás es el *Catálogo de las lenguas de las naciones conocidas, y enumeración, división y clases de estas según la diversidad de sus idiomas y dialectos*—Madrid, 1800 a 1805—, en seis volúmenes, que comprenden: I. Lenguas y naciones americanas; II. Islas de los mares Pacífico e Indiano Austral y Oriental y el continente de Asia; III. Las que él llama de naciones europeas advenedizas y sus lenguas; y IV, V y VI. Las naciones europeas primitivas (iberos, celtas y vascones). La materia de estos seis volúmenes estuvo incluida en los tomos XVII a XXI de una enciclopedia que el mismo Hervás publicó antes en italiano—Cesena, 1778 a 1792—con el título de *Idea dell' Universo.*

Otras obras: *Historia de la vida del hombre*—Madrid, 1789 a 1799—, en siete volúmenes; *El hombre físico*—Madrid, 1800—, en dos volúmenes; *Viaje estático al mundo planetario*—Madrid, 1793 a 1794—, en cuatro volúmenes; *Escuela española de sordomudos o arte para enseñarles a escribir y hablar el idioma español*—Madrid, 1795—, en dos volúmenes; *Causas de la Revolución en Francia en 1789...*—Madrid, 1807.

Manuscritas se conservan de él obras muy interesantes. En la Biblioteca Nacional de

H

Madrid: *Historia del arte de escribir*—dos tomos—, *Paleografía universal...*, *Gramática de la lengua italiana...* En los archivos de los jesuitas: *Biblioteca jesuítico-española de escritores que han florecido por cinco lustros* —dos volúmenes—, *Gramáticas* de veinticinco lenguas, *Vocabularios* de otras lenguas...

Y a Guillermo de Humboldt regaló Hervás el manuscrito de las *Gramáticas abreviadas de las dieciocho lenguas principales de América,* libro del que se aprovecharon, elogiándolo, Vater y Adelung en su *Mithridates.*

V. Caballero, F.: *Noticias biográficas y bibliográficas del abate don Lorenzo Hervás y Panduro.* Madrid, 1868.—Portillo, Enrique: *Lorenzo Hervás: su vida y sus escritos,* en *Razón y Fe.* Tomos XXV a XXXIII.— Balbín de Unquera, A.: *El Padre Hervás y la Filología comparada,* en el *Boletín del Círculo Filológico Matritense.* 1885.—Amor Ruibal, A.: *Los problemas fundamentales de la Filología comparada.* Tomo II.—Menéndez Pelayo, M.: *La ciencia española.*

HICKEY PELLIZZONI, Margarita.

Poetisa española. 1753-¿1793? Nació en Barcelona. Hija de irlandés y de napolitana. De singularísima y espléndida hermosura, mucho ingenio y excelente cultura. Se casó casi niña con el setentón don Juan Antonio Aguirre, muerto bien pronto y suponemos que de gusto. Viuda, hermosa y adinerada, debió de vivir intensamente, apasionadamente; lo cual quiere decir que cosechó no pocos desengaños, lamentados en poesías que firmaba con el seudónimo de "Antonia Fernández de Oliva" o con las iniciales M. H.

En Madrid—1779—publicó sus *Poesías varias, sagradas, morales y profanas o amorosas, con dos poemas épicos en honor del capitán general don Pedro Cevallos... y algunas traducciones del francés.*

En la clásica y un tanto pedantesca y enfática Margarita Hickey ya se advierte una temática completamente romántica: el amor humano tempestuoso, la pasión frenética, el desengaño enloquecedor, la desesperación, la muerte...

Dejó en manuscrito otra obra—en prosa—mucho más pedantesca, titulada: *Descripción geográfica e histórica de todo el orbe conocido hasta ahora.*

Margarita Hickey, a quien no puede negarse interés humano, fue, por su vida, a semejanza de Cadalso, una precursora de los más patéticos vates del romanticismo. Probablemente, la enorme contradicción entre su existencia tempestuosa y los *reglados* medios de expresión de su época fue la causa de la escasa importancia de su lirismo.

V. Sainz de Robles, F. C.: *Historia y an-* tología de la poesía española. Madrid, Aguilar, 1951, 2.ª edición.

HIDALGO, Alberto.

Poeta y prosista peruano. Nació—1897— en Arequipa. Pero desde muy joven ha vivido en la Argentina dedicado al periodismo. Redactor del diario *El Mundo.* Colaborador constante en revistas literarias minoritarias. Entre los años 1923 y 1926 se entregó obsesivamente al ultraísmo; y aun cuando salió de él para cultivar superrealismo, popularismo y alguna tendencia conceptuosa, en sus poemas siempre hay un aire imaginativo detonante que recuerda sus caprichos ultraístas.

Obras en verso: *Panoplia lírica*—1917—, *Las voces de colores*—1918—, *Joyería* —1919—, *Tu libro*—1922—, *Química del espíritu*—1923—, *Simplismo*—1925—, *Descripción del cielo*—1928—, *Actitud de los años* —1933—, *Dimensión del Hombre*—1938—, *Edad del corazón*—1940—, *El Ahogado en el Tiempo*—1941—, *Música de cámara...*

Obras en prosa: *Hombres y bestias* —1918—, *Jardín Zoológico*—1919—, *Muertos, heridos y contusos*—1920—, *España no existe*—1921—, *Los sapos y otras personas* —1927—, *Diario de mi sentimiento*—1937—, *Tratado de poética*—1944...*

V. Sánchez, Luis Alberto: *Literatura peruana.*

HIDALGO, Bartolomé.

Poeta, prosista y autor dramático. 1778-¿1823? Nació en Montevideo (Uruguay), de familia tan modesta, que en su mocedad hubo de ganarse el sustento como oficial de peluquería. Las luchas de la independencia le dieron ocasión de mejorar su condición. Se enroló en la milicia. En 1812 fue comisario de guerra en el ejército del Uruguay. En 1814 se le encuentra desempeñando el cargo de tesorero en la Aduana de Montevideo. De constitución enfermiza, murió de una afección pulmonar.

Fue un excelente poeta popular. Adquirieron gran fortuna sus coplas, *cielitos,* y, sobre todo, sus diálogos gauchescos, representados los días de fiesta en los teatros de Buenos Aires.

Para la crítica más exigente, las poesías de Hidalgo son la primera muestra de la literatura popular que aparece en la América española, aun cuando no se ciña a lo gaucho por completo.

Muchas de sus composiciones líricas—publicadas en periódicos y revistas de no mucha importancia—han sido recogidas en *La Lira Argentina, Parnaso Oriental y América Poética.*

Si las noticias biográficas de Bartolomé

Hidalgo no son muchas ni muy precisas, tampoco lo son las noticias de su vocación literaria.

Poeta, lo fue popular, amable, ingenuo, cordial, muy entrañado con los sentimientos humildes y con los fervores sanos. Como autor dramático, no pasó de *ensayista*. Sus cuadritos costumbristas aparecen apenas abocetados de línea, apenas manchados de color; sin embargo, tienen verdad y una suave gracia populachera.

Obras: *Un gaucho de la Guardia del Monte contesta al manifiesto de Fernando VII y saluda al conde de Casas Flores, Diálogos patrióticos, Relación que hace el gaucho Ramón Contreras a Jacinto Chano de todo lo que vio en las fiestas mayas de Buenos Aires en el año 1822*—en romance y habla popular—, *Sentimientos de un patriota*—drama...

V. FALCAO ESPALTER, Mario: *El poeta uruguayo Bartolomé Hidalgo.*—GARCÍA, Serafín J.: *Panorama de la poesía gauchesca y nativista del Uruguay.* Montevideo, 1941. Reproduce la obra de Falcao Espalter.—ROXLO, Carlos: *Historia crítica de la literatura uruguaya.* Montevideo, 1912.

HIDALGO, Gaspar Lucas.

Escritor español. 1560-¿1619? Nació, probablemente, en Madrid, de donde era vecino, hacia el año 1605, fecha en la que publicó sus *Diálogos de apacible entretenimiento, que contienen unas Carnestolendas en Castilla.* Libro este muy popular en Madrid, que, sin embargo, se imprimió en Barcelona y fue reimpreso cinco veces, en 1606, 1606, 1609, 1610 y 1618, respectivamente, en Logroño, Barcelona, Barcelona, Bruselas y Madrid. Modernamente, se han reimpreso los *Diálogos* en las "Curiosidades Bibliográficas" de la Biblioteca de Rivadeneyra, y en la "Biblioteca Clásica Española", de la Casa Cortezo. Barcelona, 1884, tomo "Extravagantes".

Obra igualmente de Lucas Hidalgo es *Opúsculos amenos y curiosos de ilustres autores*, muy leída y que merece leerse, "pues aunque tiene algunos descocos, es verdaderamente chistosa y bien escrita, con cuentos graciosísimos, humorísticos, del género de Villalobos, y muy del genio español, que da quince y raya en esto de conversar con bromas y pegas, dándoselas al lucero del alba". (Cejador.)

V. SAINZ DE ROBLES, F. C.: *Cuentos viejos de la vieja España. Estudio y notas.* Madrid, Aguilar, 1949, 3.ª edición.

HIDALGO, José Luis.

Poeta español. 1919-1947. Nació en Torres (Santander). Y murió en Madrid. Cursó cinco años en la Academia de Bellas Artes de Valencia. Pintor. Dibujante. Grabador. Colaborador de numerosas revistas poéticas: *Proel*—Santander—, *Corcel*—Valencia—, *Entregas de Poesía*—Barcelona—, *Garcilaso* —Madrid...

Lírico intenso, con angustia de presentimientos. Superrealista moderado.

Obras: *Raíz*—Valencia, 1944—, *Los animales*—1944—, *Los muertos*—Madrid, 1947.

V. SAINZ DE ROBLES, F. C.: *Historia y antología de la poesía española.* Madrid, 1951, 2.ª edición.—MORENO, Alfonso: *Poesía actual española.* Madrid, Ed. Nacional, 1946.—GONZÁLEZ-RUANO, César: *Antología de poetas españoles contemporáneos.* Barcelona, Gili, 1946.

HIERRO, José.

Nació—1921—en Madrid. Su infancia y adolescencia transcurren en Santander, donde realiza estudios de perito industrial, interrumpidos en 1936 en el cuarto año de la carrera.

De 1944 a 1946 reside en Valencia. De 1947 a 1952, en Santander. En estos años colabora en la revista *Proel,* dirigida por Pedro Gómez Cantolla, y a la que pertenecieron, entre otros, los poetas José Luis Hidalgo, Julio Mauri y Carlos Salomón. En 1947 le es concedido el "Premio Adonais" por su libro *Alegría.* En 1953, 1958 y 1959 recibe los premios "Nacional de Poesía", de la Crítica y March, respectivamente.

Desde 1952 reside en Madrid.

La característica más destacada de la poesía de José Hierro tal vez consista en el empleo de "palabras de cada día bajo las que suena lo corriente fluvial de la ternura", según palabras del propio poeta.

Ha pronunciado conferencias sobre poesía y pintura en ciudades españolas, inglesas y marroquíes. Es crítico de arte—1964—del diario madrileño *El Alcázar.*

Obras: *Tierra sin nosotros*—1947—, *Alegría*—1947—, *Con las piedras, con el viento* —1950—, *Estatuas yacentes*—1953—, *Cuanto sé de mí*—1957—, *Poesía del momento* —1957—, *Poesías completas*—1944-1962.

HIGINIO, Gayo Julio.

Escritor hispano-latino. Vivió en el siglo I antes de Cristo. Entre los años 70 y 10. Según Luis Vives, fue Higinio natural de Valencia y liberto del emperador Augusto. Por su talento y simpatía, mereció ser nombrado bibliotecario de la Biblioteca Palatina (28 antes de C.). Suetonio afirma que Higinio daba clases de Arqueología y Gramática en dicha Biblioteca. Y Ovidio le dedicó una elegía (*Trist.,* III, 14). Sus contemporáneos, los más ilustres escritores del siglo de oro latino, le otorgaron su amistad y tuviéronle

H

como un oráculo en la interpretación de las antigüedades. Este respeto a su erudición se conservó entre los humanistas de los siglos XV, XVI y XVII, tanto españoles como extranjeros.

Su producción resulta realmente enciclopédica, ya que escribió de Filosofía, de Historia, de Literatura y de diversas ciencias.

Entre sus obras históricas figuran: *De vita rebusque illustrium vivorum, De situ urbium italicarum, Genealigiae* y *De Familiis Troyanis*. De religión: *De propietatibus deorum* y *De Penatibus*. Literarias: *Fabulae*, verdadero manual de Mitología, 277 en total, varias veces reimpresas—últimamente en los años 1857 y 1895—, y que estuvieron de texto en las escuelas. También escribió unos *Comentarios* a Virgilio y cuatro libros de *Astronomía*, sacados de fuentes alejandrinas.

Ediciones modernas: Moritz Schmidt, Jena, 1872; H. J. Rose, Leyden, 1933.

V. MUELLER, F.: *De Hygini aetate*, en *Mnemosyne*, 1921.—MATAKIEWICZ, H.: *De Hygino mythographo*, en *Eos*, XXXIV.—CICHORIUS, G.: *Zur Biographie Hygins*, en *Römische Studien*, Leipzig, 1922.—BUNTE, *De C. Iulii Hygini... vita et scriptis*. Marburgo, 1846.—MOHEDANOS, P.: *Historia literaria de España*. 1777, tomo V.—DOLÇ, Miguel: *Literatura hispanorromana*, en el tomo I de *Historia general de las literaturas hispánicas*. Barcelona, 1949.

HINOJOSA Y NAVEROS, Eduardo de.

Historiógrafo y jurisconsulto español. Nació—1852—en Alhama (Granada) y murió —1919—en Madrid. Doctor en Derecho y en Filosofía y Letras. Catedrático de Geografía e Historia de la Escuela Superior Diplomática y de la Universidad Central. Académico de la Real de la Historia—1889—y de la Real Española de la Lengua—1904—. Miembro de numerosas Academias y Asociaciones extranjeras. Gobernador civil de Valencia y Barcelona. Senador del reino. Director general de Instrucción Pública.

De vastísima y sólida cultura, maestro incomparable, erudito ejemplar, prosista eminente.

Obras: *Historia del Derecho romano...* —1880—, *El régimen municipal de los romanos*—1882—, *Historia del Derecho español...* —1887—, *El dominico fray Francisco de Vitoria...*—1889—, *Estudios sobre la historia del Derecho español*—1905—, *El elemento germánico en el Derecho español*—1907—, *El Derecho en el "Poema del Cid"*—1902—, *Elogio de Teodoro Mommsen*—1901...

V. PÉREZ DE GUZMÁN, J.: *Don Eduardo de Hinojosa y Naveros*. Discurso necrológico en la Real Academia de la Historia. 1919.

«HITA, Arcipreste de» (v. Ruiz, Juan).

HITA, Ginés Pérez de (v. Pérez de Hita).

HOJEDA, Diego de.

Gran poeta épico español. ¿1570?-1615. Sevillano y dominico. De su vida se sabe bien poco. Muy joven marchó al Perú, y en Lima desempeñó el cargo de regente de estudios en el noviciado de su Orden. El 1 de abril de 1591 había él profesado en la misma ciudad incaica. Sus austeras penitencias y cilicios quebrantaron su salud, hasta el punto de hacerle padecer vahídos y jaquecas y perder casi el oído. En 1606 le fue conferido el título de maestro en Teología, y en 1608, el de lector de Sagrada Escritura.

Su caridad para con los indios fue inagotable. Con maravillosa serenidad sufrió las persecuciones del envidioso padre Armería, delegado de la Orden en el Perú, quien le privó de todos sus honores y le desterró primero al convento del Cuzco y luego al de la ciudad de Huánuco de los Caballeros, ciudad en la que murió "como un santo". Al ser sus restos trasladados a Lima, los dominicos, convencidos de su santidad, recogieron como reliquias sus huesos, teniendo el provincial que exigir la devolución con severas censuras.

Hojeda es el único poeta narrativo digno de emparejar con Ercilla.

En Sevilla—1611—se publicó por vez primera *La Cristiada*, poema narrativo barroco de valores excepcionales. En verdad, el poema no abarca toda la vida de Jesús, sino que es el auténtico drama del Gólgota; se inicia con la instauración de la Eucaristía y termina con la sepultura de Jesús. Gran conocedor de las Escrituras, espíritu piadoso y comprensivo, lleno de emotividad, Hojeda compuso el plan de su poema de modo ejemplar y con una auténtica alteza de miras. El lirismo y la oratoria se contrastaban en las descripciones del paisaje, en los retratos de los personajes y la interpretación de los caracteres. Lo *maravilloso* en el poema—la intervención sobria de los poderes angélicos e infernales—se fundaba *precisamente* en los textos bíblicos. La aproximación imaginativa de los tiempos para la impresión de unidad quedaba sujeta con habilidad descorriendo a los ojos del espíritu frecuentes visiones y predicciones de lo futuro, poniendo de manifiesto el grandioso panorama de los triunfos de Cristo como galardón de sus trabajos. Los símbolos y tropos, acomodados al modo de concebir escriturístico, daban al poema un cierto misterioso encanto. El interés dramático se realzaba reforzando la ya patética reseña evangélica con escenas, diálogos, evocaciones de una humanidad *siempre inme-*

diata y penetrante. Los elementos pictóricos embellecían los sucesos con descripciones ideales de la Naturaleza y de los seres y lugares extramundanos o simbólicos.

¡Lástima grande que a la *concepción sublime* no respondiese una *forma* sublime igualmente! La forma estilística y lingüística, ciertos prosaísmos, determinados cultismos, la amplificación desmesurada de algunas situaciones—que, concisas, impresionarían con mayor fuerza—hacen que el poema *no se logre* por completo en su magnificencia inicial. Tal vez radique el origen imperfecto de *La Cristiada* en que su autor tuvo *dos preocupaciones* al escribir: una, redactar un libro de edificación cristiana; otra, escribir un poema de cristiano pasatiempo. En no haber llegado a fundir los dos géneros literarios de índole y fin tan diferentes estuvo la falta de Hojeda.

"Un sinnúmero de lectores—escribió Milá y Fontanals al frente de una de las ediciones del poema—pueden sacar el debido provecho de un libro que por tantos títulos debe llamarse excelente, y que puede ponerse al lado—y por ciertos conceptos, encima—de cuantas obras poéticas han tratado el mismo sacratísimo argumento, sin exceptuar la primera versión en habla virgiliana de los textos evangélicos hecha por Juvencio, el terso y elegante poema de Jerónimo Vida, ni la grandiosa fábrica con tanto empeño levantada por el famoso Klopstock... *La Cristiada* corresponde, en realidad, a su título. Está llena del espíritu del Salvador. Fiel representación de su divina figura, vive de su amor y enseña a amarla... Fácil es reconocer cómo, por poco que en este incomparable asunto se dé entrada a la invención y a la fantasía, se corre el riesgo de profanar lo más respetable y sagrado. Hojeda supo inventar sin el menor asomo de temeridad e imprudencia."

He señalado el *barroquismo* indudable que informa el poema. El anhelo de lo aparatoso, de lo teatral, consumió a Hojeda. Los ángeles que consuelan a Cristo, atado a la columna, cantando al son de guitarras celestiales; San Miguel—juglar divino—, que entona la canción de los grandes mártires futuros; los santos infinitos *que ve* Jesús detrás, delante y al lado de El, mientras camina con la cruz a cuestas; los símbolos y alegorías destinados a profundizar la impresión de ideas y sucesos; la descripción que hace al ángel de las alegrías abigarradas de la resurrección... Muchos más detalles prueban nuestro anterior aserto. Hojeda quiso dar a su poema un ámbito de recursos escénicos y un ambiente de complicados detalles realistas. *La Cristiada* consta de doce cantos en octavas reales. Quizá algunas confusiones que se encuentran en el poema no sean imputables a Hojeda, sino a que su obra apareciera en Sevilla, sin que el autor pudiera revisar la impresión.

Ediciones de *La Cristiada* interesantes son: la de Miquel y Badía, Barcelona, 1896; la de la "Biblioteca de Autores Españoles", de Rivadeneyra, tomo XXXV; la de Milá, Barcelona. 1867.

V. Cuervo, Justo: *Fray Diego de Hojeda y "La Cristiada".* Madrid, 1898.—Quirós: *Nuevos datos sobre Diego de Hojeda,* en la *Ciencia Tomista.* Volumen IV.—Milá y Fontanals: *Prólogo a la edición de 1867.*— Riva Agüero, J. de la: *Nuevos datos sobre el P. Hojeda,* en *R. U. C. P.,* 1936, V, I.— Rada y Gamio, P. J.: *La Cristiada.* Madrid, 1917.

HORE, María Gertrudis.

Gran dama y poetisa española. Nació —1742—y murió—1801—en Cádiz. Fue hija de don Miguel Hore y doña María Ley, ambos irlandeses. Su talento y su belleza la hicieron famosa en Cádiz, mereciendo que sus contemporáneos le dieran el calificativo de la *Hija del Sol.* A los diecinueve años casó con don Esteban Fleming. Por un misterio que no ha llegado a explicarse satisfactoriamente, en 1778 decidió doña María entrar en un convento, sin que su marido pusiera obstáculo alguno. Profesó en 1780.

En Cádiz se conservaba una tradición que recogió "Fernán Caballero" en su relación *La Hija del Sol:* "María Hore, casada con don E. F., vivía en la Isla de León con su madre y una negra llamada Francisca, mientras su marido se hallaba, hacia el año 1764, en la Habana. Loco de amor por ella don Carlos de las Navas, brigadier de guardias marinas, logró, con la mediación de la negra Francisca, que la bella poetisa correspondiera a su pasión. Una noche, *La Hija del Sol* espera a su amante, quien llega y penetra en la galería del jardín; dos hombres le siguen, le acribillan a puñaladas y huyen. Repuestas ama y criada de tan terrible emoción, sacan el cadáver, a fin de que nadie sospeche lo acontecido, y lavan las manchas de sangre que había en el suelo. Al día siguiente se oye la alegre música de los marinos, que regresaban de Jerez, y doña María ve al frente de ellos... ¡a don Carlos de las Navas, su amante! Entonces clama al cielo pidiendo misericordia; refiere lo sucedido, y la tienen por loca. Luego de una larga enfermedad, escribe a su marido, se confiesa culpable y pide a este licencia para entrar en un convento, donde profesa y hace vida ejemplar."

En el convento siguió doña María escribiendo bellas poesías, algunas de las cuales aparecieron en el *Diario de Madrid*.

V. SERRANO Y SANZ, M.: ... *Escritoras españolas...* Madrid, 1903, tomo I.

HOROZCO, Sebastián de.

Notable poeta y prosista español. ¿1510?-1580. Toledano, aun cuando él jamás se llamó toledano, sino "vecino de Toledo", según aseguró el primero Tamayo de Vargas "llamándole toledano y jurisconsulto". Casó con doña María Valero y Covarrubias, de la que tuvo dos hijos y una hija, de aquellos, uno el famoso lexicógrafo Sebastián de Covarrubias y Horozco. Horozco fue un famoso jurisconsulto, muy admirado y respetado en la ciudad del Tajo, alcalde de hermandad y consultor del Concejo. Gran prosista e historiador, de una minuciosidad y de una seriedad admirables. Sus obras poéticas se reducen al *Cancionero* y a los *Refranes glosados en verso*. Horozco fue un poeta enteramente castellano en los temas, en la forma y en los metros—el verso octosílabo y las décimas antiguas, o sean dos quintillas—. Sus poesías son coplas auténticamente castellanas, con sinceridad, con gracia, con donaire. La musa popular ungió con sus mejores dones a este singular caballero. Satírico sin mordacidad, socarrón de un gusto tan fino y de una tan ática elegancia, se reía bonachonamente de todas las necedades humanas. Ahondó mucho y bien en el refranero vulgar, y sus deliciosas canciones *a lo divino* no son muchas veces sino habilísimas transformaciones de cancioncillas profanas, de las que el pueblo cantaba o recitaba sin acordarse del nombre de su autor.

Escribió también un entremés y tres *Representaciones* de asunto devoto, los *Refranes glosados*—su mejor obra—, un *Libro de cuentos*—perdido—y unas *Relaciones* de sucesos toledanos.

Puede consultarse el *Cancionero* en la impresión de "Bibliófilos Andaluces"; las *Relaciones,* en la edición del conde de Cedillo, *Toledo en el siglo XVI;* los *Refranes,* en la edición Cotarelo Mori, publicada en el *Boletín de la Real Academia Española,* 1915-1916.

V. ESPINOSA, R.: *Los estudios universitarios de Sebastián de Horozco,* en *Boletín de la Academia Española,* 1926, XIII, 26.—CEDILLO, conde de: *Toledo en el siglo XVI.* Discurso en la Academia de la Historia.

HOROZCO Y COVARRUBIAS (v. Covarrubias y Orozco, Juan y Sebastián).

HOSTOS, Eugenio María de.

Novelista, ensayista, pedagogo portorriqueño. Nació en Mayagüez. 1839-1903. Desde los trece años se educó en España, a la que odió inmediatamente. Republicano de ideas. En 1868 tuvo que marchar desterrado a Nueva York, consagrándose a propagar la insurrección cubana iniciada por Céspedes. Como un apóstol iluminado, recorrió Venezuela, Perú, Chile, Santo Domingo, excitando la rebelión de las Antillas y la unión fuerte de los países hispanoamericanos. Fue profesor de Derecho en Santo Domingo y en la Universidad de Santiago de Chile. Trabajó —1898—contra la dominación yanqui en Puerto Rico, "Si quisiéramos hallarle parangón, habríamos de ir a compararlo con el apóstol San Pablo, quitándole la fe cristiana; como aquel, predicó una buena nueva; como él, mostró la vehemencia de su alma en sus escritos, que si no fueron epístolas inmortales, aún tienen por palabra de Evangelio sus discípulos. Como Pablo de Tarsos, inmaculado de alma, viril; como él, apasionado, ardiente, contra los enemigos de sus ideas. ¿Y cuáles fueron estas? La unión y confederación de las Antillas. Hostos nació en Puerto Rico. La salvación de las nacionalidades antillanas por medio de una nueva educación; la enseñanza racional y laica. Varón apostólico fue "ese mozo talentoso y corajudo", de quien habla Galdós en uno de sus *Episodios.* Empero, la saña antiespañola es lo único criticable en quien manejó tan castizamente la pluma, sin vileza en el papel ni en su vida." (Abigaíl Méjía.)

Fue filósofo, moralista, sociólogo, crítico literario, novelista. Señalóse por su perspicacia crítica y por su brío y desenfado en el decir.

Obras: *La peregrinación de Bayoán*—novela, 1863—, *Biografía de "Plácido"*—Santiago de Chile, 1872—, *Los fusilados en Cuba* —Buenos Aires, 1873—, *La Revolución de Cuba ante los españoles dignos*—Buenos Aires, 1874—, *El general Máximo Gómez* —1881—, *Gómez y la Revolución de Cuba* —1881—, *Reseña histórica de Puerto Rico* —1872—, *Meditando*—ensayos, París, 1909—, *Moral social*—Madrid, 1917—, *Matemática de la Historia, Sociología, Derecho constitucional...*

V. BLANCO FOMBONA, R.: *Grandes escritores de América.* Madrid, 1917.—CASO, Antonio: *Conferencias.* México, 1910.—REMOS Y RUBIO, J. J.: *Historia de la literatura cubana.* La Habana, 1925.—MEJÍA, Abigaíl: *Historia de la literatura castellana e hispanoamericana.* Barcelona, 1933.—PEDREIRA, Antonio S.: *Hostos, ciudadano de América.* Madrid, Espasa-Calpe, 1932.—HENRÍQUEZ UREÑA, Pedro: Prólogo a *Moral Social.* Buenos Aires, Losada, 1939.—HOSTOS, Adolfo de: *Indice hemero-bibliográfico de Eugenio María de Hostos.* 1940.

HOYO MARTÍNEZ, Arturo del.

Crítico y narrador. Nació el 28 de octubre de 1917. Madrileño, oriundo de tierras de Burgos. En 1943 se licenció en Filología románica (Facultad de Filosofía y Letras de Madrid). Después ha estudiado en Coimbra, pensionado por el Instituto para Alta Cultura, de Portugal, y en Perugia (Italia). Con Penalba Manchón, Luis Ponce de León y Virgilio Novoa Gil hizo las revistas *Prisma* —1934-35—y *Almena*—1935-36—. En 1935, la *Revista de Estudios Hispánicos*, de Madrid, le premió el trabajo *Lope y su amor a Isidro.*

Ha colaborado en las siguientes publicaciones: *Revista de Filología Española, Arbor, Floresta de prosa y verso, Cuadernos de Literatura, Insula, Bernia, Agora, Poesía Española, Estafeta Literaria* y *La Torre.*

Ha escrito prólogos y notas para diversas ediciones: *Viaje de España*, de Doré y Davillier, Madrid, Castilla, 1949; *Obra escogida*, de Miguel Hernández, Madrid, Aguilar, 1952; *Obras completas*, de García Lorca, Madrid, Aguilar, 1954; *Obras completas*, de Gracián, Madrid, Aguilar, 1960; *Teatro completo*, de Max Aub, México, Aguilar Mexicana, 1968, etcétera.

Libros suyos: *Gracián*, Buenos Aires, Columba, 1965; *Primera caza* (cuentos), Madrid, Aguilar, 1965; *El pequeñuelo* (cuentos), Madrid, Aguilar, 1967.

HOYOS Y VINENT, Antonio de.

Notable novelista y cuentista español. Marqués de Vinent. Nació—1886—en Madrid. Murió—1940—en esta misma ciudad. Hizo sus estudios en Oxford y en la Universidad de Madrid. Se dedicó desde muy niño a la literatura. Viajó por toda Europa. Y colaboró en los más importantes diarios y revistas españoles. Sus obras han sido traducidas a diversos idiomas.

De sus novelas ha dicho el gran crítico Gómez de Baquero ("Andrenio"): "Ofrecen riqueza de invención, sagaz empleo de los recursos de interés y un atildamiento de estilo que se contiene en ese límite en que el preciosismo no es afectado ni ha perdido la soltura."

Hoyos y Vinent fue un escritor personalísimo, dotado de sólida cultura, de gran viveza de imaginación, de estilo brillante, de una estética preciosista y un tanto decadente. Acaso en sus primeros libros se echa de ver demasiado las influencias de los novelistas franceses de un "rococó malsano", como Lorraine y Rachilde.

Hoyos y Vinent, escritor fecundísimo, tuvo un público numeroso y gozó de una popularidad grande.

Obras: *Cuestión de ambiente*—1903—,

Mors in vita, A flor de piel, Los emigrantes, Del huerto del pecado, El pecado y la noche, La vejez de Heliogábalo, Oro, seda, sangre y sol; El horror de morir, El oscuro dominio, Los cascabeles de madama Locura, El árbol genealógico, Las lobas del arrabal, El momento crítico, El encanto de envejecer, El monstruo, El pasado, El remanso, La casa de modas, El secreto de la ruleta, Obscenidad, Las hetairas sabias, Las ciudades malditas, La pasión, la sangre y el mar; La alegría en el dolor, La curva peligrosa, El secreto de la vida y de la muerte, El origen del pensamiento, En hombros y por la puerta grande, Las señoritas de la zapateta, El acecho, El caso clínico, La procesión del Santo Entierro, El crimen del fauno, y más de cincuenta novelas breves en publicaciones como *Los Contemporáneos, La Novela Semanal, La Novela de Hoy, La novela Corta...*

Hoyos escribió dos obras escénicas: *Una cosa es el amor...*—en colaboración con Almagro San Martín—y *Un alto en el camino* —en colaboración con Pérez de Ayala.

V. SAINZ DE ROBLES, F. C.: *La novela corta española (La promoción de "El Cuento Semanal")*. Madrid, Aguilar, 1952.—NORA, Eugenio G. de: *La novela española contemporánea*. Madrid, edit. Gredos, 1958. Tomo I, páginas 413-20.—GÓMEZ DE LA SERNA, Ramón: *Retratos contemporáneos*. Buenos Aires, 1944. Páginas 248-253.

HOZ Y MOTA, Juan de la.

Poeta y dramaturgo español. Nació —1622—en Madrid. Y en esta misma ciudad murió el año 1714. Sus padres, don Fernando de la Hoz y doña Ana de la Mota, eran vecinos de Burgos. Estando en Madrid don Fernando como procurador en Cortes por aquella ciudad castellana, nació su hijo Juan. Tuvo este una existencia tan larga como movida. En 1653 le hizo su majestad merced del hábito de Santiago. Fue regidor de Burgos, y en el año 1657 su procurador en Cortes, y como tal, concurrió con todos los del reino el día 4 de diciembre al Palacio de esta corte a dar el parabién a Felipe IV por el nacimiento del príncipe don Felipe Próspero. Después fue del Tribunal de la Contaduría mayor de Hacienda, y con ella asistió el año 1665 a las honras celebradas por el fallecimiento del rey; y luego ministro del Consejo de Hacienda. Ejerció el cargo de censor de teatros, juzgando, por cierto, alguna obra suya.

Hoz y Mota escribió muchas y excelentes comedias. Entre las bíblicas: *Morir en la cruz con Cristo, San Dimas y Josef, salvador de Egipto*. Entre las históricas: *El Abraham castellano y blasón de los Guzma-*

H

nes—asunto que tomó de Vélez de Guevara—y *El montañés Juan Pascual, primer
asistente de Sevilla*—obra de mucho nervio
y penetración, que Menéndez Pelayo cree
copia de otra de Lope—. Entre las novelescas: *El castigo en la miseria*—muy buena
comedia de costumbres, sacada de la novela
del mismo título de doña María de Zayas y
aun de *El casamiento engañoso*, de Cervantes—y *El villano del Danubio*—inspirada en
una anécdota escrita por fray Antonio de
Guevara—. Entre los entremeses: *El invisible y Los toros de Alcalá*, obras ambas
muy movidas, de ingenio fresco y de gracia
de la mejor ley.

Un dato curioso: del drama de Hoz y Mota *El Montañés Juan Pascual* derivan *Una
antigualla en Sevilla*, romance del duque de
Rivas; *El zapatero y el rey*, de Zorrilla; *La
vieja del candilejo*, de Larrañaga y Elipe;
La cabeza del rey don Pedro—novelita—, de
Fernández y González; una novela de Dumas y sendos dramas de Voltaire y Laurent
du Belloys.

Obras de Hoz y Mota pueden leerse: tomo XLIX de la "Biblioteca de Autores Españoles". Los *Entremeses* los publicó Cotarelo Mori en "Nueva Biblioteca de Autores
Españoles".

V. COTARELO MORI, E.: Prólogo a la edición de los *Entremeses*.—MESONERO ROMA-
NOS, R.: *Teatro de Hoz y Mota*, en *Semanario Pintoresco Español*. 1853, pág. 65.—"EL
CENSOR", XVII, 151.

HUAMÁN POMA DE AYALA, Felipe.

Cronista peruano. 1534-¿1615? Por su propia crónica sabemos algunos detalles de su
vida. Que fue hijo de Huamán Malqui de
Ayala y de Juana Curi Ocllo. Que descendía
de los Yarovilcas de Huánuco, señores del
Chinchaysuyo, anteriores a los incas. Que le
inició en Humanidades su hermano mestizo
el Padre Martín de Ayala. Que desempeñó
algunos cargos administrativos con los visi-
tadores. Que Antonio de Monroy, corregidor
de Lucanas, le apresó primero y le desterró
después. Que se dedicó a viajar durante veinte años, regresando a Huamanga—1613—, de
donde nuevamente fue expulsado por oponerse a los mandatos del gobernador y exigir
que se le concedieran los derechos de caci-
cazgo. Que, entonces, marchó a Lima, para
presentar al virrey su *Nueva crónica y buen
gobierno*, libro de terrible acusación contra
los españoles, en el que la pasión tiene mucha
más fuerza que la indudable verdad.

El manuscrito de la *Crónica* estuvo perdido durante siglos, apareciendo—1908—en la
Biblioteca de Copenhague.

El libro de Huamán Poma de Ayala es
interesante porque da a conocer mil detalles
del folklore indígena, anterior a los incas,
que no llegaron a descubrir los grandes cronistas de Hispanoamérica.

V. BOLOÑA, Eleazar: *Literatura peruana
del coloniaje*, en el tomo XVIII de los *Anales de la Universidad del Perú*.

HUARTE DE SAN JUAN, Doctor Juan.

Famoso filósofo, literato y médico español. Nació—¿1526?—en San Juan de Pie de
Puerto (Baja Navarra). Murió—1588—en
Baeza o en Linares. En la iglesia de Santa
María de esta última ciudad parece que fue
enterrado. En Huesca estudió Humanidades
y cursó la carrera de Medicina. Residió en
varias localidades españolas: Huesca—de
donde se cree fue regidor—, Granada, Baeza
—cuyo Concejo le contrató para tratar la
peste de 1571—y Linares. Casó con doña
Agueda de Villalba, de la que tuvo seis hijos. Su nombre está incluido en el *Catálogo
de autoridades del idioma* publicado por la
Real Academia Española.

Su obra famosísima en todo el mundo, sensacional para su época, es la titulada *Examen
de ingenios para las ciencias...*—Baeza,
1575—. Por carecer su autor de recursos,
este libro se imprimió a expensas de Conde
Garcés, y fue tal su éxito, que se reimprimió
en España cuatro veces antes de terminar el
siglo XVII. Pamplona, 1578; Valencia, 1580;
Huesca, 1581; Baeza, 1594. Durante el siglo XVII fue publicado en Alcalá—1640—,
Madrid, 1668—, Bilbao, Logroño, Medina del
Campo y Granada.

El *Examen de ingenios* conmovió a toda
Europa. Lo tradujeron al latín Aeschacius
Maijor—Colonia, 1610, 1621, 1622—, Teodo-
ro Arctogonius—Estrasburgo, 1612—, Juan
Maire—Londres, 1612—y Samuel Krebl—Jena, 1663—. Al francés: Gabriel Chappuis
—Lyon, 1580, y París, 1588—, Vion d'Alibray
—París, 1605, 1645, 1658, 1661, 1668 y 1675—
y Sabiniano d'Alquié—Amsterdam, 1672—.
Al italiano: Camilo Camilli—Venecia, 1582,
1586 y 1590—y Salustio Gratis—Venecia,
1603, y Roma 1619—. Al inglés: Ricardo
Carew—Londres, 1594, 1596, 1604 y 1616—y
por Bellany—Londres, 1698—. Al alemán:
G. E. Lessing—Zerbst, 1782, y Wittemberg,
1785—. Existen otras muchas ediciones en
distintos idiomas, hasta sobrepasar el número de cincuenta; "suerte igual—escribe
Menéndez Pelayo—no la ha alcanzado otro
libro de filosofía española". Aparte Gracián,
apuntamos nosotros.

La Inquisición española—1583—y portuguesa—1581—prohibieron este libro. Más
tarde lo permitieron imprimir con algunas
correcciones. Pero las ediciones no expur-
gadas corrieron fácilmente, siendo aprecia-
dísimas la Plantiniana, de Amberes, y la de

Amsterdam, por Juan de Ravestein. En su
época, únicamente combatieron las teorías
de Huarte un estudiante de Teología, llamado Diego Alvarez y Jordau Guibelet, médico de Evreux.

En el idioma original fue reeditada en
Leyden—1591—, Amberes—1593 y 1607—y
en Amsterdam—1652.

"Trata el *Examen* de la perfección intelectual y profesional en los estudiosos, por
medio de la selección de jóvenes y de la
mejora corporal y mental de las clases españolas; se funda en la experiencia psicológica o Psicología experimental, basada en la
observación; en la Fisiología humana y comparada, en la Patología humana (principalmente cerebral) y en la Sociología; es, por
tanto, un precursor de lo que habían de
ser estas ciencias y otras (Pedagogía, Antropología, Eugenesia) cuando en siglos posteriores se han organizado y ampliado." (H.
y P.) "Unió—dice Farinelli—su experiencia
de médico con la sabiduría del espíritu, la
ciencia de los valores absolutos; armonizar
la Fisiología y la Psicología con la Filosofía
apellidada entonces natural."

Las fuentes del *Examen* son: la Biblia;
Hipócrates, Galeno, entre los médicos; Platón, Aristóteles, Cicerón, Pedro Lombardo,
Escoto, Santo Tomás, Durando, entre los
filósofos. Y algunos clásicos, como Horacio,
Demóstenes, Josefo, Juvenal, Justino y Celso.

Ediciones contemporáneas del *Examen:*
"Biblioteca de Autores Españoles", LXV;
edición—la más precisa—de R. Sanz, 1930,
en "Biblioteca de Filósofos Españoles"; edición del médico Martínez y Fernández—Madrid, 1846—; edición de B. C. Aribáu—Madrid, 1873—; edición "Biblioteca Clásica
Española"—Barcelona, 1884—; edición de
Climent y Terrer—Barcelona, 1917—; "Antología", Madrid, Ed. Nacional, 1943.

V. ANTONIO, Nicolás: *Bibliotheca Hispan
Nova.*—POSSEVINO, A.: *Examen ingeniorum
J. Huarte expenditur,* en su *Cultura Ingeniorum,* Venecia, 1804 y 1810.—GUIBELET, J.:
Examen de l'"Examen des esprits". París,
1631.—MARTICORENA, O.: *Filósofos españoles: Juan Huarte,* en la *Revista de España,* XV, 1870.—SALILLAS, Rafael: *Juan
Huarte...* Madrid, 1904.—SALILLAS, Rafael:
El doctor Juan Huarte y su "Examen de ingenios". Madrid, 1905.—ARTIGAS, M.: *Notas
para la bibliografía del "Examen de ingenios",* en *Homenaje a C. Echegaray,* 1928.—
FARINELLI, A.: *Dos excéntricos: C. de Villalón y el doctor H. de S. J.* Madrid, 1936.
Anejo XXIV de la *Rev. Filol. Española.*—
IRIARTE, M.: *El doctor J. H. de S. J. y su
"Examen de ingenios".* Madrid, 1931.—
GUARDIA, J. M.: *Essai sur l'ouvrage de J. H.*
París, 1855.—MARAÑÓN, doctor G.: *Examen*

actual de un *"Examen"* antiguo, en *Cruz y
Raya,* Madrid, 1933.—AGUADO, Emiliano:
Prólogo a la *Antología* de la Ed. Nacional.
Madrid, 1943.

HUERTA Y VEGA, Francisco Manuel de la.

Historiador y literato e s p a ñ o l. Nació
—1697—en Alcalá de Henares. M u r i ó
—1752—en Madrid. Doctor en Cánones por
la Universidad de su ciudad natal. Tonsurado y ordenado de menores en Toledo, obtuvo la tenencia de la Vicaría general de
Alcalá. En 1723, ya sacerdote, se trasladó a
Santiago, siendo nombrado cura párroco de
San Félix de Solovio y Santa María Salomé.
Profesor de la Universidad de Santiago. Visitador general y juez eclesiástico de la diócesis compostelana. Cronista general de Galicia. Académico de la Real de la Historia.
En 1741 marchó a Ratisbona como asesor
del embajador conde de Montijo; y en Ratisbona permaneció tres años. Su nombre figura en el *Catálogo de autoridades* del idioma publicado por la Real Academia Española.

Obras: *Anales del reino de Galicia*—1733
y 1736, dos tomos—, *España primitiva*
—1738—. Apuntes para un *Diccionario histórico, crítico y universal de España; Si la
Mitología es parte de la Historia...,* ¿cuál de
los reyes godos fue y debe considerarse el
primero?

HUETE, Jaime de.

Poeta y dramaturgo español. Nació en Aragón—posiblemente en Alcañiz—, fines del
siglo xv. Murió después de 1530. Las escasísimas noticias que de él se conocen débense a Gómez Uriel, que le incluye en su
Diccionario, ya que Huete escapó a la diligencia de Latassa.

Huete publicó, hacia 1525, la *Comedia intitulada Thesorina, la materia de la qual es
unos amores de un penado por una señora,
y otras personas adherentes;* comedia impresa—1913—en la colección de "Bibliófilos Madrileños", y en la que abundan los aragonesismos.

Hacia 1528, Huete publicó la *Comedia llamada Vidriana,* reimpresa también—Madrid,
1913—por la Sociedad de Bibliófilos Madrileños. Las dos comedias de Huete están en
la Biblioteca Nacional de Madrid, y derivan
de *La Celestina* y de Torres Naharro combinados, en cinco jornadas y coplas de pie
quebrado y lenguaje tosco. Al final de ellas
se lee: "Quamvis non Torris digna Naharro
venit."

Textos: *Tesorina y Vidriana,* ed. Cronan.
1913.

V. CRONAN, U.: Prólogo a la edición de
Tesorina y Vidriana, 1913.

H

«HUGO WAST» (v. **Martínez Zuviría, Gustavo).**

HUIDOBRO, María Teresa de.

Poetisa y prosista española. Nació en Santander hacia el año 1922. Desde muy niña, poseyendo una gran cultura y una sensibilidad extraordinaria, empezó a escribir poesías. Ha colaborado—con poemas y artículos—en varios periódicos y revistas de España, llamando poderosamente la atención por su originalidad, delicadeza y melancolía.

Entre las más sobresalientes poetisas de la hora actual, María Teresa de Huidobro ocupa un lugar preeminente. Todo es en ella turbadora emoción, presentimiento palpitante de espirituales logros, inquietud sugestiva, apremiante necesidad de sorpresas cordiales, musicalidad íntima, ritmo casi angustioso de péndulo de reloj.

Obra: *Por caminos del aire*—Santander, 1948.

V. GONZÁLEZ RUIZ, Nicolás: *Nuevo canto a Teresa.* (Al frente de *Por los caminos del aire.*)—SAINZ DE ROBLES, F. C.: *Historia y antología de la Poesía española (en lengua castellana).* Madrid, Aguilar, 2.ª edición, 1951.

HUIDOBRO, Vicente.

Vicente García Huidobro Fernández, según firmó sus tres primeros libros. Chileno. Nació—1893—y murió—1948—en Santiago de Chile. Poeta y prosista de una originalidad y de un modernismo extraordinarios.

Para Leguizamón, crítico e historiador, "Huidobro representa una conciencia definida o una voluntad de estilo dentro de la evolución (modernista, vanguardista). En efecto: Huidobro llegó a París en 1916 y se impregnó de las corrientes estéticas novísimas. No es posible seguir aquí el hilo de su formación, ni la polémica de precedencia con respecto al movimiento creacionista, cuya paternidad, discutida entre Huidobro y el poeta francés Pierre Reverdy, parece inclinarse al segundo, en el sentido de una génesis inmediata, mientras en el primero se anotan precedentes remotos a través de la influencia americana y precreacionista del uruguayo Herrera y Reissig".

Parte de la extensa obra de Huidobro pertenece a las letras francesas por voluntaria adaptación en largas residencias.

En Huidobro asombran la audacia interpretativa y el gesto violento antiburgués, el estilo barroco hasta el paroxismo, las imágenes desenfocadas y estridentes, el capricho absurdo y escandaloso de las metáforas, el retoricismo purgado en un hervor de extravagancias sugestivas.

La obra de Huidobro tiene un positivo valor en un crítico instante de las letras chilenas, por el poderoso renovador que late en ella.

Todos sus libros son "bellas peripecias estéticas".

"Culto, cerebral, afrancesado. Huidobro trajo a la poesía chilena su sentido equilibrado, su *esprit de finesse,* captor de nuevas corrientes, afanoso de originalidad." (Luis A. Sánchez.)

En la gran revista *Sur,* de Buenos Aires, han aparecido algunos de sus más bellos y recientes poemas, en los que choca su imaginismo alquitarado y abstracto, paridor de bellezas, por buscadas, casi matemáticas.

Obras: *Las pagodas ocultas*—Santiago, 1916, poemas—, *Adam*—poema, 1916—, *El pejo de agua, Canciones en la noche, La gruta del silencio, Horizón carré*—París, 1917, con su teoría creacionista—, *Ecuatorial*—Madrid, 1918—, *Poemas árticos*—Madrid, 1918—, *Halalí*—Madrid, 1918—, *Tour Eiffel*—Madrid, 1918—, *Mio Cid Campeador*—biografía poemática, Madrid, ¿1929?—, *Vientos contrarios*—1926—, *Cagliostro*—1934—, *Altazor*—1934—, *Gilles de Rais, La próxima*—1934—, *Papá o el diario de Alicia Mir*—1934—, *En la luna*—1934—, *Tres inmensas novelas, Ver y palpar*—1941—, *El ciudadano del olvido*—1941.

V. TORRE, Guillermo de: *Literaturas europeas de vanguardia.* Madrid, 1925.—LATORRE, Mariano: *La literatura en Chile.* Buenos Aires, 1941.—ANGUITA, Eduardo: *Poesía chilena nueva.* Santiago, edición Zig-Zag, 1940. POBLETE, Carlos: *Poesía chilena desde sus orígenes hasta 1941.* Buenos Aires.—SOLAR, Hernán del: *Indice de la poesía chilena contemporánea.* Santiago, 1937.—GÓMEZ DE LA SERNA, Ramón: *Ismos.* Madrid, Biblioteca Nueva, 1930.

HURTADO Y JIMÉNEZ DE LA SERNA, Juan.

Literato y profesor español. Nació—1875—en Granada y murió—1944—en Madrid. Doctor en Filosofía y Letras. Del Cuerpo Facultativo de Archivos y Museos. Catedrático de Lengua y Literatura españolas en las Universidades de Sevilla y Madrid.

Su obra *Historia de la literatura española* —escrita en colaboración con don Angel González Palencia—alcanzó gran difusión, reimprimiéndose repetidas veces y sirviendo de texto en varias Universidades españolas e hispanoamericanas. Este libro contiene abundante bibliografía, aunque peca de seco y de escasamente pedagógico.

También publicó Hurtado—con la misma colaboración—una *Antología de clásicos españoles*—1925—, anotada.

Y sin colaboración, muchos trabajos me-

nores en importantes revistas de investigación y crítica literaria.

HURTADO DE MENDOZA, Diego.

Nació en 1503. Murió en 1575. Nació en
Granada—hay quien cree que en Madrid—y
murió en la Villa del Manzanares. Del carmen granadino, dulce y suave, no le quedó
ni el ceceo. Su padre fue don Iñigo López
de Mendoza—nieto del famoso cantor de las
serranillas—, segundo conde de Tendilla y
primer marqués de Mondéjar, claro varón de
Castilla y hombre de pelo en pecho, par de
aquellos que defendían pasos honrosos a
mandobles. Su madre, doña Francisca Pacheco, hija del primer marqués de Villena y
duque de Escalona, dama muy fría, de aquellas capaces de esperar al esposo ausente en
tierras de moros durante veinte años, enga-
lladas en la torre del homenaje de un castillo roquero, sin exhalar un ay ni derramar
una lágrima. Diego fue el quinto de los hijos varones. Antes que él, un don Luis, capitán general del reino de Granada; y un don
Antonio, marqués de Cañete y virrey y capitán general de la Nueva España y del
Perú; y un don Francisco, gobernador general de los Países Bajos y después presbítero y obispo de Jaén; y un don Bernardino, general de las galeras de España, muerto
con empaque digno de una octava real en
la batalla de San Quintín... ¡Brava sangre!
¡Soberbio linaje! A Diego, quizá por ser el
benjamín, entre mimos y desconfianzas por
su naturaleza débil, se le quiso dedicar a la
carrera eclesiástica. Su compañero inseparable era Luis de Granada, niño único de una
lavandera, recogido por el solemne conde
de Tendilla. Sus maestros... Pietro Mártir de
Anglería, cuya férula era sabia y sobria;
Agustín Nifo, el sevillano Montesdoca. Y sí,
sí... Diego se enfrascó en la Filosofía, bra-
ceó en la Teología, tocó todas las riberas
clásicas de Grecia, Roma y Palestina; se
asomó a los abismos cósmicos, versificó noblemente, y en prosa recia carpetana se sol-
tó hacia las empresas heroicas de alcanzar
la inmortalidad. Sino que, hijo de tal padre,
el azoguillo de la espada..., ¡cómo le tentó,
cómo le empujó, desviándole, derivándole,
desviviéndole! Asistió a la batalla de Pavía
—1525—y recorrió toda Italia, madrigali-
zando sus veinte años y aposando su cultura. Carlos I le empleó en diversos cargos
diplomáticos. Estuvo en Inglaterra—1537—
negociando el matrimonio del pantagruélico
Enrique VIII con la duquesa de Milán, sobrina del emperador; y en Venecia—1539
a 1547—contrarrestando las tendencias de
la Señoría de romper la Liga y aliarse con
Francia en favor del turco; y en Trento
—desde 1542—, donde su influencia intelec-

tual a punto estuvo de ganarse un cardena-
lato, sin él proponérselo...

Y, todo hay que decirlo, no fue un gran
diplomático. Le faltaban la untuosidad y la
melificación, la sinuosidad y el serpentea-
miento, la previsión y la precaución, *el andarse con pies de plomo y el saber nadar y
guardar la ropa.* Era don Diego de los que
creían resolver todo a golpe de acero y a
tacto de poesía, con la frase sobria del intelecto diáfano y el gesto conciso de la hombría. Felipe II le envió como virrey al reino
de Aragón; y como no lograse armonizar
los deseos aragoneses con los filipinos, cayó
en el enojo del gran soberano. ¡Mala suerte, don Diego! ¡Cuántas idas y venidas para
nada!

Tal vez la enemiga real se la ganaron sus
galanteos con la hermosa doña Isabel de
Velasco, a quien, según malas lenguas, ponía los puntos el magnífico erector de El
Escorial.

En junio de 1568 fue desterrado a Granada. ¿Causa? Cierta reyerta que en Palacio
tuvo con el joven cortesano Diego de Leiva.
Sesenta y cinco años tenía ya el gran escritor, pero hercúleo, corajudo, enrabietado
desarmó de su puñal al mancebo y lo arrojó
por una ventana. Total, nada. Y menos mal
que la caída fue corta y que cayó de pie
—*tentetieso* de la fortuna—. En Granada,
Hurtado de Mendoza se dedicó por entero a
la literatura. Escribía sus obras—*La guerra
de Granada*—con la gracia de Tucídides y el
acierto de Tácito; protegía a los literatos,
se carteaba con los ingenios más insignes.
"Estudiemos, señor Joan Páez", solía decir
a casi todas las horas a su gran amigo el
erudito historiógrafo Juan Páez de Castro.
Paulo Manucio le dirigió las obras filosóficas de Cicerón; Carranza, la *Suma de los
Concilios;* Santa Teresa, su amiga dilectísima, grandes alivios espirituales. Regresó
pronto a la corte, en la que falleció a poco
de resultas de habérsele gangrenado una
pierna...

"Fue don Diego de gran estatura, robus-
tos miembros, el color moreno, oscurísimc,
muy enjuto de carnes, los ojos vivos, la
barba larga y aborrascada, el aspecto fiero
y de extraordinaria fealdad de rostro. Fue
así mismo dotado de grandes fuerzas personales y de no menos valor y firmeza en las
fuerzas de ánimo, como dotado también de
áspera condición y vigoroso genio, que le
opinaron de algo arrojado e intrépido en la
conducta de los negocios de Estado..."

Y Adolfo de Castro le juzga así, como
poeta: "Dos ingenios se pueden considerar
en autor tan insigne: uno, el amigo de
Boscán y Garcilaso, el imitador de su escuela, el que la autorizó con la importancia de
su persona y nombre; otro, el que siguió el

H

estilo de las antiguas coplas castellanas. Como lo primero, es bien feliz en las imitaciones de griegos, latinos e italianos, duro en los versos, sin nervio en el decir y sin dar un colorido brillante a los rasgos de su imaginación; como lo segundo, es uno de los trovadores más ingeniosos y cultos. Sus coplas amorosas están llenas de delicados pensamientos, y seguramente aventaja a los que le precedieron en revestir de sencillez y elegantes formas los afectos del alma."

Y Lope de Vega exclamó: "¿Qué cosa aventaja a una redondilla de don Diego Hurtado de Mendoza?"

Se han atribuido a Hurtado de Mendoza muchas obras que probabilísimamente no son suyas. El Lazarillo de Tormes, las Notas a un sermón portugués, la epístola La Pulga, el papel de los Catarriberas, las Cartas al rey, algunas poesías, la Carta del bachiller de Arcadia al capitán Salazar y algunas más.

El Lazarillo de Tormes, según afirma fray José de Sigüenza en la Tercera parte de la historia de la Orden de San Jerónimo—Madrid, 1605—, lo compuso el general de la Orden, fray Juan Ortega, cuando era estudiante de Salamanca; y añade que en la propia celda de Ortega se halló después de su óbito el borrador de El Lazarillo. Las Notas a un sermón portugués y las Cartas al rey, en opinión de Gallardo y Gayangos, son obras del doctor don Eugenio de Salazar y Mendoza. La epístola La Pulga es de Gutierre de Cetina. El papel de los Catarriberas hay que atribuírselo, a sentir de González Palencia y Hurtado, al mencionado Salazar y Mendoza. Algunas poesías son de su homónimo Diego de Mendoza y Barrios. ¿Cuáles, pues, son obras suyas indudables?

1.º Las noventa y seis composiciones comprendidas en las Obras del insigne cavallero don Diego de Mendoza..., recopiladas por fray Juan Díaz Hidalgo..., dirigidas a don Iñigo López de Mendoza, marqués de Mondéjar... Madrid, 1610.

2.º Guerra de Granada, hecha por el rey de España Don Felipe II N. S. contra los moriscos de aquel reino, sus rebeldes. Lisboa, 1627. Publicada por el licenciado Luis Tribaldos de Toledo.

3.º Diálogo de Caronte y Pedro Luis Farnesio, publicado en "Curiosidades Bibliográficas" de la "Biblioteca de Autores de España".

4.º Paraphrasis in totum Aristotelem. La Mechanica de Aristóteles—dirigida al duque de Alba—y traducida del griego. Commentarii Polici. (Ms.)

5.º La conquista de la ciudad de Túnez. Batalla naval. (Al final de la Guerra de Granada.)

Don Diego Hurtado de Mendoza—verso y prosa castizos como pocos—está considerado como una autoridad del castellano.

Ediciones: Poesía. Edición "Biblioteca de Autores Españoles", tomo XXXII; Guerra de Granada. Ed. "Biblioteca de Autores Españoles", tomo XXI; Knapp, W. I.: Ed. de las obras poéticas de Diego Hurtado de Mendoza, en la "Colección de libros raros y curiosos", tomo XI; Monfort, Valencia, 1776; López Sedano, Parnaso español, tomo IV; Morel-Fatio, Poésies burlesques et satiriques inédites de Diego Hurtado de Mendoza.

V. AMADOR DE LOS RÍOS, J.: Historia crítica de la literatura española. Madrid, 1867.—MENÉNDEZ PELAYO, M.: Antología de poetas líricos castellanos y Orígenes de la novela. HINOJOSA, Ricardo de: La diplomacia española en la Corte de Felipe II.—FOULCHÉ-DELBOSC, R.: Les oeuvres attribuées à Mendoza, en Revue Hispanique, 1914.—FOULCHÉ-DELBOSC, R.: L'authenticité de "La guerra de Granada", en Rev. Hispanique, 1915.—TORRE, L. de la: Don Diego Hurtado de Mendono fue el autor de "La guerra de Granada", en el Boletín de la Academia de la Historia, 1914, LXIV.—SEÑÁN Y ALONSO, E.: Don Diego Hurtado de Mendoza. Apuntes biográficos críticos. Granada, 1886.—FESENMAIR, J. D.: Don Diego Hurtado de Mendoza, ein spanischer Humanist de 16 ter Jahrhunderts. München, 1882-1884.—RODRÍGUEZ VILLA, Antonio: Noticia biográfica y documentos históricos relativos a don Diego Hurtado de Mendoza. Madrid, 1873.—CEJADOR Y FRAUCA, Julio: Historia de la lengua y literatura castellanas. (Epoca de Carlos I.)—GONZÁLEZ PALENCIA, A., y E. MELE: Vida y obras de don Diego Hurtado de Mendoza. 1942-1943.—CIROT, G.: "La guerra de Granada" et l'"Austriade, en Bulletin Hispanique, 1920, páginas 149 y sigs.

HURTADO DE MENDOZA Y LARREA, Antonio.

Notable poeta y dramaturgo español. Nació—1586—en Castro Urdiales (Santander). Murió—1644—en Madrid. De noble familia. A los quince años se trasladó a Madrid, recibiendo una educación esmeradísima. De gran ingenio y excelentes prendas personales. Gentilhombre de cámara del conde de Saldaña. Secretario y amigo—desde 1623—del rey don Felipe IV. Secretario del Consejo Supremo del Santo Oficio. Caballero de Calatrava. Comendador de Zorita. Los literatos de la época llamáronle El Discreto de Palacio, y Góngora, El Aseado Lego.

Fue un auténtico poeta cortesano, protegido por el rey, con quien, al parecer, colaboró en la composición de alguna obra teatral.

Como lírico, fue aventajado discípulo de Góngora; en sus poesías se encuentran aquel rebuscado amaneramiento, aquel laberinto de frases incomprensibles, aquella sutileza de conceptos que el inmortal racionero de Córdoba puso en sus últimas obras. Sin embargo, cuando Hurtado escribe sin dejarse influir por nadie, resulta un poeta natural y sencillo, inspirado, una de las más elegantes y diestras plumas que tuvo el reinado de Felipe IV. En su tiempo, sus poesías quedaron calificadas como "suave, divino aliento de aquel canoro cisne, el más pulido, más aseado y más cortesano cultor de las musas castellanas..." Y Montalbán afirmó de su teatro: "... Si no el primero, de los primeros en esta clase de ejercicio, uno de los mejores, como confirman tantos aplausos logrados." A Hurtado de Mendoza mentóle ya Cervantes con elogio en su *Viaje del Parnaso*—1614—, y alabóle Lope por sus versos presentados en los certámenes para conmemorar la beatificación—1620—y la santificación—1622—de San Isidro. Casi todas sus obras teatrales las escribió Hurtado para ser presentadas en los reales sitios. Para el cumpleaños de la reina—1622—escribió la comedia *Querer por solo querer*, inmenso poema caballeresco de unos 6.400 versos, que ejecutaron en Aranjuez las meninas de su majestad.

Hurtado de Mendoza fue muy estimado de Lope—quien le dedicó una de sus más bellas epístolas en verso, *La Circe*, 1624—; Quevedo colaboró con él en una comedia representada en Palacio—1625—y en *Quien más miente, medra más*—1631—. Socorrió generosamente a Vélez de Guevara. Amistó grandemente con Montalbán, Rojas, Zorrilla, Amescua, Góngora, Barbadillo, Soria... Jamás tuvo enemigos. Casóse—¿1614?—con doña Luisa Briceño de la Cueva, y vivió en la morería vieja madrileña.

Cuarenta y seis años después de su muerte —Lisboa, 1690—se publicaron sus composiciones líricas, plagadas de errores, con el título *El Fénix castellano don Antonio de Mendoza, renacido...* Y en Madrid, 1728, se reimprimió el mismo texto, algo añadido, con el título *Obras líricas y cómicas, divinas y humanas*, entre las que se entresacan, libres de conceptismos e inmunes del culteranismo, lindísimos romances y otros versos cortos. Apareció póstumo—Nápoles, 1672—el poema *Vida de Nuestra Señora María Santísima*.

Pero la mejor fama de Hurtado es como dramaturgo. Poseía maestría técnica, gracia, lirismo adecuado, fuerza para crear los personajes, sentido para dosificar el interés. Obras dramáticas: *El marido hace mujer y el trato muda costumbre*—su obra más

famosa, comedia aprovechada por Molière para su *L'école des maris*, y por Dámaso de Irusquiza para *El celoso y la tonta*—, *Los empeños del mentir*—con recuerdos de *La entretenida*, de Cervantes, y copiada por Le Sage en el *Gil Blas*—, *Cada loco con su tema* —comedia de figurón—, *No hay amor donde hay agravio*, *Más merece quien más ama*, *El señor de buenas noches*, *El galán sin dama*, *Los riesgos que tiene un coche*, *El entremés famoso del doctor Dieta*, *Examinador micer Palomo*—entremés en dos partes—, *Getafe*—entremés...

Las poesías de Hurtado de Mendoza pueden leerse en los tomos XVI y XLII de la "Biblioteca de Autores Españoles", de Rivadeneyra; los *Entremeses*, en la "Nueva Biblioteca de Autores Españoles", tomo XVII; las comedias *Cada loco...*, *Los empeños...* y *El marido hace mujer...*, en el tomo XLV de la "Biblioteca de Autores Españoles".

V. Mesonero Romanos, Ramón: *El teatro de Hurtado de Mendoza*, en *Semanario Pintoresco Español*, 1852, pág. 170.—Cotarelo Mori, Emilio: Prólogo a *Entremeses*. "Nueva Biblioteca de Autores Españoles", XVII.—Pérez Pastor, C.: *Bibliografía madrileña*, III, 388.—Alcedo, Marqués de: *Discursos de don Antonio Hurtado de Mendoza...* Madrid, 1912.

HURTADO DE TOLEDO, Luis.

Poeta y dramaturgo español del siglo xvi. Las noticias que de él se tienen son muy confusas y contradictorias. Y las que se conjeturan con cierta seguridad resultan apoyadas en los escritos de nuestro autor. Es indudable que nació en Toledo, que fue doctor en Cánones y rector de la parroquia de San Vicente, de su ciudad natal. Y es casi seguro que vivió entre 1523 y 1590, y no entre 1530 y 1579, como afirma Fitzmaurice-Kelly, ni entre 1532 y 1579, como Cejador afirma.

Su labor literaria es sumamente importante. Son obras suyas indiscutibles: el final de la comedia pastoril *Preteo y Tibaldo, llamada disputa y remedio de amor*—Toledo, 1553—, empezada por Perálvarez de Ayllón; *Memorial de algunas cosas notables que tiene la ciudad de Toledo*—1576—, *Las trescientas*—poema—, *Cortes de casto amor y Cortes de la muerte*—miscelánea curiosísima, que comprende novelas alegóricas, prosas, epístolas, representaciones de símbolos como la muerte, la vejez, el dolor, el tiempo, San Agustín—, *Historia de San José*, *Egloga silviana*, *Galardón y premio de amor* —égloga—, traducción de las *Metamorfosis*, de Ovidio—Toledo, 1578.

Se le han atribuido, pero no son suyas:

Palmerín de Inglaterra—ni siquiera la traducción—, la *Tragedia policiana*—la más inspirada de las imitaciones de *La Celestina*—, original del bachiller Sebastián Fernández; *Hospital de galanes enamorados... y Hospital de damas heridas...*, original del licenciado Jiménez.

La obra poética más importante de Hurtado de Toledo es la titulada *Las trescientas*—que comprende versos y *un teatro pastoril*, especie de novela inspirada en la *Arcadia*, de Sannazaro. En el volumen X de la "Biblioteca de Autores Españoles"—número 237—puede leerse un *Romance nuevamente hecho* de Luis Hurtado, y otras composiciones en el tomo XXXV de la misma colección. Hay ediciones modernas de la *Comedia Tibalda*—1903.

V. MENÉNDEZ PELAYO, M.: *Orígenes de la novela*—SERIS, H.: *Comedia de Preteo y Tibaldo... y Luis Hurtado de Toledo*, en *Estudios en honor de Bonilla San Martín*, II, 507.—VEGUE Y GOLDONI, A.: *Temas de arte y literatura*, Madrid, 1928.—BONILLA SAN MATÍN, A.: *Estudio preliminar y notas* a la edición de la *Comedia tibalda*, 1903.

HURTADO Y VALHONDO, Antonio.

Poeta, dramaturgo, novelista y periodista español. Nació—1825—en Cáceres. Murió —1878—en Madrid. A los dieciséis años estrenó con gran éxito en su ciudad natal su primer drama, *La conquista de Cáceres*. Y a los diecisiete, su segundo, *La fortuna de ser loco*. A los veinte años se trasladó a Madrid, dedicándose al periodismo y a la política. Gobernador civil de Albacete, Jaén, Valladolid, Cádiz, Valencia y Barcelona, población esta última que le concedió el título de hijo adoptivo por la abnegación y desinterés con que la gobernó durante la epidemia de cólera que azotó en 1865 la ciudad condal. Diputado a Cortes. Senador. Ministro del Tribunal de Cuentas. Consejero de Estado.

Autor fecundísimo fue Hurtado. Escribió numerosos dramas, novelas, leyendas poéticas, artículos, poesías, cuentos... En todas estas producciones puso de manifiesto su viveza imaginativa, el fluido lirismo de su inspiración, la gracia de su prosa abigarrada, sus sentimientos profundamente románticos.

Obras dramáticas: *El laurel de Zubía, Herir en la sombra* y *La jota aragonesa*—las tres en colaboración con Núñez de Arce—, *El anillo del rey, Sueños y realidades, El collar de Lescot, El toisón roto, Maya, El negocio, La sombra, Intriga y amor, La comedia de la vida, La verdad en el espejo, Naufragar en tierra...*

Novelas: *Lo que se ve y lo que no se ve, Cosas del mundo, Corte y cortijo*—premiada por la Academia Española.

Poesías: *Madrid dramático y La Virgen de la Montaña.*

Leyendas: *Romancero de la princesa, Cantos populares a la Virgen de la Montaña, Romancero de Hernán Cortés, Un lance de Quevedo, Muerte de Villamediana, En la sombra.*

Las leyendas de Hurtado son sencillamente deliciosas; en nada desmerecen de las mejores del duque de Rivas y de Zorrilla.

Modernamente—1942, Madrid, edit. "Saeta"—se ha publicado *Madrid dramático y La maya.*

V. GONZÁLEZ PALENCIA, A.: Prólogo a *Madrid dramático*. 1942. Edit. "Saeta".

HURTADO DE VELARDE, Alfonso.

Poeta y dramaturgo español. Nació —¿1582?—y murió—1638—en Guadalajara. Se desconocen pormenores de su existencia. Le han hecho pasar a la posteridad la *Tragedia de los siete infantes de Lara*—basada en *El bastardo Mudarra*, de Lope, e incluida en *Flor de las comedias de España*, Madrid y Alcalá, 1615—, y el romance *El caballo vos han muerto*—reproducido muchas veces, incluso en el *Romancero*, de Durán, que sirvió de base a la comedia de Vélez de Guevara *Si el caballo vos han muerto...*

Sin embargo, Fabio Franchi, en *Raggualio di Parnaso*—1636—, da los títulos de otras dos obras teatrales de Hurtado de Velarde: *Comedia del Cid, doña Sol y doña Elvira* y *El conde de las manos blancas.*

A Hurtado mencionáronle con elogio Rojas Villandrando, en su *Loa de la comedia*, y Suárez de Figueroa, en su *Plaza*—1615, de los dramáticos.

V. MENÉNDEZ PELAYO, M.: *Obras de Lope.* Edición de la Academia Española, VII. 231.

HURTADO DE LA VERA, Pedro.

Poeta y autor dramático. Sus verdaderos nombre y apellido eran Pedro Faria. Nació —¿1545?—en Plasencia. Residió casi toda la vida en Flandes, donde guerreó y comerció y asistió a tertulias y academias literarias. Murió hacia 1600.

Su obra más importante—Amberes, 1572, 1595—es la *Comedia intitulada Doleria del sueño del mundo*, del género alegórico burlesco, y que recuerda algo la *Circe*, de Juan Bautista Gelli. Su éxito fue grande, ya que se conocen reimpresiones de París, 1614, y de Bruselas, 1616.

Es autor también de la *Historia del príncipe Erasto, hijo del emperador Diocleciano* —Amberes, 1573.

De las primeras de dichas obras ha escrito Cejador: "No deja de ser ingeniosa la trama de hacer dormir al mundo seis mil años y desarrollar en las visiones de un sueño el espectáculo de la vida humana, con sus ilusiones y desengaños, para destruir luego esta aérea fábrica al son de los remos de la barca de Carón. Tampoco era mediano pensador el que interpretaba el mundo diciendo que "de lo bueno no hay en él más que la sombra, y de lo malo, todos son cuerpos". Pero el pensamiento sobrepujó al poder del artista, falto de imaginación para dar plasticidad y real vida a los personajes. El estilo es sentencioso y epigramático, y el castellano, digno de tenerse en cuenta."

V. CEJADOR Y FRAUCA, J.: *Historia de la lengua y literatura*. Tomo III, 120-121.

H

I

IBÁÑEZ DE SEGOVIA, Gaspar.

Conocido por don Gaspar de Mendoza Ibáñez de Segovia, y mejor por el marqués de Mondéjar. Nació —1628— en Madrid. Murió —1708— en Mondéjar. Caballero de Alcántara. Superintendente de las dos Casas de la Moneda de Segovia. Palatino de mucho relieve. Y gran erudito. Conocía el italiano, el francés, el latín, el griego y el hebreo. Sus escritos, muchos de ellos inéditos, son tan numerosos, que parece increíble que un hombre solo hubiera podido escribir tanto, y sobre tan diversos asuntos, que exigen gran meditación y mucho estudio.

Obras: *Cartago africana, sus nombres, fundación y aumento. Discursos históricos* —Pamplona, 1664—, *Predicación de Santiago en España...* —Zaragoza, 1762—, *Advertencias a la "Historia" del P. Juan de Mariana* —Valencia, 1746—, *Noticia y juicio de los más principales escritores de la Historia de España* —manuscrito de la Real Biblioteca de Madrid—, *Obras cronológicas o Era de España* —Valencia, 1744—, *Memorias históricas del rey Don Alfonso "el Sabio"...* —Madrid, 1777—, *Memorias históricas... del rey Don Alonso "el Noble" (VIII)...* —Madrid, 1783—, *Cádiz fenicia* —manuscrito—, *Juicio sobre si se apareció la Cruz en la batalla de las Navas de Tolosa...* —manuscrito—, *Historia genealógica de la gran Casa de Moncada...* —manuscrito—, *Historia genealógica de los condes de Tendilla..., Historia de los ancianos señores de Montpellier..., Historia de los condes de Barcelona...*

V. Cejador y Frauca, J.: *Historia de la lengua y literatura españolas.* Tomo V, 238-239.

IBARBOUROU, Juana de.

Excelsa poetisa, acaso la más grande que han producido las letras hispanoamericanas. Su nombre y apellido de soltera eran los de Juana Fernández. Después de casada, adoptó el apellillo del marido: Ibarbourou. De joven escribió con el seudónimo de "Jeannette d'Ibar". Luego, por su excelsa labor, se le ha dado el de "Juana de América". Nació —1895— en el poblacho de Melo, próximo al Tacuarí (Uruguay). En 1914 contrajo matrimonio con un joven militar.

Es la poetisa del amor con naturalidad juvenil, de la carne limpia, del destino gozoso, del respingo espontáneo y silvestre, de la gracia plena de la vida. Toda intuición y sabiduría de los sentidos, Juana de Ibarbourou es todo lo contrario a la intelectualidad femenina.

Solar Correa ha trazado este magnífico retrato de ella: "Tiene las formas armoniosas: es gesto vivaz, brusco. Unos cabellos negros y carmenados enmaráñanse sobre su piel mate, adelgazando sus *joues bouffies* y haciendo más profunda la sombra de sus ojos. A la inversa de Gabriela Mistral, halla en la vida un pagano deleite, gózase en su amor dichoso, y aunque tiembla ante las ideas de la muerte y del olvido, ello no logra enturbiar las claras linfas de su poesía, No gusta del arte alquimista. Alma empapada en Naturaleza, sus versos saben a fruta madura, huelen a hierbas silvestres, encierran "no sé qué fragancias de trigo emparvado"... A través de ellos vemos una locuela retozona y semisalvaje, que, con la gracia de un cervatillo montaraz, corre por los campos y dialoga ingenuamente con el agua, con los árboles y con las flores. En una poesía personalísima y encantadora..."

Inmensamente femenina y amorosa, vibrante, de ardientes y cálidas palabras, un poco borracha de panteísmo, alma abierta a todas las sensaciones bellas y jubilosas de la vida, con voluptuosidades de flora tropical calenturienta y coloreada cruda y brillantemente, Juana de Ibarbourou atrae irresistiblemente. "Su don femenil gana como el trigo, ínsitas alegorías de pan de gracia."

Las poesías de esta musa de carne y hueso son imposibles de olvidar; cosquillean para siempre en el hervor más apasionado de nuestras evocaciones.

Obras: *Lenguas de diamante* —1919—, *Raíz salvaje* —1922—, *La rosa de los vientos* —1930—, *Estampas de la Biblia* —1936—, *Loores de Nuestra Señora* —1940—, *Chico Carlo* —1944—, *El cántaro fresco* —prosas—,

Azor—1953—, *Pérdida*—1955—, *Poemas...*
Antología poética—Buenos Aires, Col. Austral, 1940—, *Obras poéticas completas*—Aguilar, Madrid, 1953.
V. SOLAR CORREA: *Poetas de Hispanoamérica.* Santiago de Chile, 1926.—FUSCO SANSO-
NE, N.: *Antología y crítica de la literatura
uruguaya.* Montevideo, 1940.—ZUM FELDE,
A.: *Indice de la poesía uruguaya contemporánea.* Santiago, 1934.—ZUM FELDE, A.: *La
literatura del Uruguay.* Buenos Aires, 1939.
CASAL, Julio J.: *... Poesía uruguaya...* hasta
1940. Montevideo, 1940.—RUSSELL, Dora Isella: *Estudio preliminar* en la ed. *Obras completas.* Aguilar, Madrid, 1953.

IBARGÜENGOITIA, Jorge.

Autor dramático mexicano. Nació—1928—
en Guanajuato. Inclinado, desde casi niño,
por su vocación teatral obsesiva, siguió los
estudios de Teoría y Composición Dramáticas con el notable autor y crítico Rodolfo
Usigli. Y aun con escasas obras ha logrado
fama extensa en su patria. Cultiva un teatro realista con fórmulas tendenciosamente
europeas y un castellano terriblemente mix-
tificado y pobre.
Obras: *Cacahuetes japoneses*—1954—, *Susana y los jóvenes*—1954—, *Clotilde en su
casa*—1955—, *La lucha con el ángel*—¿1960?

IBEAS, Bruno.

Literato y ensayista español. Nació—1879—
en Calada de la Torre (Burgos). Casi un niño,
ingresó en el noviciado de la Orden de San
Agustín. Ha sido varias veces prior y provincial. Y es uno de los principales redactores de la gran revista agustiniana *España y
América.*
De extraordinaria cultura, de prosa limpia, de muchas y buenas dotes literarias,
sus obras, amenas y hondas, encajan perfectamente en el tipo de libros de vulgarización
y de propaganda.
Destacan en su producción: *Discreteos fi-
losóficoliterarios*—Madrid, 1915—, *La voz de
las ideas*—Madrid, 1920—, *La teoría de la
relatividad de Einstein*—Madrid, 1920—, *De
la vida y de la muerte*—Madrid, 1924—, *Laboriosidad de San Julián, En alta voz, Los
ascéticos agustinos españoles...*

IBN'ARABI (v. ABENARABI).

IBO ALFARO, Manuel (v. Alfaro, Manuel Ibo).

ICAZA, Carmen de.

Novelista española contemporánea. Hija
del gran poeta y crítico mexicano Francisco A. de Icaza. Publicó su primera novela,
como folletín, en la gran revista *Blanco y
Negro,* de Madrid, con el título de *Cristina
de Guzmán, profesora de idiomas,* con la
que obtuvo un señalado éxito. Posteriormente ha seguido publicando otras novelas, algunas de las cuales han sido traducidas a
varios idiomas y llevadas a la pantalla.
Carmen de Icaza cuenta hoy con un gran
número de lectores, principalmente mujeres, pues cultiva un género novelesco sentimental y amoroso, muy del gusto del sexo
femenino. Pero es justo consignar que a
partir de *La fuente enterrada,* la novelista
ha evolucionado hacia la novela trascendente con una noble preocupación por el
estilo.
Obras: *La boda del duque Kurt, ¡Quién
sabe!..., Soñar en la vida, Vestida de tul,
La fuente enterrada, El tiempo vuelve, Las
horas contadas...*

ICAZA, Francisco A. de.

Poeta, historiador y ensayista notabilísimo.
Nació—1863—en México. Y murió—1925—
en Madrid. Apenas obtenido el título de abogado, vino a Europa, y después de residir
algún tiempo en París, ingresó en la carrera diplomática, siendo nombrado secretario de la Legación de México en Madrid.
Y se puede afirmar que en Madrid pasó ya
toda su vida. Su inmenso amor a lo español
le hizo estudiar a fondo la literatura castellana, y fruto de estos estudios fue su obra
Examen de ingenios, que produjo una gran
impresión, por censurar, con gran prueba
de documentos, a un escritor muy en boga
entonces. Durante algún tiempo fue también secretario de la legación de su país en
Berlín; pero Icaza "no sabía vivir fuera de
España", donde se había casado y le habían
nacido sus hijos. En 1923, la Academia Española premió su obra *Lope de Vega*—1923—.
Fue miembro correspondiente de esta Academia y de las de la Historia y Bellas Artes de San Fernando. En los medios culturales españoles se admiraba y quería a
Icaza fervorosamente, pues fue, además de
un escritor admirable, un caballero ejemplar.
Fue Icaza un investigador de primer orden; un prosista castizo; un crítico tan
docto como agudo; expositor felicísimo. Y
granó en frutos óptimos una vida fecunda
de intelectual.
Como poeta, resulta "un verdadero orfebre, un filigranista de la rima". Sus poesías
son lánguidas, melancólicas, delicadísimas,
y están suavemente matizadas de escepticismo. Muchas de ellas han pasado prontamente a las antologías; su *Cancionero* se ha asimilado a la perfección las formas populares,
breves y directas de la poesía más espléndida
de nuestro siglo XVII.

I

Obras: *Efímeras*—poesías, 1892—, *Lejanías*—poesías, 1899—, *La canción del camino*—poesías, 1906—, *Canciones de la vida honda y de la emoción fugitiva*—poesías, 1925—, *El "Quijote" durante tres siglos, Las "Novelas Ejemplares", "La tía fingida" no es de Cervantes. Supercherías y errores cervantinos, Sucesos reales que parecen imaginarios, de Gutierre de Cetina, Juan de la Cueva y Mateo Alemán; De los poetas y de la poesía*, y traducciones de los poemas de Nietzsche, Liliencron, Dehmel y Hebbel.

V. ESTRADA, Genaro: *Poetas nuevos mejicanos.* 1916.—GONZÁLEZ PEÑA, Carlos: *Historia de la literatura mejicana.* México, 1940, 2.ª edición.—JIMÉNEZ RUEDA, J.: *Historia de la literatura mejicana.* México, 1926.—NÚÑEZ Y DOMÍNGUEZ, José de J.: *Los poetas jóvenes de Méjico.* 1918.—SAINZ DE ROBLES, F. C.: Prólogo en las *Obras escogidas.* Madrid, Aguilar, Col. "Crisol", 1951.

ICAZA, Jorge.

Novelista ecuatoriano. Nació—1906—en Quito. Uno de los prosistas más interesantes y representativos de su país y aun de la América española. Con su hermosa producción *En las calles*—perjudicada, quizá, por un exceso de tesis y de intelectualismo—obtuvo el codiciado "Premio América".

Jorge Icaza dio a conocer su vigorosa y originalísima personalidad en una colección de cuentos: *Barro de la sierra*—1933—, con temas nacionales, de valor universal. Posteriores novelas: *Huasipungo, Cholos*—donde exalta la cruel persecución de que se hace víctima al indio moderno—, han colocado a Icaza entre los mejores novelistas de la hora actual.

De *Huasipungo* se han publicado más de diez ediciones en castellano hasta 1952, y ha sido traducida al ruso, al alemán, al francés, ai inglés, al checo, al chino, al portugués y al italiano. Pocas novelas han alcanzado éxito tan enorme.

Otras obras: *Media vida deslumbrados* —1942—, *Huairapamushcas*—1948—, *El intruso*—teatro, 1929—, *Flagelo*—teatro, 1936—, *Barranca grande*—1943—, *Seis veces la muerte*—1954...

V. ARIAS, Augusto: *Panorama de la literatura ecuatoriana.* Quito, 1936.—VITERI, Atanasio: *El cuento ecuatoriano moderno.* Quito, ¿1940?—LEGUIZAMÓN, Julio A.: *Historia de la literatura hispanoamericana.* Buenos Aires, 1945.—ROJAS, Angel F.: *La novela ecuatoriana.* México, Fondo de Cultura Económica, 1948, pág. 200.

IGLESIA PARGA, Ramón.

Historiador, ensayista y crítico español. Nació—1905—en Santiago de Compostela.

Murió—1948—en Madison (Wisconsin). Doctor en Filosofía y Letras. Becario de la Casa de España en México—1939—. Miembro del Colegio de México. Profesor de la Escuela de Verano en la Universidad Nacional Autónoma. Profesor de la University of California—1941—. Profesor de la University of Illinois—1945 a 1947—. Profesor de la University of Wisconsin—1947 a 1949.

Obras: *Baraja de crónicas castellanas del siglo XIV*—1940—, *Cronistas e historiadores de la Conquista de México: El ciclo de Hernán Cortés*—1942—, *El hombre Colón y otros ensayos*—1944—, *Consideraciones sobre el estado actual de los estudios históricos* —1945—, *Estudios de Historiografía de la Nueva España*—1945...

IGLESIAS, Ignacio.

Gran poeta y dramaturgo español. Nació —1871—en San Andrés de Palomar (Barcelona). Murió—1928—en la ciudad condal. Terminó el bachillerato en Lérida. Inmediatamente, magnífico, autodidacto, se entregó de lleno al periodismo y a la literatura, sin escribir jamás sino en catalán. A los veinticinco años estrenó con un éxito rotundo su primera producción teatral: *L'escorsó*, drama en tres actos, a la que siguieron, con no menguados éxitos: *Els conscients*—drama—y *Fructidor*—drama—. Iglesias quedó consagrado como un originalísimo, fuerte y neto dramaturgo, acaso el más insigne de Cataluña. Su tendencia fue casi siempre social y aun socialista.

Un crítico ha dicho de Iglesias: "Alma apasionada, hombre entusiasta, sincero, poseído por un ideal de bondad y de generosidad; escritor fuerte y sano, sin prejuicios, sin marrullerías, llano y sencillo como los personajes de sus obras, y cuyos sentimientos ha sabido penetrar magistralmente."

Toda la obra de Iglesias está traspasada por un dardo candente de entusiasmo humano cordial.

Otras obras: *Ofrenes*—poesías—, *La mare eterna, El cor del poble, Els vells, Les garces, Joventut, En Joan dels Miracles, La barca nova, L'home de palla, La noia maca, Foc nou, L'alegria del sol, Flors de cingle, L'encis de la gloria, La senyora Marieta, La fal·lera del amor, La baldufa d'or, Els emigrants, Lladres, Flor tardana...*

Muchas de las obras de Iglesias han sido traducidas al castellano, obteniendo los mismos éxitos rotundos... *Los vientos, La madre eterna, Las garzas, Juventud...* Otras han sido vertidas al francés, al italiano y al inglés.

V. SOLER, Juan M.: *Arte regional: El teatro catalán*, en *El Arte del Teatro*, Madrid, 1 de octubre de 1906.—PLANA, Alejandro: *Antologie de poetes catalans moderns.* Barcelona, en la "Societat Catalana d'Edicions".—CURET, Francisco: *El arte dramático en el resurgir de Cataluña.* "Biblioteca Minerva". Barcelona.—BERNAT Y DURÁN, J.: *Historia del teatro en Cataluña y Valencia.* Barcelona, 1924.

IGLESIAS DE LA CASA, José.

Notable poeta. 1748-1791. Nació en Salamanca—el jueves 31 de octubre—de padres de noble linaje, estudió Humanidades y Teología en su famosa Universidad y recibió de sus compañeros de aficiones literarias el poético nombre de *Arcadio.* Sin embargo, nada tenía su aspecto de pastor protagonista de finas églogas de Garcilaso. Era endeble, enteco, paliducho y muy encogido. Desde luego, incapaz de perseguir pastoras ocultas por bosques nemorosos y de endilgar a un corro de cabreros boquiabiertos cualquier discurso en alabanza de las armas y de las letras. La peluca encañonada le producía jaquecas. El rapé aspirado, náuseas. En 1784, ya en Madrid, se ordenó sacerdote. Como premio a su vena poética delicada, Felipe Beltrán, obispo salmantino, le otorgó los curatos de Ladrodigo, Carabias, Carbajosa y Santa Marta.

Como párroco, pecó de poco activo. Le asustaba subirse al púlpito sin saber de qué hablar tranquilamente a cuatro beatucas y a otros cuatro ancianos, quienes, por otra parte, no quedaban convencidos de que pudieran enseñarse las verdades eternas sin darse desaforados gritos y removerse con descompuestos ademanes. Le reconcomía la responsabilidad de la dirección de almas, aun siendo tan sencillas como las que entonces se estilaban por esos pueblos de Dios y de España. Prefería él sentarse a su pupitre, con el pocillo de tinta a la diestra, enristrar la pluma de ave y sobre el papel color hueso ir escribiendo con fácil dificultad las estrofas de algún poema didáctico. Por ejemplo: *La niñez laureada*—Salamanca, 1785—, en loor del niño Picornell, que a la edad de trece años fue examinado públicamente por los doctores salmantinos. O *La Teología*—Salamanca, 1790—. Y cuando no le instaban estas pretensiones docentes, a vuela pluma, paráfrasis de los salmos de David, églogas y apólogos, anacreónticas y letrillas.

Iglesias de la Casa, a los cuarenta años aparentaba sesenta. Y no era sino cuatro picos de bonete, una nariz, una sotana colgada y dos zapatos con hebillas de abate Prevost. Sin embargo de padecer penosísimas enfermedades—que, como las cerezas dentro de la cesta, y, a decir del *otro cura* del cantar, iban tirando unas de otras, enreda-

das—, jamás perdió su serenidad exquisita. Y, paradójicamente, cuando el cuerpo lo tuvo marrido de mayores dolores, el ánimo se le fue cuajando de eutrapelias poéticas. Falleció el día 26 de agosto de 1791.

Según Forner—en *Exequias de la lengua castellana*—, era Iglesias de la Casa "un socarrón de primer orden y hombre que diría una pulla en verso al mismísimo Apolo en sus doradísimas barbas". Y el marqués de Velmar afirma que fue Iglesias el último poeta lírico que, sin afectación, habló la pura y genuina lengua del pueblo de Castilla. La musa poética de Iglesias de la Casa fue esencialmente festiva. Sus *anacreónticas* seducen por su gracia. Sus *letrillas,* de matiz castizo y de gran pureza idiomática, en nada desmerecen al lado de las de sus modelos: Quevedo y Góngora. A Iglesias de la Casa se le ha agrupado con Forner, Meléndez Valdés, Somoza y Sánchez Barbero, para formar el núcleo de la llamada escuela salmantina del siglo XVIII, restauradora discreta de las purísimas esencias de la del siglo XVI. Realmente, Iglesias de la Casa no hace nada en este grupo; se encuentra en él como gallina en corral ajeno. Es un auténtico cortesano, al que la descansada vida del campo no hizo sino darle paz, pero no inspiración. Sus églogas son falsísimas. Sus poemas didácticos, triviales y desmayados. Los grandes éxitos poéticos los cosechó Iglesias versificando cuanto veía y cuanto *adivinaba* con su portentosa sutileza socarrona. En sus *epigramas* está lo más inmarcesible de su obra; porque en ellos se recogen con pinceladas fuertes y netas las costumbres, los temas y los caracteres de su época. Hasta el punto de no pecar de exagerado Somoza cuando escribió que quien quisiera conocer a fondo el siglo XVIII, estudiase los sainetes de don Ramón de la Cruz, las poesías de Iglesias de la Casa y los caprichos de Goya.

Publicó un libro de romances titulado *La lira de Medellín.* Y otro de parodias—que llamó *trovas*—de algunas de las más famosas composiciones de nuestro Parnaso.

Ediciones notables de sus obras son: *Poesías*—letrillas, romances, anacreónticas, parodias, trovas, églogas—, Madrid, "Biblioteca de Autores Españoles". Tomo LXI; *Poesías inéditas.* Edición Foulché-Delbosc, en la *Revue Hispanique,* 1895.

Francisco Tofar, amigo de Iglesias y su editor, publicó un folleto—Salamanca, 1803—, titulado: *Memoria en defensa de las poesías póstumas de don José Iglesias de la Casa, presbítero; dirigida al Santo Tribunal de Valladolid, por don Francisco de Tofar.*

V. FOULCHÉ-DELBOSC: *Introducción* a la edición de las *Poesías inéditas de Iglesias de*

I

la Casa, en *Revue Hispanique,* 1895.—Cejador y Frauca: *Historia de la lengua y literatura castellanas.*—Bustillo Olmos: *La
poesía festiva castellana.* (Estudio y selección.) Madrid, 1888.—Biblioteca de Autores Españoles: *Poetas líricos del siglo XVIII.* Tomo I.—Real de la Riva, C.:
Iglesias, en Salamanca. Tesis doctoral, 1931.

IGLESIAS HERMIDA, Prudencio.

Original escritor y periodista español. Nació—1884—en La Coruña. Murió—1919—en
Madrid. Estudió el bachillerato en Lugo y
la carrera de Filosofía y Letras en la Universidad Central, de Madrid. A los diecisiete
años empezó a publicar artículos de literatura pintoresca—fuerte, curiosa y dignamente literaria—en periódicos madrileños
importantes: *La Noche, El Imparcial, El
Liberal.* Fue colaborador muy solicitado por
el gran público en revistas como *Nuevo
Mundo, Mundo Gráfico, Por Esos Mundos,
La Esfera.* Y fundó y dirigió publicaciones
de polémica vibrante: *La Protesta, La Nave,
La Nueva Europa.* Durante la guerra mundial 1914-1918, Iglesias Hermida desempeñó
el cargo de corresponsal de *Nuevo Mundo*
en Francia.

Iglesias Hermida, escritor de los más personales y fuertes de su época, tenía el alma
aventurera de aquellos colosos españoles de
la pluma del Siglo de Oro. Vibrante, de estilo corto, apasionado de temperamento, de
imaginación febril y pintoresca, ambicioso
de imágenes, a no haber muerto tan joven
habría conseguido un lugar preeminente
entre los grandes maestros de la narración.

Obras: *De mi museo, Horas trágicas de la
Historia, De caballista a matador de toros,
España trágica, La ermita de los fantasmas,
Gente extraña...*

IGLESIAS LAGUNA, Antonio.

Poeta, novelista, crítico literario. Nació
—1927—y murió—1972—en Madrid. Universitario. Lector de español en el Sindh Muslim
Law College, de la Universidad de Karachi
(Pakistán). Ha viajado por todo Oriente, viviendo once años en Pakistán, India y Alemania. Ha viajado por toda Hispanoamérica
y pronunciado cientos de conferencias. Domina a la perfección ocho idiomas: alemán,
francés, inglés, sueco, italiano, pakistaní, portugués y rumano. Varias de sus obras están
traducidas al rumano, francés, alemán, inglés,
italiano... Crítico literario de *La Estafeta
Literaria,* de Madrid. Secretario en Madrid del Jurado del "Premio de la Crítica".
En 1969 obtuvo el "Premio Nacional Pardo
Bazán", de crítica literaria, con su libro
30 años de novela española: 1938-1968.

Su agudeza, buen juicio y cultura son realmente extraordinarios.

Otras obras: *Esperanza de la carne*—poemas, 1964—, *¿Por qué no se traduce la literatura española?*—ensayo, 1964—, *Dios en el
Retiro*—novela, 1966—, *Shólojov: política y
literatura*—ensayo, 1966.

IGNACIO DE LOYOLA, San.

Fundador de la Compañía de Jesús. 1491-
1556. De nobilísima familia. Paje en la corte de los Reyes Católicos. Militar ilustre,
que defendió heroicamente la plaza de Pamplona. Vivió una juventud muy borrascosa.
Habiendo sido herido durante el cerco de
Pamplona, mientras se cicatrizaban las heridas dio en leer obras piadosas, que le hicieron cambiar sus actividades, acariciando
el proyecto de entregarse a la religión. En
Montserrat confirmó su vocación. Durante
su penitencia en Manresa parece ser que
compuso sus famosos *Ejercicios espirituales.* Después marchó a Jerusalén. Estudió
Filosofía en Alcalá de Henares y Teología
en París. Con seis compañeros marchó a
Roma, presentándose al Pontífice Paulo III
para rogarle que aprobase el reglamento
de la nueva Orden. En 1540 se publicó la
Bula *Regimini Militantis Ecclesiae,* con lo
que quedó constituida la Compañía de Jesús; constitución que fue uno de los sucesos más trascendentales del siglo XVI.

Pero aquí no queremos referirnos sino al
Ignacio de Loyola *escritor.* Su obra fundamental fue titulada *Libro de los Ejercicios,*
modelo de exposición, ordenado y psicológico, de la vida espiritual, y que ha ejercido
tanta influencia, lo mismo en extensión que
en intensidad, como la *Imitación de Cristo.*
El *Libro de los Ejercicios* está traducido a
todos los idiomas y ha sido reimpreso miles
de veces. Es la obra fundamental de la Compañía de Jesús y de su concepción de la
religión católica.

En su juventud, muy aficionado a la poesía, escribió Ignacio de Loyola un poema dedicado a San Pedro Apóstol, del cual era
muy devoto.

V. Dudon, P. S. *Ignace de Loyola.* París,
1934.—Leturia, P.: *El gentilhombre Iñigo
de Loyola.* Barcelona, 1941.—Qura, M.: *El
origen sobrenatural de los "Ejercicios Espirituales" de San Ignacio de Loyola.* Barcelona, 1941.—Arteche, J.: *San Ignacio de
Loyola, Biografía.* San Sebastián, 1941.—Bo-
hemer, H.: *Loyola und die deutsche Mystik.*
Leipzig, 1921.

ILDEFONSO DE TOLEDO, San.

Prelado y escritor español. 607-667. Nació
y murió en Toledo. Discípulo de San Isidoro Hispalense. Ingresó en el convento de

Agalia, arrabal toledano, y siendo abad del mismo fue elevado a la silla arzobispal de su ciudad natal, a la muerte de San Eugenio, el poeta—657—. Las letras y las artes han nimbado a este admirable personaje con el título de *Capellán de la Virgen,* por la gran devoción que siempre mostró a la Virgen María, la cual obró el milagro de imponerle la casulla por sus propias manos maternales. Como abad de Agalia, fue uno de los firmantes de los Concilios VIII—653— y IX—655—de Toledo.

El catálogo de sus obras fue escrito fervorosamente por su discípulo y sucesor San Julián. Y son las principales de ellas: *Libellus de virginitate perpetua Mariae adversus tres infideles; Liber in cognitione baptismi unus; De progressu spiritalis deserti; De viris illustribus*—suplemento al libro de igual título de San Isidoro—; y dos *Cartas* a Quirico de Barcelona.

La primera de las obras mencionadas es la mejor de las suyas, la más honda, la más fervorosa, la mejor concebida y expresada. Con ella quiso confundir a tres *infieles,* negadores de la virginidad perpetua de María: Joviniano, Helvidio y un judío. Fue traducida al castellano esta obra inmortal —1444—por el arcipreste Alfonso Martínez de Talavera, conservándose el manuscrito en la Biblioteca de El Escorial.

Ediciones: Migne, *Patrol. latina,* tomo 96; *De virginitate...,* edición crítica de V. Blanco García, Madrid. 1937.

V. Blanco García, Vicente: *Estudio* en la edición de Madrid, 1937.—Braegelmann, S. Athanasius: *The life and Writings of Saint Ildefonsus of Toledo.* Washington, 1942.— Madoz, José: *San Ildefonso a través de la pluma del arcipreste de Talavera.* Madrid, 1943.—Madoz, José: *Escritores de la época visigótica,* en el tomo I de la *Historia general de las literaturas hispánicas.* Barcelona, 1949.—Menéndez Pidal, R.: *Historia de España* (dirigida por...). Tomo III: *España visigótica.* Madrid, Espasa-Calpe, 1940.

ILLESCAS, Gonzalo.

Escritor y sacerdote español. Nació —¿1565?—en Palencia, según Nicolás Antonio. Más probablemente en Dueñas (Palencia). Murió en esta población hacia 1633. Sacerdote. Beneficiado de Dueñas. Abad de San Frontes. Su nombre está incluido en el *Catálogo de autoridades* del idioma, publicado por la Real Academia Española.

Obras: *Historia pontifical y católica*—Barcelona, 1606—, *Jornada de Carlos V a Túnez,* considerada como un modelo en su género.

Gonzalo de Illescas tradujo: *Mística Theologica,* del italiano fray Sebastián Toscano —Madrid, 1573—, la *Segunda parte de los*

Diálogos de la imagen de la Vida Cristiana —Alcalá de Henares, 1580—, del portugués fray Héctor Pinto.

En 1804, la Academia Española imprimió con gran lujo la *Jornada de Carlos V.* Esta misma obra se encuentra en el tomo XXI de la "Biblioteca de Autores Españoles", de Rivadeneyra.

IMAZ ECHEVERRÍA, Eugenio.

Erudito, ensayista, crítico, periodista español. Nació—1900—en San Sebastián. Murió—¿1951?—en México. Estudió en Madrid Filosofía y Letras. Fue redactor de distintos diarios de la capital de España. Sus aficiones le llevaron al cultivo de la Filosofía, logrando no pocos éxitos de auténtica consideración. Secretario de la Junta de Cultura Española (1939-1941). Redactor de *España Peregrina,* de México. Profesor de la Academia Hispano-Americana y de la Universidad Nacional Autónoma de México. Colaborador de *Cuadernos Americanos.* Conferenciante en distintas Universidades de los Estados Unidos. Espíritu sagaz y profundo. Traductor y comentarista excelente de Dilthey, Landsberg y Kant. Más de cien ensayos suyos andan desperdigados en importantes revistas.

Obra: *Asedio a Dilthey*—1945.

IMPERIAL, Micer Francisco.

Gran poeta español. Nació en la segunda mitad del siglo XIV y murió en la primera mitad del siglo XV. Hijo de un joyero genovés establecido en Sevilla, Francisco Imperial posiblemente nació en Génova, pero se crió en la capital bética. Conocedor admirable de la poesía italiana, fue el más antiguo y mejor imitador de Dante y el introductor en España del endecasílabo "al itálico modo". Y también uno de los más insignes representantes de la escuela poética sevillana.

Su principal composición, el titulado *Dezyr a las syete virtudes*—número 250 del *Cancionero de Baena*—, formada de sesenta coplas, altamente alegórica y por extremo dantesca, trajo al parnaso castellano una doble innovación relativa a la forma literaria y a la forma artística.

Imperial era hombre de gran cultura; conocía el francés, el inglés y el árabe y los autores clásicos griegos y romanos. Es, desde luego, y sin ser un gran poeta, el más importante entre los que figuran en el *Cancionero de Baena.* Y su importancia es tanta si se le considera introductor en España del gusto italiano como si se le considera el precursor legítimo de Boscán. El valor de Imperial lo reconoció el fino crítico poeta que era Santillana: "Passaremos a micer

I

Francisco Imperial, al qual non llamaría decidor ó trovador mas poeta: como sea cierto que si alguno en estas partes del ocaso meresció premio de aquella triumphal y láurea guirnalda, loando a todos los otros, éste fue."

Imperial tuvo, además, plena conciencia de su innovación. Y es sencillamente admirable la elegancia y facilidad con que manejó el hermoso instrumento del endecasílabo italiano, luchando a menudo con el idioma, indócil al nuevo ritmo. Su obra capital, el *Dezyr de las syete virtudes*, no es sino un homenaje apasionado a Dante, un centón de pasajes tomados principalmente del *Purgatorio* y del *Paraíso*.

Poesías de Imperial pueden leerse en el tomo IV de la *Antología de poetas castellanos,* de Menéndez Pelayo—Madrid, "Biblioteca Clásica", de Hernando—, y en el *Cancionero de Baena,* edición de Pedro José Pidal.

V. Amador de los Ríos, J.: *Historia crítica de la literatura castellana.* Tomo V.—Farinelli, A.: *Appunti su Dante in Spagna nell Età Media,* en *Giornale Storico de Litteratura Italiana,* 1905.—Menéndez Pelayo, Marcelino: *Antología de poetas líricos castellanos.* Edición oficial. Madrid, 1944.

INCHÁUSTEGUI CABRAL, Héctor.

Poeta. Nació en Baní (Santo Domingo) el 25 de julio de 1912. Actualmente es embajador de la República Dominicana en México. Con su obra lleva a la poesía un bonito sentido humano. Siente una fuerte inclinación estática hacia lo permanente, de la que surge su inclinación por los temas sociales. Su voz interior, como en Whitman, es la voz consciente de la Naturaleza.

Ha publicado: *Poemas de una sola angustia*—1939—, *Rumbo a la otra vigilia*—1940—, *En soledad de amor herido*—1943—, *De vida temporal*—1944—, *Canciones para matar un recuerdo*—1944—, *Soplo que se va y no vuelve*—1946—y *Versos*—1940-1950—, publicado en 1950 en México, libro que recoge toda su producción anterior.

Afirma el magnífico crítico Valldeperes que Héctor presenta su "sobresaliente personalidad" desde dos "aspectos característicos: el fondo y la forma. De retorno, en el primero; moderno, en el segundo. En el fondo, Incháustegui Cabral retorna al campo fértil de los clásicos: la vida. En la forma es originalísimo. Su verso es libre y responde, rítmicamente, a sus propias exigencias biológicas".

Valldeperes afirma que leyendo los "versos de recia estructura" de Incháustegui Cabral se hallan respuestas a numerosas interrogaciones enigmáticas, y que con él vuelve a la luz la "inquietante" pregunta de Paul Bourget, anunciándonos el caos: "¿Quién nos devolverá la divina virtud de la alegría en el esfuerzo y de la esperanza en la lucha?"

Porque, según Valldeperes, Incháustegui responde que "serán los jóvenes los que han vuelto a la vida y extraen de ella el alma de las cosas; los que despertaron del éxtasis contemplativo y regresaron a la verdad, después de haber repudiado la metáfora y la hipérbole; los que rinden culto a la belleza sin olvidar el espíritu; los que buscan la imagen al través de las sentencias y sienten la pasión humana sin ser apasionados".

Valldeperes significa que la voz interior de Héctor, "como en Walt Whitman ayer, como en Eliot hoy, es la voz consciente de la Naturaleza, la palabra que surge bajo el influjo de las más íntimas realidades".

Luego apunta que en la poesía de Incháustegui existen "nobles atisbos" de entronque con el surrealismo y que "huye de lo empírico con igual serenidad que se aparta de lo metafísico, porque lo que busca con ahínco es la emoción del verso, en su forma expresiva directa, y la integridad espiritual y emocional de las realidades de cada día, como símbolo de efectividades humanas y como exponente vivo de la más auténtica racialidad".

INGENIEROS, José.

Pensador, sociólogo, ensayista y literato argentino. Nació—1877—y murió—1925—en Buenos Aires. Médico. Catedrático de Psicología en la Facultad de Filosofía y Letras (1904-1911). Miembro correspondiente de innumerables Academias y Sociedades científicas extranjeras. Escritor brillantísimo y diverso, dotado de amplia cultura, que influyó poderoso en la dirección de los estudios biofilosóficos, a los que aportó ideas originales. Colaborador en importantes revistas de distintos países. Sus obras han sido traducidas a bastantes idiomas.

"Viajó mucho por Europa—escribe un moderno crítico—, trabando conocimiento con las principales ciudades del continente. Fue el verdadero viajero que recoge en sí mismo las lecciones del hombre y de las cosas que se le brindan al paso. Admiró y criticó. En todo puso una comprensión sincera. Un fondo lírico nutre la obra de este ilustre pensador, que fue al mismo tiempo un emotivo artista. No solo divulgó; también le fue dado crear y supo embellecer lo que enseñó con su ágil palabra revestida de belleza. Fue profesor, dio conferencias, muchas veces se entregó a la investigación. Su labor no puede abarcar más facetas. Por encima de todo, se hace notar su obra filosófica; también su obra de educador atento a todos los problemas que la educación lleva consigo."

Oponiéndose en nombre del positivismo a toda metafísica, Ingenieros concibió la Filosofía como una síntesis de los resultados de una ciencia o bien como una hipótesis ulteriormente rectificable sobre el campo de los hechos positivos.

Ingenieros fue un amenísimo expositor y un elegante prosista.

Obras: *La simulación en la lucha por la vida, La simulación de la locura, La Psicopatología en el ate, Patología en el lenguaje musical, Hacia una moral sin dogmas, Psicología del amor, Principios de Psicología, Crónicas de viaje, El hombre mediocre, La cultura filosófica en España, Evolución de las ideas argentinas, Historia y sugestión...*

V. Alonso Criado, Emilio: *Literatura argentina.* Buenos Aires, 1916, 4.ª edición.— García Velloso, Enrique: *Historia de la literatura argentina.* Buenos Aires, 1914.—Rojas, Ricardo: *Historia de la literatura argentina.* Buenos Aires, 1924, 2.ª edición.

INSÚA, Alberto.

Novelista y periodista español. Nació —1883—en la Habana, de padre español. Murió—1963—en Madrid. Desde los quince años vivió en España y se licenció en Derecho por la Universidad Central. A los veinte años publicó su primer artículo en *El País.* A partir de 1905 colaboró asiduamente en *El Liberal, Blanco y Negro y Nuevo Mundo.* Sus crónicas, amenas y sutiles, gustaron extraordinariamente al gran público. Viajó por toda Europa y América. Durante la guerra mundial 1914-1918 fue corresponsal en Francia del *A B C,* de Madrid. Las novelas y los cuentos de Insúa han sido traducidos al francés, portugués, inglés e italiano.

Alberto Insúa, de una enorme fuerza creadora y de una asombrosa fecundidad, ha sido uno de los más solicitados colaboradores de las principales revistas que, entre 1907 y 1936, se dedicaron a la exaltación de la novela breve para el gran público: *El Cuento Semanal, Los Contemporáneos, El Libro Popular, La Novela Corta, La Novela Semanal, La Novela de Hoy, Los Novelistas, La Novela Mundial...*

Alberto Insúa fue un psicólogo profundo, un analista consumado, dotado de cultura amplia y de un estilo fácil y elegante. Acción, pasión y análisis hay en sus libros; de aquí su éxito grande. En sus primeras obras dominan el realismo y la sensualidad; en sus últimas, la fantasía y una maestría narrativa que comprende por igual el paisaje, el ambiente, las figuras y la emoción.

En estas últimas producciones, los temas han adquirido una mayor profundidad, su estilo se ha hecho más sintético, más insinuante; su imaginación tiene más valor, es más frecuente y más audaz. Interés cautivador, realismo de una humanidad sugestiva, son las notas características de las producciones novelescas de Alberto Insúa.

Obras: *Don Quijote en los Alpes*—viajes y crítica, 1907—. *En tierra de santos* —1907—, *La hora trágica*—1908—, *El triunfo*—1909—, *Las neuróticas*—1911—, *La mujer desconocida*—1911—, *Las flechas del amor*—1912—, *El demonio de la voluptuosidad*—1912—, *El alma y el cuerpo de don Juan*—1914—, *El deseo*—1913—, *El peligro* —1915—, *De un momento a otro*—1916—, *Las fronteras de la pasión*—1920—, *Maravilla*—1921—, *Batalla sentimental*—1921—, *Un corazón burlado*—1921—, *El negro que tenía el alma blanca*—1922—, *La mujer que necesita amar*—1923—, *La mujer que agotó el amor*—1923—, *Un enemigo del matrimonio*—1925—, *Dos francesas y un español*—1925—, *La mujer, el torero y el toro* —1926—, *Mi tía Manolita*—1926—, *Humo, dolor, placer*—1928—, *El barco embrujado* —1929—, *El capitán Malacentella*—1929—, *El amante invisible*—1930—, *El amor en dos tiempos*—1930—, *La sombra de Peter Wald...*

Insúa ha escrito más de sesenta novelas breves y algunas otras teatrales, como: *Amor tardío, La culpa ajena, El bandido, En familia, Cabecita loca, Una mano suave...*

Ha constituido un acontecimiento literario la publicación de los tres tomos primeros de sus *Memorias,* de una amenidad que excede a la de sus mejores novelas—1952 y 1953.

V. Sainz de Robles, F. C.: *La novela corta española (La generación de "El Cuento Semanal"). Estudio y notas.* Madrid, Aguilar, 1952.—Nora, Eugenio G. de: *La novela española contemporánea.* Madrid, edit. Gredos, 1958. Págs. 405-413.—Sainz de Robles, Federico Carlos: *La novela española del siglo XX.* Madrid. Edit. Pegaso, 1957.

INSÚA, Waldo de.

Novelista, prosista y periodista español. Nació—1858—en La Estrada (Pontevedra). Murió en 1938. A los diecinueve años se trasladó a Cuba; y un año después de su llegada—1878—, con energías y entusiasmos extraordinarios, fundó en la Habana *El Eco de Galicia,* primer periódico de carácter regional que apareció en América, y cuyo éxito fue grande, no dejándose de publicar hasta 1902, cuatro años después de quedar Cuba como colonia de los Estados Unidos. En 1879 fundó el que había de ser famosísimo Centro Gallego de la Habana, que ha llegado a contar con 70.000 socios y un capital de varios millones de dólares.

Waldo A. Insúa practicó el periodismo desde los quince años. Sus primeros artículos aparecieron en la *Revista Galaica,* el *Heraldo Gallego, La Nación*—de la Habana—, *El Diario Español*—de Buenos Aires—, *El Liberal* y *El País,* de Madrid... En la capital de Cuba y en la capital de España practicó con éxito Insúa la abogacía. Y en Galicia, con los historiadores Murguía y Alfredo Brañas, organizó el regionalismo gallego.

Obras: *Aires d'a miña terra*—1879—, *Galicia contemporánea*—1889—, *Ecos de mi patria*—1892—, *El problema cubano*—1896—, *Ultimos días de España en Cuba*—1902—, *Alma nueva*—1907—, *Deseada*—1910—, *Vida truncada*—1910—, *La boca de la esfinge* —1910—, *El milagro*—1912...

INTERIÁN DE AYALA, Fray Juan.

Prosista, poeta y orador de mérito. 1656-1730. Nació en Madrid y murió en Madrid. Estudio en Alcalá y fue catedrático en Salamanca. Ingresó—1673—en la Orden de la Merced. Desempeñó los cargos de rector del Colegio de la Vera-Cruz y de vicario provincial. Regentó cátedras de Teología, Filosofía, Artes y Lenguas sabias. Escribió versos en un soberbio latín y prosas poéticas en un soberano griego. Fue—1713—cofundador de la Real Academia de la Lengua Española, colaboró en la primera edición—de autoridades—del Diccionario. Y después de una larga vida austera, campechana, noble en el enseñar y sencilla en el aparentar, lleno de merecimientos, pasó a mejor vida en paz y en gracia de Dios.

Interián de Ayala, como todos los espíritus rectos y discretos, quiso, una vez y no más, echárselas de pillín gastando una jugarreta a los eruditísimos varones que se reservan el derecho de admisión en el templo de la ortodoxia literaria. Excelente poeta, gran latinista, muy apegado a Marcial, a Juvenal, a Ausonio, a Plinio, discurrió Interián de Ayala escribir unas poesías en metros latinos y con *saborcillo pagano* y atribuirlas a los clásicos. La broma surtió su efecto. Los graves varones cayeron en la trampa. ¡Y cómo se reía el bendito mercenario de los espantijos de los engañados desengañados a duras penas!

Entre las obras de Interián de Ayala cuentan: *Vida de Santa María de Cervellón* —Salamanca, 1695—, *Exequias generales de la Academia de Salamanca a la reina doña Mariana de Austria* Salamanca, 1696—, *Sermones varios*—Salamanca, 1703; Madrid, 1720—, *Aclamación festiva al nacimiento de Luis I*—1707—, *Noticia de la enfermedad y*

muerte de doña María Luisa de Saboya—Madrid, 1715—, *Humaniores atque amoeniores ad musas excursus*—1729—, *Pictor Christianus*—1730—, *Cleandia Hispanica, sive de viribus illustribus Hispaniae*—manuscrito—, *Acción heroica*—1740.

V. CEJADOR Y FRAUCA: *Historia de la lengua y literatura castellanas.* TOMO VI.—NÚÑEZ DE FUENTE ALMEGIS, Pedro: *Coronación poética.* Madrid, 1731.—BIBLIOTECA DE AUTORES ESPAÑOLES. TOMO LXVII.

IPARRAGUIRRE, José María de.

Popular poeta y músico español. Nació —1820—en Villarreal de Urrechu (Guipúzcoa). Murió en 1881. En Vitoria estudió latín. Y en Madrid asistió a las clases de San Isidro el Real, regentado por los jesuitas. En 1833 se alistó como voluntario en las fuerzas carlistas de don Carlos María Isidro, siendo herido en una pierna durante el combate de Arrigorriaga y estando a punto de caer prisionero en la batalla de Mendigorría. Habiendo quedado inútil para el servicio activo, fue destinado a la compañía de alabarderos de don Carlos, que era como su guardia de honor. Por no haberse querido someter al Convenio de Vergara, Iparraguirre emigró a Francia. Para ganarse la vida, dando conciertos o formando parte de compañías teatrales, recorrió Suiza, Alemania, Italia, Inglaterra. Al regresar a España, vivió algún tiempo en Madrid, haciéndose famoso en el café de San Luis, de la calle de la Montera, por cantar con sus compañeros vascos un zortzico que había compuesto: *Guernikako Arbola;* zortzico que se transformó en el himno de las libertades vascas. Iparraguirre compuso más canciones regionalistas, por lo que el Gobierno le hizo salir de Vasconia. En 1867 marchó a América. Se le dio por muerto. Pero en 1877 pudo volver a España y recibió un homenaje en el teatro Real, de Madrid. Desde entonces vivió componiendo poesías y música, humilde pero tranquilamente, gracias a la modesta pensión que le habían señalado las Diputaciones de Alava, Guipúzcoa y Vizcaya.

Ni como poeta ni como músico alcanzó Iparraguirre altos vuelos. Su mérito principal residió en lo acertadamente que supo recoger y expresar las ansias del alma popular de su país. El famoso *Guernikako Arbola* rezuma honradez, humildad y esperanza de alma, afanes de amor que une une.

Otras canciones: *Ume eder bata, Agus Euskalerriari, Nere etorreralur maitera, Gitarra, zartxo bat da...*

V. PEÑA Y GOÑI, A.: *Don José María de Iparraguirre,* en *Euskalerría, XXIII,* tomo 368.—PALÁU, Melchor de: *Acontecimien-*

tos literarios.. Madrid, 1890.—SALAVERRÍA, José María: *Iparraguirre.* Madrid, Espasa-Calpe, en *Vidas extraordinarias del siglo XIX.*

PUCHE, Pedro Leandro.

Poeta, novelista y periodista uruguayo. Nació—1889—en Treinta y Tres. Desde 1909 vivió en Montevideo, asistiendo a las tertulias de Zorrilla San Martín, José Enrique Rodó, Carlos Reyles... Ha colaborado con asiduidad en los más importantes diarios y revistas de su patria y de otros países hispanoamericanos. El Ministerio de Instrucción Pública premió varios de sus libros, y en 1947 le otorgó la máxima distinción: la Medalla de Oro.

Obras poéticas: *Engarces*—1912—, *Alas nuevas*—1922—, *Tierra honda*—1924—, *Júbilo y miedo*—1926—, *Rumbo desnudo* —1929—, *Tierra celeste*—1938—, *La llave de la sombra*—1949.

Obras en prosa: *Fernando Soto*—novela, 1931—, *Isla patrulla*—novela, 1935—, *El yesquero del fantasma*—ensayos, 1943—, *Cuentos del fantasma*—1946—, *Dino, el rey niño* —teatro, 1948—, *Alma en el aire*—ensayos, 1952.

PUCHE RIVA, Rolina.

Cuentista y profesora uruguaya, hija de Pedro Leandro. Nació—¿1920?—en Montevideo. Bachiller en Arte. Maestra. Profesora de francés. Ha dado incontables conferencias con temas literarios y artísticos. Acudió, en 1950, al "Prix Rivarol", de París, con su novela; escrita en francés, *L'Apprentissage,* que se clasificó entre las finalistas.

Obras: *Arroja tu pan a las aguas*—cuentos, 1950—, *El flanco del tiempo*—cuentos, 1952—, *Infancia*—cuentos—, *Emma Bovary, derrota del Ensueño; Simbolismo*—ensayos.

IRANZO, Miguel Lucas de.

No fue Miguel de Lucas Iranzo el autor y sí el protagonista de la curiosísima *Relación de fechos del condestable Miguel Lucas de Iranzo,* cuya redacción ha sido atribuida a un criado del héroe, llamado Juan de Olid; a Diego Gómez, a Pedro de Escavias, a cierto pariente del condestable.

En la *Relación* se cuentan los sucesos acaecidos, desde 1458 a 1471, en la existencia de este gran hombre, que desde la más humilde cuna llegó a los más altos puestos, debido a su privanza con Enrique IV. Vendido por las intrigas de don Beltrán de la Cueva y del marqués de Villena, Miguel Lucas de Iranzo se retiró a Jaén, de cuya fortaleza fue nombrado alcaide—1471—, y en Jaén vivió hasta 1473, año en que fue ase-

sinado mientras oía misa en la iglesia mayor.

La *Relación* suma muy interesantes valores: el intenso colorido local; los múltiples detalles que recoge de la vida doméstica en el siglo XV (vestidos, manjares, fiestas, costumbres); la sencillez narrativa...

Textos: Edición Gayangos, en el *Mem. Histórico Español,* vol. III, 1855; edición Carriazo, Espasa-Calpe, Madrid, 1942.

V. GAYANGOS, Pascual: Prólogo a la edición de 1855.—CARRIAZO, Juan de la Mata: *Estudio* a la ed. de 1942.—SITGES, Juan Blas: *Don Enrique IV...* Madrid, 1912.

IRIARTE, Tomás de.

Poeta, fabulista y comediógrafo famoso. 1750-1791. Nació en la villa de Orotava el 18 de septiembre. Fue el benjamín de cinco hermanos varones, entre los que hubo un sabio dominico—lector de prima—, Juan; un político, el mayor, Bernardo; un diplomático de maneras harto escurridizas, el tercero, Domingo; uno que se dedicó a sestear en su tierra natal, sin oficio ni beneficio, el cuarto, José.

Tomás de Iriarte fue menudo, pálido, correcto de facciones, de figura currutaca muy adecuada para componerse con la casaca, la peluca encañonada, el peto escarolado de encaje y el espadín, como si fuera a bailar un minué con notas de Mozart. Tomás era vivo, inteligente. Su hermano el dominico le enseñó el latín a conciencia. Ya en Madrid —1765—, su tío, don Juan, bibliotecario del Real Palacio, erudito de muchos bemoles y hábil político en lo de medrar y no parecerlo, le dio lecciones sumamente provechosas de griego y de francés y de gramática parda, hasta el punto de que a los quince años tradujo excelentemente del francés la *Descripción del imperio de la poesía,* de Fontenelle, y del latín, la *Oración sobre el peligro de los libros obscenos,* de Parée.

Vientos de fronda corrían en los años aquellos por el campo de la literatura española. Vientos franceses que todo lo arrasaban o conmovían. Por de pronto, con los clásicos españoles se había hecho borrón y cuenta nueva. Para nada contaban. Ni como influencia. Ni como oreamiento. De allende los Pirineos habían llegado, avasallándolo todo, el espíritu de crítica y de polémica, el afán de pulverizar famas consagradas, la pendantería del gesto y del ademán, la mema obsesión por el detallito, la preocupación currinche por las buenas maneras y el buen parecer. Todos los literatos españoles cayeron en la trampa. Y casi todos salieron de ella contaminados, desvirtuados. El mismo Iriarte, en lugar de cultivar su huerto, dedicóse a traducir producciones abominables

I

de Gressell, Voltaire, Champfort, Destouches..., que firmaba orgullosamente. En cambio, cuando escribía algo finamente original, de acendrado buen gusto y vis cómica admirable, como *Los literatos en Cuaresma* —1773—, se avergonzaba de firmarlo con su nombre, y utilizaba el seudónimo de "Don Amador de Vera y Santa Clara". Hombre muy de su siglo y de las circunstancias, Iriarte concurría a las tertulias literarias del duque de Vistahermosa, del marqués de Castelar y de la Fonda de San Sebastián, en las que se cultivaba el alfilerazo, la sonrisita, las medias palabras, los puntos suspensivos y los *silencios expresivos*. Eso sí: siempre con la llamada corrección versallesca. Tan excelentes amistades le fueron pronto provechosas a Iriarte. Para seguir dándose la buena vida, consiguió un sueldo pingüe como oficial traductor de la Secretaría de Estado y otro sueldo no menos crecido como archivero del Consejo Supremo de Guerra—1776—. Y eso que el aprovechado canario parecía como que nada pretendía. Suavidad se llama esta figura. ¡Buen discípulo de tan gran maestro en la técnica del excelente vivir como fue su tío don Juan!

Sin querer, sin querer, aun cuando tanto rondó el peligro y tanto jugó con el fuego... que cayó y se quemó en la vorágine de las polémicas. Se peleó con Ramón de la Cruz por defender a Nicolás Fernández de Moratín. Se peleó con Sedano por defender la traducción del *Arte poética,* de Horacio —1777—, que aquel desdeñaba olímpicamente. Se peleó con Meléndez Valdés, porque este le birló el primer premio en un concurso de la Academia Española, al que los dos acudieron con sendas églogas. Se peleó con Forner, porque Forner, en *El asno erudito,* atacó sus *Fábulas literarias en verso castellano*—1782—. Se peleó con Samaniego por aquello de "dos del mismo oficio...". Se peleó con el Santo Tribunal de la Inquisición, porque su fábula *La barca de Simón* contenía una sátira malévola e irrespetuosa contra el Pontificado. Se peleó con Huerta por ganas, en los dos, de pelearse... Se peleó... ¿Con quiénes otros se tiró los trastos a la cabeza? De cuantos le atacaron, ninguno logró hacerle tanta pupa como Forner. A los demás supo contestarles cumplidamente, y hasta se quedó con la impresión de haberles derrotado. Forner era más listo y más culto que él. Interiormente lo reconocía, rabiando. Forner le paraba todas las estocadas y en seguida le tocaba hondo impunemente. Para librarse de él, tuvo que recurrir a sus influencias en Palacio y a que el Gobierno, presionado así, prohibiese la publicación de los panfletos del feroz extremeño. Artimaña vergonzosa. Porque delataba a las claras su impotencia combativa contra aquel adversario.

Sin embargo, tanto pudieron las amarguras que le causó Forner, que su salud se resintió. Marchó a reponerse a Sanlúcar de Barrameda, cara al océano que le vio nacer. Ni ganas le quedaban de responder a las malicias que aún le disparaban otros literatos envidiosos de su boato y de sus méritos. No le obsesionaba sino una idea: la acerba crítica que Forner había hecho de su obra. Era ella el cáncer irremediable que le mataba. ¡Y aún dicen que no se sabe de qué murió Tomas de Iriarte, el 17 de septiembre de 1791!

La fama justa de Iriarte se ajusta a sus bellas y graciosas fábulas. Si como autor teatral logró estimables éxitos, ninguna pieza de su teatro ha perdurado ni se lee hoy sin cansancio. Otros escritores satíricos le ganan un rango notable. Pero decae de nuevo si se examinan sus traducciones. Y no es que estén mal, ni que traicionen el pensamiento y el sentido de los autores, sino que... pecan de frías, de desmayadas, de prosaicas. Purísimo, castizo y acendrado es el lenguaje de Iriarte... Mas carece de nervio y, por ende, de vibraciones. Su indudable preparación intelectual la derrochó y malogró en piques y disputas y encomios de tertulia literaria de café o de salón.

Obras importantes de Tomás de Iriarte: *Hacer que hacemos*—comedia, 1770—, *Los literatos en Cuaresma*—sátira, 1773—, *Arte poética*—traducción, 1777—, *Donde las dan, las toman*—diálogo poco serio, 1778—, *La música*—poema, 1779—, *Plan de una Academia de Ciencias y Bellas Artes*—1780—, *Fábulas literarias en verso castellano*—1782—, *Para casos tales...*—folleto contra Forner, ¿1783?—, *El señorito mimado*—comedia, 1788—, *La señorita mal criada*—comedia, 1789—, *El don de gentes*—comedia, 1790—, *Donde menos se piensa, salta la liebre*—pasatiempo, 1790—, *Guzmán el Bueno*—monólogo, 1791.

De estas obras, la peor de todas, el poema *La música,* de versos ramplones e ideas de segunda mano, fue la que alcanzó mayor éxito. Tres ediciones se publicaron de él en el mismo año—1779—, una de ellas patrocinada por el Estado, con láminas dibujadas por Ferro y grabadas por Ballester, Selma y Carmona. Y fue traducido inmediatamente al francés por Granville, al alemán por Bertench, al inglés por Belfour y al italiano por García.

Ediciones excelentes de las obras de Iriarte son: las de Madrid—1787—, en seis tomos, y 1805, en ocho—; la de la "Biblioteca de Autores Españoles", *Poetas del siglo XVIII,* tomo LXIII; *Poesías inéditas* editorial Foulché-Delbosc, en *Revue Hispanique*, II, 70.

En la Biblioteca Nacional de Madrid existe un tomo de *Miscelánea* de obras inéditas de Iriarte, que recogió su hermano don Bernardo y que no llegó a publicar. En su mayoría son obras teatrales: *El mal hombre, El malgastador*—comedias—, *Mahoma, La pupila juiciosa*—dramas—, *El mercader de Esmirna*—traducción.

V. Cotarelo Mori, Emilio: *Iriarte y su época*. Madrid, 1897.—Cotarelo Mori, Emilio: *Proceso inquisitorial contra don Tomás de Iriarte*, en *Revista de Archivos*, 1900.— Menéndez Pelayo, M.: *Heterodoxos españoles*. Madrid, 1789.—Foulché-Delbosc: *Poesías inéditas*, en *Revue Hispanique*, 1895.— Veziriet: *Molière, Florian et la littérature espagnole*. París, 1909.—Cejador, Julio: *Historia de la lengua y literatura castellanas*. Tomo VI.—Miquel y Planas: *Iriarte, bibliófilo*. Barcelona, 1925.

IRIARTE Y CISNEROS, Juan.

Gramático, erudito y poeta de mérito. 1702-1771. Nació en el Puerto de Orotava (Canarias) el día 15 de diciembre. A los once años fue enviado a París para que se educara en el famoso colegio de Louis le Grand, donde le tocó ser alumno del relamido y bilioso Voltaire. Dominó de manera admirable el griego, el latín, el francés y el inglés. Y en 1723 abandonó el colegio famoso sin haber sacado otra enseñanza de su maestro aludido que el uso inmoderado del rapé y los golpecitos con que se sacudía las motas de la casaca; una de esas casacas que están pidiendo a voces la música de Mozart disuelta en un amplio salón de espejos pesadamente enmarcados y de consolas atiborradas de candelabros. De París, a Londres. Poco tiempo. Regresó a las Islas. Aburrimiento. ¿Qué podía hacer él allí, tan repulido, en un ámbito y en un ambiente tan particulares? Decidió residir en Madrid. Y en la villa y corte, con la protección del Padre Guillermo Clarke—confesor y bibliotecario de Felipe V—, ocupó cargos de confianza en Palacio, siendo después preceptor de los hijos de los duques de Alba, Híjar y del infante don Manuel de Portugal. El ministro marqués de Villarias le nombró oficial traductor de la primera Secretaría de Estado, y el propio monarca, oficial primero de la Real Biblioteca—1729—y más tarde—1732—su bibliotecario. Ya por entonces don Juan de Iriarte había publicado con un éxito excepcional su *Tauromaquia matritensis, sive taurorum ludi*—1725—y un poema latino leído solemnemente—1727—en el Colegio Imperial. Alternando con su ardua labor erudita e investigadora en el real departamento, empezó a colaborar en el *Diario de los Literatos*, en el que ejerció la crítica literaria con una gran serenidad. En 1747 fue nombrado miembro de la Academia Española, leyendo en el acto de la recepción un discurso *Sobre la imperfección de los diccionarios*. Aún desempeñó más cargos: académico de la de Bellas Artes de San Fernando—1752—; director del gran *Diccionario latino-español*, que el Gobierno le había mandado redactar "para gloria de España"; colaborador del Padre Flórez en los inicios de su *España Sagrada*. Escribía Iriarte los versos latinos con mayor facilidad que los castellanos. Sus trabajos al frente de la Real Biblioteca fueron tantos como beneméritos; el más famoso—tal vez la mejor de sus obras—la *Regiae bibliothecae Matritensis codices graeci*—1769.

Iriarte murió en Madrid, en el mes de agosto de 1771.

Para añadir a las ya mencionadas, las siguientes obras de don Juan de Iriarte: *Colección de refranes castellanos traducidos en metros latinos*—1749—, *Advertencias sobre la sintaxis castellana*—1755—, *Sobre los verbos reflexivos y recíprocos*—1756—, *Paleografía griega*—1760—, *Gramática latina*—1764.

La mejor edición de sus obras es la publicada, en dos tomos, el año 1774, con el título de *Obras sueltas de don Juan de Iriarte*. Madrid.

V. Diario de los Literatos de España. Desde 1737.—Anónimo: *Noticia de la vida y literatura de don Juan de Iriarte*. Madrid, 1771.—Cejador y Frauca: *Historia de la lengua y literatura castellanas*. Tomo VI.

IRIBARREN, José María.

Ensayista, folklorista, cronista español. Nació—1906—y murió—1971—en Tudela (Navarra). Posiblemente es el primero de los investigadores en los usos y costumbres de Navarra, que ha sabido recoger—con ciencia y amenidad insuperables—en treinta y tantos muy nutridos volúmenes. Nada de su tierra ha escapado a la sagacidad de su cultura y a la maestría de su pluma: el pasado, el presente, la historia rigurosa, la anécdota, las costumbres populares, los tipos singulares... Como reconocimiento a su erudición, la Real Academia Española de la Lengua le nombró miembro correspondiente en Navarra. Además de sus numerosas obras, su labor se ha derramado en diarios y revistas.

Obras: *Con el general Mola*—ensayo, Zaragoza, 1937—, *Mola*—biografía, Madrid, 1945—, *Retablo de curiosidades*—Pamplona, 1954—, *Batiburrillo navarro*—Pamplona,

1950—, *Navarrerías*—Pamplona, 1956—, *Vitoria y los viajeros del siglo romántico*—ensayos. Vitoria, 1950—, *Burlas y chanzas*—Pamplona, 1961—, *Vocabulario navarro*—Pamplona, 1952—, *El patio de caballos*—Pamplona, 1952—, *El moro Corellano y los bandidos de Lanz*—Pamplona, 1955—, *Cajón de sastre*—Pamplona, 1955—, *Pamplona y los viajeros de otros siglos*—Pamplona, 1957—, *Adiciones al vocabulario navarro*—Pamplona, 1958—, *El porqué de los dichos*—Pamplona, 1962—, *Ramillete español*—1965—, *Espoz y Mina, el guerrillero*—1965—, *Espoz y Mina, el liberal*—1967.

IRIBARREN, Manuel.

Novelista, poeta y autor dramático español contemporáneo. Nació—1903—en Pamplona. Colaborador de importantes diarios y revistas.

De mucha inventiva, excelente prosa y estilo personal y brillantísimo.

Obras: *La otra Eva* comedia—, *La advenediza*—comedia—, *La hora íntima*—comedia—, *Nosotros, los jóvenes*—comedia—, *La ciudad*—novela—, *Retorno*—novela—, *San Hombre, De la vida y de la muerte del príncipe de Viana, Pugna de almas*—1945—, *Los grandes hombres ante la muerte*—1949—, *Encrucijadas*—1952—, *Navarra*—ensayo, Madrid, 1956—, *El capitán de sí mismo*—teatro, Madrid, 1956—, *Misterio de San Guillén y Santa Felicia*—"Premio Nacional de Literatura, 1965"—, *Pequeños hombres ante la vida*—1966—, *El paisaje*—1968—, *El tributo de los días*—1968.

V. NORA, Eugenio G. de: *La novela española contemporánea*. Madrid, Gredos. 1962. Tomo II, págs. 379-80.

IRISARRI, Antonio José de.

Poeta y prosista guatemalteco. Nació—1786—en la ciudad de Guatemala y murió—1868—en los Estados Unidos, donde desempeñaba el cargo de ministro plenipotenciario de su patria.

En su ciudad natal realizó sus estudios. Dueño de una gran fortuna, a partir de 1836 realizó continuos y largos viajes por Europa y América, tomando parte activa en los negocios políticos, ya como periodista, ya como militar, ya como diplomático, ya como gobernante. En 1825 tomó parte en un movimiento revolucionario, siendo encarcelado y condenado a destierro. En Londres fundó y redactó *El Censor Americano*.

Fue Irisarri "uno de los hombres de más entendimiento, de más vasta cultura, de más energía política y de más fuego en la polémica que América ha producido. Pero como poeta le faltó el *quid divinum*, así en el concepto como en la expresión, y sus sátiras, sus epístolas, sus fábulas, letrillas y epigramas, son más bien correcta prosa, incisiva y mordaz, salpimentada de malicias y agudezas que levantan roncha, que verdadera poesía..." (Menéndez Pelayo).

Obras: *Poesías satíricas y burlescas, Cuestiones filológicas, Historia del perínclito Epaminondas del Cauca, El cristiano errante*—Bogotá, 1847, novela autobiográfica.

V. DONOSO, Ricardo: *Antonio José de Irisarri*. Santiago de Chile, 1934.—DONOSO, Ricardo: *Escritos polémicos de A. J. de Irisarri*. Santiago de Chile, 1934.—MENÉNDEZ PELAYO, M.: *Historia de la poesía hispanoamericana*. Madrid, 1911-1913, tomo I.

ISAACS, Jorge.

Poeta, dramaturgo, novelista de nombre universal. 1837-1895. De Cali (Colombia). Su padre, Jorge Enrique Isaacs, era un judío inglés converso; su madre, Manuela Ferrer, era hija de un oficial de la Marina española. Estudió las primeras letras en Bogotá. Sus deseos de hacerse médico los frustró la mala marcha de los negocios paternos. A los dieciséis años, Jorge Isaacs tomó las armas con motivo de la insurrección de Melo. Y a los diecinueve se casó con Felisa González Umaña, muchachita de catorce años. También tomó parte en las andanzas militares para dominar la sublevación del general Mosquera. Luego fue, sucesivamente, "periodista, agricultor, minero fracasado, superintendente de Instrucción Pública, catedrático en la Escuela Normal, guerrero otra vez, diputado, presidente del Estado de Antioquía por breve tiempo..." Por todas partes no recogió sino amarguras y decepciones. Murió católica y ejemplarmente.

Su fama universal se la ha logrado su novela *María*, reimpresa docenas de veces, traducida a todos los idiomas y gustada y regustada por numerosas generaciones de las cinco partes del mundo. *María* es y será la novela cumbre de América.

"La poesía del idilio juvenil, fuente de perenne belleza, alcanza su más cumplida realización en la novela hispanoamericana con *María*, de Jorge Isaacs. Es al mismo tiempo, y por aquella causa, una de las novelas más populares. Encierra el secreto de una fresca vitalidad. Aun pasados los tiempos en que el estremecimiento romántico tenía plena vigencia, no habrá lector adolescente que deje de asomarse a sus páginas al misterio revelador de una pasión primera e ingenua, ni hombre maduro que deje de experimentar a su revelación melancólicas y dulces reminiscencias. Tal es la calidad de su lirismo, mezcla de atavismo racial e idealismo de ambiente. *María* queda indisolublemente unida a la poesía del valle de Cauca, como *Atala* al paisaje de las regiones septentrionales." (Leguizamón.)

María es el primer grito de la naturaleza americana, con un sentido delicado y profundo del verdadero amor. Todo en esta novela ideal está lleno de colorido y de sabor locales, de una húmeda y tremenda poesía, de una deliciosa mezcla de realismo y de romanticismo. Su lectura arranca las lágrimas a los espíritus sensibles de cualquier edad, porque tiene grandeza trágica el asunto y está desarrollado con tan gran emoción, que hace vivirlo y sentirlo como propio.

Otras obras: *Poesías*—Bogotá, 1864—, *La revolución radical en Antioquia*—Bogotá, 1880—, *Estudio sobre las tribus indígenas del Departamento de la Magdalena, Saulo* —poema, Bogotá, 1881.

V. CARVAJAL, Mario: *Vida y pasión de Jorge Isaacs.*—VALLE, Manuel A.: *La vida turbulenta de Jorge Isaacs.*—SÁNCHEZ, Luis A.: *América: novela sin novelistas.* Lima, 1933.— WARSHAW, J.: *Jorge Isaacs' library: Light on two Maria problems...,* en *The Romanic Review,* 1941, XXXII.—ARANGO FERRER, Javier: *La literatura de Colombia.* Univ. de Buenos Aires, 1940.—GARCÍA PRADA, C.: *Antología de líricos colombianos.* Bogotá, 1937. GÓMEZ RESTREPO, A.: *La literatura colombiana,* en *Revue Hispanique,* XLIII.—POSADA, Eduardo: *Bibliografía bogotana.* Bogotá, 1917 y 1924. Dos tomos.

ISABEL DE JESÚS, Sor.

Religiosa y autora ascética. 1586-1648. Ni siquiera supo leer ni escribir. Recoleta agustina en el convento de San Juan Bautista, de la villa de Arenas de San Pedro.

Sor Isabel de Jesús dictó su *Vida,* limitándose a recitar lo que la Divinidad le inspiraba. Ella misma cuenta cómo acaecía ello: "Veo de ordinario una luz hermosa quando estamos escriviendo, manifestándose esta luz unas vezes sobre la mano, que parece da muestras de que la rige; otras vezes se manifiesta sobre el papel, junto a lo que va declarando la pluma. Otras vezes la veo sobre lo que ya queda escrito, algo desviada de la pluma, y otras vezes veo un ángel."

La obra está dividida en tres libros y dedicada al Santísimo Cristo de la Victoria, titular del convento de recoletas agustinas de la villa de Serradilla, diócesis de Plasencia. Fue examinada y corregida por el Padre fray Francisco Ignacio, confesor de sor Isabel, y publicada—1672—en Madrid.

La *Vida* de sor Isabel de Jesús, escrita en una prosa sencilla y hasta tosca, está llena de interesantes detalles de la época, y abunda en delicadas explosiones de afectos cordiales y espirituales.

ISCAR PEYRA, Fernando.

Ensayista, novelista y periodista español. Nació—1886—en Salamanca. Abogado. Presidente de la Asociación de la Prensa salmantina desde su fundación. Sus primeras crónicas literarias aparecieron en *El Lábaro,* diario de su ciudad natal. Muy joven, vivió algunos años en París, desde donde mandó muy bellos artículos a *El Mundo,* de Madrid, periódico que acabó por nombrarle su corresponsal. De regreso a Salamanca colaboró ardientemente por todo cuanto significara progreso literario, artístico y científico para la bella ciudad castellana.

Obras: *Vestigios*—crónicas—, *Los peleles* —novela, prologada por Miguel de Unamuno—, *La bolsa y la vida*—novela—, *Ecos de la francesada*—ensayos—, *Sabel*—novela clasificada en primer lugar por el Jurado calificador del "Premio Cervantes"—, *Literatura salmantina*—ensayo.

Iscar Pereyra ha pronunciado numerosos discursos y conferencias sobre diversos temas en los principales centros culturales de España.

ISIDORO, San.

Célebre erudito y escritor español. Nació hacia el año 560 en Cartagena o en Sevilla. Murió en esta ciudad el 4 de abril del año 636. Su padre fue Severino, gobernador de la provincia cartaginense. Y tuvo tres hermanos mayores, igualmente sabios y santos: San Leandro, San Fulgencio y Santa Florentina. Se educó en la escuela de la catedral de Sevilla, creada por San Leandro, en la cual aprendió el *trivium* y el *quatrivium,* llegando a dominar, además, las lenguas latinas, griega y hebrea. Sacerdote. Amigo del Pontífice San Gregorio el Grande, que tanto trabajó por que los godos se convirtieran al catolicismo. Sucedió—599—a su hermano San Leandro en la silla episcopal de Sevilla. Presidió el segundo Concilio Hispalense y el cuarto Concilio toledano. Acabó de desarraigar el arrianismo y robusteció en toda España la disciplina eclesiástica. San Isidoro fue el primer escritor cristiano que trató de recoger en una *Summa* todos los conocimientos humanos. Su erudición era portentosa; su estilo, modelo de concisión y brevedad; el orden, admirable. A juicio de Eberth, San Isidoro es "tal vez el más grande compilador que haya existido jamás".

Su obra más importante es la llamada *Etimologías,* voluminosa enciclopedia en veinte libros, en la que el autor reseña las materias de las ciencias por medio de una definición de las nociones y objetos científicos, sirviéndose de la etimología de las palabras mismas que los designan. En las *Etimologías* se resume cuanto era conocido en la

I

época de Gramática, Retórica, Poética, Música, Astronomía, Medicina, Teología, Filosofía, Derecho, Anatomía, Lexicografía, Geografía, Historia, Agricultura, Arquitectura, Mineralogía, Guerra y Juegos, Pesos y Medidas, Navíos y Casas, Alimentos...

Otras obras: *Differentiae verborum et rerum*—diccionario etimológico—, *Synonyma* —diccionario de sinónimos—, *Sententiarum libri tres*, *De ortu et obitu Patrum*—historia de ochenta y cinco Padres—, *Chronicon, Liber de natura rerum, Liber de viris illustribus*—biografías—, *Historia de regibus Gothorum, Vandalorum et Suevorum*...

La influencia de San Isidoro fue inmensa durante la Edad Media.

Ediciones importantes: Sommius—París, 1580—, Gómez, Pérez, Grial—Madrid, 1559—, Du Breuil—París, 1601—, Colonia, 1617; Arévalo—Roma, 1797—, Oxford, 1912. V. MENÉNDEZ PELAYO, M.: *San Isidoro*, en *Est. de crít. liter.* 1941, I, 107.—PÉREZ DE URBEL, J.: *San Isidoro de Sevilla.* Barcelona. Edit. Labor. 1940.—SÁNCHEZ PÉREZ, J.: *San Isidoro.* Madrid, 1944. Colección "Crisol". Editorial Aguilar.—PRADOS SALMERÓN, N.: *San Isidoro. Estudio bibliográfico.* Madrid, 1915.—VALENTÍ, J.: *San Isidoro. Su vida y sus escritos.* Valladolid, 1915.—MÉNDEZ BEJARANO, M.: *Diccionario de maestros, autores y escritores de la provincia de Sevilla.* Tomo I, Sevilla, 1924.—ARÉVALO, F.: *Isidoriana.* [Magnífico estudio antepuesto a la edición de Roma. 1793-1803, reproducida por MIGNE.]—SÉJOURNÉ, P.: *Saint Isidore de Séville.* París, 1929.—ARAÚJO COSTA, Luis: *San Isidoro, arzobispo de Sevilla.* Madrid, 1942.— [VARIOS]: *Miscellanea Isidoriana.* Roma, 1936.—BEESON, Ch. H.: *Isidor-Studien.* Munich, 1913.

ISLA, José Francisco de.

Notable escritor y satírico español. Nació —1703—en Vidanes (León). Murió—1781—en Bolonia (Italia). A los dieciséis años ingresó en el noviciado que los jesuitas tenían en Villagarcía de Campos. Estudió Teología en Salamanca. Y en colaboración con el padre Losada escribió una obra titulada *La juventud triunfante*, descripción en prosa y verso de las fiestas celebradas para solemnizar la canonización de San Luis de Gonzaga y San Estanislao. Profesor de Filosofía y Teología en Segovia, Santiago y Pamplona. El marqués de la Ensenada le propuso como confesor de la reina doña Bárbara de Braganza; cargo que él no aceptó. En 1767, al ser expulsados los jesuitas de España, el padre Isla, ya muy enfermo, marchó al destierro, y después de una temporada en Córcega, llegó a la provincia de Bolonia, siendo hospedado por los condes Tedeschi y gustando comunicar con los estudiantes españoles del Colegio Español fundado por el cardenal Albornoz. Durante su destierro mantuvo particular correspondencia con su discretísima y cariñosa hermana doña María Francisca de Isla. Esta correspondencia forma el volumen titulado, *Cartas familiares*, por serle natural el estilo llano y casero. Durante los catorce meses que estuvo en Córcega comenzó a traducir las *Cartas* de José Antonio Constantini, en ocho tomos, que acabó en los Estados Pontificios. Antes, en Pamplona, tradujo el *Compendio de Historia de España*, del padre Duchesne, y el *Año Cristiano*, del padre Croiset. Viviendo ya en el palacio Tedeschi, sumamente enfermo, para favorecer a un amigo, tradujo las aventuras de *Gil Blas de Santillana*—impresa en 1787—y el *Arte de encomendarse a Dios*, del italiano padre Bellati.

Fue el padre Isla "veraz, franco, modesto, humilde, generoso y resignado; por otro lado, jovial y gracioso, propenso a la sátira festiva, pero sin ofensa de nadie, tan solo contra la ignorancia orgullosa o la atrevida ridiculez. Su agudo ingenio se retrataba en sus ojos vivos y brillantes, y en lo ameno de su conversación salpimentada de cuentos, chascarrillos y agudezas. Este mismo ingenio agudo y humor festivo y chocarrero llevó el padre Isla a sus obras. Donde brilla limpio y sin mancha de afectaciones ni bajeza es en sus *Cartas familiares*... Pero en sus demás escritos han dejado ya las huellas el conceptismo que mancillaba entonces toda nuestra literatura, ayudando la agudeza de su ingenio, y a la grosería que por ir al opuesto extremo se nota en toda la obra de la primera mitad del siglo XVIII, teniendo parte las costumbres y modos de hablar algún tanto chabacanos de los frailes, ya el galicismo que desde principios del siglo hacía riza entre los escritores, mayormente por su ejercicio al traducir el francés. Estos defectos empañan algo el decir del padre Isla, aunque su riqueza y propiedad del castizo castellano les sobrepuje, y el gran ingenio, buena sombra y sinceridad del escritor haga siempre agradables sus libros, de los mejores que en aquel siglo se compusieron". (C. y F.)

La obra principal del padre Isla es *Historia del famoso predicador fray Gerundio de Campazas*, que tiene dos partes—impresas en 1758 y 1770—, publicada con el nombre de Francisco Lobón de Salazar, beneficiado de Aguilar y cura de Villagarcía de Campos. Es una obra en la que se combinan constantemente, del modo más extraño, dos elementos: una novela satírica y burlesca acerca de los malos predicadores, y un tratado didáctico de oratoria sagrada. En esta combinación intercala el autor algunos cuentos a modo de chascarrillos. La obra tuvo y tiene un éxito continuado, aun cuando en ella peca el padre Isla de algunos de los defectos que se propone censurar. Pero abunda en momentos admirables y rezuma un gran ingenio. De este libro se vendieron 1.500 ejemplares en tres días.

Maravillosa es la traducción que hizo el padre Isla del *Gil Blas*—1787 y 1788—, de Le Sage, atribuyendo esta novela a varios escritores españoles—Espinel, Alemán, Solís...—, a los que el autor francés había plagiado con cierta habilidad, motivando con tal afirmación enconadísimas controversias.

Otras obras: *La juventud triunfante*—Salamanca, 1727, sin nombre del autor, con poesías y cuatro comedias—, *Triunfo del amor y de la lealtad, o Día grande de Navarra*—Pamplona, 1746—, *Cartas de Juan de la Encina*—1758—, *Los aldeanos críticos o cartas críticas sobre lo que se verá...*—Madrid, 1759—, *Mercurio general de Europa, lista de sucesos varios*—1758—, *Reflexiones cristianas sobre las grandes verdades de la fe...*—Madrid, 1785—, *Sermones*—1792 y 1793, seis tomos—, *Colección de papeles crítico-apologéticos...*—Madrid, 1787 y 1788, dos tomos...

De la traducción del *Gil Blas* se conocen cincuenta y seis ediciones anteriores al siglo XX. Del *Fray Gerundio*, más de veinte.

Magnífica edición moderna de esta obra es la de V. E. Lidforss, Leipzig, 1885, en dos volúmenes. Y la contenida en el tomo XV de la "Biblioteca de Autores Españoles", de Rivadeneyra, preparada y anotada por el padre F. Monláu. De las *Cartas familiares*, la de León, 1903, y la de la "Biblioteca de Autores Clásicos", Barcelona, 1887.

V. Gaudeau, P.: *Le P. Isla et son Fray Gerundio*. París, 1891.—Coloma, P. Luis: *Discurso* de ingreso en la Real Academia Española. Madrid, 1908.—Gili, S.: *Contribución a la bibliografía del P. Isla*, en *Rev. Fil. Española*, 1923, X, 65.—Alonso Cortés, N.: *Datos genealógicos del P. Isla*, en *Boletín de la Academia Española*, 1936, XXIII, 211.—Eguía, C.: *Postrimerías y muerte del P. Isla en Bolonia...*, en *Razón y Fe*, 1932 y 1933.—Salas, J. I.: *Compendio histórico de la vida, carácter... del P. Isla*. Madrid, 1803.

ISLA Y LOSADA, María Francisca de.

Escritora española. Nació—1735—en Santiago de Compostela. Fue hermana consanguínea del famoso P. Isla. Tanta fue su cultura y tanta su discreción, que el padre Isla le mostraba sus obras antes de publicarlas y admitía gustoso las correcciones que su hermana le proponía. El famoso escritor dedicó a María Francisca su traducción de la obra de Francisco Bellati el *Arte de encomendarse a Dios*.

En 1754 contrajo matrimonio con don Nicolás de Ayala. Muerto el padre Isla, ella se dedicó a publicar las obras que había dejado inéditas su ilustre hermano, tarea en la que encontró no pocos disgustos. Al ser rechazada su petición para publicar una *Colección de dichos y hechos singulares,* María Francisca escribió un sutil y extenso alegato, en el que no solo defendía la obra del padre Isla, sino que rebatía ingeniosamente la opinión desfavorable del censor de aquella, fray Pedro Centeno. Pero el Consejo de Castilla falló en este pleito a favor del religioso.

Algunos documentos del Archivo Histórico Nacional prueban que María Francisca tuvo parte en la redacción de la obra—que firma don Josef Ignacio Salas—*Compendio histórico de la vida, carácter moral y literario del célebre P. Josef Francisco de Isla.*

ITURRONDO, Francisco.

Poeta y jurisconsulto. Se considera cubano, aun cuando nació—1800—en Cádiz, porque vivió en Cuba desde que tuvo seis años. En Cuba estudió y se licenció en Leyes. En Cuba ejerció con éxito la abogacía. Sus primeras poesías aparecieron en los periódicos cubanos *La Aurora* y *El Lucero*, de la Habana. Exaltó apasionadamente todo lo cubano. Sin embargo, su gran tragedia fue no ser *del todo* ni español ni cubano. Popularizó el seudónimo de "Delio". Y murió—1868—durante una travesía entre Nueva York y la Habana.

En 1835, con Valdés Machuca, dirigió *La fiesta campestre* y *Aureola poética*, en honor de Martínez de la Rosa. Tradujo en verso *La fuerza de Inis Thora*, de Ossian, y el drama *El paria*, de Casimiro Delavigne.

Entre sus composiciones destacan: el poema *Colón;* las odas *Las ruinas de la Alhambra, La toma del Cuzco* y *A la reina María Cristina.*

Obras: *Rasgos descriptivos de la naturaleza cubana*—la Habana, 1831—, *Ocios poéticos*—Matanzas, 1834.

V. Fornaris, J., y Luaces, J. L.: *Cuba poética*. La Habana, 1855, 1861.—Remos y Rubio, Juan: *Historia de la literatura cubana*. La Habana, 1925.—Salazar y Roig, S.: *Historia de la literatura cubana*. La Habana, 1939.

IXART, José (v. Yxart, José).

IZA ZAMÁCOLA, Juan Antonio de.

Literato español que popularizó el seudónimo de "Don Preciso". Nació—1756—en la Anteiglesia de Dima (Vizcaya) y murió

—1826—en Auch (Francia). Fue escribano en Madrid. Sirvió a José I, y tuvo que huir —1812—a Francia. Asistió en la hora de la muerte, en Auch, al padre Estala. En 1822 regresó a Madrid, falleciendo en la misma casa donde estaba instalado el famoso café revolucionario y romántico La Fontana de Oro, en la carrera de San Jerónimo. Había colaborado asiduamente en el *Diario de Madrid* y en otras publicaciones.

Fue literato de bien probado neoclasicismo y de mucha cultura.

Obras: *Colección de las mejores coplas de seguidillas, tiranas y polos que se han com-* *puesto para cantar con guitarra*—Madrid, 1799 y 1803—, *Elementos de la ciencia contradanzaria, para que los currutacos, pirracas y madamitas del nuevo cuño puedan aprender por principios a baylar las contradanzas por sí solos, o con las sillas de su casa...*—Madrid, 1793—, *Historia de las naciones vascas*—Auch, 1818, tres tomos...

V. Cossío, José María de: *Una biografía de "Don Preciso"*, en *Rev. de Bibliografía Nacional*. Madrid, 1944, V, 385-406.

IZCO, Wenceslao Ayguals de (v. Ayguals de Izco, Wenceslao).

J

JACKSON VEYAN, José.

Poeta y autor dramático español. Nació —1852—en Cádiz. Murió—1935—en Madrid. Del Cuerpo de Telégrafos. Colaborador en revistas de importancia: *Blanco y Negro*, *Madrid Cómico*, *La Ilustración Española y Americana*, *Nuevo Mundo*.

Autor fecundísimo, de gracia fina y mucho ingenio, colaborador en zarzuelas, sainetes y revistas, entremeses y juguetes cómicos de López Silva, Capella, Luis de Larra, Arniches, Martínez Viérgol...

A los diecinueve años—1871—estrenó su primera producción escénica: *El conde de Muro*. Más de setenta títulos conocemos salidos de su pluma, aparte infinidad de poesías y de crónicas, algunas de las cuales formaron volumen.

Obras: *Mi libro de poesías*—1883—, *Allá va eso*—versos—, *Buñuelos de viento*—versos—, *El amigo de la pipa*—versos...

Obras teatrales: *Pescar en seco, Soltero y mártir, Chateau Margaux, ¡Al agua, patos!; Un punto filipino, Curro López, Los arrastraos, El barquillero, San Juan de Luz, La última copla, Pícara lengua, La gatita blanca, Las buenas formas, Apaga y vámonos, Tropa ligera, El género grande, Su majestad el botijo...*

JAIMES, Julio Lucas.

Costumbrista, autor dramático, poeta boliviano. Nació en Potosí en 1845. Licenciado en Leyes. Padre del gran poeta Ricardo Jaimes Freyre. Desde los veinte años se dedicó con pasión al periodismo y a la política. Escribió muchas crónicas para *La Nación*, de Buenos Aires. Como diplomático estuvo en Tacna. Designado más tarde embajador ante la corte de Pedro II del Brasil, emprendió el viaje hacia Río de Janeiro. Mas al conocer, en su transcurso, la abdicación del monarca, decidió quedarse en Buenos Aires; entró como redactor en *La Nación* y supo ganar la popularidad para su seudónimo "Brocha Gorda", bajo el cual publicó sus memorables tradiciones.

"Aun reconociendo que el maestro en el género es el peruano Ricardo Palma—escribe el notable crítico Díez de Medina—, nuestro "Brocha Gorda" no le va en zaga; tiene relatos muy sabrosos y delicadamente construidos, y un estilo castizo y flexible, que le permite incursionar con soltura por la historia y por el relato de ficción. Su mejor obra—y lo es excelente en continente y contenido—: *La villa imperial del Potosí*. Fue Jaimes un espléndido escritor."

En efecto, muy aficionado a la Historia y a los libros antiguos, se documentó ampliamente para escribir sus libros de tradiciones y cuadros costumbristas.

Otras obras: *Morir por la patria*—drama—, *Un hombre en apuros*—comedia—, *Crítica literaria, Epílogo de la guerra del Pacífico, Galería de hombres públicos de Bolivia*.

V. Díez de Medina, Fernando: *Perfil de la literatura boliviana*, en *Thunupa*, La Paz, 1947.—Finot, Enrique: *Historia de la literatura boliviana*. México, 1943.

JAIMES FREYRE, Ricardo.

Poeta, prosista e historiador de prestigio. 1868-1933. Nació en el Consulado de Bolivia en la ciudad de Tacna, cuyo titular era su padre. Durante treinta años enseñó Literatura, Preceptiva española y Filosofía en el Colegio Nacional de Tucumán (Argentina). También fue profesor de la Escuela Normal y de la Universidad. Ciudadano argentino desde 1916. Varias veces diputado, senador, ministro de Instrucción Pública, Guerra, Agricultura y Relaciones Exteriores. Embajador en Chile, Perú, Brasil, México, Estados Unidos. Candidato en 1926 a la Presidencia de la nación. Miembro de la Academia Argentina de Letras. Gran amigo de Rubén Darío y de Lugones, con quienes formó la gran trilogía del primer impulso modernista.

Jaimes Freyre tuvo un indudable talento lírico, intenso y refinado, al que perjudicó no poco un modernismo inconcreto y cursi.

Su fondo fue siempre romántico. Escribió su originalidad en un verso libre, rítmico a la antigua; pero también compuso poesías sonoras en la forma, coloristas, transparentes y muy emotivas. Con los años fue haciendo su lirismo más suave y sencillo, más flexible y musical, más robusto de forma y más denso de ideas. Gran parte de su fama la debe a su teoría métrica originalísima de la versificación castellana, la única verdaderamente científica que se conoce.

En 1896 fundó, con Rubén Darío, la *Revista de América,* en Buenos Aires, fecha de las *Prosas profanas* de este, libro que con *Castalia bárbara,* de Freyre—1899—, fueron como el manifiesto estentóreo del modernismo en América, no en España, donde ya lo había soliviantado nuestro Salvador Rueda.

La gloria poética de su primer libro no la superó jamás Freyre, cuya vida se desenvolvió bajo el signo inmarcesible de su primera victoria.

Obras: *Historia de la República de Tucumán*—Buenos Aires, 1911—, *Tucumán en 1810*—Tucumán, 1919—, *El Tucumán del siglo XVI*—Tucumán, 1914—, *El Tucumán colonial e historia del descubrimiento de Tucumán*—Tucumán, 1915 y 1916—, *Historia de la Edad Media y de los tiempos modernos*—Buenos Aires, 1895—, *Castalia bárbara* —poesías, 1899—, *La lectura correcta y expresiva*—Tucumán, 1908—, *Las leyes de la versificación castellana*—Buenos Aires, 1912—, *Los sueños son vida*—poesías, 1917—, *La hija de Jepté*—drama—, *Historia de la literatura castellana*—Tucumán, 1917—, *Psicología del genio*—1918—, *Poesías completas*—Buenos Aires, 1944...

V. Joubin Colombres, E.: *Estudio preliminar* en la edición de *Obras completas.* 1944.— Leguizamón, Julio A.: *Historia de la literatura hispanoamericana.* Buenos Aires, 1945.— Rojas, Ricardo: *Historia de la literatura argentina.* Buenos Aires, 1924.

JANÉS OLIVÉ, José.

Nació en Hospitalet (Barcelona) el 1 de septiembre del año 1913. Murió en 1959. Actuó en el periodismo activo, siendo redactor-jefe y más tarde director del *Diari Mercantil*—1932—, director del *Diario del Comercio*—1934-36—, fundador y director del diario *Avui*—1933—, de *Quaderns Literaris* —1934—, de la revista *La Rosa dels Vents* —1936—y de la editorial anexa.

Le fue concedida la flor natural de los Juegos florales de Barcelona de 1934. Dirigió en Barcelona la editorial de su nombre.

Publicaciones poéticas: *Tú*—Barcelona, 1934; 2.ª edición, 1938—, *Comba del somni* —Barcelona, 1937; 2.ª edición, 1938.

JARA CARRILLO, Pedro.

Poeta, prosista y periodista murciano. Nació en Alcantarilla (Murcia) el 11 de noviembre de 1878. Murió en Murcia el 4 de octubre de 1927.

Cursó estudios de maestro en dicha capital, obteniendo el título de profesor normal en la Escuela Superior del Magisterio, de Madrid.

A los dieciocho años empezó su colaboración en los diarios locales, pasando pronto a ocupar los cargos de redactor-jefe y director de algunos de ellos.

Sus primeras armas periodísticas las hizo en el periódico *Las Provincias* y en *El Correo de Levante,* con una interesante sección en verso, titulada "Instantáneas", la cual le valió muchísima popularidad.

Más tarde ocupó la jefatura de Redacción de *Heraldo de Murcia* y *Región de Levante,* pasando en 1911 a ocupar la dirección de *El Liberal,* que desempeñó hasta 1927, fecha en que falleció.

En su actividad periodística obtuvo señaladísimos triunfos. A sus campañas se deben la creación de la Universidad y el Conservatorio de Música y Declamación murcianas, la construcción de los pantanos de Fuensanta y Taibilla que riegan los campos murcianos y abastecen la base naval de Cartagena; el aumento de escuelas y otras muchas obras de gran interés moral y material para la provincia.

Como agradecimiento a esta gestión, Murcia le erigió una estatua en uno de sus jardines, obra realizada por el escultor José Planes. Fue un periodista brioso y brillante, que dio al periodismo murciano una orientación de tipo social, anticipándose a las inquietudes de los tiempos actuales. Su actuación le valió una notoria popularidad en toda la región murciana, donde era generalmente admirado.

Pero su más destacada personalidad fue la de poeta. En sus primeros años juveniles obtuvo resonantes éxitos en certámenes y Juegos florales, entre ellos los celebrados en Alicante en 1901, en los que obtuvo cinco premios, uno de ellos un preciado galardón de la reina regente doña María Cristina, por un *Canto a la patria.*

También obtuvo varios premios y flor natural en Alicante, Granada, Almería, Cartagena y Murcia.

Tiene publicados varios libros de poesías, entre ellos *Siemprevivas, Relámpagos, Gérmenes, Cocuyos, El libro de las canciones, Besos del sol* y *El aroma del arca.*

Como prosista ocupa también un lugar preeminente. Escribió las novelas *Caín* y *Las caracolas,* esta última de carácter regional, y *Palabras y cuentos viejos.*

Las caracolas le han consagrado como excelente novelista; Henri Guerlin, en su obra *L'Espagne moderne vue par ses écrivains*, criticando esta novela, dice, entre otras cosas: "Es una obra digna de un Mistral y un Alejandro Dumas; pero un Mistral y un Alejandro Dumas muy españoles."

Jara Carrillo cultivó también el teatro. Escribió algunas piezas de interés, tales como la zarzuela *Rosa de nieve*, el diálogo *Los esclavos* y los monólogos *Un telegrama, Paco Cayuela.*

Jara Carrillo, con Vicente Medina, representan la poesía del Parnaso murciano durante el primer tercio del siglo actual.

JARDIEL PONCELA, Enrique.

Dramaturgo, novelista, ensayista español de gran originalidad y uno de los humoristas más célebres de nuestra época. Nació —1901— y murió —18 de febrero de 1952— en Madrid. Muy joven se dedicó al periodismo, ingresando en el desaparecido gran diario madrileño la *Correspondencia de España*, de cuya confección estuvo encargado en 1922. A partir de esta fecha inició su colaboración en las principales revistas de humor y se dedicó de lleno a la novela y al teatro. En muy pocos años logró éxitos brillantísimos y una popularidad que muy pocos exceden hoy entre el gran público español.

Jardiel cultivó el pirandellismo de humor, la visión caricatural del mundo y los trucos más puros y disparatados del ingenio. Tuvo gracia moderna y personalísima. Poseyó una inventiva feliz ante un espejo curvo. Tuvo un estilo propio, ágil para los equívocos y los chistes más sutiles o gordos.

"En trampolín sobre la lógica y el 'buen sentido' juega Jardiel su maravillosa y entretenida comedia 'del disparate y el humor', entrando en ella elementos humanos e, incluso, poéticos." (V. y P.)

Del valor de Jardiel dan medida los muchos imitadores que le han salido en España. Jardiel ha viajado por Europa y América, al frente de compañías teatrales, para dar a conocer sus obras, que han obtenido en el extranjero el mismo éxito que en España.

Obras: *El plano astral* —novela—, *Pirulís de la Habana* —cuentos y crónicas de humor—, *Amor se escribe sin hache* —novela—, *¡Espérame en Siberia, vida mía!* —novela—, *¿Pero hubo alguna vez once mil vírgenes?* —novela—, *La "tournée" de Dios* —novelas—, *Una noche de verano sin sueño* —teatro—, *Margarita, Armando y su padre* —teatro—, *Angelina, o El honor de un brigadier* —teatro—, *Usted tiene ojos de mujer fatal, Eloísa está debajo de un almendro, Los ladrones somos gente honrada, Madre,*

"el drama padre"; Blanca por fuera, Rosa por dentro; Los habitantes de la casa deshabitada, El sexo débil ha hecho gimnasia... —parodias y farsas de humor todas estas últimas—, *Agua, aceite y gasolina; Los tigres escondidos en la alcoba, Un marido de ida y vuelta, Cuatro corazones con freno y marcha atrás, Las cinco advertencias de Satanás. Obras completas.* Barcelona, Editorial Ahr, 1960, tres tomos. Prólogo de Ramón Gómez de la Serna.

V. MARQUERÍE, Alfredo: *El teatro de Jardiel Poncela.* Madrid, 1946.—BONET GELABERT, Juan: *Jardiel Poncela (El discutido indiscutible).* Madrid, Biblioteca Nueva, 1948. CANAY, Alberto: *Recuerdo y presencia de Enrique Jardiel Poncela.* Buenos Aires, 1958.

JARNÉS, Benjamín.

Notabilísimo novelista, biógrafo y ensayista español. Nació —1888— en Codo (Zaragoza) y murió —1949— en Madrid. En su villa natal estudió las primeras letras. Y en Zaragoza, el latín, Humanidades, Filosofía y Teología durante su estancia en la Universidad Pontificia. Maestro normal. Del Cuerpo Auxiliar Administrativo del Ejército. Colaborador destacado de las grandes revistas de pura literatura —o de literatura pura—, como *Alfar, Revista de Occidente, La Gaceta Literaria, Cruz y Raya...*

De finísimo humor y sátira aún más sutil, de gran trama conceptual, estilo exquisito y sensibilidad agudísima, Jarnés es hoy uno de los escritores más interesantes y enjundiosos de España. Todo en él es florido sensualismo, sentimentalismo con pátina preciosa, traviesas piruetas volterianas, temblores de la emoción más legítima, doradas sonrisas de humanizada ironía, inquietud fecunda e insaciable, disimulada con fintas de voluptuosidad o de desdén, cultura disuelta en lo puramente conceptual —dominador de lo sensorial y de lo instintivo.

Las obras de Jarnés empiezan a ser traducidas a varios idiomas. Su nombre es buscado más allá de nuestras fronteras con un interés extraordinario.

Obras: *El río fiel* —1925—, *Mosé Pedro* —biografía, 1924—, *El profesor inútil* —1926—, *Ejercicios* —1927—, *El convidado de papel* —1928—, *Sor Patrocinio, la monja de las llagas* —biografía, 1929—, *Vida de San Alejo* —1928—, *Paula y Paulita* —1929—, *Locura y muerte de Nadie* —1929—, *Teoría del zumbel* —1930—, *Viviana y Merlín* —1930—, *Zumalacárregui, el caudillo romántico* —1931—, *Rúbricas* —1931—, *Escenas junto a la muerte* —1931—, *Lo rojo y lo azul* —1932—, *Fauna contemporánea* —1933—, *Tántalo* —1935—, *Doble agonía de Bécquer* —1935—, *Castelar, hombre del Sinaí* —1936—, *La cum-*

J

bre apagada—México, 1942—, *Venus dinámi-ca*—México, 1943—, *Eufrosina, o La Gracia* —1949... V. VALBUENA PRAT, A.: *Historia de la literatura española*. Barcelona, 1946. Tomo II.— PUTNAM, Samuel: *Benjamín Jarnés y la deshumanización del arte*, en *Rev. Hispánica Moderna*. 1935.—NORA, Eugenio G. de: *La novela española contemporánea*. Madrid. Gredos, 1962. Tomo III. Págs. 151-87.—SAINZ DE ROBLES, F. C.: *La novela española en el siglo XX*. Madrid. Pegaso. 1957.—ENTRAMBASAGUAS, Joaquín: *Las mejores novelas contemporáneas (1925-1929)*. Barcelona. Planeta. Tomo VII. 1961. (Contiene una bibliografía exhaustiva de Jarnés.) Págs. 1313-378.—ZULUETA, Emilio: *Benjamín Jarnés*. Santa Fe, Argentina. 1963. (Separata de la revista *Universidad*, núm. 55.)

JÁUREGUI Y AGUILAR, Juan de.

Gran poeta y pintor español. Nació —1583—en Sevilla. Y murió—1641—en Madrid.

Pintor muy estimable y escritor notabilísimo. Estuvo en Roma y otras partes de Italia, perfeccionando sus pinceles. Se casó en Madrid con doña Mariana de Loaísa, y fue armado caballero de Calatrava—1639—. Enemigo acérrimo del conceptismo y del culteranismo, lo fue de sus corifeos Quevedo y Góngora, con los que se cambió feroces diatribas poéticas. Por el contrario, fue muy amigo de Lope de Vega y de Cervantes, habiendo pintado un magnífico retrato del autor del *Quijote*.

En Jáuregui poeta hay que considerar la *manera italiana*, en la que se muestra con un gran sentido rítmico, delicado gusto y muy correcta expresión. Sus conocimientos pictóricos añaden a sus poesías un colorido brillante y una sucesión de imágenes muy felices. Tal vez el culto a lo sensorial y su inclinación a la música tuvieran no poca parte en la aparición de su *manera prebarroca*, en la que, si el sentido artístico de Jáuregui alcanza su plenitud, decae la fuerza imaginativa y falla la espontaneidad por completo. Jáuregui tradujo a Marcial, Horacio y Lucano con gran fidelidad, asimilando los diferentes estilos y captando las preocupaciones poéticas de aquellos clásicos. A la primera manera corresponden la traducción de la *Aminta*, de Tasso, y las *Rimas*—1618—sagradas y profanas; a la segunda, el *Orfeo*—de origen ovidiano—, poema apreciable por la justeza de la adjetivación—acierto muy tenido en cuenta por los poetas actuales—y por los detalles plásticos de la acción, y la traducción de la *Farsalia*.

La primera obra de Jáuregui fue su hermosa traducción de la *Aminta*, publicada en

Roma—1607—, verdadero modelo de versiones fieles al espíritu y a la letra.

En 1610 tomó parte en la justa poética celebrada con motivo de la beatificación de Ignacio de Loyola. En 1616 escribió *Explicación de una empresa de don Enrique de Guzmán*, trabajo aún hoy inédito y que se conserva en la Biblioteca Colombina. En 1618 dio a la estampa sus *Rimas*. En 1620 y 1622, en Madrid, tomó parte en las justas poéticas para celebrar la beatificación y santificación, respectivamente, de Isidro Labrador.

1624: dio a la estampa un *Discurso poético*, impreso en Madrid por Juan González, y escribió *Antídoto contra las soledades*, manuscrito en la Biblioteca Nacional, de Madrid. Son ambas obras diatribas contra el culteranismo. En este mismo año apareció el *Orfeo*, poema de escaso mérito, que tuvo como réplica el *Orfeo* de Pérez de Montalbán.

1625: *Apología de la verdad*, folleto en defensa del sermón predicado por fray Hortensio Peravicino en honor del rey don Felipe III.

1633: *Por el arte de la pintura* y, posiblemente, *El retraído*, sátira dramática, no representada, contra el libro de Quevedo *La cuna y la sepultura*. También en este año publicó un *Memorial al rey*, que es una refutación a la carta escrita por Quevedo al rey de Francia Luis XIII.

Dejó escrita una obra interesante: *La Farsalia*—que nada tiene que ver con el poema de Lucano—, que se publicó en 1684, aun cuando un fragmento de ella era ya conocido por haberlo insertado Carranza en su libro *El ayuntamiento y proporción de las monedas*—1618.

Entre las *Rimas* profanas de Jáuregui sobresalen las tituladas *Acaecimiento amoroso* y *Al silencio*. Y entre las sacras: *Al desposorio de Cristo con Santa Teresa* y la paráfrasis del samo 136 *Super flumina Babylonis sedimus*.

Jáuregui trajo de Italia el arte del verso suelto no alcanzado hasta entonces por ningún poeta español, aunque muchos hubiesen sudado en la difícil empresa, y amante de la forma purísima y sin velo de la poesía antigua, se indignaba contra las "rudas orejas que pierden la paciencia si no sienten a cierta distancia el porrazo del consonante. Al frente de sus *Rimas* aparece una profesión de fe literaria, no nacida, como otras, de una fiel sumisión a los preceptos de los antiguos, sino de propia observación y de íntimo y personal sentido del arte". (Menéndez Pelayo.)

Las poesías de Jáuregui pueden leerse en el tomo XLII de la "Biblioteca de Autores Españoles". De la *Aminta*—traducción de

Tasso—existe una buena edición de Barcelona, 1906.

V. JORDÁN DE URRÍES, J.: *Biografía y estudio crítico de Juan de Jáuregui.* Madrid, 1899.—ASENSIO, J. M.: *La patria de Juan de Jáuregui,* en *La España Moderna,* 1899.— PÉREZ PASTOR, C.: *Bibliografía madrileña.* Parte III, 204-24.—CEÁN BERMÚDEZ, A.: *Diccionario histórico...* II, 315-17. Madrid, 1800. MOREL FATIO, A.: *L'Espagne au XVIe et au XVIIe siècle.* París, 1878.—MILIÉ Y JIMÉNEZ, J.: *Jáuregui y Lope de Vega,* en *Boletín Menéndez Pelayo,* 1926, VIII, 126.—SAINZ DE ROBLES, F. C.: *Historia y antología de la poesía española (en lengua castellana).* Madrid, Aguilar, 2.ª edición, 1951.

JAVIER, Gregorio.

Novelista, cuentista, articulista. Nació —1940—en Cascante (Navarra). Bachiller. Estudió parte de los tratados de Filosofía y Letras. Viajero incansable. En la actualidad —1970—reside en Madrid, dedicado por entero a su vocación tremenda de novelista, aun cuando colabora en diarios y revistas de importancia.

Sus novelas son una mezcla seductora de realismo crudo y de fantasía con trasfondos líricos.

Obras: *Caravaca de la Cruz*—novela, ¿1963?—, *Cristo y la sed*—novela, "Premio Selecciones de Lengua Española, 1964"—, *Siglo XX*—novela, "Premio Gabriel Miró, 1965"—, *La bestia y el sol*—novela, "Premio Ateneo Jovellanos de Gijón, 1969".

JERENA, Garci-Fernández, o Ferrandes de (v. Garci-Ferrandes de Jerena).

JÉRICA, Pablo de.

Poeta y cuentista de mérito. 1781-1833. No podía ser una excepción nuestro poeta. Cuantos españoles significados vivieron *a caballo* de los siglos XVIII y XIX, y fueron actores de la gran tragedia española de la invasión napoleónica y de las luchas sin cuartel entre las ideas absolutistas y las constitucionales, a la fuerza y con fuerza se vieron lanzados a las más estupendas aventuras. Uno de ellos, y de los más bazuqueados por el albur y desasistido de la fortuna, fue don Pablo de Jérica, nacido en Vitoria el 15 de enero de 1781. Estudió con los religiosos dominicos de su ciudad natal y Derecho romano en la Universidad de Oñate. Muy joven, se trasladó a Cádiz, para dedicarse al honrado comercio, a decir de sus familiares; a pesar suyo, para meterse en la sentina de cualquier fragata panzuda y vieja, de nombre romántico, que se dirigiera al Perú, bailoteando sobre el océano. La batalla de Trafalgar, desarrollada casi delante de sus

narices, torció su voluntad. Estalló la guerra de la Independencia, y Jérica anduvo de la Ceca a la Meca y de zoco en colodro, atolondrado y valiente. Y es que deseaba estar en todas partes donde se combatiera a los invasores. Merodeo en Cádiz, alrededor de todos los diputados que formaron las famosas Cortes de 1810. Politiqueó. Cuando más entusiasmado estaba con lo de ser diputado constituyente, Fernando VII se declaró rey absoluto—1814—y le condenó a diez años de reclusión en un presidio africano. Se fugó Jérica a Francia, donde las autoridades de Pau, creyéndole conspirador, le encarcelaron sin mayores averiguaciones. Libre a los tres meses, se refugió en París hasta 1820, en que se trasladó a España, a los acordes del himno de Riego, del *Lairón,* del *Trágala* y demás cancioncillas del revoltijo liberal que se armó para hacer entrar por el aro constitucional al monarca español. Jérica aprovechó bien los años de *las vacas gordas* para *los de las ideas europeas,* y fue sucesivamente comandante de un batallón de voluntarios, diputado provincial por Alava y alcalde constitucional de Vitoria. Cuando los cien mil hijos de San Luis—que ni fueron cien mil y en su mayoría hijastros, y gracias—barrieron el liberalismo de la vieja piel de toro ibérica, Jérica saltó a tiempo la frontera francesa, vendió sus bienes transportables, compró hacienda en los alrededores de Dax, y obteniendo del monarca francés carta de naturaleza gala, lo mismito que en una vieja novela cursi, renunció a nuevas aventuras para casarse con una señorita francesa, de las que aún suspiraban con la *Manón,* del abate Prevost, o con *Pablo y Virginia,* de Bernardino de Saint Pierre.

Pablo de Jérica, español gallardo, bravo celtíbero, rubio, alto, ancho, de enhiesto tupé y patillas afiladas hacia la boca, sentimentalmente conservó dos de sus trajes más amados: el de militar constitucional y el de alcalde de Vitoria. El primero—combinados los azules y los rojos—, con sus charreteras, sus solapas grandes cruzadas de cordoncillos, sus faldones revueltos, sus altas botas, su espadín... El segundo—negro contra negro, el reflejo con lo opaco—, con su levita cerrada hasta el cuello y caída hasta la rodilla, con sus pantalones ceñidos, de mahón, con su alzacuello. En las fiestas muy de guardar y celebrar solía Pablo de Jérica sorprender a su familia francesa apareciendo ante ella embutido en uno de estos dos atuendos magníficos. Y si esta le acogía con cierto regocijo, él ya antes, ante el espejo, remirándose, no había podido evitar que los ojos se le llenaran de brillo...

Jérica publicó: *Poesías*—Vitoria, 1822—, *Ensayos poéticos*—Valencia, 1814, y París,

J

1817—y una *Colección de cuentos, fábulas y anécdotas*—Burdeos, 1831.

Fernando José Wolf, en su *Floresta de rimas modernas castellanas*—París, 1837—, juzga así a Jérica, a quien conoció bastante: "Su ingenio fácil, festivo, libre y mordaz, se brindaba de buen grado a estos géneros de composición—[epigramas]—, en los que supo lucir gracia, soltura, malicia y agudeza; aunque es forzoso confirmar que no aspira al mérito de autor original."

V. BIBLIOTECA DE AUTORES ESPAÑOLES: *Poetas líricos del siglo XVIII*. Tomo III.— BUSTILLO OLMOS, José: *La poesía festiva castellana*. Madrid, 1888.—WOLF, Fernando José: *Floresta de rimas modernas castellanas*. París, 1837.

JERÓNIMA DE LA ASUNCIÓN, Sor.

Escritora y religiosa española, admirable por el temple de su espíritu, por su gran inteligencia y por sus grandes virtudes. Su larga y admirable vida estuvo jalonada de hechos ejemplares. Vivió gran parte de su existencia de religiosa en el convento de Santa Isabel, de Toledo. Pero como tenía recio temple de fundadora, cuando ya había cumplido los sesenta años—1620—fue encargada de una ingente empresa: marchar a Manila (Filipinas) para fundar varios conventos. En el mencionado año marchó de Toledo a Sevilla, en donde le hizo Velázquez el retrato descubierto con ocasión de la Exposición Franciscana de los Amigos del Arte. De Sevilla pasó a Cádiz, en donde embarcó para San Juan de Ulúa. De allí fue a México, y en Acapalcao embarcó de nuevo para Manila, donde llegó el 5 de agosto de 1621.

Según fray Bartolomé de Letona, "en el discurso de su larga y admirable vida se ocupó de hacer más que de decir, en obrar más que en enseñar", y "desaparecieron muchos papeles y tratados que escribió, por la devota codicia de algunos, que los arrebataron para reliquias".

Sin embargo, bastaría su *Carta de marear en el mar del mundo* para librarla del olvido. En esta obra va incluido su famoso *Soliloquio*, tan rítmico y elevado, que empieza:

> Vuestra soy, para Vos nací.
> ¿Qué mandáis hacer de mí?
> Inaccesible grandeza,
> eterna sabiduría,
> Dios, un ser, poder y alteza,
> mirad la suma pobreza
> de esta que se ofrece aquí.
> ¿Qué mandáis hacer de mí?

En 1662 publicó fray Bartolomé de Letona *La perfecta religión*, que contiene tres libros: I. De la vida de la Madre Jerónima de la Asunción. II. De su oración y exerci- cios. III. De la regla y constituciones que con el exemplo y doctrina enseñó.

JESÚS, Sor Ana.

Fundadora, escritora, religiosa española. Discípula dilecta y compañera de Santa Teresa de Jesús. En el mundo se llamó Ana de Lobera y Torres. Nació, en 1545, sorda y muda, recobrando estos sentidos al cumplir los siete años. Su extraordinaria hermosura y su angelical carácter le atrajeron numerosos adoradores. Pero ella los rechazó, no sintiéndose inclinada al matrimonio. En 1560 se trasladó a Palencia, y allí vistió, con gran asombro de todos, las tocas de beata, haciendo voto de entrar en una Orden religiosa. Si hemos de creer a su panegirista, el padre Angel Manrique, vestía con una humildad asombrosa, y debajo de una túnica de estopa "andaua de siempre el cilicio; sobre el canto llano ordinario de las cerdas contrapunteauan rallos, mallas, cadenillas, sogas de esparto y otros instrumentos". Y añade el padre Manrique que sor Ana, en Palencia, hizo una cosa notable: "Dispuesta una corrida de toros, se opuso a que se verificara, sin dar las razones que tenía para ello, y salió con su intento; súpose luego que varios traidores, moriscos probablemente, habían colocado barriles de pólvora en las casas de la plaza, a fin de volarlas mientras el espectáculo taurino tuviese lugar."

Ingresó en el Carmen Descalzo de Avila, de donde la llevó Santa Teresa a Salamanca. En esta ciudad profesó el 22 de octubre de 1571. Por expreso deseo de la gran santa, sor Ana de Jesús trabajó en las fundaciones de Segovia, Beas, Madrid, Granada y Málaga. Fue ella la que logró—muerta Santa Teresa—sacar de la Inquisición las obras de la santa fundadora y dárselas a fray Luis de León para que las publicase. El gran agustino dedicó la edición a sor Ana.

En 1603 marchó a París, donde fundó un convento. Después fundó otros en Bruselas, Mons, Lovaina y Amberes. Murió el 4 de marzo de 1621.

Santa Teresa la tuvo en gran estimación, dirigiéndola varias cartas. Escribió sor Ana una *Breve relación de la vida y virtudes de Santa Teresa de Jesús*, muchas *Cartas* y varias *Declaraciones*.

V. MANRIQUE, P. Angel: ... *Vida de la Venerable Madre Ana de Jesús*... Salamanca, 1643.

JIJENA SÁNCHEZ, Rafael.

Poeta, prosista, crítico argentino. Nació en Tucumán (República Argentina) el 21 de septiembre de 1904. Ha publicado: *Primer libro, Achalay, Verso simple, Vidala y Ramo verde*—poesías—, *De nuestra poesía tradi-*

cional, Las supersticiones—en colaboración—, *Hilo de oro, hilo de plata; La luna y el sol, Adivina, adivinador, y Los cuentos de Mamá Vieja*—folklore.

Colaborador de *La Nación, Criterio, El Hogar*, etc.

Obtuvo los siguientes premios: Primer Premio de Poesía, otorgado por la Municipalidad de la ciudad de Buenos Aires —1928—. Premio de la Comisión Nacional de Cultura (Folklore)—1939—. Y el Premio a la Canción Escolar, otorgado por el Ministerio de Justicia e Instrucción Pública—1939.

Fundó y ejerció la primera cátedra de Folklore en la Argentina, en el Conservatorio Nacional de Música y Arte Escénico; fundó y fue el primer director del Museo Provincial de Folklore de Tucumán; fundó y dirigió el Departamento de Folklore del Instituto de Cooperación Universitaria de Buenos Aires. Fue jefe de la Sección Folklore de la Universidad Nacional de Tucumán.

Actualmente es director del Museo "José Hernández", de la Municipalidad de Buenos Aires; presidente de la Asociación Amigos del Arte Popular, miembro de la Junta Nacional de Intelectuales, de la Comisión Nacional del Folklore, de la Academia Literaria del Plata, de la Sociedad Argentina de Antropología, de Folklore de las Américas, de Estados Unidos; Sociedad Folklórica del Uruguay, Sociedad Folklórica de México, Sociedad Brasileira de Folklore, etc.

Ha hecho viajes de estudio y dictado conferencias en las principales instituciones de la Argentina, Chile, Bolivia y Perú.

JIMÉNEZ, Diego Jesús.

Poeta y crítico literario. Nació—1942—en Madrid. En 1965 ganó el "Premio Adonais de Poesía" con su libro *La ciudad*.

Obras: *Grito con carne y lluvia*—1961—, *La valija*—"Premio del Club Internacional de Poesía, de Bilbao, 1962"—, *Ambitos de entonces*—1963—, *Coro de ánimas*—"Premio Nacional de Literatura, 1968"—, *Ocho poetas del Campo de Castilla*—Madrid, 1968.

JIMÉNEZ, Juan Ramón.

Admirable poeta español. Uno de los más grandes de todas las épocas. Premio Nobel 1956. Tan decisivo—o más—que Rubén Darío para la *poesía contemporánea española*. Nació—1881—en Moguer (Huelva). Y murió el 29 de mayo de 1958 en San Juan de Puerto Rico. Estudió con los jesuitas y en la Universidad de Sevilla. Vivió una juventud delicada y furtiva. En 1916 se casó con Zenobia Camprubí, española educada en Norteamérica, dama de extraordinaria cultura, traductora de Tagore. Viajó mucho por España, Francia y los Estados Unidos. Durante varios años, entre 1909 y 1916, vivió en la Residencia de Estudiantes, de Madrid. Fundó varias revistas de admirable selección poética. En toda la obra de Juan Ramón está filtrada y patentísima—tono, refinamiento y manera—la influencia de su tierra de Andalucía la Baja, que, siendo explosiva de luminosidad, penetrante de sensualidad, efervescente de ingenio, es, sin embargo, íntima y melancólica de musicalidad, personalísima y recóndita de gracia pura.

En la extensísima obra de Juan Ramón —más de cuarenta títulos—pueden distinguirse dos épocas bien distintas entre sí, aun cuando sea la segunda lógica consecuencia de la primera, depurada y superada. De 1898 a 1916, una; otra, de 1916 a 1949. En la primera época, sobrio, señoril, exquisito, esencial, inimitable ya, el "andaluz universal", como le llamó Rodó, pueden señalársele—por señalársele más que por decidirse uno a proclamar que no las tuvo—influencias de Bécquer, de Góngora, de Verlaine, de Heine, de Shelley, de Rimbaud, de Rubén Darío... Pero... ¡qué rápidamente, qué meritoriamente se zafó Juan Ramón de tales reminiscencias!

Cuando más estrepitosa era en España la resonancia rubeniana, cuando *todos* los poetas españoles se miraban obsesos en el espejo iluminado, radiante, del cisne de Nicaragua, Juan Ramón, olímpico de serenidad, sordo voluntario a los cantos de la sirena fácil, se adentró *por su camino riguroso*, misterioso, de infinitas sugestiones apenas susurradas. Cuando allá, *al otro lado de él*, todo era algarabía de las sonoridades retumbantes, la magnificencia de los metros largos, el colorido turbador de las imágenes audaces, la sustitución alegre de los sentimientos por las sensaciones, Juan Ramón Jiménez exalta su mundo interior, refugia las esencias de su reconcentrado amor por la belleza en las formas sencillas y tradicionales del octosílabo y el romance, entrega únicamente la imagen natural, limpia y sencilla, a una música inefable de piano escuchado de lejos y tocado más a roce que a tacto. Por lo que sea, porque no lo mira, o porque puede mirarlo sin cegar, Juan Ramón no queda deslumbrado por el sol del modernismo; es más: es el primer heterodoxo de la escuela rubeniana.

"No quiero decir—escribe Federico de Onís con absoluto acierto—que Juan Ramón Jiménez sea el mayor poeta que ha existido; creo que se cuenta entre los más grandes, y dudo quien le supere en pureza y en unidad. Es dudoso que haya una poesía más libre de elementos no poéticos que la suya, una poesía de la que estén más ausentes las ideas y realidades exteriores, y que sea toda

J

como la de los místicos, expresión en palabras de puras e inefables realidades interiores; y lo es también que haya habido una vocación poética tan tenaz, continua, exclusiva y lograda como la suya, una permanencia de identidad tal a través de tantas variaciones."

Sencillamente, en poesía íntima, nos confiesa Juan Ramón cómo huyó del modernismo, que buscaba él... en la poesía:

> Vino, primero, pura,
> vestida de inocencia;
> y la amé como un niño.
> Luego se fue vistiendo
> de no sé qué ropajes;
> y la fui odiando, sin saberlo.
> Llegó a ser una reina
> fastuosa de tesoros...
> ¡Qué iracundia de hiel y sin sentido!
> ...Más se fue desnudando,
> y yo la sonreía.
> Se quedó con la túnica
> de su inocencia antigua.
> Creí de nuevo en ella.
> Y se quitó la túnica
> y apareció desnuda toda.
> ¡Oh pasión de mi vida, poesía
> desnuda, mía para siempre!

Los libros publicados por Juan Ramón entre 1902—*Rimas*—y 1916—*Sonetos espirituales*—corresponden a las poesías escritas entre 1898 y 1915. Conviene tener esto muy en cuenta para determinar la evolución del gran poeta. En esta primera época, fino y doliente, morador de la torre de marfil más alta, Juan Ramón Jiménez, siempre retraído y lejano y solo, no ama sino los jardines recónditos, las luces tenues, el contraluz y la sombra del amor, el sentimentalismo de la égloga y de la pastoral, la sugestión mórbida de la luna, la melancolía noble y casta, lo tierno y lo idílico, la vaguedad de la niebla y del ensueño, y, antes que nada, la música, la música *interior*—nota humana de piano—emotiva, turbadora, esfumada, romántica, y la soledad expresada en el sentimiento lírico y musical del paisaje:

> ¡Qué quietas están las cosas,
> y qué bien se está con ellas!
> Por todas partes sus manos
> con nuestras manos se encuentran.
> ¡Cuántas discretas caricias;
> qué respeto por la idea,
> cómo miran, extasiadas,
> el ensueño que uno sueña!

Y, en seguida, su nostalgia de luna, de silencio, de nocturnos murmullos...

> Ha querido esa luna
> —¡esa luna de llantos!—
> acercarse a la tierra.
> ¿Para qué? ¡Quién lo sabe!
> para darme tristeza.

A esta primera época corresponden los libros *Rimas*—1902—, *Arias tristes*—1903—, *Jardines lejanos*—1904—, *Elegías*—1908 y 1909—, *Olvidanzas*—1909—, *Baladas de primavera*—1910—, *La soledad sonora, Pastorales, Poemas mágicos y dolientes, Melancolía, Laberinto, Estío, Sonetos espirituales*, entre otros menos importantes. Dentro de esta primera época, aún pudiera hacerse una subdivisión: hasta 1907 y desde 1907. Entre 1907 y 1916, Juan Ramón amplía las formas líricas utilizables y acude al endecasílabo, al soneto, a la silva, al alejandrino y aún crea formas estróficas.

En *Eternidades*—1916—y en el *Diario de un poeta recién casado*—1916—se inicia la segunda *manera poética* de Juan Ramón. Más concentración. Más precisión. Más eternidad. Más eliminación de la forma expresiva musical para lograr la mayor exactitud y la mayor justeza. Más esfuerzo consciente —en el que no desentonan la perfección y la espontaneidad—para crear una estética clara y tersa. El nos lo explica en el *Diario:* "Ni más nuevo al ir, ni más lejos; *más hondo: la depuración constante de lo mismo.*" Y, también, que copió "las islas del instante, *unas veces con color sólo, otras sólo con pensamiento, otras con luz sola*".

En este segundo período, Juan Ramón vive obsesivamente su afán de hacer más elemental, más sencilla, más íntegra, su poesía, de dejarla más desnuda, más bajo una luz cenital para quitarle una posible sombra, para conseguirle un posible nimbo de glorificación absoluta.:

> ¡Qué goce, corazón, este quitarte,
> día tras día, tu corteza;
> este encontrar tu verdadera forma,
> tierna, desnuda, palpitante!...

Y produce una emoción profunda reconocer en esta poesía de Juan Ramón cómo ha llegado a ser paradigmática de sencillez y de elementalidad, *únicamente* aumentada en densidad hasta llegar a la genuina esencia poética perdurable.

A esta segunda época de Juan Ramón corresponden sus libros *Eternidades*—1916—, *Piedra y cielo*—1917—, *Belleza*—1917—, *Unidad*—1925—, *Sucesión*—1932— y *Canción* —1935.

"La labor de Juan Ramón—escribe Valbuena Prat—no es solo la de su admirable obra, sino la de su escuela. A diferencia de Rubén, que era la apoteosis de una época que terminaba, por lo cual los discípulos brotaron a veces de lo más inconsistente de su obra, que, por tanto, como la de Wagner, fue genial, y, en ocasiones, estéril, Juan Ramón presenta todo lo aprovechable de un gran estilo a una generación nueva; él adivina los valores líricos siguientes, los dirige y orienta. Una de las mayores adquisiciones es la de una poderosa escuela. Escuela capaz de ser original, de liberarse literariamente del punto de partida. Es Juan Ramón, por tanto, el maestro de poetas, no el maestro de discípulos."

Otras obras: *Política poética*—1936—, *Varias obras*—edición privada, 1934—, *Sucesión*—Madrid, 1932, ocho cuadernos—, *Presente*—1933—, *Españoles de tres mundos*—Buenos Aires, 1943—, *Platero y yo*—elegía en prosa, uno de los libros más hermosos y hondos de la literatura española—, *Estación total con las canciones de la nueva luz*—1939—, *Animal de fondo*—1949...

V. "AZORÍN": *Clásicos y modernos.*—"AZORÍN": *Los Quintero y otras páginas.*—ONÍS, Federico: *Antología de poetas hispanoamericanos.* Madrid, 1927.—MONTESINOS, J.: *Die moderne Spanische Dichtung*, páginas 58-69 y 204-205.—VALBUENA PRAT, A.: *Historia de la literatura española.* 1950, tomo III.—DIEGO, Gerardo: *Poesía española.* Madrid, 1932.—DÍAZ-PLAJA, G.: *Poesía lírica española.* Barcelona. Edit. Labor, 1948, 2.ª edición. BO, C.: *La poesía con Juan Ramón Jiménez.* Madrid, Edit. Hispánica, 1943.—DÍEZ CANEDO, Enrique: *Juan Ramón Jiménez y su obra.* México, 1944.—SAINZ DE ROBLES, Federico Carlos: *Historia y antología de la Poesía española (En lengua castellana).* Madrid, Aguilar, 4.ª edición, 1964.—DÍAZ-PLAJA, Guillermo: *Juan Ramón en su poesía.* Madrid, Aguilar, 1958.—PALÁU DE NEMES, Graciela: *Vida y obra de Juan Ramón Jiménez.* Madrid, Gredos, 1957.—GARFIAS, Francisco: *Juan Ramón Jiménez.* Madrid, Taurus, 1961.

(Una abundante bibliografía—artículos y notas—acerca de J. R. J. se halla en: Río, Angel del, y BENARDETE, M. J.: *El concepto contemporáneo de España. Antología de ensayos.* 1895-1931. Buenos Aires, Losada, 1946, página 695.)

JIMÉNEZ, Ramón Emilio.

De la República Dominicana. Poeta y prosista. Nació en Santiago de los Caballeros en 1886. Excepcional educador. Como poeta, traduce los sentimientos humanos y su poesía tiene hondo sentido filosófico o educacional. Como prosista, ha dedicado especial atención a los temas folklóricos y filológicos. Académico de la Lengua.

Ha publicado: *Espumas en la roca* (1917) y *La patria en la canción* (1933)—poemas—; *Al amor del bohío* (1935), *Del lenguaje dominicano* (1941) y *Savia dominicana* (1947) —prosa.

JIMÉNEZ, Salvador.

Poeta y articulista español. Nació—1922— en Murcia. Licenciado en Filosofía y Letras.

Su primer libro de poesías, *La orilla del milagro*, obtuvo—1945—el "Premio Polo de Medina". En unión de otros poetas fundó la revista *Azarbe*, donde ha publicado otro libro: *Alabanza de ti.* Ha viajado por toda España, Francia, Italia y Alemania. "Premio Juventud 1953". "Premio Luca de Tena 1964".

Otra obra: *Españoles de hoy*—1966.

V. SAINZ DE ROBLES, F. C.: *Historia y antología de la Poesía española.* Madrid, Aguilar, 1967, 5.ª edición.

JIMÉNEZ DE ENCISO, Diego.

Gran poeta y dramaturgo español. Nació—1585—en Sevilla. Y en Sevilla murió en 1634. De noble linaje. Huérfano de padre muy joven, pretendió en seguida honores que le dieran algún nombre. Su padre fue jurado de Sevilla, y tuvo sus mismos nombre y apellido. Su madre fue doña Isabel de Zúñiga. Los Enciso siempre fueron flor y nata sevillana. Y en la collación de Santa Cruz de la ciudad bética conservóse siempre una calle *de los Enciso*, más tarde de los *Jiménez de Enciso.* En 1612, Diego fue nombrado familiar del Santo Oficio; en 1613, veinticuatro de la dicha ciudad; en 1615, diputado de su Alhóndiga. Pasó a Madrid, siendo uno de los personajes más mimados por el conde-duque de Olivares, y aun por el rey don Felipe IV. En 1625, Sevilla le nombra su teniente de alguacil mayor. Por esta época disfrutaba ya de tan pingües rentas y de poderío tanto, que pudo dotar espléndidamente a su sobrina y conceder un hábito de Santiago a su futuro sobrino, Juan Gutiérrez Tello de Guzmán. Los disgustos de este matrimonio, prontamente deshecho, acibararon, y no poco, la vida de Enciso, quien acabó de confesarse achacoso..., ¡a los cuarenta y tantos años!..., con motivo del fallecimiento de su amada sobrina. Sí; a los cuarenta y tantos años, Jiménez de Enciso empezó a renunciar, a despreciar, todos aquellos honores y cargos que pretendió con tales ahíncos, quizá, como decía en un memorial al rey, porque se hallaba con achaques y melancolía, "de manera que no puede andar ni en coche, ni a caballo".

Enciso gozó en vida de justa y merecida fama. Cervantes, en el *Viaje del Parnaso*, le alaba, juntamente con Juan Argote y Diego Abarca, diciendo:

> ...En estos tres la gala y el aviso
> cifró cuanto de gusto en sí contienen,
> como su ingenio y obras dan aviso.

Andrés de Claramonte—en su *Letanía moral*, 1613—: "Don Diego Enciso, discreto cortesano y agudísimo poeta." Alabáronle igualmente Lope, en la *Jerusalén*—c. 19—, en el *Laurel*—silva 2—y en la *Filomena* —ep. 8—; Montalbán, en *Para todos* —1632—, y Candamo—en su *Theatro*—, dijo de él: "Este empezó las comedias que llaman de capa y espada; siguiéronle después don Pedro Rosete..., Rojas..., Calderón..." Fernando de la Vera, en el *Panegyrico por la poesía*, le llama: "Terencio italiano, es bien conocido en Italia, por lo que ha escrito, pues sus versos bastan a perpetuar la memoria de los duques de Florencia, y su fama las apuesta con la eternidad."

Fue, indudablemente, Enciso uno de los más interesantes dramaturgos del Siglo de Oro español. Su estilo es adecuado, sobrio y natural; su lenguaje, puro; su versificación, excelente. Aunque trágico, no tiene desenlaces crueles o sangrientos. No emplea la nota cómica. Sus personajes varoniles son reales y sugestivos. Menos valen los femeninos; diferencia que explica, tal vez, la complexión enfermiza que retrajo a Enciso de la vida social. Para Schack—*Historia del teatro, III*—: "Enciso es, entre todos los poetas dramáticos, el que más sobresale por la pintura de los caracteres...; penetra, en virtud de la observación más perspicaz, en lo íntimo del alma de sus personajes para descubrir en ellos la causa de sus debilidades y virtudes...; y presenta al espectador, con tanto esmero como prolijidad, sus observaciones psicológicas." Su peculiaridad dramática, según Rodolfo Schevill, consiste "simplemente en poner a frente a frente dos naturalezas intensas opuestas en carácter y dibujada cada cual con individualidad insuperable".

Solamente diez se conservan de las "muchas y celebradas comedias que se representaron" de Enciso, según don Antonio de Mendoza: *Los celos en el caballo, El casamiento con celos y el rey don Pedro de Aragón, El encubierto, Fábula de Criselio y Cleón, Juan Latino, La mayor hazaña de Carlos V, Los Médicis de Florencia, Santa Margarita, El valiente sevillano, El príncipe don Carlos.*

El príncipe don Carlos es la obra maestra de Enciso, uno de los mejores dramas históricos del siglo XVII. En ella muestra el autor una habilidad insuperable en la técnica del arte, en el plan, combinación de las escenas, manejo del diálogo, sobriedad y fuerza de antecedentes y trabazón de hechos, en la justificación de todo movimiento de personajes. El estilo es propio, noble, dramático, denso. La poesía es limpia, elocuente, armoniosa. El lenguaje es rico, brioso, ceñido, puro. No es afirmación temeraria la que califica a esta obra de Enciso como la más bella y perfecta que se ha logrado acerca del famoso príncipe don Carlos, sin que se olvide la tragedia de Schiller, tan falsa como carente de características hispanas.

En 1632, en las fiestas de Palacio para la jura del príncipe Baltasar Carlos, se representó la obra de Enciso *Júpiter, vengado*, título con el que fue conocida, por entonces, la *Fábula de Criselio y Cleón.*

Fue Jiménez de Enciso quien organizó la famosa gira a San Juan de Aznalfarache, en 1606, y escribió la no menos famosa *Carta descriptiva* que se atribuyó por algunos a Cervantes. En aquella gira "cupiéronle a don Diego Jiménez seis estancias y canciones reales, para que hiciese en ellas la descripción del *Infierno* y de la *Primavera*, tres de cada cosa...".

Hurtado y Palencia ha editado modernamente—en *Letras Españolas*—*El príncipe don Carlos. Los Médicis de Florencia* pueden leerse en el tomo XLV de la "Biblioteca de Autores Españoles", de Rivadeneyra.

V. COTARELO MORI, E.: *Don J. J. de E.*, en *Boletín de la Academia Española*, 1914, I.—SCHEVILL, R.: *The Comedias of don X. de E.*, en *Pub. Mod. Lang. Assoc. Am.*, 1903, XVIII, 1943.—CRAWFORD, J. P.: "*El príncipe don Carlos*", de *J. de E.*, en *Modern Lang Notes*, 1907, XXII.—LEVI, Elzio: *La leggenda di don Carlos... nella poesía*. Roma, [1924].—LEVI, Elzio: *La leggenda di don Carlos nel teatro spagnolo...*, en *Rev. d'Italia*, 1913.—PÉREZ PASTOR, C.: *Bibliografía madrileña*. III, 390-91.

JIMÉNEZ-LANDI, Antonio.

Poeta, historiador, narrador. Nació—1909—en Madrid. Alumno de la Institución Libre de Enseñanza. Licenciado en Filosofía y Letras por la Universidad de su ciudad natal. Ha adaptado con singular maestría numerosas obras célebres para lectura de niños y adolescentes. Ha publicado ensayos de arte en revistas tan importantes como *Revista de Indias, Arte Español, Revista Hispánica Moderna*—de Nueva York—. De mucha y bien asimilada cultura. Con disposición magistral para las obras de divulgación. Excelente prosista.

Obras: *El libro de nuestra madre*—1940—, *Poesías*—1940—, *Esos días...*—episodios famosos del siglo XIX—, *Una ley de sucesión y quince años de historia, La Infantina de Francia*—teatro.

Entre sus mejores libros de literatura infantil están: *Las horas del día, El Mar, La Tierra, El Cielo, Historias con animales, Aventuras de Pelucho, Leyendas de España, El Dos de Mayo, Los pueblos navegantes, Primera flor del Romancero, Frente al mar de las Tinieblas...*

JIMÉNEZ MARTOS, Luis.

Nació—1926—en Córdoba. Estudios de Bachillerato en su ciudad natal. Licenciado en Derecho por la Universidad de Granada. Fundador de revistas poéticas: *Arkángel*, en Córdoba, y *Veleta* (Granada). Desde 1956 reside en Madrid. A partir de entonces se dedica intensamente a la crítica de poesía y a una labor antológica ya extensa, colaborando en revistas y diarios. Es crítico de *La Estafeta Literaria*. Algunos de sus trabajos de esta índole han sido traducidos.

Desde 1963 es director de la "Colección Adonais de Poesía". Miembro de la Real Academia de Ciencias, Bellas Letras y Nobles Artes de Córdoba. Conferenciante.

Obras: *Por distinta luz*—poemas, 1963—, *Encuentro con Ulises*—"Premio Nacional de Poesía 1969"—, *Con los ojos distantes* —poemas, 1970—, *Historia de Juan Opositor*—narración, 1956—, *Leyendas andaluzas* —1964—, *Tientos*—1969, prosas—, *La nueva poesía española*—ensayo, 1964—, *Nuevos poetas españoles*—1961—, *Poetas del Sur* —1964—, *Poesía hispánica*—Antología, doce volúmenes, 1957 a 1968—, *La generación poética de 1936*—1972.

JIMÉNEZ PATÓN, Bartolomé.

Erudito y literato español, nacido en Almedina (Ciudad Real) y que vivió entre 1570 y 1640. Estudió en Alcalá y Salamanca Letras y Jurisprudencia. Fue gran amigo de Lope de Vega y de Quevedo. Correo mayor en Villanueva de los Infantes. Notario apostólico de los juicios de religión en el reino de Murcia. Verdadero maestro de Gramática en toda la Mancha y en Jaén. Sus contemporáneos alabaron la ciencia y la maestría pedagógica de Patón, el cual figura con justicia en el *Catálogo de autoridades* de la Academia Española de la Lengua. Fue maestro muy querido y respetado del famoso conde de Villamediana.

Obras: *Elocuencia española en arte*—Toledo, 1604—, *Instituciones de Gramática española, Epítome de Ortografía latina y castellana*—Baeza, 1614—, *Proverbios concordados*—Baeza, 1615—, *Mercurius trimegistus* —unión de la *Elocuencia española*, la sacra y la *romana*—, *Instituciones de Gramática* —Baeza, 1621—, *Decente coloquio de la Santa Cruz*—Cuenca, 1625—, *Historia de la ciudad de Jaén y de algunos famosos varones hijos de ella*—Jaén, 1628—, *Declaración magistral de varios epigramas de Marcial*—Villanueva de los Infantes, 1628—, *Victorias del Arbol Sacro, o sea Alabanzas de la Cruz; Discurso en favor del santo y loable estatuto de la limpieza*—Granada, 1638—, *Discurso de los tufos, copetes y calvas*—Baeza, 1639...

JIMÉNEZ DE QUESADA, Gonzalo.

Cronista español. Nació—1502—en Granada y murió—1579—en Mariquita (Nueva Granada). De noble familia. Su inmensa voluntad de aventuras le empujó a las Indias Occidentales; y lleno de audacia y con valor indomable, exploró las tierras de lo que hoy es Colombia, y fundó Santa Fe de Bogotá. Todas sus correrías estuvieron signadas por el asombro y la temeridad. Y tanto sirvió su diplomacia sutil como su espada victoriosa para ganar glorias a favor de España. Temple excepcional de héroe, como muchos de estos también gran inteligencia y pluma fácil y docta.

Entre sus obras figuran: *Compendio historial*—considerado como su obra maestra—, *Relación de la conquista del nuevo reino de Granada, Indicaciones para el buen gobierno, Relación sobre los conquistadores y encomenderos, Los ratos de Suesca, Colección de sermones para ser predicados en las festividades de Nuestra Señora*.

Muchos de estos escritos se han perdido, conociéndose solo los fragmentos de ellos citados por otros autores.

V. Ibáñez, Pedro M.: *Ensayo biográfico de G. J. de Quesada*. 1892.—Pereyra, Carlos: *Historia de la América española*. Madrid, Calleja, tomo VI.

JIMÉNEZ DE RADA, Rodrigo (v. Ximénez de Rada, Rodrigo).

JIMÉNEZ RUEDA, Julio.

Historiador, crítico, dramaturgo y novelista mexicano. Nació—1896—y murió—1959— en la ciudad de México. Apenas salido de la niñez, dirigió el periódico *El Estudiante*, órgano de la Asociación Católica de la juventud mexicana. En 1917 publicó su primer libro: *Cuentos y diálogos*. Doctor en Filosofía y Letras y decano de dicha facultad en la Universidad Nacional. Conferenciante ilustre. Con su narración breve *Taracea* obtuvo el primer premio del concurso organizado por la Dirección de Bellas Artes. Fundador y director de la *Revista Social*.

En el teatro obtuvo grandes éxitos con *Carlos, abogado; Soldaditos de plomo, La caída de las flores*—1923—, *Balada de Navidad, Como en la vida*—1918—, *Tempestad en las cumbres*—1922—, *La silueta del humo* —1927—, *Miramar*—poema dramático, 1932...

Entre sus narraciones cuentan: *Sor Adoración del Divino Verbo*—1923—, *La desventura del conde Kadski*—1935.

Libros de crítica: *Historia de la literatura mexicana*—1928—, *Ruiz de Alarcón*

—1934—, *Lope de Vega*—1935—, *Juan Ruiz de Alarcón y su tiempo*—1939—, *Las letras mexicanas en el siglo XIX*—1944.

V. GONZÁLEZ PEÑA, Carlos: *Historia de la literatura mexicana.* México, 1940, 2.ª edición.—TORRES RIOSECO, Arturo: *Bibliografía de la novela mexicana.* 1933.—TORRES RIOSECO, Arturo: *La novela en la América hispana.* Berkeley, 1939.—USIGLI, Rodolfo: *México en el teatro.* 1932.—NAVARRO, Francisco: *Teatro mexicano.* Madrid, Espasa-Calpe, ¿1935?

JIMÉNEZ DE URREA, Jerónimo.

Poeta e historiador español de nota. Nació—¿1505?—en Epila (Zaragoza). Murió en 1565. Gran caballero y gran militar. Hijo natural del vizconde de Viota. Sirvió al césar Carlos I en Alemania, Flandes e Italia. Del Consejo de su majestad Felipe II. Visorrey de las provincias de Pulla.

Tradujo en fatigosos tercetos el libro de Olivier de la Marche—gran caballero borgoñón—*Discurso de la vida humana y aventuras determinado*—Amberes, por Martín Nucio, 1555—, Tradujo con más fortuna el *Orlando furioso,* de Ariosto, traducción que tuvo éxito y de la que se hicieron muchas ediciones durante la centuria diecisiete: Lyon, 1550; Medina del Campo, 1572; Bilbao, 1583; Amberes, 1558; Salamanca, 1577 y 1587; Barcelona, 1564; Toledo, 1582, 1586 y 1588; Venecia, 1575...

Tradujo también la *Arcadia,* de Jacobo Sannazaro; traducción que vio Ustarroz, quien anotó: "Este manuscrito se guarda en la villa de Epila, en la librería del convento de San Sebastián, de la Orden de San Agustín."

Obras originales: *Diálogo de la verdadera honra militar...*—Venecia, 1566—. *El victorioso Carlos V*—con aprobación elogiosa de Alonso de Ercilla, poema en verso suelto—, *La famosa Epila*—manuscrito—, *Don Clarisel de las Flores y Austrasia*—libro de caballerías, en nada inferior al *Amadís,* con muchas reminiscencias de Sannazaro y Ariosto y con muchas canciones llenas de delicadeza; libro de lo mejor que figura en el aludido género novelesco, en opinión de Menéndez Pelayo.

La primera parte de *Don Clarisel* fue publicada—1879—por la Sociedad de Bibliófilos Andaluces.

V. BORAO, J.: *Noticia de don Jerónimo Jiménez de Urrea y de su novela caballeresca...,* Zaragoza, 1866.—ZARCO DEL VALLE Y SANCHO RAYÓN: *Ensayo de una Biblioteca española de libros raros y curiosos.* Vol. IV, 832-38.

JIMÉNEZ DE URREA, Pedro Manuel.

Poeta español de mérito. Nació—¿1485?—en Zaragoza. Murió antes de 1536, ya que en este año hace testamento doña Blanca de Agramonte "como viuda de Pedro Urrea". Fue hijo segundo de Lope IV, señor de Trasmoz y la Mata de Castilviejo, primer conde de Aranda, y de doña Catalina Fernández de Híjar. En 1505 se casó con doña María Sessé, hija del bayle general de Aragón don Manuel, y de doña Blanca de Agramonte, camarera mayor de la reina doña Isabel. Su profesión de las armas le alcanzó laureles y honores.

Su obra más importante, el *Cancionero,* fue impresa—1513—en Logroño, a expensas de Arnaldo Guillén de Brocar. Este *Cancionero* comprende romances, villancicos y canciones deliciosos, admirablemente influidos por Petrarca, pero sin menoscabo de su originalidad y gracia poética indudable. No se explica fácilmente que ni Cervantes—en el *Viaje del Parnaso*—, ni Lope—en el *Laurel de Apolo*—nombraran a Urrea, cuando alababan a poetas de calidad muy inferior. La poesía de Urrea, afirma el maestro Menéndez Pelayo, "lo es algunas veces, y con una sinceridad de sentimiento, a que no nos tienen acostumbrados los líricos de la Edad Media". Y más adelante: "Es uno de los poetas más personales y simpáticos de las postrimerías de la Edad Media." En el *Cancionero* destacan las bellísimas composiciones: *Peligros del mundo, Las fiestas del amor, Sepultura de amor, Testamento de amores, Credo glosado, Quando se quemó el castillo.* "Breve fue la vida de don Pedro de Urrea, pero de ningún modo estéril, ni para la gloria de su linaje ni para la de las letras. Modestamente se contentaba con que su *Cancionero* fuese una *esperanza de ser algo;* pero en verdad fue mucho más que eso, puesto que en él se manifestó por vez primera el genio poético aragonés con algunos de sus esenciales caracteres."

Otras obras: *Peregrinación de Jerusalén, Roma y Santiago*—Burgos, 1541—, *Penitencia de amor*—Burgos, 1514—, mala imitación de *La Celestina,* cuyo final recuerda algo la *Cárcel de amor,* de Diego de San Pedro. Sin embargo, fue traducida al francés por Gabriel de Gramond Navarre, secretario del cardenal-arzobispo de Tolosa.

Modernamente se han reimpreso: el *Cancionero*—Zaragoza, 1878—, *Penitencia de amor*—en *Revue Hispanique,* IX, y en "Bibliografía Hispánica". X, 1902.

V. MENÉNDEZ PELAYO, M.: *Antología de poetas líricos castellanos.* VII, págs. CCLVI y sigs.—FOULCHÉ-DELBOSC, Prólogo a *Penitencia de amor,* en *Rev. Hisp.,* IX.—VILLAR: Prólogo al *Cancionero* de P. M. J. de U.

JORDÁ Y CALBO, Evaldo C.

Nació en el pueblo de Beniarrés, aledaño a Alcoy, provincia de Alicante, el año 1891. Fueron sus padres labradores acomodados, de firmes creencias cristianas. Confiaron la educación del hijo a un Instituto religioso. Cursó el bachillerato en el Instituto de San Isidro, de Madrid, ampliando estudios en la Academia Universitaria Católica. Obtuvo el título de maestro de Enseñanza Superior en la Normal de Valencia. Para ampliar estudios se trasladó a Francia, siendo profesor de la Escuela de Enseñanza Profesional del Ródano. Su gran afición fue el periodismo. De muy joven colaboró en la prensa católica. En los diarios *La Defensa*, de Alcoy; en el *Diario de Valencia, El Correo Español, Juventud Tradicionalista*, de Madrid. Colaboró en revistas técnicas en Francia. El director de una importante revista, al fijarle el precio de su colaboración, le escribió una carta, de la que entresacamos estas significativas frases: "*A partir d'aujourd-hui nous vous considérérons notre collaborateur aux mêmes titres et avec les mêmes appointements que M. Herriot et M. Poincaré.*"

Al proclamarse la República se adscribió a las fuerzas de derechas, y en Málaga tomó parte activa en el periodismo, colaborando en la prensa católica de dicha capital. En los periódicos malagueños *El Cronista* y *La Unión Mercantil* publicó vibrantes artículos de carácter social; de algunos de ellos se hizo eco *El Debate*. Su libro *En la brecha por la patria* (Laicismo, Socialismo, Comunismo, Catolicismo), impreso en Málaga en 1933, se agotó inmediatamente. Son notables sus dos estudios *España en Marruecos* y *La evangelización del Japón*. Actualmente reside en Valencia y colabora en revistas de carácter profesional. En la *Revista Española de Seguros* ha aparecido recientemente un trabajo de carácter histórico, debido a su pluma, titulado *El libro del Consulado*, que ha merecido cálidos elogios. Antes del Movimiento colaboraba activamente en la prensa de Alicante y Valencia.

JORDI DE SANT JORDI.

Notable poeta español. Nació a fines del siglo XIV en Valencia o en Torroella de Montgrí (Gerona). Murió antes de 1430. Camarero de Alfonso V de Aragón. Se dedicó a las armas y peleó en Córcega y Cerdeña, juntamente con otros dos excelentes poetas: Ausias March y Andrés Febrer. No se halló en la derrota de Ponza. Pero cayó prisionero en algún lugar de Italia, componiendo bellas poesías durante su cautiverio. Fue amigo del marqués de Villena—a quien conoció en Barcelona durante unos Juegos florales celebrados en honor del rey don Fernando I de Aragón—y del marqués de Santillana, que acompañó al mismo rey a la toma de posesión de la corona aragonesa después del Compromiso de Caspe.

Santillana escribió de Jordi: "En estos nuestros tiempos floreció mosén Jordi de Sant Jordi, cavaller prudente, el qual ciertamente compuso assaz fermosas cosas, las quales él mesmo asonava ca fue musico excelente..."

Las poesías de Jordi, en número de 18, fueron publicadas—1902—por Massó y Torrents. Y son, ciertamente, muy bellas e inspiradas, de temas sentimentales y amorosos; están escritas con delicadeza y primor sorprendentes. Escribió también la *Pasión de amor*, influido por Petrarca. Santillana le consagró—1430—su poema *Coronación de mosén Jordi*.

V. MASSÓ TORRENTS, J.: *Obres poétiques de Jordi de Sant Jordi*. Barcelona, 1902.—NICOLAU D'OLWER, L.: *Jordi de Sant Jordi, presoner...*, en *Estudis Univ. Catalans*. Barcelona.

«JORGE PITILLAS» (v. Hervás, José G. de).

JOVE, José María.

Novelista español. Nació—1920—en Ciaño Santa Ana (Asturias). Licenciado en Derecho y en Filosofía y Letras. También es notable pintor y poeta muy interesante.

Sus novelas, escribe Nora, "atestiguan la presencia de un espíritu refinado, matizado y complejo, que se diría pretende esconder la fuerza real con la gracia, revestir la gravedad y la trascendencia moral de sus fabulaciones con un alegre rebrillo de costumbrismo pintoresquista, cuando no de ágil deportividad".

Obras: *Un tal Suárez*—Madrid, 1950—, *Mientras llueve en la tierra*—Barcelona, 1950...

V. NORA, Eugenio G. de: *La novela española contemporánea*. Madrid. Edit. Gredos, 1963. Tomo II bis, págs. 234-37.

JOVELLANOS, Gaspar Melchor de.

Gran poeta, prosista, dramaturgo y sociólogo español. 1744-1811. Natural de Gijón. Estudió en Alcalá. Alcalde del Crimen en la Audiencia de Sevilla—1767—. Alcalde de Casa y Corte—1778—. Amigo de Campomanes. Académico de la Historia y de la Lengua. Consejero de Ordenes. Fundador del Banco de San Carlos y del Instituto Asturiano. Secretario de Gracia y Justicia—1797—, nombrado por Godoy. Preso de 1801 a 1808 en el castillo de Bellver (Mallorca) a causa de sus ataques al favorito y a la Inquisición. Rompió, por patriotismo, con todos sus amigos afrancesados, entre ellos Cabarrús y Leandro Fernández de Moratín.

Jovellanos representó a Asturias en la Junta Central del Reino, que dirigió la heroica resistencia española contra Napoleón. Huyendo de los franceses, que habían ocupado a Gijón, se refugió en Vega de Navia, donde murió. Jovellanos, poeta lírico, escribió letrillas, romances, idilios, sátiras y epístolas. Entre estas últimas, son famosas sus *Epístola a los amigos de Sevilla* y *Epístola a los amigos de Salamanca*. Jovellanos perteneció a la escuela poética de Salamanca, donde fue llamado *Jovino*.

Hombre cultísimo, bondadoso, aficionado a la filosofía y a la política, a la economía y a la arqueología, Jovellanos no admitió en sí mismo al recóndito poeta sino como en la posibilidad de un juego esporádico y un tanto vergonzoso. Aun cuando educado en Alcalá, su amistad con el grupo de poetas salmantinos, capitaneados por fray Diego Tadeo, hízole identificarse con ellos. *Batilo*—el dulce—, *Delio*—el sabio—, *Liseno*,

> ...digna gloria
> y ornamento del pueblo salmantino...,

son sus más fervorosas admiraciones. Los estudia. Los asimila. Los imita. Y, después, como es el más culto de todos ellos, los aconseja, infiltra en ellos una *preocupación* que le conmovía a él: la necesidad de una nueva fórmula en la que verter las ideas clásicas. Porque Jovellanos, que vive literariamente en un momento de transición, alma llena de los prejuicios preceptivos del siglo XVIII, ya adivina los valores románticos detenidos milagrosamente—como los bárbaros en las fronteras de Roma—ante las murallas ya caedizas y desmoronadas del Neoclasicismo. ¡Qué gran combate espiritual y sentimental el de Jovellanos consigo mismo! Porque si su temperamento tierno le inclinaba a la poesía, su razón de hombre severo y político se avergonzaba de tales debilidades. El mismo lo declara: "En medio de la inclinación que tengo a la poesía, siempre he mirado la parte lírica como poco digna de un hombre serio, especialmente cuando no tiene más objeto que el amor." En esta misma repulsa se precisan los caracteres que Jovellanos estima indispensables en la poesía: el sentido, el sentimiento y la sentimentalidad. Para *Jovino*—entre los poetas de Salamanca—, la lírica es la expresión de los afectos más tiernos: el dolor, el amor, la tristeza, el gozo sencillo; y la amalgama de cosas tan conmovedoras como la luna, el otoño, el "¡Ay!", el silencio, la desesperación infinita, la rebeldía contra el destino nefasto..

> ¿Acaso, avergonzado, entre las murtas
> esconde su semblante; aquel semblante,
> trono de la modestia y alegría,
> y agora en tristes lágrimas bañado?
> ¡Ay! Di: ¿por qué te escondes, Galatea?
> Divina Galatea, ¿desde cuándo
> la natural ternura es un delito?

Sino que el hombre sesudo no quiere rendirse a la dulce sugestión; o, si se rinde, quiere que sea como sin dar importancia al hecho.

Con las *letrillas, romances* e *idilios* puede formarse el primer grupo de los dos en que cabe dividir las poesías no dramáticas de Jovellanos. Ninguna de ellas tiene un gran valor. Cierta rudeza e incorrección las hace desagradables y prosaicas. Mucho más valen las *sátiras y epístolas* que integran el segundo grupo, cuando ya su autor—dueño del estilo, de la versificación y del gusto—figuraba entre los poetas de la escuela salmantina. La *Epístola a sus amigos de Salamanca* marca con precisión muy de admirar la evolución de las ideas estéticas de toda una generación literaria; la *Epístola a sus amigos de Sevilla* es notabilísima como uno de los primeros intentos de poesía descriptiva en nuestras letras...

> ...¡Ay, cuán raudamente me alejan las veloces mulas
> de tu ribera, oh Betis deleitosa!
> Siguen la voz, con incesante trote,
> del duro mayoral, tan insensible,
> o muy más que ellas, a mi amargo llanto.
> Siguen su voz; y en tanto el enojoso
> sonar de las discordes campanillas,
> del látigo el chasquido, del blasfemo
> zagal el ronco amenazante grito,
> y el confuso tropel con que las ruedas
> sobre el carril pendiente y pedregoso,
> raudas el eje rechinante vuelven,
> mi oído a un tiempo y corazón destrozan.

Todas sus *epístolas*—las tituladas *A Arnesto* y *Fabio a Anfriso*, principalmente—están inspiradas por la musa del sentimiento lírico y el patriotismo más puro del poeta. En este segundo grupo de poesías es donde se observa cómo la temática de Jovellanos poeta es absolutamente prerromántica y cómo la cultura y educación de Jovellanos pugna por encubrirla con un lenguaje y con una disciplina y con un empaque neoclásicos. Como es lógico, en cuanto puede, manifiesta Jovellanos su admiración por los poetas del siglo XVI y su inquina por los del XVII.

Pero, aun siendo mucho el valor de Jovellanos como poeta, quizá es más importante el Jovellanos prosista. Casi, casi merece el nombre de polígrafo. Es autor de obras didácticas y educadoras como: *Elogio de Carlos III*—1789—y *Don Ventura Rodríguez* —1800—, *Elogio de las Bellas Artes*—1782—,

Memoria del castillo de Bellver—1813—, *Descripción de la Lonja de Palma*—1812—, *Informe sobre la publicación de los monumentos de Granada y Córdoba; Discursos* sobre el estudio de la Geografía histórica, sobre la necesidad de unir el de la Literatura al de las Ciencias, el de la Legislación al de nuestra Historia y antigüedades.

Jovellanos escribió dos obras dramáticas neoclásicas—y una de ellas con sus *atisbos románticos*—como *El delincuente honrado* —1774—y *Munuza,* titulada después *Pelayo*—1769.

Jovellanos escribió su famoso *Informe en el expediente de la ley Agraria*—1795—, modelo de estilo y de ideología sensata y aguda, y la *Memoria para el arreglo de la Policía de Espectáculos y diversiones públicas y sobre su origen en España*—1790...

La prosa de Jovellanos es limpia, un tanto oratoria.

Buenas ediciones de sus obras son: *Colección de varias obras en prosa y verso*—siete tomos, Madrid, 1830 a 1832—; *Obras*—ocho volúmenes, Barcelona, 1839 a 1840—; *Obras* —cinco volúmenes, Madrid, 1845 y 1846—; *Obras*—ocho volúmenes, Logroño y Zaragoza, 1846 y 1847—; *Obras publicadas e inéditas*—dos tomos, XLVI y L, de la "Biblioteca de Autores Españoles"—; *Obras completas* —Barcelona, 1865, ocho volúmenes—; *Oraciones y discursos*—Madrid, 1880—; *Colección de obras*—Barcelona, 1884—; *Obras escogidas*—en la "Biblioteca Clásica", Barcelona, 1884, cuatro tomos—; *Obras escogidas* —Madrid, 1935, dos tomos, "Clásicos Castellanos"—; *Antología*—Madrid, dos tomos, Editora Nacional, 1943.

V. ARTIGAS, M.: *Los manuscritos de Jovellanos en la Biblioteca Menéndez Pelayo,* en *Boletín Menéndez Pelayo,* 1921.—ARTIÑANO Y GALDÁCANO, Gervasio de: *Jovellanos y su España.* Madrid, J. Ratés, 1913.— BAREÑO, Francisco: *Ideas pedagógicas de Jovellanos.* Gijón, 1910.—CAMACHO Y PEREA, Angel M.: *Estudio crítico de las doctrinas de Jovellanos en lo referente a las Ciencias Morales y Políticas.* Madrid, J. Ratés, 1913.— CASTRO, Américo: *Jovellanos (Asunto más que actual),* en *El Sol,* 21 de junio de 1933.— CAVEDA Y NAVA, José: *Memorias de varones célebres asturianos.* (Biblioteca Histórico-genealógica Asturiana, vol. I). Santiago de Chile, Imprenta Cervantes, 1924, págs. 217-223. DELGADO, P. Jesús: *Jovellanos, poeta,* en *España y América,* 1911, XXXI, 481-492.— DÍAZ-JIMÉNEZ Y MOLLEDA: *Jovellanos en León,* en *Boletín de la Academia Española,* 1925, XII, 606-639.—GÓMEZ CENTURIÓN, J.: *Jovellanos. Apuntes biográficos inéditos,* en *Boletín de la Academia de la Historia,* 1911, LIX, 483-487.—GÓMEZ-CENTURIÓN, J.: *Causas del destierro de Jovellanos,* en *Bo-*

letín de la Academia de la Historia, 1914. LXIV, 227-231.—GONZÁLEZ-BLANCO, Edmundo: *Jovellanos: su vida y su obra.* Madrid, 1911.—GONZÁLEZ PRIETO, F.: *Monografía de Jovellanos. Vida y obras.* Gijón, 1911.—JUDERÍAS, Julián: *Don Gaspar Melchor de Jovellanos: su vida, su tiempo, sus obras, su influencia social.* Madrid, J. Ratés, 1913.— MARTÍNEZ, Bernardo: *Jovellanos,* en *España y América,* 1911, XXXI, 385-395; XXXII, 25-34, 502-511; 1912, XXXIV, 414-422; XXXV, 119-129, 301-313, 502-510; XXXVI, 416-426.—MARTÍNEZ RUIZ, José, "Azorín": *Un poeta,* en "Clásicos modernos". Madrid, Caro Raggio, 1919.—MIGUÉLEZ, P. Manuel Fraile: *Fisonomía moral de Jovellanos,* en "La Ciudad de Dios", 1911, LXXXVII, 241-250; 1912, LXXXVIII, 321-332; LXXXIX, 163-177.—MORÁN BAYO, Juan: *Tres agraristas españoles: Jovellanos, Fermín Caballero, Costa.* Córdoba, Imp. La Unión, 1931.—OLIVER, M. S.: *Jovellanos,* en *Hojas del Sábado,* vol. II. Barcelona, Gili, 1918.—RENDUELES, Enrique: *Jovellanos y las Ciencias Morales y Políticas.* Madrid, J. Ratés, 1913.—Río, Angel del: *Estudio a Obras escogidas de Gaspar Melchor de Jovellanos.* Espasa-Calpe, 1935, "Clásicos Castellanos".—SOMOZA, Julio: *Documentos para escribir la biografía de Jovellanos.* Madrid, Hijos de Fuentenebro, 1911.—SOMOZA DE MONTSORIU, J.: *Inventario de un jovellanista.* Madrid, Sucesores de Rivadeneyra, 1901.—VILLAR Y GRANJEL, Domingo: *Jovellanos y la reforma agraria.* Madrid, 1912.—YABEN YABEN, Hilario: *Juicio crítico de las doctrinas de Jovellanos en lo referente a las Ciencias morales.* Madrid, J. Ratés, 1913.

JUAN ALBERTO DE LOS CÁRMENES, Fray.

Poeta y prosista. Nació—1915—en Matanzas (Cuba). Muy niño, se trasladó a España, donde vive. Ingresó en la Orden del Carmen Descalzo. Sacerdote. Profesor de Literatura.

Neopopularista y superrealista.

Obras: *Breviario de oro*—1950—, *Huésped de la luz*—1954.

V. SAINZ DE ROBLES, F. C.: Prólogo a *Huésped de la luz.*

JUAN DE LOS ÁNGELES, Fray (v. Ángeles, Fray Juan de los).

JUAN DE LA CRUZ, San.

Maravilloso poeta y místico español. La cumbre más alta de la poesía mística castellana. 1542-1591. Hijo de un tejedor, nació en Fontiveros (Avila). Débil de cuerpo, enfermizo. Por no poder aprender un oficio, ingresó de enfermero en el Hospital de Medina del Campo. Entró en los Carmelitas de esta ciudad. Profesó en Salamanca—1567—. Al año siguiente, su encuentro con Santa Teresa de Jesús fue decisivo para su vida, ya que la adorable Madre le convenció para que emprendiese la reforma de los carmelitas. En Durelo fundó el primer convento y tomó el nombre de Juan de la Cruz. Estuvo preso en Toledo por calumnias que se le levantaron. Fue definidor general de su Orden—1581—, prior de Granada—1583—, vicario de Andalucía—1585—. Murió en Ubeda el 14 de diciembre. Toda su vida gloriosa estuvo llena de arrobos, éxtasis y milagros.

Sus poesías son el exponente más alto y complejo del soberano misticismo español, y fueron calificadas por Menéndez Pelayo de "angélicas, celestiales y divinas" y de "obra de un ángel". La fuente de inspiración de San Juan de la Cruz es, exclusiva y excluyente, el *Cantar de los Cantares*. La musicalidad y ritmo de estas poesías no admiten parangón alguno.

La poesía de San Juan de la Cruz gira alrededor de la inspiración bíblica—que es su pensamiento principal—; en ella, Cristo y alma se relacionan por las vías de la íntima unción amorosa. El misterioso simbolismo y el poco transparente lenguaje figurado prestan a la obra lírica del maravilloso carmelita una sugestión indefinible, a la que no puede resistirse ningún alma delicada. En la obra lírica de San Juan de la Cruz asombran la entonación y el sentimiento, majestuosos y tiernos; el fuego de la expresión, la noble elevación de las imágenes, la hondura casi atemorizante que se adivina, apenas comprensible. Todas estas cualidades se unen para formar un cuadro lírico-místico de una belleza de colorido y de una musicalidad inauditas. "El rumor del viento, el susurro de las hojas, el murmullo de las fuentes y el perfume de las flores; los alados pájaros, los leones, el ciervo, la esbelta gacela; las montañas, valles y colinas; las aguas, el calor, el aire, el horror de los abismos que vigilan en la noche; la esperanza, el deseo, la espera temblorosa, cantos de fiesta de jubilosa plenitud; la llama que no se duele de verse consumida; la vida de la Naturaleza y los sentimientos del corazón humano, todo cruza como bajo un mágico conjuro a través de aquel místico arrobamiento, infinitamente casto, a pesar de la profana belleza de sus imágenes. Se explica el juicio de Menéndez Pelayo sobre la lírica de San Juan de la Cruz: *angélica, celestial y divina;* pero no es menos sorprendente, sobre todo para quien conoce la análoga emoción del *Cantar de los Cantares (la más bella colección de cantos de amor creada por Dios,* según expresión de Goethe), la lamentable vulgaridad con que, *humi rep-*

tantes, los corifeos de la ya aludida escuela [la materialista alemana] no ven en el *Cántico espiritual* más que una expresión de deseo, temblorosa de sensualidad." (Pfandl.)

San Juan de la Cruz derrama sobre su poesía su propia efusión mística en estado de ignición y de ensueño; la sostiene, más que con el ritmo, con su cuajada emoción íntima...

> Y todos cuantos vagan,
>   de Ti me van mil gracias refiriendo;
> y todos más me llagan,
> y déjame muriendo
> un no sé qué que quedan balbuciendo.

Díaz-Plaja ha señalado con gran acierto las dos estrofas de la *Noche oscura del alma* en que quedan perfectamente marcados los grados para ascender por la escala mística. Son estas:

> En la noche dichosa,
>   en secreto, que nadie me veía,
>   ni yo miraba cosa,
>   sin otra luz ni guía
>   sino la que en el corazón ardía.
> ....
> Quedéme y olvidéme,
>   el rostro recliné sobre el Amado,
>   cesó todo, y dejéme,
>   dejando mi cuidado
>   entre las azucenas olvidado.

He aquí esos grados. *Ni yo miraba cosa* —abandono del mundo real—; *cesó todo* —nihilismo—; *quedéme y olvidéme*—dejación final.

Las poesías de San Juan de la Cruz fueron como las claves líricas de sus tratados en prosa—y doctrinales—. Al frente de cada uno de ellos: *Subida al Monte Carmelo, Noche oscura del alma, Cántico espiritual* y *Llama de amor viva* figuran algunas poesías que resumen el sentido de toda la obra; son estas poesías como el envoltorio nada más de lo que encierran, lo cual se declara en las glosas, con un nervio y una claridad tan extraordinarios, con una dulcedumbre de estilo tan de mieles, tan fluida, tersa y transparente, que no parece habla de hombres, sino de bienaventurados. Nadie excedió a San Juan de la Cruz en saber vestir con metáforas vivas y luminosas los conceptos más hondos de la mística. Difícilmente se encontrará en ninguna literatura europea poesía—paráfrasis—más bella y delicada que la escrita por San Juan de la Cruz para que dialoguen *el alma y el Esposo...*

> ...Cuando Tú me mirabas,
>   tu gracia en mí tus ojos imprimían:
> por eso me adamabas,
> y en eso merecían
> los míos adorar lo que en Ti vían
> ....

Gocémonos, Amado,
y vámonos a ver en tu hermosura
al monte y al collado
do mana el agua pura;
entremos más adentro en la espesura.

Cuando el deseo espiritual, cuando la exaltación amorosa, cuando el arrobo y el éxtasis se han adueñado del poeta, este, como todos los enajenados de celestiales amores, no puede sino prorrumpir en balbuceos...

¡Oh cauterio suave!
¡Oh regalada llaga!
¡Oh mano blanda! ¡Oh toque delicado,
que a vida eterna sabe
y toda deuda paga!
Matando, muerte, en vida la has trocado.

Las más importantes ediciones de las *Obras* de San Juan de la Cruz son: Barcelona, 1619; Pamplona, 1774; Barcelona, 1883; Toledo, 1912, en tres volúmenes, preparados y anotadas por el padre Gerardo de San Juan de la Cruz; Burgos, 1929, edición del padre Silverio de Santa Teresa; Madrid, 1946, Aguilar, edición de Dámaso Alonso; Madrid, 1946, edición preparada por los padres Crisógomo de Jesús y Licinio del Santísimo Sacramento, para la "Biblioteca de Autores Cristianos".
V. Crisógono de Jesús, P.: *San Juan de la Cruz*. Prólogo a edición "B. A. C.". Madrid, 1946.—Crisógono de Jesús, P.: *San Juan de la Cruz*. Barcelona, 1935. Edit. Labor. Aurelio de la Virgen del Carmen, P.: *Album poético del II Centenario de la canonización de San Juan de la Cruz*. 1927.—Silverio de Santa Teresa, P.: *Fray Juan de la Cruz, doctor providencial*, en *Rev. de Espiritualidad*. Julio-diciembre 1942.—Alonso, Dámaso: *La poesía de San Juan de la Cruz*. Madrid, Aguilar, 1946.—Menéndez Pelayo, Marcelino: *De la poesía mística*. 1881.—Domínguez Berrueta, M.: *San Juan de la Cruz*, 1897.—Martínez de Burgos, M.: *Estudio* al *Cántico espiritual*, en "Clásicos Castellanos". Madrid.—Baruzi, J.: *Saint Jean de la Croix et le problème de l'expérience mystique*. París, 1924.—Chevalier, Dom: *Notas y estudios* al texto... Brujas, 1930.—Chevalier, Dom: *Le Cantique... de Saint Jean... a-t-il été interpolé*, en *Bulletin Hispanique*, 1922.

JUAN MANUEL, Infante Don.

Magnífico literato español. 1282-¿1349? Enjuto, nervioso, colérico y mordaz. El infante don Juan Manuel tuvo mirada zaina de conspirador y gesto torcido de rebelde basilisco.
Realmente, no tenía más fundamento para enrabiscarse que la necesidad de decir siempre *que no* cuando los demás se aferraban

al *que sí*. El mandoble era su ataque. La doble intención, su defensa. Nieto de Fernando III, el *Santo*... Hijo del infante don Manuel y de su segunda mujer, doña Beatriz de Suabia, señor de Peñafiel desde su nacimiento, vio la luz primera—según él mismo declara al final de su obra maestra— "en Escalona, martes cinco de mayo, era de mill et CC et XX años"—1282 de Cristo.
Se casó tres veces. Y fue un esposo violento y mal hablado, infiel y vicioso. Fue suegro de dos reyes. Y corregente del reino de Castilla y León. Apadrinó al revoltoso infante don Pedro, y al revoltoso don Juan el *Tuerto*, y al revoltoso infante De la Cerda. Y llegó a tener relaciones amistosas con el mismísimo rey de Granada, en disfavor de su "señor natural" el monarca de Castilla. No lograron su amistad incondicional ni Sancho IV, ni su admirable consorte doña María de Molina, ni Fernando IV, ni Alfonso XI... A todos ellos les presentó jugadas con mañas y trucos. De todos ellos sacó la tajada y el coscorrón. Tan poderoso fue el infante don Juan Manuel, que "podía ir del reyno de Navarra hasta el reyno de Granada, posando cada noche en villa cercada et castillos suyos". Pero él prefería vivir en su castillo de Peñafiel, nido roqueño, nave maravillosa anclada sobre una cresta del mar castellano, en el que se posaba lo mismo que un ave rapaz para huir de las saetas cazadoras y prepararse a nuevos vuelos jactanciosos.
Al final de su existencia, más tormentosa que atormentada, discurriría con paso solemne por alguna olmeda de la ribera del Duratón, movida su barbaza de lino por el ventalle frío, rodeado de fraires y deudos, marqueses rancios y escuderos raídos, contando con la voz campanuda—rasgada de toses—algún *exemplo*, sazonado de avisos morales o de advertencias de "mucha sciencia", mientras los azores y alcotanes firmaban, casi inmóviles, en el esmalte impávido del cielo las gracias de un milagro heráldico.
En la claustra de la catedral de Murcia, y en una de sus más oscuras capillas, aparece su retrato—junto al de su hija, la reina de Castilla, doña Juana, orantes los dos—, en un retablo obra del pintor modenés—del siglo XIV—Barnabás de Mutina. Barbas y cabellos luengos y canudos. Ojos vultuosos. Venas a relieve. Carne acecinada. Túnica grana. De hinojos está ante Santa Lucía... Y menos preocupado de su arrepentimiento que de su postura—y apostura—ante la posteridad...
Mucho estudió el infante don Juan Manuel. Mucho escribió... De Caza. De Moral. De Política. De Historia. ¿Cómo sacó cuarenta horas a los días de veinticuatro? ¿Qué calidades tenía su espíritu, que le valían

J

para pasar, sin transición, de un combate feroz con rumores de hojalata tundida a un recogimiento en el que el silencio podía cortarse en lonjas, de tan espeso? Nada ignoraba de la ciencia y del arte. Ni las fábulas de saber búdico, ni las consejas y leyendas del viejo, ya, Occidente. Ni los misterios de la alquimia y de la nigromancía. Ni la filosofía aristotélica, que ya estaba casi escolastizada. Ni las supersticiones y augurios astrológicos. Y todo cuanto sabe lo sazona con un lenguaje pulido, cortesano ya, limpio de todo amaneramiento retórico. Todo lo enseña con un suave *sentido* de amable malicia, con un fondo de humorismo raras veces amargo. Todo lo explica con la soltura de un ser superior para quien todas las cosas de este mundo no guardan secretos, ni valen la pena demasiado...

En su nido roquero, el espíritu impar de don Juan Manuel respondía a las perplejas inquisiciones de la posteridad... "Pienso que es mejor pasar el tiempo en facer libros que en jugar a los dados o facer otras cosas viles."

Se ignora la fecha del tránsito de tan complejo castellano. Debió de ser, sin embargo, antes del mes de agosto de 1349, en que ya se titulaba señor de Villena su hijo don Fernando.

Muchas obras se deben a la pluma—bien cortada, según expresión cervantina—del infante don Juan Manuel, el primer escritor de nuestra Edad Media que tuvo estilo peculiar en la prosa más que romanceada ya. Entre ellos: la *Crónica complida,* el *Libro del Caballero y del Escudero,* el *Libro de los Estados* y hasta un libro de poesías o de *cantares*—que se ha perdido—, cuyos restos —pareados—no muy sonoros persisten como moraleja al final de cada cuento de *El conde Lucanor.*

Pero su obra maestra, la que le coloca en una preeminencia de la literatura castellana, es *El conde Lucanor*—colección de apólogos sueltos, de fondo moral, interesantísimos—, terminada en 1335, trece años antes que la famosa peste de Florencia sugiriese a Boccaccio su famoso *Decamerón.* En cada uno de dichos apólogos o cuentos, el conde Lucanor propone a su sabio consejero Patronio *un caso* de las relaciones humanas, un problema de moral social. Y Patronio lo resuelve de un modo alegórico.

La primera edición de *El conde Lucanor* la publicó en Sevilla—1575—Argote de Molina, quien a la cabeza de ella se expresa así: "Estando el año pasado en la corte de su Magestad, vino a mis manos este libro del conde Lucanor, que por ser de autor tan ilustre me aficioné a leerle, y comencé luego a hallar en él un gusto de la propiedad y

antigüedad de la lengua castellana que me obligó a comunicarlo a los ingenuos curiosos y aficionados a las cosas de su nación; porque juzgaba ser cosa indigna que un príncipe tan discreto y cortesano y de la mejor lengua de aquel tiempo, anduviese en tan pocas manos."

Otras ediciones curiosas, reproducciones de la primera, son las de Madrid—1642—, Stuttgart—1839—y Barcelona—1853—. De *El conde Lucanor* se conservan cinco códices, todos ellos posteriores a 1335, y únicamente completo el 6.376 de la Biblioteca Nacional de Madrid.

El conde Lucanor es una colección variadísima por la naturaleza de sus cuentos y por la procedencia de estos. Comprende fábulas episódicas y orientales, parábolas, alegorías, cuentos satíricos, cuentos maravillosos. Las fuentes de estas deliciosas e incomparables narraciones son: las *Fábulas,* de Fedro; la *Historia Natural,* de Plinio; el *Pantchatantra* y el *Hitopadesa;* el *Calila e Dimna;* el libro árabe *Las cuarenta mañanas y las cuarenta noches;* el *Evangelio,* de San Lucas; las *Fábulas,* de Esopo; la *Crónica,* del conde Fernán González... El infante don Juan Manuel acertó al apropiarse tales influencias, *personalizando* su colección hasta la maravilla, y, a su vez, influyó con su riquísima cosecha de apólogos en obras importantísimas de la literatura universal, firmadas por Cervantes, Gil Vicente, Calderón, Shakespeare, Quiñones de Benavente, La Fontaine, Andersen...

Muy buenas ediciones modernas del *Conde Lucanor* son: "Biblioteca de Autores Españoles", vol. LI, edición cuidada por Gayangos; *El libro de los enxemplos del Conde de Lucanor et de Patronio*—Text und Anmerkungen aus dem Nachlarse von Hermann Knust... Leipzig, Seele 1900—; *El Libro de Patronio o el Conde Lucanor*—reproducido conforme al texto del códice del conde de Puñonrostro, Vigo, 1902—; *El conde de Lucanor*—Madrid, 1920, edición Calleja, prólogo y notas de Sánchez Cantón—; *El conde Lucanor*—Madrid, 1933, prólogo y notas de E. Juliá—; *El conde Lucanor*—Madrid, Aguilar, 1944, edición cuidada por Sainz de Robles.

El *Libro del Caballero et del Escudero* —1326—es como un "doctrinal" del ejercicio de la caballeresca. Comprende una leve parte novelesca y un verdadero alarde de conocimientos, para la época, de Teología, Astronomía y Ciencias Naturales. Las fuentes de esta obra son: el *Libre del ordre de cavaylería,* de Lulio; las *Etimologías,* de San Isidoro; las obras de Alfonso X; el *Lucidario* y el *Speculum historiale,* de Beauvais. Puede leerse esta obra en el tomo LI de la "Biblioteca de Autores Españoles", de Rivadeneyra.

El *Libro de los Estados*—1330—plantea el tema del conflicto de creencias. Morovan, rey pagano, tiene un hijo—Johas—, educado por Turín, que no sabe aclarar muchos problemas de la vida y la muerte, lo que consigue el ayo cristiano Julio. Esta obra tiene un valor extraordinario y un interés excepcional. Temas trascendentales como los de la muerte, la salvación, las verdades religiosas, el dolor, brotan sobrios y elegantes, intensos, de la pluma del infante. La primera parte del *Libro de los Estados* es didáctica y de una amenidad grande; está llena de un entusiasmo vital, esmaltada con recuerdos autobiográficos, y llega a bellezas sorprendentes de elegancia, concisión y movilidad del lenguaje. Se ocupa de los "estados" de los legos—príncipes, oradores, labradores, etcétera...—. La segunda parte del *Libro de los Estados* es un tratado religioso un tanto frío y que peca de monótono. El texto de esta obra puede leerse en el tomo LI de la "Biblioteca de Autores Españoles", de Rivadeneyra.

Otras obras: *Tractado en que se prueba... que Santa María está en cuerpo y alma en el Paraíso; Crónica abreviada*—sumario o extracto de la *Crónica general*, 1320 a 1324—; la *Crónica complida*—atribuida—; *Libro de los castigos o consejos; De las maneras del amor...*

Se han perdido: *De las Reglas cómo se debe trovar;* el *Tractado... sobre las armas que fueron dadas a su padre; El libro de los Cantares o de las Cantigas*—que aún conoció Argote de Molina en el siglo XVII.

De varias de estas obras existen textos en el tomo LI de la "Biblioteca de Autores Españoles", de Rivadeneyra.

V. GIMÉNEZ SOLER, Andrés: *Don Juan Manuel*. Zaragoza, 1932. (Es la obra más seria y documentada. Y fue premiada por la Real Academia de la Lengua.)—"AZORÍN": *Lecturas españolas*. (Interpretaciones líricas.)—MENÉNDEZ PELAYO, M.: *Orígenes de la novela*. Tomo III.—SÁNCHEZ CANTÓN: Prólogo de edición de *El conde Lucanor*. Madrid, 1920. ORTEGA Y RUBIO: *Pueblos de la provincia de Valladolid*. II, 55 y 230.—GAYANGOS, P.: Prólogo a *Prosistas españoles anteriores al siglo XV*. Tomo LI de la "Biblioteca de Autores Españoles".—KNUST: *Estudio* en la edición de Leipzig, 1909.—AMADOR DE LOS RÍOS, J.: *Historia crítica de la literatura española*. Tomo III.—CARDENAL IRACHETA, M.: *Estudio* en la *Antología* de la Ed. Nacional. Madrid, ¿1944?

JUANA INÉS DE LA CRUZ, Sor (v. Asbaje, Juana Inés de).

JUARROS Y ORTEGA, César.

Ensayista y novelista español. Nació —1879—en Madrid. Y en Madrid murió en 1942. Doctor en Medicina. Del Cuerpo Médico de Sanidad Militar. Profesor de Psiquiatría del Instituto Español Criminológico. Médico director de la Escuela Central de Anormales.

César Juarros tuvo, como médico, una prestigiosa personalidad, y dejó escritas muchas y buenas obras científicas. Pero también es sumamente interesante su personalidad literaria. Fue invencible su vocación por las bellas letras. Y supo unir a estas —en su más noble sentido artístico—su fino espíritu científico, logrando una literatura atractiva, intencional, casi pedagógica.

Obras literarias: *Breviario sentimental de la madre*—1921—, *La ciudad de los ojos bellos (Tetuán)*—1923—, *El momento de la muerte*—1925—, *Las hogueras del odio, De regreso del amor*—1925—, *El amor en España*—1927—, *El niño que no tuvo infancia* —novela, 1927—, *Los senderos de la locura* —1928—, *Sor Alegría*—novela, 1930—, *La sexualidad encadenada*—1931.

JUDÁ ABRABANEL (v. Hebreo, León).

JUDERÍAS Y LOYOT, Julián.

Historiador y literato español de mérito. Nació—¿1870?—. Murió—1918—en Madrid. Desde muy niño—hijo del escritor y traductor notable Juderías Bender y de una dama francesa—dominó el inglés, el francés y el alemán. Intérprete—1894—en el Ministerio de Estado. Profesor en la Escuela Especial de Lenguas Vivas Orientales de París. A los treinta años hablaba perfectamente, además de los citados idiomas, el portugués, el italiano, el sueco, el holandés, el dinamarqués, el ruso, el húngaro, el noruego, el bohemio, el croata, el servio y el búlgaro. Académico de la Real de la Historia. Colaborador de revistas tan importantes como *La Ilustración Española y Americana, España Moderna, La Lectura, Nuestro Tiempo, Revista de Archivos y Bibliotecas.*

La obra fundamental de Juderías es *La leyenda negra*—obra premiada en 1913 por *La Ilustración Española y Americana*—, hermosísima vindicación y exaltación justa y conmovedora de los valores culturales hispanos, puestos en entredicho por tantos escritores extranjeros de todas las épocas. De esta obra, verdaderamente ejemplar, digna de figurar en todas las bibliotecas públicas y privadas de España, se han hecho varias ediciones, algunas de ellas a expensas del Estado español, para repartirlas gratuitamente.

Otras obras: *Un proceso político en tiempos de Felipe III: Don Rodrigo Calderón,*

J

marqués de Siete Iglesias: su vida, su proceso, su muerte—Madrid, 1906—, *España en tiempos de Carlos II "el Hechizado"*—1912, premiada por el Ateneo de Madrid—, *Don Gaspar Melchor de Jovellanos: su vida, su tiempo, sus obras...*—1913, premiada por la Real Academia de Ciencias Morales y Políticas—, *Gibraltar; apuntes para la historia de la pérdida de esta plaza*—1915—, *La reconstrucción de la Historia de España desde el punto de vista nacional*—1915, discurso leído ante la Real Academia de la Historia—, *Rusia contemporánea...*

JUDERÍAS MARTÍNEZ, Alfredo.

De la Asociación Española de Escritores Médicos. Nació—1910—en Madrid. Cultiva preferentemente el ensayo y la biografía. Su obra fundamental es el *Idearium de Marañón* que contiene—dice Sainz de Robles en el prólogo—"todos los valores que pueden darnos cabal idea de la talla moral, sentimental, mental y espiritual de uno de los hombres de quien más puede enorgullecerse nuestra España".

Otra obra del maestro, recogida y anotada cuidadosamente por él, es *La Medicina y los médicos*, editada por Espasa-Calpe en 1962. En la actualidad publica para esta Editorial las *Obras completas* del profesor Marañón.

Muy interesante es su *Primera Antología Española de Médicos Poetas*—Edit. Cultura Clásica y Moderna. Madrid, 1957—que, a partir del Renacimiento, presenta una contribución valiosísima al estudio de nuestro panorama literario. Igualmente merece destacarse de su producción *Elogio y nostalgia de Sigüenza,* una guía poética de la vieja ciudad de Castilla.

De Teatro estrenó en 1937—Teatro de Camara—en Madrid *Los tres amores* y *Una mañana cualquiera*—Teatro Calderón. Molina de Aragón—1953. En el Registro de la Propiedad Intelectual figuran, como guiones literarios cinematográficos, *Escolta Mora, Poema del Cante Jondo, Caballos de acero, Julio Romero de Torres, Unamuno, Romance y danza de España...*

Finalmente, como poeta lírico—pág. 1871 de la *Historia y antología de la poesía española*. Edit. Aguilar. Madrid, 1964, de Sainz de Robles—"está en la línea neopopularista más culta y emotiva. Sus temas netamente arrancados a lo popular adquieren plenitud de nobleza al envolverse en una forma preciosista". Es un recitador y lector extraordinario, figurando como profesor de Foniatría—Educación de la Voz—en la Escuela Oficial de Cinematografía.

Otras obras: *Esperanza*—Madrid, 1938—, *De mi silencio*—las dos son obras líricas—, *Idearium de Marañón*—1965.

JULIÁ MARTÍNEZ, Eduardo.

Investigador y crítico literario español de gran prestigio. Nació—1887—en Valencia. Murió—1967—en Madrid. Doctor en Filosofía y Letras por la Universidad Central. Catedrático. Académico correspondiente de las Reales de la Lengua, de la Historia y de la Hispanoamericana de Artes y Ciencias.

Juliá Martínez une a su vasta cultura magníficas dotes de crítico y de expositor literario. Es, igualmente, un divulgador notabilísimo.

Obras: *El americanismo en el idioma castellano*—Madrid, 1916—, *Shakespeare y su tiempo*—Madrid, 1916—, *De la belleza y del interés*—Huesca, 1918—, *Shakespeare en España*—Madrid, 1918—, *Notas sobre cuestiones gramaticales*—Madrid, 1920—, *La patria del pintor Ribalta*—Valencia, 1921—, *La patria de Santa Teresa y su cultura literaria*—Castellón, 1922—, *Observaciones sobre el pesimismo de los poetas hispanoamericanos*—Valencia, 1924—, *Prólogo y notas a las obras de Guillén de Castro*—Madrid, 1925, tres tomos, publicados por la Real Academia Española—, *El teatro en Valencia*—1926, en *Boletín de la Academia Española*—, *Rectificaciones bibliográficas: "La renegada de Valladolid"*—Madrid, 1930—, *Prólogo y notas a la obra de Calderón Yerros de naturaleza*—Madrid, 1930—y otras varias, además de muchos brillantes y curiosos ensayos en revistas importantes: *Revista de Filología Española, Boletín de la Academia de la Historia, Revista Castellana...*

JULIÁN DE TOLEDO, San.

Historiador y erudito español. Nació en Toledo, a mediados del siglo VII y murió —690—en la misma ciudad. De noble familia de estirpe judaica, según se lee en la *Continuatio Hispana.* Una de las principales figuras de la cultura visigótica, y la primera en la profundidad y en el vigor del ingenio. Fue educado por San Eugenio, el poeta, y de él recibió una gran educación teológica y humanística. Gran amigo del santo y sabio Gudila; los dos quisieron retirarse del mundo. Pero por la providencia de Dios, Gudila fue nombrado arcediano de Toledo, y Julián ocupó la silla metropolitana vacante por muerte de Quirico en el año 680. Durante los diez años que desempeñó tan elevado cargo mostróse Julián paladín incansable de la fe, de la moralidad, de la cultura. Durante su arzobispado celebráronse los Concilios toledanos XII, XIII, XIV y XV.

El nombre literario de San Julián lo inmortalizaron las siguientes obras: *Liber Pronosticon futuri Saeculi*—dogmática y ascética—, *De sextae aetatis comprobatione*

—apologética antijudaica—, *Vita S. Ildefonsi; Apologeticum fidei Benedicto urbis papae directum; Apologeticum de Tribus capitulis; De remediis blasphemiae cum epistola ad Adrianum Abbatem; Historia rebellionis Pauli adversus Wambam; Ars grammatica...*

No fue San Julián tan rico en erudición exegética y escriturística como San Isidoro, ni tan cálidamente arrebatado como San Ildefonso; pero fue más hondo pensador que ellos y mejor expositor; la profundidad de sus razonamientos no impide jamás la precisión ni la claridad. En 1922 publicó el profesor W. M. Lindsay un opúsculo de San Julián, desconocido hasta entonces, y titulado *De vitiis et figuris.*

V. M. A. W.: *Julianus of Toledo,* en *Dictionary of christian biography,* III. Londres, 1882.—VEIGA VALIÑA, A.: *La doctrina escatológica de San Julián de Toledo.* Tesis doctoral. Lugo. 1940.—GHELLINCK, J. de: *Le mouvement théologique du XIIe siècle.* Lovaina, 1914.—BEESON, C. H.: *The ars grammatica of Julian of Toledo,* en *Studi e Testi,* 37, 1924.—MENÉNDEZ PIDAL, R.: *Historia de España* (dirigida por...). Tomo III: *España visigoda,* en la *Introducción,* Madrid, Espasa-Calpe, 1940.

JUNCO, Alfonso.

Periodista, ensayista y poeta mexicano. Nació—1896—en Monterrey. Empleado en la industria privada y colaborador en diarios y revistas de Hispanoamérica y de España. En este país ha estado varias veces, pronunciando conferencias muy notables. Son grandes su catolicismo, su fervor religioso y su patriotismo; es como un verdadero cruzado de la fe, aun cuando la pasión religiosa y política le lleva con frecuencia a posiciones de intransigencia poco simpáticas. Muy amante de España, España siente por él una gran dilección y le ha distinguido repetidas veces con premios y honores. Alfonso Junco es uno de los mayores y de los mejores defensores de la obra hispánica en su patria y en toda Hispanoamérica.

Junco es un hondo pensador y un prosista brillante.

Entre sus obras figuran: *Por la senda suave*—1917—, *El Alma Estrella*—poesías, 1920—, *Posesión*—poesías, 1923—, *Desfanatizando*—1923—, *Los Evangelios y Tolstoi*—1924—, *Voltaire*—1925—, *Florilegio eucarístico*—poemas, 1926—, *Fisonomías*—1927—, *La traición de Querétaro*—1930—, *Cristo*—1931—, *Un radical problema guadalupano*—1932—, *Motivos mexicanos*—1933—, *Inquisición sobre la Inquisición*—1933—, *Un siglo de México*—1934—, *Cosas que arden*—1934—, *Carranza y los orígenes de su rebelión*—1935—, *Lope, ecuménico*—1935—;

Gente de México—1937—, *La divina aventura*—1938—, *Lumbre de México*—1938—, *Sangre de Hispania*—Col. Austral, número 159, 1940...

JURADO MORALES, José.

Poeta y prosista, autor dramático español. Nació—1900—en Linares (Jaén). Actualmente vive en Barcelona, practicando el periodismo. En 1961 ganó el "Premio Ciudad de Barcelona" con su libro poético *Sombras anilladas.* Actualmente—1964—, gerente de la Editorial y Librería "Peñiscola", de Barcelona.

Obras: *La hora de anclar*—novela, Barcelona, 1959—, *La vida juega su carta*—novela, Barcelona, 1961—, *Las canciones humildes*—poemas—, *Hora morena*—poemas—, *Manantial soleado*—poemas—, *La pisada en el viento*—poemas—, *Mi ser y su sendero*—poemas—, *Nostalgia iluminada*—poemas—, *Cuenco de arcilla*—poemas, Barcelona, 1960—, *Llanto y cántico*—poemas, 1963—, *Manantial escondido*—teatro—, *Pena y llanto de la casada infiel*—poema, Barcelona, 1962—, *La voz herida*—1966.

JURADO DE LA PARRA, José.

Poeta y autor dramático español. Nació—1856—en Baeza (Jaén). Murió—hacia 1915—en Madrid. Bachiller en el Instituto de la capital de su provincia. Discípulo de Campoamor. Amigo entrañable de Zorrilla y de Grilo. Secretario de la Sección de Literatura del Ateneo de Madrid. Fundador de periódicos: *Germinal*—con Joaquín Dicenta—, *Vida Nueva*—con Eusebio Blasco—. Iniciador de la famosa coronación poética —en Granada—de Zorrilla, a quien sirvió de intendente. Traductor admirable de Stecchetti—*Póstuma*—, de Carducci, de D'Annunzio, de Maeterlinck—*Monna Vanna*—y de los catalanes Ignacio Iglesias—*Ladrones, Juventud, Los viejos*—y Santiago Rusiñol —*La noche de amor*—. Colaborador de *La Ilustración Española y Americana, Madrid Cómico, Blanco y Negro, Nuevo Mundo, Actualidades...*

Jurado de la Parra fue un poeta fácil, sensible, delicado, y un prosista castizo.

Obras: *La Pluma y la Espada*—1902—, *Diego*—poema, 1886—, *Sinceridad*—ensayo dramático, 1896—, *La hija de Jefté*—comedia, 1902—, *Los del teatro*—semblanzas de actrices, actores, críticos, músicos, empresas, 1908...

JUVENCO, Cayo Veccio Aquilio.

Gran poeta español latino del siglo IV. Vivió en tiempo del emperador Constantino "el Grande". Presbítero. Hacia el año 330 publicó el primer poema épico latino cristiano: *Evangeliorum libri IV,* compuesto de 3.180 hexámetros muy ceñidos a los textos evangélicos. "Los 27 versos de su prefacio—escribe Miguel Dolç—, de trazos conscientemente normativos, marcan una fecha y son el manifiesto de la nueva poesía. Ante la mortalidad de toda grandeza humana sobre la tierra, va a cantar las gestas vivientes de Cristo. También la gloria será inmortal." Y añade: "El estilo poético y la técnica de la versificación, de preponderante influencia virgiliana, devuelven también frecuentemente el eco de Lucrecio, Horacio, Ovidio, Lucano y Estacio." La característica más acusada del poema es la sencillez, enfrente de la ampulosidad propia de la época pagana. Acaso el afán de ceñirse al texto evangélico—de San Mateo, principalmente— prive a la obra de cierta composición artística. El adorno máximo del poema consiste en deliciosas descripciones de la Naturaleza.

Juvenco mereció el calificativo del "Virgilio cristiano". En efecto, fue el primer poeta en el que se armonizaron la cultura clásica y el cristiano genio. El poema de Juvenco adquirió la máxima celebridad durante la Edad Media.

San Jerónimo menciona otras composiciones de este gran poeta que no han llegado hasta nosotros... *eodem metro, ad sacramentorum ordinem pertinentia.*

Ediciones: J. Huemer, en el tomo 24 del *Corpus Scriptorum Ecclesiasticorum Latinorum.* Viena, 1891; F. Arévalo, Roma, 1792.

V. Arévalo, F.: *Estudio, notas* en la edición de Roma, 1792.—Hatfield, J. T.: *A Study of Juvenco.* Roma, 1890.—Ebert, A.: *Allgemeine Geschichte der Literatur des Mittelalters im Abandlande bis Zum Beggine des XI. Jahrunderts, S. I.* Leipzig, 1889.—Dolç, Miguel: *Literatura hispanorromana,* en el tomo I de la *Historia general de las literaturas hispánicas.* Barcelona, 1949.

K

KAHN, Máximo José.

Ensayista, novelista, periodista español. Nació—1897—en Francfort del Mein (Alemania). Durante toda su vida de infatigable emoción viajera, ha cultivado el periodismo. Ha vivido en Francia, en Estados Unidos, en Italia, en varios países hispanoamericanos. En España vivió casi siempre entre los años 1920 y 1936. Fue magnífico traductor de autores ilustres alemanes y franceses. La segunda República española le nombró cónsul en Salónica—1937-1938—y en Atenas—1938-1939.

Posee una gran cultural y una pluma ágil.

Obras: *Apocalipsis hispana* — ensayos, 1942—, *Poemas sagrados y profanos de Yehudá Halevi*—1943—, *Año de noches*—novela, 1944...

KEY-AYALA, S.

Historiador, crítico y ensayista venezolano. Nació hacia 1880. Pertenece a la prestigiosa promoción del "98". Fue asiduo colaborador de la célebre revista *El Cojo Ilustrado*. Doctor en Letras. Miembro de la Academia Nacional de la Historia y de la Venezolana de la Lengua. Funcionario durante muchos años de la Cancillería. Ha representado diplomáticamente a su país en distintos lugares de Europa.

La crítica de su país le ha reconocido como una de las figuras más eminentes de las actuales letras de su patria. Une a su gran cultura una extraordinaria forma de exposición.

Entre sus obras figuran: *Un ensayo de retozo democrático*—1918—, *La descendencia lexicográfica de Bolívar*—1944—, *Entre Gil Fortoul y Lisandro Alvarado*—1944—, *Historia en Long-Primer*—1949—, *Bajo el signo del águila*—1949, "Premio Nacional de Literatura"—, *La bandera de Miranda*—1950.

KORN, Alejandro.

Filósofo y ensayista argentino. 1860-1936. Nació en San Vicente (Buenos Aires). Médico alienista. Director del Hospital Psiquiátrico "Melchor Romero". Catedrático de Anatomía en el Colegio Nacional de La Pla-

ta. De 1906 a 1930, catedrático de Filosofía en la Universidad de Buenos Aires. Adquirió fama mundial y tuvo discípulos de gran categoría: Francisco Romero, Angel Vassallo, Vicente Fatone... Fue uno de los fundadores del Colegio Libre de Estudios Superiores. "Representó el tránsito del positivismo a las actuales doctrinas filosóficas, agregando, con los filósofos alemanes modernos y contemporáneos, directamente conocidos en su lengua, un sector nuevo a la cultura filosófica argentina." Korn defendió la libertad humana integral; pero no la dada, sino la conquistada, "finalidad ética que tiene su bien supremo en la libertad misma".

Obras: *Influencias filosóficas en la evolución nacional*—1919—, *La libertad creadora*—1922—, *El concepto de la ciencia*—1926—, *Axilogía*—1930—, *Apuntes filosóficos*—1935—, *Obras completas*, por la Universidad Nacional de La Plata, al cuidado de Francisco Romero: I, 1938; II, 1939; III, 1940.

V. ROMERO, Francisco; VASSALLO, Angel, y AZNAR, L.: *Alejandro Korn.* Buenos Aires, 1940.

KURZ, Carmen.

Novelista española. Nació—hacia 1911—en Barcelona. En 1955 le fue otorgado el "Premio Ciudad de Barcelona" y en 1956 el "Premio Planeta". No obstante haber ganado dos premios tan importantes en Cataluña, Carmen Kurz no goza de la fama consiguiente. Y, sin embargo, escribe con valentía, con pasión, en un realismo sin estridencias pero sin tapujos. Su forma novelesca se aparta de la línea tradicional española para aproximarse a los modelos extranjeros. Y su lenguaje, aunque eficaz, carece de flexibilidad, de lozanía.

Obras: *Duermen bajo las aguas*—Barcelona, 1955—, *La vieja ley*—Barcelona, 1956—, *El desconocido*—Barcelona, 1957—, *Detrás de la piedra*—1958—, *El becerro de oro* —Barcelona, 1963—, *Siete tiempos*—Barcelona, narraciones, 1964—, *Al lado del hombre*—novela, 1961—, *En la oscuridad*—novela, 1966—, *Las algas*—novela, 1966—, *En la punta de los dedos*—1968, novela—...

L

LABARTA POSE, Enrique.

Poeta y prosista español. Nació—1863—en Bayo (La Coruña). Abogado. Sus aficiones periodísticas le inclinaron abiertamente hacia la literatura. De estudiante ya se había hecho popular entre sus compañeros de la Universidad de Santiago por sus composiciones poéticas festivas, llenas de humor, de sal y de intención satírica. En la misma ciudad compostelana fundó y dirigió las revistas literarias *Galicia Humorística*—1888—y *La Pequeña Patria*—1891—. Y en Pontevedra, *Extracto de Literatura*—1893—y *Galicia Moderna*—1898—. En todas estas publicaciones dejó Labarta huellas extraordinarias de su vis cómica, de su sátira sutil exenta de chocarrerías, de su musa siempre juvenil y regocijada, de su intención *guasona*, pero sin fondo de negrura ni de prejuicios. Su facilidad versificadora, su repentización, en nada desmerecía de las celebradísimas de Narciso Serra, Pérez y González y Vital Aza. Labarta estuvo siempre solicitadísimo por los periódicos americanos predilectos de las colonias gallegas.

Sin embargo, Labarta escribió en gallego hermosísimas poesías de gran delicadeza y hondo sentimentalismo. Durante su vida concurrió a más de cincuenta certámenes poéticos, alcanzando seis premios de honor y veinticinco primeros premios.

Obras: *99 céntimos de versos, Bálsamo de Fierabrás*—Santiago, 1889—, *Un café flamenco en Galicia, Sátira de costumbres gallegas*—Pontevedra, 1893—, *Pasatiempos*—cuatro tomos—, *A festa de Tabeirón*—Pontevedra, 1904—, *Poesías premiadas, Adormideras*—1906—, *Cuentos humorísticos, Millo miudo*.

V. Couceiro Freijomil, A.: *El idioma gallego. Historia. Gramática. Literatura.* Barcelona, 1935.

LABORDA, Clemencia.

Nació en Cataluña el año 1914. Pasó su infancia en Castilla (Avila) hasta los doce años, en que se trasladó a Madrid. Desde muy niña sintió la vocación literaria y leyó y escribió incansablemente. En 1943 publicó su primer libro de versos, *Jardines bajo la lluvia,* que obtuvo un resonante éxito de crítica y de público. Los más destacados escritores se ocuparon de él en importantes artículos: el profesor don Dámaso Alonso, en la revista *Escorial,* bajo el título de "La poesía de Clemencia Laborda"; el profesor Entrambasaguas, en el folletón de *Arriba,* artículo publicado bajo el título "Jardines de poesía", y otros muchos escritores de toda España. En 1948 publicó un nuevo libro de poemas, *Ciudad de soledades,* en edición limitada y de lujo, que se agotó rápidamente con igual éxito.

Clemencia Laborda tiene escritas en la actualidad tres obras de teatro: *Laura y el ángel, Don Juan en la niebla* y *Una familia ideal.* Ha colaborado en *Cuadernos de Literatura Contemporánea* y en la revista *Alma.* En la actualidad tiene otro libro de versos inédito, *Poemas a la provincia,* y una novela.

LABORDETA, Miguel.

Poeta español. Nació—1921—y murió—1969—en Zaragoza. Estudió Derecho y Filosofía y Letras. En su ciudad natal se dedicó a la enseñanza privada. Colaboró en las principales revistas españolas de poesía. Y su nombre ganó ya un prestigio grande y firme.

Labordeta es un poeta sumamente interesante. Su superrealismo peculiarísimo ha rebasado ya todas las licencias y se debate hoy en la angustia de "un elegir camino". La vitalidad brusca y derrochona, el ideal un tanto impreciso que conmueven—mejor aún, que remueven—sus poemas, nos revelan un espíritu desorientado aún ante lo más prodigioso y sensacional. En su violenta búsqueda, Labordeta, esencialmente efusivo, choca alharaquiento contra todos los sentidos y contra todos los designios. Diríase que intenta lograr el *hallazgo de su pleno yo* apelando a las mayores atrocidades imaginativas y paradójicas.

En el poeta Miguel Labordeta existe "nada menos que todo un hombre poético".

Obras: *Sumido 25*—1948—, *Violento idílico*—1949—, *Transeúnte central*—1950—, *Las 9 en punto, Metalírica, Oficina de horizonte...*

V. SAINZ DE ROBLES, F. C.: *Historia y antología de la poesía española.* Madrid, Aguilar, 1969, 4.ª edición.

LA CALLE, Teodoro de.

Poeta y dramaturgo e s p a ñ o l. Nació —¿1771?—en Madrid. Y murió—hacia 1833— en esta misma ciudad. Desde muy joven se distinguió por sus ideas liberales exaltadas. Entre 1811 y 1813 permaneció en Cádiz, redactando inflamadas arengas en los periódicos constitucionales. Fue gran amigo de Martínez de la Rosa, Alcalá Galiano y el duque de Rivas. Al llegar a España Fernando VII, La Calle fue enviado a los presidios del Africa del Norte, condenado por diez años. En 1821 regresó a Madrid, siendo nombrado superintendente policíaco de barrio. En 1823 huyó a Francia, de donde regresó —1830—en situación precaria. Argüelles y Calatravas, sus antiguos compañeros de andanzas liberales, le protegieron relativamente con cargos mal remunerados de oficial de Hacienda y fiscal de víveres.

Teodoro de La Calle dominaba el francés y el italiano.

Una de sus más felices composiciones poéticas, *Epístola a la señora doña María Manuela Prieto,* puede leerse en el tomo LXVII de la "Biblioteca de Autores Españoles", de Rivadeneyra.

La Calle tradujo del francés sin gran cuidado las traducciones libres que de Shakespeare hizo el francés Ducis. El *Otelo* se estrenó en el teatro del Príncipe, de Madrid, con escaso éxito. *Romeo y Julieta,* en el teatro de la Cruz, sin mejor fortuna.

LACACI, María Elvira.

Poeta y narradora. Nació—1940—en El Ferrol del Caudillo (La Coruña). Desconocemos los pormenores de su vida, pues voluntariamente permanece alejada de las convivencias literarias. En 1956 obtuvo el "Premio Adonais" con su obra *Humana voz.*

Otras obras: *Sonido de Dios*—1962—, *Al este de la ciudad*—1963—, *Molinillo de papel*—1968.

LACOMBA, Juan.

Poeta. Nació—1900—en El Cabañal (Valencia). Maestro. Ha viajado por toda España. Codirector de la revista *Sudeste,* de Murcia.

Obras: *Tardes de provincia*—1925—, *Libro de estampas*—1927—, *Carácter*—1928—, *Canciones sobre el recuerdo*—1935—, *Liber-*

tad feliz—1936—, *Desnuda verdad*—1939—, *Poesías*—1942—, *Joch d'alfils*—poemas valencianos, 1935—, *Aportación valenciana a la poesía de este siglo*—1952—, *Canción apasionada*—1955.

LACRUZ, Mario.

Novelista español. Nació—1927—creemos que en Barcelona. En 1953 le fue concedido el "Premio Simenon" para novelas de aventuras. Y en 1955 el "Premio Ciudad de Barcelona".

Sus novelas, no mal construidas y de indudable interés, carecen de hondura y están escritas en un lenguaje duro, difícil y de rara sintaxis. Acaso sea el principal valor de este narrador su sobriedad.

Obras: *El inocente*—novela policíaca, 1953, Barcelona—, *La tarde*—novela, Barcelona, 1955—, *Un verano memorable*—cuentos, Barcelona, 1955.

V. NORA, Eugenio G. de: *La novela española contemporánea.* Madrid. Edit. Gredos. 1962. Tomo II bis. Págs. 305-10.

LAFERRERE, Gregorio.

Prosista y autor dramático argentino. 1867-1913. De formación europea. Fue el creador de un teatro cómico de su patria. Hombre de mundo, de exquisita sensibilidad, "clubman", filósofo escéptico, conspirador, político liberal, diputado en 1893. A los treinta y siete años de edad estrenó su primera obra escénica, *Jettatore!,* con un éxito extraordinario. Escribió también finas comedias.

Otras obras: *Locos de verano*—1905—, *Bajo la garra*—1906—, *Los dos derechos* —1906—, *Las de Marranco*—1908—, *Los invisibles...*

V. MONNER SANS, José: Prólogo a las *Obras escogidas de G. L.* Buenos Aires, 1943. ROJAS, Ricardo: *La literatura argentina.* Buenos Aires, 1924, 2.ª edición.—BIANCHI, Alfredo: *Veinticinco años de teatro nacional.* Buenos Aires, 1927.—BOSCH, Mariano V.: *Historia del teatro en Buenos Aires.* Buenos Aires, 1910.—ALONSO CRIADO, Emilio: *Literatura argentina.* Buenos Aires, 1916, 4.ª edición.

LAFFITE PÉREZ DEL PULGAR, María de los Reyes (v. Campo Alange, Condesa de).

LAFFÓN, Rafael.

Gran poeta. Nació en Sevilla—1900—. Estudió en las Facultades de Derecho y Filosofía y Letras de la Universidad hispalense, licenciándose en la primera. Actualmente, funcionario en su ciudad natal. Ha colaborado en muchas importantes publicaciones españolas y americanas y en todas las revis-

L

tas de poesía que se han ido sucediendo en los veinte últimos años. Se han hecho versiones de sus poemas por traductores franceses y belgas—*Le Journal des Poètes*, Bruselas—. Figura incluido en la *Antología parcial de poetas andaluces,* de A. Arauz —Cádiz, 1936—, en la de G. Prampolini —Milán, 1934—y en las recientemente publicadas por las editoriales de mayor notoriedad nacional.

Con Alejandro Collantes, Joaquín Romero Murube y otros fundó en Sevilla el grupo y revista *Mediodía,* de indudable trascendencia en nuestros medios literarios. Rafael Laffón está vinculado estrechamente al ambiente y espíritu de Sevilla, en los que su vida y su obra profundizan y se decantan con amor.

"Premio Nacional de Poesía José Antonio Primo de Rivera, 1959".

Sin inclinaciones excesivas hacia ningún radicalismo poético, Laffón es un lírico excepcional, señero, magnífico. Ultimamente ha enraizado perdurablemente en una clarísima, sencillísima y calidísima modalidad de humanidad palpitante y espiritual tan atractiva como noble. Laffón suma a tan altos valores líricos un impresionismo colorista y una musicalidad melancólica inolvidables.

Obras: *Cráter*—Sevilla, 1921—, *Signo más* —Colección "Mediodía", Sevilla, 1927—, *Identidad*—"Pen Colección", Edit. Espasa-Calpe, Madrid, 1934—, *Romances y madrigales*—Colección "Adonais", Editorial Hispánica, Madrid, 1944—, *Poesías*—ediciones "Aljarafe", Sevilla, 1945—, *Adviento de la angustia*—1949—, *Romances del Santo Rey* —Sevilla, 1952—, *Vigilia del jazmín*—Sevilla, 1952—. En prosa: *Discurso de las Cofradías de Sevilla*—Escelicer, S. L., Cádiz-Madrid, 1941—, *Coda*—1955—, *La rama ingrata*—1959—, *La cicatriz y el reino*—1964—, *Las incoherencias de un niño sensible. (Sevilla del buen recuerdo)*—1970.

V. LÓPEZ ESTRADA: Estudio en la antología *La rama ingrata*—Sevilla, 1959.—ENTRAMBASAGUAS, Joaquín de: Prólogo a *Romances y madrigales*. 1944.

LAFINUR, Juan Crisóstomo.

Poeta y prosista. 1797-1827. Nació en el valle de La Carolina, provincia de San Luis. Murió en Santiago de Chile. Abandonó sus estudios de Leyes al estallar la guerra separatista, y a las órdenes de Belgrano tomó parte en las batallas de Tucumán y Salta. Inmediatamente se dio a conocer como poeta, prosista y polemista político en la Prensa de Buenos Aires. A consecuencia de una de estas agrias polémicas con el canónigo Torres, tuvo que marchar a Mendoza,

donde regentó una escuela pública y fundó el periódico anticlerical *El Verdadero Amigo del Pueblo*. Nuevamente perseguido, marchó a Santiago de Chile, donde se doctoró en Derecho, se casó y empezó a ser afamado.

Lafinur colaboró también en *El Censor, El Argos, El Americano, El Curioso* y *La Abeja Argentina*. Y antes de marchar a Chile ganó por oposición una cátedra de Filosofía en el Colegio de la Unión del Sur. La muerte le abatió a los veintisiete años.

Una tan corta y accidentada vida no dio tiempo a que cuajase la obra literaria de Lafinur, toda ella henchida de finísimas y sabrosas promesas. En su poesía se mezclan curiosamente un neoclasicismo decadente y un alborozado y juvenil romanticismo, aún bastante inconcreto. Acaso en su obra poética se echa de menos un vocabulario henchido de la belleza perenne, sustituido por otro con empaque filosófico.

Su prosa es viril, vibrante, fácil.

Entre sus poesías sobresalen: *A la gloriosa jornada de Maipo, A la muerte del general Belgrano, A la libertad de Lima, Himno patriótico, A una rosa, Los ojos, A ella, El amor, La amistad, Brindis, Las violetas...*

En las composiciones patrióticas abundan el entusiasmo, la gallardía. En las amorosas, el suave erotismo, la ternura recóndita.

Otra obra: *Curso filosófico*—dado en 1819, y publicado en 1938 por la Facultad de Filosofía y Letras de la Universidad de Buenos Aires.

V. LEGUIZAMÓN, Julio A.: *Historia de la literatura hispanoamericana*. Buenos Aires, 1945, I.—GARCÍA VELLOSO, E.: *Historia de la literatura argentina*. Buenos Aires, 1914.— ROJAS, Ricardo: *La literatura argentina*. Buenos Aires, 1924.

LAFORET, Carmen.

Escritora española, que se reveló como una gran novelista con la publicación de *Nada,* a la cual se le concedió el primer Premio Nadal, de la editorial Destino, en 1945, y que ha alcanzado en 1962 su vigésima edición. Nació—1921—en Barcelona, pero pasó su infancia y adolescencia en la isla de Gran Canaria, donde su padre ejercía de arquitecto. En 1939 volvió a Barcelona, donde empezó a estudiar la carrera de Filosofía y Letras, que no continuó. Más tarde empezó a estudiar la carrera de Derecho, que tampoco terminó. En 1952 publicó otra novela, titulada *La isla y los demonios,* de ambiente canario. En 1946 contrajo matrimonio con el escritor don Manuel González-Cerezales.

La misma novela *Nada* obtuvo el "Premio Fastenrath" de la Real Academia Española.

Y es, sin duda, la mejor novela debida a la pluma de una mujer que se ha publicado en España desde 1939. Obra de una enorme sinceridad, fuerte, plenamente humana, desgarradoramente angustiosa, en la que se plantean con gran valor cuantos problemas se presentan a la mujer adolescente en un medio privado de claridad y de esperanzas inmediatas.

A la novela *Nada* se le han dedicado más de trescientas críticas elogiosas en el ámbito nacional y otras tantas en Hispanoamérica. Ha sido traducida a distintos idiomas.

Otras novelas: *La mujer nueva*—novela, "Premio Menorca, 1955" y "Premio Nacional de Literatura"—, *La llamada*—novelas cortas, 1954—, *Tres pasos fuera del tiempo. I. La insolación*—novela, 1963—, *La niña* —cuentos, 1970.

V. NORA, Eugenio G. de: *La novela española contemporánea*. Madrid, Gredos, 1962, tomo II, págs. 147-55.—ALBORG, Juan Luis: *Hora actual de la novela española*. Madrid, Taurus, 1958, tomo I, págs. 125-34.—HOYOS, Antonio de: *Ocho escritores actuales*. Murcia, 1954, págs. 25-56.—SAINZ DE ROBLES, Federico Carlos: *La novela española en el siglo XX*. Madrid, Pegaso, 1957.

LAFUENTE FERRARI, Enrique.

Investigador, crítico de arte y catedrático. Nació en Madrid en 1898. Doctor en Filosofía y Letras. En 1930 ingresó en el Cuerpo Facultativo de Archivos, Bibliotecas y Museos, siendo designado jefe de la Sección de Estampas de la Biblioteca Nacional. Ha pertenecido a la Comisión Catalogadora del Museo del Prado. Catedrático de Historia del Arte en la Escuela Superior Central de Bellas Artes de San Fernando desde 1942. Vocal de la Junta de Iconografía. Miembro de la Hispanic Society of America, de Nueva York. De la Junta directiva de la Sociedad Española de Amigos del Arte. Director de la revista *Arte Español* y del Tesoro Artístico del Patrimonio Nacional. Académico de número de la Real Academia de Bellas Artes de San Fernando. Consejero adjunto del Patronato "Menéndez Pelayo" del Consejo Superior de Investigaciones Científicas. Del Instituto de Estudios Madrileños.

Obras: *La vida y la obra de fray Juan Ricci*—en colaboración con don Elías Tormo—, *Los tapices de Goya en la Exposición del Centenario*—1928—, *Dibujos de don Ventura Rodríguez*—1933—, *Las pruebas de estado de los desastres de la guerra*—1934—, *Los retratos de Lope de Vega*—1935—, *Precisiones sobre "La Tauromaquia" de Goya, Cuadro de maestros menores madrileños, Escalante en Navarra y otras notas sobre el* *pintor Aureliano de Beruete*—1940—, *Hércules en el Guadarrama, La inspección de los retratos reales en el siglo XVII*—1941—, *Bretón y Chapi. Apostilla a 1849*—1943—, *Borrascas de la Pintura, Nuevas notas sobre Escalante, Un curioso autógrafo de Lope de Vega*—1944—, *La solución arquitectónica de la catedral de la Almudena, Crítica de Arquitectura, El teatro Albéniz, de Madrid* —1945—, *El Dos de Mayo y los "Fusilamientos" de Goya, Ilustración y elaboración en "La Tauromaquia" de Goya, Sobre el cuadro de San Francisco el Grande y las ideas estéticas de Goya*—1946—, *Un templo madrileño y sus artífices*—1947—, *La novela ejemplar de los retratos de Cervantes, Las Exposiciones nacionales y la vida artística española*—1948—, *Los desastres de la guerra y sus dibujos preparatorios, Historia de la Pintura española*—varias ediciones—, *Vida y obra de Zuloaga*—1950...

LAFUENTE Y ZAMALLOA, Modesto.

Historiador, periodista, escritor satírico español de mérito. Nació—1806—en Rabanal de los Caballeros (León). Murió—1866—en Madrid. Estudió latín y Filosofía en los seminarios de León y Astorga. Y Derecho en la Universidad de Santiago. En 1832 se graduó bachiller en Teología en la Universidad de Valladolid. Catedrático—1832—de Filosofía, y de Teología en 1834. En 1837 fundó en León el periódico festivo *Fray Gerundio*, dedicado a satirizar las costumbres y la política española. El éxito de esta revista—que vivió hasta 1849—fue grande en toda España. Viajó por toda Europa Lafuente. Diputado a Cortes por Astorga durante muchos años. Académico de la Real de la Historia y de la Real de Ciencias Morales y Políticas. Del Consejo de Estado.

Como prosista, fue Lafuente un tanto seco. Su sátira es dura. Su chiste, frío. Pasadas las circunstancias políticas y sociales que motivaron su éxito, la literatura de Lafuente no pasa hoy de discreta. Hizo famoso—y lo hace—su nombre su extensa, objetiva, seria y amena *Historia de España*, en veintinueve volúmenes—Madrid, 1850 a 1867—, reimpresa varias veces y continuada hasta nuestros días por Valera, Maura Gamazo y Fernández-Almagro. En esta *Historia* muestra Lafuente—sumamente reflexivo, ponderado y erudito—su verdadera vocación.

Otras obras: *Viajes por Francia, Bélgica, Holanda y orillas del Rin*—Madrid, 1843—. *Teatro social del siglo XIX*—1846—, *Viaje aerostático*, 1847—, *La cuestión religiosa*—1855...

V. CEJADOR Y FRAUCA, J.: *Historia de la lengua y literatura españolas*. Tomo X.

L

LAGOS, Concha.

Nació—1916—en Córdoba. Actualmente reside en Madrid, desde donde cuida y dirige la revista y las ediciones poéticas *Agora*.

Su vocación auténtica, su voz personalísima, le tienen ya bien ganado un puesto indiscutible en la nueva generación poética española.

Ha publicado, en prosa: *El Pantano* —1954—y *Al sur del Recuerdo*—1955—, y en verso: *Balcón*—1954—, *Los obstáculos* —1955—, *El corazón cansado*—1957—, *La Soledad de siempre, Agua de Dios y Arroyo claro*—los tres títulos en 1958—, *Luna de enero*—1959—, *Campo abierto*—1960—, *Tema fundamental*—1961—, *Golpeando el silencio*—1961—, *Canciones desde la barca* —1962—, *Para empezar*—1963—, *Los anales*—1966.

LAGOS, Ramiro.

Poeta y ensayista colombiano. Nació —1922—en Santander (Colombia). Entre 1951 y 1957 residió en España como becario del Instituto de Cultura Hispánica. Realizó estudios en la Escuela Oficial de Periodismo de Madrid. Cursó Filología hispánica en la Universidad de Salamanca. Doctor en Filosofía y Letras por la Pontificia Universidad Javeriana de Bogotá. Ha sido subsecretario técnico cultural de Educación y secretario de la Comisión Nacional de la UNESCO en Colombia. En la actualidad es profesor de Literatura Hispanoamericana en la Universidad de Notre Dame de Indiana (Estados Unidos).

Obras: *Canción entre roca y nube*—Madrid, 1952, con prólogo de J. M. Pemán—, *Briznas de una canción rota*—Madrid, 1954—, *Sinfonía del corazón distante*—Bogotá, 1960—, *Testimonio de las horas grises*—1964...

LAGUNA, Andrés de.

Notable humanista, prosista y médico español. Nació—¿1496?—en Segovia. Murió —1560—en Madrid. Estudió latín en su ciudad natal. Bachiller en Artes por la Universidad de Salamanca. En París estudió griego, Botánica y Medicina. Catedrático—1537— en Alcalá de Henares. Médico de Carlos I y de la emperatriz Isabel. Vivió muchos años en Metz y Colonia, donde adquirió gran fama de sabio. Médico, en Nancy, del duque de Lorena. Practicó con éxito su magisterio y su profesión en Roma, siendo nombrado por el Pontífice Julio III médico de su cámara. Su comportamiento fue ejemplar durante las pestes que asolaron las ciudades de Lorena y Amberes, motivando que le hicieran grandes homenajes dichas capitales.

A instancias suyas, Felipe II fundó en Aranjuez un jardín botánico anterior a los de Montpellier y París. Acompañó a Madrid y Toledo a Isabel de Valois, tercera esposa de Felipe II. Murió a consecuencia de un ataque hemorroidal, y su cadáver fue conducido a Segovia.

Fue Laguna uno de los humanistas más famosos de su época. Su ciencia era grande y grande su caballerosidad. Su nombre ha sido incluido en el *Catálogo de autoridades* del idioma, publicado por la Real Academia Española.

Sus obras de Medicina, en latín, son muchas y muy notables; pero aquí nos importan únicamente sus obras literarias: *Europa, que a sí misma se atormenta*—discurso, 1543—, traducción de los *Diálogos dramáticos* de Luciano—Alcalá, 1538—, *Epístola apologética a Jano Cornario*—Lyon, 1554—, *Las cuatro elegantísimas y gravísimas oraciones de Cicerón contra Catilina*—Amberes, 1557—, *Pedazio Dioscórides Anazarbeo*—Amberes, 1555.

V. COLMENARES, Diego: *Vidas y escritos de escritores segovianos.*—OLMEDILLA, J.: *Estudio histórico de la vida y escritos del sabio español del siglo XVI, Laguna.* 1885. PICATOSTE, Felipe: *Apuntes para una biblioteca española del siglo XVI.*—VERGARA Y MARTÍN: *Ensayo de una colección bibliográfica-biográfica de noticias referentes a la provincia de Segovia.* Guadalajara, 1904.— HERNÁNDEZ MOREJÓN, A.: *Historia bibliográfica de la Medicina española.* Madrid, 1852.

LAIGLESIA, Alvaro de.

Novelista, cuentista, autor teatral, cronista español. Nació—1922—en San Sebastián. Casi niño aún, envió narraciones al semanario infantil *Flechas*, y poco después inició sus colaboraciones en *La Ametralladora*, revista para reír que se publicaba en la zona nacional durante la guerra de Liberación. En 1942 se incorporó a la División Azul como soldado y como corresponsal del diario madrileño *Informaciones*. Desde 1944 dirige el semanario *La Codorniz* en el cual no es todo ingenio ni gracia lo que reluce, sino plomo y mala uva.

En Alvaro de Laiglesia hay un gran escritor en peligro de malograrse. Entregado hoy por completo a la masa lectora vulgar, se le están "oxidando" sus indudables ingenio, gracia, inventiva original y fuerza expresiva. No obstante, algunas de sus novelas cortas y de sus piezas escénicas conservan indudable y alta calidad literaria: *El caso de la mujer asesinadita*—comedia—, *Un náufrago en la sopa*—novela.

Los títulos—entre irritantes y "seductores" de incautos—de otras obras suyas, ya dicen claramente la intención del novelista: *Dios le ampare, imbécil; ¡Qué bien huelen las señoras!, Solo se mueren los tontos, En el cielo no hay almejas, Te quiero, bestia; Tú también naciste desnudito, Los que se fueron a la porra, Una pierna de repuesto, Tachado por la Censura, Medio muerto nada más, Fulanita y sus Menganos, Licencia para incordiar, Mundo, demonio y pescado; Yo soy Fulana de Tal...*

V. NORA, Eugenio G. de: *La novela española contemporánea.* Madrid, Edit. Gredos, 1962. Tomo II bis, págs. 366-67.

LAÍN ENTRALGO, Pedro.

Literato y ensayista. Nació—1908—en Urrea de Gaén (Teruel). Cursó el bachillerato en Soria, Teruel, Zaragoza y Pamplona; y los estudios de Medicina y Ciencias, en Zaragoza, Valencia y Madrid. Asistió como pensionista a la Clínica Psiquiátrica de Viena. Ha sido médico del Manicomio Provincial de Valencia, y durante dos cursos regentó la cátedra de Psicología Experimental de la Universidad de Madrid. El año 1940 pronunció una serie de conferencias sobre temas pertinentes a la cultura española en las Universidades de Berlín, Munich, Hamburgo, Francfort y Roma. Actualmente es catedrático de Historia de la Medicina en la Universidad de Madrid y académico de la Real Española de Medicina y de la Real Española de la Lengua. Fue director—1942 a 1945—de la Editora Nacional y de la revista *Escorial*—1940 a 1944.

Fue en 1952 Rector Magnífico de la Universidad de Madrid. En 1950 realizó un viaje por la América española, pronunciando numerosas y notables conferencias acerca de los más hondos problemas de la cultura española.

Laín Entralgo es un escritor selecto, de pensamiento original y de estilo fluido y preciso, dedicado a la alta especulación. Posee una gran formación humanístico-histórica, y su afán es, según confesión propia, el de que su obra cristalice "un ímpetu por trabar y unir lo disperso en el pensamiento y en los hombres".

Las obras todas de Laín ofrecen muy singulares valores: densa doctrina, crítica serena y aguda, humanismo poderoso, elegante estilo.

Obras: *Medicina e Historia*—Madrid, 1941—, *De la cultura española*—1942—, *Menéndez Pelayo*—1944—, *Historia desde el corazón*—1942, en el libro de A. Tovar *En el primer giro*—, *Las generaciones en la Historia*—1945—, *La generación del 90*—1945—, *Estudios de Historia de la Medicina y de Antropología médica, España como proble-*ma—1949—, *Viaje a Suramérica*—1950—, *Cajal y el problema del saber*—1952—, *Palabras menores*—1952—, *Reflexiones sobre la vida espiritual de España*—1953—, *Historia de la Medicina*—1954—, *Ocio y trabajo*—1960—, *La espera y la esperanza*—1962—, *El problema de la Universidad*—1967—, *Una y diversa España*—1968—, *Teoría y realidad del otro*—2 tomos, 1968—, *Gregorio Marañón. Su vida y su obra*—1969—, *La aventura de leer*—1970—, *A qué llamamos España*—1971.

V. VALBUENA PRAT, A.: *Historia de la literatura española.* Barcelona, 7.ª edición, 1969, tomo IV.

LAÍNEZ ALCALÁ, Rafael.

Poeta, ensayista y crítico literario. Nació —¿1901?—en Jaén. Estudió Filosofía y Letras en la Universidad de Madrid. Durante muchos años ocupó la cátedra de Historia del Arte en la Escuela de Bellas Artes de San Fernando. En la actualidad es catedrático de dicha disciplina en la Universidad de La Laguna (Canarias). Ha colaborado en las principales revistas españolas y ha dado centenares de conferencias en Universidades, Ateneos y Museos de España. Orador extraordinario, su palabra fácil, brillante, pletórica de imágenes, posee una gran sugestión. Probablemente es uno de los más agudos, certeros y objetivos críticos españoles en materia de arte.

Su libro *Pedro Berruguete, pintor de Castilla,* ha sido galardonado con el "Premio Nacional de Literatura".

V. SAINZ DE ROBLES, F. C.: *Historia y antología de la poesía española.* Madrid, Aguilar, 5.ª edición, 1969, tomo II.

LAMANA, Manuel.

Novelista y cronista español. Nació —1922—en Madrid. Cuando cursaba en la Universidad Central de su ciudad natal las disciplinas de Derecho fue detenido por sus actividades filocomunistas. En 1948 se refugió en Francia. Y desde 1950 vive en Buenos Aires, donde ejerce el profesorado y el periodismo con singular eficiencia. En sus novelas hay una gran carga de recuerdos y emociones personales. Lamana escribe con garbo y sentimentalismo muy madrileños.

Obras: *Otros hombres*—novela, 1956—, *Los inocentes*—novela, 1959—, *Literatura de postguerra*—Buenos Aires, 1961...

V. MARRA-LÓPEZ, José R.: *Narrativa española fuera de España* (1939-1961). Madrid, Edit. Guadarrama. 1963, págs. 514-515.—NORA, Eugenio G. de: *La novela española contemporánea.* Madrid, Edit. Gredos, 1962, tomo II bis, págs. 281-284.

L

LAMARQUE, Nydia.

Poetisa y prosista argentina, nacida a principios del siglo actual. Posee el título de abogado; ha ejercido con brillantez su profesión, y pertenece al grupo reformista surgido en la Facultad de Derecho de Buenos Aires.

"Ninguna poetisa alcanza más angustiado fervor, más punzante expresión, más ardoroso lirismo en el soliloquio pasional que Nydia Lamarque, acuñadora de imágenes definitivas, autora de uno de los libros más vigorosos y elocuentes de nuestra poesía: *Elegía del Gran Amor...*" (Giusti.)

Nydia Lamarque colabora en la gran revista *Nosotros* y en todas las más importantes, dedicadas a la poesía, de Hispanoamérica.

Otras obras: *Telarañas, Los cíclopes.*

V. Mauvé y Capdevielle: *Antología de la poesía femenina argentina.* Buenos Aires, 1930.—Borges, Ocampo. Bioy Casares: *Antología poética argentina.* Buenos Aires, 1941. Giusti, Roberto F.: *Panorama de la literatura argentina contemporánea,* en *Nosotros,* segunda época, núm. 68. Buenos Aires, noviembre de 1941.

LAMAS CARVAJAL, Valentín.

Periodista y poeta español. Nació—1849— en Orense. Murió en 1906. Estudió el bachillerato en su ciudad natal. Y la Medicina, en la Universidad de Santiago. Muy joven aún, le atacó una afección a la vista, que en poco tiempo le dejó ciego. No perdió, sin embargo, su buen humor ni sus aficiones literarias. Fue el periodista de más fama de la región gallega. Sus sátiras humorísticas —firmadas con el seudónimo de "O Tío Marcos d'a Portela"—eran saboreadas por miles de lectores y temidas por los politicastros y caciques.

Académico de la Gallega de Letras. Ganador—1876—de la Pluma de Oro, en un certamen literario, por su composición *Amor de nai.* Fundó y dirigió el *Heraldo Gallego, El Eco de Orense* y la revista satírica *O Tío Marcos d'a Portela,* cuyo último número redactó él mismo pocas horas antes de morir.

Lamas Carvajal, satírico mordaz, era, no obstante, poeta delicado y sentimental, prosista de rico lenguaje, espíritu lleno de inquietudes nobilísimas.

Obras: *Cancionero del niño, Flores de ayer, La monja de San Payo, Espiñas, Follas e frores, A musa d'as aldeas, Saudades y paliques gallegos desde la reja*—versos castellanos—, *Mostacilla*—críticas políticas—, *Cantos e lendas d'o país...*

Los versos gallegos de Lamas Carvajal, por su sensibilidad, están muy próximos a los de Rosalía de Castro, Curros Enríquez y Pombal, a los que supera, a veces, en perfección formal.

V. Couceiro Freijomil, Antonio: *El idioma gallego. Historia. Gramática. Literatura.* Barcelona, 1935.—Carré Aldao, Eugenio: *La literatura gallega en el siglo XIX,* 2.ª edición, Barcelona, 1911.—Blanco García, P. Francisco: *La literatura española en el siglo XIX.* Madrid, 1896, parte III.

LAMPILLAS, Francisco Javier.

Erudito y literato español muy notable. Nació—1731—en Mataró. Murió—1810—en Sesti (Italia). Su verdadero apellido era Cerdá. Lampillas o Llampillas era el nombre del mayorazgo materno. A los diecisiete años entró en la Compañía de Jesús. En el colegio de su Orden, en Barcelona, enseñó muchos años Humanidades, Retórica y Filosofía. Al ser expulsados los jesuitas de España, Lampillas marchó a Ferrara, donde enseñó Teología. Es difícil concebir mayor entusiasmo que el desplegado por este español desterrado para ensalzar el valor literario de su país, hasta el punto que el mismo Carlos III, que había decretado su salida de España, le concedió una pensión como premio a su patriotismo.

Lampillas publicó en italiano—1778—la obra que en la traducción castellana de doña Josefa Amer y Aragón se titula *Ensayo histórico apologético de la literatura española contra las opiniones preocupadas de algunos escritores modernos italianos.* El objeto de esta obra fue refutar los groseros errores acerca de España de los literatos Tiraboschi, Betonelli y Signorelli y ensalzar justamente la literatura hispano-musulmana e hispanolatina en los períodos medieval y del Renacimiento. Las intenciones de Lampillas se cumplieron por completo. Su obra, seria y objetiva, vibrante y oportuna, es un modelo en el género.

Otra obra de Lampillas de fervoroso españolismo es la titulada *Suplemento a la Institución eclesiástica de Benedicto XIV sobre los Seminarios conciliares...,* en la que prueba que la ilustración que recibieron los sagrados estudios en este punto y en los demás en el Concilio Tridentino, y en todo el mundo, se debía en su mayor parte a España.

Se conocen algunas poesías de Lampillas, entre las que sobresale el *Rasgo épico...,* dedicado a doña Luisa de Borbón.

V. Menéndez Pelayo, M.: *Ideas estéticas...* 1940, III, 243.—Sommervogel, H.: *Bibliothèque de la Compagnie de Jesus.*—Tiraboschi: *Storia della litteratura italiana.* Tomo IX.

LANARIO Y ARAGÓN, Francisco.

Original escritor español del siglo XVII. Duque-príncipe de Carpiñano. Caballero de Calatrava. Miembro del Consejo de Guerra de los soberanos de los Países Bajos. Capitán de caballos—1628—del reino de Nápoles. Amigo y protegido del conde-duque de Olivares. Y compañero entrañable del conde de Fuentes y del duque de Medina de las Torres. Diplomático que intervino con tino en arduos problemas entre las cortes de España y Francia. Testigo principal en el famoso proceso de don Rodrigo Calderón, marqués de Siete Iglesias.

Obras: *Tratado de la paciencia*—1628—, *Tesoro de virtudes y conocimiento de vicios...*—Madrid, 1629—, *Ejemplos de la constante paciencia cristiana y política*—Madrid, 1629—, *Espejo del duque de Alcalá*—1630.

V. MENÉNDEZ PELAYO, M.: *La ciencia española*, III, 221.

LANDÍNEZ, Luis.

Nació—1911—en Fuentes de San Esteban (Salamanca). Licenciado en Derecho por la Universidad salmantina, donde también estudió Filología. Según propia confesión, "ha desempeñado los más diversos oficios, desde cobrador y recaudador de contribuciones hasta editor y representante comercial".

Obras: *Tres poemas de la mar*—1948—, *Aquella hora y otros versos de amor*—1950—, *Sobre esta tierra nuestra*—1952—, *Los hijos de Máximo Judas*—novela, 1950.

V. YNDURAIN, Francisco: Prólogo a *Sobre esta tierra nuestra*.—NORA, Eugenio, G. de: *La novela española contemporánea*. Madrid, Gredos, 1962, tomo III, págs. 181-84.

LANDÍVAR, P. Rafael.

Erudito y poeta latino guatemalteco. Nació—1731—en la ciudad de Guatemala y murió—1793—en Bolonia. Estudió en la Universidad de San Carlos, graduándose de maestro en Artes. Ingresó—1750—en el noviciado que los padres jesuitas tenían en Tepotzotlán (México). Enseñó Retórica y Gramática en el Colegio de Guatemala. Publicado el decreto de expulsión de la Compañía, el padre Landívar pasó a Italia en 1767.

Quizá un tanto hiperbólicamente—como siempre que se trata de escritores religiosos—, Menéndez Pelayo escribió: "Si es cierto, como lo es, sin duda, que en materias literarias importa la calidad de los productos mucho más que el número, con Landívar y con José Batres tiene bastante Guatemala para levantar muy alta la frente entre las regiones americanas."

La más importante obra del padre Landí-

var es su poema latino *Rusticatio mexicana*, dividido en quince libros y un apéndice, vasto y muy rico conjunto de rarezas físicas, pintura *total* de la Naturaleza tropical americana, expresión llena de perfección clásica, verdadero prodigio del latín más puro y elegante. Su éxito debió de ser muy grande, ya que se imprimió dos veces en Italia, viviendo aún su autor. Fragmentariamente lo tradujeron el obispo don Joaquín Arcadio Pagaza, Diéguez y Aycinena. Totalmente lo tradujeron Federico Escobedo—en verso—e Ignacio Loureda—en prosa.

El padre Landívar escribió algunas composiciones castellanas de muy escaso valor.

V. MENÉNDEZ PELAYO, M.: *Historia de la poesía hispanoamericana*. Madrid, 1911, tomo I, págs. 184-88.—BATRES JÁUREGUI, Antonio: *Literatos guatemaltecos*. Guatemala, 1896.—BATRES JÁUREGUI, Antonio: *Biografías de literatos nacionales*. Guatemala, 1889. SALAZAR, Ramón A.: *Desenvolvimiento intelectual de Guatemala*. 1897.

LANDO, Fernán Manuel de.

Notable poeta español. Nació en Sevilla. Vivió entre 1350 y 1420. Doncel de don Juan I y muy apreciado en la corte de don Juan II, fue quien introdujo en Castilla y de quien afirma Santillana que "imitó más que ningún otro a micer Francisco Imperial; fiço buenas canciones en loor de Nuestra Señora; fiço asymesmo algunas inventivas contra Alonso Alvarez de diversas materias é bien ordenadas". Tal vez porque arremetió contra Villasandino y otros poetas de los contenidos en el *Cancionero*—la mayoría de las veces muy justamente—, Baena, envidioso y chocarrero, calificó su poesía de "borruna, desdonada, muy salobre y de madera flaca".

En 1414 ya debía de ser viejo Lando, porque en una composición que dedica a la reina de Aragón, doña Leonor, dice el poeta: "Sennora, merced os pido, que entre los otros ancianos..." Lando fue amigo y competidor de López de Ayala *el Viejo,* Sánchez Calavera y Francisco Imperial. Asistió a las fiestas zaragozanas con motivo de la celebración del Compromiso de Caspe y de la coronación del rey don Fernando. Probablemente descienda Fernán—o Ferrán—Manuel Lando de uno de los caballeros franceses que vinieron a España con Duguesclín, y su padre envióle, muy joven aún, a la corte de Castilla para que allí labrase su fortuna.

El principal mérito de Lando como poeta es haber impuesto la influencia *dantesca* y la *forma alegórica* entre los trovadores cortesanos.

Las poesías de Lando se encuentran en el *Cancionero* de Baena. Modernamente, Me-

L

néndez Pelayo ha llevado algunas de aquellas poesías al tomo IV de su *Antología de poetas líricos castellanos*.
V. DOLFUSS, L.: *Etudes sur le moyen âge espagnola*. París, 1894.—SANVISENTI, R.: *I primi influsi di Dante... sulla letteratura spagnola*. Milano, 1902.—MENÉNDEZ PELAYO, Marcelino: *Estudio* en el tomo IV de su *Antología de poetas líricos castellanos*.—AMADOR DE LOS RÍOS, J.: *Historia de la literatura española*. Tomo V.—PUYMAGRE: *La court littéraire de don Juan II*. Tomo I.

LANGE, Nora.

Poetisa y novelista argentina. Nació —1906—en Buenos Aires. Pertenece a la generación de 1922 y formó parte de la revista de vanguardia—aplicada al tallado de la greguería y de la metáfora—*Martín Fierro*, dirigida por Evar Méndez, y que tuvo su antología particular en *Exposición de la actual poesía argentina (1922-1927)*.
Nora Lange, con verdadero talento y finísima sensibilidad, ha evolucionado hacia un superrealismo congruente, primero, y después, hacia una modalidad íntima excepcionalmente personal. Y hoy está considerada, en justicia, como una de las escritoras más admirables y originales de Hispanoamérica.
Obras: *La tarde de la calle*—poemas, 1925—, *Los días y las noches*—poemas, 1926—, *El rumbo de la Rosa*—1930, poemas—, *La voz de la vida*—novela, 1927—, *Cuadernos de la infancia*—narraciones—, *Cuarenta y cinco días y treinta marineros* —novela—, *Antes que mueran*—novela—, *Discursos...*
V. VIGNALE, Pedro Juan, y TIEMPO, César: *Exposición de la actual poesía argentina (1922-1927)*. Buenos Aires, 1927.—GONZÁLEZ CARBALHO, José: *Indice de la poesía contemporánea argentina*. Santiago de Chile, 1937.—BORGES, OCAMPO Y BIOY: *Antología poética argentina*. Buenos Aires, 1941.—MORALES, Ernesto: *Antología poética argentina*. Buenos Aires, 1943.

«LANZA, Silverio».

Original y notabilísimo novelista, cuentista, prosista y crítico español. Juan Bautista Amorós—tales el nombre y apellido de "Silverio Lanza"—nació—1856—en Madrid. Y murió—1912—en Getafe (Madrid). En 1876 ingresó en la Escuela Naval. Se distinguió en la Armada española. Pero la muerte de su madre le obligó a abandonar el servicio activo. Pronunció algunas conferencias muy interesantes en el Ateneo de Madrid. Y se refugió en su casita de Getafe, donde falleció a consecuencia de una lesión cardíaca que hacía años padecía.
"Silverio Lanza" fue un escritor excepcional, extraño, personalísimo, sutil, al que no se le ha hecho la debida justicia. Sus novelas son profundas. Sus cuentos, intensos y sugestivos. Sus ensayos, agudos y sugerentes. Su prosa, rara, sorprendente, única. Sus paradojas, tan enormes como desconcertantes. Sus críticas, duras, cortantes. Todo cuanto escribió "Silverio Lanza" llega vivamente al alma, conmueve o turba, excita. Para "Azorín"—en *Alma Española*—, "Silverio Lanza" es una de las figuras más interesantes, más sugestivas, más inquietantes de nuestra literatura contemporánea. "En nuestra historia estética, el autor de *El año triste* habrá de ser estudiado como un antecesor de la novela psicológica."
"Silverio Lanza" colaboró en *Alma Española, Labor Nueva, Revista Nueva, Prometeo* y otras muchas importantes revistas.
El gran escritor Ramón Gómez de la Serna, cuya literatura deriva, en parte, de la de "Silverio Lanza", ha estudiado a este autor con verdadero acierto.
Obras: *Mala cuna y mala fosa, Cuentecillos sin importancia, Cuentos políticos, Cuentos para mis amigos, Cuentos escogidos, Desde la quilla al tope, Artuña, La rendición de Santiago, Dios en rebeldía*—poema, inédito—, *Refranes sentenciosos y poco usados, Ni en la vida ni en la muerte, Los gusanos*.
Modernamente—Madrid, 1919—, la editorial Biblioteca Nueva ha publicado una amplia *Antología* de este autor, cuyas obras están muy agotadas.
V. GÓMEZ DE LA SERNA, Ramón: Prólogo a la *Antología*. Madrid, 1919.—"AZORÍN": *Clásicos y modernos*.—FERRERAS, Pedro: *La rendición de Santiago, de "Silverio Lanza"*. El Progreso, 1912.—GRANJEL, Luis S.: *Silverio Lanza*. Madrid, 1964.—SAINZ DE ROBLES, F. C.: *La novela española en el siglo XX*. Madrid, Pegaso, 1957.

LAPESA, Rafael.

Crítico literario y erudito español. Nació —1908—en Valencia. Doctor en Letras. Discípulo de don Ramón Menéndez Pidal y de don Américo Castro. Catedrático de Gramática histórica en la Universidad Central. Colaborador doctísimo de la *Revista de Filología Española* y de otras publicaciones importantes. En 1951 fue nombrado miembro numerario de la Real Academia Española.
Comparte, posiblemente, hoy la máxima autoridad en estudios gramaticales con don Julio Casares.
Obras: *Asturiano y provenzal en el "Fuero de Avilés", Historia de la Lengua española, La trayectoria poética de Garcilaso* —1948—, *Los decires narrativos del marqués de Santillana*—1954—, *La obra literaria del marqués de Santillana*—1957—.

LARA, Antonio de (v. Tono).

LARRA Y LARRA, Fernando José.

Periodista y dramaturgo español. Nació —1882— en Madrid. Doctor en Derecho por la Universidad Central. Funcionario del Ministerio de Educación Nacional. Director actual del Museo del Teatro Español. Uno de los últimos descendientes del famoso "Fígaro". Doctísimo en temas teatrales. Director de varias compañías de aficionados a la escena. Ha colaborado en muchas revistas y ha pronunciado innumerables conferencias acerca del arte dramático en Ateneos y emisoras de radio españolas.

Obras de teatro: *Los charlatanes*, *¿Cuál de las dos?*, *El secreto*, *El lunes de Carnaval*, *Invocación a Shakespeare...*

Otras obras: *La Farándula, niña; Larra, en la escuela; La lección de un discípulo, La influencia de la poesía en la educación de la juventud, Las bibliotecas populares...*

LARRA Y OSSORIO, Luis de.

Periodista y autor dramático español. Nació —1862— y murió —1914— en Madrid. Voluntario en el ejército español durante la guerra de Cuba —1897—. Empresario de los teatros madrileños Cómico y Gran Teatro. Secretario general de la Sociedad de Autores. Uno de los más fecundos y chispeantes mantenedores del llamado *género chico*, que enriqueció con más de setenta obras llenas de gracia, ingenio, garbo costumbrista y maestría técnica.

Obras: *La avaricia rompe el saco, Lista de compañía, En un lugar de la Mancha, Avisos útiles, ¡Fuego!, Los isidros, ¡Quítese usted la bata!, De Herodes a Pilatos, Los extranjeros, Los dineros del sacristán, Los rábanos, por las hojas; La rueda de la fortuna, Cuadros insolentes, Los figurines, La perla de Oriente, El parto de los montes, La trapera, Mundo, demonio y carne; La inclusera, La tarasca, La cañamonera, S. M. el Botijo, El mentir de las estrellas, El cuerpo del delito, La última película, La misa de gallo, El diablo en coche, La golfa del Manzanares, El abrazo de Vergara, La diosa del placer, Ni frío ni calor, El huracán...*

LARRA Y OSSORIO, Mariano.

Autor dramático y actor español. Nació —1858— en Madrid. Murió —1926— en Valdemoro (Madrid). Desde casi niño se dedicó a las representaciones escénicas, llegando a conseguir una gran popularidad, pues era gracioso, natural, fino y muy estudioso. Empezó su carrera artística en el teatro de la Comedia, de Madrid, en la compañía que dirigía el famoso actor Emilio Mario. Dedi-

cóse más tarde al género chico, estrenando la mayoría de las obras escritas por su hermano Luis y por él mismo. Ingresó a principios de siglo en el madrileño teatro de Lara, en el cual, durante cerca de doce años, alcanzó muy notables éxitos interpretando el teatro cómico o amable de los Quintero, Pina Domínguez, Ramos Carrión, Linares Rivas... Juntamente con Juan Balaguer, dirigió una compañía, con la cual recorrió toda España y la América española. Durante un año fue director del Conservatorio de Declamación de la Habana. En su juventud fue brillante redactor del diario madrileño *La Epoca*. Los últimos años de su vida los pasó en Barcelona, donde el público admiraba su arte interpretativo, lleno de verdad, de comicidad y de buen gusto. Escribió muchos monólogos —de los que era intérprete excepcional— y bastantes comedias, entre las que obtuvieron buenos éxitos: *Estar en ello, ¡Fuera caretas!, De contrabando, Dos pájaros de un tiro.*

LARRA Y SÁNCHEZ DE CASTRO, Mariano José de («Fígaro»).

Célebre y singularísimo escritor español. 1809-1837. Nació en Madrid el 24 de marzo. Su padre fue don Mariano de Larra, natural de Madrid; su madre, doña María de los Dolores Sánchez de Castro, natural de Villanueva de la Serena. Larra nació en el edificio de la antigua Casa de la Moneda —de la que su abuelo paterno, don Crispín, era administrador modelo—, situado en el número 23 de la calle de Segovia, "con vuelta a la cuesta de Ramón". Casón viejo en una calle apenas urbanizada, por la que pasaba el arroyo de Pozacho y las vertientes de la Puerta Cerrada. Casón viejo entre casuchas de vecindad, huertas y mesones. La Posada del Maragato. La Posada de la Cruz. Casón viejo que diariamente presenciaba con los ojos pitañosos de sus balcones el paso de reatas de mulas, carromatos cargados de botas de vino "de la tierra", escuadrones de coraceros franceses de patrulla, grupos de vecinos mascullando las canciones de Pepe Botellas, partidas de rebeldes de mentirijillas formadas por chiquillos desharrapados, pregoneros de crímenes con sus cartelones de colores crudos y chillones, animeros alharaquientos portando capillitas y sacudiendo campanillazos, corchetes lacios al servicio del jefe político, vejetes moratinianos —don Hermógenes, don Eleuterio—, rancios del todo, en busca de la botillería y del famoso jicarón de dos onzas de chocolate Torralba; beatillas de soplillo, vendedores de *El Diario* y *La Gaceta* —en cuyas noticias no creía nadie...

Larra nació casi sin dolor de su madre y

L

sin llorar al nacer, cosa que han creído como de buen agüero todos los que piensan en brujas... Al año y medio empezó su aprendizaje de lectura; a los tres años leía perfectamente. A los cinco hablaba y escribía el francés tan correctamente como el español. ¡Caso prodigioso! A los doce tradujo la *Ilíada,* de Homero. A los diecinueve dirigía y componía literariamente *El Duende Satírico,* periódico muy erudito y mordaz, que el Gobierno hubo de suspender a instancias de personas muy influyentes que se creían satirizadas en él.

El abuelo, Crispín de Larra, era un fanático patriota. Conspiraba contra los franceses. Se jugaba a un envite la bolsa y la vida. Pergeñaba coplillas fieras y chufllllas indecorosas contra los invasores. Su hijo Mariano, el padre de nuestro "Fígaro", hombre inquieto y raro, médico excelente, se afrancesó contra viento y marea de la familia y consiguió una plaza de médico de primera clase en el ejército del rey José. El abuelo Crispín renegó de su hijo y le cerró las puertas de su casa. El doctor Larra, en 1813, siempre siguiendo al rey intruso, viose obligado a marchar de España. Con él llevaba a Marianito, a quien dejó interno en un colegio de Burdeos. Con la amnistía de 1818 pudieron regresar a la patria el doctor y su hijo. "Fígaro" asistió a los estudios de las Escuelas Pías de San Antón, que dirigían los Padres Escolapios. Era un niño triste, reconcentrado, capaz de las mayores agudezas y de las comprensiones más arduas, que leía composiciones originales asombrosas y traducía a los clásicos con una sensibilidad de prodigio. El doctor Larra tuvo que trasladarse a Estella (Navarra). Allí, "Fígaro" se hizo autodidacto. Leía cuantos libros caían en sus manos. Asimilaba. Apuntaba sugerencias deliciosas que extasiaban a su padre. Para su uso particular, escribió una curiosísima gramática de la lengua castellana, con un cuadro sinóptico de la misma. En 1823, instado por su padre, regresó "Fígaro" a Madrid para completar sus estudios en el Colegio Imperial de los Jesuitas. En escasos meses aprendió matemáticas, griego, inglés e italiano. Se trasladó a Valladolid para cursar la carrera de Jurisprudencia; y aprobó el primer curso. Pero... "un acontecimiento misterioso" le impidió continuar sus estudios allí, trastornó por completo su carácter y ejerció una gran influencia sobre su porvenir. ¿Una pasión volcánica, wertheriana? Quizá. ¿Excitaciones románticas de un espíritu delicadísimo y apasionado? Acaso. De muchacho amante de saber, confiado, vivo, sencillo, se hizo suspicaz, triste, reflexivo, "como si fuera un hombre hecho". Un amigo suyo confiesa a la posteridad que vio llorar sin consue-

lo al futuro genio de la sátira durante muchos días. Tenía "Fígaro" por entonces quince años. Con permiso de su padre se trasladó a Valencia a fines de 1824. Aquí estudió poco. En 1825 ya estaba en Madrid y asistía a los cursos de la Facultad de Medicina, si hemos de creer a Mesonero Romanos, quien, en sus *Memorias de un setentón,* al hablar de los concurrentes a la tertulia que se reunían en el palacio del primogénito del conde de la Cortina, asegura que entre los tales "estaba don Mariano de Larra, alumno de Medicina, a quien yo mismo presenté a Cortina, a fin de que le recomendase al rey para que fuese nombrado individuo de una Comisión facultativa que había de ir a Viena a estudiar el cólera".

Larra no fue a Viena; pero dejó los estudios médicos, aceptó un empleo burocrático y se dedicó a escribir versos muy malos de circunstancias. Yo creo que la bilis se le fue así: una oda a la Exposición industrial que se celebró en Madrid —1827—; una *Geografía historial española* en verso; otra oda a los terremotos de Murcia y Valencia; unos cuantos madrigales a distintas señoritas cursis; una silva al duque de Frías, su protector y más tarde padrino de boda. Sí, la bilis, los malos humores, el asco que había ya en sus dieciocho años, se le fueron en estas poesías llenas de énfasis y ripios... y en algunas consideraciones morales de las más sobadas... "Donde el gozo empieza, el placer sucumbe." "El placer es la fórmula del hastío." "Las rosas del tálamo encubren una dolorosa espina." Contra la opinión de sus padres, a los veinte años se casó "Fígaro" con la señorita Josefa Wetoret y Velasco. Un noviazgo relámpago. Efervescencia. Enajenación. Frases y actitudes de cuarenta y dos grados de fiebre. El rostro de ella tras el abanico. La rodilla de él hincada en tierra. Versos. Rubores. Y bendición sacerdotal. Tan rápido como llegó el amor, y el amor se fue. La esposa era celosa, chinche, pacata. El esposo, exaltado, pasional. Disgustos. Separaciones parciales. Reconciliaciones cada vez más tibias. Larra abandonó su empleo y se dedicó de lleno a la literatura. Aún parió algún que otro engendro poético... Un soneto y una octava "con motivo de hallarse encinta nuestra muy amada reina doña María Cristina de Borbón". Una elegía incluida en la *Corona fúnebre* de la duquesa de Frías. Una silva "para requerir a Cintia de amores". Otra para recordar un primero de mayo, "el aniversario de la ingratitud de una bella".

Empezó "Fígaro" a concurrir a la famosa tertulia de El Parnasillo, que se reunía en el café del Príncipe, próximo al teatro de este nombre. El mismo Larra escribe en *El Pobrecito Hablador:* "El reducido, puerco y opaco café del Príncipe." Iluminado por una lámpara de candilones pendiente del centro y media docena de *quinquets* distribuidos por las paredes desnudas y puercas. Una docena de mesas de pino pintadas de color chocolate. Un centenar de sillas de anea desvencijadas. Y en el hueco de la escalera, un mezquino aparador y dos mesas que ocupaban las personas graves como Arriaza, Carnerero, Aguilar, Onís... y que tomaban allí su chocolate, lejos de las impertinencias de los *pollos,* como ya se empezaba a llamar a los jóvenes. El sustantivo calificado lo puso en boga el marqués de Santiago con aquel ¡callen *los pollos*! de su palacio de la cuesta de la Vega durante un baile en que molestaban lo suficiente los *lechuguinos, pisaverdes* o *tónicos.*

Pues bien: en El Parnasillo, cuyo aire espeso se podía cortar en lonchas, nació "Fígaro" inmortal. Se descubrió y le descubrieron. Con él se reunían Espronceda, Olózaga, Ferrer del Río, Escosura, Santos Alvarez, Bretón, Gil y Zárate, los Madrazo, Alenza, Esquivel, el conde de Cheste, los actores Latorre y Guzmán, los impresores Burgos y Sancha... De El Parnasillo salió la reforma en la fraseología clásica. El viento se llamaba viento... o aire, pero jamás Favonio, Eolo, Céfiro... El sol se llamaba sol y no Febo ni rutilante Apolo... Y las amadas podían llamarse Pepitas, Paquitas, Elisas, pero jamás Filis, Nises, Amarilis. A El Parnasillo llegaba "Fígaro", el más atildado y repipi de los concurrentes, haciendo zigzags por las calles para evitar los faroles de aceite por miedo de que le cayese alguna mancha. Los amigos de El Parnasillo, luego de enronquecer a fuerza de controversias esmaltadas con felices rasgos de ingenio, solían marchar por grupos a las cenas de La Fontana de Oro o de Geneys, a los teatros de la Cruz y del Príncipe.

Sí, en El Parnasillo se destapó "Fígaro". Allí conoció su vocación auténtica. Allí renunció a escribir odas y comedias ridículas arregladas del francés, como *No más mostrador* y el horripilante *Roberto Dillón.* Allí decidió no componer sino artículos de crítica y de costumbres. Allí, los entusiasmos y las exageraciones ajenas fortalecieron sus cualidades de maravilloso observador. Allí también se recrudeció su misantropía. Allí se hizo un conversador formidable, sin rival, al que se escuchaba con la boca abierta. Y tanto cundió su fama de animador delicioso por Madrid y de caballero correcto, que fue invitado a las más animadas tertulias de la aristocracia. Los lunes, en casa de Montoya; los martes, en las Embajadas de Rusia y Turquía, situada esta última en el palacio de Riera, calle de Alcalá, esquina a la del Turco; los miércoles, a la del célebre

jurisconsulto don Manuel María Cambronero; los jueves, a la del conde de la Cortina; los sábados, a la del consejero real González Arnao... Y por las tardes, a la de la hermosísima dama doña María Buschental, "que, siempre joven, regentó su salón durante más de cincuenta años", y a las del embajador inglés Willer y el duque de Abrantes.

Se hablaba de música, de comedias, de literatura, de política poco y por lo bajo, de grandes sucesos sociales. Se tocaba en el clave a Haydn, a Mozart. Cantaba romanzas sentimentales alguna damisela clorótica. Se bailaban gavotas, mazurcas con espolines. Se tomaban dulces y helados. En los corrillos de la charla, "Fígaro" empuñaba la batuta. Era el oráculo. Un oráculo con frac verde pitacho; chaleco con botonadura de filigrana y sombrero de felpa de pelo largo, ala estrecha y copa de cono truncado.

En agosto de 1832 apareció la revista *El Pobrecito Hablador,* de la que se publicaron catorce números, sin período fijo, en tamaño de cuadernos en octavo menor y escrita toda ella por el bachiller don Juan Pérez de Munguía, seudónimo que adoptó Larra. Se trataba de una revista satírica de costumbres, y fue tal su éxito de público, que "una vez llegado el día en que debía publicarse uno de sus números, corría la gente a la librería para arrancarse el folleto de las manos y leerlo y celebrarlo". *El Pobrecito Hablador,* que fustigaba con gracia y saña todo lo constituido, no podía ser grato al *despotismo ilustrado* de Cea Bermúdez. Este omnipotente y vano ministro fernandino decidió acabar con la revista y matar al parlanchín bachiller. Quien, "muerto de una epidemia de miedo", según nos cuenta su amigo Andrés Niporesas—otro de los seudónimos de Larra—, dejó a este como heredero único de sus papeles, de sus intenciones y de su ingenio asombroso. Fue Andrés Niporesas quien contestó, en un folleto zumbón, lleno de la mejor pimienta y titulado *Carta panegírica,* a cierto señor llamado don Clemente Díaz, torpe y desgraciado pergeñador de *La satírio-manía,* composición en tercetos en la que se pretendía censurar, sin fortuna, a *El Pobrecito Hablador.* Desaparecida esta deliciosa revista, colaboró Larra en *El Correo de las Damas*—se firmaba con una L—y en *La Revista Española,* donde inmortalizó su seudónimo de "Fígaro", que le propuso—como me lo contaron os lo cuento—el empresario Grimaldi.

Ya por entonces vivía Larra su pasión amorosa culpable, la que le llevaba a la locura de abandonar su hogar, la que le empujaría a la muerte. Los disgustos y sinsabores de esta pasión inmensa le llevaron a viajar como empujado por una angustia infinita. Estuvo en Extremadura—¿para buscar y hablar a su amada, a quien el burlado y furioso marido había recluido en casa de sus padres o en un convento?—, en Lisboa, en Londres, en Bruselas, en París. En esta última capital le agasajaron Alejandro Dumas, Víctor Hugo, Musset, y el barón Taylor. En 1836 regresó a España. Don Andrés Borrego, célebre político y director del gran periódico *El Español,* solicitó su concurso. *El Redactor General* y *El Mundo* abonaban a Larra por doce artículos mensuales 40.000 reales al año, cantidad fabulosa en aquella época, que no ganó ningún otro escritor. Fue diputado conservador por Avila... unos días, sin llegar a jurar el cargo, porque las Cortes fueron disueltas a consecuencia de la sublevación de los sargentos en La Granja. La fama... El dinero... Le llegaban un poco tarde a "Fígaro". Su pasión amorosa le *tiraba* con más fuerza que todo. Separado por completo de los suyos, en medio de aquel infierno pareció llegarle un rayo de luz: su amada consentía en acudir al anochecer a la casa de la calle de Santa Clara, donde vivía el amante. Era el 13 de febrero de 1837. ¿Qué iba a pasar? ¿Se reanudarían los amores que la misma adúltera insistía en romper definitivamente? ¿Sería aquella cita una definitiva despedida? "Fígaro", loco de contento, se las prometía muy felices. En la mañana de aquel día, nervioso y dicharachero, visitó a Mesonero Romanos y aun le propuso colaborar en un drama sobre Quevedo. Paseó después por el Prado con su amigo Roca de Togores, a quien confió: "Usted me conoce; voy a ver si alguien me ama todavía." A primera hora de la tarde jugó en su casa con su hijita Adela, de tres años, que había ido a verle. Al anochecer... llegó ELLA. ¡Con qué angustia la esperaba el enamorado! El Carnaval fue propicio para aquella cita. Llegó ELLA casi enmascarada, jadeante. La cocinera entretenía a la niña en el fondo del piso. La media luz... Cuando ELLA entra, ¡cómo se queda de mudo y de atónito él! La mira... La admira... Se le van los brazos... Pero las palabras se le ahogan en la intención. ¿Qué es lo que quería decirle? ¿Dónde están los discursos suasivos que había preparado? No tiene ojos sino para contemplarla. Se le rompe el corazón. ¡Es ELLA! ¡Está ELLA allí!

La entrevista fue breve. La amada se negó a continuar su pasión culpable. Le exigió sus cartas y que dejara de perturbarla. Huyó... Desde el portal oyó una detonación imponente, seguida de un estrépito de cristales. ¡Qué neta tiene ELLA la visión de lo que ha sucedido! Nadie la acusará de asesinato. Pero es su mano, que aún guarda la presión de la mano ardiente de él, la que ha disparado el arma. ¡Y huye con el mayor anhelo y se mezcla con los grupos alocados

de máscaras que regresan del Prado por el Arenal de San Ginés! Tiene prisa por meterse en esa sombra inmensa de que ya no podrá sacarla todo el interés malsano de las generaciones futuras... Y, sin embargo, es ya inmortal.

Adelita, la hija encantadora; el fiel criado Pedro, fueron los primeros en entrar en la habitación de "Fígaro". Lo hallaron tumbado supino. En la pechera, hacia el lado del corazón, se veía un borbotón de sangre. El pistolón yacía a pocos pasos. Y el espejo del tocador estaba roto en mil añicos.

Era día 13. Pero no martes. Lunes de Carnaval. Hora: las ocho y media de la noche.

El cadáver de "Fígaro" estuvo expuesto en la bóveda de la parroquia de Santiago, adonde acudieron a verle miles de personas. El día 15, seguido de una lucidísima concurrencia, se le enterró en el cementerio del Norte. Mientras la tierra caía sobre su tumba, al borde de esta, juvenil, agraciado, patético, un poeta, anónimo hasta entonces, llamado José Zorrilla, leía unos hermosos versos cantando la fama del gran crítico y pregonando la inspiración arrolladora de su numen...

En 1844, sus restos fueron trasladados al cementerio de San Nicolás, y en 1901, a la Sacramental de San Justo, juntamente con los de Espronceda y el pintor Rosales.

"Este escritor excepcional—escribe Miguel S. Oliver—, que fue la más alta conciencia que España haya tenido en el siglo pasado; que sintió y reveló como nadie y antes que nadie la enfermedad de la nación y la pesadumbre de su decadencia por contraste con los esplendores de la cultura universal destellando al otro lado de los Pirineos; que mantuvo una posición de espíritu solitaria y casi por nadie compartida; que infinitamente más que el producto del medio fue una reacción contra el medio, y que al optimismo, a la ilusión y a la renuncia intentó oponer la dolorosa causticidad de su implacable descontento; este escritor, repito, tenía momentos y zonas de su actividad literaria enteramente subordinados al nivel común..." Ejemplo: su producción teatral y novelesca. Sí, justo es reconocerlo: aquí me tengo que referir a uno de los aspectos en que Larra apenas era sombra de sí mismo. Su genio quedó adscrito a la sátira social, al comentario de costumbres, a la alusión política. Como dramaturgo, Larra tiene un valor muy escaso. Inferior desde luego a cuantos dramáticos de primer orden—Rivas, Martínez de la Rosa, García Gutiérrez, Hartzenbusch, Zorrilla—portaron las antorchas del romanticismo escénico.

Larra, como Martínez de la Rosa, no fue enteramente un romántico. Su acción sí lo era. Pero su intelecto era profundamente clásico. Larra sirvió, como Martínez de la Rosa, de transición entre el neoclasicismo francés e italiano, cimentado por Boileau y Muratori, y el romanticismo alemán-inglés, colado por el francés Hugo. Sin embargo de estar ya estrenadas obras como *La conjuración de Venecia,* de Martínez de la Rosa; *Don Alvaro,* del duque de Rivas; *El trovador,* de García Gutiérrez; *Los amantes de Teruel,* de Hartzenbusch, y el *Macías,* del propio Larra, creo que el pistoletazo que partió el corazón de "Fígaro" delante de un espejo rompió en mil pedazos el odre que contenía las esencias concentradas del romanticismo español. Sirvió, además, el pistoletazo de golpe de clarín estridente para que el movimiento literario se lanzara a la carga de las mayores audacias. Fue en Larra y en las cosas y en los casos de Larra en los que pensaban los miles de románticos españoles desaforados... En la cabellera crespa y rebelde "negra como el azabache"; en el rostro pálido, en la barba corrida de collar, en los fraques azul Prusia, en los gestos melancólicos, en las actitudes reconcentradas, en las "sonrisas desdeñosas", en los amores adúlteros o muy complicados, hasta en el "pistoletazo redentor" delante del espejo. Sí, repito, fue Larra un romántico de acción. Nada más. De intelecto *no podía serlo.* Su talento maravilloso para encontrar el lado ridículo de los hombres y de las cosas, su ingenio en hacer resaltar los contrastes de todo género, su arte—no igualado por nadie—en decir lo que quería y como quería, su tino para, manejando la sátira, no caer en la diatriba; sus juicios serenos, jamás ofuscados por la pasión, eran virtudes eminentemente clásicas. Sí, era muy suyo Larra y demasiado filósofo para dejarse cegar ni arrastrar de modas y extravagancias. Aun cuando las concediera *posturas* de su vida. Larra y Cervantes han sido los dos escritores españoles que han hecho florecer la sonrisa en los labios de todos sus lectores.

Las obras dramáticas de Larra son: *No más mostrador*—1831—, arreglo de la obra de Scribe *Les adieux au comptoir; Roberto Dillón o el católico de Irlanda*—1832—, arreglo del horripilante drama de Ducange *Don Juan de Austria o la vocación; Felipe* —1835—, *Macías*—1835—, *El arte de conspirar*—1835—, *Partir a tiempo*—1835—, *Tu amor o la muerte*—1835—, *Un desafío o dos horas de favor*—1835.

De todas estas obras, en su mayoría arreglos de otras francesas, destaca la original *Macías,* drama en cuatro actos y en versos variados, de verdadero interés, ya que contiene todos los elementos esenciales del sentido romántico de la dramática. La pasión de *Macías* es "un fino deliquio romántico". Larra, en su obra, según ha escrito Valbuena, "aunque derivando del tema dramático de Lope y Bances Candamo, en lo cual sigue el camino del romanticismo tradicional, nacional, Larra da un giro insospechado a la trama. La rebeldía de Elvira en la hora de la muerte del galán, su posición ante el amor y su suicidio en el desenlace, son por completo de la época del nuevo escritor".

Las principales ediciones de las obras dramáticas de Larra son:

Obras completas de "Fígaro". Madrid, 1843. Tomo IV.

Obras completas de "Fígaro". París, 1848.

Colección de los mejores autores españoles. Tomos XLVII y XLVIII.

Teatro de Larra (El Teatro Selecto). Barcelona. Tomo VI.

Obras completas de don Mariano José de Larra, "Fígaro". Barcelona, 1886. Edición ilustrada.

Obras completas de don Mariano José de Larra, "Fígaro". Barcelona, S. A. Editorial Sopena. Cuatro tomos.

Obras completas de don Mariano José de Larra, "Fígaro". París, Garnier, S. A. Cuatro tomos.

Ensayos completos. Madrid, Aguilar, 1944. Del *Macías,* la principal edición es la hecha en vida de Larra, y corregida por él, en la imprenta de Repullés, Madrid, 1834, que se guarda en la Biblioteca Municipal de Madrid.

V. CORTÉS, Cayetano: *Vida de don Mariano José de Larra, "Fígaro".* Madrid, 1843.— CHAVES, M.: *Don Mariano José de Larra, "Fígaro": su tiempo, su vida, sus obras.* Sevilla, 1898.—OLIVER, Miguel S.: *Larra,* en *La Vanguardia,* de Barcelona. Enero y febrero 1908.—NOMBELA Y CAMPOS, J.: *Larra, "Fígaro".* Madrid, 1909.—IXART, José: *Larra* (Prefacio a la edición de "Obras escogidas de "Fígaro".) Barcelona, 1885.—BURGOS, Carmen de: *Fígaro.* Madrid, 1919.—PIÑEIRO, E.: *El romanticismo en España.* París, 1904.— "AZORÍN": *Rivas y Larra.* Madrid, 1916.— LOMBA Y PEDRAJA, J. R.: Prólogo al tomo LXXVII de "Clásicos castellanos".—DÍAZ-PLAJA, Guillermo: *Introducción al estudio del romanticismo español.* Madrid, 1936.— LARRA, Fernando José: *Mariano José de Larra.* Barcelona. Edit. Amaltea, 1942.— ALMAGRO SAN MARTÍN, M.: Prólogo a los *Ensayos completos.* Madrid, Edit. Aguilar, 1944. GARCÍA MERCADAL, José: *Historia del Romanticismo en España.* Barcelona, Labor, 1943.—HENDRIX, W. S.: *Notes on youy's influence on Larra,* en *Romanic Review,* 1920. AGUADO, Emiliano: Prólogo a la *Antología* de Larra. Madrid, Edit. Nacional, 1947.— MORENO, Rafael Bautista: *Larra.* Madrid, Espasa-Calpe, 1951.—UMBRAL, Francisco: *La-*

L

rra. Anatomía de un dandy. Madrid. Editorial Alfaguara, 1965.

LARRA Y WETORET, Luis Mariano de.

Excelente novelista, poeta y autor dramático español. Nació—1830—y murió—1901—en Madrid. Hijo del celebérrimo "Fígaro". Bachiller en Madrid. Redactor de la *Gaceta* desde los diecisiete años. Director artístico del teatro Español en 1871 y 1872, siendo primeros actores Elisa Boldún y Rafael Calvo. Gran cruz de Carlos III y de ·Isabel la Católica. Colaborador de los principales periódicos y revistas madrileños de su época. Su carácter retraído y la semilla que había dejado sembrada la sátira implacable de su padre fueron los principales enemigos de Luis Mariano de Larra. La crítica le trató siempre duramente, cuando no con manifiesta injusticia. Pero el público, juez inapelable, le hizo uno de sus autores favoritos. Sus obras fueron las primeras en alcanzar más de cincuenta representaciones consecutivas. Ninguno de los dramaturgos contemporáneos suyos—ni aun los que literariamente valían mucho más, como Zorrilla, Eguílaz, Narciso Serra, Hartzenbusch—consiguieron triunfos tan constantes y productivos como él.

La vena cómica y la melancolía sentimental son las notas características del teatro de Larra, quien, además, era un fino psicólogo, un pintor buen colorista de ambientes y costumbres, un maestro del diálogo—con un pulcro y rico lenguaje—y un expertísimo técnico de la escena.

Novelas: *La gota de tinta, Tres noches de amor y celos, ¡Si yo fuera rico!, La última sonrisa.*

Teatro: *El amor y el interés, Una lágrima y un beso, Batalla de reinas, La flor del valle, Un Buen hombre, Los corazones de oro, Julia, La viuda de López, Bienaventurados los que lloran, Quien mal piensa, mal acierta; Las tres noblezas, En palacio y en la calle, La primera piedra, La cosecha, En brazos de la muerte, La tarde de Nochebuena, El caballero de Gracia, Dios sobre todo, La agonía, La pluma y la espada, El beso de Judas, Lanuza, Una nube de verano, Rico de amor, Barómetro conyugal, Los infieles, El marqués y el marquesito...*

Músicos tan insignes como Marqués, Arrieta, Gaztambide, Caballero, Rogel, Barbieri y otros pusieron música a sus zarzuelas famosas: *Sueños de oro, El barberillo de Lavapiés, Las campanas de Carrión, La niña boba, El año de la nanita, Punto y aparte, El atrevido en la corte, La conquista de Madrid, Las hijas de Eva, La guerra santa, Chorizos y polacos, Sueños de oro...*

LARREA, Juan.

Interesante y notable poeta español. Nació —1895—en Bilbao. Estudió el bachillerato en el colegio de Miranda de Ebro, y Filosofía y Letras en la Universidad de Deusto. La licenciatura la alcanzó en la Universidad de Salamanca. Desde 1921, del Cuerpo Facultativo de Archiveros, Bibliotecarios y Arqueólogos. Ha viajado por Europa y América. Sus primeras poesías se publicaron —1919—en las revistas *Grecia y Cervantes.* En 1926, con el poeta peruano César Vallejo, fundó la revista *Favorables París Poema,* de la que solo aparecieron dos números. Después colaboró asiduamente en *Carmen*—1927.

Larrea inició su obra poética dentro del *creacionismo* e influyó bastante en la vocación poética de Gerardo Diego—según este mismo ha confesado—. Pero Larrea no ha sabido—o no ha querido—desligarse por completo de su subversión poética, aun cuando haya ido ganando muy poco a poco en tersura expresiva y en precisión temática.

Para gran parte de la crítica, Larrea, discípulo de Vicente Huidobro y de Guillermo Apollinaire, pasa por ser uno de los precursores del movimiento subversivo poético español *ultraísmo.*

Poemas destacados de Larrea son los titulados: *Espinas cuando nieva, El mar en persona, Puesta en marcha, En la niebla, No ser más...*

Obras: *Oscuro dominio, Superrealismo entre viejo y nuevo mundo...*

V. Diego, Gerardo: *Poesía española. Antología 1915-1931.* Madrid, 1932.—Valbuena Prat, A.: *Historia de la literatura española.* Barcelona, 1969, tomo IV.

LARRETA, Enrique.

Excelente novelista, poeta, autor dramático y ensayista. Su verdadero apellido es Rodríguez Larreta. Nació en Buenos Aires el año 1873. Murió—1961—en la misma ciudad. Hizo sus estudios en el Colegio Nacional de Buenos Aires y en la Facultad de Derecho, graduándose doctor en Jurisprudencia y Ciencias Sociales. Sus primeros artículos y poemas los publicó en el gran diario *La Nación,* y su primera novelita, de asunto helénico y titulada *Artemis,* en la revista *La Biblioteca.* Los padres de Larreta eran uruguayos, pero de ascendencia española. Durante algunos años fue profesor de Historia de la Edad Media en el Colegio Nacional de Buenos Aires. Dedicado después a la diplomacia, viajó por Europa, viviendo mucho tiempo en España y en Avila, mientras preparaba y escribía su famosísima novela *La gloria de don Ramiro,* cuya acción se desarrolla en la ciudad de Santa Teresa.

El éxito de esta obra consiguió para su autor una fama universal. El famoso escritor Remy de Gourmont la tradujo al francés para ser publicada por el *Mercure de France.* Desde 1910 a 1918 Larreta desempeñó el cargo de ministro de la República Argentina en París, dando a su misión un esplendor realmente principesco. En alguna ocasión, importantes Academias y Universidades han pedido para Larreta el Premio Nobel. Fue miembro correspondiente de la Real Academia Española de la Lengua y del Instituto de Francia.

Larreta fue un escritor elegante, hondo, muy sensible, gran prosista, de muy rico vocabulario.

Un compatriota de Larreta, el gran novelista Gálvez, ha escrito: "Es uno de nuestros pocos autores que puede ser considerado como un gran escritor. Si alguna obra maestra se 'ha publicado en la Argentina, es *La gloria de don Ramiro.* Tal vez no posea Larreta condiciones extraordinarias de novelista; pero su libro, en cuanto a la composición, a la riqueza del ambiente, al estilo, a los retratos de los personajes, resulta de una rara perfección."

La gloria de don Ramiro—una vida en tiempos de Felipe II—, traducida a todos los idiomas cultos y reimpresa docenas de veces, contiene ciertas inexactitudes respecto del catolicismo, de las costumbres caballerescas y del lenguaje de la época española que retrata. Yo la calificaría de *maravilloso "pastiche".* Con todo—opina Cejador—, "es de las novelas históricas que más se allegan a la verdad histórica, en espíritu, ambiente y lenguaje, y lo que más importa al arte, es obra viva, reciamente rebultada, brillante de color, de trazos seguros y hondos, de caracteres salientes; la trama de la acción, bastante deshilachada. Después que el autor describe Avila y Toledo, o sea hacia el fin, decae bastante en fuerza de la visión, en color y en interés".

La idea capital de la novela, su núcleo filosófico, es la eterna alternativa y la lucha interior de los dos impulsos antagonistas del alma humana: la acción y el renunciamiento. En todos los libros del exquisito y elegante Larreta hay un estilo limpio y preciso, un idealismo caballeresco, una sensibilidad muy viva, un señorío excepcional de los más nobles recursos literarios.

Otros libros: *De camino, Artemisa*—novela—, *Zogoibi*—novela de la llanura pampeana, "escueta, espiritada, anhelosa, visión estilizada, siempre discutible"—, *La Lampe d'Argile, Cenizas*—discursos y artículos—, *Tiempos iluminados*—memorias autobiográficas—, y las obras dramáticas *La luciérnaga, La linyera, Pasión de Roma, Santa María del Buen Aire,* y en verso, *Poesías y La*

calle de la Vida y de la Muerte. Tenía que suceder es una obra construida con técnica narrativa y dramática. *La naranja, Orillas del Ebro*—1949, novela con la que obtuvo en este año el "Premio Nacional Cervantes", otorgado por el Estado español.

V. ALDAO, Martín: *El caso de "La gloria de don Ramiro".* Buenos Aires, 1913.—PESEAUX-RICHARD, H.: *Larreta,* en *Rev. Hispanique,* 1910, XXIII.—SULLIVAN, J.: *El caso de "La gloria de don Ramiro".* Buenos Aires, 1914.—LIDA, Raimundo: *La técnica del relato de "La gloria de don Ramiro".* Buenos Aires, 1936, tomo IX de "Cursos y Conferencias".—CORTINA, A.: *Las imágenes en "La gloria de don Ramiro",* en *Boletín del Instituto de Investigaciones Literarias,* Facultad de Humanidades. La Plata, 1937.—ROJAS, Ricardo: *La literatura argentina.* Buenos Aires, 1924.—ALONSO, Amado: *El modernismo en "La gloria de don Ramiro",* en *Ensayo sobre la novela histórica.*

LARRUBIERA, Alejandro.

Excelente novelista, periodista y autor dramático español. Nació—1869—y murió —¿1935?—en Madrid. Bachiller. Muy joven, apremiado por la vida, publicó sus primeras producciones literarias en los famosos semanarios madrileños *La Caricatura* y *Madrid Cómico.* En seguida llamaron la atención sus amenos y hondos cuentos, aparecidos en *La Ilustración Ibérica* y *La Ilustración Artística,* de Barcelona, y *Blanco y Negro,* de Madrid. Redactor de *El Globo, Heraldo de Madrid, El Imparcial, Correspondencia de España.* Publicó bellas novelas cortas en *El Cuento Semanal, Los Contemporáneos, La Novela de Bolsillo, El Libro Popular, Nuevo Mundo,* de Madrid, y *Caras y Caretas,* de Buenos Aires. Dirigió los semanarios festivos *Gil Blas, Sancho Panza* y *Madrid Alegre.*

La ternura por los humildes, los temas sentimentales, la melancolía, el realismo decoroso, son las características de la producción literaria de Larrubiera. Su estilo es limpio. Su lenguaje, castizo. Sus frases y sus conceptos, limpios. La fidelidad en el dibujo de los caracteres y el interés de la acción, grandes. La humanidad de la emoción, admirable.

Novelas: *Camino del pecado, Márgara, Historia de un hombre formal, Del barrio de la manolería, El hombre que vivió dos veces.*

Novelas cortas: *Mimosa, La virgencita, El dulce enemigo, Pintapoco, La conquista del Jándalo, El pecado de Eva, Tía Paz, Noche de juerga, No nos dejes caer en la tentación, Hombres y mujeres, Historias madrileñas, Fuera de combate, Historias y cuentos, Cuen-*

L

tos, *El crimen de un avaro, Su excelencia se divierte, La infantina que dio su flor, El hechizo de la farándula, Ana María, Encarna la Costurera...*

Teatro: *Los chicos, Los botijistas, El querer de la Pepa, La celosa, El Sábado de Gloria, El dios Exito, La procesión del Corpus, Los holgazanes, Música popular, Las mocitas del barrio, Donde hay faldas, hay jaleo; La chalequera, La gente del pueblo, La gente alegre, Los charros, Feúcha, La regadera, El merendero de la Alegría...*

Casi todas estas producciones escénicas —zarzuelas en su mayoría—están escritas en colaboración con el popular poeta madrileño Antonio Casero.

V. Sainz de Robles, F. C.: *La novela corta española (La promoción de "El Cuento Semanal"). Estudio y notas.* Madrid, Aguilar, 1952.

LA SERNA, José de.

Novelista, poeta y periodista español. Nació—1855—en Burgos. Murió—1927—en Madrid. Estudió el bachillerato en Burgos y Medicina en Valladolid, doctorándose en Madrid. Instalado en la capital, dejó de ejercer su profesión y se dedicó a la literatura y al periodismo. Redactor de *El Día, El Progreso* y *El Resumen.* Redactor y crítico literario y teatral de *El Imparcial* desde 1915 hasta su fallecimiento. Colaborador de *Nuevo Mundo, Blanco y Negro, Mundo Gráfico, La Esfera...* Algunas veces firmó sus artículos con los seudónimos de "Gil Imón" y "El bombero de guardia". Publicó sus reseñas taurinas con el seudónimo de "Aficiones". Obtuvo premios en varios certámenes literarios.

José de la Serna fue escritor de cultura, buen lenguaje, estilo limpio e ideas propias. Obras: *Lo mejor del mundo*—poema humorístico—, *La Rebolledo*—novela—, *Figurines de teatro*—semblanzas y cuentos...

LAS SANTAS LOUREIRO, Adelaida.

Adelaida Las Santas Loureiro nació hacia 1925 y empezó a escribir versos muy joven. Tiene publicados dos libros de poemas: *Destellos*—Madrid, 1950—y *Poemas de Adelaida*—Madrid, 1954.

En el año 1950 ingresa en la Escuela de Periodismo, obteniendo el título de periodista.

Toma parte destacada en todos los recitales poéticos, y en unión de las poetas Gloria Fuertes y María Dolores de Pablo funda el grupo poético *Versos con Faldas,* del que fue secretaria.

En el año 1959 publica su primera novela, *Poetas de café,* en la que se recoge todo el

ambiente literario desde el año 1950 a 1952, fecha en que se cierra el café Varela.

En la actualidad dirige la revista oral *Aguacantos.*

LASSO DE LA VEGA, Gabriel Lobo (v. Lobo Lasso de la Vega, Gabriel).

LASSO DE LA VEGA, Javier.

Poeta y novelista español. ¿1850?-1911. Nació en Sevilla. Médico. Catedrático de Patología infantil en la Facultad de Medicina hispalense. Académico de la de Bellas Artes de su ciudad natal. En 1905 ganó la Flor natural en los Juegos literarios organizados por el Ayuntamiento sevillano para conmemorar el tercer centenario de la publicación del *Quijote.*

Publicó miles de artículos y poesías en la Prensa de toda España. Fue un delicadísimo poeta, de un modernismo moderado, y un novelista ameno, de estilo castizo.

Obras: *Isaac*—novela, 1900—, *Lucrecia de Monterrey*—novela, 1909—, *Cervantes y el "Quijote"*—estudio, 1905—, *Vidvan*—poema—, *Evocaciones*—poesías, 1905—, *El genio y la inspiración*—ensayo...

LASSO DE LA VEGA, Rafael.

Poeta y prosista. Nació—hacia 1890—y murió—1959—en Sevilla. Marqués de Villanova, y, a su creer, descendiente de don Pedro I de Castilla. En Madrid, entre 1918 y 1925, hizo una alegre vida bohemia, y colaboró en muchos periódicos y revistas. Viajó por toda Europa. Fue uno de los paladines más ilustres del *ultraísmo* y del *dadaísmo,* habiendo empezado a escribir versos con influencias de Bécquer y de Rubén Darío.

Poeta simbolista, musical, muy sensible, felicísimo cazador de imágenes.

Obras: *Rimas de silencio y soledad*—Madrid, 1910—, *Las coronas de mirto*—París, 1914—, *El corazón iluminado*—Madrid, 1919—, *Galerie de Glaces*—París, 1920—, *Pasaje de la poesía*—París, 1936...

V. Peña, Manuel de la: *El ultraísmo en España.* Madrid, 1925.

LASTANOSA Y BARÁIZ DE VERA, Vicente Juan de.

Notable escritor y arqueólogo español. Nació—1607—en Huesca. Murió—1684—en la misma ciudad. De noble familia. En su ciudad natal ejerció los cargos más eminentes: desde lugarteniente de justicia hasta el de consejero. Capitán garrido de los ejércitos reales para luchar contra Condé—1640—en Salsas, ciudad del condado de Ribesalles, y en Monzón—1641—, también contra las tropas francesas que habían penetrado en

Aragón por Cataluña. Su comportamiento fue bravo: guardó, incólumes, los pasos más peligrosos del Río Cinca. Caballero hijodalgo de la Diputación del Reino—1652—. Señor de Figueruelas y gentilhombre de la Casa de su majestad. ¡Gran señor fue Lastanosa! Vivió con boato artístico. Tuvo capilla en la catedral de Huesca, dedicada a los santos Orencio y Paciencia. Tuvo un palacio-museo, que asombraba por su biblioteca admirable, por sus colecciones de pinturas y objetos artísticos—vasos, esmaltes, medallas, fíbulas, tapices, camafeos, monedas—, traídos de lejanos rincones del mundo. Fue un verdadero mecenas para sus amigos y varios escritores famosos. Al cronista Andrés de Ustarroz y al celebérrimo Baltasar Gracián les editó casi todas las obras. Lastanosa casó—1625—con la noble dama doña Catalina Gastón de Guzmán, de la que tuvo catorce hijos. ¡Magnífico en todo fue Lastanosa! Sabía el francés, el inglés, el italiano, el latín, el griego, el hebreo... Su cultura era vasta y densa. Su prosa, maciza y severa. Su nombre figura en el *Catálogo de autoridades* del idioma, publicado por la Real Academia Española.

Obras: *Museo de las medallas desconocidas españolas, Memorias de claros varones en el reino de Aragón, Narración de lo que le pasó a don Vincencio Juan de Lastanosa a 15 de octubre del año 1662 con un religioso docto y grave, Arbol de la noble descendencia de la Casa de Lastanosa desde el año 1210, Indice de las escrituras y papeles del archivo del reino de Aragón...*

V. ARCO, Ricardo del: *Don Vincencio Juan de Lastanosa. Apuntes bibliográficos.* Huesca, 1911.—ARCO, Ricardo del: *Más datos sobre don Vincencio Juan de Lastanosa.* Huesca, 1912.

LASTARRÍA, José Victorino.

Literato chileno. Nació—1817—en Rancagua. Murió en 1888. Doctor en Letras y en Derecho. Pedagogo y periodista insigne. Catedrático de Derecho público y de Literatura en el Instituto Nacional. Diputado —1843—. Ministro plenipotenciario en Lima, Buenos Aires, Río... Fundador, en la Universidad de Santiago, de las Facultades de Ciencias Políticas y Humanidades, de las que fue decano. Fundador de la Academia de Bellas Letras. Miembro, y director después, de la Academia Chilena de la Lengua. Corresponsal de la Real Academia Española. Miembro del Instituto Histórico del Brasil. Ministro de Hacienda. Fundó varios periódicos: *El Siglo, El Crepúsculo, La Revista de Santiago,* y colaboró en otras: *El Mercurio, La Razón, El Progreso.*

La importancia literaria de Lastarría en su patria fue mucha. Fue el iniciador del movimiento literario denominado "del 42"; movimiento fundamental en la historia de la literatura chilena. Y su discurso pronunciado en la inauguración de la Sociedad Literaria, en mayo de 1842, figura como uno de los documentos, por no decir el único, más importantes de las letras chilenas. Pedía Lastarría en su discurso el abandono de las formas literarias imitadas de España y Francia, para concretar el esfuerzo de creación artística a la pintura de motivos y personajes criollos, porque, según expresaba, "no hay sobre la tierra pueblos que tengan, como los americanos, una necesidad más imperiosa de ser originales en literatura, pues todas sus modificaciones les son peculiares y nada tienen de común con las que constituyen la originalidad del Viejo Mundo".

Obras: *Hogaño y antaño*—novela—, *Mercedes*—novela—, *El mendigo*—novela—, *El manuscrito del diablo*—novela—, *Don Guillermo*—novela—, *Recuerdos literarios, Miscelánea, Estudios sobre los primeros poetas españoles, Recuerdos de viaje, La América...*

V. MELFI, Domingo: *Literatura chilena,* en el tomo XII de la *Historia Universal de la literatura,* de Prampolini. Buenos Aires, Uteha Argentina, 1941.—AMUNÁTEGUI SOLAR, Domingo: *Bosquejo histórico de la literatura chilena.* Santiago, 1915-20.—LATORRE, Mariano: *La literatura de Chile.* Buenos Aires, Fac. de Fil. y Letras, 1941.—LILLO, Samuel: *La literatura chilena.* Santiago, 1930.

LATASSA, Félix de.

Notable biógrafo y erudito español. Nació —1733—en Zaragoza. Y en esta misma ciudad falleció el año 1805. De noble familia. Bachiller en Filosofía por la Universidad zaragozana. Doctor—1762—en Teología. Cura párroco de Juslibol. Racionero de mensa de la catedral de La Seo. Canónigo. Hombre de muchas letras divinas y humanas, modelo de caballerosidad y de virtud.

Obras: *Memorias de los racioneros de mensa de la santa iglesia metropolitana del Salvador*—Zaragoza, 1798—, *Biblioteca de escritores aragoneses*—Zaragoza, 1796, y Pamplona, 1798 a 1802.

Obra utilísima esta última, aún en nuestros días, reimpresa algunas veces; tesoro inagotable de noticias curiosas.

LATCHAM, Ricardo A.

Profesor y literato chileno. Nació—1903— en Santiago. Estudió en el Instituto de Humanidades y en el Instituto Nacional de su ciudad natal entre 1911 y 1918; y en la Universidad de Madrid, el curso 1928-29. Profesor de Literatura en la Universidad de Santiago. Diputado. Fundador del partido

L

socialista y de la Federación Juvenil Socialista. Miembro de la Alianza de Intelectuales, de la Liga de los Derechos del Hombre y del P. E. N. Club.

Obras: *Escalpelo*—críticas, 1926—, *Chuquimata o estado yanqui*—1926—, *L'anima catalana*—Barcelona, 1929—, *Itinerario de la inquietud*—ensayos, 1931—, *Manuel Rodríguez "el Guerrillero"*—1932—, *Estampas del nuevo extremo*—1933...

LATORRE, Carlos.

Poeta y narrador argentino. Nació—1916— en Buenos Aires. Universitario. Ha ejercido el periodismo. Militó apasionado y por largo tiempo en los movimientos literarios "subversivos": creacionismo, superrealismo; y hasta fundó—con Enrique Molina—las revistas *A partir de cero* y *Letra y Línea*, convirtiéndolas en baluartes del superrealismo. En 1950 ganó la "Faja de Honor" de la Sociedad de Escritores Argentinos con su libro poético *Puerta de Arena*.

Otros libros: *La ley de la gravedad*—poemas, 1952—, *El lugar común*—poemas, 1954—, *Los alcances de la realidad*—poemas—, *Relatos fantásticos*.

LATORRE, Mariano.

Novelista, historiador y crítico chileno, nacido en 1886. Murió—1955—en Santiago de Chile. Estudió Fiiosofía y Letras. Profesor de Literatura. Colaborador de los más importantes diarios y revistas de su patria. "Premio Nacional de Literatura" en 1944. Ha ejercido un magisterio sereno y fecundo sobre las generaciones posteriores de novelistas. Su fama como narrador ha excedido de las fronteras chilenas, propagándose por todo el mundo de habla castellana. Muchos de sus cuentos y algunas de sus novelas han sido traducidos a otros idiomas. Según Luis Alberto Sánchez, con Mariano Latorre "se inicia la escuela criollista. Descriptor del campo de su patria, ha conseguido, a lo largo de tenaz tarea durante un cuarto de siglo, forjarse un estilo plástico, pero no rítmico; más preciso que jugoso, más enumerativo que interpretativo".

Generalmente, Mariano Latorre abusa de las tintas sombrías para reflejar las costumbres corrompidas de las ciudades y aun del campo en la época en que se ambienta. Sin embargo, Latorre suma valores excepcionales de auténtico novelista: vigoroso descripcionismo, vivo lenguaje apropiado, fuerza temática, poder evocador inagotable, sentido decisivo de humanidad y maestría técnica.

En el teatro estrenó *La sombra del caserón*.

Entre sus novelas se han hecho famosas, reimprimiéndose numerosas veces en distin-

tos países: *Paisajes chilenos*—1910—, *Cuna de cóndores*—1918—, *Cuentos de Manle* —1912—, *Gajos de roble*—1920—, *El romance del reloj cuco*—1920—, *La sombra del caserón*—1919—, *Zurzulita*—1920—, *Hombres y zorros*—"Premio del Ateneo, 1937"—, *Mapu*—1939—, *Chilenos del mar*—cuentos, 1929—, *On Panta*—1935—, *Ully y otros cuentos*—1924—, *Viento de mallines*—1940—, *La Paquera*—1942.

Otras obras: *La literatura en Chile* —1941—, *El huaso y el gaucho en la poesía popular*, *El sentido de la Naturaleza en la poesía chilena*...

V. CERRUTO, Oscar: *Panorama de la literatura chilena*, en *Nosotros*, 2.ª época, número 21. Buenos Aires, diciembre 1937.— SILVA ARRIAGAVA, Luis J.: *La novela en Chile*. Santiago, 1910.—SILVA CASTRO, Raúl: *Cuentistas chilenos del siglo XX*. Santiago, 1935.—ALONE (DÍAZ ARRIETA, Hernán): *Panorama de la literatura chilena durante el siglo XX*. Santiago, 1931.

LATRÓN, Marco Porcio.

Retórico latino español. 58-3 antes de Cristo. Posiblemente nació en Tarragona. Su semblanza humana y moral la trazó Séneca en sus *Controversias*. Muy joven aún, se trasladó a Roma, donde abrió escuela de declamación, a la que acudieron Ovidio, Floro, Fulvio Esparso, Abrono, Silón... Admiráronlo sus contemporáneos y le amaron sus discípulos. Quintiliano le apellidó *Primus clari nominis professor (Inst. Orat.*, X, 5, 18), y Plinio, *Clarus inter magistros dicend (Hist. Nat.*, XX, 14, 57). Y sus discípulos, por imitar hasta la palidez de su semblante, bebían el *carminum silvestre*, según cuenta el mismo Plinio *el Viejo*.

Marco Porcio Latrón poseyó un espíritu enérgico y vehemente, un estilo conciso y austero, una palabra irresistible. Según San Jerónimo, Latrón, "exasperado por unas pertinaces cuartanas que padecía, se quitó la vida en el año 3, a los cincuenta y cinco años de edad".

De Latrón trataron con encomio: Hernán Núñez, Antonio Covarrubias y Antonio Agustín.

Se conservan fragmentos de él en las *Controversias* y en las *Suasorias* de Séneca. Se estima la crítica que son apócrifas las *Declamationes* que se le atribuyen y que da como auténticas Amador de los Ríos.

V. DOLÇ, Miguel: *Literatura hispanorromana*, en el tomo I de la *Historia general de las literaturas hispánicas*. Barcelona, 1949. MENÉNDEZ PIDAL, R.: *Historia de España* (dirigida por...). Tomo II: *España romana*. Madrid, Espasa-Calpe, 1935.—LINDER, F. G.: *De M. Porcio Latrone commentatio*. Bresláu, 1855.—Chassang: *De corrupta eloquentia.* 1852.

LAVARDÉN, Manuel de.

Excelente poeta y autor dramático. 1754-¿1810? Nació en Buenos Aires. Estudió Derecho en la famosa y antiquísima Universidad de Chuquisaca, teniendo como uno de sus maestros al padre Valdez, quien le franqueó, a hurtadillas, el uso de su gran biblioteca, en que había mucho de lo prohibido. Auditor de Guerra. Partidario del virrey Vertiz, a quien ayudó en la organización de los Reales Estudios de San Carlos y en la fundación del primer teatro que hubo en Buenos Aires, destruido—1793—por un incendio. En el primer número de *El Telégrafo Mercantil*—1 de abril de 1801—apareció su hermosísima *Oda al Paraná,* joya de la lírica hispanoamericana. Estuvo encargado de redactar un inventario de los bienes de los jesuitas en la Argentina. En los últimos años de su vida escribió un poema sobre la defensa de Buenos Aires ante las invasiones inglesas; poema que rompió humildemente al leerle otro, con igual tema, su contemporáneo Vicente López y Planes, que Lavardén reputaba muy superior.

Obras: *Sátiras;* dos décimas acrósticas y dos sonetos; *Siripo*—tragedia representada con éxito apoteótico de 1812 a 1816—, *Las armas de la hermosura*—comedia—, *Efectos de odio y amor*—comedia.

Fue Lavardén un poeta delicado, fácil, de formación clásica, con primores en las referencias a paisajes vernáculos. Manuel Medrano, otro poeta, le llamó "alado querubín del dios de Delfos". López y Planes, "hijo de Apolo, de sublime acento".

Aún vale más como autor dramático. Su tragedia *Siripo* debe ser considerada la primera obra teatral concebida como tal, sobre la base de un asunto netamente americano. *Siripo* es una obra grandiosa, emocionante, cuyo tema había ya tentado antes a otros dos dramaturgos: Thomas Moore—en *Manyora, Kinf of Timbussi Ams,* Londres, 1718—y Manuel Lassala—en *Lucía Miranda,* Bolonia, 1784.

V. Gutiérrez, Juan María: *Estudios biográficos sobre algunos poetas suramericanos anteriores al siglo XX.* 1865.—Leguizamón, Martiniano: *La leyenda de Lucía Miranda,* en *Rev. Univ. Nacional de Córdoba,* República Argentina, VI, 1919.—Puig, Juan de la Cruz: *Antología de poetas argentinos.* Buenos Aires, 1910, tomo I.—Bosch, Mariano. V.: *Teatro antiguo de Buenos Aires.* 1904.—*Historia de los orígenes del teatro argentino...* 1921.—Rojas, Ricardo: *La literatura argentina.* Buenos Aires, 1924, 2.ª edición.

LAVERDE RUIZ, Gumersindo.

Erudito, poeta y literato español. Nació —1840—y murió—1890—en Santander. Doctor en Filosofía y Letras. Catedrático de Literatura en las Universidades de Santiago y Valladolid. Examinador y maestro de Menéndez Pelayo. Colaborador de la *Revista Europea.* Académico correspondiente de las Reales de la Lengua y de la Historia.

Menéndez Pelayo le juzga así: "Varón de dulce memoria y modesta fama, recto en el pensar, elegante en el decir, alma suave y cándida, llena de bondad y de patriotismo, purificada en el yunque del dolor hasta llegar a la perfección ascética. Escribió poco, pero muy selecto, y su nombre va unido a todos los conatos de historia de la ciencia española, y muy especialmente a los míos, que, acaso, sin su estímulo y dirección no se hubiesen realizado."

Como poeta le juzgó así el buen crítico P. Blanco: "Ossian español, lo mismo cuando recuerda con primorosas y desusadas imágenes las glorias de su país, que cuando sube a las regiones del cielo, invocando con pía credulidad al astro de la noche, en cuyos rayos ve descender, como el bardo de Islandia, las almas de las personas queridas..." Laverde cuidó mucho la estrofa sáfico-adónica, pero acomodándola siempre a sus sentimientos románticos y lamartinianos. Pero introdujo algunas innovaciones métricas, muy discutidas por la crítica.

Laverde, en Filosofía, combatió sañudamente el krausismo, introducido en España por Sanz del Río.

Obras: *Ensayos críticos sobre Filosofía, Literatura...*—Lugo, 1868—, *Paz y misterio* —poema—, *Los estudios bíblicos*—1868, tomo V de la *Rev. Esp.*—, *El tradicionalismo en España en el siglo XVIII*—1868, tomo I de la *Rev. Esp.*—, *A Isabel II*—oda premiada por la Academia Española.

V. Menéndez Pelayo, M.: *La ciencia española.*—Menéndez Pelayo, M.: *Los heterodoxos españoles.*—Bonilla San Martín, A: *Marcelino Menéndez Pelayo.* Madrid, 1914.

LÁZARO, Ángel.

Poeta, dramaturgo y periodista español de muy acusada personalidad. Nació—1900—en Orense. En esta capital cursó la instrucción primaria. Adolescente aún, emigró a Cuba, ingresando a los dieciocho años, después de varios de lucha desesperada por la vida, en *El Comercio,* de la Habana, donde dio a conocer poesías y artículos que en seguida llamaron la atención. Su primer libro de versos, *El remanso gris,* constituyó una revelación, y le proporcionó colaboraciones en el *Diario Español, Diario de la Marina* y *Social.*

En 1923 regresó a España. Redactor de *La Libertad,* colaborador de *La Esfera, Nuevo Mundo, Blanco y Negro* y otros periódicos y revistas de Madrid.

En la Habana había estrenado, con éxito, *Con el alma.* En Madrid—1930—se consagró con su poema dramático *Proa al sol.* De 1937 a 1943 ha sido redactor de *Pueblo y Carteles* en la Habana. Crítico teatral de *Excelsior* (México). Colaborador de *El Nacional* y de *Revista de Revistas* (México).

Angel Lázaro es un lírico de versificación clara, sonora y limpia, rico y feliz de imágenes, con un acusado fondo de melancolía celta y una inspiración patética y casi siempre dramática. Su teatro es fuerte, hondo, realista, sugestivo, con un sabor y un matiz norteños que impresionan.

Ha traducido admirablemente, en verso castellano, *Las flores del mal,* de Baudelaire.

Otras obras: *Benavente*—biografía, 1925—, *Confesión*—poesías, 1927—, *El molino ya no muele*—poesías, 1932—, *La hoguera del diablo*—poema dramático, 1932—, *La hija del tabernero*—comedia popular, en verso, 1932—, *Romances de Cuba y otros poemas*—1937—, *La verdad del pueblo español*—1939—, *Antología poética*—1940—, *Sangre de España*—1941—, *Retratos familiares*—1945—, *Semblanzas y ensayos*—1963—, *Rosalía de Castro*—1966.

LÁZARO ROS, Amando.

Nació en Ciraqui (Navarra) el 6 de febrero de 1886. Murió—1962—en Madrid. Sus principales actividades literarias fueron el periodismo, la versión al castellano de obras inglesas y francesas y el teatro.

Como periodista, trabajó en importantes periódicos de Madrid y San Sebastián. Fue vicepresidente de la Agrupación Profesional de Periodistas de Madrid.

Las obras inglesas y francesas vertidas por él al castellano son numerosísimas, destacando su participación en las versiones de las *Obras completas* de Dickens y de las *Obras completas* de Guy de Maupassant, de la Editorial Aguilar; *Novelas completas* de Mark Twain y otras de Goldsmith, Jane Austen; *Las flores del mal,* de Baudelaire—en verso castellano—, y otras muchas.

El año 1916 estrenó en el teatro Apolo, de Buenos Aires, compañía Lola Membrives-Casaux, una comedia titulada *Río revuelto.*

Lleva publicadas tres novelas: *Guerrilleros* y *El dormilón*—Colección Elefante—, *Dios es corazón*—en "Novelistas de Hoy", 1952.

Es autor de un interesantísimo ensayo acerca de *Unamuno, filósofo existencialista,* Madrid, Aguilar, 1952.

LEANDRO DE SEVILLA, San.

Ascético y prelado español. Vástago de una ilustre familia hispanorromana de Cartagena. Hermano de San Isidoro, de San Fulgencio y de Santa Florentina. Murió hacia el año 600. Fue monje; y metropolitano de Sevilla desde el año 584. Influyó en la conversión de San Hermenegildo, por cuyo motivo fue desterrado por el padre de este, Leovigildo. Entre 580 y 582 estuvo en Constantinopla, donde trabó amistad con San Gregorio Magno, impulsándole a escribir su obra *Morales,* que tanta aceptación tuvo en España. Su misión providencial fue la conversión de Recaredo y de su pueblo, solemnemente ratificada en el tercer Concilio de Toledo—589—. Todo ello "fue obra de la fe e industria" de San Leandro, según afirmó San Isidoro.

Los contemporáneos elogiaron la elocuencia y la sabiduría de San Leandro.

De sus obras, únicamente ha llegado a nosotros—verdadera joya de la literatura ascética—su libro *De institutione virginum et de contemptu mundi,* dedicado a su hermana Santa Florentina, y escrito en un estilo lleno de sencillez y encanto. Se han perdido su epistolario y sus escritos polémicos antiarrianos.

Ediciones: Migne, *Patrol. Lat.,* tomo 72; A. C. Vega, *De institutione virginum,* con diez capítulos desconocidos. El Escorial, 1948.

V. Villada, Zacarías García: *Historia de la Iglesia.* Tomo II.—Görres, F.: *Leander, Bischof von Sevilla und Metropolit der Kirchenprovinz,* en *Zeitschrift für wissenschaftliche Theologie.* Tomo 29, 1886.—Menéndez Pidal, R.: *Historia de España* (dirigida por...). Tomo III: *España visigótica.* Madrid, Espasa-Calpe, 1940.—Madoz, José: *Escritores de la época visigótica,* en el tomo I de la *Historia general de las Literaturas Hispánicas.* Barcelona, 1949.

LEBRÓN SAVIÑÓN, Mariano.

De la República Dominicana. Poeta y médico. Nació en Santo Domingo de Guzmán el 3 de agosto de 1922. Neorromántico de la más fina sensibilidad.

Ha publicado *Sonámbulo sin suelo* —1944—. Fue de los fundadores de *La Poesía sorprendida.*

LEDESMA BUITRAGO, Alonso de.

Original poeta español. Nació—1562—y murió—1632—en Segovia. En esta ciudad hizo sus primeros estudios. Cursó Lógica en Alcalá de Henares. Contrajo nupcias con doña Magdalena del Espinar. Vivió siempre en tan estrecha medianía, que hasta los cuarenta años de edad no pudo costearse la primera impresión de sus poesías. Dos modernos críticos, Bonilla San Martín y Schevill, afirman—en su edición a las *Poesías* de Cervantes, Madrid, 1922—que el sacerdote y poeta conquense Miguel Toledano, autor de una *Minerva sacra*—Madrid, 1916—, "disputa a Alonso de Ledesma la palma de representante del conceptismo".

Entre los poemas de Ledesma merecen ser citados: las tres partes de *Conceptos espirituales*—1600-1610—, los *Juegos de Nochebuena, con mil enigmas*—1611, destinados a entretener piadosamente durante las Navidades—; el *Romancero y monstruo imaginado* —1615—y *Epigramas y hieroglíficos*—1625—, Las dos primeras obras constan de poesías religiosas y traducen en gran parte verdades del catolicismo en cuadros poéticos, concebidos en una modalidad conceptuosa, en la que, sin embargo, se equilibran el sentido y el ritmo. El *Romancero* es un conjunto de humor absurdo de antruejo, un collar de bufonadas; en él, el juego poético linda con el frenesí y las ideas se engarzan en un conceptismo falseado. Muy alabado de sus contemporáneos fue Alonso de Ledesma, artífice de la antítesis. Gracián le dio el sobrenombre de divino. Cervantes, en su *Viaje del Parnaso,* le vio componiendo una canción *angélica y divina.* Lope se volvió conceptuoso para enderezarle en el *Laurel de Apolo* una sextina rebrillante de juegos de palabras.

Un investigador moderno, Francisco Vindel, ha intentado probar—con no escasas ni débiles razones—que fue Ledesma el autor que, bajo el seudónimo de Avellaneda, escribió el *Quijote* apócrifo.

Algunas poesías de Ledesma—las más sobresalientes—pueden encontrarse en el tomo XXXV de la "Biblioteca de Autores Españoles", de Rivadeneyra.

V. Pérez Pastor, C.: *Bibliografía madrileña,* II, 203-40.—Merimée, Ernest: *La vie et les oeuvres de Quevedo.* París, 1882. 332. Thomas, Lucien-Paul: *Le lyrisme et la preciosité cultistes en Espagne.* Halle. París, 1909.—Vindel, Francisco: *Alonso de Ledesma, autor del falso "Quijote".* Madrid, 1941.

LEDESMA CRIADO, José.

Poeta y prosista. Nació—1926—en Salamanca. Doctor en Derecho por la Universidad de Salamanca. Ejerce la profesión de abogado en los Colegios de Salamanca y Valladolid. Colabora en las principales revistas hispanoamericanas de poesía. Fundador de la revista poética *Alamo* y director de la colección de Libros de Poesía "Alamo". Ha obtenido el "Premio Nacional de Poesía Alamar"

los años 1960 y 1961, el "Premio Patria de Guipúzcoa" 1966 y el "Premio de Poesía Flor de Almendro" 1966. Organizador, en Salamanca, de los homenajes a don Antonio Machado, don Miguel de Unamuno y don Leopoldo Panero. Director del Gabinete del "Premio Internacional de Poesía Alamo", creado por su iniciativa.

Cultiva una poesía entrañada en la línea poética tradicional, pero sometida con singular maestría a formas de absoluta contemporaneidad. Poesía con más sensibilidad y arte—ello indica su espontaneidad—que intelectualismo.

Obras: *Temblor de mis días*—Salamanca, 1964—, *Poemas de Salamanca*—Salamanca, 1966—, *Los niños y la tarde*—Salamanca, 1967—, *Biografía de urgencia*—Col. Alamo, Salamanca, 1968—, *Diálogo con España*—Colección El Toro de Granito, Avila, 1969—, *Libro de canciones*—edit. Peñíscola, Barcelona, 1970—, *Cronista de la muerte*—Madrid, Col. Adonais, 1971.

LEDESMA MIRANDA, Ramón.

Novelista, ensayista y crítico literario español. Nació en Madrid el 11 de octubre de 1901. Y murió en su ciudad natal el 30 de junio de 1963. Hizo sus primeros estudios en Chamartín de la Rosa, de donde pasó a la Universidad, cursando Derecho y Filosofía y Letras. Ha colaborado en múltiples periódicos y revistas de España y varios de América, aunque sin carácter asiduo y profesional, hasta la guerra civil, que obligó a este autor a emprender, por necesidad, diversas actividades. Durante varios años viajó por casi toda Europa.

Hasta la aparición de su primera novela grande, *Antes del mediodía*—Renacimiento, 1930—, Ledesma Miranda busca su camino en la poesía, en la filosofía, en la narración y el ensayo, y a su primera época pertenecen los siguientes libros:

La faz iluminada—poesías, 1921—, *El viajero sin sol*—viajes y ensayos, 1924—, *Almanaque de auroras*—prosas líricas, 1925—, *Motivos de viajero imaginario*—bocetos novelescos, viajes y ensayos, 1926—, *El nuevo prefacio*—dos volúmenes, crítica y polémica, ediciones del autor, 1927—, *Treinta poemas de transición*—poesías, 1927.

A partir de 1930, Ledesma Miranda se orienta especialmente hacia la novela. Sus libros son: *Antes del mediodía*—1930—, *Agonía y tres novelas más*—1931—, *Laura Estébanez*—1933—, *Saturno y sus hijos* —1934—, *Viejos personajes*—1936—, *Almudena*—nueva versión de "Viejos personajes", 1944—. En 1951 obtuvo el "Premio Nacional Miguel de Cervantes" con su obra *La*

L

casa de la Fama. Otra obra: *Gibraltar. La Roca de Calpe*—Madrid, 1957.

Ledesma, como novelista, es un discípulo de Galdós. Acierta cuando imita a Galdós, pero carece de la poesía íntima, de la inmensa ternura humana de este genial maestro. No obstante, es uno de los mejores novelistas de su generación. Su estilo y su castellano son admirables, de una serenidad casi platónica.

V. *Enciclopedia Espasa,* apéndice sexto; *Historias literarias de* ANGEL LACALLE.—TAMAYO, VALBUENA, ARCO, Juan del: *Novelistas españoles contemporáneos.*—SAINZ DE ROBLES, F. C.: *Cuentistas españoles del siglo XX.*—ROMO, Josefina: *Cuentistas españoles de hoy.*—GONZÁLEZ-RUANO, C.: *Poetas españoles contemporáneos.*—ENTRAMBASAGUAS, Joaquín: *Las mejores novelas contemporáneas* (1935-1939). Barcelona, Planeta, 1958. Tomo IX. Págs. 507-39. (Contiene biobibliografía exhaustiva.)—NORA, Eugenio G. de: *La novela española contemporánea.* Madrid, Gredos, 1962. Tomo II. Págs. 296-314.

LEGUIZAMÓN, Martiniano.

Argentino. 1858-1935. Periodista, profesor, crítico, autor teatral, historiador, de cualidades excepcionales, ya que en todos los géneros por él cultivados dejó una profunda huella, orientada y definida hacia el amor y la exaltación de su patria.

Obras: *Alma nativa*—1906—, *De cepa criolla*—1908—, *La cinta colorada*—1916—, *Montaraz*—1900—, *Calandria.*

V. PANIZZA, Delio: *Martiniano Leguizamón.* Montiel (República Argentina). 1938.— GRIFONE, Julia: *Martiniano Leguizamón y su égloga "Calandria".* Instituto de Literatura Argentina, 1940.—BIBLIOGRAFÍA *de Martiniano Leguizamón,* en *Boletín del Instituto de Investigaciones.* Buenos Aires, año XX, tomo XXVI.

LEIVA, Raúl.

Literato guatemalteco. Nació—1916—en la ciudad de Guatemala. Estudió en el Instituto Central y en la Academia Nacional de Lenguas. Editor y director de *Acento.* En 1941 alcanzó el "Gran Premio de Poesía".

Su lirismo ardiente y audaz ha impuesto en su patria los más radicales y removedores acentos poéticos.

Obras: *Angustia*—poemas, 1942—, *En el pecado*—poemas, 1943—, *Sonetos de amor y muerte*—1944...

LEIVA Y RAMÍREZ DE ARELLANO, Francisco (v. Leyva y Ramírez de Arellano, Francisco).

LEÓN, Joaquín.

Nació—1921—en Sevilla, donde cursó el Bachillerato. La guerra civil le aleja de la Universidad para llevarle a actividades técnicas en la industria de la construcción y, simultáneamente, a la Escuela de Peritos Industriales, donde se titula en 1942, permaneciendo hasta el presente en esta profesión, en la dirección de una sociedad de construcciones.

España—de punta a punta—, Marruecos, Suiza, Italia, Francia y los Estados Unidos jalonan los itinerarios de sus inquietudes viajeras.

Con Vicente Ramos y Manuel Molina funda en Alicante la revista oral *Mensajes literarios* y la revista *Bernia.*

Colabora con Rafael Millán en la dirección de la primera época de la revista *Agora.*

Se integra posteriormente en el grupo fundacional de *Palabra y Tiempo,* dirigido por Luis López Anglada, y en el que es elegido miembro del Consejo Asesor.

Sus libros de poesía: *Después de la lluvia*—colección *Ifach,* de Alicante, año 1951—, *Contra tiempo*—ediciones *Agora,* año 1959—, *Confesión general*—colección *Palabra y Tiempo,* en prensa.

LEÓN, Fray Luis de.

Glorioso poeta, prosista, ascético y erudito español. Con Garcilaso, Lope de Vega y Góngora forma el cuarteto de los más extraordinarios poetas que ha tenido España. 1527-1591. Nació en Belmonte (Cuenca) y fue hijo de Lope de León—abogado y consejero áulico—y de Inés Varela. Desde muy niño vivió en Madrid, donde su padre desempeñaba cargos oficiales muy importantes. A los catorce años marchó a estudiar a Salamanca, ingresando al poco tiempo en el convento de San Agustín, donde profesó el 29 de enero de 1549. Estudió Filosofía con fray Juan de Guevara, y Teología con Melchor Cano. La exégesis bíblica la cursó en Alcalá bajo la dirección del célebre orientalista Cipriano de la Huerga. El título de bachiller lo obtuvo en Toledo—1552—, y el de doctor y maestro de Teología, en Salamanca—1560—. Treinta y dos años tenía cuando ganó por oposición la cátedra de Biblia, y en seguida la de Santo Tomás. Graves discordias entre Ordenes religiosas, agravadas por el celo inquisitorial, que veía un peligro reformista en la traducción al romance de las Sagradas Escrituras, llevó a fray Luis a la cárcel el 27 de marzo de 1572, de la que no salió hasta el 7 de diciembre de 1576 con un fallo completamente absolutorio. Ocupó, entre agasajos extraordinarios, la cátedra de Teología eclesiástica, y parece comprobado que reanudó sus explicaciones con la famosa frase:

"Decíamos ayer..." De la época en que estuvo preso es aquella famosa décima que empieza:

Aquí la envidia y mentira
me tuvieron encerrado...

En 1578 ganó la cátedra de Filosofía moral, y en 1579, nuevamente, la de Biblia, que desempeñó hasta su muerte. Falleció, siendo provincial de la Orden, en Madrigal, el 14 de agosto de 1591. Sus restos fueron trasladados al convento de Salamanca y después a la capilla de la Universidad.

Francisco Pacheco, en su *Libro de verdaderos retratos,* hace una muy sugestiva semblanza del gran poeta. "En lo natural fue pequeño de cuerpo, en debida proporción; la cabeza, grande, bien formada, poblada de cabello algo crespo; el cerquillo, cerrado; la frente, espaciosa; el rostro, más redondo que aguileño; trigueño el color; los ojos, verdes y vivos. En lo moral, el hombre más callado que se ha conocido, si bien de singular agudeza en sus dichos, con extremo abstinente y templado en la comida, bebida y sueño; de mucho secreto, verdad y fidelidad; puntual en palabras y promesas, compuesto, poco o nada risueño."

Fray Luis de León escribió algunas obras en latín, tradujo al castellano el *Cantar de los Cantares,* el *Libro de Job,* algunos *Salmos* y algunos *Proverbios, Eglogas y Geórgicas* de Virgilio, composiciones de Horacio y de Tibulo, de Petrarca, de Bembo y de Giovanni de la Casa. Originales suyos son *Los nombres de Cristo* y *La perfecta casada.* Pero siendo inmenso el valor de todas estas obras, pues que supo dar a las traducciones como una maravillosa fórmula de recreación, su valor máximo, aquel en que nadie le ha excedido y poquísimos le han igualado, es el de poeta lírico. Fray Luis de León, como Fernando de Herrera, es un lírico en el sentido del último Renacimiento español; enlaza las formas innovadas por Boscán y Garcilaso con las ideas y los temas y las imágenes de la más profunda cultura humanista, y la obra así lograda la purifica y aquilata en el fuego y crisol de su talento y de su sentimiento. Pero Luis de León, al contrario de Herrera, fue antes sabio que poeta. Quiere decir esto que *no se abandonó* intelectualmente, como el sevillano, para dar rienda suelta a sus sentimientos poéticos.

Si para Herrera su poesía fue toda su vida, para fray Luis la suya no fue sino la parte menos preciada de su existencia: la distracción y el descanso, el consuelo del dolor, el recogimiento en sí mismo. En compensación, si la lírica de Herrera fluye apasionada a trances, como desbordada, pero sin continuidad, en momentos de su vida, la lírica de fray Luis es como un venero inagotable, manso y sonoroso, que no deja de correr ni un instante por toda su existencia. Cuando Herrera se desmaya bajo el peso de un amor platónico, pero amor de este mundo, fray Luis nos conmueve arrebatándonos a la mística añoranza de Dios y del más allá. Y si en Herrera—¡extraña paradoja!—, para exaltarse en un inmenso amor humano, encuentra un lenguaje que se eleva sobre todo lo que es terreno y humano, fray Luis, para expresar el alto vuelo de sus pensamientos sobrenaturales..., encuentra nada más la sencillez y humana naturalidad de la frase.

¿Cuáles son las cualidades literarias que han merecido para fray Luis de León el título de *príncipe de la lírica castellana?* Realmente, ninguna cualidad en particular, sino *el equilibrio armónico y templanza de todas ellas.* Poseía una inteligencia clarísima para percibir o concebir con precisión y limpidez, profunda para penetrar en la naturaleza y causas de las cosas sin detenerse en la superficie, extensa y variadamente cultivada en el estudio reiterado, y una erudición asombrosa. A inteligencia tan privilegiada se aunaba una imaginación vivísima y rica, nutrida con las imágenes más delicadas y pertinentes de la poesía hebrea, griega y latina, y hábil para destacar en un colorido soberbio los rasgos más bellos y expresivos y ponerlos de relieve con el más vigoroso impulso de expresión plástica. Y a la inteligencia y a la imaginación acompañó una sensibilidad exquisita, ingenua, varonil, flexible y capaz de sentir honda y sinceramente las bellezas y las sublimidades de la Naturaleza y del arte. Y, para que nada faltara a este singular espíritu, tampoco le faltó una voluntad hermosa, enamorada únicamente de lo grande, de lo noble y de lo puro, ardida siempre en un tesón de elevar el arte de la poesía hasta su origen: Dios. Porque fue fray Luis quien definió la poesía como "una comunidad del aliento celestial y divino, inspirada por Dios en los ánimos de los hombres para con el movimiento y espíritu de ella levantarlos al cielo". Como ningún otro poeta, realizó fray Luis la fusión—o compenetración—del fondo y la forma, produciendo un arte sin artificio con las cinco virtudes más decisivas para lo lírico; sencilla elegancia, clara serenidad, puro clasicismo, deleite estético y musicalidad sugeridora.

No han faltado críticos modernos que crean que el carácter de fray Luis no fue *naturalmente* equilibrado; por el contrario, estiman que su alma heroica y su temperamento apasionado llegaron al equilibrio por

L

la disciplina y por el trabajo propios. La suprema, la pasmosa serenidad no le llegó a fray Luis sino después de arduas batallas interiores. Para "Azorín", fray Luis es un impresionista violento. No es un místico que *fuera de sí* se sumerja en lo extático, sino un místico que *dentro de sí* anhela la soledad, el silencio, el reposo para encontrar la clave de sus más obsesionantes pensamientos. Fray Luis jamás renunciará a vivir en el reposo su más intensa actividad espiritual. Y vibra tanto como con su acercamiento a Dios con el recuerdo vehemente de todo cuanto dejó atrás. Sin embargo de esta creencia, muy sugestiva y muy respetable, lo que admira en fray Luis, sobre todos sus valores poéticos, es el soberbio equilibrio entre la intención lírica y la forma expresiva. En la intención no se hallarán redundancias, ni conceptismos, ni exceso de exageración en la forma. Cada estrofa es el estuche, medido al milímetro, de cada pensamiento. Hasta el punto de que la menor oscilación en la idea repercute en el verso. Este equilibrio quizá sea la causa de que no sea considerado como un auténtico místico, en el que el arrebato puede más que la verticalidad perenne, lo mismo que la avalancha de un río que arrastra tronchados árboles milenarios. Este equilibrio... y realmente la consideración de que fray Luis no intenta desasirse de su peana terrestre para tocar el cielo con las manos, rasgarlo y adentrarse en él, sino, bien afirmado en su peana, auparse cuanto humanamente le sea posible para ver mejor el cielo. "¿Quién me dará palabras—exclama, arrebatado, Menéndez Pelayo—para ensalzar ahora, como yo quisiera, a fray Luis de León? Si yo os dijese que fuera de las canciones de San Juan de la Cruz, que no parecen ya de hombre, sino de ángel, no hay lírico castellano que se compare con él, aún me parecería haberos dicho poco. Porque desde el Renacimiento acá, a lo menos entre las gentes latinas, nadie se le ha acercado en sobriedad y pureza; nadie en el arte de las transiciones y de las grandes líneas y en la rapidez lírica; nadie ha volado tan alto ni infundido como él en las formas clásicas el espíritu moderno. El mármol pentélico, labrado por sus manos se transforma en estatua cristiana, y sobre un cúmulo de reminiscencias de griegos, latinos e italianos, de Horacio, de Píndaro, del Petrarca, de Virgilio y del himno de Aristóteles a Hermías, corre juvenil aliento de vida, que lo transfigura y remoza todo."

La fama de fray Luis de León en su época fue ya inmensa. Arias Montano, Herrera, el *Brocense*, Pacheco, Cervantes, Nicolás Antonio, Quevedo, le prodigaron las más encendidas alabanzas. Y Lope de Vega le dedicó estos memorables versos:

> ¡Qué bien conociste
> el amor soberano,
> agustino León, fray Luis divino!
> ¡Oh dulce analogía de agustino!
> Con qué verdad nos diste
> al Rey profeta en verso castellano,
> que con tanta elegancia traduciste.
> ¡Oh, cuánto le debiste
> (como en tus mismas obras encareces)
> a la envidia cruel, por quien mereces
> laureles inmortales!
> Tu verso y prosa iguales
> conservarán la gloria de tu nombre...
> Tú el honor de la lengua castellana,
> que deseaste introducir escrita,
> viendo que a la romana tanto imita,
> que puede competir con la romana.
> Si en esta edad vivieras,
> fuerte león en su defensa fueras.

El mismo poeta dividió sus poesías en tres libros. En el primero incluyó sus poesías originales. En el segundo, sus traducciones de poetas profanos. En el tercero, las versiones bíblicas. Estas poesías no fueron publicadas hasta el año 1631, en que las editó Quevedo para poner un dique a la invasión del culteranismo. Pero el gran polígrafo madrileño no utilizó para su edición los excelentes manuscritos que poseía fray Basilio Ponce de León, sino otros muy defectuosos que le proporcionó el canónigo de Sevilla don Manuel Sarmiento de Mendoza. Sucesivamente se fueron reeditando sin cuidado alguno y sin criterio. Es preciso llegar a las ediciones del padre Antolín Merino, de Menéndez Pidal, Onís, Coster y del padre Gregorio de Santiago para gustar en toda su pureza del manantial poético de fray Luis.

Maravilloso resulta el de León en sus traducciones e imitaciones, porque imita y traduce como lo hacen los genios; pero su auténtica personalidad está en sus poesías originales, en las que volcó todas las delicadezas exquisitas de su imponderable alma impar, en las que escribió "sin acordarse para nada de que hubiera habido otros poetas en el mundo, aquellas en que cantó la alegría de la virtud, la serenidad de la humilde vida campestre, las desventuras de la patria, las delicias de la sociedad, la sugestión de la vida interior... *La noche serena, La vida retirada, A Felipe Ruiz, A Salinas, A la Ascensión, La profecía del Tajo*, son poesías en las que el vate alcanza la cumbre de la emoción poética y se la hace paladear al desesperanzado lector de acá abajo.

Pero si en sus obras líricas es fray Luis de León excepcional, no lo es menos en el resto de sus obras.

En *El Cantar de los Cantares* veía fray Luis un poema bucólico, un canto de amor entre Salomón y su esposa. La versión es sencillamente magistral. En ella no se contentó el traductor con darnos a conocer el espíritu del cántico; lo tradujo a la letra, con todos sus elipsis y pleonasmos, con todos sus hebraísmos. La bellezas de la idea y de la forma están igualmente apreciadas; es la versión una verdadera copia. Fray Luis sigue un procedimiento semejante al que había de emplear en el *Libro de Job:* primero traduce literalmente los versículos, y después da, en prosa, una exposición o comentario amplio de la materia de ellos. Esta traducción—la primera obra en prosa de fray Luis—data de 1561 y la escribió exclusivamente para que la leyera Isabel Osorio, monja del convento del Sancti Spiritus, de Salamanca.

La *Exposición del libro de Job* la escribió fray Luis a instancias de la venerable madre Ana de Jesús, amiga de Santa Teresa. Aquí es donde culmina su estilo hasta alcanzar una pureza de expresión jamás superada en idioma castellano. Porque el léxico en fray Luis es un portento de propiedad, casticidad y sencillez, aunados con una elegancia y donosura incomparables. El epíteto tiene en la pluma del genial agustino tal fuerza plástica y descriptiva, que no hay quien se le compare en su uso.

Su obra en prosa más conocida es *La perfecta casada*—Salamanca, 1583—, dedicada a doña María Varela Osorio, y bien pronto traducida y reimpresa docenas de veces en menos de cincuenta años. Hoy pasan de quinientas las ediciones de este breviario inefable de la vida doméstica de la mujer honesta, y graciosa sátira antifeminista respecto de aquellas damas preocupadas de afeites, juegos, amoríos y disipaciones mundanas.

La obra cumbre en prosa de fray Luis es *Los Nombres de Cristo*—1583—, cuya primera parte se compuso en la prisión, serie de disertaciones sobre el sentido simbólico de los calificativos dados a Cristo en las Sagradas Escrituras. La serenidad, la poesía del pensamiento, es de clara trascendencia platónica. El estilo de *Los Nombres de Cristo* representa la serena mesura, el equilibrio clásico, la sonoridad de las palabras, la eliminación de la retórica externa sustituida por un arte de elegancia clásica a la vez natural, expresivo y cuidado." (V.)

Y añade Menéndez Pelayo: "Puede decirse que la estética está infundida y derramada de un modo latente por las venas de la obra, y no solo en el estilo, que es, a mi entender, de calidad superior al de cualquier otro en castellano, sino en el temple armónico de las ideas."

Para Valbuena, figura fray Luis "entre las cinco o seis cumbres de la lírica en lengua castellana, y es como prosista el autor

más equilibrado, más clásico, más perfecto; poeta y prosista, la representación más armónica del Renacimiento español". "Sus dotes geniales eran grandes—escribe de fray Luis el autor de las *Ideas estéticas*—; su gusto, purísimo; su erudición, variada y extensa. Eranle familiares en su original los sagrados libros; sentía y penetraba bien el espíritu de la poesía, y de la griega y latina poco o nada se ocultó a sus lecturas e imitaciones. Aprendió de los antiguos la pureza y sobriedad de la frase, y aquel incomparable *ne quid nimis,* tan poco frecuente en las literaturas modernas. Nutrió su espíritu con autores místicos, y de ellos tomó la alteza del pensamiento, en él unida a una serenidad, lucidez y suave calor, a la continua dominante en sus versos y en su prosa, no menos artística que ellos, y semejante a la de Platón en muchas cosas. Acudió a todas las fuentes del gusto y adornó a la musa castellana con los más preciados despojos de las divinidades extrañas, y animó luego este fondo de imitaciones con un aliento propio y vigoroso."

Fray Luis de León fue famoso, igualmente, en su tiempo como autor de algunas obras latinas de exégesis y comentarios.

Obras de fray Luis de León:

a) Latinas: *In Cantica Canticorum explanatio*—Salamanca, 1580—, *In Psalmum vigesimum sextum explanatio*—Salamanca, 1580 a 1582—, *De utriusque Agni typici atque inmolationis legitimo tempore*—Salamanca, 1590—; diversos comentarios a pasajes del *Eclesiastés, Cántico de Moisés, Abdías,* la *Epístola de San Pablo a los Gálatas* y otros varios libros bíblicos: y varios tratados teológicos: *De Fide, De Spe, De Charitate, De Creatione rerum, De Incarnatione...,* y la oración fúnebre del maestro Domingo de Soto.

Gracias al padre Cámara, agustino y obispo de Salamanca, todas las obras latinas de fray Luis han sido impresas—Salamanca, 1891 a 1895—en siete volúmenes en cuarto mayor.

b) Castellanas en prosa: *De los Nombres de Cristo* son buenas ediciones las salmantinas de 1583, 1585, 1586, 1587, 1603, 1605; las barcelonesas de 1587, 1842 y 1885; la valenciana de 1770; la francesa, París, de 1862.

De *La perfecta casada,* las salmantinas de 1583, 1586, 1587, 1595 y 1603; las valencianas de 1765 y 1773; las madrileñas de 1622, 1776, 1786, 1799.

Del *Cantar de los Cantares,* la salmantina de 1798 y la madrileña—1944, 1945—de la Editorial Aguilar.

De la exposición del salmo *Miserere mei,* la salmantina de 1607, las madrileñas de 1618 y 1728 y la valenciana de 1761.

L

De la *Exposición del Libro de Job,* la madrileña de 1779.

Naturalmente, son incontables las ediciones modernas, modernísimas y siempre actuales de las obras en prosa de fray Luis. Siendo también notables las de la "Biblioteca de Autores Españoles" y "Clásicos Castellanos".

c) Poesías. Ediciones principales: Madrid, 1637, realizada por Quevedo, para oponerla como dique del culteranismo; Valencia, 1761, realizada por Mayáns y Císcar; Madrid, 1816, realizadas por el P. Merino, de la Orden de San Agustín—y una de las más perfectas—; Madrid, 1928, realizada por la Real Academia Española; Cuenca, 1931, en la "Biblioteca Diocesana Conquense", realizada por el padre José Llobera, S. J.; Madrid, 1945. Editorial Aguilar, realizada por el P. Félix García, agustino; Madrid, 1945, en la "Biblioteca de Autores Católicos".

Las obras de fray Luis, "en conjunto", deben leerse en los tomos XXXV, XXXVII, LIII, LXI y LXII de la "Biblioteca de Autores Españoles", de Rivadeneyra, y en las ediciones, ya mencionadas, del P. Merino —reimpresa por el P. Muiños en 1885— y de la "Biblioteca de Autores Católicos".

V. COSTER, A.: *Fray Luis de León,* en *Revue Hispanique,* 1921.—BELL, Aubrey F. F.: *Luis de León. Un estudio sobre el Renacimiento español.* Barcelona, Araluce, ¿1922?—BLANCO GARCÍA, P. Francisco: *Fray Luis de León. Estudio biográfico.* Madrid, 1904.—ALONSO GETINO, P. G.: *Vida y procesos del maestro fray Luis de León.* Salamanca, 1907.—WILKENS, C. A.: *Fray Luis de León. Eine Biographie aus der Geschichte des spanischen Inquisition...* Halle, 1866.— ONÍS, Federico de: *Estudio preliminar* a la edición de "Clásicos Castellanos". Tomo XXVIII. Madrid.—GUTIÉRREZ, M.: *Fray Luis de León y la filosofía española del siglo XVI.* Madrid, 1904.—MUIÑOS SÁENZ, P. Conrado: *Fray Luis de León y fray Diego de Zúñiga.* El Escorial, 1914.—COSTER, A.: *Notes pour une édition des poésies de Luis de León,* en *Revue Hispanique,* XLVI.—LLOBERA, P. J.: *Estudio y notas* a las *Obras poéticas* de fray Luis de León. Cuenca, 1931.—MENÉNDEZ PELAYO, M.: *Notas* a las poesías de fray Luis de León. Edit. Academia Española.—LAFORESTIER, A.: *Poésies attribuées a fray Luis de León,* en *Revue Hispanique,* 1919.—ONÍS, Federico de: *Sobre la transmisión de la obra poética de fray Luis de León,* en *Rev. Filol. Esp.,* 1915.—MUIÑOS, Conrado: *Influencia de los agustinos en la poesía castellana,* en "Ciudad de Dios", XVII y XVIII.— GONZÁLEZ PALENCIA, A.: *Fray Luis de León en la poesía castellana,* en *Miscelánea Conquense.* Cuenca, 1929—UNAMUNO, Miguel de: *De mística y humanismo,* en *Ensayos.*—

VELA, Santiago: *"El Libro de los Cantares" comentado por fray Luis de León,* en *Archivo Histórico Hispanoamericano,* XII.— VELA, Santiago: *El Libro de Job comentado por fray Luis de León,* en *Archivo Histórico Hispanoamericano,* XII.—ONÍS Federico de: *Estudio y notas* a la edición de "Los Nombres de Cristo". "Clásicos Castellanos". CABEZÓN, M. G.: *"Los Nombres de Cristo" de Orozco y de fray Luis de León,* en "Ciudad de Dios", tomos 90, 91, 95.—MALDONADO. F.: *Fray Luis de León y su explanación del Salmo XXXVI,* en *Cruz y Raya.* Madrid, núm. 18.—ALONSO, Dámaso: *Fray Luis de León y la poesía renacentista,* en *Revista Universitaria.* La Habana, 1937. Noviembre.—ALONSO CORTÉS, N.: *Fray Luis de León en Valladolid,* en *Miscelánea Vallisoletana.* 5.ª serie.—ZARCO, P. Julián: *Bibliografía de fray Luis de León.* Málaga, 1929.— FITZMAURICE-KELLY, J.: *Biografía de fray Luis de León.* Londres, 1921.—LORENZO, Pedro de: *Fray Luis de León,* Madrid, 1964.

LEÓN, María Teresa.

Poeta, ensayista, novelista española. Nació en 1905. Universitaria. Contrajo matrimonio con el poeta Rafael Alberti. De ideas comunistas. Durante la guerra de Liberación (1936-1939) dirigió el "Teatro de Arte y Propaganda de Madrid". Vicepresidente del Consejo Nacional del Teatro. Ha vivido en la Argentina, en Francia, en Rusia. De mucha cultura y fina sensibilidad que, paradójicamente, convive con una ideología oscura y dura.

Obras: *Juego limpio*—novela, Buenos Aires, 1959—, *Cuentos para soñar, Gustavo Adolfo Bécquer, Rosa-fría, Cuentos de la España actual, Morirás lejos..., Las peregrinaciones de Teresa, Rodrigo Díaz de Vivar, Patinadora de la Luna, Contra viento y marea, Sonríe China, Nuestro hogar de cada día.*

V. MARRA-LÓPEZ, José R.: *Narrativa española fuera de España (1939-1961).* Madrid, edit. Gredos, 1963, págs. 495-96.

LEÓN, Rafael de.

Poeta y autor dramático español. Nació —1910— en Sevilla de la familia de los condes de Gomara, marqueses de Moscoso. Estudió en el colegio del Puerto de Santa María y en el del Palo (Málaga). Cursó la carrera de Derecho en la Universidad sevillana y en el Sacro Monte, de Granada. Tiene el título de marqués del Valle de la Reina. Dedicóse después a la poesía y al teatro, con libros como *Pena y alegría de amor* —Madrid, 1941—y *Jardín de papel*—Barcelona, 1943—, y estrenando con éxito sus obras *Cancela, María de la O, La casa de papel, Pepa Oro* y *Rumbo.*

En América tiene publicado un libro de versos titulado *Amor de cuando en cuando.*

Rafael de León es como el *maestro magnífico* de la nueva manifestación escénica folklorista, con más de 5.000 canciones, que alcanzaron la máxima popularidad y que le han hecho famoso en el mundo de habla castellana.

Rafael de León es un poeta hondo, delicado y colorista en alto grado; las calidades más finas y peculiares de la *escuela sevillana* se dan en su poesía con asombrosa sugestión. En pocos poetas la imagen es tan viva y cálida, la metáfora tan sorprendente, el sentimiento tan fecundo como en Rafael de León. Quien, naturalmente, tiene ya innumerables discípulos e imitadores, que no pueden alcanzar su gracia pura inimitable.

LEÓN-FELIPE (v. Camino, León-Felipe).

LEÓN Y MANSILLA, José.

Poeta español. Nació a fines del siglo XVII. Murió después de 1730. Cordobés, maestro en su ciudad natal, en la que ganó—1728—un tercer premio con un soneto de pie forzado y dos veces acróstico para evocar la canonización de San Luis y San Estanislao; fue un discípulo apasionado de Góngora y un mal imitador de las *Soledades* de este con su *Soledad tercera*—1718—, obra recordable, más que por su escasísimo valor, por la afirmación que representa del barroquismo cuando ya hervía la tendencia neoclásica.

V. CEJADOR Y FRAUCA, J.: *Historia de la lengua y literatura españolas.* Tomo VI.

LEÓN MARCHANTE, Manuel de.

Poeta y comediógrafo español, popular en su época. Nació—1631—en Pastrana (Guadalajara). Murió—1680—en Alcalá de Henares. Hijo de padres muy calificados. Maestro en Artes—1653—por Alcalá de Henares. Sacerdote. Capellán de su majestad y del Colegio Mayor de Caballeros manriques de Alcalá —1657—. Notario y comisario del Santo Oficio. Racionero de la iglesia de Santos Justo y Pastor, en la misma ciudad alcalaína. Escribió a centenares los entremeses y los versos humorísticos, las coplas de ciego, los villancicos, glosas, jácaras, chambergas y seguidillas. Era un impenitente zumbón, gran maestro del cuento y del retruécano, de festivo y agudísimo ingenio, acaso con demasiada pimienta entre sus sales. Gozó de una popularidad grotesca. Le encargaban "coplas de ocasión" ciegos, danzantes, valientes de mesón, trajinantes y demás gente de briba y estruendo. "Dulce estudio de los barberos", se dijo de él.

Aun cuando se afirma que quemó sus papeles poco antes de morir, dejó muchas poesías impresas o manuscritas, recogidas años después por "un aficionado", que las publicó en dos volúmenes.

Indiscutiblemente, León Marchante tuvo gracia, socarronería de buena ley y disposiciones literarias. Sus comedias no pasan de medianas. Pero sus entremeses son ágiles, reales, ingeniosos.

Obras: *Obras poéticas posthumas... sagradas, humanas y cómicas.* Tres tomos. Madrid, 1722, 1723; el tomo 3.º es muy raro —en la Biblioteca Nacional de Madrid—y llega solo a la página 184. Nueva edición: Madrid, 1738, en dos tomos, comprendiendo el primero las poesías líricas y dramáticas, y el segundo, las religiosas. *La Virgen de Salceda*—comedia—, *Las dos estrellas de Francia*—comedia—, *No hay amar como fingir*—comedia—, *Los dos mejores hermanos, Santos Justo y Pastor*—comedia—, Y los entremeses: *Las barbas de balde, El gato y la montera, Los alcaldes, Los pajes golosos, La estafeta, Las tres manías, Pericón, El abad de Campillo, El día de compadres, El refugio de los poetas, Las pullas equivocadas, Gargolla, Los dos regidores.*

Algunas obras de León Marchante ha publicado Foulché-Delbosc en *Revue Hispanique,* 1916. *Los Entremeses,* Cotarelo, en "Nueva Biblioteca de Autores Españoles".

V. FOULCHÉ-DELBOSC: *La picaresca.* 1916. COTARELO MORI, E.: Prólogo a la edición de *Entremeses.*—CATALINA GARCÍA, J.: *Escritores de Guadalajara.* Madrid, 1899, páginas 240-50.

LEÓN Y ROMÁN, Ricardo.

Excelente poeta, ensayista y novelista español. Nació—1877—en Málaga. Murió —1943—en Torrelodones (Madrid). Sus primeros versos los publicó—1893—en *La Unión Mercantil,* de Málaga. Se preparó para la carrera militar. Pero hubo de abandonar sus deseos por motivos de salud. Ingresó—1901—en el Banco de España. Vivió algún tiempo en Santander. En 1910 fue trasladado a Madrid. Académico de la Real Española de la Lengua desde 1912. Algún tiempo se dedicó a la política, engrosando el partido de don Antonio Maura y formando en la candidatura a diputados por Madrid en 1914.

Las obras de Ricardo León, pese a su estilo difícil para la versión, han sido traducidas a varias idiomas. Sus ediciones se han multiplicado en pocos años. Y es uno de los novelistas más mimados por el gran público, pero al que combaten las minorías selectas.

Ardientemente español, de rico lenguaje arcaico—un tanto artificioso—, altisonante y muy colorista, Ricardo León ha cultivado

L

la tradición española, en verso y en prosa. Su inventiva no es grande, pero sabe narrar con cierta exquisitez, que quiere ser un reflejo de nuestros clásicos. El indudable amaneramiento lo compensa con cierto desenfado de tono caballeresco. Su prosa resulta de pura cepa castellana con matices modernos entreverados que le dan originalidad indiscutible.

Obras: *Lira de bronce*—poesías, Málaga, 1901—, *Casta de hidalgos*—novela, 1908—, *Alcalá de los Zegríes*—novela, 1908—, *Comedia sentimental*—novela, 1908—, *El amor de los amores*—novela, 1911, premiada por la Real Academia de la Lengua—, *Los centauros*—novela, 1912—, *Alivio de caminantes*—poesías, 1912—, *Escuela de los sofistas*—ensayos, 1910—, *Los caballeros de la cruz*—ensayos, 1916—, *Humos de rey*—novela, 1918—, *Amor de caridad*—novela—, *La voz de la sangre*—ensayos, 1918—, *Europa trágica*—crónicas, 1917—, *Varón de deseos*—novela, 1931—, *El hombre nuevo*—novela—, *Las siete vidas de Tomás Portolés*—novela, 1931—, *Jauja*—novela—, *Rojo y gualda*—novela—, *Bajo el yugo de los bárbaros*—novela—, *Cristo en los infiernos*—novela—, *La capa del estudiante*—cuentos y crónicas—, *Cuentos de antaño y hogaño*...

Hay dos magníficas ediciones de las obras de Ricardo León: la costeada por el Banco de España—Madrid, ocho tomos, 1918—y la de sus *Obras completas*, dos tomos, Biblioteca Nueva, 1944 y 1945.

V. CASARES, Julio: *Crítica profana*. Madrid, 1916.—MAURA, Antonio: *Discurso en contestación al de ingreso de Ricardo León en la Academia de la Lengua*. 1915.—JULIÁ MARTÍNEZ, Eduardo: *Nuevos datos sobre don Ricardo León*, en *Cuadernos de Literatura Contemporánea*, núms. 13-14. Madrid, 1944. JULIÁ MARTÍNEZ, Eduardo: *Biografía de Ricardo León*, en *Cuad. de Lit. Contemp.*, números 11-12. Madrid, 1943.—DIEGO, Gerardo: *La poesía de Ricardo León*, en *Cuad. de Literatura Contemp.*, núms. 11-12. Madrid, 1943.—ROMO ARREGUI, Josefina: *Ricardo León: bibliografía*, en *Cuad. de Lit. Contemporánea*, núms. 11-12. Madrid, 1943.— CANSINOS-ASSÉNS, Rafael: *Poetas y prosistas del novecientos*. Madrid, ¿1919?—TORRE, José María G. de la: *Ricardo León o el genio de la lengua*. Almería, edit. Voluntad, 1939.—ENTRAMBASAGUAS, Joaquín de: *Las mejores novelas contemporáneas* (1910-1914). Barcelona, Planeta, 1959, págs. 253-344 (contiene bibliografía exhaustiva).—NORA, Eugenio G. de: *La novela contemporánea*. Madrid, Gredos, 1958. Tomo I, págs. 309-28.— SAINZ DE ROBLES, F. C.: *La novela española en el siglo XX*. Madrid, Pegaso, 1957.

LEONARDO DE ARGENSOLA, Bartolomé y Lupercio (v. Argensola, Bartolomé y Lupercio).

LERA, Ángel María de.

Novelista y periodista español. Nació —1912—en Baides (Guadalajara). Estudió algún tiempo en el Seminario de Vitoria. Siguió los cursos de Derecho en la Universidad de Granada. Ya en Madrid ha colaborado en revistas y diarios de prestigio. Actualmente escribe guiones de cine, y algunas de sus novelas están siendo traducidas a varios idiomas. Cultiva un realismo crudo con una expresividad que recuerda la de algunos novelistas de la promoción de *El Cuento Semanal*, principalmente Zamacois y López Pinillos. Se acentúa su tendencia hacia los temas rurales o muy populares. "Premio Pérez Galdós, 1965". "Premio Alvarez Quintero" de la Real Academia Española; los dos a su novela *Tierra para morir* —1964—. "Premio Planeta"—1967.

Obras: *Los olvidados*—Madrid, 1957—, *Los clarines del miedo*—Barcelona, 1958—, *La boda*—Barcelona, 1959—, *Bochorno*—Madrid, 1960—, *Trampa*—Madrid, 1962—, *Hemos perdido el Sol*—Madrid, 1963—, *Con la maleta al hombro*—reportajes, 1965—, *Tierra para morir*—novela, 1964—, *Las últimas banderas*—novela, 1968.

V. NORA, Eugenio G. de: *La novela española contemporánea*. Madrid, edit. Gredos. 1962, tomo II bis, págs. 224-25.

LEUMAN, Carlos Alberto.

Poeta, dramaturgo, novelista, crítico y ensayista argentino. Nació—1888—en Santa Fe. Doctor en Filosofía y Letras por la Universidad de Buenos Aires. Con su obra *Adriana Zumarán*—1920—obtuvo el "Premio Municipal de Literatura" otorgado en la capital argentina. En 1910 ingresó como redactor en el famoso diario *La Nación*.

Carlos Alberto Leuman es una de las personalidades literarias argentinas más interesantes, tanto por la diversidad de su producción como por la mentalidad sutil y la gracia sensible y el señorío formal que ha sabido llevar a todas sus obras. Ha publicado un enjundioso y exhaustivo estudio sobre el *Martín Fierro*, de José Hernández, estudiando y cotejando los manuscritos, hasta señalar las fuentes en que el poeta se inspira, cómo corrige y cómo transforma sus décimas, hasta dejarlas tal como las conocemos hoy nosotros; es Leuman el exegeta por antonomasia del máximo poema argentino. En el teatro obtuvo un buen éxito con *El novicio*—1918—. Pero Leuman es, ante todo, un espíritu de inquietud, de constante pregunta ante lo desconocido, de búsqueda serena y porfiada en cuanto excita su curiosidad. Y en el conjunto de su producción se patentizan el buen gusto casi refinado, la ponderada crítica, la finísima observación.

Otras obras: *El libro de la duda y de los cantos*—poesías, 1909—, *El lirio del valle*—poema—, *La vida victoriosa*—novela, 1922—, *El empresario de genio*—novela, 1926—, *La Iglesia y el hombre*—ensayo—, 1927—, *Trasmundo*—novela, 1930—, *El país de los relámpagos*—novela, 1932—, *Los gauchos de a pie*—novela, 1940...

V. MORALES Y QUIROGA: *Antología contemporánea de poetas argentinos*. Buenos Aires, 1917.—SUÁREZ CALIMANO, Emilio: *Directrices de la novela y el cuento argentinos*. Buenos Aires, 1933.—GIMÉNEZ PASTOR, Arturo: *Historia de la literatura argentina*. Buenos Aires, edit. Labor, dos tomos.—MATTEIS, Emilio de: *Panorama della letteratura argentina contemporánea*. Génova, 1929.—PINTO, Juan: *Panorama de la literatura argentina contemporánea*. Buenos Aires, 1941.

LEVENE, Ricardo.

Erudito e historiador argentino de universal prestigio, nacido en 1885 y muerto en 1959. Presidente de la Academia Nacional de la Historia. Director honorario y fundador del Archivo Histórico de la provincia de Buenos Aires. Director del Instituto de Historia del Derecho y profesor titular de la Facultad de Derecho y Ciencias Sociales de Buenos Aires. Doctor "honoris causa" de las Universidades de Río de Janeiro, Santiago de Chile y San Marcos de Lima. Miembro de honor del Instituto Histórico y Geográfico del Brasil, del Instituto Histórico y Geográfico del Uruguay, de la Academia Nacional de Chile y del Instituto Histórico y Geográfico Panamericano. Miembro correspondiente de la Real Academia de la Historia de Madrid, de los Institutos Históricos del Paraguay, Perú, Ecuador, Colombia, Cuba, etc.

Obras: *Los orígenes de la democracia argentina*—1921—, *Introducción a la Historia del Derecho indiano*—1924—, *Lecciones de historia argentina*—obra de éxito sin precedentes en la historia del libro docente argentino—, *Historia económica del virreinato*—1927—, *La anarquía de 1820 en Buenos Aires*—1932—, *Fuerza transformadora de la Universidad argentina*—1936—, *Política cultural argentina y americana*—1937—, *Significación histórica de Mariano Moreno*—1937—, *Síntesis de la historia de la civilización argentina*—1938—, *La fundación de la Universidad de Buenos Aires*—1940—, *La cultura histórica y el sentimiento de la nacionalidad*—1942—, *Historia del Derecho argentino*—t. I, 1945; ts. II y III, 1946; t. IV, 1947; t. V, 1949—, *Vida y escritos de Victoriano*

de Villara—1946—, *Historia de las ideas sociales argentinas*—1947—, *Las ideas históricas de Mitre*—1948—, *Nuevas comprobaciones sobre la opericidad del plan atribuido a Mariano Moreno*—1948—, *Antecedentes históricos sobre la enseñanza de la Jurisprudencia y la historia del Derecho en la Argentina*—1949—, *El proceso histórico de Lavalle a Rosas*—1950.

LEVILLIER, Roberto.

Historiador, erudito y ensayista argentino. Nació—1886—en Buenos Aires. Diplomático. Ha viajado por todo el mundo, y durante muchos años permaneció en Madrid como encargado de Negocios de su país. Miembro honorario de la Real Academia de la Historia y de la de Geografía, de Madrid; y miembro correspondiente de otras Academias españolas e hispanoamericanas.

En el teatro logró un gran éxito con *Rueda de fuego,* en la que hizo revivir la época del coloniaje.

Obras: *Orígenes argentinos*—1912—, *Correspondencia de los oficiales reales de Hacienda con los reyes de España (1540-1596)*—1915—, *Antecedentes de la política económica en el Río de la Plata*—1915—, *Correspondencia de la ciudad de Buenos Aires con los reyes de España (1588-1700)*—1915, 1918, tres tomos—, *La reconstrucción del pasado colonial*—1917—, *La Audiencia de Charcas (1561-1579)*—1918—, *Santiago del Estero en el siglo XVI*—1919—, *Organización de la Iglesia y Ordenes religiosas en el virreinato del Perú en el siglo XVI*—1919—, *Nueva crónica de la conquista de Tucumán*—1927—, *El Perú: orígenes argentinos; La tienda de los espejos*—sátiras y caracteres—, *Biografías de conquistadores de la Argentina, Rumbo Sur, Estampas virreinales americanas*—1939.

LEYDA, Rafael.

Novelista y periodista español. Nació en 1870 y murió en 1916. Carecemos de noticias concretas de su vida, tan efímera como singularísima. Fue un empedernido ateneísta, compañero de González-Blanco, Ramírez Angel, García Martí... Publicó algunos artículos en *El Liberal* y en *Los Lunes de El Imparcial,* llenos de amenidad y de humor. Pero más fama le dieron algunas excelentísimas novelas cortas publicadas en *El Cuento Semanal* y en *Los Contemporáneos.*

Obras: *Valle de lágrimas*—1903—, *Tirano amor*—1906—, *Santificarás las fiestas*—número 33 de "El Cuento Semanal"—, *Los faldones de Mexía*—1908—, *Veraneo sentimental*—número 18 de "Los Contemporáneos"—, *Castillo en España*—número 56 de "Los Contemporáneos"—, *Del Acueducto al Alcázar*—número 81 de "Los Contemporáneos"...

L

V. Saínz de Robles, F. C.: *La novela corta española (Generación de "El Cuento Semanal")*. Madrid, Aguilar, 1952.

LEYVA Y RAMÍREZ DE ARELLANO, Francisco de.

Comediógrafo y poeta. 1630-1676. Las fechas límites de su vida se las debemos al crítico y gran hispanista inglés Fitzmaurice-Kelly. Nació en Málaga. Quisieron sus padres dedicarle a la vida sacerdotal, y él se escapó con unos cómicos de la legua. Anduvo dando tumbos por tierras manchegas. Conoció la existencia ajetreada de las posadas con encantamiento, de los patios de Monipodio, de los corrales de la farándula, de las covachuelas y de las mancebías, las cuevas de las cárceles de partido, los argumentos expeditivos de los cuadrilleros de la Santa Hermandad. Con los naipes y con la espada logró cuartejos y lauros. Con la pluma y con el ingenio no cosechó sino sofiones y burletas. Se arrimó al árbol frondoso que era el genial dramaturgo Calderón, y a su sombra alcanzó algún fruto y cierta categoría.

Leyva falleció en Madrid. Su desastrada vida terminó desastradamente en una posada de la calle del Lobo.

Entre las comedias de Leyva destacan: las heroicas *Mucio Scévola* y *Albania tiranizada;* las caballerescas *Amadis* y *Niquea;* la religiosa *Nuestra Señora de la Victoria;* las de intriga *El honor es lo primero* y *El socorro de los mantos;* la de figurón *Cuando no se aguarda y príncipe tonto,* que es, sin disputa, su mejor obra.

V. Schak, conde de: *Literatura y arte dramático en España.* Colección "Escritores Castellanos".—Parcker, James: *Lo heroico en el drama español.* Memoria. Boston, 1919.— "Biblioteca de Autores Españoles", tomos XIII y XLVII.

LEZAMA LIMA, José.

Poeta, novelista, periodista cubano. Nació —¿1912?—en la Habana. Desde muy joven se dedicó al periodismo y a la literatura, fundando revistas poéticas en las que se dio a conocer como lírico superrealista y gongorino muy singular, y dio a conocer a una pléyade de poetas muy interesantes. Contra cuanto parecía lógico en su temprana entrega a la lucha de las letras, Lezama Lima, pasados los treinta años, se recluyó en un viejo caserón de la Habana colonial, desde donde—solitario, hermético—inició su decisiva influencia en los poetas cubanos de las sucesivas promociones. Su fama fuera de su país se la proporcionó su única novela hasta hoy, *Paradiso*—1968—, abigarrada narración que mezcla lirismos oníricos, desatinos morales y

sexuales, evocaciones de una enorme plasticidad, lucubraciones de un barroquismo exacerbado; seudonovela que delata influencias decisivas de Góngora, Quevedo, clásicos griegos y latinos, la Biblia, antiguas literaturas orientales.

Otras obras: *Muerte de Narciso*—1937—, *Enemigo rumor*—1941—, *Aventuras sigilosas*—1945—, *La fijeza*—1949—, *Arístides Fernández*—monografía, 1950—, *Analecta del reloj*—1955, ensayo—, *La expresión americana*—ensayo, 1957—, *Tratados en la Habana*—ensayo, 1958—, *Dador*—1960—, *Antología de la poesía cubana*—1965—, *Orbita de Lezama Lima*—antología poética—, *Esfera-imagen*—ensayos, 1969—, *Posible imagen* 1969.

LEZCANO, Pedro.

Notable poeta. Nació—1920—en Madrid. Estudió el bachillerato en Las Palmas y Filosofía y Letras en las Universidades de La Laguna y Madrid. Lezcano suma a su gran sensibilidad la gracia creadora, la claridad, la hechura y las imágenes más felices.

Obras: *Cinco poemas*—1944—, *Poesía* —1945—, *Romancero canario*—1946—, *Muriendo dos a dos*—1947...

LIDA, Raimundo.

Erudito, historiador, crítico argentino. Hispanista muy importante. Nació—1908—en Buenos Aires. Doctor en Letras. En el campo de la Filología fue discípulo excepcional de Pedro Henríquez Ureña y de Amado Alonso. Muy joven marchó a los Estados Unidos, en algunas de cuyas universidades ha sido profesor de literatura española e hispanoamericana. Ha traducido excepcionalmente al castellano obras de Moritz Geiger, Vossler, Leo Spitzer.

Obras: *El español en Chile*—Buenos Aires, 1940, en colaboración con Amado Alonso—, *Introducción a la estilística romance*—Buenos Aires, 1932—, *El concepto lingüístico del impresionismo*—Buenos Aires, 1936—, *Belleza, arte y poesía en la estética de Santayana* —1943—, *Condición del poeta*—1951—, *Letras hispánicas*—México, 1958.

LIDA DE MALKIEL, Rosa.

Filóloga, erudita, crítica literaria, hermana de Raimundo. Nació—1910—en Buenos Aires. Murió—1962—en California. Discípula predilecta de Amado Alonso. Desde muy joven vivió en los Estados Unidos, siendo profesora en las Universidades de California, Harvard, Ohio, Wisconsin, Illinois, Stanford (California). Doctora *honoris causa* por el Smith College.

A sus privilegiados valores de investigadora

de las letras castellanas unió una singular gracia para exponer sus hondos y originales conocimientos.

Obras: *Introducción al teatro de Sófocles* —1944—, *Heródoto. Introducción y traducción*—1949—, *El cuento popular hispanoamericano y la literatura*—1941—, *Juan de Mena, poeta del prerrenacimiento español* —1950—, *La idea de la fama en la Antigüedad y en la Edad Media castellana*—1952—, *La visión de trasmundo en las literaturas hispánicas*—1956—, *El otro mundo en la literatura medieval*—1956—, *La originalidad artística de "La Celestina"*—1962.

LIERN Y CERACH, Rafael María.

Poeta y autor dramático español. Nació —1832—en Valencia. Murió—1897—en Madrid. Cursó la carrera de Derecho en las Universidades de Valencia y Madrid. Condiscípulo y gran amigo de Eguílaz, Ruiz Zorrilla, Castelar, Cánovas del Castillo... En 1868 se trasladó a Madrid para dedicarse de lleno a la literatura teatral. Fue director de escena del teatro Real, del teatro de los Basilios y del teatro Recoletos. En 1891 dirigió el teatro Gayarre, de Barcelona. Más tarde fue, durante mucho tiempo, director artístico de la eximia actriz María Guerrero. Colaboró en muchos diarios y revistas. Fue redactor de la *Gaceta*, revistero taurino y fundador del semanario festivo *El Saltarín*. En 1894 llevaba estrenados trescientos actos en castellano y valenciano. Murió de una afección cardíaca.

Obras en castellano: *Un animal raro, Una coincidencia alfabética, Una conversión en diez minutos, El laurel de plata, Una casa de fieras, La paloma azul, La salsa de Aniceta, Don Pompeyo en Carnaval, Artistas para la Habana, El proceso del cancán, El cotillón de Tapioca, Granadina, La gata de oro, Para dos perdices..., La almoneda del diablo...*

Obras en valenciano: *De femater a lacayo, Les leccions d'un poblet, Amors entre fors y freses, Aiguarse la festa, En les festes d'un carrer, La flor del camí del Grao, Telémaco en l'Albufera, El mesies de Patraix, La comedianta Rufina, Qui fuig de Deu..., Una broma de Sabó...*

LILLO RODELGO, Eusebio José.

Nació en Villacañas (Toledo) en 1887. Pertenece al Cuerpo de Inspectores de Enseñanza primaria. Es académico numerario de la Real de Bellas Artes y Ciencias Históricas de Toledo, y está en posesión de la Encomienda de Alfonso X el Sabio. Es autor de varios libros didácticos—*Toledo en los días árabes, Estampas de aldea, Narraciones campesinas, Triptolemo, Idioma*—, de

investigación y ensayo—*El sentimiento de la naturaleza en la pintura y en la literatura, Caminos de emoción, Pedagogía imperial de España*—y de novela—*Juan Clemente niño, Juan Clemente hombre, Juana María*—. En un concurso entre novelistas, el Jurado, presidido por don Ramón Menéndez Pidal, concedió el premio único a su novela *Clara Angélica*, que se publicó luego en 1926. Ha publicado numerosos estudios, destacando los dedicados a Ortega y Gasset—*La manera veneciana de sus paisajes*, en *Revista de Occidente*, números XXXVII y XXXVIII—, a Calderón—*Panorama educativo de "La Vida es sueño"*—, a Gracián —*Baltasar Gracián o la voluntad*—, a Camoens—*Geografía y didáctica en "Os Lusiadas"*—, a la picaresca—*En el cuarto centenario de Mateo Alemán*—, y al romanticismo —*La luna y la aurora en poetas del siglo XIX*—; todos estos vieron la luz en la *Revista Nacional de Educación*. Es autor, igualmente, de *El color y los colores en la Pedagogía didáctica* y *La educación de la mujer en el "Don Quijote"*, publicados ambos en la revista *Bordón*. Las actas del Congreso Internacional de Pedagogía, tomo IV, recogen su trabajo *Psicología y didáctica del silencio*. Ha asistido a varios Congresos internacionales en España y en el extranjero, y en repetidas ocasiones fue pensionado por el Estado español para hacer estudios en diferentes países de Europa. Es colaborador de varios periódicos y revistas, habiendo dirigido el periódico diario *Imperio* y el semanal *Hoja Oficial del Lunes*, de Toledo. En esta provincia fue varios años presidente de la Asociación de la Prensa.

LINARES RIVAS, Manuel.

Notable prosista y autor dramático. Nació —1867—en Santiago de Compostela (La Coruña). Murió en 1938. Abogado. Diputado a Cortes. Senador vitalicio. Académico—1921— de la Real Española de la Lengua. En 1926 realizó una campaña teatral por América del Sur, cosechando grandes éxitos. Muchas de sus obras han sido traducidas a distintos idiomas.

Fue Linares Rivas un autor fecundo y predilecto del público entre 1910 y 1930. Sus primeras producciones recuerdan la *manera de hacer* del teatro de Benavente. Pero bien pronto, apasionado por los temas *de ideas* —religiosas, sociales o jurídicas—, encontró su propia e intensa personalidad. Maestro del diálogo escénico, habilísimo en los recursos y trucos de lo teatral, excelente dosificador del interés y del patetismo, sus producciones alcanzaron éxitos ruidosos y discutidísimos y crecido número de representaciones. Puede afirmarse que el teatro

L

de Linares Rivas refuerza con una nota varonil, poderosa, el teatro burgués de técnica benaventiana.

Hoy, el nombre de este prestigioso comediógrafo ha caído poco menos que en el olvido. Pero seguramente le espera una justa resurrección, porque cuenta con valores indiscutibles.

Obras: *Aires de fuera*—1903—, *El abolengo*—1904—, *María Victoria*—1904—, *La cizaña*—1905—, *Bodas de plata*—1906—, *El caballero Lobo*—1910—, *Camino adelante* —1913—, *La garra*—1914—, *Champagne* —1915—, *La raza*—1915—, *El buen demonio* —1911—, *Como buitres*—1913—, *Toninadas* —1916—, *Las zarzas del camino*—1917—, *Almas brujas*—1922—, *La mala ley*—1923—, *Alma de aldea*—1924—, *La jaula de la leona* —1924—, *Primero, vivir...*—1926—, *A martillazos*—1927—, *El rosal de las tres rosas* —1928—, *Hilos de araña*—1929—, *Sancho Avendaño*—1930—, *¡Déjate querer, hombre!* —1931—, *Todo Madrid lo sabía*—1931—, *Cobardías, En cuerpo y alma, Como hormigas, Fantasmas, Cristobalón, Lo pasado, o concluido o guardado; Pájaro sin alas, La fuerza del mal, Lo posible, En cuarto creciente, El mismo amor, Nido de águilas, Lo que engaña la verdad, La fuente amarga...*

Es autor de novelas tan interesantes como *El caballero Pedrín Pau de los Pedreles, Lo que no vale la pena, Lo difícil que es ir al cielo,* y otras varias.

V. Sainz de Robles, F. C.: Prólogo a *Obras escogidas.* Madrid, Aguilar, 1947.— Cejador Frauca, Julio: *Historia de la lengua y literatura castellanas.* Madrid, 1920, tomo XII, páginas 96-100.—González-Blanco, Andrés: *Dramaturgos españoles contemporáneos.* Madrid, 1917.—Cansinos-Asséns, Rafael: *La nueva literatura.* Madrid, 1917, dos tomos.—Díaz Ronco, María Modesta: *Vida y obras de Manuel Linares Rivas.* Tesis. *Revista de la Universidad de Madrid,* 1952.

LIÑÁN Y HEREDIA, Narciso José de.

Investigador y prosista español. Nació —1881—en Madrid. Hijo único de los condes de Doña Marina. Doctor en Filosofía y Letras. Del Cuerpo Facultativo de Archivos, Bibliotecas y Museos. Profesor de Arqueología y Epigrafía en la Universidad de Madrid. Ha viajado por Europa.

De mucha cultura y gran formación científica, excelente prosista y magnífico expositor.

Obras: *Baltasar Gracián, 1601-1658*—Madrid, 1902—, *El tercer duque de Rivas y un crítico apasionado*—Madrid, 1904—, *Los duques de Rivas, Angel y Enrique de Saavedra, considerados como poetas*—Madrid, 1905—, *Manifestaciones políticas del "Quijo-*

te"—Madrid, 1905—, *Significación arqueológica del arte lieteo*—1905—, y otras varias de mucho interés.

LIÑÁN DE RIAZA, Pedro.

Excelente poeta y autor dramático español. Nació—¿1558?—en Calatayud (Zaragoza). Murió—1607—en Madrid. Estudió cánones en Salamanca. Gobernador del condado de Gálvez—1590—. Secretario—1603—del marqués de Camarasa y de la Guardia Real. Residió en Toledo, Madrid, Valladolid, Plasencia y Calatayud. Capellán mayor de la iglesia de Torrijos. Cervantes le alabó en *La Galatea.* Lope de Vega, en una carta, alude a las comedias de Liñán, pero no se han conservado. Gracián le elogia también en su *Agudeza.* Quevedo, en el *Buscón.* Cristóbal de Mesa, en *La restauración de España.* Barbadillo, en las *Coronas del Parnaso.*

Liñán de Riaza es un poeta lírico, fácil e ingenioso, con momentos de verdadera inspiración. Sus *romances* compitieron, en su época, con los de Góngora. Sus *sonetos* gustaban tanto como los de Boscán. En sus rimas domina la forma clasicista, el ingenio y ciertos rasgos de humor. Algunas composiciones suyas se incluyeron en las *Flores* de Pedro Espinosa. Su nombre poético era *Riselo.*

Otras obras: *Las bubas*—poema satírico—, *Vida de pícaro*—atribuida.

Las poesías de Liñán de Riaza pueden encontrarse en las siguientes ediciones modernas: algunos romances, en la *Primavera,* de Wolf; las *rimas,* en la "Biblioteca de Escritores Aragoneses"—Zaragoza, 1876; impresión descuidada—; varios *sonetos,* en el tomo XLII de la "Biblioteca de Autores Españoles", de Rivadeneyra.

V. Lacalle, Angel: *Pedro Liñán de Riaza,* en *Rev. Calasancia,* 1925.—Pérez Pastor, C.: *Bibliografía madrileña.* III, 412-13.—Rodríguez Marín, F.: *Pedro de Espinosa.* I, 171.

LIÑÁN Y VERDUGO, Antonio.

Prosista y novelista español muy notable del siglo XVII. Debió de nacer en Vara del Rey (Cuenca). Para el padre Julián Zarco, Liñán y Verdugo no es sino el disfraz literario del padre Alonso Remón. Esta opinión no es, en modo alguno, convincente. Liñán se delata como un cortesano agudo.

Su obra más famosa es la titulada *Avisos y guía de forasteros que vienen a la corte. Historia de mucha diversión, gusto y apacible entretenimiento, donde verán lo que les sucedió a unos recién venidos*—Madrid, 1623.

La *Guía* está escrita en forma dialogal. Intervienen un maestro graduado en Artes y Teología—¿fray Alonso Remón?—, un cortesano viejo y un caballero joven. La *Guía* es una riquísima y variada selección de tipos picarescos—busconas, daifas, viudas fingidas, fulleros, arbitristas, rufianes—. Todas las novelas que figuran en ella son de picardía, interesantes, divertidas, llenas de trucos, escritas en una prosa libre del conceptismo y culteranismo, y en las que se reitera un afán moralizante.

Menéndez Pelayo reputa a Liñán como un gran novelista, de los de segundo orden. Liñán es un maestro del costumbrismo madrileño, según declara Mesonero Romanos, antecedente ilustre de los Zabaleta, Santos, Don Ramón de la Cruz y del mismo autor de las *Escenas matritenses.*

Liñán se muestra dibujante excelente, magistral colorista, sutilísimo observador de detalles y aun de *sintonías.* La lectura de su *Guía* es sencillamente deliciosa.

Hay ediciones de esta obra del siglo XVIII y del siglo XIX. Pero la mejor es la cuidada por el académico Sandoval e impresa—Madrid, 1923—por la Real Academia Española.

V. Zarco, P. Julián: *Sobre Liñán y Verdugo,* en *Boletín de la Academia Española.* 1929.—Sandoval, Manuel de: *Estudio en* la edición de la Academia Española. 1923.— Praag, J. Van: *La "Guía" de Liñán y Verdugo,* en *Bull. Hispanique,* 1935, XXXVII.

LIRA PÉREZ, Osvaldo.

Erudito, literato y profesor chileno. Nació—1904—en Santiago de Chile. Muy joven, ingresó en la Congregación de los Sagrados Corazones. Y apenas ordenado sacerdote, fue dedicado a la enseñanza en los diferentes colegios que posee la Congregación dispersos por el mundo. Su formación cultural es vasta, sólida y fecundísima. Dedicado preferentemente a la Filosofía y a la Literatura, sus discípulos, ya incontables y de nacionalidades distintas, pregonan la eficacia y la sugestión de su magisterio. En la actualidad desempeña las cátedras de Lengua y Literatura españolas y de Filosofía en el Colegio de Madrid. El padre Lira Pérez es miembro correspondiente de la Academia Hispanoamericana de Cádiz y de la Sociedad Española de Filosofía.

Entre sus obras destacan por su importancia: *Nostalgia de Vázquez de Mella*—Santiago, 1944—, *Visión política de Quevedo*—Madrid, 1949—, *La vida en torno*—Madrid, 1949—, *Hispanidad y mestizaje*—Madrid, 1952—, *El misterio de la poesía*—1952...

LISCANO, Juan.

Poeta, folklorista y crítico venezolano. Nació—1915—en Caracas. Desde muy niño vivió en Europa, principalmente en París. En 1934 regresó a Venezuela, para, casi inmediatamente, regresar al viejo Continente para recorrer Francia, Bélgica, España, Suiza, Italia, Alemania, Checoslovaquia, Inglaterra... Tantos viajes motivaron que su educación primaria y secundaria se resintiera. Cursó diferentes estudios en los colegios venezolanos La Salle y San Ignacio, en los parisienses Ecole Descartes y Gerson, la Ecole Des Roches, de Normandía, y en el Lycée de Chambery (Saboya). En su patria aprobó tres cursos de Derecho. Sin terminar la carrera, se dedicó por completo a la literatura.

Sus primeros escritos aparecieron en *Acción Estudiantil* y *FEV,* órganos de la Asociación de Estudiantes. En 1938 fundó—con Manuel Salvatierra y Guillermo Meneses—la revista *Cabagua.* En 1944 fundó *Suma.* Dirigió la sección bibliográfica en las páginas literarias de *Ahora* hasta 1943. Hasta 1950 dirigió *Papel literario,* sección dominical del gran diario *La Nación.* Ha sido director del Servicio de Investigaciones Folklóricas Nacionales. Director actual—1971—de la revista *Zona Franca.*

Está considerado, con rara unanimidad de público y crítica, como uno de los poetas mayores contemporáneos de su país.

Obras: *8 Poemas*—1939—, *Contienda* —poemas, 1942, "Premio Municipal de Poesía"—, *Del alba al alba*—poema, 1943—, *Del mar*—poemas, 1948—, *Humano destino*—poemas, 1949, "Premio Nacional" 1949-1950—. *Poesía popular venezolana*—selección folklórica con notas, 1945—, *Folklore y Cultura* —ensayos, 1950—, *Recuerdos del Adán caído*—poemas, inédito—, *Nocturnos*—poemas—, *Folklore: danzas populares de Venezuela, Tierra muerta de sed*—poemas, 1959—, *Nuevo mundo Orinoco*—poemas, 1959—, *Rito de sombra*—poema, 1961—, *Cármenes*—poesía, 1966—, *Edad oscura*—poemas, 1969—, *Rómulo Gallegos. Vida y obra*—1968.

LISTA Y ARAGÓN, Alberto Rodríguez de.

Famoso poeta y preceptista español. Nació —1775—y murió—1848—en Sevilla. Francisco Rodríguez de Lista, de oficio tejedor, y Paula Aragón, fueron sus padres. A los siete años ayudaba en el oficio a su padre. A los trece años enseñaba Matemáticas en la academia que sostenía en Sevilla la Sociedad Económica de Amigos del País. A los diecisiete sabía el latín, el griego, el francés, el inglés y el italiano. A los veintiuno había recibido las órdenes sagradas y era profesor del Real Colegio de San Telmo, teniendo como discípulos figuras que tanto habían de destacarse como Patricio de la Escosura, Eugenio de Ochoa, Ferrer del Río, Fernando Espino...

Lista era un maestro bueno, bondadoso e inteligente. En *El Correo de Sevilla,* fundado—1803—por don Justino Matute, publicó

L

muchas de sus poesías mejores con los seudónimos arcádicos de *Licio* o *Anfrisio*. Catedrático de Retórica y Poética —1804— en la Universidad de Sevilla. Polemista y político. Por sus ideas afrancesadas tuvo que huir —1813— a Francia hasta 1817. Al regresar a su patria obtuvo en reñidas oposiciones la cátedra de Matemáticas en el Consulado de Bilbao. En 1820 se trasladó a Madrid para regentar el Colegio de San Mateo, donde explicó tres asignaturas, y fue maestro de Espronceda, Ventura de la Vega, el americano Pardo... Afiliado al partido liberal, su ortodoxia religiosa no se mostró muy firme, por lo que los absolutistas lograron la clausura del Colegio de San Mateo, bajo pretexto de que en él se enseñaban y propagaban doctrinas revolucionarias. En 1822 dio Lista, en el Liceo de Madrid, sus célebres lecciones sobre literatura española, comparadas a los *Specimens* del humorista Lamb.

Alberto Lista vivió de nuevo en París y Londres dedicado a la enseñanza y a trabajos científicos y literarios. De nuevo —1833— en España, dirigió la *Gaceta de Madrid* y prosiguió dando sus cursos de literatura. Renunció al obispado de Astorga. Académico de la Real Española de la Lengua y de la Real de la Historia. Director del Colegio de San Felipe Neri, en Cádiz. Canónigo de la catedral sevillana y catedrático de la Universidad hispalense. Porque en 1840 se retiró a su amada ciudad natal, y en ella residió, honrado y admirado hasta su muerte. Su nombre figura en el *Catálogo de autoridades*, publicado por la Academia Española.

Un moderno crítico ha juzgado así a Lista: "Asombra el talento, o mejor dicho, el genio tan alto, tan extenso, tan variado, tan precoz de don Alberto Lista, y, al mismo tiempo, el equilibrio de sus facultades, pues en su elevado espíritu se concertaban aptitudes muy diversas, y a la vez públicas y privadas virtudes. Nadie ha realizado tanta vida intelectual en edad tan temprana; nadie tampoco ha ejercido influencia más docta, más benéfica ni más duradera. Sin él, la literatura española del siglo XIX sería inexplicable. Es Lista uno de los hombres más extraordinarios, de méritos sólidos y de acción intensa, a cuyo lado ninguna grandeza —de su época— podría colocarse sin rubor."

"Pensar como Rioja y decir como Calderón" era la fórmula literaria de Lista. Gran poeta, dominador de la técnica, virtuoso de la forma, cincelador de rotundas estrofas, magnífico de colorido. Lista, generalmente *poeta frío*, no excluye un contenido de auténtica emoción en las composiciones religiosas. Lírico andaluz de raza y de traza, clásico en el pulimento, ocupa, en su tiempo, un puesto semejante al que Meléndez

ocupó en el suyo. Cuando lograba dejar libre a su indudable temperamento poético, producía poesías tan bellas como *A la muerte de Jesús*, *El himno del desgraciado*, *La cabaña*, *La bondad natural al hombre*, *El triunfo de la tolerancia*, *Al sueño*, *La luna*, *Las musas*, *La felicidad pública*, *La Providencia*, *A la Resurrección del Señor*, *A la Sabiduría...*

En general, fue Lista un poeta académico, frío, rigurosamente preceptista, hasta tal punto, que su influencia se nota hasta en discípulos de la *calidad y cantidad romántica* de Espronceda. Lista no se recata para incensar a los líricos del XVI y *meterse* con los barroquistas en su *Epístola a Fernando Rivas*:

> Habrás adelantado si los versos
> del tierno Garcilaso se deslizan
> a tu pecho halagüeño cual las ondas
> de pura y mansa fuente entre las flores;
> si te hechiza, severa cuanto dulce,
> la lira de Rioja; si de Herrera
> el desusado canto te arrebata.
> Imitarás la suavidad sublime
> y candorosa de León; mas huye
> tal vez su tosco desaliño, teme
> como sierpes las gracias seductoras
> del atrevido Góngora, y de Lope
> no te deslumbre, no, la fácil musa
> que dé entre mil guijarros un diamante...

Pese a confesarnos Lista su admiración por Rioja y Calderón, realmente las influencias que en él se notan son otras. Las de Meléndez principalmente. La de Alejandro Pope, de quien Lista tradujo el poema *Dunciad*. De Gessner. De Browning. De Petrarca y Horacio, a quienes traduce e imita. Lista buscó ansiosamente la dignidad estética de sus versos y el digno equilibrio entre el fondo y la forma. Cuando lograba dejar libre a su indudable temperamento poético, producía poesías tan bellas como *La cabaña*, *La luna*, *El pescador Anfriso*, *La mudanza*, *A Filis*, *A la muerte de Jesús*. Esta última composición es, indudablemente, su mayor acierto, en opinión de Valera y de Menéndez Pelayo, y se escribió bajo la influencia de la *Oda a la Ascensión*, de fray Luis de León.

Obras de Lista son: *Artículos críticos y literarios* —Palma, 1840—, *Elementos de Historia antigua* —Sevilla, 1844—, *Lecciones de literatura española* —Madrid, 1836—, *Ensayos literarios y críticos* —Sevilla, 1844, dos tomos—, *Poesías* —Madrid, 1822; París, 1834.

V. FERNÁNDEZ-ESPINO, José: *Biografía de Alberto Lista*, en la *Corona poética*, de la Academia de Buenas Letras de Sevilla, 1849. MATUTE Y GAVIRIA: *Hijos ilustres de Sevilla*. 1886.—CHAVES, Manuel: *Don Alberto Rodríguez de Lista*. Sevilla, 1912.—PÉREZ DE ANAYA. Francisco: *Biografía del señor don Alberto Lista*, 1848.—CUETO, Leopoldo A. de:

Bosquejo... de la poesía castellana en el siglo XVIII.—BIBLIOTECA DE AUTORES ESPAÑOLES, tomo LXVII.—RUIZ CRESPO, M.: *Observaciones analíticas sobre las poesías de Lista,* en *Revista de Ciencias, Literatura y Arte.* Sevilla. Tomo VI.—COSSÍO, J. M.: *Estudio* en las *Poesías inéditas de Alberto Lista.* Santander, 1927.—METFORD, J. C. J.: *Alberto Lista and the Romantic Movement in Spain,* en *Liverpool Studies,* 1.ª serie.

LIZANO, Jesús.

Poeta y prosista. Nació—1931—en Barcelona. Licenciado en Filosofía y Letras. En 1957 ganó el "Premio Boscán de Poesía". Obras: *Poemas de la tierra*—1955—, *Jardín Botánico*—1957—, *Libro de la soledad*—1958—, *La Creación*—1964—, *Tercera parte de la Creación*—1965—, *Libro de los sonetos*—1967—, *La creación humana*—1968.

LIZÓN, Adolfo.

Poeta, ensayista, novelista. Nació—1919—en Orihuela (Alicante). Estudió el bachillerato con los jesuitas del Colegio de Santo Domingo y con los franciscanos de Totana (Murcia). Inició los estudios de Filosofía y Letras en la Universidad de Murcia, terminándolos en la de Madrid. Becado por el Estado, permaneció un año—1942—en Roma. En 1944 se trasladó a Lisboa, donde vive en la actualidad—1970—, como profesor de Castellano y Literatura española en el Instituto Español de aquella ciudad. Es corresponsal en Lisboa de varios periódicos españoles. Obras: *Diapasón de la mente*—poesía, 1941—, *Saulo el leproso*—novela, 1947—, *Historia de una sonrisa*—novela, 1950—, *Cuentos de la mala uva*—1944—, *Léxico y estilo de Gabriel Miró*—1942—, *Miró y su tiempo*—1944—, *Isla de Madeira, orquídea del Atlántico*—1959—, *Disco rojo*—poesía, 1960.

LOBO, Eugenio Gerardo.

Poeta y dramaturgo español. Nació—1679—en Cuerva (Toledo). Murió en 1750. Capitán de Caballeros Corazas durante la guerra de Sucesión; tomó parte en la conquista de Orán y en la guerra de Italia contra Austria; teniente general y gobernador de Barcelona, plaza en la que falleció a consecuencia de una caída del caballo. Los sonetos y los romances fueron sus formas métricas preferidas, en las que se mostró fácil, fluido y natural, siguiendo a sus modelos Quevedo y Góngora. Sus versos largos son, por el contrario, lánguidos, y están excesivamente retocados del peor culteranismo. Con todo, es este militar diletante, que sabe mucho de Góngora y más de Garcilaso, el más

fino poeta de su grupo. Su romance *Medoro y Zulima* nada tiene que envidiar a los mejores del maestro de Córdoba. Su soneto *A la estatua del silencio* es una admirable expresión poética del sentido neoclásico de la escultura. Otro valor de Lobo es el de ser él quien inicia la revalorización del sentido lírico del Renacimiento.

Lobo fue llamado el *capitán coplero,* por ser este el género en que sobresalió. Escribió también algunas comedias: *El más justo rey de Grecia* y *El tejedor Palomeque y mártires de Toledo.* Comedias de escaso valor, en las que ya apareciera la musa fría y pedante del neoclasicismo.

Sus poesías aparecieron—Cádiz, 1717—bajo el título *Selva de las Musas.* Luego se han reimpreso numerosas veces: Pamplona—1724—, Madrid—1738, 1758, 1769—y en el tomo LXI de la "Biblioteca de Autores Españoles", de Rivadeneyra.

El nombre de Lobo está incluido en el *Católogo de autoridades* publicado por la Real Academia Española.

V. BARRANTES, V.: *Biografía de E. G. Lobo,* en el *Semanario Pintoresco Español,* 1850, 266.—CUETO, Leopoldo: Prólogo en el tomo LXI de la "Biblioteca de Autores Españoles".

LOBO LASSO DE LA VEGA, Gabriel.

Poeta y dramaturgo español de mucho interés. Nació—1559—en Madrid. Murió en la misma ciudad en fecha no muy lejana a 1610. Pertenecía al noble linaje de los condes de Puertollano. Fue guardia armado de "los Continuos" de Felipe II y Felipe III. Dedicóse con éxito a la literatura, a la elocuencia y a la poesía lírica. Su valor como dramaturgo se basa en haber sabido modificar los temas clásicos, predilectos de sus contemporáneos para la escena, por una técnica novelesca por completo. Es decir: apuntó un *teatro nuevo* que poco tenía que ver con el de Urrea, Virués y otros insignes dramáticos prelopistas. Su tragedia principal, *La honra de Dido, restaurada,* hace pensar en un teatro que sirve de puente entre la tragedia grecolatina del siglo XVI y la comedia nacional de Lope de Vega. Es Lobo Lasso de la Vega el autor teatral que se halla más próximo al teatro cervantino de la primera época, representado por *La Numancia* y *Los tratos de Argel.*

Otras obras: *Cortés, valeroso, o la mejicana*—poema, Madrid, 1588—, *Elogio en loor de los tres famosos varones don Jaime rey de Aragón; don Fernando Cortés... y don Alvaro de Bazán...*—Zaragoza, 1601—, *Manojuelo de romances nuevos y otras obras*—Barcelona, 1601—, *La destrucción de Constantinopla*—tragedia—, *Segunda parte del*

L

manojuelo—Zaragoza, 1603—, *Recopilación de las grandezas de Madrid*—manuscrito...

Son ediciones excelentes: *Primera parte del Romancero y Tragedias de G. Lobo Lasso de la Vega*—Alcalá, 1587—. En el *Romancero general* se encuentran varios romances de Lobo. Modernamente—editorial Saeta—, González Palencia ha publicado un *Manojillo de romances*.

V. VALBUENA PRAT, A.: *Historia de la literatura española*. Barcelona, 1946, I.—SAINZ DE ROBLES, F. C.: *Historia y antología del teatro español*. Tomo I.—GONZÁLEZ PALENCIA, A.: *Manojillo de romances*. Madrid, editorial Saeta, 1943.

LOBÓN DE SALAZAR, Francisco.

Beneficiado de Aguilar y cura de Villagarcía de Campos. Nombre bajo el cual se ocultó el padre José Francisco de Isla para publicar su famosísima novela *Historia del famoso predicador Fray Gerundio de Campazas, alias "Zotes"* (1758-1770).

LOFRASO, Antonio.

Poeta y prosista español. Nació en Alguer de Cerdeña y vivió entre 1530 y 1595. Nada se sabe de su vida sino que en 1572 llegó a Barcelona para publicar *Los diez libros de Fortuna de Amor*—Barcelona, 1573—, "dechado de pesadez en la prosa y de versos malísimos".

Toda la celebridad de esta obra—según observó oportunamente Menéndez Pelayo—es debida a las palabras con que el cura, al hacer, junto con el barbero, el gracioso escrutinio en la librería de Don Quijote, calificó la obra de Lofraso así: "Por las órdenes que recibí..., que desde que Apolo fue Apolo, y las Musas, Musas, y los poetas, poetas, tan gracioso ni tan disparatado libro como ese no se ha compuesto, y que por su camino es el mejor y el más único de cuantos deste género han salido a la luz del mundo, y el que no lo ha leído puede hacer cuenta que no ha leído jamás cosa de gusto: dádmele acá, compadre, que precio más haberle hallado que si me diesen una sotana de rajá de Florencia. Púsole aparte con grandísimo gusto."

Elogio tan hiperbólico suena demasiado *a burla*. Pero engañó al judío español Pedro de Pineda, intérprete y maestro de lengua castellana en Londres, quien los reimprimió lujosamente en esta ciudad el año 1740, añadiéndoles un prólogo suyo tan disparatado y confuso como los mismos *Diez libros de la Fortuna de Amor*. Que Cervantes se burló de tan absurda obra lo demostró bien a las claras en el *Viaje del Parnaso*:

Tú, sardo militar, Loffraso, fuiste
uno de aquellos bárbaros corrientes
que del contrario el número creciste.

V. MENÉNDEZ PELAYO, M.: *Orígenes de la novela*, I, 494.—RENNERT, H.: *The Spanish Past. Rom.*, pág. 43.

LOMAS CANTORAL, Jerónimo de.

Poeta español del siglo XVI. Nació en Valladolid. Murió después de 1578. Se sabe poquísimo de su vida. Nicolás Antonio afirma de él que gozó de alguna fama. Fue protegido del conde de Miranda. Y su nombre figura en el *Catálogo de autoridades* del idioma, publicado por la Real Academia Española.

Algunas de sus poesías denotan el influjo de la métrica italiana y la imitación a Petrarca, Bembo, Sannazaro, Tasso y otros. Otras, por el contrario, pertenecen a la escuela tradicional castellana, y compiten con las de Gregorio Silvestre y Castillejo. Cervantes alabó a Lomas Cantoral en el *Canto de Calíope*.

En Madrid—1578—aparecieron las *Obras de Jerónimo de Lomas Cantoral*, que contienen: un elogio de la poesía, una traducción de las *Piscatorias*, de Luis Tensillo; sonetos, epigramas, elegías, epístolas y el poema *Amores y muerte de Adonis*.

Un soneto de Lomas hállase en el *Arte de Música*, de Montanos—1592.

V. GALLARDO, B. J.: *Ensayo de una biblioteca española...* III, 401.—ALONSO CORTÉS, N.: *Jerónimo de Lomas Cantoral*, en *Rev. Fil. Española*, 1919, VI, 375.—FUCILIA, G.: *Imitaciones italianas de Lomas Cantoral*, en *Rev. Fil. Esp.*, 1930, XV, 155.

LONCÁN, Enrique.

Jurisconsulto, escritor. Nació—1892—en Buenos Aires. Falleció en 1941 en París.

Publicó los siguientes libros: *Las charlas de mi amigo, He dicho, Mirador porteño, Oraciones de mi juventud, Aldea millonaria, Campanas de mi ciudad, El camino de Troya, En la Argentina se sonríe, El secreto de la calle Florida, El voto obligatorio, Palabras de la derrota, La France et Sarmiento, Une gloire argentine* y *Paul Groussac*.

Popularizó en el diario *La Nación*, de Buenos Aires, su seudónimo "Américus". Fue profesor de Derecho político en la Facultad de Derecho y Ciencias Sociales de Buenos Aires. Secretario de la Federación Universitaria. Actuó como consejero en la Embajada argentina de París. Con ocasión de la muerte de Lugones, pronunció en la Sorbona una magnífica conferencia.

Fino humorista y estilista elegante, tenía la cualidad esencial del observador. Sus páginas están estructuradas por un vivo pensamiento rector: su patriotismo. Sus libros revelan a un moralista y a un escritor de vocación apasionada.

LOPE DE RUEDA (v. Rueda, Lope de).

LOPE DE VEGA CARPIO, Félix (v. Vega Carpio, Lope Félix de).

LÓPEZ, Gregorio.

Excelente escritor español. Nació—1542— en Madrid. Murió—1596—en Santa Fe (México). Vivió como un ermitaño entre los quince y los veinte años de su edad. Pasó a México en 1562. Se dedicó a servir en los hospitales, a practicar una caridad sublime, a darse a las más rigurosas penitencias.

Una leyenda afirma que Gregorio López era el príncipe don Carlos, hijo de Felipe II. Habiendo este monarca dado orden de que el príncipe muriera, el verdugo, condolido de su juventud, convino en salvarle la vida bajo la condición de que se trasladaría a las Indias, cambiaría su nombre y no delataría jamás su secreto. Esta leyenda no tiene la menor probabilidad de verosimilitud. Ni siquiera el parecido físico que, dicen, tenía Gregorio López con el rey Prudente.

López fue un ingenio privilegiado y hombre sumamente instruido, como lo prueban las muchas obras que dejó escritas en una prosa maciza y limpia y llena de unción y de altos pensamientos.

Obras: *Explicación del Apocalipsis*—Madrid, 1678—, *Manual y advertencias para obispos, sacerdotes y confesores...*—manuscrito de la Biblioteca Nacional, de Madrid—, *Libro de los remedios contra enfermedades...* —manuscrito del convento de la Encarnación, de Madrid—, *Kalendario histórico, Cronología universal.* Estos dos últimos libros, desconocidos hoy, los vio Nicolás Antonio y los cita con elogio en su *Bibliotheca Hispana Nova.*

El nombre de Gregorio López figura en el *Catálogo de autoridades* del idioma, publicado por la Real Academia Española.

Se conserva una carta del rey don Felipe IV al Pontífice Urbano VIII recomendándole la beatificación de López. Y el mismo rey encomendó—1625—al virrey don Enrique Pacheco y Osorio, marqués de Cerralbo, que recogiera cuidadosamente las obras escritas por el docto y virtuoso varón.

V. Loza, Francisco: *Vida que el siervo de Dios Gregorio López hizo en algunos lugares de Nueva España...* Madrid, 1658.—IN-FORMACIÓN *sumaria de las virtudes y milagros de Gregorio López...*—manuscrito de la Biblioteca Nacional, de Madrid.

LÓPEZ, Vicente Fidel.

Historiador y literato argentino. Nació —1815—y murió—1903—en Buenos Aires. Siendo uno de los miembros principales de la Asociación de Mayo, organizada contra el tirano Rosas, hubo de huir de su patria, refugiándose en Chile, donde fundó la célebre *Revista de Valparaíso*—1842—. Vicente Fidel López influyó decisivamente en el renacimiento intelectual de la República chilena. Mientras vivió en este país recopiló los materiales para su célebre obra *Historia de la República Argentina,* que dio lugar a una virulenta polémica con Mitre.

De regreso en su patria—1852—, Vicente Fidel López se consagró a mejorar la cultura de la Argentina; fue nombrado rector de la Universidad de Buenos Aires y desempeñó otros importantes cargos públicos. Sus interesantes y muy numerosos artículos aparecieron en la *Revista del Río de la Plata.*

Vicente Fidel López tuvo dos importantes méritos: como historiador se inclinó por el método artístico "a lo Taine", quizá a expensas del rigor histórico documental; como novelista fue uno de los instauradores en la Argentina de la novela histórico-literaria con su narración *La novia del hereje, o La Inquisición de Lima.*

Toda la producción de Vicente Fidel López ha de quedar incluida en un auténtico sentido romántico: de idea y de formas.

Otras obras: *Las razas del Perú anteriores a la conquista, Curso de literatura, Geografía del territorio argentino, Clasicismo y Romanticismo...*

V. Orgaz, Raúl A.: *Vicente F. López y la Filosofía de la Historia.* Córdoba, República Argentina, 1933.—Mitre, Bartolomé: *Comprobaciones históricas y Nuevas comprobaciones históricas.* 1882.—Alonso Criado, Emilio: *Literatura argentina.* Buenos Aires, 1916, cuarta edición.—García Velloso, Enrique: *Historia de la literatura argentina.* Buenos Aires, 1914.—Martínez, Teófilo: *Contemporáneos ilustres* (argentinos). París, 1910.

LÓPEZ ALARCÓN, Enrique.

Poeta, autor dramático y periodista español. Nació—1891—en Málaga. Murió—1962— en México. Estudió el bachillerato con los jesuitas de su ciudad natal, y Leyes y Filosofía y Letras en la Universidad de Granada. En 1903 se trasladó a Madrid para dedicarse a la literatura y al periodismo. Redactor de *El Nuevo Evangelio, El Intransigente, El Mundo, La Montaña* y *La Época.* Redactor-jefe de *La Tribuna.* Se hizo famoso con sus crónicas de la campaña de Marruecos en 1909. Fundó la *Gacetilla de Madrid.*

López Alarcón fue un gran poeta de la

L

buena tradición española. Inspirado, fácil versificador, de muchas y bellas imágenes, maestro colorista como buen andaluz.

Obras: *Constelaciones*—poesías, 1906—, *Melilla en 1909*—crónicas, Madrid, 1911—, *Golondrinas, Con mujer y sin mujer*—comedia—, *Gerineldo*—poema dramático, 1908—, *Manos largas, Las insaciables, La tizona* —drama poético, 1914—, *Fígaro, barbero de Sevilla*—1915—, *Doña Bufanda*—juguete cómico, 1916—, *La madre Quimera*—farsa poética, 1918—, *Dictadura*—comedia, 1930...

Su teatro se caracteriza por el realismo, la versificación briosa y castiza, el lirismo desbordante y un simbolismo quizá excesivo.

LÓPEZ ALBUJAR, Enrique.

Literato y profesor peruano. Nació—1872— en Piura. Estudió en el Colegio Nacional de Guadalupe (Lima), en la Universidad de San Marcos, doctorándose en 1904. Profesor de Historia en el Colegio de San Miguel (Piura). Fundador y director de *El Amigo del Pueblo*. Editor de *La Prensa*, de Lima. Juez de Primera Instancia. Magistrado. Presidente y director artístico de Museos y Bibliotecas. Miembro de la Sociedad Geográfica.

Obras: *Miniaturas*—1895—, *Cuentos andinos*—1920—, *De mi casona*—1924—, *Matalaché*—novela, 1928—, *Calderonadas*—1930—, *Los caballeros del delito*—1936—, *Nuevos cuentos andinos*—1937—, *Poesías de la tierra brava*—1938—, *El hechizo de Tomaiquichúa*—novela...

V. SÁNCHEZ, Luis Alberto: *La literatura peruana*. Santiago, 1936, tres tomos.—SÁNCHEZ, Luis Alberto: *La literatura del Perú*. Facultad de Filosofía y Letras. Buenos Aires, 1943.

LÓPEZ ALLUÉ, Luis María.

Poeta, dramaturgo y novelista aragonés. Nació—1861—en Barluenga (Huesca) y murió en 1928. Abogado. Fue director de *El Diario de Huesca*, en el que publicó millares de artículos y muchas poesías, que firmó con el seudónimo de "Juan del Friso". También colaboró en muchos diarios y revistas de Madrid y Zaragoza.

Su mejor novela, *Capuletos y Montescos*, alcanzó un éxito enorme, lográndole mucha popularidad en toda España. La crítica consideró a López Allúe como un digno émulo de los grandes novelistas españoles del siglo XIX. En el teatro alcanzó algunos triunfos con sus obras *La firmeza en el querer, Buen tempero, La copla de picadillo...*

Otras novelas: *Pepe Santolaria, De Uruel a Moncayo, Pedro y María, Alma montañesa.*

V. [ANÓNIMO]: *Aragoneses contemporáneos...* Zaragoza, 1934.

LÓPEZ ANGLADA, Luis.

Poeta, prosista y autor dramático. Nació en Ceuta el 13 de septiembre de 1919. Trasladado a Valladolid, en esta ciudad cursó el bachillerato y dirigió algunas revistas estudiantiles. En el año 1936 se incorporó al frente del Guadarrama, viajando desde entonces por toda España, siendo alférez provisional de Infantería. Al concluir la guerra, cursó en Valladolid Filosofía y Letras e ingresó en el año 1941 en la Academia de Transformación de Zaragoza. Teniente en 1942, permaneció dos años en Las Palmas de Gran Canaria y Santa Cruz de Tenerife, y capitán en 1944, fue destinado a León, en cuya guarnición permaneció hasta marzo de 1952, en que pasó destinado a Madrid.

López Anglada es un poeta de sencilla y honda espiritualidad, seguro en el sentido humano más perdurable.

Obras: *Albor*—Pamplona, 1941—, *Impaciencias*—Las Palmas de Gran Canaria, 1943—, *Indicios de la rosa*—Ediciones Espadaña, León, 1945—, *Al par de tu sendero* —Colección de Poesía Halcón, núm. 2—, *Destino de la espada*—Ediciones Espadaña, León, 1947—, *Canto a la Infantería española*—Ediciones Espadaña, León, 1948—, *Continuo mensaje*—Ediciones del Colegio Mayor Santa Cruz, Valladolid, 1949—, *La vida conquistada*—accésit del "Premio Adonais", editada por esta editorial—, *Dorada canción* —versos—, *A mis soledades voy*—comedia en verso en tres actos, estrenada por el T. E. U. de León el 7 de marzo de 1950—, *El destino por dentro*—comedia en tres actos—, *Elegías del capitán*—1955.

Ha obtenido primeros premios y flores naturales en concursos convocados en Salamanca, León, Palencia, Vigo, Granada, Tetuán. En 1951 ganó el "Premio Gibraltar", convocado por el Frente de Juventudes, y obtuvo accésit en el "Premio Adonais". Fundó y dirigió con Fernando González la revista de poesía *Halcón*, de Valladolid. En León se unió al grupo de la revista *Espadaña*, en la que colaboró hasta su desaparición.

En 1955, el Instituto de Cultura Hispánica en la República Dominicana le otorgó el "Premio de Poesía", el más cuantioso de los otorgados a una poesía en todos los tiempos.

Otras obras: *Aventura*—1956—, *Contemplación de España*—1961—, *Antología* —1962—, *Ayer han florecido los papeles donde escribí tu nombre*—"Premio Ausias March, 1964"—, *Sonetos a Ceuta*—1964—, *Panorama poético español (1939-1964), Estudio y antología*—1965—, *Plaza partida*—1965.

En 1961 le fue otorgado el "Premio Nacional de Poesía José Antonio Primo de Rivera".

LÓPEZ DE AYALA, Ignacio.

Literato e historiador español del siglo XVIII. Fue catedrático de Poética en los Reales Estudios de San Isidro, de Madrid, y académico correspondiente de la de la Historia. Su nombre figura en el *Catálogo de autoridades* del idioma, publicado por la Academia Española. Forner le combatió duramente por su tragedia *La Numancia destruida.* Y él combatió con la misma dureza, bajo el seudónimo del "Bachiller Gil Porras Machuca", la *Historia literaria,* de los padres Mohedanos.

Otras obras: *Elegía al próximo parto de la serenísima princesa de Asturias*—Madrid, 1775—, *Historia de Gibraltar*—Madrid, 1782—, *El Concilio de Trento*—1787—, *Historia de Federico el "Grande"*...

López de Ayala, de gusto afrancesado, escribió en una prosa rica, pero pedante, con un estilo ampuloso.

V. CEJADOR Y FRAUCA, J.: *Historia de la lengua y literatura españolas,* V, 192.

LÓPEZ DE AYALA, El canciller Pedro.

Notabilísimo poeta, prosista e historiador español. Nació—1332—en Vitoria. Murió—1407—en Calahorra. Hijo de Fernán Pérez de Ayala y de doña Elvira de Ceballos. Político. Diplomático. Guerrero. Literato. Gran carácter y gran ingenio. Sirvió en cargos preeminentes a cuatro monarcas—Pedro I, Enrique II, Juan I y Enrique III—y cronicó con suprema elegancia sus reinados. Estuvo preso—después del desastre de Aljubarrota—algo más de un año en Oviedes (Portugal), siendo encerrado en una jaula de hierro y rescatado por treinta mil doblas de oro, que pagaron a escote su esposa, doña Leonor de Guzmán, el maestre de Calatrava y los reyes de Castilla y de Francia. Fue embajador ante Carlos VI de Francia, consejero de Regencia, merino mayor de Guipúzcoa, alcalde mayor de Toledo y canciller de Castilla. Murió casi de repente.

Recio de complexión, musculoso de cuerpo, de muy buen semblante, grave de talante, meticuloso en sus empresas. Su valor rayó en la temeridad, salvo que con reflexión. Fue diestro en la caballería y en las armas, amigo de la caza de cetrería y montería, "muy dado a las mujeres, más de lo a tan sabio caballero, como él convenía", según declara su sobrino, el gran pintor literario Fernández Pérez de Guzmán. Ayala es el primer humanista castellano. Su obra lírica representa la saturación y decadencia de una escuela—los *mesteres*—y la posibilidad de otra nueva. Su libro poético, el *Rimado de Palacio,* como el *Libro de Buen Amor* y el *Quijote,* se compuso—hasta la estrofa 903—en la cárcel, mientras encerra-

do en la jaula de hierro permanecía en Oviedes. Ayala es un gran poeta didáctico político. Escrita la mayor parte de su poema en *cuaderna vía,* aparece ya esta métrica tan violenta y como impotente de contenido válido, que no vale dudar que asistimos a los funerales del *mester de clerecía.*

El *Rimado* ha llegado a nosotros mediante dos códices: el de El Escorial y el de la Biblioteca Nacional de Madrid. Es un poema *multiforme,* en el que pueden distinguirse una parte religiosa, otra política, otra lírica pura, otra moral. Como Juan Ruiz, Ayala no se muerde la lengua. Llama al pan, pan, y al vino, vino. Ataca los vicios en donde los halla. Satiriza. Hiere. Si la obra de Ruiz es una comedia humana del siglo XIV, la de Ayala es el espejo de esa misma sociedad española. Sátira social y colectiva son ambas obras. La del arcipreste, más regocijada, poética y popular. La del canciller, más doctrinal y moralizante, hasta el punto de caer en cierto prosaísmo pedagógico. En el arcipreste, que vive en las posadas, que vagabundea entre menestrales y artesanos, todo es regocijo epicúreo. En el canciller, que habita en palacios, que se codea con reyes y magnates, todo es desengaño y melancolía. Precisamente porque entrambos abandonan a veces el tetrástrofo monorrimo y dan cabida al elemento lírico en varias formas y combinaciones—cantigas, decires, coplas—, el arcipreste y el canciller abren la puerta a una más graciosa, rápida y conmovedora poesía lírica. Ya muy viejo —cumplidos los setenta años—, el canciller dio los últimos toques a su poema. Luego de los metros ligeros empleados en las canciones religiosas—a la Virgen de Montserrat y a la de Guadalupe—, vuelve a la *cuaderna vía,* para, finalmente, parafrasear la historia de Job y las *Morales* de San Gregorio.

Vale mucho más el canciller como prosista que como poeta. Durante su encierro en Oviedes—1386—escribió el *Libro de la caza de las aves et de sus plumajes et dolencias et melecinamiento,* dedicado al obispo de Burgos, don Gonzalo de Mena, su pariente y gran cazador. Obra interesantísima para conocimiento de las costumbres de la época y por su particular y rico vocabulario.

Pero, acaso, las obras más importantes de Ayala son sus *Crónicas,* relativas a los reinados de Pedro I, Enrique II, Juan I y Enrique III, esta última sin concluir, a causa de haber muerto el canciller. Las *Crónicas* de Ayala son la realización más perfecta de la historia dramática, rica en observación moral, aguda y profunda. Un crítico moderno ha observado muy justamente que el gran escritor francés del pasado siglo, Próspero Merimée, con solo acomodar al gusto moderno la crónica de don Pedro I, ha he-

L

cho un libro tan dramático, interesante y atractivo como sus mejores novelas.

Las *Crónicas* son notabilísimas por su verdad, por su objetividad, por su expresividad, por su estilo severo y personal, por su prosa riquísima y de la mejor ley. López de Ayala poseía en grado altísimo las virtudes del historiador. Sus retratos son breves, pero están dibujados con tal maestría y rebosan tal realidad psicológica, que parecen tan penetrantes como inconfundibles. Nadie ha excedido al canciller al pintar los caracteres de sus personajes; nadie en preparar y agrupar las circunstancias que interesan; nadie en convertir el relato en un drama palpitante y vivo. Como modelos de su género hay que considerar las *Crónicas* de Ayala.

Pedro López de Ayala fue también un magnífico traductor. Tradujo las *Décadas* primera, segunda y cuarta de Tito Livio; la *Consolación,* de Boecio; *Las Morales,* de San Gregorio el Magno; los tres libros *De summo bono,* de San Isidoro; la *Historia o Crónica troyana,* de Guido de Colonna; la *Caída de príncipes,* de Juan Boccaccio, y, probablemente, el *Valerio Máximo.*

La mejor edición de las *Crónicas* de Ayala es la de Llaguno, publicada por Sancha en 1782. La *Crónica del rey don Pedro* figura en el tomo LXVI de la "Biblioteca de Autores Españoles", de Rivadeneyra.

El *Rimado de Palacio* puede leerse en el tomo LVII de la citada "Biblioteca de Autores Españoles" y en la primorosa edición de Kuersteiner, Nueva York, 1920.

Del *Libro de las aves de caza* hay dos ediciones modernas excelentes: la publicada por Gutiérrez de la Vega en el tomo tercero de la "Biblioteca Venatoria"—1879—y la impresa por la Sociedad de Bibliófilos Españoles.

Poesías del canciller se encuentran en los tomos XXXV y LXII de la "Biblioteca de Autores Españoles"; en el tomo IV de la *Antología de poetas líricos castellanos,* de Menéndez Pelayo; en la *Historia y antología de la poesía castellana,* de Sainz de Robles; en la edición Kuersteiner, Nueva York, 1920, y en la *Antología* (de las *Crónicas*), Madrid, Editora Nacional, dos tomos.

V. DÍAZ DE ARCAYA, M.: *Don Pedro López de Ayala, su estirpe, casa, vida y obras...* Vitoria, 1900.—FLORANES, Rafael: *Vida literaria de Pedro López de Ayala,* en *Documentos inéditos para la Historia de España,* tomos XIX y XX.—MENÉNDEZ PELAYO, M.: *Historia de la poesía castellana en la Edad Media,* I, págs. 353 y sigs.—MARQUÉS DE LOZOYA: *El cronista don Pero López de Ayala y la historiografía portuguesa,* en *Boletín de la Real Academia de la Historia,* 1933, CII, 115.—MARQUÉS DE LOZOYA: *Biografía*

del canciller don Pedro López de Ayala. Vitoria, 1931.—MARQUÉS DE LOZOYA: *Discurso* en la Academia de la Historia. 1941.—FUETER, Eduard: *Ayala und die Chronik Peters des Grausamen.* 1905.—SÁNCHEZ ALONSO, B.: *Historia de la historiografía española.* Madrid, 1931, I, 296 y sigs.—ENTWISTLE, U. J.: *The "Romancero dey rey don Pedro", in Ayala and the "Cuarta Crónica general",* en *Mod. Lang R.,* 1930, XXV, 306.—DÍAZ-PLAJA, Guillermo: Prólogo y notas en la *Antología* de López de Ayala. Madrid, C. I. A. P. Volumen XCVIII de "Las cien mejores obras de la literatura española".—AMADOR DE LOS RÍOS, José: *Historia crítica de la literatura española.* Madrid, 1864, tomo V, págs. 99-1.599.—VALBUENA PRAT, Angel: *Historia de la literatura española.* Barcelona, 1950, tomo I.—CASTRO, Américo: *Lo hispánico y el erasmismo,* en *Rev. de Filología Hispánica,* IV, 1942, págs. 1-66.—TORRENTE BALLESTER, G.: Prólogo a la *Antología (Crónicas).* Madrid, Ed. Nacional, dos tomos.

LÓPEZ DE AYALA Y ÁLVAREZ DE TOLEDO, Jerónimo.

Conde de Cedillo. Vizconde de Palazuelos. Investigador y literato español. Nació —1862—en Toledo. Murió—¿1935?—en Madrid. Cursó los estudios del bachillerato con los jesuitas de Orduña y Orihuela. Entre 1880 y 1885 estuvo matriculado en la Escuela Superior de Diplomática y en la Universidad Central, terminando las carreras de archivero, bibliotecario y anticuario en 1882 y la de Filosofía y Letras en 1885. Académico de la Real de la Historia y de la de Bellas Artes de San Fernando. Miembro correspondiente de la de Buenas Letras de Barcelona, Secretario de la Sociedad de Bibliófilos Españoles. Director del *Boletín de la Sociedad Española de Excursiones.* Cronista—1903— de la ciudad de Toledo y su provincia. Catedrático—1910—de Historia de España en la Escuela Superior del Magisterio. Caballero de la Orden militar de Santiago.

Obras: *Las campanas de Velilla*—disquisición histórica, 1886—, *Los Concilios de Toledo*—Barcelona, 1888—, *Jovellanos, como cultivador de la Historia*—1891—; *Toledo. Guía artístico-práctica*—1890—; *Toledo en el siglo XVI...*—Madrid, 1901—, *De mi cosecha* —minucias literarias, 1910—, *De la religiosidad y del misticismo en las obras del Greco*—Madrid, 1915—, *El Cardenal Cisneros, gobernador del reino*—Madrid, 1921 a 1923, tres tomos—; *Ocios poéticos*—1925—, *La leyenda del Palacio*—novela regional segoviana, 1926—, *Desde la casona: Paseos y excursiones por tierra segoviana*—Madrid, 1931—, y otras varias de interés, a las que hay que sumar más de quinientos artículos publicados en importantes revistas de erudición y arte.

V. Quílez, Silvio: *El conde de Cedillo. Ensayo biográfico.* Madrid, 1925.

LÓPEZ DE AYALA Y HERRERA, Adelardo.

Popular y notable poeta y dramaturgo español. El día 1 de mayo de 1828 nació en Guadalcanal (Sevilla) Adelardo López de Ayala. He aquí otro niño prodigio. Como Lope. Como Moratín.

En Sevilla y en Villagarcía (Badajoz) pasó su niñez. Una niñez de ímpetus y de atisbos. A los siete años escribía piececitas para su teatro; y fingiendo con repajolera gracia las voces correspondientes, hacía él de dama meliflua, de galán posma y de barba incordiante. A los catorce años se matriculó en la Universidad hispalitana para cursar las disciplinas de la Facultad de Derecho.

Era Ayala un estudiante algo rechoncho, pero muy flamenco. Tanto, que gastaba calañés y capa corta. Tanto, que cuando las autoridades universitarias quisieron quitar a los estudiantes siquiera la flamenquería del atuendo, capitaneando a doscientos bigardos, armados de palos, piedras y chuflillas —y a los que previamente había enardecido leyéndoles unas enfáticas octavas reales alusivas y sacadas de su fósforo lírico—, armó una regular marimorena.

Ayala no llegó a graduarse de abogado. Conoció a García Gutiérrez —en plena gloria dramática—, y aquel conocimiento decidió su vocación. En 1849 llegó a Madrid. En su equipaje traía tres dramas: *La corona y el puñal, Los Guzmanes* y *Un hombre de Estado.* Inmediatamente se relacionó con los hombres que más prometían..., él, que prometía tanto. Con Gil de Zárate, con Martos, con Arrieta, con Cánovas del Castillo, con Ortiz de Pinedo. Y la verdad es que a Madrid le llegó, antes que la fama de sus obras dramáticas, la de sus fuerzas hercúleas y la de su gracejo sutilísimo. Sí, ya se sabía en Madrid aquella hazaña suya de Guadalcanal, separando los barrotes de una reja para poder abrazar a gusto a una mocita. Sí, ya se sabía en Madrid que en Madrid, en el Prado viejo, había impedido, agarrándose al eje, que arrancase el carruaje de unas damiselas con las que estaba hablando; y que cierta madrugada, él solito, zambulló en el pilón de la Cibeles a tres serenos emperrados en que él dejara de cantar el aria de su optimismo calamocano.

Protegido por el conde de San Luis, y asesorado por el amable secretario de este, don Manuel Cañete, Ayala arregló *Un hombre de Estado* y lo estrenó sin demasiada fortuna en el teatro Español el 25 de enero de 1851. El público no aplaudió mucho; pero que consten estas dos frases *lapidarias* de dos ingenios que presenciaron el estreno: "Este niño es la mejor mina de Guadalcanal", dicen que dijo Bretón de los Herreros. "Este es un ensayo de Hércules", dicen que dijo Gil de Zárate. Total: atención... ¡y ojo al niño, que viene bueno!

¡Y con qué velocidad! 1851: credencial del conde de San Luis, 3.000 pesetas en Gobernación. 1856: redactor del famoso *El Padre Cobos* y amistad con Nocegal, "Fernán-Caballero", Navarro Villoslada, Suárez Bravo... Exito enorme —de risa y "de procesiones por dentro"— de su artículo "Relincho", comentando la sublevación en Calatayud de unos escuadrones de Caballería, 1857: diputado por Mérida. 1858: por Castuera, 1863 y 1865: por Badajoz. 1871: por Fregenal. 1876: por Madrid. 1868: carta franca que le otorgó Montpensier para representarle en sus aspiraciones al trono español vacante. 1868: ministro de Ultramar. 1871: otra vez ministro de Ultramar. 1872: por tecera vez ministro de Ultramar. 1875: por cuarta vez ministro de Ultramar. 1878: presidente del Congreso. 1879: otra vez presidente del Congreso. Y de 1857 a 1879: formidable orador, habilísimo polemista, intrigante sutil, revolucionario y contrarrevolucionario. López de Ayala tenía una hermosa apariencia de tenor romántico, protagonista de las óperas alambicadas y dulzonas de Bellini y Donizzeti. Octavio Picón nos hace este retrato de él: "A la poderosa inteligencia de Ayala correspondía su cuerpo, hermosamente varonil. En su rostro ovalado brillaban ojos negros, grandes y expresivos; contrastaban con la blancura de su tez y la melena negra, el recio bigote y la gruesa perilla. Era de regular estatura, andar lento y aspecto pensativo; había en sus movimientos algo de indolencia, como si el cerebro absorbiese toda la energía de su ser; era su lenguaje pausado y grave, como si las palabras saliesen de su boca esclavas de la intención y del alcance que las quería dar el pensamiento. Sabía expresar con dulzura lo que concebía con vigor, y siendo serio al par que afable, poseía el secreto de atraerse la voluntad ajena, ganando simpatía sin perder respeto."

Octavio Picón conoció mucho a López de Ayala, de quien fue gran admirador. Hay, pues, que aceptar como fiel el retrato antecedente. Sino que, por los retratos que del gran dramaturgo conocemos y por sus obras, no nos le habíamos figurado así. Nada de hombre serio, ni de espíritu pensativo, de hermosa apariencia física. Hombre chirigotero y ceceoso, de esos con los que uno no sabe nunca a qué carta quedarse. Espíritu apasionado, vehemente, contradictorio. Y apariencia fanfarrona de mosquetero jubilado

L

o de tenor en el declive de la voz perdida. Persona magnífica de kilos, de voz y de tos. El mismo, de su incurable afección bronquial, se hizo su epitafio: "Ya lo sabéis—dijo en cierta ocasión a sus amigos—, nada, cuando yo muera, del 'Aquí yace Adelardo, etcétera, etc.', sino esto otro: Ya no tose."

Sí; gran personaje este de gran caballero de club, el más suntuoso con que Madrid contaba para granjear imponentes contemporizaciones, para presidir imponentes ceremonias y para escribir imponentes dramas. La prueba es que si se recuerda con admiración su *Consuelo*, con no menor se recuerda su pacto con Cánovas y su *Oración fúnebre a la muerte de la reina Mercedes*. Esta oración, que probablemente sería el origen doliente y pueril de aquella cancioncilla de corro:

> ¿Dónde vas, Alfonso Doce,
> dónde vas, triste de ti...?

El teatro de Adelardo López de Ayala es una habilísima combinación de realismo sano, de lógica y perfección en el plan, de sobriedad de forma y de tendencia moralizadora. Sus modelos predilectos—en su primera época—fueron Calderón y Ruiz de Alarcón, a los que imitó con soltura no pocas veces. Según Tamayo y Baus, en sus comedias se "unen lo profundo y sano de la idea moral que anima a estas obras y lo castizo y primoroso de la forma que las reviste y engalana".

"Ayala—escribe Ixart—observa la sociedad que le rodea, enclavija sus planes sin dejar nada al acaso, y mucho menos a incidentes inverosímiles, traídos con violencia; vive largo tiempo con sus personajes antes de plantarlos en la escena; quiere darse cuenta de todos sus actos y sus palabras..., que su movimiento resulte estrictamente de la natural y lógica conducta de cada uno de ellos..."

Ayala, como Ventura de la Vega, es un autor "de alta comedia", un adepto incondicional de la realidad burguesa. Sin embargo, su admiración y profundo conocimiento de los clásicos del siglo XVII le llevaron a componer dramas, cuyo *aparente* romanticismo no es sino el tradicional español y nunca el recolado por la Europa de fines del siglo XVIII. Todo el espíritu de Ayala está henchido por la palabra "restauración" y por sus diversos conceptos. "El carácter distintivo del espíritu de Ayala, en cuanto se refleja en sus obras, es un feliz y armónico concierto de todas sus facultades, siempre encerradas en sus justos límites y sometidas a una razón serena que las rige y las regula. La sensibilidad, la fantasía y el entendimiento concurren armónicamente a la producción de sus obras, sin que ninguna predomine, y por eso no son concepciones delirantes, como aquellas en que la imaginación prepondera, ni frías ni artificiosas como las que el entendimiento, abandonado a sí mismo, crea; ni lloronas y falsamente sentimentales o desordenadas, exageradas o violentas, como las que forma la sensibilidad cuando la razón no la gobierna." (Revilla.)

Las seis producciones capitales de Ayala son: *Un hombre de Estado*—1851—, *Rioja* —1854—, *El tejado de vidrio*—1857—, *El tanto por ciento*—1861—, *El nuevo Don Juan* —1863—y *Consuelo*—1878—. Las dos primeras, a imitación del teatro clásico del siglo XVI. Las cuatro últimas, teatro del más fervoroso realismo, auténticas "altas comedias". Las seis obras tienen su moral. *Un hombre de Estado*: que la grandeza deben buscarla los hombres en su corazón y no en circunstancias exteriores si pretenden no fracasar. *Rioja*:

> Aquel entre los héroes es contado
> que el premio mereció; no quien le alcanza
> por vanas consecuencias del Estado,

terceto de la célebre *Epístola* del propio Rioja. *El tejado de vidrio*: el peligro que corre el ladrón de honras ajenas, el que tira piedras al tejado del vecino, sabiendo "que todos los hombres tienen tejado de vidrio". *El tanto por ciento*: el triunfo del amor desinteresado sobre la sordidez. *Consuelo*: el castigo de quien sacrifica el amor a la ambición. *El nuevo Don Juan*: el triunfo del marido sobre el amante...

> ...vale más el peor marido
> que el mejor de los amantes...

Otras obras interesantes de Ayala son: *Castigo y perdón*—1851—, *Los Guzmanes* —1851—, *El curioso impertinente*—1854—, y en colaboración con Antonio Hurtado, *La mejor corona*—1868—y las zarzuelas *Guerra a muerte, El conde de Castralla, Los comuneros, La estrella de Madrid*.

Entre sus obras juveniles merecen citarse: *Salga por donde saliere, Me voy de Sevilla, El tutor, La primita, La primera dama, La Providencia*.

Dejó planeadas: *El último deseo, Los favores del mundo, El cautivo* y *El teatro vivo*.

"Ayala—escribe certeramente Valbuena y Prat—, sobrio y elegante, moral y poeta del leve contorno, del refinado detalle, más que de lo sonoro y vibrante, es un dramaturgo semejante a Alarcón, en nuestro siglo XVII. Como él, cultivó a la vez el drama heroico de grandeza de alma y la comedia urbana de una moral más de lo pequeño que de los problemas más hondos. Ambos cuidaron la forma hasta la rima más acabada, y consiguieron un verso dúctil y de tono menor para sus diálogos costumbristas e irónicos. Por otra parte, Ayala, superando a Ventura de la Vega, dejaba un camino a seguir, en que los continuadores menos poetas no alcanzaron nunca el halo de límpida belleza que envuelve las mejores comedias del autor de *Consuelo.*"

La edición más completa y cuidada de las obras teatrales de Ayala es la publicada por Tamayo en la Colección de "Escritores Castellanos", Madrid, siete tomos, 1881-1885.

V. RUANO, José: *Consuelo. Ensayo crítico.* Madrid (s. a.).—SOLSONA Y BASELGA, Conrado: *Ayala.* Madrid, 1891.—OTEYZA, Luis de: *Ayala.* Madrid. "Vidas españolas e hispanoamericanas del siglo XIX". Espasa-Calpe, 1932. TAMAYO, Manuel: Prólogo a las *Obras de López de Ayala. Clásicos Castellanos,* 1881.— OCTAVIO PICÓN, Jacinto: *Ayala,* en *Autores Dramáticos Contemporáneos,* II, 337.—IXART, José: *El arte escénico,* I.—PAZ, J. A.: *Ayala,* en *Revista Europea,* XI, 571.—SAINZ DE ROBLES, F. C.: *Historia y antología del teatro español.* Tomo VII, 1943.

LÓPEZ BAGO, Eduardo.

Novelista español muy popular en su época. Nació en ¿1855? Murió—1931—en Alicante. Estudió Medicina en Madrid. Y colaboró en varias revistas literarias, como *La Ilustración Española y Americana y La Familia.* Entre 1880 y 1900 se hizo rápidamente popular entre las clases media y baja españolas con sus numerosas novelas, que él subtitulaba como "estudios médico-sociales".

López Bago tuvo indudables cualidades de novelista: inventiva, facilidad narrativa, lenguaje fluido y propio en cada personaje, cierta sutileza de análisis en los caracteres, cierto colorido poético en las descripciones del ambiente. Desdichadamente para él, se dejó ganar por la influencia de Zola—en su intento más naturalista—, y produjo obras, más que realistas, naturalistas y eróticas.

Hoy apenas nadie recuerda a este fecundo escritor. Sus obras ni se reeditan ni nadie las busca. Sin embargo, hay algo de injusto en este total olvido. En las novelas de López Bago existen algunas hermosas descripciones, algunos temas de mucho interés, bastantes tipos de humanidad.

Novelas: *Los amores*—1877—, *El periodista*—1884—, *La soltera*—1886—, *Luis Martínez el "Espada"*—1886—, *La mujer honrada*—1886—, *Carne de nobles*—1887—, *El preso*—1888—, *La señora de López*—1888—, *La pálida*—1889—, *La buscona*—1890—, *La prostituta*—1892—, *El separatista*—1895...

LÓPEZ BALLESTEROS, Luis.

Literato y periodista español. Nació —1869—en Mayagüez (Puerto Rico). Ignoramos la fecha de su muerte. Se hizo bachiller en el colegio de Valldemia (Mataró). Y se licenció en Filosofía y Letras en la Universidad madrileña. Redactor, sucesivamente, de *La Regencia, Correspondencia de España, Heraldo de Madrid, Diario Universal* y *El Imparcial.* Diputado varias veces por Vélez-Rubio, Chantada y Lugo. Gobernador civil de Málaga, Cádiz y Sevilla. Comendador de la Legión de Honor francesa y de la Orden de Alfonso XII.

Ha traducido magníficamente numerosas obras del catalán, francés y alemán; de este último idioma, todas del famoso médico austríaco Freud.

Obras originales: *Lucha extraña*—novela—, *Semblanzas y cuentos, Junto a las máquinas*—novela—, *La cueva de los búhos*—novela—, *Rosa vencida*—drama—, *Colomba*—drama lírico—, *Después del combate*—drama—, *La buenaventura*—zarzuela—, *El crimen de don Inocencio*—novela...

LÓPEZ DE CORTEGANA, Diego.

L

Notable humanista español del siglo XVI. Nació hacia 1480. Nicolás Antonio cree que en Cartagena. Probablemente nació en Sevilla. Estudió en Alcalá y en Salamanca. Vivió en París y en Amberes. Conocía a la perfección el latín, el griego y el hebreo. Fue arcediano de Sevilla. Profesor de Humanidades. Gran amigo de Luis Vives, de Pedro Ciruelo, de Fox Morcillo y del médico López de Villalobos.

Hizo una traducción magnífica del *Asno de oro,* de Apuleyo—Sevilla, 1513—, que se ha reimpreso docenas de veces dentro y fuera de España; traducción que tanta influencia ejerció en Juan de Mal Lara—v. *Psiche*—. Apasionado erasmista, López de Cortegana tradujo—1520—la *Querela pacis,* de Erasmo. Corrigió el *Misal hispalense* y puso un docto prólogo a la *Crónica de don Fernando el Santo enmendada*—1518—. Tradujo, igualmente de modo admirable, el *Itinerario de las regiones africanas y asiáticas,* de Luis de Vargas, y el *Tratado de la miseria y de la fortuna,* del Pontífice Pío IV. Según Cristóbal de Soto, fue López de Cortegana "el más docto y excitado almirante de los piélagos del traducir".

V. BONILLA SAN MARTÍN, A.: *Luis Vives y la Filosofía del Renacimiento.*—CEJADOR Y FRAUCA, J.: *Historia de la lengua y literatura castellanas.* Tomo II.

LÓPEZ ESTRADA, Francisco.

Nació—1918—en Barcelona. Doctor en Filosofía y Letras. Catedrático de Lengua y Literatura en las Universidades de La Laguna (Canarias) y Sevilla. Profesor visitante en las Universidades de Michigan y Cleveland. Conferenciante en muchos e importantes centros docentes de Inglaterra, Estados Unidos, Italia, Bélgica, Francia... Bibliotecario y director de los cursos para extranjeros en la Universidad bética. Vocal de la Comisión de la Asociación Internacional de Hispanistas. Académico de la Academia Sevillana de Buenas Letras.

Obras: *Embajada a Tamerlán*—prólogo y estudio, 1943—, *Jorge de Montemayor: los siete libros de la "Diana"*—prólogo, edición y notas, en *Clásicos Castellanos*, 1946, *Estudio crítico de "La Galatea"*, de Cervantes —1948—, *Introducción a la literatura medieval española*—1952—, *Fuenteovejuna en el teatro de Lope de Vega y de Monroy*—1965—, *Antología de cartas y epístolas selectas de los más famosos autores de la Historia Universal*—1961.

LÓPEZ DOMÍNGUEZ, Luis.

Poeta e historiador argentino. Nació —1810—y murió—¿1898?—en Londres. Periodista apasionado y violento. Durante su juventud estuvo desterrado varias veces, viviendo en Montevideo. Fundó el periódico *El Orden*. Diputado. Ministro de Hacienda. Diplomático. Representó a su país en Estados Unidos, España e Inglaterra.

Algunas de sus más románticas poesías —*El Ombú, A Mayo, A Montevideo*—le alcanzaron gran celebridad en todos los países de lengua castellana.

También escribió una *Historia argentina*.

V. García Velloso, Enrique: *Historia de la literatura argentina*. Buenos Aires, 1914.— Menéndez Pelayo, Marcelino: *Historia de la poesía hispanoamericana*. 1911-1913.—Cruz y Puig, J. de la: *Antología de poetas argentinos*. Diez tomos. Buenos Aires, 1910.—Barreda, Ernesto Mario: *Nuestro Parnaso*. Buenos Aires, 1913, cuatro tomos.

LÓPEZ FERREIRO, Antonio.

Erudito, historiador, arqueólogo de gran prestigio. Nació—1837—y murió—1910—en Santiago de Compostela. Sacerdote. Canónigo de la basílica compostelana. Miembro correspondiente de la Real Academia de la Historia.

Tuvo enorme popularidad entre las gentes de letras de su región y una justa fama de sabio. Su modestia y su caridad para los necesitados fueron proverbiales. Colaboró

en *El Pensamiento Gallego* y en *El Correo de Galicia*, periódicos de Santiago.

De una fecundidad feliz, dejó escritas más de cincuenta obras dedicadas a exaltar el pasado de Galicia.

Dejó escritas algunas novelas, modelos de magnífica prosa gallega: *A tecedeira de Bonaval*—Santiago, 1894—, *O cartelo de Pambre*—Santiago, 1895—, *O niño de pombas* —Santiago, 1905.

Otras obras: *Historia de la S. A. M. I. de Santiago de Compostela*—11 tomos, Santiago, 1898 a 1911—, *Los Fueros municipales de Santiago, Monumentos antiguos de la Iglesia compostelana, Galicia en los primeros tiempos de la Reconquista, Los Fueros municipales de Santiago y su tierra, Arqueología sagrada, El Pórtico de Platerías, El Pórtico de la Gloria, El maestro Mateo, San Rosendo, Pedro da Ponte, San Miguel de Celanova y San Pedro de Rocas...*

V. López y Carballeira, Antonio: *Esbozo biográfico del M. I. Sr. D. Antonio López Ferreiro*.—Couceiro Freijomil, Antonio: *El idioma gallego. (Gramática. Historia. Literatura.)* Barcelona, 1935, págs. 379-80.

LÓPEZ GARCÍA, Bernardo.

Popular poeta y periodista español. Nació —1840—en Jaén. Murió—1870—en Madrid. A los diecinueve años, en el periódico madrileño *La Discusión*, publicó su primera poesía, una oda *Al Asia*. Colaborador durante varios años en *El Eco del País*. En 1864 regresó a Jaén para casarse. Gran propagador en Andalucía de las ideas liberales. Fácil orador, cuya palabra enardecía a las multitudes obreras y campesinas. En 1869 volvió a Madrid, triunfante la revolución, para entregarse plenamente a la literatura y a la política, pero murió al año siguiente.

López García, de imaginación exuberante y romántica, fluido de palabras altisonantes, hinchado y gongorista casi siempre en la expresión, debe su popularidad a sus décimas *Al Dos de Mayo*, que su generación y las siguientes se han aprendido de memoria. En efecto, dichas décimas contienen un gran poder de entusiasmo comunicativo, haciendo vibrar las cuerdas más sensibleras del amor patrio, a pesar de sus imperfecciones de fondo y forma y de sus numerosos ripios.

Son también dignas de mención las composiciones tituladas: *Polonia, El heroísmo polaco, Al Mediterráneo, La religión, En El Escorial, El canto del Profeta, La Libertad...*

López García cultivó la nota de humor en algunos sonetos: *A un mal poeta romántico, A un plagiario...*, y en la composición *De cómo se puede estudiar geografía histórica por el piso y otros accidentes de Jaén.*

De las poesías de López García hay tres excelentes ediciones: Jaén, 1867; Jaén, 1880; Madrid, 1882.

Las décimas *Al Dos de Mayo* figuran en todas las antologías desde que Menéndez Pelayo las incluyó en *Las cien mejores poesías de la lengua castellana*—Madrid, Jubera, varias impresiones.

V. CRUZ RUEDA, Angel: *Examen crítico de Bernardo López García.* Jaén, 1909.—SAINZ DE ROBLES, F. C.: *Historia y antología de la poesía castellana.* Madrid, M. Aguilar, 1946.— CEJADOR Y FRAUCA, J.: *Historia de la lengua y literatura españolas.* Tomo VII.

LÓPEZ DE GÓMARA, Francisco.

Insigne historiador y prosista español de fama mundial. Nació—¿1512?—y murió —¿1572?—en Gómara (Soria). Estudió Humanidades en Alcalá de Henares. Se ordenó sacerdote. Debió de estar varios años en Roma, haciendo entonces amistad con Saxon Gramático, historiador germano, y Olas Magno, arzobispo de Upsala. Capellán de la casa y familia del célebre conquistador Hernán Cortés—1540—. Empezó a escribir su *Historia de Indias y Crónica de la conquista de Nueva España* con las noticias que le dieron el propio conquistador Hernán Cortés, Andrés de Tapia y Gonzalo de Umbría, también conquistadores, y Sebastián Cabot, célebre navegante.

La primera parte de su magistral obra —publicada en Zaragoza, 1552—*Historia de Indias,* la dedicó al césar Carlos I; la segunda, *Crónica de la conquista de Nueva España,* al hijo del gran conquistador, don Martín Cortés. El éxito de la obra fue inmenso. En 1553 se reimprimió en Medina del Campo; en 1554, en Zaragoza y en Amberes.

En estos mismos años se tradujo al italiano, al francés, y una parte del libro, al latín. Sin embargo, el rey don Felipe II mandó recoger todos los ejemplares de la obra, e impuso doscientos maravedíes de multa a quien en adelante la imprimiera o vendiese. Gómara permaneció lealmente al lado de Hernán Cortés hasta que este falleció—1547—en Castilleja de la Cuesta. Desde esta fecha apenas se tienen noticias de la vida de nuestro gran historiador. ¿Se retiró a su tierra natal? ¿Trasladóse a Sevilla?

La cultura de López de Gómara era extraordinaria. Su *Historia* es importantísima, aun cuando rebaje algo su valor el afecto que profesó a Hernán Cortés y que le hace fijarse con demasía en esta gran figura. Los juicios de Gómara son los de un hombre sensato. Su lenguaje y estilo son agradables. Sus retratos de los naturales no son exagerados ni en pro ni en contra; los de los conquistadores españoles no están idealizados con exceso. No escribió Gómara su obra según los modelos de los humanistas corrientes, sino que empleó una forma suya peculiar. Después de la conquista de cada país añade una descripción etnográfica del pueblo sometido.

Gómara, después de recogidos sus papeles por mandato del Consejo del Reino, en 1562, corrigió su obra histórica, haciéndola casi de nuevo en la edición de Salamanca—1568.

El título exacto de la gran obra de López de Gómara es: *Hispania Victrix, primera y segunda partes de la Historia general de Indias, con todo el descubrimiento y cosas notables que han acaecido desde que se ganaron hasta el año 1551.*

Otras obras: *Chrónica de los muy nombrados Omiche y Haradín Barbarrojas; Anales del Emperador Carlos V*—publicados con el título de *Annal of the Emperator Charles V,* 1912, por R. B. Merriman—, y, tal vez, los *Comentarios de un caballero y soldado viejo de los de la Cesárea Magestad del Emperador Carlos V,* de la *Guerra de Túnez y Sucesos del año 1535,* obras encuadernadas en el mismo volumen manuscrito que los *Anales* y de la misma letra.

La *Hispania Victrix* fue traducida—1606— al francés por Martín Fumet, y al italiano, por Agustín Cravalia, aun cuando hubo una versión anterior a la de este—Venecia, 1560 y 1565—. Veinte ediciones tuvo la *Hispania Victrix,* a pesar de su prohibición, y se leyó por toda Europa y la aprovechó Montaigne. Las dos partes de *Historia general de Indias,* de Gómara, se han reimpreso modernamente en el tomo XXII de la "Biblioteca de Autores Españoles". La *Chrónica de los muy nombrados Omiche y Haradín Barbarrojas,* en el *Memorial Histórico Español*—Madrid, 1853—, tomo VI. La *Historia y vida de Hernán Cortés*—que es la *Crónica de Nueva España*—, en México, 1826, edición Bustamante. La *Historia de la conquista de Méjico,* en México, 1943, edición, estudio y notas de Joaquín Ramírez Cabañas.

V. FUÉTER, E.: *Historiografía...,* 371.— PÉREZ PASTOR, C.: *Bibliografía madrileña,* III, 416.—PEREYRA, Carlos: *López de Gómara y Montaigne,* en *Escorial,* Madrid, 1940, I.—RAMÍREZ CABAÑAS, J.: *Introducción y notas a la Historia de la conquista de Méjico.* México, 1943.—FERNÁNDEZ-FLÓREZ, Darío: Prólogo a la *Antología* de L. de G. Madrid, Editora Nacional, ¿1947?

LÓPEZ GORGÉ, Jacinto.

Poeta y crítico literario español. Nació —1925—en Alicante. Infancia y adolescen-

L

cia, en Valencia y Melilla, donde realizó estudios de bachillerato. En esta última ciudad cursó la carrera del Magisterio, cuyo ejercicio comparte hoy con sus tareas literarias. Ha viajado por todo el Marruecos español y la Argelia. Forma parte del Consejo de Dirección de la revista hispanoárabe *Al-Motamid,* y actualmente dirige en Melilla *Manantial,* revista de poesía, que fundó en 1949, en unión de Pío Gómez Nisa. Ha colaborado en casi todas las revistas poéticas de estos últimos años y, además, crítico literario de *Al-Motamid* y *Manantial.*

Obras: *La soledad y el recuerdo*—1951—, *Signo de amor*—1954.

V. SAINZ DE ROBLES, F. C.: *Historia y antología de la poesía española.* Madrid, Aguilar, 1969, 5.ª edición, tomo II.

LÓPEZ DE HARO, Diego.

Notable poeta español del siglo XV. Fue uno de los más interesantes poetas menores que florecieron en la corte de los Reyes Católicos. Algunos críticos le llamaron Diego López Juan. Señor del Carpio. Valeroso soldado, que tomó parte en la conquista de Granada. Hábil diplomático, que desempeñó delicadas misiones en Italia.

Fue gran amigo de Alvarez Gato y autor de un diálogo filosófico titulado *Entre la Razón y el Pensamiento,* y en el *Infierno del amor,* de Garci Sánchez de Badajoz, figura entre los más leales y martirizados amadores:

> Vi que estaba en un hastial
> don Diego López de Haro,
> en una silla infernal,
> puesto en el lugar más claro,
> porque era mayor su mal.
>
> Vi la silla luego arder
> y él sentado a su plazer
> publicando sus tormentos
> y diziendo en estos cuentos:
> «Caro me cuesta tener
> tan altos los pensamientos.»

En la Academia de la Historia se conserva un manuscrito de este autor, titulado *Aviso para cuerdos,* poema doctrinal, *casi representable,* de unos mil versos en pareados, de mérito escaso, en el que intervienen hasta sesenta personajes.

Muchas poesías de López de Haro las recogió Hernando del Castillo en su *Cancionero,* publicado—1511—por vez primera en Valencia. Existe de este *Cancionero* una edición, en dos tomos, en la colección "Bibliófilos Españoles", Madrid, 1882. Y otra facsímil de la de 1520, por A. M. Huntington, Nueva York, 1904.

En el tomo XXXV de la "Biblioteca de Autores Españoles" figura *una glosa de este poeta.*

V. MENÉNDEZ PELAYO, M.: *Antología de poetas líricos castellanos...*—FOULCHÉ-DELBOSC, A.: *Cancionero castellano del siglo XV,* II, en "Nueva Biblioteca de Autores Españoles", XIX.

LÓPEZ DE HARO, Rafael.

Novelista y autor dramático español. Nació—1876—en San Clemente (Cuenca). Murió—1966—en Madrid. Estudió Leyes en la Universidad de Madrid. Notario, en la actualidad, de esta capital.

De 1907 data la primera novela de López de Haro: *En un lugar de la Mancha...* Desde entonces, fecundísimo escritor, ha dado al público treinta y tantas novelas largas, cincuenta y tantas novelas breves, cerca de cuarenta obras teatrales y varios libros de ensayos.

López de Haro, que inició su carrera de novelista adscrito al fuerte y crudo naturalismo que trajo a España Felipe Trigo, ha evolucionado lentamente hacia un realismo pulcro y de hondos reflejos psicológicos. Su lenguaje es rico, aun cuando poco académico. Su estilo, personal, fuerte. Su modo de narrar, muy sugestivo. Su temperamento, dramático. Describe con pluma firme y delicada los afectos, sensaciones y emociones de los personajes. Es un buen pintor de ambientes. Es un eficaz creador de caracteres absolutamente humanos. Un gran público sigue a este escritor, cuyos libros tienen ya fama más allá de nuestras fronteras.

Novelas: *Dominadoras*—1907—, *Batalla de odios*—1908—, *La novela del honor*—1910—, *El salto de la novia*—1911—, *Sirena*—1910—, *Poseída*—1911—, *Entre todas las mujeres* —1911—, *La imposible*—1913—, *El país de los medianos*—1913—, *Floración, Las sensaciones de Julia*—1914—, *Muera el señorío* —1916—, *El más grande amor*—1917—, *Los nietos de los celtas*—1918—, *La Venus miente, Un hombre visto por dentro, Yo he sido casada, Ante el Cristo de Limpias, Fuego en las entrañas; Adán, Eva y yo, Interior iluminado...*

Teatro: *Ser o no ser, Entre desconocidos, Una puerta cerrada, Una conquista difícil, Una ventana al interior...*

Su majestad el individuo—ensayos...

V. SAINZ DE ROBLES, F. C.: Prólogo a las *Novelas escogidas.* Aguilar, 1949.—SAINZ DE ROBLES, F. C.: *La novela corta española (Promoción de "El Cuento Semanal").* Madrid, Aguilar, 1952.—SAINZ DE ROBLES, F. C.: *La novela española en el siglo XX.* Madrid, Pegaso, 1957.—NORA, Eugenio G. de: *La novela española contemporánea.* Madrid, Gredos, 1958. Tomo I. Págs. 399-405.—ENTRAM-

BASAGUAS, Joaquín de: *Las mejores novelas contemporáneas* (1930-1934). Barcelona, Planeta, 1961. Págs. 3-41. (Contiene una biobibliografía exhaustiva.)

LÓPEZ DE HOYOS, Juan.

Erudito, gramático e historiador español. Nació—¿1511?—y murió—1583—en Madrid. Sacerdote. Catedrático de Buenas Letras en el estudio que tenía el Concejo de Madrid en la calle de la Villa, y del que fue alumno Miguel de Cervantes, a quien Hoyos apellidó "su caro y amado discípulo". Nombrósele en 1580 párroco de San Andrés, de Madrid.

Obras: *Relación de la muerte y honras fúnebres del serenísimo príncipe don Carlos; Recibimiento que hizo la villa de Madrid a la serenísima reina Ana de Austria, con una breve relación del triunfo del serenísimo don Juan de Austria, el parto de la reina y solemne bautizo del príncipe don Fernando; Historia y relación verdadera de la enfermedad y felicísimo tránsito y suntuosas exequias fúnebres de la serenísima reina de España doña Isabel de Valois...; Declaración de las armas de Madrid y algunas antigüedades...*

V. ALVAREZ DE BAENA: *Hijos de Madrid ilustres...* III, 121.

LÓPEZ IBOR, Juan José.

Ensayista y médico español. Nació—1908—en Sollana (Valencia). Estudió en el Colegio Beato Juan de Ribera y en la Universidad de Valencia. Doctor en Medicina. Catedrático de Psiquiatría en la Universidad de Madrid. Miembro de número de la Real Academia de Medicina. Ha representado a España en Congresos Internacionales de Psiquiatría y ha dado conferencias en la mayor parte de las Universidades de Europa y América, de las que es miembro correspondiente.

Obras: *Problemas de las enfermedades mentales*—1949—, *La angustia vital*—1950—, *Universitarios, Agonía del psicoanálisis, El Español, La aventura humana, Rebeldes, El descubrimiento de la intimidad, Rasgos neuróticos de nuestro tiempo...*

LÓPEZ DE JEREZ, Francisco.

Cronista y militar español. 1504-1539. Nació en Sevilla. Cuando acababa de cumplir los quince años, marchó a las Indias, donde vivió veinte años, unas veces vagabundeando y miserable, y otras "peleando y trabajando". Fue secretario y consejero del celebérrimo Francisco Pizarro, conquistador del Perú, a quien acompañó en muchos de sus más decisivos hechos de armas. Cuando ha-

bía conseguido reunir una gran fortuna, la repartió entre los necesitados.

Por orden de Pizarro, escribió la *Verdadera relación de la conquista del Perú*, dirigida al emperador Carlos I de España e impresa en Sevilla el año 1534. En ella glorifica la empresa de la conquista que—son palabras suyas—"ha traído a nuestra santa fe católica tanta multitud de gentilidad", y, además, por cuanto "¿cuándo se vieron en los antiguos ni modernos tan grandes empresas é tan poca gente contra tanta, y por tantos climas de cielo y golfos de mar y distancia de tierra ir a conquistar lo no visto ni sabido?"

Edición moderna: "Biblioteca de Autores Españoles", tomo XXVI.

LÓPEZ MALDONADO, Gabriel (v. Maldonado, Gabriel López).

LÓPEZ MARTÍN, Fernando.

Notable poeta y dramaturgo español. Nació en 1882. Murió en ¿1942? Desde muy joven hizo una vida bohemia. Leía mucho a los clásicos y asimilaba sus lecturas. Colaboró en numerosos periódicos y revistas: *El Liberal, El Imparcial, Por Esos Mundos, Mundo Gráfico, Nuevo Mundo, La Esfera, Caras y Caretas*—esta, de Buenos Aires...

Al principio, en su mocedad, estuvo influido líricamente por Salvador Rueda. Muy pronto consiguió su personalidad fuerte, impetuosa, nada modernista ni decadente, de firme y rotunda versificación, de temas trascendentes y tradicionales—de la mejor España—. López Martín fue un gran lírico, de musicalidad y conceptos casi sinfónicos. Su teatro es, igualmente, hondo, emotivo; posee mucho nervio y una nobilísima intención.

Obras líricas: *Sinfonías bárbaras*—1915—, *La raza del sol*—1916—, *Oraciones paganas*—1918.

Obras teatrales: *Blasco Jimeno*—1919—, premio de la Academia de la Lengua y del Ayuntamiento de Madrid—, *El rebaño* —1921—, *Los villanos de Olmedo*—1923.

V. CANSINOS-ASSÉNS, R.: *La nueva literatura.*—CEJADOR Y FRAUCA, J.: *Historia de la lengua y literatura españolas.* Tomo XIII.

LÓPEZ DE MENDOZA, Íñigo.

Uno de los más gloriosos poetas y prosistas españoles. 1398-1458. Nació en Carrión de los Condes. Fue hijo de don Diego Hurtado de Mendoza, señor de Hita y de Buitrago, y de doña Leonor de la Vega, dama de tanto ingenio y nobleza como energía. Huérfano de padre desde los siete años, su educación quedó a cargo de su madre y de su abuela, doña Mencía de Cisneros. Muy

L

joven aún, se casó con doña Catalina de Figueroa. Tomó parte en las luchas políticas de su tiempo, unas veces a favor de don Juan II de Castilla y otras en contra. Ganó Huelva a los moros. Asistió a la batalla de Olmedo con el monarca castellano, quien, para recompensar su valor y experiencia, le concedió los títulos de marqués de Santillana y conde del Real de Manzanares. Se retiró a su palacio de Guadalajara para dedicarse al estudio, y allí murió el 25 de marzo de 1458.

Hombre muy sensible, ingenioso y culto, poseyó una de las bibliotecas particulares más famosas de la Edad Media.

Es Santillana el primer poeta castellano del siglo XV. Sus *serranillas, canciones y decires*—parte principal de su poesía—son inimitables por la sencillez, la verdad y el colorido, y únicamente ceden a las del arcipreste de Hita, más vigoroso e inspirado. También gustó mucho de introducir en sus ficciones poéticas visiones alegóricas.

Obras suyas muy importantes son: *La comedieta de Ponza, El infierno de los enamorados, La defunsión de don Enrique de Villena, Diálogo de Bías contra Fortuna, Doctrinal de privados, Proverbios, Sonetos fechos al itálico modo...*

Maravilloso es el retrato físico y moral que de Santillana trazó Hernando del Pulgar en sus *Claros varones de Castilla.* Fue "hombre de mediana estatura, bien proporcionado en la compostura de sus miembros, é fermoso en las faciones de su rostro... Era hombre agudo é discreto é de tan gran corazón, que ni las grandes cosas le alteraban, ni en las pequeñas le placía entender. En la continencia de su persona é en el razonar de su fabla mostraba ser hombre generoso y magnánimo. Fablaba muy bien é nunca le oían decir palabra que non fuese de notar, quier para doctrina quier para placer. Era cortés, é honrador de todos los que a él venían, especialmente de los hombres de sciencia... Fue muy templado en su comer é beber, y en esto tenía una singular continencia... Era caballero esforzado, é ante de la facienda, cuerdo é templado; é puesto en ella, ardit é osado, é ni su osadía era sin tiento, ni en su cordura se mostró jamás punto de cobardía... Gobernaba así mismo con grand prudencia las gentes de armas de su capitanía, é sabía ser con ellos señor é compañero. E ni era altivo con el señorío, ni raez en la compañía, porque dentro de sí tenía una humildad que le facía amigo de Dios, é fuera guardaba tal autoridad, que le facía estimado entre los hombres... Los poetas decían por él que en la corte era gran Febo por su clara gobernación, é en el campo Aníbal por su grand esfuerzo... Solía decir a los que procuraban los deleytes que mucho más deleytable debía ser el trabajo virtuoso que la vida sin virtud... Tenía gran fama é claro renombre en muchos reynos fuera de España; pero reputaba muy mucho más la estimación entre los sabios que la fama entre los muchos..."

Mucho escribió Santillana, y de muchas cosas; y si de su pluma no nos queda ninguna obra genial, quédannos muchas muy apreciables de una inspiración apacible y tersa, de una fantasía viva y lozana, en un estilo de cierto nativo desembarazo e ingénita lozanía. En la poesía ligera—cantares, serranillas, decires—es un gran maestro, menos vigoroso que el arcipreste de Hita; pero, por lo mismo, más sensibles a los halagos de la belleza lírica. Su obra total abarca una zona amplísima de influencias. Lleva al ápice de perfección la vieja vena de la poesía gallega y provenzal; acusa la temática y el nuevo estilo importados de Italia; logra finas anticipaciones renacentistas; delata sus lecturas francesas del *Roman de la Rose,* de los rondeles y baladas de Michault, de las canciones de Alam Chartier.

Y en el *prohemio* del *Cancionero* de sus obras, enderezado al condestable don Pedro de Portugal, se descubre como el primero y el primer crítico literario castellano, haciéndonos—en su lectura—valorar la cultura literaria de su autor y sus finas preferencias estéticas. Conocía igualmente las literaturas catalana y valenciana, y alabó a Pedro March el viejo, a mosén Jordi de Sant Jordi, a Ausias March. Sin embargo, pareció ignorar la existencia de los *Cantares de gesta* y de Berceo; y su espíritu de hombre del Renacimiento le hizo despreciar y calificar de *ínfima* la poesía popular, y de *mediocre* toda poesía en lengua vulgar, reservando el nombre de *sublime* para "aquellos que las sus obras escribieron metrificando en lengua griega o latina". Magnífica es la definición que de la poesía escribió el marqués: "Es un celo celeste, una affection divina, un insaciable *cibo* (o alimento) del ánimo, y así como la materia busca la forma é lo imperffeto la perfecctión, nunca esta sciencia de poesía e gaya sciencia se fallaron si non en los ánimos gentiles y elevados espíritus."

En cinco grupos clasificó Amador de los Ríos las poesías del marqués de Santillana: *doctrinales e históricas, sonetos fechos al itálico modo, obras devotas, de recreación* y de *amores.* Una clasificación más lógica es la que hacen Hurtado y Palencia en: *Escuela provenzal y trovadoresca* (serranillas, canciones y decires), *Escuela alegóricodantesca y petrarquista* (La comedieta de Ponza, El infierno de los enamorados, La defunsión de don Enrique de Villena, Coronación de mosén Jordi de Sant Jordi, Canonización del maestro Vicente Ferrer y del maestro Pedro de Villacreces y Sonetos fechos al itálico modo y Escuela didáctica (Diálogo de Bías contra Fortuna, Doctrinal de privados y Proverbios).

De todas estas obras poéticas, el máximo valor lo alcanzan las serranillas, las canciones y los decires y los sonetos. La gloria perenne e indiscutible de Santillana está aquí. En la poesía ligera, nadie le niega la primacía sobre todos los ingenios de su época. Toda alabanza parece agotada en cuanto a las serranillas, que si carecen de la ingenuidad de los cantos de ledino y de las canciones de amigo, tienen una frescura indudable y una maliciosa ironía encantadora. "La gracia de expresión, el pulcro y gentil donaire del metro, prendas comunes a todas las composiciones cortas del marqués de Santillana, llegan a la perfección en estas serranillas, de las cuales unas parecen exhalar el aroma de tomillo de los campos de la Alcarria, mientras otras, más agrestes y montaraces, orean nuestra frente con la brisa sutil del Moncayo o nos transportan a las fajadas hoces lebaniegas." (M. P.) Las canciones de galantería tienen en don Iñigo un encantador representante; sabe impregnarlas de una dulce melancolía generosa y de una profunda verdad poética; hay en ellas como un misterio, como una vaguedad lírica, como un sentimiento que se podría creer musical e indefinido, rarísimo en la poesía de la Edad Media. La misma frescura, idéntico primor que en las serranillas y en las canciones hay en los decires, incomparables juguetes de la poesía más íntima:

> Si tú deseas de mí,
> yo non lo sé;
> pero yo deseo a ti
> en buena fe...

Realmente, la única distinción que separa a los decires de las canciones es el de no llevar aquellos ni estribillo ni tema inicial. En todas estas poesías de arte menor, el sentimiento de la Naturaleza queda vigorosamente expresado. Y, tal vez, uno de los mayores encantos de esta lírica feliz y tradicional de Santillana está en que supo intercalar en ella hábilmente cantarcillos populares.

Mas la lírica influida por el sentido alegórico italiano tiene mucho menos valor. Hay que exceptuar los sonetos fechos al itálico modo, plagados de primores conceptistas y de alusiones mitológicas, pero que en su forma ofrecen el interés de haber introducido en la literatura castellana no solamente el verso endecasílabo, sino también esta forma estrófica, ambas a influjo de Petrarca; aun cuando no falta algún crítico

que opine que no fue el endecasílabo italiano—acentuado en la cuarta, sexta u octava sílaba—el que generalizó el marqués, sino el de origen provenzal—con acento en las sílabas cuarta y séptima—, que pasó a los cancioneros galaicoportugueses con el nombre de gaita gallega.

Diez son las serranillas de Santillana; cuarenta y dos los sonetos. Ciento ochenta las coplas de Bías contra Fortuna—poema sobre lo deleznable, vano y transitorio de las cosas de este mundo—; una especie de sátira durísima, puesta en boca del ajusticiado don Alvaro de Luna, es el Doctrinal de privados; los Proverbios fueron escritos para la educación del príncipe don Enrique (IV), basados en las doctrinas de Salomón, Platón, Sócrates, Terencio, Virgilio, Ovidio y otros poetas y filósofos; en la Defunsión de don Enrique de Villena las nueve Musas hacen el elogio del muerto, al que comparan con muchos sabios y poetas, cayendo en mil vaguedades y pedanterías; el Infierno de los enamorados es la obra más influida por Dante, y se describen en ella las torturas y sufrimientos que en la inmortalidad padecen los grandes amadores... Dido y Eneas, Hero y Leandro, Fedra, Hipólito, Francisca de Rímini, Macías... En La comedieta de Ponza, poema escrito en estancias de arte mayor, obra la más importante de Santillana en el género alegórico, se narra la derrota de la armada aragonesa de Alfonso V en lucha con la genovesa y la prisión del rey y de sus hermanos. Pero de la obra poética del marqués perduran únicamente sus serranillas, canciones y decires: arte, gracia y espíritu.

Muy interesantes son también las obras en prosa del marqués de Santillana: Carta al condestable de Portugal, Glosas a los proverbios, Lamentación en profecía de la segunda destrucción de España, Refranes que dicen las viejas tras el fuego.

La Carta al condestable de Portugal figura como proemio del Cancionero de sus propias obras, y es reputada como el documento más antiguo y precioso de historia y crítica literarias que existe en castellano. Los Refranes que dicen las viejas... es la recopilación paremiológica más antigua que existe en lengua vulgar. En las Glosas a los Proverbios va enumerando los motivos históricos o mitológicos que merecen una aclaración o una explicación. Hacen el efecto del primer texto anotado en la literatura castellana, precursor no solo en los comentarios del siglo siguiente, sino hasta de las ediciones de clásicos modernas, en que se desmenuzan las opiniones sobre una alusión mitológica o de historia sacra.

Son abundantes y buenas las ediciones de

L

las obras del marqués de Santillana. Vamos a nombrar las más interesantes:

Del *Cancionero* (ed. Foulché-Delbosc), en *Cancionero castellano del siglo XV*, tomo XIX de la "Nueva Biblioteca de Autores Españoles".

De las *obras en prosa*, principalmente la admirable edición de Amador de los Ríos, en tres tomos, Madrid, 1852.

De *Bías contra Fortuna* hay una edición facsímil—Nueva York, 1902—, costeada por Mr. Huntington.

De los *Refranes que dicen las viejas...*, edición U. Cronan, en la *Revue Hispanique*, 1921, XXV, págs. 134-76.

De las *Canciones y decires*, en *Clásicos Castellanos*, Madrid, 1913.

Pueden leerse varias composiciones selectas en el tomo V de la *Antología de poetas líricos castellanos...*, de Menéndez Pelayo, y en la "Biblioteca Clásicos Ebro", 1941.

V. AMADOR DE LOS RÍOS, J.: Prólogo a la edición de *Obras completas*. Madrid, 1852.— GUTIÉRREZ, Fernando: *Páginas selectas del marqués de Santillana*. Barcelona, 1939.—SE-RONDE, J.: *A Study of the relations of some leading French Poets of the XIVth and XVth centuries to the marquis de Santillana*, en *Romanic Review*, 1915.—SERONDE, J.: *Dante and the French influence on the marquis de Santillana*, en *Romanic Review*, 1915.— VEGUÉ GOLDONI, A.: *Los sonetos al "itálico modo" de... Santillana*. Madrid, 1911.—ME-NÉNDEZ PELAYO, M.: *Antología de poetas líricos castellanos...* V, págs. LXXVIII y siguientes.—SCHIFF, Mario: *La Bibliothèque du marquis de Santillane*. París, 1905.—CRO-NAN, U.: *Estudio*, en *Revue Hispanique*, 1911.—CIROT, G.: *La Topographie amoureuse du marquis de Santillane*, en *B. Hispanique*, 1935, XXXVII, 392.—AUBRUM, Ch. V.: *Alain Chartier et le M. de S.*, en *B. Hispanique*, 1938, XL, 129.—SORRENTO, B.: *Il Prohemio del M. di S.*, en *Revue Hispanique*, 1922, LV, 1.

LÓPEZ DE MESA, Luis.

Ensayista, filósofo, novelista colombiano. Nació en 1884. Doctor en Letras. Profesor y conferenciante insigne. Una de las mentalidades más lúcidas y originales de su patria. "Tiene por la consagración de su vida y la variedad de sus obras la prestancia del humanista, tal como entendieron esta palabra los varones del Renacimiento." (A. Miramón.) Y, según Arango y Ferrer, los ensayos de López de Mesa "son superiores a los escritos por Keyserling y demás turistas panamericanos en sus revoloteos filosóficos por América desde los aviones de la Panagra."

Entre sus obras más importantes figuran: *Problemas colombianos, La tragedia de Glo-*

ria Etzel—novela—, *El libro de los apólogos, Introducción al estudio de la cultura colombiana, De cómo se ha formado la nacionalidad colombiana, Disertación sociológica...*

V. MIRAMÓN, Alberto: *Literatura de Colombia*, en el tomo XII de la *Historia universal de la literatura*, de Prampolini. Buenos Aires, Uteha Argentina, 1941.—ARANGO FE-RRER, Javier: *Historia de la literatura colombiana*.

LÓPEZ MONTENEGRO, Ramón.

Poeta, autor dramático, periodista español de chispeante ingenio. Nació—1877—en Zaragoza. Murió—1936—en Alfaro (Logroño). Estudió en su ciudad natal el bachillerato y algunas asignaturas de las carreras de Ciencias y Leyes. Pero abandonó sus estudios para dedicarse al periodismo, ingresando en el *Heraldo de Aragón*. Durante algún tiempo vivió en Bilbao—como delineante de Minas—, y en Santander, trabajando en *El Noticiero Bilbaíno, Diario de Bilbao* y *El Cantábrico*. En 1903, protegido por don Miguel Moya, fundador de *El Liberal*, de Madrid, ingresó en este gran diario. Después perteneció a las redacciones de *La Noche, La Epoca, La Nación* y *A B C*, colaborando en revistas tan importantes como *Madrid Cómico, Blanco y Negro, Gedeón, Nuevo Mundo, Mundo Gráfico* y *La Ilustración Española y Americana*.

Firmó muchos de sus artículos humorísticos con el seudónimo de "Cyrano". Buen dibujante y compositor inspirado, López Montenegro ha publicado más de cinco mil dibujos y estrenado muchísimos cuplés.

López Montenegro poseyó una extraordinaria vis cómica natural y un ingenio satírico de primer orden. Fue autor dramático, que estrenó con éxito más de cincuenta obras, las más aplaudidas de las cuales en colaboración con el gracioso actor Ramón Peña.

Teatro: *Los gabrieles, La Concha, El ascensor, El niño perdido, Pulmonía doble, Yo amo, tú amas...; Cosas de cómicos, Un tío castizo, La fiera corrupia, Una aventura en París, ¿Con quién hablo?, El jardín de los amores, El gato rubio, La Costa Azul...*

LÓPEZ NÚÑEZ, Juan.

Periodista, prosista y novelista español contemporáneo. Nació hacia 1885. Desde muy joven se dedicó a la literatura y al periodismo. Ha colaborado—y colabora—en las principales revistas y periódicos españoles e hispanoamericanos... *La Voz, La Esfera, Nuevo Mundo...*

Obras: *La salerosa*—novela, 1914—, *Bécquer*—biografía anecdótica, 1915—, *Triunfantes y olvidados*—1916, narraciones anecdóticas—, *José de Espronceda*—1917—, *El Niño de las Monjas*—novela—, *Celina, la que mal casó*—novela, 1926—, *Románticos y bohemios*—1929—, *La Nazarita*—1930, zarzuela—, *Los millones de Chihuahua*—farsa, 1930—, *El Niño de las Monjas*—escenificación de la novela del mismo título—, *Don Juan en el teatro, en la novela, en el arte*—i946...

LÓPEZ PACHECO, Jesús.

Poeta y novelista español. Nació—1930—en Madrid. En la Universidad de su ciudad natal se licenció en Filología Románica. Ha trabajado como corrector y traductor en varias editoriales.

López Pacheco es un excelente poeta neorromántico con vetas superrealistas, siempre fiel a las espiritualidades más complejas. Y como novelista cultiva un realismo sobrio, cuya crudeza atenúan el suave humor, el halo lírico.

Obras: *Dejad crecer este silencio*—poemas, Madrid, 1953—, *Central eléctrica*—novela, Barcelona, 1958—, *Mi corazón se llama Cudillero*—poesía, Mieres, 1961—, *Pongo la mano sobre España*—poesía, Roma, 1961—, *Canciones del amor prohibido*—poemas, Barcelona, 1961—, *El hijo*—novela, 1967—, *Juguetes en la frontera*—teatro, 1965.

V. Nora, Eugenio G. de: *La novela española contemporánea*. Madrid. Edit. Gredos, 1963, tomo II bis, págs. 337-40.

LÓPEZ PELEGRÍN, Santos («Abenamar»).

Literato y revistero taurino español. Nació—1801—en Cobeta (Guadalajara) y murió —1846—en Aranjuez. Desde antes de cumplir los dieciséis años se dedicó al periodismo, habiendo formado parte de las redacciones de *El Castellano, El Mundo, El Observador* y otros diarios pertenecientes al partido moderador.

Popularizó el seudónimo "Abenamar" para firmar sus graciosas e ingeniosas revistas taurinas y... políticas, ya que solía satirizar personas e instituciones empleando alusiones a la tauromaquia.

Obras: *Filosofía de los toros*—1842—, en la que se inserta y se comenta agudamente la *Tauromaquia* de Montes.

LÓPEZ-PICÓ, José María.

Uno de los más admirables poetas que ha tenido la lengua catalana. Nació el 14 de octubre de 1886 en uno de los barrios de la vieja Barcelona. Murió—25 de mayo de 1959—en la misma ciudad. Cursó bachillerato en el Colegio del Sagrado Corazón, de los padres jesuitas, y Facultad de Letras en la Universidad de Barcelona. Premio universitario del centenario del *Quijote*, en

1905. Primeras colaboraciones en *Joventut* el año 1907. Fundación de *La Revista*—que se publicó hasta 1936—el año 1915, compartiendo con el poeta Joaquín Folguera la dirección.

Mantenedor de la Fiesta de la Poesía, en Sitges, el año 1917. Premio Fastenrath de Poesía en los Juegos florales de Barcelona el año 1929. Elegido miembro del Institut d'Estudis Catalans el año 1933, y presidente de la Sección de Literatura del Ateneo el mismo año. Premio Folguera, de Poesía, creado por la Generalidad el año 1934. Homenaje con motivo de su sexagésimo aniversario en 1946. Miembro de la Real Academia de Buenas Letras y publicación de sus *Obras completas* en 1948.

Obras: Poesía: *Torment Froment, Poemes del Port, Amor, Senyor; Espectacles i Mitología, Epigrammata, L'Ofrena, Paraules, Cants i Allegoríes, L'Instant, Les Noces i el Cantic serè, Les absencies paternals, El meu pare i jo, El Retorn, Popularitats, La Nova Ofrena, Les Enyorances del mon, Cinc poemes, Elegía, Invocació secular, Jubileu, L'Oci de la Paraula, Meditacions i Jaculatóries, Carnet de ruta, Salutacions d'arribada, Represa de la Primera Ofrena, Epitalami, Entre els Ocells i els Angels, Assonancies i evasions, Museu, Variacions líriques, Epifanía, Almanac de les Muses, Seny, Distics i Cançons, Excelsior, Senderi barceloní i Galaníes del temps, L'Escreix, Les Ales dels dies, Cura de repós, Via Crucis, Dates benignes, Mirallet d'artistes, Nuesa, Evanescencia i somrís, Caramelles al seny, Novenaris dels mesos, Bones Festes de la Mare de Deu, El Rellotge inefable, Lloa, Zodiac i Triomf de Barcelona, El Concert de les canyes, Requiem, Fulls volanders, Marginals, La Platja de l'Oci, Brises de la Maduresa, Intermezzo mallorquí, Jocs de llum, Te Deum, L'Abellar de la flama, Tardaníes i Celistia, Pax, Miniatures inicials, Músiques i bleix, Idea i Figura, Sillabeigs nadalencs, El rossec de l'adeu, No res i una mica més, Estances, Els noms del somrís, Magnificat Montserrati, Les dues cares del temps, Als Macabeus, Domassos als balcons del cel, Les vacacions del poeta, Les Cendres del boll, El diamant del silenci, La Casa i els amics, Les Dominiques de l'Any litúrgic, María Assumpta, Job, Joguineig del temps que passa, Fragilitats, Les tardaníes del somrís, El Cavaller de Crist, Róssec d'ales als fets diversos, Invocació a Tomàs Didim.*

Miscelánea en prosa: *Moralitats i pretextos, Dietari espiritual, Entre la crítica i l'ideal, L'ome del qual es parla, L'endemà de cada día, Lleures barcelonins, Fulls d'Almanach, De les mil i una nits, Butlletins del temps, A contra claror del seny, Lleures del pensament, A mig aire del temps.*

L

Traducido al castellano, francés, italiano, inglés y alemán y al latín el poema *María Assumpta,* por el P. Miguel Batllorí, S. J.

V. D'ORS, Eugenio: Prólogo a *Torment Froment,* primer libro del autor, 1910.—ORTEGA Y GASSET, José: Prólogo a *El pasajero,* de J. Moreno Villa.—*Antología de poetes catalans moderns.* Estudio crítico de Alejandro Plana, 1914.—FOLGUERA, Joaquín: *Les noves valors de la poesía catalana,* 1918.— MONTOLÍU, Manuel de: *Breviari critic.*—RIBA, Carles: *Escolis, Els Marges, Per Comprendre.*—SALTOR, Octavi: *Les idees literaries de la Renaixença catalana.*—ARÚS, Joan: *Notes sobre poesía.*—GARCÉS, Tomás: *Notes sobre poesía.*—PLA, Josep: *Llanterna mágica.*— BELLMUNT, Domenec de: *Homes de la terra.* COMERMA VILANOVA, Pvre. Josep: *Historia de la literatura catalana.* Editorial Poliglota, 1923.—GIARDINI, Cesare: *Antología di poeti catalani contemporanei,* 1925-1945. Le edizioni del Baretti. Torino, 1926.—PRAMPOLINI, Giacomo: *Storia universale della letteratura.* Unione Tipografico. Editorial Torinesa, Torino, 1936.—VALBUENA PRAT, Angel: *Ensayo preliminar* de su *Antología de la poesía sacra española.*—SALTOR, Octavio: Prólogo a la edición de las *Obras completas* del autor. 1948.

LÓPEZ PINCIANO, Alonso.

Poeta y preceptista español. Nació —¿1547?—en Valladolid. Murió después de 1627. Médico famoso de la emperatriz doña María, viuda de Maximiliano II de Austria y hermana de Felipe II. Preceptista y teorizador al estilo clásico. Publicó—Madrid, 1596—su *Filosofía antigua poética,* escrita con ágil gravedad en forma epistolar —cartas dedicadas a un don Gabriel, contándole sus conversaciones con Hugo y Fadrique—, acerca de la felicidad, de la poética y sus causas, de los poemas, de la fábula, de la comedia, de la ditirámbica, de la heroica, de los actores y representantes...

Según Menéndez Pelayo, es esta obra la única del siglo XVI "que presenta lo que podemos llamar un sistema literario completo", siendo, además, un comentario de la *Poética* de Aristóteles, de las ideas estéticas de Platón y de la *Epístola a los Pisones,* de Horacio. Seguramente López Pinciano escribió su obra con el intento de defender las teorías clásicas respecto al teatro, a fin de contrarrestar la influencia romántica de la obra de Lope de Vega.

El concepto del teatro que tenía López Pinciano se atenía a la ley inflexible de las unidades.

"La comedia se puede representar como que la acción della haya acontecido en tres días y la tragedia en cinco, a lo más largo."

Y parece que alude a Lope al escribir: "De aquí se puede colegir cuáles son los poemas a do nasce un niño y cresce y tiene barbas, y se casa y tiene hijos y nietos." Al menos, Lope se dio por aludido en una epístola encaminada—1602—a Juan de Arguijo.

Otras obras: *El Pelayo*—1605—, poema castellano sin gran inspiración, pero correctamente versificado; *Pronósticos de Hipócrates,* traducción en verso; *La peste de Atenas,* traducción de Tucídides.

López Pinciano se mostró siempre independiente y libre como humanista. Tuvo criterio propio y fue un pensador original.

De la *Filosofía antigua poética* hay una edición—Valladolid, 1894—, de P. Muñoz Peña.

V. MENÉNDEZ PELAYO, M.: *Ideas estéticas.* 1940, II, 322.—PÉREZ PASTOR, C.: *Bibliografía madrileña,* III, 421.—ENTRAMBASAGUAS, J.: *Lope de Vega y los preceptistas aristotélicos.* Madrid, 1932.

LÓPEZ PINILLOS, José («Parmeno»).

Personalísimo autor dramático, novelista y periodista español. Nació—1875—en Sevilla. Murió—1922—en Madrid. Estudió el bachillerato en su ciudad natal. Por falta de recursos económicos no pudo seguir los estudios superiores. En 1898 se trasladó a Madrid para dedicarse al periodismo, estrenando—1900—su primera obra teatral: *El vencedor de sí mismo.* Redactor de *El Globo* y *La Correspondencia de España,* de Madrid. Director de *El Liberal,* de Bilbao. Colaborador ilustre de las principales publicaciones españolas, ya que su firma era de las más buscadas por el gran público.

López Pinillos—que casi siempre utilizó el seudónimo de "Parmeno"—ha sido uno de los más fuertes y originales temperamentos literarios del primer tercio del siglo XX. Su prosa es recia, diamantina, riquísima. Su estilo, crudo, áspero, pero de singular atractivo. Su sensibilidad está siempre pendiente de los más realistas problemas de la vida. Un íntimo sarcasmo fluye de casi todas sus producciones. Y, a veces, es amargo. Y, a veces, pesimista. Pero siempre escribe impulsado por las más nobles causas.

En el género narrativo y en el género teatral alcanzó éxitos inmensos, y acaso su valor más alto está en "no parecerse a nadie". Las *malas ideas* y las *malas costumbres* han tenido en López Pinillos un flagelador inexorable. Seco, rectilíneo, desnudo, diáfano, angustioso, el teatro de "Parmeno" puede decirse que es el *antibenaventiano.* Si alguna influencia pudiera verse en él, es la del inmenso Galdós de *Celia en los infiernos, El abuelo* y *Los condenados.*

Novelas: *La sangre de Cristo*—1907—, *Do-*

ña Mesalina—1910—, *Las águilas*—1911—, *Frente al mar*—1914—, *Ojo por ojo*—1915—, *Cintas rojas*—1916—, *El luchador*—1916.

Teatro: *Hacia la dicha*—comedia, 1912—, *La casta*—comedia, 1912—, *El pantano*—drama, 1913—, *Nuestro enemigo*—drama, 1913—, *La otra vida*—drama, 1915—, *A tiro limpio* —comedia, 1918—, *Los senderos del mal*—comedia, 1918—, *Las alas*—comedia, 1918—, *Esclavitud*—drama, 1918—, *Caperucita y el lobo* — comedia, 1919 —, *La red* — drama, 1919—, *Embrujamiento*—drama, 1920.

V. SAINZ DE ROBLES, F. C.: *Historia y antología del teatro español.* Madrid, 1949. Tomo VIII.—SAINZ DE ROBLES, F. C.: *La novela corta española (Promoción de "El Cuento Semanal").* Madrid, Aguilar, 1952.—SAINZ DE ROBLES, F. C.: *La novela española en el siglo XX.* Madrid, Pegaso, 1957.—NORA, Eugenio G. de: *La novela española contemporánea.* Madrid, Gredos, 1958, tomo I, páginas 261-75.—CANSINOS ASSÉNS, Rafael: *La Nueva Literatura.* IV. Madrid, 1927.

LÓPEZ Y PLANES, Vicente.

Poeta, prosista y político argentino. Nació—1785—y murió—1856—en Buenos Aires. Estudió Leyes y Filosofía en su ciudad natal. Con el grado de capitán de patricios se distinguió durante las dos invasiones inglesas—1806 y 1807—en Buenos Aires, luchando heroicamente. Tomó parte en la Revolución de Mayo. Representó a Buenos Aires en la soberana Asamblea de 1813. Diputado. Autor del primer himno nacional argentino, en cuya letra no salían "muy favorecidos" los españoles. Ministro de la Gobernación. Catedrático—1822—de Economía de la Universidad de Buenos Aires. En 1827 reemplazó interinamente al presidente de la República, don Bernardino Rivadavia, Gobernador de Buenos Aires.

El *Himno nacional argentino*—al que puso música el catalán Blas Parera, dando una gran prueba "de adaptación al medio"—fue la más famosa de sus composiciones, sin que sea una obra maestra, ni muchísimo menos.

Otras de sus poesías destacables fueron: *A la batalla de Maipo, Triunfo argentino* —romance heroico, compuesto a la temprana edad de veintidós años—, *Oda patriótica federal, La victoria de Suipacha, A la muerte del general Belgrano, A la muerte de Matías Patrón, Oda a las delicias del labrador...*

V. IBARGUREN, Carlos: *Las sociedades literarias y la revolución argentina.* Buenos Aires, 1937.—PUIG, Juan C.: *Antología de poetas argentinos.* Buenos Aires, 1910.—LA LIRA ARGENTINA: *Colección de poesías patrióticas.* Buenos Aires, 1826.—ROJAS, Ricardo: *La literatura argentina (Los coloniales).* Buenos

Aires, 1924, 2.ª edición.—ALONSO CRIADO, Emilio: *Literatura argentina.* Buenos Aires, 1916, 4.ª edición.

LÓPEZ PRUDENCIO, José.

Notable ensayista y crítico literario español. Nació—1870—y murió—1949—en Badajoz. Doctor en Filosofía y Letras. Catedrático de Instituto. Académico correspondiente de las Reales Academias de la Lengua y de la Historia.

Inició su labor literaria en *El Correo de la Mañana*, de Badajoz, y en *El Correo Extremeño*. Colaboró en los principales periódicos y revistas españoles, como *La Esfera, Blanco y Negro, Nuevo Mundo...* Durante mucho tiempo—hasta 1936—fue crítico literario de *A B C*, diario popularísimo, que jamás ha tenido otro crítico tan competente y justo.

López Prudencio reúne calidades excepcionales como escritor: una cultura extensa y asimilada, una sensibilidad exquisita siempre pronta para todo lo bello o lo sorprendente, un estilo lleno de matices, un lenguaje riquísimo y del casticismo de mejor ley, una sugestiva amenidad narrativa, una ponderación magnífica.

López Prudencio—quizá nuestro mejor crítico literario de hoy—pertenece a la estirpe insigne de "Clarín", Díez-Canedo, Pérez de Ayala y Gómez de Baquero ("Andrenio"), ninguno de los cuales le exceden ni en la cultura ni en la riqueza de su prosa magnífica.

Obras: *Diego Sánchez de Badajoz*—premiada en concurso nacional—, *Bargueño de saudades*—ensayos—, *El genio literario de Extremadura, Extremadura y España, Joyeles y reliquias...*

LÓPEZ ROBERTS, Mauricio.

Gran novelista español. Nació—1873—en Niza (Francia). Murió en 1940. Diplomático. Ministro tesorero habilitado del Toisón de Oro. Representante de España en Berna, París, Lisboa, Constantinopla, Tánger. Embajador. Marqués de Torrehermosa. Correspondiente de la Real Academia de Bellas Artes de San Fernando. Propuesto para la Real Academia Española de la Lengua.

De este magnífico narrador ha escrito González-Blanco—en su *Historia de la novela en España, 1909*—: "Ha escrito novelas sangrantes de vida, intensas de emoción, que no tienen precedentes en la literatura española contemporánea. Uniendo a lo patético la sobriedad realista, sus novelas son dramas con exclusión de todo artificialismo, es decir, son dramas con todo lo mejor que tiene el arte escénico, y sin sus cualidades expresivas."

L

Si Pérez Galdós, la Pardo Bazán, Pereda, Alarcón, Palacio Valdés, "Clarín", Valera y Blasco Ibáñez son los grandes novelistas del siglo XIX y principios del XX, López Roberts es un segundón admirable entre los admirables segundones que son el padre Coloma, Octavio Picón, Ortega y Munilla, José María Mathéu... Segundones que en otra época menos floreciente de novelistas maestros serían dignas primeras figuras de la novela. Figuras como hoy, desdichadamente, no hay en España. No, hoy no hay un López Roberts...

La prosa de López Roberts es riquísima, naturalísima, limpia, castiza; está llena de colorido y de viveza. Sus temas son del mejor realismo. Su maestría técnica es insuperable. Domina como pocos la emoción. De todas sus obras fluye el más grande interés, la humanidad más palpitante. Crea personajes de carne y hueso, de pasiones y de rebeldías, de almas de extraordinaria atracción.

Novelas: *Las de García Triz*—1902—, *La "cantaora"*—1902—, *La familia de Hita*—1902—, *El porvenir de Paco Tudela*—1903—, *La novela de Lino Arnáiz*—1905—, *La esfinge sonríe...*—1906—, *El vagón de Tespis*—1906—, *Las infanzonas*—1907—, *Una noche de ánimas*—1907—, *Doña Martirio*—1907, primer premio del concurso de novelas organizado por *La Novela Ilustrada*—, *El verdadero hogar*—1917, "Premio Fastenrath", de la Real Academia Española—, *Cuentos de viejas*—1917—, *La celosa*—1918—, *El ave blanca*—1919—, *El novio*—1920...

Ha publicado también *Impresiones de arte* y ha escenificado *La corte de Carlos IV*, de Pérez Galdós.

V. GONZÁLEZ-BLANCO, Andrés: *Historia de la novela en España*. Madrid, 1909.—SAINZ DE ROBLES, F. C.: *La novela española en el siglo XX*. Madrid, Pegaso, 1957.—ENTRAMBASAGUAS, Joaquín de: *Las mejores novelas españolas contemporáneas* (1905-1909). Barcelona, Planeta, 1958, págs. 395-438. Contiene una biobibliografía exhaustiva.

LÓPEZ RUBIO, José.

Gran dramaturgo y novelista. Nació en Motril (Granada) el 13 de diciembre de 1903. Pocos meses después fue llevado a Granada, donde vivió hasta enero de 1915. Hizo en Granada sus estudios elementales y hasta sus primeros intentos literarios. Trasladada su familia a Madrid, ingresó en el colegio de los padres Agustinos, de la calle de Valverde. Nuevos intentos literarios y colaboración en revistas infantiles y estudiantiles. De diciembre de 1917 a mayo de 1919, residencia en Cuenca, donde su padre fue gobernador civil. Terminación del ba-

chillerato, período de grandes lecturas y colaboración literaria en el único diario local. Estrenó con una compañía infantil de una especie de sainete, y premio en un certamen, en 1918. De nuevo en Madrid, ingresó en la Universidad Central para cursar la carrera de Derecho. Gran fiebre literaria. Frecuentación de tertulias de café, como la del Platerías (Eugenio Montes, Federico Carlos Sainz de Robles, José M. Quiroga, los hermanos Rello, etc.), y la Sagrada Cripta de Pombo, de Ramón Gómez de la Serna. A la primera de dichas tertulias le debe gran parte de su orientación literaria. Hizo sus primeros ensayos de humorismo. Con la aparición del semanario *Buen Humor* comenzó a publicar asiduamente artículos y cuentos en dicho semanario, y más tarde en *Nuevo Mundo, La Esfera, Blanco y Negro*, etcétera. También algunas novelas cortas en *Los Lunes de El Imparcial*. En 1924 le publicó Caro Raggio su libro *Cuentos inverosímiles*. Servicio militar en Artillería, en Vicálvaro. Colaboración en *El Sol, La Nación* y otros diarios. Primeros intentos de teatro. Una comedia, no estrenada, en colaboración con Enrique Jardiel Poncela, compañero de Universidad. Pasó a la Redacción de otro semanario humorístico, *Gutiérrez*, y escribió una novela, *Roque Six*, que se publica en 1928. El mismo año, su comedia *De la noche a la mañana*, en colaboración con Eduardo Ugarte, es premiada en el concurso de autores noveles del diario *A B C*, de Madrid, en primer lugar. En enero de 1929 se estrena dicha comedia en el teatro Reina Victoria, de Madrid, por la compañía Díaz-Artigas. El mismo año, la compañía de Irene López Heredia la incorpora en Sevilla a su repertorio y la entrena en Buenos Aires. Traducida al inglés, al italiano y al portugués, es estrenada en Londres, Milán y Lisboa. En mayo de 1930 estrenó, también en colaboración con Eduardo Ugarte, *La casa de naipes*, en el teatro Español, de Madrid. En agosto del mismo año salió para los Estados Unidos, contratado por la Metro Golwdynd Mayer para dialogar en Hollywood películas en español. Terminado el año siguiente su contrato, pasó a la Fox Film Corporation, donde, con el intermedio de un viaje a España, colaboró hasta 1935 en numerosas películas. Viajó por Italia y Francia en 1935. Incorporado a tareas cinematográficas en España, vuelve a los Estados Unidos en 1937, contratado por la casa Fox nuevamente. Pasó a México en 1938 y a Cuba en 1939, siempre entregado a su labor de guionista cinematográfico. A principios de 1940 regresó a España para realizar la versión cinematográfica de *La malquerida*, de Benavente. Escribió guiones y dirigió películas desde entonces, colaborando al mismo tiempo en revistas cinematográficas, como *Primer Plano, Radiocinema* y *Cámara*. Escribe en *A B C, Semana, La Codorniz*, etc. En el año 1949 reanudó su producción teatral. Y ha estrenado desde entonces: *Alberto*—1949—, *Celos del aire*—1950—, *Veinte y cuarenta*—1951—, *Cena de Navidad*—1951—, *Una madeja de lana azul celeste*—1952—, *Estoy pensando en ti*—1951—, *El remedio en la memoria*—1952—, *La venda en los ojos* —1954—, *La otra orilla*—1955—, *El Caballero de Barajas*—1956—, *La novia del espacio* —1956—, *Un trono para Cristi*—1956—, *Las manos son inocentes*—1958—, *Diana está comunicando*—1960—, *Esta noche tampoco* —1961—, *Nunca es tarde*—1964—, *La puerta del Angel*—sin estrenar—, *Al filo de lo imposible*—título general de trece comedias escritas, 1970, para la televisión—. También ha estrenado numerosas traducciones de obras extranjeras. Con obras propias y extrañas ha conseguido extraordinarios éxitos. La Real Academia Española otorgó el "Premio Fastenrath" a *Celos del aire*.

López Rubio se ha colocado a la cabeza de los autores dramáticos españoles contemporáneos, logrando armonizar con singularísimo encanto, en sus obras, el humor, la poesía, el ingenio y la originalidad.

Otras obras: *Cuentos inverosímiles*—Madrid, 1924, Caro Raggio, editor—, *Roque Six* —novela, 1928, Madrid, Caro Raggio, editor—, *De la noche a la mañana*—1932, New York, Norton & Company. Inc. (con notas en inglés para estudiantes de español en las Universidades de los Estados Unidos de América, por el profesor Todd Stark). Esta obra fue publicada en España por la Sociedad de Autores Españoles y por la Colección "El Teatro Moderno"—, *Son triste*—la Habana. Editado en México por Miguel N. Lira en 1939.

V. NORA, Eugenio G. de: *La novela española contemporánea*. Madrid, Gredos, 1962, tomo II, págs. 271-73.—TORRENTE BALLESTER, Gonzalo: *Teatro español contemporáneo*. Madrid, Guadarrama, 1957, págs. 288-96.— MARQUERÍE, Alfredo: Prólogo a la edición de *Teatro selecto*, de J. L. R. Madrid, Escelicer, 1969.

LÓPEZ RUIZ, José.

Poeta, dramaturgo, prosista y periodista. Nació—1906—en Málaga. Murió—1970—en Madrid. Licenciado en Derecho por la Universidad de Granada. Se dio a conocer en Granada—1927—al obtener un premio de poesía en una fiesta patrocinada por Federico García Lorca y Antonio Gallego Burín. Dirigió el periódico granadino *La Tarde* y fue redactor de los diarios malagueños *Sur* y *La Tarde*. Funcionario del Ministerio de Educación Nacional. En 1965 obtuvo el "Premio Lope de Vega", de teatro, con su obra *La puerta del Paraíso*. En 1948 estrenó en Madrid, en Teatro de Cámara y Ensayo, *El velo en la cara*.

López Ruiz es uno de los más auténticos poetas que tienen las letras españolas de hoy. Hondo en los temas. Feliz en las imágenes. Millonario de gracia y de ingenio. Dueño de una irresistible melodía.

Obras: *Paseo por Málaga; Granada, ciudad secreta; Escala en el Sur, El corazón al habla, El cuerpo y el alma, Sonetos amorosos, Retablo malagueño de Navidad, La palabra poética, Valle-Inclán*—poema—, *Ramón*—poema (se refiere a Gómez de la Serna)—, *Rubén Darío*—poema—, *Lope de Vega*—poema.

V. VALBUENA PRAT, Angel: *Historia de la Literatura española*, Barcelona, Gustavo Gili, 1969, tomo IV, págs. 1134-136.

LÓPEZ DE SAA, Leopoldo.

Novelista, autor dramático y periodista español. Nació—1870—en Medina de Pomar (Burgos). Murió—1936—en Madrid. A los nueve años se escapó del colegio, en el que vivía interno, porque el director le había prohibido dedicarse a sus aficiones literarias. En Madrid le protegieron Zorrilla y Fernández y González. Redactor de *El Resumen, El Globo, El País, Vida Nueva* y *El Liberal,* y colaborador de *La Esfera, Nuevo Mundo, Blanco y Negro, La Ilustración Española y Americana* y otras importantes revistas.

López de Saa es un escritor realista—sin excesos—, de viva imaginación, fácil prosista, hábil constructor de sus narraciones, en las que brilla el interés y la pasión.

Novelas: *El ciudadano Flor de Lis, Carne de relieve*—1912—, *Los vividores, De antigua raza, Los indianos vuelven*—1915—, *Bruja de amor*—1917—, *Por un milagro de amor* —1917—, *Las épocas se van*—1918—, *El amigo del sol*—1918—, *Gaviotas y golondrinas* —1919—, *Un hombre de buen sentido, Avispilla, La muerte que mata...*

Teatro: *La muerte del ruiseñor, La española que fue más que reina, El último sueño de Manón, El caballero sin nombre...*

LÓPEZ SALINAS, Armando.

Novelista y cuentista español. Nació —1925—en Madrid. Estudió el bachillerato en su ciudad natal. Habiendo abandonado los estudios, hubo de ganarse la vida en distintos oficios y profesiones.

Cultiva temas realistas en las clases proletarias con gran rigor y fuerza indiscutible. Construye con absoluta perfección, lo

L

que extraña en novelista de obra tan escasa, y se expresa con crudeza que le va muy bien al tema. Es sobrio al narrar y sabe dejar *subrayadas* las situaciones en que enraízan los propósitos de la temática.

Obras: *La mina*—Barcelona, 1960—, *Año tras año*—novela, "Premio Ruedo Ibérico", otorgado en Collioure (Francia), 1962—, *Caminando por las Hurdes*—1960, en colaboración con Antonio Ferrés—, *Por el río abajo* —1966, en colaboración con Alfonso Grosso—, *Estampas madrileñas*—1965—, *El pincel mágico*—teatro infantil, 1967—, *Viaje al país gallego*—1967, en colaboración con Javier Alfaya.

V. NORA, Eugenio G. de: *La novela española contemporánea*. Madrid, edit. Gredos, 1962, tomo II bis, págs. 350-52.

LÓPEZ SILVA, José.

Popular poeta y autor dramático español. Nació—1861—en Madrid. Falleció—1925—en Buenos Aires (República Argentina). Estudió las primeras letras en las Escuelas Pías de San Fernando. Dependiente de comercio en los barrios bajos madrileños. Empezó a darse a conocer en el célebre semanario *Madrid Cómico*.

Es el poeta castizo madrileño por excelencia. Periodista, autor dramático, emigrante en la América española, publicó la mayoría de sus poesías—de vulgarísima expresión y de forma monótona romanceada—en los libros *Migajas*—1890—, *Los barrios bajos* —1894—, *Los Madriles*—1896—, *Chulaperías* —1898—, *Gente de tufos*—1905—, *La gente del pueblo*—1908—y *La musa del arroyo* —1911.

¿Fue realmente *poeta* López Silva? Escribió en verso, eso sí. Y sus ¿poesías? disfrutaron de celebridad. El localismo madrileño de este poeta es un tanto limitado y chillón. Apenas si interesan a su musa algunos aspectos de la baja vida ciudadana, los sentires y parlerías de las gentes humildes de los suburbios. López Silva es un colorista de cartel de feria; utiliza colores enteros y estridentes, desconoce las tonalidades, las gamas, los contrastes, las transiciones. Y lo único que le salva, en ocasiones, es la gracia espontánea y la sensiblería de buena ley.

Más importancia que como poeta tiene López Silva como sainetero. Estrenó numerosas producciones escénicas con éxitos apoteóticos de público. Algunas de sus obras aún se representan y se ven y se escuchan con deleite.

El sainete de López Silva es alegre, marchoso, ingenioso, de mucho color local y de un sentimentalismo populachero.

En muchos de estos sainetes colaboró López Silva con Fernández-Shaw, Arniches, Jackson-Veyan, Pellicer y otros.

Teatro: *El colillero*—1895—, *El "meeting"* —1895—, *Mariposas blancas*—1906—, *Las primeras rosas*—1911—, *Las bravías, La Revoltosa*—1897—, *La Chavala, Los buenos mozos, Los "arrastraos", El barquillero, El capote de paseo, La zarzamora, El noble amigo, El alma del pueblo, El amo de la calle, La fresa, Las romanas caprichosas, La vuelta del presidio, El gatito negro...*

Las obras teatrales de López Silva han sido editadas por la Sociedad de Autores Españoles y por muchas publicaciones periódicas, como las tituladas *La Novela Teatral, La Novela Cómica, El Teatro, La Farsa, Comedias...*

V. ALONSO CORTÉS, N.: *López Silva*, en *Rev. de la Biblioteca, Archivos y Museos*. Madrid, 1929.—ALONSO CORTÉS, N.: *Quevedo en el teatro*. Valladolid, 1930.—SAINZ DE ROBLES, F. C.: *Madrid y el madrileñismo en el teatro*. Conferencia, 1935.

LÓPEZ SOLER, Ramón.

Novelista y poeta romántico español de mucho interés. Nació—1806—en Barcelona. Murió—1836—en Madrid. Estudió la carrera de Leyes en la Universidad de Cervera. Colaboró en los periódicos barceloneses *El Constitucional* y *El Europeo*, revista esta última de la que fue uno de los fundadores. En Madrid fue redactor—1832—de la *Revista Española* y director—1833—de *El Vapor*, en Barcelona, y director—1836—de *El Español*, en Madrid. López Soler fue uno de los organizadores de la Sociedad Filosófica barcelonesa y perteneció a la Real Academia de Buenas Letras. Firmó varias de sus obras con el seudónimo de "Don Gregorio Pérez de Miranda".

López Soler fue el primero que en España cultivó la novela histórica "al estilo de Walter Scott", procurando dar a su narración y a su diálogo aquella vehemencia de que comúnmente carece, por acomodarse al carácter grave y flemático de los pueblos para quienes escribe.

La gran importancia de López Soler está en el prólogo de su novela histórica *Los bandos de Castilla, o El caballero del Cisne* —Valencia, 1830—; dicho prólogo es el *verdadero manifiesto del Romanticismo español*, según ha estimado la crítica; un manifiesto equivalente al que puso, para Francia, Víctor Hugo al frente de su drama *Cromwell*.

Otras obras: *Cartas de Luis XVI a su esposa la noche de su muerte*—en verso—, *Las señoritas de hogaño y las doncellas de antaño*—1832—, *Jaime "el Barbudo", o Los bandidos de Crevillente*—Barcelona, 1832, 1900—, *Kar-Osman*—1832—, *El primogénito de Alburquerque*—1833, cuatro volúmenes—,

La catedral de Sevilla—1839, novela póstuma, adaptación de *Nuestra Señora de París*, de Víctor Hugo, en la Colección Repullés—, *Memorias del príncipe de Wolfer*—1839, novela póstuma.

V. Díaz-Plaja, G.: *Introducción al estudio del Romanticismo español*. Madrid, Espasa-Calpe, 1936.—Peers, Allison: *Romanticismo in Spain*, en *Revue Hispanique*, 1933.— Peers, Allison: *El Romanticismo en España*, en *Boletín de la Biblioteca Menéndez Pelayo*. 1924.—García Mercadal, J.: *Historia del Romanticismo español*. Barcelona, editorial Labor. 1942.—Piñeyro, Enrique: *El Romanticismo en España*. París, 1905.

LÓPEZ DE ÚBEDA, Francisco.

¿Quién fue Francisco López de Ubeda? ¿Personaje real o seudónimo? En Medina del Campo, con fecha de 1605, apareció *El libro de entretenimiento de la Pícara Justina*, a nombre del médico toledano Francisco López de Ubeda. La obra debió de redactarse hacia 1582, a juzgar por una alusión —II, 183—a la reforma del calendario.

Para algún crítico, como Puyol y Alonso, el autor de la *Pícara Justina* fue el dominico leonés fray Andrés Pérez, autor de una *Vida de San Raimundo de Peñaforte*—1601—. Para otros críticos—Cejador, Foulché-Delbosc, Nicolás Antonio—, Francisco López de Ubeda existió y escribió la novela, en la que abundan las alusiones profesionales—"usando lo que los médicos platicamos". Pérez Pastor, en *La imprenta en Medina*, 1895, recoge tres documentos que prueban la existencia de Francisco López de Ubeda, médico, natural y vecino de la ciudad de Toledo. Los documentos se refieren a unas capitulaciones de dote, a una carta de pago y al matrimonio—1590—de López de Ubeda. López de Ubeda, pues, existió, sin duda alguna.

La *Pícara Justina* escribióse, ya está dicho, antes de 1605, haciéndose luego añadiduras, enmiendas y retoques. Aunque el autor tenía muy adelantada la segunda parte, no se decidió a imprimirla. La *Pícara Justina* consta, además de tres prólogos, de cuatro libros: la *Pícara Montañesa*—dedicado a la ascendencia de Justina—; la *Pícara Romera*, dedicado a las aventuras de Justina en las romerías de Arenillas y León; la *Pícara Pleitista*, en que cuenta la salida de Justina de su tierra y sus estancias en Medina de Rioseco y Mansilla, y la *Pícara Novia*, en que Justina, luego de desdeñar a varios pretendientes, se casa con un hombre de armas apellidado Lozano. Al frente de la obra aparece una llamada *Arte poética*, tan singular como absurda. Al principio de cada capítulo, Ubeda pone unos versos—muy malos—, que dan referencia de su asunto, con observaciones de carácter ético; y al fin hay como añadido un aprovechamiento o moraleja, porque López de Ubeda se esforzaba en demostrar el carácter moralizador de su libro.

Este, literariamente, es de muy escaso valor. Lo que menos importancia tiene en él es la acción—muy diluida—; tampoco la tienen los personajes, mal caracterizados; ni los episodios y cuentos, que apenas tienen chispa y que están mal contados. El gran valor de la *Pícara Justina* está en la gran riqueza de su vocabulario y en la fraseología de que hizo alarde el autor, "que no parece se propuso otra cosa que enjaretar de cualquier manera en unos cuantos acaecimientos de la pueril picardía de una moza virgen un sinfín de frases, voces e idiotismos del castellano—de la región leonesa—, fruto de sus estudios y aficiones".

Cervantes, en su *Viaje del Parnaso*, trata muy mal al autor de la *Pícara Justina*:

> El autor de la *Pícara Justina*,
> capellán lego...

Y Menéndez Pelayo opina: "que es de poca inventiva y de ningún juicio", que tiene "un caudal riquísimo de dicción picaresca y una extraña originalidad de estilo", y que es "un monumento de mal gusto...; lo que llamaríamos *un decadentista*".

La *Pícara Justina* tuvo un gran éxito en su época, y nunca ha dejado de tenerlo, ya que se ha reimpreso innumerables veces, traduciéndose a varios idiomas.

Son excelentes ediciones de la *Pícara Justina*: Medina—1605—, Barcelona—1605—, Bruselas—1608—, Barcelona—1640—, Barcelona—1707—, Madrid—1735 y 1736—, París —1847—, Bandry, tomo XXXVI de "Autores Españoles" y I de "Tesoro de Novelistas Españoles"; Nueva York—1847—, Madrid, "Biblioteca de Autores Españoles", de Rivadeneyra, tomo XXXIII; Madrid, 1912, edición Puyol, en la colección "Bibliófilos Madrileños", tres tomos; Barcelona, Sopena, ¿1920?; Madrid, Aguilar, 1944 y 1946, en *La novela picaresca española*, edición de Valbuena y Prat.

V. Valbuena y Prat, A.: *Estudio* en *La novela picaresca española*. Madrid, Aguilar, 1944 y 1946.—Puyol Alonso, J.: Prólogo y notas en la edición—1912—de "Bibliófilos Madrileños".—Foulché-Delbosc: *L'auteur de la "Pícara Justina"*, en *Revue Hispanique*, X, 236-44.—Menéndez Pelayo, M.: *Introducción al "Quijote" de Avellaneda*. Barcelona, 1905, pág. XXV.—Sánchez Castañer, F.: *Alusiones a la "Pícara Justina" en el teatro*, en *Rev. Fil. Esp.*, 1941, XXV.—Fonger de Haan: *An outline of the History of the*

L

Novela picaresca in Spain. The Hague, 1903. CHANDLER, F. W.: *Romances of Roguery.* Nueva York, 1899.

LÓPEZ DE ÚBEDA, Juan.

Poeta español del siglo XVI. Toledano. Licenciado—¿en Teología?—. Fundador del Seminario de los Niños de la Doctrina en Alcalá de Henares. Su nombre figura en el *Catálogo de autoridades* del idioma, publicado por la Academia Española.

López de Ubeda es un lírico devoto y popular, con muchos prosaísmos, pero sabiendo, a veces, sacar partido de la poesía popular, como en el *"romancillo de un alma que desea el perdón"*...

> Yo me iba, ¡ay Dios mío!,
> a Ciudad Reale,
> errara yo el camino
> en fuerte lugare.
>
> Salí zagaleja
> de en cas de mi madre,
> en la edad, pequeña,
> y en la dicha, grande...

En la poesía "a lo divino" de López de Ubeda se advierte la influencia de fray Ambrosio Montesinos. Parodió muy bien los cantares populares.

Obras: *Cancionero general de la Doctrina Christiana*—Alcalá, 1579, 1586, 1596, corregido y aumentado—, *Coloquios, Glosas, Sonetos y Romances, e una Elegía del alma, e un Eco, con otras letras del Santísimo Sacramento...*—Alcalá, 1580; Sevilla, 1586—, *Romance de Nuestra Señora y Santiago, Patrón de España*—Cuenca, 1602—, *Redondillas de los gloriosos mártires San Sebastián... y de San Esteban...*—Cuenca, 1602—, *Vergel de flores divinas*—Alcalá, 1582, 1588.

Varias poesías de López de Ubeda se recogen en el tomo XXXV de la "Biblioteca de Autores Españoles", de Rivadeneyra.

V. GALLARDO, B. J.: *Ensayo de una biblioteca...* III, 508.

LÓPEZ VALDEMORO Y DE QUESADA, Juan Gualberto.

Investigador y literato español. Conde del Donadío de Casasola y de las Navas. Nació —1855—en Málaga. Murió—¿1943?—. Bibliotecario mayor de su majestad el rey don Alfonso XIII. Catedrático de la Facultad de Filosofía y Letras de la Universidad de Madrid. Académico de la Real Española de la Lengua. Individuo de la Hispanic Society of America, de Nueva York. Comendador de las Ordenes de Alfonso XII, Leopoldo II de Bélgica, Carlos III de España, la Legión de Honor francesa... Socio fundador de la Unión Ibero-Americana (1900). Académico correspondiente de la Real Sevillana de Buenas Letras...

El conde de las Navas, dos veces benemérito y noble, por la sangre y por el entendimiento, es una de las personalidades más brillantes, salientes y castizas de la España contemporánea. Su cultura fue vastísima. Y extraordinarios su ingenio y su gracia. Limpia y rica su prosa. Cuantos temas abordó los estudió con sutileza y los explicó con garbo. Todos sus libros rebosan erudición, interés y enjundia...

El conde de las Navas usó los seudónimos "Blas Quixada", "El Marqués de Cambrales", "El Niño", "El Portero", "Mengano", "Nadie", "P. P. P. P.", "Vasco de San Allende".

Obras: *Memoria acerca del tamaño de los libros*—1897—, *De libros*—1908—, *Catálogo de la Real Biblioteca*—1910, dos tomos—, *El espectáculo más nacional*—1899, acerca de las corridas de toros—, *La mujer y el libro*—1916—, *Historia y viajes*—crónicas—, *Cosas de España*—dos volúmenes—, *La decena del fraile*—cuentos, 1895—, *La media docena*—cuentos y chascarrillos, 1898—, *Cuentos y chascarrillos andaluces*—1898—, *De chicos y grandes*—cuentos, 1903—, *Don Juan Valera*—1905—, *Madrid palaciano* —1906—, *Cuestionario de Paleografía diplomática española*—1914—, *Real Palacio de Madrid*—volumen IV de *El arte en España*—, *La niña Araceli*—novela, 1896—, *¡Un infeliz!* —novela breve, 1887—, *Chavala*—novela, 1893, 1909—, *El procurador Yerbabuena* —novela, 1897—, *La Pelusa*—novelita, 1903—, *Retama*—1905—, *Avante*—1908—, *Non torno*—cuento dialogado, 1897...

V. CEJADOR Y FRAUCA, Julio: *Historia de la lengua y literatura castellanas.* Tomo IX.

LÓPEZ VELARDE, Ramón.

Poeta y prosista mexicano. Nació—1888— en Jerez (Zacatecas) y murió—1921—en la ciudad de México.

Según la mayoría de la crítica, es uno de los poetas más sobresalientes y vigorosos del modernismo hispanoamericano. Vivió y sintió intensamente el ambiente regional y supo interpretarlo como un maestro en el verso y en la prosa. "Es un creador y un renovador que rompe con la tradición, y sabe dar a sus producciones líricas un tono originalísimo."

Pese a su prematura muerte, López Velarde dejó escuela, y un número considerable de líricos contemporáneos siguen sus tendencias y sus inspiraciones.

La trayectoria lírica de López Velarde estuvo marcada así: se inició en el tono regional, con una gracia ingenua, menuda y melancólica; posteriormente evolucionó hacia lo subjetivo y utilizó, sin grandes aciertos, la expresión simbólica; por último, irrumpió en el modernismo de las rebeldías métricas y de las rarezas metafóricas, presentando en muchas ocasiones un sentido poético difícil de entender y muy rebuscadamente explicativo.

Al primer período corresponde el volumen *La sangre devota*—1916—; al segundo, estos dos títulos: *Zozobra*—1919—y *El son del corazón*—póstumo—; al tercero, varias poesías aparecidas en revistas.

También póstumo es su libro de prosas *El minutero*, muy interesante, fundamentalmente artístico y tan poético, o más, que sus obras líricas.

V. Angarita Arvelo, Rafael: *Antología de la poesía mexicana moderna.* México, 1928.— Estrada, Jenaro: *Poetas nuevos de México.* México, 1916.—Núñez y Domínguez, José de J.: *Los poetas jóvenes de México.* México, 1918.—Torres Rioseco, Arturo: *La poesía lírica mexicana.* Santiago de Chile, 1933.—Villaurrutia, Xavier: *La poesía de los jóvenes de México.* México, 1924.—González Peña, Carlos: *Historia de la literatura mexicana.* México, 2.ª edición. 1940.—Jiménez Rueda, Julio: *Historia de la literatura mexicana.* México, 1942.

LÓPEZ DE VILLALOBOS, Doctor Francisco.

Médico, erudito, satírico y prosista español. 1469-1549. Hombre agudo y sentencioso, burlón y extravagante, de una gracia personalísima, el doctor Villalobos, judío converso, nació en Zamora, en el año 1469. Cuantos dicharachos, frases de doble sentido, corrían por la corte de los Reyes Católicos indefectiblemente eran atribuidos a su ingenio. Fue un precursor de Quevedo en lo de paternizar, por las buenas o por las malas, las salidas de tono y tino de una época que empezaba a gustar de las gracias verbales del Renacimiento.

Su nombre figura en el *Catálogo de autoridades de la lengua,* publicado por la Academia Española.

El doctor Villalobos fue físico—médico—del duque de Alba—1507—, del Rey Católico —1509—, de Carlos I—1519—y de Felipe II —1548—, y consejero íntimo del almirante de Castilla don Fadrique Enríquez.

El doctor Villalobos escribió en castellano y en latín, en prosa y en verso. Es autor de un *Sumario de Medicina*—1498—, escrito en romance trovado, en el que desconfía de las teorías de los médicos árabes; de un *Libro titulado de los problemas,* en el que se abordan, en forma polémica, cuestiones naturales y morales, con glosas acerca de las costumbres, motines y guerras, de los casamientos y de los buscadores de dotes, de las viejas que se pintan, de la vanidad,

de los lutos, de los doctores...; de *Las tres grandes,* amenísimo exponente festivo de su ingenio, dividida en tres partes, la *gran parlería,* la *gran porfía* y la *gran risa,* con mucha y buena crítica de los habladores, de los discutidores y de las risas falsas y verdaderas; de muchas composiciones en verso y algunas glosas—*Muerto queda Durandarte*—y algunas canciones—*Venga ya la dulce muerte*—, "cuyo comentario es de lo mejor escrito en prosa de su tiempo, pudiendo parangonarse con la de los Valdés". (Hurtado y Palencia.)

En latín escribió: *Glossa litteralis in primum et secundum naturalis historiae libros Plinii*—1524—, que dio origen a una famosa polémica con el comendador griego Hernán Núñez, catedrático de Griego y Retórica en la Universidad de Salamanca; las *Congressiones, vel duodecim principiorum liber*—1514—, en las que se incluyen cartas de carácter jocoso.

Tradujo el *Amphitrion,* de Plauto. Y se conservan de él—en castellano y en latín—multitud de cartas a los personajes más importantes de la época.

V. Hurtado y González Palencia: *Literatura española.*—Menéndez Pelayo, M.: *Orígenes de la novela.* II.—Sainz de Robles, Federico Carlos: *Cuentos viejos de la vieja España. Estudio y notas.* Madrid, Aguilar, 3.ª edición, 1949.

LÓPEZ DE VIVERO DE PALACIOS RUBIOS, Juan.

Literato, jurista e historiador español. Nació—¿1450?—en Palacios Rubios (Salamanca). Murió hacia 1525. Estudió en la Universidad salmantina. Catedrático de Derecho en ella, y de Cánones en Valladolid. Oidor de las Chancillerías de Valladolid, Ciudad Real y Granada. Consejero real y presidente del Honrado Consejo de la Mesta. Redactor de las Leyes de Toro y su comentarista en latín. Consejero de los Reyes Católicos. Caballero de gran integridad y de indomable rectitud.

Su única obra literaria es su célebre *Tractado del esfuerço heroyco*—Salamanca, 1524—, escrito con elegancia y brío, y dedicado a demostrar el sentido ético y esencialmente útil de los actos valerosos. La psicología del libro es endeble; pero encierra el libro innegables aciertos y prudentes enseñanzas en orden a la vida práctica.

Hay dos ediciones modernas de este *Tratado:* la de Madrid, de Sancha, de 1793, y la de Madrid—"Revista de Occidente"—de ¿1935?

V. Fuente, Vicente de la: *Palacios Rubios,* en *Rev. de Legisl. y Jurisp.,* 1869, XXXIV,

L

79 y 160.—Bullón, Eloy: *El doctor Palacios Rubio y sus obras.* Madrid, 1927.

LÓPEZ DE ZÁRATE, Francisco.

Poeta y dramaturgo español. Nació —1580—en Logroño. Murió—1658—en Madrid. Abrazó en su juventud la carrera de las armas. Sirvió lealísimamente, como secretario, a don Rodrigo de Calderón; finalmente, libre, en su entereza, de todo compromiso a la caída de este, diose, desde 1621, a la maciza virtud y al cultivo de la poesía, moralizando con ella. Por su caballerosidad y modestia, por su falta de humanas ambiciones, fue protegido por el famoso valido de Felipe III duque de Lerma, y más tarde, por don Pedro Mesía de Tovar, conde de Molina. Modesto, alabador de los otros, descontentadizo corrector de sus propias obras, urbano y aseado, López de Zárate mereció el aprecio de todos y el apodo de *El Caballero de la Rosa,* aun cuando, quizá, este apodo se lo ganara por cierto soneto que escribió en alabanza de dicha flor. Por una silva muy hermosa ganó un premio en las fiestas—1620—de la beatificación de San Isidro, mereciendo que Lope dijera de él: "Pero si quisiéramos hacer rostro a Italia, no faltarían ahora notables nombres; pues bien se puede oponer el soneto *A la rosa,* de Francisco López de Zárate, a todos los de entrambas lenguas. Rosa es esta que no la podrá marchitar ni el ardor del sol ni el hielo de la envidia." Y en el *Vejamen* de aquella fiesta, Lope añade:

> Caballero de la Rosa
> le llaman por excelencia;
> pero tales silvas hace,
> que tales Rosas engendra.

Cervantes, en su *Persiles,* alude al poema de Zárate *La Invención de la Cruz,* poema de 2.058 octavas, que, por cierto, fue malamente atribuido a Lope en reimpresión del siglo XIX, con la portada: *Fiestas a la traslación del Santísimo Sacramento a... Lerma, por L. de Vega Carpio, Valencia. 1612 (sic).* Se cuenta que habiendo enviado López de Zárate a don Manuel Pérez de Guzmán, duque de Medina-Sidonia, cierta obra poética, le envió el duque tantas coronas de oro cuantos versos tenía el volumen.

Obras: *Varias poesías*—Madrid, 1619—, *Romance que sigue al de don Luis de Góngora de Angélica, Rimas amorosas y heroicas, fúnebres y sacras; Sonetos morales, romances y letrillas; Epitalamio a don Fernando de Malleza, Poema heroico de la Invención de la Cruz*—Madrid, 1648—, *Tragedia de Hércules Furente y Deta*—dedicada a su protector el conde de Molina—, y varias *églogas y silvas* en distintos libros de sus amigos.

Buena edición de las obras de López de Zárate es la titulada *Obras varias*—Alcalá, 1651—. En la Biblioteca Nacional de Madrid existe el manuscrito de *Varias poesías* y el de su comedia *La galeota reforzada.* En los tomos XXXV y XLII de la "Biblioteca de Autores Españoles", de Rivadeneyra, pueden leerse varias composiciones de López de Zárate.

V. Fernández Navarrete, Eustaquio: *Retrato y biografía de López de Zárate,* en el *Semanario Pintoresco Español.* 1845.—López Camargo, Angel: *Algunos poetas menores del siglo XVII.* Zaragoza, 1882.—Lope-Toledo, José María: *El poeta don Francisco López de Zárate.* Logroño, 1954.

LOREDO, Francisco.

Nació en Madrid el día 30 de septiembre de 1918. Estudió en Madrid, licenciándose en Medicina y Cirugía. Del grupo poético de la revista *Garcilaso.* Loredo es uno de los mejores—por su hondura y por su sensibilidad—poetas españoles contemporáneos.

Ha publicado versos en las siguientes revistas: *El Español, Garcilaso, Consigna, Acanto, Juventud, La Hora, La Estafeta Literaria,* etc. Intervino en el ciclo poético del Ateneo de Madrid del año 1943, donde dio a conocer parte de su obra.

Ha publicado *Versos por la Rioja*—Madrid, 1948.

Se han ocupado de su poesía: José García Nieto: Artículo sobre su libro *Abril de lo elemental* ("Juventud", 1942); Carlos Edmundo de Ory: Artículo sobre *La bicicleta en la poesía española* (*El Español,* 1944).

Como prosista, ha cultivado el género del humor, siendo autor de numerosos cuentos.

LOREN, Santiago.

Novelista y cronista español. Nació —1918—en Belchite. Doctor en Medicina. En 1953 le fue concedido el "Premio Planeta" de novela. Su realismo queda mitigado por cierto humor noble. Su profesión le hace preocuparse por los temas más enraizados en lo humano y "en cuerpo y alma". Temas que a veces trata con seriedad y a veces con respingo de humorista.

Obras: *Cuerpos, almas y todo eso*—Barcelona, 1952—, *Una casa con goteras*—Barcelona, 1953—, *Las cuatro vidas del doctor Cucalón*—Barcelona, 1954—, *Vivos y muertos*—1955—, *El verdugo cuidadoso*—1957—, *Déjeme usted que le cuente*—cuentos, 1956—, *El baile de Pan*—novela, Barcelona, 1960—, *Diálogos con mi enfermera*—cuentos, Madrid, 1958—, *Vivos y muertos*—novela, Madrid, 1962—, *Cajal, historia de un hombre*

—biografía, Barcelona, 1954—, *Orfila*—biografía, Zaragoza, 1961—, *Siete tumbas* —1964—, *El pantano*...

LORENTE, Juan José.

Novelista, crítico y autor dramático español. Nació—¿1868?—en Villarroya de la Sierra (Zaragoza). Murió—1931—en Madrid. De familia de labradores, cursó los estudios del Magisterio, aun cuando no llegó a ejercer el apostolado. Se dio a conocer en *Heraldo de Aragón* con sus crónicas taurinas y con una sección diaria dedicada al comentario de la actualidad y titulada *Ráfagas*. Director de *La Voz de Aragón*. A partir de 1920 se dedicó casi por completo a la producción teatral, con la que obtuvo bastantes éxitos.

Novelas: *Fueros de la carne*—novela breve, recomendada en el concurso abierto por la famosa publicación madrileña *Los Contemporáneos*—, *El llanto de los hombres, La canción de la vida, Sol de invierno, Aquella niña del tren..., Como el agua de la sierra, La mascota rubia, La musa de fuego, Corazón aventurero, Minerva, El ultraje*.

Obras teatrales: *Aires del Moncayo, Yo soy concejal, Flor de almendro, La loca afición, Peor que la enfermedad, Calor de vida, Sombra de madre, Dulce veneno, Los padrinos se baten, La pena de los viejos, Nieta de España, El tío conquistador, ¡Señorita!, Baturrada, El solar, El madrigal de la cumbre, La tierra de Pilatos, La felicidad de ayer, La Dolorosa, Los de Aragón*...

LORENZO, Pedro de.

Novelista, ensayista y cronista español. Nació—1917—en Casas de don Antonio (Cáceres). Estudió en esta capital el bachillerato, la carrera de Leyes en Salamanca, y en Madrid siguió los cursos de la Escuela Oficial de Periodismo, de la que actualmente es profesor de Estilo. Ha dirigido el *Diario Vasco*, de San Sebastián, la revista madrileña *Garcilaso*, el diario *La Voz de Castilla*, de Burgos; las páginas literarias del diario madrileño *Arriba*. Entre 1957 y 1962 fue director técnico de la Prensa del Movimiento. En 1961 y 1962, jefe de colaboraciones de la revista *Blanco y Negro*. Director adjunto—1970—de *A B C*.

Ha obtenido los siguientes premios: "Azorín, 1947", otorgado por el Gremio de Editores y Libreros; "Nacional 29 de octubre" de artículos en 1957; "Luca de Tena, 1957"; "Alvarez Quintero", de novela, otorgado por la Real Academia para el quinquenio 1952-1957; "XXV Aniversario" de ensayos, 1961; y "II Hemingway", 1962. "Premio Fastenrath" 1964.

En 1958 le fue concedida la Encomienda de la Orden del Mérito Civil, y en 1959 la Encomienda de la Orden de Cisneros. Pensión de Literatura de la Fundación Juan March, en 1960.

Es autor de miles de crónicas, y ha dado incontables conferencias dentro y fuera de España.

Obras: *La quinta soledad*—novela, 1943—, *Y al Oeste, Portugal*—ensayo, 1946—, *Tu dulce cuerpo pensado*—poesía, 1947—, *La sal perdida*—novela, 1947—, *Una conciencia de alquiler*—novela, 1952—, *Tierras de España, tipos y costumbres*—1953—, *Fantasía en la plazuela*—ensayo, 1953—, *Angélica*—poesía, 1955—, *Cuatro de familia*—novela, 1956—, *Extremadura, la fantasía heroica*—ensayo, 1961—, *Fray Luis de León*—1964—, *Viaje de los ríos de España*—"Premio Nacional de Literatura 'Azorín', 1968"—, *Imagen de España: Extremadura*—1968.

V. NORA, Eugenio G. de: *La novela española contemporánea*. Madrid. Edit. Gredos, 1962. Tomo II bis, págs. 266-71.—ALBORG, José Luis: *Hora actual de la novela española*. Madrid. Taurus. 1958. Tomo II, págs. 167-80. PÉREZ MININK, D.: *Novelistas españoles de los siglos XIX y XX*. Madrid. Edit. Guadarrama, 1957, pág. 325.

LORENZO DÍEZ, Félix.

Uno de los periodistas y prosistas más admirables que ha tenido España en la primera mitad del siglo xx. Nació—1879—en Madrid. Murió hacia 1936. Bachiller. Abogado. Pero desde los veinte años se dedicó por completo al periodismo, en el que llegó a ser un auténtico maestro. Colaboró en la Prensa española, hispanoamericana y en el *The Evening Times*, de Londres. Redactor-jefe de *El Imparcial;* redactor y director de *El Sol;* fundador y director de *Luz* y de *Crisol*.

Sus famosísimas y diarias *Charlas al sol,* modelo de humorismo, de sutileza y de oportunidad comentarista, le dieron una fama extraordinaria.

Obras: *Charlas al sol*—cinco series.

LOSADA, Benito.

Gran poeta gallego. Nació—1824—y murió —1891—en Santiago de Galicia. Médico militar. Llevó una vida inquieta y aventurera, pero sin faltar jamás—como afirma Emilia Pardo Bazán—al pundonor del gran caballero que era. Empezó a escribir muy tarde, para matar—como él mismo confesó—las horas de holganza que le imponían sus muchos achaques. Sus poesías magníficas revelan lo que fue: jovial, imprevisor, enamoradizo, al par que sensible, blando de corazón, delicado e inofensivo.

L

Entre sus obras figuran: *Poesías*—bilingües, La Coruña, 1878—, *Soaces de un vello* —poemas, La Coruña, 1886—, *Contiños*—colección de epigramas harto picarescos y hasta desvergonzados, La Coruña, 1888.

V. Couceiro Freijomil, A.: *El idioma gallego (Gramática. Historia. Literatura).* Barcelona, 1935, págs. 339-42.—Pardo Bazán, Emilia: *De mi tierra (Vides y rosas: Benito Losada).*—Blanco García, P. Francisco: *La literatura española en el siglo XIX*, tomo III, 2.ª edición, pág. 228.

LOVEIRA Y CHIRINO, Carlos.

Novelista cubano. Nació—1882—en El Santo (Santa Clara) y murió—1928—en la Habana. De familia humilde. En su juventud fue obrero de ferrocarriles. Acrata de ideología y hombre de acción y de propaganda, ingresó en el socialismo cubano y desempeñó dentro de él altos cargos. El Gobierno de Cuba le dio su representación en todas las Conferencias Internacionales del Trabajo celebradas en Europa y América. Miembro de número de la Academia Nacional de Artes y Letras y correspondiente en Cuba de la Española de la Lengua.

Según el gran crítico Torres Rioseco, Loveira es el escritor que temperamentalmente más se asemeja a Zola en todo el continente americano. Jamás ocultó Loveira que escribía todas sus obras literarias para servir a sus fines proselitistas. Su naturalismo es crudo, duro, chillón a veces, pero siempre atractivo. Poseyó un estilo muy personal, claro, directo, cortado, muy afín con los temas tratados, en los que la humanidad más castigada se mezcla con el rencor y con la angustia.

Novelas: *Los inmorales*—1910—, *Generales y doctores*—1920—, *Los ciegos*—1922—, *La última lección*—1924—, *Juan Criollo* —1927, su mejor obra y una de las mejores "de clave" de toda Hispanoamérica.

V. Salazar y Roig, S.: *Historia de la literatura cubana.* La Habana, 1939.—Chacón y Calvo, José María: *La literatura de Cuba*, en el tomo XII de la *Historia universal de la literatura*, de Prampolini. Buenos Aires, Uteha Argentina, 1941.

LOYNAZ, Dulce María.

Gran poetisa y novelista cubana. Nació en la Habana en la primera decena del siglo actual. Hija de una de las más nobles y antiguas familias de la isla. Fue educada con verdadero primor por su padre, uno de los grandes militares que lucharon por la independencia patria. Por ello su cultura es tan vasta como honda, bien asimilada, bien filtrada en su pluma y en su palabra. Dul-

ce María Loynaz está casada con el gran periodista Pablo Alvarez de Cañas. Ha viajado por toda América y por muchos países europeos. Ultimamente, en 1947 y en 1950, ha residido en España, pronunciando conferencias de indescriptible emoción y sólida cultura literaria en Academias, Ateneos, Institutos de Cultura. En las islas Canarias se le tributó un apoteótico homenaje, siendo declarada hija adoptiva. Y en Madrid, la crítica más inteligente le rindió varias veces la sinceridad de su admiración.

Dulce María Loynaz es hoy la voz lírica más pura y sugeridora que nos llega de América. Su obra merece estar colocada a la par de las obras de Gabriela Mistral, María Eugenia Vaz Ferreira, Juana de Ibarbourou, Alfonsina Storni, Delmira Agustini... Es decir: Dulce María Loynaz pertenece al grupo de las más ilustres voces poéticas femeninas de América.

Su novela poemática *Jardín*—Madrid, Aguilar, 1951—, de gran extensión, ha removido radicalmente el ambiente literario español. *Jardín* pertenece a esa categoría—ungida por la ternura, por la gracia, por la sugestión inolvidable—que en nuestra España acreditó Juan Ramón Jiménez con su mejor obra: *Platero y yo*. En *Jardín* no debe buscarse la realidad, esto es: acción, escenarios diversos, tipos y caracteres acusados, detalles confirmativos de la verdad cotidiana. En *Jardín* hay que buscar algo más trascendental: ¡el mundo maravilloso que cada uno *no nos supimos crear*, porque todos añoramos incesantemente, como Adán y Eva añoraron su Paraíso perdido y cuya recuperación por sí mismos les era imposible!

Las poesías de Dulce María Loynaz están recogidas en dos libros: *Juegos de agua* —Madrid, 1947—y *Versos*—Madrid, 1950—. Muchas de ellas, de un *peso espiritual* asombroso, merecen honrar las más selectas antologías líricas en lengua castellana.

LOZANO, Abigaíl.

Poeta y diplomático venezolano. Nació —1821—en Valencia (Venezuela) y murió —1866—en Nueva York. Abogado. Cónsul. Diputado varias veces en las filas del partido moderador. Enemigo político de Monagas, alcanzó a la caída de este diversos cargos oficiales. Sus primeras poesías aparecieron en *El Venezolano*. Fundó las revistas *El Album* y *Las Flores de Pascua*, títulos que ya delatan claramente la filiación romántica hasta "el colmo" de Abigaíl Lozano. Exuberante de palabras y de fantasía, pero escasamente hondo y sin propio mensaje poético, Lozano tuvo una gran influencia en toda la América del Sur y un gran número de imitadores. Y hasta llegó a ser llamado... ¡el Zorrilla de América! Sus poesías, caudalosas de palabras sonoras, de sentimentalismos eróticos hasta lo morboso, encontraron un eco asombroso en su tiempo.

Por ideas políticas hubo de refugiarse en la isla de Santo Tomás. Antes había sido cónsul de su país en París.

Recogió sus poesías en: *Tristezas del alma*—1845—, *Horas de martirio*—1846—y *Nuevas horas de martirio*—1864—. En este último año publicó en París *San Felipe* (poesías). En la *Colección de poesías originales* —1864—, con prólogo de Torres Caicedo, incluye sus sentimentales *Cantos de la patria*, su viril *Napoleón*, sus plañideros *Amores y lágrimas, Flores del sepulcro...*

Poesía suspirante, gemebunda, la del romantiquísimo Abigaíl Lozano...

V. CALCAÑO, José Antonio: *El Parnaso venezolano*. Caracas, 1908.—ANÓNIMO (oficial): *Parnaso Venezolano*. Curaçao, 1888-1889, doce tomos.—CALCAÑO, Julio: *Parnaso venezolano*. Caracas. 1892.—CALCAÑO, Julio: *Reseña histórica de la literatura venezolana*. Caracas, 1888.—MENÉNDEZ PELAYO, M.: *Historia de la poesía hispanoamericana*. Madrid, 1911-1913.—PICÓN FEBRES, Gonzalo: *La literatura venezolana en el siglo XIX*. Caracas, 1906.— PICÓN SALAS, Mariano: *Formación y proceso de la literatura venezolana*. Caracas, 1940.— PÉREZ CORONADO, J. A.: *Literatura patria*. Caracas, 1864.

LOZANO, Doctor Cristóbal.

Insigne poeta, novelista, dramaturgo español. Nació—1609—en Hellín (Albacete). Murió—1667—en Toledo. Su padre era alfarero. Estudió en Alcalá de Henares, donde se enamoró perdidamente de cierta doña Serafina, a la que recordó en varias novelas cortas, escritas por entonces, tituladas *Serafinas*. En 1634 ya estaba nuevamente en Hellín, titulándose licenciado. Sacerdote. Entre 1635 y 1636 vivió en Valencia. En 1638 era párroco de la iglesia del Salvador, de Lagartera (Toledo). Doctor en Teología —1639—. Cura ecónomo y vicario—1641— de Hellín. Promotor de la Cámara Apostólica de Murcia—1648—. Capellán de la Capilla de los Reyes Nuevos, de Toledo —1663—, cargo que desempeñó hasta su fallecimiento. Viajó mucho y estuvo en Madrid, Avila, Guadalupe, Linares, Córdoba, Sevilla... Era un gran teólogo. Y dominaba el francés, el italiano y el latín. Fue muy amigo de Calderón de la Barca, Pérez de Montalbán y fray Diego Niseno. Figura en el *Catálogo de autoridades* del idioma.

Las obras del doctor Cristóbal Lozano pueden dividirse: en prosa y en verso.

Entre las obras en prosa figuran: *David,*

perseguido—tres partes, 1652 a 1661—, *David, penitente*—1652—y *El gran hijo de David, más perseguido*—tres partes, 1633 a 1673—; las tres obras, de carácter ascético histórico. *Reyes nuevos de Toledo*—1667—, de tendencia histórico-legendaria. Y las novelas: *Persecuciones de Lucinda*—¿1636?—. *Soledades de la vida y desengaños del mundo*—1658—, *Las Serafinas*—1672—.

De las obras en verso, las hay religiosas y profanas. Entre las religiosas: *Paráfrasis de los salmos de David*—incluidas en el *David, perseguido*—. Entre las profanas: romances, silvas, sonetos, canciones..., incluidos en las novelas y en el teatro.

Las obras de Lozano fueron muy leídas y reimpresas. Y aun de algunas de ellas, hoy perdidas, nos han llegado los títulos: *El Buen Pastor*—1641, enseñanza moral del sacerdote—, las *Flores Sacramentorum* —¿1635?, recopilación de sentencias—, el *Marial*—discursos acerca de María Santísima.

De las *Soledades* existen ediciones: 1658, 1663, 1667, 1671, 1672, 1713, 1741 y 1748, de Madrid, y ¿1722?, de Barcelona.

De los *Reyes nuevos de Toledo:* Madrid, 1667, 1674, 1696, 1729, 1749 y 1764; Valencia, 1698; Alcalá, 1727.

Del *David, perseguido* (primera parte): Madrid, 1658, 1668, 1671, 1672, 1674; de la segunda parte: Madrid, 1659, 1664, 1668, 1673; de la tercera parte: Madrid, 1674; Valencia, 1698.

Del *David, penitente:* 1658, 1690.

De *El gran hijo de David, más perseguido:* Madrid, 1740, 1749, 1759, 1761.

Entre las obras teatrales de Lozano—de escaso interés—cabe mencionar: *Los amantes, portugueses, En mujer, venganza honrosa; El estudiante de día y galán de noche, Herodes Ascalonita y la hermosa Marienna, Los trabajos de David.* Estas obras figuran en la primera edición de las *Soledades.*

Lozano escribió con sencillez y claridad. Poseía escasa inventiva. Extraña en un período de decadencia del lenguaje encontrar a un escritor, como Lozano, que conserva una prosa castiza, de cierta elegancia y sin afectación alguna.

Las *Leyendas* de Lozano han ejercido una notable influencia sobre los escritores románticos del siglo XIX, y principalmente sobre Espronceda y Zorrilla.

Modernamente—Madrid, 1943—, se han dedicado dos tomos de la colección "Clásicos castellanos" a una antología, muy representativa, de la obra de Lozano.

V. ENTRAMBASAGUAS, J.: *El doctor Cristóbal Lozano.* Madrid, 1927.—ENTRAMBASAGUAS, J.: Prólogo y notas a la *Antología.* Madrid, 1943, *Clásicos Castellanos.*

L

LOZANO, Pedro.

Cronista y jesuita español. Nació—1697—en Madrid y murió—1752—en Humahuaca. Habiendo ingresado—1711—en la Compañía de Jesús sin haber cumplido los catorce años, cumplidos los quince fue enviado al Paraguay. A los veintitrés años enseñaba ya Filosofía y Teología en Córdoba del Tucumán.

Fue Pedro Lozano "sujeto versadísimo en todo género de lecturas, lleno de noticias sagradas y profanas, varón de los que raras veces produce la Naturaleza para admiración de los siglos", según dijo de él su sucesor en misiones e historias, P. Guevara.

Entre los títulos de su nutrida bibliografía se registran: *Descripción Chorográphica del Gran Chaco Gualamba, y de los ritos y costumbres de las innumerables naciones bárbaras que le habitan*—Córdoba, 1773—y sus *Historia de la Compañía de Jesús en las provincias del Paraguay*—Madrid, 1754 y 1755—e *Historia de la Conquista de la Provincia del Paraguay, Río de la Plata y Tucumán*—Buenos Aires, 1874.

Otra obra: *Historia de las Revoluciones de la Provincia del Paraguay en la América Meridional, desde el año 1721 hasta el de 1735*—Buenos Aires, 1905.

Textos: de la *Descripción Chorográphica...* hay edición moderna, por el Instituto de Antropología, Tucumán, 1941.

V. LAMAS, Andrés: *Estudio en la edición de la Historia de la Conquista de la Provincia del Paraguay...* 1874.

LOZOYA, Marqués de (v. Contreras y López de Ayala, Juan).

LUACES, Joaquín Lorenzo.

Poeta y dramaturgo cubano. 1826-1867. Nació en la Habana. Empezó, pero no terminó, la carrera de Leyes. Antes de cumplir los veinte años estaba dedicado en cuerpo y alma a la literatura. Frecuentó todas las tertulias literarias, y empezó a hacerse notar con sus traducciones de poetas franceses: Chénier, Chateaubriand, Lamartine, Vigny... Parecía lógico que sus poesías fueran absolutamente románticas; sin embargo, le hicieron famoso las especies ligeras —anacreónticas—, en las que, según la crítica, no tuvo rival en Cuba.

"Poeta vigoroso, pero incompleto; de entonación elevada, pero monótona, sin matices, de colorido brillante, pero sin claroscuro. Entre sus manos nerviosas saltaron rotas más de una vez las cuerdas del instrumento que pulsaba con febril excitación... A pesar de haber escrito trozos de admirable grandilocuencia, no nos ha legado una sola

de esas composiciones espontáneas, armoniosas en todas sus partes, de ajuste cabal entre el fondo y la forma, que se graban en la memoria y que pasan de boca en boca, como *Al Niágara* o el *Himno del desterrado*, de Heredia; como *Fidelia* o *Noche tempestuosa*, de Zenea. Ascendía en su vuelo lírico a cumbres a que Heredia y la Avellaneda únicamente llegaron, a que no alcanzó ningún otro poeta cubano; pero faltáronles las gracias seductoras de estilo y de lenguaje que van derechamente al corazón, el instinto feliz del vocablo bien escogido y colocado, de la frase melodiosa y exquisita que despierta un mundo de emociones."

En el teatro alcanzó algunos éxitos con sus tragedias *Aristodemus, Arturo de Osberg, El mendigo rojo*, y con sus comedias *El fantasmón de Caravaca, A tigre, zorra y buldog; Los dos amigos, El becerro de oro.*

Su oda *El trabajo* fue premiada póstumamente en los Juegos florales del Liceo.

Influyeron mucho en la entonación de sus versos Quintana y Tassara; y dichas influencias se delatan en composiciones como las tituladas: *La danza, Varsovia, La caída de Missolonghi, El último día de Babilonia, Canto de Kaled, La oración de Matatías...*

Edición: *Poesías*, la Habana, 1857.

V. MENÉNDEZ PELAYO, M.: *Historia de la poesía hispanoamericana*. Madrid, 1911, tomo I, págs. 272-75.—GUITERAS, Pedro: *Estudios de literatura cubana*. Nueva York, 1875. FORNARIS, J., y LUACES, J. L.: *Cuba poética*. La Habana, 1855, 1861.—LÓPEZ PRIETO, Antonio: *El Parnaso cubano*. La Habana, 1881. CALCAGNO, Francisco: *Diccionario biográfico cubano*. Nueva York, dos tomos, 1878-1886. REMOS Y RUBIO, Juan: *Historia de la literatura cubana*. La Habana, 1925.—SALAZAR Y ROIG, S.: *Historia de la literatura cubana*. La Habana, 1939.—CHACÓN Y CALVO, J. M.: *La literatura de Cuba*, en el tomo XII de la *Historia universal de la literatura*, de Prampolini. Buenos Aires, Uteha Argentina, 1941.

LUCA DE TENA, Torcuato.

Poeta, novelista, ensayista, cronista y dramaturgo español. Nació—1923—en Madrid. Durante los años 1945-1947 fue corresponsal del diario *A B C* en Londres. En 1949, corresponsal volante del mismo diario madrileño en Egipto, Palestina, Transjordania e Israel. Corresponsal de *A B C*—1951—en Washington; y en Hungría con motivo de la revolución magyar. En 1952-1953, director de *A B C*. Y actualmente ocupa la misma dirección.

En 1972 ha sido nombrado miembro numerario de la Real Academia Española de la Lengua. Y mantiene un interés especial por Hispanoamérica. Fundador del *A B C* de las

Américas. En 1955 obtuvo el "Premio Nacional de Literatura". En 1959, los "Premios de la Sociedad Cervantina", de Madrid, y "Premio Málaga-Costa del Sol". En 1961, el "Premio Planeta", de Barcelona. En 1969, "Premio de Novela Ateneo de Sevilla".

Obras: *Albor*—poesías—, *Espuma, nube y viento*—poemas—, *El Londres de la posguerra*—ensayos—, *La prensa ante las masas*—ensayo—, *Mrs. Thompson, su marido y yo*—crónicas y ensayos—, *La otra vida del capitán Contreras*—novela, Barcelona, 1953, llevada a la escena en colaboración con Juan Ignacio Luca de Tena—, *Embajador en el Infierno*—en colaboración con el teniente coronel Teodoro Palacios Cueto—, *Edad prohibida*—novela, Barcelona, 1958—, *La mujer de otro*—novela, 1961—, *La brújula loca*—novela, 1965—, *Crónicas parlamentarias*—1967—, *Los mil y un descubrimientos de América*—1968—, *Pepa Niebla*—novela, 1970.

V. TORRENTE BALLESTER, Gonzalo: *Panorama de la literatura española contemporánea.* Madrid, edit. Guadarrama, 1961, 2.ª edición, dos tomos.

LUCA DE TENA Y GARCÍA DE TORRES, Juan Ignacio.

Marqués de Luca de Tena. Nació en Madrid el 23 de octubre de 1897. Cursó sus estudios de primera y segunda enseñanza en Madrid, y se licenció en Derecho en la Universidad Central el año 1918. Desde muy joven se consagró al periodismo, al lado de su padre, don Torcuato Luca de Tena y Alvarez Ossorio, primer marqués de Luca de Tena, y a la literatura. En 1929 fue diputado a Cortes por Sevilla. Más tarde, desde 1940 a 1943, embajador de España en Chile.

Es autor de numerosas obras, entre las que se cuentan las comedias *Lo que ha de ser, Por el amor de Dios, Eduardo y su vecina, El dilema, El dinero del duque, Las canas de don Juan, La condesa María, Divino tesoro, María del Mar, La eterna invitada, Las hogueras de San Juan, ¿Quién soy yo?, Yo soy Brandel, Espuma del mar, De lo pintado a lo vivo, La escala rota, El sombrero de tres picos*—adaptación de la novela de Pedro Antonio de Alarcón—, *Dos cigarrillos en la noche, El pulso era normal, Don José, Pepe y Pepito, ¿Dónde vas, Alfonso XII?, ¿Dónde vas, triste de ti?*, y de las zarzuelas *El emigrante* y *El huésped del Sevillano*, y de la ópera cómica *1830.*

La Real Academia Española le concedió, por su comedia *¿Quién soy yo?*, el "Premio Piquer, 1935", que se otorga al autor de la mejor comedia de cada año.

Al morir su padre, en 1929, asumió la dirección de *A B C*, que ha ejercido hasta fines de 1939, con breves interrupciones, la primera de ellas a causa de su encarcelamiento, al proclamarse la República, por sus campañas monárquicas. No se alteró por ello la orientación del periódico, y con motivo del movimiento del 10 de agosto de 1932 fue nuevamente encarcelado y suspendida por segunda vez la publicación del periódico.

Es autor de numerosos artículos, con firma y sin ella, en diarios y revistas españoles, y especialmente en *A B C*, de Madrid.

La Real Academia Española le eligió académico de número en 1944, y el 21 de enero de 1946 ingresó en la docta corporación, versando su discurso de ingreso sobre el tema "Sevilla y el teatro de los Quintero".

Está en posesión de la cruz del Mérito Militar, con distintivo rojo y medalla de la campaña; la Gran Cruz al Mérito, de Chile; la Gran Cruz Juan Pablo Duarte, de la República Dominicana, y es comendador del Aguila alemana y de la Orden de la Medahuia.

En 1949 obtuvo uno de sus mayores éxitos con *Dos mujeres a las nueve,* comedia llena de originalidad y de humor. En 1951 le fue otorgado el Premio Agustín Pujol "Fuenteovejuna" a su drama *El cóndor sin alas.*

V. ROS, Félix: Prólogo a la edición *Obras completas,* de J. I. Luca de Tena. Barcelona, AHR, 1960. Dos tomos.—TORRENTE BALLESTER, Gonzalo: *Teatro español contemporáneo.* Madrid, Guadarrama, 1957. Páginas 281-87.

LUCANO, Marco Anneo.

Gran poeta latino español. 39-65. Nació en Córdoba y fue hijo de Marco Anneo Séneca y sobrino de Séneca el filósofo. Muy joven, marchó a Roma, donde fue discípulo de Cayo Remio Palemón y de Lucio Anneo Cornuto. Vivió algún tiempo en Atenas. De regreso a Roma, Nerón le agració con los cargos de cuestor y de augur. Pero sus éxitos como poeta y como declamador inspiraron los celos del emperador, quien le prohibió leer públicamente sus versos. Lucano se vengó de tal orden escribiendo y haciendo circular crueles epigramas contra Nerón y tomando parte en la conjuración organizada por Pisón. Al ser descubierta esta, se dio voluntaria muerte cuando apenas contaba veintiséis años.

Su fama poética es universal. Sin embargo, no se ha conservado de sus obras sino solo la titulada *Bellum civile* o *De bello civili,* conocida inmortalmente por la *Farsalia.*

Consta de diez libros en hexámetros, cuyo contenido es así: I. Invocación a Nerón. Retratos de Julio César y de Pompeyo. Paso del Rubicón.—II. Bruto y Catón. Pompeyo

L

reúne sus fuerzas en la Campania. Sitio de Brindis, Pompeyo se traslada a Grecia.—III-IV. Asedio de Marsella. Campañas de César en la Península Ibérica.—V-VI. César pasa a Grecia. Sitio de Durazzo *(Dyrrachium).*—VII. Sueños de Pompeyo. Presagios del desastre de Farsalia. El combate. Huida de Pompeyo. César celebra su victoria sobre el mismo campo de batalla.—VIII. Pompeyo se une en Lesbos con su esposa Cornelia. Pompeyo se refugia en la corte de Ptolomeo XIII, rey de Egipto, quien le hace asesinar.—IX. Empresas de Catón en Africa.—X. César concede la corona de Egipto a Cleopatra.

En la *Farsalia* únicamente se salva el "elemento poético". La Historia sale bastante mal parada. Y también la Geografía. César resulta odioso. Y sobran el énfasis y el rebuscamiento. Sin embargo, el gran poeta que era Lucano alcanza en ocasiones los límites de lo sublime.

La *Farsalia* alcanzó mucho éxito durante la Edad Media. Dante colocó a Lucano entre los grandes poetas. Alfonso X el *Sabio* utilizó como fuente de su *Crónica general* el gran poema del cordobés. Y Feijoo llegó a decir que prefería la obra de Lucano a la de Virgilio.

Lucano escribió además: *Allocutio ad uxorem, Elogio de Nerón, Orfeo, Ilacon* (acerca de la muerte de Héctor y del rescate de su cadáver por Príamo), *Saturnalia,* catorce pantomimas y algunas epístolas. De estas obras se conservan algunos fragmentos.

Ediciones críticas: C. E. Hastings, Londres, 1887; C. Hosius, Leipzig, 1892; C. M. Francken, Leyden, 1896-1897; C. Housman, Oxford, 1926; A. Bourgery y M. Ponchont, París, Coll. Budé, 1926-1929.

Traducciones españolas: en prosa, por Mateo Lasso de Oropesa, Burgos, 1588; en verso, por Juan de Jáuregui, reproducida modernamente en los tomos 113 y 114 de la "Biblioteca Clásica", de Hernando, Madrid.

V. SUETONIO: *Vita Lucani.*—WEBER, C. F.: *Vitarum M. Annaei Lucani parte III.* Marburgo, 1858.—GENTHE, H.: *De M. Annaei Lucani vita et scriptis.* Berlín, 1859.—GIANI, R.: *La Farsaglia e i Comentari della guerra civile.* Turín, 1888.—BELLI, M.: *Magia e pregiudizi nella Pharsalia...* Venecia, 1897.—GROSSO, F.: *La Farsalia di Lucano.* Fossano, 1901.—USSANI, V.: *Sul valore storico del poema lucaneo.* Roma, 1903.—PICHON, R.: *Les sources de Lucain.* París, 1912.—MOONEY, G. W.: *Index to the Pharsalia.* Dublín, 1927. SCHLAYER, C.: *Spuren Lukans in der spanischen Dichtung.* Heidelberg, 1928.—PUCCI, S.: *La geografia di Lucano.* Palermo, 1938.—DEFERRARI, FANNING, SULLIVAN: *A concordance of Lucan.* Washington, 1940.—MALCOVATI E.: *M. Anneo Lucano.* Milán, 1940.—

CHIOPPA, M.: *Cesare nella Pharsalia di Lucano.* Portici della Torre, 1942.—CASTELAR, Emilio: *Lucano: su vida, sus obras, su genio.* Prólogo en la edición "Biblioteca Clásica" de Hernando. Madrid.

LUCENA, Juan de.

Escritor español del siglo XV. Posiblemente nació en Soria o en Lucena (Córdoba). Se desconocen las fechas de nacimiento y muerte. Aun cuando es muy probable que muriera en 1506. Sacerdote. Vivió en Roma algún tiempo como familiar de Eneas Silvio Piccolomini—el futuro Pío II—. Acomodó y tradujo libremente al castellano el diálogo *De felicitate vitae,* escrito en 1445 por Bartolomeo Fazio, dándole por título *Libro de vida beata*—escrito en 1463 e impreso en 1483, y en Burgos, 1502—. En el *Libro de vida beata* dialogan Lucena, Santillana, Juan de Mena y Alfonso de Cartagena, obispo de Burgos, acerca de la felicidad. Lucena dedicó su obra a Enrique IV de Castilla, y aun cuando en ella siguió a Fazio, aún contiene bastantes partes originales, como aquellas que se refieren a la afición de los españoles a las pullas y a los motes, a las sátiras del elemento popular contra todos los estados, a la calurosa defensa de los judíos conversos; Lucena mismo pudo serlo.

Los críticos alaban "lo acabado de la forma, más bien que el fondo"—Fitzmaurice-Kelly—y la "recherche d'une elegance et d'une noblesse toute classique est sensible dans ce dialogue"—E. Merimée—. Para Cejador, Lucena no es más que un renacentista, ciego imitador, que cree que la elegancia del castellano consiste en latinizarlo.

Lucena escribió también una *Epístola* exhortatoria a las letras, elogiando a la Reina Católica.

Hay una edición moderna—Madrid, 1892, Sociedad de Bibliófilos Españoles—del *Libro de la vida beata.* En la Biblioteca Nacional de Madrid existe un manuscrito de esta obra, firmado por Juan de Lucena en 1464.

V. PAZ Y MELIÁ, A.: *Opúsculos literarios de los siglos XIV al XVI.* Madrid, 1892. En la Sociedad de Bibliófilos Españoles.

LUCEÑO Y BECERRA, Tomás.

Popular y excelente poeta y sainetero español. 1844-1931. Entre los grandes saineteros del siglo XIX que siguieron la modalidad costumbrista madrileña iniciada por don Ramón de la Cruz, dignamente destaca, formando el mejor terceto con Ricardo de la Vega y Javier de Burgos, Tomás Luceño, que nació en Madrid el 21 de diciembre de 1844. Estudió de todo un poco, en todas partes. El mismo lo confiesa, y en verso, en el diario madrileño *El Liberal*—16 de marzo de 1894:

> Estudié para ingeniero
> con resultados brillantes...
> Pero no me examiné,
> porque no iba nunca a clase,
> y porque las matemáticas
> nunca lograron entrarme;
> al llegar a los quebrados
> sentía un horror muy grande.
> Después, para diplomático.
> Para abogado, más tarde.
> Para Estado Mayor, luego...
> Y luego..., el demonio sabe...

Lo cierto es que se licenció en Leyes. Y que en 1871 ingresó, tras reñida oposición, en la Redacción del *Diario de Sesiones* del Senado y que llegó a ser jefe taquígrafo y redactor jefe. Lo cierto es que desempeñó algunos cargos en el Ministerio de Ultramar y que fue secretario de don Adelardo López de Ayala y de seis ministros más que sucedieron a este. En enero de 1870 estrenó su primer sainete, *Cuadros al fresco,* en el teatro Lope de Rueda, con un gran éxito.

Jacinto Octavio Picón hace un magnífico retrato de Luceño: "Su porte es grave, casi severo; sus largas patillas, que le dan aspecto de banquero injerto en capitán de navío; su fisonomía poco móvil, su modo de hablar calmoso y reposado, dejando caer despacio las palabras, como pesadas antes que dichas; toda su persona, al parecer reflejo de un carácter frío y flemático, forma contraste con la viveza de su entendimiento y la espontaneidad de su gracia. Sentado en el cuarto de un cómico o paseando en el vestíbulo de un teatro, pudiera tomársele por un señor grave y ceremonioso, obligado a pisar de mala gana sitios reñidos con sus inclinaciones y costumbres; pero en cuanto despliega los labios, la impresión que produce varía por completo. No alardea de chistoso; mas por mucho ingenio que tengan los que le rodean, siempre dice lo que a nadie se le ocurre, sacando partido lo mismo de las flaquezas humanas que de las imperfecciones o irregularidades del idioma, con tan rara originalidad, que sus frases corren luego de boca en boca, tomando por derecho propio carta de ciudadanía en el lenguaje pintoresco que emplea la gente de bastidores. Habla poco, no murmura ni maldice de nadie, sus censuras no lastiman, sus burlas no hieren, sus críticas no mortifican, y dice cuanto quiere sin que sus dichos tomen ese dejo amargo que en otros hombres parece vaho de malas pasiones removidas."

Luceño murió en Madrid, en su casa de la cuesta de Santo Domingo.

Luceño, buen literato, hombre culto, fácil versificador, ingenio cómico de buena ley,

estudió e imitó demasiado a don Ramón de la Cruz, ya que hizo sainetes como él los hacía, y no fue poco para su tiempo. Son, pues, la mayoría de sus obras pasillos cómicos con poca intriga, o sin intriga, que trabe y dé armazón a tipos y diálogos que presenta con gracia y vida. Desde su primer estreno, *Cuadros al fresco,* en 1870, siguió haciendo sainetes, sin caer jamás en la tentación de escribir piezas de enredo, juguetes cómicos, revistas ni otra clase de composición que no sea la misma que cultivó y a que debe su fama don Ramón de la Cruz. Tal es, en lo que a esta constancia se refiere, su intransigente fidelidad, que hoy Tomás Luceño puede ser considerado como el mantenedor del antiguo entremés y el legitimista fanático del sainete, sin que haya querido nunca aceptar innovación ni alteración de ninguna clase; y vamos a tratar de probarlo.

"El entremés y el sainete—escribe Picón— fueron siempre pintura de tipos cómicos, sueltos, desperdigados, sin lazo de unión, y Vega comenzó a presentarlos relacionados entre sí, como intérpretes de un asunto o sombra de asunto, añadiendo de este modo a la verdad de las figuras el interés que la acción inspira, por sencilla que sea. Luceño no transige con esto, y aferrado a la tradición sigue escribiendo sainetes conforme al patrón antiguo, si así puede decirse. Se fija en un medio social, en una clase determinada, en una costumbre o una diversión; escoge los tipos convenientes a su objeto, y los presenta, dibujándolos de una vez, casi aisladamente, sin más unión ni más enlace que su comunidad de origen y las afinidades hijas de su índole.

Gente que madruga o trasnocha, en *Cuadros al fresco*; miedosos y pillos que quieren librarse de quintas, en *Juicio de exenciones;* tenderos de poco pelo y parroquianos de menos dinero, en *Ultramarinos;* fanáticos por la lotería y los toros, en *¡Hoy sale, hoy!,* y *Fiesta nacional;* aduladores y lamerones políticos, en *¡Amén!* o *El ilustre enfermo;* cómicos de café, en *El teatro moderno* y *A perro chico;* tramposos y cursis, en *Carranza y Compañía,* y apasionados de la flamenquería y la juerga, en *Los Lunes del Imparcial;* tales son algunos de los tipos que ha trazado con pocos y fieles rasgos, muchos de ellos de mano maestra, prestándoles el lenguaje que realmente usan y teniendo siempre un tacto exquisito y una habilidad extraordinaria para que aun los más ruines desharrapados y bajos salgan de sus manos tolerables y puedan pisar la escena sin perder originalidad ni carácter: labor mucho más difícil de lo que a primera vista parece, pues dados tales elementos, le

L

es preciso a veces trazar un cuadro artístico limpio y agradable, con figuras repulsivas de buen gusto y contrarias a todo sentimiento de lo bello."

"Tales son la naturaleza, caracteres e inconvenientes del género a que Tomás Luceño se dedicó cuando nadie pensaba en cultivarlo, y en el cual ha sobresalido, obstinándose en conservarle su antiguo molde y su forma primitiva.

"Quien conozca, aunque sea superficialmente, la vida de Madrid, la verá retratada y puesta en ridículo en estas páginas. Las escenas pintadas por Luceño son, en lo esencial y característico, profundamente reales: traslada, no inventa; copia, no miente. Los tipos parecen, en su mayoría, arrancados de la calle, a la tienda, al café, al portal, al corredor de la casa de vecindad y a los puestos de los mercados. En sus diálogos palpita ese ingenio madrileño mordaz, insolente, despreciativo, burlón y descreído, que para hacer gracia altera la índole de las ideas, trunca el sentido de las frases, varía el significado de las palabras y juega con la estructura del idioma, esgrimiéndolo como un látigo. Mas esta gracia descarada y procaz del pueblo de Madrid está en Luceño atenuada por el buen gusto y el respeto al público; al pasar por los puntos de su pluma, la desvergüenza pierde de su intensidad lo necesario, lo preciso para que pueda tolerarse en el teatro; los instintos del manolo, propios de todo escritor madrileño, quedan en él purificados por la delicadeza personal y la cultura literaria."

Además de los sainetes mencionados, merecen destacarse: *¡A perro chico!, ¡Bateo, bateo!, Los portales de la Plaza, La niña del estanquero, Un tío vivo, ¡Viva el difunto!*

V. PICÓN, J. O.: *Estudio* al *Teatro escogido de Tomás Luceño.* Madrid, 1894. Viuda de Hernando.—IXART, José: *El arte escénico,* II, 119.

LUELMO, José María.

Poeta contemporáneo. Nació en Valladolid. Editó en su ciudad natal las revistas *Meseta* y *D. D. O. O. S. S.* Ha publicado algunas composiciones notables en *Gaceta de Arte,* de Tenerife, y en *Garcilaso,* de Madrid.

Luelmo, que inició su destino poético como un posultraísta, ha derivado hacia un expresionismo vibrante, saturado de imágenes.

Obra: *Ventura preferida*—poemas, 1936.

LUENGO, Segismundo.

Novelista español contemporáneo. Nació en Zamora. Su novela *El Duero venía loco*

—1948—ha logrado un éxito extraordinario de público y crítica.

LUGO, Samuel.

Poeta y prosista portorriqueño de gran interés. Nació—1905—en Lares. Perteneció al movimiento poético *Integralismo,* fundado por Luis Hernández Aquino.

La crítica, con rara unanimidad, le ha proclamado uno de los poetas más representativos de la actual lírica de Puerto Rico.

"Samuel Lugo vivifica un posromanticismo, en el que sus categorías son la soledad, el mundo onírico, la senda que se ha hecho tierra y que va entrando en el caminante entrañándole el sufrimiento de innumerables muertos. Las sombras de las cosas forman un problema cuajado de interrogantes." (Valbuena Briones.)

"Samuel Lugo vierte sus poemas en formas que se ajustan perfectamente al contenido... La rima es asonante y espaciada. Resuena a distancia como un eco y cambia frecuentemente, estableciendo enlaces y resonancias insólitos. Otras veces el ritmo es corto, popular, estricto en sus rimas. Los ritmos breves adquieren la graciosa y acompasada cadencia de la poesía popular. En el verso largo, el movimiento rítmico y melódico se acerca a la prosa por su libertad, amplitud y soltura. Y no es extraño. El poeta dialoga consigo mismo, sin pretender el halago de los lectores. Su poesía es un soliloquio que vacia en imágenes y símbolos la intimidad más profunda. Habla el espíritu; la carne se adormece en el ensueño, y la forma no traduce los ritmos vivaces y regulares de la sangre, sino la música más recogida, a ratos disonante, de la conciencia moral." (Margot Arce.)

Obras: *Donde caen las claridades*—San Juan, 1934—, *Yumbra*—San Juan, 1943—, *Ronda de la llama verde*—San Juan, 1949.

V. VALBUENA BRIONES, Angel: *La poesía portorriqueña contemporánea.* Tesis doctoral. Madrid, 1952.—VALBUENA BRIONES, Angel: *La nueva poesía portorriqueña.* (Antología.) Madrid, 1952.—ARCE, Margot: Prólogo a *Yumbra.* San Juan de Puerto Rico, 1943.—ARCE, Margot: *Impresiones.* San Juan de Puerto Rico, 1951.—HERNÁNDEZ AQUINO, Luis: *Samuel Lugo: poeta de la añoranza.* San Juan, 1943.

LUGONES, Leopoldo.

Gran poeta. Nació—1874—en la villa del Río Seco, de la provincia de Córdoba (Argentina). Murió—1938—en el poético Tigre, apelando al suicidio, "cargado de gloria, de amargura y de desesperanza". Para algunos críticos, "el mayor de los poetas de la Argentina contemporánea, uno de los mayores de América, personaje contradictorio, bronco y tempestuoso, como Chocano; melódico y quintaesenciado, como Darío y Herrera y Reissig; a menudo, exacto y plástico, como Valencia y Jaime Freyre..." Actuó en el periodismo. Colaborador hasta su muerte en *La Nación,* de Buenos Aires. Director de *La Montaña.* Viajó tres veces por Europa: 1906, 1911 y 1924.

En París dirigió la *Revue Sud-Americaine.* Representante de la Argentina en la Cooperación Intelectual de la Liga de las Naciones. Premio Nacional de Literatura argentina en 1926. Director de la Biblioteca Nacional y de la Biblioteca de Maestros. Lugones empezó siendo anarquista y socialista de los más extremados y acabó rindiendo pleitesía a la Iglesia católica y al fascismo. Durante su juventud fue internacionalista *a outrance,* y en su ocaso, nacionalista *enragé.* En 1936 defendió con entusiasmo el dogma de la Purísima Concepción, y dos años después se suicidaba.

Poeta habilísimo, de portentosas facultades asimilativas y de retórica formidable, de grandes entusiasmos y de violencia pasional. Su modelo principal fue Víctor Hugo. Darío le llamó "apolíneo, hercúleo, pérsico, davídico". Sobresale por la fuerza de la fantasía, que le arrastra envuelto en estupendas metáforas ultragongorinas. De muchas y sugestivas irisaciones sensacionales y pictóricas. "Lugones es un vigoroso temperamento poético; pero la retórica enfática y el desenfreno de la fantasía han maleado lastimosamente casi todas sus producciones." (Cejador.)

Obras: *Las montañas de oro*—1897—, *Los crepúsculos del jardín*—1905—, *Lunario sentimental*—1909—, *Odas seculares*—su obra maestra, 1910—, *El libro fiel*—1912—, *El libro de los paisajes*—1917—, *Las horas doradas*—1922—, *Romancero*—1924—, *Poemas solariegos*—1928—y *Romances de Río Seco* —1930.

En 1944—Buenos Aires, "Colección Austral"—, Carlos Obligado publicó una gran *Antología poética* de Lugones, y la editorial M. Aguilar, de Madrid, ha editado—1949— sus *Poesías completas.*

Mucho menos valió como prosista: le faltaba la hondura de pensamiento y le sobraba la imitación francesa. Entre sus libros en prosa sobresalen: *El imperio jesuítico* —1904—, *La guerra gaucha*—1905—, *Historia de Sarmiento*—1911—, *El payador*—1916.

V. LEGUIZAMÓN, Julio A.: *Historia de la literatura hispanoamericana.* Buenos Aires, 1945.—MAS Y PI, Juan: *Leopoldo Lugones y su obra...* Buenos Aires, 1911.—TORRE, Guillermo de: *La Aventura y el Orden.* Buenos Aires, 1943.—GARCÍA VELLOSO, Enrique: *Historia de la literatura argentina.* Buenos Aires,

1914.—LAUXAR (Crispo Acosta): *Motivos de crítica hispanoamericana.* Montevideo, 1914. ROJAS, Ricardo: *La literatura argentina.* Buenos Aires, 1924.

LUIS URRUTIA, Leopoldo de.

Nació—1918—en Córdoba, pero desde niño reside en Castilla. Estudió Bachillerato y Magisterio, dedicándose más tarde a un puesto burocrático en una empresa privada. Colaborador de la mayor parte de las publicaciones poéticas y literarias de los últimos años como poeta y como crítico, actividad esta última que ha llevado a cabo con asiduidad en la revista *Insula,* de Madrid, y actualmente desarrollada en *Papeles de Son Armadans,* la revista que dirige Camilo José Cela en Palma de Mallorca.

Ha obtenido diversos premios de poesía y periodismo.

Leopoldo de Luis está considerado hoy, legítimamente, como uno de los líricos de más hondo, cálido y peculiar acento. Su juego estrófico es tan vario como noble. Y suma a su ternura y a sus felices imágenes una obsesión de melancolía en temas trascendentales. Es un crítico literario agudo, objetivo.

Libros publicados: *Alba del hijo*—Madrid, 1946, Col. Mensajes—, *Huésped de un tiempo sombrío*—Col. Norte, San Sebastián, 1948—, *Los imposibles pájaros*—Col. Adonais, Madrid, 1948—, *Los horizontes*—colección Planas de Poesía, Las Palmas de Gran Canaria, 1951—, *Elegía en otoño*—Col. Neblí, Madrid, 1952—, *El árbol y otros poemas* —colección Tito Hombre, Santander, 1954—, *El Padre*—colección Mirto y Laurel, Melilla, 1954—, *El extraño*—colección Agora, Madrid, 1955—, *Teatro Real*—colección Adonais, Madrid, 1957—, *Juego limpio*—colección Palabra y Tiempo, editorial Taurus, Madrid, 1961—, *La luz a nuestro lado* —1964—, *Antología de la poesía social española* —1965—, *Poesía: 1946-1968*—1968—, *Antología de la poesía religiosa en España* —1969.

V. SAINZ DE ROBLES, F. C.: *Diccionario de la literatura.* Tomo II, edit. Aguilar, Madrid, 1953.—CANO, J. L.: *Poesía española del siglo XX.* Edit. Guadarrama, 1960.—TORRENTE BALLESTER, G.: *Panorama de la literatura española contemporánea.* 2.ª edición, Guadarrama, 1961.—VALBUENA PRAT, A.: *Historia de la literatura española.* 3.ª edición y siguientes, edit. G. Gili, Barcelona, 1950.—ALEIXANDRE, Vicente: *Los encuentros.* Edit. Guadarrama, Madrid, 1958.—CASTELLET, J. M.: *Veinte años de poesía española.* Edit. Seix Barral, Barcelona, 1960.—MAX AUB: *Una nueva poesía española.* Edit. Universitaria, México, 1957.

L

LUISA DE LA ASCENSIÓN, Sor.

Fue más conocida por *La monja de Carrión*. Escritora y mística extravagante y de escasa calidad. 1565-1648. Para unos—Menéndez Pelayo entre ellos—, fue simplemente una ilusa; otros, en cambio, celebran su vida ejemplar y sus poemas místicos; otros, por último, teniéndola por impostora e intrigante, le reconocen admirables dotes poéticas.

Sor Luisa de la Ascensión desempeñó en la corte de Felipe III un papel análogo al de sor María de Agreda en la de Felipe IV, o al de sor Patrocinio junto a Isabel II. El monarca consultábala no pocas veces acerca de los más intrincados asuntos. Según se dice, tuvo el don de la *bilocación,* y así, pudo asistir en Alemania a un combate entre católicos y luteranos, al mismo tiempo que su presencia permanecía visible en tierras de Castilla. Sostuvo correspondencia con importantes personajes, entre los que se contaban el Pontífice Gregorio XV y don Rodrigo Calderón, famoso ministro.

Pese a sus ilustres amigos y al interés que por ella tuvo don Felipe IV, el Santo Oficio puso coto a su influencia, procesándola en 1634.

La monja de Carrión exageró no poco sus místicos extravíos, asegurando que se le había aparecido Cristo *cuando estaba en el vientre de su madre,* para prometerle la virginidad, explicarle el misterio de la Trinidad y anunciarle que sería religiosa clarisa.

Exageradamente se han comparado las *Poesías espirituales* de sor Luisa de la Ascensión con las de Santa Teresa de Jesús. Pero no cabe negar que escribió algunas verdaderamente deliciosas, como el *villancico* que empieza:

Cordero de tal grandeza
está sin lana en el yelo.
Yo pienso en un terciopelo
envolver tanta pobreza.
Bayeta de mi cabeza
hace lana el Corderito...

O aquel *Romance de la soledad del alma:*

Entra un sol soledad,
que aunque el sensible la daña,
otro mejor sol la baña.
que es sol de la eternidad.

LUISI, Luisa.

Poetisa y prosista uruguaya. Nació —¿1897?—en Paisandú. Muy joven aún, fue redactora del gran diario de Montevideo *La Razón.* Su primer libro: *Sentir*—1916—, motivó encendidas alabanzas de la crítica, tanto a la calidez de sensibilidad como a la hondura de pensamiento y precisión estrófica de que la poetisa hacía gala en tempranísima edad.

En libros poéticos posteriores, Luisa Luisi no ha defraudado ninguna de las grandes esperanzas puestas en su lirismo. La más humana emoción, la máxima profundidad de pensamiento, la máxima originalidad formal se suman armónicamente en cada una de sus composiciones.

Pero Luisa Luisi ha demostrado igualmente su gran cultura y la sutileza de su criterio en innumerables artículos y libros, como *Dos grandes maestros: Rodó y Regles, A través de libros y autores*—1925—, *Educación artística, La poesía de Enrique González Martínez, La literatura del Uruguay en el año de su centenario, Crítica...*

Poesías: *Inquietud*—1922—, *Poemas de la inmovilidad*—1926.

V. GULLA, Luis Alberto: *La poesía posmodernista.* Montevideo, 1930.—SUÁREZ CALÍMACO, Emilio: *El narcisismo en la poesía femenina hispanoamericana.* Buenos Aires, 1931.—PEREDA VALDEZ, Ildefonso: *Antología de la moderna poesía uruguaya (1900-1927).* Buenos Aires, 1927.—FUSCO SANSONE, Nicolás: *Antología y crítica de la poesía uruguaya.* Montevideo, 1940.—ZUM FELDE, Alberto: *Indice de la poesía uruguaya contemporánea.* Santiago, 1934.

LUJÁN, Pedro.

Escasísimas noticias se tienen de Pedro Luján, hombre culto, según Menéndez Pelayo; secuaz de Erasmo y mejor prosista que Feliciano de Silva.

Luján fue autor del *doceno libro de Amadís,* titulado *Don Silves de la Selva*—Sevilla, 1546—y de unos *Colloquios matrimoniales*—Zaragoza, 1571.

El relato caballeresco de Luján fue continuado por el italiano Mambrino Rosseo (1558-1565), el cual—¡por fin!—hizo morir a Amadís a manos de los gigantes en una batalla tremebunda, en la que perecieron también varios emperadores, varios reyes y hasta cinco mil caballeros cristianos.

V. MENÉNDEZ PELAYO, M.: *Orígenes de la novela.*

«LUJÁN DE SAYAVEDRA, Mateo» (v. Martí, Juan).

LULIO, Beato Raimundo.

Famoso filósofo, poeta, novelista, teólogo, místico, controversista y apóstol de la fe español. Ramón Llull nació—1235—en Palma de Mallorca. Murió en 1315. Pasó livianamente su juventud de hombre noble y rico, senescal del rey de Mallorca. Por orden de su monarca hubo de casarse contra su gusto, entregándose inmediatamente a lascivos amores. Según la tradición, se convirtió un día en que penetró a caballo en la iglesia de Santa Eulalia, durante los oficios, tras la hermosa genovesa Ambrosia del Castello, cuando le descubrió ella su seno, devorado por un cáncer. Su conversión fue radical y ejemplar. Abandonó a su mujer, su casa, sus honores y riquezas para llevar una vida de penitencia y de estudio. Tuvo desde entonces tres únicos deseos: la cruzada a Tierra Santa, la predicación del Evangelio a judíos y musulmanes y hallar un método o ciencia nueva con que demostrar racionalmente las verdades de la religión a sus opugnadores. Aprendió el árabe. En el monte Randa imaginó el *Arte universal* y logró del rey don Jaime II de Mallorca, en 1275, la creación de un colegio de lenguas orientales en Miramar, para que los religiosos menores salieran de él preparados para convertir a los sarracenos. Poco después marchó a Roma, consiguiendo que el Pontífice Nicolás III enviara franciscanos a la Tartaria y le dejase ir a predicar a los mahometanos. Peregrinó Lulio por Siria, Palestina, Egipto, Etiopía, Mauritania... De regreso a Europa, enseñó en Montpellier su *Arte universal*. Durante dos años vivió en París, aprendiendo Gramática y enseñando Filosofía. Instó a Nicolás IV para que predicase una cruzada. Marchó a Túnez, donde evangelizó con denuedo y se salvó por milagro del martirio. Vuelta a Roma para suplicar a Bonifacio VIII nuevos proyectos de cruzada. Nuevas evangelizaciones en Chipre, Armenia, Rodas y Malta. Nuevos viajes a Italia y a Provenza. Otra misión a Africa, donde nuevamente se salva de milagro. En 1309 enseña en la Universidad de París su doctrina contra los averroístas. En 1311 se presenta en el Congreso de Viena con muchos sorprendentes proyectos. Fue otra vez a Bujía, en 1314, y allí logró la palma del martirio, siendo lapidado.

Raimundo Lulio escribió en latín y en su lengua nativa numerosas obras. Entre ellas destacan: *Ars magna, Arbor scientiae*—filosofía con apólogos—, *Plan de nostra dama, Lo cant de Ramón*—poesías líricas—, *Libre del gentil e los tres sabis, Libre del Orde de Cavaylería*—imitado por el infante don Juan Manuel y por el autor del *Tirant*—, *Libre felix de les maravelles del mon*—1286, enciclopedia de gran interés para la novelística—, *Blanquerna*—1283, novela utópica que lleva intercalado el *Cántico del amigo y del amado,* "joya de nuestra literatura mística, digna de ponerse al lado de los angélicos cantos de San Juan de la Cruz" (Menéndez Pelayo)—, el *Libre de les besties*—apólogos—, *Libro de las contemplaciones...*

Raimundo Lulio recibió el sobrenombre de "Doctor Iluminado".

Magnífica edición moderna de las obras de R. Lulio es la titulada *Obras y textos originales publicados e ilustrados con notas y variantes,* por J. Roselló. Prólogo y glosario de M. Obrador. Palma de Mallorca, 1901-1903. De *Blanquerna* abundan las buenas ediciones: 1882, edición Menéndez Pelayo; Madrid, 1944, edición Lorenzo Riber; Madrid, 1929, dos tomos, "Biblioteca de Filósofos Españoles". En "Biblioteca de Autores Cristianos", Madrid, 1948, se incluyen las *Obras literarias,* y es una edición utilísima. Es indispensable la edición: *Beati Raymundi Lulli opera,* Mainz, 1721-1741, en ocho tomos, con mucha crítica y extensa bibliografía.

V. GALMES, S.: *Vida compendiosa del beato Raimundo Lulio,* 1915.—MENÉNDEZ PELAYO, M.: *Orígenes de la novela,* I, 72.—MENÉNDEZ PELAYO, M.: *Discurso.* Palma, 1884. MENÉNDEZ PELAYO, M.: *Heterodoxos...* Segunda edición, III-257.—MENÉNDEZ PELAYO, M.: *Ideas estéticas.* 1940, I, 397.—RIBER, Lorenzo: *Raimundo Lulio.* Barcelona, editorial Labor, 1935.—BERTINI, G. María: *La poesía de R. Llull,* en *Paraula Cristiana,* 1934, XX, 35.—PEERS, E. Allison: *Raimundo Lulio, a biography.* New-York, Macmillan, 1929.—DURÁN, REYNALS-ROGENT: *Catalleg de les obres lullianes,* en *Int. d'Estudis Catalans.* BOVÉ, S.: *El sistema científico luliano.* 1908. ETCHEGOYEN, G.: *La mystique de Raimundo Lulio d'après le livre de l'Ami et de l'Aimé,* en *B. Hisp.,* 1922, XXIV.—RIBERA, J.: *Orígenes de la filosofía de Raimundo Lulio,* en *Homenaje a Menéndez Pelayo,* II, 191.—LONGPRÉ, E.: *Raymond Lulle,* en *Dictionnaire de théologie catholique,* de Vacant Mangenot, tomo IX, 1926.

LUNA, Álvaro de.

Notable poeta, músico, historiador y prosista español. Nació—1388—, probablemente, en Cañete (Cuenca). Murió—1453—decapitado en Valladolid. Fue hijo bastardo de Alvaro de Luna, ricohombre de Aragón y copero mayor del rey don Enrique III de Castilla. De simpatía arrolladora, de soberano talento, de audacia y de ambición inconmensurable, de paje de Juan II pasó a ser su favorito, y, en realidad, soberano absoluto de Castilla. Sus riquezas y fausto asombraban al mundo. Llegó a tener más de veinte mil vasallos y más de cien mil doblas de oro de renta. Los nobles más poderosos le adularon y le temieron.

No nos interesa aquí insistir en la proyección de su valor histórico enorme. Alvaro de Luna tuvo una gran cultura y protegió las artes y las letras hasta transformar la corte de Juan II en un gran centro cultural. Su nombre consta en el *Catálogo de autori-*

dades del idioma, publicado por la Academia Española.

De don Alvaro de Luna, como poeta, se conservan dieciséis composiciones en el *Cancionero* de Baena, que fue amigo personal del condestable. Además, dejó una obra en prosa: *Libro de las claras e virtuosas mujeres*, de estilo noble, de construcción correcta, bien rodado el período, sin los tropiezos ni latinismos de otros escritores de su tiempo.

De esta obra, de tanta erudición como buen gusto, se hizo—1891—una impresión por la "Sociedad de Bibliófilos Españoles", con prólogo de Menéndez Pelayo. Para esta edición se tuvieron en cuenta los dos manuscritos de la Biblioteca Salmantina y del Real Palacio. En Toledo—1909—, Manuel Castillo volvió a reimprimir esta obra, añadiéndole el *Proemio de Juan de Mena*—que trae el manuscrito del Palacio Real—y un vocabulario muy acertado.

V. RIZZO, M.: *Alvaro de Luna*, 1865.—CORRAL, L.: *Don Alvaro de Luna*. Valladolid, 1915.—SILIÓ, César: *Don Alvaro de Luna*. Madrid, Espasa-Calpe, 1934.—MENÉNDEZ PELAYO, M.: *Est. Crít. Liter.* 1942, VII, 63.

LUNA H.

Gran novelista y prosista español. Se tienen escasísimas referencias de su vida. Debió de nacer hacia 1580 y morir después de 1630. Intérprete de lengua española en París y Londres. Su nombre está incluido en el *Catálogo de autoridades* del idioma, publicado por la Academia Española.

Obras: Segunda parte del *"Lazarillo de Tormes"*—París, 1620, y Zaragoza, 1652.— *Diálogos familiares, en los cuales se contienen los discursos, modos de hablar, proverbios y palabras españolas más comunes, muy útiles para los que quieren aprender la lengua castellana*—París, 1619—; *Arte breve y compendiosa para aprender a leer, escreuir, pronunciar y hablar la lengua española* —Londres, 1623; Zaragoza, 1892.

La *Segunda parte del "Lazarillo de Tormes"* es la más feliz y cumplida de las imitaciones de la inmortal novela, aunque distante del feliz modelo. En la obra de Luna, de excelente prosa—graciosa y pura—, de amenidad grande—rica la inventiva—, es sumamente recargado el sabor anticlerical, no escaseando la desenvoltura ni los rasgos satíricos contra clérigos, inquisidores, frailes y ermitaños, y también contra las costumbres de la época.

Hay dos buenas impresiones modernas de la *Segunda parte del "Lazarillo de Tormes"*: la publicada en el tomo III de la "Biblioteca de Autores Españoles", de Rivadeneyra, y la publicada—en Madrid, 1943 y 1946—por la editorial Aguilar.

V. VALBUENA Y PRAT, A.: *Estudio y notas* en la edición M. Aguilar, Madrid, 1946.— ARIBÁU, C.: Prólogo en el tomo III de la "Biblioteca de Autores Españoles".—CEJADOR Y FRAUCA, J.: *Historia de la lengua y literatura españolas*, tomo V.

LUNA, José Carlos de.

Poeta, autor dramático, historiador. Nació —1890—en Málaga, donde estudió el bachillerato. Ingeniero industrial. Gobernador civil de Badajoz y de Sevilla. Colaborador de *A B C, Fotos, Informaciones, Diario de Cádiz, Archivo Hispalense*. Pasó muchos años de su vida en cortijos de Antequera, Almogía y Cádiz, haciendo vida de gran señor agricultor y ganadero. Murió—29 de noviembre de 1964—en Madrid.

José Carlos de Luna fue miembro correspondiente por la región andaluza de la Real Academia Española y de la de Bellas Artes de San Telmo. Estuvo en posesión de diferentes condecoraciones españolas y extranjeras.

Entre sus obras en prosa destacan: *Peces de los litorales ibérico y marroquí y su pesca deportiva*—1948—, *Cara al sol y cara al mar, Historia de Gibraltar*—1944—, *La mar y los barcos, Los gitanos de la Bética* —1951—, *Una loba*—comedia—, *Manjarí* —comedia—, *Las viejas ricas*—zarzuela—, *Historia de Málaga y su provincia...*

Sus poesías son las más buscadas por los recitadores, ya que cuentan con el entusiasmo de los públicos.

José Carlos de Luna es un poeta pintoresco, ingenioso, realista, fuerte y cálido, colorista portentosamente, de un popularismo sugestivo que llega en seguida a la emoción.

Obras poéticas: *De cante grande y cante chico*—1934—, *La taberna de los Tres Reyes, El Cristo de los gitanos, El Café de Chinitas*.

LUQUE DE BEAS, Diego (v. Beas, Diego Luque de).

LUSARRETA, Pilar de.

Periodista, profesora y literata argentina. Nació en Rojas a principios del actual siglo. Colaboradora del diario *La Nación*. Durante muchos años ejerció la crítica de arte en la revista *El Hogar*. En colaboración con Arturo Cancela, estrenó con éxito *La alondra*.

Su producción se caracteriza por un acertado manejo del relato, conocimiento profundo del idioma y una contenida emoción que no le permite llenar páginas y páginas sin decir justamente aquello que va a conmover al lector. Y esta es una rara cualidad en la literatura femenina.

Obras: *Job el opulento*—1928—, *Celimena sin corazón, Iconología de Manuelita, El espejo de acero, Cinco dandys porteños, La herencia del bárbaro, Vida, pasión y locura de doña Juana; Sinopsis romántica de Lope de Vega, El suicidio de Essex, Suicida por amor, Los tres encuentros del Caballero y la Muerte*...

LUSTONÓ, Eduardo.

Dramaturgo, satírico y periodista español. Nació—1849—y murió—¿1906?—en Madrid. Desde los dieciséis años, abandonando los estudios universitarios, se dedicó con gran entusiasmo al periodismo. Popularizó el seudónimo de "Albillo". Fue escritor audaz, alegre; cultivó la sátira mordaz, el "panfleto" y, en el teatro, el "género chico". Padeció varios procesos y destierros por delitos de los llamados "de imprenta". Fue redactor de *Fígaro, Doña Manuela, Las Disciplinas, La Iberia, Las Novedades, La Suavidad, La Filoxera, El Buñuelo, La Viña, Los Madriles, Madrid Cómico, La Correspondencia Literaria, Heraldo, Gente Vieja, La Ilustración Española y Americana* y *Blanco y Negro*.

Tuvo facilísimo ingenio para repentizar en verso; y sus sátiras breves y versificadas fueron la delicia del público madrileño de teatros, toros y literatura entre 1880 y 1895. Obras escénicas: *El ciudadano Simón, Santiago y... a ellas.*

Otras obras: *El Quitapesares*—cuentos breves, 1870—, *El Hazmerreír*—cuentos y anécdotas, 1871—, *Cancionero de obras de burlas provocantes a risa*—1872—, *El libro verde*—1875—, *La capa del estudiante*—cuentos y artículos, 1880—, *Cuentos de lo mejor de nuestro Parnaso contemporáneo*—1881—, *Cancionero de amores*—1903...

LUZ CABALLERO, José de la (v. Caballero, José de la Luz).

LUZÁN Y CLARAMUNT DE SUELVES, Ignacio.

Poeta y preceptista español de singular interés. 1702-1754. Nació en Zaragoza, de familia noble y adinerada. Desde los trece años se educó en Italia, doctorándose—1727—en Leyes en la Universidad de Catania. Hasta 1733 vivió en Nápoles. Obligado por necesidades de cuidar su hacienda, regresó a España. Entre 1749 y 1750 estuvo en París como secretario de Embajada, amistando con los grandes literatos franceses, a los que estudió, admiró y tradujo.

De nuevo reintegrado a su patria, desempeñó los importantes cargos de consejero de Hacienda, secretario de la Real Junta de Comercio, superintendente de la Real Casa de la Moneda y tesorero de la Real Biblioteca.

La obra más famosa de Luzán, su *Poética*, fue el manifiesto oficial del movimiento literario neoclásico en España. Fue miembro de la Academia del Buen Gusto. Porque es sumamente curioso el caso de este pontífice del neoclasicismo español. Hasta 1737, fecha en que publicó las tablas de la ley de su *Poética*, se mostró como un poeta—mediocre—apegado a los regustos y a los resabios del barroquismo. Sus composiciones poéticas de asunto mitológico—*Juicio de Paris, Hero y Leandro*—delatan su apegamiento al culteranismo más apagado; y las de asunto heroico—*Canciones a la conquista de Orán*—, su procedencia muy acusada del acento y del eco herrerianos. Sin duda alguna, su estancia en París provoca el trance y el lance de su evolución. Luzán se entusiasma con los rígidos e hipócritas escritos de Voltaire, con las comedias frívolas y almidonadas de Nivelle de la Chausée, con el teatro engolado y de reprimida pasión de Racine, con los dictámenes retóricos de Boileau. Cuando Luzán renuncia a su débil tendencia barroquista y se convierte en exegeta del neoclasicismo en España, no vuelve a escribir versos dignos de mención. Ha cambiado su progenitura de inspiración por el condumio de una apremiante necesidad de moda.

Su libro *Poética o reglas de la poesía en general y de sus principales especies*—Zaragoza, 1737, y Madrid, 1789—es la obra más importante de Luzán y de gran interés en la historia de la crítica en España. Los gustos de Luzán fueron más italianos que franceses. Los modelos de su *Poética* son: el *Tratado de la perfecta poesía,* de Muratori, Crescimbeni, Montsignani; la *Retórica,* de Lamy; la *Poética,* de Boileau; los discursos de Corneille, y, naturalmente, Aristóteles.

Luzán se mostró partidario rigorista de las tres unidades, pero alabó a Lope, a Calderón, a Moreto, a Rojas. Su obra fue un código que tuvo autoridad durante una centuria, hasta el romanticismo, y el que más contribuyó a lanzar la literatura española en la general corriente europea.

Otros libros: *Memorias literarias de París*—Madrid, 1751—, *La razón contra la moda*—comedia traducida del francés; Madrid, 1751—, *La virtud coronada*—1742, comedia original que no se llegó a estrenar—, *Artajerjes*—traducción de Metastasio—, *Las ceremonias de Aurelia*—comedia traducida del italiano—, *Discurso apologético de don Iñigo de Lanuza*—Pamplona, 1741, en defensa de su *Poética* contra Iriarte.

Algunas poesías de Luzán se encuentran en los tomos XXXV y LXI de la "Biblioteca de Autores Españoles", de Rivadeneyra; en

L

la *Historia y antología de la poesía castellana,* de Sainz de Robles—Madrid, 1946—, y en la antología *Neoclásicos y románticos,* de Félix Ros, Barcelona, 1943. De la *Poética* hay una edición moderna: la de J. Cano, Toronto, 1928.

V. MENÉNDEZ PELAYO, M.: *Historia de las ideas estéticas.* 1940, 111, 216.—FERNÁNDEZ Y GONZÁLEZ, F.: *Historia de la crítica literaria desde Luzán hasta nuestros días.* 1875.—LATASSA, F.: *Biblioteca Nueva.* V, 12.

LYNCH, Benito.

Novelista y cuentista de gran vigor. Nació —1885—en la Argentina. Falleció en 1951. No tenemos otras noticias de su vida, sino que desde muy joven se dedicó a la literatura, al periodismo. La publicación, en Madrid, por la editorial Calpe, de su novela *Los Caranchos de la Florida*—fecha de aparición en la Argentina, 1917—, hace unos veinticinco años, nos llenó de asombro y de júbilo. Era una novela intensa, realista, sugestiva, que se acercaba mucho a la perfección. Con aquella única obra conocida en España, Benito Lynch quedaba catalogado ya como un escritor de primera fila.

"Es uno de los que más prometen para la novela de su tierra—confirmó el rotundo Cejador—. Distínguese por los rasgos expresivos y fuertes y magistrales con que pinta un personaje o describe y narra, de modo que da recia y verdadera impresión de las cosas. Posee, además, el arte de la composición sobria y acabada, y maneja el lenguaje campero con gran riqueza y propiedad. Es uno de los mejores novelistas criollos de la última generación."

¡Ya lo creo que lo es! Sabe reflejar exacta y admirablemente las costumbres y los tipos de su tierra. Sabe tratar a los personajes con singular vigor, con rara sobriedad. Sabe escoger temas muy humanos, verdaderos, interesantes y sencillos. Sabe dar a los paisajes todo su color y su clima y su trascendencia. Sabe dialogar con naturalidad, con emoción. Tiene razón Manuel Gálvez cuando afirma que algunos de los personajes creados por Lynch tienen tanto relieve y tanta fuerza como aquellas almas violentas que ha creado Gogol en *Tarass Bulba.*

Benito Lynch es el novelista inimitable del agro argentino, de su relieve, de su color y de sus personajes. Y de los sucesos del agro argentino, ya ingenuos, ya pérfidos, pero siempre recios desde el punto de vista de la creación.

Obras: *Plata dorada*—Buenos Aires, 1909—, *Los Caranchos de la Florida*—Buenos Aires, 1917—, *Raquela*—Buenos Aires, 1918—, *La evasión*—novela corta, Madrid, 1918—, *El inglés de los huesos, El antojo de la patrona, Palo verde, El romance de un gaucho, De los campos porteños...*

V. GÁLVEZ, Manuel: Prólogo a *Raquela.* Buenos Aires, 1918.—CEJADOR, Julio: *Historia de la lengua y literatura.* Madrid, tomo XIII.—LEGUIZAMÓN, Julio, A.: *Historia de la literatura hispanoamericana.* Buenos Aires, 1945.—ROJAS, Ricardo: *La literatura argentina.* Buenos Aires, 1924.

LL

LLAGUNO Y AMÍROLA, Eugenio de.

Erudito y arquitecto español. Murió —1799—en Madrid. Fue oficial de la Secretaría de Estado, caballero de Santiago y miembro de la Real Academia de la Historia. Su nombre figura en el *Catálogo de autoridades* publicado por la Academia Española de la Lengua.

Llaguno fue discípulo de Luzán, cuya *Poética* reimprimió. Tradujo—1754—excelentemente la *Atalia*, de Racine. Y publicó y enriqueció con notables notas críticas las *Crónicas de los reyes de Castilla don Pedro I, don Enrique II, don Juan I, don Enrique III,* de Pedro López de Ayala. También publicó y anotó—aun cuando suprimiendo algunos pasajes—la *Crónica de don Pedro Niño,* de Gutierre Díez de Gámez, y la *Historia del Gran Tamerlán,* de Rui González de Clavijo.

Entre sus obras originales figura como la más importante *Noticias de los arquitectos y Arquitectura de España desde su restauración*—1829, cuatro tomos—, publicada, añadida y comentada con tino por Ceán Bermúdez; obra pletórica de interés por sus innumerables noticias y datos aún con vigencia.

LLAMPILLAS, Javier (v. Lampillas, Javier).

LLANAS AGUILANIEDO, José María.

Novelista y crítico literario español. Nació —1875—en Fonz (Huesca) y murió hacia 1912. Cursó el bachillerato en el Instituto Nacional de Huesca y la carrera de Farmacia, en la Universidad de Barcelona. Farmacéutico de Sanidad Militar. Durante algún tiempo prestó sus servicios en los hospitales del Marruecos español. Colaboró literariamente en muchos diarios y revistas: *La Andalucía,* de Sevilla; *El Porvenir de Sevilla, La Lectura* y *Correspondencia de España,* de Madrid...

Llanas Aguilaniedo, curiosísimo tipo de literato huraño y aislado, fue uno de los primeros defensores y cultivadores del *Modernismo* en España. Según el gran crítico Andrés González-Blanco: "Llanas Aguilaniedo es de los decadentes, de los enfermizos, de los torturados, de los modernos, en fin. Nadie ha llegado en España a los refinamientos exquisitos que este autor ostenta en sus novelas sin empacho... Fue el primer propugnador de la escuela, porque fue el primer crítico enterado y justo, y será su último baluarte... Es el Pierre Louys y el Jean Lorrain español, todo en una pieza... Su obra *Alma contemporánea* es el doctrinario de las modernas corrientes estéticas, el más completo, informador y comprensivo que se ha publicado en España."

En efecto, Llanas Aguilaniedo fue *todo eso,* y nos explicamos el olvido en que ha caído escritor tan lleno de sugestiones y tan merecedor de estudio.

Obras: *Alma contemporánea*—estudio de Estética, Huesca, 1899—, *Del jardín del amor* —Madrid, 1902—, *Navegar pintoresco*—Madrid, 1903—, *Pithyusa*—Madrid, 1907—, *Magdalena*—Madrid, 1907—, *La Cortesana* —traducción del Aretino, Madrid, 1900, muy elogiada por "Clarín"...

V. González-Blanco, Andrés: *Historia de la novela contemporánea en España.* Madrid, 1909.—Cejador Frauca, Julio: *Historia de la lengua y literatura castellana.* Madrid, 1919, tomo XI, págs. 258-60.—Entrambasaguas, Joaquín de: *Las mejores novelas españolas contemporáneas (1905-1909).* Barcelona, Planeta, 1958, págs. 1115-166. (Contiene una biobibliografía exhaustiva.)

LLANDERAS, Nicolás de las.

Autor teatral argentino nacido en España hacia 1889 y muerto—1938—en Buenos Aires. Llegó a la Argentina de muy mozo. Y luego de ganarse la vida desempeñando muy diversos oficios y empleos, se dedicó al teatro, alcanzando pronta y grande popularidad. Casi siempre colaboró con Arnaldo Lalfatti. Cultivaron un teatro costumbrista fidelísimo de pintura o de lenguaje, muy del gusto de las grandes masas sentimentales.

Obras: *Miente y serás feliz, Cominito alegre, La gallina clueca, Coima, Los tres berretines, Luján, Dársena norte, Si los vie-*

jos levantaran la cabeza, Picnic, La paja en el ojo ajeno.

V. Berenguer Carissomo, Arturo: *Teatro argentino contemporáneo.* Madrid, edit. Aguilar, 1959.

LLANOS BORRELL, Florencio.

Poeta y narrador español. Nació en Consuegra, ciudad de molinos de la Mancha toledana, el 23 de febrero de 1918. Bachiller universitario y Profesor Mercantil, inició sus actividades literarias en el periodismo, cultivando preferentemente la crónica, en una amplia labor reflejada en el *Pueblo Manchego,* de Ciudad Real; *Pueblo,* de Madrid; *La Voz de Castilla,* de Burgos, y *Lanza,* de Ciudad Real.

En 1941 publicó su primer libro de versos —*De las horas vividas. Poemas de juventud*—y *Mientras el alba llega.*

Fundador de *Adelfos,* pertenece al movimiento poético de los que alguien—con intención peyorativa—ha llamado "Poetas de Café".

LLANOS Y TORRIGLIA, Félix de.

Historiador y literato español. Nació —1868—en San Fernando (Cádiz). Murió —1949—en Madrid. Abogado por la Universidad de Madrid. Secretario general—varios años—de la Real Academia de Jurisprudencia y Legislación. Diputado a Cortes en 1907 y en 1910. Colaborador de *A B C, La Epoca, La Unión Católica, Acción Española* y otros varios periódicos y revistas. Académico de la Real de la Historia y de la Real de la Lengua. Correspondiente de la Hispanic Society, de Nueva York, y de la Academia de Ciencias de Lisboa. Gran cruz del Cristo de Portugal y de la Orden de Alfonso XII.

De vasta cultura, prosa limpia y gran amenidad para divulgar temas históricos.

Obras: *Catalina de Aragón, reina de Inglaterra; La reina Victoria de Inglaterra y los matrimonios españoles, Cómo se hizo la revolución en Portugal, Así llegó a reinar Isabel la Católica*—"Premio Fastenrath" de la Real Academia Española—, *Beatriz Galindo, "la Latina"; La reina Isabel, fundadora de España; Isabel Clara Eugenia, novia de Europa; Santas y reinas, en el hogar de los Reyes Católicos,* y otras varias de singular interés.

También es autor de obras y monografías de Derecho.

LLONA, Numa Pompilio.

Literato y erudito ecuatoriano. Nació —1832—y murió—1907—en Guayaquil. Estudió en Colombia y Perú hasta doctorarse en Leyes. Secretario del Congreso Americano ce-

lebrado en Lima en 1864. Cónsul del Perú en España e Italia. Profesor de Estética y Literatura universal en la Universidad de Lima. En 1883 regresó a su patria, en la que fue rector de la Universidad de Guayaquil y director de la Escuela de Artes y Oficios de Quito. Miembro correspondiente de la Real Academia Española de la Lengua y ministro plenipotenciario y enviado extraordinario en Colombia.

Por su gran caballerosidad y su humanísima simpatía, fue muy querido, tanto como en su patria, en Perú y Colombia.

Llona fue coronado públicamente en Quito, enviando cada una de las provincias del Perú una de las hojas de laurel de la corona de oro que le fue entregada.

"Poeta esmerado y clásico sonetista, aficionado a las dificultades técnicas junto con alardes de independencia artística, demasiado didáctico y reflexivo; cantó sus luchas, dolores y placeres." (Cejador.)

Obras: *La escuadra española en las costas del Perú*—poesías, París, 1865—, *Cantos americanos*—París, 1866—, *Los caballeros del Apocalipsis*—1869—, *Nuevas poesías y escritos en prosa*—Ginebra, 1870—, *Noche de dolor en las montañas*—1872—, *Cien sonetos* —1874—, *Odisea del alma*—poema, Lima, 1876—, *Clamores de Occidente, cien sonetos nuevos*—Lima, 1880—, *Interrogaciones*—poemas filosóficos, Lima, 1880—, *Obras poéticas* —tres tomos, Lima, 1880 a 1882—, *Cantos patrióticos y religiosos*—1881—, *Poemas amatorios y diversos*—1882—, *Al centenario del nacimiento de Bolívar*—1883—, *Bosquejos de literatos colombianos*—1886—, *La estela de una vida*—poemas, París, 1893—, *El amor supremo...*

V. Mera, Juan León: *Antología ecuatoriana.* Quito, 1892, dos tomos.—Arias, Augusto: *Panorama de la literatura ecuatoriana.* Quito, 1936.—Barrera, Isaac: *La literatura ecuatoriana.* Quito, 1926, 2.ª edición.—Menéndez Pelayo, M.: *Historia de la poesía hispanoamericana.* Madrid, 1911-1913.

LLOPIS, Carlos.

Autor dramático español contemporáneo. 1913-1970. Cuando aún era un muchacho, se dedicó al teatro y fue un actor cómico excelente. Posteriormente, al iniciar su labor literaria, abandonó su profesión.

Como autor teatral, consiguió éxitos resonantes en España y en la Argentina.

Carlos Llopis fue uno de los autores dramáticos más interesantes, inteligentes y originales.

Obras: *Con la vida del otro, Nosotros, ellas y el duende; Un pitillo y mi mujer, Cinco años y un día, Los posibles señores* de Rodríguez, Dos millones para dos, La cigüeña dijo ¡sí!

LLOR FORCADA, Miguel.

Nació en Barcelona el 9 de mayo de 1894, de una familia de burguesía modesta, desinteresada de toda inquietud intelectual. Alternó sus primeras lecturas literarias con el estudio de idiomas, y, de acuerdo con la tradición familiar, ejerció la profesión de dibujante industrial, aunque sus preferencias eran para el cultivo de la música, sin resultado estimable en la práctica.

En 1921, a la terminación de un curso de Literatura catalana, a cargo de don Jorge Rubio Balaguer, empezó el borrador de *Historia gris*, que terminó al finalizar el año 1924.

Alternó las tareas literarias con su trabajo en la Sección de Cultura del Ayuntamiento de Barcelona y sus actividades en el comercio de antigüedades. Ha realizado algunas permanencias en Francia, Bélgica, Holanda e Italia. Murió—1966—en Barcelona.

Obras publicadas: *Historia gris*—junio de 1925, "Biblioteca Literaria" de la editorial catalana "Novela de costumbres"—, *Tántalo* —1928, Ediciones Proa. Publicada en castellano con el título de *Abismos,* en 1945, por Ediciones Ameller—, *Dolor de ayer, L'endemà del dolor*—1930, Ediciones Proa. Primera serie de cuentos, precedidos por una novela breve del mismo título. Premio extraordinario del Ayuntamiento de Gerona 1930—, *Laura en la ciudad de los Santos*—1931, Ediciones Proa. Publicada en castellano por Ediciones Destino en 1943. "Premio Crexells, 1930"—, *Brisa en el desierto (Oreig al Desert)* —1934. Ediciones Proa. Segunda serie de cuentos, precedidos de una novela que da el título al volumen—, *Premio a la virtud,* o *Un idilio en la plaza de San Justo*—1935. Librería Verdaguer. Novela breve, caricatura de las reminiscencias ochocentistas en un barrio de la Barcelona antigua—, *La sonrisa de los santos*—segunda parte de *Laura*. Ediciones Janés.

Obras inéditas: *Nubes*—comedia en tres actos—, *El velo de la felicidad*—comedia en tres actos—, *Juego de niños*—novela, en curso de redacción.

Traducciones: *I malavoglia* (Giovanni Verga)—Ediciones Proa, 1930—, *Gli indifferenti* (Alberto Moravia)—Ediciones Proa, 1932—, *Les caves du Vatican* (André Gide) —Ediciones Proa, 1930—, *Amour terre inconnue* (Martín Maurice)—Ediciones Proa, 1936.

LLORCA, Carmen.

Ensayista, historiadora. Nació—1921—en Alcoy (Alicante). Estudió en la Universidad de Madrid Filosofía y Letras, doctorándose

—1948—con la tesis *El mariscal Bazaine en Madrid,* que obtuvo el premio extraordinario. Colaboradora en importantes revistas españolas: *Indice, Insula...* Y en los diarios *SP* y *Pueblo.* Profesora adjunta de Historia Universal Contemporánea en la Universidad de Madrid. Profesora de la Escuela Oficial de Periodismo. Técnico de Información del Estado.

Obras: *Isabel II y su tiempo*—1956—, *Emilio Castelar, precursor de la democracia cristiana...*

LLORÉNS TORRES, Luis.

Poeta y prosista puertorriqueño. Nació —1878—en Juana Díaz. Goza de una extraordinaria fama en su país, ya que, aun cuando él se ha defendido—en el prólogo de *Visiones*—de ser un discípulo de Rubén Darío, es lo cierto que introdujo en su patria el Modernismo lírico más exasperado. Impuso el Modernismo en su *Revista de las Antillas,* que empezó a publicarse en 1913.

En el teatro alcanzó un buen éxito con su drama en verso y prosa *El grito de Llanes.* Su lirismo anterior a 1910 corresponde a una inspiración sumamente tradicional y campesina. Lloréns Torres viajó por Italia, Francia y España.

Obras: *América (Estudios históricos y filológicos)*—Barcelona, 1898—, *Al pie de la Alhambra*—poemas, Granada, 1899—, *Bolívar*—poema—, *Sonetos sinfónicos*—San Juan de Puerto Rico, 1914—, *La canción de las Antillas y otros poemas*—1929—, *Alturas de América*—1940—, *Visiones de mi musa, Voces de la campana mayor...*

V. RIBERA CHEVREMONT, Evaristo: *Antología de poetas jóvenes de Puerto Rico.* San Juan, 1918.—TORRES RIVERA, Enrique: *Parnaso puertorriqueño. Barcelona.* Maucci, 1920. TORRES ROSADO, Félix: *Panorama poético puertorriqueño,* en *Universidad de Antioquia,* Medellín-Colombia, núm. 51, marzo-abril de 1942.—VALBUENA BRIONES, Angel: *La poesía puertorriqueña contemporánea.* Tesis doctoral. Madrid, 1952.—PEDREIRA, A. S., y MELÉNDEZ, Concha: *L. Llorens Torres, el poeta de Puerto Rico,* en *Revista Bimestre Cubana,* mayo-junio 1933.

LLORENTE, Juan Antonio.

Historiador y literato español muy popular en su época. Nació—1756—en Rincón de Soto (Logroño). Murió—1823—en Madrid. El apasionado y competente crítico Cejador escribió esta sintética biografía de Juan Antonio Llorente: "El don Oppas moderno, canonista áulico afrancesado de José Bonaparte, irreligioso y filibustero, libelista y falsario, maestrescuela de Toledo, hombre que, perdidas las esperanzas de obispar, de que había

LL

dado apetitosas muestras, metióse a incautador y desamortizador con el título de director general de Bienes Nacionales, cargo que le quitaron los franceses por acusación de filtraciones de unos once millones de reales, varón que apellidaba a los héroes de nuestra Independencia *plebe y canalla vil pagada por el oro inglés.* Quemó los papeles de la Inquisición que no le venían a cuento; llevóse otros, porque sí, a París, en cuya Biblioteca Nacional hay dieciocho volúmenes, y asimiló el embusterísimo y pedestre libro *Histoire critique de l'Inquisition d'Espagne...*—1812—, y acabó con el *Retrato político de los Papas...*—1822—, donde admite la fábula de la papisa Juana, y con la traducción de la inmunda novela de Louvet *Aventuras del baroncito de Faublas.* Fue arrojado de Francia, y falleció apenas llegado a Madrid."

En este breve y feroz retrato de Cejador hay verdades y hay... exageraciones. En 1701 ser patriota era defender a un rey francés extraño. En 1808, ¿por qué defender a otro rey francés extraño era ser antipatriota? ¡Tremendo acertijo! Tampoco se le probó a Llorente lo "de los once milloncejos de reales". Y a desear el obispado, se lo hubiera dado su gran amigo el omnipotente Godoy. En lo demás... tiene razón Cejador.

Juan Antonio Llorente fue también: abogado del Supremo Consejo de Castilla, vicario general de la diócesis de Calahorra, académico de la Real de la Historia, francmasón, doctor en Derecho romano y canónico, comisario general de la Santa Cruzada, dueño de una gran cultura y de una prosa castiza y rica de vocablos.

Otras obras: *Noticias históricas de las cuatro Provincias Vascongadas*—Madrid, 1806—, *Discurso heráldico sobre el escudo de España*—1908—, *Memoria histórica sobre cuál ha sido la opinión nacional de España acerca del Tribunal de la Inquisición*—1812—, *Disertación sobre el poder que los reyes españoles ejercieron hasta el siglo XII en la división de obispados...*—1810—, *Discurso sobre la opinión nacional de España en lo relativo a la guerra con Francia*—Valencia, 1812—, *Observaciones sobre las dinastías de España*—1812—, *Memorias para la historia de la revolución española, con documentos justificativos...*—París, 1814—, *Discursos sobre una constitución religiosa*—1819—, *Observaciones críticas sobre la novela "Gil Blas de Santillana"*—1822—.

De la *Historia crítica de la Inquisición en España* hay ediciones de Madrid, 1812—dos primeros tomos únicamente—, 1835 a 1836, y de Barcelona, 1870, en dos tomos, corregida por Juan Landa.

V. MENÉNDEZ PELAYO: *Historia de los heterodoxos españoles.* Madrid, 1.ª edición, tomo III.—MAHUL, R.: *Notice biographique sur don Juan Antonio Llorente.* París, 1823.

LLORENTE, Teodoro.

Poeta, dramaturgo y periodista español de mérito. Nació—1836—y murió—1911—en Valencia. Su padre era riojano, de Rincón de Soto, y familiar de don Juan Antonio Llorente, autor de la *Historia crítica de la Inquisición española.* En la Universidad valenciana cursó Teodoro los estudios de Derecho y Filosofía y Letras. A los trece años escribió y publicó su primera poesía de amor. A los diecisiete estrenó un drama en verso: *Delirio de amor.* Hasta los veintiuno escribió solamente en castellano. Animado por Mariano Aguiló, cultivó la lengua valenciana, ganando un premio en los Juegos florales celebrados—1859—por la Sociedad El Liceo, de Valencia. Dirigió *La Opinión* y *Las Noticias* en su tierra natal. Fundó—1878—Lo Rat Penat, Sociedad *d'amadors de la llengua valenciana.* Diputado a Cortes—1890—por Sueca. Senador. Cronista de la ciudad de Valencia y su provincia—1890—. Mestre en Gay Saber. Traductor admirable de Víctor Hugo, lord Byron, Heine, Goethe, Schiller y otros muchos poetas.

Teodoro Llorente fue un poeta lírico de suma delicadeza, de suave musicalidad, romántico, hondo, sano de ideas, creyente y patriótico.

Obras: *Llibret de versos*—1885—, *Valencia*—historia, 1887—, *Nou llibret de versos*—1902—, *Poesías triades*—1905—, *Versos de la juventud*—1905...

Traducciones: *Poesías selectas* de Víctor Hugo—1859—, *El corsario,* de lord Byron—1863—, *Zaida,* tragedia, de Voltaire—1868—, *Leyendas de oro,* poesías de los principales autores modernos—1875—, *Amorosas,* poesías de los principales autores modernos—1876—, *Fausto,* tragedia, de Goethe—1882—, *Poesías de Heine*—1885—, *Fábulas de La Fontaine*—1885—, *Poetas franceses del siglo XIX*—1906—, *La leyenda de oro* (segunda serie)—1908—, *Nueva antología de poetas franceses modernos.*

V. NAVARRO REVERTER: *Teodoro Llorente: su vida y sus obras.* Barcelona, [¿1912?]—MENÉNDEZ PELAYO, M.: Prólogo a *Nou llibret de versos.* Valencia, 1902.—MASRIERA, Arturo: *Teodoro Llorente.* Barcelona, 1905.—SÁNCHEZ SIVERA, José: *Bibliografía de Teodoro Llorente.* Valencia.

LLOVET, Enrique.

Poeta y prosista. Nació—1917—en Málaga. Cursó el bachillerato en su ciudad natal, y las disciplinas de Derecho y Filosofía y Letras en las Universidades de Granada y Madrid. Llegó a licenciarse en aquellas. Pertenece a la Carrera Diplomática. Se inició como periodista en las columnas de *Sur*. Ha viajado por muchos países de Europa, disertando con éxito sobre temas españoles. Ha dirigido dos revistas literarias radiofónicas: *Romance*, de Radio Nacional, y *Mirador*, de Radio Madrid. Crítico teatral de *A B C*, de Madrid. "Premio Nacional de Crítica, 1963".

Ha desempeñado el cargo de secretario de Embajada de Teherán y el de cónsul en París. "Premio Mariano de Cavia" de periodismo. Ha publicado en *A B C*, de Madrid, notables crónicas, con temas del Oriente, bajo el seudónimo de "Marco Polo".

Como poeta, es de un "garcilasismo suave y afortunado en la correcta expresión". Poeta expresivo, de honda raíz andaluza, colorista, imaginativo, patético.

Obras: *Donaires de la piedra y del agua* —poesías, 1941—, *Elizondo*—novela, 1945—, *Magia y milagro de la poesía popular, Andalucía, fin de semana; Los últimos de Filipinas*—guión cinematográfico—. *Operación C-1* —novela, 1957—, *Oriente Medio*—1960—, *España viva*—"Premio Nacional de Literatura, 1967"—, *Lo que sabemos del Teatro* —1967, *Sócrates*—teatro, 1972.

LLOVET, Juan José.

Notable poeta español. Nació—1895—en Santander. Estudió varias disciplinas, pero sin terminar carrera alguna. De espíritu inquieto, algo bohemio, viajó por Europa y colaboró en importantes revistas españolas: *La Esfera, Nuevo Mundo, Por Esos Mundos, Mundo Gráfico...* Marchó a América hacia 1930, y desde entonces reside allí, sin que se hayan tenido noticias precisas de él.

Llovet posee brío y soltura para versificar, reciura varonil de pensamiento, fresco casticismo. Empezó a escribir muy influido por Rubén Darío, pero se independizó bien pronto y no quedó afectado por los *ismos* subversivos aparecidos en España a partir de 1919. Posee también una vivísima imaginación y un sorprendente colorido, que hace recordar al gran poeta Francisco Villaespesa.

Obras: *El rosal de la leyenda*—Madrid, 1913—, *Pegaso, encadenado*—Madrid, 1914—, *Friné*—opereta, 1916...

LLULL, Ramón (v. Lulio, Raimundo).

LL

M

MACANAZ, Melchor Rafael de.

Literato y político español. Nació—1670— y murió—1760—en Hellín (Albacete). Doctor en Leyes por la Universidad de Salamanca. Oidor de la Chancillería de Santo Domingo. Asesor del virrey de Aragón. Intendente de Aragón. Presidente del Consejo de Hacienda. Ministro plenipotenciario en París y en los Países Bajos. Fiscal general del Consejo de Castilla. Estuvo preso —1748—, por "razones de Estado", en la ciudadela de Pamplona y en el castillo de San Antón, de La Coruña. Contrajo matrimonio en Lieja con doña María Maximiliana Courtois y Tamisón.

Macanaz sirvió fidelísimamente a Carlos II, Felipe V y Fernando VI, y se le considera como el paladín de la *doctrina regalista*.

Como literato, adolece de los defectos de su época: exagerado racionalismo, prosa muy retórica, erudición un tanto indigesta. Pero era Macanaz un espíritu crítico muy sutil y ponderado.

Obras literarias: *Historia crítica de la Inquisición*—dos tomos, publicados por Valladares—, una *Memoria* refutando la apología del cardenal Alberoni, el *Pedimento fiscal*, las notas críticas al *Teatro,* de Feijoo; a la *España Sagrada,* del padre Flórez, y al *Derecho real de España; Historia del cisma janseniano*—manuscrito—, *Memorias para el gobierno de la monarquía*—manuscrito—, *Sumario de la "Historia"* de C. C. Tácito —manuscrito—, *Notas al Diccionario geográfico del orbe*—manuscrito—, *Relación de los sucesos acaecidos entre las Cortes de Roma y España*—manuscrito—, *Avisos útiles a todos los españoles, Memoria sobre los intereses de la monarquía de España y Nuevo Mundo*—manuscrito, 1734—, *Apologética histórica*—1724, manuscrito—y otras varias.

V. Valladares, A.: *Catálogo de las obras de Melchor Rafael de Macanaz.*

MACIÁ SERRANO, Antonio.

Poeta y prosista español. Nació—1911—en Elche (Alicante). De profesión militar. Ha colaborado en muchos diarios y revistas españoles: *Ya, El Español...*

Es un poeta brillante, pintoresco a veces, hondo en ocasiones y siempre inspirado. Y un prosista correcto.

Obras: *Romancero legionario*—1940—, *Calendario poético*—1941—, *Sin pies ni cabeza* —1942—, *Solfa del oso y del madroño* —1944—y otras varias. Ultimamente ha publicado la novela *Más arriba de las estrellas* —1952.

MACÍAS «el Enamorado».

Popularísimo poeta español del siglo xv. Nació en Padrón (La Coruña). Brilló como poeta doncel de don Enrique de Villena en la corte de don Juan II de Castilla. Pereció trágicamente en Arjonilla (Jaén). Fue pobre, aunque hidalgo conocido y de honrado linaje, noble y antiguo en el reino de Galicia. Más vale en él la leyenda que los versos. Pocos y muy desmayados son estos. Más conocido que por ellos, por la leyenda de su amor adúltero y de su trágica muerte. Dos versiones se conocen de dicha leyenda: la del comendador Hernán Núñez—al comentar las obras de Mena a principios del siglo xvi—y la del condestable don Pedro de Portugal. Según la primera, Macías, paje del marqués de Villena, enamorado de una dama casada, murió en Arjonilla atravesado por el dardo que le lanzó el celoso marido al hallarle recitando, arrodillado, una canción a los pies de la dama de sus pensamientos. Don Pedro de Portugal afirma que habiendo Macías salvado la vida a una bella dama que se ahogaba en un río, tiempo después le rogó acudiese a una cita. Obedeció la dama. Hablaron poco tiempo. Cuando ella marchó, Macías quedó besando las huellas que sus pies habían dejado en el polvo del camino... "Mi sennora puso aquí sus pies, en cuyas pisadas yo entiendo vevir e fenescer mi triste vida." Habiéndole hallado en tal guisa el marido, celoso, le dio una lanzada mortal. Arquetipo de enamorados, víctima de un amor imposible, resulta muy fá-

cil hallar en sus poesías el reconcomio de
su desesperanza.

>   Anda meu coraçón
>   muy triste e con razón.
>
>   Meus ollos tal fermosura
>   fueron ver porque paresce
>   mi coraçón con trystura
>   e amor non me guaresce
>   nin me pone tal consello
>   porque yo prenda le desçe.

Al parecer, fue enterrado el desdichado
doncel con mucho aparato en la iglesia de
Santa Catalina, de Arjonilla, quedando depo-
sitado sobre su tumba el dardo mortal. Para
su epitafio fueron elegidos unos versos suyos de singular adivinanza:

>   Aquesta lanza syn falla,
>   ¡ay coytado!
>   non me la dieron del muro,
>   nyn la prise yo en batalla,
>   ¡mal pecado!
>   Mas viniendo a ty seguro,
>   amor falso e perjuro
>   me firió, e sin tardança
>   e fue tal la mi andança
>   sin ventura.

Indiscutiblemente, hubo más poesía en la
vida de Macías que en sus canciones. Y si él
no tuvo inspiración para escribir buenos
versos, dio tema poético de mucho valor
para que otros, recordándole, los escribieran.
Así, Santillana, en su *Querella de amor*, y
Mena, en el *Orden de Venus*, y Guevara y
Garcisánchez de Badajoz, en sus *Infiernos
de amor*, y Lope, en *Porfiar hasta morir*,
y Bances Candamo, en *El español más constante y desdichado Macías*, y Larra, en *Macías*.

Juan Rodríguez del Padrón dice, al referirse a Macías y a la roca de Padrón o sus
proximidades: "Nascido en las faldas de
esa agra montaña", y en una poesía, refiriéndose a sí mismo:

>   Plégate que con Macías
>   ser merezca sepultado,
>   y decir debe,
>   dó la sepultura sea:
>   Una tierra los crió,
>   una muerte los levó,
>   una gloria los posea.

Garcisánchez de Badajoz, en su *Infierno
de amor*, le describe así:

>   En entrando vi assentado
>   [en] una silla a Macías,
>   de las heridas llagado
>   que dieron fin a sus días,
>   y de flores coronado;
>   en son de triste amador,
>   diciendo con gran dolor,
>   una cadena al pescuezo,

de su canción el empieço:
«Loado seas, Amor,
por cuantas penas padeço.»

Sus composiciones delatan una decadencia
absoluta del ciclo trovadoresco gallego. Era
también justador intrépido y buen músico.
En el *Cancionero* de Baena figuran cuatro
composiciones suyas, que, respectivamente,
empiezan así: *Cativo de miña tristura, Amor
cruel e brioso, Señora en quien fiança* y *Po-
dréis buscar de messura*.

Modernamente, las poesías de Macías han
sido impresas—La Coruña, 1904—por H. A.
Rennert, y en Nueva York—1902—por H. R.
Lang, en el *Cancioneiro gallego-castellano*.
También pueden leerse en la *Antología de
poetas líricos*—tomo V—, de Menéndez Pelayo, y en la *Historia y antología de la poesía castellana*, de Sainz de Robles—Madrid, 1946.

V. RENNERT, Hugo A.: *Macías, enamorado:
A Gallician trovador*. Filadelfia, 1900.—MUR-
GUÍA, M.: *Los trovadores gallegos*. La Coru-
ña, 1905.—MENÉNDEZ PELAYO, M.: *Antología*.
Tomos IV y V.

MACÍAS PICAVEA, Ricardo.

Catedrático y literato español. Nació
—1847—en Santoña (Santander). Murió
—1899—en Valladolid. En esta ciudad y en
Madrid cursó la carrera de Filosofía y Letras. Tomó parte en la guerra carlista a las
órdenes del general Concha. Catedrático de
Psicología, Lógica y Etica en el Instituto
de Tortosa—1874—y de Latín—1878—en el
de Valladolid; más tarde, de Geografía e
Historia en este mismo Instituto.

Macías Picavea fue un gran español, de
ideas firmes y sensatas, un tanto pesimistas,
pensador hondo, de recto talento político,
escritor de prosa viva y densa, al que no
se le ha hecho la justicia que merecen sus
escritos, algunos de los cuales—acerca del
problema político de España—en nada son
inferiores a los mejores de Costa o de Ganivet.

Obras: *El problema nacional*—1891—, *Cosmos*—poema—, *Andrés y María*—poema—,
La muerte de Cervantes—episodio dramático—, *El derecho de la fuerza*—novela—, *La
tierra de Campos*—novela—, *Críticas y estudios, Apuntes para el estudio de la Historia universal, La mecánica del choque*...

Hoy ni se reimprimen las obras de este
gran español ni se encuentran en ediciones
primeras.

V. OLIVER, Miguel S.: *Entre dos Españas*.

MAC-KINLAY, Alejandro.

Poeta y autor dramático. Nació—1879—en
Málaga, de una noble familia escocesa. Gon-

M

zález-Ruano, que le conoció muy bien, ha escrito: "Fue un poeta poco o mal comprendido en España. Su fama de hombre rico y *snob* perjudicó el reconocimiento de sus dotes literarias. Mac-Kinlay es un poeta de formación rubeniana, un culto de primera mano, un inexperto autor teatral y un espíritu extraordinariamente sensible. Vivió mucho. Viajó mucho. Leyó mucho. Escribió algo. Murió inesperadamente en Roma, el 8 de julio de 1938, a consecuencia de una ridícula operación, en la que estuve yo presente. Dejó una obra inédita, que la indiferencia familiar ha dejado sin recoger. Estrenó varias comedias..."

Obras: *Palabras..., gestos...*—poemas 1919—, *Alcancía*—poemas, París, 1926—, *Horizontes*—poemas—, *Hai-Kais*—poesías, París, 1936...

MACHADO Y ÁLVAREZ, Antonio.

Literato y folklorista español. Nació —1848—en Santiago de Compostela. Murió —1892—en Sevilla. Doctor en Filosofía y Letras. Abogado. Juez. Catedrático auxiliar en la Universidad hispalense. Fundador y colaborador entusiasta de varios periódicos sevillanos: *El Obrero de la Civilización, La Revista de Filosofía y Ciencias, La Enciclopedia.* En Madrid dirigió *La Justicia,* periódico de Salmerón. Colaboró también en importantes revistas de España y América. Fue padre de los poetas Manuel y Antonio Machado.

Debe su importancia literaria Machado y Alvarez a haber sido el iniciador en España de los estudios folklóricos, los cuales inició con la publicación de su *Folklore andaluz,* obra que le valió ser nombrado socio honorario de la Folklore Society, de Londres. En 1892 marchó a Puerto Rico, de donde regresó a Sevilla para morir.

Otras obras: *Colección de cantes flamencos*—1881—, *Colección de enigmas y adivinanzas*—1833—, *Estudios sobre la literatura popular*—tomo V de la "Biblioteca de Tradiciones Populares", 1884—, *Batallas del libre pensamiento*—1885—, *Artículos varios*—1904, volumen I de *Obras completas*—, *Biblioteca de las tradiciones populares españolas*—Sevilla, 1882 a 1886, once tomos—, *El folklore del niño*—en la revista *España,* 1885 a 1886, tomos CV-CXI...

V. FAURA, Joaquín: *A. Machado Alvarez,* en *Boletín de la Institución Libre de Enseñanza,* 1893.—KRAUSS, Friedr. S.: *Die Volks-kunde in den Jahren.* 1897-1902, en *Roman. Forschungen,* 1904, tomo XVI.

MACHADO Y RUIZ, Antonio.

Excepcional poeta español. 1875-1939. El "luminoso y profundo poeta" le llamó Ru-

bén Darío. Nació en Sevilla. Doctor en Filosofía y Letras. Catedrático de Francés—entre 1907 y 1936—en los Institutos de Soria, Segovia, Baeza y Madrid. Académico de la Real Española de la Lengua. Estuvo en París algunas temporadas, y hasta representó—1900—en esta capital, como vicecónsul, a Guatemala. Murió en Colliure (Francia).

Hombre de vida interior, reconcentrado, sencillo, enemigo de vanidades y tertulias, enamorado "de la soledad sonora", ¿es posible creer en el andalucismo de este Machado, como creímos inmediatamente en el de su hermano Manuel? Pues sí que creemos. Porque creemos en un andalucismo pimpante, epidérmico, colorista, circunstancial, pintoresco, *para la exportación.* Pero creemos igualmente en un andalucismo íntimo —o recatado—, patético, carne viva del anhelo, pozo hondísimo de la emoción, delicadísimo aroma de las soledades y eco conmovido de los silencios; un andalucismo cuyo valor es consonante con el neto de Castilla. Y es este precisamente el andalucismo de Antonio Machado, cuyos quilates quedaron soberbiamente contrastados en la perpetua reafirmación espiritual castellana. La sobriedad elegante y el sentido de lo popular son las dos características esenciales de los dos andalucismos mencionados. Y ninguna de las dos falla en el pintoresco, pimpante, colorista, de Manuel, y en el hondo, señero reconcentrado, de Antonio. Tampoco debe engañarnos el austero sintetismo y la serena claridad para que declaremos *clásico* a Antonio Machado. Mas no vale pensar en estas tormentas románticas que ocultan unas correctas palabras estudiadas, un gesto compuesto *a la trágala,* un ademán elegante cuyo dibujo ha costado dosis enormes de voluntad. Antonio Machado es un maravilloso disimulador de su turbador romanticismo:

> Y no es verdad, dolor, yo te conozco;
> tú eres nostalgia de la vida buena
> y soledad de corazón sombrío,
> de barco sin naufragio y sin estrella.

Castellano, muy castellano, sí, pero también andaluz y romántico, es Antonio Machado, aun cuando él afirme que "cinco años en la tierra de Soria orientaron mis ojos y mi corazón hacia lo esencial castellano"; y remache en verso:

> Mi infancia son recuerdos de un patio de Sevilla
> y un huerto claro donde madura el limonero;
> mi juventud, veinte años en tierra de Castilla..

Magnífica definición—¡y tan suya!—la que Antonio Machado dio de la poesía—más mirando a la suya que a la ajena—: "Lo que pone el alma, si es que algo pone, o lo que dice, si es que algo dice, con voz propia, en respuesta al contacto del mundo." Precisamente lo que hizo que él se apartara en seguida de Rubén fue creer que este buscaba nada más el colorido, la sensación, la sonoridad, el tema exótico, cuando él creía nada más que "en la honda palpitación del espíritu", desnuda en la más desnuda expresividad. Del grupo de poetas modernistas—¿1925-1935?—, gongoristas o garcilasistas *en parte,* algo igualmente le separaba. Y él lo confiesa: "Me siento, pues, algo en desacuerdo con los poetas del día. Ellos propenden a una destemporalización de la lírica, no solo por el desuso de los artificios del ritmo, sino, sobre todo, por el empleo de las imágenes en función más conceptual que emotiva."

Sin embargo, Antonio Machado, que creyó que el intelecto no ha cantado jamás, que las ideas del poeta no son categóricas, nunca pudo desprenderse de la ideología de fines del siglo XIX; ideología pesimista, ideología negativa, aprendida en Kant y en Schopenhauer, en Sanz del Río y en Giner. El supremo acierto poético de Machado fue haber sustituido la sensación del *modernismo* por la impresión *de lo íntimo.*

Cada libro poético de Antonio Machado ha sido un acierto definitivo. En *Soledades, galerías y otros poemas*—1907—, refundición de su primera obra, *Soledades*—1903—, ya es profundo y moralizador, íntimo y clásico de ritmos; ya ha sabido ajustar las nuevas fórmulas líricas a su estética y a su pensamiento; ya delata sus ídolos poéticos —fray Luis, los místicos, el *Romancero*—y se manifiesta contrario a formar escuela y deseoso de que nadie le imite. En *Campos de Castilla*—1912—alcanza la más noble y elevada expresión de la lírica castellana; y se revela como un recio y sobrio pintor del paisaje de la meseta región:

> ¡Colinas plateadas,
> grises alcores, cárdenas roquedas
> por donde traza el Duero
> su curva de ballesta
> en torno a Soria, oscuros encinares
> ariscos pedregales, calvas sierras.
> Caminos blancos y álamos del río!...

Con los años—en *Nuevas canciones,* 1925, y en las sucesivas añadiduras a las distintas ediciones de sus *Poesías completas*—, Antonio Machado alcanza la cumbre de sus aspiraciones. Su filosofía queda centrada por la idea de Dios; Dios, que es pura esencia en el corazón del poeta. Y su corazón, así templado y sutil, se va reflejando en cuantas cosas sencillas canta: las viejas ciudades, los campos desnudos, los niños melancólicos, el río humilde con voz y eco, la tarde que descuelga de sus balcones los tonos y

las luces, el jardincillo y el huerto en la ladera, el camino montés...

Cuando, no olvidándose de que es andaluz, Antonio Machado hace coplas, como su hermano Manolo, realmente no son coplas las *que le salen,* como a este, sino *proverbios.* Manuel canta:

> Tu calle ya no es tu calle,
> que es una calle cualquiera,
> camino de cualquier parte.

Y, realmente, es una copla lo que canta. El pueblo, espontáneamente, la hace suya. Ahora Antonio canta:

> El ojo que ves, no es
> ojo porque tú lo veas;
> es ojo porque te ve.

Y, realmente, es un proverbio. El pueblo medita en él, pero no se lo apropiará nunca. "Luminoso y profundo" le llamó Rubén. Posiblemente, es el más admirable de los líricos españoles contemporáneos, aquel cuya influencia, hoy, es más inminente y apetecible. Hombre de vida interior, reconcentrado y sencillo, enamorado de la "soledad sonora". Su andalucismo y su romanticismo quedaron *casi* diluidos en su prodigioso sentido y sentir castellanos. Y fue profundo, íntimo, sugeridor y sugestivo hasta la linde última, y preciso, y cálido, y fervoroso, y sumamente doloroso, y dulcemente turbador, inolvidable... Su poesía es el paradigma general de la desnudez, de la sencillez y de la expresividad. Su filosofía queda centrada por la idea de Dios; Dios, que es pura presencia en el corazón del poeta. Los más nobles destinos del hombre—la nostalgia, la tradición, la llamada ingente de la Naturaleza, la sensación pegajosa del paisaje, la imagen más sensible que razonable del mundo, el amor humilde por las cosas humildes—están latentes en el lirismo de este poeta sin par. A pocos años de su muerte, Antonio Machado es ya un clásico por la estabilidad inconmovible de su viva obra poética. Poeta de lo absoluto y de lo eterno.

Antonio Machado, en colaboración con su hermano Manuel, ha escrito algunas obras escénicas, muy inferiores a sus libros de poesía.

Otras obras: *La guerra*—poesías, 1938—, *Juan de Mairena*—prosas, 1936—, *Abel Martín. Cancionero de Juan de Mairena*—1943—, *Los Complementarios*—1957.

Teatro: *Desdichas de fortuna, o Julianillo Valcárcel; Don Juan de Mañara*—1927—, *La prima Fernanda, La duquesa de Benamejí, La Lola se va a los puertos...*—1929—, *Las adelfas...*

Libro excepcional en prosa, y solo suyo, es *Juan de Mairena,* luminoso y sensacional

M

índice del humanismo más sólido, de la sensibilidad más en carne viva y del ingenio más profundo y capaz de levantar grandes cosechas de sugestiones.

V. Ortega y Gasset, J.: *Personas, obras, cosas...* Madrid, 1916.—Leví, Elzio: *Antonio Machado,* en *Hispania,* 1928.—Chacón y Calvo, J.: *Ensayos de literatura española.* 1928.—Barja, César: *Libros y autores.*—Ridruejo, Dionisio: Prólogo a las *Poesías completas* de Antonio Machado. Madrid, 1941.—Trend, J. B.: *The brothers Machado,* en *Alfonso the Sage.* Londres, 1926, 135-46.—Cansinos-Asséns, R.: *La nueva literatura.* Madrid, [¿1922?].—Pérez Ferrero, M.: *Vida de Antonio Machado y Manuel.* Madrid, 1947.—Río, Angel del, y Benardete, M. J.: *El concepto contemporáneo de España. Antología de ensayos. 1895-1931.* Buenos Aires, Losada, 1946. Contiene una extensa relación bibliográfica de artículos y notas relativos a Antonio Machado, pág. 413-14.—Allison Peers, E.: *Antonio Machado.* Oxford, 1940.—Torre, Guillermo de: *La Aventura y el Orden.* Buenos Aires, 1943.—Alonso, Dámaso: *Poesías olvidadas de Antonio Machado,* en *Poetas Españoles Contemporáneos.* Madrid, edit. Gredos, 1952.—Montserrat, S.: *Antonio Machado, poeta y filósofo.* Buenos Aires, 1940.—Serrano Plaja, Arturo: *Antonio Machado.* Buenos Aires, 1944.—Serrano Poncela, Segundo: *Antonio Machado. Su vida y su obra.* Buenos Aires, 1954.—Cernuda, Luis: *Estudios sobre la poesía española contemporánea.* Madrid, 1957.—Sánchez Barbudo, Antonio: *El pensamiento de Antonio Machado...* Madrid, 1959.—Zubiría, Ramón: *La poesía de Antonio Machado.* Madrid, 1955.

MACHADO Y RUIZ, Manuel.

Notable poeta y periodista español. Nació —1874—en Sevilla. Murió—1947—en Madrid.

Hermano del gran Antonio, hijo del prestigioso folklorista don Antonio Machado Alvarez, estudió en Madrid, vivió muchos años en París, y desde 1912 radicó en la capital de España. Periodista. Formalmente, la primera parte de su producción poética—*Alma,* 1902; *Caprichos,* 1905—, le enlaza con Rubén Darío. En París vivió Machado bajo el influjo de la poesía simbolista francesa. Pero, como Valle-Inclán y Villaespesa, Manuel Machado prescinde poco a poco de Rubén. Ama y cultiva su personalidad indudable. Es el poeta de lo superficial, de lo fugitivo, de lo efímero. "Algo sutil e indefinible" constituye su originalidad. Resulta sobrio y exacto en el tono, en el gesto, en el aroma, en la gracia, en el matiz, en la musicalidad, en la emoción. Breve. Leve. Elegante. Quebradizo. Floreo y jugueteo es su poesía; y, de cuan-

do en cuando, hondura delicada, filosofía popular, riesgo de fortuna, evocación coloreada.

De su poesía y de sus gustos poéticos ha definido Manuel Machado en prosa y en verso. "Ideas sobre la poesía... Muchas y muy vagas y sutiles. Pero no las poseo, me poseen ellas. Nada puedo, pues, *decir* sobre eso que, para mí, cae dentro de lo indefinible; mejor, de lo inefable."

> Mi elegancia es buscada, rebuscada. Prefiero
> a lo helénico puro lo *chic* y lo torero.
> Un destello de sol y una risa oportuna
> amo más que las languideces de la luna.
> Medio gitano y medio parisién—dice el vulgo—,
> con Montmartre y con la Macarena comulgo...
> Y antes que un tal poeta, mi deseo primero
> hubiera sido ser un buen banderillero...

Alma, Museo, Los cantares—1907—y *El mal poema*—1909—son las obras poéticas fundamentales de Manuel Machado, quien, con los años, ha ido sutilizando su ligera y sutil poesía de siempre hasta un grado realmente inverosímil, en el que la concisión ya no es precisión, sino confusión. Mucho más andaluz que parisiense, lo más bello, sentido, preciso y perdurable de su poesía está en sus *cantares,* que en nada desmerecen de los que el pueblo andaluz hizo suyos...

> Mi pena es muy mala,
> porque es una pena que yo no quisiera
> que se me quitara...

Durante algunos años, Manuel Machado ha ejercido de crítico teatral en *La Libertad,* de Madrid. Y, con su hermano Antonio, ha escrito y estrenado con éxito varias producciones escénicas y ha refundido otras varias de autores clásicos: Lope, Calderón y "Tirso de Molina".

Otras obras: *Trofeos*—Barcelona, 1910—, *Apolo*—poesías, Madrid, 1911—, *Canciones y dedicatorias*—Madrid, 1915—, *Sevilla y otros poemas*—Madrid, 1918—, *Ars Moriendi*—poesías, Madrid, 1922—, *Phoenix*—nuevas canciones, Madrid, 1936—, *Poesía*—poesías completas, varias ediciones, en Madrid, 1940 y 1942, y en Barcelona, 1940—, *El amor y la muerte*—Madrid, 1915, capítulos de novela—, *La guerra literaria*—crítica, Madrid, 1913—, *Día por día de mi calendario*—Madrid, 1918—, *Un año de teatro*—críticas, Madrid, 1918—, *Cadencia de cadencias*—poesías, 1947.

Teatro: *Tristes y alegres*—Madrid, 1894—, *Amor al vuelo*—1904—, *La duquesa de Benamejí, La Lola se va a los puertos...* —1929—, *La prima Fernanda, Desdichas de fortuna, o Julianillo Valcárcel*—1926—, *Juan de Mañara*—1927—, *Las adelfas...*

V. Unamuno, Miguel de: Prólogo a *Alma, Museo...* Madrid, 1907.—González-Blanco,

Andrés: *Los contemporáneos*, segunda serie. París, Garnier, 1909.—CANSINOS-ASSÉNS, Rafael: *La nueva literatura*. Madrid, s. a.—GONZÁLEZ-RUIZ, N.: *Manuel Machado y el lirismo polifónico*, en *Cuadernos de Literatura*, Madrid, 1942.—PÉREZ FERRERO, M.: *Vida de Antonio Machado y Manuel*. Madrid, 1947.—FERRERES, Rafael: *Manuel Machado*, en *Cuadernos de Literatura Contemporánea*, Madrid, 1942, núm. 2.—ROMO ARREGUI, Josefina: *Bibliografía de Manuel Machado*, en *Cuadernos de Literatura Contemporánea*, Madrid, 1942, núm. 2.—ALONSO, Dámaso: *Ligereza y novedad en la poesía de Manuel Machado*, en *Poetas Españoles Contemporáneos*, Madrid, edit. Gredos, 1952.

MADARIAGA, Salvador de.

Notabilísimo ensayista, novelista, poeta y crítico español. Nació en 1886. Oriundo de Galicia, profesor de español en Francia y en Oxford, diplomático, gran dominador de los asuntos internacionales, ministro durante la segunda República española, miembro destacado de la Sociedad de Naciones, ha vivido casi siempre fuera de España. Y, sin embargo, no ha perdido ni ha visto mitigados siquiera su valor y su originalidad poética, netamente españoles. Como Mesa, es Madariaga un poeta *de tono menor*, sin que ello suponga menoscabo, sino, sencillamente, intimidad de poesía por temas entrañables en lo emocionante. En sus *Romances de ciego*—1922—y en *La fuente serena*—1928—, títulos por demás expresivos, con timbre original y ritmo moderno, declara la fortuna y felicidad de sus modelos: Calderón, Lope, Garcilaso.

Pero Madariaga vale más como pensador hondo y original, como ensayista de finuras y elegancias intelectuales sorprendentes, como prosista de rico vocabulario y de expresión diáfana, como temperamento británico y profundamente español a la vez, como crítico depurado y comprensivo.

Salvador de Madariaga es uno de los espíritus más admirables de la literatura española contemporánea.

Obras: *El enemigo de Dios*—1936, curiosa novela—, *Shelley and Calderón*—1920, ensayos—, *Ingleses, franceses y españoles*—1928, ensayos psicológicos, su obra maestra—, *Semblanzas literarias contemporáneas*—1923—, *La jirafa sagrada*—novela, 1925—, *Arceval y los ingleses*—novela, 1926—, *España*—1931, ensayo de historia contemporánea—, *Guía del lector del "Quijote"*—1926, ensayos—, *Vida del muy magnífico señor Cristóbal Colón*—1940—, *Hernán Cortés*—1941—, *Campos Elíseos*—¿1943?—, *La cruz y la serpiente*—¿1944?—, *¡Ojo, vencedores!*—Buenos Aires, 1945—, *Cuadro histórico de las Indias*—Buenos Aires, 1946—, *Rosa de cieno y ceniza*—poesías, 1946—, *El corazón de piedra verde*—novela, 1946—, *Anarquía y jerarquía*—Madrid, 1935—, *Simón Bolívar*—dos tomos, 1951—, *La guerra de sangre*—1957—, *Una gota de tiempo*—1958—, *La camarada Ana*—1954—, *De la angustia a la libertad*—1955—, *Ramo de errores*—1952—, *El semental negro*—1961.

Los últimos libros, impresos en América, nos muestran a Madariaga en el apogeo de su pensamiento y de su prosa excepcionales; difícilmente se concibe tanta precisión en la historia y tanta amenidad expositiva. Original y fecunda es la obra de este gran español.

V. AÍTA, A.: *Un espíritu europeo: Salvador de Madariaga*, en *Nosotros*, Buenos Aires, 1933, LXXX.—BARJA, César: *Semblanzas literarias contemporáneas*.—Río, Angel del, y BENARDETE, M. J.: *El concepto contemporáneo de España. Antología de ensayos. 1895-1931*. Buenos Aires, Losada, 446. Contiene una amplia bibliografía de artículos y notas acerca de S. de M., págs. 535-36. NORA, Eugenio G. de: *La novela española contemporánea*. Madrid, Gredos, 1962. Tomo II. Págs. 79-92.—SAINZ DE ROBLES, F. C.: *La novela española en el siglo XX*. Madrid, Pegaso, 1957.

MADINAVEITIA Y CRUZA, Herminio.

Poeta, novelista y periodista español. Nació—1870—en Vitoria (Alava). Licenciado en Filosofía y Letras, gran orador. Presidente del Ateneo de su ciudad natal. Director —1892—del diario *La Libertad*. Colaborador de muchos e importantes diarios y revistas españoles. Correspondiente de la Real Academia de la Historia.

Buen poeta, de corte tradicional. Buen prosista. Novelista de fuerte realismo español.

Obras: *Las orejas de un chantre*—cuentos—, *Recuerdos de un centenario*—del tercero de "Don Quijote"—, *Cuentos, Más cuentos, Papeles al aire, Cantares, Discursos literarios, El periódico, Heine y Bécquer, Corrientes literarias del siglo XIX, Oro sangriento (Los toros)*—novela—, *El rincón amado*—novela—, *De la casta del Cid*—novela—, *Palacio Valdés*—crítica—, *La poesía lírica*.

MADRAZO Y KUNTZ, Pedro de.

Literato y crítico de arte español. Nació —1816—en Roma. Murió—1898—en Madrid. Educóse en el Seminario de Nobles, de Madrid. Estudió Derecho en Toledo, terminando la carrera de Leyes en Valladolid. Vivió en París algunos años. Y ya en Madrid, con su hermano Federico—el gran pintor—y con

M

Eugenio de Ochoa, fundó *El Artista,* una de las mejores revistas españolas del siglo XIX. Colaboró en *El Español,* la *Ilustración Española y Americana* y en otras publicaciones. En Roma fue nombrado miembro de la Academia de los Arcades. Académico —1861—de la Real de la Historia y de la Real Academia de la Lengua—1881—. Director—desde 1895—del Museo de Arte Moderno.

Excelente crítico de arte. Buen prosista.

Obras: *Viaje artístico de tres siglos por las colecciones de cuadros de los reyes de España*—Barcelona, 1884—, *Catálogo histórico-descriptivo del Museo del Prado*—1872—, varios volúmenes en la colección *España: Sus monumentos y su arte*—Barcelona—, y artículos notabilísimos sobre orfebrería, esmaltes, tapicería... en el *Museo Español de Antigüedades; Historia de la Arquitectura española*—sin terminar.

MADRID, Alonso de.

Ascético y literato español de mucho interés. Nació hacia 1480. Murió después de 1542. Religioso franciscano. Autor muy celebrado por Santa Teresa de Jesús. Se desconocen otros pormenores de su vida.

Obras: *Arte para servir a Dios*—Sevilla, 1521, obra de éxito enorme, reimpresa en Alcalá, 1525 y 1526; en Burgos, 1530; en Sevilla, 1539; en Zaragoza, 1567; en Tarragona, 1591; en Lyon, 1593; en Madrid, 1603, 1610, 1621, 1785; traducida a casi todas las lenguas europeas—, *Espejo de ilustres personas*—Burgos, 1524; Alcalá, 1525; Sevilla, 1539—, *Siete meditaciones de la Semana Santa*—París, 1587—, *Tratado de doctrina cristiana, Historia de la bendita Magdalena*—Toledo, 1521; Medina, 1534.

Modernamente, el padre Miguel Mir ha publicado las obras de Alonso de Madrid en el tomo XVI de la "Nueva Biblioteca de Autores Españoles".

V. MIR, P. Miguel: *Estudio* en el tomo XVI de la Nueva Biblioteca de Autores Españoles".—GUILLAUME, A. P.: *Un précurseur de la Réforme catholique: Alonso de Madrid,* en *R. Hist. Ecclesiastique,* 1929, XXV, página 260.

MADRID, Francisco.

Periodista, autor teatral y biógrafo español. Nació—1900—en Barcelona. Murió —¿1952?—en Buenos Aires. Desde muy joven se dedicó a su auténtica vocación de periodista, dándose a conocer como cronista vivaz, oportuno, sensacionalista, en varios periódicos de su ciudad natal. Desempeñó la crítica teatral en el diario *La Noche,* ganando prestigio con la objetividad, elegancia y amenidad de sus crónicas.

En el teatro alcanzó éxitos de calidad con sus comedias: *La comedia empieza cuando acaba; El, ella y el café romántico, Dos damas en el tablero,* y las revistas *Pocker, Musea y 29.*

En la actualidad sigue desempeñando brillantemente su condición de periodista en la República Argentina. Y escribiendo libros de mayor consideración. Ha traducido excelentemente obras de Eve Curie, Gide, Guimerá...

Obras: *Genio e ingenio de don Miguel de Unamuno*—1943—, *La vida altiva de Valle-Inclán*—1943—, *Cine de hoy y de mañana* —ensayos, 1945.

MADRIGAL, Alonso o Alfonso de («El Tostado»).

Célebre y fecundísimo escritor español. Nació—¿1400?—en Madrigal de la Sierra (Avila). Murió en 1455. Acaso Tostado fuera su apellido, porque a su padre se le conoce por Alonso Tostado. Su madre fue María de la Ribera. Estudió Alonso con los franciscanos de Arévalo. En Salamanca se doctoró a los veinticinco años. Era peritísimo en griego, latín, hebreo, Teología, Filosofía y Derecho. Rector del colegio salmantino de San Bartolomé. Maestrescuela de la catedral de dicha ciudad. Sufrió persecuciones por parte del dominico fray Juan de Torquemada, para defenderse de las cuales marchó a Roma, asombrando al Pontífice Eugenio IV y al Colegio Cardenalicio con su sabiduría y su virtud. Asistió al Concilio de Basilea. En 1444 tomó el hábito de cartujo en el monasterio catalán de Scala Dei. Pero hubo de volver al mundo, requerido por el rey don Juan II de Castilla, "que le fizo de su Consejo, e suplicó al Papa que le proveyese del obispado de Avila".

Asombra, en efecto, "la cantidad" de lo escrito por Alonso de Madrigal.

Parece de lo más lógico la frase: "Escribir más que el Tostado", para calificar a los escritores empedernidos, que jamás sienten necesidad de dar "paz a la mano".

De envidiable talento, de prodigiosa memoria, de pasmosa erudición y en extremo modesto, tenía una fama tal, que "venían a le ver hombres doctos, también de los reinos extraños como de los reinos de España".

"El Abulense", como también es llamado Alfonso Tostado, escribió 24 tomos en folio, según la edición de Venecia, 1615.

Obras en castellano: *Cuestiones sobre la filosofía moral y natural, Breviloquio de amor y amicicia, Comentarios sobre Eusebio*—Salamanca, cinco tomos, 1506—, *Tratado de los dioses de la gentilidad*—Salamanca, 1506—, *Confessional*—Sevilla, 1521—, *Artes y instrucción para todo fiel christiano*

cómo ha de dezir Missa—Zaragoza, 1503—,
*Breve obra sobre los hechos de Medea... por
el qual prueva cómo al home es necesario
amar...*
V. PÉREZ DEL PULGAR, H.: *Claros varones
de Castilla.*—GONZÁLEZ DÁVILA, Pontano:
Teatro eclesiástico, I, 272.—ANTONIO, Nicolás: *Bibliotheca Hisp. Vetus*, II, 255.—AMADOR DE LOS RÍOS, J.: *Historia crítica de la literatura española.* VI, 291.—CASTRO, A. de:
Obras escogidas de filósofos. "Biblioteca de
Autores Españoles". Volumen LXV.—VERA Y
CLAVIJO: *Elogio de don Alonso Tostado.*

MAESTRE, Estanislao.

Novelista español. ¿1865-1921? De extraordinaria modestia y de muchos méritos. De
un realismo sano, fuerte, muy español. Perteneció a la promoción muy nutrida de excelentes novelistas, entre los que pasaron a
primera fila la Pardo Bazán, Palacio Valdés,
Blasco Ibáñez...; y a segunda: Ortega Munilla, Picón, Mathéu, el padre Coloma... Pero
una tercera fila, entonces, significó mucho
en España. Y Estanislao Maestre la ocupó
con gran dignidad y con mejores derechos
a una suerte de perduración que no ha
tenido.

Entre sus buenas novelas figuran: *Azul y
rosa*—1903—, *La hija del usurero*—1905—,
Almas rústicas—1906—, *Los vividores*
—1910—, *El mantón de Manila*—1913...

MAEZTU, María de.

Escritora y pedagoga española. Nació
—1882—en Vitoria (Alava). En 1902 obtuvo
por oposición brillantísima una escuela de
Bilbao, escuela en la que inició nuevos métodos y procedimientos de enseñanza. Ya en
Madrid, en 1915, fundó la Residencia de Señoritas. Al fundarse—1918—el Instituto Escuela, dirigió la sección preparatoria, ensayando los nuevos métodos de educación. En
1919, invitada por varias Universidades norteamericanas, se trasladó a los Estados Unidos, dando notables conferencias en todas
las asociaciones femeninas importantes del
país. En 1927 fue nombrada profesora extraordinaria de la Columbia University. Resulta casi imposible reseñar todos los honores
que recibió de centros culturales extranjeros
y los incontables cursos que desarrolló en
Europa y América.

María de Maeztu fue doctora en Filosofía,
miembro de número de la Hispanic Society
of America, vocal de la Junta para Ampliación de Estudios—de 1922 a 1936—, consejero de Instrucción Pública—hasta 1936—.
En 1926 fundó el Lyceum Club, primer Club
de mujeres que hubo en España. Colaboradora asidua de *La Prensa*, de Buenos Aires,
ciudad en la que residió mucho tiempo y

donde murió en 1947. María de Maeztu había
sido profesora de la Universidad bonaerense.

Obras: *Psicología de la infancia, Psicología de la adolescencia, Psicología de la juventud, Pedagogía social, La exposición general de la Filosofía de Natorp, Antología de
prosistas españoles (Semblanzas y comentarios), Historia de la cultura europea.*

María de Maeztu formuló su principio pedagógico diciendo que "es verdadero el dicho
antiguo de que *la letra con sangre entra;*
pero no ha de ser con la sangre del discípulo, sino con la del maestro".

MAEZTU Y WHITNEY, Ramiro de.

Notabilísimo pensador, ensayista y prosista español. Nació—1875—en Vitoria. Murió trágicamente—1936—en Aravaca (Madrid). Estudió el bachillerato en su ciudad
natal. Muy joven aún, vivió en París y luchó por España en Cuba. Ya en Madrid, se
inició triunfalmente en el periodismo. Durante muchos años residió en Londres, como
corresponsal de la *Correspondencia de España, Nuevo Mundo* y *Heraldo de Madrid.*
Durante la gran guerra de 1914-1918 escribió
crónicas admirables desde Italia. Dio numerosas conferencias por toda España. A partir de 1920 escribió ensayos admirables en
El Sol. Fundador de la gran revista *Acción
Española.* En 1932 obtuvo el "Premio Luca
de Tena", la más alta distinción otorgada a
un articulista en España. Académico de la
Real de Ciencias Morales y Políticas y de
la Española de la Lengua—1934.

Maeztu es uno de los más significados escritores de la llamada "generación del 98",
a la que también pertenecen Baroja, Benavente, Manuel Bueno, Valle-Inclán, "Azorín"
y algún otro.

Pocos espíritus tan complejos, sutiles y fecundos como Ramiro de Maeztu. Gran español, la mejor España late en todos sus
escritos. Con un enorme caudal de conocimientos, dueño de un pensamiento ágil, lógico y hondo, prosista de la mejor tradición,
bien orientado, con los métodos preconizados por los grandes psicólogos, maestro de
la exposición de temas y en su desarrollo,
Ramiro de Maeztu muestra una lozanía literaria asombrosa y jamás marchita. No hay
exageración alguna al señalarlo como uno
de los directores del moderno pensamiento español. También ha influido profundamente
en las actuales directrices políticas de su
patria.

Obras: *Hacia otra España*—ensayos,
1899—, *La crisis del humanismo*—Barcelona, 1919, ensayos, publicados antes en inglés con el título *Autority, Liberty and
Function in the Light of the War*—. *Don
Quijote, Don Juan y la Celestina*—ensayos

M

de simpatía y de honda organización—, *Defensa de la Hispanidad*—Madrid, 1934, ensayos, "formidable alegato en pro de la cultura y civilización hispánica y católica, y que ha servido para crear un clima espiritual de conocimiento de los grandes valores eternos de nuestra raza".

V. VALBUENA PRAT, A.: *Historia de la literatura española*. 2.ª edición. Barcelona, Gili, 1950, tomo III.—ALCALÁ GALIANO, Alvaro: *Conferencias y ensayos*. Madrid, 1919.—Río, Angel del, y BENARDETE, M. J.: *Concepto contemporáneo de España. Antología de ensayos. 1895-1931*. Buenos Aires, Losada, 1946. Contiene amplia bibliografía de artículos y notas acerca de Ramiro de Maeztu.— NARANJO VILLEGAS, A.: *Semblanza mística de Ramiro de Maeztu*. 1938.—GAMALLO FIERROS, Dionisio: *Bibliografía acerca de la vida y de la obra política y literaria de Ramiro de Maeztu*, en *Cuadernos Hispanoamericanos*, Madrid, XII, 1956.—MARRERO, Vicente: *Maeztu*. Madrid, Rialp, 1955.

MAGALLANES MOURE, Manuel.

Gran poeta, crítico literario y pintor. 1878-1924. Chileno. Miembro del Círculo de Los Diez. Director del Ateneo de Santiago.

Solar Correa ha trazado esta magnífica impresión de él: "Era un alma de niño, incapaz para las luchas de la vida. 'Crees que la vida es un cuento, crees que vivir es soñar', se decía a sí mismo con aire de reproche. Amante de la soledad y el reposo, vivió sus últimos años al calor del hogar, alejado de los cenáculos literarios. Su poesía parece la antítesis de la de Gabriela Mistral. Envuelta en un velo de idealidad, se desliza mansa, callada, melancólica. Canta al amor con una gracia y una ternura no igualadas. Los paisajes parecen suavemente esfumados e impregnados en una emoción panteísta. La forma es simplicísima; elegante en su extrema y candorosa sencillez. Las palabras—cotidianas familiares—carecen de relieve, suenan al oído y escápanse a la memoria como algo etéreo, diáfano. Solo queda, después de leerlas, una emoción honda y suave que flota y se esparce dulcemente en nuestro espíritu."

Poeta modernista, de limpia forma, rompe los ritmos, conforme a la escuela, y suena a rebuscado en ocasiones. Como gran pintor, lleva su poesía un admirable descripcionismo y unas más admirables tonalidades. En la poesía de Magallanes Moure hay una recóndita nostalgia de Heine, pero de un Heine menos complejo y sutil y más abierto de cielo.

Obras: *Facetas*—versos, Santiago, 1902—, *Matices*—versos, 1904—, *La jornada*—versos, 1910—, *¿Qué es amor?*—novelas cortas,

1914—, *La casa junto al mar*—poesías, 1919—, *Florilegio*—poesías, 1921—, *La batalla*—comedia...

V. ALONE, Hernán: *Panorama de la literatura chilena durante el siglo XX*. Santiago, 1931.—AMUNÁTEGUI, Domingo: *Las letras chilenas*. Santiago, Nascimiento, 1934.—CORREA SOLAR: *Poetas de Hispanoamérica*. Santiago de Chile, 1926.—LILLO, Samuel: *La literatura chilena*. Santiago, 1930.—LATORRE, Mariano: *La literatura de Chile*. Universidad de Buenos Aires, 1941.

MAGARIÑOS CERVANTES, Alejandro.

Poeta, novelista, dramaturgo, historiador de gran reputación. Nació—1825—en Montevideo. Murió en 1893. Pasó a España para completar sus estudios, doctorándose en Jurisprudencia. Colaboró en importantes diarios y revistas españoles: *La Ilustración, La Semana, El Orden, La Patria*... En París dirigió la *Revista Española de Ambos Mundos*. Acaudalado por su familia, Magariños alcanzó en Europa cierto renombre; no es de extrañar que al regresar—1885—a su patria, la admiración indígena le convirtiera en eje de la actividad intelectual. Tuvo un salón literario, en el que ejerció omnímoda autoridad, reforzada por el peso de sus cargos políticos. Rector de la Universidad de Montevideo. Magistrado del Alto Tribunal de Justicia. Secretario de varios departamentos ministeriales. Fundó en 1858 la *Biblioteca Americana*.

Menéndez Pelayo escribió de él: "Siempre habrá de encomiarse el entusiasmo artístico de este autor, la pureza de sus motivos, la elevación de su sentido moral, su sincero y vehemente espiritualismo, la originalidad relativa de sus temas americanos, y el impulso que con el ejemplo de su laboriosidad infatigable dio a la naciente literatura de su país."

Por el contrario, la moderna crítica hispanoamericana trata duramente a Magariños. Para Zum-Felde y Oyuela, es "el más acabado ejemplo de estéril fecundidad".

En la poesía de Magariños existen aciertos y errores indudables. Su fecundidad fue mucha; su inspiración, bastante más escasa. El romanticismo lírico de este poeta fue más postizo que real, cosa lógica si se tiene en cuenta que vivió una existencia de burgués.

Obras: *La Estrella del Sur*—novela—, *Caramurú*—novela—, *No hay mal que por bien no venga*—drama—, *Horas de melancolía*—poesías—, *Brisas del Plata*—poesías, 1864—, *Palmas y ombríes*—poesías, 1884—, *Violetas y ortigas*—1850—, *Album de poesías*—1878—, *Percances matrimoniales*—comedia—, *Celiar*—leyenda, 1852—, *La Iglesia y el Estado*—ensayo—, *Estudios históricos, po-*

*líticos y sociales sobre el Río de la Plata,
Vasco Núñez de Balboa*—drama...
V. ZUM-FELDE, Alberto: *Proceso intelectual del Uruguay y crítica de su literatura.*
Montevideo, 1941.—ZUM-FELDE, Alberto: *La literatura del Uruguay.* Buenos Aires, 1939.—
OYUELA, Calixto: *Antología poética hispanoamericana.* Buenos Aires, 1917.—MENÉNDEZ PELAYO, M.: *Historia de la poeía hispanoamericana.* Madrid, 1913.

MAGARIÑOS TORRES DE MERA, Santiago.

Nació en Madrid el 16 de mayo de 1902.
Cursó los primeros estudios en Madrid en el colegio del Santo Angel y en los Hermanos Maristas. Estudió Leyes en la Universidad, y en 1923 se doctoró. En 1926 fue designado como profesor de Historia de las Instituciones de América en el Doctorado de la Facultad de Derecho de la Universidad Central, hasta 1942. Discípulo predilecto de don Rafael Altamira.

Especializado en temas históricos y en Derecho internacional. Secretario del Instituto de Derecho comparado; de la Federación de Estudios Internacionales. Miembro fundador del grupo español de la Unión Católica de Estudios Internacionales de Friburgo. Primer secretario fundador del Consejo de la Hispanidad. Miembro de la Academia Internacional de La Haya y de la de Derecho comparado de la Habana.

A partir de 1942 se dedicó más intensamente a la literatura.

Obras: *Panhispanismo*—1924—, *El problema de la tierra en México*—1932—, *El libro de Silos* 1940—, *Canciones populares del Siglo de Oro*—1944—, *El alma de mi cuarto*—1942—, *Reflejos de Mallorca*—poesías, 1946—, *Refranero universal*—1944—, *Alabanzas de España*—Madrid, 1950, tres tomos—, *Quijotes de España*—Madrid, 1951—, *Cuentos y poesías, Conferencias*—Felipe II y la dignidad real, La aviación como tema de la literatura contemporánea, El mar como ruta de la misión de España, El Estado misional español, Gozo y pasión de Ramiro de Maeztu, Don Quijote en América.

Traducciones: Chesterton: *Poesías;* Longfellow: *Poesías;* Claudel: *La Anunciación de María, Visión de Oriente;* La Varende: *El centauro de Dios y Bienaventurados los humildes;* G. Hauptmann: *La Asunción de Hannele Mattern* y *La Campana sumergida;* P. Geraldy: *Tú y yo;* Farsas francesas de la Edad Media; Boulanger: *Los dandys, Contemporáneos de Shakespeare;* Gafencu: *Preliminares de guerra al Oeste;* Gracia Deledda: *Cosima;* Gallarati Scotti: *Así sea;* Pietri: *Un caballero en El Escorial;* K. Pfleger: *Luchando por Cristo.*

V. PÉREZ DE URBEL, F. J.: *Un poeta.* Madrid, 1941.—TAMAYO, J. A.: *El "Cancionero popular de la Edad de Oro" y su autor,* en *El Español,* 1944.—ENTRAMBASAGUAS, J. de: *Sobre el "Cancionero español del Siglo de Oro", de Santiago Magariños,* en *Revista de Bibliografía,* 1945.

MAIMÓNIDES, Moisés Ben Maimón.

Gran pensador y escritor español, de raza hebrea. Nació—1135—en Córdoba. Murió en 1204. Se le ha llamado el Aristóteles y el Santo Tomás del judaísmo. Su padre, Maimún, hombre eruditísimo y miembro de la Academia rabínica de Córdoba, le enseñó Matemáticas y Astronomía, e hizo que aprendiera, de buenos maestros árabes y judíos, la Filosofía y la Medicina. A causa de las persecuciones árabes, Maimónides huyó de España a Fez, de Fez a Akko—San Juan de Aire—, de Akko—1165—a Jerusalén y Hebrón a Egipto, fijando su residencia en Alejandría. Fue nombrado médico de cabecera del sultán Saladino y jefe de los judíos de Egipto. Durante algún tiempo se dedicó, con su hermano David, al comercio de piedras preciosas. Más tarde se entregó de lleno a su profesión de médico, hasta el punto de que esta, según confesión de Maimónides, en carta a Abentibbon, "no le dejaba momento de reposo". Alfádel, visir de Saladino, amigo y admirador de Maimónides, le libró varias veces de las acusaciones que le hicieron ante el sultán la envidia de sus correligionarios de Alepo y Bagdad y la insidia del teólogo y poeta árabe Abularab Benmoixa.

Sus obras pueden clasificarse en tres grandes grupos: científicas, teológicas y teológico-filosóficas. Entre las primeras están: *Resumen de los libros de Galeno, Aforismos de Medicina.* Su principal obra teológica es la *Michué Torah,* que es como una refundición del Talmud. La obra más interesante de Maimónides como filósofo es la titulada *Moreh Nebukim (Guía de descarriados),* traducida a las principales lenguas europeas, entre ellas al castellano, por Pedro de Toledo, en el siglo XV.

"La obra de Maimónides—escribe Bonilla San Martín—es una verdadera *Suma* teologicofilosófica del judaísmo. La serenidad de sus juicios, la rectitud habitual de su criterio, el rigor de sus demostraciones y la claridad de su estilo hicieron que fuese acogida con singular aplauso, tanto por judíos como por musulmanes... Los mismos escolásticos cristianos, como Alberto Magno y Tomás de Aquino, utilizaron grandemente el *Moreh* en versiones latinas."

Hay una edición moderna—Madrid, ¿1928?, editorial C. I. A. P.—de la *Guía de descarriados,* preparada por I. Bauer y M. Ortega.

M

V. Bonilla San Martín, Adolfo: *Historia de la Filosofía española: Judíos.* Madrid, 1911.—Baer, Fritz: *Die Juden in Spanien.* Berlín, 1928.—Lévy, L.: *Maimonide.* París, 1911.—Münz, J.: *Moses Ben Maimon (Maimónides).* Frankfurt a M., 1912.—Amador de los Ríos, J.: *Historia social, política y religiosa de los judíos en España...* Madrid, 1875.—Menéndez Pelayo, M.: *De las influencias semíticas en la literatura española,* en *Estudios de crítica literaria,* 1941, I, 193.

MAITÍN, José Antonio.

Poeta y prosista venezolano. Nació —1804—en Puerto Cabello. Murió en 1874. Estudió Leyes en la Habana. Por amistad con el diplomático y escritor colombiano José Fernández Madrid, entró al servicio de Colombia, representando a esta República en Londres como secretario de Legación. Viajó por Francia y Alemania. Pero su carácter tímido, amante de la vida apacible, le reintegró a su patria, retirándose a su hacienda de Choroní, donde residió casi sin interrupción y donde compuso sus mejores poemas, de un romanticismo extraordinario. Fue llamado "El poeta de Choroní", y su popularidad no se ha extinguido todavía. Posiblemente, su más bello poema se lo inspiró la muerte de su amadísima esposa, y lo tituló *Canto fúnebre a la memoria de la señora Luisa Antonia de Maitín.* Entre 1835 y 1836 fracasaron en el teatro dos tragedias de corte clásico con las que Maitín intentó probar fortuna sobre la escena. Por influencia de José Zorrilla escribió dos bellas leyendas: *La máscara* y *El sereno.*

La crítica venezolana estima que fue Maitín el más importante poeta romántico venezolano.

Obras: *Flores de Pascua*—en colaboración con Abigaíl Lozano y Arístides Rojas—, *Ecos de Choroní*—1844—, *Obras poéticas* —1851.

V. Calcaño, José Antonio: *El Parnaso venezolano.* Caracas, 1908.—Anónimo: *Parnaso venezolano.* Curaçao, 1888-1889, doce tomos. Calcaño, Julio: *Parnaso venezolano.* Caracas, 1892.—Calcaño, Julio: *Reseña histórica de la literatura venezolana.* Caracas, 1888.— Menéndez Pelayo, M.: *Historia de la poesía hispanoamericana.* Madrid, 1911-1913.— Güell y Mercader, José: *Literatura venezolana.* Dos tomos. Caracas, 1883.—Picón Febres, Gonzalo: *La literatura venezolana en el siglo XIX.* Caracas, 1906.

MAJÓ PUIG-FRAMIS, Ricardo.

Hijo de padres catalanes, nació en Sevilla y murió—1961—en Madrid. Hizo el bachillerato a los trece años, se licenció en Letras a los diecisiete y terminó la carrera de abogado a los diecinueve. Desde su infancia demostró vehementes aficiones literarias, que pronto abandonó por el estudio de las ciencias filosóficas e históricas. Durante una temporada ejerció la abogacía, a la vez que cultivaba la oratoria. En 1923 publicó en Sevilla *Retorno*—novela—y *Los apólogos hedonistas*—ensayos—. En 1924, *Descubrimiento del país de Utopía*—novela—. En 1925 obtiene el premio primero del concurso de novelas breves organizado por la revista *Blanco y Negro,* pero no sale de Sevilla y pierde esta oportunidad de desenvolverse en Madrid. En 1939 abandona su ciudad natal y llega a Madrid. En 1941 comienza a colaborar en el diario *A B C,* primero anónimamente y luego firmando "Framis". Colabora también en *La Vanguardia,* de Barcelona; *El Español,* de Madrid, y diversos periódicos de provincias. En 1945 se retira temporalmente de *A B C* y colabora en *Pueblo,* a la vez que sigue con sus trabajos en la Prensa de provincias. En 1942 publica *El Japón muy antiguo y muy moderno,* libro de viajes. Desde octubre de 1943 alterna sus labores periodísticas con la confección de un libro titulado *Navegantes y conquistadores españoles del siglo XVI,* que publicó la editorial M. Aguilar en julio de 1946 y alcanzó un gran éxito. Tiene en prensa un libro titulado *Viñetas y caracterización hispánicas.* La Editora Nacional le publicó en 1944 una versión incompleta del *Magallanes,* que aparece íntegro en la edición de M. Aguilar. Y en 1951 ha publicado *Tanto monta...,* admirable biografía novelesca de los Reyes Católicos.

Entre las obras que tiene terminadas se cuentan: *Speke en las fuentes del Nilo, Un discípulo de Gassendi en la corte del Gran Mogol, El capitán Cook en la pura isla de Taití, El viaje de Condamine a la América austral y El itinerario de Marco Polo,* todas estas calificadas como relatos geográfico-históricos. También ha terminado la narración de tendencia filosófica titulada *El mal negocio que hizo el diablo,* que publicará en lujosa edición para bibliófilos; *Abismo* —novela—y una revisión de *Retorno.*

MALDONADO, Horacio.

Poeta, novelista y ensayista uruguayo. Nació—1884—en El Salto. Doctor en Derecho —1912—. Bibliotecario de la Cámara de Representantes. Profesor de la Universidad de Montevideo. Diputado. Miembro correspondiente de la Real Academia Española de la Lengua. Ha viajado por América y Europa. En 1927 visitó España. Como ensayista profundo, escéptico y gran prosista, se muestra discípulo muy adelantado de su genial compatriota Rodó.

Obras: *Dolores y ternuras*—poesías,

1902—, *El poema de los surcos*, *En el pago* —novela corta—, *Cabeza de oro*—novela—, *Mientras el viento calla*—1916—, *El sueño de Alonso Quijano*, *La fiesta del espíritu*, *La onda de luz*, *Los ladrones de fuego*, *Viaje a la tierra de los Incas*, *La ofrenda de Eneas* —1919—, *Raimundo y la mujer extraña* —1927—, *Doña Ilusión en Montevideo* —1929—, *Golconda*—poemas en prosa—, *Bajo el sol de otras tierras...*

MALFATTI, Arnaldo.

Periodista y comediógrafo argentino. Creemos nació en Buenos Aires hacia 1900. Desde muy joven se dedicó al periodismo y al teatro, consiguiendo algunos estimables éxitos con obras escritas sin colaboración. Pero su fama se cimentó al unirse, en firme colaboración, con Nicolás de las Llanderas. Obras sin colaboración: *¿Trabajar? ¡Nunca!*—1922—, *Como tronco e'ñandubay*—1923.

Y en colaboración con Llanderas: *Caminito alegre*, *Miente y serás feliz*, *Astillas del mismo paño*, *La paja en el ojo ajeno*, *Dársena norte*, *Los tres berretines*, *Luján*, *La gallina clueca*, *Coima*, *Si los viejos levantaran la cabeza*.

V. Berenguer Carissomo, Arturo: *Teatro Argentino Contemporáneo*. Madrid. Editorial Aguilar, 1959.

MAL-LARA, Juan de.

Gran humanista, poeta y literato español. Nació—1527—en Sevilla. Murió—1571—en la misma ciudad. Aquí aprendió los rudimentos de las lenguas griega y latina, en el colegio de San Miguel, con el maestro Pedro Fernández. En Salamanca cursó Humanidades, siendo discípulo de Hernán Núñez. Y en Barcelona perfeccionó sus estudios con Francisco Escobar. En 1548 ya estaba de regreso en Sevilla, cursando Artes. Poco después, "junto a la Alameda de Hércules", abrió una escuela de Gramática y Humanidades, que dirigió hasta su fallecimiento, se hizo pronto célebre, y en la que estudiaron muchos grandes ingenios, como Herrera el *Divino*, el maestro Medina, Juan de la Cueva, Diego de Girón, el canónigo Pacheco, Cristóbal de las Mesas y Francisco de las Riveras, entre otros. En 1566 residió en Madrid, donde compuso unos versos latinos a ciertos cuadros del Tiziano, y le fue encargado el adorno alegórico de la nave capitana de don Juan de Austria, comisión que, según Pacheco, desempeñó cumplidamente, escribiendo con tal motivo una *Descripción de la popa de la galera real del serenísimo señor don Juan de Austria, capitán general del mar*. Estuvo casado con doña María de Ojeda. Y dejó dos hijas: Gila y Silvestra.

Mal-Lara fue el verdadero fundador de la llamada *Escuela sevillana* de humanismo y poesía. En Herrera, en Arguijo, en Medina, en Pacheco, se hallan la imagen rica, el lenguaje espléndido, la tendencia a lo ampuloso; pero, además, los motivos esenciales, líricos, del gran temperamento de Mal-Lara. El caracterizó esta escuela, que le tiene por maestro.

Se tienen noticias de algunas comedias suyas—la tragedia *Absalón* y la comedia *Lacusta* y otras—. Juan de la Cueva—en su *Ejemplar poético*—le coloca entre los dramáticos sevillanos ajustados a las reglas clásicas, aun cuando iniciando alguna tendencia reformista. Pacheco dice que compuso muchas tragedias divinas y humanas, "adornadas de maravillosos discursos y ejemplos, y llenas de epigramas, odas y versos elegíacos, así latinos como españoles".

Obras poéticas: *Los trabajos de Hércules* —poema en octavas, muy encomiado de sus contemporáneos, hoy, desdichadamente, perdido—, *La muerte de Orfeo*—poema en octavas—, *Psyche*—poema moral, en verso suelto, que se conserva manuscrito en la Biblioteca Nacional de Madrid—, *El martirio de las santas Justa y Rufina, patronas de Sevilla*—poema latino hispano.

Otras obras: *Narciso*, *Laurea*—églogas dramáticas—, *Recibimiento que hizo... Sevilla a... Felipe II*—Sevilla, 1570—, *Anotaciones a la sintaxis de Erasmo*, *Peregrinaciones de la vida*—obra de carácter filosófico—, *Principios de Gramática*, *Notas a los emblemas de Alciato*, *Escolios de retórica sobre las introducciones de Aphtonio*, *Crónica de los Santos Apóstoles...*

Pero la obra fundamental de Mal-Lara es su *Philosophia vulgar*—Sevilla, 1568—, en la que glosó, con erudición, agudeza y sabiduría práctica, hasta mil proverbios castellanos, ilustrándolos con cuentecillos, apólogos, facecias y narraciones brevísimas de un interés y de una amenidad excepcionales. Para Menéndez Pelayo, estas ilustraciones narrativas de Mal-Lara tienen un valor similar al altísimo del *Sobremesa* y el *Portacuentos* de Timoneda.

Esta obra tuvo un éxito enorme.

Las poesías de Mal-Lara pueden leerse en el tomo XLII de la "Biblioteca de Autores Españoles", de Rivadeneyra. Otras obras, en la edición—1876, Sevilla—de la Sociedad de Bibliófilos Andaluces.

V. Gestoso, J.: *Nuevos datos para ilustrar las biografías del maestro J. Mal-Lara...* Sevilla, 1896.—Rodríguez Marín, F.: *Mal-Lara*, en *Boletín de la Academia de la Lengua*, V, 202.—Castro, A. de: *Mal-Lara y su "Filosofía vulgar"*, en *Homenaje a Menéndez Pidal*, III, 563-592.—Sánchez y Escribano, F.: *Juan de Mal-Lara. Su vida y sus obras.* Nue-

M

va York, 1941.—ACEVES, J.: *Biografía de Mal-Lara*, en *Rev. de Cienc., Lit. y Artes*, de Sevilla.—PACHECO, Francisco: *Libro de retratos*.—GALLARDO, B. J.: *Ensayo de una biblioteca...*, IV, columnas 1359-1360.

MALÓN DE CHAIDE, Pedro.

Célebre escritor místico español. ¿1530?-1589. Nació en Cascante (Navarra) y profesó en el Convento de San Agustín, de Salamanca—1557—. Fue discípulo de fray Luis de León y catedrático de las Universidades de Huesca y de Zaragoza. Ocupó altos cargos dentro de su Orden. Y murió en Barcelona. Tuvo mucha fama como gran teólogo, gran predicador y gran poeta. No se conocen poesías sueltas de Malón de Chaide. Hay que buscarlas intercaladas en el texto—"para solo desempalagar el gusto cansado de la prosa", declara el autor—del *Libro de la conversión de la Magdalena*. "Libro que es todo colores vivos y pompas orientales, halago ponderable de los ojos." (M. P.) En dicho *Libro* intercaló Malón de Chaide paráfrasis líricas de trece salmos e imitaciones de Virgilio, Ovidio y Juvenal; paráfrasis que, justo es proclamarlo, en nada desmerecen de las imitaciones de asunto semejante de fray Luis de León. No era, no, injusta la fama que gozaba Malón de gran poeta.

Malón de Chaide es más ascético que místico, y más biógrafo que ascético, sobresaliendo en la pintura de cuadros de brillante color y frescura natural. Austero en la doctrina, es, entre los escritores espirituales, uno de los más artistas.

La conversión de la Magdalena es uno de los más hermosos libros escritos en castellano, y desde 1592 fue reimpreso innumerables veces, en copiosas ediciones, y traducido para solaz de los amantes de las buenas letras y del ascetismo. La obra es una brillantísima paráfrasis del Evangelio de la fiesta de la Santa, y está dividida en cuatro partes, pues aunque, como Malón de Chaide dice: "Siguiendo la cuenta del Evangelio bastaban solas tres, conforme a los tres estados que la Magdalena nos pinta... de pecadora..., de penitente y... de gracia y amistad de Dios, con todo eso, yo he antepuesto otra parte a las tres, que es primer estado del alma antes del pecado, por parecerme necesario saber cómo va cayendo del estado de gracia en el de pecado."

El prólogo de *La conversión de la Magdalena* contiene una acerba crítica de los libros de caballería y de los poetas profanos —a los que llama *libros lascivos y profanos*—y una apologia admirable y "vidente" del valor de la lengua castellana, digna de que su lectura sea obligatoria en todas las escuelas elementales españolas.

Son ediciones importantes de *La conversión de la Magdalena:* Alcalá, 1593, 1596; Madrid, 1598, 1604.

Modernamente existen tres excelentes ediciones: la del tomo XXVII de la "Biblioteca de Autores Españoles", la de "Clásicos Castellanos"—Madrid, 1930—y la de la "Colección Crisol"—Madrid, M. Aguilar, 1945—. Estas dos últimas, prologadas y anotadas por el padre Félix García, agustino.

V. GARCÍA, P. Félix: Estudio y notas a la edición *Clásicos Castellanos*. Madrid, 1930.—PIDAL, Pedro J.: *Estudios literarios*. II.—CASTRO, J. R.: *Fr. Pedro Malón de Chaide*. Tudela, 1930.—LANGENEGGER, A.: *Des P. Pedro Malón de Chaide. "Conversión de la Magdalena"*. Zurich, 1933.—MORAL, P.: *Escritores agustinos españoles...*, en *La Ciudad de Dios*, X, 230.—SANTIAGO VELA, P. G. de: *Ensayo de una biblioteca... de la Orden de San Agustín*. Vol. V.—ARCO, Ricardo del: *Nuevos datos para la biografía de Malón de Chaide*, en *Estudio*, 1919.

MALUENDA, Jacinto Alonso.

Poeta lírico y dramático español. Nació en Valencia entre 1596 y 1599. Su padre, Alonso de Maluenda, desempeñó, desde 1584 hasta su muerte, el cargo de alcaide del nuevo teatro de aquella ciudad. Crecido en un ambiente eminentemente teatral, Jacinto heredó el cargo de su padre, pero no en el antiguo teatro, sino en el nuevo de la plaza de la Olivera, construido en 1619 a expensas del Hospital General. Con este motivo teníase que desplazar con frecuencia a Madrid, Barcelona y Zaragoza para contratar compañías y elegir comedias. En 1637 le sorprendió en Madrid una gravísima dolencia, de la que tardó mucho en curarse. En 1650 volvió a la Corte, comisionado por la Junta del Hospital, para lograr la reposición de las obras dramáticas, prohibidas en toda España en 1646. Cuando Maluenda llegó a Madrid, ya se había derogado la prohibición, por lo que pudo regresar a Valencia presumiendo de sus "difíciles gestiones". Aun cuando se ignora el año de su muerte, en 1658 aún vivía, por figurar su nombre en antologías de amigos suyos.

Obras: *La Coxquilla del gusto*—Valencia, 1629, con romances, fábulas, octavas jocosas—, *Bureo de las Musas del Turia*—en prosa y verso, Valencia, 1631, especie de novelita con recuerdos personales—, *Tropezón de la Risa*—romances, endechas, sátiras, epitalamios, bailes, Valencia, ¿1636?—, *La Virgen de los Desamparados*—comedia—, *El sitio de Tortosa*—comedia famosa—, *Santo Tomás de Villanueva*—comedia—, *Ramillete gracioso*—Valencia, 1643, compuesto de entremeses y bailes.

V. LAMARCA, Luis: *El teatro en Valencia*.

Valencia, 1840.—Mérimée, Henri, *Spetacles et Comèdiens á Valencia*. Toulouse, 1913.

MALUENDA, Rafael.

Periodista y novelista chileno. Nació —1885—en Santiago. Muy joven aún, abandonó los estudios para dedicarse con ardor asombroso al periodismo. Durante muchos años fue redactor de *El Mercurio*, y ejerció la crítica literaria con gran austeridad y sin componendas, lo que le acarreó no pocas enemistades. Firmó sus crónicas con diversos seudónimos: "Artemio Serem", "Brem", "Ejoff". Fervoroso admirador del teatro ibseniano, escribió el drama *La Suerte*, que al ser estrenado pasó sin pena ni gloria.

Según el notable crítico Armando Donoso: "Rafael Maluenda representa en la literatura chilena actual cierta tendencia estético-naturalista que se ha puesto muy en boga en la literatura francesa de última hora; y así, sin pretender buscar su ascendiente espiritual, sería necesario recurrir en la novela a Máximo Gorki o a Claude Farrère, y en el teatro, a los imitadores de Ibsen."

Obras: *Escenas de la vida campesina* —Santiago, 1909-1911—, *Los ciegos*—cuentos, 1913—, *La Pachacha*—1914—, *Venidos a menos*—novelas, 1916—, *La señorita Ana* —1921—, *Armiño negro*—novela, 1942...

V. Donoso, Armando: *Los Nuevos*. Santiago, 1912.

MALLEA, Eduardo.

Novelista y ensayista argentino. Nació —1903—en Bahía Blanca. Director del suplemento literario de *La Nación*.

El primer libro de Mallea es *Cuentos para una inglesa desesperada*, aparecido en 1926, libro de relatos poemáticos muy modernos que obtienen en Europa y América un éxito de crítica harto excepcional. Guillermo de Torre los saluda encomiásticamente en la *Revista de Occidente*. Luego aparece en dos entregas de esta revista, con todo honor, la novela corta *La angustia*, que figurará en el libro *La ciudad junto al río inmóvil*, y que Unamuno comentará en una carta a Nin Frías.

Mallea viaja a Europa en 1928 y 1934, esta última vez para dar conferencias en Roma y Milán. El texto de una de esas conferencias es publicado por *Sur*, con el título de *Conocimiento y expresión de la Argentina*.

Mallea escribe luego los siguientes libros: *Nocturno europeo, La ciudad junto al río inmóvil, Historia de una pasión argentina*, obra ésta que será reeditada veces y veces y que vale al autor su éxito más perdurable hasta la aparición de su novela *La bahía del silencio*. Publica también un libro de en-

sayos, *El sayal y la púrpura*, y muchas novelas: *Fiesta en noviembre, Todo verdor perecerá*—que conmueve a Stefan Zweig hasta hacerle desear su publicación en Europa—, *Las Aguilar*—primer volumen de una serie de novelas que trata el desarrollo de una familia a través de tres generaciones—, *El vínculo*—que contiene tres novelas cortas—, *Rodeada está de sueño y El retorno*—novelas poemáticas—. En 1950 aparecieron tres novelas más: *Los enemigos del alma, La torre*—segundo volumen de la serie que inicia *Las Aguilar*—y *Chaves*.

Ha obtenido todos los y más altos premios literarios de su país, a saber: el primer "Premio Municipal de Prosa", el primer "Premio Nacional de Literatura" y el gran "Premio de Honor de la Sociedad Argentina de Escritores", distinción que acuerdan los propios escritores.

Ha sido invitado especial a participar en los Congresos del Pen Club de Estocoimo y Zurich; sus libros han sido editados en el extranjero por las casas editoriales más importantes, como Knopf, de Nueva York; Hougton Mifflin, de Boston; Bompiani, de Milán; O Globo, de San Pablo. El gran novelista brasileño José Lins de Rego ha traducido y prologado su novela *Todo verdor perecerá*, para la edición brasileña.

Han escrito en artículos y libros sobre la obra de Mallea: Karl Vossler, Patrick Dudgeon, Francisco Romero, Ramón Pérez de Ayala, Mauricio Magdaleno y otros escritores de renombre. Figuran trabajos suyos en dos notables antologías norteamericanas: *Los mejores cuentos del mundo* (Appleton Century, Nueva York y Londres, 1947) y *The bes of the World* (Dutton, Nueva York, 1950). Para esta última antología, los trabajos a incluirse fueron elegidos por votación de escritores eminentes. El nombre de Eduardo Mallea estaba en el voto de Ernest Hemingway y otros importantes escritores de los Estados Unidos.

V. Giusti, Roberto F.: *Panorama de la literatura argentina contemporánea*, en *Nosotros*, segunda época, núm. 68. Buenos Aires, noviembre 1941.—Pinto, Juan: *Panorama de la literatura argentina contemporánea*. Buenos Aires, 1941.—Suárez Calímaco, Emilio: *Directrices de la novela y del cuento argentino*. Buenos Aires, 1933.

MANCISIDOR, José.

Literato y profesor mexicano. Nació —1894—en Veracruz. Murió—¿1960?—en México. Se educó en la escuela cantonal y en la Escuela Militar de Maestranza (Veracruz). Presidente de la Municipalidad de Ja-

M

lapa—1922—. Diputado por Jalapa—1924-1926—. Profesor de Historia Mexicana en la Escuela Normal de Jalapa—1930-36—. Director de la *Review Ruta*—1933-39—, de la Escuela Nacional de Maestros de México —1937-39—, del Instituto de Enseñanza Secundaria de México—1937-39—. Jefe del Departamento de Educación Secundaria —1939—. Miembro del Sindicato de Maestros del Instituto de Preparación para Enseñanza Secundaria, del Sindicato de Maestros de la Escuela Nacional de Maestros, de la Liga de Escritores Americanos, de la Liga de Escritores de México.

Obras: *La asonada*—novela, 1931—, *La ciudad roja*—novela, 1932—, *Nueva York revolucionaria*—1935—, *Ciento veinte días*—un viaje por la Unión Soviética—, *De una madre española*—1938—, *Historia de México* —ensayo—, *En la rosa de los vientos*—novela—, *Tela*—ensayo biográfico...

MANEGAT PÉREZ, Julio.

Novelista, dramaturgo, periodista, crítico literario. Nació—1922—en Barcelona. Licenciado en Filosofía y Letras (Filología Semítica) por la Universidad barcelonesa. Desde hace muchos años, crítico literario y teatral, editorialista de *El Noticiero Universal*, de Barcelona. En la actualidad—1970—, director de la Escuela Oficial de Periodismo en la Ciudad Condal. Comendador de la Orden del Mérito Civil. Miembro del jurado del "Premio de la Crítica", del que fue uno de los fundadores. Conferenciante asiduo en Ateneos y centros culturales de toda España. Ha estrenado varias obras escénicas en Teatro de Cámara y Ensayo y en teatros comerciales.

Como novelista cultiva el realismo neto, envuelto en un expresionismo de una gran plasticidad, con tipos y caracteres de indiscutible verdad. Su estilo es ágil y moderno. Sus temas están escogidos entre los de la máxima importancia—humana y social—de nuestro tiempo.

Entre los galardones literarios que ha obtenido figuran: "Premio Ciudad de Barcelona", de novela; "Premio Selecciones de Lengua Española"; "Premio Nacional de Teatro", de la Real Academia Pontificia de Lérida.

Obras: *La ciudad amarilla*—novela—, *La feria vacía*—novela, "Premio Ciudad de Barcelona"—, *El pan y los peces*—novela, "Premio Selecciones de Lengua Española"—, *Spanish Show*—novela—, *Historias de otros*—narraciones—, *Canción de la sangre*—poesía—. Y entre sus obras escénicas: *El viaje desconocido*, *Todos los días*, *El silencio de Dios*, *Los fantasmas de mi cerebro* (en colaboración con José María Gironella), *Antes, algo, alguien; Quirófano B, Els nostres dies, Cerco de sombra*—1971.

MANFREDI CANO, Domingo.

Novelista, cronista, ensayista, poeta español. Nació—1918—en Aznalcázar (Sevilla). Pertenece al Cuerpo General de Policía. Desde muy joven, empezó a cultivar todos los géneros literarios. Alférez provisional durante la guerra de Liberación. Su producción literaria es asombrosamente fecunda: más de treinta libros y varios miles de crónicas en los más importantes diarios y revistas de España. A los que han de sumarse medio centenar de ensayos, novelas breves, conferencias. Además ha traducido notablemente más de treinta libros de autores como Cecil Roberts, Bruce Marshall, Erskine Cadwell, John Master, Nelson Alyren, William Faulkner, John Braine...

Ha obtenido los premios de periodismo "Juan Valera", "Ejército", "Africa", "Virgen del Carmen" y varios más. Los de poesía "La Venencia" y dos docenas en distintos Juegos florales. El de novela "Ateneo de Valladolid", el de novela "Ciudad de Sevilla" y "Ciudad de Oviedo".

Manfredi es uno de los mejores novelistas españoles de esta época. Firme en la línea tradicional genérica, reúne original inventiva, nobleza de temas—siempre trascendentales—, maestría expositiva, gran arte en el dibujo y en el color—tanto al describir como al retratar—, naturalidad en los diálogos, estilo peculiarísimo y gran riqueza de idioma. Y siendo su realismo radical, jamás cae en tremendismos desorbitados, ni siquiera en naturalismos de dudoso gusto.

Entre sus mejores obras están: *San Francisco Javier*—biografía—, *Geografía del cante jondo*, *Las lomas tienen espinos*—novela de la guerra civil—, *La rastra*—novela, "Premio Ciudad de Sevilla", traducida al francés—, *Tierra negra*—novela—, *La piedra* —novela—, *A los pies de los caballos*—novela—, *Momentos estelares de España*—ensayos, en colaboración con Tomás Borrás—, *Las ataduras del diablo*—novela—, *Pan de tus espigas*—poemas, "Premio La Venencia"—, *Peor que descalzos*—novela—, *Los gitanos, Yo, peón de brega; Poemas de la nostalgia eterna, Los resentidos, Las lobas* —novela, 1972.

MANRIQUE, Gómez (v. Gómez Manrique).

MANRIQUE, Jorge.

Excelso poeta lírico español. Nació —¿1440?—en Paredes de Nava. Murió —1479—cerca de las puertas del castillo de Garci-Muñoz. Jorge Manrique, sobrino de Gómez, en los treinta y nueve años escasos que vivió no hizo sino cuajar ademanes de elegancia y heroísmo. "El doncel de Sigüenza, de un modo especial, parece evocar—al referirse .también a un contemporáneo también muerto en la juventud—al cantor de la vanidad de la vida." (V. P.)

Hijo cuarto del conde de Paredes de Nava, don Rodrigo, y de su primera mujer, doña Mencía de Figueroa, nació Jorge Manrique, probablemente, en Paredes. Fue señor de Belmontejo, y, como todos los suyos, partidario lealísimo del infante don Alonso y de doña Isabel la Católica. Logró en Uclés, cuando fue su padre nombrado maestre de Santiago, un trecenazgo de la Orden; defendió—1475—el campo de Calatrava, en nombre de la Reina Católica, contra el marqués de Villena; sostuvo con su padre el asedio del castillo de Uclés—1478—contra el mismo marqués y el arzobispo de Toledo, quedando el castillo por el maestre. Con Pedro Ruiz de Alarcón tuvo como capitán una mesnada, con la cual combatió al susodicho Villena. Pero en el asalto del fuerte de Garci-Muñoz, que Villena defendía, según cuenta Hernando del Pulgar, "se metió con tanta osadía entre los enemigos, que por no ser visto de los suyos para que fuera socorrido, le frieron de muchos golpes y murió peleando cerca de las puertas del castillo donde acaeció aquella pelea". Fue enterrado en la iglesia vieja del convento de Uclés. Se cuenta que le hallaron en el pecho unas estrofas, que empezaban así:

> Oh mundo, pues que nos matas,
> fuera la vida que viste
> toda vida;
> mas, según acá nos tratas,
> lo mejor y menos triste
> es la partida...

¡Gran semejanza entre las vidas y las muertes de Jorge Manrique y de Garcilaso de la Vega, caballeros sin tacha, juventudes ardientes que vivieron para las armas y para el amor! Tanta vida dio Manrique a su pelear, héroe de la muerte bélica, que apenas si tuvo vida para entregarla a la poesía. Entre las comprendidas en el *Cancionero general* de Hernando del Castillo—1511—y en el de *Sevilla*—1535—se conservan de él unas cincuenta poesías erótico-cortesanas, que si son como las comunes de sus coetáneos, se distinguen, bien leídas, por cierta muy agradable sencillez, por cierto arte detallista de miniatura en un estilo gótico florido. Destacan de estas poesías: *Escala de amor*, *Castillo de amor*, *Ved qué congoja la mía*, *Un convite que hizo a su madrastra*, *Estando ausente su amigo*, *Porque estando él durmiendo le besó su amiga*. Pero ha quedado ya indicado cómo la crítica más severa opina que todas estas poesías de Jorge Manrique no le hubieran dado sino una fama corta y discreta, no superior a la alcanzada por Alvarez Gato o Hernán Mexía. Jorge Manrique tuvo unos momentos "de ilumina-

ción prodigiosa". Y en esos momentos escribió las por antonomasia llamadas *Coplas de Jorge Manrique por la muerte de su padre* —1476—, aquel caballero maestre de Santiago, don Rodrigo, vencedor en veinticuatro combates, de quien asegura Hernando del Pulgar que "volver las espaldas al enemigo era tan ajeno de su ánimo, que elegía antes rescebir la muerte peleando que salvar la vida huyendo". Las *Coplas* son una de las poesías más delicadamente sentidas, más rezumadoras de grandeza espiritual y más conocidas de todo el mundo entre cuantas se han escrito en España. Las *Coplas* son 43. Las 17 primeras corresponden al elogio fúnebre del maestre, un elogio—sin lloriqueos, sin compunciones cobardes—que es un verdadero himno triunfal. Lo fundamental de estas 17 coplas es su carácter de dolor humano, amplio y trascendente. Las restantes 26—reprimida, o serenamente represada, su pena inmensa ante el dolor humano universal—se convierten en "un doctrinal de cristiana filosofía". La alteza de pensamientos, expresada con desusado brío, con vivísimos colores, con verdad tajante, ha logrado que estas *Coplas*, sobrepujando el género común elegíaco, adquieran ese tinte de eternidad que únicamente alcanza lo sublime.

Para Américo Castro, Jorge Manrique va más allá aún en la intención de la excepcional poesía: nos ofrece una visión tripartita del mundo: la de la vida terrenal, la de la vida perdurable y la de la vida heroica; emoción nueva la de esta tercera vida, cuyo secreto iba a descubrir el Renacimiento. "La vida—comenta Díaz-Plaja certeramente—no es el valle de lágrimas y la ceniza aventada de los sermones terroríficos y las danzas de la muerte, sino que puede ser campo de acción del esfuerzo del hombre, el cual puede dejar a la posteridad el rastro de su ejecutoria: su fama. El Renacimiento madruga aquí, precisamente, en estos versos de Jorge Manrique; un nuevo tipo humano, que se sabe hijo de su esfuerzo y de sus obras, lucha por su potente voluntad de gloria. La vida es algo más que un tránsito, porque es un palenque donde cada cual rendirá según su poder y su valor. He aquí, pues, sistematizado, lo que en Menéndez Pelayo es una genial intuición. Analizada a esta nueva luz, la obra de Jorge Manrique no tiene dos facetas, la afirmativa y vital frente a la elegíaca y meditabunda, sino que ambas proceden de una misma armoniosa unidad espiritual."

Han sido cuidadosamente estudiadas las fuentes de las *Coplas*. Descartado el influjo de Abulbeka, que no pasa de ser un amaño ingenioso de Valera, pueden señalarse fuentes remotas y fuentes próximas. Entre las primeras están el *Eclesiastés*, el *Libro de*

M

Job, Boecio, Próspero de Aquitania; entre las segundas, el *Dezir* de Fernán Sánchez de Talavera a la muerte de Rui Díaz de Mendoza, el *Razonamiento que face Juan de Mena con la muerte,* el *Planto de las virtudes,* de Gómez Manrique. Las *Coplas* se hicieron famosísimas inmediatamente. Las glosaron Alonso de Cervantes—1501—, Jorge de Montemayor—1554—, Luis Pérez, protonotario de Felipe II—1561—, Gregorio Silvestre, Francisco de Guzmán, Luis de Aranda, el cartujo Rodrigo de Valdepeñas y fray Pedro de Padilla. Lope de Vega dijo de ellas que "merecían estar escritas en letras de oro". Y Longfellow, su magnífico traductor al inglés, que son "un modelo en su línea, así por lo solemne y bello de la concepción, como por el noble reposo, dignidad y majestad del estilo, que guarda perfecta armonía con el fondo". En cualquier antología de la lírica española que comprenda cuando menos seis poesías, no pueden faltar entre ellas las *Coplas* de Jorge Manrique, obra perfecta y cimera de la lírica universal. Los principales textos de las *Coplas* son: el *Cancionero del siglo XV,* del British Museum; el *Cancionero de Ramón de Llaviá* —Zaragoza, ¿1490?—y el *Cancionero general,* de Hernando del Castillo—1511—. Modernamente ha estudiado con acierto a Jorge Manrique Augusto Cortina en la edición de *Clásicos Castellanos* de *La Lectura,* y es imprescindible el estudio que hace del poeta Menéndez Pelayo en su *Antología de poetas líricos castellanos.*

En la Biblioteca de El Escorial, una traducción latina de las *Coplas,* dedicada al entonces príncipe don Felipe (II). Richard Ford las tradujo, fragmentariamente, al inglés—1824—para la *Revista* de Edimburgo. Al francés han traducido algunas estrofas Maury—en *L'Espagne poétique,* 1826—y Puymegre—1873—. Luis Venegas de Henestrosa les puso música: *Libro de cifra nueva para tecla, harpa y vihuela*—Alcalá, 1577—. Fray Pedro Padilla—en su *Jardín espiritual,* 1585— y Camoens—en su *Carta tercera*—, las imitaron.

Las demás poesías de Jorge Manrique encuéntranse: 42 en el *Cancionero de Hernando del Castillo*—1511—, dos en el *Cancionero de obras de burla provocantes a risa*—1519— en el *Cancionero de Constantina*—Sevilla, 1535—y en el *Cancionero* de Toledo de 1527.

Existen abundantes ediciones modernas de las *Coplas* y de las poesías de Jorge Manrique. De las *Poesías completas:* en el tomo CXIV de la "Colección Diamante", Barcelona, ed. Antonio López; la de *Clásicos Castellanos*—1929, con prólogo y notas de A. Cortina; la de la "Colección Austral", Espasa-Calpe, Buenos Aires, cuidada por el mismo Cortina; la magnífica edición críti-

ca de Foulché-Delbosc, en la "Biblioteca Oropesa", II, Madrid, 1912; la de "Clásicos Ebro", Zaragoza, 1941; la del *Cancionero de Jorge Manrique,* en la "Nueva Biblioteca de Autores Españoles", XXII, pág. 228.

V. NIETO, J.: *Estudio biográfico de Jorge Manrique e influencia de sus obras en la literatura española.* Madrid, 1902.—CORTINA, A.: *Edición a las poesías de Jorge Manrique,* en *Clásicos Castellanos,* 1929.—FOULCHÉ-DELBOSC, R.: *Estudio* a la edición de Madrid, 1912. "Biblioteca Oropesa", II.—MENÉNDEZ PELAYO, M.: *Antología de poetas líricos...,* VI, 104.—CURTIUS, E. R.: *Jorge Manrique und der Kaisergedanke,* Z. f. R. Ph., 1932.—KRAUSE, A.: *Jorge Manrique and the Cult of Death in the Cuatrocientos.* Berkeley, 1937.—CERDÁ Y RICO: *Comentarios* en la edición de Sancha. Madrid, 1771.—KRAUSE, Anne: *J. M. and the Cult of Death in the Cuatrocientos.* California, 1917.—SALINAS, Pedro: *Jorge Salinas, o Tradición y originalidad.* Buenos Aires, 1947.—BORGHINI, Vittorio: *Giorgio Manrique, la sua poesía e i suoi tempi.* Génova, 1952.

MANRIQUE DE LARA, José Gerardo.

Nació—1922—en Granada. Residió brevemente en París y Lisboa. Ha sido corresponsal en Madrid de *Radio Hogar,* de Panamá. Colaborador y crítico de *Agora, Cuadernos Hispanoamericanos* e *Insula.* En *Poesía Española,* revista de la que es redactor, ejerce la crítica con carácter habitual. En 1954 publica el libro de poemas *Pedro el Ciego* en la colección *Insula,* de Madrid, con el que alcanza el "Premio Ciudad de Barcelona" de poesía castellana. En 1956 publica en la "Colección Agora", de Madrid, *Elegías y gozos temporales;* en 1959 publica en la "Colección Alcaraván", de Arcos de la Frontera, *Retablo.* En 1960 publica en la "Colección Adonais", de Madrid, *Río Esperanza.*

En 1961, la editorial Taurus, de Madrid, en su "Colección Palabra y Tiempo", publica, en un volumen, sus libros *Requiem y Poema del Buen Amor.*

En 1962 ganó el "Premio Elisenda de Montcada", de Barcelona, con su novela *Confesión de parte,* de un intenso, pero noble realismo.

MANSILLA, Lucio Victorio.

Militar, escritor, periodista, diplomático. Nació en Buenos Aires el 23 de diciembre de 1831. Falleció en 1913. Hijo del general del mismo nombre y de Agustina Rosas, hermana de Juan Manuel de Rosas. Actuó al servicio de Buenos Aires contra la Confederación, siendo secretario del general Emilio Mitre en la batalla de Pavón. Asistió a la campaña contra el tirano del Paraguay, hallándose en los combates de Estero Bellaco, Tuyutí, Boquerón, Sauce y Curupaytí. En este último fue herido. Ya restablecido, se halló en las dramáticas jornadas de Humaitá. Hizo la campaña de fronteras contra los indios Ranqueles. Diputado nacional y gobernador del Chaco Austral. Durante su administración se fundó la ciudad de Formosa. Ministro plenipotenciario ante el Gobierno alemán.

Como escritor, se destacó por su estilo chispeante, espontáneo, lleno de agudas observaciones sobre los hombres y el medio en que actuaba. Sus principales libros son: *Entre nos, Charlas de los jueves*—nueve tomos—, *Estudios constitucionales, Mis memorias y Máximas y pensamientos.* Su obra más importante es *Una excursión a los indios Ranqueles*—1879—; en ella el paisaje y el espíritu de la tierra tienen una poderosa presencia.

Escribió para el teatro una comedia—*Una tía*—y un drama—*Atar Gull*—1855—, estrenados con éxito.

Otras obras: *De Adén a Suez*—1855—, *Retratos y recuerdos*—1894.

V. BOSCH, Mariano V.: *Orígenes del Teatro nacional argentino...* Buenos Aires, 1929.— MOYA, Ismael: *Los orígenes del teatro y de la novela argentinos.* Buenos Aires, 1925.— ROJAS, Ricardo: *La literatura argentina.* 2.ª edición, 1924, ocho tomos.

MANTERO, Manuel.

Poeta y prosista español. Nació—1930— en Sevilla. Doctor en Derecho. Profesor en la Universidad de Madrid. Crítico de poesía en las revistas *Insula* y *Agora.* "Premio Nacional de Literatura" por su libro *Tiempo del hombre.* Colaborador del Consejo Superior de Investigaciones Científicas.

Obras: *Mínimas del ciprés y los labios* —Arcos de la Frontera, 1958—, *Tiempo del hombre*—Madrid, 1960—, *La lámpara común*—Madrid, 1962—, *Misa solemne*—"Premio Fastenrath" de la Real Academia Española—, *Poesía española contemporánea*—estudio y antología, 1966.

MAÑACH, Jorge.

Literato y crítico de arte cubano. Nació —1898—en Sagua la Grande (Cuba). Murió —1961—en la Habana. Niño aún, llegó a España, educándose en las Escuelas Pías de Getafe y en el Colegio Clásico Español, de Madrid; en la Cambridge High and Latin School, Cambridge, U. S. A., y en la Universidad de Harvard, E. U. A. Cursó también un año de Derecho en la Sorbona, de París. Y se graduó doctor en Leyes en la Habana. Miembro correspondiente del Ateneo Iberoamericano de Buenos Aires y de la Real Academia Española. Instructor en el Departamento de Lenguas romances de la Universidad de Harvard. Durante algunos años dirigió la *Revista de Avance*—afiliada al movimiento vanguardista de literatura—. Colaborador asiduo de *El País* y el *Diario de la Marina.*

Periodista ágil, ameno y moderno. Crítico ponderado de juicio y agudo de percepción. Ensayista de finísimo pensamiento. Mañach es uno de los intelectuales más significativos de la América española.

Ha publicado: *Glosario*—editorial Cervantes, la Habana—, *La crisis de la alta cultura en Cuba*—conferencia editada por la Sociedad Económica de Amigos del País, la Habana, 1925—, *Estampas de San Cristóbal*—ensayos. Editorial Minerva, la Habana, 1927—, *La pintura en Cuba, Goya, Indagación del Choteo, Martí*—biografía—, *Tiempo muerto*—comedia...

V. REMOS Y RUBIO, Juan J.: *Historia de la literatura cubana.* La Habana, 1925.—SALAZAR Y ROIG, S.: *Historia de la literatura cubana.* La Habana, 1939.

MAÑÉ Y FLAQUER, Juan.

Literato y periodista español. Nació —1823—en Torredembarra (Tarragona). Murió—1901—en Barcelona. Dependiente de farmacia en su mocedad. Sus primeros artículos los publicó en los semanarios *El Genio* y *El Angel Exterminador.* De ideas liberales. Crítico teatral—1841—del *Diario de Barcelona.* Colaborador en más de cien diarios y revistas españoles. Director—1863—de *La Epoca,* de Madrid. Dos años después ocupó el mismo cargo en el *Diario* barcelonés. Gran defensor de la religión católica y de los fueros de las Provincias Vascongadas. Durante más de cuarenta años soportó con una paciencia ejemplar la enfermedad que le llevó al sepulcro.

Ejemplo de periodistas. De gran cultura y fino sentido literario. Creó, dentro del género periodístico, la especialidad que después se ha llamado con el nombre de *sueltos editoriales,* o más vulgarmente, con el nombre de *delantales,* por ir insertados antes que las noticias. De brevísima extensión, los escribió a miles, con gran ingenio y mucha actualidad.

Obras: *El oasis, Viajes al país de los fueros*—1878—, *El regionalismo, Historia del bandolerismo y de la camorra en la Italia meridional*—1864—, *La paz y los fueros* —1876—, *Cartas provinciales.*

V. GRAELL, G.: *Don Juan Mañé y Flaquer.* Barcelona, 1903.—MARAGALL, J.: *Escritos en prosa.* Tomo II, ed. *Obras completas.*—OLIVER, Miguel de los S.: *Don Juan Mañé y Flaquer.* Barcelona, 1912.—SARDÁ, Juan: *Necrología de don Juan Mañé y Flaquer.* 1880.

M

MARAGALL Y GORINA, Juan.

Uno de los más altos poetas españoles contemporáneos. Nació—1860—en Barcelona. Murió—1911—en la misma ciudad. Abogado de renombre. Secretario de Mañé y Flaquer, director del *Diario de Barcelona.* Mestre en Gay Saber desde 1904. Iniciador y propagador de la Lliga del Bon Mot. La Academia Española concedió el "Premio Fastenrath", su más alto galardón—1910—, a la colección poética de Maragall *Eullá,* premiada también por el Ayuntamiento de Barcelona.

Juan Maragall es, quizá, el poeta más grande que ha tenido Cataluña. Lírico y épico. Casado—1897—con doña Clara Noble, dejó, al morir, doce hijos.

Lleno de idealidad, de sensibilidad exquisita; dueño de las imágenes más felices y de las palabras más musicales; profundo de pensamiento, originalísimo en la forma, de inmenso espiritualismo y caudalosa vena infinitamente poética, Maragall ha sido elogiado sin reservas por críticos tan severos y sutiles como Menéndez Pelayo, Miguel S. Oliver, "Clarín", Pereda, Díez-Canedo...

Fue también un traductor magnífico de Nietzsche, de Goethe, de Novalis, de Hello, de Pindaro...

Con Maragall, la lengua catalana alcanzó su máxima personalidad, riqueza y brillantez. Escribió muchas veces, en un espléndido castellano, artículos admirables.

Obras: *Poesies*—1895—, *Visions y cants* —1900—, *Eullá*—1906—, *Vida escrita* —1911—, *Seqüencies*—1911.

En Barcelona se ha hecho una edición de las *Obras completas* de Maragall, que puede considerarse como definitiva. Y en Madrid —M. Aguilar, 1946—se ha realizado una magnífica *Antología,* en impresión bilingüe.

V. TENREIRO, Ramón María: *Juan Maragall,* en *La Lectura,* 1913, II y III.—DÍEZ-CANEDO, Enrique: *Maragall,* en *Renacimiento,* 1907.—OLIVER, Miguel de los S.: Prólogo a la edición *Obras completas.* Barcelona.—OLIVER, Miguel de los S.: *Maragall, publicista,* en *La Vanguardia,* Barcelona, 12-XII-1912.—ARENYS, P. Javier de: *Maragall y su obra.* Barcelona, 1914.

MARAÑÓN Y POSADILLO, Gregorio.

Gran literato—investigador, ensayista, historiador—y gran médico español. Nació —1887—y murió—1960—en Madrid. Doctor en Medicina, premio extraordinario en la licenciatura y en el doctorado. Ha viajado por todo el mundo, dando conferencias admirables sobre Literatura y Medicina. Se le otorgaron las dos más altas distinciones para médicos españoles: el "Premio Martínez Molina" y el "Premio Alvarez Alcalá", votados por la Real Academia de Medicina.

Profesor clínico del Hospital General de Madrid. Doctor *honoris causa* de varias Universidades extranjeras. Académico de número de las Reales de la Lengua, de la Historia, de Medicina, de Bellas Artes y de Ciencias Morales y Políticas. Correspondiente de varias extranjeras. Caballero de la Legión de Honor francesa. Diputado a Cortes.

De cultura enciclopédica y honda, de pensamiento sutil y originalísimo, maestro en la mejor prosa castellana, expositor de una amenidad incomparable, buceador expertísimo en los temas más palpitantes de la Humanidad, el doctor Marañón fue tan admirable como médico que como literato. Sus lectores son todos los espíritus cultos. Sus obras están traducidas, innumerables veces, en todos los idiomas. La ciencia universal actual ha dado escasísimos nombres de tan máximo prestigio como el que aureola a este español ejemplar y magnífico.

En todas las obras literarias de Marañón se encuentran páginas tersas, juicios originales y agudos, finos primores de pensamiento y estilo.

Obras literarias: *Tres ensayos sobre la vida sexual*—1926—, *Amor, conveniencia y eugenesia*—1931—; *Amiel, un estudio sobre la timidez; Ensayo biológico sobre Enrique IV de Castilla y su época, El conde-duque de Olivares (La pasión de mandar)* —1936—, *Ideas biológicas del Padre Feijoo, Tiberio, historia de un resentimiento* —1939—; *Luis Vives (un español fuera de España)*—1942—, *Tiempo viejo y tiempo nuevo*—ensayos—, *Vida e historia*—ensayos—, *Elegía y nostalgia de Toledo*—1940—, *Don Juan: Ensayos sobre el origen de su leyenda*—1943—, *Antonio Pérez*—1947—, *El Greco y Toledo*—1957—, *Los tres Vélez* —1960—, *Efemérides y comentarios*—1957—, *Idearío*—Madrid, 1959, preparado por el doctor A. Luderias.

"Marañón es una personalidad a la vez intensa y fecunda, que se halla, maduro y maestro, en pleno período de creación, y que, poseyendo una obra importante, nos sorprende cada día con una visión nueva, sugestiva y original." (V. y P.)

V. VALBUENA PRAT, A.: *Historia de la literatura española.* Barcelona, Gili, 1950, 3.ª edición, tomo III.—Río, Angel, y BENARDETE, M. J.: *El concepto contemporáneo de España. Antología de ensayos. 1895-1931.* Buenos Aires, Losada, 1946. (Contiene abundante bibliografía de notas y artículos acerca de Gregorio Marañón.)—GRANJEL, Luis: *Gregorio Marañón. Su vida y su obra.* Madrid, Guadarrama, 1960.—SAINZ DE ROBLES, F. C.: Prólogo al *Idearío* de G. M. Madrid, 1959.—ALMODÓVAR, Francisco Javier, y BARLETTA, Enrique: *Marañón o una vida fecunda.* Madrid, Espasa-Calpe, 1952.

MARASSO, Arturo.

Argentino. Nació en 1890. De la Academia Argentina de Letras. Poeta delicado. Agudo crítico. De extensa y excepcional cultura. "Posee el don de la sabiduría poética, sutil y derivada hacia insospechables asociaciones, sin que el aparato erudito malogre la belleza rezumante como de un inagotable hontanar." (Leguizamón.)

Obras: *Melampo*—1931—, *Bajo los astros*—1911—, *La canción olvidada*—1911—, *Presentimientos*—1918—, *Paisajes y elegías*—1921—, *Poemas y coloquios*—1924—, *Retorno*—1928—, *Tamboriles*—1930—, *Rubén Darío: su creación poética; Cervantes: la invención del "Quijote"; Berta*—novela—, *La mirada en el tiempo...*

V. IBARRA, Néstor: *La nueva poesía argentina.*—SÁNCHEZ, Luis Alberto: *Nueva historia de la literatura americana.* Buenos Aires, 1944.

MARAVALL, José Antonio.

Ensayista y literato español. Nació—1911—en Játiva (Valencia). Durante varios años dirigió el Colegio Español de París. Catedrático de la Universidad de Madrid en la Facultad de Ciencias Políticas y Económicas. De gran cultura, mentalidad clarificada, noble estilo. Y siempre preocupado por las que son preocupaciones fundamentales de nuestro tiempo, que él sabe presentar y enjuiciar con indudables originalidad y precisión. Colaborador de la *Revista de Occidente, Cruz y Raya* y *El Sol*, y, a partir de 1940, de las más importantes revistas de cultura e historia. Miembro de la Real Academia de la Historia y del Instituto de Estudios Políticos.

Obras: *Teoría del Estado en España durante el siglo XVIII*—1944—, *El humanismo en las armas de don Quijote*—1948—, *El concepto de España en la Edad Media*—1955—, *Teoría del saber histórico*—1958—, *Carlos V y el pensamiento político del Renacimiento*—1960—, *Velázquez y el espíritu de la modernidad*—1961—, *Las Comunidades de Castilla*—Madrid, 1963—, *Antiguos y modernos* (La idea del Progreso en el desarrollo inicial de una sociedad)—1966—, *Carlos V y el pensamiento del Renacimiento*—1960—, *Menéndez Pidal y la historia del pensamiento*—1960—, *Las Comunidades de Castilla, una primera revolución moderna*—1963—, *El mundo social de "La Celestina"*—1964.

MARCELA DE SAN FÉLIX, Sor.

Religiosa y poetisa española. Hija natural del genial Lope de Vega. Su madre fue una bellísima comedianta, Micaela de Luxán, a la que Lope hizo inmortal poéticamente con el nombre de *Camila Lucinda*.

Marcela nació—1605—y murió—1688—en Madrid. Y fue amada muy tiernamente por su padre, pues Marcela fue bella, dulce, cariñosa y honesta. Por su parte, la gentil Marcela sintió verdadera adoración hacia su padre. Su educación estuvo bastante descuidada. Pero una vocación irresistible, heredada de Lope, y sobreexcitada con la lectura de las obras del autor de sus días, hizo que Marcela, desde los diez años, empezara a escribir y a sentir la poesía.

Antes de cumplir los diecisiete—acaso por un triste complejo motivado por su situación social—resolvió dejar el mundo, pensamiento que debió hallar favorable acogida en Lope, quien veía los riesgos a que se hallaba expuesta una hija ilegítima, muy obsequiada de amadores y con los no muy edificantes ejemplos que le daban sus padres.

Ingresó en el convento de Trinitarias Descalzas, de Madrid, tomando el hábito el 13 de febrero de 1622, La dote de Marcela—mil escudos—, así como los gastos de la profesión, los pagó el duque de Sessa, señor, mecenas y gran amigo de Lope. Este asistió a la profesión y la narró en versos inmortales y conmovedores. Cuando Lope murió—1635—, sor Marcela suplicó que pasasen su cadáver frente las rejas del convento, para despedirse en la tierra de aquel idolatrado ser. Y así se hizo. Consagrada a la oración y a la poesía vivió el resto de su dilatada vida. Fue dos veces ministra. Y edificó a sus compañeras con sus penitencias, virtudes y gracias poéticas. Porque Marcela de San Félix, digna hija de tal padre, fue una admirable poetisa. Su nombre figura en el *Catálogo de autoridades* del idioma, publicado por la Real Academia Española.

El manuscrito de sus *Poesías* lo guarda la Academia. Entre ellas hay varios *Coloquios* representables.

Textos: de *Poesías y Coloquios*, en el tomo II de *Escritoras españolas*, de Serrano Sanz, Madrid, 1905, págs. 234-298.

V. SERRANO SANZ, Manuel: ... *Escritoras españolas.* Madrid, 1905, tomo II.—XIMÉNEZ DE SANDOVAL, F.: *Por los pecados del "Fénix"*, en la revista *Escorial*, Madrid, 1949.—SAINZ DE ROBLES, F. C.: *Lope de Vega. Su vida y su época.* Madrid, 1946.—GONZÁLEZ DE AMEZÚA, A.: *Lope de Vega en sus cartas.* Madrid, cuatro tomos, 1935-1942.

MARCIAL, M. Valerio.

Magnífico poeta latino español. ¿43?-104. En una moneda de bronce—sestercio—con la efigie cesárea de Tiberio, se le da el nombre de *Augusta* a la colonia de Bílbilis, fundada por Octavio en la ribera del río Xalón, según afirma Zurita en sus *Anales.*

En Bílbilis—Calatayud—, el año 43 de la Era Cristiana, nació Marco Valerio Marcial.

M

En aquel tiempo, las límpidas aguas del río ladero contemplaban las armas bélicas y delataban ricos veneros auríferos y férreos. Detalles que le dieron fama capaz de enhebrar las estrofas sáficas de un carmen secular.

¿Qué se sabe de Marcial niño, de Marcial adolescente? Nada que no nos diga él mismo con su cáustica gracia epigramática. De sus padres, "que fueron lo bastante tontos por haberle enseñado las letras". De él, que se ejerció más en el nervio de la acción que en la linfa de la meditación. Estudió poco. Correteó mucho. Se enamoró pronto. Se encanalló casi en seguida.

Reinando Nerón, y contando él veintiún años, llegó a Roma, meta y mito de los espíritus aventureros desvividos en las colonias. Treinta y cinco años residió en la ciudad matriz de la latinidad. Vio desfilar y deshincharse a los fantasmones aquellos que fueron Nerón, Galba, Otón, Vitelio... Testas vivas. Vientres hidrópicos. Vestes purpúreas. Ejerció la abogacía. Se embriagó de sediciones, de virtudes intempestivas, de inoportunidades gloriosas. Mendigó con poco pudor y mucho talento honores, dinero, el mero favor de ser leído por Domiciano... Con un continuo vaivén de saludos matinales y de nocturnas dedicatorias. Íntimamente, Marcial no anhelaba sino vivir de la tranquila pesca, tener una robusta esclava que le pusiera en la mesa los manjares sencillos, calentarse con la leña y cocer los huevos al rescoldo, leer, reposar. Con la sien coronada por los laureles poéticos, Marcial, cínicamente, alegremente, anota las peticiones hechas y las negativas recibidas, vive de las migajas en la sociedad de los grandes, que no siempre se las arrojan con piadoso pudor; goza de su *derecho de tres hijos,* que no le exige haber sido padre; de su anillo de caballero, que no le impone el pago del censo ecuestre; de su tribunato honorario, que no le reclama haber vivido en los campamentos.

De cuantas ofensas recibió, de cuantas angustias económicas le hicieron pasar sus contemporáneos, Marcial se vengó destilando el veneno de su vena satírica. Cuatro versos, diez versos suyos, tan suaves en el modo, tan buidos en la intención, y su enemigo se inmortalizaría en su vicio nefando, en su carácter maligno, en cuanto de vergonzoso él hubiera deseado llevarse al olvido.

Tres veces debió de estar casado Marcial. De su primera *uxor* nos habla en el epigrama 92 del libro II sin nombrarla. De la segunda, se burla con los más salaces versos. La tercera fue Marcela, compatriota, y su gran amor, con la que se desposó al regresar a Bílbilis. Marcela tenía una casa maravillosa, con jardines y viveros, en los que

irisaban sus colores peces domesticados, una fuente de sonoridad gratísima, un bosque de palmeras, un palomar sobresaltado de zureos... "Pequeños reinos—confiesa Marcial— que debo a Marcela..." Según el erudito Nissard—en sus *Etudes de moeurs et de critique sur les poètes latins de la decadence*—, cabe pensar que esta Marcela es la misma *primera esposa* a la que abandonó en España; en cuyo caso, la segunda, de quien se burla con brutalidad, no sería sino una ramera, hija dos veces de loba...

A muchísimos críticos les ha parecido vergonzosa la conducta de Marcial; su cinismo para aludir a los vicios, su lenguaje crudo, sus alabanzas a los depravados, su jocundo *no dar importancia* a las pasiones más abyectas y relajadas.

> Aunque mis versos son libres,
> siempre mi conducta es proba...

se excusa Marcial con honrosa franqueza de su respeto a las conveniencias y de su pío por las convicciones. Y, ya en su patria, olvidado del zumo de las vides tiberinas, de las rosas de Ostia, de los laureles rumorosos del Quirinal, de las termas orgiásticas de la Vía Augusta, al lado de Marcela, frente al paisaje austero de España, sintiéndose recobrado en la serenidad, transpira una filosofía dulce, honrada y de amable moral cuando, al escribir a Tulio Marcial, uno de sus más nobles amigos, define la felicidad así:

> Las cosas que hacen feliz,
> amigo Marcial, la vida,
> son: el caudal heredado,
> no adquirido con fatiga;
> tierra al cultivo no ingrata;
> hogar con lumbre continua;
> ningún pleito; poca corte;
> la mente siempre tranquila;
> sobradas fuerzas, salud;
> prudencia, pero sencilla;
> igualdad en los amigos;
> mesa sin arte, exquisita;
> noche libre de tristezas;
> sin exceso en la bebida;
> mujer casta, alegre, y sueño
> que acorte la noche fría;
> contentarse con su suerte,
> sin aspirar a la dicha;
> finalmente, no temer
> ni anhelar el postrer día.
>
> (Lib. X, Ep. 47.)

¿Expresó mejor fray Luis de León su anhelo de vivir ni envidiado ni envidioso?

Pobre llegó a Roma y pobre salió de Roma el inmortal poeta bilbilitano. Y murió, probablemente, hacia el año 104, sin alcanzar los setenta y cinco años, que había pedido —por ni a los dioses dejar de pedir—a Júpiter. Y, como buen pagano, debió de morir lleno de enojo y de fastidio.

Mil quinientos ochenta y dos epigramas —en XIV libros, más el titulado *De los Espectáculos*—componen la obra genial de Marcial. Obra de estilo breve y claro, sencillo y elegante; obra que revela más juicio que imaginación, más buen gusto que pretensiones ambiciosas. Su sal y su agudeza no han sido superadas nunca. Marcial es el primer epigramático del mundo. Fueron los primeros en reconocer su inmenso valor los más cultos espíritus del Renacimiento. Nicolás Perotto, arzobispo de Manfredonia y de Siponto, maestro de Humanidades en Roma y uno de los más grandes eruditos del siglo XVI, explicó los epigramas de Marcial, comentándolos agudamente, con lo cual formó su celebérrima cornucopia, y aun confesó preferible a Catulo veronés y a cuantos antes y después escribieron epigramas, porque "*excesit facundia, acumine, copia, suavitate, salibus, omnes qui ante et post eum carmina scripserunt*". Escalígero, médico y gramático paduano, afirmó que "*Multa esse Martialis epigrammata divina*". Angelo Policiano le proclamó no solo el primero de los latinos, sino también de los griegos. "*Haec ita a Martiale servata sunt ut et graecos superaverit.*"

No puede extrañar que desde los primeros tiempos de la Imprenta se multiplicasen las ediciones de los *Epigramas* de Marcial, contándose diecinueve en el siglo XV, veintisiete en el XVI y treinta y seis en el XVII. La edición *príncipe* de las obras del inmortal bilbilitano es la impresa en Roma el año 1471, aun cuando para algunos críticos le disputa la primacía una sin data que lleva el nombre de *Vindelius de Spira*. Las ediciones más reputadas son: 1670—de Schrevelius, en Leyden—, 1680—en París, *ad usum Delphini*—, 1701—Amsterdam—, 1703—expurgada por el jesuita P. Juvencio e impresa en Roma por Antonio Rubeo—, y las preparadas por los filólogos Verger, Debois, Margean, Alberto Berg—1862—, Gilbert (Leipzig, 1886) y Friedländer (1886, Leipzig).

Los mejores poetas españoles de los siglos XVI y XVII, tan empapados en los clásicos griegos y latinos, rezumaron una impresionante admiración por Marcial. Le tradujeron. Le parodiaron. Le imitaron. Le destilaron en el alambique de la cita erudita. Garcilaso "el divino" y "el divino" Herrera, Juan de Jáuregui, Quevedo, los Argensola, Salinas y sus más grandes ingenios extranjeros, el Aretino, Boccaccio, el *Heptameron*, Molière, Scarron, Voltaire, Beaumarchais, reproducen como suyos rasgos de ingenio, sales castizas, chistes y sutilezas de Marcial. Entre los comentadores, escoliastas e intérpretes españoles de Marcial merecen ser citados: Baltasar de Céspedes, por su *Comentario a los Epigramas de Marco Va-*

lerio Marcial; Ramírez de Prado, por los suyos de 1607; el deán de Alcoy, don Manuel Martí; el jesuita P. Tomás Serrano, que discutió con Tiraboschi acerca de los méritos de Marcial en su singular libro *Super iudicium Hieronymi Tiraboschi de Marco Valerio Martiale*—Roma, ¿1786?—, Suárez Capalleja, Menéndez Pelayo y Arturo Masriera.

Loy y Dudevell y, mejor que ninguno, Clinton, han estudiado la cronología de las obras de Marcial; estudio que tanto ayuda para la fijación de las fechas y de los sucesos de su vida turbulenta, ungida por la *gracia* y dentelleada por la *desgracia*. El *Liber de Spectaculis* y los nueve primeros libros de los epigramas encierran numerosas alusiones a hechos acaecidos entre el año 80 —*Juegos* de Tito—y el 90—regreso de Domiciano de su expedición contra los Sármatas—. De estos nueve libros, el segundo se debió escribir precisamente el año 86, inicio de la guerra de Dacia; el séptimo, después del triunfo contra los dacios y germanos —91—. Todos los libros se escribieron en Roma, a excepción del tercero, que lo fue durante un viaje del poeta por la Galia. El décimo libro de epigramas data del año 99, fecha en que llegó a Roma Trajano. El undécimo, de principios del año 100, a fines del cual regresó Marcial a su patria. El duodécimo, en el 103, poco antes de morir. Y los libros XIII y XIV—llamados *Xenia* y *Apophoreta*—fueron escritos en tiempos de Domiciano, y sus títulos aluden a los regalos que se hacían los amigos en las fiestas saturnales.

Los principales traductores españoles de Marcial son don Manuel Salinas y Lizana, canónigo de Huesca, y don Juan de Iriarte. La obra de Salinas se puede encontrar en la de Gracián, *La agudeza y arte de ingenio*, impresa en Barcelona por Joseph Giralt en 1734. La de Iriarte, en las páginas 251-310 del primer tomo de sus *Obras sueltas*, impresas en Madrid en 1774 por don Francisco Manuel de Mena.

Es edición muy correcta de Marcial la de don Víctor Suárez Capalleja, publicada en tres tomos por la editorial Hernando en su "Biblioteca Clásica".

Ediciones críticas: L. Friedländer, Leipzig, 1886; W. M. Lindsay, Oxford, 1902; W. Heraeus, Leipzig, 1924; H. J. Izaac, París. Coll. Budé, 1930-1933, dos tomos; G. Lipparmi, Bolonia, 1942.

V. NICOLÁS, Antonio: *Bibliotheca Vetus.*— CASTRO, José de: *Biblioteca española*, tomo II.—MENÉNDEZ PELAYO, M.: *Historia de las Ideas estéticas en España*. Tomo I, 1890. NISSARD, J.: *Poètes latins de la decadence.*— CRUSIUS: *Life of Martial*. 1727.—BRAND: *De Martialis poetae vita*. Berlín, 1853.—GONZÁLEZ DE SALAS: *Marcial redivivo*. Zaragoza,

M

1649.—MAGENTA, Pietro: *Marcial.* Roma, 1871.—RIBER, Lorenzo: *Un celtíbero en Roma: Marco Valerio Marcial.* Espasa-Calpe. Madrid, 1941.—DAU, A.: *De Marci Valeri Martialis libellorum ratione temporibusque.* Rostock, 1887.—GIARRATANO, G.: *De M. Valeri Martiale re metrica.* Nápoles, 1908.—PERTSCH, E.: *De Valerio Martiales graecorum poetarum imitatore.* Berlín, 1911.—MARCHESI, C.: *Valerio Marziale.* Génova, 1914.—NIXON, P.: *Martial and the modern epigram.* Londres, 1927.—GIULIAN, A. A.: *Martial and the epigram in Spain...* Filadelfia, 1930.—AUTORE, O.: *Marziale e l'epigrama greco.* Palermo, 1937.—BELLISSIMA, G. B.: *Marziale.* Turín, 1931.

MARCH, Ausias.

Gran poeta y trovador español. Nació —¿1395?—en Valencia. Murió en 1459. Señor de Beniarjó. Asistió a las Cortes de Valencia de 1446. Estuvo casado con doña Isabel Martorell y luego con doña Juana Escorna. Pero sus poesías más fervorosas y apasionadas las dedicó a doña Teresa Bou, a quien había conocido en un templo, un día de Viernes Santo. Sus modelos fueron Dante y Petrarca. Más aquel que este. "Cierta gravedad filosófica que a veces degenera en pedantesca; cierta mayor pureza y elevación en los afectos, la mayor importancia concedida a lo interno y subjetivo sobre el mundo exterior y los elementos pintorescos, la preponderancia del análisis psicológico, y hasta cierta varonil y medio ascética tristeza, alejan, a más no poder, a March de la escuela trovadoresca de que todavía quedan vestigios en el Petrarca, y le afilian más bien entre los seguidores del cantor de Beatriz, con menos simbolismo y teología que Dante, y con más desiertos dentro del alma propia." (M. P.)

Ausias March fue paje del duque de Gandía, al que acompañó a cacerías, expediciones y viajes, brillantes torneos y solemnidades fastuosas. En 1413 murió en Balaguer Pedro March, su padre—su madre fue doña Leonor de Ripoll—, dejándole heredero de su fortuna. A los veintiún años fue armado caballero. En 1420 tomó parte en la campaña de Alfonso V de Aragón contra Cerdeña, en la que—1422—organizó el mismo rey contra Córcega, y en la de 1424, para acudir en auxilio del gobernador de Sicilia, don Pedro, hermano del monarca aragonés. Halconero mayor de caza del señor rey en 1425. De su primer matrimonio tuvo Ausias March un hijo, Francisco. Desde 1451 residió habitualmente el poeta en Valencia.

M. Amédée Pagés ha calificado a March de "el último de los trovadores", "de un trovador rezagado". El marqués de Santillana, su contemporáneo, le llamó "gran trovador y hombre de asaz elevado espíritu". Zurita dictaminó que fue "caballero de singular ingenio y doctrina y de gran espíritu y artificio". El "Petrarca de los provenzales" ha sido también denominado.

Su platonismo erótico procede del escolasticismo de la Edad Media. Es conciso en la expresión. Audaz y rudo en la metáfora. Vivo en lo plástico de la imagen. Sutil en la desgarradora exposición de sus sentimientos de desesperación o de resignación heroica. Realista en la expresión, y cuyo realismo convierte en genial su poesía y la destina a influir en generaciones y literaturas sucesivas. De pensamientos grandes y graves. De cierto exceso de discretos psicológicos. Acaso un tanto oscuro de lenguaje en algunos momentos. De imaginación escasa. "El amor de Ausias March—ha escrito un crítico moderno—es el mal sin remedio, un estado de lucha interior irreductible, la guerra a muerte entre el bajo instinto sexual y la parte más noble del alma; el amor en Ausias es lo más trascendental y radicalmente humano en el hombre; la raíz y el origen de su grandeza y de su miseria; lo que le lleva a los lindes de la beatitud para arrastrarle después a los bordes de la desesperación; es el deseo eterno, es la misma vida humana... ¡Y la expresión de todos esos estados de ánimo es tan reposada, tan serena..., tan objetiva! No creo que exista otro poeta que haya sabido armonizar un tan radical subjetivismo de emoción con un tan impasible objetivismo de expresión."

De las poesías de March—*Cantos de amor, morales, espirituales y de muerte*—se hicieron cinco ediciones en un siglo. La más importante es la de Valladolid, de 1555, que lleva un vocabulario para uso de los castellanos.

En el siglo XVI, March fue traducido por Baltasar de Romaní—Valencia, 1530—y por Jorge de Montemayor—Zaragoza, 1562, y Madrid, 1579—. El *Cancionero de Zaragoza* contiene 60 composiciones del poeta valenciano.

De las poesías de March existen varios manuscritos: dos, en la Biblioteca Nacional de París; dos, en la Biblioteca Nacional de Madrid; uno, en la Biblioteca del Palacio Real; otro, en la Provincial de Valencia; otro, en la Universidad de Zaragoza; dos, en la Biblioteca del Institut d'Estudis Catalans, de Barcelona; uno, en la particular de sir Thomas Phillips, de Cheltenham (Inglaterra); otro, en el Ateneo barcelonés; otro, en la Biblioteca de la Hispanic Society, de Nueva York.

Excelentes impresiones de las obras de Ausias son: Valencia, 1539, vertidas al castellano por Romaní; Valladolid, 1555, vertidas al castellano por Carroz de Vilaregut y

Juan de Resa; Barcelona, 1560, por Claudio Bornat; en Barcelona, 1864, con la versión de Jorge de Montemayor y el vocabulario de Resa; Barcelona, 1884, por Fayos y Roca; Barcelona, 1888, por F. Giró; Barcelona, 1908 y 1909, por Jaime Barrera, en la "Biblioteca Clásica Catalana"; Barcelona, 1912, por Amadeo Pagés, edición crítica del Institut d'Estudis Catalans; Barcelona, sin año [¿1915?], edición Cervantes, únicamente los *Cantos de amor*.

V. PAGÉS, Amadeo: *Obres d'Ausias March* (edición crítica). Barcelona, 1912, Institut d'Estudis Catalans.—RUBIÓ Y ORS, Joaquín: *Ausias March y su época*. Barcelona, 1876.—FRAQUESA Y GOMIS, José: *Ausias March y sus obras*. Madrid, 1882. (Tesis doctoral.)—FERRER Y BIGNÉ, R.: *Los poetas valencianos de los siglos XIII, XIV y XV*. Valencia, 1873.—MOREL-FATIO, A.: *Ausias March et son oeuvre*. París, 1886. (Conferencias.)—RUBIÓ Y LLUCH, A.: *Ausias March y su obra*. Barcelona, 1884.

MARCH, Susana.

Poetisa y novelista española. Nació en Barcelona. A los dieciséis años empezó a colaborar en revistas y periódicos. A los veinte publicó *Rutas*—1938—, su primer libro, que recoge sus versos de adolescencia. Desde entonces no deja de publicar en prosa y verso. Ha ganado numerosos concursos literarios. Colabora en las mejores revistas de España y América.

Algunos títulos de sus libros: En prosa: *Nido de vencejos*—Barcelona, 1945—, *Canto rodado*—Barcelona, 1946—, *Nina*—Barcelona, 1949—. Y varias novelas más de las llamadas "femeninas".

En verso: *Rutas*—Barcelona, 1938—, *Poemas de la plazuela*—1945—, *Ardiente voz* —"Colección Manzanares", Madrid, 1948—, *La tristeza*—poemas, 1953.

En colaboración con su esposo, Ricardo Fernández de la Requena, ha publicado ocho "episodios nacionales". (Ver: FERNÁNDEZ DE LA REGUERA, Fernando.)

MARCHENA RUIZ Y CUETO, Abate José.

Poeta y erudito español de nota. Más conocido por el Abate Marchena. Nació —1768—en Utrera (Sevilla). Murió—1821— en Madrid. Estudió en Madrid y en Salamanca. Clérigo de órdenes menores, a las que renunció a causa de sus ideas volterianas. Asistió a la Revolución francesa, primero como protegido de Marat, después en el grupo de los girondinos, a los que persiguió Robespierre. Por haber sido este guillotinado, se libró Marchena, casi milagrosamente, de la guillotina. Regresó a España como secretario del general Murat, que le

hizo archivero del Ministerio del Interior. La Inquisición lo encarceló, y Murat le sacó violentamente de la prisión. Vencidos los franceses, Marchena se volvió con ellos a Francia. Aún regresó a Madrid en 1820. Pero nadie le hizo caso. Y murió en la mayor miseria.

Contra lo que podía esperarse de Marchena, su mejor poesía es una oda, *A Cristo crucificado*, llena de unción, de delicadeza y de belleza exquisita. Tradujo en verso *El hipócrita* y *El misántropo*, de Molière. Fue Marchena el primero, quizá—y este es su gran valor—, que marcó el interés por el *sentimentalismo*—característica netamente romántica—en sus epístolas *De Eloísa a Abelardo*. Ideológicamente, señala Marchena el principio de una evolución que ha de precipitarse en seguida.

La ideología liberalísima de Marchena —otra de las características que más abanderarían entre 1830 y 1875—también informa alguna de sus mejores composiciones: *Epístola a José Lanz sobre la libertad política*, *Apóstrofe a la libertad*. Marchena—por su vida—es, como Cadalso, un auténtico romántico, que pugna a oscuras por salir del salón de ambiente enrarecido que es el neoclásico, sin encontrar puerta.

Dominaba tan perfectamente el latín, que en este idioma fraguó un fragmento que llenaba una laguna del *Satiricón*, de Petronio, forjado con tal destreza, que fue tenido por auténtico por los más famosos críticos alemanes. También falsificó cuarenta versos de Catulo.

Otras obras: *Reflexiones sobre los emigrados franceses*, *Espectador francés*, *Ensayo de Teología*, *Polixena*—tragedia digna de figurar junto a las mejores de la época—, *Descripción de las Provincias Vascongadas*, *Lecciones de filosofía moral y elocuencia*.

Buena impresión de las obras de Marchena es la de Sevilla, 1896, en dos volúmenes.

V. SCHEVILL, R. S.: *El abate Marchena...*, en *Rev. Lit. Com.*, 1936, XVI, 180.—MENÉNDEZ PELAYO, M.: Prólogo a la edición de las obras del abate José Marchena, Sevilla, 1896.—ALARCOS, E.: *El abate José Marchena en Salamanca*, en el *Homenaje a Menéndez Pidal*, II, 457.

MARECHAL, Leopoldo.

Poeta y prosista argentino. Nació en Buenos Aires en 1901. Cursó sus estudios en la Escuela Normal de Profesores de la capital. Desde entonces se dedicó a la enseñanza y al cultivo de las bellas letras. Participó activamente en el movimiento literario de las revistas *Proa* y *Martín Fierro*. En 1929 publicó *Odas para el hombre y la mujer*, libro que obtuvo el primer "Premio Municipal" de Buenos Aires. Con *Laberinto de amor* y

M

Cinco poemas australes obtuvo en 1938 el tercer premio de la Comisión Nacional de Cultura; más tarde, con *El Centauro y Sonetos a Sophia*, alcanzó la más alta recompensa que el país confiere a sus escritores. Publicó, además, *Descenso y ascenso del alma por la belleza*, breve tratado de metafísica de lo bello, así como numerosos trabajos de crítica literaria y artística que aparecieron en *La Nación, Ortodoxia* y otras revistas especializadas. Sus poemas figuran en las siguientes antologías continentales: *Antología de la poesía española*, por Federico de Onís, Madrid, 1934; *Laurel*, México, 1941; *Argentine Antology*, por Patricio Gannon y Hugo Manning; *Antology Contemporary Latin American Poetry*, Norfolk, 1942; *New Directions*, Norfolk, 1944; *Lecturas Americanas*, Roque Scarpa, Santiago de Chile, 1944, y otras.

Desde la aparición de su primer libro, *Los Aguiluchos*, en 1922, fija en la literatura argentina su singularidad y su ímpetu metafórico en constante renovación. Galardonado con las más preciadas distinciones, tales como el "Premio Municipal de Buenos Aires" y el "Gran Premio Nacional de Literatura Leopoldo Marechal", que es también una alta autoridad universitaria, ha traspasado las fronteras de su patria, siendo saludado en España y en la total América como un lírico de la lengua castellana que logra el anhelado maridaje de lo antiguo y lo moderno, con un arrebato de centauro de la poesía eterna.

Como prosista, Marechal es autor de un ceñido tratado sobre *Metafísica de lo bello* y de una magnífica novela, *Adán Buenosayres*.

Otras obras: *Días como flechas*—1926—, *Odas del hombre y la mujer*—1929—, *Antología poética*, en la "Colección Austral"...

El gran escritor Alberto Guillén ha dicho de Marechal: "Le tengo por uno de los más grandes poetas nuevos."

V. GIUSTI, Roberto F.: *Panorama de la literatura argentina contemporánea*, en *Nosotros*, segunda época, núm. 68, Buenos Aires, noviembre 1941.—PINTO, Juana: *Panorama de la literatura argentina contemporánea*. Buenos Aires, 1941.—IBARRA, Néstor: *La nueva poesía argentina*.

MARÍA DE LA ANTIGUA, Sor.

Escritora y religiosa española. Nació —1566—en Cazalla de la Sierra. Y murió —1617—en el monasterio de Mercedarias descalzas de Lora del Río.

Su padre, maestro muy erudito en letras, la educó con gran esmero. Pero su vocación religiosa era irresistible, y cuando aún no había cumplido los doce años, ingresó en las Clarisas de Marchena (Sevilla). Fue maestra de novicias y priora. Y se distinguió tanto por sus virtudes como por sus escritos.

Asegura el padre Pedro de San Cecilio, su confesor, que sor María de la Antigua "dejó escritos más de mil trescientos cuadernos de alta y sustanciosa doctrina dictados por Dios".

Pero la obra que ha dado forma perdurable a sor María de la Antigua es la titulada *Desengaños de religiosos y de almas que tratan de virtud*, publicada en Sevilla en el año 1678.

La obra, de excelente ascética, es muy curiosa, tanto por la originalidad de sus conceptos y por la hondura de sus sentimientos, como por la naturalidad y viveza de su expresión. Habiendo vivido su autora en unos años en que el barroquismo más audaz se había apoderado de las letras castellanas, sor María de la Antigua apenas si comete pecados de gongorismo o de conceptismo. Sus imágenes son, en ocasiones, difíciles, pero no rebuscadas. Y sabe expresar sus emociones y sus ideas por los caminos más despejados y directos.

«MARÍA ENRIQUETA»

María Enriqueta Camarillo y Roa de Pereyra. Esposa del gran historiador e hispanófilo insigne Carlos Pereyra. Poetisa, novelista, cuentista y ensayista de mucho interés. Nació—1875—en Cohatepec (México). Al lado de su esposo viajó por todo el mundo, y sin que el valor de este le hiciera sombra, ganó fama para su sencillo nombre de María Enriqueta en Europa y en América. Su patria le ha erigido en vida un monumento, obra del gran escultor Victorio Macho. En España, donde ha vivido muchos años —velando la proximidad de los restos mortales de su entrañable compañero de vida—, se la admira, se la quiere y se la venera.

De ella dijo el violento Blanco-Fombona: "Es una novelista de primer orden, y su figura es excelsa en las letras de América." No hay feminidad más atractiva y más profunda que la suya. Un crítico, haciendo su biografía, dice: "Lee, toca el piano—por cierto, con rara perfección—, borda y atiende a las cosas de su estado como cualquier otra ama de casa, y jamás se las ha echado de no ser comprendida..." "Y así aparece en sus cantos: ni retóricas, ni histerismos, ni rebeldías a la moda; todo en ellos es sinceridad, sencillez, emoción honda y suave. El afilador que pasa, el gato que ronronea, la espumante marmita, un senderillo campestre, cualquiera prosaica menudencia adquiere, al reflejarse en su alma, un vivo e ignorado colorido, y se trueca en belleza y poesía."

Nada extremado, todo sin estridencias,

una dulce delicadeza exquisita, una suave melancolía que atrae, mucha cordialidad cálida, pero tranquila, ejemplar feminidad recatada... Todo ello resplandece en la poesía de María Enriqueta.

Como cuentista, es realmente excepcional, sobre todo cuando narra para los niños, a los que se dirige con palabras melificadas y con una fantasía espléndida.

Sus novelas son intensas, emotivas, originales, y están escritas en una prosa rica, luminosa. De una de ellas, *El secreto*, proclamó Manuel Ugarte: "Es una de las novelas más interesantes que se han publicado en estos últimos tiempos."

Obras: *Rumores de mi huerto*—1908—, *Rincones románticos*—1922—, *Album sentimental*—1926—, tres libros que definen su parábola poética; *Entre el polvo de un castillo*—cuentos infantiles—, *Mirlitón*—cuentos infantiles—, y las novelas, cortas y largas: *Girón de mundo, El misterio de su muerte, Sorpresas de la vida, Enigma y símbolo, Lo irremediable, El arca de colores, De mi vida...*

Sus *Rosas de la infancia* forman cuatro tomos de lecturas infantiles, aprobadas como obras de texto para las escuelas mexicanas.

V. Dotor, Angel: *María Enriqueta: Su vida y su obra.* Madrid.—González Peña, C.: *Historia de la literatura mexicana.* México, 1928.—Estrada, Jenaro: *Poetas nuevos de México.* México, 1916.—Jiménez Rueda, J.: *Historia de la literatura mexicana.* México, 1926.—Torres Rioseco, Arturo: *La novela en la América hispana.* Berkeley, 1939.

MARIANA, P. Juan de.

Célebre historiador y prosista español. Nació—1536—en Talavera de la Reina (Toledo). Murió—1624—en Toledo. Fue hijo natural del deán de la colegiata talaverana Juan Martínez de Mariana. Empezó a estudiar Artes y Teología en Alcalá. En 1554 entró en la Compañía de Jesús, haciendo el noviciado en Simancas, bajo la dirección del futuro San Francisco de Borja. Se ordenó en 1561, partiendo en seguida para Roma, donde enseñó Teología y tuvo discípulos tan aventajados como el luego famoso cardenal Belarmino. De Roma fue a Loreto—hasta 1565—. De Loreto, a Sicilia, donde enseñó hasta 1569. Luego marchó a París, y aun a Flandes, asombrando en todas partes por su ciencia, modestia y simpatía. Habiendo enfermado en 1574, se retiró a la casa profesa de su Orden en Toledo, de la que ya no volvió a salir.

Intervino como juez en las acusaciones lanzadas por León de Castro contra Arias Montano con motivo de la publicación—1569 a 1573—de la *Poliglota regia*, de Amberes, dando la razón a este. Fue juez, repetidas

veces, de las oposiciones a beneficios curados de la diócesis, y "es curioso el dato de que las cartas de recomendación que recibía las empleaba para borradores de sus escritos".

Tomó parte en la impresión de las obras de San Isidoro, que salió en 1599 bajo el nombre de *Grial*. Intervino en la redacción del *Indice* de libros prohibidos que mandó redactar el cardenal Quiroga, y en el Concilio de Toledo de 1582. En 1609, acusado por el favorito del duque de Lerma y juzgado por el Santo Oficio con motivo de la publicación de su opúsculo *De mutatione monetae*—aplaudido en toda Europa, pero en el que creía haber una crítica aquel necio ministro—, el padre Mariana quedó recluido y asegurado en el convento de San Francisco, de Madrid, donde permaneció no más de un año, pues ni en Roma ni en Madrid fallaron contra él, pese a la acusación que sostuvo con vigor, pericia y saña el licenciado Gil Imón de la Mota.

Otros serios disgustos tuvo el padre Mariana. Habiendo sido asesinado Enrique IV de Francia, se le achacó que su obra *De Rege* había inducido al matador Ravailhac, ya que en tal obra se justifica el regicidio, siempre que se den expresamente determinadas condiciones. También le proporcionó hondísimos pesares su opúsculo *Discurso de los grandes defectos que hay en la forma de gobierno de los jesuitas*—1625—, que él guardaba secretamente y que alguien divulgó para combatir a la Compañía.

Mariana fue un buen prosista, lleno de nervio y de casticismo. No era, en modo alguno, pensador de altos vuelos, pero sí un crítico avisado, inteligente y comprensivo, un sutilísimo avivador de temas de mucha calidad.

Como historiador... "La manera grave y sobria de tratar los asuntos; la elevación del estilo, con cierto tinte arcaico que lo ennoblece; los rasgos briosos con que pinta los caracteres, las hondas sentencias políticas que los acontecimientos le sugieren, hacen que su *Historia* sea la mejor escrita en castellano. El padre Mariana, por su gravedad, macizo saber, elegantísimo y castizo decir, entereza de carácter y valentía en manifestar honradamente su parecer, es de los varones que más cumplidamente han encarnado el espíritu español y de los que más gloriosamente han honrado a su raza." (Cejador.)

La obra fundamental del padre Mariana, su *Historia*, no es obra científica, ni él se empeñó en que lo fuese. Puso el trabajo que pudo en averiguar la verdad; pero, como él dijo: "Yo nunca pretendí hacer historia de España ni examinar todos los particulares, que fuera nunca acabar, sino

M

poner en estilo y lengua latina lo que otros tenían juntado."

En efecto, su magistral obra apareció primero en latín: *Historiae de rebus Hispaniae, libri XXX*—1592, en España, y 1605, en Maguncia—. Entre estas dos fechas apareció la versión castellana, hecha por el mismo autor—Toledo, 1601—, que no es una mera traducción, sino una ampliación magnífica, en que el autor se adapta a las necesidades del idioma y al público. "La grandeza de España se conservará en esta obra", exclamó, con legítimo orgullo. Realmente, esta *Historia* es un modelo delicioso de bien narrar, de amenidad y de finísimo sentido crítico.

Su éxito fue inmediato y apoteótico. Se tradujo en seguida al francés y al italiano. Se multiplicaron las ediciones... Madrid, 1608, 1617, 1623, 1635, 1650, 1669, 1678, 1733 y 1734, 1741, 1780-1784, 1817-1822...; Lyon, 1679 y 1719; Amberes, 1737, 1739; Roma, 1704; Valencia, 1783-1796...

Modernamente, abundan las impresiones, siendo todavía la más segura la comprendida en los tomos XXX y XXXI de la "Biblioteca de Autores Españoles", de Rivadeneyra—Madrid, 1854, dos tomos—, *Antología*—Madrid, Editora Nacional, dos tomos.

Otras obras: *De Rege et Regis institutione*—Toledo, 1598—, *De ponderibus et mensuris*—Toledo, 1599—, *Discurso de las cosas de la Compañía...*—1605—, *Septem tractatus Joannis marianae e Societate Jesu*—Colonia, 1609—, que comprende los siguientes opúsculos: I *De adventu S. Jacobi*. II. *Pro editione Vulgata*. III. *De spectaculis*. IV. *De mutatione monetae*. V. *De die mortis Christi*. VI. *De annis arabum cum annis nostris comparatis*. VII. *De morte et inmortalitate, libri III*. S. *Isidorus contra Judaeos*, enmendado y anotado—Madrid, 1596—, *Ejusdem proemia in libros Veteris et Novi Testamenti*—Madrid, 1596—, *Ejusdem Synonimorum, libri II*—Madrid, 1596—, *Schola in Vetus et Novum Testamentum*—Madrid, 1619—y alguna otra más, quedando manuscritas las *Advertencias a las tablas genealógicas de Esteban de Garibay*.

De estas obras, traducidas en seguida, alguna por el mismo autor, al castellano, se hicieron repetidas ediciones en los siglos XVII, XVIII y XIX. Modernamente, pueden leerse en el tomo XXXI—Madrid, 1854—de la "Biblioteca de Autores Españoles", de Rivadeneyra.

V. CIROT, G.: *Mariana historien*. Burdeos, 1904.—GONZÁLEZ DE LA CALLE, P. U.: *Ideas político-morales del padre Mariana*, en *Revista de Archivos*, 1913-1915.—PÉREZ GOYENA, A.: *Mariana considerado como teólogo*, en *Estudios Eclesiásticos*, 1924 y 1925.—GONZÁLEZ PALENCIA, A.: *Polémica entre el*

padre Mantuano y F. Tamayo de Vargas con motivo de la "*Historia*" del P. Mariana, en *Boletín de la Academia Española*.—GARCÍA VILLADA, Z.: *Mariana, historiador*, en *Razón y Fe*, 1924.—LAURÉS, J.: *Ideas fiscales de cinco grandes jesuitas españoles*, en *Razón y Fe*, 1928.—LAURÉS, J.: *The Political Economy of Mariana*. Nueva York, 1928.—CIROT, G.: *Mariana, jesuite. La jeunesse*, en *Biblioteca Hisp*, 1935, XXXVIII, 295.—GARZÓN, P.: *El P. Juan de Mariana y las escuelas liberales*. Madrid, 1889.—KÖHLER, G.: *Juan de Mariana als politischer Denker...* Dss. Leipzig, 1938.—CIROT, G.: *Le roman du P. Mariana*, en *Biblioteca Hisp.*, 1920, XXII, 269.—BESSON, P.: *Juan de Mariana, expurgado*, en *Rev. Crít.*, 1916, XXXVII, 110.—BALLESTEROS, Manuel: Estudio y notas en la *Antología*. Madrid, Editora Nacional, dos tomos.

MARÍAS, Julián.

Filósofo y ensayista. Nació—1914—en Valladolid, residiendo en Madrid desde 1919. Doctor en Filosofía por la Universidad Central. Redactor de los *Cuadernos de la Facultad de Filosofía y Letras* (1935-1936). Colaborador de la *Revista de Occidente y Cruz y Raya*. Discípulo de Ortega y Gasset y Zubiri. En 1947, la Academia Española concedió el "Premio Fastenrath" a su libro *Miguel de Unamuno*. Ha dado numerosas y admirables conferencias en España y Portugal. Miembro de número de la Real Academia Española.

Es uno de los filósofos y ensayistas más interesantes de la España actual. De vastísima cultura, divulgador magistral de los temas más complicados, su estilo es imagen de la serenidad y de la sencillez. Cofundador, con Ortega y Gasset, del Instituto de Humanidades. Profesor de curso en varias Universidades: Harvard, Yale, Puerto Rico.

Obras: *Historia de la Filosofía*—Madrid, 1941; 4.ª edición, 1948—, *La Filosofía del Padre Gratry*—Madrid, 1941; 2.ª edición, Buenos Aires, 1948—, *Miguel de Unamuno* —Madrid, 1943—, *San Anselmo y el insensato, y otros estudios de Filosofía*—Madrid, 1944—; *Introducción a la Filosofía*—Madrid, 1947—, *El tema del hombre* (Antología filosófica)—Madrid, 1943—, *Ortega y la idea de la razón vital*—Madrid, 1948—, *Ortega y tres antípodas*—1950—, *El existencialismo en España*—1953—, *Idea de la metafísica* —1954—, *Biografía de la Filosofía*—1954—, *Ensayos de teoría*—1954—, *Circunstancia y vocación*—1960—, *Imagen de la India* —1961—, *Obras completas*—Madrid, *Revista de Occidente*, 8 tomos, 1958-1970—, *La España poética en tiempo de Carlos III*—Madrid, 1963—, *Aquí y ahora, Ensayos de convivencia, El intelectual y su mundo, El método* histórico de las generaciones, La imagen de la vida humana, El oficio del pensamiento, Los españoles, El tiempo que ni vuelve ni tropieza.

Textos anotados: Discurso de Metafísica, de Leibniz—Madrid, 1942—, Sobre la felicidad, de Séneca—Madrid, 1943—, Teoría de las concepciones del mundo, de Dilthey—Madrid, 1944.

Otros escritos: Introduçao à Filosofia contemporânea—Coimbra, 1943—, El saber histórico en Herodoto—Leonardo, Barcelona, 1946—, La Escolástica en su mundo y en el nuestro—Revista de Psicología General y Aplicada, Madrid, 1947—, Sobre una Psicología del español—Revista de Psicología General y Aplicada, Madrid, 1947—, Francisco Suárez—The Dublin Review, Londres, 1948—, Prólogo a Obras selectas de Miguel de Unamuno—Madrid, 1946—, Filosofía española actual: Unamuno, Ortega, Morente, Zubiri—Buenos Aires—, La Filosofía en sus textos (Antología)—Barcelona—, Fedro, de Platón—texto anotado, Buenos Aires.

MARICHALAR, Antonio.

Prosista español. Nació—1893—en Logroño. Marqués de Montesa. Abogado por la Universidad de Madrid. Colaborador de diarios y revistas, españoles y extranjeros, de importancia... The Criteriom, Revista de Occidente, El Sol, Escorial... De la Real Academia de la Historia.

Marichalar es uno de los más puros prosistas de la actual generación de escritores españoles. Posee una originalidad grande. Su cultura es selecta. Sus ideas son profundas y sumamente sugestivas.

Ha escrito prólogos admirables a obras de Joyce, Montherland, O'Flaherty...

Obras: Palma—1923—, Girola—1926, críticas de arte—, Riesgo y ventura del duque de Osuna—1930, biografía ejemplar en todos conceptos, modelo de prosa llena de colorido.

Pero aún supera—en amenidad, en rigor histórico, en prosa noble y exquisita—su última biografía: Julián Romero—Madrid, Espasa-Calpe, 1952—, Mentira desnuda—Madrid, 1933—, Tres figuras del siglo XVI—Madrid, 1945—, Las cadenas del duque de Alba—Madrid, 1947.

MARÍN DEL SOLAR, Mercedes.

Poetisa chilena. 1804-1866. Nació en Santiago. Alcanzó rápida notoriedad con su inspiradísimo Canto fúnebre a la muerte de don Diego Portales, ilustre estadista. Desde entonces colaboró en periódicos y revistas, mereciendo los más encendidos elogios de la crítica. Andrés Bello la llamó la Musa de la caridad cristiana.

Por la entonación de su musa y los temas de su inspiración, esta ilustre poetisa debe quedar colocada en una poesía de transición, más cerca del prerromanticismo que del clasicismo.

Sus Poesías—Santiago, 1874—fueron coleccionadas por su hijo don Enrique del Solar. Entre ellas sobresalen las tituladas: Canto a la caridad, Dulce es morir, Plegaria al pie de la cruz.

Dejó, además, escritas en prosa las Biografías de su padre, del primer arzobispo de Santiago, don Manuel Vicuña—1843—, y del arcediano don José Miguel del Solar—1847.

V. AMUNÁTEGUI, Miguel Luis: Ensayos biográficos. Santiago, cuatro tomos, 1893-1895. AMUNÁTEGUI, Miguel Luis: La alborada poética en Chile. Santiago, 1892.—LATORRE, Mariano: La literatura de Chile. Buenos Aires, Facultad de Filosofía y Letras, 1941.

MARISCAL MONTES, Julio.

Nació en Arcos de la Frontera (Cádiz) el 18 de noviembre de 1925.

En 1951 fundó con un grupo de poetas gaditanos la revista Platero. En 1952 funda y dirige en Madrid Arquero de poesía. Es cofundador de la revista Alcaraván, de Arcos de la Frontera, y colaborador asiduo en la Prensa y publicaciones de poesía de España e Hispanoamérica.

Ha publicado: Quinta palabra, Corral de muertos—"Colección Nebli", Madrid, 1954—, Pasan hombres oscuros—"Colección Adonais", Madrid, 1955—, Poemas de ausencia —"Colección Lazarillo", Madrid, 1957.

Obras inéditas: Tierra de secanos, Cada día, Poemas a Soledad, Tierra, etc., todas de poesía, y un libro en prosa sobre temas andaluces.

MÁRMOL, José.

Interesante y notable poeta y novelista. 1818-1871. Nació en Buenos Aires. Y cursaba estudios en la Facultad de Derecho, hacia los veintidós años, "cuando fue puesto en un calabozo con una barra de grillos e incomunicado" por orden del tirano Rosas. Solamente siete días duró su prisión. Aterrado, apenas libre, huyó a Montevideo, donde empezó a colaborar en periódicos políticos y literarios. Fundó El Album y La Semana. Al ser sitiada por Oribe la ciudad en que vivía, marchó a Río de Janeiro. Caído Rosas, volvió a Buenos Aires y fue diputado y senador, desempeñó el cargo de director de la Biblioteca Nacional.

Según Groussac, "su ignorancia era enciclopédica".

Menéndez Pelayo: "A todos los poetas —de su época—, incluso el mismo Echeve-

M

rría, excedió en reputación popular durante su tiempo, y aun puede decirse que, en parte, la conserva otro ingenio romántico, muy desaliñado y muy inculto, lleno de pecados contra la pureza de la lengua, de expresiones impropias y de imágenes incoherentes; pero versificador sereno, viril, robusto, superior a todos sus contemporáneos en la invectiva política, porque tenía el alma más apasionada que todos ellos, y dotado al mismo tiempo de grandes condiciones para la descripción que pudiéramos llamar lírica, para reflejar la impresión de la Naturaleza, no en el detalle, sino por grandes masas. Tal fue José Mármol..."

Fino romántico, improvisador corrido, encarnación del romanticismo argentino, zorrillesco y byroniano, de alma apasionada, ya de furor, ya de melancolía.

Se hizo famosa su novela *Amalia,* numerosas veces reimpresa, y, en verdad, un novelón a la manera de los de Sué o Dumas, en el que existen indudables aciertos en las situaciones dramáticas, muy movidas, en la pintura, a estilo romántico, y en las descripciones, que son más de poeta que de psicólogo. Peca, a veces, de ñoñez.

Otras obras: *El poeta*—drama, 1842—, *El cruzado*—drama—, *El peregrino*—poemas, 1846—, *Armonías*—poemas, 1851—, *Examen crítico de la juventud progresista de Río de Janeiro*—Montevideo, 1841—, *Manuel Rosas* —1851—, *Obras poéticas y dramáticas de José Mármol*—París, Bouret, coleccionadas por José Domingo Cortés...

V. MENÉNDEZ PELAYO, M.: *Historia de la poesía hispanoamericana.* Madrid, 1913.—VALERA, Juan: *Cartas americanas.* Madrid, 1889. ROJAS, Ricardo: *La literatura argentina.* Buenos Aires, 1924.—GARCÍA VELLOSO, E.: *Historia de la literatura argentina.* Buenos Aires, 1914.—BOSCH, Mariano: *Historia del teatro en Buenos Aires,* 1910.—MOYA, Ismael: *Los orígenes del teatro y de la novela argentina.* Buenos Aires, 1925.

MÁRMOL, Manuel María del.

Poeta y erudito español. Nació—1776—y murió—1840—en Sevilla. Sacerdote. Fue, por sus propios méritos, capellán real, revisor de libros del Santo Oficio, examinador sinodal, director de la Real Academia de Buenas Letras y de la Sociedad Económica Sevillana, catedrático de Filosofía y gran orador. Enemigo del escolasticismo, propagó las teorías de Wolf, quien, a su vez, había desenvuelto con gran originalidad el sistema de Leibniz. En política fue absolutista y partidario de Fernando VII.

Mármol muestra en la mayoría de sus obras, principalmente en las puramente literarias, facilidad y galanura de estilo, cier-

ta lozanía de pensamiento y una gran pureza de lenguaje. De sus poesías, son los romances piezas poéticas de la mejor estima.

Obras literarias: *Los amantes generosos* —drama pastoril—, *Colección de poesías diversas*—Huelva, 1828—, *Colección de epigramas*—Huelva, 1828—, *"Romancero"*—Sevilla, 1834—, *Relación de las demostraciones, de júbilo, amor y lealtad desde el 4 de abril de 1814 por las glorias de la nación triunfante*—Sanlúcar de Barrameda, 1814.

V. ANÓNIMO: *Manuel María del Mármol,* en el *Semanario Pintoresco Español,* 1845, página 393.—LISTA, Alberto: *Discurso.*

MÁRMOL Y CARVAJAL, Luis del.

Historiador y literato español. Nació —¿1520?—en Granada. Murió en 1600. Asistió como bravo soldado a la conquista de Túnez—1535—. Y al terminar esta permaneció en Africa por espacio de veintidós años; algunos de ellos sirviendo en las empresas del césar Carlos I; otros, en cautiverios terribles, de los que escapó milagrosamente. Estudió con ahínco la historia, tradiciones y costumbres de los lugares que visitaba. Fue comisario y ordenador del ejército español en Africa. Su nombre figura en el *Catálogo de autoridades* del idioma, publicado por la Real Academia Española.

Obras: *Descripción general del Africa* —Granada, 1573—, *Historia de la rebelión y castigo de los moriscos de Granada*—Málaga, 1600.

Esta última obra de Mármol y Carvajal —que tuvo un éxito grande, y de la que se hicieron ediciones en Madrid, 1757, 1792, 1797—puede leerse hoy en el tomo XXI de la "Biblioteca de Autores Españoles", de Rivadeneyra.

V. FUETER, E.: *Historiografía,* 297.

MARQUERÍE, Alfredo.

Poeta, novelista, periodista y crítico literario español. Nació—1907—en Mahón (Menorca). Pasó su infancia y su juventud en Segovia. Doctor en Derecho. Del Cuerpo de Secretarios de Ayuntamiento y Diputaciones de primera categoría.

Después de colaborar activamente en las revistas de literatura nueva desde 1922 a 1930—*Vértice, Manantial, Parábola, Meseta, Mediodía, Dos, Papel de Vasar, Alfar,* etc.—, estrena, en colaboración con José María Alfaro, una obra teatral en verso, titulada *Fue en una venta,* que se representa en el teatro de la Comedia, de Madrid, y que es acogida con elogio por la crítica, en el año 1926. Ingresa en 1932 en la Redacción del diario madrileño *Informaciones,* del que será subdirector, y en el mismo periódico, desde 1940, crítico teatral, hasta que pasa a ocupar ese puesto de crítico teatral también en *A B C* en el año 1944, y posteriormente en el diario *Pueblo,* cargo que desempeña en la actualidad.

Como corresponsal periodístico viajó por Marruecos, Inglaterra, Francia, Alemania, Polonia y Rusia. Fundó el diario *España,* de Tánger. Durante la guerra civil española trabajó en la revista *Vértice* y en diversos periódicos.

Actuó y actúa como cronista de "radio". Fue crítico de libros en diversas publicaciones y emisoras desde 1923 hasta 1943. Dio conferencias en las más varias tribunas sobre temas de arte, literatura y teatro. En la actualidad—1973—es crítico teatral del diario madrileño *Pueblo.* Antes lo fue casi veinte años en el diario *A B C.*

Marqueríe posee los siguientes premios: Accésit del "Premio Nacional de Literatura", por *Reloj,* 1934. "Premio de la Cámara Oficial del Libro de España"—1933—, por la mayor y mejor colección de críticas bibliográficas publicadas durante el citado año. "Luca de Tena de Periodismo, 1939", por su artículo *Oro mediterráneo* (elogio de las naranjas valencianas). "Rodríguez Santa María" (compartido), de crítica teatral—1943—, otorgado por la Asociación de la Prensa de Madrid. "Premio de crónicas sobre temas madrileños, del Ayuntamiento de la capital de España" —1944.

Sus obras son:

Verso: *Rosas líricas*—Segovia, 1933—, *Veintitrés poemas*—Segovia, 1927—, *Madrid: lilas de mayo*—Madrid, 1933—, *Reloj*—Segovia, 1934—, *Arquita de Noé*—poemas para niños, Madrid, 1947.

Crítica y ensayo: *Artistas y temas segovianos*—Segovia, 1932—, *Desde la silla eléctrica*—Madrid, 1942—, *Sobre la vida y la obra de don Carlos Arniches*—Madrid, 1944—, *En la jaula de los leones*—Madrid, 1944—, *Jardiel Poncela y su teatro*—Bilbao, 1945—, *Madrid hoy*—Madrid, 1945—, *España, ¡qué país!*—1969.

Viajes: *Inglaterra y los ingleses*—Madrid, 1939.

Biografía: *Francisco Pizarro, largo en vida y en hazañas*—Madrid, 1945—, *María de Padilla*—Madrid, 1947.

Novela: *Una vida estúpida*—Madrid, 1934—, *Blas y su mecanógrafa*—Sevilla, 1939—, *Cuatro pisos y la portería*—Madrid, 1940—, *Don Laureano y sus seis aventuras*—Madrid, 1940—, *Novelas para leer en un viaje*—Madrid, 1942—, *El misterio del circo*—Madrid, 1942—, *Nuevas aventuras de don Laureano*—Barcelona, 1945—, *Cuando cae el telón*—Madrid, La Nave, 1949...

Otras obras: *El agua hierve*—teatro—, *Cuatro en el juego*—teatro—, *Veinte años de teatro en España*—1959.

MÁRQUEZ, P. Juan.

Poeta, teólogo y prosista didáctico español. Nació—1565—en Madrid, según consta en el acta de su profesión religiosa. Murió —1621—en Salamanca. Estudió en la Universidad salmantina Teología y Cánones. Profesó de agustino en el famoso convento de San Felipe el Real, de Madrid, el año 1581. Se graduó Bachiller en Toledo y maestro en Teología—1589—, incorporando sus grados a la Universidad salmantina, donde los había iniciado. Catedrático de Vísperas en este celebérrimo centro cultural—1597—. Calificador del Santo Oficio—1600—. Predicador y consejero—1616—de Felipe III. Murió siendo prior del convento de San Agustín, de Salamanca.

Todos sus contemporáneos le admiraron y le celebraron públicamente... Lope de Vega, Tirso de Molina, Juan de Mariana, Malón de Chaide... Su nombre figura en el *Catálogo de autoridades* del idioma, publicado por la Real Academia Española. Se dice que sobre su lauda sepulcral se esculpió la frase: *Eloquentiae flumen et fulmen.*

En las obras de este singular agustino corren parejas la erudición sólida y exquisita con un estilo grave, terso, lleno de fuerza y belleza. Jamás cae en el énfasis declamatorio. Gran didáctico, sus obras no son propiamente ascéticas, pero rezuman solera de la más clara teología y del pensamiento más profundo.

Obras: *Los dos estados de la espiritual Hierusalem, sobre los salmos CXXV y CXXXVI*—Barcelona, 1603, obra vertida al francés, y de la que hay un manuscrito en la Biblioteca Nacional de Madrid—, *El gobernador christiano deducido de las vidas de Moisés y Josué*—Pamplona, 1615, refutación de *El príncipe,* de Maquiavelo, con traducción francesa de Domingo de Virión y traducción italiana de Martín de San Bernardo—, *Origen de los frailes ermitaños de la Orden de San Agustín*—Salamanca, 1618, traducida al italiano—, *Vida del V. P. F. Alonso de Orozco*—Madrid, 1648.

Las poesías—muy bellas—del padre Márquez son paráfrasis de los salmos, y van intercaladas en *Los dos estados de la espiritual Hierusalem...*

V. SANTIAGO VELA, P. G. de: *Ensayo de una biblioteca iberoamericana de la Orden de San Agustín.* Volumen V.—CARDENAL IRACHETA, M.: *Estudio* en la *Antología* del P. Juan Márquez. Madrid, Editora Nacional, ¿1947?

MARQUINA, Eduardo.

Notable poeta, novelista y autor dramático español. Nació—1879—en Barcelona. Murió—1946—en Nueva York. Terminados en la misma ciudad condal sus primeros estu-

M

dios, Marquina, empujado por su vocación irresistible de poeta, se dedicó por completo a la literatura. Empezó escribiendo crónicas en *La Publicidad;* crónicas poemáticas pletóricas de sugerencias, reconcomidas de ilusiones juveniles. En 1899 publicó su primera obra dramática: *Jesús y el diablo;* un año después, su primer libro de versos: *Odas,* muy elogiado por crítico tan excepcional como don Juan Valera: "Viva y honda es casi siempre la percepción que el poeta tiene de lo grande y de lo hermoso de la Naturaleza, y no pocas veces sabe comunicarnos el propio sentimiento suyo con maestría y sobriedad vigorosa."

¿Poeta y con veinte años? Un primer sueño irresistible: Madrid. Con el producto de sus *Odas,* el poeta llegó a Madrid. Su primera visita fue para su panegirista. Valera. Después... Casas de huéspedes. Un poco de vida bohemia. Noches de claro en claro. Tertulias literarias de café. El Ateneo. Las Redacciones de los periódicos hasta las tantas de la madrugada. Y dos nuevos libros de poesías: *Eglogas* y *Vendimias,* y merced a la amistad de Chapí, el estreno de *El pastor,* obra que no despertó grandes entusiasmos.

Felizmente para Eduardo Marquina, su bohemia literaria terminó pronto. En 1908 estrenó *Las hijas del Cid;* en 1910, *Doña María la Brava;* en 1911, *En Flandes se ha puesto el sol...* La Real Academia Española premió estas obras hermosísimas, con una ejemplaridad española sin tacha, y el público las gustó con reiteración singular. Y ya la gloria teatral y poética, jamás puesta en tela de juicio por la crítica. Pocos autores como Marquina han tenido el orgullo de inspirar siempre la admiración más profunda en los triunfos y el respeto más completo en los fracasos—escasísimos en nuestro autor, y aun ellos con aciertos parciales indudables—, y con la gloria, el trabajo continuado, severo, de propias exigencias insobornables, la idea de la responsabilidad, el anhelo de no defraudar nunca a la expectación que le espera delante de las candilejas.

Eduardo Marquina, poeta puro, en nada desmerece de Eduardo Marquina dramaturgo. Es el mejor elogio que podemos hacer de quien empezó escribiendo poesías apenas salido de la niñez. De Eduardo Marquina poeta puro ha escrito Gómez de Baquero —uno de los más sutiles y severos críticos españoles—: "Marquina es uno de los poetas más personales, de los que menos se parecen a otros, y menos influidos se muestran por las tendencias dominantes en la poesía contemporánea. No es un modernista ni un clásico. Poeta muy de su tiempo, es moderno, ante todo, en esa facultad de comprender todas las épocas y estilos del

arte, que hace de la hora actual una hora sincrética, de múltiples renacimientos, en que toda historia humana revive a nuestro alrededor sin divorciarnos de lo presente, ofreciéndonos su espectáculo, su emoción, su lejano aroma. Pero, con ser moderno, Marquina no participa de los morbosos extravíos de una gran parte de la lírica contemporánea. Poeta de ideas, poeta de amor fuerte y honesto..., su inspiración no es solitaria, ni se encierra en las moradas interiores: se asoma gustosa al espectáculo del mundo, y acompaña con su vibración a las figuras y a las escenas que desfilan por el escenario del drama humano. Eduardo Marquina no es solo uno de los poetas más notables, sino uno de los más interesantes." Y el gran crítico inglés Fitzmaurice-Kelly califica a las poesías de Marquina "como obras de inspiración sana, fresca, briosa".

Marquina fue presidente de la Sociedad General de Autores de España y miembro numerario de la Real Academia Española de la Lengua.

Otras obras dramáticas: *El rey trovador* —1912—, *Por los pecados del rey*—1913—, *Las flores de Aragón*—1915—, *El Gran Capitán*—1916—, *Una mujer, Alondra, Alimaña, Don Diego de Noche, El pavo real, Don Luis Mejía, Una noche en Venecia, El pobrecito carpintero, El monje blanco, Fruto bendito, La ermita, la fuente y el río; Salvadora, Teresa de Jesús, Fuente escondida, Sin horca ni cuchillo, La Santa Hermandad, Los Julianes...*

Entre sus libros más importantes de poemas cabe destacar: *Vendimión, Canciones del momento, Eglogas, Elegías, Juglarías, Breviario de un año, Vendimias, Tierras de España, Odas.*

Pero, además de gran dramaturgo y de gran poeta, Marquina es un gran novelista. Como tal, se muestra admirable en el estudio del ambiente y de los personajes, original y sugestivo en la invención, habilísimo en la técnica... ¡y poeta en la delicadeza con que mueve a sus criaturas hacia el bien o hacia el mal, hacia el amor y hacia el dolor!

La caravana, El beso de oro, La pasión de Mr. Castle, Agua en cisterna, El beso en la herida, Dos vidas, Almas anónimas, Maternidad, son libros novelescos que el lector no olvidará nunca.

Texto: *Obras completas,* ed. en siete volúmenes, Madrid, M. Aguilar, 1945.

V. González-Blanco, Andrés: *Los dramaturgos españoles contemporáneos.* Primera serie. Valencia, edit. Cervantes, 1916.—Rogerio Sánchez, José: *El teatro poético: Valle-Inclán, Marquina.* Madrid, edit. Hernando, 1914.—González Ruiz, N.: *En esta hora (Críticas).* Madrid, 1925.—Juliá Martínez, Eduardo: *Eduardo Marquina, poeta lírico y dramático*, en *Cuadernos de Literatura Contemporánea*. Madrid, núm. 3, 1942.—SAINZ DE ROBLES, F. C.: *La novela española en el siglo XX*. Madrid, Pegaso, 1957.—NORA, Eugenio G. de: *La novela española contemporánea*. Madrid, Gredos, 1958. Tomo I.—GARCÍA DÍAZ, Pablo: *Introducción a la vida y al teatro de Eduardo Marquina*. Tesis doctoral. *Revista de la Universidad de Madrid*, 1952.—MONTERO ALONSO, José: *Vida de Eduardo Marquina*. Madrid, Editora Nacional, 1965.

MARRERO, Vicente.

Ensayista, biógrafo, historiador español. Nació—1922—en Arucas (Gran Canaria). Inició la carrera de Derecho en la Universidad de la Laguna y la terminó, con la licenciatura, en Salamanca. En la Universidad de Madrid se doctoró, obteniendo las máximas calificaciones. Apenas cumplidos los veintiún años, marchó—con un estipendio Humboldt—para ampliar estudios en la Universidad de Friburgo (Alemania), de la que fue nombrado lector de español, cargo que desempeñó durante seis años. De regreso a España, con otros compañeros, fundó una editorial, en la que publicó su primera obra: *Picasso y el toro*—traducida en seguida al inglés y al alemán—y que en España motivó una crítica unánimemente elogiosa. Fue director, desde su fundación, de la afamada revista *Punta Europa*.

Adscrito a la secretaría de la revista *Arbor*, inició su colaboración en importantes revistas nacionales y extranjeras, sus continuados viajes europeos, sus contactos fecundos con personalidades eminentes de otros países.

Libros de arte: *Picasso y el toro*—2.ª edición, 1955—, *El enigma de España en la danza española*—2.ª edición, 1959, "Premio 18 de Julio, 1959"—, *La escultura en movimiento en Angel Ferrant*—1954.

Libros de ensayos: *Maeztu*—1955, "Premio Nacional de Literatura, 1955"—, *El Cristo de Unamuno*—1960—, *Ortega, filósofo mondain*—1961—, *Guardini, Picasso, Heidegger. Tres visitas*—2.ª edición, 1959—, *El poder entrañable*—1952—, *La guerra española y el trust de los cerebros*—2.ª edición, revisada, 1962—, *La consolidación política. Teoría de una posibilidad española*—1964...

En su revista *Punta Europa* ha publicado extensos, importantes ensayos, como el titulado *De diálogo en diálogo*—núm. 90—. Sus ensayos estéticos aparecen en revistas: *Poesía Española, Caracola, Agora*.

MARRERO ARISTY, Ramón.

De la República Dominicana. Novelista. Nació en 1916. Sus novelas son reflejo fiel de la vida campesina y de los ingenios azucareros. Es especialmente notable su novela *Over*—1939—. Ha publicado también varios cuentos.

MARRODÁN, Mario Angel.

Nació—1932—en Portugalete, provincia de Vizcaya, donde actualmente reside. Casado y con una hija. Es licenciado en Derecho e inició estudios de Filosofía y Letras. Realizador de publicaciones poéticas, como los pliegos "Pleamar" (Estaciones de Poesía), las hojas *Boletín Lírico de la Juventud Española* y la colección de libros *Alrededor de la Mesa* (Comunicación poética). Ha colaborado en multitud de revistas de poesía españolas y extranjeras con asidua frecuencia. Está en posesión de varios diplomas literarios. Ha sido traducido al portugués, francés, italiano e inglés.

Tiene publicados los siguientes libros de poesía: *Ansia en vida*—"Colección Halcón", Valladolid, 1950—, *Mundo de la sangre*—Ediciones Dabo, Palma de Mallorca, 1952—, *La razón contemplativa* (Ensayo)—"Cuadernos Alcántara", Cáceres, 1954—, *Carne de angustia*—Gráficas Bachende, Madrid, 1955—, *Oficio terrenal*—Ediciones Norte, Barcelona, 1956—, *El laurel sombrío* (Antología)—"Colección Doña Endrina", Guadalajara, 1956—, *La materia infinita*—"Colección Aturuxo", El Ferrol, 1957—, *El alma y los sentidos* —"Colección Lírica Hispana", Caracas, Venezuela, 1959—, *Memoria de hombre* (Antología)—Clube de Poesía de Campos, Brasil, 1959—, *Destino de la criatura*—Comunicación poética "Alrededor de la mesa", Bilbao, 1959—, *Poética elemental* (Ensayo)—"Colección Huguín", Pontevedra, 1959—, *Entrailles ou hymne* (Chants a l'Espagne)—"Collection Jouvence", Bruxelles, Bélgica, 1960—, *La vérité essentielle* (Choix de Poèmes) —Editions "Profils Poétiques", Nice, Francia, 1960—, *Conciencia del universo*—Comunicación poética "Alrededor de la mesa", Bilbao, 1960—, *Canto Sem Margens* (Poemas Escolhidos)—"Coleçao Documento Poético", Lisboa, Portugal, 1960—, *Los nimbos*—Ediciones Agora, Madrid, 1961—, *Entraña o himno*—"Cuadernos La Brújula", Buenos Aires (Argentina), 1961—, *Preludio desde el cuerpo* —"Colección Orejudín", Zaragoza, 1961—, *Las fantasías profundas*—Ediciones Agem, Madrid, 1961—, *Las raíces del espíritu*—"Colección Rocamador", Palencia, 1961—, *Mar y sol*—Comunicación poética "Alrededor de la mesa", Bilbao, 1962.

MARROQUÍN, José Manuel.

Poeta, novelista y cronista. Nació—1827— y murió—1908—en Bogotá (Colombia). "El Castellano de Yerbabuena" fue llamado, por

M

el solar heredado de sus antepasados, con una gran fortuna, que le permitió entregarse al regocijo intelectual. Estudió Humanidades en el seminario de su ciudad natal, y en la Universidad bogotana se graduó en Derecho y en Filosofía. Director de la Academia Colombiana. Vicepresidente de la República en 1901. Colaborador asiduo de *El Repertorio Colombiano*, revista órgano de aquella Academia.

Uno de los mejores hablistas hispanoamericanos. Marroquín tuvo un fino sentido de la observación, talento descriptivo, limpia prosa y escéptica ironía, ingenio agudo y festivo, inspiración grande, aun cuando *algo fría;* estilo "transido de humanidad". Poseyó también una formación humanista excepcional.

Obras: *El moro*—novela, Nueva York, 1897—, *Gil Blas*—novela, Bogotá, 1896—, *Entre primos*—Bogotá, 1897—, *Amores y leyes* —novela, Bogotá, 1898—, *Nada nuevo*—historias y cuentos, Bogotá, 1908—, *Cuentos alegres y cuentos tristes*—1920—, *Artículos* —Bogotá, 1920—, *Arar en el mar*—ensayos filológicos, 1893—, *Cartas a Rufino J. Cuervo* —1886 y 1889—, *Tratado completo de ortografía castellana*—1858—, *Poesías*—1867...

V. Mora, Luis María: *Biografía de don José Manuel Marroquín*. El Centro, 1897.— Marroquín y Ossorio, José M.: *Don José Manuel Marroquín íntimo*. Bogotá, 1915.— Arango Ferrer, Javier: *La literatura de Colombia*. Buenos Aires, 1940, Facultad de Filosofía y Letras.

MARSE, Juan.

Novelista. Nació—1933—en Barcelona. Desde muy joven hubo de ganarse la vida en sucesivos empleos y oficios. Entre 1960 y 1962 vivió en París, desempeñando igualmente que en Barcelona diversos oficios, entre ellos el de empleado del Instituto Pasteur, traductor de guiones para películas de coproducción y profesor particular de español. En 1958 inició la publicación de sus relatos breves en importantes revistas: *Insula, El Ciervo, Destino...* Uno de estos cuentos obtuvo el popular "Premio Sésamo", de Madrid—1959—. Pero su fama literaria cuajó al concedérsele el "Premio Biblioteca Breve", de la editorial Seix y Barral, de Barcelona, a su novela *Ultimas tardes con Teresa,* ya traducida a varios idiomas.

Juan Marse, novelista poco o nada tradicional, escribe en la línea narrativa europea más avanzada.

Otras obras: *Encerrados en un solo juguete*—1959—, *Esta cara de la luna*—1962—, *La oscura historia de la prima Montsé*—novela, 1970.

MARSILLACH, Luis.

Periodista y literato español. Nació —1906—en Barcelona. Desde casi niño se dedicó apasionadamente al periodismo en su ciudad natal, de cuya Escuela Oficial de Periodismo fue profesor. Crítico teatral, desde hace muchos años, de *T. V. Española, Solidaridad Nacional* y *Hoja del Lunes,* de Barcelona. "Premio Nacional de Crítica Teatral, 1953"; "Premio Ciudad de Barcelona, 1959", para periodistas.

Obras: *Vida y tragedia de Isabel de Austria, Diccionario del humor, La montaña iluminada*—ensayos—, *La bicicleta, Historia del teatro...*

MARTEL VINIEGRA, Carlos.

Poeta y prosista. Nació en Cádiz el 16 de junio de 1898. Cursó estudios en el colegio de los Marianistas, de Madrid, y comenzó y terminó la carrera de Derecho en Granada. Ingresó en la Escuela Naval Militar el año 1917, habiendo tomado parte en la campaña de Marruecos—1921—en los cañoneros *Bonifaz* y *María de Molina.* Hoy, coronel de Intendencia e intendente del Departamento marítimo de Cádiz.

Como escritor, fue colaborador de revistas y diarios de la Argentina: *Fray Mocho* y *El Español,* así como de los principales periódicos de Madrid y Andalucía: *La Epoca, El Español, Arriba, A B C, Revista del Mar, Nautilus.* Sus poesías, entre ellas *Poema de la Cruzada en el mar,* han sido recitadas por González Marín y Mauricio Sol en teatros de Marruecos, España e Hispanoamérica. Es autor de *Romances*—1933—, *Estelas gloriosas de la escuadra azul*—1937—, *Proa a España* —1939—, *Alférez provisional*—1939—, *Patrulleros y minadores*—1947—. Pertenece a la Real Academia Sevillana de Buenas Letras y a la de Bellas Artes de Cádiz. Es miembro del Ateneo Literario de Cádiz y presidente de la Asamblea Histórico-Literaria de San Fernando "Puente-Zuazo". En 1942 obtuvo el puesto de jefe de Prensa y Propaganda de la Organización Sindical de la provincia de Cádiz.

V. Rueda, Salvador: Prólogo a *Romances.* 1933.—Pemán, José María: Epílogo a *Romances.* 1933.—Sainz de Robles, F. C.: *Historia y antología de la poesía española.* Madrid, Aguilar, 2.ª edición, 1950.

MARTÍ, José.

Notabilísimo poeta y prosista. Nació —1853—en la Habana, de padre español. Murió en 1895, luchando en Cuba contra los españoles. De los cuatro a los seis años vivió en España. A los diecisiete años, las autoridades españolas le apresaron por conspirador, condenándole a seis años de presidio y deportándole en seguida a Cádiz. Estudió en Madrid. Viajó por toda Europa. De 1875 a 1878 estuvo en México y Guatemala, cultivando el periodismo. En 1879 estaba en Madrid; en 1880, en París y Nueva York, siempre mezclado en violentas campañas subversivas contra España, fundando el Comité Revolucionario Cubano. En 1892 y 1893 viajó por las Antillas, conspirando y ya en relaciones con el cabecilla cubano Máximo Gómez. En 1894 le fracasa un plan de insurgencia elaborado con el cabecilla negro Maceo. Por fin, en abril de 1895 se embarca con rumbo a Cuba, a encender la hoguera definitivamente que había de libertar su patria de España. En un encuentro en Dos Ríos, una bala española segó la vida de Martí.

Dirigió los periódicos *El Diablo Cojuelo* y *La Patria Libre,* y publicó numerosos panfletos revolucionarios de un valor exclusivamente partidista.

Fue Martí un escritor de fantasía tropical, muy amigo del color, de temperamento lírico romántico, alambicado a veces por natural señorío, de sencillez plagada de tropos y de retruécanos; prístino, ingenuo y, no obstante, complicado y enrevesado en ocasiones por sus bruscas salidas de conceptos y voces. Para Luis Alberto Sánchez, "fue musical, antisolemne, con un a modo de gongorismo espontáneo que rompía lo estirado (!) del verso castellano, comunicándole flexibilidad espontánea, que los modernistas repujarían y tornarían sabia". "Pocos han escrito con más sencilla elegancia que él. Sus versos octosílabos, generalmente cuartetos o romances, tienen una precisión y una ingenuidad prístinas."

Sus *Cartas* son realmente muy hermosas y sinceras, modelo en el género.

Obras: *Amor con amor se paga*—drama, México, 1875—, *Ismaelillo*—poema, Nueva York, 1882—, *Versos sencillos*—Nueva York, 1891—, *Abdala*—drama, 1869—, *Cuba*—dos volúmenes—, *En los Estados Unidos*—dos volúmenes, la Habana, 1902—, *Versos libres, Amistad funesta*—novela, Berlín, 1911—, *Ramona*—novela, la Habana, 1915—, *La Edad de Oro*—Roma, 1905—, *Conferencia sobre Echegaray*—Guatemala, 1879—, *Hombres*—la Habana, 1908—, *Nuestra América*—la Habana, 1910 y 1911—, *Crítica y libros*—la Habana, 1914—.

V. CARBONELL, Néstor: *Martí.* La Habana, 1913.—GARRIGÓ, Roque E.: *José Martí.* La Habana, 1911.—LIZASO, Félix: *Martí, místico del deber.* Buenos Aires, edit. Losada, 1940. MÉNDEZ, Isidoro M.: *Martí; estudio crítico-biográfico.* La Habana, 1941.—BENVENUTO, Ofelia M. B. de: *José Martí.* Montevideo, 1942.—LEGUIZAMÓN, Julio A.: *Historia de la literatura hispanoamericana.* Buenos Aires,

1945.—ONÍS, Federico de: *Antología de la poesía hispanoamericana.* Madrid, 1928.— CHACÓN Y CALVO, José María: *Historia de la literatura cubana,* en la *Historia universal de la literatura,* de Prampolini, tomo XII.— SCHULMAN, Ivan A.: *Símbolo y color en la obra de José Martí.* Madrid, Gredos, 1959.

MARTÍ, Juan.

Novelista español. Nació—¿1560?—en Orihuela. Murió—1604—en Valencia, en cuya catedral está sepultado. Se desconocen los pormenores de la existencia de este escritor, famoso por haber publicado—entre la aparición de la primera y la segunda parte de la inmortal novela de Mateo Alemán—la *Segunda parte de la vida del pícaro Guzmán de Alfarache*—Valencia, 1602—. Juan Martí es para Alemán lo que fue para Cervantes Alonso de Avellaneda. Martí publicó su apócrifo con el seudónimo "Mateo Luján de Sayavedra", superchería nominal que descubrió el justamente irritado Mateo Alemán, escribiendo en su auténtica *Segunda parte:* "Llamándose *Juan Martí,* hizo del Juan, Luján, y del *Martí,* Mateo, y volviéndolo por pasiva, se llamó Mateo Luján."

El libro primero y parte del segundo de la obra de Martí, aunque no llega a la excelencia, ni con mucho, de la obra de Alemán, están muy bien escritos; lo demás es pesado en demasía. Sin embargo, la obra de Martí es digna de atención "como un recuerdo del estado del arte en su época, y como un repertorio de indicaciones curiosas hechas por un hombre de mucha erudición y singular juicio".

El éxito de la obra de Martí lo confirman sus muchas ediciones: Barcelona, 1602 y 1603; Madrid, 1603; Zaragoza, 1603; Milán, 1603; Bruselas, 1604.

Las mejores ediciones modernas son: la impresa en el tomo III de la "Biblioteca de Autores Españoles", de Rivadeneyra, y la cuidadísima insertada en *La novela picaresca española,* Madrid, Manuel Aguilar, 1946.

V. VALBUENA PRAT, A.: *Estudio* al frente de la ed. M. Aguilar, Madrid, 1946.—GROUSSAC, P.: *Une énigme littéraire: le "Don Quichotte" d'Avellaneda.* París, 1903.

MARTÍ DE CID, Dolores.

Ensayista, historiadora, erudita. Nació —1916—en Madrid. Desde muy joven viajó intensamente por Europa, Asia y América. Se graduó de doctora en Filosofía y Letras por la Universidad de la Habana, ciudad en la que contrajo matrimonio con el erudito investigador y ensayista literario José Cid. Juntos han enseñado lengua y literatura en distintas universidades de América, especialmente en las norteamericanas. Y durante va-

M

rios años, en la Universidad de Purdue, Indiana. Académica correspondiente de la Academia Nacional de Artes y Letras de Cuba. Incontables veces delegada de Cultura en congresos y conferencias internacionales. A su mucha erudición añade una forma admirable de exponer y de escribir.

Obras: *Tres mujeres de América*—tesis doctoral, Habana, 1942—, *Función y alcance de las escuelas de temporada*—1954—, *Teatro cubano contemporáneo*—1959—, *Presencia del "Quijote" en Hispanoamérica*—1963—, *Teatro indio precolombino*—1964—, *Bolívar, alfarero de Repúblicas; Antología del teatro hispanoamericano*—en colaboración con José Cid.

Además ha publicado textos de gramática y redacción de español.

Entre sus muchos premios ganados cuentan: "Gran Premio Panamerican Contest", de la Florida (Estados Unidos); "Premio Instituto de Cultura Dante"—1950—, "Premio Segundo Concurso de Ensayos", Universidad de Chile—1954.

MARTÍ ORBERÁ, Rafael.

Excelente poeta y dramaturgo español. Nació—1880—en Valencia. Murió—1963—en Madrid. Doctor en Derecho y en Filosofía y Letras. Desde muy joven se dedicó al periodismo y a la literatura en su tierra natal. A los veinte años se trasladó a Madrid, dándose a conocer con *Sueño da provincia* —1903, poema fantástico—. Colaborador en diarios y revistas: *El Liberal, La Esfera, Por Esos Mundos, Blanco y Negro...* Ha viajado por Europa y América.

Su fama es inferior a sus méritos. Cultiva un teatro fuerte, sin retóricas, de temas realistas, de los que conmueven con hondura. Domina la técnica. Como Grau, como Goy de Silva, es más apreciado en el extranjero que en su patria.

Otras obras: *Vida*—versos, Toledo, 1904—, *En pos del arte regional*—impresiones, 1908—, *La oveja perdida*—drama, 1907—, *La deuda*—drama, 1917—, *Amparo*—drama, 1930—, *María de Magdala, La mujer de Pilato, El héroe, Los hampones, La mujer fuerte, Entre nieblas, La calva...* y la biografía *Cervantes, caballero andante*—1947.

Su teatro más interesante se ha publicado en tres volúmenes—Valencia, 1914 a 1919.

MARTÍN ABRIL, Francisco Javier.

Poeta, escritor y periodista. Nació en Valladolid el día 9 de enero de 1908. Se licenció en Derecho con premio extraordinario. Secretario del Juzgado de Palencia, por oposición, hoy excedente. En la actualidad es director del *Diario Regional,* de Valladolid, y está consagrado a la literatura y al pe-

riodismo. En 1941 le fue otorgado el premio "Mariano de Cavia" por su artículo *Otoño en los jardines,* publicado en el *Diario Regional.*

Como prosista, Martín Abril tiene el secreto de la difícil sencillez, y nunca se desprende de su esencial cualidad de poeta. De la poesía de Martín Abril—a quien se viene dando el título de "El Poeta de Castilla"—ha dicho "Azorín": "Tiene la transparencia de Garcilaso y la infinita melancolía de Petrarca." Y el mismo "Azorín" recordaba como sensación príncipe del año 1941 el haber leído *La elegía del jardinero muerto,* de Martín Abril.

Es colaborador de numerosos periódicos y revistas nacionales y americanos, sin olvidar su labor en la radio. Pertenece a la Real Academia de Bellas Artes de la Purísima Concepción de Valladolid. Es un conferenciante singular. Llevará escritos más de ocho mil artículos.

Sus obras principales son: *Violetas mojadas*—versos, Valladolid, 1936—, *Romancero guerrero*—Valladolid, 1936—, *Castilla y la guerra*—poema, Valladolid, 1937—, *Luna de septiembre*—poemas del niño, de la novia y del hombre, Valladolid, 1939—, *Catorce poemas*—Cuaderno de poesía. Albor. Pamplona, 1940—, *Seis poemas*—Cuaderno de poesía. Albor. Pamplona, 1941—, *Así es mejor*—novela, Madrid, 1943—, *El jardín entrevisto* —ensayos. Madrid, 1943—, *Libros en galeradas*—poemas, cuadernos de literatura contemporánea, Madrid, 1943—, *Castilla*—ensayos. Ediciones de conferencias y ensayos, Bilbao, 1944—, *Un hombre bueno*—cuento. Madrid—, *Cancionero humano*—fantasía. Madrid, 1945—, *Romance de la muerte de "Manolete"*—Valladolid, 1947—, *Día tras día*—ensayos y croniquillas. Prólogo de Federico García Sanchiz, 1947—, *El poeta y su mundo*—discurso de ingreso en la Real Academia de Bellas Artes, Valladolid, 1948—, *Cancionero*—poesías. Valladolid, 1949—, *Ahora y siempre*—poemas, Valladolid, 1953—, *Cartas a una novicia*—Madrid, 1954—, *Humo*—narración, Madrid, 1962.

MARTÍN BORRO, Hermenegildo.

Poeta y prosista español. Nació—1900—en Cebreros (Avila). Desde casi niño hubo de ganarse la vida en varios humildísimos oficios: jornalero, buhonero, comisionista... En 1915 se escapó de su pueblo, iniciando su andar constante y larguísimo, pues ha recorrido varias veces toda España y América de punta a punta, ejerciendo las más varias y pintorescas profesiones. Realizó, como simple soldado, una de las campañas españolas en Marruecos, distinguiéndose por su valor y su audacia. En varios países americanos

—Venezuela, Chile, Uruguay, Argentina— practicó el periodismo, dio incontables conferencias y empezó a publicar sus poemas y prosas, en todos los cuales exalta apasionadamente los valores españoles tradicionales.

Poeta de extraordinarios alientos, fácil versificación, hermosas imágenes.

Obras: *Manojo*—poemas—, *Mi río ya no es mi río*—poemas—, *Poemas del hijo perdido*, *La nave encantada*—poemas, 1961.

MARTÍN DE BRAGA, San.

Erudito y escritor. 515-580. No fue español de nacimiento—era oriundo de la Panonia y fue monje en Palestina—, pero sí lo fue por voluntaria predilección, por su cultura y por destino providencial, ya que puede quedar considerado como la primera figura del movimiento literario precursor del renacimiento isidoriano. Llegó a Galicia hacia el año 550. Fundador y primer abad del monasterio de Dumio, y también primer obispo—557—de esta ciudad. Hacia el año 570 fue nombrado metropolitano de Braga, siendo el apóstol de los suevos y el lazo de unión literaria entre Oriente y Occidente. Algunos críticos afirman que San Martín de Braga fue el primer senequista de España, y que, acaso sin proponérselo, intentó cristianizar al filósofo cordobés.

Entre sus obras figuran: *Formula vitae honestae*, compuesta a instancias del rey Miro—570-583—, compendio de ética natural, basada en las cuatro virtudes cardinales de Platón: *prudentia, magnanimitas, continentia y iustitia*—, *De Ira*—extracto del tratado de Séneca—, *Pro repelenda iactantia, De superbia, Exhortatio humanitatis, In refectorio*—cinco dísticos—, *In basilica*—veintidós hexámetros—y *Epithaphium*—seis hexámetros.

Su latín fue correcto y limpio; su estilo, esmerado y natural.

Ediciones: *De correctione rusticorum*, Cristianía, 1883, por C. P. Caspari. Casi todas las obras en Migne, *Patrol. latina*, tomo 72.

V. CASPARI, C. P.: *Estudio* magnífico en la edición de Cristianía, 1883.—MADOR, José: *Escritores de la época visigótica*, en el tomo I de la *Historia general de las literaturas hispánicas*. Barcelona, 1949.—MENÉNDEZ PIDAL, R.: *Historia de España* (dirigida por...). Tomo III: *España visigótica*. Madrid, Espasa-Calpe, 1940.

MARTÍN DESCALZO, José Luis.

Novelista, poeta y periodista español. Nació—1930—en Madridejos (Toledo). Sacerdote. Durante su estancia en Roma, ampliando estudios, ingresó en el grupo poético de la revista *Estría*, publicada por el Colegio

Español de la Ciudad Eterna. De regreso a Valladolid, donde vive casi siempre, dirigió un teatro de cámara y un cine-forum. En 1956 alcanzó súbita fama al serle concedido el "Premio Nadal" a su novela *La frontera de Dios*. Desde hace varios años publica sus obras puramente literarias con el seudónimo de "Martín de Azcárate".

Obras: *Fábulas con Dios al fondo, Un cura se confiesa*—libro de memorias del seminario—. *Fray Juan de la mano seca, El hombre que no sabía pecar*—novela, Barcelona, 1961—, *La hoguera feliz*—teatro, 1962...

MARTÍN GAITE, Carmen.

Novelista española. Nació—1925—en Salamanca. Doctora en Filosofía y Letras. En 1954 obtuvo el "Premio Café Gijón" de cuentos y en 1957 el "Premio Nadal" para novelas. Está casada con el escritor Rafael Sánchez Ferlosio.

De mucha sensibilidad y buena observadora. Pero su estilo es pobre y su lenguaje muy incorrecto.

Obras: *El balneario*—Madrid, 1954—, *Entre visillos*—novela, Barcelona, 1958—, *Las ataduras*—relatos, Barcelona, 1960—, *Ritmo lento*—novela, 1963.

V. NORA, Eugenio G. de: *La novela española contemporánea*. Madrid, edit. Gredos, 1962, tomo II bis, págs. 335-37.

MARTÍN RECUERA, José.

Autor dramático. Nació—1926—en Granada. Licenciado en Filosofía y Letras por la Universidad de su ciudad natal. Durante algún tiempo fue profesor adjunto de Lengua y Literatura Españolas en el Instituto "Padre Suárez", de la misma ciudad, y dirigió el Teatro Universitario granadino. Entre 1966 y 1968 permaneció, becado, en París (teatro de la Sorbona), Universidad de Washington y Universidad de La Laguna. Su vocación teatral es irresistible y muy importante, pues conoce a la perfección las vicisitudes del teatro universal contemporáneo y escribe un teatro muy peculiar, moderno, sin extravagancias ni subversiones, en el que los temas realistas siempre mantienen un contrapunto de fantasía y de lirismo. En 1959 le fue concedido el famoso "Premio Lope de Vega", de teatro, a su obra *El teatrito de don Ramón*.

Obras: *Como las secas cañas del camino* —1960—, *Los salvajes en Puente San Gil* —1961—, *Las ilusiones de las hermanas viajeras*—1964—, *¿Quién quiere una copla del Arcipreste de Hita?*—1965—, *El caraqueño*—1966.

M

MARTÍN SANTOS, Luis.

Ensayista, cuentista, novelista. Nació —1924—en Larache (Marruecos) y murió —1964—en San Sebastián. Doctor en Medicina, especializado en psiquiatría. Dirigió el Sanatorio Psiquiátrico de San Sebastián.

Como narrador cultivó con fuerza y originalidad el realismo impresionista en una forma nada tradicional, por lo que se hizo muy famoso entre las promociones de narradores jóvenes. Tuvo un gran talento y, sin duda, su profesión de psiquiatra notable influyó decisivamente en sus narraciones y en sus ensayos.

Obras: *Dilthey, Jaspers y la comprensión del enfermo mental*—1955—, *Tiempo de silencio*—novela, 1962—, *Libertad, temporalidad y transferencia en el psicoanálisis existencial*—1964—; *Apólogos*—póstuma, 1970.

V. CLOTAS, Salvador: *Estudio* en el libro *Apólogos*, de Martín-Santos. Barcelona, Seix y Barral, 1970.

MARTÍNEZ, Angel.

Poeta nacido en España, pero que por vivir durante muchos años enseñando en Nicaragua, la crítica de esta República reclama como suyo. De la Compañía de Jesús, profesor de Literatura en el Colegio Centroamérica, de Granada (Nicaragua). En sus clases han surgido los más importantes poetas contemporáneos nicaragüenses, sobre los que su influencia es extraordinaria.

Posee una sólida cultura. Y es, además, un excepcional lírico. Como crítico, es hoy, acaso, el más autorizado en Nicaragua.

Obra: *Río hasta el fin*—poema...

V. NUEVA POESÍA NICARAGÜENSE: *Introducción* de Ernesto Cardenal. *Selección y notas* de Orlando Cuadra. Madrid, 1949.

MARTÍNEZ, Graciano.

Poeta, prosista y pedagogo español. Nació —1869—en Pola de Laviana (Oviedo). Murió —1925—en Madrid. Profesó en la Orden de San Agustín y en el convento que esta tiene en Valladolid. Terminó sus estudios en El Escorial—1894—. Dos años después pasó a las misiones de Filipinas, donde evangelizó de modo admirable y sufrió cautiverio en manos de los insurrectos. Colaborador de muchas revistas, entre ellas *La Ciudad de Dios* y *España y América*. Vivió después en Buenos Aires. Catedrático del colegio de San Agustín, en la Habana. En 1915 regresó a España, dedicándose a la oratoria sagrada —de la que fue un magnífico paladín—y a las publicaciones.

Obras: *Memorias del cautiverio*—Manila, 1900—, *El tiro por la culata*—Manila, 1900—, *Flores de un día*—poesías, Manila, 1901—,

Sermones y discursos—Madrid, 1918—, *Si no hubiera cielo...*—novela, Madrid, 1918—, *La objeción contemporánea contra la cruz*—Madrid, 1918—, *De paso por las bellas letras* —Madrid, críticas, en dos volúmenes.

A estas obras deben agregarse más de cien ensayos, desperdigados en distintas revistas, algunos tan importantes como los titulados: *Nietzsche y el nietzschismo, La semblanza del primer superhombre, Por entre la psicología nacional, Religión y patriotismo, Hacia una España genuina, El libro de la mujer española, Hacia la solución pacífica de la cuestión social...*

Claros, hondos, amenos, doctos, son todos los escritos del padre Graciano Martínez.

V. GONZÁLEZ-BLANCO, Edmundo: *Un ingenio que desaparece: el P. Graciano Martínez*, en *La Esfera*, de Madrid, núm. 577.

MARTÍNEZ BARBEITO, Carlos.

Poeta, periodista, novelista, historiador. Nació—1913—en La Coruña. Doctor en Derecho. En la actualidad—1970—dirige la revista cultural *Ateneo*, de la Televisión Española.

Obras: *Lope de Vega, poeta lírico*—1940—, *El bosque de Ancines*—novela, 1947—, *Las pasiones artificiales*—novela, 1950—, *Elegía a la muerte de mi padre*—1950—, *Macías el enamorado*—1951—, *Vida y leyenda de San Pedro de Mezonzo*—1954—, *Galicia*—historia y geografía y costumbres, 1954—, *El general y la generala Espoz y Mina*—1954.

MARTÍNEZ BARRIONUEVO, Manuel.

Novelista, poeta y autor dramático español. Nació—1857—en Málaga y murió —1917—en Madrid. De modestísima familia, hasta los quince años fue aprendiz en distintos oficios: pastelero, ebanista, tipógrafo... Su verdadera afición, la única, era la literatura. En la Prensa local de Málaga publicó sus primeros artículos y poesías, consiguiendo entrar de redactor en varios diarios de vida efímera. En 1885 se trasladó a Madrid, mereciendo la protección de Núñez de Arce, que le colocó en el diario *El Progreso*. Ocho años después marchó a Barcelona. Con posterioridad, entre 1905 y 1917, viajó por toda España, sin lograr más que malvivir con el producto de su pluma incansable. Murió casi en la miseria.

Martínez Barrionuevo es el caso típico del literato español "sin público", y que, sin embargo, escribe mucho mejor que otros autores endiosados por la masa siempre mediocre. Sus novelas tienen fuerza e interés; su teatro palpita con un indudable realismo; sus poesías, muy influidas por Núñez de Arce y Campoamor, no carecen de sensibilidad.

Obras: *Rasgos y pinceladas*—poesías, Málaga, 1878—, *El sepulturero de Aldoba*—novela, Málaga, 1879—, *Este es mi novio*—comedia, 1879—, *Andalucía*—impresiones—, *La generala*—novela—, *La Quintañones*—novela—, *Misericordia*—novela—, *De pura sangre*—novela—, *Amapola*—novela—, *Juanela*—novela—, *El Decálogo*—colección de diez novelas—, *La condesita*—novela—, *Cómica y mártir*—novela—, *Entre bastidores*—novela—... y otras muchas más.

Teatro: *Los Carvajales, ¡Pobre madre!, Luchar por los hijos, Lo que no muere, El gran escándalo, Calvario y redención, Los Escuderos...*

Fue Martínez Barrionuevo un escritor muy fecundo, que merece ser más conocido.

MARTÍNEZ DE BEDOYA, Javier.

Ensayista, novelista y cronista español. Nació—1914—en Bilbao. Se licenció—1934—en Derecho en la Universidad de Valladolid, doctorándose—1935—en la de Madrid. Amplió sus estudios en Heidelberg (1935-1936). Los años 1938 y 1939 fue director general de Beneficencia y Obras Sociales. Agregado de Prensa en las Embajadas de España en Lisboa—1942—y París—1952—. Presidente de la Comisión de Política Social del Instituto de Estudios Políticos desde 1953. Procurador en Cortes desde 1958.

Obras: *Siete años de lucha*—Valladolid, 1937—, *Antes que nada, política*—ensayo, Valladolid, 1939—, *Don Antonio Maura, ministro de la Gobernación (1902-1903)*—Madrid, 1940—, *El torero*—novela, Madrid, 1954—, *Falta una gaviota*—novela, Madrid, 1958—, *Los problemas de una Constitución*—ensayos, Madrid, 1963.

MARTÍNEZ CACHERO, José María.

Crítico literario, catedrático. Nació—1924—en Oviedo. En la actualidad—1970—, catedrático de Literatura española en la Universidad de Oviedo.

Obras: *Andrés González-Blanco*—biografía—, *Una vida para la literatura: Alvaro Flórez Estrada; Menéndez Pelayo y Asturias* (en colaboración con Enrique Sánchez Reyes), *"Clarín": Antología de sus cuentos*—con un estudio y notas—, *Escritores y artistas asturianos*—reedición corregida y aumentada del libro de Constantino Suárez ("Españolito").

MARTÍNEZ DE CAMPOS Y SERRANO, Carlos.

Historiador y literato. Nació—1887—en Madrid. Duque de la Torre y conde de Llovera. Militar artillero de profesión. Tomó parte distinguida en las Campañas de Africa.

Desde 1924, agregado militar en las Embajadas de España en Roma, Sofía, Atenas y Ankara. Académico de la Lengua en 1949 y de la Historia en 1963. Caballero de Calatrava y Medalla Militar individual. Colabora en diarios y revistas muy importantes: *Cruz y Raya, Arbor, Cuadernos Hispanoamericanos, Estudios Políticos, A B C.*

Se ha especializado en historiar temas militares, lo que hace con rigor erudito y brillantez literaria.

Obras: *Historia militar del Japón*—1920—, *La Artillería en la batalla*—1928—, *Arte bélico*—1936—, *Teoría de la guerra*—1942—, *Ayer*—1945—, *Dilemas*—1950—, *Figuras históricas*—1958—, *España bélica*—siglos XVI, XVII y XVIII (tres tomos), 1965-1968; siglo XX, 1972—; *Islandia, tierra de hielo y de fuego*—1968.

MARTÍNEZ DEL CERRO, Miguel.

Poeta, prosista y profesor español. Nació—1912—en Cádiz. Estudió la primera y segunda enseñanza en el gaditano Instituto de San Felipe de Neri. Licenciado en Derecho—1935—. Intervino en la guerra de Liberación como soldado en el Regimiento de Artillería de Costa número 1. Empezó a publicar poemas en la revista *Cauces.* Licenciado en Filosofía y Letras—1943—. Catedrático de Lengua y Literatura de Instituto—1944—. Ha desempeñado su cátedra en Santa Cruz de Tenerife y Cádiz. Delegado provincial de Educación—1950—, habiendo organizado los Cursos Universitarios de Verano y la Cátedra de Alfonso el *Sabio.*

Obras: *Senda iluminada, Oro, Falsa antología de cuentos ibéricos, Pozo interior, Consideraciones sobre los fundamentos estéticos de la poesía, Remolino azul*—poemas.

MARTÍNEZ DE CUÉLLAR, Juan.

Notable escritor español del siglo XVII. Nació en Cuenca hacia 1640. Y fue bautizado en la parroquia de San Miguel. Nada más se sabe de su vida. Quizá estudió en Alcalá. Quizá estuvo en Indias. Vagas suposiciones. Sin embargo, se hizo famoso con su libro *Desengaño del hombre en el Tribunal de la Fortuna*—1663—, de simbolismo anovelado, en el que se delatan huellas hondísimas de Quevedo y de Gracián. *Desengaño del hombre* se halla más próxima a *El Criticón,* de este, que a *Los sueños,* de aquel. "Cuéllar es un senequista más, que glosa y traduce pensamientos del romano cordobés, pesimista, estoico. Su libro es, además, curioso para parangonarlo con motivos arquitectónicos y pictóricos del barroco." (V. y P.)

Desengaño del hombre tiende a mostrar lo vano e inestable de los bienes de este mundo. Su estilo y su vocabulario son un tanto confusos y extraños. Su pensamiento, muy alambicado.

Debió de tener un buen éxito esta obra moraldidáctica, ya que se hicieron de ella rápidamente tres impresiones: Madrid, 1663; ¿Madrid, 1706?; Madrid, 1792, por Antonio Ulloa.

Modernamente—Madrid, 1928, "Biblioteca de Clásicos Olvidados"—se ha reeditado con sumo esmero.

V. ASTRANA MARÍN, L.: Prólogo a la edición Madrid, 1928.

MARTÍNEZ CUITIÑO, Vicente.

Autor dramático uruguayo. Nació—1887—en Artilleros (Departamento de Colonia). Estudió en las Universidades de Montevideo y Buenos Aires, doctorándose en Derecho. Pero una vocación irresistible le llevó a una dedicación total al género dramático. Sin embargo, fue crítico teatral de La Razón, de La Nación, de El País y de otros diarios bonaerenses.

Martínez Cuitiño aparece como uno de los más destacados seguidores de Florencio Sánchez; y no se debe olvidar que este murió en 1910 y que Martínez Cuitiño estrenó su primera obra en 1909. Ha viajado por toda América y parte de Europa. Y sus obras han alcanzado grandes éxitos en su patria y en casi todos los países de habla castellana.

Los grandes actores Camila Quiroga y Enrique de Rosas dieron a conocer en España varias obras de Cuitiño.

Muchos son los méritos de este ilustre cultivador del teatro. La humana estructuración de sus obras, a las que se dota de bien definidos caracteres, vivo diálogo, ambientación adecuada; la originalidad de los temas, perfectamente concebidos y magistralmente desarrollados; la tendencia honradamente artística, aun cuando no ajena a los apremios sociales; la universalidad que intenta dar a motivos de forzosos límites locales.

Obras: El único gesto—1909—, El derrumbe, Mate dulce, Rayito de sol, El ideal, Los tiranos, Malón Blanco, El viaje de don Eulalio, Los Colombini, Notas teatrales, El caudillo, La bambolla, La fuerza ciega—1917—, La humilde quimera—1918—, Nuevo Mundo, La fiesta del hombre, Santa Madre, Los cuervos rubios, La rosa de hierro, No matarás, El segundo amor, Servidumbre, La mala siembra, La emigrada, Noche del alma, El tiempo dormido...

V. REYLES, Carlos: Historia sintética de la literatura uruguaya. 1830-1930. Montevideo, 1931, cinco tomos.—ZUM-FELDE, Alberto: La literatura del Uruguay. Buenos Aires, 1939.

MARTÍNEZ ESTRADA, Ezequiel.

Poeta y ensayista argentino. Nació—1895—en San José de la Estrada (provincia de Santa Fe).

De él, como poeta, ha escrito Julio A. Leguizamón: "Envuelve en la ironía de la forma pulcra y modernista—descortezada de literatura—su raíz intelectual pura. La gracia incisiva no alcanza a celar su densidad mental ni su auténtica esencia filosófica, bien perceptible en la obra en prosa."

Y según otro crítico: "La poesía de Ezequiel Martínez Estrada es una poesía cósmica de poderosa raíz dramática. Su humanismo es el contraste entre la amplia cultura del hombre y el sentimiento que las cosas inspiran al poeta."

Y, por último, "hay en Martínez Estrada una inteligencia en función estética, pero abierta a todos los problemas del ser humano, capaz de grandes ahondamientos, como lo demuestra su magistral Radiografía de la Pampa, y capaz de las apretadas síntesis expresivas, como se advierte en su Panorama de las literaturas. El poeta, en él, tiene más de esteta que de sentimental, y participa de esa forma especial de la inteligencia que le hace asequible todos los temas".

Obras poéticas: Oro y piedra—1918—, Nefelibal—1922—, Motivos del cielo—1924—, Argentina—1927—, Títeres de pies ligeros —1929—, Humorescas—1929—, Poesía—antología...

En prosa: Radiografía de la Pampa —1933—, La cabeza de Goliat—1940—, Panorama de las literaturas, Sarmiento—biografía.

MARTÍNEZ GARRIDO, Alfonso.

Periodista, poeta, cuentista, novelista. Nació—1936—en Navalmoral de la Mata (Cáceres). Estudio en la Escuela Oficial de Periodismo. Entre 1963 y 1967, director de El Faro de Ceuta. "Premio Nadal", de novela, 1964. Dos veces ha obtenido la "Hucha de Plata", galardón para cuentos establecido por la Confederación Española de Cajas de Ahorro con sus narraciones El mejor artículo de César González Ruano—1966—y La muñeca—1968.

Obras: Ha nacido un hombre—poesía—, El miedo y la esperanza—novela, "Premio Nadal, 1964"—, El círculo vicioso—novela, 1967.

MARTÍNEZ KLEISER, Luis.

Poeta, novelista e historiador español. Nació—1883—en Madrid. Doctor en Leyes —1903—por la Universidad Central. Teniente de alcalde del Municipio madrileño. Hijo adoptivo de Cuenca—en premio a su labor periodística de exaltación de los valores artísticos y culturales de dicha provincia—. Académico correspondiente de la Real de la Historia, de la de Buenas Letras de Sevilla y de la de Bellas Artes de Málaga. Académico—1945—de la Real Española de la Lengua. Colaborador de *A B C, La Esfera, Blanco y Negro, Acción Española* y otros importantes diarios y revistas de Madrid y provincias.

Martínez Kleiser es un excelente y castizo prosista y un fácil poeta de inspiración tradicional.

Obras: *Rarezas*—novela—, *Esteban Rampa*—novela—, *El vil metal*—novela—, *La Obispilla*—novela—, *De hondos sentires*—poesías—, *La carcajada*—novela—, *El número 30*—novela—, *Talegos de talegas*—novela—, *Los hijos de la Hoz*—novela—, *El mundo novelado de Pereda, Del siglo de los chisperos*—antología madrileña—, *Guía de Madrid para el año 1656, Los nombres de las antiguas calles de Madrid, Descripción de la Semana Santa en Sevilla,* y otras varias.

MARTÍNEZ-MENA RODRÍGUEZ, Alfonso.

Novelista, cuentista, periodista. Nació —1932—en Alhama de Murcia. Estudió en Murcia, Salamanca y Madrid, donde reside. Abogado del I. C. de Madrid. Periodista, redactor literario y crítico del diario *SP.*

"Premio Rumbos" y "Gran Premio Alhambra", de versos. Quedó segundo en el "Premio Elisenda de Montcada, 1962", de novela, con *Aviso a la esperanza.* Accésit al "Premio Doncel, 1962", de novela juvenil, con *El espejo de Narciso* (publicado en 1963 en la "Colección La Ballena Alegre"). "Premio Sésamo, 1966", por *El extraño,* publicado por la edit. Azur, de Madrid. Premio de cuentos "San Fernando", y "Gabriel Miró", 1967, con su novela *Echar la vida a galos.*

Ha publicado cuentos, artículos y ensayos en muchos periódicos y revistas nacionales.

MARTÍNEZ DE MENESES, Antonio.

Poeta dramático español. Nació—1608—, probablemente, en Toledo. Murió en fecha desconocida, no antes de 1660. Bachiller en Artes. A los catorce años concurrió al certamen—1622—de la canonización de San Ignacio y San Javier, del Colegio Imperial de Madrid, con una composición latina que alcanzó el primer premio y una glosa castellana. Perteneció a la celebérrima Academia Castellana—o de Madrid—hacia el año 1649. Se dolió de la muerte de Lope—1635—en un soneto conceptuoso y elegante; y en otro, de la de Montalbán. Citóle Cáncer en su *Vejamen.* Alabóle Lope de Vega en el *Laurel de Apolo*—silva I—. Una décima suya ya en

el *Manual de Grandes,* de Querini, traducido por Mateos de Prado en 1640.

Martínez de Meneses fue un dramaturgo fecundo, de gran viveza imaginativa, hábiles recursos escénicos y fácil verso. Su nombre figura en el *Catálogo de autoridades* del idioma, publicado por la Real Academia Española.

Obras: *Juez y reo de su causa, El platero del cielo, La reina en el Buen Retiro, Amar sin ver, El mejor alcalde, el rey, y no hay cuenta con serranos; Los Sforzia de Milán, Pedir justicia al culpado, San Eloy, También el amor da libertad, La campana de Aragón, La dicha en el precipicio...*

Colaboró con Moreto y Mateos en *Oponerse a las estrellas;* con Cáncer y Vélez de Guevara, en *La verdad en el engaño;* con Rosete y Cáncer, en *El arca de Noé* y en *El mejor representante, San Ginés;* con Belmonte y Moreto, en *El príncipe perseguido;* con Belmonte, en *Fiar en Dios* y en *El Hamete de Toledo;* con Zabaleta y Suárez de Deza, en *Castillo de la vida* y en *El príncipe de la Estrella;* con Rosete, Moreto, Villaviciosa y Cáncer, en *El rey don Enrique "el Enfermo"...*

Las comedias de Meneses hay que buscarlas en la magnífica "Colección General de Comedias Escogidas", desde la parte quinta (1653) hasta la parte vigésima segunda.

En el tomo XLVII de la "Biblioteca de Autores Españoles", de Rivadeneyra, se ha publicado *El tercero en su afrenta.*

V. VALBUENA Y PRAT, A.: *Literatura dramática española.* Barcelona, Labor, 1930.—SCHACK, Conde de: *Historia de la literatura y del arte dramático en España.*

MARTÍNEZ OLMEDILLA, Augusto.

Fecundo novelista, dramaturgo y biógrafo español. Nació—1880—y murió—26 de septiembre de 1965—en Madrid. Doctor en Leyes por la Universidad Central. Colaborador de las célebres publicaciones *El Cuento Semanal, Los Contemporáneos, La Novela Corta, La Novela de Hoy, La Novela Semanal, El Libro Popular...,* y de revistas y periódicos como *Blanco y Negro, La Esfera, Nuevo Mundo, El Globo, El Liberal, El Imparcial, Heraldo de Madrid...*

Martínez Olmedilla fue de una fecundidad verdaderamente asombrosa. Más de treinta novelas largas, más de setenta novelas breves, cuarenta y tantas obras escénicas, más de quinientos cuentos, más de quince biografías, más de mil artículos.

Y nadie piense que esta fecundidad va en mengua de la calidad. Olmedilla fue un novelista fuerte y amenísimo, un cuentista excepcional, un biógrafo minucioso, un dramaturgo de importancia por su raigambre netamente realista y española. Posiblemente tuvo

M

menos fama de la que merece su labor, llena de aciertos, de matices originales, de sorprendente novedad. A estos méritos hay que añadir su prosa tersa y ágil, su vocabulario rico y castizo, su maestría narrativa, su dibujo firme y su colorido brillante de ambientes y de caracteres, el inexplicable secreto de su constante amenidad. Martínez Olmedilla, como novelista, está muy cerca de Palacio Valdés—su maestro—, y a la par del padre Coloma, de José María Mathéu, de Ortega Munilla, de Octavio Picón...

Novelas: *Memorias de un afrancesado, Donde hubo fuego..., El templo de Talía, Los hijos, La ley de Malthus, El plano inclinado, Siempreviva, Las circunstancias agravantes, Cuentos del hogar, Cómo caen las mujeres, En coche de plata, El mal menor, La rama de muérdago, Todo por él, Primer amor, primer desengaño; Las perversas, Resurgimiento, La poesía del recuerdo, Una mujer de su casa, El derecho a ser feliz, Pajarita de las nieves, El final de "Tosca"*—1950—, *Yo defiendo lo mío*—1952...

Teatro: *Josefina se casa, Amor de reina, El despertar de Fausto, La culpa es de ellos, El fin de una vida, La estatua de nieve, Monte abajo, La mano de Alicia, Castillos en el aire, Los aliados, Una madre, ¡París!, El oculto tormento, El pecado de soñar...*

Biografías: *Don José de Salamanca, Cómo murió Napoleón, La emperatriz Eugenia...*
El Ayuntamiento de Madrid ha otorgado su Premio 1948 a la obra de Olmedilla *Los teatros de Madrid.*

V. Sainz de Robles, F. C.: *La novela corta española (Promoción de "El Cuento Semanal").* Madrid, Aguilar, 1952.—Sainz de Robles, F. C.: *La novela española en el siglo XX.* Madrid, Pegaso, 1957.—Nora, Eugenio G. de: *La novela española contemporánea.* Madrid, Gredos, 1958. Tomo I, páginas 350-51.

MARTÍNEZ REMIS, Manuel.

Nació en Madrid—1911—. Autodidacta. Ha llevado una vida andariega y bohemia. Parece un poeta adscrito al lirismo matritense que populariz Emilio Carrère. Sino que Martínez Remis es poeta muy superior, tanto por la intensidad de sus temas, como por la gracia y el ingenio expresivo. Como poeta de la tauromaquia no tiene otro rival que Gerardo Diego. De su patetismo sentimental fluye una seducción extraordinaria. Martínez Remis es, además, un espléndido recitador.

Ha publicado estos libros de poemas: *19 cartas apasionadas, El ángel rebelde..., El Toro, la muerte y el sol; Cartel de toros.*

Ha escrito teatro y guiones de cine y radio.

MARTÍNEZ RIVAS, Carlos.

Poeta y prosista nicaragüense. Nació —1924—en la ciudad de Guatemala. Estudió el bachillerato en San José de Costa Rica y en el Colegio Centroamérica de Granada (Nicaragua), en el que fue discípulo del gran poeta y pedagogo español el jesuita Angel Martínez. Ha cursado la licenciatura de Letras en la Universidad de Madrid. Desde 1948 reside en París, especializado en crítica de Arte. Ha viajado por España, Italia, Francia, Centroamérica y Colombia.

Obras: *El paraíso recobrado*—1924—, *Canto fúnebre a la muerte de Joaquín Pasos* —Madrid, 1948.

V. Nueva poesía nicaragüense: *Introducción* de Ernesto Cardenal. *Selección y notas* de Orlando Cuadra Downing. Madrid, 1949.

MARTÍNEZ DE LA ROSA, Francisco.

Gran poeta y dramaturgo. 1787-1862. Granadino. Nacido el 10 de marzo de 1787 y bautizado el 12 en la iglesia parroquial de Santa María Magdalena. Hijo de don Francisco Martínez Berdejo y de doña Luisa de la Rosa, dos señores empingorotados, muy graves y llenos de remilgos rancios. Estudió Francisquito mucho y bien en Granada. A los doce años ingresó como colegial de San Miguel en la Universidad de Granada. Por entonces era "bajo, de buen color, cabello castaño..., juró obedecer al rector y se matriculó en Lógica", según consta en los libros de matrícula escolar. En la Universidad siguió cosechando triunfos como quien siega la inevitable granazón canicular de la buena siembra a su tiempo. ¡Es que no dejaba ni uno para los demás! Unas odas eucarísticas, compuestas para ornamento de uno de los arcos levantados en una plaza granadina con motivo de las fiestas del Corpus de 1805, le valieron ser nombrado académico de la Literaria de Cádiz, donde culminaban—y fulminaban—clasicismo adulterado ya José Joaquín de la Mora y Antonio Alcalá Galiano, cuya amistad con el prodigio granadino inició, entonces, por cartas largas de muchos perifollos retóricos y ya con almendrilla amarga de la comezón romántica. A los veinte años compuso los epigramas de *El cementerio de Momo*, por los que ya le auguraron la inmortalidad literaria los críticos más currinches y gurruminos de la pedantería dieciochesca. Se encendió la ira santa del alzamiento patriótico de 1808. La Junta de salvación y defensa de Granada le nombró comisario para que, a más de versificar arengas y soflamas capaces de enardecer los ánimos, se desplazase a Gibraltar a recabar la ayuda inglesa. No le pudieron encomendar misión más apropiada que tratar con los ingleses... a él, tan quisquilloso y tan *gentleman,* tan finústico y tan suasivo de ademanes patricios. En Cádiz amistó con el *divino* Argüelles y con el *divino* Quintana, el Tirteo de la Independencia. Por su juventud, no pudo ingresar en las Cortes que partieron el primer bacalao del constitucionalismo flamante en España, como en Europa... ¡Aun cuando ya había llovido desde que lo *inventaron* las Cortes leonesas y castellanas en los años de Alfonso VIII y Alfonso IX! Se marchó a Londres... a estudiar la Constitución inglesa y a componer su famoso poema *Zaragoza,* inspirado en el segundo sitio de la heroica ciudad del Ebro..., en la que no había estado. Regresó a Cádiz, y mientras los franceses sitiaban la plaza, en un teatro en el cual zumbaban las bombas de Napoleón, aquellas archifamosas bombas de las que se hacían—al decir del cantar—las gaditanas tirabuzones, estrenó algunas obras de circunstancias, recibidas "con un loco aplauso": *La viuda de Padilla*—tragedia alfieresca—y *Lo que puede un empleo,* juguete cómico de corte moratiniano. Le fue dispensada la edad para que pudiera ser parlamentario de las Constituyentes. "Martínez de la Rosa—escribe su amigo Alcalá Galiano—, todavía de cortos años y de escasa experiencia, así como de doctrinas, por lo extremadas, erróneas por demás; elocuente, aunque algo declamador en aquellos días; literato y poeta, hombre honrado, ardoroso y firme."

La reacción absolutista de 1814 odióle más que a ningún otro adversario. Preso en su mismo lecho, "fue sepultado en una mazmorra, debajo de un cuerpo de guardia, y allí padeció siete meses, lejos de la luz del día". Después pasó seis años desterrado en el Peñón de la Gomera, donde su noble carácter, dulce condición y fina inteligencia, le granjearon el afecto de sus guardianes, ante quienes y con cuya colaboración organizó veladas teatrales y concursos literarios. El levantamiento de Riego—1820—le devolvió la libertad. Tembloroso de miedo y de cólera Fernando VII, le eligió para que formara Gobierno; le eligió, como quien se agarra a una tabla de salvación, por saberle el menos rencoroso, el más correcto y suave de todos los liberales. Martínez de la Rosa, como quien era, supo proteger con tacto exquisito las prerrogativas reales contra los elementos demagogos y mantener al rey en el respeto de la Constitución. Con su actitud—y con su aptitud—no consiguió ganarse el afecto del monarca y se ganó el odio de los elementos tajantes en el liberalismo. 1823: Nueva preponderancia del absolutismo. Se lo han regalado a Fernando VII las Cancillerías europeas y se lo trae a Madrid, *en bandeja*—así se las ponían a Fernando VII...—, el duque de Angulema, el mayor fanfarrón de los cien mil hijos de San Luis. Martínez de la Rosa—que ya era, ¡ay!, *Rosita la pastelera*—huye. Se instala en París y pasa ocho años dedicado por entero a la literatura. Sino que, sin darse cuenta él, se ha quedado un poquito rancio en materia de crítica. Su pelaje es el de un neoclásico cuando ya visten montecristos peludos, fraques azules, pantalones de mahón ceñidos, y gastan melenas, perillas y toses los corifeos del romanticismo inglés y alemán, que efervesce hacia las tierras de la latinidad. Martínez de la Rosa juzga a los clásicos con el espíritu mediocre de un Boileau o de un Luzán, sin acordarse de que ya han escrito Lessing, los Schlegel, Schelling, Hegel, Byron, Goethe. Menos mal que a Martínez de la Rosa le entrampilla en la capital de Francia el estreno tempestuoso del *Hernani,* de Víctor Hugo, que marcó el triunfo de la revolución romántica en Francia. Con la falsilla de este drama escribe Martínez de la Rosa *Aben Humeya* y *La conjuración de Venecia,* los más importantes de su teatro y el mejor cimiento de su fama, a sentir de Menéndez Pelayo. El primero, en francés, con el título de *La revolté des Maures sous Philippe II,* se estrenó con fortuna en el teatro de la Porte de Saint Martin, de París. El segundo, representado en Madrid el 23 de abril de 1834, es el primer clarinazo romántico del teatro español; el que puso a las almas en vilo y en evidencia por todos los sentimentalismos. Aunque la crítica otorgue este mérito y honrado gesto de precursor al *Don Alvaro,* del duque de Rivas, estrenado después. En 1831 regresó Martínez de la Rosa de su destierro y se instaló en Granada. A la muerte de Fernando VII, la reina gobernadora, doña María Cristina, le confió —1834—el cargo de formar Gobierno. Promulgó el Estatuto Real, verdadera Constitución mitigada. Creó dos Cámaras, con los nombres de Estamentos de próceres y de procuradores. Concedió una amplia amnistía. Su liberalismo se fue mitigando con la suavidad con que todo en él evolucionaba, hasta el punto que, creyéndole entregado a la dinastía, los elementos díscolos le descartaron de su juego de naipes violento y más de azar que nunca. Desde 1836, Martínez de la Rosa lo fue todo. Embajador en Francia dos veces—1844 y 1847—, embajador en Roma—1848 a 1849—, ministro de Estado en 1845 y 1849. Presidente del Congreso en 1851 y 1860, presidente del Consejo de Estado en 1858. Y constantemente el autor dramático admirado por el público de toda España. Y constantemente el hombre correcto en su comportamiento, sereno en su apariencia, impecable en su atuendo. El hombre que siempre aparecía y parecía como recién lavadito, planchado y pintado.

M

Cierto escritor del pasado siglo—aludo a Nombela—, que trató con bastante asiduidad a Martínez de la Rosa, lo describe así: "De mi trato con el ilustre poeta me quedó la impresión de su innegable talento, de su inspiración como autor dramático, de su admirable y seductora oratoria; pero nada más. El hombre era débil, impresionable y con muy poco corazón. Correcto y fino en extremo, al estrechar su mano no se sentía más que la finura de ella, muy cuidada, como la de los prelados. Cumplía con todo el mundo; gozaba haciendo favores que podían serle pagados en lisonjas; en cuanto a querer..., llegué a pensar, acaso maliciosamente, que si galanteaba a las señoras guapas, más que por el placer de embriagarse con el perfume de aquellas flores, lo hacía para que las flores ornaran la vejez que tanto le afligía y que a toda costa procuraba ocultar..."

Martínez de la Rosa fue, como político, el espíritu que busca suavizar las aristas, atemperar las acciones a la necesidad, dar empaque señor a la gobernación del Estado, eliminar la estridencia de la perorata opositora. El político—¡oh manes de Disraeli!—de guante blanco, voz insinuante sin eco, voluntad tesonera enmascarada con tranquila frivolidad epigramática. Como literato, fue Martínez de la Rosa un escritor todo ponderación y armonía. Su verso es inspirado, aun cuando no excesivamente fácil ni profundo. Como dramático, está colocado—suave equilibrio—entre el clasicismo y el romanticismo. "Sectas enemigas" llamaba él a los bandos literarios opuestos, representantes del filosofismo retórico del XVIII y de la sensiblería exaltada del XIX. Y añadió: "Me siento poco inclinado a aislarme en las banderas de los clásicos o de los románticos..., y tengo como cosa asentada que unos y otros llevan razón cuando censuran las exorbitancias y demasías del partido contrario, y cabalmente incurren en el mismo defecto así como tratan de ensalzar su propio sistema." Pero si como poeta lírico Martínez de la Rosa delata su entronque recio en el siglo XVIII de Meléndez Valdés y Quintana, como dramático, si no llega a desbocarse, sí llega a encabritarse en el clima dulzón y rebelde de Musset y de Hugo. Martínez de la Rosa es el precursor *inmediato*—el *mediato* pudo serlo Cadalso—del romanticismo teatral español. Lo anuncia estentóreo. Lo hace fácil y asequible a los corifeos: Rivas, García Gutiérrez y Hartzenbusch. Los deja, preparado y palpitante, al público. Lo que no quiere decir que en su teatro no se encuentren obras que delaten su gusto clásico y su ágil sentido en él. Así, su *Edipo*—1833—, de perfecto corte helénico, una de las mejores tragedias del prerromántico, superior a las que con igual tema compusieron Corneille y Voltaire, a los que les *sobró* la pretensión de querer complicar la sencilla trama de Sófocles. Así, *La viuda de Padilla,* tipo de tragedia a lo Montiano, Jovellanos y Quintana, obra compuesta con cierta saturación alfieresca, y sí menos perfilada que la de aquellos ingenios, con mucha más pasión, interés y realismo.

Para Menéndez Pelayo, Martínez de la Rosa es un Moratín más tibio, con menos poder de observación, con menos *vis cómica* y con figuras más borrosas y descoloridas... "El *Aben Humeya*—1830—tiene exactitud histórica y color de época... Está bien pensado, y ejecutado con mucha franqueza y mucho desembarazo... Hasta el estilo toma a veces desusado color y energía." *La conjuración de Venecia*—1834—, según el mismo gran polígrafo montañés: "El drama está construido con mucho arte; al interés político se mezcla una intriga de amor, que no le destruye, ni oscurece, antes aviva el conflicto de pasiones, y este amor es trágico, amor veronés, amor entre sepulcros... En toda la pieza hay no solo gran artificio e interés de curiosidad vivo y punzante, sino calor de alma, más que en obra alguna de Martínez de la Rosa, y afectos juveniles vivos y simpáticos."

En el *Aben Humeya* y en *La conspiración de Venecia,* el romanticismo está más en los sentimientos de los personajes que en las situaciones de los dramas. Acaso igualmente esté en algunas frases ortodoxas de lo romántico, como "caminar a tientas y sin guía", "la acalorada fantasía", "un aspecto opaco y lúgubre", los "embates de la vida"...

Como crítico, Martínez de la Rosa se delata atrasado y decisivamente influido por el gusto recocó de la preceptiva francesa del siglo XVIII. Cuando escribe su *Poética* en verso—1827—, que cierra el período iniciado años antes por la retórica de Luzán, la única novedad que exhibe es la interpretación un poco libre de academicismo recargado y pedante de Boileau.

Además de las tragedias mencionadas, compuso Martínez de la Rosa varias piezas más para el teatro. Así: *Lo que puede un empleo*—1823—, *Los celos infundados* —¿1827?—, *La boda y el duelo*—1828—, *La niña en casa y la madre en la máscara* —1821—, todas ellas comedias de corte moratiniano, entre las que destaca la última, verdaderamente graciosa y fina. *Moraima* —1818—, tragedia neoclásica; *El español en Venecia, o La cabeza encantada*—1836—, afortunada comedia de capa y espada, en la que Martínez de la Rosa supo imitar el mejor teatro español del siglo XVII.

Ediciones muy interesantes de las obras dramáticas de Martínez de la Rosa, son:

Obras completas—París. Edición Didot.

1827. Cuatro tomos—, *Obras literarias*—Barcelona, 1838. Seis volúmenes—, *Obras escogidas*—Londres, 1838—, *Moraima* — París, 1829—, *Aben Humeya*—París, 1830—, *Obras completas*—París, 1844. Edición Baudry—, *Obras dramáticas*—Madrid, 1861. Tres tomos—, *Obras completas*—edición "Los Mejores Autores Españoles", Madrid, Tomos XXVIII y XXXII—, "Biblioteca de Autores Españoles". Madrid. Tomos V, VII, XX y LXI; "Clásicos Castellanos" *La Lectura*, Madrid. Espasa-Calpe, 1933. Tomo CVII; *La conjuración de Venecia*—Madrid, C. I. A. P., Bibliotecas Populares Cervantes.

V. MENÉNDEZ PELAYO, M.: *Estudios de crítica literaria*. Primera serie.—REBELLO DA SILVA, Luis Agusto: *Memoria sobre la vida política y literaria de don Francisco Martínez de la Rosa*. Lisboa, 1863.—SOBA, Luis de: *Martínez de la Rosa*. Madrid, Espasa-Calpe.—FERNÁNDEZ Y GONZÁLEZ, F.: *Elogio fúnebre del doctor don Francisco Martínez de la Rosa*. Universidad de Granada, 1862.—RODRÍGUEZ RUBÍ, Tomás: *Martínez de la Rosa*. Discurso en la Real Academia de la Lengua, 1862.—GONZÁLEZ BRAVO, Luis: *Martínez de la Rosa*. Discurso de ingreso en la Real Academia de la Lengua.—SARRAILH, Jean: *Martínez de la Rosa*, en *Clásicos Castellanos*. Madrid, tomo CVII.—ALCALÁ GALIANO, A.: *Recuerdos de un anciano*.—ALONSO CORTÉS, N.: *Retazo biográfico* (de Martínez de la Rosa), en *Viejo y Nuevo*. Madrid, 1916, página 123.—E. O. (Eugenio Ochoa): *Martínez de la Rosa*, en *El Artista*, I, 157.

MARTÍNEZ RUIZ, José («Azorín»).

Gran escritor español. Nació—1874—en Monóvar (Alicante). Murió—1967—en Madrid. Estudió el bachillerato con los Escolapios de Yecla y la carrera de Leyes en la Universidad de Valencia. En 1896 se trasladó a Madrid, dedicándose a la literatura y al periodismo. Ha sido redactor de *El País, El Progreso, El Globo, España* y *El Imparcial*, y colaborador de numerosos periódicos y revistas de España y América. Desde hacía muchos años escribía crónicas en *A B C*, de Madrid. Además del de "Azorín"—por el que es universalmente conocido—, ha utilizado, en sus primeros años de escritor, los seudónimos de "Cándido" y "Ahriman". Viajó por toda Europa. Académico de la Real de la Lengua.

"Azorín" ha sido un escritor fecundísimo. Pasa por ser uno de los más significados representantes de la llamada "generación del 98". Sus ideas políticas han sido siempre inestables, versátiles, confusas. Está considerado como uno de los primeros escritores de nuestros días. Sin embargo, su verdadero valor consiste en su prosa peculiarísima, bella,

de enorme riqueza de vocablos, castiza, luminosa, tersa, repulida.

"Azorín" ha escrito novelas, cuentos, comedias... Pero ni como novelista ni como dramaturgo ha conseguido éxito. No es un creador. Ni siquiera un narrador ameno. sus personajes no llevan en sí calor y palpitación y emoción de humanidad. Discursea con exceso. Pone en labios de sus protagonistas palabras poco naturales y un tanto afectadas.

"Azorín" es, esencialmente, un ensayista y un crítico muy agudo. "Como crítico, ha llegado a la serenidad más noble—ha escrito de él un crítico contemporáneo—; agudo y claro para los antiguos, benévolo para los modernos. No ha tenido la tendencia de otros, como el mismo "Clarín"—que Martínez Ruiz tanto admira—, de ensañarse con los principiantes... Por el contrario, ha sido de los que han elogiado con entusiasmo a los autores noveles, siempre el primero en lanzar nombres al público, pensando con orgullo que nada ni nadie podía hacerle sombra."

"La prosa de "Azorín"—opina el gran escritor López Prudencio—, prosa tan suya, de tan recia y original contextura, que ha influido poderosamente en el florecimiento de la prosa española, tiene calidades de tan sentido valor que no es posible aquilatar con el debido detenimiento en estas breves líneas. No es solamente una dicción limpia, diáfana, rica en léxico, impecable en la estructura. Es, además, una forma expresiva, ungida de elegancia, siempre serena y, sin embargo, empapada, transida de intensa emoción. Bajo la noble tersura, que jamás se deja alterar por abultamientos de altisonancia ni por depresiones destempladas, discurre, se siente discurrir, honda, caldeada, viva, la emoción de las cosas, vistas en el fondo íntimo de sus almas, y sugeridas con sus más finos, vivos, significativos matices. Prosa de gama rica en tonalidades, que ondulan siempre acompasadas al ritmo vario y múltiple de los rasgos, las líneas y de los colores del objeto de la observación, y de la emoción que sugiere cada pormenor, sorprendido, descubierto y plasmado con precisión exacta, concisa y siempre armoniosa."

"Azorín" es "un espíritu fino, de aire levantino, de jugosidad, de ambiente de tierras de mar aplicando su sensibilidad al paisaje castellano". Es, además, un gran comentador, un gran glosador, un gran apostillador. Se estremece de fervor y de luminosidad ante todo lo pequeño, lo humilde, lo efímero. Es, entre sus coetáneos, el artista puro, la forma exquisita, la concepción íntima y cordial de la vida.

"Azorín", que empezó desdeñando a nuestros clásicos, se ha convertido en su más

M

encendido panegirista. "Azorín" ha inmortalizado infinitas "naderías" en sus cuadritos, en sus miniaturas deliciosas, en los que el dibujo es asombroso; el colorido, encantador; la luz, casi milagrosa; la "impresión", inolvidable. Jean Cassou ha dicho que "Azorín" es el pintor más maravilloso de lo inorgánico.

Obras de crítica, glosa y comentario: *Alma castellana: 1600-1800; Los pueblos, La ruta de Don Quijote, Castilla, España, Lecturas españolas, Las confesiones de un pequeño filósofo, Los valores literarios, Clásicos y modernos, Al margen de los clásicos, El licenciado Vidriera, Ribas y Larra, Los dos Luises y otros ensayos, De Granada a Castelar, El paisaje de España visto por los españoles, Un pueblecito: Riofrío de Avila; Madrid, guía sentimental; Valencia, Una hora de España, Charivari, crítica discordante; Anarquistas literarios, El escritor, Capricho, Superrealismo, Pensando en España...*

Novelas: *Antonio Azorín, La voluntad, Doña Inés, Don Juan, Salvadora de Olbena, La isla sin aurora, Félix Vargas, María Fontán, Blanco en azul...*

Teatro: *Brandy, mucho brandy; Angelita, Old Spain, La invisible*—trilogía: *La arañita en el espejo, El segador, Doctor Death, de tres a cinco*—, *Comedia de arte...*

Texto: *Obras completas.* Madrid, M. Aguilar, 1947-1953, nueve tomos.

V. GONZÁLEZ-BLANCO, A.: *Los contemporáneos.* París, 1906.—ORTEGA Y GASSET, J.: *El Espectador.* Tomo II.—WERNER MULLERTT: *"Azorín".* Halle, 1926.—GÓMEZ DE LA SERNA, R.: *"Azorín".* Madrid, La Nave, 1930.—BARJA, César: *Libros y autores.* Los Angeles, 1933.—ERNST, Fritz: *"Azorín",* en *La Gaceta Literaria.* 15 de mayo de 1929.—CRUZ RUEDA, A.: *Estudio* a las *Obras completas de "Azorín".* Madrid, 1946-1952.—DÍAZ-PLAJA, Guillermo: *El teatro de "Azorín",* en *Obras de "Azorín".* Teatro, II. Madrid, 1931.—RÍO, Angel, y BENARDETE, M. J.: *El concepto contemporáneo de España. Antología de ensayos. 1895-1931.* Buenos Aires, Losada, 1946. (Contiene una extensa bibliografía, en notas y artículos, de "Azorín", págs. 182-83.)—ALFONSO, J.: *"Azorín": de su vida y de su obra.* Valencia, 1931.—VILLALONGA, L.: *"Azorín": su obra y su espíritu.* Madrid, 1931.—PORTO, L.: *"Azorín: el hombre y la obra.* Córdoba (Argentina), 1939.—CRUZ RUEDA, Angel: *"Azorín", prosista,* en *Cuadernos de Literatura Contemporánea,* Madrid, 1945, números 16-17.—CRUZ RUEDA, Angel: *Bibliografía de "Azorín",* en *Cuad. de Lit. Contemp.,* Madrid, 1945, núms. 16-17.—DÍAZ-PLAJA, G.: *El teatro de "Azorín",* en *Cuad. de Lit. Contemporánea,* Madrid, 1945, núms. 16-17.—KRAUSE, Ana: *"Azorín", the little philosopher.* Los Angeles, 1948, traducción de E. Calpe, 1955.

GRANELL, Manuel: *Estética de "Azorín".* Madrid, 1949.—SERRANO PONCELA, S.: *Eros y la generación del 98.* Puerto Rico, 1951.—CACHERO, José M.: *Las novelas de "Azorín".* Madrid, 1960.

MARTÍNEZ SIERRA, Gregorio.

Notable poeta, novelista y autor dramático español. Nació—1881—y murió—1947—en Madrid. A los diecisiete años publicó su primera obra: *Poema del trabajo*—1898—, con un prólogo de Jacinto Benavente. En seguida se entregó de lleno a la literatura. Publicó poesías, cuentos y artículos en *Blanco y Negro, Nuevo Mundo, Por Esos Mundos, Hojas Selectas...* Fundó las revistas puramente literarias *Vida Moderna, Helios y Renacimiento.* Durante muchos años dirigió la Biblioteca Renacimiento, de Madrid, que entre 1908 y 1918 lanzó al gran público las obras de los mejores escritores españoles, a alguno de los cuales dio a conocer. Desde 1915 dirigió varios años una de las mejores empresas teatrales que ha tenido España, con la que dio a conocer a músicos de la talla de Falla, Turina, Conrado del Campo, Angel Barrios y otros, así como obras extranjeras, de Barrie, Maeterlinck, Bernard Shaw, Molnar, Andreiev, Pirandello, Pagnol, Nicodemi... Martínez Sierra ha sido el mejor director artístico con que ha contado el teatro español. Exquisito y generoso. Moderno y profundo. Lleno de sensibilidad y con una fecunda curiosidad inextinguible. A él se debe la fundación del primer "Teatro de Arte" español, que asombró al público por su novedad, su finura, su esplendidez.

Como escritor, Martínez Sierra es admirable. Tiene el don de lo pictórico. Domina el diálogo de modo asombrosamente natural. Su emoción y su ternura, casi femeninas, alientan el realismo de los temas. Dueño de un estilo selectísimo y muy brillante. Sus poesías, de un modernismo indudable, tienden a una fervorosa intimidad, a una melancolía deliciosa. Sus cuentos y novelas atraen por motivos de patetismo y de humanidad, de prosa refinada, de morosas descripciones en las gamas más cálidas y luminosas. Sus obras teatrales—casi todas grandes éxitos—son ingeniosas, amables, sugestivas, delatan el talento del autor y la habilidad del dramaturgo.

Novelas y cuentos: *Almas ausentes*—1900—, *Horas de sol*—1901—, *Pascua florida*—1900—, *Sol de la tarde*—1904—, *La humilde verdad*—1905—, *El amor catedrático*—1907—, *Tú eres la paz*—1906—, *El diablo se ríe*—1915—, *Abril melancólico*—1916...

Poemas: *Diálogos fantásticos*—1899—, *Flores de escarcha*—1900—, *La casa de la primavera*—1907...

Teatro: *La sombra del padre*—1909—, *Mamá*—1913—, *El ama de la casa*—1910—, *Canción de cuna*—1911—, *Lirio entre espinas* —1911—, *Primavera en otoño*—1911—, *Madame Pepita*—1913—, *Amanecer*—1915—, *El reino de Dios*—1916—, *La mujer del héroe, Mary la insoportable*—1920—, *Don Juan de España, Triángulo, Todo es uno y lo mismo, Madrigal, Rosina es frágil, La llama, Las golondrinas, Margot, La pasión, Los románticos, El palacio triste*—1914—, *Para hacerse amar locamente, Seamos felices...*

Otras obras: *La vida inquieta*—glosario—, *Cartas para las mujeres de España, La tristeza del "Quijote", Hamlet y el cuerpo de Sara Bernhardt, Teatro de ensueño, Motivos, Granada, La feria de Neuilly, Pascua florida, Feminismo, feminidad; Eva, curiosa...*

V. SAINZ DE ROBLES, F. C.: *Prólogos a los tres tomos de obras selectas de M. S.*, publicadas por Aguilar en la "Colección Crisol", 1948.—SAINZ DE ROBLES, F. C.: *La novela española en el siglo XX.* Madrid, Pegaso, 1957.—MARTÍNEZ SIERRA, María: *Gregorio y yo.* México, 1953.—DARÍO, Rubén: *Semblanzas.*—DOUGLAS, F.: *Gregorio Martínez Sierra*, en *Hispania*, 1922-1923.—ENTRAMBASAGUAS, Joaquín de: *Las mejores novelas españolas contemporáneas (1905-1909).* Barcelona, Planeta, 1958, págs. 543-609.—NORA, Eugenio G. de: *La novela española contemporánea.* Madrid, Gredos, 1958. Tomo I.

MARTÍNEZ SILÍCEO, Juan.

Su verdadero nombre fue Juan Martínez Guijarro. Cardenal y escritor español. 1486-1557. Nació en Villagarcía, de una muy humilde familia. Estudió en Roma y en París. Sacerdote. Maestro del futuro Felipe II. Obispo de Cartagena. Arzopispo de Toledo —1545—. Cardenal.

De gran erudición. De carácter austero.

Obras: *Aritmética*—París, 1514—, *Arte calculatorio*—Salamanca, 1520—, *De divino nomine Jesus per nomen tetragrammaton significato, liber unus*—1560—, *In Aristotelis Perihermenias, Priores, Posteriores, Topica et Elencha; Defensorium Statuti Toletani...*

MARTÍNEZ DE TAMAYO VARGAS, Tomás.

Excelente erudito, historiador y prosista español. Nació—1588—y murió—1641—en Madrid. Estudió en Pamplona siendo un niño; luego vivió en Toledo, aprendiendo latín, griego, hebreo, Filosofía, Teología y Humanidades. Se ordenó sacerdote en la ciudad imperial, de cuya Universidad fue catedrático, y de cuya catedral fue canónigo doctoral. En 1621 se trasladó a Venecia como maestro y secretario del embajador español don Fernando Alvarez de Toledo. De

regreso a España, ocupó los mismos cargos en la casa de don Enrique de Guzmán, sobrino del conde-duque de Olivares.

A la muerte de Antonio de Herrera, cronista general de Castilla, fue nombrado, para sustituirle, Tamayo de Vargas, quien también lo fue de Indias, al fallecimiento del cronista Tribaldos de Toledo. Del Consejo de la Inquisición. De extraordinaria cultura. De crítica excelente. De fecunda labor histórica y literaria.

Obras: *Historia general de España del padre doctor Juan de Mariana, defendida*—Toledo, 1616—, *Defensa de la descensión de Nuestra Señora a la iglesia de Toledo*—Toledo, 1616—, *Vida de doña María de Toledo, señora de Pinto...*—1606—, *Diego García de Paredes*—Toledo, 1621—, *Nota a las obras de Garcilaso de la Vega*—Madrid, 1622—, *Flavio Lucio Dextro*—Madrid, 1624—, *Restauración de la ciudad del Salvador*—Madrid, 1624—, *Memorial a su majestad en nombre de la iglesia de Santiago*—Madrid, 1626—, *Memorial para la perpetua lealtad de la ciudad de Toledo*—1631—, *Memorial por la casa y familia de Luna*—1631—, *Antigüedad de la religión christiana en Toledo*—Madrid, 1624—, *Junta de libros, la mayor que España ha visto en su lengua hasta el año 1624*—ms. de la Biblioteca Nacional...

V. BALLESTEROS ROBLES, L.: *Diccionario biográfico matritense.* Madrid, 1912.—ALVAREZ DE BAENA: *Hijos ilustres de Madrid...* Tomo IV.

MARTÍNEZ DE TOLEDO, Alfonso (Arcipreste de Talavera).

Magnífico escritor español. ¿1398?-¿1470? Un famoso personaje más del *Mester de Clerecía.* Como el otro arcipreste, el de Hita, este de Talavera, bajo el emparrado del huerto, acomodado a una mesa—sostén del jarro del *bon* vino, de las lonchas del jamón añejo, del cestillo de frutos serondos—, olvidábase del mundo y de sus monarquías para sentirse conmovido de las mil pequeñas humanidades puestas a su sabor y en torno suyo: las lozanas mujeres, las cadencias panteístas del ambiente, los galanes peripuestos para amar, los dicharachos graciosos, las ventosidades y los regüeldos de una embarazosa digestión.

Fue el arcipreste de Talavera letrado y optimista. Cuando quiso escribir una diatriba "contra los vicios de las malas mujeres y las complexiones de los hombres—escribe un moderno comentarista—, se le salió por los puntos de su pluma de cigüeña el cuadro más animado y de colorido más justo de la mundanidad y la picaresca de su tiempo. Un galán arrepentido y harto de carne no hubiera podido hacerlo más perfecto".

M

Martínez de Toledo fue bachiller en decretos, capellán de Juan II de Castilla, racionero de la catedral toledana, arcipreste de Talavera y bibliófilo. Pero ninguno de sus cargos debió de atarle mucho a las sillas corales o él los descuidó en parte y en todo, porque anduvo corretón y mundano por Aragón, Cataluña y Valencia, sin duda aburrido—según él escribió—de que, en Talavera, las tardes de los domingos, no se veía por la plaza más que perros y canónigos.

Escribió unas *Vidas de San Isidoro y San Ildefonso* y una obra histórica: *Atalaya de las Crónicas*. Su obra más importante es el *Corbacho, o Reprobación del amor mundano*, que él no quiso titular: "Sin bautismo sea por nombre llamado arcipreste de Talavera donde quier que fuere levado."

El estilo de esta obra magnífica es abundante y lozano. El castellano recibió del arcipreste un vigoroso impulso. Ni amanerado ni rígido. De labios del vulgo recogió la frase justa y el vocablo gracioso, que él aderezó con primores. A veces su prosa resulta rimada.

El Corbacho, "impresión directa de la realidad castellana", según el maestro Menéndez Pelayo, pinta felizmente las costumbres mundanas de su tiempo, se muestra muy al tanto de modas, trajes y afeites, y más parece recrearse que censurar en las malas costumbres que critica.

El Corbacho tiene influencias del *Libro de las donas*, de Exímenis, y del *Libro del buen amor*, de Juan Ruiz; pero ninguna de Boccaccio—a excepción del título, que no se lo dio Martínez de Toledo, y que es tanto como *vergajo*—, ni de las diatribas, frecuentes en aquel tiempo, contra las mujeres, de don Alvaro de Luna, Rodríguez del Padrón, Valera y otros.

El arcipreste de Talavera "es el único moralista satírico, el único prosista popular, el único pintor de costumbres domésticas en tiempo de Juan II. Su libro, inapreciable para la Historia, es, además, un monumento para la lengua" (M. P.).

El arcipreste de Talavera nació en Toledo y debió de morir, hacia 1470, en la misma ciudad.

Muchísimas son las semejanzas entre los dos arciprestes: el de Hita y el de Talavera. Sus vidas, jocundas y mundanas. Sus vocabularios, opulentos y despilfarrados. La riqueza de sus adagios y proverbios, de *retraheres* y sentencias. Sus estilos, de abundancia, lozanía, picaresca y gracia. Sus imaginaciones, ardientes y multicolores, capaces de apurar los tonos y los matices. Sus modos de acumular los modos de decir, por chistosos y peregrinos que sean. Sus prosas, sabrosas y casticísimas. Sus faltas absolutas de imitación y sus impresiones directas y netas de la realidad castellana. Los dos arciprestes fueron un tanto cínicos y maleantes; los dos, con el achaque de poner en la picota los desastres a que llevan los desenfrenados amores mundanos, no hicieron sino regocijarse morosamente en ellos y pintarlos de color de rosa y con apariencia apetitosísima.

La obra del arcipreste de Talavera fue de las más geniales que pueden darse. Es el primer libro español en prosa picaresca. "*La Celestina* y *El Lazarillo de Tormes* están en germen en él." Es un verdadero mundillo palpitante, colorinesco, gracioso y picante, realista por completo y nada más que realista, abigarrado, un tanto lleno de figuras y de actitudes barrocas y pintorescas. La obra del arcipreste de Talavera no se marchitará jamás; por siempre conservará su atractivo humano encalenturado y su impar fuerza expresiva.

El éxito de *El Corbacho* fue muy grande. Debió de ser escrito hacia 1466.

En El Escorial se conserva el códice citado por Gallardo—en el tomo III, pág. 666, de su *Ensayo de una biblioteca...*—, anotando las variaciones de las ediciones incunables de Sevilla — 1498 — y Toledo—1500—. Existen otras ediciones inmediatas: Toledo, 1518, 1529; Sevilla, 1547.

La primera edición de *El Corbacho* fue hecha en Sevilla, el año de 1495, y lleva este epígrafe: "*Arcipreste de Talavera, que fabla de los vicios de las malas mujeres y complexiones de los hombres.*"

De las *Vidas de San Isidoro y San Ildefonso* se conservan tres códices: el de la Biblioteca Nacional, el de El Escorial y el de la Biblioteca Menéndez Pelayo.

Las mejores ediciones modernas de *El Corbacho* son: la de la Sociedad de Bibliófilos Españoles—Madrid, 1901—, preparada por Pérez Pastor, y la de la "Biblioteca Clásica"—Madrid, 1930—, preparada por Rogerio Sánchez.

Otra buena impresión es la realizada—Berkeley, 1939—por L. B. Simpson, según el códice escurialense ya aludido.

V. Menéndez Pelayo, M.: *Orígenes de la novela. I.*—Pérez Pastor: Edición de *El Corbacho*. Sociedad Bibliófila Española. 1901.—Farinelli, Arturo: *Note sulla fortuna del Corbaccio nella Spagna medievale*. Halle, 1905.—Cejador y Frauca: *Historia de la literatura y lengua castellanas*. I.—Rogerio Sánchez, J.: Prólogo y notas a la ed. "Biblioteca Clasica". Madrid, 1930.—Simpson, Lesley Byrd: *Estudio* a la ed. de Berkeley, 1939.—Simpson, Lesley Byrd: *Arcipreste de Talavera*, en *Hispanic Rev.*, 1941, IX, 405.—Cirot, G.: *Note sur l'"Atalaya"*, en *Homenaje a Menéndez Pidal*, I, 355.—Cirot, G.: *Acerca del Arcipreste de Talavera*, en *Bi-*

blioteca Hisp. 1926, XXVIII, 140.—GARCÍA REY, V.: *El Arcipreste de Talavera*, en *Revista Bibl., Arch. y Museo* del Ayuntamiento de Madrid, 1928, V, 298.—STEIGER, Arnold: *Contribución al estudio del vocabulario de "El Corbacho"*, en *Boletín de la Academia Española*, 1922.—MIQUEL PLANAS, R.: *Estudio preliminar de "El espejo", de J. Roig.* Barcelona, 1936-1942.

MARTÍNEZ VELA, Bartolomé.

Cronista boliviano del siglo XVIII. Figura descollante del período colonial. Autor de la *Historia de la Villa Imperial de Potosí.* "Menor en el vuelo humanista y en elegancia en el decir que Calancha, cronista más que artífice, Martínez Vela retrata con vivos colores la pasada grandeza de la vida potosina, entremezclando la Historia con el atisbo sociológico, el dato económico y la anécdota festiva. Se le atribuye la creación de la escuela tradicionalista, aunque otros arguyen que bebió sin reparo en fuentes ajenas. Su estilo denso, monótono, se esmalta con metáforas adecuadas. Pero aquí cabe el paralelo: si Martínez Vela descuella como pintor exacto y animado de la vida colonial, Calancha le supera en donosura de expresión. Leyendo al potosino, goza la curiosidad del lector; el agustino, en cambio, enseña deleitando, y eleva el espíritu con pasajes que revelan el señorío del artista." (Díez de Medina.)

V. DÍEZ DE MEDINA, Fernando: *Perfil de la literatura boliviana*, en *Thunupa*, La Paz, 1947.—FINOT, Enrique: *Historia de la literatura boliviana.* México, 1943.

MARTÍNEZ VIGIL, Carlos.

Uruguayo. Abogado, periodista, humanista, filólogo. Nació el 14 de agosto de 1870. Con José E. Rodó, Víctor Pérez Petit y su hermano Daniel publicaron la prestigiosa *Revista Nacional*—1896-97—, de estudios y crítica literaria. Autor de varios folletos sobre lenguaje y debates gramaticales. Redactor-jefe por espacio de muchos años del diario *La Tribuna Popular.* Autor de diversos libros (*Apuntes de mi cartera*—1900—, *El problema nacional*—1905—). Asesor letrado del Consejo de Guerra Permanente. Fundador y presidente de la Sociedad de Hombres de Letras. Dejó copiosa labor de crítico literario y de asesor en concursos literarios e históricos. Falleció el 24 de octubre de 1949.

MARTÍNEZ VILLERGAS, Juan.

Notable periodista y poeta. 1817-1894. Nació en Gomeznarro (Valladolid). Y aquí tenemos otro ejemplo, semejante a Forner, de personaje bilioso, muy amigo de trifulcas literarias. Era, como aquel extremeño, enjuto, nervioso, con la cabeza y el rostro llenos de ángulos, la sonrisa de solapa y un modo de hablar en el que siempre utilizaba los segundos, terceros y aun cuartos sentidos de las palabras. Su animadversión no recayó exclusivamente sobre los literatos. Los políticos en boga encendíanle la sangre. Fundó innumerables periódicos, de nombres expresivos—y aun agresivos—para *meterse* con sus adversarios, imaginarios la mayoría de las veces... *El Entreacto, El Tío Camorra, Jeremías, Don Circunstancias, La Nube, El Moro Muza...* Periodiquillos, papeluchos, *sapos* de Prensa, de los que apenas salían a la pública curiosidad media docena de números; porque el personaje agraviado solía buscar a su director y redactor único y repartidor y le abofeteaba, conminándole con un pateo público si insistía en los ataques.

¡Cuántas bofetadas se perdían al revuelo de un escándalo, en Madrid, se las encontraba Martínez Villergas!

Le desafiaron con palabrotas de hombres bravos embravecidos, Espartero—a quien había atacado en *El baile de las brujas*, 1843—, Narváez—ofendido en el *Paralelo entre la vida militar de Espartero y Narváez*—y varios moderados aludidos en *Los políticos en camisa.* Villergas no se daba por aludido y solía largarse unos meses de la villa y corte hasta que creía pasada la tormenta. Cuando tornaba, la bilis acumulada *le traía a mal traer*, inminente de disparársele.

Si la amargura y malas pulgas de Forner, triunfador, no se explican fácilmente, las de Martínez Villergas son perfectamente explicables. No disfrutó de ningún sueldo oficial. No logró éxito en la novela; su novelón *Los misterios de Madrid*, imitación de la obra de Sué, no lo leyeron ni las porteras, consumidoras insaciables del género melodramático a cuentagotas. Fracasó en sus intentos escénicos con comedias insulsas y de poca acción. Ni siquiera sus panfletos se vendían en cantidad suficiente para sacarle de apuros, ya que los agentes de los agraviados recogían la edición y la quemaban en cualquier barranco de las afueras madrileñas. Por si estas no fueran ni suficientes calamidades, la autoridad, instigada por sus poderosos enemigos, le tuvo desterrado de España muchos años. Y Martínez Villergas, arrumbado en la bodega de los viejos bergantines, sobre carretas tiradas por bueyes, a caballo en flacos pencos o en mulas coceantes, recorrió mares y tierras. Francia, Cuba, México, Argentina... le fueron poco propicias. Aquí tropezaba con una revolución; aquí, con una disimulada trata de negros... y de blancas; aquí, con una cabalgada de bandidos disfrazados de rebeldes políticos; aquí, con un aquelarre sonoro de mulatos y cuarterones, dueños de la manigua... Y en todas partes,

M

con la falta de medios económicos que le hacían mendigar el ochavo, suplicar la publicación en cualquier periodicucho de un artículo de costumbres, de una poesía festiva.

No se sabe por cuáles artes de magia, él, tan poco diplomático, fue nombrado cónsul en Haití—1856—. ¡Más lejos no le supieron mandar sus enemigos! Antes rondó el Consulado de Newcastle, cuyo mando le arrebató una orden fulminante del duque de Valencia, su peor adversario, cuyo "espadón de Loja" siempre tuvo pendiente sobre su cabeza el poeta aventurero.

La vejez de Martínez Villergas fue la de un bufón. Rigoletto, deshonrado, befado, monstruoso, debió de conocer días de angustia semejante. Pero siquiera desahogaba su alma con música de Verdi ante espectadores conmovidos de su lastimosa tragedia. Martínez Villergas, en su cuchitril de la calle de la Palma, soñaba con personajes que desde la indigencia pasaban a una brillante posición. Eran sueños obsesivos. Montones de duros. Vestidos irreprochables. Coches tirados por troncos de alazanes. Criados de casacas caminando delante de él con candelabros de plata de velas rizadas encendidas. Y lo realmente fenomenal es que, dando traspiés por estos sueños, en lugar de poemas heroicos o de poemas gemebundos, Martínez Villergas escribiera epigramas graciosísimos, letrillas festivas. Como un bufón antiguo, cumplía su obligación de reír *por fuera* mientras *por dentro* se moría de angustias. Falleció en Zamora el 8 de mayo de 1894.

Martínez Villergas era, exclusivamente, un escritor fino de costumbres y poeta de vena satírica y jocosa. Cuantas obras escribió saliéndose de sus aptitudes fueron otros tantos fracasos. Su personalidad literaria ha sido sañudamente combatida.

Parte de la crítica, no acordándose sino de sus sátiras, llenas de violento personalismo, le ha llegado a negar el más insignificante mérito. Fitzmaurice-Kelly concreta el valor de Martínez Villergas en sus justos trazos: excelente periodista, hombre de partido y de ingenio, autor de estimables obras, llenas de picaresca malicia.

Entre sus obras están: *Poesías jocosas y satíricas*—1842—, *El baile de las brujas* —1843—, *Los bailes*—1843—, *Los misterios de Madrid*—novela, 1847—, *El cancionero del pueblo*—1847—, *Ir por lana...*—comedia, 1848—, *El padrino a mojicones*—comedia, 1849—, *Los políticos en camisa*—1850—, *El asistente*—comedia—, *Paralelo militar entre Espartero y Narváez*—1851—, *Poetas españoles contemporáneos*—París, 1859—, *Los espadachines*—novela, 1869—, *El dómine Lucas*—sátira, 1872—, *Siete mil pecados capi-*

tales—sátira, 1874—, *Sotillo, Soto y Sotomayor*—comedia, ¿1884?—, *Pedro Fernández* —comedia, ¿1886?

Y numerosísimas poesías y artículos no recopilados se hallan en los periódicos *El Látigo*—1854—, *La Charanga*—la Habana, 1857—, *Fray Junípero*—México, 1858—, *El Moro Muza*—la Habana, 1859—, *Don Circunstancias*—la Habana, 1874—, *La España Moderna*—Madrid, 1894.

V. FITZMAURICE-KELLY: *Historia de la literatura española.*—"THEBUSSEN" (El Doctor): *Martínez Villergas. La España Moderna.* Septiembre 1894.

MARTÍNEZ ZUVIRÍA, Gustavo («Hugo Wast»).

Novelista muy popular. Nació—1883—en Córdoba (Argentina). Murió—1962—en Buenos Aires. Hizo sus primeros estudios en el colegio de Santa Fe. Doctor en Legislación y Jurisprudencia por la Universidad de La Plata. Profesor de Economía política. Siendo aún estudiante, empezó a publicar poesías y cuentos en los principales diarios y revistas de su tierra natal. Miembro de la Academia de Letras, de la que fue su presidente. Gran Premio Nacional de Literatura 1927 por su novela *Desierto de piedra*. Académico correspondiente de la Real Española de la Lengua.

Su fama es enorme. Es, sin discusión, el escritor hispanoamericano actual más conocido y leído en el mundo. Todas sus obras están traducidas a todos los idiomas cultos, y de algunas de ellas se han impreso más de medio millón de ejemplares. Esta popularidad no está en consonancia, sin embargo, con el valor literario de sus novelas. Porque "Hugo Wast" es un escritor de recursos exclusivamente populares, aun cuando la Academia Española concediera su gran premio quinquenal a *El valle negro* e incorporara a su Diccionario muchos de los argentinismos contenidos en la producción de este escritor. A "Hugo Wast" le falta selección de estilo, originalidad expresiva, imágenes felices, fuerza creadora, intensidad psicológica.

Naturalmente que ningún escritor se hace universal si no cuenta con ciertos valores universales. Y es de justicia reconocer que "Hugo Wast" los posee, y de esos que el gran público aprecia más, porque están más al alcance de sus disponibilidades literarias. Habilidad narrativa, patetismo en los temas, mucha sentimentalidad, estilo muy llano, propiedad en el lenguaje, colorido sencillo en las descripciones. Con estas virtudes, muy del género novelesco, "Hugo Wast" ha logrado éxitos sin precedentes y elogios fervorosos de muchos críticos de gran solvencia. Así, Julio Casares, secretario perpetuo de la Real Academia, comenta: "Entre los libros que verdaderamente responden al concepto tradicional de la novela, las obras de "Hugo Wast" figuran entre lo mejor que ha visto la luz últimamente en lengua castellana." Y de *El valle negro* escribe Unamuno: "La he leído con el ánimo suspenso, y volveré a leerla, porque el interés que me despertó es el de un dramático juego de pasiones. Esta novela puede leerse en cualquier país y podrá leerse en cualquier tiempo, cuando se sigan leyendo *Carmen* y *Colomba*, de Mérimée. Su precisión y su condensación la librarán de las modas del gusto. Correspondiendo a esta manera de sentir y de entender la novela, el estilo es adecuado. Limpio, claro, preciso, sin contorsiones metafóricas, sin retorcimientos estilísticos a que ahora hay alguien tan aficionado."

Otras novelas: *Alegre, Novia de vacaciones*—1907—, *Flor de Durazno*—1911—, *La casa de los cuervos*—1916—, *Los ojos vendados, Ciudad turbulenta, ciudad alegre...* —1919—, *La corbata celeste*—1920—, *El vengador*—1922—, *La que no perdonó*—1923—, *Siempre en el umbral, Miryam la conspiradora, El jinete de fuego, Tierra de jaguares, Lucía Miranda, Las espigas de Ruth, Oro, El Kahal, Esperar contra toda esperanza, Dom Bosco, 666,* y otras más que suman más de cuarenta volúmenes.

V. ROJAS, Ricardo: *La literatura argentina.* Buenos Aires, 1924.—GIMÉNEZ PASTOR, A.: *Historia de la literatura argentina.* Buenos Aires, edit. Labor.—PINTO, Juan: *Panorama de la literatura argentina contemporánea.* Buenos Aires, 1941.—TORRES RIOSECO, A.: *Novelistas contemporáneos de América.* Santiago, edit. Nascimiento, 1939.— SUÁREZ CALIMANO, Emilio: *Directrices de la novela y el cuento argentino.* Buenos Aires, 1933.—SEDGWICK, Ruth: *Hugo Wast novelist.* Baltimore.

MÁRTIR DE ANGLERÍA, Pedro.

Humanista italiano que vivió, escribió y enseñó en España. 1459-1526. De la familia de Anghiera (Arona), llegó a Zaragoza el año 1487. Ordenóse sacerdote y obtuvo varios beneficios eclesiásticos y el nombramiento de cronista de Indias—1510—. Fue el iniciador de los estudios humanísticos entre la nobleza española. Asistió a la toma de Granada por los Reyes Católicos. Y en Granada murió.

Obras: *Opera*—Sevilla, 1511, poemas y epigramas latinos, que editó Nebrija—. *Opus epistolarum*—Alcalá, 1530, sucesos relativos a España, entre 1488 y 1525, en forma epistolar narrados—, *Decades de orbe novo*—historia del Nuevo Mundo, desde Colón hasta 1525, para escribir las cuales utilizó las referencias de los conquistadores y descubridores españoles, muchos de los cuales fueron sus amigos—. Esta obra—Alcalá, 1550— fue traducida al inglés—1555—y al alemán —1582—, y está escrita a la manera de Tito Livio, con abundantes reminiscencias clásicas.

Textos: Traducción de *Opus epistolarum,* por López Toro, Madrid, 1943; *Décadas,* traducción de Asensio, cuatro tomos.

V. HARISSE: *Bibl. Americ. vetustissima,* 1868.—MARIEJOL, J. H.: *Pedro Mártir d'Anghiera.* París, 1887.

MÁRTIR RIZO, Juan Pablo.

Poeta y erudito español, nieto de Pedro Mártir de Anglería. Nació—¿1585?—y murió —¿1645?—en Madrid. Estudió en Salamanca y Alcalá. Presbítero. Fue ayo de don Melchor Hurtado de Mendoza, hijo del conde de Cañete. Enemigo acérrimo de Lope de Vega, ayudó a Torres Rámila en la redacción de la *Spongia,* feroz diatriba contra aquel glorioso genio. Cultivó sin mucha inspiración la poesía, traduciendo obras del latín y del francés. De genio vivo y de carácter irascible, tomó parte en todas las controversias literarias de su época. En 1636 ingresó en la Congregación de sacerdotes naturales de Madrid.

Obras: *Historia de Cuenca*—Madrid, 1629—, *Historia de la vida de Lucio Anneo Séneca*—Madrid, 1626—, *Norte de príncipes* —Madrid, 1626—, *Historia trágica de la vida y muerte del duque de Virón*—Barcelona, 1629—, *Defensa de la verdad que escribió don Francisco de Quevedo y Villegas*—Málaga, 1628.

MARTORELL, Joanot.

Novelista español, nacido—probablemente—en Valencia hacia el año 1410. Murió en 1470. Fue el autor de las tres primeras partes de la famosísima novela catalana *Libre del valerós e estrenu cavaller Tirant lo Blanch.*

Según la dedicatoria, al infante don Fernando de Portugal, la novela fue empezada el año 1460. Y se imprimió—1490—en Valencia.

Como Martorell muriera sin haberla terminado, la continuó hasta el fin Martí Joan de Galba, quien murió unos meses antes que la obra apareciera impresa. El éxito de *Tirant lo Blanch* fue inmediato y muy grande. Se reimprimió en Barcelona—1497—. Y una traducción castellana apareció en Valladolid—1511—. Nicolo de Corregio, a petición de Isabel de Este, marquesa de Mantua, la tradujo—1510—al italiano. También fue traducida al portugués.

Tirant lo Blanch se basa en un hecho his-

M

tórico: la expedición de Roger de Flor a
Oriente, cuyas hazañas y aventuras refieren
los autores con mucha minuciosidad y soltura.

Cervantes, en el escrutinio de la librería
de Don Quijote, además de salvar del fuego
esta novela, la elogió considerándola como
"tesoro de contento y mina de pasatiempo",
y agrega: "Por su estilo, es este el mejor
libro del mundo..."

Textos: Edición facsímil, 1940; edición
Hispanis Society, de Nueva York, 1904.
V. MENÉNDEZ PELAYO, Marcelino: *Orígenes
de la novela*.—GINAVEL MAS, J.: *Estudio crí-
tico de "Tirant lo Blanch"*. Madrid, 1912.—
GUTIÉRREZ DEL CAÑO, M.: *Ensayo bibliográ-
fico de "Tirant lo Blanch"*, en *Rev. Arch.*,
1917, sep.-dic.—MARTÍNEZ Y MARTÍNEZ: *Mar-
tín Juan de Galba, coautor de "Tirant lo
Blanch"*. Valencia, 1916.—IVARS, A.: *Auxias
March y Juanot Martorell*, en *Erud. Iber.
Ultr.*, 1931, I, 68.

MARURI, Julio.

Nacido en Santander—1920—, pertenece
a las jóvenes generaciones de poetas actuales. Forma parte del grupo de la revista
Proel, y en el concurso de poesía "Adonais"
de 1947 fue distinguido con accésit. También es colaborador frecuente de *La Isla de
los Ratones*, pliegos de poesía editados en
Santander.

Obra poética: *Las aves y los niños*—Santander, 1945—, *Los años*—"Colección Adonais", Madrid, 1947—, *Antología poética*
—"Premio Nacional de Literatura, 1947".

MAS, José.

Novelista español. Nació—1885—en Ecija
(Sevilla). Murió—1942—en Madrid. Comerciante. Viajero infatigable por tierras del
Africa española. Colaborador selecto de periódicos y revistas de toda España. En pocos
años alcanzó una gran popularidad, siendo
traducidos sus libros al inglés, francés, alemán, italiano, holandés y portugués, y alcanzando muchas y copiosas ediciones.

José Mas sobresale por su viva imaginación, su colorismo descriptivo, la fuerza realista de sus temas, su prosa natural, sin altisonancia ni rebuscamientos; su maestría
narrativa y la intensidad patética de muchas situaciones y escenas. Es un novelista
de masas, malogrado en la plenitud de su
labor.

Obras: *Soledad*—novela—, *Sacrificio*
—1918—, *Esperanza*—1919—, *La bruja, La
estrella de la Giralda*—1917—, *La orgía*
—1919—, *Por las aguas del río*—1921—,
Hampa y miseria—1923—, *La locura de un
erudito*—1926—, *Los sueños de un morfi-
nómano*—1922—, *El rastrero*—1922—, *La

costa de la muerte*—1929—, *Luna y sol ma-
risma*—1930—, *El baile de los espectros, La
huida, La piedra de fuego*—1924—, todas
ellas novelas...

V. CANSINOS-ASSÉNS, R:. *Las novelas... de
Jose Mas*. Madrid, ¿1931?—GONZÁLEZ-RICO-
BERT, F.: *José Mas...*, en *Vida Moderna*,
Cádiz.—SAINZ DE ROBLES, F. C.: *La novela
española en el siglo XX*. Madrid, Pegaso,
1957.—NORA, Eugenio G. de: *La novela española contemporánea*. Madrid, Gredos, 1958.
Tomo I, págs. 367-370.—ENTRAMBASAGUAS,
Joaquín de: *Las mejores novelas españolas
contemporáneas* (1915-1919). Barcelona, Planeta, 1959, págs. 707-72.

MASDÉU, Juan Francisco.

Historiador y retórico español. Nació
—1744—en Palermo (Italia). Murió—1817—
en Valencia. De familia de cierta nobleza.
Hizo sus primeros estudios en el Seminario de Nobles, llamado de Cordelles, que tenían a su cargo los jesuitas de Barcelona.
En 1759 ingresó en la Compañía de Jesús.
Cuando cursaba la Teología, hubo de marchar desterrado de España, con todos los de
la Orden. Vivió en Ferrara y en Roma. La
extinción de la Compañía le dejó transformado en un sacerdote secular. Regresó a
España. Enseñó Gramática, Retórica, Arqueología, Historia política y Derecho canónico.

Fue nombrado por Carlos IV investigador
del archivo de la catedral de León. Nuevamente tuvo que salir de España, refugiándose en Roma. Al llegar a esta ciudad
—1812—, el destronado monarca español
Carlos IV quiso que Masdéu le sirviera de
secretario, y aunque este rehusó el cargo,
todavía sirvió con su pluma al rey destronado en algunos asuntos.

Restablecida por Pío VII la Compañía de
Jesús, volvió—1815—Masdéu a España, profesando el día de San Ignacio del siguiente
año en la iglesia de la Cartuja de Monte-
alegre, pasando en seguida destinado a Valencia. En esta ciudad desempeñó una cátedra de su invención, que llamó *Escuela
Nacional*, y que fue concurridísima, a pesar de haberla puesto solo para los días de
fiesta y vacación. Su nombre figura en el
Catálogo de autoridades del idioma, publicado por la Academia Española.

Masdéu fue un investigador concienzudo,
algo escéptico, y un prosista excelente. Des-
hizo muchos torpes errores en la historia
patria.

Obras: *Historia crítica de España y de la
cultura española*—1783 a 1805—, empezada
a publicar en italiano su obra fundamental, de extraordinaria importancia, por haber hecho gran hincapié en la llamada *His-

toria interna—; *Arte poético fácil*—1801—, *Memorial*—sátira contra la República francesa, 1800—, *Iglesia española*—M a d r i d, 1841—, *Discurso sobre las pretensiones de la Francia: la libertad y la igualdad*—Valencia, 1811...

V. TORRES AMAT: *Diccionario de escritores catalanes.* Barcelona, 1836.—PÉREZ, N., "el Setabiense": *El censor de la Historia de España.* Madrid, 1802.

MASERAS, Alfonso.

Ilustre poeta y novelista español. Nació —1884—en San Jaime dels Domenys (Barcelona). Ha vivido mucho tiempo en Francia, Bélgica, Inglaterra y la Argentina.

Domina el francés, hasta el punto de haber escrito—1912—en este idioma su novela *L'arbre du Bien et du Mal.* Colaborador en importantes publicaciones de todo el mundo. Uno de los más preclaros paladines del resurgimiento literario catalán. Traductor magnífico de Molière, Silvio Pellico y diversos poetas franceses contemporáneos.

Son las características de Maseras: un buen gusto exquisito, una honda emoción contenida en los límites de una elegante mundanidad, una melancolía voluptuosa, una reconcentrada sensualidad realista, un equilibrio asombroso entre el pensamiento, el estilo y el arte.

Obras: *Un viaje a la América meridional, Contes fetidichs*—1911—, *Fets et Paraules de Mestre Blay Martí*—1899—, *Ildaribal* —1915—, *Edmón*—novela, 1908—, *La fi d'un idili*—novela, 1910—, *Sota'l cel du Paris*—impresiones, 1908—, *Contes et croquis*—1916—, *L'adolescent*—novela—, *Eglogues, seguides del Poema dels camins*—1918—, *La lira de Montmartre*—1926—, *Una vida o s c u r a* —1927—, *L'evasió*—novela, 1929—, *Contes a l'azar, Setze contes, Figures d'argila*—cuentos, 1926—, *La Ratlla*—cuentos, 1929—, *El Retorn*—cuentos, 1930—, *L'hereu*—drama, 1929—, *Guerau y María*—drama, 1930—, *Interpretations i motius*—1920—, *Una vida oscura*—novela, 1927—, *El llibre de les hores cruentes*—impresiones de guerra, 1921—, *Fortuny, la mitad de una vida*—biografía, 1932—, *La conversión*—cuentos...

V. DOMÉNECH, Cristóbal: *El novel-ista catalá Alfonso Maseras.* Barcelona, 1922.—MONTOLIÚ, Manuel de: *Breviari critic.* Barcelona, 1929, 1931, II y III.—GIARDANI, César: *Antologia di poeti catalani contemporani.* Turín, 1926.—SCHNEEBERGER, Albert: *Anthologie des poètes catalans contemporains.* París, 1923.

MASIP ROCA, Paulino.

Novelista, dramaturgo y cronista. Nació —1900—e n Granadella (Lérida). M u r i ó

—1963—en México. Pero desde muy joven vivió en Madrid, dedicado al periodismo en diarios y revistas: *El Sol, La Voz, Estampa, Crónica...* De ideas republicanas, hubo de salir de España en 1939, trasladándose a México, donde ha vivido casi siempre, apenas con rápidas escapadas a otros países del continente americano.

Tanto como novelista como autor teatral cultivó un género realista sincero, profundo, "con almendrilla" ejemplarizante, pero envuelto en una expresividad en la que se entreveran el humor y la gracia poética. Sin que falten en ninguna de sus obras las ideas originales que, en no pocas ocasiones, llegan a convertirse en sentencias.

Obras: *El báculo y el paraguas*—teatro, 1930—, *La frontera*—teatro, 1932—, *El hombre que hizo el milagro*—teatro, 1944—, *El emplazado*—teatro, 1949—, *El escándalo* —teatro, ¿1952?—, *Historia de amor*—narraciones—, *Cartas de un español emigrado, El diario de Hamlet García*—1944, novela, posiblemente su obra maestra—, *La aventura de Marta Abril*—1953—, *La trampa* —1954—, *Un ladrón, Dúo, La vuelta del padre pródigo*—teatro—, *A la salida del túnel* —teatro—, *La trampa*—teatro.

V. NORA, Eugenio G. de: *La novela española contemporánea.* Madrid, edit. Gredos, tomo II, 1962.—MARRA-LÓPEZ, José R.: *Narrativa española fuera de España (1939-1960).* Madrid, Ediciones Guadarrama, 1963, páginas 517-18.

MASÓ SIMÓN, Salustiano.

Poeta y prosista. Nació—1923—en Alcalá de Henares. Autodidacto. En la actualidad, traductor y corrector de estilo en *Selecciones de Reader's Digest.*

Obras: *Contemplación y aventura*—poemas, accésit del "Premio Adonais, 1956"—, *Historia de un tiempo futuro*—poemas, accésit del "Premio Adonáis, 1961"—, *Jaque mate*—poemas, "Premio Guipúzcoa, 1962"—, *La pared*—poemas, "Premio Eduardo Alonso, 1964"—, *Canto para la muerte*—poemas, finalista del "Premio Leopoldo Panero, 1968"—, *Como un hombre de tantos*—poemas, finalista del "Premio Alamo, 1968"—, *Piedra de escándalo*—"Premio Amantes de Teruel" en el VIII Certamen poético en honor de los famosos amantes, 1969.

MASRIERA COLOMER, Arturo.

Literato y catedrático español de mucho prestigio. Nació—1860—y murió—1929—en Barcelona. Joyero en su juventud. Entre 1875 y 1900 fue premiado doscientas veces por varias composiciones en certámenes públicos. Mestre en Gay Saber, proclamado en los Juegos florales—1905—de Barcelona. En-

M

tre 1885 y 1896 estudió Lenguas clásicas, Filosofía, Teología y Derecho. En 1883 ganó la medalla de oro del concurso internacional de Montpellier, organizado por la Société des Langues Romaines, con su oda *La pirámide*. Doctor en Filosofía y Letras—1903—por la Universidad Central. Catedrático de Lengua y Literatura castellanas en el Instituto de Ciudad Real—1907—y de Lógica y Etica en el de Lérida—1903—, y de la misma asignatura en el de Reus—1905—. Crítico literario e histórico del *Diario de Barcelona*. Colaborador de periódicos y revistas importantes. De la Academia de Buenas Letras de Barcelona.

Obras: *Poesies premiades*—Barcelona, 1878—, *Poesies liriques, historiques, bibliques y populars*—Barcelona, 1879—; *Julieta* —leyenda, 1880—, *El siglo de Pericles*—Gerona, 1880—, *Cobles en llahor de Sant Jordi* —Barcelona, 1884—, *Marianeta y Marianita* —novela, 1897—, *Lecciones dudosas en la "Epístola a los Pisones"*—tesis doctoral, 1903—, *Helenismo de concepto en la epopeya virgiliana*—Madrid, 1910—, *Bruniselda* —drama lírico, 1904—, *Triunfantes y olvidados*—crítica, 1912—, *El catalanismo literario en las regiones*—1913—, *De mi rebotica* —1914—, *Orígenes del teatro griego, Los pisistrátidas y rapsodas homéricos, Próceres catalanes de vieja estirpe...*

V. BASSEGODA Y AMIGÓ, B.: *El poligraf'n Arthur Masriera*. Barcelona, 1930.

MATA, Andrés.

Poeta venezolano. 1870-1931. Nació en Carúpano. Inició su mensaje poético como un decidido parnasiano. Imitó al español Núñez de Arce y al mexicano Díaz Mirón. Y parnasianos y neoclásicos son los poemas que integran su libro *Pentélicas*—Caracas, 1896—, Posteriormente—en *Arias sentimentales*— evolucionó hacia un neorromanticismo premodernista, o schubertismo de espíritu, según Picón Salas.

Para el gran crítico Picón Febres, Mata fue "el poeta de la inspiración rabiosa, el poeta de los garridos versos, que parecen labrados como en mármol. En la generación a que pertenece, resalta bastante su figura y es uno de los poetas que gozan de más fama. Su versificación es limpia, brillante de nobleza, seductora".

Es, para algunos críticos, el poeta más excelso que ha tenido Venezuela. Y J. A. Cova declara: "Ni Bello, ni Yepes, ni Pérez Bonalde alcanzaron nunca la delicadeza de expresión y el sentimiento hondo del poeta de *Alma y paisaje* y de todas sus *Arias sentimentales*."

V. COVA, J. A.: *Máximos y menores poetas venezolanos. Selección y notas*. Buenos Ai-

res, 1942. Tomo II, pág. 264.—SOLA, Otto d': *Antología de la moderna poesía venezolana*. Edición Ministerio de Educación Nacional. Caracas, dos tomos, 1940.—GONZÁLEZ GAMAZO, Juan: *Parnaso venezolano*. Barcelona, 1918, dos tomos.—PICÓN FEBRES, Gonzalo: *La literatura venezolana en el siglo XIX*. Caracas, 1906.—PICÓN SALAS, Mariano: *Formación y proceso de la literatura venezolana*. Caracas, 1940.

MATA DOMÍNGUEZ, Pedro.

Novelista, dramaturgo y periodista español, muy popular. Nació—1875—y murió —1946—en Madrid. Desde muy joven se dedicó al periodismo y a la literatura. Redactor en *A B C* y *Blanco y Negro* durante varios años. Colaborador de varios diarios y revistas. Con su novela *Ganarás el pan...* consiguió el primer premio en el importante concurso de la "Biblioteca de Novelistas del siglo XX". Otra novela suya: *Corazones sin rumbo*, obtuvo el gran premio del Círculo de Bellas Artes.

Mata es un novelista realista, de gran fuerza. Su secreto está en una extraordinaria facilidad para interesar y conmover al lector. Su maestría narrativa es tal, que de una trivialidad hace un cuento admirable, y de un asunto universal y apolillado, una novela cautivadora. Entre 1918 y 1936, Mata fue el novelista de más público en España. Excedió al mismo Blasco Ibáñez en el número de ejemplares vendidos de sus obras, algunas de las cuales rebasaron la cifra de 150.000. El "otro" secreto de Mata está en haber dosificado mágicamente las dosis de sensualismo, de psicología común, de sentimentalismo que convienen al gran público español. El estilo de este popular novelista es natural, sin pretensiones. Su vocabulario, el corriente y moliente que se derrocha en las vidas. Los diálogos, muy del caso. Y dibuja y colorea con la discreción suficiente sus personajes, los caracteres de sus personajes y los ambientes en que viven sus personajes.

Muchas novelas de Mata han sido traducidas a varios idiomas.

De los adeptos a la "escuela naturalista" en que fue pontífice Felipe Trigo, Mata es el menos apegado a su "origen francés". Y es el más castizo, el más "enteramente" español.

Otras novelas: *La Catorce, La celada de Alonso Quijano, Cuesta abajo, Ni amor ni arte, El misterio de los ojos claros, Los cigarrillos del duque, Mi primera aventura, Un grito en la noche*—su mayor éxito—, *Irresponsables, Muñecos, El hombre de la rosa blanca, Chamberí, Sinvergüenzas, Más allá del amor y de la vida, Más allá del amor y de la muerte, El hombre que se reía del amor, Una aventura demasiado fácil, El pájaro en la jaula, El amor de cada uno...*

Teatro: *La otra, El deber, La Goya, En la boca del lobo, El torrente, Uno menos, La vida es muy sencilla, Teatro trágico, El infierno de aquí...*

Para ella y para ellas...—versos.

V. SAINZ DE ROBLES, F. C.: *La novela corta española (Promoción de "El Cuento Semanal")*. Madrid, Aguilar, 1952.—SAINZ DE ROBLES, F. C.: *La novela española en el siglo XX*. Madrid, Pegaso, 1957.—NORA, Eugenio G. de: *La novela española contemporánea*. Madrid, Gredos, 1958. Tomo I, páginas 388-398.—ENTRAMBASAGUAS, Joaquín de: *Las mejores novelas españolas contemporáneas (1915-1919)*. Barcelona, Planeta, 1959, págs. 375-412. (Contiene biobibliografía exhaustiva.)

MATÉ, Luis.

Comediógrafo, crítico y cronista español. Nació—1917—en Madrid. Cultiva el teatro de humor y poético. Organizador y mantenedor de campañas en pro del arte escénico. Su cultura es amplia y se ha especializado en cuanto se refiere al arte escénico, dentro y fuera de España.

Obras teatrales: *Aniversario, Con la miel en los labios, Los ángeles no montan en bicicleta, Familia honorable no encuentra piso* —1949—, *Los maridos engañan después del fútbol*—1955—, *Ecos escandalosos de sociedad, Los amigos de mi mujer son mis amigos...*

MATEO, Andrés María.

Nació en Villabrágima, provincia de Valladolid, el 16 de julio de 1906. Estudió la carrera sacerdotal en Comillas, donde se graduó de doctor en Filosofía. En 1928 se licenció en Teología en la Universidad Pontificia de Valladolid. En la Universidad literaria de dicha ciudad cursó la carrera de Historia, en cuya disciplina se licenció el año 1932. Hasta 1945 no se doctoró en Historia en la Universidad Central, de Madrid. En 1935, tras reñidas oposiciones, obtuvo la plaza de archivero en el Archivo General de Simancas, del que fue secretario un año. Fue encargado de curso de Literatura castellana y de Lengua y Literatura latinas en el Instituto de Valladolid durante los años 1935 a 1939. Fue director de la Biblioteca del Ateneo de Madrid del año 1939 al 40. En el año 1941 fue nombrado presidente del Ateneo, que entonces se llamó Aula de Cultura, desde el año 1941 al 1946. En estos cinco años logró reunir en la "docta casa" lo mejor de la intelectualidad y lo más representativo del Teatro, de las Letras, de la

Filosofía y del Cine español y extranjero. Tuvieron una clamorosa popularidad y acogida los cenáculos y tertulias literarias que se formaron en torno de las veladas del Aula de Cultura, dirigidas y animadas personalmente por su presidente.

Es periodista profesional y pertenece a la Asociación de la Prensa de Madrid.

En 1940 publicó su primer libro, titulado *Yo soy el camino*—Afrodisio Aguado, Madrid, 1940—, que tuvo notorio éxito de público y de crítica.

En 1942 publicó la Universidad de Valladolid su obra *Colón e Isabel la Católica*.

En 1943 fue encargado de dirigir la "Colección Milagro", que se proponía editar una serie de vidas de santos en forma moderna y aviñetada, que uniese la veracidad y el criterio histórico con el buen gusto literario y la modernidad y amenidad en la expresión. Inició la serie con una breve biografía de San Pedro, titulada *De la barca al solio*, en la editorial Alhambra, Madrid, 1943. En el mismo año 1943 publicó un segundo evangeliario anual, titulado *Religión y milicia* —Afrodisio Aguado, Madrid, 1943.

Es autor de numerosos ensayos, que han visto la luz en distintas revistas, como el titulado *Sobre la espuma de Lepanto*, aparecido en la revista *Escorial* en octubre de 1943, en que publica por primera vez la carta autógrafa de don Juan de Austria a su hermano Felipe II después de la victoria de Lepanto desde la misma nao capitana; otro titulado *Bajo las alas hispánicas*, en que se da a luz una carta autógrafa de San Francisco de Paula a don Fernando el Católico, trabajo editado por la Universidad de Valladolid; otro titulado *Santo Tomás de Aquino, Patrono de las Escuelas Católicas*, que le valió el primer premio en los Juegos florales celebrados en Valladolid el año 1925; otro sobre *Isabel la Católica: la mujer y la reina*, premiado en los Juegos florales de Medina del Campo en 1927, etc., etc.

Otras obras: *La esencia de lo español: Su olvido y su recuperación, Vida de Jesucristo*.

MATEO, Lope.

Nació en Salamanca el 5 de junio de 1898. Murió—1970—en Madrid. Entre Valladolid y una villa situada en el corazón de la Tierra de Campos transcurrió la primera infancia del poeta. El paisaje austero y radiante de la meseta, contemplado desde la casa solariega, había de influir luego poderosamente en su formación literaria y espiritual. A la vez que sus primeras letras, cursó el dibujo. Después de siete años de estudios superiores de Humanidades y Filosofía fuera de Valladolid, regresó a esta ciudad, en cuya Universidad cur-

M

só la carrera de Derecho. Por aquel tiempo fue su encuentro con el catedrático polígrafo y poeta don Narciso Alonso Cortés, que, al tomarle como alumno suyo predilecto, publicó sus primeros versos en la prestigiosa *Revista Castellana,* publicación erudita de Literatura, Historia, Ciencias y Artes, dirigida por el sabio profesor. Igualmente tomó contacto con la Universidad de El Escorial, colaborando con asiduidad en la revista *Nueva Etapa,* órgano literario de sus alumnos, donde algunos antiguos, como Sánchez Maza, Luca de Tena, Aunós, Dámaso Alonso y otros, frecuentaban sus páginas. En Valladolid fundó y dirigió con otros compañeros, durante dos años, la alegre y juvenil revista semanal *Heraldo Escolar,* y escribió en la prensa diaria—*Diario Regional* y *El Norte de Castilla*—y en otras publicaciones de provincias.

En 1931 ingresó en la Redacción del diario madrileño *El Sol.*

Después de la guerra civil, que pasó en Madrid, ingresó en la Redacción del diario *Arriba,* donde durante varios años ejerció la crítica literaria y dirigió algún tiempo la importante página semanal de *Las Letras.* En 1941 fue seleccionado, entre más de setecientos, su soneto al *Doncel de Sigüenza* por la Cámara Oficial del Libro de Madrid. En 1942 obtuvo el premio de honor en otro certamen literario en Lérida. Y en 1943 consigue, sucesivamente, tres: el premio de sonetos otorgado por la Academia de Buenas Letras y el Ateneo de Sevilla, en homenaje a Rodríguez Marín; las Flechas de Oro y premio de honor en las II Justas Literarias de Cádiz, y, finalmente, como culminación, el "Premio Milenario de Castilla", en el magnífico certamen poético de Burgos—6 de septiembre de 1943—, convocado "para todos los poetas de habla española", y logrado por unanimidad entre más de trescientos poetas concursantes de España y América.

Posteriores a este triunfo definitivo, que colocó a Lope Mateo entre los primeros poetas españoles, aún podemos señalar dos más: el obtenido en Valladolid—1945—con su poema *Ultima canción de Occidente,* y el establecido por la Real Academia Española, que adjudicó al poeta el "Premio Manuel Llorente, 1945", por su poema titulado *Desde tus claras almenas.*

En 1946 le fue concedida y entregada oficialmente la medalla de plata del Milenario, con un artístico oficio en pergamino, por la Junta del Milenario de Castilla.

Obras: *Ráfagas de la selva*—poemas, 1922—, *Trébol inmortal*—poema, 1927—, *Madre Castilla*—poema, 1943, "Premio Milenario de Castilla"—, *Desde las claras almenas*—poemas, 1945—, *El tiempo se hizo carne*—poemas, 1948—, *Ojos claros, serenos*—poema

dramático—, *El sendero enamorado*—prosas poemáticas, 1951...

V. RODRÍGUEZ MARÍN, F.: Prólogo a *Ráfagas de la selva.* Madrid, 1922.—SAINZ DE ROBLES, F. C.: *Historia y antología de la poesía española.* Madrid, Aguilar, 1951, 2.ª edición.

MATHE, Felipe.

Novelista y autor teatral español. ¿1850-1910? Durante muchos años escribió en distintos diarios madrileños. Y alcanzó en el teatro algunos éxitos muy estimables.

Pero su valor principal está en sus novelas, del mejor y más sano realismo español, muy leídas en su tiempo, y algunas de las cuales merecerían no haber caído en el olvido. Felipe Mathe fue un aventajado discípulo de los maestros del siglo XIX: Galdós, Alarcón, "Clarín", Pereda...

Obras: *Breves relatos*—1887—, *Guillermina*—1890—, *César Luján*—1906—, *Magdalena Soliveres*—1908—, *Soledad Téllez*—1909—, *Un paraíso en la nieve*—1913—...

MATHÉU AYBAR, José María.

Excelente novelista español. Nació—1847—en Zaragoza. Murió—1929—en Madrid. Estudió la segunda enseñanza con los Escolapios. Y Derecho, en la Universidad de su ciudad natal. En 1868 obtuvo el primer premio en el certamen literario celebrado con motivo de la inauguración de las obras del templo nacional del Pilar. Fundador de la *Revista de Aragón* y de la *Revista Nueva.* En esta última se dieron a conocer Baroja, Valle-Inclán, Benavente, Maeztu... Ganó también uno de los primeros premios en el concurso de novelas organizado—1902—por la popular revista madrileña *Blanco y Negro.*

En los últimos años de su vida, José María Mathéu ha sido injustamente olvidado por el público y la crítica, ya que se trata de un notable novelista de *segunda fila,* cuando en primera estaban Galdós, Pereda, la Pardo Bazán, "Clarín", Valera, Alarcón, Palacio Valdés... Mathéu en nada desmerece del P. Coloma, Picón, López Roberts, Ortega y Munilla. Su sano naturalismo es netamente español. Sabe "crear" personajes de carne y alma. Sabe "crear" pasiones. Dibuja y colorea como un maestro. Su prosa es natural y de riquísimo vocabulario. Su inventiva es ágil y original. Narra con verdadero primor.

Obras: *La casa y la calle, La ilustre figuranta, Un rincón del Paraíso, Un santo varón, Jaque a la reina, El santo patrono, La gran nodriza, Marrodán primero, Lo inexplicable, Gentil caballero, Carmela rediviva, La hermanita Comino, Aprendizaje, El Pedroso y el Templao...*

V. González-Blanco, A.: *Historia de la novela en España*. Madrid, 1909.—Cejador y Frauca, J.: *Historia de la lengua y literatura castellanas*. Tomo XI.—"Azorín": *Los clásicos redivivos. Los clásicos futuros*. 1945. (Se recogen en este volumen varios artículos acerca de José María Mathéu, publicados años antes en varios periódicos, principalmente en *A B C*, de Madrid.)

MATHIAS, Julio.

Ensayista, poeta, crítico literario, comediógrafo, biógrafo. Nació—1921—en Málaga. Estudió en la Escuela Oficial de Periodismo. Colaborador en periódicos de Málaga y Madrid. Miembro correspondiente—1954—de la Real Academia de Bellas Artes de San Telmo. En 1966 obtuvo el "Premio Rivadeneyra" de la Real Academia Española. Miembro correspondiente—1967—de la Real Academia de Bellas Artes de Valladolid. Ejerce la crítica escénica en Radio Nacional.

Obras: *Sonetos a un fantasma*—Málaga, 1943—, *Una Academia poética en el Madrid del siglo XVIII*—1957—, *El marqués de Valdeflores: su obra, su vida, su tiempo*—Madrid, 1959—, *Moratín*—estudio y antología, Madrid, 1964—, *Don Luis de Alderete y Soto, alguacil mayor de la Inquisición y curandero*—Málaga, 1965—, *Un dramaturgo del siglo XVII*—1966—, *Benavente*—estudio biográfico-crítico, Madrid, 1969—, *El diablo en la puerta*—teatro—, *Nocturno cerca del cielo*—teatro—, *La hermosa fea*—refundición de la comedia de Lope de Vega, en colaboración con Alfonso Paso—, *Hasta llegar a entenderse*—traducción de la obra de Tennessee Williams, en colaboración con Alfonso Paso.

MATOS FRAGOSO, Juan.

Notable poeta y autor dramático. Nació —1608—en Alvito (Alentejo). Murió—1689— en Madrid. Estudió Filosofía y Letras en Evora. Licencióse y pasó a Madrid, naturalizándose muy a gusto en España, y alcanzando en ella pronta fama. Fue amigo íntimo de Pérez de Montalbán, cuya muerte lloró en un soneto, primera composición suya conocida y que se halla en las *Lágrimas panegíricas*—1639—. Seis años más tarde compuso una canción a la muerte de la reina doña Isabel de Borbón, impresa en *Pompa funeral*—1645—. Caballero del hábito del Cristo de Portugal. Culteranista y conceptista, con cierta ampulosidad e hinchazón de estilo, hasta el punto que se lo reprochó su amigo Cáncer en el *Vejamen* que dio siendo secretario de la Academia Castellana de las Musas, hacia 1649. Parece estuvo en Italia, y se representó en Nápoles, delante del virrey, su comedia *Pocos bastan, si son buenos*.

Matos Fragoso fue un escritor muy fecundo. Sus obras escénicas, al decir de la época, pasaron de setenta, aun cuando hoy conocemos únicamente cuarenta, y varias de ellas en colaboración con Moreto, Diamante, Martínez de Meneses, Cáncer, Juan Vélez, Arce, Zabaleta, los dos Figueroa, Villaviciosa y Andrés Gil Enríquez. La más antigua que conocemos impresa es *La defensa de la fe y príncipe prodigioso*, hecha con Moreto, y que salió en el libro de comedias *El mejor de los mejores*—Alcalá, 1651, y Madrid, 1653.

Sus producciones escénicas pueden dividirse: *a)* Comedias religiosas—*El Job de las mujeres, El hijo de piedra, San Félix de Cantalicio, Caer para levantar, San Gil de Portugal, La devoción del Angel de la Guarda*—; *b)* Comedias históricas—*El traidor contra su sangre, No está en matar el vencer, El sabio en su retiro y el villano en su rincón, El amor hace valientes y toma de Valencia por el Cid*—; *c)* Comedias de costumbres—*Lorenzo me llamo y carbonero de Toledo, Riesgo y alivios de un manto*—; *d)* Comedias novelescas—*El yerro del entendido* (sobre *El curioso impertinente*, de Cervantes).

Su obra principal, *El sabio en su retiro...* —de diálogo vivo e interesante, de lenguaje correcto y propio—, recuerda demasiado a *García del Castañar*, de Rojas, y a *Los Tellos de Meneses* y *La partida de Enrique IV*, de Lope.

"Ingenio en plena decadencia—escribe Menéndez Pelayo—, de poca o ninguna inventiva y de estilo sobre toda ponderación campanudo y pedante", de "locución amanerada, conceptuosa y altisonante", Matos acomodó al gusto del público muchas comedias viejas, "dándoles cierta regularidad externa y sustituyendo los sentimientos naturales y enérgicos que en ellas abundan con la sutil casuística del honor y la empalagosa pedantería que tanto privaban entre los poetas cortesanos contemporáneos de Calderón."

Otras obras líricas: *Poema heroyco a la feliz entrada que hizo en esta corte la... duquesa de Chebroso...*—Madrid, 1638, en octavas culteranas y pedantes—, *Epitalamio en las bodas de... Felipe IV "el Grande" y... doña Mariana de Austria*—Madrid, 1649—, *Fábula burlesca de Apolo y Leucotoe*—Madrid, 1652—, *Fábula de Eco y Narciso*—Madrid, 1655, en setenta octavas—, *Sylva al bienaventurado San Juan de Dios*—1674—, *Festejo nupcial en las felices bodas de... los reyes de Portugal*—Madrid, 1637, en veintiséis octavas—, *Acentos lyricos al feliz nacimiento del... príncipe hijo primogénito de... los reyes de Portugal*—sin año ni lugar—, *Octavas a San Pedro de Alcántara*—en la *Relación* de las fiestas de su canonización. Madrid, 1670...

M

Textos de Matos: *Primera parte de sus comedias*...—Madrid, 1658—y *Comedias escogidas de los mejores ingenios de España* —parte novena, 1657.

Modernamente se han reimpreso varias comedias de Matos Fragoso en el tomo XLVIII de la "Biblioteca de Autores Españoles", de Rivadeneyra, y de su comedia *El ingrato agradecido* hay una edición—1926—de Nueva York, publicada por Heaton.

V. HERRÁN, F.: *Dramáticos de segundo orden*. Madrid, 1888.—SAINZ DE ROBLES, F. C.: *Historia y antología del teatro español*. Madrid, Aguilar, 1943. Tomos III y IV.—GARCÍA PÉREZ, D.: *Escritores portugueses*.—MENÉNDEZ PELAYO, M.: *Obras de Lope*. Edición de la Academia Española. Tomo VII, 233, y XI, 150.—SAINZ DE ROBLES, F. C.: *Dramaturgos españoles de la escuela de Calderón*, en el tomo III de la *Historia general de las literaturas hispánicas*. Barcelona, 1953.

MATOS PAOLI, Francisco.

Poeta y prosista puertorriqueño. Nació —¿1914?—en Lares. Se graduó en la Universidad de Río Piedras con el título de bachiller en Artes. Profesor de Literatura española y puertorriqueña. En 1944, la Junta editora de aquella Universidad publicó su *Teoría del olvido*, libro del que escribió Margot Arce, directora de la Sección de Estudios Hispánicos: "A los treinta años ha logrado una madurez poética y se ha destacado con preeminencia sobre todos sus compañeros de generación." [Alude a la "generación del 40"]. En 1950, el Ateneo Puertorriqueño premió su *Canto a Puerto Rico*.

"Matos Paoli—escribe Valbuena Briones— es el poeta en el que una construcción hermética cierra, define y contiene los rasgos de la inquietud o la íntima melodía que late y pulsa el fundamento de sus palabras... El poeta se revela con la expresión más bella, rica e impresionante de una extraordinaria personalidad. Semejante su mundo al de Vicente Aleixandre o al de Luis Cernuda, logra más estremecida y levemente tierna unidad poemática que el primero, y menos dispersa y turbia que muchos ejemplos del poeta sevillano."

En opinión nuestra, este gran lírico, que se inició con versos tersos y limpios, removido por una metafísica muy peculiar, ha evolucionado hacia un lirismo complejo y meditado como el de nuestro Jorge Guillén.

Obras: *Signario de lágrimas*—1937—, *Habitante del eco*—1941—, *Teoría del olvido* —1944—, *Criatura del rocío*—1944—, *Islario del aire*...

V. VALBUENA BRIONES, Angel: *La poesía portorriqueña contemporánea*. Tesis doctoral. Madrid, 1952.—VALBUENA BRIONES, Angel: *La nueva poesía portorriqueña*. Antolo-

gía. Madrid, 1952.—ARCE, Margot: Prólogo de *Teoría del olvido*. San Juan, 1944.

MATTA, Guillermo.

Poeta y prosista chileno. 1829-1899. Nació en Copiapó. Desde los veinte años colaboró en los principales periódicos políticos y literarios. En 1857, a consecuencia de su intervención en un movimiento revolucionario, tuvo que emigrar, refugiándose en Madrid. Durante tres años viajó por Europa. Y en 1861 regresó a su patria. Diputado desde 1861. Senador desde 1886. Representante de su patria en Roma, Berlín y Buenos Aires. Profesor de la Universidad de Santiago.

Sus ideas literarias, de carácter moderno, hicieron escuela. En su época alcanzó gran fama en todos los países de lengua castellana. Matta fue un auténtico precursor de las tendencias líricas más avanzadas al estimar como *elementos poéticos* todos los adelantos *mecánicos* del progreso.

Obras: *Poesías*—1852—, *Cuentos en verso* —Madrid, 1858—, *En las montañas, El libro del pueblo, El canto del poeta y Racionalismo, Federación Americana, Los gobiernos fuertes, La República*...

V. SILVA CASTRO, Raúl: *Antología de poetas chilenos del siglo XIX*, en "Biblioteca de Escritores chilenos", tomo XIV. Santiago, 1937.—DOMINGO CORTÉS, José: *Parnaso chileno*. Santiago, 1871.—DONOSO, Armando: *Parnaso chileno*. Barcelona, Maucci, 1910.— MENÉNDEZ PELAYO, Marcelino: *Historia de la Poesía hispanoamericana*. Madrid, 1911-1913.—AMUNÁTEGUI SOLAR, Domingo: *Bosquejo histórico de la literatura chilena*. Santiago, 1915.—FIGUEROA, Pedro Pablo: *La literatura chilena*. Santiago, 1891.

MATURANA DE GUTIÉRREZ, Vicenta.

Poetisa y novelista española. Nació—1793— en Cádiz. Murió—1859—en Alcalá de Henares. Su padre fue caballero de la Orden de Calatrava, mariscal de campo y director general de Artillería. Se educó en Madrid. Supo cantar y tocar varios instrumentos, dibujar con rara habilidad, cinco idiomas.

En 1807, en Sevilla, fue llamada la "Terpsícore del Betis". Su padre murió en la famosa batalla de Bailén. Durante los años 1809 y 1810 vivió con su madre en Portugal. En 1820 contrajo matrimonio con el coronel don Joaquín María Gutiérrez. En 1825 publicó, anónima, su novela *Teodoro, o el huérfano agradecido*, que obtuvo un éxito lisonjero. Dícese que la reina Amalia—tercera esposa de Fernando VII—, que la quería sobre manera, le enseñaba sus versos para que se los corrigiera.

Cuando estalló la guerra civil, su marido militó en las banderas de don Carlos María Isidro. Viuda ya, se estableció en Bayona, no regresando a España hasta 1850.

Doña Vicenta poseyó una gran imaginación y un sentimiento poético poco común, aun cuando, por no haberse perfeccionado el gusto con el estudio de nuestros clásicos, adolecen con frecuencia sus poesías de ciertos descuidos, imperfecciones y prosaísmos. Defectos que casi siempre quedan compensados con la expresión sincera de los estados de su ánimo.

Otras obras: *Sofía y Enrique*—novela, 1829—, *Himno a la luna*—folleto raro, porque su autora recogió la mayor parte de los ejemplares y los quemó—, *Ensayos poéticos* —1828—, *Poesías*—París, 1841.

MATUTE, Ana María.

Novelista y cuentista española. Nació —1926—en Barcelona. Solo realizó estudios primarios. Muy joven contrajo matrimonio con el poeta y novelista Ramón E. de Goicoechea. Entre las actuales mujeres escritoras es, quizá, la más fecunda. Ha logrado los premios más importantes otorgados para novelas: "Premio Café Gijón 1952", "Premio Planeta 1954", "Premio de la Crítica 1958", "Premio Nacional Miguel de Cervantes 1959", "Premio Nadal 1959".

Ana María Matute tiene decidida inclinación a los temas dramáticos, angustiosos, que sabe envolver en delicadas fantasías, en sentimentalismos, y dejar ante fondos extraños de ensueños o de pesadillas. Dramatismo y ternura, poesía y angustia parecen ser los motores únicos de Ana María Matute. Quien no rehúye lo inverosímil si con ello logra dar a sus obras una atmósfera escalofriante.

Obras: *Los Abel*—Barcelona, 1948—, *Fiesta al Noroeste*—1953—, *La pequeña vida* —Barcelona, 1953—, *Pequeño teatro*—Barcelona, 1954—, *Los cuentos vagabundos*—Barcelona, 1955—, *En esta tierra*—Barcelona, 1955—, *Los niños tontos*—Barcelona, 1956—, *El tiempo*—1957—, *Los hijos muertos*—Barcelona, 1958—, *Primera memoria*—Barcelona, 1960—, *Paulina*—1960—, *Tres y un sueño* —Barcelona, 1961—, *Historias de la Artámila*—Barcelona, 1962—, *El río*—Barcelona, 1962—, *Los soldados lloran de noche*—novela, 1964—, *Algunos muchachos*—narraciones, 1968—, *Caballito loco*—1962—, *El polizón de Ulises*—1965.

V. NORA, Eugenio G. de: *La novela española contemporánea*. Madrid, edit. Gredos, 1962, tomo II bis, págs. 290-299.—ALBORG, José Luis: *Hora actual de la novela española*. Madrid, Taurus, 1958, tomo I, páginas 181-190.—PÉREZ MINIK, D.: *Novelistas de los siglos XIX y XX*. Madrid, edit. Guadarrama, 1957, pág. 335.—TORRENTE BALLESTER, G.: *Panorama de la literatura españo-*

la contemporánea. Madrid, edit. Guadarrama, 2.ª edición, 1961, págs. 460-461.

MAURA, Antonio.

Escritor y político español. Nació—1853— en Palma de Mallorca. Murió—1925—en Madrid. Gran abogado y gran orador. Diputado. Ministro y presidente del Consejo de ministros varias veces. Jefe del partido conservador. Presidente de la Real Academia de la Lengua y de la Academia de Jurisprudencia y Legislación. Su forma fue extraordinaria; su palabra, brillantísima y noble; su prosa, castiza y muy rica. Como político, fue muy combatido y muy ensalzado.

Obras: *La oratoria como género literario*, discurso de ingreso en la Academia Española—, *Dictámenes*—seis tomos...

V. ANTÓN DEL OLMET y GARCÍA CARRAFA: *Los grandes españoles: Maura*. Madrid, 1913. OLIVER, Miguel S.: *El "caso" Maura*. Barcelona, 1914.

MAURA, Julia.

Novelista y autora dramática. Nació —1910—y murió—1971—en Madrid. Hija del ilustre académico de la Española y de la Historia, el excelentísimo señor don Gabriel Maura, duque de Maura, y de la condesa de Montera, nieta del político y jurisconsulto don Antonio Maura y Montaner.

Julia Maura, desde su infancia, por herencia y afición, fue escritora infatigable. De soltera, en sus frecuentes viajes por toda Europa, acompañando a su padre, ningún día dejó de anotar en su dietario, aprovechando cualquier momento de descanso, sus impresiones de la jornada, los lugares recorridos, el carácter y costumbres de sus habitantes.

Obras: *Eva y la vida*—novela—, *Ventolera*—novela—, *Como la tierra y el mar*—novela—, *Quién supiera escribir*—novela—, *La mentira del silencio*—comedia—, *El hombre que volvió a su casa*—comedia—, *Lo que piensan los hombres*—comedia—, *La sin pecado*—comedia—, *Donde está la verdad*—comedia—, *Siempre*—comedia—, *Chocolate a la española*—comedia—, *La eterna doña Juana*—comedia—, *La riada*—comedia...

MAURA Y GAMAZO, Gabriel.

Notable historiador y prosista español. Duque de Maura. Conde de la Montera. Nació—1879—y murió—1962—en Madrid. Estudió con los Escolapios de San Antón, en la capital de España. Licenciado en Derecho. Académico profesor de la Real de Jurisprudencia. Académico de número de las Reales de la Lengua, de la Historia y de la de Ciencias Morales y Políticas. Diputado a Cortes en muchas legislaturas. Senador vitalicio. Ministro.

M

De mucha cultura. De sólido pensamiento. Excelente prosista e investigador. Ameno divulgador.

Obras: *Rincones de la Historia, Carlos II y su época, Historia crítica del reinado de Alfonso XIII, Bosquejo histórico de la Dictadura, El príncipe que murió de amor, María Luisa de Orleáns, Supersticiones de los siglos XVI y XVII, Realidades y supercherías en el "Viaje por España", de la condesa D'Aulnoy...*

MAURA Y GAMAZO, Honorio.

Autor dramático español. Nació—1886— en Madrid. Murió—1936—en San Sebastián. Hizo sus primeros estudios con los jesuitas de Chamartín de la Rosa. Vivió algunos años en Francia, Suiza y Alemania. Químico industrial por la Escuela Politécnica de Zurich y en las Universidades de Bonn y Aquisgrán. Licenciado en Derecho por la Universidad Central de Madrid. Nuevos viajes a México y a la Argentina. En 1914 se estableció definitivamente en España, decidido a entregarse a su verdadera vocación: el teatro.

Honorio Maura tuvo innegables condiciones de autor teatral. Una elegante ironía. Una psicología muy mundana. Una gracia fluida, espontánea y diversa. Una fantasía ingeniosa. Y mucha agudeza, frases justas y emotivas, alguna frivolidad al uso, maestría en el diálogo escénico, rasgos y caracteres acentuados de un realismo sugestivo.

Obras: *Corazón de mujer, Julieta compra un hijo, Baby, La muralla de oro, Raquel, Cuento de hadas, Eva, indecisa; Por sus pasos contados, La noche loca, La condesita y su bailarín, ¡Me lo daba el corazón!, Pecar, hacer penitencia...; El señor que se equivocó de cuarto, Mary la insoportable, Susana tiene un secreto...*

MAURY, Juan María.

Excelente poeta español. 1772-1845. Nació en Málaga. Pasó su juventud en Inglaterra, Italia y Francia. Partidario de José Bonaparte, fue diputado en las Cortes de Bayona. Se retiró a París, donde conoció a la mayoría de los emigrados españoles: Rivas, Espronceda, Martínez de la Rosa, Alcalá Galiano, Burgos. Su influjo personal entre los escritores que habían de llevar el romanticismo a España fue grande, hasta el punto de que encabezó el manifiesto de los románticos españoles una estrofa suya:

> Abre tu libro eterno, alta maestra
> Naturaleza, sírveme de guía,
> dejándome sus páginas hermosas
> libre leer de intérpretes y glosas.

Dicho manifiesto no es otro que el prólogo de Alcalá Galiano a *El moro expósito*, del duque de Rivas. Muy difícil es lanzar un juicio crítico de Maury. Su educación extranjera, el haber vivido siempre fuera de su patria, aumentan la confusión que, lógicamente, rodea la labor de todo escritor de un período de transición. En Maury ¿se iniciaba el romanticismo? En Maury ¿se descomponía totalmente el neoclasicismo? De una parte, tenemos su *L'Espagne poétique*—1826—, en que tradujo admirablemente al francés poesías de Santa Teresa, fray Luis de León, Herrera, Garcilaso, Cervantes, los Argensola, Quevedo, Rioja, Góngora... Y tenemos también sus dos poemas narrativos: *Agresión británica y Esvero y Almedora;* el primero, con absolutos alientos neoclásicos; el segundo, enmarañado de gongorismo, con el asunto tradicional del *Paso honroso,* de Quiñones. Y tenemos también su traducción de la *Eneida* y su *Génesis pagano.* De otra parte, de la romántica, tenemos su romance *La timidez*—clarísima huella de la *Rosana,* de Menéndez Valdés—, y sus imitaciones de Rousseau, y su deliciosa composición *La ramilletera ciega:*

> Caballeros, aquí vendo rosas;
> frescas son y fragantes a fe;
> oigo mucho alabarlas de hermosas;
> pero yo, probre ciega, no sé.
> Para mí, ni belleza ni gala
> tiene el mundo, ni luz ni color;
> mas la rosa del cáliz exhala
> dulce un hálito, aroma de amor.

¿Dónde, dónde colocar a Maury? ¿Al principio de una antología lírica romántica? ¿Al final de una dieciochesca? Seductoras apariencias tiene Maury de romántico. Pero... no nos dejemos engañar por ellas. En el fondo—intención y carácter—, tiene mucho más de academicismo, de retórica; sí, mucho más de Voltaire que de Rousseau. Y, sobre todo, no olvidemos que, gracias a las notas que le dio Maury, pudo Alberto Lista atacar desde la tribuna del Ateneo—1835— al romanticismo, ya metido de rondón en España, con aquellas severas palabras de dómine: "El actual drama francés, llamado vulgarmente romanticismo, pinta al hombre fisiológico como el de Atenas, sin someterse a reglas; falsea la moral universal civil y política del género humano; supone que el hombre no puede lidiar contra sus pasiones, y no le deja más opción que satisfacer sus deseos a cualquier costa, o suicidarse. Es, pues, contrario a la civilización actual y no cumple con sus exigencias."

Algunas poesías de Maury se encuentran

en los *Apuntes para una biblioteca de auto-res españoles contemporáneos,* de Eugenio de Ochoa, y en la "Biblioteca de Autores Españoles", de Rivadeneyra, tomos XIX y LXVII.

V. SAINZ DE ROBLES, F. C.: *Historia y antología de la poesía castellana.* Madrid, 1946.
CEJADOR Y FRAUCA, Julio: *Historia de la lengua y literatura españolas.* Tomo VI.

MAYA, Rafael.

Poeta y prosista colombiano. Nació—1897— en Popayán. Doctor en Filosofía y Letras. Profesor en varios colegios particulares de Bogotá. Director de *La Crónica Literaria.* Rector de la Escuela Nacional de Bellas Artes. Decano de la Facultad de Filosofía y Letras de la Universidad Javeriana. Director de la Radio Nacional y del Departamento de Publicaciones del Ministerio de Educación Nacional—1951.

Según Caparroso: "Es Rafael Maya el poeta de más opulenta imaginación que ha tenido Colombia. Es maestro en servirse de cuantas maravillas pueda ella brindarle. Por eso el derroche de imágenes y de símiles que constelan sus poemas y que son a manera del sistema vertebral de su poesía. Su evolución lírica podría señalarse con una línea que, iniciada en una vaga penumbra sentimental de quien parecía ser un poeta en tono menor, se lanza de pronto hacia la conquista de las más altas esferas de luz, de los más puros cielos de belleza... La serenidad de sus poemas se traduce en claridad esplendente, en bien tasada emoción, en seguro manejo del idioma, y todavía en aquel reconocible sabor heleno que algunos de ellos conservan."

Obras en verso: *La vida en la sombra* —Bogotá, 1925—, *Coros del mediodía*—Bogotá, 1928—, *Después del silencio*—Bogotá, 1938—, *Poesía*—reedición de los tres libros anteriores y otros poemas nuevos, Bogotá, 1944—, *Tiempo de luz*—sonetos, 1951.

Obras en prosa: *El rincón de las imágenes, Alabanzas del hombre y de la tierra, Consideraciones críticas sobre la literatura colombiana*—1944.

V. CAPARROSO, Arturo: *Antología lírica (Selección y comentarios).* Bogotá, 1951.—GARCÍA PRADA, Carlos: *Antología de líricos colombianos.* Bogotá, 1936 - 1937. — GARCÍA PRADA, Carlos: *Nuestra poesía,* en "Biblioteca Aldeana de Colombia", tomo 82.

MAYÁNS Y SISCAR, Gregorio.

Gramático, pedagogo, historiador y erudito español muy notable. Nació—1699—en Oliva (Valencia). Murió en 1781. En Barcelona estudió Gramática, Retórica y Poética; en Valencia, Filosofía y Jurisprudencia. Se doctoró—1722—en esta misma ciudad, después de haber terminado la carrera de Derecho en la Universidad de Salamanca. Catedrático de Código de la Universidad valenciana. Canónigo. Felipe V le nombró —1733—bibliotecario del Palacio real, cargo al que renunció en 1740 para retirarse a su pueblo natal y entregarse de lleno a sus aficiones literarias en un ambiente de perfecta tranquilidad. Aún le honró Carlos III con los honores de alcalde de su real casa y corte y una pensión anual de 1.000 ducados. El "Néstor de la literatura española" se le llamó en el extranjero. Y se honraron con su amistad, le colmaron de elogios y solicitaron muchas veces su ciencia hombres como Voltaire, David Clément, Otto Mencken, Heineccio, Meermann y Muratori.

Fue Mayáns uno de los más doctos investigadores del siglo XVIII, y el más aficionado a nuestros grandes filósofos, a nuestros jurisconsultos, humanistas y literatos. Puso todo su amor en hacer que renaciese la prosa castellana de nuestros clásicos. ¡Cuán pocos son los que han dado más luz que él a nuestra historia científica y literaria! Editó a Vives, el *Brocense;* fray Luis de León, Antonio Agustín, Retes, Ramos del Manzano, marqués de Mondéjar... Su perspicacia fue grande. Su sentido práctico, extraordinario. Su información, sólida y bastante completa. Su método, preciso. Su erudición, enorme. Su amor a lo español, inmenso. Fue también el primer biógrafo de Cervantes. Su *Vida de Miguel de Cervantes* apareció al frente de la magnífica edición londinense—1737—del *Quijote.*

Otras obras: *Orígenes de la lengua española*—Madrid, 1737, en dos tomos—, *Rhetórica*—Valencia, 1757 y 1787, en dos volúmenes.

La primera de estas obras puede encontrarse en la edición—1873, Madrid—cuidada por Hartzenbusch, y en otra—¿1918?—lanzada en Valencia por la Casa Sempere. Esta misma editorial ha reimpreso la *Vida de Cervantes*—¿1919?—. Sus *Cartas* se hallan en el tomo LXII de la "Biblioteca de Autores Españoles", de Rivadeneyra. Y en el tomo XXXVII de esta misma colección, su *Vida y juicio crítico del maestro fray Luis de León.* La *Correspondencia literaria,* en la *Revista de Archivos,* 1905, tomos XII, XIII y XIV.

V. MOREL-FATIO, A.: *Un érudit espagnol au XVIIIe siècle,* en *Bulletin Hispanique,* 1905.—MOREL-FATIO, A.: *D. G. M. y S.,* en *Bulletin Hispanique,* 1915, XVII, 157.—GONZÁLEZ VALLS, M.: *Elogio histórico de D. G. M. y S.* Valencia, 1832.—CERVINO, M.: *Voltaire*

M

y Mayáns, en *Boletín de la Sociedad Española de Excursiones,* VII, 172.

MAYORGA RIVAS, Román.

Poeta nativo de Nicaragua, aun cuando por haber vivido en El Salvador se le considere salvadoreño. 1862-1926. Estudió Leyes. Periodista ilustre. Dirigió la revista quincenal *Repertorio del "Diario del Salvador".* Cantor excelente de la naturaleza americana y antologista con la *Guirnalda salvadoreña* —en tres tomos, 1886.

Obra: *Viejo y nuevo*—poesías. San Salvador, 1915.

MAZO, Ricardo del.

Novelista y autor dramático. Nació en 1901. Murió en 1952. Su padre era marino. Ricardo Mazo permaneció varios años interno en el Colegio de Huérfanos de la Armada, preparándose para maquinista. Pero no llegó a cumplir este primitivo destino. Su vocación literaria le empujó al periodismo, a la novela. Ha colaborado en varias importantes revistas. Una de sus comedias, *Ave sin rumbo,* se estrenó simultáneamente en La Coruña y en Barcelona, alcanzando sendos triunfos. Su guión cinematográfico *Forja de almas* fue premiado—1943—por el Sindicato Nacional del Espectáculo. Y su guión *Inés de Castro* alcanzó el primer premio —1945—otorgado por dicho Sindicato.

Ricardo Mazo es un gran escritor. Posee inventiva, maestría narrativa, sensibilidad de artista, un estilo personal y vigoroso, una prosa limpia y precisa, delicioso humor sin malignidad.

Obras: *Ave sin rumbo*—comedia—, *La dama de las rosas blancas*—comedia—, *Viaje de vuelta*—comedia—, *El amor está en la puerta*—novela—, *Ojo de gato*—novela—, *Una luz en las tinieblas*—novela—, *H. 21* —novela—, y los guiones cinematográficos *Yo no me caso, La última noche, La mentira de la gloria, Obsesión, Tormenta de almas, Huellas, El conde de Villamediana, Inés de Castro, Forja de almas...*

La radio ha dado a conocer su novela *Huellas.* Ultimamente ha publicado *La dama de las rosas blancas*—novela, 1950—y *Como tú quieres*—novela, 1951.

MEDIANO FLORES, Eugenio.

Poeta, cuentista y crítico. Nació—1912—en Salamanca. Estudió Filosofía y Letras. Perteneció a la famosa agrupación teatral La Barraca, que dirigió Federico García Lorca. Ha sido secretario del Ateneo de Madrid.

De él ha escrito Ruiz Iriarte: "Tienen algunos poemas de Eugenio Mediano Flores la eterna angustia castellana—él nació en la Salamanca antigua de fray Luis y de Unamuno—, con la forma y el ritmo de la buena poesía moderna. Desde muy joven, precozmente, Eugenio Mediano Flores—uno de los más ardientes espíritus literarios de nuestra juventud—colabora en revistas y periódicos. Mediano, hombre muy adolescente y muy viejo, siente como pocos la impaciencia y el nervio del escritor. Un día, en un café de divanes rojos, cuando se da un poco, como todos los poetas, a la dulce bohemia de la pereza, Eugenio Mediano pierde una gran cartera que contiene el manuscrito de su primer libro de versos... Aquel volumen se hubiera titulado—se tituló ya, para nosotros, los que saboreamos de viva voz sus poemas—*Camino del encuentro.* Pero Mediano es, al fin, poeta, y apenas llora su propia obra. Continúa trabajando, y ha publicado un nuevo libro poético. Es *Desierto y camino.*

Hay otro aspecto en la labor literaria de Mediano Flores, quizá tan interesante como su obra lírica: es su tarea de escritor, de crítico, de periodista. Ha sido redactor de varios periódicos y revistas, y en la actualidad colabora en gran número de publicaciones. Practica la crítica literaria y un tiempo fue también crítico de teatros. De su labor en prosa destacamos aquí unos títulos de próxima aparición: *Dónde comienza el más allá y otros cuentos, Vuelo y forma de la nueva literatura*—ensayos literarios—, *Estilo y línea*—ensayos de arte—, *Otro Pigmalión*—novela—. Ha publicado—1963—una gran novela: *Este que veis aquí.*

MEDINA, Francisco.

Insigne poeta y humanista español. Nació —1544—y murió—1615—en Sevilla. Graduado de Artes—1571—en Osuna. Profesor de Latín en Jerez de la Frontera y en Osuna. Sacerdote ejemplar. Secretario del cardenal y arzobispo don Rodrigo de Castro. Uno de los hombres más notables de su tiempo y de los que por sus profundos conocimientos y clara inteligencia influyeron más directamente en el progreso de las letras de su patria. Puro y elegante poeta. Castizo prosista. Tradujo bellamente una elegía de Propercio, varios versos de Ausonio—*Al eco* es un hermosísimo soneto—y dos epigramas latinos de Sannázaro. Entre sus composiciones poéticas sobresalen una *Oda a Garcilaso* y una *Canción* en latín.

Pero su obra más admirable es el prólogo

que puso a las *Anotaciones de las obras de Garcilaso,* por Herrera—1580, Sevilla—. Según un moderno crítico español: "No hay en el tono panegírico discurso más hermoso escrito en lengua castellana. Con gran estudio, sin duda, pero sin la menor afectación, logró comunicar Medina a nuestro idioma tal galanura y elegancia, ritmo, cadencia y redondez de períodos, que puede competir este trozo elocuentísimo con los mejores griegos y latinos. Demóstenes, Cicerón y Plinio no llegaron más allá en este género."

Cervantes fue tan amante de este prólogo, tantas veces lo releyó, que de él, y de la epístola al marqués de Ayamonte, que le precede, tejió literalmente la dedicatoria de la primera parte del *Quijote.* Y Menéndez Pelayo—*Ideas estéticas*—confirma: "Discurso sobre la lengua castellana, el cual, por la pompa y armonía de las cláusulas y por lo magnánimo de las ideas, es sin duda, el trozo más elocuente que ha salido de manos de ningún crítico español."

Y Cervantes, en el *Canto de Calíope,* se expresó así:

Los ríos de elocuencia que del pecho
del gran antiguo Cicerón manaron;
los que al pueblo de Atenas satisfecho
tuvieron y a Demóstenes honraron;
los ingenios que el tiempo ya ha deshecho,
que tanto los pasados estimaron,
humíllense a la ciencia alta y divina
del maestro Francisco de Medina.

Los *Juicios críticos* y alguna obra más de Francisco de Medina encuéntranse en el tomo XXXII de la "Biblioteca de Autores Españoles", de Rivadeneyra.

V. PACHECO, Francisco: *Biografía y retrato* de Francisco de Medina en el *Libro de retratos.*—COSTER, A.: *Fernando de Herrera.* París, 1908, pág. 27.—LASSO DE LA VEGA, A.: *Escuela poética sevillana.*

MEDINA, José Toribio.

Erudito y literato de gran fama. 1852-1930. De Chile. Su pasión por la cultura fue extraordinaria. De acomodada familia, pudo atender a la formación de una riquísima biblioteca—que a su muerte donó a la Nacional de Chile—y establecer en su propio domicilio una imprenta para dar a luz, editadas por él mismo, sus publicaciones, cuyos títulos se acercan a los cuatrocientos. Fue magnífico hispanófilo y gran amigo de Menéndez Pelayo, Valera, Fernández-Guerra y otros muchos eruditos y literatos españoles. Abogado. Diplomático. Juez. Miembro correspondiente en Chile de la Real Academia de la Historia. Durante sus viajes por el mundo se dedicó con afán y paciencia benedictina a explorar los principales archivos, bibliotecas y fondos paleográficos. Sus cono-

cimientos fueron vastos y directos. Su labor, más erudita que artística. Como un verdadero cíclope, talló y colocó los sillares inconmovibles de la historia y de la bibliografía chilenas. Fundó la Sociedad Arqueológica.

Obras: *Biblioteca hispanoamericana: 1493-1810, Biblioteca hispanochilena*—1897—, *Diccionario biográfico colonial de Chile*—1906—, *Historia de la literatura colonial de Chile*—1878—, *Aborígenes de Chile, El Santo Oficio de la Inquisición en Filipinas*—1899—, *La Imprenta en Manila hasta 1810, La Imprenta en Méjico*—1893—, *Bibliografía española de las islas Filipinas: 1523 a 1810...*

V. TORRES REVELLO, José: *Los maestros de la bibliografía en América.*—CHIAPPA, Víctor M.: *Noticias de los trabajos intelectuales de José Toribio Medina.* Santiago de Chile, 1907.—FELÍU CRUZ, Guillermo: *Biobibliografía de don José Toribio Medina.* Santiago de Chile, 1914.

MEDINA, Vicente.

Popular poeta y periodista español. Nació —1866—en Archena. Murió en 1937. Vendedor de periódicos, soldado voluntario a los dieciocho años, comerciante fracasado, oficinista humilde, emigrante a la República Argentina, donde vivió más de veinte años de su honrado y poco remunerado trabajo. Su primer libro, *Aires murcianos*—1898—, fue muy elogiado por "Clarín", Unamuno, Maragall y "Azorín", y causó una gratísima sorpresa en el público. El acierto de Medina cuajó en una poesía regionalista y rústica expresada llanamente con numerosos vocablos dialectales. Indiscutiblemente, Vicente Medina agotó su vena en las primeras composiciones—y se repitió y se *amaneró*—, pero estas merecen la popularidad de que gozaron y de que gozan. *Alma del pueblo*—1900—, *La canción de la huerta*—1905—, *Poesía* —1908—, *Viejo cantar*—1919—, son otros libros poéticos muy significativos en la obra general del insigne murciano.

Vicente Medina es un escritor fecundísimo. Sus obras pasan de los treinta volúmenes. Ha colaborado en importantes diarios y revistas de España y América.

Otras obras: *El libro de la paz, Filosofías, Versos nuevos, Ecce Homo*—poesías—, *La canción de la vida*—poemas—, *Novelas dramáticas de costumbres murcianas...*

V. CEJADOR Y FRAUCA, J.: *Historia de la lengua y literatura castellanas.* Tomo XI.— SAINZ DE ROBLES, F. C.: *Historia y antología de la poesía española.* Madrid, 1951, 2.ª edición.

MEDINA Y MEDINILLA, Pedro.

Delicado poeta español. ¿1575?-¿—? Nació en Sevilla y murió en Indias. Su nombre y

M

su hermosísima égloga a la muerte de doña Isabel de Urbina, primera esposa de Lope de Vega, fueron salvados para la posteridad por el Fénix, quien en su *Discurso de la nueva poesía—La Filomena,* 1621—dice:

"Esto solo hallé de lo que escriuió de edad de veinte años. Passó a la India Oriental, inclinado a ver más mundo que la estrecheza de la patria, donde por necessidad seruía, con algo de marcial y belicoso ingenio; perdióse en él el mejor de aquella edad, aunque a muchos desta no lo parezca la rusticidad desta égloga, que ni han visto a Teócrito ni saben qué preceptos se deuen a su género."

En esta égloga, Medinilla se esconde con el nombre de *Lisardo* y encubre a Lope con el de *Belardo.* Ambos debieron de servir en la misma época en la casa ducal de Alba. Lope, de secretario del duque, y Medinilla, de paje de don Diego de Toledo.

Barroco, pero de los más discretos y delicados, fue poeta del que tenemos escasas noticias, y estas por los elogios de Lope de Vega en *La Filomena* y en el *Laurel de Apolo* y por la inclusión de sus escasísimas poesías en *El Parnaso español,* de Sedano. Debió Medina de nacer en la segunda mitad del siglo XVI. Estuvo al servicio de don Diego de Toledo. A la edad de veinte años marchó a Indias, aun cuando se ignora el lugar preciso. Lope se pregunta en la segunda de sus obras mencionadas:

> ¿A qué región, a qué desierta parte,
> a qué remota orilla,
> oh Pedro de Medina Medinilla,
> llevó tu pluma el envidioso Marte?

Los elogios del Fénix pudieran parecer interesados, ya que la obra más perfecta de Medinilla es su *Egloga en la muerte de doña Isabel de Urbina,* primera esposa de Lope, fallecida en 1595. Pero realmente Medinilla merece los elogios. Su *Egloga* es de una gran belleza y perfección, muy original en el juego de imágenes y en el ritmo *musical.* Un ejemplo: en la estrofa décima el poeta increpa a la Muerte, por haberse llevado a doña Isabel, con estos finísimos conceptos:

> ¿A qué región llevaste
> la discreción y acento,
> que dijo, y pudo, y supo cuanto quiso?
> ¿En qué jazmín echaste
> aquel divino aliento,
> que allí será el terreno paraíso?
> La risa, con aviso,
> ¿a qué aurora le diste?
> ¿Y a cuál esfera el día
> que en sus ojos ardía?

Modernamente se ha publicado la *Egloga* de Medinilla en *Entregas de poesía,* Barcelona, 1944.

V. SAINZ DE ROBLES, F. C.: *Historia y an-*tología de la poesía castellana. Madrid, Aguilar, 1946.—DIEGO, Gerardo: *P. M. M.,* en el número 50 de la revista *Alfar,* mayo 1925.

MEDINILLA, Baltasar Elisio de.

Interesante poeta y prosista español. Nació—1585—y murió—1620—en Toledo. Fue discípulo de Lope de Vega y criado del conde de Mora. Concurrió a varios certámenes poéticos y a varias academias, también poéticas, de las que tenía abiertas en su Cigarral de Buenavista el arzobispo don Bernardo de Sandoval. Le mató don Jerónimo de Andrada y Rivadeneyra, señor de Olías, por "cuestión de amores".

Lope de Vega le dedicó doce comedias y encendidos elogios en *El jardín de Lope* y en el *Laurel de Apolo.* Alabáronle igualmente Tamayo de Vargas y Antonio López de Vega—en *Lírica poesía,* 1620.

Hay versos de Elisio—forma poética de Eloy—en la *Relación de las fiestas de Toledo al nacimiento de Felipe IV,* en *El Siglo de Oro,* de Balbuena—1607—, en el *Parnaso español,* de Sedano.

Obras: *Limpia Concepción de la Virgen Nuestra Señora*—Madrid, 1617, poema en octavas reales y dividido en cinco cantos—, *Discurso del remedio de las cosas de Toledo* —prosas de gran interés local, 1618—, *Descripción de Buenavista, recreación en la vega de Toledo*—1617, poema en cuarenta estancias, dedicado a la famosa finca del cardenal Sandoval y Rojas, y en el que Elisio imita *La descripción de la Abadía, jardín del duque de Alba,* de Lope de Vega; *Rimas y prosas, Versos a lo divino.*

En la Biblioteca Nacional de Madrid hay varios manuscritos de Elisio de Medinilla: *Obras divinas*—dedicadas a Lope de Vega—, *Descripción de Buenavista, con notas del conde de Mora*—segunda composición, ampliada, del poema ya mencionado—, *Diálogo intitulado El Vega sobre la poesía española, Décimas* y otras poesías.

También el conde de Villaumbrosa, en Madrid, poseyó varios borradores, de verso y prosa, de este singular escritor.

V. SAN ROMÁN, F. de: *Elisio de Medinilla y su personalidad literaria.* Toledo, 1921.—SAINZ DE ROBLES, F. C.: *Historia y antología de la poesía española.* Madrid, Aguilar, 1951, 2.ª edición.

MEDIO, Dolores.

Novelista, periodista española. Nació —1914—en Oviedo. Su padre, de regreso de América, se dedicó al comercio. Maestra nacional. Ejerció algún tiempo en el pueblecito de Nava. Antes, a los quince años, estuvo como institutriz de los nietos de la marquesa de Villaverde de Limia, en Galicia. Con verdadera pasión ha viajado cuanto ha podido, dentro y fuera de España, casi siempre en su predilecta compañía de sí misma. Terminada la guerra de Liberación, se trasladó a Madrid, para asistir a la Escuela Nacional de Periodismo y a la Escuela Superior de Educación. En 1945 ganó el "Premio Concha Espina", de cuentos, otorgado por el semanario madrileño *Domingo*. En este semanario sigue colaborando sin tregua, desde entonces. En 1952 obtuvo el "Premio Nacional", de novelas, lo que motivó su fama súbita.

Dolores Medio es una de nuestras mejores novelistas. Domina la técnica. Sabe buscar temas y tesis de indiscutible vigencia y de palpitante humanidad. No elude situaciones, ni diálogos, ni reacciones de crudeza indudable, pero sabe recogerlas con precisión, naturalidad y nobleza. Su estilo es la misma sencillez. Su vocabulario es terso, eficiente. Y un muy suave humor, y un muy melancólico escepticismo, y una muy honda poesía ponen contrapunto constante a sus cuentos y novelas.

Obras: *Nosotros, los Rivero*—Barcelona, 1953—, *Funcionario público*—Barcelona 1956—, *El pez sigue flotando*—Barcelona, 1959—, *Diario de una maestra*—Barcelona, 1961—, *Los que vamos a pie. I: Bibiana*—Madrid, 1963, primera parte de una trilogía, tolstoiana enteramente en su primer libro—, *Biografía de Isabel II de España*—Madrid, 1966—, *El señor García*—novela, 1966—, *Andrés*—novela, "Premio Sésamo, 1967".

V. NORA, Eugenio G. de: *La novela española contemporánea*. Madrid, edit. Gredos, 1962, tomo II bis, págs. 207-10.—HOYOS, Antonio de: *Ocho escritores actuales*. Murcia, Aula de Cultura, 1954.—ALBORG, José Luis: *Hora actual de la novela española*. Madrid, Taurus, 1962. Tomo II, págs. 333-48.

MEDRANO, Francisco de.

Sobresaliente poeta español. 1570-1607. Escasas noticias se tienen de la vida de este poeta. A fines del siglo XVI vivía en Sevilla. Quizá estudió en Salamanca. Estuvo en Italia y América. Fue muy amigo de los más famosos vates sevillanos, como Rioja, Alcázar, Herrera y del famoso obispo de Bona don Juan de la Sal. Tuvo una heredad en Santiponce, llamada "Mirar-Bueno", cerca de Sevilla, donde debió de morir.

Posteriores investigaciones afirman que Medrano nació en Sevilla y que ingresó en la Compañía de Jesús, haciendo su noviciado en Montilla (1584-1585). Terminó sus estudios en Córdoba y Salamanca. Se ignora el porqué de su salida de la Compañía en 1602. Nicolás Antonio califica de *eximio* a Medrano. Y Menéndez Pelayo le considera co-

mo un poeta de la escuela salmantina, y dice de sus composiciones que "son muy bellas, revelan un gusto severo, sobrio, puro y elegante". Medrano figura en el *Catálogo de autoridades* de la lengua castellana, publicado por la Real Academia Española.

Su soneto *A las ruinas de la Itálica* hace recordar la elegía de Rodrigo Caro y la silva de Quevedo *A Roma antigua y moderna*. Tal vez las composiciones más atrayentes de Medrano sean aquellas en que traduce de modo maravilloso a Horacio, ya que penetró incomprensiblemente, exquisito y certero, en el alma del gran poeta latino. Otra gloria le cabe a Medrano: la de haber modificado la *lira* de Garcilaso con esta estrofa, en la que escribió no pocas composiciones:

> Rendido el postrer moro a la primera
> y última hermosura que en el suelo
> vio el sol, del Tajo estaba en la ribera,
> moviendo invidia al cielo
> de su adorada fiera...

Para la crítica moderna, Medrano representa más propiamente la *fusión* de las escuelas salmantina y sevillana. Porque si es horaciana, como fray Luis, en la *Profecía del Tajo a la pérdida de España*, basada en el *Pastor cum traheret per freta navibus*, posee a la vez la riqueza imaginativa, el color, el petrarquismo herreriano en sus delicados sonetos amorosos.

DIO a luz, unidas a los *Remedios de amor*, de Venegas de Saavedra—de quien fue gran amigo—, *Diversas rimas*—Palermo, 1617.

Según Dámaso Alonso, de Francisco de Medrano se conocen 34 odas, 52 sonetos, un dístico latino.

Textos: Tomos XXXII y XLIV de la "Biblioteca de Autores Españoles", de Rivadeneyra. Y en la *Historia y antología de la poesía castellana*. Madrid, Aguilar, 1946.

V. RODRÍGUEZ MARÍN, F.: *Documentos relativos a Francisco de Medrano*, en *Boletín de la Academia Española*. VII, 513.—ALONSO, Dámaso: *Vida de don Francisco de Medrano*. Discurso de ingreso en la Real Academia Española. 1948.

MEDRANO, Doña Luisa de.

Célebre erudita española del siglo XVI. Nació en Salamanca, donde estudió con general aplauso y donde tuvo una cátedra de Humanidades. Marineo Sículo, uno de los más importantes humanistas de la época, la ensalzó con gran admiración en varias cartas...

"Per te siquidem non Musas, non Sibilas saeculis prioribus invideo, non Pithios vates, non apud Pythagoreas foeminas philosophantes..."

"Clara et ilustris eruditionis et eloquentiae tuae fama magnum studiosorum tuorum no-

M

men priusquam te vidissem ad me pervene-
rat, Puella doctissima; postquam vero te co-
ram cernere et ornatisime loquentem audi-
rem mihi contigit multo quidem doctior,
multoque pulchrior visa es, quam animo ante
meo concipi potuises..."
Imposible una alabanza más incondicional.
Marineo Sículo la reputó sobre los varones
más doctos de su época. Elogiáronla, igualmente, Nicolás Antonio—*Bibliotheca Nova*,
tomo II—y el abate Lampillas—*Ensayo his-*
tórico de la literatura española.

MEJÍA, Gustavo Adolfo.

De la República Dominicana. Historiador,
novelista y poeta. Miembro correspondiente
de las Academias de la Lengua y de la Historia. Licenciado en Derecho. Nació en
¿1895?
Ha publicado: *Mi libro de cuentos*
—1913—, *La caída de las alas*—novela,
1925—, *El descubrimiento y la conquista*
—1940—, *José María Heredia y su obra*
—1941—, *"Tirso de Molina"*—1942—, *His-*
toria general del Derecho—1942—, *Intro-*
ducción a la Historia—1942—, *Derecho do-*
minicano: su estratificación y sus fuentes
históricas—1943—, *La Democracia y el Impe-*
rialismo—1943—, *Gastón Fernando Deligne,*
el poeta civil—1944—; *La historia de la Con-*
quista—1944—, *Un blasón colonial*—novela
histórica, 1947—, *Historia de Santo Domingo*
—volumen I, 1948; vol. II, 1949, y volumen III, 1950.

MEJÍA, Pedro de (v. **Mexía, Pedro de**).

MEJÍA DE LA CERDA, Licenciado (v. **Mexía**
de la Cerda, Licenciado).

MEJÍA SÁNCHEZ, Ernesto.

Poeta y prosista nicaragüense. Nació
—1923—en Masaya. Estudió el bachillerato
en el Instituto Nacional de Oriente (Granada) y Filosofía y Letras en la Universidad
Nacional Autónoma de México. Especializado
en Filología y Antropología.
"Ernesto Mejía Sánchez—escribe Ernesto
Cardenal—también ha adquirido ya una poesía de suficiente coherencia y claridad. También él habla con una expresión directa y
cotidiana; pero su poesía no está tanto en
lo propiamente cotidiano y común de esa
expresión, como en cierto sentido velado,
oculto, que él pone en las palabras comunes.
Es una poesía clara, pero llena de secretos,
que a cada uno se entrega en voz baja
y en privado. Una poesía que vale más por
lo que niega que por lo que entrega, más por
lo que calla que por lo que dice... El callar
algo es un medio más de expresión para él,
una verdadera figura literaria... Toda poesía

está hecha de palabras, pero en esta de
Mejía Sánchez la palabra es, al mismo tiempo, el lema de su poesía. *Palabra* es la palabra más usual en sus poemas (como también la variante aritmética *número*). Sus palabras y números tienen algo de ciencias
ocultas, de magia, algo diabólico y sibilino."
Obras: *Ensalmos y conjuros*—poemas, México, 1947—, *La carne contigua*—Buenos
Aires, editorial Sur, 1948—, *Romances y co-*
rridos nicaragüenses—México, 1946—, *Darío*
y Montalvo—México, 1948.
V. NUEVA POESÍA NICARAGÜENSE. Introducción de Ernesto Cardenal. *Selección y notas*
de Orlando Cuadra Downing. Madrid, 1949.

MEJÍA VALLEJO, Manuel.

Novelista y cronista colombiano. Nació
—1923—en Jericó, de la provincia de Antioquía. Cursó estudios de bachillerato en la
Universidad Pontificia de Medellín. Después
estudió periodismo en Venezuela y Guatemala. Practicó escultura y dibujo en el Instituto de Bellas Artes de Medellín. Ha sido
redactor y editorialista de *El Diario de Hoy*,
de la ciudad de El Salvador, y colaborador
de *El Colombiano*, de Medellín, y de *El*
Tiempo y *El Espectador*, de Bogotá. Profesor de Literatura, durante algún tiempo, en
la Universidad de Antioquía (Medellín), de
cuya imprenta es editor. En 1963 le fue concedido el "Premio Nadal", de novela, en
Barcelona, a su obra *El día señalado.*
Otras obras: *Tiempo de sequía, La tierra*
éramos nosotros, Al pie de la ciudad.

MELA, Pomponio.

Geógrafo y escritor hispanolatino. Nació
en Tingentera (Algeciras) y vivió en el siglo I de la Era de Cristo, y escribió durante
los imperios de Calígula y Claudio.
Debe su inmortalidad a su obra *De situ*
orbis o Chorographia, dividida en tres libros
y la más antigua obra corográfica que, en
lengua latina, ha llegado a nosotros. Es un
interesantísimo relato de viajes por las costas del mundo conocido, y que, empezando
por el Norte africano, llega hasta el Océano
Índico. En él se describen diversos países de
Europa, África y Asia. Cita más de 1.500
nombres geográficos y contiene también interesantes divagaciones de índole histórica
y cultural. Fueron sus probables fuentes:
el astrónomo y matemático Hiparco, Cornelio Nepote, Posidonio, Varrón y la *Descriptio*
Italia, de Augusto. Está escrita tan singular
obra en un estilo vivo, brillante y un tanto
afectado, armonizado en cláusulas quebra-
das y rítmicas. Su lectura, aún hoy, resulta
fácil y muy amena.
Tradujéronle y comentáronle en España:

Tribaldo, el Broncense, González de Salas y Chacón.

Ediciones: 1471; la de Hermolao Bárbaro, Roma, 1493; la de Olivario, Salamanca, 1543; la de Tribaldo y González de Salas, 1642-1644; la crítica de Taschucke, Leipzig, 1809; la crítica de C. Frick, Leipzig, 1880, reimpresa en 1935; la de Parthey, Berlín, 1867.

V. FINCK, J.: *Pomponius Mela und seine Chorographie*. Rosenheim, 1881.—TOZER, H. F.: *A history of ancient Geography*. Cambridge, 1897.—COLUMBA, G.: *Gli studi geografici nel primo secolo dell' Impero Romano*. Turín, 1893.—FOLMER, H.: *Stilistika studier öfter Pomponius Mela*. Upsala, 1920.—WISSOWA, G.: *Die Abfassungszeit der Chorographie des Pomponius Mela*, en *Hermes*, 1920.—DOLÇ, Miguel: *Literatura hispanoromana*, en el tomo I de la *Historia general de las literaturas hispánicas*. Barcelona, 1949.

MELÉNDEZ, Concha.

Poetisa, prosista, crítico literario puertorriqueña. Nació—1904—en Caguas. Estudió el bachillerato en Artes en la Universidad de Puerto Rico. En 1926 cursó el grado de maestra en Artes en la Columbia University. Se doctoró en Filosofía y Letras—1932—en la Universidad de México. En la actualidad es profesora de Literatura hispanoamericana en la Universidad de Puerto Rico.

Concha Meléndez es una exquisita poetisa posmodernista, con una inclinación decidida al intimismo.

Obras: *Psiquis doliente, Lo saben las montañas*—poema...

V. VALBUENA BRIONES, Angel: *La poesía portorriqueña contemporánea*. Tesis doctoral. Madrid, 1952.—VALBUENA BRIONES, Angel: *La nueva poesía portorriqueña*. Antología. Madrid, 1952.

MELÉNDEZ VALDÉS, Juan.

Célebre poeta español. Nació—1754—en Ribera de Fresno (Badajoz). Murió—1817—en Montpellier (Francia). Perteneció a la escuela poética salmantina de fray Diego Tadeo González, con el melifluo nombre arcádico de *Batilo*. Forner influyó mucho en su formación literaria. Dominó el inglés y el francés y las literaturas correspondientes. Fue catedrático de Humanidades en Salamanca, magistrado en Zaragoza y Valladolid, fiscal de la Sala de Alcaldes de Casa y Corte, Partidario de José Bonaparte.

Cuando el monarca francés huyó, Meléndez Valdés se refugió en Francia, luego de pasado el trago de haber estado a punto de ser fusilado en Oviedo. "¡Ya no te volveré a pisar!", parece que exclamó en la frontera, mirando a la tierra española tan amada. Y,

en efecto, así fue. Meléndez Valdés fue un conocedor profundo de las literaturas inglesa y francesa. "Restaurador de la poesía española" le llamó Jovellanos. "Comparable a Garcilaso" afirmó su amigo Forner. Y no son injustas ni infundadas tales alabanzas.

Meléndez Valdés es el lírico más grande del neoclasicismo español. En su obra poética se distinguen dos maneras. En la primera cultivó las églogas, las odas, las anacreónticas, el modo de la escuela salmantina de los siglos XVI y XVII, como un reflejo del clasicismo italoespañol del Seiscientos. En la segunda, las epístolas y las odas de tendencia filosófica, algunas de ellas remedo del tono de fray Luis de León, de las ideas de Jovellanos y del prerromanticismo más acusado.

Las dos actitudes más extremadas de su ideología poética son el *sentimiento bucólico* y el *filosofismo moral*. Y conviene advertir que ninguna de las dos las tomó voluntariamente. La primera se la impuso fray Diego González. La segunda, Jovellanos. Aun cuando aquella le *fuera mejor* a su inspiración y a sus gustos. Meléndez siempre fue un espíritu flojo, débil, versátil, de esos que se dejan llevar y traer por el primero que llega y le es simpático. Sí, Meléndez se notaba más fluido y natural con

del dulce Laso, la feliz llaneza;
del grave Herrera, la sonante lira;
del gran León, el gusto y la belleza.

En la primera época o manera compuso Meléndez las anacreónticas, las églogas, las odas al modo de la escuela salmantina de los siglos XVI y XVII y los romances. Imitó a Villegas en las anacreónticas, a Garcilaso en las églogas, a fray Luis en las odas. El romance *La flor del Zurguén;* los romances *Rosana en los fuegos, Los segadores, La mañana de San Juan;* la égloga *Batilo*, la endecha erótica *A la paloma de Filis*, son las poesías más destacables de esta primera época. Gracia. Delicadeza. Soltura. Musicalidad *mozartiana*.

Su segunda manera o época, por la nefasta influencia de Jovellanos, se inicia con la composición *La gloria de las artes*, leída en 1871 en la Academia de San Fernando. Le siguen las odas *A la presencia de Dios, La prosperidad aparente de los malos, Al ser incomprensible de Dios, Al fanatismo*, algunas epístolas morales...

Un poco a sí mismo se ha perdido Meléndez Valdés en esta su segunda manera. Menos gracia. Menos soltura. Ha leído mucho a Locke, a Leibniz, a Montesquieu, al cardenal Polignac... Sus ideas no son enteramente suyas. Entra en los temas con recelo. Y en ellos se le cuaja antes de tiempo la inspiración. Y digo *antes de tiempo* porque

M

las ideas extrañas no han sido digeridas aún.

Acerca de Meléndez Valdés juzga sensatamente Díaz-Plaja: "El secreto de su prestigio hay que buscarlo en la calidad de su obra; obra que, además, no es solo un reflejo fidelísimo de la temática de su época, sino que, amplia y flexible, la compendia toda. Los poetas neoclásicos han podido ver en Meléndez su arquetipo: un modelo y, a la vez, un archivo de posibilidades. Se produce, además, la obra de este poeta en el momento de mejor madurez de su escuela literaria: juntamente en el ápice a partir del cual la poesía deriva hacia las nuevas tendencias. Meléndez actúa como maestro máximo de la escuela que se va, pero es lo bastante sensible para vendimiar los primeros frutos de la que llega. Esta es, a mi juicio, la importancia señera de Meléndez, poeta de atardecer y de aurora. Su obra se resuelve en un cauce de serenidad y de justeza que le dan, como artífice, el derecho máximo a la clasicidad. A nuestra sensibilidad, sin embargo, ha de aparecer Meléndez blando en exceso y, acaso, baladí en muchas ocasiones; pero todo ello son achaques de la fidelidad a su época, que le hacen, precisamente por ello, el lírico característico de la misma."

En efecto, la primera época o manera de Meléndez, aquella sosegada, amable y sensual, es la que más se ajusta al preceptismo neoclásico, en el que, quizá, no se funda por un exceso de sensualismo, delatado en esas admirables poesías eróticas—Los besos del amor—que publicó Foulché-Delbosc en la Revue Hispanique—1894—, casi con el temor con que se edita en la clandestinidad un libelo afrodisíaco. Estas poesías deliciosas, que le inspiraron varias jóvenes hermosas... Ciparis, Rosana, Dorila, Filis, y aun su propia esposa, aquella doña María Andrea de Coca, hermosa, voluntariosa y dominante, que, amándole mucho, le hizo la vida imposible. Y conste que el amor cantado por Meléndez no era el amor enfermizo, frenético, endiablado, sino el amor sano, velado por un limpio y cándido cendal. El amor que sabe fijarse en El ricito, en El lunarcito, en El hoyuelo de la barba. Un amor que busca la complicidad dulce de las rosas, de los pájaros, de las fuentecillas, de los céfiros, de las abejas.

Es su segunda manera la que pugna ya con el neoclasicismo, la que hace sospecharle un prerromántico con una sospecha que realmente tiene todos los visos de certidumbre: el pronunciado subjetivismo, el desequilibrio entre la idea y la expresión, el gusto por los espectáculos hórridos y lúgubres, el llanto, como vulgarmente se dice, detrás de las orejas; la desesperación infi-

nita, el énfasis solemne. "Azorín" ha sugerido, comparando dos romances de Meléndez y de Zorrilla, que era el primero mucho más romántico que el segundo. Meléndez Valdés —en La despedida del anciano—empieza así:

> Por un valle solitario,
> poblado de espesas hayas,
> que a la silenciosa luna
> cierran el paso enramadas,
> un anciano venerable,
> a quien de la dulce patria
> echan el odio y la envidia,
> con inciertos pasos vaga.
> De cuando en cuando los ojos
> vuelve hacia atrás y se para;
> y ahogársele el pecho siente
> con mil memorias aciagas...

El romance del vate pinciano con que "Azorín" compara el anterior comienza del siguiente modo:

> Cruzando el campo extenso
> la soledad misteriosa,
> a lentos pasos camina
> un hombre, de cuya forma
> se distingue solamente
> la pluma que en alto flota,
> las espuelas en que acaba
> y la espada que le abona.
> Lo demás de su figura
> lo velan, guardan y embozan
> los secretos de una capa
> en que envuelve su persona...

El interés filosófico que aconsejó Jovellanos a Meléndez estaba nutrido del feroz subjetivismo impresionista de Rousseau y del sentimentalismo obsesivo de Locke y Condillac. Y su interés filosófico del yo fue, indiscutiblemente, el origen de la tendencia romántica. Por ello, apenas Meléndez renuncia a su antigua espontaneidad bucólica y se adentra en la exorbitancia de sus propios titubeos espirituales, apela a los mismos resortes que el más descarado romántico. El otoño, uno de los temas fundamentales del siglo posterior; el otoño, con sus tintas caídas en las lividences y con sus melancolías rotas en sollozos, ya aparece en la anacreóntica Del caer de las hojas. Y el inevitable "¡Ay!" en la Oda a un lucero. Y en El árbol caído queda perfectamente humanizado el protagonista vegetal. Sus romances de Doña Elvira anticipan reacciones que luego utilizarán en apogeo el duque de Rivas y Zorrilla. Su oda Al Sol anuncia El himno al Sol, de Espronceda. Acierta plenamente Valbuena Prat cuando afirma que Meléndez Valdés, "en la mitad del camino entre el Neoclasicismo y el Romanticismo, dio entrada plena al paisaje de noche, a la luna solitaria, a la emoción entrecortada ante el desengaño, al amor doloroso o a la muerte del amigo". Y aún cabe creer algo más: que

Meléndez Valdés, que se decidió a emprender el nuevo camino poético un tanto a regañadientes, notándose con escasas fuerzas y disposiciones, como para no disgustar a su gran amigo Jovellanos, terminó notándose en él como pez en el agua y hasta acentuados sus problemas psicológicos en una desproporción calamitosa, ni más ni menos que cualquiera de los arrebatados vates que asistían al *Parnasillo madrileño*, pálidos y ojerosos.

Textos: *Poesías*, Madrid, imprenta Real, 1820; *Poesías y cartas*, en el tomo LXIII de la "Biblioteca de Autores Españoles", de Rivadeneyra; *Poesías selectas*, en *Clásicos Castellanos*, Madrid, edición preparada por Pedro Salinas; *Poesías inéditas*, en la *Revue Hispanique*, 1894, I, 166; *Poesías y cartas inéditas*, ed. Serrano Sanz, en *Revue Hispanique*, 1897, IV, 266.

V. Mérimée, E.: *Meléndez Valdés*, en *Revue Hispanique*, 1894, I, 166.—Rodríguez Moñino: *Don Juan Meléndez Valdés. Nuevos y curiosos datos para su biografía*, en *Revista del Archivo, Museo y Biblioteca del Ayuntamiento*. Madrid, 1932.—Munsuri, F. de: *Meléndez Valdés...* Prólogo de A. Ossorio. Madrid, 1929.—Marcos, E.: *Meléndez Valdés en la Universidad de Salamanca*, en *Boletín de la Academia Española*, 1926, XIII, 49.—Quintana, M. J.: *Noticia historicoliteraria de Meléndez Valdés*, en "Biblioteca de Autores Españoles", XIX, 109.—Valera, Juan: *Discurso* [Goya, Meléndez Valdés, Moratín...].—Cossío, José María: *En torno a la poesía de Juan Meléndez Valdés*, en *Boletín Menéndez Pelayo*, 1925, VII.—Salinas, Pedro: *Los primeros romances de Meléndez Valdés*, en *Homenaje a Menéndez Pidal*, II, 447.—Salinas, Pedro: Prólogo a la edición *Clásicos Castellanos*.—González Palencia, A.: *Meléndez Valdés y la literatura de Cordel*, en *Rev. Bca., Arch. y Museo*, Madrid, 1931, abril.—Valmar, Marqués de: Prólogo al tomo LXI de la "Biblioteca de Autores Españoles".—"Azorín": *De Granada a Castelar*.—Díaz Pérez, N.: *Diccionario de extremeños ilustres*. Tomo II.—Díaz Pérez, N.: *Homenaje a la memoria de don Juan Meléndez Valdés*. Madrid, 1900.—Demerson, Georges: *Don Juan Meléndez Valdés (1754-1817)*. Madrid, edit. Taurus, 1971, dos tomos.

MELENDRES RUE, Miguel.

Gran poeta, prosista y ascético español. Nació en Gerona el 11 de diciembre de 1905. Cursó la carrera eclesiástica en el Seminario conciliar de Gerona y en la Universidad Pontificia de Tarragona, con las máximas calificaciones. Tarragona le pensionó para seguir sus estudios de Filosofía y Teología en Roma, donde fue alumno de la Pontificia Universidad Gregoriana y del Instituto Pontificio de Santo Tomás.

Durante la guerra civil española permaneció en Montecassino (Italia). Allí escribió varias obras y ejerció el cargo de penitenciario de aquella catedral y director espiritual del Seminario casinense.

Poco después de su regreso a la patria fue nombrado profesor del Seminario Pontificio de Tarragona, en cuyo centro docente desempeña en la actualidad las cátedras de Literatura griega, romana y española.

En 1945, llamado a Madrid por el cardenal arzobispo de Toledo, se le confiaron los cargos de director del Secretariado Nacional de Publicaciones de la Acción Católica Española, vicedirector de la revista *Ecclesia*, profesor del Instituto de Cultura Religiosa Superior de la capital de España y redactor religioso de Radio Nacional de España en las emisiones nacionales, así como en las destinadas a Hispanoamérica.

En 1947, la Santa Sede le nombró, previas oposiciones, canónigo de la Santa Iglesia Metropolitana y Primada de Tarragona.

Como periodista, ha dirigido en funciones el órgano oficial de la Acción Católica Española: la revista *Ecclesia*, cuyos editoriales ha venido escribiendo durante dos largos años. Colabora actualmente en *Diario de Barcelona*, *El Correo Catalán*, *Ecclesia*, *La Via*, de Roma, etc.

Como literato, tiene publicadas hasta la fecha unas veinte obras de poesía religiosa, alguna de ellas vertida a lenguas extranjeras. Desde casi su infancia ha obtenido premios en numerosos certámenes, ha intervenido como mantenedor en otros y ha pronunciado gran número de conferencias en España y fuera de ella.

La crítica nacional y extranjera le considera como "un gran poeta litúrgico, un gran poeta bíblico y un gran poeta lírico", "una imaginación genial, al mismo tiempo que un pensador de fuerza excepcional, siempre dentro de una constante y fundamental tonalidad mística". De Melendres se dice "haber heredado la lira mística de Verdaguer, al que supera ya en profundidad y conocimiento de los caminos del espíritu"; ser "el príncipe de la mística catalana", "una proyección actual de Raimundo Lulio", etc.

Obras: *La montanya de la mirra*—1933—, *Partícules*—1934—, *La ruta il-luminada*—1935—, *Elogi del turisme*—1935—, *El llibre de la Mare de Déu*—1936—, *Mater Dolorosa*—1940—, *Peregrinos del Señor*—1942—, *Elogio de la ciudad en éxtasis*—1942—, *Las obras de misericordia*—1942—, *Fisonomía de jóvenes*—1943—, *L'esguard meravellat*—1943—, *Elogio del elogio, Elogio de la*

M

blancura, Elogio de la música, Elogio de las lágrimas, Elogio de la libertad—1944—, *La llàntia i l'estel*—1944—, *L'esbarzer incandescent*—1948—, *Breviario lírico*—1951—, *L'Esposa de l'anyell*—poema, 1965.

MELGAR, Mariano.

Poeta peruano, mestizo de español y de india. Nació—1791—en Arequipa y murió —1815—en Humachiri. Estudió Matemáticas, Latín, Filosofía, Teología, llegando a tomar la primera tonsura de manos del obispo de Arequipa, Chaves de la Rosa. Pero abandonó los estudios eclesiásticos y marchó a Lima con ánimo de ejercer la abogacía.

De espíritu perfectamente romántico, se dedicó a la poesía y a defender las libertades patrias, bajo las órdenes del cacique Pumacagua. Fue hecho prisionero en la batalla de Humachiri y fusilado.

Melgar compuso en su adolescencia poesías francamente eróticas, y se enamoró de una chiquilla, a la que dio el romántico nombre de *Silvia*. Su *Carta a Silvia* trasuda un precursor y empalagosísimo romanticismo. "El amor a Silvia—escribe Luis Alberto Sánchez—trastornó la vida del seminarista adolescente y orientó su inspiración hacia el sentimentalismo y la tristeza, con innegables resabios indígenas." Niño aún, Melgar componía *fábulas*—¡es el único fabulista peruano!—satirizando el sistema virreinal.

Dejó traducidos los *Remedios de amor,* de Ovidio, con el título de *Arte de olvidar.* Fue llamado "el Anacreonte peruano" y "el poeta de los yaravíes".

Sus *Poesías* fueron publicadas—1878—en Nancy; y algunas aparecieron, sueltas, en *El Republicano de Arequipa.*

V. POLO, José Toribio: *El Parnaso peruano.* Lima, 1862.—CORTÉS, José Domingo: *Parnaso peruano.* Valparaíso, 1871.—ANÓNIMO: *Lira patriótica del Perú.* Lima, 1853.—MENÉNDEZ PELAYO, M.: *Historia de la poesía hispanoamericana.* Madrid, 1911-1913.—SÁNCHEZ, Luis, Alberto: *La literatura peruana.* Lima, 1928, tres tomos.—ESTUARDO NÚÑEZ: *La literatura del Perú,* en el tomo XII de la *Historia universal de la literatura,* de Prampolini, Buenos Aires, Uteha Argentina, 1941.

MELIÁN LAFINUR, Alvaro.

Poeta y prosista argentino. Nació—1891— en Buenos Aires. Hizo estudios en la Facultad de Filosofía y Letras de la Universidad Nacional de Buenos Aires. Profesor de Historia y Literatura en el Colegio Nacional "Juan Martín de Pueyrredón". Catedrático de Historia en la Facultad de Derecho y Ciencias Sociales de la Universidad Nacional de Buenos Aires. Fue director de la Biblioteca del Municipio—1911-1916—. Vicepresidente de la Comisión honoraria de Bibliotecas públicas municipales. Es actualmente miembro de número de la Academia Argentina de Letras, del Instituto de Literatura argentina de la Facultad de Filosofía y Letras y redactor del diario *La Nación.* En la revista *Nosotros* tuvo a su cargo durante muchos años la crítica de los libros argentinos y americanos. Ha viajado por Europa, América y el Cercano Oriente.

Su estilo es preciso y elegante; su erudición, ajustada al tema, y el espíritu responde a los impulsos más nobles y trascendentales de la raza. En este último sentido cumple recordar—expresa la Institución Cultural Española en el prólogo de *Temas hispánicos*—su valioso ensayo *La revaloración hispánica,* publicado en *La Nación* en 1933, del que hubo de hacerse una tirada especial de 300.000 ejemplares, que circularon por toda América, y señaló, sin duda, uno de los primeros pasos del movimiento revisionista de los valores históricos, políticos y culturales de España.

Historiador sagaz, crítico agudo, poeta, ensayista de gran talento y conferenciante, en quien la expresión lúcida, la amenidad y la sustancia ideológica aciertan a conciliarse en una forma feliz, confirma y enaltece los rasgos y cualidades de su personalidad de escritor.

Pocos escritores argentinos aventajan a este autor en el conocimiento hondo y la estimativa justa de las empresas del espíritu español en todos los ámbitos y tiempos (nota biográfica del autor: *Temas hispánicos*).

Su discurso de recepción en la Academia Argentina de Letras versó sobre "Crisis y defensa del espíritu"—1937—. Su estudio en la "Colección de Clásicos Argentinos", de la citada Academia sobre Calixto Oyuela, son ensayos medulares de hondo valor espiritual y artístico. En 1948, en el Círculo de la Prensa pronunció una enjundiosa conferencia sobre "Tradición e influencia de la Prensa hispanoamericana", que fue elogiada por la crítica.

De sus obras literarias pueden citarse, entre otras: *Literatura contemporánea*—crítica, 1918—, *Sonetos y triolets*—1919—, *Figuras americanas*—estudios de Historia y política, 1926—, *Las nietas de Cleopatra*—cuentos, 1927—, *La disputa de los siglos*—ensayos, 1934—, *Sonetos, Buenos Aires: imágenes y semblanzas*—1939—, *Rivadavia, Avellaneda, Rubén Darío, Discursos y conferencias, Temas hispánicos*—1943, serie argentina de validación hispánica. Editor: Institución Cultural Española.

MÉLIDA Y ALINARI, José Ramón.

Literato y catedrático español. Nació
—1849—en Madrid. En esta misma ciudad
murió en ¿1932? Cursó el bachillerato en el
Instituto de San Isidro, de su ciudad natal,
y los estudios especiales en la Escuela de
Diplomática. Archivero, bibliotecario, arqueólogo desde 1875. Director—1901—del Museo
de Reproducciones Artísticas y de las excavaciones de Numancia. Académico—1906—
de la Real de la Historia y de la de Bellas
Artes de San Fernando—1899—. Miembro del Instituto Arqueológico Romano-ger-
mánico, de la Hispanic Society, de Nueva
York, y de la Sociedad de Anticuarios, de
Londres. Catedrático—1912—de Arqueología
en la Universidad Central.

Obras: *Vocabulario de términos de arte,
Historia del arte egipcio, Historia del arte
griego, Viaje a Grecia y Turquía*—1898—,
*Génesis del arte de la pintura, El teatro ro-
mano de Mérida, Goya y la pintura contemporánea, Significación del Greco y su influencia en la pintura española, El arte antiguo y el Greco*—1915—, *El sortilegio de
Karnak*—novela arqueológica—, *Salomón, rey
de Israel*—novela arqueológica—, *Don Juan
Decante*—novela—, *A orillas del Guadarza,
El demonio con faldas*—memorias de un gato—, *El disco de Teodosio, Monumentos romanos en España, Arqueología española, Manual de arqueología clásica*, y otras muchas.

MÉLIDA Y DE LABAIG, Julia.

Nació en Madrid el 22 de mayo de 1897.
Es hija de Arturo Mélida y Alinari, arquitecto, escultor, pintor y dibujante, que por
sus famosas obras de arte mereció el renombre de "Miguel Angel español".

Julia Mélida publicó su primer cuento en
Lecturas, de Barcelona, en el año 1924, y
obtuvo en 1927 el "Premio Biblioteca Patria"
con su novela *El fin de un escéptico*. Desde
entonces ha dado a la imprenta infinidad de
obras, publicadas con el más lisonjero éxito
de crítica y de público, que alcanzan una
veintena de títulos.

Otras: *El fin de un escéptico*—premiada
por la Biblioteca Patria—, *Marquesita y mo-
distilla*—Barcelona, 1928—, *No está escrito...*
—Barcelona, 1929—, *La entrega del real despacho*—Barcelona, 1929—, *La victoria de los
vencidos*—premiada por Biblioteca Patria—,
El sobrino de Isabel—Barcelona, 1933—, *La
cumbre escalada*—Madrid, 1934—, *Las zarzas del camino*—Barcelona, 1936—, *La inútil
riqueza*—Barcelona, 1936—, *La secretaria del
duque*—Bilbao, 1940—, *La señorita Quimera*—Barcelona, 1940—, *Camino*—Madrid,
1941—, *Me quedo para siempre*—Madrid,
1942—, *Las rosas volvieron a oír*—Barcelona,
1943—, *Luz de aurora*—Barcelona, 1944—,

El rostro del emperador—Madrid, 1945—,
Dos idilios—Madrid, 1945—, *Biografías abre-
viadas* (María Estuardo, Condesa Dubarry,
Baronesa Staël, Julieta Récamier, Ninón de
Lenclos, Marion Delorme, Legazpi, Napo-
león I, Napoleón III, Axel Fersen)—Madrid,
1944—, *Biografía del Retiro*—Madrid, 1946—,
Biografía de Lhardy—Madrid, 1947.

MELO, Francisco Manuel de.

Notable literato hispanoportugués. Nació
—1611—y murió—1667—en Lisboa. De ilustre y acaudalada familia. Estudió con los jesuitas. Abrazó la carrera militar. Combatió
en Flandes. Militó en la Armada española.
Fiel siempre a Felipe IV de España. El conde-duque de Olivares le confió un tercio de
500 hombres. Se batió en los Países Bajos
a las órdenes del cardenal infante. Gobernar-
dor de Bayona de Galicia. Combatió en Cataluña a las órdenes del marqués de los Vélez. Al levantarse Portugal, Melo pasó cuatro meses en injusta prisión. Gobernador de
Ostende. Asistió al Consejo de la Paz entre
Portugal e Inglaterra. Pasó luego al servicio
de Juan IV de Portugal. Nuevamente preso
a causa de unos amoríos suyos y del monarca luso con una dama, siendo encerrado en
la Torre de Cabeça Secça, de Lisboa, y pri-
vándosele de sus bienes. Al fin se le condenó al destierro perpetuo en la India y al
pago de 2.600 ducados. En 1653 le llevaron
desterrado al Brasil. Indultado por el sucesor
de Juan IV, pasó a Roma, donde editó sus
libros, volviendo a terminar sus días a Portugal.

Gran prosista castellano. Historiador concienzudo y veraz. Moralista excelente. Claro
en la exposición. Vigoroso realista. De mucho colorido en las descripciones. Magnífico
dibujante de caracteres. De estilo brioso y
musical. Sobrio, pero no conciso, ni cortado,
ni menos lacónico. Con la natural sencillez
de los mejores escritores del siglo XVII. Según Cejador, Melo es el hombre más ingenioso que produjo la Península en el siglo XVII, a excepción de Quevedo.

Obras: *Obras métricas*—1665—, *Obras morales*—1664—, *Aula poética, Carta de guía de
casados, Hospital de las letras, Política militar, Historia de los movimientos, separación y guerra de Cataluña*—1645, publicada
con el seudónimo de "Clemente Libertino",
su obra principal, modelo en su género, clara y vigorosa, verdadera y colorista, emocionante, con una riqueza grande de retratos
y de descripciones, con el único defecto de
no ser absolutamente imparcial, ya que él
andaba ya metido en el separatismo portugués.

Textos: Para la *Guerra de Cataluña*, véanse el tomo XXI de la "Biblioteca de Autores
Españoles" y la edición—Madrid, 1912—de

M

J. Octavio Picón. Para las *Cartas:* edición
E. Prestage—Lisboa, 1911.
V. PRESTAGE, E.: *Don Francisco Manuel
de Mello: esboço biographico.* Coimbra, 1914.
RIBEIRO DOS SANTOS, A.: *Memor da vida e
escritos de Mello,* en *Mem. de Lit. Portuguesa, VII.*—PUJOL Y CAMPOS, C.: *Melo y la
Revolución de Cataluña en 1640.* "Discurso
en la Academia de la Historia". 1886.—PI-
CÓN, J. Octavio: Prólogo a la edición de Madrid, 1912.

MENA, Juan de.

Magnífico poeta español. Si el marqués de
Santillana es el prototipo del prócer literario que vivió su poesía antes de escribirla,
Juan de Mena—1411-1456—, cordobés, representa al puro hombre de letras. Politiqueó
poco. Luchó menos con las armas. Era hombre de estancia sosegada, de tertulia privada, de conversación medida, de buscadas
soledades. Estudió en su ciudad natal, y
luego en Salamanca y en Roma. Fue secretario de cartas latinas del rey Juan II, cronista real y Veinticuatro de Córdoba. Permaneció invariablemente fiel al rey su señor y
a don Alvaro de Luna, de quienes era poeta
predilecto. Y murió en Torrelaguna, de un
"rabioso" dolor de costado. Nada más se
sabe de la vida de este poeta, de cuyas
obras tantas ediciones se han hecho. Parece mentira, pero así es. Su principal biógrafo, el famoso *Comendador Griego,* en la
Vida de Juan de Mena, que escribió al frente de *Las trezientas* en la edición de Sevilla
de 1499, debió de ser más explícito; pero,
desgraciadamente, dicha biografía desapareció. Valero Francisco Romero, en unas estancias de arte mayor que con el título de
Epicedio escribió a la muerte de dicho comendador—Salamanca y 1555—, nos da algunas escasísimas noticias de Mena. Y otras
cuantas Juan de Lucena en su *Vita Beata.*
De estos tres incidentales biógrafos sacamos
en limpio, además de lo apuntado, que Mena
fue nieto del señor de Almenara Rui Fernández de Peñalosa e hijo de Pedrarias, regidor o jurado de Córdoba; que quedó huérfano muy pronto y con mediana asistencia
de los suyos; que sus estudios no los inició
hasta que contaba veintitrés años. Y Fernández de Oviedo, en sus *Quincuagenas,* nos
da una versión distinta de su muerte, puesto que afirma que "una mula le arrastró é
cayó della de tal manera, que murió en la
villa de Torrelaguna".
Mena fue dulce en sus palabras y modales,
pálido, enfermizo y gran trabajador. Alonso
de Cartagena le decía: "Trahes magresci-
das las carnes por las grandes vigilias tras
el libro, el rostro pálido, gastado del estudio, mas no roto y recosido de encuentros

de lanza." Y Juan de Lucena pone en boca
de Santillana, refiriéndose a Mena: "Muchas
veces me juró por su fe que de tanta delectación componiendo algunas vegadas detenido goza, que olvidados todos aferes, tras-
cordando el yantar y aun la cena, se piensa
estar en la gloria." Ni rastro queda del "suntuoso sepulcro" que aseguran le erigió Santillana. Ponz, en su *Viaje de España*—1781—
solo halló una piedra en las gradas del presbiterio con esta inscripción macarrónica:

> Patria feliz, dicha buena,
> escondrijo de la muerte,
> aquí le cupo por suerte
> el poeta Juan de Mena.

El "Ennio español" se le llamó a Mena,
queriendo significar con ello el carácter de
estudio, de imitación reflexiva que tiene su
inspiración.
Las poesías—poco interesantes, insufrible-
mente conceptuosas—de Mena se encuentran
en los *Cancioneros* de Baena, en el de Stúñiga, en el que perteneció a Herberay des
Essarts, en el de Hernando del Castillo, en
el que perteneció a Gallardo, en cuantos
Cancioneros impresos o manuscritos se conocen del siglo XV y principios del XVI. Des-
cartada su intervención—pese a su título
flamante de cronista real—en la *Crónica* de
don Juan II, sus obras poéticas mayores
son: *La coronación* y la *Ilíada en romance,
Lo claro oscuro,* las *Coplas contra los siete
pecados capitales,* o *Debate de la Razón contra la Voluntad,* y el *Laberinto de Fortuna,* o
Las trezientas.
La *Ilíada en romance,* compendio breve
de la obra de Homero, de quien fue primer
traductor en España, es un poema de erudición intempestiva y de hinchazón desagradable, además de estar tomado de las *Perio-
chae* de Ausonio y del seudo Píndaro Feba-
no. *La coronación o Calamideos*—1438—, 51
quintillas dobles, es ya un poema alegórico,
en que Mena se finge arrebatado al Parnaso
para contemplar la coronación de Santillana
como excelso poeta. De este poema ha dicho
Menéndez Pelayo que es "un sermón rimado..., seco, realista, inameno, adusto, pero
muy castellano".
En efecto, tan oscuro hacen este poema
las descabelladas alusiones a todo lo divino
y humano y las rimbombancias, que el propio poeta tuvo que añadir su correspondiente comentario "literal, alegórico y anagógi-
co" a un poema que, según dice, corresponde al género "cómico y satírico". Superiores
a *La coronación*—o, si se quiere, menos malas—son las *Coplas contra los siete pecados
capitales;* es la última obra de Juan de
Mena, y quedó inacabada; está inspirada
aproximadamente en los *debates* medievales, tan frecuentes acerca de dicho tema, y

remotamente en *Psicomaquia,* de Prudencio. Las *Coplas* fueron terminadas por Gómez Manrique, Pero Guillén de Segovia y fray Jerónimo de Olivares, quienes añadieron las disputas de la Gula, Envidia y Pereza y la sentencia de la Prudencia. *Lo claro oscuro* es una composición que mezcla el conceptismo más sutil con la oscuridad más enigmática; con ella se adelantó en siglo y medio a su compatriota Góngora.

La gloria máxia se la alcanza a Juan de Mena en *Laberinto de Fortuna, o Las trezientas,* poema dedicado al rey don Juan II, y que constó primitivamente de 297 estrofas. Se cree que el monarca deseó que fueran estas tantas como los días del año, y que Mena, para complacerle, escribió 24 más, no llegando al total de las estancias por haber muerto. Pero Foulché-Delbosc, moderno editor y comentarista de la obra, afirma que esas 24 no las escribió Mena, y que sumadas a las tres que dicen faltaban a las 300 en los manuscritos, forman parte de un poema fragmentario independiente, escrito por un desconocido *que juzga severamente* el capricho del monarca. No debe olvidarse que Mena era un incondicional cortesano que jamás hubiera osado criticar a su rey. *El Laberinto* es un poema alegórico, cuya inspiración se encuentra en *El Paraíso,* de Dante. Su verdadero valor no está en el simbolismo, "sino en los episodios históricos, que muestran un sentimiento patriótico reflexivo, una visión de la unidad nacional, un ideal español encarnado en el muy prepotente don Juan el Segundo" (M. P.). El asunto es tan sencillo como grandioso. En el carro de Belona, tirado por dragones, el poeta es arrebatado al palacio de la Fortuna. La Providencia, que sale de una nube muy grande y oscura, le muestra la máquina mundana: tres ruedas: dos inmóviles—futuro y porvenir—y una en perpetuo y vertiginoso girar—el presente—. En cada rueda, siete círculos: el de Diana—morada de los castos—, el de Mercurio—de los malvados—, el de Venus—lugar donde se castiga el pecado sensual—, el de Febo—retiro de los filósofos, oradores, historiadores y poetas—, el de Marte—panteón de los héroes muertos por la patria—, el de Júpiter—sede de los reyes y príncipes—y el de Saturno—solio que ocupan los gobernantes de la república.

Mena es, incuestionablemente, más poeta que Santillana. Su versificación es fácil y suelta. Tiene un estilo personalísimo de mucho empaque. Sino que su erudición, el abuso de latinismos e italianismos y la monotonía del verso dodecasílabo hacen del *Laberinto* un todo fatigoso y pesado, en el que los versos y descripciones de verdadero poeta son frecuentes, no obstante. En el *Labe-*

rinto, con la dantesca, se notan igualmente influencias muy acusadas de Lucano—otro cordobés—y de Virgilio. Otro merecimiento tiene Mena: nadie como él rimó en arte mayor.

Para nuestro gusto, el mejor Mena está en sus canciones amorosas, decires, preguntas, juegos de presencia y ausencia, galanteos, suposiciones poéticas de vida y de muerte... En las que llama Menéndez Pelayo "poesías ligeras" de Mena, como aquella que empieza:

> Vuestros oios, que miraron
> con tan discreto mirar,
> firieron e no dexaron
> en mí nada por matar...:

o en aquella otra, cuya glosa es:

> Donde yago en esta cama,
> la mayor pena de mí
> es pensar quando partí
> de entre braços de mi dama.

Poesías ligeras, sí, pero encantadoras, donde nos encontramos con un Mena reverso del enfático poeta obsesionado por el simbolismo y la erudición.

En las artes del trovar, todos los antiguos poetas, críticos e historiadores alabaron a Mena. "Por el poeta entendemos Virgilio e Juan de Mena", escribió Nebrija en su *Gramática castellana.* Ningún poeta del siglo xv ha sido tan impreso, tan comentado, tan glosado como Juan de Mena. Ninguno tan tenido en concepto de profundo e inmejorable. Y la crítica moderna le considera como el iniciador del barroquismo poético, que, si en él se frustra por prematuro, cuajará en Góngora con todo su extraordinario valor.

Ediciones importantes: De *Las trezientas,* 1496—sin glosa—, 1499—con la glosa del comendador Hernán Núñez—, Granada, 1505; Zaragoza, 1509; Sevilla, 1517, más rica que las anteriores en poesías sueltas; Sevilla, 1582, con notas del *Brocense.*

De *La coronación,* ¿Zaragoza, 1499?; Toledo, 1504; Sevilla, 1512, 1520 y 1534; Valladolid, 1536.

De las *Coplas de los siete pecados mortales:* Salamanca, 1500.

Textos modernos: del *Laberinto, o Las trezientas:* edición—1904—de Foulché-Delbosc; edición—1943—de *Clásicos Castellanos,* preparada por José Manuel Blecua.

Del *Cancionero:* edición de Foulché-Delbosc, en el tomo XIX de la "Nueva Biblioteca de Autores Españoles".

V. NÚÑEZ, Hernán: *Vida de Juan de Mena,* en *Las trezientas,* Sevilla, 1499.—FOULCHÉ-DELBOSC, R.: *Etude sur le "Laberinto",* de Juan de Mena, en *Rev. Hispanique,* 1902. MOREL-FATIO, A.: *L'art mayor et l'endécasillabe dans la poésie castellane du XVᵉ siè-*

M

cle..., en *Romania*, 1894.—HANSSEN, F.:
El arte mayor de Juan de Mena, en *Anales Universidad de Chile*, 1906.—GROUS-
SAC, P.: *Le commentateur du "Laberinto"*,
en *Revue Hispanique*, 1904.—POST, C. R.:
The sources of Juan de Mena, en *The Romanic Review*. 1912.—MENÉNDEZ PELAYO,
Marcelino: *Historia de la poesía castellana...*,
1914. Tomo II.—BLECUA, José Manuel:
Estudio a "Las treizientas", ed. *Clásicos Castellanos*, Madrid, 1943.—MACDONALD, Juez:
*The "Coronación" of Juan de Mena: Poem
and commentary*, en *Hisp. Review*, Filadelfia, 1939.—BUCETA, Erasmo: *La crítica de
la oscuridad en los poetas anteriores a Góngora*, en *Rev. Filol. Esp.* 1921.—PUYMAI-
GRE: *La cour littéraire de don Juan II*. París, 1873.—PUYMAIGRE: *Les vieux auteurs
castillans*. París, 1888-1890.—ROSSI, R.: *Dante e la Spagna*. Milán, 1929.—DOLFUSS, L.:
Etudes sur le moyen âge espagnol. París,
1894. 312-439.—AGUADO, J. M.: *Heredades y
casas de... Juan de Mena*, en *Boletín de la
Academia Española*, 1932. XIX.

MENCHACA, Antonio.

Ensayista y novelista. Nació—1921—en Bilbao. Del Cuerpo General de la Armada. Desde 1950 quedó en servicio de complemento y
cursó varias disciplinas en Oxford y Derecho
en la Universidad de Madrid. Presidente y
fundador del Ateneo de Bilbao. Fundador y
vicepresidente de Edicusa, sociedad que edita
la hoy famosa y muy polémica revista *Cuadernos para el Diálogo*.

Obras: *El camino de Roma*—novela—, *Mar
de fondo, Bandera negra*—novela—, *Un bilbaíno en Londres*—ensayos—, *El tercer camino; Ayer, hoy y mañana; La URSS*.

MÉNDEZ CUESTA, Concha.

Nació en 1898. Colaboradora de las más
importantes revistas españolas e hispanoamericanas de poesía.

De sensibilidad emocionada. Influida por
las primeras tendencias de García Lorca y
Alberti. Con propio fuego formal y con musicalidad sugestiva.

Obras: *Surtidor—1926—, Inquietudes
—1927—, Canciones de mar y de tierra
—1931—, Vida a vida—1932—, Niño y sombras—1935—, Lluvias embarradas—1939—,
Poemas, sombras y sueños—1944*.

V. VALBUENA PRAT, A.: *Historia de la Literatura española*. Barcelona, 1950, tomo III.

MÉNDEZ BEJARANO, Mario.

Literato, filólogo y catedrático español.
Nació—1857—en Sevilla. Murió—1931—en
Madrid. Cursó las carreras de Filosofía y Le-
tras y Derecho en su ciudad natal, docto-

rándose de la primera—1880—en Madrid.
Catedrático de francés—1887—en el Instituto de Granada. Y de Lengua y Literatura
castellanas—desde 1899—en el del Cardenal
Cisneros, de Madrid. Diputado a Cortes
—1903—. Consejero de Instrucción Pública.
Ganador del primer premio en el concurso
abierto por la Sociedad Patriótica de Buenos Aires—1904—con su obra *La ciencia del
verso*. La Academia Española otorgó otro
premio a su monografía *Vida y obras de don
José Blanco y Crespo, "White"*. Delegado regio de Primera enseñanza—1911—en Madrid.
Académico preeminente de la de Buenas
Letras de Sevilla y correspondiente de la de
Barcelona, de la Real Hispano-Americana
de Cádiz, del Colegio de los Quintes de Roma, de la Société Linguistique, de París, y
de otras muchas.

Otras obras: *Literatura*—dos tomos—, *Historia literaria*—dos tomos—, *Historia política de los afrancesados*—1902—, *Fonología y
ortografía francesa, Diálogos interiores, Bibliografía hispánica de Ultramar*—1912—,
*Diccionario de escritores sevillanos, Precep-
tiva literaria...*

MÉNDEZ CALZADA, Enrique.

Poeta y prosista argentino. Nació—1898—
en Belgrano (Buenos Aires) y murió—1940—
en Barcelona (España). Muy niño aún, fue
llevado a España, y en España estudió Leyes. De regreso a su patria, consiguió un empleo en los Tribunales de Mendoza. En Buenos Aires fue empleado de Banco, comisionista, bibliotecario, redactor en *La Nación*,
crítico de *El Hogar...*

A partir de 1925 vivió casi siempre en
París. Y en París le sorprendió la invasión
alemana de 1940. Refugióse en Barcelona, y
asqueado de la Humanidad y enfermo mental, bajo los efectos de una angustiosa de-
presión espiritual, se pegó un tiro.

Méndez Calzada fue un escritor fecundo,
muy interesante, con gran originalidad y un
riguroso personal acento. Una de sus cualidades literarias más acusadas fue el humorismo. Poseyó un agudo talento y una
sensibilidad exquisita y muy flexible.

Obras: *Devociones de Nuestra Señora de
los Buenos Aires*—poemas, 1922—, *Nuevas
devociones*—1924—, *El hombre que silba y
aplaude*—1925—, *Jesús de Buenos Aires
*—1925—, *El jardín de Perogrullo*—1925—,
Las tentaciones de don Antonio—1926—, *Y
Jesús volvió a Buenos Aires*—1927—, *El tonel de Diógenes*—1928—, *Abdicación de Je-
hová*—1928—, *Pro y contra*—1930—, *Criminales*—ensayo teatral—, *Murió un periodista
*—poema...

V. LEGUIZAMÓN, Julio A.: *Historia de la
literatura hispanoamericana*. Buenos Aires,
1945, dos tomos.

MÉNDEZ CARRASCO, Armando.

Novelista, periodista y crítico chileno. Nació el 17 de julio de 1915 en Santiago de Chile. Autor de *Juan Firula*—imprenta Lathrop, 1948—y *El carretón de la viuda*—editorial Cultura, 1951—. En sus libros defiende la vida de los desamparados. Por su labor —esencialmente humana—está captando día a día mayores admiradores en el mundo hispanoamericano.

La Prensa chilena le llama "el Gorki de las letras". En verdad, Méndez, cuando niño, solía vagabundear entre Valparaíso y Santiago en busca de aventuras. Su infancia atormentada da frutos ahora. Es un decidido defensor de los niños vagos. El no quiere que en su patria vivan niños *bajo puentes del río Mapocho*.

El Ministerio de Educación, durante 1948 y 1949, lo contrató como conferenciante de cárceles, sindicatos obreros y colonias de niños abandonados.

Después de desempeñar los más inverosímiles oficios (incluso fue carabinero raso), hoy ocupa un destacado cargo en la Secretaría del ministro de Educación Pública. Se formó solo. Estudió de noche (Liceo Balmaceda, de Santiago). Su literatura es personal, de tendencia naturalista. No es doctrinario.

Ha obtenido recompensas literarias en Cuba—Concurso Hernández-Catá, 1949—y en Chile—1950 y 1951, "Premio Renovación".

En misión cultural, ha viajado por Argentina, y en enero de 1952 pasó a Isla de Pascua con los mismos fines.

Ha publicado más de cien crónicas literarias, juicios críticos y cuentos en los mejores diarios y revistas de su patria y del extranjero.

Armando Méndez Carrasco, en la actualidad, prepara *El Chicago chico*—novela del hampa—y un ensayo sobre el escritor norteamericano Edgar Allan Pöe, visto desde el aspecto social.

MÉNDEZ HERRERA, José.

Notable poeta y autor dramático. Nació el 7 de agosto de 1904 en Madrid. Bachiller. Ha publicado numerosos artículos y poemas en las principales revistas españolas, y ha dado varias conferencias y estrenado curiosos guiones radiofónicos.

"Premio Fray Luis de León, 1963", para traductores, por sus versiones de las obras de Shakespeare.

Obras: *Ebano al sol*—poemas en verso, 1941, Madrid—, *Con viento de proa*—poema dramático en tres actos, en colaboración con Antonio Casas Bricio, estrenado en el teatro Español el 1 de junio de 1939—, *La escena* —Barcelona—, *Una visita en la noche*—comedia dramática en tres actos, en colaboración con Antonio Casas Bricio, estrenada en el teatro Cómico, de Madrid, el 30 de enero de 1942—, *Naufragio en tierra*—poema dramático, en verso, en tres actos, estrenado en el teatro Cómico, de Madrid, el 18 de septiembre de 1945. Premiado por la Real Academia Española—, *En el balcón de Palacio* —zarzuela, en colaboración con Antonio Casas Bricio y Manuel Martín Alonso, música del maestro Jesús Romo. Estrenada en el teatro Coliseum, de Madrid, en 1944—. Ha traducido magistralmente obras de Tennesse Williams, Cocteau, Graham Green, Fabri, Arthur Miller, Edward Albee, Pirandello, Eliot, Kingsley, Brusati.

Traducciones: *Filosofía y Pedagogía*—J. Dewey. E. Beltrán, Madrid—, *Educación progresiva*—G. A. Mirick—, *Bernard Shaw*—G. K. Chesterton. "La Nave", Madrid—, *La calle de la Aventura*—Philipp Gibb. "La Nave", Madrid—, *Sin noticias de Elena, Cuentos de la Alhambra*—Washington Irving. Aguilar, Madrid—, *Obras completas* de Dickens—edit. Aguilar.

Otras obras: *El corazón al aparato*—comedia en tres actos, en colaboración con Antonio Casas Bricio—, *En la hora del diablo* —comedia en tres actos, en colaboración con Manuel Martí Alonso—, *La cigarra y la hormiga*—comedia en tres actos—, *Una luz escondida*—comedia en tres actos—, *El caballero d'Eon*—opereta en tres actos, en colaboración con Manuel Martí Alonso—, *Al angelus*—comedia en prosa.

V. Sainz de Robles, F. C.: *Historia y antología de la poesía española*. Madrid, Aguilar, 1969, 5.ª edición.

MÉNDEZ PEREIRA, Octavio.

Literato, pedagogo y político panameño. Nació en 1885 y está considerado como una de las mentalidades más firmes y densas de Hispanoamérica. Abogado. Profesor. Diputado. Ministro de Instrucción Pública. Representante diplomático de su país en Francia y Gran Bretaña. Delegado en la Sociedad de Naciones. Fundador y director de diarios y revistas importantes. Presidente de la Primera Asamblea Pedagógica de Panamá. Viajero incansable por Europa y América. Conferenciante magnífico. De excepcional cultura y noble y sugestivo criterio.

Obras: *Significado peyorativo de las terminaciones que presenta la letra "u"*—Santiago, 1912—, *Higiene del estudiante*—Panamá, 1912—, *Cervantes y el "Quijote" apócrifo* —Panamá, 1914—, *Historia de la instrucción pública en Panamá*—1916—, *Parnaso panameño*—1916—, *Justo Arosemena (1817-1896)*—Panamá, 1919—, *Núñez de Balboa, o El Tesoro del Dabaide*—1933...

M

MÉNDEZ DE ZURITA, Lorenza.

Nació—¿1530?—en Madrid. De familia ilustre. Contrajo matrimonio con Tomás Gracián Dantisco, escritor y familiar del gran Baltasar Gracián. Adquirió gran fama. Según sus contemporáneos, fue muy versada en Aritmética, Retórica, Latín, Música y notable poetisa, autora de unos *Himnos sacros* que alcanzaron gran notoriedad. Murió en 1599 y fue enterrada en la Cartuja de Aniago, próxima a Valladolid, en donde se aseguraba conservábase su cuerpo incorrupto.

Lope de Vega la alabó mucho en el *Laurel de Apolo:*

> Aquel dulce portento
> doña Lorenza de Zurita ilustre,
> admiración del mundo,
> que la fama la suya para lustre
> de sí misma la pide,
> escribió sacros himnos
> en versos tan divinos
> que con el mismo sol dímetros mide;
> que no era ya plautina
> la lengua fecundísima latina,
> Laurencia se llamaba,
> con tanta erudición la profesaba;
> añadiendo a su ingenio la hermosura
> de la virtud que eternamente dura.

V. SERRANO SANZ, M.: *... Escritoras españolas.* Madrid, 1903.

MENDIVE, Rafael María de.

Poeta cubano. Nació—1821—en la Habana y murió en 1886. Abogado. En 1844 estuvo en Europa, permaneciendo algún tiempo en Inglaterra, dedicado a traducir a Byron y a Thomas Moore; la versión exquisita de las *Melodías irlandúes* del último le valió el sobrenombre de *Moore cubano.* Fundó *La Revista de la Habana*—1853—. Colaboró en la colección de poesías titulada *Cuatro Laúdes.* Recorrió Francia, Italia y España. En este país—1860—aparecieron las *Poesías de don Rafael María de Mendive.* En 1865 fue nombrado director del Colegio Superior municipal. Al estallar la insurrección de 1868, sospechoso de haber intervenido en ella, fue detenido y enviado a España. De aquí pasó a Nueva York. Pactada la paz de Zanjón, regresó a Cuba, fijando su residencia en Matanzas, donde en 1878 dirigía *El Diario Liberal.* Fue un gran amigo de José Martí, a quien ayudó cuanto pudo, secretamente, en sus campañas antiespañolas.

Mendive fue un lírico delicado y melancólico que escribió versos muy estimables. En su prosa existe una mezcla extraña de neoclasicismo rebuscado y de romanticismo espontáneo y ardiente.

Obras: *Pasionarias*—1847—, *Los dormidos, Por la Patria*—poema dramático—, *Los pobres de espíritu*—drama—, *Las inmacula-*

das—drama—, *La nube negra*—drama—, *Un drama en el mar, El valle de los suspiros* —poema—, *Gulnara*—juguete lírico...

V. MENÉNDEZ PELAYO, M.: *Historia de la poesía hispanoamericana.* Madrid. 1911-1913. VIDAL MORALES: *Biografía de R. M. de M.,* en las *Poesías,* Nueva York, 1875.—LÓPEZ PRIETO, Antonio: *El Parnaso cubano.* La Habana, 1881.—MARTÍ, José: *Los poetas de la guerra.* Nueva York, 1894.—VALLE, Adrián: *Parnaso cubano.* Barcelona, 1907.

MENDIZÁBAL, Federico de.

Poeta, novelista, dramaturgo y ensayista. Nació en Madrid el 1 de febrero de 1901. Primeros estudios con los maristas. Bachillerato. A los diez años cursa también música y canto bajo la dirección de su madre, gran artista, y del maestro Villa. De los trece a los dieciséis, estudios militares en la Academia de Intendencia.

Son 110 los premios ganados por él en certámenes públicos. Es académico de numerosas Reales Academias. Tiene doce veces lograda la flor natural y flor de oro en Juegos florales. Ha gozado el éxito de diez obras teatrales, premiadas y estrenadas. Su obra es fecundísima y multiforme, describiendo el arco natural de su vida sincera en todo con su obra. Fue clásico en su primera época de producción y estudio de arte, romántico en su adolescencia dinámica, y evoluciona después hacia los horizontes modernos en consciente madurez y dominio formales. Caballero maestrante de los Reales Consistorios. Capitán del Ejército. Se halla en posesión de numerosas condecoraciones civiles y militares. Es lema de su vida y de su obra, en todo momento, "Dios, Patria, Libertad y Amor". En un esfuerzo tenso, con múltiples y extraordinarias energías, procura una constante superación. Y sobre sus orígenes clásicos y sus avances modernos, su espíritu es en vida y obras absolutamente romántico.

Poesía: *Floraciones vírgenes*—1916—, *Quimeras del trovador*—1917—, *Cancionero de juglar*—1918—, *Eco de siglos*—1919—, *Romancero de leyenda*—1920—, *Aguilas de bronce*—1921—, *Album patrio*—1922—, *Acordes españoles*—1923—, *Sangre de claveles* —1924—, *Raza y solar*—1925—, *Canciones de Luna y Sol*—1924-25—, *Estrellas fugaces* —1924-25—, *El canto triste*—1925—, *Leonora*—1926, prólogo de Francisco Villaespesa—, *Por la senda de los huertos*—1927—, *Laurel de oro*—tomo de poesías premiadas—, *Las rosas del crepúsculo*—1929—, *Remansos de luz*—1930—, *Hoguera en holocausto*—1931—, *Collares saltados*—1932—, *Clarines del Alcázar*—1936-37—, *Santa España*—1936-37—, *La copa del sol*—1937-38—, *Soledad de estrellas*

—1940—, *Bodas de plata*—1941—, *Primavera sin sol*—1942—, *Los rosales inmóviles*—1943—, *Las torres del silencio*—1944—, *La vida iluminada*—1945—, *Tirsos paganos*—1945—, *Las bodas de Mirella*—en prensa, 1946-47—, *Leonora, Madrid, de capa y espada, Las torres del silencio, Los rosales inmóviles, El canto triste, Canciones de luna y sol...*

Historia: *Historia de la literatura española*—1936—, *Historia de la literatura inglesa, España, en Trafalgar; España íntima en los siglos XV y XVI, Ensayos históricos.*

Periodismo: *Actualidades sin actualidad, Frente a Europa*—2.ª edición, 1922.

Crítica: *Ensayos literarios*—Shakespeare, Goethe, Dante, Calderón, Mistral, Lope de Vega, Quevedo, San Juan de la Cruz, Teorías estéticas.

Cuentos: *Vidas efímeras*—cuentos para mujeres—, *El jardín de las hadas*—cuentos para niñas—, *Cuentos del abuelo*—cuentos para niños.

Ensayos: *Estudios literarios, Ensayos filosóficos, Estudios de belleza femenina.*

Novelas: *Luisa Coral*—1919—, *El fantasma de Sorrento*—1920—, *Los peregrinos de Blarney*—1920—, *la gitana del camino, La leyenda del fuego, La novia de mi marido, Todos contra el amor, La vida vuelve a pasar, El milagro de los ojos dormidos, Las flores de la novia, Kety, la traviesa; Cuando no quiere la vida, Una loca del corazón.*

Teatro: *La audacia vence al audaz, ¿Te la digo, resalao?; El último Andallah, Marujilla, la Claveles*—premiada—; *Los espejos de las almas*—premiada—, *La vida vuelve a pasar, La alcaidesa del Alcázar*—premiada—, *Los locos del beso*—premiada—, *Los lobos en el llano*—premiada—, *El alma en la hoguera*—premiada—, *La vida es sueño*—refundición—, *Como la flor del romero*—adaptación—, *Rayo de luna, Doña Blanca de Borbón, La leyenda del diablo, Cydnos, El ocaso de los Flavios, Forjadores, Agustina de Aragón*—en colaboración con Francisco Villaespesa—, *Don Juan Tenorio en Italia, Los cruzados del sol, El triunfo de Abel, La maja de Embajadores, La luna bajó al bosque...*

Líricas: *Te lo juro*—canción—, *Canto a Jaén*—himno provincial—, *Crepúsculo en el rancho, Himno a Toledo, Primavera*—vals—, *Agonía de la rosa*—lied—, *Canción de cuna*—premiada—, *Serranilla de la Pedriza*—premiada—, *Churumbelerías, Innovación y danza, Ave María, Solera española.*

Varias: *Al pasar de la vida...*—memorias y autobiografía, en prensa.

V. SAINZ DE ROBLES, F. C.: *Historia y antología de la poesía española.* Madrid, Aguilar, 1951, 2. edición.—GONZÁLEZ RUANO, César: *Antología de poetas españoles contemporáneos.* Barcelona, Gili, 1946.

MENDIZÁBAL, Héctor Aurelio.

Nació el día 27 de mayo de 1902.

Realizó estudios generales, técnicos y superiores, diplomándose ingeniero en 1926.

Literariamente, ya desde 1916, fecha en que comenzara a publicar sus trabajos, se hizo notar por la sencilla nitidez de sus versos y por los ensayos de *Nueva Métrica*, consiguiendo ritmos no cultivados hasta él en nuestra poesía.

Esto le granjeó amistad con algunos grandes poetas, figurando entre los escritores del movimiento restablecedor de la Academia de la Poesía.

El 12 de octubre de 1926, bajo la presidencia de don Jacinto Benavente, y siendo canciller de Mantenedores don Julio Cejador, en unión de un buen número de poetas de la raza, celebró en Madrid el Primer Consistorio Hispanoamericano del Gay Saber, conmemorando el sexto centenario del de Tolosa.

Un año después, el 23 de abril de 1924 —Día de Cervantes—, su majestad el rey don Alfonso XIII, entusiasta de la obra del Consistorio, le dio estado oficial por Real Cédula, concediéndole el título de Real, y a Mendizábal, como promotor y fundador, el de Maestre del Gay Saber, tal como era costumbre en las antiguas Cortes.

Sus continuados viajes al extranjero, y tal vez su especial carácter y labor científica, fueron causa de que cayera en un injustificado olvido como poeta.

Escribió en gran número de periódicos y realizó campañas periodísticas de verdadero renombre, cual fue la de las Hurdes, que culminó en el viaje del rey a la región hurdana.

Fue colaborador de los *Lunes de El Imparcial*, y en él dio a la publicidad sus *Jácaras* y *Letrillas*, y también algunos romances del *Coloquio de los ingenios*.

Es autor de algunos cuentos y novelas cortas, entre las que destacan: *Lucha estéril, El caballero de los trece roeles, Ehton, El Misterio de la pagoda negra,* y la poemática *Amor astral.*

En la obra literario-científica, es autor de *Estética analítica* y de los *Ensayos sobre la teoría matemática de la versificación.*

Ha sido varias veces profesor en centros de estudios superiores; en Madrid lo fue del Ateneo.

Está en posesión de varios premios, habiendo intervenido numerosas veces, activamente, en actos y certámenes de alta cultura, tanto en España como en el extranjero, muchas veces en representación de diversas

M

entidades científicas y literarias, de las que figura en algunas como miembro de mérito.

Publicó cuatro libros de poesías, figura en algunas colecciones, *Antología de Maestres en Gay Saber* y otras.

MENDIZÁBAL BRUNET, Carlos.

Nacido en Zaragoza el año 1864. Murió en ¿1942? Hijo del catedrático de la misma ciudad, don Joaquín, de quien heredó una notable biblioteca y afición a leer.

Bachiller en su Instituto, siguió la carrera de ingeniero militar en la Academia de Guadalajara, de la cual salió en 1885 con el número uno de su promoción.

Destinado a Baleares para dirigir en la fortaleza de Mahón la instalación de la primera batería de costa Krupp que venía a España, lo fue luego a Bilbao como jefe de horno en 1890, pasando a ser en 1892 director de los Altos Hornos de Vizcaya, puesto que desempeñó hasta 1900, hasta su voluntaria dimisión por motivos de salud y para dedicarse a sus inventos particulares.

Como ingeniero inventor, es creador de varios ramos: un hidroavión especial, el cinisófoto Mendizábal, de marcha continua; un contador-separador de mezclas alcohólicas, una radio-seguro y el motor paraentrópico Mendizábal, como más importantes, conocidos y sancionados por la Academia de Ciencias, entre otras patentes más pequeñas.

Como escritor, publicó en 1909 una novela fantástica del porvenir, *Elois y Morlocks* —Gili, Barcelona—; en 1922, la novela científica *Pigmalión y Galatea,* y la novela psicológica *Anafrodisis*—ambas por Renacimiento—, y en 1925 la novela histórica *La colisión*—Editora Internacional.

Sus continuos viajes por España y el extranjero; sus estudios en Inglaterra, Alemania, Suiza, Italia y Francia, y su conocimiento de cinco idiomas, le han familiarizado con diversas literaturas y dado una cultura y conocimiento de la vida que se transparentan en las veinte novelas que tiene escritas, y que le han valido ser adjetivado por nuestros mejores críticos de "Wells español".

MENDOZA, Antonia de.

Poetisa española. Condesa de Benavente. Fue hija del conde de Castro. Nació en Sevilla hacia 1605. Fue dama de las reinas doña Isabel de Borbón y doña Mariana de Austria. Era muy culta y muy bella, nada mojigata, chistosa y de sutilísimas razones. Se hizo muy célebre en la corte de España, más que por su talento poético, por sus aficiones a la buena mesa. El mucho comer y el no escaso beber fuéronla ajamonando, con gran regocijo de los murmuradores. Ya de mediana edad—¿1648?—, contrajo matrimonio con el viudo conde de Benavente; y los pícaros cortesanos lanzaron la insidia de que al enjuto conde le gustaban las carnes blancas... aún más que a la Mendoza los volátiles. El conde ofreció a doña Antonia 7.000 ducados de dote y una pensión de 3.000 si quedaba viuda. La condesa de Benavente tuvo un fin—1656—digno de sus gustos. Según nos cuenta Jerónimo de Barrionuevo, el primer gran periodista que tuvo España, murió la excelente señora de un "atracón" de aves.

"Murió la condesa de Benavente domingo en la noche. Fue el caso que esta señora se comía cada día cuatro pollas de leche en diferentes maneras. Cenó una en jigote y otra en pepitoria, comiendo de ellas dieciséis alones, sin los adherentes acostumbrados de conservas y sustancias. Díjole el médico que la asistía que para su salud era mucha cena. Respondióle que sin esto no dormiría, y hízolo tan bien, que amaneció en el otro mundo volando en los alones de las aves. Tenía hecho testamento, mandando no la enterrasen, si muriese, hasta pasados tres días, por unos desmayos grandes y dilatados que la solían dar; y que la embalsamasen y llevasen su corazón al túmulo de su marido, que también se hallan ahora Belermos y Durandartes a cada paso. Dejó toda su hacienda a los trinitarios descalzos, que dicen pasa de 100.000 ducados."

Dejó escritas varias poesías—salvas, sonetos, coplas de pie quebrado, romances, glosas y canciones—excelentes.

V. Pérez de Guzmán, J.: *Cancionero de la Rosa.* Tomo II.

MENDOZA, Bernardino de.

Poeta, historiador y prosista español. Nació—1541—en Guadalajara. Murió—1604— en Madrid. De noble familia. Su madre, doña Juana, fue hija de Juan Jiménez de Cisneros, hermano mayor del célebre cardenal. Estudió en Alcalá, licenciándose—1557—en Artes y Filosofía, y siendo elegido porcionista del Colegio Mayor de San Ildefonso. Sirvió a Felipe II—1560—con las armas y con la diplomacia. Estuvo en las expediciones de Orán—1563—, del Peñón—1564—, y de Malta—1565—. Acompañó al duque de Alba a Italia—en 1567—, cuando fue a llevar tropas para Flandes.

Embajador ante Pío V. Embajador—1578— en Inglaterra. Del hábito de Santiago. Embajador en la corte de Enrique III de Francia. Afectado por un morbo a la vista, tuvo que regresar a España—1591—, donde acabó de quedarse ciego. Su correspondencia oficial y privada está llena de noticias y anécdotas y de buen humor, y a las veces no de tan bueno, lo que le pinta en cuerpo entero. Escribía muy bien el latín, el griego, el francés, el inglés y el italiano.

Hizo algunos versos decorosos. Fue muy culto, ingenioso y preciso.

Obras: *Odas a la conversión de un pecador, Theórica y práctica de la guerra*—Madrid, 1595—, *Comentario de lo sucedido en las guerras de los Países Bajos desde el año 1567 hasta el 1577*—París, 1591. Su obra principal, escrita en francés, modelo de verdad, de precisión y de recio espíritu español—. Tradujo *Los Seys Libros de las Políticas, o Doctrina ciuil de Iusto Lipsio...*—Madrid, 1604.

Textos: Para las *Poesías,* en la ed. de Cerdá de *Poesías espirituales,* Madrid, 1779; para los *Comentarios,* tomo XXVIII de la "Biblioteca de Autores Españoles"; para la *Correspondencia,* en el tomo XCII de la "Colección documentos inéditos para la historia de España".

V. Morel-Fatio, A.: *Vida de Bernardino de Mendoza,* en *Bulletin Hispanique,* 1906. 20 y 129.—Catalina García, J.: *Biblioteca de escritores de... Guadalajara.* 1899, página 350.—Almirante: *Bibliografía militar de España.* Madrid, 1876.—López Toro, J.: *Bernardino de Mendoza y Verzosa,* en *Hispania.* Madrid, 1942.—Fueter, E.: *Historiografía,* 293.

MENDOZA, Catalina.

Erudita dama española, fundadora del Colegio de la Compañía de Jesús en Alcalá de Henares. Nació—1542—en Granada. Murió en 1602. Fue hija de don Iñigo López de Mendoza, marqués de Mondéjar. Su educación fue realmente ejemplar en virtudes y en letras. Dominó seis idiomas, las Matemáticas, la Cosmografía, la Filosofía y la Teología. Muy joven aún, fue nombrada camarera de honor de doña Juana de Austria, hermana de Felipe II. Como era extraordinariamente bella, tuvo numerosos pretendientes. Se decidió a aceptar como esposo al conde de la Gomera, que residía en Sevilla, formalizando con él el enlace mediante poderes. Mas habiendo recibido un desengaño antes de unirse al conde, solicitó y obtuvo del Pontífice permiso y licencia para contraer nuevo matrimonio o retirarse al claustro, por el que sentía suma inclinación. No pudo, sin embargo, verificar esto último, por atenciones de familia, pero hizo, sí, en manos del P. Claudio Aquaviva, general de los jesuitas, votos iguales a los que pudiera hacer en el estado de religiosa, y entregada desde entonces a una vida mística y penitente, adquirió fama de santidad. Cedió en vida todos sus bienes al colegio de jesuitas de Alcalá.

También fue doña Catalina Mendoza excelente música, ingeniosa dibujante y de sobresaliente habilidad en todas las labores de su sexo. Dejó escritas algunas poesías; compuso varios motetes y cantatas religiosas.

V. [Perea, G. de]: *Vida de doña Catalina de Mendoza, fundadora del Colegio de la Compañía de JHS de Alcalá.* Madrid, 1653.

MENDOZA, Fray Iñigo de.

Excelente poeta y prosista español. Nació — ¿1420? — en ¿Guadalajara? Murió —¿1490?—. Fue uno de los poetas predilectos de Isabel la Católica. Franciscano, cuya libertad evangélica, vena satírica y privanza cortesana le granjearon numerosos detractores, supo casar hábilmente la poesía erudita con la popular, subir algunos términos del vulgacho hasta el estrado de los monarcas, inyectar en la vena fría de los troveros de corte la sangre popular caliente por ellos menospreciada, enlazar en estrecho nudo las corrientes literarias de influencia y nacionales, sacar de la oscuridad y del desdén el romance—que, según su homónimo el marqués, era metro propio de la gente "de baxa e servil condición"—y llevarlo a su valoración justa. Sus enemigos llamaron a fray Iñigo "Frayle revolvedor e fortunado en amores".

Un trovador, Vázquez de Palencia, se atrevió a decir del fraile *revoloteador* a una dama que se interesaba por la obra de este, *Vita Christi:*

> Este religioso santo,
> metido en varios plazeres,
> es un lobo en pardo manto;
> ¿cómo entiende y sabe tanto
> del tracto de las mujeres?

Pero no es de creer que reina tan excelente y honesta como nuestra Isabel protegiese a un fraile danzante y martingalista. Por si esta razón no fuera de peso, añadiré que todos los versos del franciscano son severos, honestos, de recta intención. Su obra principal es la *Vita Christi,* por coplas, escrita en quintillas dobles; en toda ella campean las poesías populares, entreveradas con la acción: romances, villancicos, himnos, un fragmento casi dramático. Luego de unos loores de la Virgen, trata de la Encarnación, la Natividad, la Circuncisión, la Adoración de los reyes y la Presentación de Jesús en el templo. Fluida, íntima, clara, es la poesía en esta obra; tiene semejanza con esos arroyos rápidos y rumorosos que forma el agua de nieve en las cumbres, apuntado abril.

Otras obras de Mendoza: *Sermón trovado sobre las armas del rey don Fernando, Dictado en vituperio de las malas mujeres y alabanza de las buenas, Lamentación a la*

M

quinta angustia, Coplas en loor de los Reyes Católicos. En su obra de carácter político *Dechado de la reina doña Isabel,* se leen consejos que recuerdan los mejores de Gómez Manrique:

> Pues sin non queréis perder
> y ver caher
> más de quanto está caído
> vuestro reino dolorido,
> tan perdido,
> que es dolor de lo ver,
> emplead vuestro poder
> en facer
> justicia mucho complidas;
> que matando pocas vidas
> corrompidas,
> todo el reino, a mi creer,
> salvaréis de perecer.

Además de sus obras poéticas, escribió un libro en prosa, que Gallardo describe del modo siguiente: *Comiença un tratado breue y muy bueno de las cerimonias de la missa ço sus contemplaciones.* Este tratado está dividido en doce capítulos, y va dedicado a la esposa de Gómez Manrique. Se publicó en 1499. Son rarísimas las primeras ediciones de las obras de fray Iñigo de Mendoza. La gótica de El Escorial es, probablemente, de Zaragoza y de 1482. Antón de Centenera. impresor en Zamora, publicó, tal vez un año antes, la *Vita Christi* con las *Coplas* de Jorge Manrique y las de Juan de Mena; y en 1482 reimprimió la primera con el *Sermón trovado.* Muchos son los *Cancioneros* de fray Iñigo: el de Juan Vázquez—Toledo, 1486—, el de Paulo Homs de Constancia—Zaragoza, 1492 y 1495—, el Sevilla—1506—, que figura en el Registro de la biblioteca de don Fernando Colón. En los *Cancioneros* más conocidos, que ya he descrito, no abundan las poesías del franciscano. Modernamente, las ha incluido Foulché-Delbosc en su *Cancionero castellano del siglo XV.*

V. FOULCHÉ-DELBOSC: *Cancionero castellano del siglo XV.* "Nueva Biblioteca de Autores Españoles", XIX, 1-120.—MENÉNDEZ PELAYO, M.: *Historia de la poesía castellana.* Madrid, 1916, tomo II.—SAINZ DE ROBLES, F. C.: *Historia y antología de la poesía castellana.* Madrid, Aguilar, 1946, págs. 421-423.—AMARO, A.: *Dos cartas de fray Iñigo de Mendoza a los Reyes Católicos,* en *Archivo Ibero-Americano,* VII, 459-463, 1917.

MENDOZA, Jaime.

Poeta y novelista boliviano. Nació en 1874. De él ha dicho Leguizamón: "Deja *En las tierras del Potosí*—1911—, *Los malos pensamientos*—1916—, *Páginas bárbaras* —1917—, *Memorias de un estudiante*—1918— y *El lago enigmático*—1936—, obra desigual y a veces irreducible a unidad de estilo

y temperamento, cuadros realistas del proletario minero o de la vida en el trópico... Arde, así mismo, el trópico en *Páginas bárbaras,* novela de las selvas del Noroeste, en la época de afiebrada explotación de las caucherías. Hay aquí algo del intenso y dramático realismo de *La vorágine* [de Rivera], la misma abyección humana hundida en profundas e irremediables simas."

V. DÍEZ DE MEDINA, Fernando: *Perfil de la literatura boliviana,* en *Thunupa,* La Paz, 1947.—BEDREGAL, Juan Francisco: *Estudio sintético sobre la literatura boliviana.* 1925. LEGUIZAMÓN, Julio A.: *Historia de la literatura hispanoamericana.* Buenos Aires, 1945.— FINOT, Enrique: *Historia de la literatura boliviana.* México, 1943.—GUZMÁN, Santiago: *La literatura boliviana,* en *Nueva Rev. de Buenos Aires,* tomos II y III.

MENDOZA Y MONTEAGUDO, Juan de.

Poeta español. Vivió entre los años 1575 y 1667, casi cien años. Apenas cumplidos los quince años, marchó al Nuevo Mundo, tomando parte en las más románticas y arriesgadas empresas y aventuras. Y supo describir en sonoras octavas reales su búsqueda en las regiones tropicales de los soñados palacios del Dabaybe, lleno de ídolos de oro; su paso por el peligroso Ancerma sobre un frágil madero; su ingente hazaña buscando las fuentes del río San Jorge... Más tarde pasó al Perú, y de aquí a Chile, alistándose—1599—en las banderas de don Francisco de Quiñones. En 1665 aún vivía, pues en este año otorgó poderes para testar.

Es autor del poema en cerca de 8.000 versos, divididos en once cantos, *Guerras de Chile,* en el que narra los acontecimientos desastrosos durante los gobiernos de Martín García de Loyola y de Francisco de Quiñones, y las matanzas y relatos hechos por los araucanos en las poblaciones españolas entre 1595 y 1600. El poema es sumamente curioso, y abundan en él los aciertos de imágenes y de dicción y las descripciones de ambiente y de caracteres sumamente verídicas y llenas de colorido.

Edición: Santiago de Chile, 1888.

V. MEDINA, J.: *Estudio y notas* en *Las guerras de Chile, poema histórico por el sargento mayor don Juan de Mendoza Monteagudo...* Santiago de Chile, 1888.—MENÉNDEZ PELAYO, M.: *Historia de la poesía hispanoamericana.* Madrid, 1913, tomo II, páginas 325-329.

MENÉNDEZ PELAYO, Enrique.

Poeta, dramaturgo y novelista español de extraordinaria personalidad. Nació—1861—y murió—1921—en Santander. Doctor en Medicina. Durante varios años ejerció con aprovechamiento. Desde 1890 abandonó su profesión científica para dedicarse por completo a la literatura.

De sentimental y delicada inspiración, de elegante y melancólico lirismo, de profunda intención moral, de galana prosa y artístico gracejo, hondo de pensamiento, maestro en la narración, Enrique Menéndez Pelayo es uno de los escritores españoles contemporáneos que merecen el mayor y el mejor interés del público y que exigen una inmediata revalorización por parte de la crítica.

Obras: *Desde mi huerto*—1890, poemas en prosa—, *El romancero de una aldeana* —1897—, *La golondrina*—primer premio en el concurso de novelas organizado por la Biblioteca Patria, de Madrid—, *El idilio de la Robleda*—1909, novela—, *Interiores* —1910—, *Cuentos y trapos, A la sombra de un roble*—1911—, *Cancionero de la vida inquieta, Las noblezas de don Juan*—comedia—, *Alma de mujer*—comedia—, *Del mismo tronco*—comedia.

V. DIEGO, Gerardo: *Enrique Menéndez Pelayo.* 1951.

MENÉNDEZ PELAYO, Marcelino.

Maestro máximo de historiadores, críticos e investigadores de la literatura española. Nació—1856—en Santander. Murió—1912— en la misma ciudad.

Aprendió sin maestros el francés y el italiano. Dominó a la perfección el alemán, el inglés, el latín y el griego. Cursó el bachillerato en el Instituto de su ciudad natal. Su primer ambiente literario fue la tertulia del librero santanderino Hernández, en la que se reunían los redactores y colaboradores de la revista *La Abeja Montañesa,* con don Juan Pelayo, tío de Marcelino, a la cabeza. En Barcelona inició—1871—la carrera de Filosofía y Letras, bajo el amparo espiritual de profesores tan magníficos como Milá y Fontanals y don Francisco Javier Lloréns. En 1873 se trasladó a Madrid, continuando sus estudios en la Universidad Central. Sin embargo, se licenció en Valladolid, en septiembre de 1874. Estuvo en Lisboa, Roma, Florencia, Milán, París, Bélgica y Holanda, pensionado por la Diputación y el Ayuntamiento de Santander y el Ministerio de Fomento. En 1878 obtuvo, después de brillantísimos ejercicios, la cátedra de Literatura, en el doctorado, de la Universidad de Madrid. En 1898 fue nombrado director de la Biblioteca Nacional.

Académico de la Lengua—1881—y de la Historia—1882—. Diputado a Cortes por Palma de Mallorca entre 1884 y 1886. Académico de Ciencias Morales y Políticas—1889—. Diputado a Cortes—1891—por Zaragoza. Se-

nador por la Universidad de Oviedo y por la Academia Española. Académico de la de Bellas Artes de San Fernando—1901—. Gran cruz de Alfonso XII—1902—. Bibliotecario —1892—y director—1910—de la Academia de la Historia. Creador de la riquísima Biblioteca que lleva su nombre en Santander, y que, a su muerte, legó a su amada ciudad natal.

Menéndez Pelayo es el coloso de la crítica literaria española. Representa en esta—valgan las comparaciones en gracia de la verdad—lo que Cervantes en la novela, Lope en el teatro, Góngora en la poesía lírica, Unamuno en el ensayo...

Personalidad extraordinaria, típicamente ibérica, realiza *de golpe* lo que en otros climas y escuelas se produce por un lógico encadenamiento. Menéndez Pelayo organiza definitivamente—bien cimentada, artísticamente trabajada—la historia de la literatura española. Antes de él, todo había sido un puro tanteo, más o menos estimable. Gallardo, Durán, Gayangos, Milá, Amador de los Ríos, Fernández Guerra no fueron sino admirables *tanteadores.* Con alma de enorme artista, humanista cálido y sutil, polemista formidable—siempre ingenioso y vivaz y talentudo, aun cuando demasiado partidista en ocasiones—, de prosa fácil y brillante, inmensamente español, católico e intelectual moderno, de formación clásica y estéticamente platónica, con una pasión permanente de saber y de libertad, con una pasmosa serenidad de juicio, Menéndez Pelayo coloca los estudios literarios españoles a una altura igual o superior a la alcanzada por las naciones más cultas de Europa. Polígrafo y esteta, ninguna figura presenta Europa de talla superior a la suya.

"En Menéndez Pelayo—escribió el notable crítico Gómez Restrepo—se unieron armoniosamente la España antigua, la de las grandes y venerandas tradiciones, y la España moderna, en todo cuanto esta tiene de propio y de original. En Menéndez Pelayo fue encarnando, cada día con mayor fuerza y pujanza, el espíritu nacional, hasta llegar a ser el español más representativo de su estirpe; y gracias a él principalmente y a la acción decisiva que ejerció sobre la generación posterior, España tuvo, quizá por vez primera, la revelación completa de su propio genio... Era un perfecto humanista; manejaba como dueño y señor todos los tesoros de la lengua castellana; había sometido a crítica los grandes sistemas filosóficos y había trazado un rumbo original a su pensamiento; se había formado un concepto propio del arte y de la Historia; había abarcado el vasto cuadro de la literatura universal, desde Homero hasta las últimas manifestaciones de la poesía hispanoameri-

M

cana, y había trazado las líneas fundamentales de la historia de la civilización hispánica... Era un gigante del Renacimiento extraviado en las postrimerías del siglo decimonono..."

La prosa de Menéndez Pelayo es de corte moderno, de efecto rápido y directo, ni asiática ni cortada, y en ella laten las insignes calidades poéticas de su imaginación; se comprende que ha brotado de la pluma del autor sin esfuerzo alguno, como el agua del venero que salta y se derrama. Su pensamiento, por sutil que sea, encuentra sin vacilar la forma adecuada de expresión, y los incisos se van agrupando, por arte espontáneo, en torno de la frase principal, sin oscurecerla ni entorpecer su trascendencia. El calor de la convicción, la energía vital que en todo ostentaja, encienden las frases, y la sangre fluye a través de los grandes períodos... "Y cuando llega el momento culminante en que el artista de la palabra va a dar el toque final, el que ha de subyugar al lector, el poeta interviene, y entonces se idea se transforma en imagen, y esta se yergue, fresca y viva."

Menéndez Pelayo aúna a su saber inmenso su maravillosa sensibilidad de artista. Unión que raramente se logra en el campo de la investigación. Por esa unión sus obras son tan amenas, tan sugestivas, tan enormemente personales.

Menéndez Pelayo puede ser considerado como humanista, como bibliógrafo, como filósofo, como crítico e historiador, como artista, como poeta. En todos estos aspectos, con excepción del último, alcanza prestigios inconmovibles e insuperables.

Poeta nunca lo fue Menéndez Pelayo. Era un buen imitador, un buen rimador. Pero sus versos "llevan" demasiado lastre de estudio, de retórica, de retoque. Y carecen del don divino de la inspiración.

Obras: *Trueba y Cossío*—1876—, *La ciencia española*—1880—, *Horacio en España*—1877—, *Estudios poéticos*—1878—, *Historia de los heterodoxos españoles*—1880—, *Calderón y su teatro*—1881—, *Historia de las ideas estéticas en España...*—1883—, *Estudios de crítica literaria* (cinco series)—1884—, *Teatro de Lope de Vega*—1890 a 1902—, *Historia de la poesía lírica castellana en la Edad Media*—1911—, *Historia de la poesía hispanoamericana*—1911 a 1913—, *Bibliografía hispanolatina clásica*—1902—, *Los orígenes de la novela*—1905 a 1910—, *Estudios de crítica filosófica*—1892.

Casi todas estas obras se componen de varios volúmenes, aparecidos en años diversos y reimpresos repetidas veces.

Menéndez Pelayo es autor, además, de numerosísimos estudios, desperdigados en importantísimas revistas españolas y extranjeras. Para una bibliografía completa de Menéndez Pelayo es imprescindible el libro de Bonilla San Martín *Menéndez Pelayo: biobibliografía,* en el tomo XXI de la "Nueva Biblioteca de Autores Españoles".

A partir de 1940, en edición oficial, han sido publicadas las obras completas de este insuperable maestro, que forman más de cuarenta nutridos volúmenes.

V. BONILLA SAN MARTÍN, A.: *Menéndez Pelayo,* en el tomo XXI de "Nueva Biblioteca de Autores Españoles".—RUBIÓ Y LLUCH, A.: *Discurso en elogio de Menéndez Pelayo.* 1913. ANTÓN DEL OLMET Y GARCÍA CARRAFFA: *Menéndez Pelayo.* Madrid, 1912.—EPISTOLARIO *de Valera y Menéndez Pelayo.* Madrid, 1930, 1946.—GARCÍA ROMERO, M.: *Apuntes para la biografía de Menéndez Pelayo.* 1897. TANNEBERG, Boris de: *L'Espagne littéraire.* 1903. Y *Bulletin Hispanique,* 1903, V.— GÓMEZ RESTREPO: *Discurso en elogio de Menéndez Pelayo.* Bogotá, 1912.—GONZÁLEZ-BLANCO, A.: *Marcelino Menéndez Pelayo.* Madrid, 1912.—MÉRIMÉE, E.: *Don Marcelino Menéndez Pelayo,* en *Bulletin Hispanique,* 1912, julio y septiembre.—GARRIGA, F. J.: *Menéndez Pelayo, crítico literario.* Madrid, 1912.—ARTIGAS, Miguel: *La vida y la obra de Menéndez Pelayo.* Zaragoza, 1939.—LAÍN ENTRALGO, P.: *Menéndez Pelayo.* Madrid, 1944. GARCÍA Y GARCÍA DE CASTRO, R.: *Menéndez Pelayo. El sabio y el creyente.* Madrid, 1940.—CAYUELA, A. M.: *Menéndez Pelayo, orientador de la cultura.* Barcelona, 1939.— ALONSO, Dámaso: *Menéndez Pelayo, crítico literario.* Madrid, 1956.—SIMÓN DÍAZ, José: *Bibliografía de y sobre Menéndez Pelayo (1939-1955).* Madrid, número especial de la revista *Arbor,* XXXIV, 1956.—SÁNCHEZ REYES, Enrique: *Don Marcelino. Biografía del último de nuestros humanistas.* Santander, 1956.—SAINZ RODRÍGUEZ, Pedro: *Menéndez Pelayo, historiador y crítico literario.* Madrid, 1956.

MENÉNDEZ PIDAL, Juan.

Literato y erudito español. Nació—1861—y murió—1915—en Madrid. Doctor en Derecho. Diputado a Cortes. Gobernador civil de varias provincias. Del Cuerpo facultativo de Archivos, Bibliotecas y Museos. De la Real Academia Española—1915—. De mucha cultura y sensibilidad grande. Excelente prosista. Sagaz crítico.

Obras: *El conde de Muñazán*—leyenda—, *Don Nuño de Rondaliegos*—leyenda en castellano arcaico—. *Poesía popular...*—1885—, *San Pedro de Cardeña, El bufón de Carlos V don Francesillo de Zúñiga, Leyendas del último rey godo, Don Luis de Zapata y su "Miscelánea".*

Escribió también numerosas poesías—*Ala-*

lá—, entre las que sobresale la titulada *Lux aeterna*, hoy popular en varias regiones de España.

MENÉNDEZ PIDAL, Ramón.

Maestro de filólogos e investigadores literarios españoles. Nació—1869—en La Coruña. Murió—1968—en Madrid. Estudió en las Universidades de Madrid y de Toulouse. Catedrático—1899—de Filología románica en la Universidad Central. Académico de número de las Reales de la Lengua—de la que fue su director—y de la Historia, y de la Hispanic Society of America. De la Academia das Sciencias de Lisboa. Doctor *honoris causa* de las Universidades de Toulouse—1921—, Hamburgo—1921—, Oxford—1922—, Tubinga—1923—, París—1924—, Lovaina—1927—, Bruselas—1932—. Correspondiente del Instituto de Francia, de la British Academy, de la Real Academia de Ciencias de Estocolmo y otros muchos más importantes centros de cultura. Fundador y director de la *Revista de Filología Española.* Presidente—1919 a 1931—del Ateneo de Madrid. Director del Centro de Estudios Históricos desde 1910. Honrado con más de veinte condecoraciones de varios países.

La cultura de Menéndez Pidal fue verdaderamente pasmosa. Pudo ser más vasta, pero no más honda, la de Menéndez Pelayo. Y si este fue más retórico y ancho, aquel fue más agudo y preciso. Fue Menéndez Pidal el gran maestro de la historia de la lengua castellana y el investigador y vivificador de la especialización literaria. Desde el punto de vista histórico, crea la ciencia de la lengua castellana. Tema estudiado por este excepcional erudito queda como agotado en su exactitud, haciendo imposibles ulteriores perfeccionamientos. "A diferencia de ciertos aspectos de Ortega y Gasset—escribe Valbuena—, Menéndez Pidal no es el desdeñoso ni el negativo, sino el comprensor de toda la gran cultura española. Su palabra es siempre justa y medida; su entusiasmo, pasión de inteligencia; su continuo estímulo, la mejor justificación de los temas. Menéndez Pidal abre el novecentismo de nuestra crítica científica y filológica sin la actitud agria del escéptico ni la suficiencia arrogante del osado. Es el sabio que lleva dentro el artista. Por tanto, la mente serena y la expresión concisa y digna. La afirmación de la verdad, por la solidez del trabajo y la eficacia ante los resultados."

A Menéndez Pidal se le admira en el mundo entero. En 1929, ciento treinta y cinco eruditos de veinte naciones le rindieron un homenaje, consistente en tres tomos de *Miscelánea de estudios lingüísticos, literarios e históricos.* En temas filológicos y literarios

medievales, quizá sea hoy la más alta autoridad europea. Orgullo de España, Menéndez Pidal merece los más encendidos fervores de los españoles.

Asombrosa es la fecundidad de este erudito y literato. A cientos ha publicado sus estudios y ensayos en las revistas más importantes de Europa y América, que sería enojoso enumerar aquí, pero que pueden conocerse en la *Bibliografía de Menéndez Pidal,* publicada por Homero Serís—Madrid, 1931.

Obras: *Cantar de Mio Cid, texto, gramática y vocabulario*—obra premiada en 1895 por la Academia Española, 1908 a 1911—, *La leyenda de los infantes de Lara*—1896—, *Catálogo de las Crónicas generales de España existentes en la Biblioteca particular de Su Majestad*—1898—, *"El condenado por desconfiado", de Tirso de Molina*—1902—, *La leyenda del abad Juan de Montemayor* —1903—, *La epopeya castellana a través de la literatura española*—en francés, 1910; en castellano, 1945—, *Gramática histórica española*—1904—, *El Romancero español*—Nueva York, 1910—, *La Crónica general de España que mandó componer Alfonso "el Sabio"* —1916—, *El dialecto leonés*—1906—, *Estudios literarios*—1920—, *El rey Rodrigo en la literatura*—1924—, *Poesía juglaresca y juglares*—1924—, *Orígenes del español*—1926—, *Flor nueva de romances viejos*—1928—, *La España del Cid*—1930—, *Romances tradicionales de América, Romances viejos, Historia y epopeya*—1934—, *La lengua de Cervantes, el estilo de Santa Teresa y otros estudios sobre el siglo XVI*—1942—, *El Imperio Hispánico*—1950—, *La época francesa y la española comparadas*—1951—, *La epopeya castellana a través de la literatura española* —1945—, *De Cervantes y Lope de Vega, Historia imperial de Carlos V, El padre Las Casas: Su doble personalidad*—1963—, *La canción de Roldán*—1959.

Estas no son sino algunas de las más importantes obras del maestro Menéndez Pidal. Para su totalidad, remitimos al lector a la *Bibliografía,* ya mencionada, de Homero Serís. Abundan sus trabajos excepcionales sobre el *Teatro antiguo español,* los hermanos Figueroa, el *Cancionero de Amberes,* el *Auto de los Reyes Magos,* la *Disputa del alma y del cuerpo,* el poema de *Elena y María,* la gesta de *Roncesvalles,* el *Quijote* y la lírica-castellana.

V. SERÍS, Homero: *Suplemento a la bibliografía de don Ramón Menéndez Pidal.* Madrid, 1931.—MENÉNDEZ PELAYO, M.: *Discurso de contestación leído ante la Academia Española en la recepción pública de don Ramón Menéndez Pidal.* Madrid, 1902.—GARCÍA CALDERÓN, F.: *Menéndez Pidal y la cultura española.* Santiago de Chile, 1905.—Río, Angel del, y BENARDETE, M. J.: *El concepto*

M

contemporáneo de España. Antología de ensayos. 1895-1931. Buenos Aires, Losada, 1946.
(Contiene amplia bibliografía de notas y artículos acerca de Menéndez Pidal, págs. 256-
257.)

MERA, Juan León

Poeta, novelista y erudito ecuatoriano.
Nació—1832—y murió—1894—en Ambato,
capital de la provincia de Tungurahua. La
crítica lo ha proclamado como uno de los
más admirables escritores de Bolivia. Abogado. Ministro del Tribunal de Cuentas. Gobernador de las provincias de Tungurahua y
León. Diputado. Presidente de la Cámara
baja. Senador. Presidente del Ateneo de
Quito. Fue uno de los fundadores de la
Academia Ecuatoriana. Correspondiente de
la Real Española de la Lengua. Autor de la
letra del Himno Nacional Ecuatoriano. Miembro correspondiente de la Academia de Buenas Letras de Sevilla. Polígrafo muy estimable.

Escribió interesantes trabajos arqueológicos, científicos y de investigación literaria.
Preparó una edición de las poesías de sor
Juana Inés de la Cruz, y otra de las cartas
de Olmedo. Su Ojeada histórico-crítica sobre la poesía ecuatoriana resulta de mucho
valor para el estudio del lirismo y aun de
la literatura en general del Ecuador. La prosa y el verso de Juan León Mera son de
gran calidad, y su fama de escritor excedió
de las patrias fronteras.

De su novela Cumandá escribió don Juan
Valera: "Es mil veces más real, más imitada de la Naturaleza, más producto de la
observación y del conocimiento de los bosques, de los indios, de la vida primitiva,
que casi todos los poemas, leyendas y novelas que sobre asunto semejante se han
escrito." En su poema La Virgen del Sol
—1861—, sobre un tema de la época de la
conquista, entran motivos indígenas de extraordinaria belleza, especialmente aquellos
que constituyen una imitación de los líricos
yaravíes, bellísimas composiciones populares
de sabor delicado y emotivo.

Obras: Melodías indígenas, Mazorra, Ti-
jeretazos y plumadas, Los novios de una aldea, Novelistas ecuatorianas, La monja de
México, Fábulas, Poemas y leyendas, Estudios biográficos, Historia de la Restauración
en el Ecuador, Opúsculos varios, García Moreno, Elvira, El proscrito, El luterano, Poesías, Colección de poesías religiosas...

V. MENÉNDEZ PELAYO, M.: Historia de la
poesía hispanoamericana. Madrid, 1913, tomo II, págs. 129 y sigs.—ARIAS, Augusto:
Panorama de la literatura ecuatoriana. Quito, 1936.—BARRERA, Isaac: La literatura ecuatoriana. Quito, 2.ª edición, 1926.—HERRERA,

Pablo: Ensayo sobre la literatura ecuatoria-
na. Quito, 1889, 2.ª edición.—DESTRUGE,
Camilo: Album biográfico ecuatoriano. Gua-
yaquil, 1903-1904, cuatro tomos.—VITERI,
Anastasio: El cuento ecuatoriano moderno.
Quito, s. a.

MERCADER ZAPATA, Ángela.

Escritora valenciana, comúnmente llamada
por sus contemporáneos—siglo XVI—"Monstruo de su siglo y raro ornamento de su
sexo". Estuvo casada con Jerónimo Escribá,
y fue madre del jurista Francisco Escribá,
autor de los Novísimos, obra en la cual, al
parecer, ella colaboró, o por lo menos inspiró. Escolano—en su Historia de Valencia—
le prodiga los elogios. Y también la alabó
el famosísimo Luis Vives—en su obra De
Institutione feminae christianae—. Y García
Matamoros escribió de ella:

Quid referam clarissimam feminam An-
gelam Zapatam quae quum angelica mente
donata esset, doctissimi viri Ludovici Vives,
civis sui, amplum et magnificum testimo-
nium de ingenio pariter et doctrina tulit?

Conocía esta doctísima mujer a la perfección los idiomas griego y latino.

MERCHÁN, Rafael María.

Literato y político cubano. Nació—1844—
en Manzanillo y murió—1905—en Bogotá.
Estudió Humanidades en el Seminario de
Santiago de Cuba; pero abandonó los estudios eclesiásticos para dedicarse al periodismo y a la enseñanza privada. Colaboró en
El Siglo, en La Verdad, en El Tribuno. Ardiente defensor de la independencia de su
país, combatió a España con la pluma, lo
cual no fue obstáculo para que representase
a su país en España, ya separada de esta su
Cuba. Escritor infatigable, publicó más de
ocho mil artículos en más de cien periódicos
de toda América—incluidos los Estados Unidos—. Vivió algún tiempo en París.

Obras: La honra de España en Cuba
—1871—, Estalagmitas del lenguaje—1879—,
Mil anécdotas—1884—, Las escuelas poéticas—1884—, Estudios críticos—1886—, Carta
al señor don Juan Valera sobre asuntos americanos—1889—, La autonomía de Cuba
—1890—, Cartas literarias—1891—, Variedades—1894—, Comentarios—1903—, Emociones—1903—, Ideas—1903...

V. FIGAROLA CANEDA: Bibliografía de Rafael María Merchán. Habana, 1905.—VARIOS:
Opiniones sobre los "Estudios Críticos" y
otros trabajos de Rafael M. Merchán. Bogotá, 1890.

MERINO, Joaquín.

Novelista, periodista español. Nació
—1928—en Madrid. Estudió la licenciatura

de Derecho en la Universidad de Deusto. Profesor de inglés. Viajero incansable. Funcionario público. Pero, ante todo, periodista y literato. Colabora asiduamente en los diarios madrileños *A B C, Ya, Madrid* y en *España,* de Tánger.

Narrador de muy fino humor.

Obras: *Londres para turistas pobres* —1959—, *Secundino*—1963.

MERINO REYES, Luis.

Poeta y cuentista chileno. Nació en 1912. Colabora en los principales diarios y revistas de su país. Su calidad literaria excede ya de las patrias fronteras, y su nombre figura entre los más destacados de la promoción hispanoamericana, que ha llegado a la madurez de su producción.

Obras: *Islas de música*—poemas, 1936—, *Lenguajes del hombre*—poemas, 1938—, *Latitud*—poemas, 1940—, *Coloquio de los goces*—1942—, *Los egoístas*—cuentos, 1941—, *Muro de cal*—cuentos, 1946—, *Romancero de Balmaceda*—1945—, *El chiquillo blanco* —cuentos, 1948—, *Himno y faena*—antología poética, 1952...

MERLÍN, María de las Mercedes Jaruco, condesa de.

Escritora y cantante española. Nació —1789—en la Habana (Cuba). Murió—1852— en París. Fue hija del capitán general de las tropas españolas en la isla y nieta del general O'Farrel, ministro de la Guerra durante el reinado de Fernando VII. Pertenecía a una aristocrática y adinerada familia. En 1811 se casó en Madrid con el general conde de Merlín, entonces jefe de la guardia militar del rey José Bonaparte. Al huir a Francia este, los condes de Merlín tuvieron que expatriarse, fijando su residencia en París, donde el talento, la gracia y la belleza de María de las Mercedes le dieron pronto una celebridad espléndida. Abrió un salón literario y artístico, que estuvo muy de moda. Organizó numerosos conciertos con fines benéficos, en los que tomó parte, pues poseía una voz magnífica y tocaba el piano con rara perfección. Fue una decidida protectora de los artistas, y gracias a ella pudieron debutar en la Opera la Grisi y Mario. Tal era su cultura, que pudo mantener correspondencia económica con Rotschild, histórica con Chateaubriand, legislativa con Charles Dupin, diplomática con Sainte-Aulaire..., ¡y acerca del tabaco con M. Simeón!

Sus contemporáneos le dedicaron los más efusivos y justos elogios, ya que fue una de las mujeres más atractivas de su tiempo.

Obras: *Mes douze premières anées* —1831—, *Mémoires et souvenirs de la com-* *tesse de Merlin*—1836—, *Les loisirs d'une femme du monde*—1838—, *Les esclaves dans les colonies espagnoles*—1841, en la *Revue des Deux Mondes*—, *La Havanne, lettres et voyages*—1844—, *Lola et Maria*—1845—, *Les dionnes de Paris*—1845.

V. FIGUEROA, Agustín de: *La condesa de Merlín, musa del romanticismo.* Madrid, ¿1943?—SANZ, George: *La comtesse de Merlin,* en *Questions d'art et de littérature.* París, 1876.—*Souvenirs et mémoires de Mme. la comtesse de Merlin publiés par elle même.* París, 1836.

MEROBAUDES, Flavio.

Poeta latino del siglo V. Se cree que nació en Barcelona. Desde muy joven vivió en Roma, dándose a conocer como retórico y soldado. Debió de alcanzar mucho renombre, ya que en el año 1813 fue hallada una estatua suya, erigida en el *Forum Ulpinianum,* cuya data es del año 435.

Era cristiano. Durante mucho tiempo no se tuvieron otras noticias de él que las insertas en la *Crónica* de Idacio. En 1823, el gran erudito Niebuhr descubrió en la biblioteca del monasterio de Saint-Gall un manuscrito que contenía cinco poemas de carácter histórico y dos dísticos—*De miraculis Christi y Carmen Paschale*—, originales de Merobaudes.

Ediciones: Niebuhr, Bonn, 1824; Bekker, en *Corpus scriptorum historiae bizantinae,* Bonn, 1836; Vollner, Berlín, 1901 (*Monumenta Germaniae Historica. Auctores antiquissimi,* XIV).

MESA, Carlos Eduardo.

Poeta, ensayista y biógrafo colombiano. Sacerdote, perteneciente a la Congregación fundada por el padre Claret. Nació en Pueblo Rico (Colombia) el 25 de abril de 1915. Profesó en la comunidad claretiana el 16 de julio de 1931 y después de cursar estudios en Bosa, Zipaquirá y Albano Laziale se ordenó de sacerdote en Roma el 14 de julio de 1940. Ha sido profesor de latín y preceptiva literaria en varios seminarios de su Instituto. En 1942 llegó a España como redactor de la revista *Palestra Latina,* dedicada al estudio y difusión de la lengua del Lacio y de la Iglesia. En 1944 pasó a la Casa de Escritores que su Congregación tiene en Madrid. Ha colaborado en *El Iris de Paz* y *El Misionero* y en la actualidad dirige *Vida Religiosa,* revista destinada a las comunidades y a los problemas y aspectos varios de los estados de perfección. Al lado de esta labor ministerial, el padre Mesa ha desarrollado una vasta e intensa actividad de humanista, en su calidad de historiador, crítico y poeta. Ha cultivado el ensayo, la sem-

M

blanza y la biografía, el drama, el cuento breve y la crónica periodística. Entre sus temas predominan los de carácter hispánico, que lo colocan entre los más fervorosos hispanistas de su país colombiano. Colabora en las principales revistas de Colombia, particularmente en *Thesaurus, Bolívar* y el periódico *La República,* de Bogotá; en *Gymnasium,* revista latina del seminario claretiano de Bosa, y en *Universidad de Antioquía, Universidad Bolivariana* y *El Colombiano,* de Medellín. Desde 1951 el padre Mesa pertenece a la Academia Colombiana de la lengua, en cuyo *Anuario* ha publicado espléndidas monografías.

Obras: *De Catilinae conjuratione*—Selección escolar, dos ediciones, Barcelona, 1943 y 1951—, *Livii Historiae selectae o Viñetas históricas de Tito Livio*—edición escolar, profusamente anotada, Barcelona, 1944—, *De mi lámpara tenue*—poesías, Madrid, 1949—, *Jesús Aníbal Gómez*—biografía de un seminarista claretiano de Colombia, martirizado por los marxistas en la revolución española, Madrid, 1950—, *Luces en la noche* —novela, Madrid, 1954—, *Según las manos que labran, El almirante ajusticiado*—dramas, Madrid, 1954—, *Ensayos y Semblanzas* —en la Biblioteca de Autores Contemporáneos, Bogotá, 1956—, *La Madre Laura Montoya, Misionera y fundadora de misioneras* —biografía, en prensa, Madrid, 1958—, *Cuadernillo de poesía*—Medellín, 1957—, *La Inmaculada en los Autos Sacramentales*—Roma, 1958—, *Consignas y elevaciones*—Madrid, 1958...

MESA, Cristóbal de.

Poeta y prosista español. Nació—¿1561?— en Zafra (Badajoz). Murió en 1633. Estudió Leyes en la Universidad de Salamanca, siendo discípulo del célebre humanista Francisco Sánchez "el Brocense". Sin terminar la carrera, se trasladó a Sevilla, donde amistó con Herrera, Barahona de Soto, Pacheco, Medina y otros. Se ordenó sacerdote. Capellán del conde de Castellar. Viajó por Italia y conoció y fue gran amigo de Torcuato Tasso. Tradujo la *Ilíada* y las *Eglogas y Geórgicas* de Virgilio. Regresó a España, entrando al servicio del duque de Béjar. En 1612 perteneció a la llamada Academia Salvaje, fundada por don Francisco de Silva, y en la que alternó fraternalmente con Lope de Vega, Soto de Rojas y otros notables ingenios. Lope le alabó en el *Laurel de Apolo* y Cervantes en *La Galatea.* En 1616 concurrió con un soneto, unos tercetos y unas octavas reales al certamen poético del Sagrario de Toledo. Desde esta fecha no se tienen noticias de su vida. Aun cuando vivía en 1630, año en que fue impreso el *Laurel de Apolo.*

Su nombre figura en el *Catálogo de autoridades del idioma,* publicado por la Real Academia Española.

Su obra principal es el poema narrativo, en diez cantos, *La Restauración de España* —1607—, con el argumento de la victoria de Pelayo en Covadonga sobre los musulmanes. El poema es confuso. Atiende más a lo sobrenatural y legendario que a lo humano, hasta el punto de que da nombres griegos a muchos personajes árabes. Apenas si algunos pasajes de él—el vaticinio del río Deva, las arengas de Pelayo y Alkamán—se leen hoy con cierto interés.

Otras obras: *Valle de lágrimas y diversas rimas*—Madrid, 1607—, *El Patrón de España y varias rimas*—Madrid, 1612, poema en seis libros, dedicado a Felipe III, sobre la milagrosa traslación a España del cuerpo de Santiago—, *Rimas*—1618—, *El Pompeyo* —1618, desatinada y archiclásica tragedia.

Cristóbal de Mesa tuvo un gusto exquisito y una gran fuerza satírica, pero apreció poco lo nacional y se dedicó demasiado a las imitaciones clásicas. Y quedó transformado en un poeta erudito que hoy nadie lee.

Textos: Tomos XXV y XLII de la "Biblioteca de Autores Españoles", de Rivadeneyra.

V. Gallardo, B. J.: *Ensayo de una biblioteca...,* III, 780.

MESA Y ROSALES, Enrique de.

Notabilísimo poeta y crítico literario español. Nació—1878—y murió—1929—en Madrid. Licenciado en Derecho por la Universidad de Madrid. En 1903 ganó el primer premio de crónicas en el concurso organizado por *El Liberal,* de Madrid, con la suya titulada *Y murió en silencio.* Y gran crítico teatral, ateneísta de relieve, muy liberal de ideas y, paradójicamente, muy tradicional en su vida y en su literatura. Federico de Onís, muy certeramente, coloca a Mesa y a Salvador de Madariaga en esa zona de indudable simpatía poética que es la *reacción hacia la tradición clásica.* Y dice del primero de ellos: "Su poesía es tradicional y moderna, pictórica y subjetiva; representa una definida emoción muy española por el espíritu y por la visión concreta de realidades hechas de tierra parda y cielo claro, de dulzura y aspereza, de dureza y de elegancia." Conocedor como pocos de los clásicos, enamorado fiel de la Sierra de Guadarrama, dueño de un subyugador lirismo íntimo, los modelos de Enrique de Mesa son Berceo, Juan Ruiz, Santillana, Juan del Encina, Lope de Vega; pero son unos modelos *a los que no copia,* sino que le influyen, ya que el castellanismo de Mesa no es una reconstrucción de lo arcaico, sino un *nuevo modo de ver y sentir* lo eterno: España, Castilla, el Guadarrama, el hogar, el amor dulce y fresco de la serranilla, las voces misteriosas de la Naturaleza.

> Cruza la trocha un regato
> todo espumas y rumor;
> gobierna un zagal el hato,
> sucia nieve en el verdor...
> ....
> El creciente de la luna
> es de nácar en el cielo.
> Sobre la muerta laguna
> alza un águila su vuelo.

Puede afirmarse de Enrique de Mesa que es un puro poeta descriptivo. No se ahonda en las almas. No le interesan las luchas y las reacciones humanas actuales. La Historia parece no conmoverle jamás. Unicamente la Naturaleza le trae embebecido. Las más bellas y significativas poesías de Enrique de Mesa están contenidas en sus libros *Cancionero castellano*—1911—, *El silencio de la Cartuja*—1918, premiado por la Real Academia Española—y *La posada y el camino*—1928.

Otras obras: *Tierra y alma*—1906—, *Andanzas serranas*—1910, impresiones en prosa de la Sierra de Guadarrama—, *Flor pagana*—poesías, 1915—, *Apostillas a la escena*—1930, críticas teatrales.

V. Pérez de Ayala, R.: *Don Enrique de Mesa*, en *El Imparcial*. Febrero de 1917.—Picón, J. Octavio: *Enrique de Mesa*, en *Los Lunes de El Imparcial*, 19-XI-1906.—Sainz de Robles, F. C.: *Historia y antología de la poesía española*. Madrid, Aguilar, 1951, 2.ª edición.

MESONERO ROMANOS, Ramón de.

Gran costumbrista, erudito y periodista. 1803-1882. Madrileño. Y de los de ¡viva Madrid, que es mi pueblo! Nació en la calle que hoy lleva su nombre y que entonces era llamada del Olivo, en la casa número 10 antiguo, el día 19 de julio. Su padre era un rico hacendado salamanquino, que tenía abierta en Madrid una agencia muy acreditada para desarrollar y desembrollar negocios peninsulares y de las Indias.

En el Instituto de San Isidro cursó Mesonero Romanos la latinidad y la Filosofía. A los diecisiete años se quedó huérfano de padre repentinamente. Y dejó de estudiar y cerró la agencia. Le bastaban los caudales heredados para dedicarse a su mejor pasión: la de paseante en la corte. Eso de ir y venir y tornar, dale que te pego, por la villa, teníale sorbido el seso. Pasar y repasar todas las calles. Mirar y remirar todas las casas. Replicar y explicar de todas las cosas y sucesos madrileños. Ver y prever todas las

necesidades y menesteres de la villa. Indagar los pormenores de su historia. Buscarle los méritos. Recalcarle el empaque. Era como una obsesión que traíale a mal traer. ¡La de saliva que gastó para que todos sus oyentes—españoles y extranjeros—llegaran a creer el *De Madrid al Cielo, y aquí un agujerito para verlo!*

Mesonero creó—y crió—el madrileñismo. Antes de él existió el amar a Madrid. Lope de Vega es un buen ejemplo de ello. Pero el vivir *por* Madrid, *para* Madrid, y *de* Madrid, únicamente desde Mesonero. Los Ayuntamientos de la villa, que jamás cayeron en la cuenta de otros problemas que los urbanos, llegaron a tener verdadero miedo y a profesar verdadera hincha al ciudadano aquel que desde distintos periódicos y libros frecuentes les creaba problemas novísimos y desconcertantes: cómo tenía que pintarse el escudo de Madrid; casas que debieran comprarse por haber nacido o vivido o muerto en ellas ingenios excepcionales; menesteres rituales del Concejo; nombres lógicos que dar a las calles; necesidad de investigar la prehistoria y la protohistoria madrileñas; sucesos portentosos que tener en cuenta para la traza y el estilo de la capital... ¡y otros mil por el estilo!

Mesonero Romanos llevaba cuenta muy puntual de las construcciones y de los derribos, de los dichos y de los decires, de los temas y de los *timos,* de los tipos y de las costumbres, de las aperturas y de los cierres. A Mesonero Romanos—sibila y augur—se le consultaban las conveniencias de trazar una calle, de plantar unos árboles, de abrir unas cloacas, de poner unos reverberos, de inaugurar un asilo. Cuando don Ramón, muy campechanote y orondo, pasaba—paseando siempre—por cualquier parte, exclamaba Madrid, señalándoselo a cada madrileño: "Es Madrid... que anda." En efecto: nadie se ha recorrido mejor a sí mismo.

En 1823, Mesonero tuvo que alistarse en la Milicia Nacional y salir para Sevilla acompañando al rey—ya absoluto del todo y para *in aeternum*—y a las Cortes. Desde 1825 a 1829 dedicóse a estudiar nuestro teatro clásico—¡tan desarreglado durante el siglo XVIII!—y a refundir algunas de sus obras más famosas, como las de Tirso: *Amar por señas y Ventura te dé Dios, hijo; La viuda valenciana*, de Lope, y *El marido hace mujer*, de Antonio de Mendoza. Un año entero—de mayo de 1833 a mayo de 1834—lo dedicó a viajar por Europa. Viaje de ilustración. Para captar qué se podía hacer en Madrid de cuanto tuvieran París y Londres. En 1836 fue bibliotecario del Ateneo, a cuya creación había contribuido, y fundó *El Semanario Pintoresco Español*. En 1838 se le eligió académico honorario de la Española; de nú-

M

mero, en 1847. Nuevo viaje europeo durante el año 1840. En 1846 desempeñó el cargo de concejal. En 1861 averiguó que Lope de Vega había muerto en el número 15 de la entonces calle de los Francos—hoy de Cervantes—. En 1864 es nombrado Cronista oficial de Madrid. En 1868 evitó que la piqueta derribase el convento de las Trinitarias, donde yacen los restos de Cervantes...

¡Lo que mareó Mesonero Romanos a todos los Ayuntamientos madrileños con su *Proyecto de mejoras generales de Madrid!* Pretendía—a decir de los sesudos—verdaderas locuras... ¡El viaducto de la calle de Segovia! ¡Ensanchar y alargar el Salón del Prado! ¡Alinear la calle del Arenal! ¡Terminar la plaza de Oriente y urbanizar las cercanías del Palacio Real! ¡Derribar puertas, huertas y cementerios que había dentro de la villa! ¡Traer aguas de la Sierra! ¡Acabar la plaza de Santa Ana, para dar esplendor al teatro Español! Lo dicho: ¡locuras!

En 1876 cedió Mesonero su hermosa biblioteca al Municipio, dando así origen a la actual—una de las más curiosas y ricas de España—, por lo que fue nombrado—1881—comisario nato del Archivo de la Villa y bibliotecario perpetuo municipal.

Mesonero Romanos murió en Madrid y en su casa propia de la plaza de Bilbao, número 6, el 30 de abril de 1882, a las diez y media de la mañana, a causa de un derrame cerebral...

Madrid le guarda aún luto. Y vive, históricamente, de la herencia enorme que le ganó este hijo.

Mesonero Romanos es un admirable escritor "de costumbres". Tan admirable, que únicamente cede—y no siempre—ante la pluma genial de Larra. Nadie como Mesonero Romanos para describir *un tipo* o *una costumbre* con un estilo sencillo y puro y con una gracia inimitable. Supo hacer pervivir en páginas siempre lozanas cuanto de singular y paradigmático tiene Madrid. Sus *Escenas matritenses* fueron elogiadas por Balzac, Gautier, Dickens, Ford, Woll y Washington Irving, entre otros muchos ingenios. Y aplaudidas con fervor por el nada fácil a la alabanza *Fígaro*.

Las principales obras de Mesonero Romanos son: *Mis ratos perdidos, o bosquejo de Madrid en 1820 y 1821*—Madrid, 1822—; *Manual de Madrid*—1831—, *Panorama matritense*—1832-1835—, *Escenas matritenses*—1836-1842—, *Tipos y caracteres*—1843-1862—, *Recuerdos de viaje por Francia y Bélgica*—1841—, *El antiguo Madrid*—paseos histórico-anecdóticos, 1861—, *Memorias de un setentón, natural y vecino de Madrid*—1880—; Prólogos a los cuatro tomos de *Dramáticos anteriores y posteriores a Lope de Vega*—en la "Biblioteca de Autores Españoles",

1857-1859—, *Artículos de costumbres*—Madrid, Aguilar, 1943—, *Antología*—Madrid, Editora Nacional, 1944.

Todas estas obras han sido reimpresas numerosas veces. Su valor acrece con el tiempo.

V. OLMEDILLA PUIG, Joaquín: *Bosquejo biográfico del popular escritor de costumbres don Ramón de Mesonero Romanos. Rev. Contemporánea*, 1889.—LÓPEZ ARROJO, Sebastián: *Album en honor y recuerdo de don Ramón de Mesonero Romanos.* Madrid, 1889.—MESONERO ROMANOS, Hijos de: *Algo en verso y en prosa inédito.* Madrid, 1883.—COTARELO, Emilio: *Elogio de don Ramón de Mesonero Romanos*, en *Boletín de la Academia Española.*—PITOLLET, Camilo: *Mesonero Romanos, costumbrista*, en *La España Moderna*, octubre 1903.—MESONERO ROMANOS, R.: *Trabajos no coleccionados.* Madrid, 1903 y 1905.—SAINZ DE ROBLES, F. C.: *Estudio* a la edición Manuel Aguilar, Madrid, 1945.—CORREA CALDERÓN, E.: *Costumbristas españoles.* Madrid, Manuel Aguilar, 1950-1952, dos tomos.—MEDEIROS, Octavio de: Prólogo en la *Antología.* Madrid, Ed. Nac., 1944.—SÁNCHEZ DE PALACIOS, M.: *Un autor en un libro: Mesonero Romanos.* Madrid, Compañía Bibliográfica 1963. (Contiene una bibliografía exhaustiva.)

«MESTRES, Apeles».

Literato y dibujante español. Nació—1854—en Barcelona. Murió en esta misma ciudad hacia 1932. Su padre fue el gran arquitecto José Oriol. Sus primeros estudios los realizó en un colegio francés de Barcelona. Terminado el bachillerato, se dedicó de lleno al dibujo y a la literatura, haciéndose famoso rápidamente como escritor y como pintor. En 1908 fue proclamado Mestre en Gay Saber. Sus libros han sido traducidos en varios idiomas. Y sus dibujos, cuadros y escenografías han sido ensalzados en todo el mundo. "Apeles Mestres" ha ilustrado con una originalidad absoluta y un buen gusto excepcional la mayoría de sus obras. Y colaboró, como caricaturista y como literato, en los principales periódicos y revistas de España y Sudamérica durante más de cincuenta años. Ha ilustrado también con verdadero primor y un alarde de personalidad obras de Andersen, Perrault, Pérez Galdós, Pereda, Ebers, Sardá y Salvany, Bulwer-Lytton...

Obras: *¡Avant!*—1875, poesías—, *Microcosmos*—1876, fábulas y epigramas—, *Cançons ilustradas*—1878—, *La nit al bosch*—1883—, *Idilis*—libre primer—, *Cants intims, Baladas, Odes serenes, Llibre d'hores, Pom de cançons, Abril, Llibre d'or, La Gurba, Cuentos vivos*—1881—, *Más cuentos vivos*—1882—, *Granizada*—1880—, *¿Qué será?*—1885—, *Danza macabra*—1884—, *Las muje-*

res de mañana—1885—, *Juan Garín*—1898—,
La Brivia—1902—, *Mis vacaciones*—1900—,
Servicio obligatorio—1899—, *Parábolas*
—1912—, *Los Reyes Magos*—1911—, *Flors
de sang*—poesías—, *Tradicions catalans*, *"La
Vicaría" de Fortuny*—monografía—y otras
varias.

También ha escrito numerosas obras escénicas para el teatro catalán, entre las que
sobresalen: *Le barca vella, Eva, Mascarada,
L'home dels assos, Una vegada era un rey,
La fortuna, Niu d'áligues, La noya, Al peu
del sepulcre...*

METGE, Bernat.

Literato y erudito español del siglo XIV.
Nació—¿1350?—en Barcelona. Murió después de 1410. Muy joven, entró al servicio del
príncipe don Juan, hijo de Pedro IV el *Ceremonioso*, de Aragón. Escribano y notario del
Tribunal de Apelaciones del ducado de Gerona. Secretario de la reina doña Violante,
esposa del rey don Juan I. Sufrió varias persecuciones, la más sañuda a la muerte de
su real protector. Entre 1396 y 1398 permaneció en la cárcel. Pero en 1403, vuelto ya al
favor real, desempeñó el alto cargo—hasta
1410—de secretario del rey don Martín el
Humano.

La prosa de Bernat Metge es, según Milá,
"la más hermosa prosa catalana".

Obras: *Libre de Fortuna y Prudencia*
—poema, 1381—, *Valter y Grisella*—traducción de la novela de Petrarca—, *Lo somni*
—1398, poema filosófico, su obra más importante—, *Libre de mals amonestaments.*

En 1910, Miquel y Planas publicó las cuatro obras en una edición primorosa, precedida de un sustancioso prólogo. Anteriormente—en 1891—, por J. M. Guardia—y en
1907—, por Miquel y Planas—fueron reimpresos *Lo somni*. Por disposición del Institut d'Estudis Catalans, el catedrático Luis
Nicoláu realizó—¿1920?—una edición crítica
de las obras de Metge. Edición magnífica,
en castellano, de *El sueño* de la de "Bibliófilos Sevillanos"—1948—, traducida por Alfredo Darnell.

V. CARRERAS ARTÁU, Tomás: *Etica hispana*. Madrid, 1912.—MIQUEL Y PLANAS: *Estudio* a la edición de 1910.—SOLDEVILLA, Fernando: *Documents relatius* a *Bernart Metge*,
en *Estudis Universitaris Catalans*, VI, 1912.—
NICOLÁU, Luis: *Apunts sobre l'influencia
italiana en la prosa catalana, desde Bernat
Metge*, en *Estudis Universitaris Catalans*,
II, 1908.—SAINZ DE ROBLES, F. C.: Prólogo
a la edición de "Bibliófilos Sevillanos", 1948.
GUARDIA: *Le songe de Bernat Metge.* Burdeos, 1889.—SOLDEVILLA, F.: *Bibliografía de
Bernat Metge*, en *Estudis Universitaris Catalans*, VI.

MEXÍA, Hernán o Fernando.

Poeta y prosista español del siglo XV (fines). Nació en Jaén, de donde fue Veinticuatro. Gran amigo de Alvarez Gato y enemigo acérrimo del condestable Miguel Lucas
de Iranzo. No se tienen más noticias de su
vida. Su nombre figura en el *Catálogo de
autoridades* del idioma, publicado por la
Academia Española.

Poeta de carácter satírico y amatorio. Nicolás Antonio alaba cumplidamente a Mexía.

Obras: *Nobiliario vero*—Sevilla, 1492, obra
notable por los pormenores que contiene,
por la exactitud de los mismos y por la
autoridad de sus fuentes—, y *diez* composiciones poéticas, entre las que sobresalen
unas *Cartas en coplas a Juan Alvarez Gato,*
en que describe los defectos en las condiciones de las damas.

Textos: Tomo XIX de la "Nueva Biblioteca de Autores Españoles", 269 a 287; tomo VI, 55, de la *Antología de poetas líricos castellanos*, de Menéndez Pelayo; *Cancionero del Castillo*, edición de "Bibliófilos
Españoles", 115-124.

V. FOULCHÉ-DELBOSC, R.: *Estudio* en la
edición "Nueva Biblioteca de Autores Españoles", XIX.—MENÉNDEZ PELAYO, M.: *Antología de poetas líricos castellanos*. Tomo VI.

MEXÍA, Pero.

Notable poeta, historiador y didáctico español. ¿1499-1551? El magnífico caballero
Pero Mexía nació en Sevilla y estudió en
Salamanca. Sus conocimientos científicos
fueron tan grandes, que se le llamó—entre
bromas y veras—"Siete Bonetes"—por sus
numerosos doctorados—y "el Astrólogo".
Entre los diversos cargos importantes que
desempeñó, estuvieron los de regidor Veinticuatro de Sevilla, cronista del césar Carlos I, alcalde de la Hermandad de Fijosdalgos, contador de la Casa de Contratación.
Amigos suyos fueron Erasmo, Luis Vives,
Arias Montano, Ginés de Sepúlveda, Fernando Coín, entre quienes su cultura fue
proverbial y de quien no pocas veces buscaron el consejo y el auxilio científico.

Publicó las obras siguientes, todas ellas
traducidas a diversas lenguas: *Silva de varia lección*—1542—, libro ameno y abigarrado, en el que se mezclan los viajes, los
cuentos, las recetas morales, los trozos de
historia, las supersticiones, los postulados
filosóficos..., tal vez basado en las *Noches
áticas*, de Aulio Gelio; *Historia del emperador Carlos V, Coloquios o diálogos*—1547—,
vulgarizaciones científicas de cosmografía y
astronomía, principalmente; *Historia imperial y cesárea*—1544—, resumen de la vida
de los Césares romanos y de los emperadores de Alemania, desde Julio César a Maxi

M

miliano I. Y una *Relación de las Comunidades de Castilla...*

Pero Mexía es una de las autoridades de la lengua castellana.

Menéndez Pelayo le consideró como "uno de los escritores más celebrados de su siglo, y hoy mismo sus obras históricas y literarias son una de las lecturas más sabrosas y amenas que se pueden hallar, por la copiosa erudición que las esmalta y las bellezas de su estilo, sencillo, claro y apacible, aunque alguna vez incorrecto y descuidado".

Una de las anécdotas que cuenta Mexía en su *Silva*, la de *Timón ateniense*, inspiró a Shakespeare un intenso y trágico drama.

Textos: Para la *Relación de las Comunidades*, tomo XXI de la "Biblioteca de Autores Españoles"; para la *Silva*, ed. Madrid, 1933, en "Bibliófilos Españoles"; para los *Diálogos o coloquios*, ed. Malroney, Iowa, 1930.

V. MENÉNDEZ PELAYO, M.: *Orígenes de la novela*. II, 29.—MENÉNDEZ PELAYO, M.: *El magnífico caballero Pero Mexía*, en *Ilustración Española y Americana*. 1876.—MENÉNDEZ PELAYO, M.: *Estudios de crítica literaria...* Madrid, 1941. Tomo II.—COSTES, R.: *Pero Mexía, chroniste de Charles Quint*, en *Bulletin Hispanique*. 1920.—GARCÍA SORIANO, J.: *Estudio* en la edición de "Bibliófilos Españoles", 1933.—SAINZ DE ROBLES, Federico Carlos: *Cuentos viejos de la vieja España*. Madrid, Aguilar, 1943.—VILLANUEVA, L.: *Pero Mexía*, en *Semanario Pintoresco Español*, 1844, págs. 405 y sigs.—PACHECO, Francisco: *Libro de retratos*.

MEXÍA DE LA CERDA, Licenciado Luis o Juan.

Autor dramático español, del que se tienen escasísimas noticias. Nació a fines del siglo XVI. Murió después de 1630. Rojas Villandrando lo alabó en su *Viaje entretenido* —1603—. Fue relator de la Chancillería de Valladolid. Acaso es el Mexía que pondera Cervantes en su *Viaje del Parnaso*—VII—. También le elogió Antonio Navarro en su *Discurso a favor de las comedias*. Su nombre ha sido incluido en el *Catálogo de autoridades* del idioma, publicado por la Academia Española.

Obras: *Tragedia famosa de doña Inés de Castro, reina de Portugal*, impresa—1612— en la *Tercera parte de las comedias*, de Lope de Vega. Y acaso sean suyos un auto, *El juego del hombre*, fechado en 1625, cuyo manuscrito se conserva en la Biblioteca Nacional de Madrid, y otro titulado *Las pruebas del linaje humano*—1621.

Textos: Tomo XLIII de la "Biblioteca de Autores Españoles".

MEY, Sebastián.

Humanista y prosista español. ¿1586-1642? Nació en Valencia. Su familia era de origen flamenco. Familia de tipógrafos ilustres. Su padre, Felipe Mey, fue profesor de griego de la Universidad valenciana, y un muy discreto traductor de Ovidio.

Insigne humanista, hombre de costumbres morigeradas, Sebastián Mey publicó en 1613 su *Fabulario de quentos antiguos y nuevos*, escrito con agudeza, garbo y soltura, del que quedan dos únicos manuscritos: uno en la Biblioteca Nacional de Madrid y otro en la de París.

El *Fabulario* comprende cincuenta y siete cuentos y fábulas, de los que muy pocos son originales. Unos derivan de Esopo y Avieno. Otros, del *Calila y Dimna*, de las series italianas y del Sansovino.

Desde luego, cabe afirmar que el *Fabulario* de Mey reúne auténticos cuentos por su extensión, por su fondo y por sus intentos morales literarios.

V. BUCHANAN, Milton A.: *En Modern Language Notes*. Baltimore, 1906.—MENÉNDEZ PELAYO, M.: *Orígenes de la novela*, II.—HURTADO y C. PALENCIA: *Literatura española*. SAINZ DE ROBLES, F. C.: *Cuentos viejos de la vieja España*. Madrid, Aguilar, 1949, 3.ª edición.

MIESES BURGOS, Franklin.

Poeta. Nació en Santo Domingo de Guzmán—hoy Ciudad Trujillo—el 4 de diciembre de 1907. Fue uno de los fundadores del grupo La Poesía Sorprendida. Es simbolista. Sus poemas responden a un buscado equilibrio entre el hombre y la razón de ser del hombre, con un hondo sentido de la pervivencia.

Ha publicado: *Sin mundo ya y herido por el cielo*—1944—, *Clima de eternidad* —1944—y *Presencia de los días*—1949.

"Sus poemas responden a un equilibrio perfecto entre el hombre, y en su actitud frente a la vida descubrimos el hondo sentido de la supervivencia humana, porque en cada eco de su voz hallamos significado real y una intensidad que va más allá de su propia realidad.

En los poemas de Franklin Mieses Burgos se descubre un noble afán: la búsqueda total de la verdad, aunque en sus proyecciones íntimas la manifestación del espíritu quede desvinculada del realismo que limita. Es la búsqueda de la verdad pura en sus esencias y no en su potencia, porque el símbolo poético es, no solo una representación auténtica de la verdad, sino una revelación figurativa de todo cuanto está contenido en las profundidades del alma. Lo intuitivo, en su poesía, no es embriaguez poética, sino clasicismo alucinante en la integridad de su pureza temática y formal.

En el proceso evolutivo de Mieses Burgos, aparte de su originalidad, advertimos la intención de expresar siempre, por medio de la representación figurativa, la vida del hombre y sus designios, con la permanente presencia espiritual que asigna a cada ser u objeto la ley de la existencia. Además, ha dado a su poesía una función espiritual que parte de su propia función como hombre íntegramente vinculado a la Naturaleza y con múltiples acentos subordinados a la vida." (M. Valldeperes.)

MIEZA, Carmen.

Nació—1931—en Barcelona. Allí transcurrieron su infancia y adolescencia para después marchar a América. Empezó a descubrir el mundo, sus paisajes y, sobre todo, las extrañas y distintas facetas del hombre. Ganó un concurso de cuentos en un periódico de su ciudad natal. Siguió escribiendo cuentos e impresiones vagas. Al fin se decide, y noche tras noche intentó evadirse de su propio mundo para penetrar en los fantásticos mundos de la imaginación. Nació así su primera novela: *Las barreras.* Poco después, con *La imposible canción,* ganó en 1962 el primer "Selecciones Lengua española", de Plaza Janés. Siguió escribiendo. Luego fue el paisaje el que reclamó su atención, y escribió *Ruta de Cataluña,* para la Editora Nacional. En mayo de 1965 obtuvo, con su novela *Una mañana cualquiera,* el "Premio Urriza de Lérida".

Actualmente está trabajando en dos novelas: *La verdad,* obra de temática social, y, además, *Historia de una mujer sincera,* en la que trata de penetrar en lo más recóndito del alma femenina, en las diversas facetas del alma femenina y su evolución a través de varias etapas de vida.

Carmen Mieza está casada y tiene dos hijos varones. Trabaja para una editorial de Barcelona, en la cual lleva el Departamento de Prensa y Propaganda y de la que es copropietaria.

MIGUEZ ALVARELLOS, Alberto.

Nació—1940—en La Coruña. Estudios secundarios en La Coruña y Vigo. Licenciado en Filosofía por la Universidad de Madrid. Graduado por la Escuela Oficial de Periodismo de Madrid. Estudios de Ciencias Humanas en la Sorbona.

De una gran cultura. Literato de profundo juicio crítico, expresado con un idioma lleno de precisión.

Obras: *El pensamiento político de Castelao* —París, Ruedo Ibérico, 1964—, *Galicia. Exodo y desarrollo*—edit. Cuadernos para el Diá-

logo, Madrid, 1967—; *Jean-Paul Sartre*—Ibérica Europea de Publicaciones, Madrid, 1968—, *La sociedad de consumo en España* —Guadiana de Publicaciones, Madrid, 1970—, y *El pensamiento filosófico de Besteiro*—editorial Taurus, Madrid, 1970—; *Cien años de la Comuna* (1871-1971)—edit. Cuadernos para el Diálogo, 1971.

MIHURA, Miguel.

Humorista y autor dramático español. Fundador de las revistas *La Ametralladora* y *La Codorniz,* en cuyas páginas ha dejado muestras decisivas de su ingenio y de su gracia. Nació—1906—en Madrid. Hay que incluirle en un grupo muy reducido de admirables humoristas. "Premio Nacional de Teatro 1959-1960" por su obra *Maribel y la extraña familia.* "Premio Nacional de Teatro 1952-1953" por su obra *Tres sombreros de copa.* "Premio Nacional de Teatro 1955-1956" por su obra *Mi adorado Juan.* "Premio Nacional Calderón de la Barca, 1964", por su comedia *Ninette y un señor de Murcia.*

Mihura es, hoy, uno de los autores dramáticos españoles del máximo interés y de mejor calidad. Sus obras están traducidas en varios idiomas y han sido representadas en distintos países.

Obras: *El caso de la mujer asesinadita* —en colaboración con Alvaro de Laiglesia, uno de los mayores y más legítimos triunfos del teatro español contemporáneo—, *Mis memorias*—1957—, *Ni pobre ni rico, sino todo lo contrario*—farsa escénica, 1943—; *El caso de la señora estupenda*—1953—, *Una mujer cualquiera*—1953—, *A media luz los tres*—1953—, *El caso del señor vestido de violeta*—1954—, *¡Sublime decisión!*—1955—, *Carlota*—1957—, *Melocotón en almíbar* —1958—, *El chalet de madame Renard* —1961—, *Las entretenidas*—1962—, *La bella Dorotea*—1963—, *Ninette y un señor de Murcia*—1964—, *Milagro en casa de los López, La tetera, La decente, Sólo el amor y la luna traen fortuna, Mis memorias, Obras completas*—1962—, *Teatro selecto*—1967.

MILÁ Y FONTANALS, Manuel.

Extraordinario erudito y literato español. Nació—1818—y murió—1884—en Villafranca del Panadés. Estudió el bachillerato con los Escolapios. Y las carreras de Derecho y Filosofía y Letras, en las Universidades de Cervera y Barcelona. Desde 1846 hasta su muerte, catedrático de Estética e Historia de la Literatura en la Universidad barcelonesa. Académico—1845—de la Provincial de Bellas Artes, y de la Real de Buenas Letras, de la misma ciudad, desde 1846.

Asombra la labor de Milá como profesor, como investigador, como filólogo, como crí-

M

tico literario, como historiador y como folklorista. Pasmosa fue su erudición, y en ella bebieron varias generaciones de insignes profesores y literatos. Fue él quien primero estudió, y de un modo inmejorable, multitud de problemas literarios medievales. Dominaba a la perfección las lenguas clásicas. Fue Milá el sabio, el maestro, el hombre que al vigor de la investigación une la comprensión de una sensibilidad abierta y la preparación europea de los materiales de trabajo. Sintió, además, la belleza, porque tuvo alma de poeta.

Obras: *De los trovadores en España, De la poesía heroico-popular castellana, Romancerillo catalán, Estética, Arte poética, Opúsculos literarios*—tres series—, *Estudios sobre historia, lengua y literatura de Cataluña, Observaciones sobre la poesía popular*...

Entre 1888 y 1896 fueron publicadas—en Barcelona y en ocho tomos—las *Obras completas* de Milá y Fontanals, coleccionadas y prologadas por don Marcelino Menéndez Pelayo.

V. MENÉNDEZ PELAYO, M.: *Estudios de crítica literaria*. Quinta serie.—RUBIÓ ORS, J.: ... *Vida y escritos de don Manuel Milá y Fontanals*. Barcelona, 1887.—ARTIGAS, M.: *Catálogo de... manuscritos y papeles que fueron de Milá...*, en *Biblioteca Menéndez Pelayo*, 1918-1919.—VIDAL VALENCIANO, C.: *Reseña biográfica de Milá y Fontanals*. Barcelona, 1888.—ROIG Y ROQUÉ, J.: *Bibliografía de Milá y Fontanals*. Barcelona, 1908.—MOLÍNS, Elías de: *Diccionario de escritores... catalanes*. Barcelona, 1887.

MILANÉS, José Jacinto.

Poeta, autor dramático cubano. Nació —1814—en Matanzas y murió—1863—en la Habana. Estudió Leyes y Letras. Y fue profesor en algunos centros docentes de su ciudad natal. Cuando en 1837 se estableció en la Habana, su nombre de poeta era ya muy conocido. Colaboró en *El Aguinaldo Habanero*, en *La Cartera Cubana*, en *El Album*, en *El Plantel* y en otras revistas extraordinariamente localistas y románticas. En 1846 se inició en él la dolencia mental que tras veinte años de intensos sufrimientos le llevaría al sepulcro. En el teatro obtuvo muchos y muy grandes triunfos, considerándole hoy la crítica como uno de los maestros y fundadores del teatro cubano.

Fue Milanés "de los más tiernos y delicados poetas de su tierra, el primero que inicia una literatura verdaderamente vernácula, criollista, sin frases vanas y huecas, sino henchidas de un auténtico y hondísimo sentimiento".

Fue Milanés uno de los escritores cubanos en quienes cuajó antes y mejor el romanticismo importado de España en los versos de Zorrilla y Espronceda.

Obras dramáticas: *El conde de Alarcos, El poeta en la corte, A buen hambre no hay pan duro, Por la puente o por el río*—imitación feliz de una obra de Lope—, *Una intriga paternal*...

Otras obras: *El mirón cubano*—cuadros dialogados de costumbres—, *Poesías*—la Habana, 1846, y Nueva York, 1865—, *Cuentos y leyendas*.

Entre sus poesías han alcanzado perdurabilidad las tituladas *El beso, A Laura, A una coqueta, El mendigo, Al Niágara, A Lola, El expósito*—poema—, *El bandolero, A una madre impura, La ramera, Dos laúdes*.

V. CHACÓN Y CALVO, J. M.: *La literatura de Cuba*, en el tomo XII de la *Historia universal de la literatura*, de Prampolini. Buenos Aires, Uteha Argentina, 1941.—LóPEZ PRIETO, Antonio: *El Parnaso cubano*. La Habana, 1881.—VALLE, Adrián del: *Parnaso cubano*. Barcelona, 1907, 1912.—MENÉNDEZ PELAYO, M.: *Historia de la poesía hispanoamericana*. Madrid, 1911-1913, dos tomos.—REMOS Y RUBIO, Juan J.: *Historia de la literatura cubana*. La Habana, 1925.—SALAZAR Y ROIG, S.: *Historia de la literatura cubana*. La Habana, 1939.

MILLA, José.

Poeta, historiador, novelista, periodista guatemalteco. Nació—1822—y murió—1882—en la ciudad de Guatemala. Su fecundidad fue mucha. Principal redactor de la *Gaceta Oficial* de 1846 a 1871. Oficial mayor y subsecretario del Ministerio de Relaciones Exteriores. Consejero de Estado—1864—. Popularizó el seudónimo de "Salomé Gil".

Mucho mejores que sus poesías son sus novelas y sus trabajos históricos. Pero su mejor fama la debe a sus interesantes *Cuadros de costumbres*, en los que supo armonizar la verdad y la emoción; la verdad del historiador y la emoción del poeta.

Novelas: *Los Nazarenos, La hija del Adelantado, Las memorias de un abogado, El visitador, El libro sin nombre, La historia de un Pepe, El viaje al otro mundo, pasando por otras partes; El canastro del sastre*.

Dejó acabados dos tomos de una *Historia de Guatemala* durante el período colonial.

V. SALAZAR, Ramón A.: *Historia del desenvolvimiento intelectual de Guatemala*. 1897. BATRES JÁUREGUI, Antonio: *Literatos guatemaltecos*. Guatemala, 1896.

MILLÁN, Pascual.

Escritor e historiador español. Nació —¿1845?—en Sigüenza (Guadalajara). Murió —1906—en Bayona (Francia). Estudió Ciencias e ingresó con el número uno en la Administración del Ejército. Oficial en 1869. Asistió a la llamada "campaña del Norte" contra los carlistas. En 1875 se retiró de la milicia. Por sus ideas liberales sufrió varios destierros, emigrando a Francia y Portugal. De gran cultura. Buen prosista. De estilo vigoroso. Utilizó el seudónimo "Varetazos" para escribir de asuntos taurinos y el de "Allegro" para escribir de música.

Obras: *Corazón y brazo*—novela—, *Menudencias*—novela—, *Fuerza mayor*—novela—, *González, Pérez y Compañía*—novela—, *La Escuela de Tauromaquia en Sevilla, Los toros en Madrid, Los novillos, Tipos que fueron...*

MILLÁN, Rafael.

Poeta. Tipógrafo. Nació—1919—en Castro del Río (Córdoba). En 1951 dirigió *Agora* (Cuadernos de Poesía) y la "Colección Neblí", también poética, por él fundadas. Colabora en casi todas las revistas españolas y en algunas hispanoamericanas y portuguesas. De su lirismo ha hecho un acento ardiente de humanidad angustiada.

Obras: *Hombre triste*—1952—, *Antología de la joven poesía española*—1954—, *Presencia*—1954—, *De la niebla*—1956—, *Poema con tristeza*—1956—, *Poemas*—1958—, *De las cosas y el hombre*.

MILLÁN ASTRAY, Pilar.

Novelista y autora teatral española. Nació —1879—en La Coruña. Murió—1949—en Madrid. En 1919, la gran revista *Blanco y Negro* premió su novela corta *La hermana Teresa*. Ha colaborado en los principales diarios y revistas de España. En el teatro ha obtenido algunos éxitos. Cultivó ese madrileñismo falso y sentimental que puso en boga Arniches, pero muy bien recibido por el gran público.

Algunas de sus novelas y sainetes han sido traducidos a varios idiomas y llevados al cinema.

Obras teatrales: *Al rugir del león*—1923—, *Ruth la israelita*—1923—, *El juramento de la Primorosa, La tonta del bote, Magda la Tirana, La Galana, La mercería de la Dalia Roja, Las tres Marías, El millonario y la bailarina...*

Otros libros: *La llave de oro*—novela, 1921—, *¡Cautivas!*—poesías...

MILLÁN PUELLES, Antonio.

Ensayista y filósofo español. Nació—1921— en Alcalá de los Gazules (Cádiz). Doctor en Filosofía y en Filología. Catedrático de Filosofía en la Universidad de Madrid. Vicedirector del Instituto de Pedagogía del Consejo Superior de Investigaciones Científicas.

Ha dado conferencias en Universidades europeas y americanas. En 1961 obtuvo el "Premio Nacional de Literatura Francisco Franco". Académico de número—1960—de la Real Academia de Ciencias Morales y Políticas.

Mentalidad clara y aguda al servicio de una ideología tradicional, pero sumamente en contacto con las más modernas tendencias.

Obras: *El problema del ente ideal*—1947—, *Ontología de la existencia histórica*—1951—, *Fundamentos de Filosofía*—1955—, *La claridad en Filosofía*—1958—, *La función social de los saberes liberales*—1961—, *Persona humana y justicia social, La formación de la personalidad humana, La estructura de la subjetividad*—1966.

MILLARES CARLO, Agustín.

Erudito, historiador y catedrático español. Nació—1893—en Las Palmas (Canarias). Terminó sus estudios de bachillerato en el Instituto de su ciudad natal con las más altas calificaciones. En la Universidad Central de Madrid se doctoró en Filosofía y Letras. Muy joven, ganó por oposición la cátedra de Latín del Ateneo madrileño. Inmediatamente, tras sendas oposiciones brillantísimas, las cátedras de Paleografía en las Universidades de Granada y de Madrid. Por oposición también, del Cuerpo de Archiveros, Bibliotecarios y Arqueólogos del Ayuntamiento madrileño. De 1922 a 1923 dirigió el Instituto de Filología de Buenos Aires. Director de la Sección de Historia del Archivo Municipal de Madrid. Fundador y redactor-jefe de la famosa *Revista de la Biblioteca, Archivo y Museo* de 1924 a 1936. En 1932 obtuvo el "Premio Fastenrath" de la Real Academia Española con su obra *Paleografía española*. Y la Biblioteca Nacional premió otras dos obras suyas de vastísima y segura erudición: *Biobibliografía de escritores naturales de las islas Canarias, siglos XVI al XVIII*, y *La Imprenta en Barcelona en el siglo XVI*. Pertenece—1935—como miembro numerario a la Real Academia de la Historia. Colaborador ilustre de la *Revista de Historia de América* y de la de *Filosofía y Letras* (México), de la *Revista de Filología Española* (Madrid) y de otras muchas publicaciones eruditas de fama universal. En la actualidad reside en México, en plena madurez intelectual.

Millares Carlo es una de las mentalidades españolas contemporáneas más lúcidas y agudas. Su cultura es vastísima y perfectamente ordenada. Cualquiera de sus investigaciones representa un gigantesco esfuerzo, casi exhaustivo, en la materia, muy difícil de igualar siquiera.

Obras, además de las ya citadas: *Fuero de*

M

Madrid—transcripción y notas—, tomo V de la *Colección de documentos del Archivo de Villa*—en colaboración con E. Varela—, *Actas del siglo XV*—en colaboración con Jenaro Artiles—, *Gramática latina*—varias ediciones, en colaboración con Gómez Iglesias—, *Nuevos estudios de Paleografía, Manual antológico de la literatura latina*—1945—, *Literatura general*—1945—, *Bibliografía de bibliografías mexicanas* y su correspondiente *Suplemento* (1943-1944), *Indice y extracto de protocolos del Archivo de Notarías del Distrito Federal (siglo XV), Investigaciones biobibliográficas americanas*—1945—, *Historia de la literatura latina*—1950—, *Bibliografía para la historia de la literatura latina* —1950—, *Notas bibliográficas de Archivos mexicanos;* edición del texto latino y traducción de la *Antología de la Biblioteca Mexicana,* de Eguiara y Eguren, con prólogo e identificación de todas las fuentes citadas; *Cartas recibidas de España por Cervantes de Salazar*—con la biografía del humanista—; ampliación y corrección de la *Bibliografía mexicana del siglo XVI,* de García Icazbalceta—obra del máximo empeño—; *Juan Pablos, primer impresor que a esta tierra (México) vino;* prólogo a la edición facsímil de *Las Leyes nuevas*—1952...

Ha traducido impecablemente obras de Cicerón—*Cuestiones académicas*—, de Salustio, Lucrecio, Tomás Moro—*Utopía*—, padre José Acosta—*De procuranda indorum salute,* en colaboración con José Sapiña.

Y es admirable su edición, con prólogo y notas, de algunas obras del padre Feijoo en *Clásicos Castellanos.*

MILLARES CARLO, Juan.

Nació—1895—en Las Palmas de Gran Canaria. Licenciado en Filosofía y Letras. De extraordinaria cultura. Excelente crítico literario. Vicente Aleixandre ha notado la *serena nobleza* de Millares Carlo, espíritu delicado y melancólico, lírico que canta sus personales afanes, el fugitivo pasar de los hombres y de las cosas con un encanto inolvidable.

Obras: *Entre mar y cielo*—1944—, *Horas grises*—1945—, *Jardín en sombras*—1946.

V. SAINZ DE ROBLES, F. C.: *Historia y antología de la poesía española.* Madrid, Aguilar, 1951, 2.ª edición.

MILLARES SALL, Agustín.

Nació en Las Palmas de Gran Canaria el 30 de junio de 1917. A los catorce años publicó su primera poesía en un periódico de la localidad, mereciendo por ello el elogio de Claudio de Torre y de otros poetas de la isla. Estudió el bachillerato en el Instituto Pérez Galdós, de Las Palmas. Cuando iba

a iniciar los estudios de Filosofía y Letras, la guerra civil le impidió tales propósitos. Desde entonces trabaja como funcionario de la Compañía Transmediterránea (Delegación de Las Palmas). Ha colaborado en diversos periódicos de Las Palmas desde el año 1931 hasta 1936, habiendo escrito algunos comentarios sobre la obra de Henri Barbusse y del ensayista isleño Agustín Espinosa (su profesor de Literatura).

Ha publicado hasta el momento las obras siguientes: *Sueño a la deriva*—1944—, *Deshielo de la noche*—1945—, *La sangre que me hierve*—1946—, *El grito en el cielo* —1946—, *Antología cercada*—1947—, *La estrella y el corazón*—1949—. En preparación: *El tiempo difícil, De la ventana a la calle, Poesía unánime*—un volumen.

V. SAINZ DE ROBLES, F. C.: *Historia y antología de la poesía española.* Madrid, Aguilar, 1951, 2.ª edición.

MILLARES SALL, José María.

Poeta español. Nació—1921—en Las Palmas de Gran Canaria. Ha colaborado en distintas publicaciones dedicadas a la poesía. Su poesía tiene una tendencia a la superación de la forma por la intensidad en la idea.

Obras: *A los cuatro vientos*—1946—, *Canto a la tierra*—1947—, *Antología cercada* —1947—, *Liverpool*—1949.

V. SAINZ DE ROBLES, F. C.: *Historia y antología de la poesía española.* Madrid, Aguilar, 1951, 2.ª edición.

MILLAS VALLICROSA, José María.

Ensayista y hebraísta español. Nació —1897—en Santa Coloma de Farnés (Gerona). Doctor en Filosofía y Letras por la Universidad de Barcelona. Catedrático de Lengua y Literatura hebreas en la Universidad barcelonesa. Codirector del Instituto Arias Montano en el Consejo Superior de Investigaciones Científicas. Codirector de la revista *Sefarad,* de aquel Instituto. Académico de la Real de Buenas Letras de Barcelona y de la Real de la Historia de Madrid.

Obras: *La poesía sagrada hebraico-española*—1948—, *Las traducciones orientales en los manuscritos de la catedral de Toledo* —1942—, "Premio Francisco Franco"—, *Ensayo de una historia de las ideas físicas y matemáticas en la Cataluña Medieval*—1931—, "Premio Patxot"—, *Influencia de la poesía popular hispano-musulmana en la poesía italiana*—1921...

MILLÉ Y JIMÉNEZ, Juan.

Erudito y crítico literario español. 1884-1945. Nació y murió en Almería. Durante muchos años enseñó Literatura española en la Universidad de La Plata y en la Escuela de Comercio de Buenos Aires.

Publicó numerosos y valiosos ensayos en *Humanidades,* de Buenos Aires; la *Revue Hispanique, Nosotros* y en la *Revista de la Biblioteca del Ayuntamiento de Madrid.*

Magnífica es su edición crítica de las *Obras poéticas de Góngora*—ed. Aguilar, Madrid—, llevada a cabo en colaboración con su hermana Isabel. Y magnífica la edición crítica de *Vida y hechos de Estebanillo González.*

Otras obras: *Apuntes para una bibliografía de las obras no dramáticas de Lope de Vega.*

MINER OTAMENDI, Juan Manuel.

Fino y culto crítico y prosista excelente. Nació el 11 de junio de 1910 en Hernani (Guipúzcoa). Estudió bachillerato y Magisterio en Toledo; Humanidades, en Comillas; Filosofía y Letras, en Madrid. Comenzó su carrera periodística en *El Castellano,* de Toledo, y más tarde fue incorporado a la Redacción de *El Alcázar,* en donde ha desempeñado los puestos de jefe de información, redactor-jefe y subdirector. Actualmente es crítico literario.

El año 1937 obtuvo el premio en un concurso de cuentos organizado para escritores hispanoamericanos por el diario *El Pueblo,* de Buenos Aires, con uno titulado *Breve historia de una nariz larga.*

En 1944 obtuvo uno de los premios "Virgen del Carmen" por su obra *Aventura en el mar: Historia de navegantes españoles.*

En 1949 obtuvo, por un artículo periodístico, uno de los premios "Nuestra Señora de Loreto", creados este año por el Ministerio del Aire.

Obras: *Abriles de España*—1937—, *Cruzada de España*—1941—, *Aventura en el mar* —1944—.

MINGOTE, Antonio.

Dibujante, escenógrafo y literato español. Nació—1919—en Sitges (Barcelona). Siguió la carrera de las armas, que dejó por falta de auténtica vocación. Estudió Filosofía y Letras. Pero pronto abandonó sus estudios para dedicarse a la literatura y al arte. Posiblemente es hoy el dibujante humorista más popular de España, y el más conocido universalmente. Desde hace años publica diariamente en el diario *A B C* un dibujo con un comentario humorístico de la actualidad. Estos dibujos, plenos de gracia, de intención y de humanidad, le han alcanzado una fama enorme que hace palidecer la que le corresponde como escritor humorista; que, a mi juicio, no es menor. Su ingenio, tanto en

libros como en dibujos, es inagotable, agudísimo, en ocasiones alcanzando límites de sátira tremenda. Y a este inagotable ingenio se suman gracia espontánea y aguda, vocabulario castizo y garboso, cultura muy fina y bien filtrada, felicidad de imágenes y paradojas.

Obras literarias: *Las palmeras de cartón* —novela, 1948—, *Pequeño planeta*—novela, 1957—, *Historia de la Gente, Historia del traje, Historia de Madrid, Fray Escoba,* y diez volúmenes de *Chistes,* entre los publicados, con dibujos, en la prensa.

Todos estos libros están traducidos a varios idiomas europeos, y alguno de ellos al japonés.

MIÑANO, Sebastián.

Prosista e historiador español. Nació —1779—en Becerril de Campos (Palencia). Murió—1845—en Madrid. Estudió Filosofía y Teología en Palencia, y Leyes y algo de Medicina en Salamanca. Familiar—1795—del cardenal Lorenzana. Prebendado de la catedral de Sevilla. Fue el único del cabildo que no juró a José Bonaparte, siendo, sin embargo, de ideas afrancesadas. De 1814 a 1816 residió en Francia. En este último año, desde Madrid, renunció su prebenda y dedicóse a las tareas literarias.

Obras: *Lamentos políticos de un pobrecito holgazán, que estaba acostumbrado a vivir a costa ajena*—Madrid, 1820, cartas satíricas, en castizo lenguaje, de gran desenfado y sutil dramatismo, de las que se vendieron 60.000 ejemplares en un año—, *Vida, virtudes y milagros del pobrecito holgazán...* —Madrid, 1821—, *Historia de la revolución de España*—París, 1825, en francés—, *Diccionario geográfico y estadístico de España y Portugal*—1826 a 1828, once volúmenes, escrito a petición de la Academia de la Historia.

Textos: Las *Cartas* pueden leerse en los tomos II y XLII de la "Biblioteca de Autores Españoles".

V. OCHOA, Eugenio: *Apuntes para una biblioteca de escritores españoles contemporáneos.* París, 1840, II.

MIQUELARENA Y REGUEIRO, Jacinto.

Excelente literato y periodista -español. Nació—1891—en Bilbao. Murió—1962—en París. Hizo sus estudios en su ciudad natal y en colegios de Burdeos, Liverpool y Londres. Ha viajado por todo el mundo. Redactor de *A B C,* de Madrid, desde 1932. Corresponsal en Buenos Aires de varios importantes periódicos españoles desde 1938.

Gran prosista. Humorista excepcional, lleno de claridad y de donaire. De mucho ingenio y aguda observación. Rico de suges-

M

tiones y de una modernísima concepción literaria.

Obras: *El gusto de Holanda*—1929—, *... pero ellos no tienen bananas*—1930—, *Veintitrés*—1931—, *El otro mundo, Don Adolfo el libertino*—1940.

MIR Y NOGUERA, Juan.

Literato e investigador español. Nació —1840—en Palma de Mallorca. Murió —1917—en Tortosa. Jesuita. Doctor en Filosofía y Letras. Doctor en Teología. Profesor de Matemáticas superiores en varios colegios de la Compañía de Jesús.

Conoció como muy pocos los tesoros de la lengua castellana. La labor inmensa de expurgo y selección lingüística del padre Mir ha tenido admiradores sinceros y detractores implacables. El padre Mir desentrañó pacientemente todos los clásicos castellanos y fundamentó con ellos la propiedad de la dicción y el vigor, elegancia o casticidad de una palabra o de una frase.

Obras: *Frases de los autores clásicos españoles*—1899—, *Rebusco de frases castizas* —1907—, *Prontuario de hispanismo y barbarismo*—1908—, *La Creación*—1890—, *El milagro*—1895—, *La Religión*—1899—, *La profecía*—1903...

MIR Y NOGUERA, Miguel.

Gran prosista, historiador y erudito español. Nació—1841—en Palma de Mallorca. Murió—1912—en Madrid. Ingresó—1857—en la Compañía de Jesús. Se dedicó a la enseñanza en los colegios de su Orden en Loyola, Burgos y Salamanca. Expulsado de España—1868—por la Revolución, estudió Teología en Inglaterra, y allí se ordenó de sacerdote. Regresó a España en 1871. Académico—1886—de la Real de la Lengua. Se salió de la Compañía de Jesús en 1891 por desavenencias con sus superiores.

Don Miguel Mir es uno de los mejores prosistas españoles contemporáneos. Su estilo es brillante. Su vocabulario, riquísimo. Sabe narrar amenísimamente. Como historiador, don Miguel Mir es veraz y muy erudito, y se le ha discutido, inclusive, por la Academia de la Historia, con poco fundamento y con excesiva parcialidad. Un libro de don Miguel Mir es siempre una obra profunda, sugestiva, maravillosamente escrita, y que pudiera ser reafirmada "como clásica".

Obras: *Bartolomé Leonardo de Argensola* —Zaragoza, 1891—, *Causas de la grandeza y perfección de la lengua castellana en el Siglo de Oro de nuestra literatura*—discurso de ingreso en la Academia Española—, *Influencia de los aragoneses en el descubrimiento de América...*, *Los jesuitas de puertas adentro...*—1895—, *Historia de la Pasión de Jesucristo*—1893—, *De los oradores clásicos españoles*—en el tomo I de la "Nueva Biblioteca de Autores Españoles"—, *De algunos místicos españoles*—en el tomo XVI de la "Biblioteca Mística Parda"—, *Santa Teresa de Jesús: su vida, su espíritu, sus fundaciones*—1912, premiada por la Real Academia de la Historia—, *Historia interna documentada de la Compañía de Jesús*—Madrid, 1913.

MIRA, Juan José.

Novelista. Nació—1907—en Puerta de Segura (Jaén). De existencia muy agitada, resuelta en distintas dedicaciones para ganarse la vida. Autodidacto. Con su novela *En la noche no hay caminos* ganó—1952—el primer "Premio Planeta".

En todas sus novelas salta un agrio encuentro entre las realidades—desafortunadas, deshonestas, injustas—de la vida y las sentimentales y nobles apetencias de sus criaturas.

Obras: *Así es la rosa*—Barcelona, 1945—, *Rita Suárez*—Barcelona, 1946—, *En la noche no hay caminos*—Barcelona, 1953—, *Mañana es ayer*—Barcelona, 1954.

V. NORA, Eugenio G. de: *La novela española contemporánea*. Madrid, edit. Gredos, 1962. Tomo II bis. Págs. 213-15.

MIRA DE AMESCUA, Antonio.

Magnífico poeta y autor dramático español. Nació—1574—en Guadix (Granada). Murió en la misma ciudad en 1644. Un día cualquiera del año 1633, en la catedral de Guadix ocurre un suceso curioso. Una dignidad eclesiástica, el arcediano, hombre vehemente y colérico, se levanta de su silla de coro, en pleno cabildo... "y salió dando voces descompuestas, sin hacer venia al cabildo y dando un golpe a la puerta". ¿Cuál es la causa de este disgusto airado del arcediano? El arcediano ha propuesto para colector del Río de Alcudia a una persona culta y grata, cierto beneficiado y deudo suyo, y el cabildo ha preferido a un tal Jusepe Martínez, ente vulgar y sastre. Ante el insólito comportamiento del arcediano, el cabildo pone el grito en el cielo y pretende que se le prive durante un año de la asistencia a coro y del voto activo y pasivo. Y que se le haga pagar como multa diez ducados. Y, por descontado, que se dé cuenta al obispo de la intemperancia, para que "dicho señor arcediano quede morigerado y se excuse este cabildo de las ocasiones en que cada día le pone, como le consta a su señoría".

Al día siguiente de ese día cualquiera de 1633, el mismo arcediano, en la puerta misma del templo, abofetea al maestrescuela.

Ofensor y ofendido son recluidos. Toma el prelado cartas en el asunto, y se propone castigar con severidad a ambos, pero sobre todo al arcediano, "que desde que entró en esta santa iglesia ha tenido varias pesadumbres... y no ha tenido enmienda".

Pero... se reconcilian los enemigos. Da el arcediano señales de pesarle mucho lo ocurrido. Y se da por terminado el asunto.

Este arcediano sesentón, magro, ágil, irascible, se llama don Antonio Mira de Amescua, y tiene ya mucha fama de dramaturgo ingenioso en la Corte y en toda España, y mucha también de ser clérigo disipado, a quien más le importan las prebendas por el temporal que por el servicio de Dios. Sí, tiene ya mucha fama, y justa. Hasta el punto que otro gran poeta, el ecijano Vélez, ha escrito en el tranco VII de su *Diablo Cojuelo:* "No nos olvidemos de Guadix, antigua y celebrada por sus melones, y mucho más por el divino ingenio del doctor Mira de Amescua, hijo suyo y arcediano."

Entre 1570 y 1574 nació este peregrino ingenio. Su padre, don Melchor de Amescua y Mira, descendía de los conquistadores de la ciudad de Guadix y de la de Baza. Su madre, doña Beatriz de Torres y Heredia, "joven, de buen cuerpo, blanca y fresca"—según rezan las informaciones de la catedral de su patria—, procedía de la villa de Berja y de una muy noble familia. Doña Beatriz y don Melchor se amaron con pasión; y siendo los dos solteros, dieron como fruto ilegítimo de sus amores a nuestro Antonio. Sí, la chismorrería pueblerina "oyó decir muchas veces que el dicho Melchor se había de casar con la dicha doña Beatriz, pero que no se casó con ella ni con otra alguna".

Fue don Melchor quien se llevó con él al niño, quien le cuidó, quien le encaminó por la vida, ayudado por sus dos hermanas, señoras austeras, solteronas y tiernas. La madre, doña Beatriz, "unas veces por su criada y otras en persona, se presentaba en la casa vecina a la de Melchor, y en la misma casa de Melchor lo acariciaba y regalaba como a su hijo, le llamaba de tal su hijo, y así, el dicho doctor Antonio Mira de Amescua trataba y respetaba a la dicha doña Beatriz de Torres como a su madre, y en las conversaciones le decía *madre,* y ella a él, *hijo*".

En Guadix estudió Mira las primeras letras y la Gramática. Y, ya de dieciocho años, en Granada y en el Colegio Imperial de San Miguel, fundado por el arzobispo Avalos, Cánones y Leyes. Por entonces ya trataba con asiduidad y éxito a las musas, porque en las *Flores,* de Espinosa, se contiene una poesía suya alusiva al saqueo de Cádiz por los ingleses en 1596. Ordenóse sacerdote hacia 1600. Poco antes, don Fernando del Pulgar, corregidor de Guadix, lo había nombrado "su teniente y alcalde mayor de esta ciudad... y su jurisdicción". En 1609 obtuvo el cargo de capellán en la capilla de los Reyes Católicos, de Granada, a propuesta del propio Felipe III. Con el conde de Lemos pasó al año siguiente a Italia; y en Nápoles fundó la *Academia de los ociosos*. Vuelto a España, vivió en Madrid durante diez años, sin acordarse para nada de su cargo granadino y de las obligaciones inherentes a él. Tomó parte—1620 y 1622—en los certámenes poéticos de las fiestas con que Madrid celebró la beatificación y canonización de San Isidro. Desde 1619 era capellán consultor del cardenal-infante don Fernando, quien, a ruegos de Mira, le permutó su capellanía de Granada por una canonjía en Guadix, ya que el poeta "quería ir a su ciudad natal, por ser su patria... y no hallarse bien de salud en Granada". Afirmación esta última que declara muy a las claras la cara dura de Amescua. La permuta—entre Amescua y don Diego de Bracamonte—se realizó el 23 de marzo de 1623..., a la que el alto clero granadino, harto de la ausencia del poeta y de sus desplantes, informó así: "Que la capilla es muy interesada en que se haga, por lo que don Diego merece y por remedio que da a la falta de residencia del doctor Mira de Amescua, *que ha diez años no entra aquí ni habemos podido reducillo a que lo haga*".

Sin servir al altar, y manteniéndose del altar, Mira de Amescua siguió en Madrid, impertérrito. Tertulias con los cómicos y poetas, festejos reales, jolgorios populares, irremediables comezones poéticas, gustillo *al trago* diario cortesano, le atuercaban a Madrid. En 1631 aún censuró en la Corte la primera parte de las comedias de Ruiz de Alarcón. Quizá este mismo año su nombramiento de arcediano de Guadix le moviera a largarse para presumir un poco. Antes se hicieron informes sobre su linaje, costumbres, talentos, etc. Y hubo que dispensarle la irregularidad de ser hijo ilegítimo. Ya en Guadix, y ante todo el cabildo, hizo el dramaturgo protestación de fe católica, y "los comisarios le acompañaron al coro de la catedral, donde tomó posesión de su nuevo cargo..., y en señal de ello le sentaron en su silla de arcediano, leyó en un libro, derramó dineros y hizo otros actos de posesión". Después... Acrimonias. Disgustos. Mamporros, Arrepentimiento condicional... Y así dos o tres años, tapándose los oídos para no oír las voces sirenas de Madrid, donde se le aclamaba, donde se representaba su teatro.

Rodríguez Marín, en su obra de *Pedro Espinosa,* publica la partida de defunción de Mira de Amescua. Falleció el 8 de septiembre de 1644, después de recibir muy com-

M

pungido los Sacramentos. Otorgó su testamento cerrado ante el escribano público Pablo Hinojosa. Fue enterrado en la catedral de Guadix. Y su sepelio resultó grandioso, severo y muy emocionante, acudiendo a él el prelado, el cabildo, los corregidores y el pueblo en masa.

Mira de Amescua es uno de los más apasionados discípulos de Lope de Vega. Como él, ama la intriga amplia, considerándola factor primordial del teatro. Como él, se apasiona por el drama extenso, de múltiples elementos, con una exteriorización muchas veces de vértigo, que arranca el entusiasmo de los espectadores. Como él, se perece por presentar numerosos caracteres, por acumular las intrigas, por encadenar los episodios, numerosos con débiles hilos de araña; por largar violentamente lo trágico y lo cómico. Como él, pretende el desconcierto vivísimo y sugerente, las máximas dificultades técnicas vencidas, el desbordamiento y el rezumamiento de la poesía popular. Como él, cuando escribe la comedia de costumbre es cuando logra la acción más simple y perfecta.

Todo el teatro de Mira de Amescua tiene algo de impaciente, de neurasténico, de angustiado. Tal vez la ilegitimidad de su nacimiento, mal llevada siempre, contribuyó a estigmarlo así. Sin embargo, Mira se apartó de su maestro y modelo en el estilo. Lope es la suprema sencillez, la naturalidad imponente. Mira de Amescua no supo resistir la influencia culterana, y su estilo peca de ampuloso, de retórico. Mira se sometió a Góngora. La maravillosa perversidad imaginativa de este, hecha veneno fluido, le corrió por las venas y por el venate.

Según Menéndez Pelayo, Mira es "un gran imaginador de argumentos, que otros aprovecharon luego; eximio versificador y, a veces, poeta de tan enérgica inspiración como lo acredita *El esclavo del demonio,* hermano menor de *El Condenado".*

"Honra singular de nuestra escena" llama Cervantes a Mira de Amescua en el prólogo a las *Ocho comedias y entremeses.* Y Lope de Vega hace decir a un personaje de su comedia *Virtud, pobreza y mujer,* refiriéndose a Mira, "que bebió todo el cristal de Helicona". Mira de Amescua fue muy conocido y muy imitado en el extranjero. Corneille aprovechó bastantes pormenores de *La rueda de la fortuna.* Y Rotrou aprovechó para sus obras *Don Bernardo de Cabrera* y *Bélisaire* la de Mira *El exemplo mayor de la desdicha* y *Capitán Belisario.* De unas sesenta obras se compone la producción conocida de Mira, entre comedias y autos sacramentales. Y cabe dividirlas así: *a)* Autos sacramentales *(Las pruebas de Cristo, La mayor soberbia humana, La jura del principe,*

El heredero); b) Comedias bíblicas y de santos *(Los prodigios de la vara, El esclavo de Jaël, La mesonera del cielo, El esclavo del demonio); c)* Comedias históricas o legendarias *(La rueda de la fortuna, El conde de Alarcos, La desdichada Raquel, Obligar contra su sangre); d)* Comedias palaciegas, de enredo y costumbres *(Galán, valiente y enamorado; La Fénix de Salamanca, Lo que puede una sospecha, La tercera de sí misma).*

Treinta obras manuscritas de Mira se conservan en la Biblioteca Nacional de Madrid. La más antigua fechada—1608—*Los caballeros nuevos y carboneros de Tracia.* La última—1638—, *Obligar contra su sangre.* Impresas en colecciones, muchas. Algunas incluso atribuidas a otro autor. Como *El esclavo del demonio,* publicada—1612—en la *Tercera parte de las comedias de Lope de Vega.* En la colección de *Comedias escogidas de los mejores ingenios de España* se hallan comedias de Mira de Amescua en los tomos I, III, IV, V, VIII, IX, XIII, XXXIII, XXXIV, XXXV, XXXVII, XXXIX, XLIV y XLV.

El tomo XLV de la "Biblioteca de Autores Españoles" contiene cinco comedias: *La rueda de la fortuna, Galán, valiente y enamorado; No hay dicha ni desdicha hasta la muerte, Obligar contra su sangre* y *La Fénix de Salamanca.*

Ediciones modernas muy interesantes de algunas obras importantes de Mira son las de Valbuena, Aníbal, Rennert y González Palencia.

V. Sanz, Fructuoso: *El doctor Antonio Mira de Amescua: nuevos datos para su biografía,* en *Boletín de la Academia Española,* 1914, I, 551-572.—Díaz de Escobar, Narciso: *El doctor Mira de Amescua,* en *Revista del Centro de Estudios Históricos de Granada,* 1911, I, 122-143.—Aníbal, C. E.: *Estudios* a las ediciones de *The Ohio State University. Columbrus.* Ohío, 1925.—Valbuena Prat, A.: Prólogo a la edición *Clásicos Castellanos La Lectura.* Madrid, 1926.—Rodríguez Marín, F.: *Nuevos datos de algunos escritores españoles de los siglos XVI y XVII,* en *Boletín de la Academia Española.* 1918, 321-332.—Buchahan, Milton A.: *Notes on the Spanish drama,* en *Modern Language Notes.* 1905, XX.—Hurtado y G. Palencia: *Estudio* en la edición *Letras Españolas.* Madrid, Voluntad.—Tárrago, Torcuato: *El doctor Mira de Amescua,* en *Ilustración Española y Americana.* 1888, II, 307.—Rennert, Hugo A.: *Mira de Amescua et "La judía de Toledo",* en *Revue Hispanique,* 1900, 119.—Sainz de Robles, F. C.: *Dramaturgos de la escuela de Lope de Vega,* en el tomo III de la *Historia general de las literaturas hispánicas.* Barcelona, 1952.

MIRALLA, Juan Antonio.

Poeta argentino. Nació—1789—en Córdoba de Tucumán y murió—1825—en Puebla (México). Hacia 1805 era alumno del Colegio de San Carlos. Casi niño, aconsejado por el orfebre y aventurero genovés Bogui, abandonó con él Buenos Aires, marchando al Perú. Allí terminó sus estudios de bachiller en la Universidad de San Marcos. Luego estudió Medicina. De secretario particular de don José Baquijano y Carrillo estuvo en España, país que tuvo que abandonar a causa de sus ideas liberales, refugiándose en Inglaterra. En 1820 se encontraba en la Habana, colaborando con el colombiano José Fernández Madrid en la redacción de El Argos. Habiéndose dedicado al comercio, ganó una enorme fortuna. Viajó por los Estados Unidos, haciendo amistad en Boston con el hispanista Ticknor. Dominó a la perfección siete idiomas. Citaba de memoria los clásicos latinos. Improvisaba poemas en el metro y con los temas que se le indicasen. Sabía Matemáticas, Teología, Jurisprudencia, Cánones. En Colombia fue profesor de lenguas vivas del Colegio de San Bartolomé y funcionario del Ministerio de Relaciones Exteriores. Le entusiasmó tomar parte en las revoluciones. Cuando se dirigía a México, una fiebre tropical le atacó en el viaje, muriendo apenas llegado a Puebla.

Tipo muy curioso fue Miralla. Y tan querido, que lloraron su muerte en sendas elegías Vargas Tejada, Pedro Herrera Espada, José María Salazar y Francisco Urquinaona...

Tradujo La libertad a Nice y Palinodia a Nice, de Metastasio; El cementerio de la aldea, de Thomas Gray; las Ultimas cartas de Jacobo Ortiz, de Hugo Fóscolo.

Entre sus poesías, poco inspiradas, figuran el soneto Ilusión y la Elegía a William Winston.

V. GUTIÉRREZ, Juan María: Biografía de Miralla, en el tomo X de la Revista de Buenos Aires, 1866, págs. 473-522.—MENÉNDEZ PELAYO, M.: Historia de la poesía hispanoamericana. Madrid, 1913, tomo I, páginas 408-415.—ROJAS, Ricardo: La literatura argentina. Buenos Aires, 2.ª edición, 1924.

MIRANDA, Carlos.

Poeta, novelista y periodista español. Nació—1868—en Santiago de Compostela (La Coruña). Murió—1918—en Madrid. Estudió el bachillerato en el Real Colegio de San Lorenzo de El Escorial. Cursó—sin llegar al término—la carrera de ingeniero de Montes. Ingresó en el noviciado de la Orden de San Agustín, de Valladolid. Pero tampoco llegó a ordenarse. Se trasladó a Madrid, dedicándose al periodismo. Fue muchos años redactor de El Liberal; colaboró en Madrid Cómico, y fundó Madrid Alegre.

Poeta satírico de mucha fuerza y gracia. Prosista limpio y castizo. Durante mucho tiempo popularizó una sección diaria aparecida en El Liberal y titulada Versos prosaicos.

Obras: Rosas de pasión—poesías—, Cosas de la calle—1906—, Mi niña—1910, novela corta—, El crimen de la calle de Tudescos—1912—, Mi Dulcinea—1913—, La caída de Isabel II—1914—, Juegos malabares—1915—, Bergantín—1915...

MIRANDA, Luis de.

Poeta y dramaturgo español. Nació —¿1530?—en Plasencia (Cáceres). Murió después de 1590. Según nos hace saber él mismo en una copla que figura al final de la única obra suya que ha llegado a nosotros, fue militar y, después, sacerdote.

Dicha única obra es la titulada Comedia pródiga—Sevilla, 1554—, en la que se combinan con gran habilidad los dos elementos más interesantes que aparecen en el teatro español de la primera mitad del siglo XVI: un episodio bíblico y una imitación de La Celestina.

Leandro Fernández de Moratín—en sus Orígenes del teatro—dice, hablando de esta Comedia pródiga: "Está muy bien desempeñado el fin moral de esta fábula, que es, sin duda, una de las mejores del teatro antiguo español; bien pintados los caracteres, bien escritas algunas de sus escenas, las situaciones se suceden unas a otras, aunque no con particular artificio dramático, siempre con verosimilitud y rapidez."

La obra está dividida en siete actos cortos y está escrita en redondillas muy sueltas, aun cuando un tanto italianizantes.

El dramaturgo italiano Juan María Cecchi debió de conocer la comedia de Miranda antes de componer la suya Commedia d'il figliuol prodigo—1570.

En 1868, la Sociedad de Bibliófilos Andaluces encomendó a J. M. de Alava una edición moderna de la Comedia pródiga.

V. FERNÁNDEZ DE MORATÍN, L.: Orígenes del teatro...

MIRANDA, Sor María Rosa P. de.

Eladia Josefina P. de Miranda, en el mundo. Religiosa escritora española. Nació en Oviedo hacia el año 1910. Desde muy niña, en el colegio, manifestó a las claras su gusto por el arte y las letras. Habiéndose negado a ingresar en la Escuela Normal de Maestras, con una firmísima voluntad se dedicó a "ganarse"—autodidacta—una cultura extensa e intensa. Antes de cumplir los veinte años ingresó en la Orden dominicana, y llena de alegría, de audacia, de ansia

M

misionera, pidió marchar a Oriente. Cinco años permaneció en el Japón y cuatro en Filipinas, llegando a conocer sutilmente a los naturales, ganándose su devoción, y alcanzando—con la palabra y con la pluma— frutos extraordinarios para la causa del Catolicismo. De regreso a España, por mandato superior, hubo de prestar servicios en los hospitales. La guerra española de 1936-1939 le sorprende en Madrid, de donde, tras un angustioso peregrinar de escondite en escondite y prestando ánimos y consuelos a otros perseguidos como ella por los marxistas, logró huir a Francia, pasando poco después a Roma.

Sor María Rosa P. de Miranda, de una cultura vasta, de una exquisita sensibilidad, dueña de una pluma tan ágil como brillante, ha escrito, entre otras obras: *A través del Japón, La epopeya bíblica, Fray Bartolomé de las Casas, el defensor de los indios*—estudio biográfico.

MIRÓ, César A.

Poeta y prosista peruano. Nació—1907—en Lima. Antes de haber cumplido los veinte años viajó por Chile, Argentina, Uruguay y Brasil, trasladándose en seguida a Europa. Siguió estudios en la Sorbona de París. En Madrid fue redactor de la revista *Bolívar*, que publicó un grupo de escritores peruanos. En 1933 realizó un segundo viaje a Chile y Argentina. En 1937 marchó a México y a los Estados Unidos, permaneciendo tres años en este país como corresponsal de *El Comercio*. Desde 1940 fue director artístico de Radio Nacional del Perú. Sigue colaborando en *El Comercio*. Y ha dirigido varias películas.

Obras: *Cantos del arado y de las hélices*—poemas, 1929—, *Teoría para la mitad de una vida*—1935—, *Hollywood, la ciudad imaginaria*—1939—; *La mariscala*—comedia, 1943, "Premio Municipal" con medalla de oro—, *La ciudad del río hablador*—1944, "Premio Municipal" con medalla de oro—, *Cielo y tierra de Santa Rosa*—biografía, 1945—, *Nuevas voces para el viento*—poemas, 1948—, *Alto sueño*—poema, 1951.

MIRÓ DENIS, Ricardo.

Poeta panameño, nacido en 1883. Según Leguizamón: "Miró Denis resume las últimas secuencias románticas y las particularidades de la innovación modernista. Aquellas se traducen como insobornable fidelidad de temperamento en los sonetos de *La hora romántica* y *Crepúsculos interiores*. Las segundas, en las maneras parnasianas de *Frisos* y *Caminos silenciosos*, libro este último el más representativo y original de su obra. Críticos compatricios le llaman el poeta na-

cional de Panamá por sus temas de patria y raza. La nota vernácula está dada también con efectista sugestión de ambiente tropical: cielos animados por una móvil decoración de garzas y gaviotas, o el sortilegio de la luna y de la mujer en el paisaje cálido."

Según Octavio Méndez Pereira: "Su obra vibrante y fecunda, su inspiración intensa y cálida, le colocan en uno de los puestos más elevados del parnaso patrio." Y Cejador ha escrito de Miró: "Contempla la Naturaleza y, sin detenerse a describirla, despierta cualquier cosa en su alma, un pensamiento trascendental relativo a la vida, a la muerte, al destino, al misterio. Sobresale en la forma por su fantasía auditiva, aunque por la visual y metafórica no sea menos admirable. Sonoro y elegante, es sencillo a la par. Posee sensibilidad exquisita no menos que inteligencia comprensiva y elevada."

Otras obras: *Preludios*—1914—, *Segundos preludios*—1916—. En 1937, por orden de la Secretaría de Educación de Panamá, fue impresa una *Antología poética (1907-1937)* de Ricardo Miró.

V. Korsi, Demetrio: *Antología de Panamá*. Barcelona, Maucci, 1926.—Anónimo: *Antología panameña*. Edit. La Moderna, 1926.—Miró, Rodrigo: *Índice de la poesía panameña contemporánea*. Santiago de Chile, Ercilla, 1941.—Méndez Pereira, Octavio: *Parnaso panameño*. Panamá, 1916.—Leguizamón, Julio A.: *Historia de la literatura hispanoamericana*. Buenos Aires, 1945, tomo II.

MIRÓ FERRER, Gabriel.

Extraordinario prosista y novelista español. Nació—1879—en Alicante. Murió—1930— en Madrid. Estudió la segunda enseñanza en el colegio de Santo Domingo, de Orihuela, graduándose bachiller en el Instituto de Alicante. Estudió en Valencia la carrera de Leyes, licenciándose en la Universidad de Granada. En 1901 contrajo matrimonio con doña Clemencia Maignon, hija del cónsul de Francia en Alicante. Viajó mucho por España. En 1908 gana el primer premio de novelas organizado por la famosa publicación *El Cuento Semanal*, adquiriendo así una fama rápida de gran estilista y narrador. Colaborador de muchos diarios y revistas españoles e hispanoamericanos, entre ellos *A B C* y *El Sol*, de Madrid, y *Caras y Caretas* y *La Nación*, de Buenos Aires. Empleado—1914— en la Diputación de Barcelona. Cronista —1911—de su ciudad natal. Empleado —1920—en el Ministerio de Instrucción Pública. Secretario—1921—de los Concursos nacionales del Ministerio de Instrucción Pública. Ganador—1925—del "Premio Mariano de Cavia", por su artículo *Huerto de cruces*.

Miró es uno de los más finos y brillantes prosistas que ha tenido España. Hijo del luminoso Levante español, sus novelas parecen como borrarse en un ambiente turbador de oro y de sutilísimas sensualidades fragantes. Todo en la prosa de Miró es brillo, reverberación, imágenes policromas, cálidas sugestiones. En toda la obra de Miró hay una actitud interna, íntima, de bondad generosa, amplia y franca. Miró amó las cosas naturales y sencillas y profundas: el silencio, el paisaje remecido de emoción, las pequeñas aldeas, las almas anónimas, los ambientes sentimentales, las tragedias escondidas. En los escritos de Miró surgen continuamente las imágenes vivas y originales y bellas, las palpitaciones y las sensaciones refinadamente expuestas, las metáforas más audaces que hacen pensar en una poesía novísima, los reflejos más extraños y los ecos más sorprendentes de las cosas, la dulce y sucosa sensualidad levantina, los motivos líricos más apasionados y entrañables.

"A Miró no le interesa la acción efectista que subyugue por sí al lector—ha escrito Valbuena—, ni la impresión de susto, curiosidad o intriga. Hace vivir a sus figuras en sus calles y en sus campos; y las alarga sin ademanes imperiosos, ni espera de soluciones vibrantes en los recodos de los capítulos; surgen del ambiente y se esfuman en él. La belleza de la forma, del marco que las envuelve es lo que importa al novelista y lo que realiza con exquisita o deslumbrante belleza."

Son tales la riqueza y la perfección de la prosa de Miró, que se ha podido escribir pensando en ella: "La prosa de Miró ha dado origen a un nuevo tipo de lector, 'el virtuoso de la lectura', porque su mismo léxico implica una gimnasia intelectiva, ora a causa del giro tan peculiar que da a la andadura de la frase, ora por el sentido en el que usa de la palabra... Es evidente que para leer y gustar de la prosa de nuestro escritor se precisa como premisa mayor el completo dominio del castellano."

Miró, en su pluma mágica—pluma y pincel cuajado de óleos luminosos—lo transforma todo en algo que "se toca y se siente". "Sabores, zumbidos, olores, tórnanse en sensaciones a través de su prosa de inefable sabor poético. Cuando describe un paisaje, lo hace con tal verosimilitud y realismo detallista, que su luz nos ciega. Luz y lumbre de sol que hiere las pupilas y que tan de nuestro escritor es... Cincelador de la frase, incrusta Miró en ella una cantidad de epítetos y modismos de su región, que constituyen los matices de su impresionismo musical y pictórico muy suyo, muy personal, y en el que el realismo se diluye en sosegadas referencias o en un idealismo conceptual de matices alguna vez brumosos, pero siempre de expresividad tenue y placentera." (A. Lizón.) La fama de Miró corresponde hoy, justo es consignarlo, a las minorías más selectas. Pero puede asegurarse que no pasarán muchos años sin que el gran público haga de este eximio estilista y poeta en prosa uno de sus autores más entrañables. Porque todos los valores literarios de Miró son de los que se aposan en la más caliente intimidad de cada emoción. En poquísimos autores como en Miró se encontrará una cosecha tal de imágenes maravillosas, de lirismos impresionantes, de exquisitas reacciones de sensibilidad, de calorías de la humanidad más delirante o ensoñadora.

Obras: *La mujer de Hojeda*—ensayo de novela, 1901—, *Hilván de escenas*—novela, 1903—, *Del vivir*—1904—, *La novela de un amigo*—Alicante, 1908—, *Nómada*—novela, 1908—, *La palma rota*—novela, 1909—, *El hijo santo*—novela corta, 1909—, *Amores de Antón Hernando*—novela corta, 1909—, *Las cerezas del cementerio*—novela, Barcelona, 1910—, *La señora, los suyos y los otros*—novela corta, 1912—, *Del huerto provinciano* —cuentos, Barcelona, 1912—, *El abuelo del rey*—Barcelona, 1915—, *Dentro del cercado* —Barcelona, 1916—, *Figuras de la Pasión del Señor*—1916 y 1917—, *Libro de Sigüenza* —1917—, *El humo dormido*—Madrid, 1919—, *El ángel, el molino y el caracol del faro* —Madrid, 1921—, *Nuestro Padre San Daniel* —Madrid, 1921—, *Niño y grande*—Madrid, 1922—, *El obispo leproso*—Madrid, 1926—, *Años y leguas*—Madrid, 1928.

De todas las obras anteriores se han hecho numerosas ediciones, entre las que merecen destacarse dos: la de *Obras completas*—en tomos sueltos—, iniciada en Madrid—1931— por los "Amigos de Gabriel Miró", impresión de lujo en ejemplares numerados, y la de *Obras completas,* 1942—Madrid, Biblioteca Nueva—, en un solo volumen.

Aun cuando la prosa de Miró es sumamente difícil de traducir, todas sus obras han sido vertidas a casi todos los idiomas europeos, y, en ocasiones, puestas de texto en Universidades extranjeras para el estudio del español.

V. MIRÓ, Clemencia: *Biografía de Gabriel Miró*, en *Cuadernos de Literatura Contemporánea.* Madrid, 1942.—DIEGO, Gerardo: En *Cuad. de Lit. Contemp.* Madrid, 1942.— AMBÍA, Isabel: *Junto a Gabriel Miró*, en *Cuad. de Lit. Contemp.* Madrid, 1942.— LIZÓN GADEA, A.: *Léxico y estilo de Gabriel Miró*, en *Cuad. de Lit. Contemp.* Madrid, 1942.—MIRÓ, C., y GUERRERO, J.: *Bibliofía de Gabriel Miró*, en *Cuad. de Lit. Contemporánea.* Madrid, 1942.—MADARIAGA, S.: ... *Gabriel Miró*, en *Hermes.* Julio 1922.— MAYO, M. de: *Gabriel Miró, vida y obra*, en

M

Rev. Hisp. Mod. 1936, II, 193.—RAMOS, J.: P.: *El arte de Gabriel Miró,* en *Nosotros,* 1933, LXXX, 225.—OLIVER BELMÁS, A.: *Naturaleza y poesía en la obra de Gabriel Miró,* en *Rev. Hisp. Mod.* 1936, II, 205.— BAEZA, Ricardo: *La prosa de Gabriel Miró,* en *Gaceta Literaria.* Madrid, 1 junio 1931.— MARAÑÓN, G.: Prólogo al tomo III de la edición "Amigos de Miró", 1934.—GIL ALBER, J.: *Gabriel Miró: el escritor y el hombre.* Valencia, 1931.—GUARDIOLA ORTIZ, J.: *Biografía íntima de Gabriel Miró.* Alicante, 1935. ROSENBAUM, S. C., y GUERRERO RUIZ, J.: *Bibliografía de Gabriel Miró.* (Enumera cerca de 300 estudios y artículos.)—Río, Angel del, y BENARDETE, M. J.: *El concepto contemporáneo de España. Antología de ensayos. 1895-1931.* Buenos Aires, Losada, 1946. Contiene bibliografía en la página 705.—ALONSO, Dámaso: *Gabriel Miró en mi recuerdo,* en *Poetas españoles contemporáneos.* Madrid, edit. Gredos, 1952.—SAINZ DE ROBLES, F. C.: *La novela española en el siglo XX.* Madrid, Pegaso, 1947.—NORA, Eugenio G. de: *La novela española contemporánea.* Madrid, Gredos, 1958, tomo I, págs. 431-466.—ENTRAMBASAGUAS, Joaquín de: *Las mejores novelas españolas contemporáneas (1910-1914).* Barcelona, Planeta, 1959, págs. 595-720 (contiene bibliografía exhaustiva).—RAMOS, Vicente: *Vida y obra de Gabriel Miró.* Madrid, "El Grifón", 1955.—SÁNCHEZ GIMENO, Carlos: *Gabriel Miró y su obra.* Valencia, 1960.— BECKER, Alfred W.: *El hombre y su circunstancia en las obras de Gabriel Miró.* Madrid, 1958.

MIRÓ QUESADA, Oscar.

Ensayista, periodista y profesor peruano. Nació—1884—en Lima. Doctor en Derecho y en Filosofía y Letras. También realizó estudios de Medicina. En París—1904—asistió, en la Sorbona, a los cursos de Psicología experimental. Delegado de su país en el Congreso de Estudiantes de Montevideo —1908—. Fundador y presidente del Centro Universitario. Catedrático de la Universidad de Lima desde 1911, habiendo explicado en ella Sociología y Derecho Penal. En 1913 ingresó en la redacción del gran diario limeño *El Comercio,* del que ha llegado a ser presidente de su Directorio. Es miembro de incontables Instituciones nacionales y extranjeras. En distintas ocasiones ha estado en Europa, asistiendo a Congresos y Conferencias políticas y sociales en representación del Perú. En distintas ocasiones ha militado en la política activa, desempeñando importantes cargos. Pero su valor singular es como notable humanista.

Obras: *Problemas eticosociales del Perú* —1907—, *Con motivo del tricentenario de Cervantes*—1916—, *Elementos de geografía científica del Perú*—1919—, *El Arte y la cultura general*—1915—, *Lo que es la filosofía* —1934—, *Por los campos de la gramática* —1936—, *La relatividad y los Quanta* —1940—, *La astronomía y su misterio* —1941...

«MISTRAL, Gabriela».

Poetisa de fama mundial. El año 1945 le fue otorgado el premio Nobel. Sus verdaderos nombres y apellidos son Lucila Godoy. Nació—1889—en Elqui (Chile). Murió el 10 de enero de 1957 en Nueva York. Inició su carrera de maestra en los Andes. El Instituto de las Españas, de Nueva York, publicó sus poesías, ya alabadas por Rubén Darío, Amado Nervo, Valencia, Lugones... Pero su fama de educadora era continental. Alta y recia de cuerpo, grave y pausada de ademanes, grande de alma y de sensibilidad, sugestivamente seductora de trato, los espíritus y los cuerpos infantiles, y aun juveniles, se iban tras ella alegremente. En 1922 abandonó su patria, invitada por el Gobierno de México, donde se le tributaron honores que su modestia jamás había soñado. Después de cooperar allí en la reforma educativa emprendida por Vasconcelos, viajó por los Estados Unidos, Italia y España. En 1925 regresó a Chile con ánimo de retirarse a su pueblo natal; pero tuvo que regresar a Europa para ocupar un alto cargo en el Instituto de Cooperación Intelectual de la Sociedad de Naciones. Ha sido directora de Liceo en Punta Arenas, Temuco y Santiago. "Ningún nombre sube más alto que el suyo en la poesía femenina en lengua española", ha dicho el gran crítico y poeta Díez-Canedo. "La elevación moral y el hondo sentimiento cristiano la aureolan de pureza y de mansedumbre. Como Jesús, busca la compañía de los pequeñuelos y los arrulla con maternales canciones. Pero, en el fondo, es una mujer sensual—sensual en el sano sentido de la palabra—. Ama con amor egoísta, celoso, intransigente... Sus cantos de amor —en que el dolor y la muerte soplan un hálito de tragedia—son el grito avasallador del instinto, el rugido de la fiera en celo. Asperos, difíciles, desaliñados, no tienen la gracia latina; pero en ellos alienta la fuerza, la emoción intensa, la ruda y bronca armonía de los profetas bíblicos." (Solar Correa.) ¡Maravillosa mujer! En una escuelita de aldea aprendió a amar a los hijos de los hombres con un cariño tan tierno y tan perfecto como si ella los hubiera puesto en el mundo. Su prosa es cálida; su inspiración, desprendida y altruista. "Todo se hace místico y notable para esta sublime mujer de América." "Se ha observado—escribe Leguizamón—que nadie como ella ha cantado con más dulzura y desgarrada profundidad los puentes divinos y secretos que van de la madre al hijo. Sus rondas y canciones de cuna tienen la poética sabiduría del amor materno y la simplicidad de la gracia infantil. Su poesía es siempre esencial, desprovista de todo vano artificio retórico, intuida y expresada con vivencia ritual."

Obras: *Sonetos de la muerte*—1915—, *Desolación*—1922—, *Nubes blancas*—Barcelona, 1925—y *Ternura*—Buenos Aires, "Colección Austral". Luego de serle otorgado el premio Nobel, en España y América han sido publicadas numerosas antologías de sus versos.

V. ANÓNIMO: *Gabriela Mistral, vida y obra...* Inst. de las Españas. Nueva York, 1936.—AZÓCAR, Rubén: *La poesía chilena moderna.* Santiago. 1931.—GONZÁLEZ-RUANO, César: *Poetisas hispanoamericanas.* Madrid, ¿1930?—VARIOS: *Homenaje a Gabriela Mistral.* Madrid, 1947.—ONÍS, Federico de: *Antología de poesía española e hispanoamericana.* Madrid, 1934.—DONOSO, Armando: *Nuestros poetas...* Edit. Nascimiento. Santiago, 1924.

MITRE, Bartolomé.

Poeta, historiador, crítico, periodista de gran renombre. 1821-1906. De Buenos Aires. Muy joven se dio a conocer empuñando las armas en el sitio de su ciudad natal. Por cuestiones políticas, marchó—1838—a Montevideo, dedicándose a la poesía. En Chile —1848—redactó *El Mercurio,* de Valparaíso. Dos años antes había intervenido en las luchas políticas de Bolivia, en cuya capital fundó *La Epoca.* Vivió también en el Perú. Tomó parte activísima en la batalla de Caseros, que puso fin a la tiranía de Rosas —1852—. Político de fortuna, desempeñó altos cargos, hasta que en 1862 fue nombrado presidente de la República Argentina. Fundó—1869—el famosísimo diario bonaerense *La Nación,* que pervive espléndido. En 1890 viajó por Europa.

No vale gran cosa como poeta Mitre. Mayor es su importancia como historiador y crítico, aun cuando su estilo no asombre, ni mucho menos. Para García Velloso, representa Mitre las tres épocas de la cultura argentina: la de los ingenios emigrados durante la tiranía de Rosas; la de los estadistas, que, vueltos a su patria, trabajaron en su engrandecimiento, y la de los que la han encarrilado últimamente, poniendo a la Argentina al par de las naciones más adelantadas.

En las obras de Mitre se encuentra abundancia, gravedad y ponderación; pero no gracia, ni ligereza, ni sutilidad. Es demasiado seco escribiendo. Su pensamiento no es demasiado hondo ni clarividente. Hay que reconocer, sin embargo, que como literato es superior a Alberdi.

Obras: *Soledad*—novela, 1847—, *Rimas* —1854—, *Historia de Belgrano y de la independencia argentina*—1858—, *Estudios históricos...*—1864—, *Armonías de la Pampa, A Santos Vega*—poema al héroe de Ascasubi—, *Arengas*—1875—, *Ollantay, estudio sobre el drama quechúa*—1881—, *Comprobaciones históricas*—1882—, *Carta sobre la literatura americana, Historia de San Martín*—1887, su obra maestra, en cuatro volúmenes—, *"La Divina Comedia"* en verso—1894—, *Horacianas*—1895—, *Lenguas americanas*—estudio, 1894—, *La independencia de Venezuela* —1902—, *Catálogo razonado de las lenguas americanas*—1909 a 1911, tres tomos—, *Sarmiento-Mitre, correspondencia*—1911...

V. NIÑO, José María: *Mitre: su vida, sus obras...* 1906, dos tomos.—ROJAS, Ricardo: *La literatura argentina.* Ocho tomos. Buenos Aires, 1924.—GARCÍA VELLOSO, E.: *Historia de la literatura argentina.* Buenos Aires, 1914.—MELIÁN LAFINUR, A.: *Introducción a escritos literarios.* 1915.—URIEN, C. M.: *Mitre.* Buenos Aires, 1919, dos tomos.—ACUÑA, A.: *Mitre, historiador.* Buenos Aires, 1936, dos tomos.—TORRE REVELLO, J.: *Los maestros de la bibliografía en América.* (Contiene amplísima bibliografía de Mitre.)

MODERATO DE CÁDIZ.

Filósofo hispanolatino, natural de Gades (Cádiz). Vivió en el siglo I de la Era cristiana. Dentro del movimiento filosófico de su época, caracterizado por el eclecticismo religioso, significó la restauración pitagórica, a la que se ha llamado neopitagorismo. Sus ideas han llegado a nosotros en los escritos de los historiadores griegos y de los filósofos de la escuela neoplatónica.

En la filosofía de Moderato de Cádiz, gracias a una sutil y simbólica interpretación, se hallan los gérmenes del platonismo y del aristotelismo.

Moderato de Cádiz fue considerado como un filósofo de verdadera influencia en su tiempo, lo que se desprende de las alusiones de Plutarco y Sirano, de Suidas y de Eusebio de Cesarea, y, en particular, de Porfirio, en sus vidas de Plotino y Pitágoras. Moderato fue llamado por San Jerónimo *Vir eloquentissimus.*

Moderato escribió un libro de *Lecciones pitagóricas,* que se ha perdido. Pero Estobeo, en su *Florilegium,* nos ha conservado tres fragmentos que versan sobre la teoría de los números, doctrina básica del pitagorismo.

Estos fragmentos han sido recogidos y traducidos por el filósofo y crítico español Bonilla San Martín, en su *Archivo de Historia de la Filosofía,* Madrid, 1905. Anteriormen-

M

te los recogió Mullach—París, 1881—en *Fragmenta philosophorum graecorum.*

V. BONILLA SAN MARTÍN, Adolfo: *Historia de la Filosofía española.* Madrid, 1908, páginas 172-176 y Apéndice III.—MENÉNDEZ PIDAL, Ramón: *Historia de España* (dirigida por...). Tomo II: *España romana.* Madrid, Espasa-Calpe, 1935.

MOIX, Ramón Terenci.

Novelista, crítico cinematográfico español en lengua catalana. Nació—1943—en Barcelona. Autodidacto. Desde muy joven se consagró a las letras y a viajar por toda Europa. Pronto envió colaboraciones a periódicos tan populares como *Tele-estel, Primer acto, Destino, Serra d'Or, Preséncia...* En 1967 ganó el "Premio Víctor Catalá" con sus narraciones *La torre dels vicis capitals.* En 1969 obtuvo el "Premio Josep Pla" con su novela *Onades sobre una roca deserta.*

Moix tiene indudables calidades para ser un excelente narrador. Pero por ahora está obsesionado por unos temas y una forma muy de actualidad, francamente extravagante. Cuando se decida a ser ecuánime y se libere de sus gustos por subversiones y dislocaciones, escribirá excelentes cuentos y novelas.

Otras obras: *Los comics*—ensayos, 1968—, *El día que va a morir Marylin*—1969.

MÓJICA GONZÁLEZ DE SEPÚLVEDA, Diego de.

Poeta y dramaturgo español. Nació y murió en Madrid. Poquísimas noticias se tienen de su vida. Debió de vivir entre 1600 y 1665. Lope de Vega—en el *Laurel de Apolo*—le elogia, diciendo de él que poseía una vena fecunda y rica en justas esperanzas. Pérez de Montalbán—en su catálogo de *Ingenios naturales de Madrid*—dijo que "era poeta florido, agudo y de lindo garbo; hace tales versos, que no tiene que envidiar a cuantos hoy con mayor opinión los escriben, y tiene acabada una excelente comedia".

Concurrió a la Academia Poética madrileña en 1640. Y presentó seis octavas al certamen que se celebró en 1660, con motivo de la colocación de la Virgen de la Soledad en su nueva capilla.

Un soneto de Mójica figura en la *Fama póstuma*—1636—, publicado por Montalbán en elogio de Lope de Vega, y otro soneto en las *Lágrimas panegíricas,* publicadas a la muerte de Montalbán.

V. ALVAREZ DE BAENA: *Hijos ilustres de Madrid...*—BALLESTEROS ROBLES, L.: *Diccionario biográfico matritense.* Madrid, 1912.

MOLINA, Antonio de.

Gran prosista y ascético español. Nació —¿1560?—en Villanueva de los Infantes.

Murió—1619—en la Cartuja de Miraflores (Burgos). A los quince años ingresó en la Orden de los Ermitaños de San Agustín. Doctor en Teología y Cánones. Llegó a lector de Teología y a prior de la citada Orden en el convento de Soria. Pero se pasó a la Cartuja de Burgos, donde al morir desempeñaba también la dignidad de prior.

Obras: *Instrucción de sacerdotes...* —1608—, *Ejercicios espirituales...*—Burgos, 1615.

Estas dos obras obtuvieron un éxito inmenso en su época. Nicolás Antonio afirma conocer más de veinte ediciones en menos de sesenta años. Entre estas impresiones están las de Barcelona, Sevilla, Madrid, Amberes—1618 y 1644—, Colonia—1626, 1711 y 1712—. Posteriormente: Madrid, 1846, y Turín, 1865. El dominico belga Nicolás Jansenio la tradujo al latín. Renato Gaultier, al francés—París, 1643, y Lyon, 1639—. El jesuita Juan Floydus, al inglés—San Amaro, 1613 y 1652.

De los *Ejercicios espirituales* hay ediciones de Burgos—1615—, Zaragoza—1616—, Madrid—1642 y 1653—, Barcelona—¿1643?

Aún escribió Molina otra obra de menor importancia: *Ejercicios espirituales para personas deseosas de su salvación*—Burgos, 1613—, y un *alegato* al rey don Felipe III —1603—en defensa de la exención de tributos del clero.

V. ANTONIO, Nicolás: *Bibliotheca Hispana Nova.* Tomo I.—MORGOTT, L.: *Kirchenlexicon.* Tomo VIII, 2.ª edición.—HURTER: *Nomenclator litterarius.* Tomo III.

MOLINA, Juan Ramón.

Poeta natural de Honduras. 1875-1908. Nació en Comayagüela y murió en El Salvador. Un poco exageradamente—en opinión nuestra—, Abigaíl Mejía ha escrito de Juan Ramón Molina: "El mayor aeda que en todos los tiempos Honduras pueda ostentar (y el más grande de Centroamérica después de Rubén Darío), autor del magnífico libro en prosa y verso *Tierras, mares y cielos,* obra maestra de la literatura hondureña. Esteta que vino al mundo con la intelectual preocupación de lo bello y lo perfecto, aunque no produjo mucho, sino poco y bueno y bien labrado, es juzgado como uno de los más altos númenes. Un orfebre que se esmeraba en pulir pacienzudamente los joyeles de la palabra artística, de perfeccionar los versos hermosos y sonoros: la forma, el molde, he ahí su preocupación... Todo en su estilo áureo es así: recio y sentimental a un tiempo mismo. Este altivo caballero de la lira y de la prosa, que paseó por las calles de la capital de Honduras su porte gentil, caballero en un brioso alazán, sobre el que lucía su uniforme, también así cruzó por el campo de las letras. La política, las revoluciones, no le dieron tiempo a dejar más que un chispazo de su genio, en un solo y magnífico libro, el ya citado."

La verdad es que Juan Ramón Molina fue un lírico *musical,* sí, pero escasamente profundo y, por ende, nada trascendental.

V. MEJÍA, Abigaíl: *Historia de la literatura española e hispanoamericana.* Barcelona, 1913.—CASTRO, Jesús: *Antología de poetas hondureños.* Tegucigalpa, 1939.

MOLINA, Luis de.

Teólogo y erudito español. Nació—1536— en Cuenca y murió—1600—en Madrid. Jesuita. Estuvo en Castilla algún tiempo para defenderse de los ataques que los dominicos lanzaron contra su obra famosísima *Concordia liberi arbitrii cum gratiae donis...* —1588—, en la que expuso el modo de conciliar la libertad humana con la presciencia divina, la predestinación y los auxilios de la gracia. La lucha entre los partidarios de Molina y del dominico Báñez fue extraordinaria. Intervino la Inquisición, ante la cual fue llevado Molina. Intervinieron los Pontífices Clemente VIII y Paulo V. Fue creada la Congregación romana *De auxiliis,* para decidir en tan sutilísima controversia. Los dictados de Roma fueron de que cesaran las disputas, sin condena ni para Molina ni para Báñez. Molina excluyó de su doctrina la *predeterminación física* de Báñez, y definía su concepto de la *ciencia media.* Y su posición ante el libre albedrío y la gracia fue más avanzada y amplia que la de los dominicos. Y cuantos poetas y dramaturgos llevaron a sus obras escénicas tan vidriosa materia, se inclinaron por la teoría de Molina.

Otras obras: *De iustitia et iure; Commentaria*—1592—a la *Summa* de Santo Tomás.

MOLINA, Ricardo.

Nació en Puente Genil el 28 de diciembre de 1917. Estudió bachillerato en Córdoba y Filosofía y Letras en la Universidad de Sevilla. Desde 1940 está dedicado a la enseñanza particular en Córdoba.

Su actividad literaria se reduce casi a la poesía y la crítica. Ha publicado su primer libro de versos—*El río de los ángeles*—en el semanario *Fantasía* (número 22). Actualmente dirige, en unión con Pablo García Baena y Juan Bernier, la revista poética *Cántico,* donde asiduamente publica sus versos. En el primer extraordinario de esta revista apareció su segundo libro poético: *Elegías de Sandúa.*

Además de las citadas publicaciones, pueden mencionarse: *Oda al Brasil,* en la revista lusobrasileña *Atlántico*—1946—, *Varia-*

ciones a propósito de Paul Valéri, El universo espiritual de Goethe, La poesía lírica brasileña, expresión del alma ecuatorial, etc., publicadas en *El Español.*

Ha estrenado en el Patio de los Naranjos, de Córdoba, un auto sacramental: *El hijo pródigo*—agosto 1946—. Es "Premio Juan Valera, 1947". En 1949 ganó el "Premio Adonais" con su libro *Corimbo.* Y en la "Colección Norte" ha publicado *Tres poemas.*

MOLINA ESPINOSA, Roberto.

Nació en 1883 en Alcaraz (Albacete), patria del humanista Pedro Simón Abril y de los célebres Valdeviras, arquitectos. Murió —21 de junio de 1958—en Madrid. Hasta los dieciséis años, adolescencia henchida de sueños, a pesar de una dura realidad de trabajos. En alternancia con el bachillerato, una orgullosa y nebulosa aspiración pugna por definirse y cristalizar. Pronto, la vocación literaria, aturdida y diversa: ensayos de teatro, cuentos, crónicas, versos... A los dieciocho años marcha a Madrid, y luego a Valencia y Barcelona. Como Ibsen y Salvador Rueda, trabaja en varias farmacias como auxiliar, profesión que abandona para hacerse funcionario. Colaboraciones literarias en algunos diarios de Valencia, en *La Publicidad,* de Barcelona, y en algunas revistas de la capital catalana. En 1913, *Un veterano,* premiado, le señala el rumbo seguro hacia el relato novelesco: narraciones de sentido realista, tendencia mantenida mucho tiempo entre el cuento y la novela corta. Simultáneamente surge su preocupación por la escena en persistentes ensayos teatrales sin estrenar. Ya años antes, uno de sus primeros ensayos literarios había sido un drama en tres actos, en verso. Ha publicado originales literarios en *Los Lunes de El Imparcial, Blanco y Negro, La Esfera, Nuevo Mundo, A B C, El Debate, La Libertad, La Voz, Informaciones...* En la revista *Síntesis,* de Buenos Aires, y *Social,* de Cuba, etc.

Obras: *Un veterano*—1913, Premio de "El Libro Popular"—, *La víctima*—1913, edición de "El Libro Popular"—, *Maternidad*—edición de "La Novela de Bolsillo", 1915—, *Un novio de carrera*—"La Novela para Todos", 1916—, *Los demonios en Potranco*—edición de "El Cuento Nuevo", 1918—, *El perro de presa*—edición de "El Cuento Nuevo", 1919—, *Noche de Inocentes*—edición de "El Cuento Nuevo", 1919—, *El suceso de Montevalle* —Biblioteca Patria—, *El enemigo*—"La Novela del Domingo", 1922—, *Las mismas palabras*—"La Novela Semanal", 1922—, *La voz misteriosa*—"El Cuento Literario", 1925—, *Los invisibles hijos del Destino*—"Los Contemporáneos", 1925—, *Llamamiento misterioso*—"La Novela Corta", 1925—, *El factor negativo*—"La Novela Corta", 1925—, *La*

M

mula perdida—"La Novela Corta", 1925—, *Sor Cecilia*—revista *Blanco y Negro*, 1925—, *El tesoro del padre y el tesoro del hijo*—revista *Blanco y Negro*, 1925—, *Distancias en el amor*—Lecturas (Barcelona)—, *Tinieblas* —"La Novela del Sábado", 1939—, y otras novelas cortas, cuentos y artículos. *Dolor de juventud*—novela, edit. Pueyo, "Premio Nacional de Literatura, 1923-24"—, *La infeliz aventura*—novela, C. I. A. P., 1930—, *La reina Yasiga*—novela, *Blanco y Negro*, 1935—, *Aventura de juventud*—novela, edit. Familia, Bilbao, 1943—, *Peñarrisca*—novela, edit. Aldecoa, 1943—, *La ciudad milenaria*—novela—, *Picaresca y bohemia*—novela de la vida literaria de Madrid—, *Vida de don Alvaro de Luna*—biografía—, *Capacidad de sufrimiento en los espíritus superiores*—ensayos.

V. Sainz de Robles, F. C.: *La Novela Corta Española (Promoción de "El Cuento Semanal")*. Madrid, Aguilar, 1952.

MOLINARI, Ricardo E.

Poeta y prosista argentino. Nació—1899— en Buenos Aires. Ha ganado los dos premios literarios argentinos más codiciados: el Municipal y el Nacional. A raíz de la publicación de su primera obra lírica, *El imaginero*—1927—dijo de él el gran Jorge Luis Borges: "Es poeta de Buenos Aires, de la íntima sustancia provinciana de Buenos Aires. Su concepto del idioma es hedónico; las palabras le son gustosas, pero no las de tamaño y majestad, sino las de cariño y estimación." Y el crítico Juan Carlos Ghiano ha escrito: "Molinari impone una superación en búsqueda de la experiencia poética. Poeta sensual, detenido en objetos de antigua prosapia, como el prestigio de ciertas palabras, ha sabido despojarse en fervorosa integración."

Obras: *El pez y la manzana*—1929—, *Panegírico de Nuestra Señora de Luján* —1930—, *Delta*—1932—, *Nunca*—1933—, *Cancionero del Príncipe de Vergara*—1933—, *Hostería de la rosa y el clavel*—1933—, *Elegía*—1933—, *Una rosa para Stefan George* —1934—, *El desdichado*—1934—, *Epístola satisfactoria*—1935—, *La tierra y el héroe* —1936—, *Casida de la bailarina*—1937—, *El tabernáculo*—1937—, *Nada*—1937—, *La muerte en la llanura*—1937—, *Mundos de la madrugada*—1939—, *Elegía a Garcilaso* —1939—, *La corona*—1939—, *Libro de las soledades del poniente*—1939—, *Oda al amor* —1940—, *Días donde la tarde es como un pájaro*—1954...

V. Ghiano, Juan Carlos: *Constantes de la literatura argentina*. Buenos Aires, Raigal, 1953.

MOLINOS, Miguel de.

Famoso escritor místico español. Nació —1628—en Muniesa (Zaragoza). Murió —1696—en Roma. Cursó estudios eclesiásticos y se doctoró en Valencia. En esta misma ciudad se ordenó sacerdote y fue beneficiado de la iglesia de San Andrés y confesor de monjas. En 1665 se trasladó a Roma para solicitar, como procurador del reino de Valencia, la beatificación del venerable Francisco Jerónimo Simón. En la Ciudad Eterna se dedicó con gran fervor a la predicación. Esta, excelentísima, su reputación de hombre ascético y su gran sabiduría le granjearon el entusiasmo de los italianos, ganándose millares de adeptos. Ejerció gran influjo en la Escuela de Cristo, cofradía de origen español. En Roma llegó a tener fama de santo iluminado.

La publicación de su celebérrima obra *Guía espiritual*—Roma, 1675—provocó un entusiasmo inmenso. En su libro se presentaba Miguel de Molinos como el apóstol y definidor del *quietismo*, posición pasiva, nirvanesca, ante el fenómeno místico, que lleva, necesariamente, al "vacío espiritual". Como ha dicho muy bien un crítico español, Molinos es el símbolo de nuestra mística "activa y apasionada en sus comienzos y madurez, que por ley natural llega a la vejez, al cansancio, a un lento extinguirse como un sol de ocaso". El alma ha de "sumergirse en la nada", como camino más breve para llegar a Dios preconizó Miguel de Molinos. Ciencia del "nihilismo" místico, que resurgiría en el siglo XIX con Schopenhauer y los poetas rusos.

Como un reguero de pólvora prendió esta doctrina del "quietismo" en todas las clases sociales de Italia, Francia e Inglaterra. Llegó lo mismo a los palacios que a los conventos. Aristócratas, escritores, monjas y frailes, burgueses se entregaron a ella con un pasmoso frenesí. El cardenal D'Estrées, embajador en Roma de Luis XIV de Francia, y que había sido amigo de Molinos, denunció a este, que, juntamente con otros quietistas, fue preso—1685—y procesado "por inmoralidad y heterodoxia", y condenado a cárcel perpetua en un monasterio. Miguel de Molinos abjuró de sus errores y murió cristianamente, después de recibidos los Santos Sacramentos.

Pero sus doctrinas estaban tan arraigadas, que tuvo la Iglesia que hacer enormes esfuerzos para anularlas. Porque inclusive cardenales como Casanata, Carpegna, Azzolini y D'Estrées se honraban con la amistad del autor, y otros, como Coloredi, Cíceri y Petrucci, obispo de Jesi, las habían abrazado abiertamente. Y el propio Clemente XI pareció a muchos inclinado en favor de Molinos y dispuesto a hacerle cardenal.

La *Guía espiritual* corrió mucho en latín, francés, italiano e inglés. En quince años se hicieron veinte ediciones en diversas lenguas.

Otras obras: *La devoción de la buena muerte*—Valencia, 1662, publicada con el nombre de Juan Bautista Catalá—, *Tratado de la comunión cotidiana.*

Hay una magnífica edición moderna de la *Guía espiritual*—Barcelona, 1906—, cuidada por R. Urbano. Y una selección excelente —Madrid, Aguilar, 1935—, realizada por J. de Entrambasaguas.

V. MENÉNDEZ PELAYO, M.: *Los heterodoxos.* II, 559.—DUDON, P.: *Le quiétiste espagnol Miguel de Molinos.* París, 1928.—ENTRAMBASAGUAS, J. de: *Miguel de Molinos.* Madrid, Aguilar, 1935.—LEA, Ch.: *Molinos and the Italian Mystic,* en *The American Historical Review,* 1906.

MOLINS, Marqués de.

Mariano Roca de Togores. Poeta y dramaturgo español. 1812-1889. Nació en Albacete. Estudió en Madrid, bajo la dirección de Lista, Hermosilla y Garriga. A los diecisiete años desempeñó una cátedra de Matemática en Alicante, y a los veinticuatro un éxito teatral le abrió las puertas de las Reales Academias de la Lengua y de San Fernando.

Organizó las célebres veladas literarias del palacio de Villahermosa, en las que se dieron a conocer muchos poetas—Zorrilla, Campoamor, Grilo, Núñez de Arce...—. Reorganizó las cuatro Academias y fundó la de Ciencias. Miembro de Fomento y de Marina. Senador vitalicio. Caballero calatravo. Gentilhombre de cámara. Embajador en Londres. Intervino en la restauración de Alfonso XII.

Escribió algunas poesías románticas—sus *Romances históricos*—por el bien parecer entre sus compañeros Espronceda, García Gutiérrez, Larra y Rivas... Pero sus gustos eran altamente clásicos, y su inspiración, también. A su gusto compuso *Oda a la reina doña María Cristina* y su *Epístola al conde de Luna,* en las que resalta una absoluta inclinación por la escuela sevillana del siglo XVIII. Los *Romances* tienen menos colorido y fuerza que los de Rivas y Zorrilla, pero exceden a entrambos en rigurosidad histórica.

Estrenó con éxito grandioso *Doña María de Molina*—1837, drama basado en *La prudencia en la mujer,* de "Tirso de Molina"— y *La espada de un caballero*—1845—, que había escrito quince años antes con el título de *El duque de Alba.*

Las *Obras completas* de Molins se publicaron en ocho volúmenes, Madrid, 1881.

V. GALLEGO, A.: *El marqués de Molins: Su vida y sus obras.* Albacete, 1912.—SAINZ DE ROBLES, F. C.: *Historia y antología de la poesía castellana.* Madrid, Aguilar, 1946.—MENÉNDEZ PELAYO, M.: *El marqués de Molins,* en *Est. de Crít. Literaria,* 1940, IV, 289.—VALERA, Juan: *Florilegio de poesías castellanas del siglo XIX. Estudio y notas.* Madrid, F. Fe, 1904, cinco tomos.

MONARDES, Nicolás.

Médico y erudito español. Nació—¿1512?— en Sevilla y murió en 1588. Estudió Medicina en Alcalá de Henares. Además de médico fue Monardes mercader acaudalado. Algunos historiadores han afirmado que vivió en las Indias Occidentales, ejerciendo su profesión y estudiando las innumerables plantas medicinales del Nuevo Continente. Otros críticos creen que no salió de Sevilla, a cuyo puerto llegaban las naves que regresaban de América trayendo dichas plantas medicinales. Gozó gran renombre entre sus contemporáneos, a juzgar por los muchos elogios que mereció, tanto de las personas ajenas a su ciencia, como de los doctos y eruditos. Fue médico del arzobispo de Sevilla don Cristóbal de Rojas y Sandoval, de la duquesa de Béjar y del duque de Alcalá. Todas sus obras se agotaron pronto y se reimprimieron varias veces; entre ellas destacan: *Diálogo llamado Pharmacodilosis, o declaración medicinal*—1536—; un curioso estudio acerca de la rosa: *De rosa et partibus eius, Dos libros de las cosas que traen de nuestras Indias y de la piedra bezaar y de la yerba escorzonera*—Sevilla, 1565—, *Libro que trata de la nieve y sus propiedades...*—Sevilla, 1571—, *Tratado del efecto de varias yerbas*—Sevilla, 1571...

V. HERNÁNDEZ MOREJÓN, A.: *Historia de la medicina española.* Madrid, 1842.—LASSO DE LA VEGA Y CORTEZO: *Biografía y estudio crítico de las obras del médico Nicolás Monardes.* Sevilla, 1891.—PEREIRA, C.: *El doctor Monardes, sus libros y su museo,* en *Boletín Menéndez Pelayo,* 1922, octubre.—RODRÍGUEZ MARÍN, F.: *Biografía de N. Monardes.* Conferencia.

MONCADA, Francisco de.

Gran prosista e historiador, general y diplomático español. Nació—1586—en Valencia. Murió—1653—en el campamento de Goch (Holanda) cuando acababa de conseguir dos señalados éxitos contra sus enemigos. Conde de Osuna. Marqués de Aytona. Hijo y heredero de don Gastón de Moncada, virrey de Cerdeña. Consejero de Estado y Guerra. Embajador en la corte de Alemania. Mayordomo mayor de la infanta Isabel Clara Eugenia, gobernadora de Flandes, y generalísimo de sus ejércitos. Gobernador de Milán. Comisionado secreto de Felipe III en Cataluña. General expertísimo y valeroso. Caballero

M

intachable y magnífico. Su nombre figura en el *Catálogo de autoridades* del idioma, publicado por la Real Academia Española.

Obras: *Vida de Anicio Manlio Torcuato Severino Boecio*—Francfort, 1642—, *Antigüedad del santuario de Montserrat, Genealogía de la Casa de los Moncadas, Expedición de los catalanes y aragoneses contra turcos y griegos*—Barcelona, 1623.

De las obras de Moncada, esta última es la más importante, la que le ha dado fama en todo el mundo, ya que ha sido traducida al francés y al alemán.

Al parecer, Moncada tomó como modelo de su vida a Julio César, tanto en la espada como en la pluma. Entreteje oportunamente breves sentencias a su narración, y toda ella va como enderezada al militar y al estadista, sin mostrar pretenderlo. El estilo es llano y sin afectación, y el lenguaje tan limpio y castizo en nuestro romance, como en latín los del César. Los cuadros, brillantes de color, y dramáticas escenas, del catalán Muntaner, testigo de vista, y de cuya *Crónica* tomó el asunto, quedan realzados por el encanto del escritor castellano.

"A la verdad—escribe E. de Ochoa—, yo no hallo ninguna que en su género le haga ventaja, aunque entre en este número el de la *Guerra de Granada,* de don Diego de Mendoza; porque si se consideran las prendas que deben adornar una historia, en ambas se hallan en sumo grado; si la elegancia y pureza de estilo, en que algunos dan el primer lugar a Mendoza entre los escritores españoles, no es inferior en esto Moncada; antes bien, me parece el de este más dulce y sin mezcla de afectación alguna. De suerte que parece el primero haberse propuesto imitar a Salustio y Tácito... Pero Moncada, imitando a Julio César en la pluma, como lo había hecho con la espada, es tan puro y elegante como él; porque nuestra lengua, como hija de la latina, es capaz de admitir todos sus primores..." Y el crítico Rossell añade: "No abundan en aquellas páginas pensamientos elevados ni frases pomposas ni períodos atrevidos, es verdad; pero la dicción es tan pura, las expresiones tan propias y la construcción tan fluida y armoniosa casi siempre, que forma un agradable contraste con los hechos que allí se pintan..."

Moncada fue un enérgico hombre de acción, un prosista enérgico que supo ver el pasado a través de su presente, resultando su relato amenísimo una actualización intensamente dramática de las hazañas de los aragoneses y catalanes en el Imperio bizantino.

Existen buenas ediciones modernas de la gran Historia de Moncada: la de Madrid, 1805; la de Eugenio Ochoa—París, 1840—en el *Tesoro de historiadores españoles;* la

de Jaime Tió—su continuador—, Barcelona, 1842; la de Madrid, 1860; la del tomo XXI de la "Biblioteca de Autores Españoles", de Rivadeneyra; la de *Clásicos Castellanos,* Madrid, 1924, y la de Foulché-Delbosc, en la *Revue Hispanique,* 1919, XLV, 349 a 509.

V. Schlumberger, G.: *Expédition des "Almogávares"...* París, 1903.—Gimeno, Vicente: *Escritores del reino de Valencia.* Tomo I. Rodríguez, Fray Josef: *Biblioteca Valentina.* Rubió y Lluch, A.: *Catalunya a Grecia.* Barcelona, 1906.—Gili Gaya, G.: *Estudio* en la ed. *Clásicos Castellanos,* Madrid, 1924.—Gili Gaya, G.: *Sobre la "Vida de Boecio",* por F. de M., en *Rev. Fil. Esp.,* 1927.—Ochoa, Eugenio de: *Estudio* en la edición de París, 1840.

MONDACA, Carlos R.

Poeta chileno. Nació—1881—en Vicuña. Murió en 1928. Fue profesor de castellano en varios liceos de Santiago, prorrector de la Universidad de Chile y rector del Instituto Nacional.

"Es uno de los más intensos poetas de su generación. Culto, refinado, silencioso, su vida y su obra constituyen un ejemplo de noble dedicación a las faenas del espíritu." (Hernán del Solar.)

Obras: *Por los caminos*—1910—, *Recogimiento*—1921—, *Poesías*—1931 (edición completa de su obra).

V. Solar, Hernán del: *Indice de la poesía chilena contemporánea.* Santiago, 1937.

MONDÉJAR, Marqués de (v. Ibáñez de Segovia.

MONDRAGÓN, Jerónimo de.

Literato y jurisconsulto español del siglo XVI. Debió de nacer en Zaragoza, donde ejerció su profesión y alcanzó gran fama como erudito en ciencias y en letras.

Entre sus muy curiosas obras destacan: *Arte para componer en metro castellano...* —Zaragoza, 1593—, *Prosodia latina en castellano*—Zaragoza, 1593—, *Universal y artificiosa ortografía de latín en español*—Zaragoza, 1594—, *Censura de la locura humana y excelencias de ella...*—Lérida, 1598.

Varias poesías suyas pueden leerse en la obra *Itinerarium ordinandorum,* del abad Carrillo—Zaragoza, 1594.

MONFORTE TOLEDO, Mario.

Nació—1911—en Guatemala, y se graduó de abogado y notario, ejerciendo un tiempo en lugares indígenas, donde personalmente captó el ambiente lleno de costumbres ancestrales y de grandeza espiritual. Estuvo como corresponsal de la guerra de España, junto con varios escritores, entre Ciro Alegría. Ha vivido en Nueva York, en donde publicó un libro. Actualmente, después de haber desempeñado cargos políticos importantes en su patria—presidente del Congreso, etc.—, vive dedicado a su labor de escritor y de investigador de temas sociológicos en el vecino país de México, en donde es profesor de la U. N. A. M. Acaba de publicar un libro sobre escultura mexicana; con anterioridad escribió el estudio más completo sobre Guatemala: *Guatemala. Monografía sociológica,* así como novelas y cuentos. Se encuentra en lo mejor de su camino como escritor.

Obras: *Biografía de un pez*—Nueva York, 1943, novela—, *Anaité*—Guatemala, 1946, novela—, *Entre la piedra y la cruz*—edit. El Libro de Guatemala, 1948, novela, "Premio Centroamericano, 1947", *La cueva sin quietud*—Guatemala, edit. del Ministerio de Educación Pública, 1949, cuentos—, *Donde acaban los caminos*—Guatemala, Tipogr. Nacional, 1953, novela—, *Una manera de morir*—México, Tezontle, 1957 (Primer premio en el Concurso Interamericano de Novelas, auspiciado por la Unión Latinoamericana de Universidades, 1955), novela—, *Guatemala*—monografía sociológica; México, Universidad Nacional Autónoma de México, 1957; sociología—, *Cuentos de derrota y esperanza*—México, Universidad Veracruzana (ficción), 1962, cuentos—, *Tres ensayos*—México, Universidad Nacional Autónoma de México, 1962, sociología—, *Llegaron del mar*—México, Joaquín Mortiz, 1966, novela—, *Las piedras vivas*—México, 1967, escultura.

V. ECHEVERRÍA, Amílcar: *Antología de prosistas guatemaltecos.* Guatemala. Impr. Universitaria, 1957.—MENTON, Seymour: *Historia crítica de la novela guatemalteca.* Impr. Universitaria, 1960.—SÁNCHEZ, Luis Alberto: *La tierra del Quetzal.* Santiago de Chile, editorial Ercilla, 1950.—LEIVA, Raúl: *Los sentidos y el mundo.* Edit. del Ministerio de Educación Pública. 1950.—IMBERT, Anderson: *Diccionario enciclopédico, Salvat.* Barcelona, 1967.

MONLÁU, Pedro Felipe.

Erudito español. Nació—1808—en Barcelona. Murió—1871—en Madrid. Médico. Bachiller en Filosofía. Catedrático—1840—de Literatura e Historia en la Universidad de Barcelona; de Psicología y Lógica—1848—en el Instituto de San Isidro, de Madrid; de Higiene—1854—en la Facultad madrileña de Medicina; de Gramática histórica de las lenguas romances, en la Escuela de Diplomática de la capital de España. Académico de las Reales de la Lengua y de la de Ciencias Morales y Políticas. Director—1867—del Museo Arqueológico Nacional.

Excelente prosista. Investigador concienzudo.

Obras literarias: *Idea general del origen y formación del castellano*—discurso de ingreso en la Academia Española—, *Una tertulia a la "dernière"*—comedia, 1828—, *El heredero*—comedia, 1830—, *Novísimo cajón de sastre...*—cuentos y anécdotas, Barcelona, 1831—, *El premio de la integridad*—drama, 1835—, *El libro de los libros, o ramillete de máximas*—1857—, *Elementos de literatura*—1860—, *El arte de robar...*—Valencia, 1840—, *Madrid en la mano*—1850—, *Diccionario etimológico de la lengua castellana*—Madrid, 1860—, *Las mil y una barbaridades...*—Madrid, 1857—, *Vocabulario gramatical de la lengua castellana*—Madrid, 1870—, y otras varias de menor importancia.

V. OVILO Y OTERO, Manuel: *Manual de biografía y de bibliografía.* París, La Rosa, 1859, tomo II.—MONLÁU, José: *Relación... de las obras literarias de Pedro Felipe Monláu.* Madrid, 1858.—COLL Y PUJOL: *Elogio histórico de Monláu.* Barcelona, 1873.

MONLEÓN BENNACER, José.

Periodista, crítico teatral y cinematográfico. Nació—1928—en Tabernes de Valldigna (Valencia). Licenciado en Derecho. Alumno de la Escuela Oficial de Cinematografía. Fundador de las dos importantes revistas *Nuestro Cine* y *Primer Acto.* Director de la colección teatral de la editorial Taurus, de Madrid. "Premio Nacional" a la mejor labor periodística sobre teatro. Fundador del Teatro Popular Español y del Film para la Infancia y Juventud. Crítico teatral de la revista *Triunfo.*

Obras: *Teatro de humor en España, Carlos Arniches, Panorama del cine español, Lo que sabemos del cine, Lo que sabemos del flamenco.*

MONNER SANS, José María.

Crítico y dramaturgo argentino. Hijo del escritor español Ricardo Monner Sans. Nació—1896—en Adrogué (Buenos Aires). Estudió la licenciatura de Derecho en la Facultad de Buenos Aires. En 1915 fundó el Ateneo Universitario, cuya revista *Ideas* dirigió entre 1915 y 1919. Desde 1930 ha venido desempeñando cátedras de Literatura en la Facultad de Humanidades. Vicedecano de esta entre 1940 y 1944. Durante mucho tiempo ha sido crítico teatral de la gran revista *Nosotros.* Con su obra *El teatro de Lenormand* ganó el "Premio Revue Argentine de París, 1937". Y con su obra *El teatro de Pirandello,* el "Premio Municipal, 1936".

Otras obras: *La Historia considerada como género literario*—1921—, *La vida y la obra de Ricardo Monner Sans*—1929—, *Moral para estudiantes*—1930—, *La generación*

M

española del 98—1933—, *Yo me llamo Juan García*—teatro—, *Estudios literarios*—1938—, *Panorama del nuevo teatro*—1941—, *Islas Orcadas*—teatro, "Premio C. N. de Cultura"—, *Historia del Ateneo Universitario, Nociones de literatura general, Antología Hispanoamericana...*

MONNER SANS, Ricardo.

Literato y filólogo español. Nació—1853—en Barcelona y murió—1927—en Buenos Aires (Argentina). Apenas terminó la carrera de Letras en la Universidad barcelonesa, marchó a Buenos Aires, donde se estableció, se casó y vivió hasta su muerte. Practicó un periodismo muy activo en los mejores diarios y revistas de varios países hispanoamericanos, y se dedicó con fervor a la enseñanza del castellano y a la exaltación de los valores españoles, ganándose el respeto y la admiración de su patria de adopción. Estrenó con éxito algunas obras escénicas. Pero su mayor importancia la tuvo en el campo de la filología.

Obras gramaticales: *Gramática de la lengua castellana*—1892—, *Gramática elemental*—1898—, *Minucias lexicográficas*—1896—, *La religión y el idioma*—1899—, *Notas al castellano de la Argentina*—1903—, *El neologismo*—1903—, *Conversaciones sobre literatura preceptiva*—1911—, *De gramática y de lenguaje*—1915—, *Pasatiempos lingüísticos*—1926—, *Disparates usuales en la conversación diaria*—1923—, *Barbaridades que se nos escapan al hablar*—1925.

Otras obras: *A histórico pasado, risueño porvenir*—poema argentino, 1891—; *Desde la falda*—poesías, 1912—, *Mis dos banderas*—poema, 1912—, *Ciencia española*—1891—, *Los dominicos y Colón*—1892—, *Dos cuadros*—apropósito lírico-dramático—, *Los catalanes en la defensa y reconquista de Buenos Aires (1806-1807)*—1893—, *Ensayos dramáticos*—1910—, *Guillén de Castro*—1913—, *Don Juan Ruiz de Alarcón*—1915—, *Las mujeres de Alarcón*—1916—, *Don José Selgas*—1916...

V. MONNER SANS, José María: *La vida y la obra de Ricardo Monner Sans*. Buenos Aires, 1929.

MONROY Y SILVA, Cristóbal de.

Historiador y autor dramático español. Nació—1612—en Alcalá de Guadaira (Sevilla). Murió en 1649. Fue regidor perpetuo de su ciudad natal y teniente de alcaide del fuerte de aquella villa, por el año de 1640.

Como historiador tuvo mucho menos mérito que como dramaturgo. Para Menéndez Pelayo fue Monroy un poeta de mérito entre los de segundo orden, que no carecía de fuerza dramática. Fue, en efecto, de muy fecundo ingenio; sus caracteres están muy

bien trazados; presenta las situaciones con exquisito arte; su diálogo y su versificación resultan sueltos, fáciles y gallardos; destaca en él cierta inclinación hacia lo fino y lo noble; su gracejo es grande; sus *bufones* ya no son siempre *bellacos*, como los de Lope, Calderón y otros contemporáneos, sino que, a veces, muestran altas prendas morales, sin perder por estas su fuerza cómica; tiene pasos cómicos de extraordinaria gracia, y dramas y comedias notabilísimos por su realismo y su nobleza patriótica.

Obras históricas: *Epítome de la historia de Troya...*—Sevilla, 1641—, *Vida del Padre Maestro Ignacio de Loyola*—rarísima edición de México, 1639—, *Historia de Alcalá de Guadaira*—ms. que se guardaba en el monasterio de Poblet, según afirma Villanueva en su *Viaje literario...*, tomo XX.

Obras dramáticas: *Fuente Ovejuna*—refundición de la de Lope—, *La batalla de Pavía y prisión del rey Francisco, Las mocedades del duque de Osuna, Mudanzas de la fortuna y firmezas del amor, Los príncipes de la Iglesia San Pedro y San Pablo, La sirena del Jordán, No hay amor donde hay celos, No hay más saber que saberse salvar...*

Monroy escribió una *Silva* muy inspirada a la muerte de Montalbán.

Pueden encontrarse obras de Monroy, impresas en: "Doce comedias de diferentes autores", 1646; en la parte 41 de "Varios", Valencia; en "Comedias de los mejores autores", 1652; en la parte sexta de "Comedias escogidas", y en el tomo XLIX de la "Biblioteca de Autores Españoles", de Rivadeneyra, están impresas: *La batalla de Pavía, El ofensor de sí mismo* y *Las mocedades del duque de Osuna*.

V. BARRERA, C. A. de la: *Catálogo... del teatro antiguo español...* Madrid, 1860.— SAINZ DE ROBLES, F. C.: *Historia del teatro español*. Madrid, M. Aguilar, 1943. Tomos II y III.

MONTALBÁN, J. Pérez de (v. Pérez de Montalbán, Juan).

MONTALVO, Garci Ordóñez de (v. Ordóñez de Montalvo, Garci).

MONTALVO, Juan.

Gran prosista, ensayista y pensador. 1833-1889. De Ambato (Ecuador). Periodista a los dieciocho años, publicó sus primeros trabajos en *El Iris*—1851—. Diplomático, estuvo en Roma y en España y en Francia entre 1858 y 1860. De regreso a su patria, inició una campaña de Prensa memorable e implacable contra el tirano García Moreno desde su periódico *El Cosmopolita*—1866—. Tres años después, perseguido a muerte por el dictador, hubo Montalvo de huir a Colombia. Asesinado García Moreno en 1875, volvió el escritor a su patria; pero hubo de partirse a Panamá cuando la dictadura de Veintemilla. Volvió a Francia, estuvo en Madrid y, vuelto a París, publicó—1887—seis números de *El Espectador,* falleciendo dos años después.

Así le juzga el suramericano Luis Alberto Sánchez—en su *Nueva historia de la literatura americana*—: "Asceta del trabajo y de su doctrina, poseía, como los iluminados, un sagrado furor que estremece los marmóreos períodos de su prosa. No compuso versos, circunstancia insólita en la América meridional. Toda su obra, cierto, es una permanente glosa, pero glosa de mano maestra, ensayo auténtico, en procura de brindar a los hombres de ahora saludables ejemplos a costa del ayer. Como temas, lo inspiraban la nobleza, la belleza, el valor y hasta la pobreza; todo cuanto dignifica al hombre."

Así le juzga el español Cejador: "Montalvo fue un luchador, en varios de sus escritos, desenfadado y recio, irónico y contundente; en los demás, divagó como ensayista, vertiendo mil ideas, tomadas de sus vastas lecturas y bien asimiladas, con otras propias, dando al conjunto un sello muy personal, mayormente merced a su ingenio, al tono donairoso y gracejante, a la alteza de su pensar y al lenguaje marcadamente castizo y algo a la antigua. Todo su empeño lo puso en apropiarse el habla castellana de nuestros antiguos autores; pero, a pesar de haberles tomado palabras y maneras de decir, sin duda por falta de libros antiguos y de hondos conocimientos lingüísticos, no logró más que a medias su pretensión. Escritor clásico, atildado, académico y reflexivo, ingenioso y agudo, amante e imitador de nuestros autores y del añejo lenguaje, bien que mezclándolo todo torpemente con frases galicistas o poco castizas y harto afectado e híbrido por el consiguiente, sobresalió en la descripción brillante y en el donairoso e ingenioso decir, siendo uno de los mejores prosistas americanos."

Y resume Abigaíl Mejía—en su *Historia de la literatura castellana e hispanoamericana*—: "El sí que amaba a España, este don Juan caballeresco y altivo, anticlerical, hombre de letras y hombre de hogar, hijo de la América ya libre, el indoamericano que más cervantinamente escribió, según alguien le ha señalado—Valera—... Jamás la sabiduría adoptó tan agradable aspecto como bajo la forma amena de sus *Siete tratados,* todo un almacén de los conocimientos más variados y heterogéneos, fundidos en un producto nuevo por la magia de su imaginación, menos portentosa que su memoria... Un poco campanudo y excesivamente

castizo, si es que puede así decirse, su estilo era como el hombre: noble, elevado, fino, correcto, de gustos caballerescos y nada vulgares, como lo fuera en vida el escritor que, al sentirse morir, bajo el cielo gris de un invierno parisino, mandó comprar rosas y se vistió de etiqueta para esperar a la Descarnada de un modo conveniente y elegante... Rosas y levita también son el traje y el adorno de su estilo..."

Para nuestro don Juan Valera era Montalvo un artista refinado y precioso, cuyas afinidades, dentro de la clásica prosa castellana, habían de buscarse, mucho más que en Cervantes, en Quevedo y en Gracián, cuanto a ser afectadas, no cuanto al espíritu del idioma. A Montalvo le faltó la *naturalidad del estilo;* tuvo permanentemente la *conciencia del estilo,* abusó del almidonado de la retórica. También creyó Valera que le faltó a Montalvo, para poder ser calificado de pensador, *la serenidad;* y también careció de la condición más esencial de interesarse de las ideas por sí mismas, y no principalmente como tema oratorio; faltóle *luz interior.*

Obras: *Siete tratados*—ensayos, Besanzón, 1882, dos volúmenes—, *El Espectador* —seis números, París, 1887—, *Capítulos que se le olvidaron a Cervantes*—ensayo de imitación de un libro inimitable, Besanzón, 1895—, *Inéditos y artículos escogidos*—Quito, 1897—, *Geometría moral*—1902—, *Mercurial eclesiástica, Libro de las verdades y Un vejestorio ridículo, o Los académicos de Tirteafuera*—Madrid, 1918—; *Fortuna y felicidad*—ensayo, 1872—, *Catilinarias*—Panamá, 1880...

V. Rodó, J. Enrique: *Montalvo,* en *El mirador de Próspero.*—Blanco-Fombona, R.: *Grandes escritores de América.* Madrid, 1917.—Valera, Juan: *Nuevas cartas americanas.* Madrid, 1890.—Zaldumbide, Gonzalo: *Montalvo y Rodó.* Instituto de las Españas. Nueva York, 1938.—Escala, Víctor Hugo: *Belleza de la lengua castellana y don Juan Montalvo.* Panamá, 1942.—Arias, Augusto: *Panorama de la literatura ecuatoriana.* Quito, 1936.—Barrera, Isaac: *La literatura ecuatoriana.* Quito, 1926, 2.ª edición.

MONTANER Y CASTAÑO, Joaquín.

Gran poeta y dramaturgo. Nació—1892— en Villanueva de la Serena (Badajoz), de familia catalana. Murió—1957—en Barcelona. En Barcelona estudió el bachillerato y las carreras de Leyes y Filosofía y Letras. En 1907 publicó su primer libro de versos: *Cantos.* Ha colaborado en *A B C, España, El Sol, La Publicidad, Mundo Gráfico, Nuevo Mundo, La Esfera* y otros importantes diarios y revistas.

Académico correspondiente de la Real de

M

la Historia—1928—y de la de Bellas Artes de San Fernando—1929—. "Premio Piquer de la Academia de la Lengua"—1928—por su obra *El estudiante de Vich.*

Joaquín Montaner es un poeta espléndido, de un sugestivo y personal modernismo, con *un fondo* enraizado en nuestros grandes clásicos. En el teatro ha obtenido éxitos grandes y justos, pues sabe elegir los temas más hondos y originales y vestirlos con el ropaje riquísimo de una prosa poética o de un verso fluido, impresionante y cálido.

Obras poéticas: *Sonetos y canciones* —1909—, *Primer libro de odas*—1914—, *Juan Farfán*—poema, 1912—, *Poemas de la guerra* —1916—, *Meditaciones líricas, Flores de octubre, Elogio a Roma, Baladas y constelaciones, Dios en mí, Ejemplo del mal cazador, Mississipí*—1949, poema épico.

Teatro: *El ilustre don Beltrán, La honra de los muertos, Los iluminados, El conspirador, El loco de Extremadura, La casa de las lágrimas, Los fracasados, El hijo del diablo, En la tierra y en el cielo, El buen ladrón.*

Otras obras (varia): *El conde Arnal, El teatro romántico español, Don José Valero, Cataluña y el catalanismo, Pablo Piferrer y su tiempo...*

En 1951 ganó el "Premio Ciudad de Barcelona" con su novela *Ramiro "el Grande".*

V. Cejador, Julio: *Historia de la lengua y literatura castellanas.* Madrid, tomo XIV. Sainz de Robles, F. C.: *Historia y antología de la poesía española.* Madrid, Aguilar, 1951. 2.ª edición.

MONTE, Ricardo del.

Literato cubano. 1830-1909. Nació en Matanzas. Y fue educado por su tío, el gran humanista Domingo del Monte (V.). Antes de cumplir los veinte años fue redactor de *La Aurora.* Redactor-jefe de *La Legalidad.* Director de *El Triunfo, El País, El Paisaje, El Nuevo París, Cuba.*

"El espíritu de Ricardo del Monte—escribe Chacón y Calvo—era recogido, casi tímido, produjo relativamente poco; pero lo que brotaba de su pluma tenía tal sello de corrección y compostura, de elegancia tan madurada y precisa, y eran tan firmes y seguras sus ideas, tan hondas sus convicciones, que sus escritos fueron siempre vivas y magistrales lecciones de sereno y reposado humanismo... Fue clásico en el verso—clásicamente académico, si se quiere, en varias ocasiones—; tuvo su poesía indiscutibles virtudes formales, y algún momento, en los días de su castigada ancianidad, emoción vívida, alentada por vigoroso, por casi ardiente entusiasmo artístico; así, su serie de sonetos a Cervantes. Otros, los de *Mi barquera,* no son solo poesías de perfección antológica: en su elemental y elegante simbo-

lismo se condensan largas horas de melancolía y el amor hacia un alto ideal artístico."

Expuso magistralmente su criterio acerca de las modernas tendencias literarias en el prólogo que escribió—1903—para la novela de Arturo R. de Carricarte *Noche trágica.*

Sus obras literarias fueron recogidas —1927—en dos volúmenes por la Academia Nacional de Artes y Letras.

V. Chacón y Calvo, J. María: *La literatura de Cuba,* en el tomo XII de la *Historia universal de la literatura,* de Prampolini. Buenos Aires, Uteha Argentina, 1941.

MONTEAGUDO, Bernardo de.

Prosista y periodista. Nació—1785—en Jujuy (Argentina). Murió en 1825 en Lima, víctima del puñal de un negro. Estudió Leyes en la Universidad de Córdoba, hasta doctorarse. Desde el primer momento se puso al frente de la revolución en pro de la independencia argentina. "Dejó por doquier una persistente, áspera y trágica esencia." Fue violento, exaltado, contradictorio; amado y amante de las mujeres y de la libertad; orgulloso e inhonesto; cruel y lleno de irresoluciones.

Sus primeros artículos de violenta polémica aparecieron en *La Gaceta.* Luego fundó *Mártir o Libre,* y a su desaparición, *El Grito del Sur.* En la insurrección de Charcas junto al general Arenales, cooperó a la formación de la Junta gubernativa; pero fue disuelta, y Monteagudo condenado a muerte. Se refugió en Buenos Aires. En 1813 tomó asiento en la Asamblea constituyente. En 1815 viajó por América y Europa. En 1817, San Martín le nombró auditor de Guerra. Ministro en 1821 con el Gobierno de San Martín, ocupando los departamentos de Guerra y Estado. Dio un gran impulso a la instrucción pública del Perú.

Gran amigo de Bolívar, quien, ante el cuerpo herido mortalmente de Monteagudo, exclamó: "¡Serás vengado!"

Es muerte natural en el violento la violenta. "Su obra escrita traduce una tensión de apasionado perenne, de enervamiento sostenido hasta los límites de la crisis de resolución."

Tuvo una excelente cultura. También publicó artículos en *El Independiente, El Censor de la Revolución* y *El Pacificador del Perú.*

Obras: *Ensayo sobre la necesidad de una Federación general entre los Estados hispanoamericanos, Memoria sobre los principios políticos que seguí en el Perú y acontecimientos posteriores a mi separación, 1823,* y otras varias de menor interés.

V. Echagüe, Juan Pablo: *Monteagudo.* Buenos Aires, 1941.—Rojas, Ricardo: *Obras de Bernardo Monteagudo,* en "Biblioteca Argentina", vol. VII.

MONTEMAYOR, Jorge de.

Gran poeta y novelista portugués, que escribió en castellano. ¿1520?-1561. Nació en Montemor, cerca de Coimbra. Pasó a Castilla como cantor de la princesa doña María al casarse esta con el príncipe don Felipe II. En 1551 estaba al servicio de la infanta doña Juana de Castilla, madre del infortunado rey de Portugal don Sebastián. Desde 1554 residió ya en España, hasta 1560, en que pasó al Piamonte, donde murió a mano airada "por ciertos celos o amores".

Fue muy amigo de Sáa de Miranda, a quien contó sus amores con *Marfida* en una célebre epístola; de Feliciano de Silva y de Gutierre de Cetina.

Sus poesías fueron publicadas en su *Cancionero*—Amberes, 1558—. Las devotas fueron prohibidas por la Inquisición. Las amorosas tuvieron un éxito extraordinario. Muy hermosas son igualmente sus poesías en versos cortos intercalados en la prosa de la *Diana*.

Montemayor fue un poeta apasionado, de verso fácil, de imágenes atrevidas. Su principal modelo es Jorge Manrique. Escribió poco *al modo itálico,* y dominó el ritmo de las llamadas coplas castellanas.

Compuso Montemayor la *Exposición moral sobre el salmo ochenta y seis*—Alcalá 1548—, en quintillas el salmo y en prosa la exposición. Hizo *glosas* a la *Canción* de Jorge Manrique, y tradujo del catalán los *Cantos de amor* de Ausias March.

Dirigió desde Amberes a un grande de España una carta—1558—que trata *De los trabajos de los reyes.* Pero su principal obra es *Los siete libros de la Diana*—Valencia, ¿1559?—, que es la mejor de las novelas pastoriles castellanas. Esta obra le dio inmensa fama dentro y fuera de la Península. Está inspirada en la novela 36—segunda parte—de Mateo Bandello, pero acomodada a las costumbres españolas, con más cortesía y sin lascivia. Imitó, además, a Petrarca y a Sannazaro. Pero la mayor parte fue obra propia. Las coplas castellanas son excelentes—aun cuando inferiores a las de Gil Polo en su *Diana enamorada*—; pero mucho más que ellas vale su prosa elegante, bien pulida, desenfadada, aunque de escaso vigor. Dentro del artificioso género pastoril, Montemayor es admirable, fluido narrador, requebrador tierno, esmerado en la frase melodiosa y en las escogidas voces. Es diestro en la versificación, y más todavía en la brillantísima prosa. Fue, acaso, el primero que empleó el recurso de disfrazar a la mujer de hombre, que luego seguirían con entusiasmo Cervantes, Lope de Vega, Tirso de Molina y otros muchos célebres escritores.

En el escrutinio que hizo el cura de la biblioteca de Don Quijote, Cervantes puso en boca del censor: "No se queme, sino que se le quite todo aquello que trata de la sabia Felicia y de la agua encantada, y casi todos los versos mayores, y quédese enhorabuena la prosa y la honra de ser el primero en semejantes libros."

Y Menéndez Pelayo ha juzgado así de la *Diana*: "La prosa de Montemayor es algo lenta..., pero es tersa, suave, melódica, expresiva, más musical que pintoresca, sencilla y noble a un tiempo, culta sin afectación, no muy rica de matices y colores, pero libre de oropeles... El defecto capital de la *Diana* es el abuso del sentimentalismo y de las lágrimas, la falta de virilidad poética, el tono afeminado y enervante de la narración."

El éxito europeo de la *Diana* fue rapidísimo y ruidoso. En 1578, Collín la tradujo al francés, y lo volvió a ser en 1603, 1611, 1623 y 1735. En 1583, Yong la tradujo al inglés. En alemán apareció la primera versión en 1610.

Los imitadores surgieron a docenas. Hardy, Pousset, Honorato d'Urfe—autor de la *Astrea,* popularísima en Francia y Alemania—, Florián—autor de la *Estela*—, Alonso Pérez—médico salmantino, autor de la *Segunda parte de la "Diana"*—, Gaspar Gil Polo—mejor poeta que Montemayor, con su *Diana enamorada*—, Jerónimo de Tejada, Hernández de Granada, el Padre Ponce—con su *Clara Diana a lo divino*—, Sidney, Googe... Hasta Shakespeare aprovechó la historia de Félix y Felismena en el argumento de *Los dos hidalgos de Verona.*

Son excelentes ediciones de la *Diana* las de Valencia—¿1559?—y Milán—sin fecha—; en ambas no va intercalada *La historia del Abencerraje y la hermosa Jarifa*—obra de Antonio de Villegas—; Barcelona, 1561; Cuenca, 1561; Amberes, 1561; Valladolid, 1561; Colonia, 1565; Venecia, 1574; Madrid, 1795...

Excelentes ediciones modernas son: Barcelona, 1886; Madrid, 1907, revisada por Menéndez Pelayo para la "Nueva Biblioteca de Autores Españoles"—tomo VII—, y Madrid, ¿1929?, en las "Bibliotecas Cervantes", C. I. A. P.

V. García Pérez: *Catálogo... de escritores portugueses que escribieron en castellano.* Madrid, 1890.—Fitzmaurice Kelly: *Jorge de Montemayor. Estudio,* en *Revue Hispanique,* 1895.—Rennert, H. A.: *The Spanish Pastoral Novel.* Baltimore, 1892.—Schönherr: *Jorge de Montemayor sein Leben und sein Schäferroman.* Halle, 1886.—Menéndez Pelayo, M.: *Orígenes de la novela,* I, 492.

MONTENGÓN Y PARET, Pedro.

Notable poeta y novelista español. Nació —1745—en Alicante. Murió—1824—en Milán. A los catorce años ingresó en la Compa-

M

ñía de Jesús. Aunque no era profeso al sobre-venir—1767—la expulsión de los jesuitas, aceptó voluntariamente el destierro, resi-diendo algún tiempo en Ferrara, Génova y Nápoles. En 1769 secularizóse, casó y tuvo una hija. Sirvió de administrador en Ma-drid al marqués de Alcañices. En 1801 vol-vió a ser expulsado de España. Marchó nue-vamente a Italia. Y murió en Nápoles.

Como poeta, fue Montengón clasicista, muy pretencioso. Como prosista, se le pega-ron al estilo voces y locuciones impuras—ita-lianismos, principalmente—. Como erudito, lo fue, y excelente. Tradujo cuatro trage-dias de Sófocles, en endecasílabos: *Agame-nón, Egisto y Clitemnestra, Edipo, Antígona y Emón*—1820—, y el *Fingal,* poema épico de Osian.

Obras: *Antenor*—1786, poema en prosa sobre los orígenes legendarios de Venecia—, *Eudoxia, hija de Belisario*—1793, ficción his-tórico-filosófica, imitación del *Belisario* de Marmontel—; *Rodrigo*—1793, novela histó-rica—, *Mirtilo, o Los pastores trashumantes* —1795, novela pastoril—; *Eusebio*—1786, su obra principal, novela filosófico-patológica, escrita a imitación del *Emilio,* de Rous-seau—; *Frioleras curiosas y eruditas...* —1802...

El *Eusebio* tuvo un éxito apoteótico. Qui-zá el prohibirlo la Inquisición en 1799 au-mentó su fama. Fue traducido al italiano —por el abate Juan Laurenti—, al francés y al inglés. El caballero Piresi hizo un com-pendio, que se publicó en Nápoles. El *Euse-bio,* en el que abundan los galicismos e ita-lianismos, y al que faltan la emoción y la ternura, es una larga novela de filosofía na-turalista indigesta y muy difusa en las des-cripciones.

Del *Eusebio* hay ediciones excelentes: Ma-drid, 1832; Barcelona, 1840, 1841, 1855... De sus *Poesías:* Ferrara, 1778-1779, con el seudónimo de "Filopatro"; Madrid, 1794.

V. LAVERDE, G.: *Ensayos críticos sobre... literatura...* Lugo, 1868.—GONZÁLEZ PALEN-CIA, A.: *Montengón y su novela el "Eusebio",* en *Rev. Ayuntamiento Madrid,* 1926.—BAN-NAN, E.: *Dos novelas de Montengón y sus relaciones con Rousseau.* Tesis doctoral. Ma-drid, 1932.—ALARCOS LLORACH, E.: *El sene-quismo de Montengón en Castilla.* 1940, I, pág. 149.

MONTERO ALONSO, José.

Narrador, crítico, periodista español. Nació —1906—en Santander.

Licenciado en Filosofía y Letras, Montero Alonso, después de lograr su cátedra como profesor de Instituto, se dedica de lleno al periodismo y a la literatura, para triunfar plenamente en ambos campos. En el prime-ro le dan fama sus audaces entrevistas, va-

rias todas ellas, como puede verse, pues ha interviuvado desde el Negus a la Mistin-guette, desde Vossler a Menéndez Pidal, des-de Valle-Inclán a Pierre Benoit, desde Grace Moore a Carlos Gardel, desde Benavente a Baroja.

En el campo literario ha obtenido estos premios: el "Nacional de Literatura", en 1929; el "Castillo Chirel", de la Academia Española, en 1934; el de "Teatro Infantil", de la Vicesecretaría de Educación Popular, en 1942; el "Santamaría", de la Asociación de la Prensa, en 1940. "Premio Ayuntamiento de Madrid, 1966", por su *Biografía de Jacinto Benavente.* Y ha mostrado su gracia literaria y su pulso de escritor en los libros: *Anto-logía de poetas y prosista españoles*—"Pre-mio Nacional"—, *Julio Romero de Torres, Pedro Muñoz Seca, Cancionero de la guerra, Ventura de la Vega.* Al mismo tiempo, la jus-teza y conocimiento del idioma castellano al verter a él las obras dramáticas de Molnar —*El cisne y Uniforme de gala*—, de Ladislao Fodor—*La señora sueña*—, de Benedetti —*Usted no es mi marido*—, de Cenzato—*La que no se entera*—, de Landon Martín—*La llama eterna*—. Todas ellas estrenadas con gran éxito.

Otra obra: *Vida de Eduardo Marquina* —Madrid, Edit. Nacional, 1965.

MONTERO BUSTAMANTE, Raúl.

Literato y catedrático uruguayo. Doctor en Filosofía y Letras. Periodista. Conferen-ciante. Presidente de la Academia Nacional de Letras. Nació el 4 de abril de 1881. Sien-do estudiante, publicó la revista *Los Deba-tes.* Luego, en 1899, *La Revista Literaria.* Posteriormente, en 1901, con el doctor Alber-to Palomeque, *Vida Moderna.* Colaborador literario de *La Prensa,* de Buenos Aires. Es-cribió *Historia crítica de la literatura uru-guaya*—1910—, *Ensayos*—1929—, *Detrás de los Andes*—1934—. Profesor de Literatura y de Historia Americana y Nacional en la Universidad. Director de la *Revista Nacio-nal,* que edita el Ministerio de Instrucción Pública. Miembro correspondiente de la Real Academia Española. Autor de numero-sos ensayos críticos, conferencias y trabajos históricos y literarios.

Otras obras: *Versos*—1900—, *Antología de poetas uruguayos.*

MONTERO DÍAZ, Santiago.

Historiador y ensayista español. Nació —1911—en El Ferrol (La Coruña). Doctor en Filosofía y Letras (Sección de Historia). Del Cuerpo de Archiveros, Bibliotecarios y Ar-queólogos del Estado. Catedrático de Histo-ria Universal en la Universidad de Murcia, de la que fue decano. Desde 1941, catedrático, en la Universidad de Madrid, de Historia antigua y de Historia de las Religiones. De extraordinaria cultura y de expresión plena de orden y de atractivo. Polemista excepcional, y de ideas novísimas expuestas con absolutas originalidad y audacia.

Obras: *Las ideas estéticas del padre Feijoo*—1932—, *La colección diplomática de San Martín de Jubia*—1935—, *Introducción al estudio de la Edad Media Universal* —1936—, *Integración del arte en una doctrina de la Historia*—1940—, *Alejandro Magno* —1944—, *De Caliclés a Trajano*—1948—, *Apuntes de historia política universal de la Edad Moderna*—1943—, *Cervantes, compañero eterno*—Madrid, 1957.

MONTERO IGLESIAS, José.

Gran poeta y prosista español. Nació —1878—en Salamanca. Murió—1920—en Guadarrama (Madrid). Trasladado, cuando era muy niño, por razones familiares, a Santander, estudió en esta provincia—en el Colegio de Manzaneda, en Santoña—, y se dedicó muy pronto a la profesión periodística en los diarios de la capital. Vino en 1915 a Madrid, y fue redactor de las revistas *La Esfera, Mundo Gráfico y Nuevo Mundo*. Publicó las biografías *Velarde*—Santander, 1908—, *El solitario de Proaño*—Santander, 1917—y *Pereda*—Madrid, 1919—, y el libro de versos *Yelmo florido*—Madrid, 1918—. Escribió para el teatro *El patio de Monipodio*, versión teatral de una novela ejemplar cervantina, en colaboración con F. Moya Rico, musicada la obra por el maestro Villa, y *Un voluntario realista*, adaptación escénica, en verso, del episodio galdosiano del mismo título. Trabajaba, cuando le llegó la muerte, en una biografía del pintor montañés Casimiro Sainz, y una novela, *El caballero de los tres amores*.

Las revistas madrileñas de 1915 a 1920 están llenas de su labor en prosa y verso. Era un poeta fácil y cálido, vehemente, con un vivo sentido musical. Su obra recoge resonancias zorrillescas y rubenianas, como la de buena parte de los poetas de aquel tiempo literario, que podemos centrar en la fecha de 1915. La exaltación de las glorias españolas es tema capital de su verso, rico, brillante y orquestal. Al mismo tiempo asoma con frecuencia a su poesía aquella melancolía, aquel "amar la tristeza", que Menéndez Pelayo vio como nota característica de la que él llamó "escuela literaria norteña". Diálogo interior, emoción de la bruma y de la nostalgia, paisaje identificado con el propio espíritu...

José Montero, aunque nacido en tierra salmantina, se formó literariamente en la Montaña, y el alma de esta región influyó en su poesía, que se hermana, en este sentido, con la de Amós Escalante y Enrique Menéndez Pelayo por su acento de suave tristeza, de identidad con la melancolía de aquel paisaje.

MONTES, Eugenio.

Poeta, ensayista y periodista. De Vigo. Nacido en 1897. Se inició como periodista en diarios de Orense y Vigo. Hacia 1922 llegó a Madrid y escribió en revistas minoritarias y asiduamente en *El Sol, El Debate y A B C*. Catedrático de Filosofía. Ha sido corresponsal de prestigiosos periódicos en Londres, París, Berlín y Roma. Académico de la Real Española. Actualmente, director del Instituto de España en Roma—1963.

Como poeta, Eugenio Montes se acercó al movimiento ultraísta, destacando por su fidelidad en las imágenes y su tono irónico. "Montes da a sus ensayos—escribe Valbuena—el empaque noblemente retórico del elegante estilo de un humanista de hoy, enriquecido en su fina sensibilidad, captadora de ciudades y de ambientes, de temas de arte y de poesía, bajo la mente vigilante de un estudioso y maestro en la ciencia de la filosofía. Sus libros se leen con interés, agrado y complacencia. El acierto del juicio objetivo—visión cultural, de arte, historia, ciudades—se modula en el más gallardo estilo de una prosa sonora y elegante, encerrando el matiz exquisito en cada alusión. Una amplia formación católico-política de la tradición de nuestra Edad de Oro se impone a su visión histórica de la circunstancia, como vértebra central que organiza sus impresiones de viajero, o su "melodía" de aspirar poéticamente, en cada momento, en cada mar, en cada tez humana."

Eugenio Montes revela en sus escritos una vasta cultura asimilada perfectamente, su sólida posición de pensamiento y de sistema, una inteligencia viva y ágil, un juicio profundo y vibrante para acercarse a los grandes valores universales.

Obras: *Alalás*—¿1921?—, *Versos a tres cás o neto*—1930—, *Estética de la muñeira, El viajero y su sombra*—Madrid, 1940—, *Melodía italiana*—Madrid, 1944—, *Federico II de Sicilia y Alfonso X de Castilla*—Madrid, 1943—, *Elegías europeas*—1948—, *La estrella y la estela*—1953.

V. Valbuena Prat, A.: *Historia de la literatura española*. Barcelona, 1946, II, 1151-1153.—Torrente Ballester, Gonzalo: *Panorama de la literatura española contemporánea*. Madrid, Guadarrama, 1961.

MONTES AGUDO, Gumersindo.

Literato y periodista español. Nació —1918—en Grijota (Palencia). Cursó en la Universidad de Valladolid las carreras de

M

Leyes y de Filosofía y Letras. En 1936 se dedicó al periodismo en Palencia, fundando varias revistas y siendo redactor-jefe de otras. Conferenciante. Fue uno de los fundadores de la Obra Sindical de Educación y Descanso. Ocupó diversos cargos en el Ministerio de la Gobernación, en la Dirección de Propaganda y en la Dirección de Cinematografía y Teatro. Editorialista de *El Español*. Colaborador en gran número de diarios y revistas.

Actualmente ha abandonado el periodismo y la literatura para dedicarse por completo a las cuestiones cinematográficas.

Buen prosista y de gran cultura.

Obras: *Hacia un orden nuevo*—1937—, *Arquitectura de Imperio*—1938—, *Fundamentos de una revolución*—1939—, *Vieja Guardia*—1939—, *Pepe Saiz*—1940—, *Un político del siglo XIX y su ambiente*—1942—, *La evolución política española*—1946—, *Libro de horas*—1948—, *Relatos ejemplares*—1949...

MONTES DE OCA Y OBREGÓN, Ignacio.

Erudito y poeta mexicano. 1840-1921. Nació en Guanajuato. Se educó en Inglaterra y en Roma, logrando una admirable erudición en letras clásicas griegas y romanas. En 1862 se ordenó de sacerdote. Y en 1863 fue nombrado capellán de honor del emperador Maximiliano de México y camarero secreto de Pío IX. En 1871 fue preconizado obispo de Tamaulipas. Arzobispo de San Luis de Potosí. En 1916, a consecuencia de una de las revoluciones de su patria, hubo de refugiarse en España. Miembro de la Academia de los Arcades, de Roma, y académico correspondiente de las Reales de la Lengua y de la Historia españolas. En 1905 pronunció en la madrileña iglesia de San Jerónimo la oración fúnebre en honor de Cervantes. Realizó varios viajes por Europa, Asia y Africa. Dominó el latín clásico, el griego, el hebreo, el francés y el inglés. Su cultura y buen gusto fueron excepcionales. Llevó a cabo admirables traducciones de Pindaro, Teócrito, Byron, Mosco, Anacronte... Y fue un lírico delicado, sensible y elegante.

Traducciones: *Poetas bucólicos griegos* —1877—, *Obras de Pindaro*—1882—, *El rapto de Helena*, de Coluto de Licópolis —1917—, *La Argonáutica*, de Apolonio de Rodas—1919, traducida por encargo de la Real Academia Española de la Lengua—... Firmó muchas de estas traducciones con el seudónimo de "Ipandro Arcaico", nombre que tuvo entre los Arcades de Roma.

Obras originales: *Ocios poéticos*—1878—, *A orillas de los ríos*—cien sonetos, 1916—, *Otros cien sonetos de "Ipandro Arcaico"* —1918—, *Nuevo centenar de sonetos*—1921—, *Sonetos jubilares*—1929—, *Recuerdos y meditaciones de un peregrino en el castillo de*

Miramar—sonetos—, *Odas pastorales y oratorias*—siete tomos, México, 1883 a 1908...

V. MÉNDEZ PLANCARTE, Gabriel: *Horacio, en México*. México, Univ. Nacional, 1937.— GONZÁLEZ PEÑA, Carlos: *Historia de la literatura mexicana*. México, 2.ª edición, 1940.— JIMÉNEZ RUEDA, Julio: *Historia de la literatura mexicana*. México, 1942.—MENÉNDEZ PELAYO, M.: *Historia de la poesía hispanoamericana*. Madrid, 1911-1913, tomo I.

MONTESER, Francisco Antonio de.

Poeta y autor dramático español. Murió en 1668 y se le cree natural de Sevilla. Desde 1620 residió en Madrid. En 1640 estrenó *La aurora del sol divino*. Pero debió su rápida fama a una parodia que escribió de *El caballero de Olmedo*, de Lope de Vega. En 1655, el famoso cómico Juan Rana le estrenó en el teatro del Buen Retiro la comedia, también burlesca, *La restauración de España*, escrita en colaboración con Antonio de Solís y Diego de Silva. Se casó secretamente con la actriz Manuela de Escamilla. Según Maldonado y Saavedra, Monteser tuvo un fin trágico. "En 1636, don Francisco Antonio de Montsener mató en la Alameda (Sevilla), en el mes de mayo, a don J. de Miranda, y a don Francisco lo mató un criado del embajador de Portugal en Madrid, año de 1668."

Fue Monteser un fecundo autor de comedias burlescas, entremeses y bailes. Según don Emilio Cotarelo, donde brilló más el ingenio de Monteser fue en los entremeses y, sobre todo, en los bailes, algunos de los cuales no tienen semejantes en la literatura española.

Monteser poseyó ingenio inagotable y maestría técnica. Tuvo fama de hombre chistosísimo y agudísimo en la conversación; y algunos de sus *dichos* notables fueron recogidos por el duque de Frías en su curioso libro *Deleite de la discreción y fácil escuela de la agudeza*—Madrid, 1743.

Entremeses: *Los locos, El maulero, La tía, La hidalga, Descuidarse en el rascar, Las perdices, El sainete de las manos negras, Los registros, Los rábanos y la fiesta de toros*...

Bailes: *El zapatero y el valiente, Letrado de amor, El gusto loco, El mudo, Los ecos, Dos áspides trae Jacinta, El loco de amor, El baile del Registro*...

Textos: En la *Ociosidad entretenida* —1668—, en *Libro de entremeses*, coleccionado por Durán; en *Flor de entremeses* —1676—, en *Floresta*—1691—, en "Nueva Biblioteca de Autores Españoles"; tomo XLIX de la "Biblioteca de Autores Españoles", de Rivadeneyra.

V. COTARELO, Emilio: *Estudio en la Colección de entremeses*—tomo I—, publicada en

"Nueva Biblioteca de Autores Españoles". ARRERA, C. Alberto de la: *Cat. del teatro ntiguo español.*

MONTESINO, Fray Ambrosio de.

Notabilísimo poeta y prosista español. 1448-1508? Franciscano, como fray Iñigo de Mendoza, fue fray Ambrosio Montesino—segunda mitad del siglo XV—, y muy semejante en la sencillez, en la piadosa devoción y n el apego al arte popular. Nació en Hues. Llegó a obispo de Cerdeña. Y gozó de la rotección de la reina Isabel de España. Tradujo la *Vita Christi* de El Cartujano —Landulfo de Sajonia—en una prosa castellana magnífica, y retocó las *Epístolas y vangelios* con tanto acierto de estilo, que Mayáns calificó su obra de "monumento del enguaje castizo español".

Su *Cancionero de diversas obras de nuevo ovadas*—Toledo, 1505—contiene los versos evotos que Montesino dedicó a los Reyes atólicos y a muchos nobles; versos inspirados, de mucha unción, sencillos y llanos, cuyos modelos fueron seguramente los *Cáncos espirituales* del Beato Jacopone de odi, y a quien se asemeja no poco en el nérgico realismo de la pintura. Pero el interés mayor de este poeta franciscano está n sus composiciones populares, escritas en la mayoría para ser cantadas o recitadas n conventicos de monjas o en cocinas de ueblo. Coplas, villancicos, romances—comuestos estos en versos de dieciséis sílabas—, imnos, cantatas, que corrían en boca de todo el mundo, rezumando el espíritu heroico e la época en su concisión y brío, en su alentura y realismo. Fue fray Ambrosio el oeta más valido de la reina Isabel; versos uyos fueron los últimos que leyó la egregia señora. "Fue de los primeros que supieron provecharse de la vena popular, infundiéndola en la poesía y en la prosa religiosa y mística, que ya no había de perder desde ntonces este sabor en España, sirviendo de ontrapeso al clasicismo erudito, maravillosamente casadas entrambas tendencias en uestros grandes místicos del siglo XVI."

Montesino escribió también poemas extensos, que son exposiciones teológicas: *Tratado del Santísimo Sacramento, Coplas del Árbol de la Cruz; Doctrina y reprehensión e las mujeres* es un poema de matiz satírico, un cierto antecedente de *La perfecta casada,* de fray Luis de León. Del *Cancionero de diversas obras de nuevo trovadas* e multiplicaron las ediciones durante la primera mitad del siglo XVI; de Toledo son onocidas las de 1508, 1520, 1527, 1537 y 547; de Sevilla, la de 1537. El tomo XXXV e la "Nueva Biblioteca de Autores Españoles" contiene dicho *Cancionero.*

Y hay una edición facsímil de las *Coplas.* Londres, 1936.

M. MENÉNDEZ PELAYO, M.: *Antología de poetas...,* VI, 217.—BUCETA, Erasmo: *Montesino fue obispo de Sarda,* en *Rev. Filológica Esp.,* 1920, XVI.—BATAILLON, M.: *Chanson piuse et poésie de dévotion, fray Ambrosio de Montesino,* en *B. Hisp.,* 1925, XXVII.

MONTESINOS, José F.

Excelente prosista y crítico literario español contemporáneo. De él ha escrito Valbuena Prat—en su *Historia de la literatura española,* Barcelona, 1946, II—: "En el terreno científico de la crítica, una de las figuras más significativas de estos años fue la de José F. Montesinos, discípulo de Américo Castro, de quien proceden sus principales preferencias (Lope, los erasmistas). Su preparación sólida, su incisiva comprensión de especialistas, han plasmado en excelentes estudios, como los referentes a los hermanos Valdés, en la colección de "Clásicos Castellanos", y las ediciones con hondos trabajos monográficos de comedias de Lope, como *El marqués de las Navas* y *Pedro Carbonero.* Aunque, en ocasiones, cierto tono agrio, procedente del 98, sin duda, de un aspecto demasiado negativo a parte de su crítica, su atracción por la nueva poesía y sus ensayos en *Cruz y Raya* le constituyen, junto a los estudios antes indicados, en una figura saliente de la crítica y erudición actual."

Obras: Acerca de Alfonso y Juan de Valdés: *Estudios* en los tomos LXXXIX y XCVI de "Clásicos Castellanos"; acerca de las *Poesías líricas,* de Lope, en "Clásicos Castellanos", tomos LXVIII y LXXV; acerca de *El marqués de las Navas,* de Lope, en el tomo IV de "Teatro antiguo español"; *Observaciones sobre la figura del donaire en el teatro de Lope,* en "Homenaje a Menéndez Pidal", I, 1925; acerca de *El cordobés valeroso Pedro Carbonero,* de Lope, en el tomo VII de "Teatro antiguo español"; acerca de *El castigo sin venganza,* de Lope, en *Revista Fil. Esp.,* 1929; *Contribución al estudio del teatro de Lope,* en *Rev. Fil. Española,* 1921 y 1922; *Cadalso o la noche cerrada,* en *Cruz y Raya,* 1934, y otras varias de mucho interés.

MONTESINOS, Rafael.

Nació—1920—en Sevilla. Colaborador de *Garcilaso, La Estafeta Literaria, El Español, Juventud, Acanto,* de Madrid; *Halcón,* de Valladolid; *Proel,* de Santander; *Mensaje,* de Santa Cruz de Tenerife; *Traslation,* de Londres... Ha vivido algún tiempo en Inglaterra y Portugal.

M

Fundador de la tertulia literaria Hispano-americana de Madrid. "Primer Premio de Poesía 1953" del Ateneo madrileño.

Rafael Montesinos ha de quedar incluido en el mejor y más trascendental neopopularismo. Como buen andaluz, es gracioso, colorista, garboso, originalmente paradójico e imaginativo, cálido, noblemente estoico. En Montesinos se inicia un retorno al romanticismo más intenso y cálido, con decidido acento actual.

Obras: *Balada del amor primero*—1944—, *Canciones perversas para una niña tonta* —1945—, *El libro de las cosas perdidas* —1946—, *Las incredulidades*—1948—, *Los años irreparables*—1952—, *Cuaderno de las últimas nostalgias*—1954—, *País de la esperanza*—1955—, *La soledad y los días*—antología, 1956—, *El tiempo en nuestros brazos* —1958—... Ha obtenido los premios "Ciudad de Sevilla, 1957" y "Nacional Primo de Rivera, 1958".

V. SAINZ DE ROBLES, F. C.: *Diccionario de la literatura*. Tomo II. Madrid, 1953.—GARCÍA NIETO, J.: *Rafael Montesinos*, en *Insula*, núm. 7, Madrid.—VALBUENA PRAT, A.: *Historia de la literatura española*. Barcelona, 1950. Tomo III.—GONZÁLEZ, F.: *En Halcón*. Valladolid, 1948.

MONTIANO Y LUYANDO, Agustín.

Poeta, autor dramático, preceptista. 1697-1764. Nació en Valladolid. Estudió Filosofía en Zaragoza. Protegido del ministro Patiño, Montiano fue nombrado secretario de la Cámara de Gracia y Justicia. En 1737 fue admitido como académico de la Española; y el mismo año fundó la Real Academia de la Historia, siendo su primer director. Perteneció a la de los Arcades, de Roma, con el nombre absurdo de *Leghinto Dulichio*. Trabajador incansable, hacía compatibles sus múltiples ocupaciones oficiales con sus fervores por la erudición, el teatro y la poesía. Fue uno de los más fervorosos adeptos al movimiento neoclásico francés en España. ¡Ah!... ¡¡Y prefería el *Quijote* de Avellaneda al de Miguel de Cervantes!!

Fue discípulo de Luzán, tuvo erudición y harto poca fantasía. Su crítica es retórica, de bajo vuelo, afrancesada. Sus obras teatrales, que no llegaron a representarse, son prosaicas, carecen de interés, llevan versos mal medidos, aunque D'Hermilly las tradujera, el gran Lessing analizara con entusiasmo una de ellas y el padre Isla le llamara "¡un Sófocles español que puede competir con el griego!" Paradójicamente, fue secretario de la Academia del Buen Gusto, con el nombre de *Humilde*. Con Nasarre, Luzán e Iriarte representa la escuela reformadora, que convirtió el culteranismo antiguo en amaneramiento moderno. Según sus contem-

poráneos, fue la *sensatez* su nota más característica. Pero con la sensatez aburrió a todos...

Obras: *La lira de Orfeo*—melodrama—, *El rapto de Dina*—1727, poema—, *Discurso sobre las tragedias españolas*—1750—, *Virginia* —tragedia—, *Ataúlfo*—tragedia—, *Elogio... de don Blas de Nasarre...*—1751...

Sus *Poesías* se hallan en el tomo LXVII de la "Biblioteca de Autores Españoles".

V. ALONSO CORTÉS, N.: *Miscelánea vallisoletana*. 1912.—ALONSO CORTÉS, N.: *Don Agustín de Montiano*, en *Rev. Crít.*, 1915.—MENÉNDEZ PELAYO, M.: *Historia de las ideas estéticas*...

MONTIEL BALLESTEROS, Adolfo.

Cuentista y poeta uruguayo. Nació—1890—en Montevideo. Desde su juventud se dedicó a la literatura. Ha sido cónsul de su patria en varios países europeos e hispanoamericanos. El notable crítico uruguayo Zum Felde ha juzgado así los escritos de Montiel Ballesteros: "Distinguen la producción de carácter nativo de Montiel Ballesteros dos cualidades muy espontáneas de su temperamento: un fuerte realismo sensual y una sana ironía, ambos de genuina cepa criolla... Los relatos de Montiel están impregnados de crudas sensaciones de color, de olor, de gusto; su sensibilidad es más corporal que anímica."

Obras: *Primaveras del jardín*—poemas 1912—, *Emoción*—poemas, 1914—, *Savia* —poemas, 1917—, *Cuentos uruguayos* —1920—, *Alma nuestra*—relatos, 1924—, *raza*—relatos, 1925—, *Rostros pálidos*—cuentos, 1927—, *Luz mala*—cuentos, 1926—, *Fábulas y cuentos populares*—1926—, *Montevideo y su cerro*—1928...

V. ZUM FELDE, Alberto: *Proceso intelectual del Uruguay*. Buenos Aires, "Claridad", 1941.

MONTOLÍU Y DE TOGORES, Manuel de.

Literato y filólogo español de mucho prestigio. Nació—1877—en Barcelona. Cursó el bachillerato con los jesuitas de Manresa y los estudios de Filosofía y Letras en la Universidad de Barcelona, doctorándose —1903—en la de Madrid. Pensionado por la Diputación barcelonesa, amplió sus estudios de Filosofía románica en la Universidad de Halle (Alemania). Crítico literario de *Le Poblet Català* y *La Vanguardia*, de Barcelona. Colaborador de la *Revue Hispanique*, de *Estudis Romanics* y de otras importantes revistas de erudición. Lector de español en la Universidad de Hamburgo. Director—1925—del Instituto de Filología de Buenos Aires y profesor especial en la Universidad de La Plata. Catedrático de Literatura en la Universidad barcelonesa. Académico de la de Buenas Letras de la ciudad condal. Fino y elegante poeta, crítico sagaz, erudito de extraordinaria valía, profesor de calidades insuperables, Montolíu es uno de los mejores literatos españoles contemporáneos.

Obras: *Nova primavera*—versos—, *Llibre d'amor*—versos—, *Estudis de literatura catalana*—1915—, *Les trobes de Jaume Febrer* —1916—, *Manual de literatura castellana, Le nostre Joan Maragall, Llenguatge e poesía, El Codex del Poblet i la Crónica de Marsili, El lenguaje como hecho estético y lógico...*

MONTORO, Antón de.

Magnífico poeta y satírico español. 1404-¿1480? Judío, natural de Montoro (Córdoba), que se convirtió a la fe cristiana. Fue sastre o *ropero* en la capital del califato y vivió miserablemente, dando "sablazos" poéticos a rey o a roque y hasta el mismísimo lucero del alba. Sin embargo, pese a la protección de Santillana y Mena y a la de don Pedro Fernández de Córdoba—padre del Gran Capitán—, jamás pudo abandonar su oficio.

> Pues non cresce mi caudal
> el trovar, nin da más puja
> adorémoste, dedal;
> gracias fagámoste, aguja.

Maldiciente, desvergonzado, cáustico, Antón de Montoro sostuvo agrias peleas, nada correctas, con otros poetas. Su vena satírica es admirable. Su dominio del lenguaje, grande. Su donaire, atractivo. Cultivó un realismo netamente castellano, que chocaba con la pedantería alegórica de los italianizantes.

Descolló durante los reinados de Enrique IV y de los Reyes Católicos como coplero, sobresaliendo en la poesía satírica y burlesca, llena de sales y de causticidad, siempre natural y sincero. Es, tal vez, el primer poeta—en aquel ciclo de vates eruditos y dantescos—que se allega al pueblo y bebe en su decir la fuerza satírica: fuerza que por ser eminentemente popular o populachera peca en ocasiones de grosera. Aun cuando a veces alcanza delicadezas meritorias, como en aquella composición en que alude a la peste de Córdoba:

> Eterna gloria, que dura,
> ¿en cuáles montes e valles,
> en cuál soberana altura,
> en cuál secreta fondura
> me porné do no me falles?
> Por tu sancta Sanctidad,
> non mirando mis zozobras,
> si non te vencen mis obras,
> vénzate la tu piedat.

Vivió miserablemente Antón de Montoro. Con frecuencia hubo de dedicar poesías petitorias a distintos importantes personajes.

Pocos resultados le dio su mendicidad poética. Y bastantes sofiones. Hernán Mexía, Guevara, el comendador Román, sus émulos, le aconsejaban irónicamente dejase el trato de las musas y se limitase a empuñar *la vara de su remendería*. Siguió él siendo, pues, un sincero sastre y un sincero poeta. Unicamente en 1473, al sublevarse el populacho de Córdoba contra los judíos y conversos, para salvar su vida, Antón de Montoro huyó a Sevilla, ciudad en la que probablemente acabó su vida. Montoro fue muy amigo de Santillana y de Mena, quienes le distinguían con su admiración, estando siempre el primero muy interesado en recibir sus versos manuscritos; petición a la que siempre se resistía modestamente Montoro...

> ¡Qué obra tan de excusar
> vender miel al colmenero,
> y pensar crecer el mar
> con las gotillas del Duero!...

No son muchas ni de gran valor las poesías serias de Montoro; su condición aventurera, miserable y apicarada, le arrastraba a la sátira invenciblemente. Ni el idealismo amoroso ni la evocación épica se habían hecho para él. Hasta cuando pide a los Reyes Católicos, con patetismo sincero y emocionante, a favor de los judíos y conversos perseguidos con saña en Andalucía, no puede menos de terminar la deprecación con una zapateta de humor formidable, que excita a la carcajada.

> Pues, Reyna de autoridad,
> esta muerte sin sosiego
> cese ya por tu piedad
> y bondad,
> «hasta allá por Navidad,
> cuando sabe bien el fuego...»

Lope de Vega—*Introducción a la justa poética de San Isidro*—afirmó que "sus agudos epigramas [los de Montoro] tienen tantos donaires y agudezas, que no les hace ventaja Marcial en los suyos". El mayor número de poesías se encuentra en un códice del siglo XV de la biblioteca de la catedral de Sevilla, del que se sacó la copia incorrecta que se halla en la Nacional. Otras poesías suyas pueden encontrarse en el *Cancionero general*—1511—y en el *Cancionero de obras de burlas*. Cotarelo Mori publicó en 1900 el *Cancionero de Antón de Montoro.*

V. COTARELO, E.: *Antón de Montoro y su "Cancionero".* Madrid, 1900.—MENÉNDEZ PELAYO, M.: *Antología de poetas líricos... XI,* 20.—RAMÍREZ DE ARELLANO: *Antonio de Montoro y su testamento,* en *Rev. Archivos,* 1900, IV, 484.—RAMÍREZ DE ARELLANO, R.: *Ilustraciones a la biografía de Antón de Montoro,* en *Rev. Archivos,* 1900, IV, 723.—

M

BUCETA, Erasmo: *Antón de Montoro y el "Cancionero de obras de burla*s", en *Modern Philology*. XVII, 651, 1919.

MONTORO, Rafael.

Literato y crítico cubano. Nació—1852—en la Habana. Y murió en 1933. Estudió en su patria, en Nueva York, en París y en Madrid, doctorándose en Filosofía. Pero su cultura general fue muy grande. En Madrid vivió mucho tiempo, y alcanzó gran popularidad como orador majestuoso. En el Ateneo madrileño contendió con maestros consagrados como Valera, Moreno Nieto, Francisco de Paula Canalejas, Giner de los Ríos, Revilla... Colaboró en *El Norte, El Tiempo, Revista Contemporánea, Revista Europea*. Regresó a Cuba en 1878, donde colaboró en *Revista de Cuba* y *El Telégrafo*. En 1888 volvió a Madrid, representando a Puerto Príncipe en el Congreso. Más tarde fue ministro de Cuba en Inglaterra. Y en 1908, el partido conservador le propuso para vicepresidente de la República. En 1912 fue secretario del presidente Menocal. Miembro de las Academias Nacionales de Artes y Letras y de la Historia, y correspondiente de la Real Española de la Lengua.

Entre sus mejores obras figuran: *Polémica del panteísmo* e *Historiadores cubanos*.

En 1930 le fue ofrecida, como homenaje nacional, una copiosa edición de sus escritos, que abarcan múltiples materias: Filosofía, crítica literaria, política, Jurisprudencia...

V. CHACÓN Y CALVO, J. María: *La literatura de Cuba*, en el tomo XII de la *Historia universal de la literatura*, de Prampolini. Buenos Aires, Uteha Argentina, 1941.

MONTORO SANCHÍS, Antonio.

Poeta, prosista y crítico literario español. Nació—1892—en Sidi-Bel-Abés, provincia de Orán, hijo de padres españoles. Pero él se considera hijo de Monóvar (Alicante), por haber vivido en esta ciudad desde que contaba cuatro meses.

Su origen mediterráneo se refleja en sus obras, especialmente en sus poesías de *La flauta de Pan*, libro prologado por Gabriel Alomar, y en dos libros recientes: *Anecdotario de la Grecia clásica*—"Colección Crisol", de M. Aguilar—y la novela *Agarista de Mantinea*, de reconstrucción helénica—editorial Biblioteca Nueva—, a la cual ha dedicado el maestro "Azorín" un hermoso artículo encomiástico en el diario *A B C*.

Como Antonio Montoro reside en Madrid desde hace veinte años y ha recorrido Castilla por sus cuatro costados, parte de su labor lírica se halla inspirada en el misticismo álgido de la meseta, sin que signifique la nueva orientación antagonismo alguno frente a su itinerario clásico. Tres obras de Montoro—sin publicar todavía—destacan en tal derrotero: *San Juan de la Cruz*—estudio del hombre y del poeta—, *Santa Cecilia*—tragedia cristiana—y *Los sonetos de Castilla*.

Como *amateur* fervoroso de las letras clásicas castellanas, Montoro ha publicado *Poética española*—editorial Gustavo Gili—, libro bien orientador en verdad para los poetas, y tiene ya a punto de ser publicados: *Don Luis de Góngora y Argote, ¿Cómo es "Azorín"?* y otro estudio titulado *Gabriel Miró, José Ortega y Gasset*—biografía, Madrid, 1957—, *El Romanticismo literario europeo*—ensayos, Madrid, 1959.

Otros dos libros publicados de Montoro merecen ser señalados aquí: *Las mujeres en la Historia* y *Orientaciones de la mujer moderna*.

MONTOYA, Luis de.

Erudito y ascético español. Nació—¿1500?—en Belmonte (Cuenca) y murió—1569—en fama de santidad. Agustino. Discípulo de Santo Tomás de Villanueva y compañero de profesión del Beato Alonso de Orozco. Fue maestro de novicios, prior en Lisboa y confesor del desventurado rey don Sebastián.

Obras: *Meditación de la Pasión...*, *Doctrina que un religioso envió a un caballero amigo suyo*—Medina del Campo, 1534—, *De la unión del alma con Dios, Estación espiritual del cristiano, Exercicio quotidiano de amor, De la Santa Cruz, Dieciséis obras de amor a Dios, Del Santísimo Sacramento, La vida de Cristo sacada de los cuatro evangelios...*

Luis de Montoya figura justamente en un puesto de honor entre los fundadores de nuestra mística y ascética.

V. ZARCO, Julián: *De re literaria*, en *Ciudad de Dios*, 1925, CXLI, 130.

«MONVEL, María».

Poetisa chilena. 1897-1936. Su verdadero nombre: Ercilia Brito Letelier. Estuvo casada con el gran escritor Armando Donoso. De un lirismo intenso y romántico. De ella ha escrito Gabriela Mistral: "Empecé por admirarla y acabé por quererla. Me vino su estimación de aquella clara honradez artística suya. Verso fácil, que rebasa la copa llena del sentimiento, fácil por la plenitud. No sé inventa nunca el sentimiento (cosa tan común entre las mujeres). Expresión nítida a causa de la misma verdad del motivo. Ninguna dureza: su estrofa posee lo dichoso de los verdes canales chilenos."

Obras: *El remanso del ensueño*—1918—, *Fue así*—1924—, *Poetisas de América*—1930, antología—, *Sus mejores poemas*—1934.

MOR DE FUENTES, José.

Poeta y prosista español. 1762-1848. De Monzón (Huesca). Estudió en Zaragoza y en Toulouse. Gran ingeniero naval. En 1800 se separó del servicio activo para dedicarse a viajar. Pasó penalidades inmensas por no sujetarse a una disciplina. En Barcelona, para auxiliarle sin herir su susceptibilidad, el editor Bergnes le publicó algunas de sus obras. Ya enfermo, en la más absoluta miseria, regresó a Monzón, donde murió en casa de un sastre que había sido su compañero de infancia.

Según "Azorín", "Mor de Fuentes es un espíritu de la más pura y castiza cepa aragonesa; entre todas las regiones de España, Aragón sintetiza, mejor que ninguna, el carácter indomable, fuerte e independiente de los españoles; y entre todos los escritores aragoneses, se puede afirmar que Mor de Fuentes ha sido quien ha llevado más alta esta modalidad de independencia y de energía... El espíritu de Gracián... es el mismo que más tarde había de alentar en Mor de Fuentes."

La prosa castellana de Mor es viva, enérgica, real y plástica. Su estilo, rápido, vibrante. No poseía una gran imaginación.

Obras: *Poesías varias*—Madrid, 1796—, *El cariño perfecto, o Alfonso y Serafina*—1798, novela—, *El calavera*—1800, novela—, *La presumida*—zarzuela—, *La fonda de París*—comedia—, *Trafalgar*—1805, poema histórico—, *La mujer varonil*—comedia—, *El egoísta o el mal patriota*—comedia—, *Bosquejillo de la vida y escritos de don José Mor de Fuentes, delineados por él mismo*—Barcelona, 1838—, *Elogio de... don Federico Gravina, capitán general de la Real Armada*—Madrid, 1906.

V. "AZORÍN": *Lecturas españolas*. Madrid, 1912.

MORA, Fernando.

Novelista y periodista español, muy popular en su época. Nació—1878—y murió —1939—en Madrid. Estudió en los Escolapios de San Antón. Desde muy joven se dedicó al periodismo, siendo redactor de *El País, España Nueva, El Liberal*. Colaboró en *La Esfera, Nuevo Mundo, Mundo Gráfico, Los Contemporáneos, El Cuento Galante, La Novela de Bolsillo, El Libro Popular* y otros semanarios madrileños de gran público.

Castizo y tradicional, correcto prosista, de realismo crudo y sincero, enamorado de Madrid, dedicó su pluma a novelar las costumbres y los tipos de su ciudad natal. Su literatura madrileñista deriva de la de Joaquín Dicenta y Pedro de Répide. Pero posee Mora dotes de originalidad indudable. Todas sus novelas rezuman verdad, garbo, patetismo y psicología popularísima.

Obras: *Venus rebelde*—1909—, *Nieve* —1910, cuentos—, *Los vecinos del héroe* —1911—, *La noche de Juan José, El patio de Monipodio*—1912—, *El misterio de la Encarna*—1915—, *A orillas del Manzanares* —1918—, *El "otro" barrio*—1918—, *Los hijos de nadie*—1919—, *Muerte y sepelio de Fernando "el Santo", Puerta del Sol-Fuentecilla, La maja de Cabestreros, Hombres de presa...*

V. SAINZ DE ROBLES, F. C.: *La novela corta española (Promoción de "El Cuento Semanal)*. Madrid, Aguilar, 1951.

MORA, Jerónimo de.

Poeta, dramaturgo y pintor español. Nació —¿1530?—en Zaragoza. Murió en 1599. Desde muy niño se dedicó a la pintura. Estuvo en las obras de El Escorial, como discípulo de Federico Zuccaro. Ganó mucho dinero con sus pinceles, pero se lo gastó todo en viajar por Europa, muriendo en la miseria. También se ejercitó en las armas, llegando al grado de capitán, por su bravo comportamiento en Italia y en Flandes. Perteneció a la Academia poética valenciana de los "Nocturnos", con el nombre de *Sereno*, y a la Academia madrileña, con el de *Ardiente*.

Como poeta, fue alabado así por Cervantes en el *Viaje del Parnaso*.

> Ierónimo de Mora llegó en esto,
> pintor excelentísimo y poeta.
> Apeles y Virgilio en un supuesto.
> Y con la autoridad de una jineta
> (que de ser capitán le daba nombre)
> al coso acude y a la turba aprieta.

Igualmente le alabaron Lope de Vega—en *La Jerusalén conquistada*—, el marqués de San Felices—en *La Atalanta*—y Ustarroz —en *Aganipe*—. Se encuentran poesías de Mora en el *Certamen poético de San Jacinto* —1595—y en las *Flores de poetas ilustres* —1605—, de Espinosa. Ustarroz afirma que vio manuscritas varias obras dramáticas de Mora, tales como *El honrado en la ocasión* —comedia—, *La constante aragonesa*—comedia—y *Pílades y Oretes*—tragedia.

V. CEJADOR Y FRAUCA, J.: *Historia de la lengua y literatura españolas*. Tomo III.

MORA, José Joaquín de.

Fino poeta y prosista español. 1783-1864. Gaditano. Estudió Leyes en Granada. Combatió a los invasores franceses, y fue apresado en Bailén y conducido a Francia, donde se casó, volviendo a España en 1814. Metido a político, tuvo que huir a Londres —1823—, de donde pasó a las Repúblicas americanas, trabajando mucho en ellas por

M

la cultura española. Combatió con ferocidad el romanticismo desde las columnas de sus periódicos, la *Crónica Científica y Literaria* —1817—, *La Minerva Nacional*—1820—, *El Constitucional*—1820—, *La Minerva Española*—1821—y otros, entablando vivas polémicas con Böhl de Fáber, defensor de la nueva modalidad literaria. En 1848 ocupó en la Academia Española la vacante dejada por Balmes. Tipo perfecto de la raza, espíritu aventurero, batallador, agitador, liberal de extrema izquierda, trabajador incansable, considerado como poeta lírico, a fuer de erudito, Mora resulta ecléctico, frío, retórico. Auténtico fundador de la épica nacional de la España moderna: la leyenda en prosa o en verso—fueron sus *Leyendas* muy medianejas y prosaicas—. Como que Mora cifraba su intento en aquellos sus pedestrísimos versos:

> La vida es un desierto, ya se sabe;
> en pasarla sin pena está el busilis.

Otras obras: *No me olvides*—versos y prosas, originales y traducidos, Londres, 1827—, *Poesías que dedica a su patria*—Cádiz, 1836—, *Leyendas españolas*—Cádiz, Madrid, París y Londres, 1840—, *El gallo y la perla* —novela, 1847—, *El abogado de Cuenca* —novela—, *La audiencia y la visita*—novela—, *Florinda la Cava*—novela—, *Colección de sinónimos de la lengua castellana*—Madrid, 1855—, *Gramática castellana*—1835—y otras.

V. AMUNÁTEGUI, Miguel Luis: *Apuntes biográficos de José Joaquín de Mora*. Santiago de Chile, 1888.—MENÉNDEZ PELAYO, M.: *Historia de la poesía hispanoamericana*, II, 247, 280, 351 y 425.—AMUNÁTEGUI, Domingo: *Mora en Bolivia*, en *Anales de la Universidad de Chile*. Febrero 1897.

MORAGAS ROGER, Valentín.

Pintor, periodista, cronista y autor teatral español. Nació—1902—en Barcelona. Licenciado en Derecho por la Universidad de su ciudad natal. Crítico teatral en el *Diario de Barcelona* durante muchos años. En Radio Barcelona creó las charlas de divulgación cultural sobre teatro, música, arte y literatura universales. Ha publicado varios miles de crónicas en toda la prensa española y pronunciado centenares de conferencias en Ateneos, radios y teatro. Ha dirigido la *Enciclopedia del saber* de la editorial barcelonesa Gasso. Fue uno de los fundadores de las Asociaciones de Amigos de las Artes y Letras, del Colegio de Abogados de Barcelona. Comendador de la Orden Civil de Alfonso X el Sabio. Como pintor, firma sus obras con el seudónimo "Roger".

Moragas Roger posee una gran cultura, humor, ingenio y una sensibilidad artística excepcional.

Obras escénicas: *La culpable, Gastos secretos, El administrador, El ladrón galante, La jaula, Sor Angélica*—representada más de mil veces—, *El retrato de Irene*—"Premio Juegos Florales 1954"—, *Mañana, el amor; No tiene importancia, Roméu: de 5 a 9*—comedia catalana representada más de mil veces...

Otras obras: *Apuntes del momento, María Walewska, Vidas borrascosas, Las hermanas Bronté, Bajo los cielos de España, Leyendas japonesas, El amor, las mujeres y los poetas; Cuenca y ciudad encantada...*

V. ENCICLOPEDIA DE ARTISTAS. Barcelona, Milla, 1953. Pág. 210.—ENCICLOPEDIA BIOGRÁFICA ESPAÑOLA. Barcelona, Masso, 1958. Página 625.—ENCICLOPEDIA ESPASA. Suplemento 1940-1941. Pág. 344.

MORALES, Ambrosio de.

Excelente historiador y prosista español. Nació—1513—en Córdoba. Murió—1591—en el hospital de San Sebastián, de la misma ciudad. Estudió Humanidades en Alcalá y Salamanca, bajo la tutela de su tío, el gran erudito Hernán Pérez de Oliva; la Teología, con Juan de Medina, en Alcalá, y con Melchor Cano, en Salamanca. Se ordenó sacerdote y enseñó en Alcalá letras humanas, contándose entre sus discípulos don Juan de Austria, el futuro arzobispo de Toledo don Bernardo de Sandoval y Rojas, Diego de Guevara y Francisco de Escrivá. Felipe II le nombró cronista de Castilla, facilitándole los medios para encontrar y revisar cuantos documentos necesitase. Acabó su obra en 1583. Había continuado la *Crónica general de España*, donde la dejó Ocampo, hasta 1037.

Morales fue un expertísimo conocedor de nuestras antigüedades, uno de los más doctos historiadores—si no muy profundo en su investigación, sí muy concienzudo y de gran exactitud—, un escritor corriente y castizo, con poco brío y color y sin pretensiones artísticas. El gran mérito de Morales es haber sido el primero en España que empleó para la Historia testimonios no literarios, tales como monedas, inscripciones, monumentos...

Morales editó las obras de su tío Hernán Pérez de Oliva.

Obras: *Discurso sobre la lengua castellana* —1546—, *Crónica general de España...*—Alcalá, 1472 a 1486—, *Las antigüedades de las ciudades de España*—1475—, *Quince discursos*—con las obras de Oliva, Córdoba, 1845—, y varios opúsculos, cuyos manuscritos se conservan en la Biblioteca de El Escorial y que fueron publicados—Madrid, 1793—en dos tomos.

De la *Crónica* de Morales hay muy buena edición, en seis tomos, Madrid, 1791 a 1792.

V. Fueter: *Historiographie...*, 276.—Redel, E.: *Ambrosio de Morales.* Córdoba, 1909.—Cirot, George: *De auctoribus ab Ambrosio de Morales adhibitis ad scribendam historiam...* "Homenaje a Bonilla San Martín", II, 135 y siguientes.—Flórez, P. Enrique: *Vida de Ambrosio de Morales,* en su *Viaje santo,* 1765.—Cobo San Pedro, Ramón: *Ambrosio de Morales. Apuntes biográficos.* Córdoba, 1871.—Pérez Pastor, C.: *Bibliografía madrileña,* III, 432.

MORALES, Rafael.

Uno de los más originales y hondos poetas españoles contemporáneos. Nació en Talavera de la Reina (Toledo), el día 31 de julio de 1919. En su ciudad natal hizo los estudios del bachillerato. Más tarde se licenció en Filosofía y Letras en la Universidad de Madrid. Comenzó a escribir versos a los siete años de edad, cuando apenas sabía leer y escribir, publicando los primeros en la revista literaria *Rumbos,* que dirigía el escultor Víctor González Gil. Siguió colaborando ya en muchas revistas y periódicos, hasta ser colaborador de los más importantes, todavía estudiante del bachillerato. En prosa solo ha publicado artículos de crítica literaria, científicos y algunos literarios. Al final de la carrera de Filosofía y Letras obtuvo durante dos años seguidos una beca de estudios para el extranjero, marchando a Portugal durante la segunda guerra mundial, donde en la Universidad de Coimbra siguió estudios sobre Filología y Literatura portuguesas, pronunciando en la nación vecina diversas conferencias sobre cultura española, lo que ha servido para que vuelva a ser llamado desde Portugal para pronunciar otra serie de conferencias. En colaboración con el poeta inglés Charles David Ley, residente en España, ha traducido el poeta portugués Alberto de Serpa, traducción publicada en la conocida y selecta "Colección Adonais". Actualmente prepara una *Antología de la poesía portuguesa contemporánea.* En España y Portugal, nación de la que es muy amante, ha dado diversas lecturas de sus poemas con gran éxito. Se dio a conocer de una manera definitiva como poeta lírico con la aparición de sus *Poemas del toro,* en la prestigiosa revista *Escorial,* de Madrid, a los veintidós años de edad, éxito que confirmó en una lectura en el salón de actos del Ateneo madrileño, donde el público le obligó a leer casi todos los poemas dos veces consecutivas; aparecidos estos poemas en libro, se agotó la edición en tres meses. Hasta 1947 ha publicado dos libros más, *El corazón y la tierra* y *Los desterrados,* ambos de poesías. Actualmente—1970—es crítico literario del diario *Arriba.* Desde los veintidós años figura en todas las antologías

de poesía española editadas en España o en el extranjero. En 1949, el editor Afrodisio Aguado—Madrid—ha publicado en un tomo sus *Poesías completas.* En 1952 es asesor de la revista *Poesía Española,* editada por la Dirección General de Prensa. En 1953 publica *Canción sobre el asfalto,* uno de los libros de poesía más densos y originales de la hora actual, al que ha sido otorgado—1954—el gran "Premio José Antonio Primo de Rivera" para poesía. También ha conseguido —1954—el "Premio Gibraltar", fundado por el semanario madrileño *Juventud.*

Otras obras: *Antología y pequeña historia de mis libros*—1958—, *Granadeño, toro bravo*—narración lírica, 1964—, *La máscara y los dientes*—poemas—, *Dardo, el caballo del bosque*—narración—, *Granadeño, toro bravo* —novela—, *La rueda y el viento*—poema, 1971.

Rafael Morales es un admirable poeta. Ha desdeñado todos los ismos y todas las tentativas, seguro de su rumbo humano y de su misión lírica. Su neoclasicismo asombra por su pureza, su serenidad y su riqueza. Desdeña todo lo anecdótico y se adentra con maestría en la intención y en el concepto. No le han tentado sino los temas de la máxima originalidad, a los que sabe extraer sus máximas inquietudes y sus mejores inminencias. El juego estrófico en la poesía de Rafael Morales tiene toda la prestancia y toda la augusta melodía que se encuentran en nuestros mejores poetas del siglo XVII.

V. Sainz de Robles, F. C.: *Historia y anlogía de la poesía española.* Madrid, Aguilar, 1969. 5.ª edición.—Moreno, Alfonso: *Poesía actual española.* Madrid, Ed. Nacional, 1946. González-Ruano, C.: *Antología de poetas españoles contemporáneos.* Barcelona, Gili, 1946.—A. del C.: *La poesía de Rafael Morales,* en *Cuadernos de Literatura Contemporánea,* números 11 y 12.—Zubiaurre, A. de: *El corazón y la tierra,* en *La Estafeta Literaria,* 25-VI-1945.—Salvá, Miguel: *De los poemas del toro* a *Los desterrados,* en *Estilo.* Barcelona, 1945.

MORALES, Tomás.

Gran poeta español. Nació—1885—en Moya de Gran Canaria. Murió—1921—en Las Palmas. Estudió en Las Palmas el bachillerato, y en Cádiz y en Madrid la carrera de Medicina, que ejerció en su ciudad natal. Morales es el más afamado de los modernos cantores del mar. De grandes alientos poéticos, muy sinfónico, muy emotivo, entrañado con los temas marinos—el faro, el puerto, la nave, la pesca, la marejada, los sentimientos del auténtico *lobo de mar*—, los matiza y exalta en un grado superlativo y admirable. Morales sale de su encanto oceá-

M

nico para cantar al Océano casi pindáricamente...

Es una concha vívida de fúlgidos fulgores;
cuajó el marismo en ella la esencia de sus sales,
y en las vidriadas minas quebraron sus colores
las siete iridiscentes lumbreras espectrales.

....

Y en medio, el dios, Sereno,
en su arrogante senectud longeva,
respira a pulmón pleno
la salada ambrosía que su vigor renueva...

Pero no *todo Morales* está en estas exaltaciones polifónicas. En Morales se encuentran igualmente—finura de matices, exquisito sonsonete—la emoción íntima y los emocionados recuerdos infantiles. En *Poemas de la gloria, del amor y del mar*—1908—y los dos tomos de *Las rosas de Hércules*—1919 y 1922—queda lo más cuajado de su labor poética.

Morales sufrió varias influencias: de Rubén Darío, de los latinos Catulo, Ovidio, Ausonio y Claudiano; del italiano D'Annunzio, del catalán Verdaguer, del belga Rodenbach, del malagueño Salvador Rueda...

"Como *poeta canario*, es, sin duda—dejando fuera a escritores de la Edad de Oro, como Viana y Cairasco, cuyo parangón con un coetáneo nuestro sería inexacto—, la primera personalidad. Con él se afianzan todos los rasgos peculiares de la poesía isleña. Recoge las notas que se hallaban flotantes en todos los poetas anteriores, y las mantiene y fija en las líneas de su verso estructural y clásico. En algunas de ellas no admite paralelo posible. Solo Claudio de Lorena—en la pintura francesa, y en otra época—ha sabido expresar la visión bella, creadora, entusiástica del puerto y de las naves ancladas, con el mismo donaire técnico que penetra en los terrenos logrados del clasicismo." (Valbuena Prat.)

V. MONTESINOS, José F.: *Moderne Spanische Dichtung*. 1927.—VALBUENA PRAT, A.: *Historia de la literatura española*. Barcelona, 1946, II, 786 y sigs.—DÍEZ CANEDO, E.: Prólogo a *Las rosas de Hércules*. Madrid, 1922.—DÍAZ-PLAJA, Guillermo: *Historia de la poesía española*. Barcelona, 1948, 2.ª edición.

MORALES OLIVER, Luis.

Erudito, ensayista, historiador español. Nació—1895—en Pasajes de San Pedro (Guipúzcoa). Cursó el bachillerato en el colegio de los Padres Agustinos y en el Instituto Nacional de Enseñanza Media de Huelva (1907-1913). De 1913 a 1919 cursó en la Universidad de Madrid los estudios de Letras, obteniendo—1919—el premio extraordinario de la Licenciatura y el del Doctorado —1922—. Entre los años 1927 y 1936 desen

peñó distintas auxiliarías en la Facultad de Filosofía y Letras madrileña. Obtuvo por oposición—1940—la cátedra de Lengua y Literatura españolas en la Universidad de Sevilla. En 1948, por traslado, pasó a desempeñar la de Madrid. Miembro de la Real Academia Sevillana de Buenas Letras. Director de la Biblioteca Nacional desde 1948. Del Consejo Superior de Investigaciones Científicas. Miembro correspondiente de varias Academias nacionales e hispanoamericanas. Está en posesión de las más altas condecoraciones españolas otorgadas en el campo de las letras.

Algunas obras: *Arias Montano y el problema político de Flandes, La leyenda del hombre que perdió su sombra, La universilidad de Santo Tomás, Los místicos de la época de Carlos V, La Asunción de la Virgen en la literatura, Poetización del mundo en "Don Quijote", El concepto de la literatura, La poesía religiosa de Quevedo, Benito Arias Montano, Arias Montano y la política de Felipe II en los Países Bajos, Lingüística y ortografía, El centro del alma en la mística carmelitana, Consideraciones en torno de la poesía y su esencia...*

MORALES SAN MARTÍN, Bernardo.

Novelista y autor dramático español. Nació—1864—en El Cabañal (Valencia). Murió —1947—en Valencia. Alternó su amor a la música y a las letras con sus estudios de Leyes y Farmacia. Concurrió, siendo aún estudiante, a varios Juegos florales, obteniendo numerosos premios.

Enamorado de su tierra, de estilo dúctil, elegante e incisivo a la vez, de ardorosa inventiva, Morales San Martín ha impulsado notablemente el renacimiento literario moderno en Valencia.

Obras: *Influencia del genio árabe en la cultura y progreso de Valencia..., Historia del Puig de Santa María..., Sor Consuelo* —novela—, *La limosna*—novela—, *Flor de pecat*—novela—, *La Rulla*—novela—, *La tribuna roja*—novela—, *Tierra levantina*—novela, premio 1913 del Círculo de Bellas Artes valenciano—, *Desencanto*—novela—, *Eva inmortal*—novela—, *Olor de santidad*—cuento, primer premio 1916 del concurso organizado por el Círculo de Bellas Artes de Madrid—, *Las alas de cera*—zarzuela—, *La borda*—drama—, *Raza de lobos*—drama—, *La mare terra*—drama...*

MORÁN, Jerónimo.

Poeta, autor teatral, periodista español. Nació—1817—en Valladolid y murió—1872— en Madrid. Condiscípulo de José Zorrilla en las aulas universitarias de su ciudad natal. Con este, y con otros condiscípulos—Manuel de Assas, Miguel de los Santos Alvarez, Pedro de Madrazo—, se trasladaron a Madrid con la única obsesión de la literatura; y juntos nutrieron las columnas de las revistas románticas *El Artista* y *No me olvides*. En 1840 estrenó en Valladolid, con éxito grande, su drama *Don Ramiro*. Y en 1867 fundó, en Madrid *La Guirnalda*.

Obras: *Vida de Miguel de Cervantes*—en la edición del *Quijote* realizada por Dorregaray—, *Historia de las Ordenes de Caballería, Los cortesanos de don Juan II*—drama—, *Amar a quien se aborrece*—comedia—, *La ocasión por los cabellos*—comedia—, *El paño de lágrimas*—zarzuela—, *Fra Diávolo*—zarzuela—, *La dama blanca*—zarzuela—, *Las damas de las camelias*—zarzuela...

MORATÍN, Nicolás y Leandro Fernández de (v. Fernández de Moratín, Nicolás y Leandro).

MORAYTA, Miguel.

Historiador y literato español. Nació —1834—y murió—1917—en Madrid. Doctor en Filosofía y Letras. En 1868 ganó por oposición la cátedra de Historia de España de la Universidad Central. De ideas republicanas y gran amigo de don Nicolás Salmerón. Presidente de la Liga Anticlerical. Gran maestre del Oriente español. Sostuvo con tesón la libertad de cátedra. Fue repetidamente excomulgado por varios prelados españoles. Director y propietario de la *Revista Ibérica, La Reforma, La República Ibérica, El Republicano Nacional, El Republicano*. Con Castelar y Francisco de Paula Canalejas fundó el *Eco Universitario*. Diputado a Cortes por Valencia. Secretario general del Ministerio de Estado durante la primera República española. Popularizó en los periódicos el seudónimo de "Felipe".

Obras: *Historia de España*—9 tomos—, *Historia de Grecia*—3 tomos—, *La Commune de París, ¡Aquellos tiempos!, La libertad de la cátedra, Moral universal, Feijoo y sus obras, Las Constituyentes de la República española, De historias...*

MORELL, Juliana.

Religiosa y erudita española. Nació —¿1594?—en Barcelona. Murió—1653—en Lyon (Francia). Siendo muy niña, y como su padre hubiera cometido un homicidio, le siguió en su huida a Lyon, donde se dedicó al estudio con un aprovechamiento pasmoso. Dícese que a los diecisiete años dominaba catorce idiomas y tenía conocimientos profundos de Filosofía, Teología, Jurisprudencia y Música.

En 1607 se hizo famosa sosteniendo públicamente ciertas conclusiones filosóficas,

que dedicó a la reina de España doña Margarita de Austria, esposa de Felipe III.

El gran humanista Balduino Cabillavense le dedicó estos elogiosos versos:

Lingua sonat Marcum, Grajum sonat Æsquirris Hebraeque fluunt balsama mixta croco. [hostem

Muy joven aún—era sumamente bella—, ingresó en el convento de dominicas de Santa Práxedes, de Lyon, del que fue tres veces priora.

Lope, en su *Laurel de Apolo*, la alabó así:

¡Oh Juliana Morella, oh gran constancia,
con quien fuera plebeya la arrogancia
hoy de Argentaria Pola,
aunque fue como tú docta española!
Porque mejor por tí, que has hecho cuatro
las Gracias, y las Musas diez, pudiera
que por Safo, Antipatro
decir aquella hipérbole que fuera
más ajustada a un ángel, pues lo ha sido
la que todas las ciencias ha leído
públicamente en cátedras y escuelas...

V. SERRANO Y SANZ, M.: ... *Escritoras españolas...* Madrid, 1903, tomo II.—COSTE, Hilarión de: *Eloges et vies des dames illustres.*

MORENO, Fulgencio R.

Poeta, historiador y erudito paraguayo contemporáneo. De una admirable cultura clásica. Prosista elegante y castizo. En su juventud cultivó con gran éxito la poesía. Es, acaso, el más hondo conocedor de los problemas intelectuales de su patria, habiendo realizado amplios estudios en las bibliotecas de Río, Buenos Aires y Santiago de Chile.

Entre sus obras de investigación y de crítica están tres fundamentales: *Estudio sobre la Independencia del Paraguay*—Asunción, 1911—, *La ciudad de Asunción*—Buenos Aires, 1926—y *Paraguay y Bolivia*.

Y entre sus más bellos poemas, recogidos en varias antologías, figuran los titulados *Nebinas* y *El cerro de Yariguaá*.

V. DÍAZ PÉREZ, Viriato: *La literatura del Paraguay*, en el tomo XII de la *Historia universal de la literatura*, de Prampolini. Buenos Aires, Uteha Argentina, 1940.—DE VITIS, Michael A.: *Parnaso paraguayo*. Barcelona, Maucci, 1924.—BUZÓ GOMES, S.: *Indice de la poesía paraguaya*. Buenos Aires, edit. Tupá, 1943.

MORENO, Gabriel René.

Historiador y literato. 1839-1909. Nació en Santa Cruz de la Sierra (Bolivia). Vivió casi siempre en Santiago de Chile. "A esta última circunstancia—escribe Leguizamón—débese el relativo desconocimiento de su vida

M

y de su obra en esferas no especializadas; le envuelve la gris opacidad que recata la vida del hombre en tierra extranjera. La obra de Moreno evidencia madurez de estilo, criterio investigador y un centro seguro de ideología. Por eso es tan importante su contribución al campo de la Historia, la Sociología y la Bibliografía."

Fue Moreno un insaciable devorador de libros. Dominando el francés y el inglés, pudo estar al corriente de todos los movimientos, de todas las tendencias, de todas las novedades que la cultura europea irradiaba en aquella época hacia los treinta y dos caminos de la rosa.

Moreno fue un erudito admirable y un historiador concienzudo. Y supo exponer sus ideas con una claridad absoluta y con la amenidad suficiente.

Obras: *Introducción al estudio de los poetas bolivianos*—1864—, *Anales de la Prensa boliviana*—1886—, *Ultimos días coloniales en el alto Perú*—1896—, *Biblioteca boliviana, Bolivia y Argentina; Notas biográficas y bibliográficas*—1901—, *Bolivia y Perú: Más notas históricas y bibliográficas*—1905—, *Biblioteca peruana*—1896—, *Ensayo de una bibliografía general de los periódicos de Bolivia, 1825 a 1905*—1905—, y otras de importancia menor.

V. FINOT, Enrique: *Historia de la literatura boliviana.* México, 1943.—TORRE REVELLO, José: *Los maestros de la bibliografía en América.*—LEGUIZAMÓN, Julio A.: *Historia de la literatura hispanoamericana.* Buenos Aires, 1945.—ALARCÓN, Abel: *La literatura boliviana,* en *Rev. Hispanique,* XLI.

MORENO, Miguel.

Novelista y poeta de excelente calidad. ¿1596?-1655. Nació en Villacastín. Aun cuando Montalbán, en el *Para todos,* asegura que era natural de Madrid. Se desconocen los años en que nació y murió Miguel Moreno, pero pueden colocarse entre 1590 y 1660. Fue notario de la Curia regia y secretario de su majestad católica don Felipe IV. Y este monarca, conocedor del profundo talento humanístico de Moreno, le envió a Roma, con la embajada de fray Domingo Pimentel, obispo de Córdoba, y de don Juan Chumacero y Carrillo, para presentar al Pontífice el famoso memorial de los excesos que en la ciudad papal se cometían con los naturales de España. Posiblemente, el memorial lo redactaría él.

Según Nicolás Antonio, Miguel Moreno escribió las siguientes obras: *Aviso para los oficios de provincias y consecuencias generales para otros, Memorial a su majestad en favor de la suficiencia de servicios, Diálogo en defensa de damas.* Dos novelas: *La desdicha en la constancia* y *El curioso amante.*

Y la colección de epigramas, impresos en Roma el año de 1735, con el título de *Flores de España.*

V. NICOLÁS ANTONIO: *Biblioteca Hispano Nova.*—CEJADOR Y FRAUCA: *Historia de la lengua y literatura castellanas.* Tomo V.—SAINZ DE ROBLES, F. C.: *El epigrama español. Estudios y notas.* Madrid, Aguilar, 2.ª edición.

MORENO BÁEZ, Enrique.

Crítico literario y profesor español. Nació—1908—en Sevilla. Doctor en Filosofía y Letras. Profesor de Lengua y Literatura Españolas en las Universidades de Oxford (1933-1938), Cambridge (1939-1941) y Londres (1944-1950). Catedrático en las Universidades de Oviedo (1950-1954) y de Sevilla. Miembro de número de la Real Academia de Buenas Letras, de Sevilla, y correspondiente de la Academia Argentina de Literatura.

Obras: *Lección y sentido del "Guzmán de Alfarache".* Anejo XL de la *Rev. de Filología Española,* Madrid, 1948. 194 páginas—, *Antología de la poesía lírica española.* Madrid, *Revista de Occidente,* 1952, LXIV+576 páginas—, *La poesía gauchesca argentina,* en *Estudios Americanos,* abril, 1953—, *Nosotros y nuestros clásicos;* edición crítica de la *Diana,* de Jorge de Montemayor; *Reflexiones sobre el Quijote*—1968.

MORENO JIMENES, Domingo.

Poeta. Nació en Santiago de los Caballeros (República Dominicana) en 1894. Sus primeros poemas siguieron la línea clásica; pero se orienta hacia el verso libre, hasta iniciar un movimiento que se tituló "Postumismo". Es un poeta desigual; pero un gran poeta que ha ejercido enorme influencia en las generaciones que lo siguieron. El "Postumismo" fue un ideal renovador y el inicio de una poesía de raíz dominicana y americanista. Publicó la revista *El Día Estético,* como órgano de difusión de su poesía y de sus ideas. Sus poemas se publican en pequeños folletos, por lo cual es muy extenso el número de sus obras.

Ha publicado: *Promesa*—1916—, *Vuelos y duelos*—1916—, *Psalmos*—1921—, *Del anodismo al postumismo*—1924—, *Mi vieja se muere*—1925—, *El diario de la aldea*—1925—, *Decrecer*—1927—, *Elixires*—1929—, *Los surcos opuestos*—1931—, *Sésamo*—1931—, *Días sin lumbre*—1931—, *Movimiento postumista interplanetario*—1932—, *Palabras sin tiempo*—1932—, *Moderno apocalipsis*—1934—, *El poema de la hija reintegrada*—1934—, *El caminante sin camino*—1935—, *Embiste de razas*—1936—, *Una nueva cosmografía americana*—1936—, *Amé-*

rica-mundo—1937—, *Sentir es la norma*
—1939—, *Fogatas sobre el signo*—1940—,
Indice de una vida—1941—, *Advenimiento*
—1941—, *La religión de América*—1941—,
Canto al Atlántico—1941—, *El poemario de
la cumbre y el mar*—1942—, *4 (qué yo) estam-
bres*—1942—, *Evangelio americano*—1942—,
Antología mínima—1943—, etc.

Valldeperes apunta que habiendo pasado
con Vigil Díaz la época del "juego" poético
y llegándose al tiempo "de las interrogaciones", "en el que el poeta busca para su
obra una proyección de futuro, surge el
'postumismo', posición estética de la que
Domingo Moreno Jimenes es el animador".

"A partir del 'postumismo'—declara Valldeperes—, la poesía dominicana arraiga en
el suelo de la patria, y los poetas del grupo
buscan formas nuevas. ¿Cuál es su propósito? No pretenden, desde luego, apartarse
totalmente de lo ya establecido. Si el 'vedrhi-
nismo' representaba una poesía adjetiva, el
'postumismo' iba hacia una poesía sustantiva, en la cual la forma exterior era lo de
menos; pero no en el sentido total, absoluto,
del ultraísmo, sino situándose entre ambas
opiniones extremas."

"En esta posición intermedia hallaron los
'postumistas' una forma poética que sin ser
sustancialmente sustantiva, pues el metafo-
rismo singularizó al grupo, se acercó mucho a la sustancia humana. Pero al analizar
globalmente el 'postumismo', hay que tener
en cuenta que solo Moreno Jimenes ha sus-
tancializado la poesía, en el sentido de destruir todo lo que creciera sin pureza en torno suyo, y que esto fue precisamente lo que
empobreció la obra de tantos talentos jóvenes
como concitó."

MORENO NIETO, José.

Político, orador y literato español. Nació
—1825—en Siruela (Badajoz) y murió—1882—
en Madrid. Doctor en Leyes y en Filosofía
y Letras. En 1846 obtuvo por oposición le
cátedra de lengua árabe en la Universidad
de Madrid. Diputado a Cortes durante muchos años. Rector de la Universidad Central.
Presidente del Ateneo y de la Real Academia Matritense de Jurisprudencia y Legislación. Moreno Nieto fue un orador académico notabilísimo.

Obras: *El estado actual del pensamiento
en Europa*—1868—, *El problema filosófico*,
*Oposición fundamental entre la civilización
religiosa y la racionalista...*

V. GONZÁLEZ SERRANO, H.: *Moreno Nieto*,
en la *Rev. Contemporánea*, junio de 1902.

MORENO REDONDO, Alfonso.

Nació en Segovia el 24 de enero de 1910.
Estudió el bachillerato en dicha ciudad, donde conoció como alumno de Francés y Preceptiva literaria al gran Antonio Machado.
Cursa en Madrid la carrera de Leyes, que
termina en 1930. En 1933 se traslada a Granada, donde funda y dirige un *Diario* en
1937. Allí conoce al poeta Luis Rosales, con
quien desde entonces le une estrecha amistad.

Trasladado a Madrid en 1940, continúa sus
actividades periodísticas y literarias. En 1943
obtiene el "Premio Adonais" de poesía por su
libro *El vuelo de la carne*, compartido con
los poetas Suárez Carreño y Gaos.

Obras: *El vuelo de la carne*—poesías,
"Premio Adonais, 1943"—, *Poesía española
actual*—antología de poetas españoles contemporáneos, Madrid, 1947, Editora Nacional—. Colecciones de poesía en los números 10 y 54 de la revista *Escorial*.

V. SAINZ DE ROBLES, F. C.: *Historia y antología de la poesía española*. Madrid, Aguilar, 1951, 2.ª edición.

MORENO VILLA, José.

Original y notable poeta y prosista español. Nació—1887—en Málaga. Murió en 1955.
Estudio el bachillerato con los jesuitas de
El Palo (Málaga). De 1904 a 1908 vivió en
Alemania, estudiando Química. En 1910 se
trasladó a Madrid, habiendo roto con los
proyectos comerciales de la familia y dispuesto a ganarse la vida. Varió de estudios.
Hizo la carrera de Historia en la Universidad Central, y trabajó en la Sección de Bellas Artes y Arqueología del Centro de Estudios Históricos.

De 1916 a 1921 fue asesor literario de la
importante editorial madrileña Saturnino Calleja. En este último año ingresó en el Cuerpo
Facultativo de Archiveros, Bibliotecarios y
Arqueólogos. En 1927 se trasladó a Norteamérica.

Después viajó por Francia, Suiza, Alemania, Italia e Inglaterra, dando conferencias muy comentadas por su erudición y por
su ingenio. Colaboró asiduamente en la revista malagueña *Litoral*—para minorías—, en
la madrileña *España* y en el gran diario *El
Sol*. Colaboró también en *Indice*—bajo la
dirección de Juan Ramón Jiménez—y en
Hora de España—1938.

Es el propio Moreno Villa quien declara
su línea poética: lo popular andaluz—la copla—, Heine, algo de Verlaine, algo de Rubén Darío, Unamuno y Juan Ramón. Lo
más alejado de él, lo más odiado por él: lo
parnasiano. La poesía de Moreno Villa es
una poesía ideológica, desnuda, de suaves
gradaciones, a la que el poeta ha ido añadiendo—jactándose de ello—adverbios y vocablos prosaicos:

Un renglón hay en el cielo para mí.
Lo veo, lo estoy mirando;

M

no lo puedo traducir;
es cifrado.
Lo entiendo con todo el cuerpo;
no sé hablarlo.

También causa no poca extrañeza en la poesía de Moreno Villa el contraste entre los temas, de una delicadeza grande, y la versificación, dura, musculosa, violenta. Sí, es la rosa o el pájaro en la mano terrible del buen gigante. Los más importantes libros poéticos de Moreno Villa son: *Garba* —1913—, *El pasajero*—1914—, *Colección* —1924—, *Carambas*—1931, tres series.

Otras obras: *Luchas de pena y alegría* —Madrid, 1915—, *Jacinta la Pelirroja*—poemas, Málaga, 1929—, *Evoluciones*—verso y prosa, 1918—, *Patrañas*—cuentos, Madrid, 1921—, *La comedia de un tímido*—Madrid, 1922—, *Pruebas de Nueva York*—Málaga, 1928—, *Velázquez*—Madrid, 1920—, *Locos, enanos, negros y niños palaciegos, gente de placer que tuvieron los Austrias en la corte española desde 1563 a 1700*—1939—, *Cornucopia de México*—1940—, *Doce manos mexicanas, Datos para la historia literaria (Ensayo de Quirosofía)*—1941—, *Puerta severa* —1941—, *La escultura colonial mexicana* —1942—, *La noche del Verbo*—1942—, *Vida en claro (Autobiografía)*—1944—, *Pobretería y locura*—1945—, y ediciones críticas de Juan de Valdés, Lope de Rueda y Espronceda, en la "Colección Clásicos Castellanos".
V. Ortega y Gasset, J.: *Ensayo* a *El pasajero.*—Jiménez, Juan Ramón: *Unidad.*

MORENTE, Manuel García (v. García Morente, Manuel).

MORERA Y GALICIA, Magín.

Poeta y prosista español. Nació—1853—en Lérida. Murió—1927—en Barcelona. Cursó el bachillerato en su ciudad natal. Y la carrera de Leyes, en Madrid. Ejerció con mucho éxito su profesión. Residió algún tiempo en Marsella, París, Ginebra y Londres. Gran amigo de Zorrilla, López de Ayala, Campoamor y Núñez de Arce. Diputado a Cortes—1916—por Barcelona. Morera ha cultivado la literatura castellana y la catalana con mucho éxito y la misma facilidad. Poeta observador y analizador, con influencia de Campoamor. Prosista correcto. De mucho gracejo y de arte singular.
Obras: *Apuntes de mi carnet*—poesías, Lérida, 1895—, *Poesías*—Lérida, 1895—, *Poesías*—Barcelona, 1897—, *De mi vida*—poesías, Barcelona, 1901—, *El candil del loco* —sátira, Barcelona, 1905...

MORETO Y CABAÑA, Agustín.

Magnífico poeta y autor dramático español. 1618-1669. Agustín Moreto nació en Ma-

drid en uno de los últimos días del mes de marzo de 1618. En la iglesia parroquial de San Ginés recibió las aguas bautismales el 9 de abril. Sus padres, don Agustín Moreto y doña Violante Cavanna, eran italianos, del reino de Milán, y se dedicaban al comercio de la prendería en una casa de su propiedad que poseían en la calle de San Miguel, "junto a la red de San Luis". En esta casa, que vemos en el plano de Teixeira achaparrada, honda, con el tono ictérico del tiempo, llegaría al mundo español, católico y sentimental, el magnífico poeta.

La infancia de Moreto, seguida de la de dos hermanillos, Julián y María Angela, debió de tener sorpresas fantásticas y apacentar ilusiones maravillosas. Le vemos chiquitín, inquieto, rebuscando en el mundillo de sombras y fantasmas que es una prendería. Allí los arcabuces y las espingardas, las espadas *de perrillo*, fabricadas en Toledo; los coseletes, las jinetas, los chambergos de pluma, los guanteletes, las calzas amarillas que vendían por unos reales de plata los licenciados de aquellos tercios que metían lanzas en Orán y que ponían picas en Flandes, cuyos tipos de bravucones perdonavidas, rajabroqueles y matamoros, hicieron famosas las *rodomontadas* o jactancias españolas celebradísimas por Brantôme. Allí los *guadamecíes*—cueros de pinturas o relieves para ornar las paredes—, las marquesotas y valonas tudescas, los ricos zamarros, los *bohemios* de mangas perdidas, las calzas atacadas, los jubones y las capas lombardas, los lobos, las camisas cabeadas, las marlotas y las garnachas, las quimeras y *pinos* de oro. Allí los espolines y gorgoranes—telas de seda y lana finísima—preferidos por los *lindos;* los broqueles de pretina, las polleras—osamenta de los guardainfantes, las cabezas grotescas de cartón, guillotinadas, con guedejas, copete y jaulilla; los monigotes de tamaño natural simulando capitanes, monjes, meninas, damas de malicia, doctores graves y barbados... Allí las celosías y los encerados de las ventanas, los tapices, las sargas y las jergas, los bufetes, los escritorios, los arcones, los bargueños, los duros *bancos* de cama, de grana y felpa; los taburetes, las mesas... Allí las piezas de cerámica, la loza talaverana, los *brinquicios* de barro, las bandejas nieladas, las vihuelas, las guitarras, los cuadros de pinturas enmatecidas, los jarrones de bronce de arandelillas, los "reloxes" de arena y agua... Y mil y mil objetos más de una diversidad desconcertante, colocados a capricho y como buscando *la detonación*. Entre ellos, remirándolos, toqueteándolos, ¡cuánto soñarían los años niños de Moreto! De cada cosa forjaría su imaginación poética la novela o el romancillo. Sombras... Fantasmas...

Sin embargo, los ensueños no le exaltaron. Extraña paradoja! Fueron como suavizan-
o su espíritu, recortándole las alas. Fueron onificando su cuerpo, ponderándole la eufo-
ia de la quietud. Quien mucho imagina y e consume, acaba por no hacer nada. El nasturbador cerebral de las ilusiones es así: acífico, suave, con cierta melancolía en su ondísimo sarcasmo pesimista.

Moreto estudió en la Universidad de Alca-
á de Henares, por la que se graduó en Ar-
es el 11 de diciembre de 1639. Tres años lespués, a los veinticuatro años, ya aparece ste devorador de sueños "como clérigo de rdenes menores", posesionándose de un be-
eficio simple en Santa María Magdalena, glesia provincial de la villa de Mondéjar, liócesis de Toledo; cargo que le disputó fie-
amente un inquisidor apostólico granadino lamado don Pedro Manjarrés, a quien Mo-
eto hubo de aplacar—por decisión del Tri-
bunal de la Rota—con mil ducados de moneda de vellón.

Antes de ser clérigo, ¿fue Moreto bizarro oldado en Flandes, cortesano pulido en la orte y protegido dilecto del cardenal Mos-
roso y de los duques de Uceda y Medina sidonia?

Era Agustín alto, magro, esbelto, varonil le expresión, correctísimo de fisonomía, ga-
lardo de movimientos, suave y suasivo de oz. Siempre le dio por vestir bien, relim-
io y retocado. Pero de ahí a ser el *lindo* etulante que creyeron ciertas gentes, media in abismo. La culpa de esta fama la tiene l francés Lesage—pirata afortunado de las costas y salteador bravucón de las tierras iterarias españolas—, quien en su *Gil Blas*,
ras de perpetrar el anacronismo de hacer gallear a Moreto, ¡a los dos años!, pone en boca de Fabricio la insidia que recojo:
"¿Ves a ese caballerete galán que silbando se pasea por la sala, sosteniéndose ya sobre in pie, ya sobre otro? Pues es don Agustín Moreto, poeta mozo, que muestra gran talento, pero a quien los aduladores y los ig-
norantes han llenado los cascos de vanidad."
El hombre frío, pulcro, sonriente, correcto —Moreto—, suele ser precisamente el antigalán. El galán intenta vivir sus presuncio-
nes. El antigalán—Moreto—, más complicado, se conforma con soñarlas.

Mucho antes de ordenarse de menores ya era famoso Moreto en las tertulias y "corrales" madrileños. A los veintiún años con-
tribuyó con una composición suya a la co-
rona fúnebre de Montalbán. A los veintitrés había escrito varias comedias muy celebradas; entre ellas, *El premio en la misma pena*—cuya paternidad le niegan determi-
nados críticos—, *Los engaños de un engaño o confusión de un papel* y *Sin honra no hay valentía*. Probablemente, su gran amigo Cal-

derón de la Barca le introdujo en Palacio, y él supo hacerse muy afecto a Felipe IV y al conde-duque de Olivares, porque consta de manera indubitable que tomó par-
te en los festejos poéticos y saraos del Buen Retiro, para cuyo escenario compuso varias obras. El beneficio toledano que dis-
frutaba no le debió de obligar a salir de la corte, a la que todos los ingenios se pegaban como lapas. En 1649 formaba parte de la Academia Castellana. Poco después de 1650 debió de entrar al servicio del cardenal arzobispo de Toledo don Baltasar de Moscoso, hijo de los condes de Altamira. Y hasta tal punto apreció a nuestro gran dramático el culto prelado, que cuando este, en 1657, reorganizó en la capital de su archidiócesis la Hermandad de San Pedro o *el Refugio,* au-
mentándola con el Hospital de San Nico-
lás..., "para cuidar de él—escribe fray An-
tonio de Jesús María en su *Vida de don Baltasar de Moscoso*—nombró a don Agustín Moreto capellán suyo, hombre bien co-
nocido en el mundo por su festiva agude-
za; que, renunciados los aplausos que le daban merecidamente los teatros, consagró su pluma a las alabanzas divinas, convertido el entusiasmo o furor poético en espíritu de devoción. Y para que su asistencia fuera continua, le dispuso posada en el mesmo Hospital. Año 1657."

En este año, o poco antes, salió de su Madrid Moreto. Salió apesadumbrado, pero, co-
mo siempre, correcto, frío, sonriente, pulcro. ¿Presentía él que jamás pondría sus pies en su villa natal? ¿Hizo, entre 1657 y 1669, alguna escapadilla hasta la izquierda orilla del Manzanares? Como quien era cumplió. En el *Libro de rondas y entradas de pobres* del Hospital toledano del Refugio se encuentran numerosas partidas de puño y le-
tra del poeta. Su seriedad altiva le ató al cargo. Era él quien demandaba y recogía las limosnas para el Hospital; él quien decía las pláticas piadosas con que la Herman-
dad iniciaba sus juntas; él quien merecía la confianza del arzobispo y de las dignida-
des eclesiásticas siempre que se trataba de cualquier misión delicada. Pero, contra lo que cree la mayoría de los investigadores, Moreto no fue rector, ni secretario, ni capellán del Refugio. El primer rector lo fue don Eugenio de Hontalba, en 1701. Secreta-
rio lo fue, desde 1660 hasta 1693, el licencia-
do don Francisco Carrasco Marín, albacea de Moreto, a quien este sustituyó *en una ocasión*—junta de 22 de marzo de 1662—
por ausencia. El capellán, hasta 1663, lo fue don Lázaro Panduro y Carvajal. Y des-
de esta fecha desempeñó la capellanía el alu-
dido Carrasco Marín. Moreto debió de ser únicamente *como un mediador* entre el Hospital y el arzobispo.

M

Vida sosegada. Vida lenta. Vida en paz y en gracia de Dios. El rezo. La ocupación caritativa que le obligaba a ir de la Ceca a la Meca. La comida frugal. La cabezadilla de la siesta. La tertulia de la sacristía. Los ocios literarios de la celda. Los paseos por los cigarrales y la vega en terna de ensotanados. Las pequeñas penitencias. El sueño corto y sin ensueños. En sus oídos una música grave y perenne de campanas y el susurro musical del Tajo afilando y perfilando las lajas y encajonándose... En sus ojos, el tono siena vivo de la tierra y el tono azulenco de la piedra. En su olfato, un aroma fuerte, crudo y dulce de albérchigos y de higos. Vida lenta. Vida sosegada. Vida monótona. Y en paz y en gracia de Dios. ¿Quién diría que este don Agustín Moreto, que así vive recoleto y pío, es aquel otro que se desvivió garrido, socarrón, un poco escéptico y un mucho apegado a la cortesanía de su Madrid?

Escribiendo su comedia *Santa Rosa del Perú* le sorprendió su última enfermedad. El 25 de octubre hizo testamento. Casi nada tenía. De ese casi dejó herederos a los pobres, nombrando albaceas a su hermano don Julián y al secretario de la Hermandad del Refugio, el licenciado Carrasco Marín. Mandó que se le enterrase en el pradillo del Carmen, lugar donde recibían tierra los pobres del Hospital.

Murió serenamente Moreto. Quien fue tan sereno y escéptico para enfrentarse con la Vida, no debió de perder *sus papeles* para encararse—y descararse—con la muerte. Jamás nada le turbó lo bastante para hacerle andar de cabeza. Se iría de este mundo con esa naturalidad pasmosa de quien para salir de una estancia abre la puerta y realiza el mutis. Se oirían sus pasos *medidos* ya al otro lado del realismo, encaminados a la realidad definitiva.

Murió Moreto en 26 ó 27 de octubre. Este último día fue enterrado, según consta en el libro correspondiente de difuntos de la iglesia parroquial de San Juan Bautista, de Toledo. Y no se le enterró donde él quiso. Le desobedecieron sus albaceas, quienes mandaron llevar su cuerpo a la bóveda de la Escuela de Cristo, de la mencionada parroquia.

"Si su vida, como habrá podido deducirse —escribe el fino crítico Alonso Cortés—, no igualó en lo agitada y desenvuelta a la de otros poetas sus contemporáneos, tampoco su labor dramática tiene nada de tumultuosa y desordenada: deslízase, en lo más característico de su obra, tranquila y reposada. No llega a la regularidad atildadísima de Alarcón, pero tampoco se pierde en las marañas del conceptismo. Moreto no es un poeta arrebatado y calenturiento; acaso su mayor defecto estribe en ser demasiado re flexivo. Moreto, pues, huye, por lo genera de complicar los lances de sus comedia Planea y desenvuelve el asunto por sus pa sos contados, y sin violencias llega al de enlace. Esa misma temperancia se observ en el diálogo, que responde puntualmen a las naturales circunstancias de la ac ción. No tiene Moreto a manos llenas l sal y el gracejo; pero por eso mismo se v libre de las chocarrerías en que con tant frecuencia incurren otros dramáticos, ávido de hacer reír por todos los medios. Abun dan más en Moreto los pensamientos senten ciosos y morales, con los cuales su mus se avenía perfectamente. Moreto versific suelta y naturalmente. Lejos de elevarse a énfasis y a la altisonancia, suele estar a ton con la llaneza del diálogo."

Moreto, por derecho propio, es uno de lo seis grandes dramaturgos del Siglo de Or En el ciclo de Calderón representa la equi valencia de Ruiz de Alarcón en el de Lope

Se le acusó a Moreto, ya entre sus contem poráneos, de poco original. ¿Quién fue e primero en vocear tal sambenito? Quiz Cáncer y Velasco en su famoso *Vejame* de la Academia Castellana, lanzado haci 1640 e impreso por vez primera en Madri en 1651. En dicho *Vejamen*, refiriendo Cán cer cómo iba encontrando a cuantos poeta pretendían presentarse para medir sus ar mas poéticas, así afirma con relación a Mo reto: "Y en medio de este peligro, repar que don Agustín Moreto estaba sentado y revolviendo unos papeles que, a mi pare cer, eran comedias antiquísimas de quie nadie se acordaba, y estaba diciendo entr sí: "Esta no vale nada. De aquí se pued sacar algo, mudándole mucho. Este passo puede aprovechar." Enojéme de verle co aquella flema cuando todos estaban con la armas en las manos, y díjele que por qu no iba a pelear como los demás. A lo que me respondió: "Yo peleo aquí más que nin guno, porque aquí estoy minando al ene migo." "Vuesa merced—le repliqué—me pa rece que está buscando qué tomar de esa comedias viejas." "Esso mismo—me respon dió—me obliga a decir que estoy minand al enemigo; y échelo de ver en esta copla

> Que estoy minando imagina
> cuando tú me te quejas,
> que en estas comedias viejas
> he hallado una brava mina.»

Un poco exagerado es el cuento, pero real mente no tuvo una gran inventiva. O n quiso tomarse el trabajo de estrujarse su sesos cuando tan fácil le era cazar un tema Caza esta aprovechadísima siempre. No y Moreto solo, sino todos los grandes dramá ticos se dieron a ella con ahínco. Se copia-

an los unos a los otros, entre los españoles.
sin recato mayor, los autores extranjeros
azaron furtivamente en cotos extrañoss. No
e escribía entonces por afanes de gloria,
ino por inmediata utilidad. La cuestión era
scribir mucho con el menor esfuerzo. Y
ra camino más seguro y expedito el del
lagio que el de la originalidad. Moreto tuvo
l soberano talento de saber elegir el tema,
e utilizar lo bueno de él, de mejorar lo
lediano. Sus robos iban casi siempre se-
uidos del asesinato; es decir, la obra de
Moreto hacía olvidar la obra plagiada. Aun
uando esta hubiera salido del mismísimo
umen prodigioso de Lope de Vega.

Prodigiosa habilidad la de este genio del
eatro. Su buen gusto, su exquisito tacto, su
aestría en la técnica, sus recursos espiri-
uales de muchos quilates, obraban el mi-
agro. Todas las obras de Moreto nos pa-
ecen *nuevas*. Nos parece imposible que
stén basadas en otras mediocres. Moreto do-
ina la ponderación. Moreto hace discreta
gracia. Moreto emociona con las pasiones
ncubiertas. ¡Ah! Y no se encrespará nun-
a. Ni manoteará. Ni provocará gritos y ac-
itudes descompuestas. Ni abusará del lati-
uillo declamatorio y del efectismo postremo
n cada jornada. Todo él es una pura sereni-
ad correcta y sonriente. Bien sabe él, to-
ero anacrónico, pero torero al fin—esqui-
ador y pinturero, disfrazador del riesgo
remendo—, lidiar al toraco de siete hierbas
rameñas que es la afición. Y lidiarlo en
arbo, sin que después de dominarlo a con-
iencia y a ciencia se le note el esfuerzo.
l, impertérrito, permanece intacto. No se
e ha descompuesto el peinado ni se le ajó
a ropilla.

¿Qué ni quién podrían hacer que Moreto
e saliera de sus casillas y desafinase de voz
desarmase de gesto?

Moreto tuvo algo rarísimo entre los dra-
áticos—¡tan atropellados!—del Siglo de
Oro español—el instinto de la perfección.
No, su genio no le llevaba hacia los temas
eroicos y fantásticos. Pero "en la come-
ia de costumbres—escribe Menéndez Pela-
o—, y aun de carácter, Moreto reina sin
ás rival que Alarcón; estos dos ingenios
on, respectivamente, nuestro Plauto y nues-
ro Terencio. El uno, por la fuerza cómica;
l otro, por la profunda intención moral y
or la urbanidad ática". Poco—o nada—gon-
orino, Moreto aventaja al mismo Calderón
n la pintura de sus pasiones humanas y en
contrastación de los caracteres. Y en pre-
arar las situaciones y en desenlazar los
ances aventaja a su competidor Rojas Zo-
illa.

En opinión de don Luis Fernández-Gue-
ra, uno de los más finos críticos literarios
spañoles, las obras de Moreto pueden clasi-

ficarse así: *a)* Comedias devotas; *b)* Comedias profanas (históricas o tradicionales);
c) Comedias doctrinales y de caracteres;
d) Comedias de enredo y puro entretenimiento; *e)* Comedias burlescas; *f)* Loas;
g) Autos; *h)* Entremeses; *i)* Bailes y mojigangas.

Setenta son las comedias que se conocen
de don Agustín Moreto. De estas, dieciséis
escritas en colaboración. A las setenta hay
que sumar tres loas, dos autos sacramentales, veinticuatro entremeses, cinco bailes y
una mojiganga. Los que, en total, suman
ciento cinco títulos. Además, se le atribuyen a Moreto: ocho comedias, cinco entremeses y un auto sacramental. Y deben tenerse en cuenta cinco comedias *dudosas: Fingir lo que puede ser, El hijo obediente, La
rica hembra de Galicia, Todo es enredos de
amor y el diablo son las mujeres y Las travesuras del Cid.* De esta gran producción
moretiana destacan por sus bellezas: *San
Francisco de Siena, La adúltera penitente,
El más ilustre francés: San Bernardo,* y *La
vida de San Alejo*—comedias de santos—. *El
desdén con el desdén, El lindo don Diego,
No puede ser...,* El poder de la amistad*—comedias de carácter—, *La confusión de un
jardín, El parecido en la corte* y *Sin honra
no hay valentía*—comedias de enredo—, *El
aguador, La burla de Pantoja, Los cinco galanes, La loa de Juan Rana* y *Los sacristanes burlados*—entremeses.

Destacan entre las principales ediciones
antiguas de Moreto:

[Primera parte de las comedias de don
Agustín Moreto y Cabaña. Madrid, por Diego Díaz de la Carrera, 1654.] Edición príncipe, mutilada.

"Segunda parte de las comedias de don
Agustín Moreto y Cabaña. Año de 1676. En
Valencia, en la imprenta de Benito Macé."
(Comprende doce comedias.)

"Verdadera tercera parte de las comedias
de don Agustín Moreto y Cabaña. Año 1676.
Valencia. En la imprenta de Benito Macé."
(Comprende doce comedias.)

Se recogen, además, comedias de Moreto en:

1650: "Parte cuarenta y tres de comedias
de diferentes autores." Zaragoza. Por Juan
Ibarra.

1651: "El mejor de los libros que ha salido de comedias." En Alcalá. En casa de
María Fernández.

1652: [Primera parte de comedias escogidas de los mejores ingenios de España.
Madrid.]

1653: [Quinta parte de comedias escogidas de los mejores ingenios de España.
Madrid.]

"Teatro español, por don Vicente García
de la Huerta. Madrid, 1875, cuatro partes."

M

"Tesoro del teatro español, arreglado y dividido en cuatro partes por don Eugenio de Ochoa. París, 1838."

A quien le interese la relación completa de las ediciones antiguas de Moreto, puede consultar el inapreciable prólogo que don Luis Fernández-Guerra y Orbe puso a las obras del gran ingenio madrileño, publicadas en el tomo XXXIX de la "Biblioteca de Autores Españoles", de Rivadeneyra.

Muy interesantes ediciones modernas de las obras de Moreto son: "Clásicos Castellanos. La Lectura". Madrid, 1922. Edición Alonso Cortés.—"Colección Austral". Espasa-Calpe. Madrid-Buenos Aires, 1941.—"Colección Universal", Calpe. Madrid, 1920.— "Bibliotecas Populares Cervantes". Madrid. Tomo XXV.—"Clásicos Ebro". Zaragoza, 1946.

V. FERNÁNDEZ-GUERRA Y ORBE, Luis: Prólogo al tomo XXXIX de la "Biblioteca de Autores Españoles", de Rivadeneyra.—ALONSO CORTÉS, N.: Estudio al tomo de Comedias escogidas de Moreto. "Clásicos Castellanos". Madrid, 1922.—COTARELO Y MORI, E.: Prólogo a los Entremeses de la "Nueva Biblioteca de Autores Españoles". Tomo XVII, página 91.—MESONERO ROMANOS, R.: Teatro de Moreto, en el Semanario Pintoresco Español. 1851, pág. 323.—PÉREZ PASTOR, C.: Bibliografía madrileña, III, 431.—ENTRAMBASAGUAS, J.: Doce documentos inéditos relacionados con Moreto, en Rev. Arch., Bibl. y Museos. Ayuntamiento de Madrid, 1920.— KENNEDY, R. Lee: The Dramatic Art of Moreto. Filadelfia, 1932.—COTARELO MORI, E.: Bibliografía de Moreto, en Bol. Acad. Española, 1927.—VIEL CASTEL, Luis: Moreto, en Revue des Deux Mondes. Tomo XXI, 749.—BARRERA, Cayetano Alberto de: Apuntes biográficos de Moreto. 1855.—VIQUEIRA, José María: Estudio a El desdén con el desdén, en "Clásicos Ebro". Zaragoza, 1945.—SAINZ DE ROBLES, F. C.: Historia y antología del teatro español. Madrid, Aguilar, 1943. Tomo III.—SAINZ DE ROBLES, F. C.: Dramáticos de la Escuela de Calderón, en el tomo III de la Historia general de las literaturas hispánicas. Barcelona, 1953.

MORGADO, Alonso.

Literato e historiador español. Nació —¿1520?—en Sevilla. Murió en esta misma ciudad después de 1589. Sacerdote. Obtuvo un beneficio en la iglesia de Santa Ana (Triana, Sevilla). Su nombre figura en el Catálogo de autoridades del idioma, publicado por la Academia Española.

Se le atribuye un libro titulado Demócrito y Heráclito, Risa y llanto—1554—, que parte de la crítica afirma ser de Alonso de Lobera.

En 1587 dio a la estampa la obra que le ha merecido eterna fama: su Historia de Sevilla, impresa por Andrea Pescioni y Jua de León. Es un libro ameno, serio, de ex celente prosa, basado en la Crónica de Pe dro I, de López de Ayala, y en las obra de Ambrosio de Morales, Alonso de Carta gena, fray Alonso de Venero y Luis de Pe draza.

De la Historia de Sevilla—cuyos manuscri tos se conservan en la Biblioteca Naciona de Madrid, en la Universidad Central y e la Bibiloteca Provincial de Sevilla—exist una muy hermosa edición moderna: la re impresa—1887—por, la Sociedad del Archiv Hispalense, en dos volúmenes.

V. MÉNDEZ BEJARANO, Mario: Diccionari de... escritores sevillanos.

MORGÁN, Patricia.

Poetisa y comediógrafa chilena. Nació e ¿1908? Sus verdaderos nombre y apellido son Marta Herrera de Warnken. En 194 desempeñó misiones culturales en Brasi Argentina y Uruguay. Gran recitadora. A canzó grandes éxitos teatrales con sus cc medias Búscame entre las estrellas—"Premi Municipal de Teatro, 1947"—y La tarde lleg callada—1948—. En 1949 representa a Ch le en el Congreso de Escritores celebrado e Venecia. Es presidenta de la editorial Rap Nui, dedicada exclusivamente a la literatur infantil. Su lirismo es romántico, sencillo melodioso.

Otras obras: Fata Morgana—1928—, In quietud del silencio—1939—, Viaje de lu —1945...

MORI, Arturo.

Literato y periodista español. Naci —1886—en Barcelona. Murió en 1953. En dió el bachillerato y Filosofía y Letras en s ciudad natal. Pero su verdadera vocación er el periodismo. Redactor sobresaliente de E País y El Liberal, de Madrid. Colaborador e revistas y periódicos importantes de España Hispanoamérica. Crítico de Ultimas Noticia (México).

De estilo ágil y aguda intención. Correct prosista. Perspicaz en la captación "del mo mento político o de la actualidad".

Obras: Comediantes—comedia—, Helén das—comedia—, El médico de San Telm —comedia—, Juan del Mar—comedia—, To bellino—comedia—, Crónica de las Corte Constituyentes de la segunda República es pañola, Treinta años de teatro hispanoame ricano—1941—, Alfonso XIII—1943—, L Prensa española en nuestro tiempo—1943...

MORILLAS, Cecilia.

Notabilísima erudita española. Naci —1538—en Salamanca y murió—1581—e Valladolid. Perteneció a la ilustre familia d los Enríquez y adquirió "toda la ciencia que se respiraba en la ilustre ciudad que la vio nacer".

Poseyó doña Cecilia Morillas los idiomas griego, latino, francés e italiano, Humanidades y Filosofía, Teología escolástica y positiva, y Ciencia cosmográfica y Geografía práctica, "de tal modo que construía mapas y esferas geográficas con notable primor y exactitud; y a la vez que mujer de extensos conocimientos científicos, poseía otros no menos mayores en arte, siendo celebrada como música y tocadora de clave, como dibujante y pintora, y como habilísima en imitación de flores y en hacer otros primores de este género".

Muy joven aún, contrajo matrimonio con don Antonio Sobrino, hombre erudito, oriundo de Portugal, con quien vivió establecida en Valladolid, y de quien tuvo nueve hijos. Doña Cecilia Morillas tuvo el singular don de inspirar a sus hijos el amor al saber y a las virtudes, y les transmitió lo que ella poseía bajo uno y otro conceptos. Uno de sus hijos, don Francisco, fue arzobispo de Valladolid; otro, don José, fue un portento de saber, y descolló como teólogo, filósofo, poeta, músico, pintor, cosmógrafo y habilísimo artífice; otro, don Juan, fue famoso médico, ilustrador de las obras de Hipócrates; otros dos, don Diego y don Sebastián, fueron famosísimos teólogos carmelitas; su hija Cecilia, carmelita, tuvo fama de gran música y pintora; su hija María, carmelita descalza, fue poeta y música excelente... Los afanes y los trabajos de una vida tan laboriosa afectaron la constitución física de doña Cecilia, y falleció cuando no contaba sino cuarenta y tres años.

V. PARADA, Diego Ignacio: *Eruditas y escritoras españolas*. Madrid, 1881.

MOROTE Y GREUS, Luis.

Distinguido literato y periodista español. Nació—1862—en Valencia. Murió—1913—en Madrid. Premio extraordinario de la licenciatura de Derecho, en Valencia. Periodista desde muy joven, y temperamento batallador, impulsivo, brillante; habilísimo polemista; orador sincero y fácil; trabajador infatigable. Corresponsal destacado y redactor ilustre de *El Mercantil Valenciano* y *El Liberal*, de Madrid. En la campaña militar de Cuba se distinguió por su audacia, por su sinceridad y por su certera "visión españolista", que le acarrearon procesos y prisiones. Dirigió los periódicos madrileños *La Noche* y *La Mañana*. Diputado a Cortes innumerables veces, con filiación republicana, hasta pocos años antes de su muerte, en que se pasó al campo monárquico.

De sólida cultura, gran erudición, memoria prodigiosa y elegante pluma. De inta-

chable honorabilidad. De gran espíritu lleno de sinceridad y buen juicio. Leal inclusive con sus más encarnizados adversarios.

Obras: *La libertad en los tiempos antiguos, en la Edad Media y en los tiempos modernos; La moral de la derrota, El pulso de España, Pasados por agua*—crónicas y artículos de crítica—, *Los frailes en España, Rebaño de almas (El terror blanco en Rusia), Cuba, Sagasta, La conquista del Mogreb, De la Dictadura a la República, La Duma (La Revolución en Rusia), Una campaña...*

MOSEH SEPHARDÍ (v. Alfonso, Pedro).

MOSQUERA DE BARNUEVO, Francisco.

Notable poeta y prosista, erudito y humanista español. Nació—¿1575?—en Soria. Murió en fecha y lugar desconocidos. De nobilísima familia. Hijo de don Diego de Barnuevo Mosquera, alcalde y gobernador de Carabuey, y de doña María de Trillo y Armenta. Estudió Jurisprudencia. Pero abandonó tal estudio por el ejercicio de las armas, en el que se distinguió cumplidamente, obteniendo las cruces de Calatrava y Santiago. En edad madura volvió a los estudios jurídicos y siguió la carrera de ellos, en que obtuvo gobiernos y judicaturas.

La obra que le hizo famoso fue *La Numantina*—Sevilla, 1612—, poema en 15 cantos y 1.010 octavas reales, más una *glosa* en 57 capítulos, dedicada a ilustrar la historia de Soria y de sus doce linajes. Alabóle Cervantes en el *Canto de Calíope*.

Otras obras literarias: *Discurso sobre los linajes de Soria*—1598—, *De la nobleza y del privilegio de Farfán, Testimonio y memorial de los servicios prestados por don Francisco Mosquera de Barnuevo... a Su Majestad*—Sevilla, 1600.

V. LOPEZRRÁEZ CORBALÁN, J.: *Descripción histórica del obispado de Osma*. Madrid, 1788, 129 y 288.

MOSQUERA DE FIGUEROA, Cristóbal.

Historiador y poeta español de prestigio. Nació—¿1547?—en Sevilla y murió—1610—en Écija. Estudió en Salamanca, haciéndose bachiller en Cánones—1567—, y obteniendo la licenciatura—1575—en la Universidad de Osuna. Según Francisco de Pacheco, que hizo su retrato y elogio, "en sus primeros estudios [había] mostrado la grandeza de su ingenio en la Retórica i Poesía, en que fue aventajado; en la Esfera i Geografía i Música, tocando gallardamente la vihuela, i en los Geroglíficos i Empresas, de que la Nación Toscana a hecho gran demostración, cuya lengua supo perfectamente". Fue gran amigo de Fernando de Herrera, de Juan de

M

la Cueva, de Cristóbal de Mesa y de otros ingenios sevillanos. Auditor general de la Armada del famoso marqués de Santa Cruz durante las expediciones a las islas Azores y Terceras. Corregidor de la ciudad de Ecija.

Elogiaron a Mosquera: Cervantes—en *La Galatea: Canto de Calíope*—, Juan de la Cueva—*Viaje de Sannio*—, Cristóbal de Mesa —en su poema *La Restauración de España*—, Baltasar de Alcázar y otros.

Se encuentran poesías de Mosquera: al frente de la edición de las obras de Garcilaso, publicada por Herrera—1580—; una *epístola* en tercetos en el libro *Filosofía y destreza de las armas*, de Jerónimo de Carranz; un *elogio* en *La Araucana*, 1590, de Ercilla; en su *Retrato*, por Francisco de Pacheco.

Obras: *Comentario en breve compendio de disciplina militar...*—Madrid, 1596—, con un soneto de Cervantes; *Elogio del marqués de Santa Cruz, Las Reglas de Agapeto a Justiniano*. Su mejor obra, *Eliocrisio, enamorado*—en verso y prosa, citada con elogio por Herrera, quedó sin publicar.

V. PACHECO, Francisco de: *Libro de retratos.*—MÉNDEZ BEJARANO, M.: *Ensayo de un diccionario... de escritores sevillanos.*

MOSTAZA RODRÍGUEZ, Bartolomé.

Poeta, erudito y crítico literario español. Nació en Santa Colomba de Sanabria (Zamora) el 14 de septiembre de 1907. Estudió Humanidades y Filosofía con los jesuitas e hizo Derecho por libre en Salamanca. Desde muy joven mostró irresistible vocación literaria, aunque la vida no le facilitó el medio de realizarla con sosiego. Ha escrito millares de artículos, de toda índole, en periódicos y revistas españoles y extranjeros. Siempre en el diario *Ya*, del que es ilustre comentarista de política internacional y crítico literario.

Ha sido director de varios periódicos y revistas en provincias y en Madrid. Es "Premio Nacional de Periodismo". Algunos de sus poemas han aparecido en publicaciones periódicas. En la actualidad—1970—es profesor de la Escuela de Periodismo y miembro de la Junta Oficial del teatro Español, dependiente de la Dirección General de Cinematografía y Teatro.

En 1949 publicó su libro de poemas *Búsqueda.*

En 1953 ha publicado otro libro de poemas, *La vida en vilo.*

Otras obras: *Reflexiones para Adán y Eva* —publicadas con el seudónimo "Juan Rodríguez en Medio"—, *Comunicación social e integración europea, Europa como espacio geopolítico*—Universidad de Zaragoza...

MOTA, Francisco.

Nació en Málaga el 2 de mayo de 1914. Comenzó su actividad periodística, niño aún, publicando dibujos y algunos textos en las *Páginas Calasancias*, mientras estudiaba el bachillerato con los Padres Escolapios, en Toro y en Madrid. Desde 1932 comenzó a escribir artículos, crónicas y diversos trabajos literarios y científicos en numerosos periódicos y revistas españoles. Licenciado en Ciencias, durante algunos años se ha dedicado a la enseñanza secundaria.

Su primer libro, *Novelistas españoles contemporáneos*, le fue publicado por la editorial Aldecoa, de Burgos, el año 1944. En el mismo año publicó en Madrid un folleto biográfico de *Charles De Gaulle*. En 1945 dio a la editorial Olimpo, de Barcelona, su obra de divulgación militar *Del hacha de sílex a la bomba atómica.*

En 1947 publicó un trabajo biográfico sobre *Montero Ríos*, que forma parte de la "Colección Medio Siglo de Historia", de la editorial Purcalla, de Madrid. En el mismo año, *París, siglo XIX, en el recuerdo de los viajeros españoles*, conferencias dadas en el Instituto Francés, de Madrid.

Las más bellas cartas de amor, antología del epistolario amoroso femenino, fue publicada en Madrid en 1948. Publicó en el año siguiente una traducción del libro de Balzac *De la vida elegante.*

En 1950 apareció en la "Colección Guías" Afrodisio Aguado su *Guía de España y Portugal*. Para esta misma serie ha escrito una amplia *Guía de Andalucía*, publicada en 1952.

El año 1951 publicó un volumen de ensayos literarios bajo el título de *Papeles del 98*, donde estudió la juventud de los miembros componentes de esta famosa generación. En 1951, y en colaboración con José Luis Fernández-Rúa, ha publicado una *Biografía de la Puerta del Sol.*

Desde 1949 a 1952, en la revista *Información Comercial Española*, dio una extensa *Historia de la industria española*, primer intento que de esta especie se lleva a cabo en España. En el diario *El Alcázar*, durante el año 1951, publicó los sesenta capítulos que constituyen una historia del Municipio madrileño bajo el título de *Hoy el castillo famoso tiene millón y medio de habitantes.*

Próximamente publicará *La República de Cuba, El arte de embellecerse a través de los tiempos* y una *Historia del matrimonio*, ambas en colaboración con José Luis Fernández-Rúa.

En 1952 lleva publicados más de dos mil artículos y crónicas periodísticas en casi toda la Prensa nacional y algunos periódicos extranjeros, especialmente dedicados a la divulgación industrial, económica y financiera, firmados con su nombre o con los seudónimos habituales de "Juan del Arco", "Ramón Bernal", "Pablo de la Calle" y "Ramón Canals". En 1945 fue director propietario de la revista *Esfera Mundial*, publicada en Madrid.

MOURLANE MICHELENA, Pedro.

Prosista, poeta, ensayista y periodista. Nació—1888—en Irún. Murió—1955—en Madrid. El paisaje y el ambiente que rodearon su infancia y su mocedad han influido decisivamente en su literatura. Cursó el bachillerato en el colegio irunés de San Luis, agregado al Instituto Provincial de Guipúzcoa. Tras los estudios universitarios de Medicina y Ciencias Históricas, abrazó el periodismo, vocación a la que se ha mantenido fiel toda su vida. En 1913 leyó en el Paraninfo de la Universidad de Salamanca una notabilísima conferencia sobre Maquiavelo. En Bilbao, con el poeta Ramón de Basterra y otros excelentes escritores, formó el grupo llamado "Escuela romana del Pirineo". En Bilbao, durante mucho tiempo, cultivó el periodismo, llegando a dirigir un importante diario. En 1931 se trasladó a Madrid, escribiendo en el gran periódico *El Sol.* Posteriormente ha sido subdirector de *Arriba* y de las revistas *Vértice* y *Escorial*. Hoy dirige esta última.

Durante la segunda gran guerra mundial, Mourlane Michelena escribió la crónica de política internacional en la *Revista de Estudios Políticos.* Ha dado numerosas conferencias de interés excepcional en varios países, pues ha viajado por Europa y América en misiones oficiales.

Mourlane Michelena posee numerosas condecoraciones españolas y extranjeras y es miembro de organismos especializados en la investigación, en las tareas artísticas o en las letras. Si sus ensayos y conferencias y artículos se reunieran en volúmenes, posiblemente excederían estos el número cincuenta. Sin embargo, Mourlane Michelena no ha publicado sino una obra—1915—: *El discurso de las Armas y las Letras.* Mourlane Michelena es uno de los escritores españoles contemporáneos de mayor cultural, de crítica más serena y elevada, de estilo más personal, de prosa más barroca y señorial.

Fue cronista oficial de la ciudad de Irún.

Escritores destacados como Unamuno, Basterra, Maeztu, Eduardo Marquina, Agustín de Foxá, Camba, Valbuena Prat, Gómez de la Serna, Enrique Larreta, Manuel Bueno, José María Salaverría... han dedicado merecidos elogios a este gran señor de la pluma que es Mourlane Michelena, espíritu de selección y sensibilidad de gran artista.

V. SAINZ DE ROBLES, F. C.: *Historia y an-*

tología de la poesía española. Madrid, Aguilar, 1964, 4.ª edición.

MOXÓ, Arzobispo Benito María de.

Escritor y religioso benedictino. Nació —1763—en Cervera y murió—1816—en Tucumán. A los veinte años ingresó en la Orden benedictina. Amplió sus estudios en Italia. Catedrático de Teología en el Colegio de San Pablo, de Barcelona. Catedrático en la Universidad de Cervera, Arzobispo de Charcas—1804.

"En el arzobispo Moxó—escribe Díez de Medina—se subliman la ética y la estética de la Colonia. No fue, como pudiera creerse, un representante de la cultura peninsular, sino un adelantado de las nuevas ideas políticas y filosóficas del siglo XVIII. Este doctor en letras divinas y humanas, laureado en bella literatura, jugó papel principalísimo en la etapa preemancipatoria. Sus *Cartas mexicanas* le habían consagrado ya un poeta del buen decir. Trajo a Sucre una biblioteca y un museo, que ya llevara antes de Europa a México. Vivió con gran boato, como correspondía a su personalidad renacentista, al modo italiano, ansiosa de ejercitar todas las facultades del pensar y del sentir. Erasmiano, muy liberal en su pensamiento, Moxó es el precursor de la revolución americana. Sus discursos y escritos en la Universidad chuquisaca le consagran como uno de los completos talentos de su época. Y un estilista impar, que conoce todos los vericuetos del idioma para embozar la intención de las ideas. Leyendo a Moxó se comprende que la escolástica y el enciclopedismo fueran las armas de los doctores de Chuquisaca para desparramar por el continente la semilla libertaria. Moxó influenció poderosamente la sociedad poscolonial y la famosa "Academia Carolina", matriz del movimiento emancipador." (Díez de Medina.)

V. DÍEZ DE MEDINA, Fernando: *Perfil de la literatura boliviana*, en *Thunupa*, La Paz, 1943.

MOYA Y OJANGUREN, Miguel.

Gran periodista y literato español. Nació —1856—y murió—1920—en San Sebastián. Abogado desde los dieciocho años. A los veinticinco, director de *El Comercio Español.* Redactor de *La Democracia* y *La América.* Escritor fundador y director, después, de *El Liberal*, de Madrid. Presidente de la Sociedad Editorial Española, formada por *El Liberal, El Imparcial* y *Heraldo de Madrid.* Presidente de la Asociación de la Prensa desde su fundación. Diputado a Cortes varias veces, con filiación liberal. Secretario del Ateneo madrileño. Vicepresidente de la Real Academia de Jurisprudencia y Legis-

M

lación. Maestro ejemplar de varias generaciones de excelentes periodistas.

Obras: *Conflicto entre los poderes del Estado, Puntos de vista*—Madrid, 1880—, *Oradores políticos*—semblanzas, Madrid, 1890.

MUELAS, Federico.

Poeta y prosista. Nació—1910—en Cuenca. Licenciado en Derecho y Farmacia. Fundó *El Bergantín*, revista literaria. Viajó por los pueblos con "La Cometa"—un teatrillo guiñol—. Redactor-jefe de *Haz*. Colaborador en *La Gaceta Literaria, Escorial, Vértice* y otras importantes publicaciones de poesía. Redactor editorialista de Radio Nacional de España. Conferenciante y recitador. Cronista oficial de Cuenca. Lírico de extraordinaria personalidad. Sabe unir su concepción clasicista con las más audaces de las formas del modernismo. Es profundo, fervoroso y, en ocasiones, intimista. "Premio Nacional de Poesía José Antonio, 1964", por su libro *Rodando en tu silencio*.

De él ha dicho Eduardo Llosent Marañón: "Federico Muelas es uno de los mejores poetas de la última generación, pero nunca se ha preocupado demasiado de dar público testimonio de su vocación. Tiene escritos numerosos libros de poesía y hasta ahora no ha publicado ninguno. Los guarda para sí, o, cuando más, para que los conozcan contadas personas de su intimidad. La insistencia de algunos de estos íntimos conseguirá, quizá, un día que estos libros vean la luz; pero, entre tanto, Federico sigue haciendo poesías sin pensar ni en los editores, ni en los críticos, ni en la inmortalidad literaria, que es, sin duda, la manera más auténtica, elegante y leal de cortejar a la poesía y de mantener con ella dulces y entrañables relaciones, sin confundirla con mercancía o instrumento de arribismo y vanidad, contemplándola a solas en ese ricón del alma, mirándose en ella, inflamándose de su belleza y reflejo para cantarla y requebrarla murmurando, sin alzar la voz, enamorado.

"Algo sucede a Federico Muelas semejante a lo que ocurrió a Arturo Rimbaud. Por vías de autenticidad, huye de la vida literaria, buscando la vida en sí misma, sin literatura. Esta huida es de verdadero poeta, de hombre verdadero. Solo en la profunda inmersión en la vida real se encuentra de verdad a la poesía, sin abstracciones, sin lucubraciones intelectuales y recetas de moda. El alma en libertad, sin entumecerse en tertulias, sin apetecer clasificaciones y certificados de aptitud, que esta es la mejor disposición del hombre, del poeta, en trance de dirigirse a Dios, de hablarle y entenderle."

Obras: *Temblor*—1931—, *Espadaña*—1931 a 1933—, *Aurora de voces altas*—1933 y 1934—, *Entre tu vida y mi sueño*—1934—,

Mito—1934—, *Pliegos de cordel*—1936—, *Vuelo y firmeza*—1936—, *Rodando en tu silencio*—1936—, *Cantando entre cielo y sangre*—1941—, *Apenas esto*—poemas, Madrid, 1959—, *Sorpresa de España*—ensayos, 1962—, *¡Bertolín: uno, dos, tres!*—novela, "Premio Lazarillo", 1962—, *El niño que tenía un vidrio verde*—Madrid, 1962.

V. MORENO, Alfonso: *Poesía española actual*. Madrid, Ed. Nacional, 1946.—GONZÁLEZ-RUANO, C.: *Antología de poetas contemporáneos españoles*. Barcelona, Gili, 1946.— LÓPEZ ANGLADA: *Panorama poético español*. Madrid, 1965.

MÚGICA, Juan.

Nació—1905—en Curico (Chile). Es miembro de número de la Academia Chilena de la Historia, correspondiente de la Real Academia de la Historia, de Madrid; de la Sociedad de Estudios Vascos, de San Sebastián; del Instituto Argentino-Chileno de Cultura, del Círculo de Estudios Hispánicos de Santiago de Chile, del Instituto Genealógico Brasileño, de la Sociedad Chilena de Historia y Geografía, de la Sociedad de Escritores de Chile; es un representante genuino de la mentalidad estudiosa e ilustrada de su país. Permaneció diez años en Europa, entregado a investigaciones históricas y bibliográficas en los grandes archivos y bibliotecas de España, Francia e Inglaterra.

Se incorporó a la carrera consular en Madrid, en 1932; nombrósele dos años más tarde cónsul general adscrito en Barcelona. Pasó a Bilbao en 1935, de donde regresó a su patria para asumir las funciones de director de la Biblioteca del Ministerio de Relaciones Exteriores, cargo que desempeñó durante nueve años. Fue designado secretario del Comité organizador del XXVIII Congreso de Americanistas, que por causa de la guerra última no se pudo efectuar en la capital de Chile. Cónsul en Bahía Blanca en 1945, actuó en aquella ciudad en el fomento de vinculaciones culturales argentinochilenas y en el Club Rotario. Ha desempeñado la jerarquía de cónsul general en Mendoza, donde ha permanecido los últimos siete meses.

Su extensa labor intelectual aparece realizada desde hace más de veinte años. Es autor de las siguientes obras: *Nuestros linajes, Nobleza colonial de Chile, Solares de la raza, El carro de luz, Los amigos de Alonso de Ercilla, Familia de Diego de Almagro, La biblioteca española, Poetas argentinos de ayer y de hoy, Introducción a la Historia de Arauco, Conquistadores de Chile, Andanza con San Juan de la Cruz, Historia del libro hispanoamericano, Antigüedades curicanas*, y varios libros inéditos, en verso y prosa.

MÚGICA, Rafael (v. CELAYA, Gabriel).

MÚGICA LAÍNEZ, Manuel.

Novelista argentino. Nació en Buenos Aires en 1910. Miembro de una familia establecida en dicha capital desde los tiempos coloniales, y que ha dado periodistas y escritores de prestigio. Se educó en la Argentina, Francia e Inglaterra. Atraído por el periodismo, ingresó en el diario *La Nación,* en 1932, y a él pertenece desde entonces, ejerciendo la crítica de arte. Ha actuado también como redactor y corresponsal viajero del mismo en Francia, Gran Bretaña, Alemania, Suecia, Finlandia, Bolivia, Japón y China. Ha sido secretario del Museo Nacional de Arte Decorativo, de la Sociedad Argentina de Escritores y del Instituto Bonaerense de Numismática y Antigüedades, e integró como periodista la misión económica enviada por el Gobierno argentino al Extremo Oriente en 1940. Es caballero de la Orden del Cóndor de los Andes (Bolivia).

Obras: *Glosas castellanas*—1936, medalla de oro de la Institución Cultural Española—, *Don Galaz de Buenos Aires*—1938, novela del Buenos Aires colonial, medalla de oro del Instituto Bonaerense de Numismática y Antigüedades—, *Miguel Cané (padre)*—biografía, 1942—, *Canto a Buenos Aires*—1943—, *Vida de Aniceto el Gallo*—1943, premio municipal de prosa de la ciudad de Buenos Aires—, *Estampas de Buenos Aires*—1946—, *Vida de Anastasio el Pollo*—1947—, *Aquí vivieron*—historias de una quinta de San Isidro, 1949, recomendado por la Sociedad Argentina de Escritores...

MUIÑOS SÁENZ, Conrado.

Notable crítico literario, poeta y cuentista español. Nació—1858—en Almarza (Soria). Murió—1913—en Madrid. Profesó—1875— en la Orden de San Agustín y en el convento de Valladolid. Explicó Retórica y Poética algún tiempo en el noviciado de La Vid. Años después, profesor de Literatura en la Universidad de María Cristina (El Escorial). Maestro en Sagrada Teología. Regente de estudios del Real Monasterio de San Lorenzo de El Escorial. Definidor de su Orden. Director de la famosa y erudita revista agustiniana *La Ciudad de Dios.* Colaborador selecto de *La Ilustración Católica, El Siglo Futuro, El Norte de Castilla, Revista de Madrid, La Hormiga de Oro* y otros muchos periódicos y revistas españoles.

Castizo prosista, de gran erudición, de sensibilidad exquisita, el P. Muiños fue uno de los mejores críticos literarios españoles del pasado siglo. Como narrador, acredita una inventiva fácil, una gran maestría de expresión, una firme destreza en el dibujo de tipos y caracteres, emoción profunda y muy humana, naturalidad en el diálogo...

Obras: *Conferencias filosóficas-religiosas, Cervantes en Argel*—1881, poema—, *Horas de vacaciones*—Valladolid, 1885, cuentos sencillamente admirables—, *El "Decíamos ayer..." de fray Luis de León*—Madrid, 1908—, *La Orden agustiniana y la cultura española en el siglo XIX*—Madrid, 1911—, *Fray Luis de León y fray Diego de Zúñiga* —obra póstuma, 1914—, más de 24 biografías de santos, beatos y venerables, publicadas en el *Novísimo Año Cristiano y Santoral español,* empezado a publicar en 1888, y otras varias de importancia.

V. VALLE RUIZ, P. Restituto del: *Semblanza literaria del... Padre Conrado Muiños.* Madrid, 1914.—ZARCO CUEVAS, P. Julián: *Escritores agustinos de El Escorial. 1885-1916.* Madrid, 1917.

MULDER DE DAUNER, Elisabeth.

Magnífica poetisa y novelista. Nació en 1904. Hija de holandés y suramericana. Radicada en Cataluña, toda su producción considerable, originalísima, está escrita en castellano. Cuando contaba quince años ganó un primer premio de Juegos florales con su poesía *Circe.* Ha colaborado en importantes diarios y revistas de España: *Mundo Gráfico,* de Madrid; *Las Provincias,* de Valencia; *El Noticiero Universal y La Noche,* de Barcelona. En 1927 apareció su primer libro: *Embrujamiento,* poemas de los que fluye una filosofía acerba y una sensibilidad apasionada. Su éxito fue halagador y justo, contribuyendo a que Elisabeth Mulder fuera considerada como una de las poetisas más interesantes del momento.

Posteriormente, con regularidad, ha ido publicando novelas y versos de una impresionante fuerza y de una sugestiva originalidad. Ha viajado por todo el mundo. Ha visto traducidas algunas de sus obras a varios idiomas. Y hoy figura a la cabeza de las mujeres que escriben, no superándola ninguna en la intensidad y en el lirismo, en la sutil psicología y en la elegancia del estilo. En cualquier libro de Elisabeth Mulder triunfan los efectos exóticos, la gracia de una sensibilidad ardiente en carne viva, lo pictórico de las descripciones, la maestría dialogal.

Otras obras: *La canción cristalina*—1928, poemas—, *Sinfonía en rojo*—1929—, *Paisajes y meditaciones*—1933—, *Una sombra entre los dos*—1934—, *Historia de Java*—1935—, *El novio de la muerte*—1941—, *Cuentos del viejo reloj*—1941—, *Una china en la casa y otras historias*—1941—, *Crepúsculo de una ninfa*—1942—, *El hombre que acabó en las islas*—1944—, *Más*—1944—, *Alba Grey* —1947—, *Poemas mediterráneos, Día negro* —1953—, *Flora*—1954—, *Luna de las máscaras*—Barcelona, 1958.

M

V. Sainz de Robles, F. C.: *Historia y antología de la poesía española*. Madrid, Aguilar, 1964, 4.ª edición.—González-Ruano, C.: *Antología de poetas españoles contemporáneos*. Barcelona, Gili, 1946.—Nora, Eugenio G. de: *La novela española contemporánea*. Madrid, Gredos, 1962. Tomo II, págs. 381-85.

MUNTANER, RAMÓN.

Gran historiador y prosista español. Nació —1265—en Peralada (Gerona). Murió—1336— en Ibiza. Colaborador del famoso Roger de Flor en la expedición a Oriente. Gobernador de Gallípoli, plaza de la que hizo una bravísima defensa. Más tarde, el rey de Sicilia le nombró gobernador de la isla de Gerba. En 1311 se casó en Valencia con doña Valençona, de la que tuvo dos hijos y una hija. En 1332 se hallaba en Mallorca, bajo la protección de Jaime III.

Su magnífica *Crónica*, que abarca seis reinados consecutivos, desde el de don Pedro II, el *Católico*, hasta el de Alfonso IV, el *Benigno*, es un monumento filológico, literario y artístico, una verdadera epopeya de la Casa de Aragón. De excepcional imparcialidad Muntaner, es interesantísima su *Crónica* "para conocer la célebre expedición contra los turcos y griegos; refleja el entusiasmo del autor ante los hechos narrados, en los cuales intervino o de los que tuvo referencias de algún testigo presencial. Es obra de tendencia épica, y el autor tiene afición a los detalles pintorescos. Su estilo es claro, transparente, animado. Fue utilizada por el autor de *Tirant lo Blanch* y por Moncada en su *Expedición de los catalanes y aragoneses*" (Hurtado y Palencia).

Las mejores ediciones de la *Crónica* de Muntaner son: Valencia, 1558, y Barcelona, 1562.

Hay excelentes impresiones modernas: Stuttgart, 1844; Barcelona, 1860, con un estudio y notas de Bofarull; Barcelona, 1886, con un prefacio de José Coroléu; Nápoles, 1878.

Existen manuscritos en las Bibliotecas Nacional, de Madrid, de Catania, Provincial Universitaria de Barcelona, del Institut d'Estudis Catalans y del Seminario barcelonés.

Miguel Monterde la tradujo al castellano —siglo XVI, manuscrito de El Escorial—, Buchon, al francés—París, 1827—; Lanz, al alemán—Leipzig, 1842.

V. Torres Amat: *Diccionario de escritores catalanes*. 1836.—Frenzel: *De Sabae Mae et Raymundi Muntaneri scriptis*. 1853.—Milá Fontanals, M.: *Lo sermó d'en Muntaner*, en tomo III de *Obras completas*.—Vidal y Valenciano, E.: *... Vida de N. Ramón Muntaner...* Jochs florals de Barcelona, 1863.—Bofarull, A.: *Ramón Muntaner, guerrero y cronista*. Barcelona, 1883.—Aguiló, E.: *Alguna noticia mes sobre en Ramón Muntaner...*, en *Rev. Bibliog. Cat.* Barcelona, 1903, III.—Massó y Torrents: *Historiografía de Catalunya*. París-Nueva York, 1906.

MUÑÓN, Sancho de.

Escritor español del siglo XVI. Su nombre como autor de la *Tragicomedia de Lisandro y Roselia*—obra que apareció, en 1542, anónimamente, permaneciendo siglos en el anónimo—lo descifró Hartzenbusch, ateniéndose a la cifra que da la última de las estrofas añadidas a la obra, y es "que se tome el quinto renglón de la copla que alude al *vengador de la tierra* y se ande, como el escarabajo, hacia atrás, y así juntando las primeras letras de los versos hacia atrás de la cuarta octava, donde se habla de Hércules el *vindex terrae*, de Ovidio y Séneca, se lee: *Esta obra compuso Sancho de Munino, natural de Salamanca*. Pero los modernos editores de la *Tragicomedia*, Fuensanta del Valle y Sancho Rayón, juntando las primeras letras de los tres versos, leyeron *Munnon*, esto es, *Muñón*". Este Sancho de Muñón podía ser el maestro Sancho de Muñón, teólogo del que se tienen noticias por la colección de Estatutos de la Universidad de Salamanca.

"El gusto que domina en la obra es el de las antiguas comedias humanísticas, y de él proceden sus principales defectos, que se reducen a uno solo: el alarde de erudición fácil y extemporáneo... El buen gusto con que borra o aminora muchos defectos de las *Celestinas* precedentes, y el manso y regalado son que sus palabras hacen como gotas cristalinas cayendo en copa de oro, bastarían para indicar la fuente nada escondida donde él y los hombres de su generación habían encontrado el secreto de la belleza. Tal libro, por el primor con que está compuesto, es digno del más glorioso período de la escuela salmantina, en que salió a luz." (Menéndez Pelayo.)

Ediciones: Fuensanta del Valle y Sancho Rayón, tomo III de la "Colección de libros raros y curiosos", Madrid, 1872; López Barbadillo, Madrid, 1918, imp. de *El Imparcial* (edición muy incorrecta y mutilada).

V. Menéndez Pelayo, M.: *Orígenes de la novela*. Ed. Consejo Superior de Investigaciones Científicas. Madrid, 1943, IV, páginas 90-105.—Icaza, Francisco A. de: *Los dos Sancho Muñón*, en *Homenaje a Menéndez Pidal*, III, 309.—Huarte, Amalio: *Sancho de Muñón*, en *Bol. Soc. Menéndez Pelayo*, 1919.—Huarte, Amalio: *Sancho Sánchez de Muñón*, en *Basílica Teresiana*, 1921.

MUÑOZ ALONSO, Adolfo.

Filósofo y ensayista español. Nació—1915— en Peñafiel (Valladolid). Graduado en Teología y Pedagogía. Doctor en Filosofía. Catedrático de Historia de la Filosofía en la Universidad de Madrid. Representante de España en varios importantes Congresos de Filosofía. Profesor extraordinario de la Universidad de Córdoba (Argentina). Director del Curso de "Humanidades y Problemas Contemporáneos" y de la Universidad Internacional de Menéndez Pelayo, de Santander. Miembro del Consejo Superior de Investigaciones Científicas y de la Sociedad Española de Filosofía, y del Instituto Internacional de Estudios Europeos de Bolzano (Italia). Director honorario de la Universidad Católica de Chile. Director general de Prensa (1958-1962). Director de la Escuela Oficial de Periodismo (1958-1962).

Obras: *Trascendencia de Dios en la Filosofía griega*—1947—, *Valores filosóficos del Catolicismo*—1954—, *Persona humana y Sociedad*—1955—, *Expresión filosófica y literaria de España*—1956—, *Presencia intelectual de San Agustín*—1961—, *Meditaciones sobre Europa*—1963—, *Las ideas filosóficas en Menéndez Pelayo*—1956—, *Esquemas programáticos de Filosofía, Fundamentos de Filosofía...*

Muñoz Alonso ha publicado en las más importantes revistas filosóficas de Europa y América centenares de crónicas y ensayos; y ha pronunciado más de quinientas conferencias en Universidades españolas y extranjeras.

V. ESPLANDIÁN: *La figura intelectual y humana de A. Muñoz Alonso*, en *Punta Europa*, febrero 1957.—ALCAIN, Guy: *Les philosophes espagnoles d'hier et d'aujourd-hui*. Toulouse, Privat Editeur, 1956.—ALBENDEA, M.: *O pensamiento filosófico de Muñoz Alonso*, en *Revista portuguesa de Filosofía*, tomo XIII, 1957 (octubre-diciembre).—FADDA, P.: *L'espresione filosofica e letteraria della Spagna in un libro di Adolfo Muñoz Alonso*. Torino, Edizione di Filosofia, 1959.

MUÑOZ CABRERA, Juan Ramón.

Periodista, polemista, historiador y diplomático boliviano. Nació—1819—en Cochabamba y murió—1869—en Lima. Muy joven aún, conspiró en Buenos Aires contra la tiranía de Rosas. Después, en Montevideo, desempeñó algunos cargos públicos. En su patria fue ministro general del Gobierno que se formó a la caída del presidente Velasco. Más adelante fue nombrado ministro plenipotenciario de Bolivia en Buenos Aires; pero como Rosas se negara a admitirle, Muñoz Cabrera marchó a Chile, donde publicó un manifiesto en el que fustigaba al Gobierno de su país por su actitud benévola con el tirano Rosas. Habiendo caído este, Muñoz Cabrera llegó a Buenos Aires, donde fue redactor de *La Tribuna* y de *La Crónica*. Ha-

cia 1858 se trasladó a Chile, colaborando en *El Mercurio*, de Valparaíso. Después fue prefecto de Cobija (Bolivia) y diputado de la Asamblea Constituyente.

Gabriel René Moreno fustigó duramente a Muñoz Cabrera por la facilidad con que cambiaba de nacionalidad cuando convenía a sus intereses.

Pero, indiscutiblemente, Muñoz Cabrera poseyó un gran talento natural, mucha cultura y una prosa magnífica. Su obra más importante: *Historia de la guerra de los quince años en el Alto Perú*, "ha sido consultada y saqueada por los historiadores posteriores".

Otras obras: *Cienfuegos*—poema—, *Vida y escritos de Bernardo Monteagudo*.

V. DÍEZ DE MEDINA, Fernando: *Perfil de la literatura boliviana*, en *Thunupa*. La Paz, 1947.—FINOT, Enrique: *Historia de la literatura boliviana*. México, 1943.

MUÑOZ CORTÉS, Manuel.

Nació—1915—en Badajoz. Doctor en Filosofía y Letras. Ha enseñado varios años en la Sorbona. Manuel Muñoz Cortés goza de un gran prestigio en los círculos literarios y universitarios. Su actividad estudiosa le ha granjeado una fama de joven erudito, que no es, en realidad, la faceta más importante de este escritor. Hay en él una penetración analítica que le hace llegar hasta lo más íntimo del sentido que los autores dieran a sus obras, un estudio a fondo de los estilos y una preocupación filosófica, que le caracterizan de mejor forma que lo anterior. Manuel Muñoz Cortés tiene ahora treinta años, y a su juventud se debe que hoy no podamos añadir una lista incontable de libros publicados; sin embargo, sí podemos agregar, como en el servicio de las armas, una buena hoja de servicios prestados al ejército de las letras. Porque Manuel Muñoz Cortés no solo ha publicado trabajos y ensayos en revistas tan importantes como *Escorial, Revista de Filología Española* y ha dirigido la hoja literaria del periódico *Arriba*, sino que, en la Facultad de Filosofías y Letras, como ayudante del profesor Entrambasaguas, ha explicado todo un curso sobre el estilo literario.

En la actualidad es catedrático de Gramática Histórica de la Lengua Castellana, en la Universidad de Murcia.

MUÑOZ Y PABÓN, Juan Francisco.

Notable novelista español. Nació—1866—y murió—1920—en Sevilla. Estudió en el Seminario de su ciudad natal, doctorándose en Teología y ordenándose sacerdote. Canónigo lectoral de la catedral hispalense. De la Real Academia Sevillana de Buenas Letras.

De sano realismo, gracia delicada, prosa fuerte y castiza, inventiva fácil, gran pin-

M

tor de escenarios y de costumbres, vivísimo en los diálogos, Muñoz y Pabón es un buen novelista al que la fama no ha pagado cuanto le debe en justicia.

Novelas: *El buen paño...*, *Paco Góngora*, *La Millona*, *Javier Miranda*, *Amor postal*, *Juegos florales*, *Oro de Ley*, *Mansedumbre*, *Temple de acero*, *Lucha de humos*, *En el cielo de la tierra...*

Otras obras: *Colorín, colorado*—cuentos—, *De guante blanco*—cuentos—, *Menudencias épicas*, *El Romancero del Niño de Nazaret*, *Trébol*—poesías—, *Exposición de muñecas...*

La eximia escritora doña Emilia Pardo Bazán ha opinado así de Muñoz y Pabón: "Las novelas revelan observación exacta de las menudencias ridículas, de las pretensiones y manías de la Humanidad, en especial de la mujer, en pueblos pequeños, con pretensiones reducidas. Si Muñoz y Pabón no vistiese sotana, haría sainetes y comedias en el género de los Alvarez Quintero, y lograría entretener sin acritud. Muñoz y Pabón es realista; pero su pluma, menos resuelta que la del Padre Coloma, no escruta las almas hasta su sombrío fondo; la misantropía, fruto de la excesiva sinceridad, le repugna. No parece Muñoz y Pabón haber sufrido influencias de autores extranjeros, sino la del optimismo patriarcal de "Fernán Caballero" y Pereda, modelos habituales de los novelistas para la familia."

V. ENTRAMBASAGUAS, Joaquín de: *Las mejores novelas españolas contemporáneas (1900-1904)*. Barcelona, Planeta, 1958, págs. 905-966. (Contiene una bibliografía exhaustiva.)

MUÑOZ RIVERA, Luis.

Poeta y periodista puertorriqueño. Nació —1859—en Barranquitas y murió en 1916. Estudió en su ciudad natal. Brote liberal de padres conservadores, se hizo periodista y hombre de combate en la tribuna. Su sueño fue la autonomía de Puerto Rico sin que costara una gota de sangre. Dirigió los periódicos *La Democracia* y *El Pueblo*. Y gracias a él se formó "La Unión", partido de carácter nacionalista. Secretario de Gobernación y de Gracia y Justicia del Gobierno autónomo. Vivió algún tiempo en España y en los Estados Unidos. En 1900 fue nombrado jefe del partido federal.

Entre sus poesías alcanzaron gran popularidad: *Nulla est redemptio*, *Vox populi*, *A Varsovia*, *A Vasco Núñez de Balboa*, *Horas tristes*, *París*, *La Marsellesa*, *Vendimiaria*.

Obras: *Tropicales*—1925, Madrid, edición *Obras completas*.

V. MEJÍA, Abigaíl: *Historia de la literatura castellana e hispanoamericana*. Barcelona. 2.ª edición, 1934.—FERNÁNDEZ JUNCOS, M.: *Antología puertorriqueña*. Puerto Rico, 1907. TORRES RIVERA, Enrique: *Parnaso puertorri-*

queño. Barcelona, Maucci, 1920.—VALBUENA BRIONES, Angel: *La poesía puertorriqueña contemporánea*. Tesis doctoral. Madrid, 1952.

MUÑOZ ROJAS, José Antonio.

De Antequera (Málaga). Nació en 1909. Estudió el bachillerato con los PP. Jesuitas en El Palo y en Chamartín de la Rosa. Licenciado en Leyes por la Universidad Central. Perteneció al grupo poético "Mediodía". Lector de español en la Universidad de Cambridge.

Uno de los más personales, sensibles y hondos poetas líricos contemporáneos.

Obras: *Versos de retorno*—1929—, *Sonetos de amor, por un autor indiferente*—Málaga, 1942—, *Abril en el alma*—Madrid, 1943, "Colección Adonais"—, *Cantos a Rosa*—1955.

En 1934, su libro *Ardiente jinete* mereció un premio en el Concurso Nacional de Literatura.

Ha publicado una colección de cuentos titulada *Historias de familia*—Madrid, *Revista de Occidente*, 1946—, en la que se ha revelado como un excepcional narrador.

Otras obras: *Las cosas del campo*—prosas poéticas, Málaga, 1951—, *Las musarañas* —1957.

V. SAINZ DE ROBLES, F. C.: *Historia y antología de la poesía española*. Madrid, Aguilar, 1969, 5.ª edición.—MORENO, Alfonso: *Poesía española actual*. Madrid, Ed. Nacional, 1946.—GONZÁLEZ-RUANO, C.: *Antología de poetas españoles contemporáneos*. Barcelona, Gili, 1946.

MUÑOZ DE SALAZAR Y OLMEDILLA, Juan Bautista (v. Salazar, Juan Bautista de).

MUÑOZ SAN ROMÁN, José.

Poeta y prosista español. Nació—1876—en Camas (Sevilla). Maestro nacional. Dedicado durante algunos años a la enseñanza privada. Secretario de la Academia Sevillana de Buenas Letras. Hijo adoptivo y predilecto de Sevilla. Arcade romano. Individuo de las Academias de Ciencias, Letras y Artes de Córdoba, Hispanoamericana de Cádiz y de la de Milán. Redactor de *El Liberal* sevillano.

Poeta brillantísimo y delicado, fácil, de imágenes bellas, de musicalidad extraordinaria, muy de la escuela de Rueda y Villaespesa. Novelista ameno, de original inventiva, de estilo muy personal y sugestivo. La pluma de Muñoz San Román es como un pincel experto en los más calientes, enteros y luminosos colores.

Obras: *Barquillos de canela*—1898—, *Fábulas en prosa*—1900—, *Mariposas*—1901—, *Zarza florida*—1907—, *Remansos*—1908—, *Sequía*—novela, 1908—, *Del dulce amor*

—1916—, *De la tierra bendita*—artículos, 1917—, *El sol de Pascua*—comedia—, *Redención miligrosa*—comedia—, *Es una novia Sevilla, Floración, Como antorchas, Corazón de Triana, Sevilla la bien amada*, y otras varias.

MUÑOZ SECA, Pedro.

Cuentista y autor dramático español, popularísimo en su época. Nació—1881—en el Puerto de Santa María. Murió—1936—trágicamente en Paracuellos de Jarama (Madrid). Cursó el bachillerato con los jesuitas de su ciudad natal, y las licenciaturas de Derecho y Filosofía y Letras en la Universidad sevillana. Pasante en el bufete de don Antonio Maura. Colaborador en numerosos periódicos y revistas de España e Hispanoamérica. Jefe superior de Administración. Inspector general de Seguros. Hombre bueno. Caballero ejemplar. Espíritu lleno de buen humor y de ingenio.

Entre 1916 y 1936 su fama fue enorme. Su fecundidad asombrosa hace pensar en un Lope de Vega del siglo xx. Estrenó más de doscientas obras, la mayoría de ellas con un gran éxito de público y centenarias varias veces en los carteles.

Si Enrique García Alvarez fue el "inventor" del género teatral llamado *astracán* —exhumación de la realidad en acciones dislocadas y en juegos forzados de palabras—, Muñoz Seca fue un máximo exaltador y pontífice. Que no se busque en su teatro ni humanidad ni literatura. ¿En qué se basó, pues, el éxito de Muñoz Seca? En su dominio absoluto de la técnica teatral y en su indudable gracia, suelta siempre "a caños". Como la vida es triste, como los seres somos egoístas y buscamos afanosamente, a todas horas, "el rayo de sol" del optimismo, el gran público, la masa, hizo de Muñoz Seca su ídolo. Le glorificó y le enriqueció. Muñoz Seca representaba plenipotenciariamente el optimismo inmarcesible, el afán de vivir y de olvidar dramas y tragicomedias cotidianas, la risa franca e interminable.

Imposible citar sino algunos de sus muchísimos éxitos...

El roble de la Jarosa, Coba fina, La frescura de Lafuente, Fúcar XXI, Pastor y Borrego, El verdugo de Sevilla, Doña María Coronel, El último Bravo, Los cuatro Robinsones, El rayo, El último pecado, La venganza de don Mendo, Los extremeños se tocan, ¡Usted es Ortiz!, ¡Pégame, Luciano!, El alfiler, Un drama de Calderón, Pepe Conde, El condado de Mairena, Trampa y cartón, El ardid, El pecado de Agustín, La señorita Angeles, La pluma verde, El conflicto de Mercedes, El filón, Los chatos, Bartolo tiene una flauta, Los campanilleros, La tela, La Caraba, El alma de Corcho, La Oca, Los ilus-

tres gañanes, ¡Mi padre!, Calamar, La plasmatoria, Anacleto se divorcia, La tonta del rizo, Soy un sinvergüenza, Cataplum...

Muchas de las obras de Muñoz Seca están escritas en colaboración con Pérez Fernández y García Alvarez.

V. Montero Alonso, José: *Pedro Muñoz Seca*. Madrid, 1928.—Torrente Ballester, Gonzalo: *Teatro español contemporáneo*. Madrid, 1957.

MURCIANO, Antonio.

Nace—1929—en Arcos de la Frontera (Cádiz) cuando finaliza el año 1929. Estudios de Comercio y Derecho. Ejerce la abogacía. Con Carlos dirige la colección poética "Alcaraván". Ha obtenido numerosos premios literarios en prosa y verso. Pertenece a diversas Academias y entidades culturales españolas e hispanoamericanas. Sus versos se han traducido al portugués, inglés, italiano y árabe, que se sepa. Poeta pletórico de gracia y de garbo, admirable en el colorido y en la musicalidad. De un impresionismo seductor. Pero, de vez en cuando, sabe "ponerse serio", y entonces salta de la línea de Manuel Machado a la línea de Antonio Machado. Leyéndole, se convence uno de por qué se dice: "¡Se es poeta solo por la gracia de Dios!"

Obra en verso: *Navidad*—1.ª edición, Madrid, 1952; 2.ª edición, Caracas, 1954—, *El Pueblo*—Madrid, 1955—, *Amor es la palabra*—Madrid, 1957—, *La semilla*—Madrid, 1959—, *De la piedra a la estrella*—Granada, 1960—, *Los días íntimos*—Arcos de la Frontera, 1962—, *Mundo nuevo, Perfil del cante* —1966—, *Canción mía*—1965—, *Canciones con fondo de esperanza*—1966—, *Fe de vida* —"Premio Ciudad de Palma, 1968".

En colaboración con Carlos: *Los ángeles del vino*—Jerez, 1954—, *Antología de poetas de Arcos de la Frontera*—Arcos, 1958—, *Corpus Christi*—Málaga, 1961—, *Plaza de La Memoria*—1966...

MURCIANO, Carlos.

Nació—1931—en Arcos de la Frontera (Cádiz). Cursó estudios mercantiles en Jerez y Madrid, ciudad esta en cuya Escuela Central Superior de Comercio obtuvo el título de Intendente Mercantil en 1954.

Con su hermano Antonio y un grupo de poetas arcenses fundó en 1949 la revista *Alcaraván*, que poco después pasó—con Antonio—a dirigir, al igual que la colección poética del mismo nombre, por ambos creada.

Ha colaborado con asiduidad en revistas españolas y extranjeras, así como en *A B C* y otros diarios, habiendo obtenido importantes premios, solo y en unión de Antonio. En 1954 la colección venezolana "Lírica His-

M

pana" publicó su primer libro, *El alma repartida;* en 1955 apareció *Viento en la carne* (accésit al "Premio Adonais" del año anterior) y en 1956 inició la "Colección Alcaraván", con sus *Poemas tristes a Madia.* En 1958 publica otros dos libros: *Cuando el corazón da la medianoche,* en la colección granadina "Veleta al Sur", y *Angeles de siempre,* en "Lírica Hispana". En 1961, en la "Colección La isla de los ratones", apareció su último libro de versos, *Tiempo de ceniza.* Su obra *Un día más o menos*—1963—logró el "Premio Ciudad de Barcelona, 1962". *La calle nueva*—1965, poemas en prosa—, *Los años y las sombras*—1966—, *Libro de epitafios* —1967—, *El mar*—1968—, *La aguja*—cuentos, 1966—, *Estas cartas que escribo*—1966—, *La noche que no duerme, Este claro silencio* —poemas, 1970, "Premio Nacional de Poesía José Antonio Primo de Rivera, 1970".

En la actualidad reside en Madrid. Realiza, en *Poesía Española,* una intensa labor crítica, fruto de la cual es también su ensayo sobre *Las sombras en la poesía de Pedro Salinas,* aparecido en la serie de Narración y Ensayo, de "La isla de los ratones".

En colaboración con su hermano Antonio ha publicado *Los ángeles del vino*—Jerez, 1954—y *Antología de poetas de Arcos de la Frontera*—"Alcaraván", 1958—. Tiene inéditos varios libros de versos y dos de prosa.

Carlos Murciano es un poeta casi siempre *hacia dentro,* buscador de sutiles problemas espirituales, sembrador de inquietudes éticas y estéticas. Si de su hermano Antonio puede decirse que es como un Chopin poético, de Carlos puede afirmarse que es un Schumann. Carlos Murciano es un andaluz —como Antonio Machado—refundido en Castilla.

MURGUÍA, Manuel.

Historiador y literato español. Nació —1833—en San Tirso de Oseiro (Arteijo, La Coruña) y murió—1923—en La Coruña. Su nombre completo fue Manuel Antonio Martínez Murguía. Muy joven llegó a Madrid para estudiar la carrera de Farmacia. Pero con una exclusiva vocación literaria, abandonó los estudios y se dedicó al periodismo, siendo redactor de *La Iberia, El Museo Universal, Las Variedades, Las Novedades, La Crónica de Ambos Mundos,* periódicos en que publicó poesías, artículos y hasta novelas románticas, como *Don Diego Gelmírez* y *La mujer de fuego.* En 1858 contrajo matrimonio con la gran poetisa Rosalía de Castro y regresaron a Galicia. En Madrid, entre 1880 y 1883, dirigió la revista *Ilustración Gallega y Asturiana.* Perteneció al Cuerpo de Archiveros del Estado. En 1905, al constituirse la Academia Gallega, Murguía fue designado para presidirla. Fue también presidente de la Comisión provincial de Monumentos de La Coruña, consiliario de la Academia de Bellas Artes, archivero de la Diputación coruñesa, miembro correspondiente de la Real Academia de la Historia y de otras muchas Academias y Sociedades culturales extranjeras.

Murguía poseyó un gran rigor histórico, vasta cultura, un estilo espontáneo y diáfano y cierto "eco elegíaco" que rezuma por toda su importante y diversa producción.

Obras: *Diccionario de escritores gallegos* —1862—, *La primera luz*—1862—, *Historia de Galicia*—entre 1864 y 1880, varios tomos—, *El foro*—1882—, *El arte en Santiago en el siglo XVIII*—1884—, *Los precursores* —1886—, *España, sus monumentos y artes: Galicia*—Barcelona, 1888—, *Don Diego Gelmírez*—estudio crítico—, *Los trovadores gallegos, El ángel de la muerte*—novela—, *Desde el cielo*—novela—, *En prosa*—fragmentos literarios...

V. CARRÉ ALDAO, Eugenio: *La literatura gallega en el siglo XIX.* 2.ª edición, Barcelona, Maucci, 1911.—COUCEIRO FREIJOMIL, Antonio: *El idioma gallego (Historia, Gramática, Literatura).* Barcelona, 1935.

MUTAMID [v. Almotámid (Al-Mutamid)].

N

NACHER, Enrique.

Novelista español. Nació—1914—en Las Palmas de Gran Canaria. Médico de profesión. Ha ganado los "Premios Ondas, 1954", de novelas; "Premio Pérez Galdós, 1956". Cultiva un realismo fuerte, pero no excesivamente desgarrado, en un estilo noble y con un vocabulario rico y utilizado con suma oportunidad. Su profesión le permite plantear los problemas más trascendentales de su tiempo con tanto tino como claridad, sin que ninguno de sus desgarros expositivos irrite, y sí muy al contrario opere sensacional y patéticamente sobre el lector.

Obras: *Buhardilla*—Barcelona, 1950—, *Cama 36*—Valencia, 1953—, *Sobre la tierra ardiente*—Madrid, 1955—, *Volvió la paz*—Madrid, 1955—, *Guanche*—Barcelona, 1957—, *Los ninguno*—Barcelona, 1960—, *Cerco de arena*—Barcelona, 1961—, *Tongo*—Barcelona, 1963—, *Esa especie de hombres*—novela, "Premio Blasco Ibáñez, 1969".

V. Nora, Eugenio G. de: *La novela española contemporánea*. Madrid, edit. Gredos, 1962. Tomo II bis. Págs. 227-229.

NAGRELLA, Semuel Ibn.

Poeta hispanojudío. 993-1055. Sus contemporáneos le llamaron *Ha-Naguid*, el Príncipe. Nació en Mérida (Badajoz). Se educó en Córdoba. Y a consecuencia de las luchas del Califato emigró a Málaga, donde enseñó el árabe. En 1020 actuaba de secretario—*kátib*—de los reyes Ziríes de Granada. En 1027 fue investido con el título de *Naguid* o príncipe de las aljamas judías del reino; y en el mismo año fue nombrado visir del rey Hatús de Granada. En 1038 actuó como general de los ejércitos del rey Badis. Durante veinte años guerreó con los Taifas vecinos: Sevilla, Málaga, Almería, Carmona. Protegió incansablemente la ciencia judía y las escuelas talmúdicas.

Nagrella fue un gran poeta elegíaco. Lloró la ausencia de parientes y amigos, la inestabilidad de las cosas humanas, los horrores de la guerra... Y casi todas sus composiciones delatan un noble sentido moral.

Entre sus obras poéticas figuran: *Ben Tehillim* (Salmos), *Ben Michlé* (Proverbios) y *Ben Qohélet* (Ecclesiastés); todas ellas, como sus títulos indican, de inspiración bíblica.

En prosa escribió acerca de la metodología del Talmud, sobre gramática y religión, sobre política y guerra.

V. Amador de los Ríos, José: *Historia... de los judíos de España...* Madrid, 1865-1872, tres tomos.—Graetz, H.: *Les Juifs d'Espagne.* Traducción francesa. París, 1872.—Sachs, M.: *Die religiöse Poesie der Yuden in Spanien.* Berlín, 1901, 2.ª edición.—Millás Vallicrosa, José María: *La poesía sagrada hebraicoespañola.* Madrid, 1940.—Millás Vallicrosa, José María: *Literatura hebraicoespañola,* en el tomo I de la *Historia general de las literaturas hispánicas.* Barcelona, 1949.

NALE ROXLO, Conrado.

Periodista, novelista y dramaturgo argentino. Nació en Buenos Aires el 15 de febrero de 1898. No tiene títulos universitarios ni ha desempeñado cargos públicos, siendo desde muy joven la pluma su único medio de vida.

Su primer libro de versos, *El grillo*, fue premiado por la editorial Babel en 1923, por el voto unánime de los poetas Leopoldo Lugones, Arturo Capdevila y Rafael Alberto Arrieta. El 18 de noviembre del mismo año, Leopoldo Lugones le dedicó en *La Nación* un extenso artículo, que figura como prólogo de posteriores ediciones. *El grillo* mereció un premio de la Municipalidad de Buenos Aires. Su segundo libro de versos, *Claro desvelo*, fue publicado por *Sur* en 1937 y reimpreso por Losada en 1942. Muchos de sus poemas fueron traducidos al inglés, francés e italiano, viendo la luz en revistas y antologías. Tiene terminada otra colección de versos, que aparecerá próximamente.

El 20 de mayo de 1941 se representó en el teatro Marconi, de Buenos Aires, su primera obra teatral, *La cola de la sirena*—drama—, sobre la que se escribió mucho, figurando algunos de esos juicios en las tres ediciones que de la pieza hizo la casa Hachette. *La cola de la sirena* mereció el primer premio de la Comisión Nacional de Cultura.

El 21 de abril de 1944 se estrenó en el teatro Odeón su farsa *Una viuda difícil,* que obtuvo el segundo "Premio Nacional de Teatro". En 1945 se representó en el teatro Alvear *El pacto de Cristina,* un drama que premió con otro primer premio la Comisión Nacional de Cultura. Su *Antología apócrifa* es un libro de pastiches, con magníficas caricaturas de grandes escritores de Toño Zalazar.

Con el seudónimo de "Chamico" ha publicado y sigue publicando en diarios y revistas, regularmente y desde hace veinte años, cuentos humorísticos. Hasta ahora han aparecido en libros tres colecciones: *Cuentos de Chamico,* ilustrado por Lino Palacio; *El muerto profesional* y *Cuentos de cabecera,* ilustrado por Muñiz. Ha escrito argumentos cinematográficos, dado conferencias, creado y sostenido secciones fijas en diarios y revistas, dirigido el semanario humorístico *Don Goyo,* la revista de humorismo para médicos *Esculapión* y el suplemento literario del diario *Crítica.*

Es autor de muchos cuentos para niños, que han aparecido en diarios y revistas. Ha pertenecido durante dos períodos a la Comisión directiva de la Sociedad Argentina de Escritores y ha actuado muchas veces como jurado literario.

Otras obras escénicas: *El neblí, Reencuentro, Holofernes y las rosas.*

V. GIUSTI, Roberto F.: *Literatura argentina,* en el tomo XII de la *Historia general de las literaturas,* de Prampolini. Buenos Aires, 1942.

NASARRE Y FÉRRIZ, Blas Antonio.

Preceptista y literato español. Nació —1689—en Alquézar (Huesca). Murió —1751—en Madrid. Estudió Humanidades en Madrid y Zaragoza. Y en esta última ciudad, Filosofía. Desempeñó varias cátedras en la Universidad zaragozana. La de Instituta —1711—. La de Código—1720—. La de Vísperas de leyes—1722—. Bibliotecario mayor de Palacio—1733—y consejero ministro de la Real Junta del Patronato—1735—. Prelado consistorial del Real Monasterio y priorato de San Martín de Acoba. Dignidad de la Iglesia de Lugo. Abad de la colegiata de Alquézar. Académico de la Real de la Lengua. Muy amigo y seguidor de Luzán, pero inferior a él.

De cultura indudable. Pero de opiniones absurdas, extravagantes y de prosa pedantesca. Reputaba el *Quijote* de Avellaneda como superior al de Cervantes; ridículas las *Novelas ejemplares* de este, y monstruoso el teatro de Lope y de Calderón.

El academicismo de Nasarre es relamido, enfático, inabordable. Se le deben, no obstante, no pocas noticias interesantes acerca de los clásicos castellanos de los siglos XVI y XVII.

Obras: *Relación del "Funeral" de la reina doña María Luisa Gabriela de Saboya* —1714—, *Elogio histórico de don Juan Ferreras*—1736—, *Elogio histórico del marqués de Villena*—1738—, *Obras de don José Veles,* Prólogo o disertación en su edición de las *Novelas ejemplares* de Cervantes.

V. ZAVALETA, Tomás de: *Discurso crítico.* Madrid, 1750.

NATAS, Francisco de las.

Poeta y prosista español del siglo XVI. Se tienen escasísimas noticias de su vida. Estudió Cánones en Alcalá. Sacerdote. Fue beneficiado de las parroquias de Cuevas Rubias y de Santa Cruz de Rebilla Cabriada (Burgos).

Publicó: *Segundo libro de las "Eneidas" de Virgilio, trovado en metro mayor de nuestro romance castellano*—Burgos, 1528—, *Comedia claudina, en coplas*—1536—, *Comedia llamada Tidea*—1550—, en coplas, su obra más famosa, derivada de *La Celestina,* y prohibida en algunos *Indices* expurgatorios. En las cinco jornadas y en la versificación sigue Francisco de las Natas a Torres Naharro.

La *Comedia llamada Tidea* es una obra llena de gracia, de agudeza, de sensualidad y de sentido común. Es una de las mejores imitaciones de su inmortal modelo.

El original hállase en la Academia de Viena. Pero hay una magnífica edición moderna: Madrid, 1913, tomo X de la "Sociedad de Bibliófilos Madrileños".

V. CRONAN, Urban: Prólogo de la ed. Madrid, 1913.

NAVA, Gaspar María de, Conde de Noroña (v. Noroña, Conde de).

NAVARRETE, José de.

Literato y militar español. Nació—1836— en el Puerto de Santa María (Cádiz) y murió—1901—en Niza (Francia). Del Cuerpo de Artillería. Asistió, ya como oficial, a la gloriosa guerra de Africa—1860—. Diputado en las Cortes de la Revolución. Colaborador asiduo de los principales diarios madrileños. En el teatro alcanzó muchos y excelentes éxitos.

Obras: *Desde Wad-Ras a Sevilla*—impresiones de la campaña de Africa. Madrid, 1876—, *La fe del siglo XIX*—1873—, *Las llaves del Estrecho*—1882—, *Norte y Sur*—recuerdos, 1882—, *Sonrisas y lágrimas*—artículos, 1883—, *María de los Angeles*—novela,

1883—, *La señoa de Rodríguez*—novela—, *Niza y Rota*—París, 1899—, *Cuantas veo, cantas quiero*—comedia, 1868—, *La cesta de la plaza*—comedia, 1875—, *División de plaza; las fiestas de toros impugnadas, En los montes de la Mancha*—crónicas...

NAVARRETE, Fray Manuel de.

Excelente poeta. 1768-1809. Nació en Zamora, diócesis de Michoacán (México). Murió en Tlalpujahua. Estudió Humanidades en su pueblo natal. De joven, se dedicó al comercio, con escasa fortuna. En 1787 se trasladó a Querétaro, vistiendo aquí el hábito franciscano y completando sus estudios con los de Filosofía, Cánones y Teología. Explicó Gramática en Valladolid. Y fue párroco en diversos lugares, así como predicador elocuente. Desempeñó el cargo de "mayoral" —según el uso pastoril—en la *Arcadia Mexicana,* fundada para exaltar el ingenio poético conceptista. Desde 1805, en el *Diario de México,* empezaron a publicarse sus composiciones, que pronto le ganaron fama, siendo la primera la titulada *Noche triste.*

En Navarrete son claras las influencias de fray Luis de León y de Meléndez Valdés; y aun cuando el fanático crítico antiespañolista Juan García Gutiérrez asegure que Navarrete compite en "elevación y candor" con el maravilloso agustino, la afirmación no pasa de ser *una garsada.* Fray Luis de León es una de las cumbres más altas de la lírica universal. Navarrete es un cerro "de buen mirar".

Entre sus anacreónticas—estilo Meléndez Valdés—sobresalen: *Las flores de Clorila, A Clori, en el lecho; La música de Celia.* Entre sus poesías morales y sagradas: el *Poema eucarístico de la Divina Providencia.* Entre las que *anuncian* el próximo romanticismo: *Ratos tristes.*

Sus poesías—con el título de *Entretenimientos poéticos*—fueron publicadas en dos tomos, después de su muerte: 1823—México—y 1835—París.

Navarrete fue un fácil versificador, de léxico abundante y florido, de buen gusto, formado en la lectura de los más excelsos vates latinos y castellanos. Aun cuando su labor entra de lleno en la llamada "escuela bucólica", anuncia con fervor el inmediato romanticismo.

V. MENÉNDEZ PELAYO, M.: *Historia de la poesía hispanoamericana.* Madrid, 1913, segunda edición.—TOUSSAINT, Manuel: *Fray Manuel de Navarrete,* en *Rev. de Literatura Mexicana.* México, 1940.—PIMENTEL, F. C.: *Historia de la literatura mexicana.* México, 1940, 2.ª edición.—GUTIÉRREZ, Juan María: *Estudios biográficos sobre algunos poetas mexicanos.* Madrid, 1868.—GONZÁLEZ PEÑA: *Biografía y crítica de los principales*

poetas suramericanos anteriores al siglo XX. 1865.

NAVARRETE, Martín Fernández de (v. Fernández de Navarrete, Martín).

NAVARRETE Y FERNÁNDEZ LANDA, Ramón.

Excelente periodista, autor dramático y novelista español. Nació—1818—y murió —1897—en Madrid. A los quince años estuvo empleado en la Imprenta Nacional como redactor de la *Gaceta,* de la que llegó a ser administrador y director. Colaborador asiduo de *El Semanario Pintoresco Español, La Epoca, El Faro, El Siglo XIX* y de otros muchos periódicos y revistas; popularizó en ellos numerosos seudónimos: "Leporello", "Pedro Fernández", "Asmodeo", "Marqués del Valle Alegre", "Mefistófeles"... Posteriormente fue redactor de *El Día, Correspondencia de España, El Correo, El Tiempo, Heraldo de Madrid.*

De estilo fácil, pero trivial y algo afectado. De ingenio muy fértil. Fecundo. En su tiempo, el público tuvo gran inclinación por su teatro, que hoy yace olvidado, de explicable modo.

Novelas: *Creencias y desengaños*—1843—, *Madrid y nuestro siglo*—1845—, *Misterios del corazón*—1849—, *Cartas madrileñas, Verdades y ficciones*—1874—, *Sueños y realidades*—1878—, *El crimen de Villaviciosa* —1883—, *El duque de Alcira*—1890.

Obras teatrales: *Emilia*—drama—, *Don Rodrigo Calderón*—drama—, *La reina por fuerza, Odio y amor, Genoveva, Con amor y sin dinero, Ya es tarde, Cuando se acabe el amor, Un diablo con faldas, La viuda de quince años, La charlatanería, El marido duende, El amor por los balcones, Un viejo verde, Lobo y Cordero, Caprichos de la fortuna*—su mejor obra, escrita a petición de la reina doña Isabel II, elogiada por Ventura de la Vega y representada en el teatro Español, de Madrid, durante cincuenta noches.

V. BALLESTEROS ROBLES, Luis: *Diccionario biográfico matritense.* Madrid, 1912.

NAVARRETE Y RIBERA, Francisco.

Novelista y autor dramático español. Nació—¿1592?—en Sevilla. Murió en esta misma ciudad después de 1650. De su vida no se sabe más sino que fue notario apostólico en la corte, amigo de Lope de Vega y de Montalbán, asistente a la Academia madrileña y lector de obras en el teatro de la Cruz.

En 1640 publicó en Madrid *Flor de sainetes,* con entremeses y dos novelas. Las novelas titúlanse *Los tres hermanos*—extrava-

N

gancia escrita sin utilizar la *a*—y *El caballero invisible*—escrita en equívocos burlescos—. Entre los sainetes sobresalen: *La buscona, La escuela de danzar, El parto de la Rollona, El tahúr celoso, El tonto presumido, El encanto de la vigüela.*

En 1644 publicó suelto el sainete *La casa de juego,* con las trampas de los tahúres y anécdotas.

En la antología *Pompa funeral*—Madrid, 1645—se conserva una décima de Navarrete y Ribera.

Las dos novelas de Ribera se han reimpreso en el tomo XXXIII de la "Biblioteca de Autores Españoles", aunque sin el nombre del autor.

V. MÉNDEZ BEJARANO, M.: *Diccionario de escritores sevillanos...* Madrid, 1922.

NAVARRO, Diego.

Poeta, prosista, crítico, periodista. Nació —1914—en Las Palmas de Gran Canaria. Murió—1954—en Barcelona. Bachiller. Colaborador de *Arriba, Informaciones, Vértice* y de otros importantes diarios y revistas españoles. En Barcelona fundó—con Juan Ramón Masoliver y Fernández Gutiérrez—la revista *Entrega de Poesía.*

Magnífico traductor de Poe, Stevenson, Dickens...

Diego Navarro es, para nuestro gusto, uno de los mejores líricos contemporáneos españoles. A su sensibilidad magnífica y a su hondura de pensamiento une una prodigiosa perfección de forma, una riqueza insospechada de imágenes felices, una musicalidad inefable y una melancolía noble y contagiosa.

Obras: *Amenaza de estío*—1940—, *Dos elegías*—1943—, *En la paz de tu cintura* —1943—, *Raíz de sangre*—poema inédito—, *Poesías*—1950.

V. SAINZ DE ROBLES, F. C.: *Diccionario de la literatura.* Tomo II. Madrid, 1953.—DÍAZ-PLAJA, G.: *Poesía lírica española.* Barcelona, 1948. 2.ª edición.—VALBUENA PRAT, A.: *Historia de la literatura española.* Barcelona, 1950. Tomo III.

NAVARRO, Leandro.

Autor dramático contemporáneo. Nació —1900—en Madrid. Desde muy joven, una decidida vocación teatral le llevó a una dedicación plena a la literatura escénica. Leandro Navarro domina el género de costumbres y la técnica teatral. Y tiene ingenio e intención moral.

Entre sus obras sobresalen: *Los hijos de la noche, Veinte mil duros, La mujer que se vendió, Los pellizcos, La Papirusa, Siete mujeres, Dueña y señora* y *Los caimanes,* en colaboración con Adolfo Torrado. De las que

ha firmado él solo: *Las colegialas, Como tú me querías, La llave, Los novios de mis hijas, Con los brazos abiertos*—esta última "Premio Piquer" de 1946 de la Real Academia—, *Dos horas en mi despacho, Historia de una boda;* y en colaboración con Miguel de la Cuesta, la titulada *Bengala,* y en colaboración con Jesús María de Arozamena, el sainete lírico *Matrimonio a plazos.* Ultimamente ha estrenado *Cincuenta mil pesetitas, Matrimonio 1947...*

NAVARRO, Pedro.

Autor dramático y notable actor de fines del siglo XVI. Apenas se tienen noticias de su vida. Se sabe que se llamó Pedro porque así lo declara el erudito Rodrigo Méndez Silva en su *Catálogo Real de España.* Cervantes, en su prólogo a sus *Comedias* —1615—, dice: "Sucedió a Lope de Rueda Navarro, natural de Toledo, el cual fue famoso en hacer la figura de un rufián cobarde. Este levantó algún tanto más el adorno de las comedias y mudó el costal de vestidos en cofres y baúles; sacó la música, que antes cantaba detrás de la manta, al teatro público; quitó las barbas a los farsantes, que hasta entonces ninguno representaba sin barba postiza, y hizo que todos representasen a cureña rasa, si no eran los que habían de representar de viejos u otras figuras que requieren mudanza de rostros; inventó tramoyas, truenos y relámpagos, desafíos y batallas; pero esto no llegó al sublime punto en que está agora."

Lope de Vega conoció seis comedias de Pedro Navarro. De ellas únicamente ha llegado a nosotros la titulada *La marquesa de Saluzia, llamada Griselda,* comedia en verso y en siete jornadas, escrita probablemente hacia 1580 e impresa algo después, 1603, cuyo manuscrito se conserva en la Biblioteca Nacional. El argumento de tal comedia está tomado, según declara el propio autor en la loa que la precede, del *Supplementum Chronicorum ab initio mundi,* de Foresti, traducido al castellano en 1510 con el título de *Suma de todas las crónicas del mundo.*

Existe una excelente impresión moderna de esta comedia, publicada en la *Revue Hispanique,* 1902, tomo IX, págs. 331-354.

V. BOURLAND, C. B.: *Prólogo a la edición* de 1902, en la *Revue Hispanique.*—SÁNCHEZ ARJONA, F.: *... Anales del teatro de Sevilla...* Sevilla, 1898.—OCHOA, E. de: *Tesoro del teatro español.* París, 1838.

NAVARRO DE ESPINOSA, Juan.

Poeta y autor dramático español. Nació —¿1595?—. Murió—¿1658?—en Madrid. Se saben muy pocas noticias de su vida. Bachiller en Leyes y Cánones. En 1642 desemeñaba el cargo de censor de comedias. Montalbán dijo de él que era "poeta dos veces divino, por ser sus versos de alabanzas de os santos, para cuyos asuntos tiene admirables agudezas, espíritu y gracia".

Pocas obras suyas han llegado hasta nostros. Un entremés titulado *La Celestina,* en a colección—Alcalá, 1643—de *Entremeses nuevos de diversos autores.* Escribió una *canción* a la muerte de Lope de Vega y *cuatro décimas* a la de Montalbán. En el *Romancero de avisos para la muerte* hay un *romance* suyo; y varias *quintillas* en el "Certamen poético" a la dedicación de la iglesia e Santo Tomás.

NAVARRO Y LEDESMA, Francisco.

Profesor y literato español de gran mérito. Nació—1869—en Madrid. Murió—1905—n Madrid. Licenciado en Filosofía y Letras en Derecho por la Universidad de Madrid. Del Cuerpo facultativo de Archivos y Bibliotecas desde los diecinueve años. Jefe del Museo Arqueológico de Toledo y del Archivo de Alcalá de Henares. Catedrático de Retórica en el Instituto de San Isidro, de Madrid—1899—. Dominaba el latín, el griego, el francés, el inglés y el italiano. Fue uno de los fundadores del famoso semanario satírico *Gedeón* y del gran diario madrileño *A B C.* Colaborador insigne de *Hojas Selectas, Blanco y Negro, Nuestro Tiempo, Nuevo Mundo, Revista de Archivos, La Ilustración Española, Revista Moderna, La Lectura, El Imparcial.*

De sensibilidad exquisita, vastísima cultura, agudo y discriminador espíritu, gran temperamento literario y certero juicio crítico, Navarro y Ledesma fue uno de los ingenios más interesantes y sugeridores de la generación literaria anterior a la "del 98". Su estilo es personal, de extraordinario sabor. Su vocabulario es riquísimo. Su prosa, por ende, resulta castiza, brillante, magistral.

Obras: *Lecciones de Literatura general, El ingenioso hidalgo don Miguel de Cervantes*—1905, la biografía más interesante, literaria y enjundiosa que hasta ahora se ha escrito sobre el autor del *Quijote*—, *Resumen de historia literaria, Lecturas literarias, Los nidos de antaño*—narraciones—, *Nociones de gramática de la lengua castellana.*

NAVARRO TOMÁS, Tomás.

Filósofo y literato de mucho prestigio. Nació—¿1884?—en La Roda de la Mancha (Albacete). Cursó los primeros estudios y la segunda enseñanza en su provincia; empezó en Valencia la carrera de Filosofía y Letras, trasladándose pronto a Madrid, donde terminó la licenciatura y el doctorado en la

Sección de Letras. En la Universidad Central, como alumno de don Ramón Menéndez Pidal y bajo su dirección, se inició en las prácticas de investigación filológica sobre los documentos del Archivo Histórico Nacional. Del Cuerpo de Archivos, Bibliotecas y Museos, con destinos en Avila—donde preparó su excelente edición de *Las Moradas,* de Santa Teresa—y en el Archivo Histórico Nacional. En 1912 fue pensionado por el Estado para ampliar sus estudios en el extranjero, visitando París—donde trabajó con Rousselot—, Marburgo—con Viëtor—, Leipzig —con Sievers—, Hamburgo—con Poconcelli Calzia—y Montpellier—con Grammont—. Académico de la Real Española desde 1935.

Navarro Tomás es uno de nuestros más insigne filólogos. Pero es, igualmente, un excelente prosista y un crítico literario de gran penetración. En la famosa *Revista de Filología Española,* de la que fue secretario de Redacción, ha publicado excelentes ensayos filológicos y literarios de mucha trascendencia en España y en el extranjero. Sus obras han sido traducidas a varios idiomas.

Obras: *Memoria*—sobre el antiguo dialecto del Alto Aragón, 1907—, *Manual de pronunciación española*—Madrid, 1918—, *Siete vocales españolas*—1916—, *Cantidad de las vocales acentuadas e inacentuadas*—1916 y 1917—, *Diferencias de duración entre las consonantes españolas*—1918—, *La metafonía vocálica*—1923—, *Palabras sin acento* —1925—, *El perfecto de los verbos en "ar" en aragonés antiguo*—1911—, *La articulación de la "l" castellana*—1917—, *Observaciones sobre el vascuence de Guernica*—1923—, *Pronunciación guipuzcoana*—1925—, *Impresiones sobre el estudio lingüístico de Puerto Rico*—1929—, *La frontera del andaluz* —1933—, *Análisis fonético del valenciano literario*—1935—, *El acento castellano*—Madrid, 1935, discurso de ingreso en la Real Academia Española—, *Manual de entonación española*—1944—, *Cuestionario lingüístico hispanoamericano*—1945—, *Estudios de fonología española*—1946...

V. Artigas Ferrando, M.: *Contestación* al discurso de ingreso en la Real Academia Española de Tomás Navarro Tomás. Madrid, 1935.

NAVARRO VILLOSLADA, Francisco.

Popular poeta, novelista y periodista español. Nació—1818—en Viana de Navarra. Murió—1895—en la misma población. Cursó la carrera de Filosofía y Teología en la Universidad de Santiago, y la de Leyes en Madrid. Redactor—1840—de la *Gaceta.* Secretario del Gobierno civil de Alava. Oficial del Ministerio de la Gobernación. Fundador—1860—de *El Pensamiento Español,* órgano de las ideas católicas y tradicionalistas. Colaborador prestigioso de *El Correo Nacional, El Español,* el *Semanario Pintoresco, La España, La Fe, La Ilustración Católica...* Secretario particular—1871—del pretendiente al trono, don Carlos.

Gran polemista. Ingenio agudísimo. Gran espíritu crítico. Prosista natural y fácil. De ideas tradicionales un tanto románticas. Y uno de los mejores novelistas españoles en el "género histórico", menos fecundo e interesante que Fernández y González, pero más culto y veraz.

Como tal novelista le ha juzgado así Cejador: "Hay algo homérico en él, siéntese un frescor y un aire de otros tiempos que nos mete en ellos, de pies a cabeza...; el espíritu español de raza sopla por allí. Vemos campear sin veladuras el alma española en su propia naturaleza como campea en el romancero."

Novelas históricas: *Doña Blanca de Navarra: Crónica del siglo XV*—1847—, *Doña Urraca de Castilla*—1849—, *Amaya o los vascos del siglo VIII*—1879, su obra maestra—. Estas tres novelas han sido traducidas a varios idiomas y de ellas se han hecho más de cien ediciones en castellano.

Otras obras: *La ciencia cristiana*—poema en prosa, de una sencillez y brío verdaderamente notables—, *Luchana*—1840, ensayo épico—, *El Anticristo*—1845—, *Vida de San Alfonso María de Ligorio*—1887—, *La dama del rey*—zarzuela—, *Oda a la Virgen del Perpetuo Socorro...*

V. García Mercadal, J.: *Historia del romanticismo español.* Barcelona, Labor, 1944. González Blanco, Andrés: *Historia de la novela contemporánea en España.* Madrid, 1909.

NAVIA Y BELLET, Francisca Irene de.

Gran dama y escritora española. Nació —1726—en Turín. Fue hija del célebre general español marqués de Santa Cruz de Marcenado. Muerto este, su viuda regresó a España con los cuatro hijos que le quedaron, a los que dio como instructor y ayo a don Bernardo Ward. Este profesor pronto descubrió el talento singularísimo de Francisca Irene y su afición a las letras. Y le enseñó Gramática, Retórica y Filosofía, de la que defendió conclusiones en su casa, con asistencia de varias personas eruditas de la Corte. Además, aprendió a la perfección las lenguas francesas, italiana, alemana e inglesa; las traducía, leía, escribía y hablaba, y tuvo bastantes conocimientos de la lectura y de la latina y de la griega. Contrajo matrimonio—1750—con el marqués de Grimaldo, canciller de la Orden del Toisón de Oro, teniente general de los Ejércitos. Tuvo tres hijos, que murieron de corta edad. Y dedicó sus fervores a las letras y a la caridad. Com-

puso excelentes versos castellanos y latinos Pero en un rasgo de modestia ejemplar que mó casi todos sus manuscritos antes d morir.

Sin embargo, un escritor del siglo XVII —Gallardo recoge la alusión—escribió d ella: "Marquesa de Grimaldo, hija del sa bio y valeroso general don Alvaro. Hered el alma de su gran padre. Es de las muje res más doctas de estos tiempos y gran poe tisa, como lo sabe todo Madrid por sus co medias y demás obras. He visto algunas su yas que me dieron una gran idea de s numen."

Solo se conocen de ella unos versos hexá metros que compuso a los dieciséis años d edad, con motivo de llegar a Italia el infan te don Felipe, y que se publicaron—1742— en las *Memorias de Trevoux,* y reproduci dos por don Diego Parada en su libro *Escri toras y eruditas españolas.* Falleció el 10 d marzo de 1786.

V. Memorial literario del año 1786.

NEBRIJA, Elio Antonio de.

Célebre gramático español. Nació—1441— en Lebrija (Sevilla). Murió—1522—en Alcal de Henares. Fue conocido también por *Le brija* y por *Martínez de Jarava.* Su padr fue don Juan Antonio de Cala e Hinojosa Su madre, doña Catalina de Jaraba y Ojo Estudió en Salamanca, siendo discípulo d Pascual Aranda en Filosofía natural; d Pedro de Osma, en Moral; de Apolonio, e Matemáticas. De los diecinueve a los veinti nueve años vivió en Italia. Al regresar España, sirvió al arzobispo de Sevilla do Alonso de Fonseca. Catedrático de Gramáti ca y Retórica en Salamanca. Por encarg del famoso cardenal Cisneros, revisó Nebrija los textos latinos y griegos de la celebérri ma *Biblia Poliglota Complutense.* Cronist real—1509—. Catedrático en Alcalá. Estuv casado con doña Isabel de Solís, de quie tuvo seis hijos varones y una hembra.

Acaso un poco fanfarronamente, pero co un fondo de verdad, dijo Nebrija: "Yo fu el primero que abrí tienda de la lengua la tina [en España], y todo lo que en ella s sabe de latín ha de referirse a mí."

De cultura portentosa, Nebrija tuvo un enorme fama europea. Desdeñó los ofreci mientos tentadores que le hicieron vario monarcas extranjeros, por no querer sali más de su patria. Fue un verdadero artífic del castellano. Para Menéndez Pelayo, fue Nebrija "la más brillante personificación li teraria de la España de los Reyes Católicos puesto que nadie influyó tanto como él en la cultura general, no solo por su vasta ciencia, robusto entendimiento y poderosa virtud asimiladora, sino por su ardor propa gandista, a cuyo servicio puso las indomables energías de su carácter arrojado, independiente y cáustico".

Obras: *Introductiones latinae*—1481—, *Arte de la lengua castellana*—primera gramática impresa en un idioma vulgar, 1492—, *Quincuagenas, Antigüedades de España, De liberis educandis...*

Del *Arte de la lengua castellana*—*Gramática*—se hicieron innumerables ediciones durante el siglo XVI. Modernamente: edición de *Halle*, 1900; edición de Madrid, Hernando; edición González Llubera, 1929.

V. WALBERG, E.: *Estudio* en la edición de Halle. 1900.—LEMOS Y RUBIO, P.: *El maestro A. E. de Lebrija*, en *Revue Hispanique*, 1910, XXII, 459 y sigs.—SUAÑA, H.: *Estudio sobre Nebrija*. 1879.—MENÉNDEZ PELAYO, M.: *Antología*. VI, 187.—OLMEDO, P. F.: *Antonio de Nebrija*. Madrid, 1942.—MUÑOZ, J. B.: *Elogio de Antonio de Nebrija*, en *Memoria Acad. Hist.*, III.

NEGRONI MATTEI, F.

Poeta y prosista puertorriqueño. Nació —1896—en Yauco. Sus primeros estudios los siguió en las escuelas públicas. Más tarde fue alumno del Instituto Universitario José de Diego, de San Juan. Amplió sus estudios en los Estados Unidos, obteniendo el título de doctor en Optica en la Philadelphia Optical College. Periodista y conferenciante ilustre. Su producción literaria hállase diseminada en diarios y revistas.

Negroni Mattei debe quedar incluido dentro del posmodernismo, con un acento propio muy peculiar, con un lenguaje vario y estridente en ocasiones, con una tendencia hacia lo trágico.

Entre sus mejores poesías figuran: *La muerte de Polichinela, Brindis galante*.

V. VALBUENA BRIONES, Angel: *La poesía puertorriqueña contemporánea*. Tesis doctoral, Madrid, 1952.—LABARTHE, Pedro Juan: *Antología de poetas contemporáneos de Puerto Rico*. México, 1946.—ROSA-NIEVES, Cesáreo: *La poesía en Puerto Rico*. México, 1943.

NEIRA DE MOSQUERA, ANTONIO.

Literato gallego. Nació—1818—y murió —1853—en Santiago de Compostela. Colaboró en los periódicos gallegos *Revista de Galicia, El Recreo Compostelano* y *La Situación de Galicia*. En 1846 se trasladó a Madrid, donde fue colaborador de *El Tío Vivo, El Censor de la Prensa* y *El Imparcial*. Popularizó, en este último periódico, el seudónimo de "El doctor Malatesta". Fue uno de los directores de *Las Mil y una noches españolas* y redactó varios excelentes artículos para la famosa colección *Los españoles pintados por sí mismos*. La primera obra que le dio renombre fue la titulada *Monografías de Santiago*, escritas con auténtica erudición y gran amenidad.

Neira de Mosquera fue un escritor romántico de muy sugestiva personalidad; y merece un puesto de honor entre los mejores escritores costumbristas de su época.

Obras: *La razón de la sinrazón*—drama, 1843—, *Don Suero de Toledo*—cuento ampliado más tarde con el título de *La marquesa de Comba y Rodeiro*—, *Las ferias de Madrid*—1845—, *Cuadros históricos, Episodios políticos, tradiciones y leyendas; Costumbres populares...*

V. CARRÉ Y ALDAO, Eugenio: *La literatura gallega en el siglo XIX*. 2.ª edición. Barcelona, Maucci, 1911.—COUCEIRO FREIJOMIL, Antonio: *El idioma gallego. (Gramática. Historia. Literatura.)* Barcelona, 1935, págs. 316-17.

NELKEN, Margarita.

Novelista, crítico de arte y periodista española. Nació—1894—en Madrid. En su mocedad estudió pintura con éxito y expuso obras suyas en Madrid, Bilbao y Viena. A los quince años empezó a escribir artículos sobre temas de arte, que aparecieron en *The Studio*, de Londres; en *Le Mercure de France* y en otras muchas revistas especializadas de Europa y América. Ha viajado por todo el mundo. Diputada a Cortes—1931—. Ha dado conferencias en casi todos los Ateneos y Galerías de Arte de Europa. Vocal del Patronato del Museo de Arte Moderno, de Madrid, hasta 1936.

Obras: *Glosario (Obras y artistas), La trampa del arenal*—novela—, *En torno a nosotras, Las escritoras españolas, Goethe, Ideario de Ramón y Cajal, Guía espiritual del Prado, Tres tipos de vírgenes* y algunas novelas breves.

NERUDA, Pablo.

Poeta extraordinario, acaso el más importante, hoy, de la América española. Sus verdaderos nombre y apellido son Neftalí Reyes. Nació—1904—en Parral (Chile). Su madre era maestra primaria y su padre maquinista de tren. En el Liceo de Temuco cursó las Humanidades, adoptando ya para escribir el seudónimo de "Pablo Neruda", quizá en recuerdo del gran cuentista checo. En 1921 se trasladó a Santiago, donde se hizo profesor en el Instituto Pedagógico, renunciando poco después a su carrera. Nombrado para una comisión diplomática, pasó cinco años en Oriente: Birmania, Siam, Anam, China, Japón, la India... En Colombo vivió dos años. En 1930 fijó su residencia en Java y contrajo matrimonio con una javanesa de origen holandés. En 1932 regresó a Chile. En 1934 llega a Barcelona como cónsul de su país. Y un año después desempeña

N

el mismo cargo en Madrid. En 1936 regresó a su patria, siendo nombrado senador—¡qué contrasentido prosaico!—y ganando el "Premio Nacional", de 100.000 pesos.

Amado Alonso: "La característica interna de Neruda es el ímpetu de la emoción y el decisivo enfrentamiento del hombre ante su existencia, y la externa, el hermetismo de la expresión. De tener que caracterizar en una cifra la poesía última de Pablo Neruda, lo haría con estos versos de su *Oda con un lamento*:

... o sueños que salen de mi corazón a borbo-
                                    [tones,
polvorientos sueños que corren como jinetes
                                    [negros,
sueños llenos de velocidades y desgracias.

Es una poesía escapada tumultuosamente de su corazón, romántica por la exacerbación del sentimiento, expresionista por el modo eruptivo de salir, personalísima por la carrera desbocada de la fantasía y por la visión de apocalipsis perpetuo que la informa."

Leguizamón: "La poesía de Neruda evoluciona sostenidamente, como su desolada y peculiar visión del mundo, desde la melancolía hacia la angustia. La intensidad de su acento, la honda sima de su penetración, están dadas por la calidad sensible del poeta, hundido en un océano elemental y en una infinita sombra nocturna de angustias. Bajo su presión, el poeta canta de acuerdo con una visión no preconformada, sino activa e inmediatamente creadora por sí misma. De ahí la oscuridad de una poesía cuya intuición aparece deficientemente subjetivada por la abundancia efusiva del sentimiento... Su trasmundo lírico—bazar de alegorías y metáforas—ahoga y anula a un inmenso poeta."

No todas son alabanzas para este indiscutible gran poeta. Juan Ramón Jiménez le calificó de "gran mal poeta".

Neruda representa en la poesía hispanoamericana lo que en la española representan García Lorca y Alberti: la liberación de las normas establecidas, la efusión efervescente de la sensibilidad, la locura maravillosa de la imagen audaz, el reconcomio de la abstracción arrastrada a un trance de sutileza, la descomposición morosa de los colores simples, la huida clamante hacia la poesía vagarosa. Como García Lorca y Alberti, Neruda ha tenido, y tiene, infinitos discípulos e imitadores. Sin exageración puede afirmarse que escasos líricos hispanoamericanos actuales se ven libres de dicha influencia.

Como prosista, Neruda es muy inferior.

Obras: *Crepusculario*—1919—, *La canción de la fiesta*—1921—, *Veinte poemas de amor y una canción desesperada*—1924—, *Tentativa del hombre infinito*—1926—, *Anillos*—pro-

sas, 1926—, *Canto para Bolívar, El habitante y su esperanza*—1926—, *El hondero entusiasta*—1933—, *Tres cantos materiales* —1935—, *Residencia en la Tierra*—tres tomos, Santiago, 1933, y Madrid, 1935—, *España en el corazón*—1937—, *Las furias y las penas*—Buenos Aires, 1939—, *Canto general*—Santiago, 1950.

V. GÓMEZ DE LA SERNA, R.: *Nuevos retratos contemporáneos*. Buenos Aires, 1945.— ALONSO, Amado: *Poesía y estilo de Pablo Neruda*. Buenos Aires, Losada, 1940.—NERUDA, Pablo: *Vida y obra, bibliografía y antología*. Instituto de las Españas, Nueva York, 1936. TORRE, Guillermo de: *Literaturas europeas de vanguardia*. Madrid, 1925.—LATORRE, Mariano: *La literatura en Chile*. Universidad de Buenos Aires, 1941.—SOLAR, Hernán: *Indice de la poesía chilena contemporánea*. Santiago, 1937.—ANGUITA, Eduardo: *Antología de poesía chilena nueva*. Santiago, "Zig-Zag", 1935.

NERVO, Amado.

Extraordinario poeta, cuentista y ensayista. 1870-1919. Nació en Tepic (México). Y murió en Montevideo. Su padre fue Amado Nervo. Su madre, Juana Ordaz. De acuerdo con la partida bautismal, él se llamaba José Amado; pero ya en su primer relato, *El bachiller*—1891—, adopta el nombre paterno, nombre con el que se haría inmortal en las letras. Durante algún tiempo estudió en el Seminario de Zamora, con ánimo de seguir la carrera eclesiástica, propósito que abandonó en 1891. Pero la huella del episodio quedó para siempre impresa en su vida. Nervo perpetúa un aire recoleto, de seminarista provinciano, perfil nazareno, dulce y suave mirada: un melancólico caballero del Greco, de los mismos que decoran con mística elación el *Entierro del conde de Orgaz*, según lo describiera José Juan Tablada. Bastante influyó también en la melancolía de su espíritu el ambiente tranquilo y religioso del hogar de sus padres.

Desde casi niño tuvo, pues, una tendencia al misticismo y a la más patética y sucinta de las filosofías. Según Rubén Darío, "su unción, su saber de cosas religiosas, su aire mismo, daban idea de un admirable oblato".

Desde muy joven colaboró en numerosas publicaciones. Fundó y dirigió, con Jesús E. Valenzuela, *La Revista Moderna*—de 1898 a 1903—. Hacia 1900 fue enviado por *El Imparcial* a la Exposición Internacional de París, donde trabó amistad con interesantísimas figuras artísticas y donde conoció también a la ejemplar compañera de diez años de su vida, la bella Ana Cecilia Luisa Daillez, cuya muerte le inspiró su hermosísimo libro lírico *La amada inmóvil*. De regreso en México, inició su carrera diplomática en 1905, en la Embajada de México en Madrid. En 1908 fue nombrado enviado extraordinario y ministro plenipotenciario en la Argentina, Uruguay y Paraguay.

Quien escribe estas líneas conoció y trató al gran poeta, a quien admiraba con idolatría desde lo más alto de sus quince años. Nervo se sentía muy a gusto en Madrid, tierra desnuda, honda y melancólica, que tan bien rimaba con su espíritu. En España, Darío y Nervo son los poetas americanos más amados y leídos. El segundo comparte con Bécquer la predilección de la mayoría de las mujeres españolas. Un crítico contemporáneo ha escrito: "Desde la publicación de sus primeros libros—*Perlas negras y Místicas*— hasta *En voz baja,* la evolución de Nervo ha sido variada, pero siguiendo siempre un solo rumbo. Ha sido un admirable sincero, y por eso mismo un admirable poeta. Luego tiene una individualidad. Es de esos poetas privilegiados que ponen algo inconfundible en lo que producen. Para quien conozca su obra, una poesía de Amado Nervo no necesita de la firma. Además, es un poeta aristocrático, en el sentido original de la palabra. Su música es *di camera.* Ha cantado casi siempre "en voz baja", condición excepcional esta en la sonante España y en nuestra América española..."

Nervo es cristiano, espiritualista, delicado y triste casi siempre. Es "un inconfundible" poeta, y es esta su mejor alabanza. Nadie hay "como él".

"La poesía de Amado Nervo—escribe Lauzar (Crespín Acosta)—es vaga como una lejanía crepuscular y confusa como una resonancia. Su tema casi constante es el amor; pero nunca lo canta sino con la tristeza del recuerdo o la inquietud dolorosa de una esperanza insegura y frágil. Su emoción se hunde hasta perderse en lo pasado y en lo futuro, y cuando algo la detiene un instante en la hora que transcurre vive en ella como fuera del tiempo, de tan hecha que está su alma a los sentimientos extraños, a las realidades dolorosas... No se ve del mundo más que las imágenes que su alma recoge, y ella no es un espejo fiel; todo lo altera y esfuma como la niebla. Hay en esta especie de aislamiento reflexivo una semejanza de reclusión religiosa. Amado Nervo es un enclaustrado de la vida. No es asceta ni penitente; su conciencia no abriga ni la sombra de un arrepentimiento. Mira el vivir humano sin odio ni disgusto, con desengaño y tristeza. Sabe que puede existir en la tierra una felicidad, pero ni la busca ni la quiere. Sueña con esa dicha íntima, formada por la correspondencia de su alma con otra capaz de igual delicadeza y dulzura..."

Nervo fue también un fino y hondo cuentista. Su prosa, aun cuando no alcanza las calidades de su poesía, es elegante, delicada, sencilla, clara.

Obras: *Místicas*—poesías, México, 1895—, *El bachiller*—novela, México—, *Perlas negras* —poesías, México, 1896—, *Poemas*—París, 1901—, *El éxodo y Las flores del camino* —verso y prosa, México, 1902—, *Lira heroica* —México, 1902—, *Otras vidas*—novelas cortas, Barcelona, s. a.—, *Jardines interiores* —poesías, México, 1905—, *Almas que pasan* —prosas, Madrid, 1906—, *En voz baja*—poesías, Madrid, 1909—, *Ellos*—prosas, París, 1909—, *Juana de Asbaje*—biografía, Madrid, 1910—, *Mis filosofías*—prosas, París, 1912—, *Serenidad*—poesías, Madrid, 1912—, *Elevación*—versos, Madrid, 1916—, *El diablo desinteresado*—novela corta, Madrid, 1916—, *Plenitud*—prosas, Madrid, 1918—, *El estanque de los lotos*—versos, 1919—, *Los balcones*—prosas...

De las *Obras completas* de Amado Nervo hay dos ediciones magníficas: una en 33 tomos, Madrid, Biblioteca Nueva, 1922 a 1926; otra, México, en 30 tomos, edit. Botas, 1938. La más importante edición de las *Obras completas* de Nervo ha sido publicada por M. Aguilar, Madrid, 1952, en dos lujosos tomos, con estudios y notas.

V. Ortiz de Montellano, B.: *Figura, amor y muerte de Amado Nervo.* Edit. Xochitl, México, 1943.—Estrada, Jenaro: *Poetas nuevos.* México, 1916.—Ory, Eduardo de: *Amado Nervo.* Cádiz, 1918.—González Peña, Carlos: *Historia de la literatura mexicana.* México, 1928.—Jiménez Rueda, J.: *Historia de la literatura mexicana.* México, 1926.—Maples Arce, M.: *Antología de la poesía mexicana moderna.* Roma, 1940.—Onís, Federico: *Antología de la poesía hispanoamericana...* Madrid, 1934.—González Guerrero, Francisco: *Amado Nervo prosista,* en la ed. Aguilar, Madrid, 1952, tomo I.—Méndez Plancarte, Alfonso: *Amado Nervo poeta,* en la edición Aguilar, Madrid, 1952, tomo II.

NEVILLE, Edgar.

Humorista y novelista de gran ingenio y popularidad. Conde de Berlanga de Duero. Nació el 28 de diciembre de 1899 y murió —1967—en Madrid. Licenciado en Derecho en 1922. Ingresó en la carrera diplomática ese mismo año, después de pasar las oposiciones. Destinado primero en el Ministerio de Estado en Madrid, ha ocupado, sucesivamente, el puesto de agregado en Washington y de cónsul en Uxda (Marruecos francés). Cuentista y comediógrafo de finísimo ingenio y de humor peculiar y seductor. Conversador de gracia inagotable.

Libros: *Eva y Adán*—1926, Caro Raggio, cuentos y ensayos—, *Don Clorato de Potasa* —novela grande, 1929; primera edición,

N

Ruiz Castillo; segunda, José Janés, 1947—, *Música de fondo*—novelas cortas, Ruiz Castillo, 1936—, *Frente de Madrid*—novela de guerra, Espasa-Calpe, 1942—, *La familia Mínguez*—José Janés, 1946—, *Futuro imperfecto* —Janés, Barcelona—, *Producciones García* —Madrid, 1956—, *La piedrecita angular* —1958—, *Torito bravo*—1955—, *La borrasca* —poemas, 1964—, *Mar de fondo*—poemas, 1964—, *El día más largo de monsieur Marcel*—cuentos, 1965.

Comedias: *Margarita y los hombres*—estrenada en 1934—, *Producciones Mínguez, S. A.; Los hombres rubios*. En septiembre de 1952 estrenó en Madrid su comedia *El baile*, una de las obras escénicas más humanas, bellas y sugestivas de los últimos años. *Adelita, La vida en un hilo, Veinte añitos, Prohibido en otoño, Rapto, Alta fidelidad*.

Guiones de películas: *El malvado Carabel* —adaptación—, *La señorita de Trévelez* —adaptación—, *Frente de Madrid*—original—, *Correo de Indias*—original—, *Café de París*—original—, *La vida en un hilo*—original—, *Domingo de Carnaval*—original—, *El crimen de la calle de Bordadores*—original—, *El señor Esteve*—adaptación—, *El tiempo pasado*—original.

V. Nora Eugenio G. de: *La novela española contemporánea*. Madrid, Gredos, 1962. Tomo II, págs. 254-260.—Torrente Ballester, Gonzalo: *Teatro español contemporáneo*. Madrid, Guadarrama, 1957, págs. 296-300.

NIEREMBERG Y OTIN, Juan Eusebio.

Insigne prosista y ascético español. Nació —1595—en Madrid. Y murió—1658—en la misma capital. Sus padres, Godofredo Nieremberg y Regina Otin, eran alemanes, y vinieron a España entre el séquito de doña María de Austria, hija de Carlos I, por ser doña Regina Otin camarera de la emperatriz. Nieremberg estudió en el Colegio Imperial de Madrid, en Alcalá y en Salamanca; en esta última ciudad ingresó en la Compañía de Jesús, en 1614. En el colegio de Huete amplió sus conocimientos de griego y latín, y en el de Alcalá, Artes y Teología. En 1628 se ordenó sacerdote y fue nombrado lector de Gramática y de Sagrada Escritura, confesor y prefecto del Colegio Imperial. Confesor de la duquesa de Mantua, nieta de Felipe II. Felipe IV le nombró teólogo de la Junta creada para exaltar la Concepción Purísima de María. Rector de la casa y maestro de novicios. Sus ayunos y austeridades fueron de tal naturaleza, que le dejaron flaco, herido y extenuado. En 1645 quedó privado del uso de la lengua. Murió en olor de santidad.

Para Menéndez Pelayo, Nieremberg "es prosista elegantísimo, pero recargado, verboso, exuberante, profuso de palabras más que de ideas, un tanto cuanto *batológico*, y en-

tre los hilos de oro de su prosa fuera fácil descubrir hojillas de más vil metal, más propio para la declamación que para la legítima elocuencia". Y Cejador opina: "Sobresalió por la tierna piedad, devoción algún tanto dulzacha, y por la consiguiente cándida credulidad que se nota en sus obras. Desleído en demasía por la abundancia de conceptos y deseo de persuadir a la virtud, no acaba nunca de dejar el punto elegido, dando vueltas en torno de él con lenguaje castizo, sin el enrevesamiento de la época, aunque algo flojo y desmazalado, persuasivo siempre y al correr de la pluma. Es, sin embargo, de los escritores castellanos más fecundos, fáciles, elegantes y elocuentes; como místico y ascético, de los que más se pegan al alma; y como erudito, uno de los más leídos y estudiosos."

Figura en el *Catálogo de autoridades* del idioma.

Obras: *Curiosa filosofía y tesoro de maravillas de la Naturaleza*—1630—, *Vidas de San Ignacio*—1631—*y de San Francisco de Borja, Aprecio y estima de la gracia divina* —1638—, *Vida divina y camino real para la perfección*—1633—, *De la hermosura de Dios y su amabilidad*—1641—, *De la afición y amor a María*—1630—, *Diferencia entre lo temporal y lo eterno, crisol de desengaños* —1643—, su obra maestra, que plagió el inglés Jeremías Taylor en 1684—, hermosa traducción de la *Imitación de Cristo*, superior a la de fray Luis de Granada; *De la constancia en la virtud*—1647—, *Epistolario...* y otras muchísimas.

Buena edición moderna: *Obras espirituales*, Madrid, 1890-1892, en seis volúmenes.

V. Alonso Cortés, N.: *Estudio en el Epistolario*. Madrid, 1915. *Clásicos Castellanos.*—Astraín P.: *Historia de la Compañía de Jesús.*—Alvarez de Baena, J. A.: *Hijos ilustres de Madrid...* Tomo III.—Menéndez Pelayo, M.: *Historia de las ideas estéticas.*

NIETO, Ramón.

Cuentista y novelista español. Nació —1934—en La Coruña. Licenciado en Derecho. En 1957 ganó el "Premio Sésamo" para novelas cortas, en 1959 el "Premio Ondas" para novelas, y en 1958 el "Premio Leopoldo Alas" para cuentos. Ramón Nieto es uno de los novelistas más interesantes de hoy. Sus temas están tratados originalmente y son siempre trascendentales. Sus personajes son trasuntos de la realidad. Su estilo y su vocabulario son personales y brillantes. En la crudeza temática o expresiva de Ramón Nieto nunca hay desgarro ni grosería, pues sabe llegar a los límites de su intento con tal fuerza y "plasticidad" que para nada necesita las atrocidades de vocabulario. Además, Ramón Nieto se mantiene en la línea tradicional de nuestra novela, y, felizmente para él, en su modo de construir y en su forma de mantener la tensión recuerda al mejor "Clarín".

Obras: *La tierra*—cuentos, 1957—, *Los desterrados*—1958—, *La fiebre*—novela, Madrid, 1960—, *El sol amargo*—Madrid, 1961—, *La patria y el pan*—1962—, *La cala*—Madrid, 1963—, *Vía muerta*—1964.

NIETO DE MOLINA, Francisco.

Poeta satírico y prosista de mucho ingenio. Nació—¿1732?—en Cádiz. Y murió —¿1780?—en Madrid. Se desconocen pormenores de su vida. Poeta festivo y burlesco, de castiza cepa, que más parece del siglo anterior que del retórico en que le tocó nacer, a quien Moratín colocó entre los que llamó *poetas tabernarios*, esto es: antiseudoclásicos y nacionales. ¡Mejor para Nieto de Molina! El pretendido insulto era, en verdad, una alabanza. Menéndez Pelayo cree que Nieto "era, en suma, por todo lo que conocemos de él, como un Jacinto Polo, un Cáncer y Velasco o un Anastasio Pantaleón de la Ribera, con gusto menos malo y no menor abundancia de dicción pintoresca."

Nieto de Molina tenía inspiración, sarcasmo, desenfado para escribir. Odiaba lo huero y retórico, el afrancesamiento, la blandenguería neoclásica. Y los combatió despiadadamente con repajolera gracia.

Obras: *El fabulario*—Madrid, 1764, diez poemitas burlescos—, *La Perromaquia, poema heroico burlesco, en redondillas*—Madrid, 1765—, *Inventiva rara: definición de la poesía, contra los poetas equivoquistas; papel cómico*—Madrid, 1767—, *Juguetes de ingenio y rasgos de la poesía*—Madrid, 1768, sonetos, octavas, epigramas, romances...*—, Los críticos de Madrid en defensa de las comedias antiguas y en contra de las modernas*—Madrid, 1768—, *Discurso en defensa de las comedias... de Lope de Vega y en contra del "prólogo crítico" (de Nasarre)*—Madrid, 1768—, *Obras en prosa... en cinco discursos*—Madrid, 1768—, *Colección de títulos de comedias, autos sacramentales, tragedias, zarzuelas, loas, entremeses y ramitos de los más famosos autores*—1774, manuscrito, La Barrera.

De las poesías de Nieto dijo A. de Castro: "Están inmunes de culteranismo, y tienen, por lo demás, todo el carácter de las mejores poesías festivas del siglo de Góngora, poesías festivas en las cuales nuestro Parnaso aventaja al de otras naciones."

El poema *La Perromaquia* y la *Fábula de Pan y Siringa* pueden leerse en el tomo XLII de la "Biblioteca de Autores Españoles".

V. CASTRO, Adolfo: Prólogo a la edición "Biblioteca de Autores Españoles", XLII.

NIFO, Francisco Mariano.

Literato español de interés. Nació—1719— en Alcañiz (Teruel). Murió—1803—en Madrid. Está considerado como uno de los fundadores del periodismo en España. Según Sempere, "fue el principal autor de periódicos, fundó el primer diario de Madrid y ganó con su profesión más de un millón de pesetas, caso insólito en su época". Pasó toda su vida en la corte.

Fue fecundo, estudioso, gran divulgador de la cultura, partidario de lo tradicional y castizo y opuesto a la tendencia enciclopédista. Dio a la estampa muchas publicaciones periódicas y traducciones. Reprodujo en sus revistas y antologías notables piezas olvidadas.

Pasan de noventa las obras de este excelente escritor, que no carecía de ingenio y de gracia expresiva.

Obras: *Los engaños de Madrid y trampas de sus moradores*—Madrid, 1742—, *Versos endecasílabos a la coronación de... Fernando VI*—Madrid, 1746—, *Representación (de burlas hechas de veras) al nobilísimo premio de los hombres de juicio de esta gloriosa monarquía...*—Madrid, 1754—. *Diario curioso, erudito y comercial...*—Madrid, 1755 y 1758, publicado con el seudónimo de "Don Manuel Ruiz de Uribe"—, *El erudito investigador, El cajón de sastre literario, El novelero de los estrados y tertulias...*, varias comedias y traducciones de Marmontel y el marqués de Caracciolo.

V. GASCÓN, J.: *Don Francisco Mariano Nifo...* Zaragoza, 1904.—GONZÁLEZ-BLANCO, Edmundo: *Historia del periodismo.* Madrid, Biblioteca Nueva, 1920.

NIN FRÍAS, Alberto.

Autor teatral, ensayista y periodista de méritos múltiples. Nació el 9 de noviembre de 1879 en Montevideo (Uruguay). Sus estudios primarios, en el colegio del señor Blair, de Londres, y en el de San Marcos, de Windsor; su educación secundaria, en el Colegio Internacional La Chatelaine, de Ginebra; el Gymnasio Municipal, de Berna (Suiza); el Institut St. Louis, de Bruselas (Bélgica) y en la Facultad de Enseñanza Secundaria de Montevideo (Uruguay). Obtuvo sus diplomas de estudios superiores en las Universidades de Columbia, Nueva York; George Washington, D. C., y la Católica, D. C., de Estados Unidos. En 1897, agregado al Museo Pedagógico de Montevideo. En 1904, bibliotecario de la Cámara de Representantes del Uruguay y profesor de inglés y francés en la Facultad de Comercio de Montevideo. En 1905, encargado de las clases de francés en la Facultad de Enseñanza Secundaria de la misma Universidad. Promovido a profesor

N

sustituto de Francés, de Filosofía y Moral
—1906—. En 1908, secretario de la Legación
del Uruguay en los Estados Unidos; encargado de Negocios de la misma—1909—, secretario de la Legación del Brasil—1910—y
de la de Chile y Bolivia—1912—, encargado
de Negocios de la misma—1913—, secretario
de la de Venezuela y Colombia—1914—, encargado de Negocios—1914-15—, secretario
viajante del International Committee de la
Y. M. C. A., de los Estados Unidos—1915—,
secretario de Venezuela en el Pan-American
Financial Conference—1915—, profesor de
Castellano, Historia americana y Geografía
continental en la Universidad de Siracusa
—1915—, secretario de la Universidad de la
Y. M. C. A., de Buenos Aires—1916.

Ha tomado parte activa en *La Prensa,* de
Buenos Aires, donde fue redactor de actualidades—1925—, y en *Crítica,* donde ocupa
el cargo de redactor y traductor de lenguas
vivas. Es doctor en Filosofía y Leyes, graduado en la George Washington University,
Washington, D. C. Bachiller en Ciencias y
Artes de la Universidad de Montevideo, y
Master of Arts de la George Washington
University. Ha desempeñado las cátedras de
Inglés, Francés, Filosofía y Moral, Español,
Geografía e Historia de América en las Universidades de Montevideo (Uruguay) y de Siracusa, Estados Unidos.

Obras: *Ensayo sobre Taine*—1900—, *Sobre
una Sociedad Internacional, Ensayos literarios e históricos*—1902 y 1907—, *Nuevos ensayos de crítica e historia*—1904—, *Ensayo sobre el nuevo movimiento social del
doctor Josiah Strong*—1909—, *Ensayo sobre la "República" de Platón desde el punto de vista sociológico, Ensayo sobre el interés filosófico del "Sueño de una noche de
verbena", Ensayo sobre la filosofía de la vida, tal como lo describe "Como gustéis", de
Shakespeare; Ensayos sobre la Religión
(análisis del idealismo desde el punto de vista cristiano), Carta a un escéptico, El árbol
—1910—, La fuente envenenada*—1911—,
Sordello Andrea—1912—, *Marcos, el amador
de la belleza; Un huerto de manzanas
—1917—, El carácter inglés y la novela, El
carácter argentino, Psiquis*—comedia—, *Estudios religiosos, El cristianismo desde el
punto de vista intelectual, La novela del
Renacimiento, Cómo fui a Cristo, Leonardo
Stelio, El símbolo de la juventud de Cristo...*

V. Roxlo, Carlos: *Historia crítica de la
literatura uruguaya.* Montevideo, 1912.—
Zum-Felde, Alberto: *La literatura del Uruguay.* Buenos Aires, 1939.

NOCEDAL, Cándido.

Literato y político español. Nació—1821—
en La Coruña y murió—1885—en Madrid.
Abogado. Fiscal en uno de los Juzgados de

Madrid. Director de la *Gaceta*—1843—. Diputado a Cortes muchas veces. Subsecretario
de Gracia y Justicia y de Gobernación. Ministro de la Gobernación—1856—con el Gabinete Narváez. Jefe de las minorías carlistas en el Congreso y en el Senado. Miembro
de la Real Academia de la Lengua—1859—
y de la de Ciencias Morales y Políticas. Colaborador ilustre de *El Padre Cobos, La
Constancia* y *El Siglo Futuro*—diario este
último fundado por él—. Orador elocuentísimo. Gran caballero y noble corazón. Se
hizo famosa su frase: "¡Quiero leyes duras,
pero no arbitrariedades!" Consejero del pretendiente a la corona de España, don Carlos. Combatió sin descanso los liberalismos
extremos y revolucionarios.

Obras: *Las actas de Toledo...*—Madrid,
1858—, *Discurso sobre el reconocimiento del
llamado reino de Italia*—Madrid, 1866—, *La
novela contemporánea*—discurso de recepción en la Real Academia Española—, *Aparisi y Guijarro*—discurso necrológico—, *Prólogo a las obras de Jovellanos en la "Biblioteca de Autores Españoles", de Rivadeneyra.*

NOCEDAL, Ramón.

Escritor y político español, hijo de don
Cándido. Nació—1848—y murió—1907—en
Madrid. Abogado. Director durante muchos
años del diario madrileño *El Siglo Futuro,*
fundado por su padre. Diputado a Cortes
casi sin interrupción desde 1875. Defendió
brillantemente con la palabra y con la pluma las glorias de la tradición histórica española y de la religión católica. Senador
electo por Guipúzcoa. Se separó del carlismo—al que acusó de *transigente*—y fundó
el *integrismo,* de absoluta intransigencia
frente a todo conato liberal que atentase
contra la unidad católica.

En su juventud, con el seudónimo de "Un
ingenuo de esta Corte", estrenó en Madrid
dos dramas: *El juez de su causa*—1868—y
La Carmañola—1869—, obras que motivaron
ruidosas polémicas en la Prensa y que fueron muy alabadas por el padre Blanco García.

Otras obras: *Vida de don Cándido Nocedal, Vida del Beato Juan de Ribera, El Pontificado y su poder temporal, Los Fueros de
Navarra, La Iglesia y la masonería, Política
general, La cuestión de Cuba, Marta*—comedia—, *El mal menor...*

NOEL MUÑOZ, Eugenio.

Gran prosista, ensayista, crítico y periodista español. Nació—1885—en Madrid. Murió
—1936—en Barcelona. Estudió Humanidades
en el Seminario de San Dámaso, de Madrid,
y Filosofía y Letras en la Universidad Central. En 1909, al estallar la guerra de Marruecos, marchó allá como soldado, prime

ro, y como corresponsal, más tarde, de varios diarios, causando sensación con sus crónicas, llenas de enjundia, de color y de crítica severa y justa, que más tarde reunió en su libro *Notas de un voluntario.*

Durante varios años, en Ateneos y teatros, por toda España, llevó a cabo una violentísima campaña antiflamenquista y antitaurina, que le ocasionó serios disgustos, condenas y destierros y hasta atentados personales. Porque era cultísimo y orador lleno de vehemencias y de audacias. Pasan de tres mil el número de conferencias, mítines de controversia y artículos con que contribuyó a lo que estimaba un ideal patrio.

En 1923 marchó a la América española, recorriendo todas sus Repúblicas durante varios años, y pronunciando discursos, cuyos temas han sido siempre los hombres y las cosas de España.

Popularísimo y de magnífica personalidad, de una fecundidad asombrosa, riquísimo de inventiva, dueño de un estilo original lleno de garbo, gran conocedor del idioma, prosista de oro de ley, lleno de vigor, Eugenio Noel es uno de los mejores y más interesantes literatos españoles contemporaneos.

Ha escrito algunas novelas verdaderamente insuperables, modelos del género, y ensayos soberbios de pensamiento y de forma, y artículos dignos de las más selectas antologías.

Novelas: *Alma de santa, Amapola entre espigas, El cuento de nunca acabar, Don Oliverio XXIV de Bombón, El picador y su mujercita, La reina no ama al rey, El charrán y Flora la Valdajo, Los piratas de los barrios bajos, Las siete cucas, Los frailes de San Benito tuvieron una vez hambre, Allegreto de la VII sinfonía, El rey se divierte, La Melenitas, Vida de un fenómeno...*

Otras obras: *Alma y raza, Nervios de la raza, Las capeas, Semana Santa en Sevilla, España nervio a nervio, Piel de España, Castillos en España, Aguas fuertes, Señoritos chulos, Vidas de Santos, La providencia al quite, Taurobolios, Pan y toros, Diario íntimo*—Madrid, 1962, muy importante para el conocimiento de su vida.

V. SAINZ DE ROBLES, F. C.: *La novela corta española.* Madrid, Aguilar, 1952.—CABA, Pedro: *Eugenio Noel (Novela de la vida de un hombre intenso).* Barcelona, 1949.—SAINZ DE ROBLES, F. C.: *La novela española en el siglo XX.* Madrid, Pegaso, 1957.—NORA, Eugenio G. de: *La novela española contemporánea.* Madrid, Gredos, 1958. Tomo I, páginas 284-97.—ENTRAMBASAGUAS, Joaquín de: *Las mejores novelas contemporáneas (1925-1929).* Barcelona, Planeta, 1961. Págs. 623-681. (Contiene una biobibliografía exhaustiva.)—"AZORÍN": *Eugenio Noel,* en *Valores literios.* 1913.—CANSINOS ASSENS, Rafael:

Eugenio Noel, en *La Nueva Literatura.* Madrid, 1927.—GONZÁLEZ RUANO y CARMONA NENCLARES: *Eugenio Noel.* Madrid, 1927.— GÓMEZ DE LA SERNA, Ramón: *Eugenio Noel,* en *Retratos contemporáneos.* Buenos Aires, 1941.—UNAMUNO, M. de: *La obra de Eugenio Noel,* en *De esto y de aquello.* Buenos Aires, 1950.

NOGALES, José.

Periodista y novelista español. Nació —¿1850?—en Aracena (Huelva). Murió —1908—en Madrid. Licenciado en Derecho por la Universidad de Sevilla. En Madrid fue redactor de *La Epoca.* Dirigió *El Liberal,* de Sevilla. Colaboró en *A B C, Blanco y Negro* y *La Lectura.* Su fama se cimentó en un cuento: *Las tres cosas del tío Juan,* primer premio de un concurso organizado por *El Liberal,* de Madrid, y que ha pasado a todas las antologías del difícil género. A partir de este éxito su nombre fue popularizándose y sus producciones tuvieron muchísimos lectores y admiradores.

De estilo brioso, conciso y notablemente español. Ingenioso en inventiva.

Obras: *Mosaico*—1892, cuentos y tradiciones—, *En los profundos infiernos o zurrapas del siglo*—1896—, *Tipos y costumbres* —1900—, *Mariquita León*—Barcelona, 1901, novela...

NOLASCO, Sócrates.

De la República Dominicana. Cuentista. Nació en 1884. Pinta con firmes brochazos la vida rural y provinciana y desentraña sus temas folklóricos. Tiene estilo propio, de gran concisión y vigor.

Ha publicado: *El general Pedro Florentino y un momento de la Restauración* —1938—, *Cuentos del Sur*—1940—y *Viejas memorias*—1941.

NOMBELA Y TABARES, Julio.

Popular novelista español. Nació—1836—y murió—1919—en Madrid. Cursó el bachillerato en Almería y Madrid. Actor durante algunos años. Periodista más de veinte. Empleado—1856—en Hacienda. Redactor de *El Diario Español.* Secretario de Ríos Rosas. Dirigió numerosos periódicos y revistas, entre ellos: *La Novela*—1863—, *La Semana* —1877—, *La Gaceta Universal*—1884—, *La Ultima Moda*—1888—. Y fue redactor de *La Epoca, La Ilustración Española y Americana, Correspondencia de España, El Conciliador, La Política, Las Cortes...*

Utilizó numerosos seudónimos: "Vicencio", "Fidelio", "Pedro Jiménez", "Mario Lara", "Mayaliff-Mayaloff", "Juan de Madrid I", "Obleman"... Viajó durante mucho

N

tiempo por Francia, Italia, Alemania, Bélgica e Inglaterra. Dato curioso: durante la última guerra carlista fue secretario del celebérrimo caudillo carlista Ramón Cabrera. La fecundidad literaria de Nombela es realmente pasmosa. En nada desmerece de la de sus contemporáneos Fernández y González, Pérez Escrich o Tárrago y Mateos, a los que supera, no pocas veces, en calidades de prosista.

De las *Memorias* de Nombela ha dicho "Azorín" que son "el complemento obligado de las comedias de Bretón y de los cuadros de Mesonero Romanos". De mucha inventiva, estilo fácil, rico vocabulario, expresión muy natural y gran maestría "del oficio".

Novelas: *La maldición de una madre* —1861—, *La pasión de una reina*—1862—, *La villana de Alcalá*—1862—, *El coche del diablo*—1863—, *La parricida*—1864—, *Los 300.000 duros*—1866—, *La novela de un joven contada por cuatro trajes*—1867—, *La mujer de los siete maridos*—1867—, *Historia de un minuto*—1869—, *La dicha de un desdichado*—1870—, *El último duende*—1876—, *El pícaro mundo*—1883—, *El señor de Pérez* —1884—, *El amor propio*—1889—, *La flor de nieve*—1916...

Su obra maestra es la titulada *Impresiones y recuerdos*—1912—, de gran importancia para la historia política y literaria de su tiempo.

Entre 1905 y 1914 se han publicado en Madrid las *Obras literarias* de Julio Nombela, en 22 volúmenes.

V. "AZORÍN": *Los valores literarios.*—GONZÁLEZ-BLANCO, Andrés: *Historia de la novela contemporánea en España.* Madrid, 1909.

NONELL MASJUAN, Carmen.

Novelista española. Nació—1920—en Barcelona. Desde hace años vive en Madrid.

Obras: *Caminos cruzados*—novela, 1946—, *El cauce perdido*—novela, 1948—, *Cumbres de amor*—novela, 1946—, *Romance de Estretrella y el Mar*—novela, 1947—, *Idilio maldito*—novela, 1949—, *Resurgir*—novela, Madrid, 1953—, *La historia de "Farol"*—novela, Madrid, 1953—, *Zoco grande*—novela, Madrid, 1956—, *Munich: Leopoldstrasse, 207* —novela, 1962—, *La vida empieza hoy*—novela, 1966—, *La perrona*—cuentos, 1967—, *Los que se quedan*—novela, 1968...

NORA, Eugenio de.

Nació en Zacos (León) el 13 de febrero de 1924, de familia de labradores. Vivió en dicha aldea diez años. En 1934 se trasladó a León, donde reside actualmente. Cursó en esta ciudad, en el Instituto y en el Colegio de Hermanos Maristas, el bachillerato, y en la Universidad de Madrid, asignaturas de Derecho y la carrera de Filosofías y Letras, en cuya sección de Filología moderna se licenció en 1947. Sus apellidos civiles son García González de Nora. En la actualidad —1964—, catedrático de Literatura Española en la Universidad de Berna.

Obras: *Amor prometido*—1939-1945, publicado en el número 20 de *Fantasía*, julio de 1945, y como volumen en la colección de poesía "Halcón", número 4, Valladolid, 1946—, *Cantos al destino*—1941-1945, volumen XXIII de la "Colección Adonais", Madrid, 1945—, *Contemplación del tiempo* —1948—, *Siempre*—1950—, *España, pasión de vida*—"Premio Boscán, 1954".

Colaboraciones en revistas: Fundó y dirige con V. Crémer y A. F. de Lama *Espadaña*, que aparece en León desde junio de 1944, y de la que hasta la fecha—julio de 1949—han aparecido 36 números.

Fue redactor de la revista *Cisneros*, del Colegio Mayor de la Universidad de Madrid, en cuyos números 2, 3, 4, 6, 9 y 11 publicó comentarios, críticas y poemas—1943-1946.

Ha publicado poemas y prosa en *Corcel* —Valencia—, *Intimidad Poética*—Alicante—, *Garcilaso, Escorial, Halcón*—de Valladolid—, *Posío*—Orense—, *Entregas de Poesía*—Barcelona—, etc.

Eugenio de Nora encierra dentro de una forma suave y armoniosa un contenido de pasiones revueltas, de inminencias trágicas, de melancolías desesperanzadas. De tenerle que buscar semejanzas con algún otro gran poeta contemporáneo, nos acordaríamos de Miguel Hernández. En Nora hay más contención expresiva.

La novela española contemporánea, Madrid, Gredos, 1958-1962. Tres tomos (obra admirable y muy precisa).

V. MORENO, Alfonso: *Poesía española actual.* Madrid, Ed. Nacional. 1946.—SAINZ DE ROBLES, F. C.: *Historia y antología de la poesía española.* Madrid, Aguilar, 1964, cuarta edición.—GONZÁLEZ-RUANO, C.: *Antología de poetas españoles contemporáneos.* Barcelona, edit. Gili, 1946.

NOROÑA, Conde de.

Poeta y dramaturgo. 1760-1815. Don Gaspar María de Nava Alvarez de Noroña nació—1760—en Castellón de la Plana. Como militar, tomó parte en la victoria del Puente de San Payo, y como diplomático se apuntó algunos éxitos en las negociaciones entre España e Inglaterra que precedieron a la entrada de esta en favor de aquella durante la llamada guerra de la Independencia.

Fue un hábil versificador y un muy correcto traductor del inglés.

Compuso el poema narrativo la *Omníada*, acerca de las aventuras de Abderramán I; varias poesías anacreónticas, algunos epigramas y bastantes odas y silvas con argumentos mitológicos o patrióticos. Murió en 1815.

Otras obras de Noroña: *La Quicaida*—poema festivo, Madrid, 1779—, *Oda a la paz de 1795, Madama González*—tragedia—, *El hombre marcial*—comedia—, *El cortejo enredador*—comedia—, *Poesías*—Madrid, 1799. Dos tomos.

V. FITZMAURICE-KELLY: *Noroña's Poesías asiáticas*, en la *Revue Hispanique*, 1908. Tomo XVIII.—"Biblioteca de Autores Españoles": Tomo LXIII.—CUETO, Leopoldo A. del: *Bosquejo histórico-crítico de la poesía castellana del siglo XVIII.*

NOVAIS TOMÉ, José Antonio.

Nació el 30 de abril de 1925. Estudiante de Derecho y Filosofía y Letras. Colaborador de la *Grande Enciclopedia Portuguesa e Brasileira*. Ha escrito *Nocturnos*—poemas, Madrid, 1947—. Es un excelente poeta, de mucho nervio y con imágenes audaces y muy felices. Desde hace muchos años es corresponsal en España del gran diario francés *Le Monde.*

Ha publicado—1950—*Calle del Reloj*, prosas poéticas, biografía lírica, sugestiva e imaginativa, de una calle madrileña. Novais Tomé ha sabido llegar al secreto más hondo y turbador de un "ambiente" para traducirlo en páginas de quintaesenciada belleza, cuya estimación se hace inolvidable.

Otras obras: *Las formidables señas*—poemas, 1951, Madrid—, *El gallo y la tierra (Drama ibérico)*—Madrid, 1952—, *Cristo-Federico*—1959—, *Admeto*—teatro, 1954—, *Miedo y Hombre*—poemas, 1955.

V. SAINZ DE ROBLES, F. C.: *Historia y antología de la poesía española*. Madrid, 1969, Aguilar, 5.ª edición.

NOVÁS CALVO, Lino.

Novelista y periodista cubano, nacido a principios del presente siglo. Y uno de los valores más legítimos de la literatura contemporánea de su patria. De familia humilde. Muy joven llegó a Madrid y rápidamente, por la fuerza y sugestión de su pluma, supo abrirse las puertas de las revistas y de los diarios más importantes: *Ahora, Crónica, El Sol*... En la selectísima *Revista de Occidente*, dirigida por Ortega y Gasset, publicó *La noche de los ñáñigos*, posiblemente su obra maestra, novela llena de vigor, de originalidad, de humanidad cálida y apremiante.

Otras obras: *Pedro Blanco el Negrero* —biografía novelada—, *Aquella noche salieron los muertos.*

NOVO Y COLSON, Pedro de.

Poeta, historiador y autor dramático español de prestigio. Nació—1846—en Cádiz.

Murió—1931—en Madrid. A los dieciséis años entró en la Escuela Naval, de la que fue profesor. Asistió a muchas acciones contra los insurrectos de la isla de Cuba. Diputado a Cortes en 1906. Académico de la Real de la Historia y de la Real de Lengua.

Como autor teatral, fue uno de los más felices imitadores de don José Echegaray. Sus producciones son de las llamadas "de tesis", con mucha pasión y algo declamatorias. Obtuvo éxitos resonantes.

Obras teatrales: *La manta del caballo* —1878—, *Vasco Núñez de Balboa*—1882—, *Corazón de hombre*—1884—, *Hombre de corazón, Un archimillonario*—1886—, *La bofetada*—1890, su obra maestra, traducida al francés y publicada por la *Revue Internationale*, de París—, *El pródigo, Altezas del honor, La presa del león, Todo por ella*—zarzuela—, *Estado y Marina*—juguete cómico—, *Una hora en la terraza*—sainete...

Otras obras: *Sebastián Elcano*—oda—, *Ultima teoría sobre "L'Atlántida", Viajes apócrifos de Juan de Fuca y Lorenzo Ferrer Maldonado; Viaje politicocientífico alrededor del mundo..., Historia de las exploraciones árticas..., Dichos y hechos de españoles célebres...*

NOVO LÓPEZ, Salvador.

Poeta y novelista mexicano. Nació—1904— en la ciudad de México. Estudió Filosofía y Letras en su ciudad natal. Profesor universitario de Literatura. Colaborador de incontables publicaciones. Ha sido jefe de la Sección Técnica Editorial de la Secretaría de Educación Pública. Crítico literario de suma sutileza y de magnífica cultura. Poeta sensible y profundo.

Se inició, como lírico, dentro del ultraísmo, habiendo evolucionado después hacia el superrealismo y, más tarde, hacia la tradición con formas rigurosamente originales.

Obras: *Antología de cuentistas mexicanos e hispanoamericanos*—1924—, *La poesía norteamericana moderna*—1924—, *XX poemas*—1925—, *Ensayos*—1925—, *La educación literaria de los adolescentes*—1928—, *El joven*—1928—, *Espejo*—1933—, *Nuevo amor*—1933—, *Décimas en el mar*—1934—, *Continente vacío*—1935—, *En defensa de lo usado*—1938...

V. MAPLES ARIE, Manuel: *Antología de la poesía mexicana moderna*. Roma, 1940.— GONZÁLEZ PEÑA, Carlos: *Historia de la literatura mexicana*. 2.ª edición. México, 1940.

NOVOA, Matías de.

Historiador, prosista y diplomático español. Nació—¿1576?—en Toledo. Murió—¿1652— en Madrid. Hombre muy sagaz, estudioso y avisado. Entró al servicio del conde de Le-

N

mos. Por influencia del valido duque de Lerma entró como ayuda de cámara del príncipe don Felipe (IV). Al parecer, la muerte del rey don Felipe III favoreció las aspiraciones de poder del conde-duque de Olivares.

Cuando subió al trono Felipe IV y a la privanza Olivares, Matías de Novoa pidió a este el premio de sus servicios, sin que Olivares le hiciera el menor caso, por lo que Novoa se vengó consignando en su *Historia* todo lo que la hiel y el despecho le dictaron del poderoso ministro. Aun cuando en 1624 ya no figuraba Novoa como criado de Felipe IV, entre este año y el de 1630 figura su nombre en varias relaciones de pagos de salarios de la Real Casa de España. Nuevamente figura como ayuda de cámara en 1632. Estuvo casado con doña Juana de Luján y Benavides Y en 1648, 1649, 1650 y 1652 aún se le otorgaron pagas, gratificaciones y gajes.

Durante muchos años, las *Memorias—Historia de Felipe III* e *Historia de Felipe IV*— de Matías de Novoa fueron atribuidas a un tal Bernabé de Vivanco, ayuda de cámara del rey don Felipe III. Fue Cánovas del Castillo quien, en un libro primoroso por la erudición y por los decisivos razonamientos, devolvió la paternidad de tan curiosísimas e importantes *Memorias* a Novoa.

Aun cuando el estilo de estas *Memorias* es difuso y enrevesado su plan, son del mayor interés por las noticias trascendentales contenidas en ellas. Son más sugestivas por la exposición de los hechos que por los juicios correspondientes, en los que se traslucen demasiado la parcialidad y las pasiones del autor. Son, indudablemente, *amenísimas*. Los manuscritos se conservan en la Academia de la Historia y en la Biblioteca Nacional de Madrid.

Modernamente se han publicado en los tomos LX y LXI de la "Colección de documentos inéditos para la historia de España".

V. CÁNOVAS DEL CASTILLO, A.: *Matías de Novoa. Monografía de un historiador desconocido.* Madrid, 1871.—ALVAREZ DE BAENA: *Diccionario histórico de los hijos de Madrid,* 1789.—YÁÑEZ, José: *Memorias para la historia de don Felipe III...* Madrid, 1723.

NÓVOA GIL, Virgilio.

Nació en Pontevedra el 15 de octubre de 1912. Gran poeta y excelente prosista. Ha colaborado en numerosos periódicos y revistas: *Faro de Vigo, El Pueblo Gallego, La Libertad*—de Madrid—, *Diario de Pontevedra, Alerta*—de Buenos Aires—, *Vida Gallega, El Compostelano, Isla*—de Cádiz—, *Juventud*—de Madrid—, *El Sol*—de Madrid—, *Mío Cid*—de Burgos.

La vida aislada que lleva este gran poeta, su desdén por la publicidad, ha impedido que su obra alcance el prestigio que le corresponde en la lírica más selecta contemporánea. De finísima sensibilidad, mucha hondura de pensamiento, suave musicalidad y sugestiva melancolía, la crítica le reputa como uno de los grandes valores de la poesía española.

Ha publicado: *Silencio*—poemas, Madrid, 1932—, *El sueño desanclado*—Madrid, 1936.

V. SAINZ DE ROBLES, F. C.: *Historia y antología de la poesía española.* Madrid, editorial Aguilar, 1951, 2.ª edición.

NUEDA, Luis.

Literato, pintor, músico, crítico español. Nació—1883—y murió—1952—en Madrid. Cursó el bachillerato con los jesuitas en Chamartín de la Rosa. Licenciado en Derecho por la Universidad de Madrid.

La obra que le ha dado fama es la titulada *Mil libros,* colección de reseñas bibliográficas redactadas con una precisión, un arte y una sagacidad admirables; obra monumental, esfuerzo titánico de crítica literaria y de síntesis expositiva, que ha merecido los elogios más entusiastas de los críticos más exigentes. Publicada su primera edición en 1940, se han agotado copiosísimas ediciones. Nueda ha llegado a una maestría inmejorable cuando resume, comenta y crítica en escasas páginas una cualquiera de las obras imperecederas del espíritu humano.

Otras obras: *Un libro raro*—artículos, 1926—, *De música (Epistolario de un melómano)*—Madrid, 1920—, *Ante la farsa política*—polémica—, *Místicos, ascéticos y doctores de la Iglesia*—reseñas y críticas...

NÚÑEZ, Hernán (v. Núñez de Toledo y Guzmán, Hernán).

NÚÑEZ ALONSO, Alejandro.

Novelista español. Nació—1907—en Gijón (Asturias). Estudió muy diversas disciplinas, con cierta anarquía, pero con indudable aprovechamiento. Con poco más de veinte años marchó a México, donde ha permanecido más de veinte años, dedicado a muy distintas profesiones, pero esencialmente a escribir, y a dirigir periódicos: *Imagen, Mapa, Social.* También fue colaborador de los famosos diarios mexicanos *El Universal, El Nacional, Excelsior.* Desde 1949 reside en Madrid, dedicado exclusivamente a su enorme y fecunda vocación de novelista. Su existencia ajetreada, la variedad de sus horizontes influye decisivamente en los temas de sus novelas, donde se entreveran las aventuras, las reconstrucciones arqueológicas, los amores complicados, las refinadas y decadentes costumbres de las ciudades babilónicas, las morosas lucubraciones acerca de los complejos y de las descomposiciones individuales y sociales. Núñez Alonso planea —y plantea— sus novelas como pudiera hacerlo el más ambicioso de los pintores "de historia": por metros de muro o de tela. Por ejemplo: en cinco nutridos tomos de cerca de cinco mil páginas, intenta la reconstrucción del mundo romano de Tiberio y de los orígenes del Cristianismo.

Obras: *Páginas*—Gijón, ensayos, 1926—, *Konko*—México, 1943—, *Mujer de medianoche*—México, 1945—, *Días de huracán*—México, 1949—, *La gota de Mercurio*—Barcelona, 1954—, *Segunda agonía*—Barcelona, 1955—, *Tu presencia en el tiempo*—Barcelona, 1955—, *El lazo de púrpura*—Barcelona, 1957, "Premio Nacional de Literatura Miguel de Cervantes, 1957"—, *El hombre de Damasco*—Barcelona, 1958—, *El denario de plata*—Barcelona, 1960—, *La piedra y el César*—Barcelona, 1960—, *Las columnas de fuego*—Barcelona, 1961—, *Cuando don Alfonso XIII era rey*—Madrid, 1962—, *Gloria en Subasta*—"Premio de la Crítica, 1965"—, *Semíramis*—1966—, *Sol de Babilonia*—1967—, *Estrella solitaria…*

V. Nora, Eugenio G. de: *La novela española contemporánea*. Madrid, edit. Gredos, 1962. Tomo II bis, págs. 178-181.—Alborg, José Luis: *Hora actual de la novela española*. Madrid, edit. Taurus, 1958. Tomo I, páginas 233-259.—Pérez Minik, D.: *Novelistas españoles de los siglos XIX y XX*. Madrid, edit. Guadarrama, 1957, pág. 327.

NÚÑEZ DE ARCE, Gaspar.

Famoso y gran poeta y autor dramático español. Nació—1834—en Valladolid. Murió —1903—en Madrid. Estudió en Toledo y en Madrid. Fue corresponsal de *La Iberia* durante la campaña de Africa—1860—. Afiliado a la política de la Unión Liberal. Gobernador de Logroño. Diputado a Cortes—1865— por Valladolid. Ministro de Ultramar en 1883. Académico de la Española—1874—. Presidente del Ateneo y de la Sociedad de Escritores y Artistas.

¿Acudimos a los adjetivos para dar con rapidez una impresión primera de lo que fue la poesía de Núñez de Arce? Acudamos. Escultórica. Retórica. Cerebral. Fogosa *de expresividad*. A los treinta años, como cualquier romántico, ya presumía Núñez de Arce de:

> ¡Treinta años! ¡Quién me diría
> que tuviera al cabo de ellos,
> si no blancos los cabellos,
> el alma apagada y fría!

Y era también muy aficionado a frases como estas: "Entre lágrimas y cieno", "Esta España moral que se derrumba", "El hervor apocalíptico de las instituciones", "Las funestas concesiones a la demagogia". Frases que pintan muy a las claras los rumbos por los que el poeta iba a encaminarse. ¿El arte por el arte? ¿La poesía por la belleza? ¡De ningún modo! "La poesía, para ser grande y apreciada—exclama el poeta—, debe pensar y sentir, reflejar las ideas y pasiones, dolores y alegrías *de la sociedad en que vive*—este subrayado es nuestro—; no cantar como el pájaro en la selva, extraño a cuanto lo rodea y siempre lo mismo." En efecto, de muy buena fe cree Núñez de Arce en la misión pedagógica de su poesía. Se siente poeta *civil*, de los que increpan y aleccionan, de los que hacen restallar su látigo sobre las prevaricaciones sociales y marcan con hierro candente la mejilla de los réprobos, de cuantos con su libertinaje contribuyen a que la sociedad se despeñe por los abismos de la pública universal vergüenza. Sino que resulta un tantico sospechoso que quien así vocifera y se rasga las vestiduras cívicas presuma de su incredulidad religiosa, de su liberalismo político y de su escepticismo social. La función pedagógica de la poesía de Núñez de Arce debe quedar en cuarentena. Y ya nos convenceremos todos de que el mismo poeta refleja en cada composición *un estado* de su alma, cuyos estados nada tienen que ver los unos con los otros. Núñez de Arce es otro de los que, como Bartrina, llevan en su cabeza un caos. Nos atrevemos a decir algo más: la poesía de Núñez de Arce era un magnífico espejo en que se reflejaban, con igual imparcialidad de brillos y de contrastes, los excesos del libertinaje, los desencantos políticos, el escepticismo de las almas, el cansancio intelectual *de su época. Y no los de él.*

¿Qué ponía Núñez de Arce de personal en sus poesías? La música. ¿Parece poco? Pues no lo es. De las poesías de Núñez de Arce podrá decirse todo menos que no *suenan bien.* Conoce mejor que nadie los efectos de la rima. Y en ello aventaja a los más grandes versificadores castellanos. Con soltura asombrosa maneja y juega con las sílabas para buscar las cópulas más enérgicas. Es un verdadero artífice de la imagen y de la metáfora. Tienen razón unos modernos críticos cuando afirman que pocas veces se han escrito en castellanos décimas tan perfectas y rotundas como aquella con que termina *El vértigo:*

> ¡Conciencia, nunca dormida,
> mudo y pertinaz testigo,
> que no dejas sin castigo
> ningún crimen en la vida!
> La ley calla, el mundo olvida;
> mas ¿quién sacude tu yugo?

Al Sumo Hacedor le plugo
que a solas con el pecado
fueses tú para el culpado
delator, juez y verdugo.

¿Es realmente Núñez de Arce un poeta épico, como pretende una parte de la crítica literaria de su tiempo? Menéndez Pelayo se inclina a la afirmación con relación a determinados poemas: *Raimundo Lulio, La selva oscura, El vértigo,* en los cuales la temática, el simbolismo, el metro, el ímpetu del poeta, alcanzan épicas calidades. No así en otros, como *La pesca, Maruja, La visión de fray Martín, La última lamentación de lord Byron,* que no merecen la misma calificación. Unos son como cuentos, a los que el verso presta un singular atractivo; otros, como cuadros grandes "de Historia", en los que se admiran la facilidad de la pincelada y el brillo y la tersura del colorido.

Puede asegurarse que fue Núñez de Arce el poeta español más leído, fuera y dentro de España, entre 1860 y 1890. Sus obras fueron traducidas a todos los idiomas europeos; hasta en latín puso *El vértigo* Robles Alabern. Cerca de quinientas ediciones castellanas consumió el gusto público en menos de cincuenta años. Y por España y América circularon, además, otras doscientas ediciones fraudulentas. Hoy, de Núñez de Arce no queda sino como la asonancia vaga de una música rancia, agradable aún.

También destacó Núñez de Arce como autor teatral. En sus dramas cabe señalar dos grupos: los escritos en colaboración con don Antonio Hurtado—*Herir en la sombra, El laurel de la Zubia, La jota aragonesa*—, y los escritos por él solo—*Deudas de la honra, Quien debe, paga; Justicia providencial* y *El haz de leña.*

Según la crítica de su tiempo, Núñez de Arce escribió un teatro de *realismo urbano y moralizador,* al modo del de López de Ayala.

Su drama mejor es *El haz de leña,* basado en la *Historia de Felipe II,* de Cabrera de Córdoba, y en los dramas de Montalbán—*El segundo Séneca de España*—y de Enciso—*El príncipe don Carlos.*

No carecía de nervio, de emoción, de respeto grande a la verdad, de brillante colorido el teatro de Núñez de Arce.

Ediciones: Barcelona, 1911, Montaner y Simón, *Obras escogidas; Obras dramáticas,* Madrid, 1879; *Miscelánea literaria,* Barcelona, 1886; *Antologías* de Félix Ros—*Neoclásicos y románticos,* Barcelona, 1941—y de Sainz de Robles—Madrid, M. Aguilar, 1951, 2.ª edición.

V. CASTILLO SORIANO: *Apuntes para la biografía de Gaspar Núñez de Arce.* Madrid, 1904.—PARDO BAZÁN, E.: *Núñez de Arce,* en *Retratos y apuntes literarios.*—VALLE Y RUIZ, R.: *Estudios literarios.* 1903.—VALE-RA, J.: *Elogio de Núñez de Arce.*—MENÉNDEZ PELAYO, M.: *Estudios de crítica literaria.* 1942, IV, 331.—SIERRA, M.: *Algo sobre Núñez de Arce,* en *La Lectura,* 1903, III.—ROMO ARREGUI, Josefina: *Núñez de Arce y su tiempo.* Madrid, 1947.

NÚÑEZ ARENAS, Isaac.

Literato y catedrático español. Nació —1812—en Huete (Cuenca). Murió—1869— en Madrid. Estudió Latín y Filosofía en el famoso Colegio Imperial y se licenció en Leyes en la Universidad de Alcalá de Henares. En 1847 ganó la cátedra de Literatura española en la Universidad Central. Vocal de la Junta de Teatros. Consejero del Tribunal Supremo de Guerra y Marina.

Buen crítico y buen erudito. Profesor abnegado y eficiente.

Obras: *Elementales filosóficos de literatura, Manual de literatura, Estudio* acerca de las obras de Ruiz de Alarcón, *Gramática general*—1847.

Fue colaborador del *Diccionario de la Lengua* y del *Sinónimos.*

NÚÑEZ CABEZA DE VACA, Alvar.

Famoso explorador y notable historiador y prosista español. Nació—1472—en un lugar de Extremadura. Murió en 1564. De noble familia oriunda de las islas Canarias. Nieto de don Pedro de Vera, uno de los conquistadores de estas islas. Alguacil mayor y administrador de la expedición de Pánfilo Narváez a las Indias—1527—. Pasó trágicas aventuras en La Florida y sufrió un duro y largo cautiverio. Siguió el curso del Río Grande. De regreso—1537—a España, fue nombrado administrador de la Colonia de la Plata. Embarcóse para dicho gobierno; pero, naufragando otra vez, llegó a las costas del Paraguay, siendo el primer explorador de dicho país. Acusado por su lugarteniente Domingo de Irala, fue arrestado—1544—, conducido a España, juzgado allí por el Consejo de Indias y condenado a destierro al Africa. Ocho años más tarde fue perdonado por el rey, quien le llamó a España, nombrándole juez del Tribunal Supremo de Sevilla.

La relación de Núñez de sus propias aventuras y de los desastres de la expedición de Pánfilo Narváez fue impresa por vez primera e incluida en la *Historia general y natural de Indias,* de Oviedo. Se reimprimió en Medina, 1542, y Valladolid, 1555. Y con el título de *Naufragios... y comentarios y sucesos de su gobierno en Río de la Plata,* en Valladolid, 1555. Fue traducida al italiano e incluida en la "Colección Ramusio" —1556—, y al francés por Terneaux-Compans, y al inglés dos veces: la traducción incluida en la "Colección Pilgnins", de Purchas, y la traducción de Buckingham Smith y publicada en 1581.

Revela Núñez en los *Naufragios* una gran habilidad narrativa; destaca el interés del contenido, y hasta en la forma cortante y sobria de narrar aventuras y desventuras hace pensar en el arte de la novela realista. Núñez figura en el *Catálogo de autoridades del idioma*.

Hay varias buenas ediciones modernas de los *Naufragios* de Núñez Cabeza de Vaca: la del tomo I de la "Colección Barcia"; la del tomo XXII de la "Biblioteca de Autores Españoles"; la impresa en las "Colecciones Populares Cervantes", Madrid, ¿1928?, por la Compañía Ibero-Americana de Publicaciones; la de M. Aguilar, Madrid, 1944, en su "Colección Crisol"; la de Victoriano Suárez, Madrid, 1906, en dos tomos.

V. BANDOLIER, F.: *Journey of A. Núñez Cabeza de Vaca*. Nueva York, 1905.—GONZÁLEZ DÁVILA, Gil: *Teatro eclesiástico de las Indias occidentales*.

NÚÑEZ DE CASTRO, Alfonso.

Ilustre historiador y prosista español. Nació—1627—y murió—1695—en Madrid. Su padre, don Juan, excelente médico, lo fue del gran duque de Osuna y luego del rey don Felipe IV. Gracias a él, Alfonso pudo estudiar en Salamanca e ingresar al servicio de Felipe IV, quien le nombró su cronista. Nada más se sabe de su vida. Pero dejó obras de suficiente importancia para que su nombre esté incluido en el *Catálogo de autoridades* del idioma, publicado por la Real Academia Española.

Obras: *Espejo christalino de armas para generales valerosos, de desengaños para christianos príncipes...*—Madrid, 1648—, *Séneca impugnado de Séneca en questiones políticas y morales*—Madrid, 1651—, *Historia eclesiástica y seglar de la ciudad de Guadalajara*—Madrid, 1658—, *Solo Madrid es corte* —Madrid, 1658—, *Corona gótica, castellana y austríaca continuada*—Madrid, 1670 y 1677, la primera parte es de Saavedra Fajardo—, *Ley viva de príncipes perfectos*—Madrid, 1673, 1678 y 1687—, *Antigüedad y nobleza de la Casa de Feloaga*—Madrid, 1688—, *Vida de las fundadoras del Monasterio del Caballero de Gracia*—Madrid, 1658.

Núñez de Castro fue un investigador erudito, un historiador objetivo, un prosista excelente y un muy ameno narrador. En la *Corona gótica...* se muestra superior como crítico e investigador a Saavedra Fajardo, aunque inferior como estilista.

V. SAINZ DE ROBLES, F. C.: *Historia y es-*tampas de la vida de Madrid*. Barcelona, 1932, tomo I.—BALLESTEROS ROBLES, Luis: *Diccionario biográfico matritense*. Madrid, 1912, págs. 479 y sigs.

NÚÑEZ «PINCIANO», Hernán (v. Núñez de Toledo y Guzmán, Hernán o Fernardo).

NÚÑEZ DE REINOSO, Alonso.

Poeta y novelista español del siglo XVI. Nació a mediados de esta centuria en Guadalajara. Pasó su juventud en Ciudad Rodrigo, siendo muy amigo de Feliciano de Silva. Empezó a cursar los estudios de Leyes en Salamanca, sin llegar a concluirlos. Después intentó hacerse clérigo; pero no teniendo vocación, sentó plaza de soldado. Anduvo por Italia, viviendo días azarosos de picaresca. Y, al cabo, se unió a una viuda para que le mantuviera. En Italia alcanzó gran fama de poeta, y fue muy alabado por Ludovico Dolce, autor de los *Ragionamenti amorosi*, que le inspiraron su mejor obra: *Historia de los amores de Clareo y Florisea*, por la que ha pasado a la posteridad. Algunos autores españoles de su época le compararon a Garcilaso como poeta.

"En las coplas castellanas—escribe Menéndez Pelayo—es fácil, tierno y afectuoso, pero su prosa es infinitamente mejor y más limada que sus versos."

Su obra maestra, *Historia de los amores de Clareo y Florisea*, novela sentimental, fue publicada—1552—en Venecia. Supera a sus dos modelos: la novela de Dolce, ya mencionada, y la de Aquiles Tacio, *Historia de los amores de Leucipe y Clitophonte*. Dedicó Núñez su obra a uno de sus protectores, el caballero italiano Juan de Micas. Vicent la tradujo al francés en 1554—París.

Tiene el mérito la novela de Núñez de Reinoso de ser probablemente la más antigua imitación de las novelas griegas publicada en Europa. En el *Persiles*, de Cervantes, hay algunas reminiscencias de *Clareo y Florisea*, libro muy leído por el inmortal alcalaíno.

Otras influencias pueden hallarse en la gran novela de Núñez de Reinoso: *De Tristibus*, de Ovidio; las *Tragedias*, de Séneca; el libro VI de la *Eneida;* algunas poesías de Horacio—el *Beatus ille...*

Ediciones modernas: esta novela figura en el tomo III de la "Biblioteca de Autores Españoles", de Rivadeneyra. En el tomo XVI de esta misma colección se encuentran *dos romances* de Reinoso. Y otras poesías en el tomo III del *Ensayo de una biblioteca de libros raros y curiosos*.

V. ARIBÁU, B. Carlos: *Estudio* en el tomo III de la "Biblioteca de Autores Españoles". Madrid, 1846.—MENÉNDEZ PELAYO, M.: *Orígenes de la novela...*

N

NÚÑEZ DE TOLEDO Y GUZMÁN, Hernán o Fernando.

Gran polígrafo español. Patriarca de los estudios helénicos en España. Nació—¿1475?—en Valladolid. Murió—1553—en Salamanca. Estudió en Valladolid. A los quince años fue admitido en la Orden de Santiago. En 1490 logró una beca en el Colegio español de San Clemente, de Bolonia. De regreso a España —1498—, entró de preceptor en casa de los Mendoza, en Granada. Con anterioridad había terminado su *Glosa al "Laberinto" de Mena,* dedicada al conde de Tendilla. Estudió en Granada lenguas clásicas y orientales. Llamóle el cardenal Cisneros como censor de su imprenta de Alcalá de Henares y trabajó en la celebérrima *Biblia Poliglota,* siendo pronto nombrado catedrático de Retórica en la Universidad complutense, recientemente fundada. Desde entonces se firmó "Hernán Núñez" y "Comendador Griego", y en latín, "Fredenandus Nunius Pincianus". Durante la guerra de las Comunidades de Castilla se puso del lado de estas, salvándose milagrosamente de la lista de proscripción publicada después de la batalla de Villalar. Pero hubo de dejar la Universidad de Alcalá y marchó a Salamanca, donde, al irse Nebrija, fue nombrado catedrático de Griego —1523—. En 1527 añadió la Retórica a la enseñanza del griego y explicó magistralmente a Plinio. Al cumplir los cincuenta años de edad abandonó la enseñanza para dedicarse al estudio. Era ya famoso en Europa por sus ediciones de Séneca, Plinio y Mela. Se jubiló en 1548, pero parece ser que, ya jubilado, enseñó hebreo en la misma Universidad.

Los más grandes humanistas de su tiempo colmaron de alabanzas a Núñez Pinciano. *"Vir diligentissimus et accuratissimus"* le llamó Rossbach. "Príncipe de la Filosofía peripatética, a nadie inferior en la más recóndita noticia de las letras griegas y latinas", Gaspar Scioppio, el *can de los gramáticos,* que no perdonó a nadie. *Germanae criticae exemplar,* Lipsio. "Ombre nascido para las letras y saber", Alonso de Herrera. Núñez figura en el *Catálogo de autoridades* del idioma, publicado por la Real Academia.

Su cultura fue sencillamente prodigiosa, insuperable.

Obras: *Las C C C del famosísimo poeta Juan de Mena*—Zaragoza, 1490, y obra de la que se hicieron más de quince ediciones en pocos años... Sevilla, 1499, 1512, 1517, 1520, 1528, 1534; Granada, 1505; Zaragoza, 1506, 1509, 1515; Valladolid, 1536; Toledo, 1548; Amberes, 1552; Alcalá, 1566...—; *L. Annaei Senecae opera*—Basilea, 1529; Venecia, 1536; Lyon, 1555; Basilea, 1557, 1573; París, 1587, 1598, 1607, 1619 y 1627—; *Observationes Fredenandi Pintiani... in loca obscura et depravata Hist. Natur. C. Plinii...*—Salamanca, 1544; Amberes, 1547; Francfort, 1569; Génova, 1593, 1615, 1616 y 1631; Heidelberg, 1593; Leyde, 1669; Leipzig, 1788 a 1791; París, 1829 a 1833—; *Refranes de la lengua castellana*—Salamanca, 1555, 1578; Valladolid, 1602, 1611; Madrid, 1618, 1619; Lérida, 1621; versión latina del texto de los *Setenta,* inserta en la *Poliglota Complutense...*

De los *Refranes* de Núñez Pinciano existen ediciones modernas: Madrid, 1804; Madrid, s. a. [¿1932?], editorial Bergua; Madrid, M. Aguilar, 1944, "Colección Crisol".

V. RONIERO, Francisco: *Epicedio en la muerte del maestro Hernán-Núñez.* Salamanca, 1578. Va a continuación de los *Refranes* de Núñez.—FOULCHÉ-DELBOSC, R.: *Le commandeur Grec...,* en *Revue Hispanique,* 1903.—GROUSSAC, P.: *Le commentateur du "Laberinto",* en *Rev. Hispanique,* 1904.—ORTEGA Y RUBIO, J.: *F. N. de G., "El Pinciano". Estudio biobibliográfico,* en *Revista Contemporánea,* 1902, tomo CXXIV, 513-525.—SAINZ DE ROBLES, F. C.: Prólogo a la edición Aguilar, 1944.

O

OBLIGADO, Pedro Miguel.

Poeta, prosista, crítico literario argentino. Nació—1892—en Buenos Aires. Doctor en Derecho—1912—. Redactor de *La Nación*. Profesor de Psicología del Colegio Nacional Bartolomé Mitre. Presidente—desde 1938— de la Sociedad de Estudios Lingüísticos. Miembro fundador de los Amigos del Arte y de la Sociedad Argentina de Escritores. En 1922 ganó el primer premio de poesía de la Municipalidad bonaerense con su libro *El ala de la sombra;* en 1928, el "Premio Nacional de Literatura" con *El hilo de oro,* y nuevamente—1947—el primer premio de poesía con *Melancolía.* Ha traducido bellamente obras de Shakespeare, Maeterlinck, Crommelinck y otros famosos autores.

Poeta de espíritu romántico, su obra tiene musical tono íntimo. La belleza está contemplada como en un suave atardecer en la poesía de este poeta, para quien la soledad parece ser sombra propicia. Una exquisita sensibilidad gobierna la imagen y el ritmo del verso, siempre musical y fluyente como fuente armoniosa. Pedro Miguel Obligado ha realizado una extensa labor radial, especialmente evocando figuras de músicos célebres, cuyo perfil ha sabido trazar con acertada visión poética.

Otras obras: *Gris*—1918—, *El canto perdido*—1925—, *La tristeza de Sancho*—ensayos, 1927—, *La isla de los cantos*—poemas en prosa, 1931—, *Antología poética...*

V. Noé, Julio: *Antología de la poesía argentina moderna.* Buenos Aires, 1925.—Morales, Ernesto: *Antología poética argentina.* Buenos Aires, 1943.—Estrella Gutiérrez, Fermín: *Panorama sintético de la literatura argentina.* Santiago de Chile, 1938.—Giusti, Roberto F.: *Panorama de la literatura argentina contemporánea,* en *Nosotros,* segunda época, núm. 68, Buenos Aires; noviembre 1941.—Pinto, Juan: *Panorama de la literatura argentina contemporánea.* Buenos Aires, 1941.

OBLIGADO, Rafael.

Magnífico poeta. 1851-1920. Nació en Buenos Aires. Hombre rico, bienhallado, inde-
pendiente, amante del retiro, desconocedor de las luchas de la vida, pasó su existencia entregado a los serenos placeres del espíritu. Amó los clásicos griegos y latinos, cuya armonía en la composición imitó a la perfección. Amó los libros bíblicos, de los que sacó no pocas imágenes. Amó las letras españolas, en las que aprendió su castiza expresión y su realista naturalidad. En sus temas, y aun en su vocación irremediable, existe un explícito y consciente criollismo. Obligado es uno de los líricos más absolutamente nacionales. Le gustó narrar las tradiciones de su pueblo. Tendió constantemente a la pintura de las costumbres y de las bellezas naturales de la tierra que le vio nacer. Su expresión es siempre ingenua y fácil. Sus sentimientos son maravillosamente claros y sencillos. Armoniosos, tersos, tiernos, son sus versos. Si su existencia fue feliz y estuvo colmada, su poesía lo refleja sinceramente.

Su casa fue la más hospitalaria de la ciudad. A sus tertulias de los sábados acudían los hombres más ilustres de la vida intelectual. "Su espíritu, en contacto con la pampa aledaña y fáustica, recogió las voces susurrantes de la tradición, portadoras de la antigua leyenda. En este sentido es Obligado el poeta nacional, el cantor de los elementos típicos y de las tradiciones del país. Y no era en él una mera inclinación espontánea o institutiva, sino, también, el propósito consciente de dar al arte nacional contenido y forma propios." (Leguizamón.)

Obligado representaba el argentino depositario de la herencia materna—España—caballeresca.

Valera, en una de sus *Cartas americanas,* le dijo al propio Obligado: "Los nobles sentimientos e ideas que usted expresa son tales como deben ser y son, naturalmente, imaginados y sentidos por un argentino de raza española. La lengua en que están es pura lengua española. Aunque usted conoce y estima, como toda persona de buen gusto, la literatura francesa, no se deja dominar por su influjo. Ni el más leve soplo francés corre por las delicadas páginas de su libro. Tampoco hay en él nada de italiano, nada de inglés, nada de alemán. En cambio, sin que usted lo haya solicitado, quizá desconociéndolo y con dar rienda suelta a su naturaleza americana y a su carácter argentino, tiene el libro de usted no poco de andaluz. De ahí que maneje usted el castellano con tanta pureza, soltura y gallardía."

Obras: *Poesías*—Buenos Aires, 1885—, *Tradiciones argentinas*—Barcelona, 1903—, *Tradiciones y recuerdos*—1908—, *Poesías completas*—1921, ed. de su hijo Carlos Obligado.

V. VALERA, Juan: *Cartas americanas.* Madrid, 1889.—GONZÁLEZ, Doctor: *Rafael Obligado,* en *Diario de Sesiones.* Buenos Aires, 1916.—GARCÍA MÉROU, M.: *Recuerdos literarios.* 1915.—ROJAS, Ricardo: *La literatura argentina.* Buenos Aires, 1928.—GARCÍA VELLOSO, E.: *Historia de la literatura argentina.* Buenos Aires, 1914.—LEGUIZAMÓN, Julio A.: *Historia de la literatura hispanoamericana.* Buenos Aires, 1945.

OBREGÓN, Antonio de.

Nació en Madrid el 6 de marzo de 1910. Cursó la carrera de Filosofía y Letras.

Desde muy joven empezó a escribir en la Prensa española. En 1928 ingresó en *La Gaceta Literaria,* con el grupo de jóvenes escritores vanguardistas, entre los que se encontraban Giménez-Caballero, Rafael Alberti, Antonio Espina, Benjamín Jarnés y otros. Seguidamente publicó sus trabajos en *El Sol* y en la *Revista de Occidente,* bajo la dirección de don José Ortega y Gasset. Colaborador de los principales diarios y revistas.

Ha desempeñado la crítica teatral en *El Sol, Diario de Madrid* y *Arriba.* Publicó sus mejores notas y ensayos en la *Revista de Occidente,* de 1930 al 36.

Conferenciante, crítico, ensayista y novelista. Secretario del Pen Club—Club Internacional de Escritores—hasta 1936. Representante de España en el Congreso Internacional de la Crítica—1935—. Secretario del Ateneo de Madrid.

Sus actividades, muy diversas, le llevaron a la cinematografía desde 1933, habiendo sido consejero fundador de varias entidades cinematográficas: Intercambio Cultural Iberoamericano—1933—. Producciones Hispánicas—1935—y Unión Cinematográfica Española, S. A.—Ucesa, 1942, y en la actualidad Producciones Antonio de Obregón. Desde 1968, crítico de cine en el diario *A B C,* de Madrid.

Aparte de productor, es guionista y director cinematográfico, habiendo realizado quince guiones y dirigido tres películas, escritas por él mismo. Como cinematografista, ha trabajado en París, Berlín y Roma.

Obras: *El campo, la ciudad, el cielo*—1929, Compañía Iberoamericana de Publicaciones.

Poemas en prosa y verso—, *Efectos navales* —novela, editorial Ulises. 1931, premio literario—, *Hermes, en la vía pública*—novela, Espasa-Calpe, 1934—; *Declaración de amor* —antología, edit. Tartesos, 1942—, *Villón, poeta del viejo París*—1954—, *El venerable Bernardino de Obregón*—1956.

Guiones cinematográficos y diálogos. Entre ellos: *Mi vida en tus manos, El último húsar, Sarasate, Castillo de naipes, Tarjeta de visita, Chantaje, Hablo por ti.*

V. SAINZ DE ROBLES, F. C.: *La novela española en el siglo XX.* Madrid, Pegaso, 1957. NORA, Eugenio G. de: *La novela española contemporánea.* Madrid, Gredos, 1962. Tomo II, págs. 236-37.

OCAMPO, Florián de.

Notable historiador, cronista y prosista español. Nació—¿1495?—en Zamora. Murió en 1558. Estudió en Alcalá, de 1509 a 1514, con Nebrija. Racionero—1519—en San Justo. Durante la guerra de las Comunidades se puso al lado de Carlos I, quien le hizo su cronista—1539—. Canónigo de Zamora en 1547. Como cronista disfrutó Ocampo de un sueldo de 80.000 maravedíes. Las Cortes de Valladolid, en 1555, pidieron para el historiador un aumento de salario y la conmutación de su canonjía zamorana por otra prebenda que le dejara más tiempo para la redacción de su *Crónica.*

Su obra famosa es la titulada *Los quatro libros primeros de la Crónica general de España*—Zamora, 1544—. Abarca esta historia de España desde la creación del mundo hasta la muerte de los Escipiones. Mezcló demasiado Ocampo las verdades con las ficciones. Intentó probar que la monarquía española es la más antigua de Europa con entusiasmos más que con pruebas. Admitió no pocos relatos, más que legendarios, fantásticos. Sin embargo, un escritor francés, Cirot, crítico minucioso de la obra de Ocampo, admira la habilidad del historiador, y considera su historia "como un ensayo de reconstitución histórica, algo parecido a una *Salambó,* menos el estilo y el interés dramático, pero no sin cierta gracia".

Como cronista de la España antigua, merece Ocampo poco crédito. En cambio, como historiador de los sucesos contemporáneos, hay que reconocer que había tomado en serio sus funciones de cronista y que supo, por lo menos, hacer trabajar a sus corresponsales.

La *Crónica* tuvo mucho éxito. Fue plagiada—1546—por Per Antón Beuter y por Pedro de Medina en 1548. Se multiplicaron las ediciones: Zamora, [¿1548?]; Medina, 1553; Alcalá, 1578; Valladolid, 1604. Luego *se sumó* a las *Crónicas* de Morales y Sandoval: Madrid, 1791 a 1793, edición de B. Cano.

V. CIROT, G.: *Les Histoires générales d'Espagne entre Alphonse X et Philippe II.* Bordeaux, 1905.—REZABAL Y UGARTE, José: *Biografía de Florián Ocampo,* en "Biblioteca de escritores que han sido individuos de los seis Colegios Mayores".—BATAILLON, Marcel: *Sur Florián de Ocampo,* en *Bulletin Hispanique,* 1923, XXV, 33.—COTARELO MORI, E.: *Varias noticias sobre Florián de Ocampo,* en *Boletín de la Academia Española,* 1926, XIII, 259.—MOREL-FATIO, A.: *Historiographie de Charles V.* I, 79.—FUETER, E.: *Histoire de la Historiographie moderne...* París, 1914, 276.

OCAMPO, Silvina.

Poetisa y pintora argentina contemporánea. Nació en Buenos Aires. De finísima sensibilidad y de extraordinaria cultura.

Ha publicado: Prosa: *Viaje olvidado* —1937—, *Autobiografía de Irene*—1948—; poesía: *Enumeración de la Patria*—"Premio Municipal, 1942"—, *Espacios métricos* —1945—, *Poemas de amor desesperado* —1949—; en colaboración con Jorge Luis Borges y Adolfo Bioy Casares: *Antología de la literatura fantástica*—1940—y *Antología poética argentina*—1941—; en colaboración con Adolfo Bioy Casares: *Los que aman, odian*—1946—.

OCAMPO, Victoria.

Ensayista argentina nacida hacia 1900. Desde muy niña se trasladó a Europa, viviendo mucho tiempo en Francia y algunos años en España. De crianza y educación francesas, le han vedado "la consustancial y emocional identificación con lo español, según su propio testimonio, deficiencia que pretende elevar erróneamente al plano y lección de un drama con significación americana".

En Madrid colaboró en la famosa *Revista de Occidente,* fundada y dirigida por Ortega y Gasset, y ganó prestigio de mentalidad lógica y normativa, de sensibilidad aguda y casi mórbida, de conceptuosidad lírica, de estimativa delicada y muy original. En Buenos Aires dirige la gran revista de orientaciones modernísimas, *Sur,* órgano el más selecto y audaz de cualquier tendencia estética envuelta, cuando menos, en la auténtica novedad.

Uno de los máximos valores de Victoria Ocampo es el haber dado a conocer en su patria y en toda América hispana a los más elevados espíritus europeos, aquellos que pueden tener una influencia decisiva y beneficiosa para el movimiento literario de nuestra época.

Indiscutiblemente, es Victoria Ocampo una de las mentalidades más ágiles y curiosas de las letras hispanoamericanas contemporáneas.

Obras: *De Francesca a Beatrice, Supremacía del alma y de la sangre, Emile Brontë, Virginia Wolf, Orlando y Compañía, La mujer y su expresión, Domingos en Hyde Park, Lawrence de Arabia y otros ensayos*—Madrid, Aguilar, 1952.

V. VICTORIA, Marcos: *Un coloquio sobre Victoria Ocampo.* Buenos Aires, 1934.—TORRE, Guillermo de: Prólogo a *Lawrence de Arabia y otros ensayos.* Madrid, Aguilar, 1952.

OCANTOS Y ZIEGLER, Carlos María.

Novelista, cuentista argentino. Nació —1860—en Buenos Aires y murió—1949—en Madrid.

Ocantos estudió el bachillerato en la Universidad de Buenos Aires, como preparación para la carrera diplomática. Doctor en Derecho. A los veintitrés años publica su primera novela: *La cruz de la falta.* En el Ministerio de Negocios Extranjeros inició su aprendizaje diplomático, pasando a la Legación argentina en Río de Janeiro como secretario. A los pocos meses fue destinado a Madrid. Volvió a su ciudad natal en 1890. Y durante cuatro años se dedicó exclusivamente a la producción novelesca. Regresó a Madrid en 1895. Dos años después, a propuesta de Galdós, Pereda y Valera, fue elegido miembro correspondiente de la Real Academia Española, el más alto honor entre los hombres de letras y el que más se ajustaba a los ideales por él perseguidos. Dándose el curioso caso de que mientras España honraba al magnífico escritor, en su patria se le escatimara el mérito y se silenciara su magna labor. El nacionalismo cursi no le perdonaba el ser españolista y el amar la tradición y el idioma español, en su mayor pureza, con verdadera pasión.

En 1910 fue nombrado ministro plenipotenciario en Copenhague y Cristianía. Ocho años vivió en aquellos países, que le inspiraron las seis hermosísimas novelas agrupadas con el título *Fru Jenny*—1915—. Tres años después, a los treinta de servicios leales y fructíferos, Ocantos se retira de la vida diplomática. En Aravaca, pueblecito cercano a Madrid—ciudad esta que él ama tanto—, escogió un magnífico terreno para la casa en que había de pasar su edad madura, dedicado en absoluto a la producción de sus novelas. En su hermosa "Villa Buen Retiro"—estilo del Renacimiento español—, con su hermana doña María Luisa Ocantos, el gran novelista ha pasado los años más serenos y fecundos de su vida.

Conviene recalcar mucho cómo el españolismo de Ocantos ha motivado que la crítica

O

de su patria, y aun toda la hispanoamericana, le haya tratado con tremenda injusticia, hasta el punto de referirse a él, en ensayos e historias literarias con espacio escatimado y elogios tan cortos como pálidos.

Si en la América española la fama de Ocantos no corresponde, ni mucho menos, a sus merecimientos, en compensación, en España, Escandinavia, Inglaterra y Estados Unidos, es novelista hispanoamericano leído y ensalzado. Muchas de sus obras se leen, como texto castellano, en Universidades escandinavas y anglosajonas.

Novelas: *La cruz de la falta*—1883—, *León Zaldívar*—1888; con este volumen inicia su serie, en veinte títulos, de las novelas argentinas—, *Quilito*—1891—, *Entre dos luces* —1892—, *El candidato*—1893—, *La Ginesa* —1894—, *Tobi*—1896—, *Promisión*—1897—, *Misia Jeromita*—1898—, *Pequeñas miserias* —1900—, *Don Perfecto*—1902—, *Nebulosa* —1904—, *El peligro*—1911—, *Ríquez* —1914—, *Victoria*—1922—, *La cola de paja* —1923—, *La ola*—1925—, *El secreto del doctor Barbado*—1926—, *Tulia*—1927—, *El emboscado*—1928—, *Fray Judas*—1929, último tomo de las novelas argentinas—, *La amazona del amor*—1934...

Novelas breves: *Fru Jenny*—seis novelas danesas, 1915—, *El camión*—seis novelas españolas, 1922—, *El locutor*—1928—, *Carmucha*—1931—, *El más allá...*—1933—, *La princesa está alegre*—1935—, *Entre naranjas* —1936...

Cuentos: *Mis cuentos*—1904—, *Sartal de cuentos*—1907...

V. ANDERSSON, Théodore: *Carlos María de Ocantos y su obra.* Madrid, 1935.—AYALA DUARTE, C.: *Historia de la literatura argentina.* Caracas, 1930.—QUESADA, Ernesto: *Reseñas y críticas.* Buenos Aires, 1893.—COESTER, Alfred: *The Literary History of Spanish America.* Nueva York, 1924.

OCAÑA, Francisco de.

Poeta español, de cuya vida no se tienen noticias. Debió de vivir entre 1560 y 1620. Compuso un *Cancionero para cantar la noche de Navidad y las fiestas de Pascua*—Alcalá, 1603—. Contiene villancicos, canciones en metros cortos y populares, de gran delicadeza y sumamente atractivos, muchos de los cuales fueron escritos sobre melodías populares.

Texto: Tomo XXXV de la "Biblioteca de Autores Españoles".

OCHAÍTA, José Antonio.

Poeta y prosista español. Nació—1910—en Jadraque (Guadalajara). Licenciado en Filosofía y Letras, se dedicó durante algún tiempo a la enseñanza privada. Conferenciante

lleno de brillantez, de gracia y de enjundia. Ensayista de magnífica sutileza. Miembro de la Real Academia Sevillana de Buenas Letras. En el teatro ha obtenido muchos y justos éxitos. Ochaíta es uno de los mejores recitadores de poesía con que hoy cuenta España; incomprensiblemente, no se ha dedicado a este arte sugestivo y brillante, en el que su voz, su ademán, "su alma" dan a los poemas una perdurable emoción.

Como lírico, pertenece Ochaíta al posmodernismo. Para nuestro gusto, Ochaíta es uno de los poetas españoles actuales más importantes. Habiéndose librado con finura y gracia de todos los ismos subversivos, su poesía fluye de los más ricos veneros tradicionales, de los jamás agotados ni enturbiados. Y sus poesías *encantan* por su colorido cálido y soberbiamente empastado, por la delicadeza y hondura de sus temas, por la musicalidad perdurable, por sus riquísimas y originales imágenes. El gran público, que desconoce a muchos de los llamados "poetas mayores" de hoy, se sabe de memoria muchas de las composiciones de Ochaíta, como las tituladas *El Pomporé, La fuente de la alcachofa, La torre de mil colores...*

V. SAINZ DE ROBLES, F. C.: *Historia y antología de la poesía española.* Madrid, Aguilar, 1951, 2.ª edición.

OCHANDO Y OCHANDO, Andrés.

Nació el 1 de marzo de 1912 en Albacete. Su familia se trasladó a Madrid muy pronto, en donde transcurre su niñez, cursando sus estudios de bachillerato en el colegio de Nuestra Señora del Pilar (Marianistas), marchando a Valencia después, en cuyo Real Colegio de las Escuelas Pías la termina. En las Universidades de Murcia y Valencia hace la carrera de Derecho. Publica *Arco de pasión* y *Llanuras de mar y tierra* en ediciones particulares y fuera de venta, que son una colección de poemas líricos en prosa. Da a la imprenta después *Baladas del "Quijote"*, en el volumen IV de la "Pen Colección". Obra acogida por la crítica española y sudamericana con vivo interés. Es una interpretación lírica en torno al paisaje de la Mancha, apoyándose en varias frases de la obra de Cervantes que dan nombre a cada una de las baladas. El año del centenario de Lope de Vega publica *Lope de Vega,* con una "semblanza biográfica y desordenada" que antecede a una selección de poesías del Fénix.

Ha colaborado en la Prensa de Valencia, Madrid, Albacete y Murcia. En las revistas de juventud anteriores a nuestra guerra, *Isla, Noreste, Literatura,* y fundó y dirigió una de este tipo, titulada *Alfil,* de la que salieron dos números. Ha hecho también crítica de libros, principalmente en *Gaceta del*

Libro y *Hoja Literaria,* y glosas literarias en torno a la pintura. Colaboró activamente en *Oro de Ley,* fundando su anejo *Letras,* y dirigiendo la Academia de Literatura y Declamación, de la que fue presidente, en el Centro Escolar y Mercantil. De esa época datan los números extraordinarios dedicados al Romanticismo y a la figura de Aparisi y Guijarro. Ha dado también numerosas conferencias sobre temas literarios y musicales.

OCHOA, Eugenio de.

Notable literato y erudito español. Nació —1815—en Lezo (Guipúzcoa). Murió—1872— en Madrid. Discípulo, en la capital, de don Alberto Lista. Compañero y amigo de Espronceda, Ventura de la Vega y Roca de Togores. Se dedicó a la pintura en la Escuela de Artes y Oficios de París. Oficial-redactor —1834—de la *Gaceta.* Bibliotecario de la Nacional. Consejero de Instrucción Pública y de Estado. Vivió mucho tiempo en París dedicado a traducir y publicar numerosas obras de autores españoles. Académico—1847—de la Real Española. Por encargo del rey Luis Felipe de Francia, publicó el *Catálogo razonado* de los manuscritos existentes en la Biblioteca Nacional de París.

Sus obras más importantes son los *estudios* excelentes que preceden a las obras —editadas por él—de Villaviciosa, Quintana, Ercilla, López de Mendoza, Lope de Vega, Calderón, Tirso de Molina, el *Romancero...*

Obras (suyas o editadas por él): *Ecos del alma*—poesías—, *Tesoro del teatro español, Tesoro de romanceros y cancioneros españoles, Colección de piezas escogidas de Lope, Calderón, Tirso de Molina y otros; Colección de poesías castellanas anteriores al siglo XV, Tesoro de prosadores españoles, Apuntes para una biblioteca de autores españoles contemporáneos, Tesoro de novelistas españoles antiguos y modernos, Tesoro de escritores místicos españoles, Tesoro de poemas españoles épicos, burlescos y profanos; Miscelánea de literatura, viajes y novelas; Las maravillas de la pintura,* y traducciones de Smollet, Quinet, "Jorge Sand", Walter Scott, Víctor Hugo...

La literatura española debe servicios admirables a este escritor, lleno de cultura, buen gusto y patriotismo.

OCHOA, Juan.

Novelista español. Nació—1864—en Avilés y murió—1899—en Oviedo. Estudió Filosofía y Letras. En Madrid, a partir de 1892, colaboró en el periódico *La Justicia,* donde popularizó su nombre con sus sátiras políticas y narraciones. También colaboró en *El Liberal Asturiano,* de Oviedo; *El Atlántico,* de Santander, y *Revista crítica de Historia*

y Literatura españolas, portuguesas e hispanoamericanas.

Como agudo crítico, hizo célebre su seudónimo de "Miquis".

Como novelista, se afilió a un realismo moderado y de gran nobleza.

Obras: *Su amado discípulo*—novela, 1893—, *Los señores de Hermida*—novela, 1896—, *Un alma de Dios*—novela, 1898—, *Los amores de Florita*—novela.

V. BLANCO GARCÍA, P. Francisco: *La literatura española en el siglo XIX.* Madrid, 1890-1896.

OCHOA Y ACUÑA, Anastasia María de.

Poeta y erudito. Nació—1783—en Huichipán (México). Murió en 1833. Estudió Humanidades y Filosofía en el Real Colegio de San Ildefonso, y Teología y Cánones en la Universidad de México. Dominó a la perfección el inglés, el francés, el italiano, el latín y el griego, habiendo traducido a la perfección las *Heroidas,* de Ovidio; *Virginia,* de Alfieri; *Bayaceto,* de Racine; *Penélope,* de Fritz; *Facistol,* de Boileau; *Telémaco,* de Fenelón; *Eugenia,* de Beaumarchais... Su formación humanística fue grande y sólida. En 1806 empezó a escribir en el *Diario de México,* utilizando los seudónimos de "El Tuerto" y "Anastasio de Achora". En 1813 ingresó en el Seminario Conciliar. En 1818 obtuvo el curato de Querétaro y más tarde la parroquia del Espíritu Santo, en la ciudad mencionada.

Sus letrillas, epigramas y poemas burlescos le ganaron una excelente reputación. Perteneció a la Academia poética La Arcadia Mexicana.

"La poesía festiva parece haber sido el género predilecto de Ochoa, y sus modelos, iglesias en las letrillas y en los epigramas, Tomé de Burguillos, o séase Lope de Vega, en los sonetos jocosos. Pondérase mucho el gracejo de los versos de Ochoa, pero debe de tener algo de local y transitorio, porque no hemos acertado a percibirle, ni comprendemos la razón de las estrepitosas carcajadas que su lectura arranca a algunos críticos mexicanos, que llegan a compararle con Góngora y Quevedo." (Menéndez Pelayo.)

Y aclara Leguizamón: "Lo transitorio y local que no percibía Menéndez Pelayo es cierto pintoresco nacionalismo en poesía... Ochoa es en el verso un abocetador de tipos y escenas representativas de la vida mexicana."

Obras: *Don Alfonso*—tragedia, 1806—, *El amor por apoderado*—comedia—, *Cartas de Odalmira a Elisandro.* En 1828 se publicaron en Nueva York dos tomos de sus poesías con el título de *Poesías de un mexicano.*

V. GONZÁLEZ PEÑA, C.: *Historia de la lite-*

O

ratura mexicana. México, 1940.—PIMENTEL, Francisco: *Historia crítica de la literatura en México.* México, 1883.—MENÉNDEZ PELAYO, M.: *Historia de la poesía hispanoamericana.* Madrid, 1911, tomo I.

OJEDA QUEVEDO, María del Pino.

Poeta y prosista española. Nació—1916— en Palmar de Teror (Gran Canaria). Es también muy singular pintora. Colaboradora en las más importantes revistas líricas de España. De exquisita sensibilidad.

Obras: *Niebla de sueño*—poemas, 1947—, *La soledad y el tiempo*—poemas, 1951—, *Sosegada querella*—poemas, 1952—, *Como el árbol*—poemas, 1954.

OLAVIDE Y JÁUREGUI, Pablo de.

Literato y político español de gran prestigio en su época. Nació—1725—en Lima (Perú). Murió—1802—en Baeza (Jaén). Doctor en Cánones a los diecisiete años. Oidor de la Real Audiencia de Lima a los veinte. Ya en España, protegido por el conde de Aranda, inició su carrera política tan rápida como brillante. Intendente de los cuatro reinos de Andalucía. Síndico personero de la villa y corte. Repoblador de los yermos de Sierra Morena. Procesado por el Santo Oficio, fue condenado a ocho años de reclusión en un convento y a la exoneración de todos sus cargos, así como a la confiscación de todos sus bienes. Se recluyó en Sahagún, dedicándose a la literatura. Poco después huyó a París, donde conoció y amistó con Voltaire y Rousseau. Reclamado por el Gobierno español, huyó a Ginebra. Las persecuciones e infortunios causaron una crisis en su espíritu que le hizo abjurar de sus errores. En 1798 pudo volver a España, reintegrándosele todos sus bienes, más una pensión anual de 90.000 reales. Hasta el fin de su vida vivió retirado, dejando edificados a cuantos contemplaron su muerte.

Obras literarias: *Ecos de Olavide*—poesías—, *El Evangelio en triunfo o historia de un filósofo desengañado, Salterio español* —traducción de los *Salmos*—, *Poemas christianos...*

V. LAVALLE, J. A.: *Don Pablo de Olavide: Apunte sobre su vida y sus obras.* Lima, 1885.—MENÉNDEZ PELAYO, M.: *Historia de la poesía hispanoamericana.* Tomo III.—MENÉNDEZ PELAYO, M.: *Heterodoxos españoles.* 1865. Tomo II.—DIDEROT: *Don Pablo de Olavide, poésie historique.*—GARCÍA CALDERÓN, V.: *La literatura peruana,* en *Revue Hispanique,* XXXI, 347 y sigs.

O'LEARY, Juan Emiliano.

Poeta e historiador paraguayo. Nació —1880—en Asunción. Se educó en el Colegio Nacional de su ciudad natal. Doctor en Derecho y en Filosofía y Letras. Catedrático de Historia de América y de Historia crítica de la literatura española. Diputado. Presidente del partido nacional republicano. En 1932 fue nombrado representante de su país en España. Miembro de la Academia de la Historia de Caracas, de la Academia Americana de la Historia, de Buenos Aires, de la Sociedad Científica del Paraguay.

Excelente poeta, erudito historiador, prosista elegante.

Obras: *Recuerdo de gloria, Nuestra epopeya, El libro de los héroes, El mariscal Solano López, El centauro de Ibicui, El héroe paraguayo, El Paraguay en la unificación argentina...*

V. URBIETA ROJAS, P.: *Estampas paraguayas.* Buenos Aires, 1942.—DÍAZ PÉREZ, Viriato: *La literatura del Paraguay,* en el tomo XII de la *Historia universal de la literatura,* de Prampolini. Buenos Aires, Uteha Argentina, 1940.

OLIVA, Fernán Pérez de (v. Pérez de Oliva, Fernán).

OLIVAR BELTRAND, Rafael.

Historiador, ensayista y profesor español. Nació—¿1910?—en Barcelona. Doctor en Filosofía y Letras. Desde 1944 a 1947, profesor adjunto de Historia en la Universidad de Barcelona. Profesor adjunto, por oposición (de 1947 a 1952), de Historia de España e Historia Universal Moderna y Contemporánea en la Universidad barcelonesa. Redactor de la revista *Arbor* y jefe de su sección bibliográfica. Domina los idiomas inglés, francés, alemán, italiano y ruso, habiendo realizado notables traducciones en obras de Thomas Mann, Hans Fallada, Marck-Twain, Dino Buzzati, Mili Dandolo, James Hilton, Egmont Colerus, Ernst Wurm, Andrew Carnegie...

Obras: *Bodas reales entre Francia y la corona de Aragón*—Barcelona, 1947—, *Bodas reales de Aragón con Castilla, Navarra y Portugal*—Barcelona, 1949—, *François Villón (Vida, obra y época)*—Barcelona, 1950—, *Federico III de Sicilia*—Barcelona, 1951—, *El caballero Prim*—dos tomos, Barcelona, 1951—, *Confidencias del bachiller Osuna*—Valencia, 1952—, *¿Por qué cayó Isabel II?*—Barcelona, 1954—, *Prat de la Riba*—biografía...

OLIVER BELMÁS, Antonio.

Notable poeta. Nació en Cartagena el 29 de enero de 1903. Murió—1968—en Madrid. Nieto de Francisco Dionisio Oliver, médico y poeta cartagenero, e hijo del arquitecto Francisco de Paula, autor de algunos ensayos sobre temas de Arquitectura romana en Cartagena.

Desde niño fue lector infatigable y mostró vocación por la poesía, publicando sus versos primeros en *El Porvenir*, de Cartagena, y en la página literaria de *La Verdad*, de Murcia, siendo colaborador de *Verso y Prosa, Alfar, Mediodía, Meseta, Noreste* y otras revistas españolas durante el período comprendido entre 1923 y 1936, como igualmente en *El Sol, Luz* y diversos diarios madrileños, así como en revistas de la Habana, Nueva York, San José de Costa Rica y del *Libro de Oro*, de Tagore, publicado en la India.

En 1931 contrajo matrimonio con la escritora y poetisa Carmen Conde.

Profesor asociado de Literatura en el Instituto del Cardenal Cisneros, de Madrid. Director-fundador del Archivo-Semanario de Rubén Darío.

En 1927 publica su primer libro de versos, titulado *Mástil*. A este libro le sigue *Tiempo cenital*, libro que le acerca al grupo "creacionista", y que fue publicado por la editorial Sudeste, de Murcia. En 1935 edita su *Elegía a Gabriel Miró*.

Con el seudónimo de "Andrés Caballero", personaje de *La Gitanilla* cervantina, ha cultivado el ensayo y la biografía. *De Cervantes a la poesía*, editorial Alhambra, Madrid, 1944, es un ejemplo del primer género. En cuanto al segundo, cuentan en su haber la biografía del escultor Francisco Salzillo y de Garcilaso de la Vega, la primera de la editorial Alhambra, Madrid, 1946, y la segunda en la "Colección de Cuentos Históricos", de Hesperia, Madrid, 1943.

Su modo poético más peculiar es hoy el que se refiere a las loas, varias de las cuales se han recogido en las recientes antologías poéticas de Gili, Barcelona, y Aguilar, Madrid (1946).

También se han publicado loas en la revista *Mensaje*, de Tenerife, y en la de *Literatura*, del Consejo de Investigaciones.

Su *Libro de loas* puede considerarse como una suma poética, en la que son abordados diez temas diferentes: oficios, pueblos, arquitectura, amor y amistad, ríos, montes, bodegones, frutas, morales y aves. A la métrica tradicional une en estos versos la metáfora y el sentido modernos.

Ha dado lecturas de loas en Madrid y Santander. Ha cultivado el teatro en verso, *Del Tormes al Danubio*, auto profano en tres tiempos y nueve estancias, aún no estrenado, y la crítica de Arte, en colaboraciones en diversos periódicos españoles—*Senda, La Verdad*, etc.—. Es universitario, y ha viajado bastante por España. Actualmente reside en Madrid.

Otros libros: *Loas*—Madrid, "Mensajes",

1947—, *Loas arquitectónicas*—Madrid 1951—, *Este otro Rubén Darío*—biografía y crítica.

OLIVER Y CRESPO, Federico.

Notable autor dramático español. Nació —1873—en Chipiona (Cádiz) y murió —1957—en Madrid. Transcurrió su infancia en Sevilla. En 1894 se trasladó a Madrid para ingresar en la Escuela de Pintura, Escultura y Grabado. Excelente escultor, ganó una segunda medalla en la Exposición de Bellas Artes de 1897. Desde el año siguiente se dedicó por completo a la literatura teatral, estrenando—1898—su primera producción escénica—el drama *La muralla*—en el teatro de la Comedia, de Madrid. En 1900 contrajo matrimonio con la admirable actriz Carmen Cobeña. Director—1914—del teatro Español. Durante muchos años, director escénico de compañías teatrales de máximo prestigio. Ha recorrido toda España.

Federico Oliver es un dramaturgo *intenso*, valiente, vibrante. Busca siempre temas hondos y patéticos y los desenvuelve con osadía y con originalidad. Federico Oliver es un verdadero maestro de la técnica teatral. Sus diálogos son vigorosos y naturales. Sabe sacar partido al patetismo y a la gracia más fina y humana. Buen dibujante de caracteres. Colorista admirable. Psicólogo sutil.

Obras: *La juerga*—1899—, *El vencido* —1900—, *La niña*—1904—, *Mora de la Sierra* —1907—, *La esclava*—1909—, *El encuentro, Pasión, El hogar, Los semidioses*—1914, su obra maestra—, *Aníbal*—1915—, *Los demonios se van*—1915—, *El crimen de todos* —1916—, *El pueblo dormido*—1918—, *Los cómicos de la legua, Las hilanderas*—zarzuela—, *Susana y los viejos*—1928—, *Oro molido*—1928—, *Han matado a don Juan* —1929—, *Los pistoleros*—1931.

Federico Oliver es autor de varias novelas breves y de algún cuento, en los que se ponen de relieve sus magníficas condiciones para este género.

OLIVER I SALLARES, Joan.

Poeta y prosista español en lengua catalana. Nació—1899—en Sabadell. Se ha hecho famoso en toda España con el seudónimo de "Pere Quart". Estudió Derecho en la Universidad de Barcelona. Ha viajado por casi todos los países de Hispanoamérica, residiendo ocho años en Chile. Fundó y dirigió la editorial La Mirada, en Sabadell (1924-1928). Entre 1924 y 1928 fue director del *Diari de Sabadell*. Colaborador de los principales diarios y revistas de Cataluña. Presidente de la Agrupació d'Escriptors Catalans. Miembro de la Institució de les Lletres Catalanes. Fundó la Agrupació Dramàtica de Barcelona.

O

Es uno de los más importantes poetas contemporáneos en lengua catalana. Y también crítico de gran jerarquía.

Obras: *Les decapitacions*—1934—, *Bestiari* —"Premio Folguera, 1936", de poesía—, *Oda a Barcelona*—1937—, *Saló de Tardor*—1947—, *Terra de naufragis*—"Premio Ossa Menor, 1955"—, *Vacances pagades*—"Premio Ausias March, 1959"—, *Dotze aiguaforts de Granyer*—1962—, *Obra de Pere Quart* —1963—, *Circumstáncies*—1968—, *Contraban*—narración, 1936—, *Biografía de Lot i altres proses*—1963—, *Cataclisme*—teatro, 1935—, *Alló que tal vegada s'esdevingué* —teatro, 1937—, *La fam*—"Premio Teatre Catalá de la Comédia, 1938"—, *Primera representació, Ball robat, La drecera*—tres comedias, "Premio Angel Guimerá, 1957".

Ha traducido al catalán obras de Chejov, Molière, Goldoni, Shaw, Claudel, Bertolt, Brecht, Samuel, Beckett.

OLIVER Y TOLRÁ, Miguel de los Santos.

Ilustre literato y periodista español. Nació—1864—en Campanet (Mallorca). Murió —1919—en Barcelona. Licenciado en Derecho por la Universidad de la ciudad condal. Durante algunos años practicó el periodismo balear. En 1904 trasladó su residencia a Barcelona. Redactor y director del *Diario de Barcelona.* Director de *La Vanguardia.* Presidente del Ateneo barcelonés. Colaborador solicitadísimo de *A B C,* de Madrid; *La España Moderna, España, Alma Española, La Ilustración Artística, La España Regional, Ateneo* y otros muchos periódicos y revistas de España y América.

Equilibrado, clásico, sensato, con una certerísima visión histórica, con gran depuración estética, riquísima fantasía y emotividad muy sugestiva, prosista brillante, cultura vastísima, Miguel de los Santos Oliver es uno de los escritores y periodistas más insignes de la España contemporánea. Su verdadera vocación fue la literatura, pero supo llevar al periodismo una altura de miras soberbia, una dignidad expresiva grande, un culto por todo lo caballeresco y permanente. Su orgullo profesional y su honradez ciudadana fueron tan grandes, que supo renunciar muchos cargos y muchos honores en beneficio de la independencia de su pluma admirable.

Obras: *Colección periodística*—1889—, *Mallorca durante la primera revolución: 1804 a 1814*—1899—, *La literatura en Mallorca* —1903—, *Entre dos Españas*—1906—, *Los españoles en la Revolución francesa*—1917—, *Vida de Cervantes*—1917—, *Poesías*—1910—, *En Jaume 'l navegant*—Barcelona, 1906, poema—, *Hojas del sábado*—varios volúmenes de impresiones y críticas—, *De la psicología de los pueblos hispánicos*—Barcelona, 1914...

En 1914 ganó el "Premio Fastenrath" en los Juegos florales de Cataluña, por su volumen de *Poesíes,* y en el mismo año, el premio ofrecido por el *A B C,* de Madrid, al mejor artículo sobre Cervantes.

OLIVER VILLAR, Ángel.

Novelista y cronista español. Nació —1918—en El Ferrol (La Coruña). Estudió el bachillerato en su ciudad natal y en Madrid. Apenas cumplidos los dieciocho años tomó parte en la guerra española de Liberación con los ejércitos del general Franco. Fue marinero—1937—en el minador *Vulcano.* Legionario en la 5.ª Bandera del Tercio. Alférez—1938—en el 11 Tabor de Regulares. De 1939 a 1941, alumno de Infantería de Marina en la Escuela Naval Militar. Teniente en 1941. Capitán en 1943. Comandante en 1953.

Su creación literaria data de 1950, al ser destinado a Madrid. Publicó crónicas en el diario madrileño *Arriba.* Colaborador asiduo en la revista *Primer Plano* y en la "Radio Nacional" de España. Actualmente escribe guiones para el cine.

Obras: *Los canes andan sueltos*—novela, 1952—, *Días turbulentos*—novela, finalista del "Premio Nadal, 1954"—, *El último sargento*—novela, 1960.

OLMEDO, Alonso de.

Excelente poeta, autor dramático y actor español. Era hijo de otro gran autor, llamado Alfonso de Olmedo. Nació—¿1628?—, posiblemente, en Madrid. Murió—1682—en Alicante. Bachiller en Cánones por Salamanca. Pero dejó los estudios y se hizo cómico y dramaturgo. Concurrió—1665—al certamen poético de Valencia, celebrado en honor de la Purísima Concepción, con unas quintillas. Fue competidor, como representante, del famosísimo Sebastián del Prado.

Olmedo escribió entremeses, sainetes y bailes. Fue hombre de mucha agudeza, buen juicio, gracia limpia, musa fácil y risueña, talento indudable y gran simpatía.

Obras: *La dama toro, Las locas caseras y El sacristán Chinchilla*—tres entremeses publicados en la "Colección Flores del Parnaso", Zaragoza, 1708—, *La gaita gallega y Dos áspides trae Jacinta*—bailes, insertos en el *Vergel de entremeses y concepto del donaire,* Zaragoza, 1675—, *La niña hermosa* —entremés, comprendido en *La Floresta de entremeses,* Madrid, 1691.

Una de sus mejores obras escénicas, *Las flores,* se halla en el tomo XIV de la "Biblioteca de Autores Españoles", de Rivadeneyra.

En la Biblioteca Nacional de Madrid se guardan los manuscritos de otras producciones: *Antíoco y Seleúco*—comedia—, *La abe-*

juela—baile—, *Las Arias*—baile—, *Píramo y Tisbe*—entremés...

OLMEDO, José Joaquín.

Poeta de extraordinaria importancia. 1780-1847. Nació en Guayaquil (Ecuador). Cursó sus primeros estudios en su ciudad natal, terminándolos en Quito y Lima. Abogado. Diputado a Cortes—1811—en España. Regresó a su patria en 1817. Colaborador de Bolívar. Vicepresidente de El Ecuador. Derrotado en su candidatura a la Presidencia de la República.

El mejor y más sincero elogio de este gran poeta lo hizo nuestro Menéndez Pelayo: "Olmedo es, sin contradicción, uno de los tres o cuatro grandes poetas del mundo americano; no falta quien le dé la primacía sobre todos, y, dentro de cierto género y estilo, no hay duda que la merece. Bello es más perfecto y más puro, más acrisolado de dicción, mayor humanista y de arte más exquisito; Heredia, más apasionado y también más espontáneo, pero lleno de tropiezos y desigualdades cuando no acierta soberanamente. Si al cantor de la *Zona tórrida* fue concedida la ciencia profunda de la dicción, y al poeta del *Niágara* la contemplación melancólica y apasionada, Olmedo tuvo, en mayor grado que ninguno de ellos, la grandilocuencia lírica, el verbo pindárico, la continua efervescencia del estro varonil y nemoroso, el arte de las imágenes espléndidas y de los metros resonantes, que a la par hinchen el oído y pueblan de visiones luminosas la fantasía. El *os magna sonatorum* de Horacio parece inventado para poetas como Quintana y Olmedo."

A Olmedo se le ha dado el sobrenombre del *Quintana americano*. No fue muy fecundo; sus composiciones no alcanzan a treinta. Todas están vaciadas en el molde neoclásico y pobladas de reminiscencias de Homero, Píndaro y Horacio.

Obras: *La victoria de Junín*—París, 1803—, *Ensayo sobre el hombre*—Lima, 1823—, *Canto a Bolívar*—Guayaquil, 1825—, *Obras poéticas*—Valparaíso, 1826—, *Poesías inéditas* —Lima, 1861—, *Cartas inéditas*—Quito, 1892.

V. Piñeyro, Enrique: *José Joaquín Olmedo*, en *Bulletin Hispanique*, VII, 1905.— Caro, M. A.: *José Joaquín Olmedo*, en *Repert. Colombiano*, II y III, Bogotá, 1879.— Cañete, Manuel: *El doctor don José Joaquín Olmedo*, en *Escr. Esp. e Hispanoamericanos*. Madrid, 1884.—Herrera, Pablo: *Apuntes biográficos de don José Joaquín Olmedo*. Quito, 1877.—Rendón, Víctor María: *Olmedo, homme d'Etat et poète...* París, 1903.—Menéndez Pelayo, M.: *Historia de la poesía hispanoamericana*. Madrid, 1911-1913, dos tomos.

OLMET, Luis Antón del (v. Antón del Olmet, Luis).

OLMO, Lauro.

Novelista, poeta y autor dramático. Nació —1922—en Barco de Valdeorras (Orense). Desde los siete años vive en Madrid, donde ha estudiado y desempeñado muchos y muy distintos cargos. "Premio Valle-Inclán, 1962", "Premio Nacional de Teatro, 1962" y "Premio Alvarez Quintero, 1958-1963", de la Real Academia Española, por la obra dramática *La camisa*. "Premio Leopoldo Alas, 1956", por su libro *12 cuentos y 1 más*. En 1957 quedó finalista en el "Premio Nadal", "Premio Elisenda de Montcada, 1963", con su novela *El gran sapo*.

Como novelista y como autor dramático, Lauro Olmo cultiva un crudísimo realismo —con almendrilla social—envuelto en fórmulas de enorme fuerza y de angustiosa emoción.

Otras obras: *Del aire*—poemas, Neblí, 1954—, *Cuno*—narración breve, 1954—, *La peseta del hermano mayor*—cuentos, Barcelona, 1958—, *Ayer 27 de octubre*—novela, Barcelona, 1958—, *La pechuga de la sardina* —drama, 1963—, *La condecoración*—drama, 1965—, *El Cuerpo*—farsa, 1966—, *El raterillo*—teatro infantil, 1967—, *English Spoken* —sainete dramático, 1968.

OLONA, Luis de.

Poeta y autor dramático español. Nació —1823—en Málaga y murió—1863—en Barcelona. Llevó una vida bohemia en su tierra natal y en Madrid. Dirigió teatros de segundo orden y colaboró en revistas y diarios madrileños. De gran fecundidad. Debe su fama a la colaboración musical que pusieron a sus libretos músicos tan populares como Oudrid, Barbieri, Gaztambide, Arrieta y otros.

Zarzuelas famosas—suya la letra—fueron: *El postillón de la Rioja, Los magyares, El juramento, El sargento Federico, Catalina, Por seguir a una mujer, Un día de reinado...*

Comedias: *Malas tentaciones, Las dos carteras, ¿Se acabarán los enredos?, Las bodas de Juanita, El caudillo de Zamora, El primo y el relicario, Las diez de la noche, Buenas noches, señor don Simón; Los misterios de Madrid, El doctor negro...*

OLÓZAGA, Salustiano de.

Literato y político español. Nació—1805— en Oyón (Logroño) y murió—1873—en Enghien (Francia). Estudió Leyes y Filosofía y Letras en las Universidades de Zaragoza y Madrid. Cuando aún era un mozalbete, empezó a significarse en la política, hacien-

O

do fogosos alardes de su espíritu liberal. Fue miliciano nacional. Conspirador constante. Gobernador civil de Madrid—1854 y 1869—. Diputado a Cortes permanente. Embajador en París—1840—. Presidente del Congreso y del Consejo de Ministros. Jefe de la minoría progresista. Presidente de la Academia de Jurisprudencia y miembro de las de la Lengua, Historia y Ciencias Morales y Políticas. Su famoso artículo "El rasgo"—contra Isabel II y su Gobierno—dio lugar a una escandalosa crisis. Orador excepcional. Articulista agudo y muy fácil.

Obras: *De la Beneficencia en Inglaterra y en España*—1864—, *Estudios sobre Elocuencia política, Jurisprudencia, Historia y Moral*—1871—, *Sobre algunas dificultades de la lengua castellana*—discurso de ingreso en la Real Academia de la Lengua, 1871...

V. MATILLA, Aurelio: *Olózaga, el precoz demagogo.* Madrid, 1934.—FERNÁNDEZ DE LOS RÍOS, Angel: *Olózaga. Estudio político y biográfico.* Madrid, 1863-1864.—CHAPARRO, Ramón G.: *El partido progresista, o Espartero y Olózaga.* Madrid, 1864.

OLLER Y MORAGAS, Narciso.

Gran novelista español. Nació—1852—en Valls. Murió—1930—en Barcelona. Abogado —1873—. Oficial de la Secretaría de la Diputación Provincial barcelonesa—1875—. Vivió en París algún tiempo, amistando con Zola, de quien fue admirador y por quien aparece influido en sus primeras novelas. Colaboró, con versos y prosas, en periódicos y revistas de tanto prestigio como *La Miscelánea, El Siglo Literario, La Bomba, La Renaixensa, La Ilustratio Catalana, La Veu de Catalunya...* Asistió, como inspirador, a tertulias literarias, famosas en Barcelona, como las del café de Francia y del café Español, de la plaza Real. Presidió varias veces los Juegos florales. Popularizó en la Prensa los seudónimos de "Plácido" y "Espoleta". Oller y Moragas forma, con "Víctor Catalá" (Catalina Albert), la pareja de narradores más admirables de la Cataluña contemporánea.

De la mejor escuela naturalista, riquísimo de imaginación, vigoroso dibujante de caracteres, colorista extraordinario, buen psicólogo, admirable creador de personajes novelescos, "de los que se ven todos los días por la vida"; vitalizador formidable de su ficción, con temperamento de poeta y prosa vibrante y naturalísima, Oller ha escrito novelas y cuentos que en nada desmerecen de los mejores de Picón, Ortega y Munilla, Palacio Valdés y Blasco Ibáñez. De haber escrito en catellano, su fama sería mucho mayor y sus libros recorrerían triunfalmente todo el mundo, como en justicia merecen.

Novelas y cuentos: *Croquis del natural* —1879—, *Sor Sanxa*—1880—, *Isabel de Galcerán*—1882—, *Vilaniu*—1883—, *La Papallona*—1883—, *L'escanya pobres*—1884—, *Febre d'or*—1890—, *La bogería*—1899—, *Pilar Prim* —1905, "Premio Fastenrath"—, *De tots colors*—1891—, *Rurals y urbanes*—1896—, *Al llapis y a la pluma*—1918—, *La bofetada...*

Teatro: *Teatre d'afisionats* y traducciones de Giacosa, Rovetta, Goldoni, Turgueniev, Tolstoi, Bécquer, Pawlosky, Bisson...

V. FORTUNY, Carlos: *La novela catalana.* Barcelona, 1912.—MONTOLÍU, M. de: *Estudio* a las *Obras completas* de Narciso Oller. Barcelona, G. Gili, diez tomos.—MORAGAS Y RODÉS, V.: *Biografía de Narciso Oller.* Barcelona.—MASRIERA, A.: *Triunfantes y olvidados.* Barcelona, 1912.—SCHNEEBERG, Alberto: *Conteurs catalans.* París, 1926.

ONETTI, Carlos María.

Poeta y ensayista uruguayo. Nació—1895— en Melo y murió—1940—en Paraná (Argentina). Terminado el bachillerato y obtenido el título de maestro en Montevideo se trasladó a la Argentina, graduándose doctor en Filosofía y Letras por la Universidad de Buenos Aires. Habiéndose establecido en Paraná, durante algunos años, y hasta su muerte, desempeñó la cátedra de Literatura Hispanoamericana en el Instituto Nacional del Profesorado. Su fama fue grande como conocedor y divulgador de las letras y del folklore americanos.

Obras: *El desfile amoroso*—poemas—, *El barco de vela*—poemas—, *Provincianita con estrellas federales*—poemas—, *Cuatro clases sobre Sarmiento escritor...*

ONETTI, Juan Carlos.

Novelista y cuentista uruguayo, nacido en 1909 y en Montevideo, donde estudió y ejerció el periodismo. Muy joven aún, se traladó a Buenos Aires, donde quedó asimilado por su medio literario, como antes que él Horacio Quiroga.

Según el gran crítico Alberto Zum Felde, "la característica principal de Onetti, definidora, es la introspección psíquica de sus personajes, la peripecia subjetiva, la fenomenalidad de conciencia, a través de un mínimo acontecimiento argumentado externo, objetivo, en un plano ambiguo entre lo real y lo imaginario; se caracteriza también por un lento, minucioso, insistente registro de sensaciones físicas y de estados de ánimo, registro que se va haciendo más espacioso, casi vicioso en sus últimos libros... Ha perdido en síntesis lo que ha ganado en otras cualidades: en amplitud de ámbito filosófico, por ejemplo, y en manejo literario del idioma".

Obras: *El pozo*—novela, 1939—, *Tierra de nadie*—novela, 1941—, *Para esta noche*—novela, 1943—, *La vida breve*—novela, 1950—, *El sueño realizado*—cuentos, 1951—, *El astillero*—novela, 1961—, *Juntacadáveres*—novela, 1965.

En todas las cuales, han asegurado varios críticos, se acusa la influencia del norteamericano William Faulkner.

ONÍS, Federico de.

Magnífico prosista, ensayista y crítico literario español. Nació en Salamanca el 20 de diciembre de 1885. Murió—1966—en Puerto Rico. Licenciado y doctor en Letras de la la Universidad de Madrid. Catedrático de Literatura española en la de Oviedo y después en la de Salamanca. Colaborador del Centro de Estudios Históricos. Desde 1916, profesor de Literatura española en la Columbia University y en las escuelas de verano de Madrid, Santander, México y Puerto Rico.

Miembro en la Hispanic Society of America. Director del Departamento de Estudios Hispanistas de la Universidad de Puerto Rico.

Ha sido redactor de la *Revista de Filología Española*—Madrid—y de la *Romanic Review*—Nueva York—, y colaborador de *España* y *El Sol*—Madrid—, *New York Times*, *The Evening Post*, *North American Review* e *Hispania* y *Nosotros*—Buenos Aires.

Uno de los más autorizados y finos críticos españoles. Sagaz en el análisis. Felicísimo en la interpretación. Enjundioso en la doctrina. Maestro en la exposición. Su obra españolista en América es ejemplar y digna de los más encendidos elogios. De toda obra firmada por Onís puede afirmarse el valor absoluto. Su estilo es sereno y brillante. Su prosa, natural y castiza.

Ha publicado: *Fueros leoneses*—Madrid, Centro de Estudios Históricos, 1916—, *Torres Villarroel*—Vida. Madrid, "La Lectura", 1912—, *Fray Luis de León*—de los *Nombres de Cristo*. Madrid, "La Lectura", 1914-1917-1922—, *Sobre la transmisión de la obra literaria de fray Luis de León*—Madrid, 1915, edición de la *Revista de Filología Española*—, *Disciplinas, Rebeldía*—Madrid, Residencia de Estudiantes, 1915—, *Contemporary Spanish texts*—Boston, D. C., Heath and Co., 1918—, *El español en los Estados Unidos* —Salamanca, Universidad de Salamanca, 1920—, *Jacinto Benavente*—Nueva York, Instituto de las Españas, 1923—y el *Martín Fierro y la poesía tradicional*—Madrid, 1924—, *Ensayos sobre el sentido de la cultura española*—1932—, *Antología de la poesía española e hispanoamericana*—1934—, y otras varias, todas ellas de mucho interés.

ONTAÑÓN, Eduardo de.

Poeta y prosista. Nació—1904—en Burgos. Estudió en el Instituto de su ciudad natal y en el de San Isidro, de Madrid. Inició su labor literaria en 1919. Dirigió *Parábola*—1923-1927—. Corresponsal del *Diario Español*, de la Habana. Colaborador de *La Voz*, *El Sol*, *Crisol*, *Luz*, *Diario de Madrir*, *La Gaceta Literaria*, *Ahora* y *Estampa*, todos de Madrid; y de *Verdad*, de Valencia. Presidente—1934—del Ateneo Popular burgalés. Vicepresidente de la Agrupación Profesional de Periodistas, de Madrid —1938—. Le fue concedido el "Premio Nacional de Literatura, 1938". Desde 1939 reside en México.

Poeta de modernismo muy expresivo. Gran prosista, lleno de colorido y de garbo.

Obras: *Breviario sentimental*—poesías—, *Cartones de Burgos, Madrid es nuestro* —1938—, *Tierra montañesa*—poemas—, *Sinfonía en azul*—poemas—, *Cuaderno de poemas, Siete poemas mexicanos, El cura Merino*—biografía—, *Frascuelo, o el toreador* —biografía—, *Desasosiego de fray Servando, Mio Cid*—1944...

ONTIVEROS SERRANO, Carmen.

Nació—1916—en Madrid. Inició su carrera artística a los cinco años de edad, en América, cantando y bailando. Años más tarde, en España, estudió algo de danza, con cuya pequeña base formó su escuela basada en la psicología, siguiendo una línea profundamente humana y espiritual.

Ganó, en el año 1949, el primer "Premio Internacional de Ballet" en el Concurso de Coros y Danzas. Ha llevado a la danza *Platero y yo*, de Juan Ramón Jiménez; *La luna nueva*, de Tagore, y otras obras.

Antes de empezar a escribir poesía, ya intentó unir ambas artes. En el año 1958, comenzó realmente a escribir poesía.

Ha quedado finalista en varios concursos: "Premio Adonais", de poesía, y el de "Cauce". Tiene numerosos poemas publicados en la revista de *Poesía Española*.

Obras: *Necesito decir, De tejas arriba*.

OÑA, Pedro.

Interesante poeta español. Hijo del bravo capitán Gregorio de Oña, que murió en la guerra de Chile. Nació Pedro—¿1571?— en la ciudad de los Confines, última de las que fundó Valdivia en territorio araucano. Murió—1626—en Gaeta (Italia).

Estudió en Lima, en el colegio de San Felipe y San Marcos. Corregidor de Jaén de Bracamoros. Su nombre figura en el *Catálogo de autoridades* del idioma, publicado por la Real Academia Española.

Entre 1590 y 1596 escribió su poema épi-

O

co *Arauco, domado,* en más de 10.000 versos, imitación pálida del de Ercilla, dedicado a don García Hurtado de Mendoza, hijo del marqués de Cañete, virrey del Perú.

El *Arauco, domado,* sin el aliento épico extraordinario de *La Araucana,* sin su colorido ni su magnificencia sonora, no es, ni mucho menos, una obra deleznable. Pone de manifiesto notables destellos de talento poético, soltura descriptiva, facilidad, lozanía; está lleno de curiosas noticias de costumbres, y alientan en él algunas figuras bien dibujadas.

El *Arauco, domado,* se imprimió en 1596, y en Lima, y al frente de él iban elogios de Diego de Hojeda, de Arriaga Alarcón, de Gaspar de Villarroel, de Suigo de Hormero, de Francisco de Figueroa... Tuvo éxito, y grande, el *Arauco, domado,* y se reimprimió cinco veces en muy pocos años. Hurtado y Palencia escribe así: "Notable por la soltura de la versificación, ofrece una novedad: el autor, en vez de emplear las octavas reales—estrofa autorizada para los poemas narrativos—, usó otras octavas de su invención, que él escribía con agilidad y arte, aunque no logró que le siguiesen en el nuevo procedimiento; en esta octava, los cuatro primeros endecasílabos forman un cuarteto—a-b-b-a—; los versos quinto y sexto conciertan, respectivamente, con el primero y segundo—a-b—, y los dos últimos son pareados, con rima independiente de los anteriores—c-c—."

Otras obras de Pedro Oña: *Temblor de Lima en 1609*—poema—, *El Ignacio de Cantabria*—Sevilla, 1639—, *El Vasauro*—1635, poema religioso en unos 10.000 versos farragosos y de escasísima inspiración.

Lope de Vega alabó a Oña en el *Laurel de Apolo,* y Diego Mejía, igualmente, en su *Primera parte del Parnaso Antártico*—Sevilla, 1608.

Del *Arauco, domado,* existe una moderna edición en el tomo XXIX de la "Biblioteca de Autores Españoles", de Rivadeneyra. Y otra de la Academia chilena, por J. T. Medina, Santiago de Chile, 1917.

V. GUTIÉRREZ, Juan María: ... *Poetas sudamericanos anteriores al siglo XIX.* 1865.— MENÉNDEZ PELAYO, M.: *Historia de la poesía hispanoamericana.* — SÁNCHEZ, Alberto: *Nueva historia de la literatura hispanoamericana.* Buenos Aires, 1945.—LATORRE, Mariano: *La literatura en Chile.* Buenos Aires, Fac. de Filosofía y Letras, 1941.—AMUNÁTEGUI, Miguel Luis: *La alborada poética en Chile.* Santiago, 1882.—ROCUANT, Miguel Luis: *Los líricos y los épicos.* Madrid, s. a.

OPISSO Y VIÑAS, Alfredo.

Historiador y literato español. Nació —1847—en Tarragona. Murió—1924—en Bar-

celona. Médico del Cuerpo de Sanidad de la Armada—1870—. Concejal del Ayuntamiento de su ciudad natal. Redactor—1899—de *La Vanguardia,* de Barcelona. Correspondiente de la Real Academia de la Historia y de la de Arqueología tarraconense.

Obras literarias e históricas: *Historia de Europa*—1880—, *Viajes por Europa*—1885—, *Las crisis de Baldomero Fuentes*—novela—, *El alma del mundo*—poema—, *Historia de España*—en veinticinco tomos—, *El millón de Sixto Ardecha*—novela—, *La vara del corregidor*—novela—, *El capitán Petroff*—novela de aventuras—, *La máscara de bronce* —novela—, *Batallas del siglo XIX*—dos tomos—, *Historia de la Guardia Civil, La conquista de Africa*—cuatro tomos—, *La Revolución francesa, Estudios de estética, El arte de pensar...*

ORDÓÑEZ DE MONTALVO, Garci.

Novelista y prosista español de muy curioso y acusado relieve. Vivió en el siglo XV y en Castilla. Pero se desconoce cuándo y dónde. Debió de nacer durante el reinado de don Juan II. Y en 1492, fecha de la conquista de Granada, debía de pasar de los cincuenta años. Ejerció la carrera de las armas. Y fue regidor de la noble villa de Medina del Campo, y gran amigo de la caza mayor y menor.

Embebecido por sus afanes idealistas y removido por una imaginación espléndida, que le apartaba de la realidad, en medio de las llanuras castellanas, debió de abandonar bastante su cargo de regidor y de soldado para inventar en edad avanzada, en que escribía, múltiples y fantásticos relatos.

Obras: la refundición y enmienda de los tres primeros libros del *Amadís de Gaula,* famosísimo en el mundo entero, y *Las sergas de Esplandián,* hijo de Amadís.

La refundición y enmienda que hizo Ordóñez de Montalvo del celebérrimo *Amadís* son sencillamente prodigiosas. Hasta el punto que Menéndez Pelayo cree que no fue un mero corrector y refundidor, sino algo más importante. Montalvo depuró y transformó la ética del libro—asaz liviana—, acentuó su tono doctrinal y caballeresco, marcó un notorio progreso en el concepto moral, aunque con menos vida poética y menos lozanía de inspiración. La primera forma castellana que se conserva del *Amadís*—Zaragoza, Coci, 1508—es la de Montalvo.

Las sergas de Esplandián es la mejor—o la menos mala—de las continuaciones del *Amadís.* Es, sin duda, de las mejores escritas y de las menos aburridas. Fue también de las más leídas. La primera edición es la de Sevilla, 1510, siendo reimpresa nueve veces durante el siglo XVI y traducida a casi todos los idiomas.

En el tomo XL de la "Biblioteca de Autores Españoles", de Rivadeneyra, a continuación del *Amadís,* Pascual Gayangos reprodujo *Las sergas.*

V. MENÉNDEZ PELAYO, M.: *Orígenes de la novela.*—THOMAS, H.: *Spanish and Portuguese Romances of Chivalry.* Cambridge, 1920.—GAYANGOS, Pascual: *Estudio* en el tomo XL de la "Biblioteca de Autores Españoles".—WERNER MULERTT: *Studien zur den letzten Büchern des Amadisromans.* Halle, 1923.

ORGAZ, Arturo.

Poeta, novelista, cronista, ensayista argentino. Nació—1890—en Córdoba y murió —1955—en la misma ciudad. Estudió Derecho en su ciudad natal, y durante algún tiempo desempeñó la magistratura judicial. Cargo que abandonó para dedicarse a la enseñanza de la sociología. Con gran ardor defendió la reforma universitaria. Profesor del Colegio Nacional y de la Facultad de Derecho. Diputado socialista en el Parlamento. Senador provincial. Candidato a la vicepresidencia de la República en 1937.

Obras: *Las barcas del ensueño*—poemas, 1912—, *De buen humor*—1913—, *Discursos* —1916—, *Cosas del amor y de la fe*—1917—, *En guerra con los ídolos*—1919—, *El crimen santo*—1921—, *Estado, fascismo, psicosis* —1922—, *Los infiernos de la vida*—novela, 1922—, *Crisis democrática*—1926—, *La huelga de las ideas*—ensayos, 1928—, *Ensayos liberadores*—1934—, *Pro y contra del hombre*—ensayos, 1940.

ORIBE, Emilio.

Poeta y prosista uruguayo. Nació en 1893. Dejó desde muy joven el ejercicio profesional para dedicarse a la enseñanza y a la creación artística y filosófica. Fue profesor de Filosofía en Enseñanza Secundaria y Preparatoria; profesor de Literatura en ambas secciones; profesor de Filosofía del Arte de la Facultad de Arquitectura; catedrático de Estética en la Universidad y en la Facultad de Humanidades y Ciencias. Fue consejero de Enseñanza Primaria y Normal en dos períodos—de 1928 a 1933 y de 1943 a 1948—, consagrándose por entero a las tareas docentes, y en donde realizó distintas obras, siendo las principales: la Educación estética, las Colonias marítimas y en la Comisión de Edificación escolar. Presidió varios Tribunales de Concursos de Filosofía, Literatura, Filosofía del Arte, Pedagogía, Psicología, etc.

Ha dado numerosas conferencias y cursos en Montevideo y en el extranjero. El Departamento de Estado de Norteamérica lo invitó como huésped oficial en el año 1942, dando conferencias en varias Universidades.

Fue a dar conferencias oficiales en las Universidades de Buenos Aires y La Plata en 1941. También en misión oficial dio un curso en la Universidad de Chile, en 1946, de tres conferencias sobre Estética.

Fue invitado a visitar Inglaterra por el Instituto Hudson, hablando del Uruguay, sus adelantos y hombres, en Londres, Liverpool, Birmingham, Oxford, Cambridge, Leeds, Manchester, etc. En Oxford y Cambridge leyó sus poemas, siendo recibido por las autoridades oficiales de ambas Universidades en ceremonias particulares.

En dos oportunidades, en 1921 y en 1949, concurrió a los cursos de la Sorbona y del Colegio de Francia: lecciones de Janet, Marie, Lalande, Bréhier, Wahl, Lavelle, Marcel, de Broglie, etc.

Es miembro de la Academia de Letras y de la Asociación Internacional de Sociedades de Estudios Filosóficos. Fue vocal del primer Consejo de la Facultad de Humanidades y Ciencias—1944-1948—. Intervino en París en reuniones de la Unesco y de la Sociedad de Filosofía y Estética.

Obras: *El nardo del ánfora* — poemas, 1915—, *El castillo interior*—1917—, *El halconero astral y otros cantos*—1919—, *El nunca usado mar*—poemas, 1922—, *La colina del pájaro rojo*—poemas, 1925—, *La transfiguración de lo corpóreo*—poemas, 1930—, *Poética y plástica*—ensayos, 1930—, *Teoría del Nous*—prosas, 1933—, *El canto del cuadrante*—poemas, 1938—, *La lámpara que anda* —poemas, 1944—, *El Mito y el Logos*—prosas, 1944—, *Poesía*—antología, 1944—, *La esfera del canto*—poemas, 1948—, *Platonismo y trascendencia en poesía*—ensayos, 1948—, *La dinámica del verbo*—ensayos, 1948—, *La intuición estética del tiempo*—ensayos, 1948—, *Teurgia*—1951—, *Poemas filosóficos* —1951—, *Cuadernos Nous de Poesía*—1950...

V. ZUM FELDE, Alberto: *La literatura del Uruguay.* Buenos Aires, 1939.—GULLA, Luis Alberto: *Estudios sobre la poesía de Emilio Oribe,* en *Exégesis,* Montevideo, 1943.

OROPESA RIERA, Juan.

Ensayista, historiador y político venezolano. Nació—1906—en Cavora (estado de Lara). Abogado. Periodista. Entre 1931 y 1935 residió en Madrid, colaborando en los diarios *Heraldo, Luz* y *El Imparcial.* Director del Liceo "Andrés Bello"—1936-1937—y rector de la Universidad de Caracas—1945-1947—. En 1943 regentó la cátedra de Literatura hispanoamericana en el Departamento de Lenguas romances de la Universidad de Minnesota (Minneápolis, Estados Unidos). Electo diputado—1946—en la Asamblea Constituyente. Embajador de su país en Londres y París.

Oropesa Riera ha viajado por toda Europa y América. Posee una vasta cultura, un finísimo sentido crítico y una prosa brillante.

Obras: *Sucre*—biografía, 1938—, *Fronteras*—Caracas, 1942—, *Breve historia de Venezuela*—México, 1944—, *Imparidad del destino americano*—Buenos Aires, 1946—, *Cuatro siglos de historia venezolana*—Caracas, 1947—, *Sobre Inglaterra y los ingleses*—París, 1951.

OROSIO, Paulo.

Historiador y prosista hispanolatino; el primer representante de la prosa histórica entre los españoles cristianos. Vivió en el siglo V. No se sabe si nació en Tarragona o en Braga, ni el año de su nacimiento ni el lugar y año de su muerte. Fue presbítero. Viajó por Oriente. Conoció a San Agustín, el cual, en una carta a San Jerónimo, le califica "de ingenio despierto, elocución fácil y ávido de saber". A instancias del genial prelado de Hipona, Paulo Orosio compuso su obra *Historiarum libri VII contra paganos,* para servir de suplemento al libro tercero de *La Ciudad de Dios,* y que. constituye el primer ensayo de historia universal cristiana. Su carácter es genuinamente apologético; por ello, en ocasiones, exagera los hechos y padecen el sentido crítico y la integridad, que deben cuidar mucho los historiadores. En su obra, Paulo Orosio, además de manifestarse como brillante prosista, delata su mucho amor por su patria, España. Y con ella ejerció una gran influencia durante la Edad Media y hasta en los tiempos modernos.

La idea dominante del libro es que todo suceso de la historia de la Humanidad obedece al orden de la Providencia divina.

La obra de Orosio aseguró su pervivencia en más de 200 manuscritos. La explotaron ilustres varones como San Isidoro, el venerable Beda, Gregorio de Tours... Alfredo el *Grande* la tradujo al anglosajón. El emperador de Constantinopla se la envió a Abderrahmán III de Córdoba para que la tradujera al árabe. Dante la calificó de "altísima prosa", comparable con la de Tito Livio.

Ediciones: Havercamps, Leyden, 1738, reproducida por Migne en la *Patrol. latina,* tomo XXXI; Zangemeister, en el *Corpus Scriptorum Ecclesiasticorum Latinorum,* tomo V, Viena, 1882.

V. GENNADIO: *De virus illustribus.*—MÖRNER, Teodoro de: *De Orosii vita eiusque Historiarum libris.* Berolini, 1884.—MÉJEAN, V.: *Paul Orose et son apologétique.* Estrasburgo, 1896.—DALMASES Y ROS: *Disertación histórica por la patria de Paulo Orosio.* 1702.—GARCÍA Y GARCÍA DE CASTRO: *Paulo Orosio, dis-*

cípulo de San Agustín, en el *Boletín de la Universidad de Granada,* tomo III, 1931.—WOTKE, F.: *Orosius.*

OROZCO, Alonso de.

Famoso escritor ascético español. Nació —1500—en Oropesa (Toledo). Murió—1591—en Madrid, en el palacio de doña María de Aragón, hoy palacio del Senado. Era hijo de los nobles señores don Hernando de Orozco y doña María de Mena. Sirvió con mucha devoción en la iglesia de Talavera. Seise de la catedral de Sevilla. Tomó el hábito de agustino en la ciudad de Salamanca—1522—, en cuya Universidad estudió Artes y Teología. Fue novicio predilecto del prior del convento y futuro Santo Tomás de Villanueva. Entre 1538 y 1546 rigió sabia y santamente los conventos de Soria, Medina del Campo, Sevilla y Granada. Definidor de la Orden. Se cuenta que estando en Sevilla —1542—apareciósele en sueños la Madre de Dios, y con voz suavísima le dijo: "Escribe"; y desde aquel instante el bienaventurado no dio paz a la pluma. Predicador de Carlos I. Tanto le respetaba Felipe II, que cuando este monarca trasladó su corte a Madrid—1561—, llevósele consigo, no permitiéndole que saliera de la corte, "porque no quería echar a los santos de ella". Gobernó el famoso convento de San Felipe, conociéndole todo Madrid por "el santo de San Felipe".

Padeció muchas, largas y terribles enfermedades con paciencia y dulzura infinitas. "Llegó a ser el prototipo de esos santos al que todos los niños y viejos ansían ver y escuchar su doctrina." Quevedo, de niño, llegó a verle y oírle, quedando fuertemente impresionado. Y el mismo Felipe II y su hija Isabel Clara Eugenia le visitaban a menudo y, precisamente, el día antes de morir.

Magnífico prosista, de una hondísima espiritualidad y de una maravillosa doctrina, Orozco ejerció una gran influencia en la mística del momento, a la que se adelantó en parte, e insistió en la forma activa de las vías que conducen a Dios. Estilo grave, lenguaje castizo y unción evangélica tienen en alto grado todos sus escritos. El agustino padre Márquez dijo de él: "Fue agudo en las sentencias, propio en las palabras, suave en el estilo, casto en las frases, no forzado en las metáforas y nada inferior en romance y latín a los que con mayor primor escriben en una y otra lengua." Y Ponce de León, otro agustino: "Su entendimiento y agudeza fueron grandes, y como hechos por Dios para instruir las costumbres... Fue fundadísimo teólogo, y la destreza, brevedad y claridad con que habla en materias bien delgadas lo dice bien claro..."

Su nombre figura en el *Catálogo de auto-*

ridades del idioma, publicado por la Real Academia Española.

Obras castellanas: *Consideraciones acerca de los nombres de Cristo, Vergel de oración y monte de contemplación*—Sevilla, 1544—, *Memorial del amor santo*—Salamanca, 1596—, *Regla de vida cristiana*—Madrid, 1719—, *Examen de conciencia*—Sevilla, 1551—, *Desposorio espiritual y regimiento del alma*—Salamanca, 1565—, *Las siete palabras que la Virgen Sacratísima Nuestra Señora habló*—Valladolid, 1556, obra en la que se encuentra la hermosa apología de la lengua castellana, la más antigua en libros e impresos—, *Victoria del mundo*—1566—, *Epistolario cristiano para todos los estados*—Alcalá, 1567—, *Hystoria de la reina de Saba*—Salamanca, 1565—, *Catecismo provechoso*—Salamanca, 1575—, *Libro de la suavidad de Dios*—Salamanca, 1576—, *Victoria de la muerte*—Burgos, 1583—, *Arte de amar a Dios y al prójimo*—Alcalá, 1585—, *Guarda de la lengua*—1589—, *Tratado de la corona de Nuestra Señora*—Madrid, 1588—, *Las confesiones del pecador fray Alonso de Orozco*—Valladolid, 1601—, *Soliloquio de la Pasión de Nuestro Redentor*—Madrid, 1620—, y numerosos manuscritos y apuntes.

Su opúsculo intitulado *De nueve nombres de Cristo*, inédito hasta 1888, en que lo publicó en *La Ciudad de Dios* el padre Conrado Muiños, tiene importancia extraordinaria, por ser, a juicio de este gran crítico, la base y el modelo de la obra maestra de fray Luis de León.

De muchas de las obras del beato Orozco se han hecho varias ediciones en España y en el extranjero; algunas, además, se han traducido a distintas lenguas.

Existen magníficas ediciones de los escritos de Orozco: *Recopilación de todas las obras*—Valladolid, 1554 a 1555; Zaragoza, 1556; Alcalá, 1570—; *Operi spirituali*—Venecia, 1596—; *Obras*—Madrid, 1736—. Una bibliografía completa puede verse en el *Catálogo de escritores agustinos*, del padre Moral, en *La Ciudad de Dios*, 1889, tomo XVIII, y la *Biblioteca bibliográfico-agustiniana...* del padre Blanco, Valladolid, 1909.

V. MÁRQUEZ, fray Juan: *Vida del venerable padre fray Alonso de Orozco.* Madrid, 1648.—GANTE, fray Francisco Antonio de: *Vida del venerable padre fray Alonso de Orozco.*—QUEVEDO, fray Manuel: *Compendio... de la dilatada vida de... Alonso de Orozco.* Madrid, 1730.—PONCE DE LEÓN, fray Basilio: *Confesiones del... beato Alonso de Orozco.*—CÁMARA, P.: *Vida y escritos del beato Alonso de Orozco.* Valladolid, 1882.—MUIÑOS, P. Conrado: *"Los Nombres de Cristo", de fray Luis de León, y el beato Alonso de Orozco*, en *La Ciudad de Dios*, tomo XVII, 1888.

OROZCO, Juan de.

Prosista y moralista español. Nació —¿1540?—en Toledo y murió en 1608. Canónigo de Sevilla. Arcediano de Cuéllar en la catedral de Segovia. Obispo de Agrigento y de Guadix. Hermano de Sebastián de Covarrubias y Orozco.

Obras: *Emblemas morales*—Segovia, 1589—, *Paradoxas christianas contra las falsas opiniones del mundo*—Segovia, 1592—, *Doctrina de príncipes, enseñada por el santo Job*—Valladolid, 1605.

OROZCO DÍAZ, Emilio.

Prosista, crítico, erudito. Nació—1909—en Granada. Se doctoró en Letras en la Universidad de su ciudad natal. Ha sido profesor de Lengua y Literatura españolas y conferenciante notable en las universidades de Oxford, Sorbona, Pisa, Londres, Liverpool. Miembro correspondiente de las Reales Academias de la Lengua y de Bellas Artes de San Fernando. En 1968 obtuvo el "Premio Nacional de Crítica Emilia Pardo Bazán" con su obra *Paisaje y sentimiento de la Naturaleza en la poesía española.*

Suma a su mucha y sólida cultura una magistral amenidad expositiva.

Obras: *Pedro Antonio Bocanegra*—1937—, *Temas del Barroco. De poesía y de pintura*—1953—, *Poesía y mística. Introducción a la lírica de San Juan de la Cruz*—1959—, *Granada en la poesía barroca*—1963.

ORREGO LUCO, Luis.

Novelista, erudito y prosista chileno. Nació—1866—y murió—1948—en Santiago. Como ministro de Educación Pública, fue promotor principal de la ley de Instrucción Primaria Obligatoria—1918-1919—. Internacionalista, profesor extraordinario de Derecho Internacional en la Universidad de Chile. Entre los años de 1912 y 1915 dirigió la Escuela de Bellas Artes de Chile, a propuesta del pintor español don Fernando Alvarez de Sotomayor, quien le había antecedido en el cargo. Como ministro de Chile en Uruguay, presidió en 1929 la Comisión Gondra, logrando con su intervención evitar durante varios años el estallido de la guerra entre Bolivia y Paraguay. Dirigió la revista *Selecta*, que fue, sin duda, el mejor mensuario de arte editado en habla española—1909-1914—. En 1892-1894, siendo muy joven, desempeñó el cargo de encargado de Negocios de Chile en España.

Intimo amigo de Rubén Darío, fue uno de sus maestros en el estudio de la poética francesa, que influyó grandemente en la revolución poética iniciada en Chile con *Azul...*

O

Es considerado como el mayor novelista chileno; maestro, con Blest Gana, de la novelística chilena.

Tomó parte en la revolución de 1891, encabezando un regimiento del ejército congresista, que defendía las libertades electorales. Herido tres veces en la batalla de Concón, vio inutilizada una de sus manos, como Cervantes. Retirado muy joven de las filas, tuvo ascensos por leyes diversas, terminando con el grado de general.

Obras principales: *Páginas americanas* —novelas cortas, Madrid, Librería de Fernando Fe, 1892—, *Pandereta*—esbozos y pinturas de España, Santiago, 1896—, *1810. Recuerdos de un voluntario de la patria vieja* —novela—, *El Gobierno local, Chile*—estudio social—, *Los problemas internacionales de Chile*—cuatro volúmenes—, *La vida que pasa*—cuentos.

Y su gran ciclo novelístico: *Recuerdos del tiempo viejo*, que comprende las siguientes novelas: *Playa negra*—1875-1878—, *En familia*—1886—, *Al través de la tempestad*—1890-1891—, *Un idilio nuevo*—fines del siglo XIX—, *Casa grande*—1900-1908—, *El tronco herido* —1925-1930.

De estas novelas, cuyos personajes reaparecen y se mezclan en las diversas etapas (1875-1930), que abarcan un admirable estudio a lo Balzac de la sociedad chilena, se destacan *Casa grande,* publicada en 1909, y *Playa negra,* su última obra, aparecida un año antes del fallecimiento del autor—1947—. La aparición de *Casa grande,* que contiene el vigoroso e implacable examen de una sociedad, causó inmensa sensación, constituyendo el mayor *best seller* literario en Chile.

Sus *Memorias,* inéditas, son del más grande interés general, histórico y literario.

V. LILLO, Samuel: *La literatura chilena.* Santiago, 1930.—OMER HEMET (Emilio Vaïsse): *La novela en Chile.* Santiago, 1921.— *Don Luis Orrego Luco.* Homenaje de la Universidad de Chile. Santiago, 1949.—MELFI, Domingo: *"El viaje literario" y otros estudios críticos.*—DARÍO, Rubén: *Autobiografía.* ALESSANDRI PALMA, Arturo: *Carta sobre "Playa negra": Discurso en el cementerio general* (1948); *Discurso* de recepción de don Fidel Araneda en la Academia Chilena.—LILLO, Samuel A.: *Discurso* de recepción de don Luis Orrego Luco en la Academia Chilena.

El *Homenaje de la Universidad de Chile* —un volumen—se encuentra en la Biblioteca Nacional de Madrid, adonde fue enviado en junio de 1952.

ORREGO VICUÑA, Benjamín.

Poeta y comediógrafo chileno. 1897-1918. De tendencia romántica, compuso poemas breves de factura delicada y una admirable comedia dramática, estrenada con éxito enorme en el teatro Municipal de Santiago: *Ellos serán los primeros.* A juicio de Silva Vildósola, que fue maestro del periodismo chileno, sus comedias dramáticas, breves, dotadas de fuerte emoción sentimental, pueden compararse a los proverbios de Alfredo de Musset.

Obras principales: *Ellos serán los primeros*—obra reeditada muchas veces—, *La niña sonrisa*—comedia inconclusa, que su hermano Eugenio terminó en 1948—, *Obras literarias. Teatro. Verso. Prosa*—recopilación hecha por Eugenio Orrego Vicuña, en un volumen, con prólogos, notas y juicios críticos—, *Páginas escogidas*—un volumen, Colombo, Buenos Aires, 1946.

V. OMER EMETH: *Estudio* (prólogo de *Páginas escogidas*).—ORREGO VICUÑA, Eugenio: *Ensayos.* Tomo II. Universidad de Chile.

ORREGO VICUÑA, Eugenio.

Historiador, ensayista y comediógrafo chileno. Es el literato chileno, juntamente con Gabriela Mistral y Pablo Neruda, de mayor difusión en la América española. Nació en Santiago. Miembro de la Academia Chilena de la Lengua y correspondiente de la Real Española.

De convicciones americanistas arraigadas, publicó la Universidad de Chile, en 1933, su famoso ensayo sobre *Problemas de la unificación americana,* donde preconiza la formación de una Federación de pueblos latinoamericanos para conjuntarse, en pie de igualdad, con la Unión de Estados sajones de América. Siguieron otros estudios sobre *Sociedad de Naciones americanas* y *La Federación del Pacífico,* que sirvieron de base al Gobierno del Ecuador para intentar la formación, siquiera limitada, de una Sociedad de Naciones americanas, que comenzaría por las Repúblicas bolivianas.

Orrego Vicuña ha recorrido la mitad del mundo. Algunas de sus impresiones están recogidas en sus libros *Mujeres, paisajes y templos (Japón y China), Tierra de águilas, Terra australis (Viaje a la Antártida).*

Como historiador, heredó las condiciones de intuición poderosa, capacidad de reconstruir, imaginación creadora, de su abuelo, Vicuña Mackenna. Tiene, además, el raro don de la imparcialidad, de lo que pudiera llamarse fuerte aproximación a la imparcialidad, tan difícil de alcanzar.

Su obra literaria más importante es, tal vez, la *Historia del ingenioso hidalgo don Miguel de Cervantes,* publicada por la Universidad de Chile en hermosa edición bibliográfica con motivo del cuarto centenario. Orrego Vicuña trata el tema y el personaje en manera de *réplica* al *Quijote,* la única que se haya escrito; de ahí su originalidad sorprendente. No solo el estilo es cervantino, sino también el espíritu. De ella ha escrito el ilustre crítico chileno don Ricardo Dávila Silva (prólogo hecho especialmente para la edición Aguilar) "que nadie en América, ni Montalvo, hubiese podido escribir la última parte". Y el insigne hispanista irlandés Starkie ha dicho "que es una de las dos mejores biografías de Cervantes escritas hasta hoy".

Como dramaturgo, ha descollado singularmente en el teatro histórico, creando un género que se diferencia de lo que ordinariamente se conoce como teatro histórico. En sus dramas *Carrera*, estrenado con éxito inmenso en 1939, y *San Martín*, que lo fue en 1941, bajo la dirección e interpretación de la actriz española Margarita Xirgu, presenta temas de estricta realidad y verdad históricas—no sólo realidad, sino verdad—, haciendo actuar a sus personajes como actuaron en vida, empleando su propio lenguaje, con frases que en gran parte fueron dichas por ellos y emanan de su correspondencia, escritos y documentación. Conseguir con tales elementos, fielmente tratados, el éxito que obtuvo, le da al autor derecho al considerable prestigio ganado en la América hispana.

Es autor de un drama sacro en dos partes: *El reino sin término*, obra que por su fidelidad histórica mereció plena y máxima aprobación del Vaticano.

Obras: *Vicuña Mackenna: vida y trabajos, O'Higgins*—edit. Losada, Buenos Aires—, *Vida de San Martín*—Emecé, Buenos Aires—, *Iconografía de San Martín*—Univ. de Chile—, *Iconografía de O'Higgins*—Univ. de Chile—, *Iconografía de Vicuña Mackenna* —Universidad de Chile—, *Un canciller de la Revolución: don Andrés Bello*—Univ. de Chile—, *Hombres de América*—ensayos, Universidad de Chile—, *El alba de oro*—comedia poética—, *Camino adelante*—comedia poética, en colaboración con el poeta Max Jara—, *Tragedia interior*—drama, estrenado por don Enrique Borrás—, *Vírgenes modernas*—teatro—, *El lobo*—teatro—, *La Rechazada*—teatro—, *En el umbral*—teatro—, *Cuando Chile era reino*—teatro—, *Romeo y Julieta*—versión libre de Shakespeare—, *Ifigenia en Táurida*—versión libre de Goethe—, *Bolívar* —Univ. de Concepción—, *Recordatorio de doña María Vicuña de Orrego, El libertador O'Higgins y el general De la Cruz, Antología de "Don Quijote de la Mancha", Antología chilena de Rubén Darío, Antología poética de Bello*—edit. Estrada, Buenos Aires—, *Kokoro-no-higeiké*—versión japonesa de *Tragedia interior*—, *El espíritu constitucional de la Administración O'Higgins, Medina y Harrisse, Ensayos dramáticos*—Univ. de Chile...

V. LATCHAM, Ricardo A.: *Escalpelo.*—DÁ-

VILA SILVA, Ricardo: *Estudio crítico sobre la "Historia de Cervantes".*—VAÏSE, Emilio: *Artículos críticos.*—MELFI, Domingo: *Artículos críticos.*—BRAUN MENÉNDEZ, Armando: *Prólogo a la edición argentina de la Vida de San Martín.*—INOMA y otros: *Artículos* en japonés sobre la versión de *Tragedia interior.*—IGLESIAS, Augusto: *Artículos* críticos sobre varias obras.—ARANEDA BRAVO, Fidel: *Discurso* de recepción en la Academia Chilena.

ORS Y ROVIRA, Eugenio d'.

Ensayista y crítico de arte español. Nació —1882—en Barcelona. Murió—1954—en Villanueva y Geltrú (Barcelona). Estudió en la Facultad de Derecho de la Universidad de Barcelona, en la Sorbona y en el Colegio de Francia. Y en seguida escribiendo en catalán, popularizó el seudónimo de "Xenius", corrupción familiar de Eugenio. Colaborador de importantísimos diarios y revistas de todo el mundo. Académico de la Real de la Lengua y de la de Bellas Artes de San Fernando. Ha dado miles de conferencias por toda Europa. Ha representado a España en numerosos Congresos internacionales de cultura. En 1914 hizo oposiciones a la cátedra de Psicología superior de la Facultad de Letras de la Universidad de Barcelona. Director de Bellas Artes—1938—. Su cultura clásica es excepcional. Y ejerce, indiscutiblemente, una decisiva y fecunda influencia en un sector extenso y noble del pensamiento español. Posiblemente es de los escritores españoles de hoy cuya órbita es más extensa en el mundo de la cultura. Se ha hecho proverbial su ingenio dialéctico, que le permite improvisar sugestivos monólogos acerca de los temas más inminentes de trascendencia.

Hacia 1916, D'Ors empezó a pensar y a escribir en castellano, aspirando a horizontes de europeísmo y perennidad. De él ha dicho Valbuena: "D'Ors es un gran artista del presente, un agudo crítico de arte y un hondo meditador. Posee un sistema, una fórmula, casi matemática, de su clasicismo, para abarcar la marcha de sus ideas centrales a través de todas sus obras. Le falta para filósofo de sistema la continuidad sinfónica sobre un solo motivo, aunque en la rama estética llegue a conseguirlo... Como estilista, D'Ors emplea las formas concisas, pero jugosas; rápidas, apretadas, sutiles, seguras. Sus condiciones de sobria categoría de conferencia cultural complementan esta figura esencial en la introducción al novecentismo peninsular, que, aunque desigual, aparece interesante y densa desde las "glosas" breves a la estética amplia, al diálogo y a la biografía."

Obras: *Glosario*—varios volúmenes—, *Flors sophorum, La ben plantada, De la amistad y del diálogo, Aprendizaje y heroísmo, La vall de Josafat, La muerte de Isidro Nonell* —1905—, *Las ideas y las formas, Guillermo Tell*—1926, teatro—, *Cuando yo esté tranquilo*—1930—, *Vida de Goya*—1929—, *Cézanne, Pablo Picasso, Tres horas en el Museo del Prado, El arte de entreguerras, Lo barroco, Epos del Destino, Introducción a la vida angélica, Oceanografía del tedio, El viento en Castilla, Hombre y sed de verdad, Mi salón de otoño, El secreto de la Filosofía, Oraciones para el creyente en los ángeles, Aldeamediana, Teoría de los estilos, Museo secreto, Lo barroco, Goya y lo goyesco, La verdadera historia de Lidia de Cadaqués, Estilos del pensar...*
V. Aranguren, F.: *La filosofía de Eugenio d'Ors.* Madrid, 1945.—Valbuena Prat, A.: *Historia de la literatura española.* Barcelona, 1950, tomo III.—García Morente, M.: *La filosofía de Eugenio d'Ors,* en *Publicaciones del Colegio Novecentista,* Buenos Aires. Schneeberg, A. R.: *E. d'Ors: le philosophe, et l'artiste.* París, 1920.—Río, Angel del, y Benardete, M. J.: *El concepto contemporáneo de España. Antología de ensayos. 1895-1931.* Buenos Aires, Losada, 1946. (Contiene abundante bibliografía de artículos y notas acerca de E. d'Ors en las págs. 436-37.)— Cassou, Jean: *La pensée de Eugenio d'Ors,* en *Revue de Geneve,* 1929.

ORTEGA, Francisco.

Poeta y periodista mexicano. Nació—1793— y murió—1849—en la ciudad de México. Su vida pública empezó en un modesto destino burocrático; más tarde fúe prefecto de Tulancingo, diputado en muchas legislaturas, senador, subdirector de la Academia de Ciencias Ideológicas y Humanidades, redactor de las famosas *Bases* orgánicas de 1841. De ardiente republicanismo, tuvo la valentía de dirigir al "emperador" Itúrbide una áspera invectiva con elocuencia poética.
Excelente es su poema religioso *La venida del Espíritu Santo.* Pero su vuelo poético fue mucho más alto y seguro en los versos de inspiración política: *A Itúrbide, Aniversario de Tampico.* Tradujo la *Rosamunda,* de Alfieri. Y escribió una loa representable titulada *México libre,* una comedia y una tragedia; así como varios opúsculos políticos.
Obra: *Poesías líricas,* México, 1839.
V. Menéndez Pelayo, M.: *Historia de la poesía hispanoamericana.* Madrid, 1911, tomo I, págs. 108-10.—Arróniz, Marcos: *Manual de biografías mexicanas.* París, 1857.— Sosa, Francisco: *Biografías de mexicanos distinguidos.* México, 1884.—Pimentel, Francisco: *Historia crítica de la literatura en México.* México, 1883.

ORTEGA, Teófilo.

Original ensayista y excelente prosista español. Nació—1907—y murió—1965—en Palencia. Sus primeras tentativas literarias se desarrollan en torno a tres grupos de auténtica y honda preocupación ideológica: *Parábola,* de Burgos; *Meseta,* de Valladolid, y *Manantial,* de Segovia.
Teófilo Ortega, desde su rincón provinciano, con un admirable tesón y una labor densa y recta, ha ido ganando batallas a la fama y a la consideración de la crítica más exigente.
Su pensamiento es profundo y vario; su juicio, sereno y ágil; agudísima su observación, expedita su intuición mental, sugestiva su forma de exponer, brillante y de recia estirpe castellana su prosa.
Obras: *El amor y el dolor en la tragicomedia de Calixto y Melibea*—1927, pensamientos y sugestiones—, *La voz del paisaje* —1928—, *La muerte es vida*—1929—, *Nuestra luz en torno*—1930—, *Sesenta y nueve años después, Panorama escénico en el año 2000*—1931—, *La política y un político* —1931—, *Vuelo y surco de Teresa Sánchez...*

ORTEGA Y FRÍAS, Ramón.

Novelista folletinista español. Nació —1825—en Granada y murió—1883—en Madrid. Llevó una vida bohemia, que no impidió que, con una fecundidad asombrosa, "surtiera" de narraciones truculentas a numerosos diarios y revistas. Poseyó una imaginación inagotable, febril, capaz de tergiversar o de enmendar la historia con indudable sugestión para una enorme masa de lectores poco cultos. Fue un imitador hábil de Fernández y González, aun cuando jamás alcanzó la maestría y calidad literaria del modelo.
Sus novelas originales pasan de las 150, escritas en menos de treinta años, entre las que destacan: *El alcázar de Madrid*—1857—, *La capa del diablo*—1858—, *El trovador* —1860—, *Abelardo y Eloísa*—1867—, *El tribunal de la sangre, o Los secretos de un rey* —1867—, *El siglo de las tinieblas, o Memorias de un inquisidor*—1868—, *El ángel de la familia*—1873—, *El Cid*—1875—, *Los hijos de Satanás*—1876—, *El testamento de un conspirador*—1880—, *El diablo en Palacio* —1882, su mejor novela—, *Honor de esposa y corazón de madre...*

ORTEGA Y GASSET, José.

Ensayista, prosista y pensador español. Nació—1883—y murió—18 de octubre de 1955—en Madrid. Hijo de don José Ortega Munilla. Cursó el bachillerato en el colegio de los padres Jesuitas de Miraflores del Palo (Málaga), aprendiendo a la perfección las lenguas griega y latina. Doctor en Filosofía y Letras—1904—por la Universidad Central. Pasó varios años en Alemania, completando sus estudios en las Universidades de Leipzig, Berlín y Marburgo, siendo en esta última discípulo dilecto de Goghen, considerado como el más sutil expositor de las doctrinas de Kant. Ha dado admirables y enjundiosas conferencias por toda Europa y en América, alcanzando una merecida fama universal de original pensador y expositor inimitable. Académico—1916—de la Real de Ciencias Morales y Políticas. Fundador de la *Revista de Occidente*—1923—, la más interesante, culta e inquieta publicación que ha tenido España. Director de la "Biblioteca de ideas del siglo xx", de la casa editorial Espasa-Calpe. Fundador—1931—con Pérez de Ayala y el doctor Marañón, de la Agrupación al Servicio de la República. Diputado a Cortes—1931—. Verdadero inspirador del diario madrileño *El Sol,* publicación de máximo prestigio intelectual.

Ha dado cursos famosísimos en Ateneos y Universidades de Europa e Hispanoamérica. Su pensamiento es tan ágil y sutil y su verbo—o prosa—tan vibrante, tan elegante y tan sugestivo, que de él ha podido decir Ernest Robert Curtius: "Ortega y Gasset es acaso el único hombre en Europa que puede hablar con la misma intensidad, con igual seguridad de juicio, con igual brillantez de exposición sobre Kant como sobre Proust, sobre Debussy como sobre Max Scheler." "Pensador del novecentismo, es profesor, y, por tanto, es maestro de la nueva intelectualidad; es un caso más del equilibrio, del centro ideal de los valores castellanos en nuestras letras." (V. P.)

Maravilla la sagacidad, el hondo sentido crítico—llevado a sus consecuencias más decisivas y definitivas—, la anchura y la profundidad y la altura del examen riguroso, las exquisiteces de la forma con que Ortega y Gasset toca todos los problemas y desarrolla todos los complejos. Una elegancia singularísima—siempre de última moda—, una distinción aristocrática del pensar y del escribir, "cobran dimensiones amplias de grandeza por el alma filosófica que mueve todo ese contenido".

Primores del estilo, modelos de "ordenada espiritualidad", las inducciones más juiciosamente atrevidas y las deducciones más atrevidas juiciosas, los más sorprendentes atisbos de la pura emoción literaria, los más extraordinarios matices de la sensibilidad puesta en trance de crear belleza, se hallarán siempre en sus libros, traducidos a todos los idiomas cultos, y leídos y comentados por los más célebres pensadores de todos los climas.

No tiene Ortega y Gasset, ciertamente, la talla espiritual y *pensante,* emotiva y patética, paradójica y anhelante, ardiente y contradictoria de Unamuno; pero excede a este en serenidad, en los matices de la crítica morosa, en la elegancia expositiva. Al alma española de Unamuno opone Ortega y Gasset su espíritu europeo.

La influencia intelectual y la influencia espiritual de Ortega han sido hondas y decisivas en algunas épocas y sobre determinadas generaciones.

A decir de sus más apasionados discípulos, ha creado un sistema original de filosofía: la *metafísica de la razón vital,* cuyas raíces se encuentran en muchos de sus libros, alcanzando forma doctrinal en *El tema de nuestro tiempo.*

En dicho sistema se defiende la *realidad radical* de la vida humana como superación del realismo y del idealismo. Dicha realidad radical ha de entenderse como un hacer, como un quehacer dinámico del yo con las cosas: *yo soy yo y mi circunstancia. La razón vital,* que "es una y misma cosa con vivir" —"porque vivir es no tener más remedio que razonar ante la inexorable circunstancia"—, está por encima de la razón pura y que la razón físico-matemática.

Y explica Julián Marías—el gran discípulo de Ortega—: "Las cosas humanas solo son comprensibles dentro de la vida, funcionando en ella, y esta es la que *da razón* de *esas cosas.* Y como la vida humana es histórica, la razón vital es también *razón histórica.*"

Se puede o no creer en la filosofía de Ortega; se puede negar hasta que sea un filósofo; pero lo que resulta imposible negarle es su enorme pensamiento vivo y fecundo perennemente, la alteza de sus ideas—ya que carezca de ideales firmes—, su maestría de exposición. Muerto Unamuno, Ortega es la primera figura intelectual de España.

Obras: *Meditaciones del "Quijote"*—1914—, *Vieja y nueva política*—1914—, *Personas, obras, cosas...*—1916—, *El espectador*—ocho volúmenes, 1916 a 1929—, *España invertebrada*—1922—, *El tema de nuestro tiempo* —1923—, *Las Atlántidas*—1924—, *La deshumanización del arte e ideas sobre la novela* —1925—, *Espíritu de la letra*—1927—, *Mirabeau, o el político*—1927—, *Notas*—1928—, *Kant*—1929—, *La rebelión de las masas* —1930—, *La redención de las provincias* —1931—, *Goethe desde dentro*—1933—, *Ensimismamiento y alteración*—1943—, *Teoría de Andalucía, Estudios sobre el amor, Dos prólogos, Ideas y esencias*—1942—, *Papeles sobre Velázquez y Goya*—1950—, *El hombre y la gente*—1957—, *¿Qué es la Filosofía?* —1958—, *Idea del teatro*—1958—, *La idea de principio en Leibniz y la evolución de la teoría deductiva*—1958—, *Una interpretación*

O

de la historia universal—1960—, *Origen y epílogo de la Filosofía*—1960.

En 1932, la editorial Espasa-Calpe publicó en dos volúmenes densos las *Obras completas* del gran pensador.

La Revista de Occidente ha publicado —1946 a 1964—una nueva edición de *Obras* "más completas" en nueve gruesos volúmenes.

V. CURTIUS, E. Robert: *José Ortega y Gasset*, en *Europanische Revue*, 1926.—SILVA CASTRO, R.: *Los últimos libros de Ortega y Gasset*, en *Atenea*, 1927.—VELA, Fernando: *Prólogo-conversación* en la edición *Goethe desde dentro*. 1933.—BARJA, César: *Libros y autores contemporáneos*. Madrid, 1935, 98 a 263.—GARCÍA MORENTE, M.: *El tema de nuestro tiempo*, en *Revista de Occidente*, 1923.— STARKIE, Walter: *A Philosopher of modern Spain*, en *Contemporary Review*, 1926.— MARÍAS, J.: *Ortega y el vitalismo*. Madrid, 1949.—RAMIS ALONSO: *En torno al pensamiento de José Ortega y Gasset*. Madrid, 1946.—SÁNCHEZ VILLASEÑOR, J.: *Ortega y Gasset, pensamiento y trayectoria*. México, 1945.—IRIARTE, J.: *La novísima visión de la filosofía de Ortega...* 1946.—CHUMILLAS, V.: *¿Es don José Ortega y Gasset un filósofo?* Buenos Aires, 1940.—TORRE, Guillermo de: *La Aventura y el Orden*. [Sobre Unamuno y Ortega.] Buenos Aires, 1943.—VITIER, M.: *José Ortega y Gasset*. La Habana, 1936.—Río, Angel del, y BERNARDETE, M. J.: *El concepto contemporáneo de España. Antología de ensayos. 1895-1931*. Buenos Aires, Losada, 1946. (Contiene abundante bibliografía sobre Ortega y Gasset en las págs. 495-97.)—SÁNCHEZ VILLASEÑOR: *Ortega y Gasset, pensamiento y trayectoria*. 1945.—ORONÍ, Fray Miguel: *Ortega y la Filosofía*. 1953.—RAMIS ALONSO, Miguel: *En torno al pensamiento de Ortega y Gasset*. 1948.—MARÍAS, Julián: *Ortega y tres antípodas*. 1950.—MARRERO, Domingo: *El centauro, persona y pensamiento de O. G.* 1951.—MARÍAS, Julián: *Ortega o la razón vital.*—FERRATER MORA: *Ortega y Gasset*. Nueva York, 1957.—GAOS, José: *Sobre Ortega y Gasset*. México, 1957.

ORTEGA MUNILLA, José.

Ilustre novelista y periodista español. Nació —1856—en Cárdenas (Cuba). Murió—1922— en Madrid. Estudió latín en el Seminario de Cuenca y más tarde en el Seminario tridentino de Gerona. En Madrid se hizo bachiller en Artes. Licenciado en Leyes por la Universidad Central. Periodista de primerísima categoría, fue redactor de *La Iberia, La Patria, El Debate, El Parlamentario, El Conservador, El Imparcial*—de cuya celebérrima hoja literaria de los lunes fue primer director—. Fundó *La Linterna*—semanario literario—y

El Chiclanero—revista taurina—. Diputado a Cortes durante muchos años. Maestro de periodistas, protector de futuros grandes escritores como Baroja, Valle-Inclán y "Azorín". Director del famoso *trust* editorial que agrupaba los mejores diarios de España: *El Imparcial, El Liberal, Heraldo de Madrid, El Liberal*, de Sevilla; *El Liberal*, de Barcelona; *El Defensor*, de Granada; *El Noroeste*, de Gijón... Colaborador insigne de *A B C* en los últimos años de su vida. Académico —1902—de la Real de la Lengua.

Ortega Munilla empezó a escribir novelas en pleno delirio naturalista, bajo el estímulo del formidable Galdós, y se entregó con ardor a la nueva escuela. Acaso escribió demasiado a vuela pluma, con un afán irreprimible de destacarse y triunfar.

Ortega y Munilla tuvo rica fantasía, arrestos y fervores inacabables, talento indiscutible, novedad para los temas, buen dibujo y mejor colorido para los caracteres y para las descripciones, prosa natural y recia, ciertos pujos de filosofía trascendental, amenidad, garbo narrativo...

Ortega Munilla fue un gran novelista de *segunda fila* en una época en que lo eran *de primera* Galdós, la Pardo Bazán, Valera, Pereda, "Clarín", Palacio Valdés, Alarcón...

Ortega Munilla tiene la talla de Picón, el padre Coloma, José María Mathéu...

Novelas: *La cigarra*—1879—, *Sor Lucila* —1880—, *Lucio Tréllez, El tren directo, Don Juan solo, Viñetas de un jardinero, Panza al trote, El fondo del tonel, El salterio, Idilio lúgubre, La vida y la muerte, El fauno y la dríada, Pruebas de imprenta, Cleopatra Pérez, Orgía de hambre, Frateretto*—1914—, *Doro en el monte*—1915—, *El paño pardo* —1916—, *La calandria*—1917—, *Estrazilla* —1917—, *La señorita de Cisniega*—1918...

Otras obras: *Mares y montañas*—1887—, *Viajes*—1895—, *Tremielga*—1905, cuentos—, *Estrazilla*—drama, 1918.

V. GONZÁLEZ-BLANCO, Andrés: *Historia de la novela en España...* Madrid, 1909.—VALERA, J.: *La labor literaria de Ortega Munilla*, en *Obras completas de Valera*. Tomo II.— BLANCO GARCÍA, J.: *Historia de la literatura española en el siglo XIX. II*.

ORTIZ, Agustín.

Poeta y autor dramático español del siglo XVI. Probablemente nació en Aragón. Se carece de noticias de su vida.

Publicó hacia 1534 la *Comedia radiana*, retoño de la escuela de Torres Naharro, con rasgos tomados de Gil Vicente. Contiene algunos primores de lenguaje y observación.

Ortiz figura en el *Catálogo de autoridades* del idioma, publicado por la Real Academia Española.

La única edición de la época que se conoce de la *Comedia radiana* no tiene lugar, año y nombre, y está en letra gótica y forma un folleto de doce hojas. En 1910, R. E. House publicó—en Chicago—una edición de la misma. V. HOUSE, R. E.: *Estudio* a la edición de 1910. Chicago.

ORTIZ, Alonso.

Erudito y prosista español. Nació —¿1455?—en Villarrobledo (Albacete). Murió hacia 1510. Estudió Teología en Salamanca, a cuya Universidad legó su gran biblioteca. Canónigo de Toledo. Versado en hebreo, griego y latín. Por mandato del cardenal Cisneros, que le estimaba mucho, enmendó en forma debida el *Breviario* y el *Misal* mozárabes impresos en Toledo en 1500 y en 1502.

Alonso Ortiz figura en el *Catálogo de autoridades* del idioma, publicado por la Real Academia Española.

En 1493 se imprimieron en Sevilla varias de sus obras con el título de *Los tratados del doctor Alonso Ortiz*, en los que iban comprendidos: *Tratado de la herida del rey, Tratado consolatorio a la princesa de Portugal, Una oración a los reyes, en latín y en romance; Dos cartas mensajeras a los reyes..., Tratado de la carta contra el protonotario de Lucena.*

Refiriéndose a los tratados segundo y tercero, Ticknor escribe: "Están escritos en estilo sobradamente retórico, aunque no del todo desprovisto de cierto mérito literario; en la oración, sobre todo, hay uno o dos trozos muy buenos y hasta patéticos, al tratar de la quietud y tranquilidad que disfruta España, ya que un enemigo implacable y odiado, después de una lucha de ocho siglos, ha sido expulsado de sus fronteras; trozos que salieron, sin duda, del corazón del autor, y que hallaron eco doquiera que sus obras fueron leídas por españoles."

ORTIZ, Fernando.

Literato y jurisconsulto cubano. Nació —1881—en la Habana. Doctor en Derecho. Catedrático en la Universidad de su ciudad natal. Director de la famosa *Revista Bimestre Cubana*. Miembro de varias Academias e Institutos extranjeros y de la Academia de la Historia, de Cuba. Canciller de los Consulados cubanos en La Coruña, Génova y Marsella. Redactor de *Cuba y América* y *El Tiempo*. Fundador de la Institución Hispanocubana de Cultura. Doctor *honoris causa* por la Universidad de Madrid. Director de la Colección de Libros Cubanos. Gran conferenciante.

Fernando Ortiz es una de las mentalidades más claras, agudas y fecundas de Cuba.

Es hoy, quizá, el exponente más notable del acercamiento de la cultura cubana y la cultura universal.

Entre sus obras más importantes figuran: *Los negros brujos*—Madrid, 1906—, *Apuntes para la historia cubana*—la Habana, 1909—, *Entre cubanos*—1914—, *Los negros esclavos*—1916—, *Historia de la arqueología indocubana, La reconquista de América, Las fases de la evolución religiosa, En la tribuna* —dos tomos—, *Las nuevas orientaciones de la prehistoria cubana, Los cabildos afrocubanos, José Antonio Saso y sus ideas cubanas...*

V. CHACÓN Y CALVO, José María: *La literatura de Cuba*, en el tomo XII de la *Historia universal de la literatura*, de Prampolini. Buenos Aires, Uteha Argentina, 1941.

ORTIZ, José Joaquín.

Poeta, pedagogo y periodista colombiano. Nació—1814—en Tunja y murió—1892—en Bogotá. Su labor, como propulsor de la literatura nacional, ha sido—con la de José Manuel Groot y la de Miguel Antonio Caro— una de las más fecundas que se han desarrollado en Colombia. En 1856 fundó el Liceo Granadino de Bogotá. Fundó y dirigió numerosos periódicos: *Estrella Nacional, El Porvenir, El Catolicismo, El Día, El Conservador, La Caridad, El Cóndor, El Correo de las Aldeas...* De él escribió Menéndez Pelayo: "Ortiz pertenece a la escuela de Manzoni, porque, como Manzoni, no solo siente el cristianismo, sino que cree en él con fe viva y práctica, engendradora de buenas obras." Fue miembro de la Academia Colombiana y correspondiente de la Española de la Lengua. Fundó la primera Academia Hispanoamericana: y con Cuervo, Pombo, Caro y Caicedo Rojas trabajó incansablemente por la conservación y pureza de la lengua castellana.

"José Joaquín Ortiz—ha escrito Carlos Arturo Caparroso—es nuestro poeta civil. Cantó, en estilo levantado y nemeroso, en el molde amplio y grandilocuente de Quintana—con todas sus excelencias, pero con sus inherentes caídas en el prosaísmo—la empresa de los colonizadores, la bandera de la patria, la gesta de los libertadores. Su posición en la zona de su tiempo, en medio del ímpetu romántico, es la de un cantor en que se mezclan las dos influencias del clasicismo y el romanticismo."

Obras: *Poesías*—Bogotá, 1880—, *Lecturas selectas en prosa y verso*—Bogotá, 1880—, *La guirnalda*—antología de poetas neogranadinos—, *María de los Dolores*—novela—, *El oidor de Santa Fe*—novela—, *Huérfanos de madre*—novela—, *Lecciones de literatura castellana*—1879—, *O todo o nada*—1880—, *Mis horas de descanso, El Liceo Granadino* —1856—, *El Parnaso granadino...*

O

V. MENÉNDEZ PELAYO, M.: *Historia de la poesía hispanoamericana*. Madrid, 1911-1913, tomo II.—RUBIÓ Y LLUCH, A.: *J. J. Ortiz*, en *La Defensa Católica*. Bogotá, agosto de 1892.—CAPARROSO, Carlos Arturo: *Antología lírica*. Bogotá, 1951, 4.ª edición.—GÓMEZ RESTREPO, A.: *Historia de la literatura colombiana*. 1938-1940.—AÑEZ, Julio: *Parnaso colombiano*. Bogotá, dos tomos, 1886-1887.—ORTEGA TORRES, P. José J.: *Poesía colombiana*. Bogotá, 1942.

ORTIZ, Juan Laurentino.

Poeta y prosista argentino. Nació—1895—en Puerto Ruiz, Gualeguay (Entre Ríos). Tuvo una infancia triste y de escasos estudios en la selva de Montiel. De nuevo en su pueblo natal inició los estudios de maestro, que no llegó a terminar. Tampoco los terminó durante los años que vivió en Buenos Aires. De regreso a Gualeguay aceptó un modesto empleo, poco después rechazado para irse a vivir en definitiva a Paraná, donde se ganó la vida dando conferencias y traduciendo las obras de importantes escritores europeos.

Poeta hondamente emotivo, entrañablemente apegado a los temas y paisajes de su tierra.

Obras: *El agua y la noche*—1933—, *El alba sube*—1937—, *El ángel inclinado*—1938—, *La rama hacia el Este*—1940—, *El álamo y el viento*—1947—, *El aire conmovido*—1945—, *La mano infinita*—1951—, *La brisa profunda*—1954...

ORTIZ GUERRERO, Manuel.

Poeta paraguayo. 1897-1933. Según la crítica, el máximo cantor de la lírica popular de su país. No tenemos otras noticias de su vida sino que murió a consecuencia de la lepra. En diarios y revistas anda desperdigada la mayor parte de su obra poética, eminentemente vernácula, enormemente entrañable, fiel reflejo de su angustiada existencia. Como pocos, entre los líricos de su país, procuró un derrotero nacional, por fuerza de las circunstancias, esquivo.

Obras: *Pepitas*—Asunción, 1930—, *Surgente*, *El crimen de Tintalila*—teatro—, *Nubes del Este*.

V. DÍAZ PÉREZ, Viriato: *La literatura del Paraguay*, en el tomo XII de la *Historia universal de la literatura*, de Prampolini. Buenos Aires, Uteha Argentina, 1941.

ORTIZ DE MONTELLANO, Bernardo.

Crítico y prosista mexicano. Nació—1899—en la ciudad de México.

"Nos encontramos—ha escrito de él un crítico de su misma nacionalidad—ante un poeta de gran fantasía, desarrollada entre bellos y vistosos colores, sobre un fondo melancólico matizado de ironía fina y casi picaresca... Su libro *Sueños* le acaba de situar entre los más sensitivos y alertas de cuantos —aquí y allá—cultivan hoy la poesía en verso y en prosa..."

Ortiz de Montellano es un crítico literario de mucha sensibilidad y de sutil y firme criterio. Colabora en los más importantes diarios y revistas de Hispanoamérica.

Obras: *Avidez*—poemas, 1921—, *El trompo de siete colores*—poemas, 1925—, *Red* —poemas, 1928—, *Primer sueño*—1931—, *Sueños*—1933—, *Muerte del cielo azul* —1933—, *Antología de cuentos mexicanos* —1926...

ORTIZ MUÑOZ, Antonio.

Ensayista, periodista español. Nacido en Sevilla el 23 de septiembre de 1906. Licenciado en Derecho y en Filosofía y Letras, sección de Historias. Catedrático por oposición del Instituto de Enseñanzas Profesionales de la Mujer. Profesor de la Escuela de Artes y Oficios, de Madrid, y de la Escuela Elemental de Trabajo. Redactor de *Ya*. Colaborador de las revistas *Mundo Hispánico*, *Arbor*, *Letras*...

Obras: *Otro español en América*—editorial Magisterio Español. Madrid, 1948—, *Un periodista da la vuelta al mundo*—1.ª edición. Madrid, marzo 1950—, *En la otra orilla del Estrecho*—"Premio Africa, 1950". Instituto de Estudios Africanos del Consejo Superior de Investigaciones Científicas, Madrid, 1951—, *Mi hermana y yo damos la vuelta al mundo*—Ediciones Studium, Madrid-Buenos Aires, 1951—, *Bajo el sol de medianoche* (Un sevillano en el Polo)—editorial Planeta. Barcelona, 1952—, *Jerusalén, hoy*—Ediciones Studium. Madrid-Buenos Aires, 1953—, *Otros son los caminos*—editorial Planeta. Barcelona, 1954. Finalista "Premio Planeta, 1953". Novela.

ORTIZ DE PINEDO, José.

Poeta y novelista. Nació en Jaén el 20 de febrero de 1881. Murió—1959—en Madrid.

Poesía: *Canciones juveniles, Poemas breves, Dolorosas, Huerto humilde, La jornada, Amor*—traducción de Verlaine—, *El retablo del "Quijote". Mujeres de la Biblia.*

Varia: *De la realidad y del ensueño, Farsas de amor, Teatro infantil.*

Teatro: *Las feas*—comedia en un acto—, *Los audaces*—comedia en tres actos—, *Rosas nuevas*—comedia en tres actos—, *El bobo* —drama popular en tres actos.

Novelas: *El sendero ideal, Rosa de Sevilla, La santa ilusión, El espejo de su alma, La emoción desconocida, La graciosa gadita-*

na, ¡... y la vida se va!, Muchachas, Las rosas de ayer, Duende Amor.

Novelas menores: *El sereno vivir, El pasado, Un loco pintoresco, Los cabellos grises, El retrato, Con la varita mágica, De mi vida y milagros, A la luz del recuerdo, El perdón de los muertos, La sombra maldita, El amor que nos salva, Don Juan Diabólico, En la copa de sus labios, La esposa engañada, La otra orilla, La dicha humana en tres cartas, El tesoro de la ciudad, Hilo de perlas, Casa de amor, El superhombre, Vestido de etiqueta.*

V. SAINZ DE ROBLES, F. C.: *La novela corta española (Promoción de "El Cuento Semanal").* Madrid, Aguilar, 1952.

ORY, Carlos Edmundo.

Nació en Cádiz. Año 1923. Viajó —1939— por mar. Conoce las ciudades del Mediterráneo y las del Atlántico. Conoce Portugal. Residió algún tiempo en Sevilla, donde continuó sus publicaciones comenzadas en Cádiz el año 1936. Escribe teatro y estrena en el teatro Falla, de Cádiz, una obra premiada. Trabaja en el teatro. Llega a Madrid el año 1942.

Colabora en *Garcilaso, El Español, La Estafeta Literaria, Fantasía, Juventud, Fotos* y otros muchos periódicos y revistas. Da conferencias de arte. Funda, con Chicharro hijo, el *Postismo,* en Madrid, el año 1944. No frecuenta tertulias.

Versos de pronto —1945—, *Kikiriquí-Mangó* —cuentos, 1954—, *El Bosque* —narraciones, 1956—, *Una exhibición peligrosa* —cuentos, 1964—, *Poesía: 1940-1970* —1970.

V. SAINZ DE ROBLES, F. C.: *Historia y antología de la poesía española.* Madrid, Aguilar, 1969, 5.ª edición.

OSETE ROBLES, Enrique.

Nació en Madrid el día 11 de diciembre de 1906. Desde muy joven sintió su vocación literaria, dedicándose a estudiar los clásicos en los ratos que le dejaba libre su padre, hombre de negocios. Una vez leídos y releídos estos, se dedicó a estudiar los contemporáneos. Empezó a escribir muy joven, pero tan exigente consigo mismo como con los demás; una vez leída su obra, la rompía por no ser de su agrado. Por fin se decidió por la literatura teatral, por ser más fácil destacar en ella, debido a su deplorable estado actual.

Para conocer todas las interioridades del teatro, todos esos secretos que le están vedados al espectador, toda la carpintería teatral, decidió enrolarse en una compañía de comedia, en la que, como actor, recorrió toda España, sus posesiones de Africa y América.

Una vez en posesión de lo que pudiéramos llamar técnica teatral, se decidió a escribir su primera obra de teatro: *Pasar por la vida,* comedia a la que la Prensa de toda España ha dedicado encendidos elogios, entre ellos el de "que no se ve por ningún lado el autor novel", y lo que aún es más: que la obra, en tres años consecutivos, por dos compañías, haya sido estrenada y reprisada en casi todos los teatros de España.

Su presentación como autor teatral en Madrid la hizo con su novela escénica, en tres actos, titulada *El velo de oro,* estrenada en el teatro Alcázar el día 28 de agosto de 1946, por la compañía Martí-Pierrá, con gran éxito de público y crítica.

Lo más característico de este autor es la agilidad de su diálogo, en el que, al lado de galanes pensamientos y esa seudofilosofía, propia del teatro con calidad, mezcla su sutil y a veces hiriente ironía. Aunque los personajes de las obras de Enrique Osete están tomados de cuanto le rodea, de la vida misma, dentro de una acusadísima personalidad, se advierte en él cierta influencia vildeana y benaventina, más por temperamental que por afán de imitar escuelas.

Obras: *Pasar por la vida* —novela escénica en tres actos—, *El velo de oro* —novela escénica en tres actos—, *Después de la duda* —comedia en tres actos—, *El café de madame Gisela* —novela escénica en tres actos—, *Escoria dorada* —novela escénica—, *La noche en el camino, La Capa del Diablo, La blanca que tenía el alma negra.*

Novelas: *Cristián, príncipe de Tuckenberg; La aldea sumergida, Desde mi castillo.*

Cuentos: *El corazón de Aixa, Aquel día, Deseos, El arcángel.*

Numerosos artículos literarios, publicados en el diario *Informaciones,* de Madrid; en *Ultima Hora,* de Palma de Mallorca; en el diario *Crítica,* de Buenos Aires, y en *Cuadernos de Literatura Contemporánea,* del Instituto de Investigaciones Científicas.

O

OSIO.

Famosísimo prelado y escritor español. 256-357. Nació en Córdoba y murió, probablemente, en Sirmio (Panonia), hoy Agram. Obispo de su ciudad natal hacia el año 294. A principios del siglo IV marchó a Roma, donde adquirió una excelsa reputación. Según Menéndez Pelayo, intervino decisivamente en la conversión de Constantino, emperador que estimó al cordobés como su mejor consejero y del que se hizo acompañar casi constantemente. A Osio se debió la reunión del Concilio de Arlés —314—, que presidió; la del Nicea —325—contra el arrianismo; la del Sárdica —343—. Asistió, además, a los de Elvira y al de Alejandría —324—. "¿Qué Concilio hubo que él no presidiera?", exclamó su entusiasta panegirista San Atanasio.

Durante las persecuciones de Diocleciano y Domiciano—303—, Osio fue martirizado repetidas veces, y así pudo presentarse ante el famoso Concilio de Nicea con sus gloriosas cicatrices. Poseyó una energía, una doctrina y un amor a la verdad invencibles. Según el mismo San Atanasio, de Osio fue la felicísima fórmula del *homousion,* que fijaba con toda precisión el dogma católico sobre la naturaleza del Verbo contra la doctrina arriana. Con la fórmula feliz se compuso un símbolo, el *símbolo de Nicea,* en el que se resumía la doctrina cristiana, particularmente por lo que se refiere al Verbo. Por no ceder a las presiones del emperador Constancio—355—, el cual pretendía renegar de la fe nicena y condenar a San Atanasio, Osio, anciano de noventa y nueve años, fue condenado al destierro en Sirmio. La Iglesia griega lo venera como santo el 27 de agosto.

Dejó, aunque pocas—ya que su larga existencia fue pura acción—, algunas breves joyas literarias, salidas de su mente y de su pluma: *De laude virginitatis, De interpretatione vestium sacerdotalium quae sunt in Veteri Testamento, Carta a Constancio*—modelo imperecedero de nobleza de espíritu y de corrección y fluidez de estilo.

V. MENÉNDEZ PELAYO, M.: *Heterodoxos españoles*... Madrid, 1.ª edición, 1880, tomo I. GARCÍA VILLADA, padre Zacarías: *Historia de la Iglesia*... Tomo I, 2, págs. 11-43. (Con bibliografía.)—LLORCA, Bernardino: *Historia de la Iglesia Católica.* Madrid, "Biblioteca de Autores Cristianos", 1950, tomo I.

OSORIO, Guillermo.

Nació—1920—en Cuenca.

Ha publicado versos en todas las revistas y cuadernos de poesía de España y en varias del extranjero. Su poesía y su prosa quedan al servicio de una temática fantástica y alucinante, deshumanizadas a fuerza de ir haciendo añicos de cada complejo vital.

Tiene publicado así mismo *El Bazar de la Niebla,* extraño libro de cuentos oníricos.

En la actualidad, y desde hace muy poco tiempo, cultiva también el género teatral.

OSORIO, Miguel Ángel.

Poeta colombiano, nombre real del más conocido por el seudónimo "Porfirio Barba Jacob". Nació—1883—en Santa Rosa de Osos y murió—1942—en México. Usó también los seudónimos de "Maín Ximénez" y "Ricardo Arenales", símbolos de su vida inquieta y cambiante. Militó en la última de las guerras civiles—1900—. Después, en constantes peregrinaciones y aventuras, recorrió Centroamérica, Cuba, México, Perú, los Estados Unidos, ejerciendo el periodismo. Su existencia fue ininterrumpidamente bohemia y turbulenta. Perteneció a todas las confesiones políticas y murió convertido a la fe católica.

"Porfirio Barba Jacob es, en la más estricta acepción del vocablo, el poeta subjetivo, personalísimo, tenazmente inclinado sobre el cauce de la vida interior. Cauce profundo el suyo, sembrado de simas vertiginosas y arrullado, a veces; otras, estremecido por el fluir de un agua henchida de innúmeras virtudes musicales. Su poesía es una de las más originales que pueda darse en el sentido de que ella es la proyección de su vida misma, el registro puntual de sus emociones, el espejo fiel de su efigie espiritual... Y contrastando con tanta vehemencia interna, una forma de verso sosegada y bien ceñida, purificada al fuego de la emoción como un metal de raras cualidades artísticamente modelado." (Caparroso.)

Obras: *Canciones y elegías*—México, 1932—, *Rosas negras*—Guatemala, 1933—, *Canción de la vida profunda y otros poemas*—Mañizales, 1935—, *Poesías*—Medellín, sin año—, *Poemas intemporales*—México, 1944—, *Antorchas contra el viento*—ed. Ministerio de Educación, Bogotá, 1944—, *La divina tragedia*—páginas autobiográficas...

V. ARÉVALO MARTÍNEZ, R.: *Estudio* en la edición de *Rosas negras.* Guatemala, 1933.—MARTÍN, Carlos: *En la muerte de Porfirio Barba Jacob,* en *Revista de Indias,* Bogotá, número 37, enero 1942.—MORA NARANJO, Alfonso: *Porfirio Barba Jacob,* en *Univ. de Antioquía,* núm. 50, Medellín, Córdoba, enero-febrero 1942.—CAPARROSO, Carlos Arturo: *Antología poética,* Bogotá, 1951, 4.ª edición.

OSORIO DE MOSCOSO, Rodrigo.

Poeta, prócer y militar español del siglo XV. El cardenal Cisneros le nombró capitán general de la gente de Galicia que tomó parte en la conquista de Orán. Lugarteniente del célebre general Pedro Navarro, con quien tomó—1510—la ciudad de Bujía, muriendo allí mismo a consecuencia del disparo casual de una flecha que a un criado suyo se le escapó al tiempo de armar la ballesta. Su cuerpo fue trasladado solemnemente al convento de Santo Domingo, en Santiago de Galicia, ciudad en que debió de nacer.

Fue también excelente músico. Como noticias curiosas atinentes a la persona de este caballero poeta, copiamos las referencias que da de él Vasco de Ponte, genealogista del siglo XV: "Era bien hecho, gracioso en su habla, buen caballero de ambas las sillas, mui suelto de correr y saltar y tirar la barra, la lanza y el dardo, tañedor de viola y de guitarra; era muy justiciero; a quien él quisiera mal, guardárase dél hasta ser bien seguro..., y donde le decían que estaba mal hechor, qual fose en su tierra qual en la agena, lebantábase a la media noche y con su espada y ballesta andaba tres o quatro leguas y iba a cercar la casa del mal hechor hasta prenderle por la barba, y quando más llevaba consigo, eran cinco o seis hombres a pie."

Paradójicamente, Osorio de Moscoso fue un poeta delicado, amoroso, casi ingenuo, muy semejante a cualquier trovador efebo y errante. Sus poesías pecan, a veces, de conceptuosas, y hállanse recogidas en el *Cancionero general* de Hernando del Castillo—Valencia, 1511, 1514, 1519; Toledo, 1517, 1520, 1527; Sevilla, 1535, 1540; Amberes, 1557, 1573; Zaragoza, 1552, 1554.

Ediciones modernas: Nueva York, 1904, por Archer M. Huntington; la incluida en la "Sociedad de Bibliófilos Españoles", Madrid, 1882.

Algunas poesías de Moscoso, en la *Antología de poetas líricos castellanos*, de Menéndez Pelayo.

V. MENÉNDEZ PELAYO, M.: *Antología de poetas líricos castellanos.*—MOREL-FATIO, A.: *L'Espagne au XVIe et au XVIIe siècle.* Heilbronn, 1878.—VASCO DE PONTE: *Relación de algunas cosas y linaxes del Reino de Galicia.* Publicada en la *Historia de Galicia*, por Vicetto, El Ferrol, 1865, tomo VI.

OSSORIO Y BERNARD, Manuel.

Literato y periodista español. Nació —1839—en Algeciras. Murió—1904—en Madrid. Del Cuerpo Administrativo de la Armada. Redactor y colaborador de gran número de periódicos y revistas: *El Contemporáneo, El Constitucional, La Ilustración Española y Americana, La Gaceta Popular, La Correspondencia de España, El Cascabel, El Español, Don Quijote...*

Consagró su vida entera—llena de modestia y de caballerosidad—al periodismo y a la educación e instrucción de la niñez. Buen prosista. De ingenio agudísimo y humorismo muy humano y comprensivo.

Obras: *Ensayo de un catálogo de periodistas españoles del siglo XIX*—1903, única fuente de consulta directa que sobre el periodismo español de la época poseemos—, *Galería biográfica de artistas españoles del siglo XIX*—Madrid, 1869—, *Bocetos y borrones políticos y literarios*—1868—, *Novísimo diccionario festivo*—1868—, *Romances de ciegos; las dos Castillas*—1882—; *Libro de Madrid y advertencias de forasteros*—1887—, *Poemas infantiles*—1894—, *Monólogos de un aprensivo*—1887—, *Romancero de Nuestra Señora de Atocha*—1865—, *Viaje crítico alrededor de la Puerta del Sol*—1875—, *Pro-*

gresos y extravagancias—1887—, *Papeles viejos e investigaciones literarias*—1890...

También estrenó con éxito algunas obras escénicas: *El primer amigo, Aprendices y maestros, Detrás del telón, Días de asueto, El lavadero, Lágrimas, Las ferias, El secreto del tío...*

OSSORIO Y GALLARDO, Ángel.

Literato, historiador y prosista español de prestigio. Nació—1873—en Madrid. Murió —1945—en Buenos Aires. Doctor en Derecho por la Universidad Central. Concejal y teniente de alcalde del Ayuntamiento de Madrid. Gobernador civil de Barcelona —1909—. Diputado muchos años por Caspe. Colaborador de numerosas revistas literarias. Presidente de la Real Academia de Jurisprudencia y Legislación. Ministro de Fomento—1918.

Pronunció numerosas y magníficas conferencias literarias en Academias y Ateneos. De mucha cultura, singular gracejo, limpio estilo e ideas originales y generosas.

Obras literarias: *Manual del perfecto periodista*—1891—, *Historia del pensamiento político catalán durante la guerra de España con la República francesa (1793 a 1795)* —1913—, *El alma de la toga, Los hombres de toga en el proceso de don Rodrigo Calderón*—1916—, *Esbozos históricos*—1930—, *Agua pasada (Posición en la guerra de un hombre de paz)*—1938—; *Cartas a una señora sobre temas de Derecho político*—1938—, *Orígenes próximos de la España actual* —1940—, *La España de mi vida (Autobiografía)*—1941—, *El mundo que yo deseo* —1943—, *El fundamento de la democracia cristiana*—1944—, *Matrimonio, divorcio y concubinato*—1944—; *Diccionario político español, histórigo y biográfico (Desde Carlos IV hasta 1936)*—1945.

OSTRIA GUTIÉRREZ, Alberto.

Novelista boliviano contemporáneo. Nació hacia 1890, en Chuquisaca. Diplomático. Ha representado a su país en varios países europeos y americanos. Ha ocupado altos cargos políticos.

Hacia 1923 vivió en Madrid, donde le conocimos. Ostria Gutiérrez es un excelente escritor y conversador amenísimo. En Madrid publicó—1924—unas impresiones de nuestra capital—con el título *La casa de la abuela*—, llenas de poesía, de emoción y de simpatía. Para Ostria Gutiérrez, Bolivia es su madre, España es la abuela y Madrid el corazón de la abuela.

Ostria Gutiérrez, neorrealista, ha publicado cuentos y leyendas, describiendo con enorme vitalidad los tipos y las costumbres del valle chuquisaqueño.

O

Otras obras: *Rosario de leyendas*—Madrid, 1923—, *El traje de Arlequín, Cuentos quechuas, La política internacional de Bolivia*—medular ensayo de interpretación histórica y geográfica.

V. DíEZ DE MEDINA, Fernando: *Perfil de la literatura boliviana,* en *Thunupa,* La Paz, 1947.—FINOT, Enrique: *Historia de la literatura boliviana.* México, 1943.

OSUNA, Francisco de.

Famoso escritor ascético, orador y teólogo español. Nació—¿1475?—en Osuna (Sevilla). Murió hacia 1542. De la Orden de San Francisco. Electo comisario general de Indias en el Capítulo General de Nisa—1535—. Por sus muchos trabajos en España, no llegó a desempeñar tal cargo. De joven estudió en Salamanca, hizo una peregrinación a Santiago de Compostela y viajó mucho por el extranjero, viviendo en Toulouse, París, Amberes, Colonia.

Su doctrina ejerció gran influencia sobre Santa Teresa de Jesús y otros grandes místicos y ascéticos españoles, y abrió los caminos de la más honda doctrina mística. Olvidado durante mucho tiempo, hoy vuelve a destacarse merecidamente, merced a los estudios del padre Michel Ange, Allison Peers y del padre Crisógono. Toda su obra excelsa significó una renovación de las vías del amor de Dios. Para el padre Crisógono, las obras de Osuna "van a la cabeza de nuestra literatura del Siglo de Oro. Su casticismo es de la mejor ley, y la riqueza y galanura de giros y frases hacen que siempre se lean con gusto, y nos dejan aquel saborcillo de la lengua añeja, recia y hermosa". Osuna supo reunir la tendencia intelectual con la efectivista. Se pone, por tanto, al frente de la maravillosa mística española.

La más famosa obra de Osuna es el *Abecedario espiritual* en seis partes, que se publicaron así: *Primera parte del abecedario espiritual*—Sevilla, 1528—, que trata de las circunstancias de la Sagrada Pasión del Hijo de Dios—; *Segunda parte del abecedario espiritual*—Sevilla, 1530—, donde se tratan diversos ejercicios, en cada letra el suyo; *Tercera parte del abecedario espiritual*—Toledo, 1527—; *Ley de amor y cuarta parte del abecedario espiritual*—1530—, donde se tratan muy de raíz los misterios y preguntas y ejercicios del amor; *Quinta parte del abecedario espiritual*—Burgos, 1541—, que es consuelo de pobres y aviso de ricos—; *Sexta parte del abecedario espiritual*—Sevilla, 1554, póstuma—, que trata sobre las llagas de Jesucristo.

Cada una de estas partes se reimprimió numerosas veces. Así, la *Primera:* Burgos, 1537; Medina, 1544; Zaragoza, 1546; Sevilla, 1554. La *Segunda:* Burgos, 1539, 1545 y 1555; Sevilla, 1554. La *Tercera:* Valladolid, 1537; Burgos, 1544 y 1555; Sevilla, 1554. La *Cuarta:* sin lugar, 1542 y 1551; Valladolid, 1551; Sevilla, 1554. La *Quinta:* Sevilla, 1554; Burgos, 1554. La *Sexta:* Medina, 1554.

También fueron traducidas algunas partes del *Abecedario* a varios idiomas extranjeros.

El *Abecedario*—¡tan leído por Santa Teresa de Jesús!—, por su abundante y honda doctrina, erudición escrituraria y escrupulosamente ortodoxa, es un libro de los más importantes de la mística española.

Se señalan como fuentes del *Abecedario:* la *Theologia mystica,* del flamenco Henri Herph; Ruysbroeck, Denis el *Cartujo,* Luis de Blois, Tomás de Kempis...

Otras obras de Osuna: *Gracioso convite de las gracias del Santo Sacramento*—Sevilla, 1530—, *Norte de los estados*—Sevilla, 1531—, *De las cinco llagas de Nuestro Señor Jesucristo*—traducida al italiano por el abad Sebastián Ugolino, Roma, 1616—, *De Mystica Theologia*—en castellano y latín, impresa sin el nombre del autor—y otras varias en latín, de mucho interés.

De la *Tercera parte del abecedario espiritual,* la más famosa, hay una excelente edición moderna, cuidada por el padre Miguel Mir, Madrid, tomo XVI de la "Nueva Biblioteca de Autores Españoles". El *Norte de los estados* se ha reimpreso en el *Bulletin Hispanique,* 1935, XXXVII, 460.

V. ALLISON PEERS, E.: *Estudies of the Spanish Mistics.* 1927.—CRISÓGONO, padre: *La escuela mística carmelitana.*—MICHEL ANGE, padre: *La vie franciscaine en Espagne entre les deux couronnements de Charles Quint...,* en *Rev. de Archivos, Bibliotecas y Museos,* 1913 y 1914.—ALONSO, F.: *Estudio al "Norte de los estados",* en *Bulletin Hispanique,* 1935, XXXVII.—ROS, R. F. de: *Le père Francisco de Osuna.* París, 1937.—FIDELE, P.: *L'influence de Francisco de Osuna,* en *Rev. A. M.,* 1934, XV, 359.

OTERO, Blas.

Poeta nacido—1916—en Bilbao. Se dio a conocer con una breve entrega poética, titulada *Cántico espiritual,* y editada en 1942 en homenaje a San Juan de la Cruz.

Vivió en Bilbao, dedicado a actividades propias de su carrera de Derecho. Ha publicado escasamente en revistas, siendo sus colaboraciones más numerosas las aparecidas en el número 1 de *Egan*—Bilbao, primer trimestre de 1948—y en el número 4 de *Raíz*—Madrid, 1949.

Su libro *Angel fieramente humano* está editado por la "Colección Insula", de Madrid, en abril de 1950. Estos poemas ponen de manifiesto a un poeta personal, hondo y de gran fuerza lírica, y constituyen uno de los libros más interesantes de poesía publicados en los últimos años en España. En 1950, Blas Otero logró el "Premio Boscán", de Barcelona, con su nuevo libro *Redoble de conciencia, Antología y notas* —1952—, *Pido la paz y la palabra*—1955—, *Ancía*—1958—, *Esto no es un libro*—poemas, Universidad de Puerto Rico, 1963—, *Hacia la inmensa mayoría*—1962—, *Esto no es un libro*—1963—, *En castellano*—1959—, *Que trata de España*—1964—, *Expresión y reunión* —1969—, *Historias fingidas y verdaderas* —prosas, 1970.

V. Sainz de Robles, F. C.: *Historia y antología de la poesía española*. Madrid, Aguilar, 1969, 5.ª edición.—Bousoño, Carlos: *La poesía de Blas Otero*. Madrid, *Insula*, número 71, 1951.—Alarcos Llorach, Emilio: *La poesía de Blas Otero*. Oviedo, Universidad de Oviedo, 1955.—Torrente Ballester, G.: *Panorama de la literatura española contemporánea*. Madrid, 1961, 2.ª edición.

OTERO PEDRAYO, Ramón.

Nació en Orense en 1888. Es licenciado en Derecho y Filosofía y Letras, catedrático de Historia y Geografía en el Instituto de Orense, y ha sido director de ese Instituto. Fue diputado a Cortes y director de los Estudios Gallegos. Director del Seminario.

Otero Pedrayo, lector asiduo de los clásicos, tiene una vasta cultura y una exquisita sensibilidad literaria, por lo cual sus obras reúnen excelentes cualidades de fondo y forma. Es uno de los más altos valores actuales de la intelectualidad gallega, y su nombre marca una fecha en el renacimiento de la lengua regional.

Pertenece a la Real Academia Gallega.

Obras: *Síntesis xeográfica de Galiza*—publicación del Seminario de Estudos Galegos de Compostela, 1926—, *Probremas de Geografía galega*—publ. del Seminario de Estudos Galegos, 1927—, *Problemas y paisajes geográficos de Galicia*—Compañía Ibero-Americana de Publicaciones, 1928—en la Geografía publicada por la Casa Gallach—, *A terra de Melide*—parte descriptiva geográfica de esta publicación del Seminario de Estudos Galegos—, *Treinta y tres lecciones de Geografía general*—edit. "Nos", 1929—, *Curso de Geografía (Política y Económica)* —Orense, 1936—, *Unha impresión da Galiza do Sul no derradeiro año do XVIII*—publicación del Seminario de Estudos Galegos, 1929—, *Guía de Galicia*—1.ª edición, Madrid, Espasa-Calpe, 1926; 2.ª edición, edit. Gali, Santiago de Compostela, 1945.

Novelas: *Pantelas, home libre*—"Colección Lar", 1925—, *O purgatorio de don Ramiro*

—"Colec. Galería", 1926—, *Escrito na néboa* —"Colec. Lar", 1927—, *Os camiños da vida* (I. *Os señores da terra;* II. *A maorazga;* III. *O estudante*)—edit. "Nos", 1928—, *Arredor de sí*—edit. "Nos", 1929—, *Contos do camiño e da rúa*—edit. "Nos", 1932—, *A romería de Gelmírez*—edit. "Nos", 1934—, *Fra Vernero*—edit. "Nos", 1934—, *Devalar*—editorial "Nos", 1935—, *O mesón dos Ermos* —edit. "Alanda", Orense, 1936—, *Las palmas del convento*—"Colec. Hórreo-Emecé", editores, Buenos Aires.

Inéditas: *Schwarzwald, Adolescencia, Entre el noviciado y el Ateneo, La fiesta del conde Eersteim, La vocación de Adrián Silva, Contra el filo del río, Hermana.*

Ensayos: *Romanticismo, Saudale, sentimento da raza e da terra en Pastor Díaz, Rosalía de Castro y Pondal*—edit. "Nos", 1931—, *Pelerinazes* (Diario de unha pelegrinación o Santo Andrés de Teixido)—editorial "Nos", 1929—, *Morte e resurreición* —edit. Alanda, 1932—, *Ensayo histórico sobre la cultura gallega*—edit. "Nos", 1933; 2.ª edición, edit. Emecé, Buenos Aires—, *Semblanza de Goethe* (Conferenza do centenario, con traducción de trozos de *Segundo Fausto*)—edit. "Nos", 1932—, *Estética del paisaje gallego.*

Teatro: *Lagarada*—edit. "Nos", 1929.

OTERO VÉRTIZ, Gustavo Adolfo.

Literato y diplomático boliviano. Nació —1896—en La Paz. Estudió Leyes en la Universidad Mayor de su ciudad natal. Fundador de las revistas *Nueva Era, Atlántida* y *La Ilustración*. Miembro del Círculo de Bellas Artes de La Paz, de la Sociedad Geográfica de La Paz y de la de Lima, de la Academia de Ciencias y Artes de Cádiz. Fue cónsul de su nación en Barcelona y en otras ciudades de Europa e Hispanoamérica. Como cronista, popularizó el seudónimo de "Nolo Beaz".

Obras: *Hombres célebres de Bolivia* —1919—, *Cabezas*—1920—, *El Chile que yo he visto*—1922—, *Almanaque boliviano* —1922—, *El honorable Poroto*—1922—, *Cuestión de ambiente*—1923—, *Hombres y bestias*—1924—, *Pitagóricas*—1925—, *El Perú que yo he visto*—1925—, *El hombre del tiempo heroico*—1926—, *Crestomatía boliviana*—1926—, *Aboroa*—1927—, *Bolivia* —1927—, *Bolivia-Paraguay*—1928—, *Esquema de la poesía boliviana*—1929—, *El hombre y los libros*—1930—, *Entre llamas*—1931—, *La doctrina internacional del Libertador y la política pacifista de Bolivia, Horizontes incenciados...*

V. Díaz de Medina, Fernando: *Perfil de la literatura boliviana*, en *Thunupa*, La Paz, 1947.

O

OTEYZA, Luis de.

Literato y periodista español. Nació —1883—en Zafra (Badajoz). Murió—1961— en México. Desde casi niño se dedicó a la literatura y al periodismo. Sus libros de versos *Flores de almendro, Brumas y Baladas* le dieron prestigio y le proporcionaron colaboraciones en periódicos y revistas. Redactor y director de *El Liberal*, de Barcelona. Redactor de *El Liberal* y *La Libertad*, de Madrid. Ha viajado por Europa y América, mostrándose habilísimo narrador de sus peripecias por distintos países.

Inquieto, curioso y alegre reportero. De atractivo tono desenfadado; propenso a los comentarios pintorescos; con resabios rabelesianos; de aparente frivolidad, pero con hondas preocupaciones culturales; con flexibilidad y gracia muy grandes; prosista brillante, y dueño de un especial encanto para hacer obras atractivas y amenísimas. Como novelista, tiene empuje y derrocha el interés humano.

Obras: *En tal día...*—efemérides—, *Galería de obras famosas*—crítica y comentarios—, *Las mujeres de la literatura, Frases históricas, Animales célebres, Anécdotas picantes, Cuentos para puritanos, De España al Japón*—1927—, *En el remoto Cipango* —1927—, *López de Ayala, figurón político* —1932—, *El pícaro mundo*—1928.

Y las novelas: *El diablo blanco*—1929—, *¡Viva el rey!*—1929—, *El hombre que tuvo harén*—1931—, *Anticípolis*—1931—, *El tesoro de Cuatemoc*—1932—, *Río revuelto* —1932—, *El tapiz mágico, Los dioses que se fueron...*

OTHÓN, Manuel José.

Gran poeta. 1858-1906. Nació en San Luis de Potosí (México). De familia acomodada. De tranquilas aspiraciones y fervoroso amador de la Naturaleza e incansable contemplador de ella. Durante muchos años desempeñó el cargo de juez de paz en distintos pueblos del norte de la República. Colaboró en la *Revista Azul, Revista Moderna, El Mundo Literario Ilustrado* y *El Mundo Ilustrado*. Un día, andando de caza, como siempre, su amada Naturaleza correspondió a sus inmensas adoraciones haciéndole descubrir una mina de plata. Ni más ni menos que si se tratase de una novela o de una película, Othón, viéndose rico, marchó a las ciudades y se dejó arrastrar por los placeres y la vida bohemia, adquiriendo una enfermedad que le llevó rápidamente al sepulcro. ¿Quién no sabría sacar una moraleja al sucedido?

Polifónico poeta, espíritu de lirismo cálido y de hondo sabor melancólico, en el que hay una vaga adoración panteísta soñadora. Noble y melancólico poeta, que vivió lanzando en ritmos vibrantes y bellos las más puras palpitaciones de su corazón generoso.

"En la paz de las aldeas—escribe Alfonso Reyes—gustaba Othón de pasar la vida, donde es más fácil salir al campo... Desvestido el ánimo de todo sentimiento efímero, vuelve a su profundidad sustantiva, toma allí lo esencial, lo desinteresado, que es a la vez superfluo de las imágenes del mundo, y vuelca sinceramente sobre el espectáculo de la Naturaleza el tesoro de sus más hondas actividades: la religión, el deber, el gusto, el dolor de la vida. La existencia de Manuel José, por otra parte, según era su descuido por las cosas exteriores y según era su hábito de ensimismamiento y de éxtasis, parece más desligada aún de la realidad accesoria por aquel maravilloso don de olvido que le conocimos y que ya es proverbial, a cuya merced el poeta pasó por la tierra como un personaje de capricho, con el despilfarro de un desdeñoso, con la torpeza de un inocente, con la grande y dominadora sencillez de un hombre justo. Y así, su labor poética, nacida de fuentes tan serenas, hija toda de los sentimientos más fundamentales del espíritu, es casta y benigna, salobre como campesina madrugadora, firme como labrador envejecido sobre la reja, santa y profunda como un himno a Dios en el más escondido rincón de alguna selva."

Toda su obra es de la más pura calidad poética; y en ella existe una mezcla muy sugestiva de sensualismo y de misticismo. Y una recóndita elegancia inimitable.

Obras: *Poesías*—San Luis de Potosí, 1880—, *Después de la muerte*—drama, 1884—, *Lo que hay detrás de la dicha*—drama, 1886—, *Poemas rústicos*—1890—, *El último capítulo*—ensayo dramático, 1906—, *Noche rústica de las Walpurgis*—poema, 1907—, *El himno de los bosques*—1908—, *La gleba*—novela—, y los dramas: *Herida en el corazón, La sombra del hogar, La cadena de flores y victoriosa; Cuentos de espantos...*

V. López Portillo, J.: *Elogio de Manuel José Ohtón*. México, 1907.—Reyes, Alfonso: *Los poemas rústicos de Manuel José Othón*. México, 1910.—Estrada, Jenaro: *Poetas nuevos*. México, 1916.—García Godoy, F.: *La literatura americana*. 1915.—González Peña, C.: *Historia de la literatura mexicana*. México, 1928.—Jiménez Rueda, J.: *Historia de la literatura mexicana*. México, 1926.

OVALLE, Alonso de.

Cronista y religioso jesuita chileno. Nació —1601—en Santiago de Chile y murió —1651—en Lima. Pertenecía a una familia originaria de España. En 1619 ingresó en la Compañía de Jesús, en la que llegó a ser director del Seminario de San Francisco Javier, de Santiago, y procurador de la Vice-provincia de Chile. Mientras desempeñaba este último cargo estuvo en Roma, y en Roma publicó—1646—su *Histórica relación del Reyno de Chile, y de las misiones y ministerios que exercita en él la Compañía de Jesús,* obra que, si se resiente en su parte documental, tiene el mérito de ser la primera historia general de Chile. Además, el don de su sensibilidad exquisita convirtió a Ovalle en el pintor maravilloso del panorama chileno. Su descripción de la cordillera es un trozo lleno de color y de majestuosa belleza.

Se le atribuye otra obra: *Relación verdadera de las paces que capituló con el araucano rebelado el marqués de Baides*—Madrid, 1642.

Edición: *Colección de historiadores de Chile...* Santiago, 1861-1914, tomos XII-XIII, 1888.

V. LATORRE, Mariano: *La literatura de Chile.* Buenos Aires, Facultad de Filosofía y Letras, 1941.—SOMMERVOGEL, C.: *Bibliothèque de la Compagnie de Jesus.* Tomo VI, colección 39-42.—PASTELLS, padre, S. J.: *Historia de la Compañía de Jesús en la provincia del Paraguay.* Madrid, 1915, tomo II, números 754, 809, 993.

OVIEDO Y BAÑOS, José de.

Historiador y prosista colombiano. 1659-1738. Nació en Bogotá. Murió en Caracas. Y vivió su infancia y su adolescencia en Lima. Con el séquito episcopal de su tío, el gran prelado don Diego de Baños, llegó a Caracas. Y en esta ciudad consiguió el cargo de regidor perpetuo. Perteneció a una noble y acaudalada familia, y durante toda su vida procuró mantener el decoro y el lustre de su prosapia.

"Estamos con este autor frente a un modelo del nuevo tipo de la historiografía. Es el trabajo de un intelectual que puede reflexionar—o pensar dos veces—gracias al ocio de ¡una vida tranquila, señorial, privada de la dramática levadura de la acción! Tiene su *Historia,* por eso, serena y prieta frondosidad. El estilo—melódico, fluyente, sensible, pulido, quizá recargado de afeites, en la proporción impuesta por la química barroca—es cosa de la época. Testimonia la presencia del nuevo estilo. También lo anuncian las citas latinas dispuestas a la manera de un follaje ornamental." (Narbona Nenclares.)

En 1723 publicó—Madrid, imp. de Hermosilla—su *Historia de la conquista y población de la provincia de Venezuela,* cuyo segundo volúmen quedó inédito. En esta obra —en la que el autor desconoce la existencia y la trascendencia del paisaje—quedan patentes, en compensación, la mucha erudición,

la observación minuciosa de los hechos, el juicio sutil de las personas, la prolijidad en los detalles.

Si Oviedo y Baños careció de acento dramático creador, poseyó, en cambio, buen gusto, mesura y decoro, cualidades que le alcanzan un puesto preeminente entre los historiógrafos de su tiempo.

Otra edición: Madrid, 1885, dos tomos, en la "Biblioteca de los Americanistas".

V. GROOT, José Manuel: *Historia de Nueva Granada.* Bogotá, 1890, tomo II.—MENÉNDEZ PELAYO, M.: *Historia de la poesía hispanoamericana.* Madrid, 1911-1913, dos tomos.—BARALT, R. María: *Resumen de la Historia de Venezuela.*—FERNÁNDEZ DURO, Cesáreo: *Estudio y notas,* en la ed. de Madrid, 1885.—NARBONA NENCLARES, F.: *La literatura de Venezuela,* en el tomo XII de la *Historia universal de la literatura,* de Prampolini. Buenos Aires, Uteha Argentina, 1941. PICÓN SALAS, Mariano: *Formación y proceso de la literatura venezolana.* Caracas, 1941.

OYUELA, Calixto.

Poeta, prosista, crítico literario y erudito argentino. 1857-1930. En su juventud estudió con fervor admirable las literaturas griega y latina. Su vocación por las Humanidades fue intensa y gozosa. Su formación cultural resultó severa y honda. Profesor de Literatura en el Instituto Libre de Segunda Enseñanza y en la Facultad de Filosofía y Letras de Buenos Aires. Presidente del Ateneo bonaerense. Primer presidente de la Academia Argentina de Letras, uno de cuyos sillones lleva su nombre. Miembro correspondiente de la Real Española de la Lengua.

"Su vida decorosa y austera, íntegramente dedicada al culto del arte—Oyuela fue también un extraordinario ejecutante musical—traduce un acendrado culto por la belleza pura como ideal, revestida de una forma equilibrada y serena, de aristocrática estilización. Como fray Luis de León, profesa un neoplatonismo, de cinceladura griega y esencia cristiana. Su doctrina estética fue enunciada así: por sobre la forma externa del arte—adaptada a veces a la corriente o atavío transitorios del tiempo—, debe prevalecer el fondo de la creación constante dada por las dotes intelectuales y efectivas del ser racional." (Leguizamón.) Por ello, como recalca Melián Lafinur, "su obra, pura y serena, permanece como escondida en el pasado inmediato, celando su virtud esencial de cosa cumplida y perdurable".

Una patria, una moral y una religión, clasicismo e hispanismo... Estos eran los postulados radicales de Oyuela. Aun cuando no ha faltado crítica modernista que le acusara de "un academismo caduco".

O

Obras: *Antología poética hispanoamericana, Trozos escogidos de la literatura castellana, Elementos de teoría literaria, Estudios literarios, Poesías*..., entre las que sobresalen: *Eros, Al Niágara, A fray Luis de León*...
V. MELIÁN LAFINUR, Alvaro: *Calixto Oyuela...*, en *Academia Argentina de Letras*. Buenos Aires, 1944.—LEGUIZAMÓN, Julio A.: *Historia de la literatura hispanoamericana*. Buenos Aires, 1945.—GIMÉNEZ PASTOR, Arturo: *Historia de la literatura argentina*. Buenos Aires, edit. Labor.

P

PABÓN SUÁREZ DE URBINA, José Manuel.

Nació en Sevilla el 25 de diciembre de 1892, y pasó sus primeros años en dicha capital.

Poco antes que comenzase el bachillerato se trasladó su familia a Villanueva del Río, de la misma provincia, donde residieron hasta 1920.

Cursó los seis años del bachillerato en el colegio de los jesuitas del Puerto de Santa María (Cádiz), donde estuvieron también Juan Ramón, Villalón y Alberti.

Comenzó a estudiar la carrera de Derecho también con los jesuitas, en Deusto, y luego en la Universidad de Sevilla; pero después de aprobar dos cursos de la misma, la dejó por la de Letras, que cursó en Sevilla y Granada.

En 1920, catedrático por oposición de Latín en el Instituto de Zaragoza, de donde, por motivos de salud, pasó a profesar la misma cátedra en Baeza. En 1925 hizo un viaje por Suiza.

En 1927 pasó, por nueva oposición, a desempeñar la cátedra de Lengua y Literatura latinas en la Universidad de Salamanca. En los años siguientes hizo distintos viajes por Francia e Italia.

En 1935, después de un corto tiempo de profesión en Granada, fue agregado, como investigador, al Centro de Estudios Históricos de Madrid.

Al terminar la guerra civil se le nombró catedrático de Lengua griega en la Universidad de Madrid y miembro del Consejo Superior de Investigaciones Científicas.

En 1952 fue elegido miembro de número de la Real Academia de la Historia.

Obras: *Horas de aldea*—poemas—, *Algunas influencias del "Fausto", de Goethe, en España*—1927—, *La enseñanza del latín en España*—1932—, *Poemas de la Ribera*—1940—, *Salustio. "Conjuración de Catilina", edición, estudio y notas*—1946—; *Tucídides: libro II, texto y notas*—1946—, *Homero, nueva versión directa*—Barcelona, "Clásicos Labor", 1947—; *Platón. "La República", textos, traducción, prólogo y notas*—Barcelona, "Clásicos Labor"—; *Diccionario griego-español*—en colaboración con Eustaquio Echauri, 1943, 1944—; *Cambó*—Madrid, 1952...

PACHECO, Armando Oscar.

De la República dominicana. Poeta y diplomático, actual embajador en Colombia. Nació en San Pedro de Macorís en 1901. Modernista, con ribetes filosóficos. Escribe también en prosa, especialmente teatro y novela psicológica.

Ha publicado: *Vía Láctea*—1925—y *Derelicta*—1945—, poemas; *Una novela trunca*—1940—y *Góngora azul*—1939—, teatro.

PACHECO, Francisco.

Humanista y literato español. Nació —¿1535?—en Jerez de la Frontera (Cádiz), y murió—1599—en Sevilla. Canónigo de la catedral hispalense y capellán mayor de su capilla real. "Su casa acogía, sin duda de buen grado, a los poetas, a los eruditos y aun a los artistas, porque allí fue donde su sobrino y homónimo Francisco Pacheco encontró sus primeros maestros."

Era un buen humanista, con excelentes ribetes de poeta.

Dejó escrito un *Vocabulario de los nombres dificultosos o peregrinos* y un *Memorial de los arzobispos de Sevilla*—citado por Gallardo, IV, columnas 140, 154—. Hay un poema latino de 272 versos suyos al frente de las *Obras de Garcilaso, con anotaciones de Herrera*—1580—, y cuatro octavas al principio de las *Obras del poeta Gregorio Sylvestre*—1599.

Cervantes inicia con él el inventario de los ingenios sevillanos en el *Canto de Calíope*—*La Galatea.*

V. COSTER, A.: *Fernando de Herrera.* París, 1908, pág. 32.

PACHECO, Manuel.

Poeta. Nació—1920—en Olivenza (Badajoz). Autodidacto. Durante su adolescencia y su juventud ejerció numerosos oficios: fotógrafo ambulante, ebanista, cargador de muelle, marmolista, albañil... A puros esfuerzos y valores poéticos ha logrado que sus poemas se publiquen en muy importantes revistas españolas y extranjeras, traducidos a más de doce idiomas. Es miembro de la Academia Internacional de St. Georges, de Roma, del Instituto de Cultura Americana de Montevideo, de la Academia Zenith de Costa Rica, de la Academia de Historia y Heráldica de Atenas...

Obras: *Ausencia de mis manos*—1949—, *En la tierra del cáncer*—1953—, *El ángel sonámbulo*—1953—, *Los caballos del alba*—ensayos, 1954—, *Presencia mía*—1955—, *Poemas al hijo*—1960—, *Todavía está todo "todavía"*—1960—, *Poemas en forma de...*—1962—, *Poesía na terra*—bilingüe, en portugués y castellano, 1967.

PACHECO DEL RÍO, Francisco.

Eximio biógrafo, poeta y pintor español. Nació—1564—en Sanlúcar de Barrameda (Cádiz). Murió—1654—en Sevilla. Sobrino de su homónimo el canónigo sevillano y erudito. Suegro del glorioso Velázquez.

Huérfano muy niño, fue recogido y educado en Sevilla por su tío. Estuvo de aprendiz de pintor con Luis Fernández, hasta que en 1594 puso taller propio en la metrópoli andaluza. En los últimos años del siglo casó con María del Páramo Miranda, de la que tuvo una hija, Juana, que en 1618 contrajo matrimonio con Diego Velázquez.

La fama de Pacheco era grande a principios del siglo XVII. Su taller era el centro más insigne de la literatura y del arte en Sevilla. A él acudieron no pocas veces Cervantes, Lope de Vega, Vicente Espinel, Pablo de Céspedes...; pero, por lo común, formaban la reunión los hijos más ilustres de la capital bética: Rioja, Alcázar, Jáuregui, Caro, Villegas...

Tenía talento, buen juicio y erudición, que corrían parejas con su habilidad. En Pacheco, el pintor no hacía olvidar al literato ni este al poeta.

Fue el primer editor de los *Versos de Fernando de Herrera,* que imprimió en Sevilla Gabriel Ramos Bejarano. Viajó por España y por el extranjero.

Se conocen de él un *Elogio* en verso, ensalzando a Juan de la Cueva para que se insertara al frente de su *Conquista de la Bética; Arte de la pintura*—1649—, *Libro de descripción de verdaderos retratos de ilustres y memorables varones*—hallado y publicado en magnífica edición por don José María Asensio y Toledo en 1870—, *Elogio biográfico de Lope de Vega, Apuntamientos en favor de Santa Teresa, sobre la antigüedad y honores del arte de la pintura y su comparación con la escultura, Apacible conversación entre un tomista y un congregado acerca del misterio de la Purísima Concep-*

ción, y numerosas poesías, que reprodujo Asensio, como apéndice, a su mencionado estudio.

V. LASSO DE LA VEGA, A.: *Escuela poética sevillana.*—RODRÍGUEZ MARÍN, F.: *Barahona de Soto.* Madrid, 1903.—RODRÍGUEZ MARÍN, F.: *Una sátira sevillana de Pacheco,* en *Revista de Archivos,* 1908.—ASENSIO Y TOLEDO, José María: *Francisco Pacheco.* 1876, Madrid.—BARBADILLO, Manuel: *Pacheco, su tierra y su tiempo*—1963.

PADILLA, Juan de.

Excelente poeta español. Nació—1468—en Sevilla. Murió después de 1520. Se le denominó el *Cartujano,* por ser monje de la Cartuja de Santa María de las Cuevas, de Sevilla. Después de Mena, es Padilla el más hábil y sincero imitador de Dante en Castilla. En el proemio del *Retablo* se arrepiente de cuantos versos profanos escribió en su juventud, entre ellos un poema en 150 coplas de arte mayor, con el título de *Laberinto del marqués de Cádiz*—don Rodrigo Ponce de León—, poema hoy perdido, imitación segura del de su modelo admirado Mena. Las obras que se conservan de Padilla son dos, muy diferentes entre sí: el *Retablo de la vida de Cristo*—1516—y *Los doce triunfos de los doce Apóstoles*—1521—. El *Retablo* fue muy popular y muy reimpreso; es un poema piadoso, puramente narrativo, sencillo, sin simbolismos y sin mitologías, en un estilo llano y de gran expresión a veces, compuesto de *cuatro tablas,* que corresponden a los cuatro Evangelios, a los cuales se atiene con rigor. *Los doce triunfos,* por el contrario, es un poema puramente alegórico, dantesco, lleno de conceptismo y de divagaciones. Dios es el Sol... Los apóstoles están representados en los doce signos del Zodíaco... San Pablo guía al autor hasta el infierno... ¡Qué sé yo cuántas incongruencias e imitaciones serviles más! Pedante en su erudición astrológica y cosmográfica, escabroso y desigual en el estilo y lenguaje, Padilla no logró sino alcanzar *lo menos bueno* de sus modelos. Pero la escuela alegórica iba ya de capa caída, y el público, con un instinto admirable, sin comulgar con ruedas de molino, se interesaba únicamente por el realismo popular inminente, de explosión completa y júbilo. Por ello, mientras el *Retablo* se imprimió trece veces en cien años, *Los doce triunfos* no fueron impresos, en el mismo tiempo, sino tres. Foulché-Delbosc ha incluido la poesía de Padilla en su edición del *Cancionero castellano del siglo XV.*

V. SAINZ DE ROBLES, F. C.: *Historia y antología de la poesía castellana.* Madrid, Aguilar, 1946, pág. 432.—RIEGO, M.: *Colección de obras poéticas españolas.* Londres, 1842.—FOULCHÉ-DELBOSC, R.: *Estudio* en la edición del *Cancionero castellano...*, en "Nueva Biblioteca de Autores Españoles", XIX.—SANTISENTI, E.: *I primi influssi di Dante, del Petrarca e del Boccaccio sulla Letteratura spagnola*, 224-239, Milán, 1902.—MENÉNDEZ PELAYO, M.: *Antología de poetas líricos...*, VI, 239.—AMADOR DE LOS RÍOS, José: *Historia crítica de la literatura española*. Tomo VII, páginas 264 y sigs.

PADILLA, Juan Gualberto («El Caribe»).

Poeta y prosista puertorriqueño. 1829-1896. Nació en San Juan. Se graduó médico en las Universidades de Santiago de Galicia—1844— y Barcelona—1846—. Perteneció a una generación de patriotas que lucharon incansablemente, titánicamente, por la redención de su patria. Como periodista de combate, popularizó el seudónimo de "El Caribe". Sostuvo una larga y violenta polémica con el poeta español Manuel del Palacio, por haber publicado este en *Gil Blas* un artículo satirizando las costumbres de Puerto Rico. Ejerció su profesión en su patria abnegadamente.

Poseyó "El Caribe" una maravillosa facilidad versificadora, naturalidad, vis cómico-satírica y donaire y soltura para manejar el idioma. Fue de los más sobresalientes satíricos hispanoamericanos.

Recogió sus poesías, ya muerto él, su hija, también poetisa, que firmaba sus composiciones con el seudónimo de "La hija del Caribe".

Obras: *Canto a Puerto Rico*—en octavas reales—, *En el combate*—París, ed. Ollendorf—, *Rosas de pasión*—París, Ollendorf—.

V. JUNCOS, M. F.: *Estudio* en la ed. de *En el combate*. París, s. a.—FERNÁNDEZ JUNCOS, Manuel: *Antología puertorriqueña*. Puerto Rico, 1907.—TORRES RIVERA, Enrique: *Parnaso puertorriqueño*. Barcelona, Maucci, 1920. MENÉNDEZ PELAYO, M.: *Historia de la poesía hispanoamericana*. Madrid, 1911-1913.— TORRES ROSADO, Félix: *Panorama poético puertorriqueño*, en *Univ. de Antioquía*, Medellín-Colombia, núm. 51, marzo-abril de 1942.

PADILLA, Pedro de.

Notable poeta español. Nació en Linares (Jaén)—¿1544?—, según da a entender Lope de Vega en el *Laurel de Apolo*. Murió después de 1598, año en que aprobó el *Isidro* del mismo Lope. En 1564 obtuvo el grado de bachiller, en Granada, y en 1572 se matriculó para estudiar Teología. Residió habitualmente en Madrid. Caballero de la Orden de Santiago. En 1585 tomó el hábito de los carmelitas, alcanzando rápida fama en la corte como orador sagrado. Sus contemporáneos elogiáronle grandemente. Cervantes, en el *Quijote*—I, 6—y en el *Canto de Calíope*—de

La Galatea—; López Maldonado, Espinel, Lope de Vega. Ercilla, al aprobar una de sus obras, limita mucho el entusiasmo. Quintana dijo de él que "es un escritor recomendable por la pureza de su dicción y fluidez de sus versos". Y Gallardo, hablando de su *Jardín espiritual*, escribe: "Este libro, como todos los de Padilla, tiene de todo: generalmente está escrito con pureza de dicción, pero con poco espíritu, poca alma poética. Los más de los que componen este libro son versos largos, para los cuales no tenía Padilla mucho pecho; él estaba más hecho a las coplas castellanas, en las cuales suele ser muy feliz... Padilla fue uno de los que más cultivaron en su siglo el romance, y de los que más contribuyeron a poner esta composición en chapines, aunque la generalidad de los suyos sea muy a la llana... Padilla fue uno de los primeros que empezó a hacerlos pastorales y aun moriscos, floreando ya así lo seco de la narración histórica de los romances antiguos."

El nombre de Pedro de Padilla figura en el *Catálogo de autoridades* del idioma, publicado por la Real Academia de la Lengua.

Obras: *Romance de don Manuel, glosado por Padilla...*—Toledo, 1576—, *Tesoro de varias poesías*—Madrid, 1575, 1580, 1587 y 1589—, *Eglogas pastoriles, juntamente con algunos sonetos*—Sevilla, 1582—, *Romancero...*—Madrid, 1583—, *Jardín espiritual*—Madrid, 1585—, *Grandezas y excelencias de la Virgen Nuestra Señora, en octavas*—Madrid, 1587—, *Monarquía de Cristo*—Valladolid, 1590—, *Oratorio real, Historia de la Casa de Loreto, Canción de la creación del mundo* —manuscrito, en la Biblioteca Nacional—, *Estancias espirituales*—manuscrito, en la Biblioteca Nacional...

Hay composiciones suyas en el *Cancionero*, de López Maldonado; en la *Conquista... de Granada*, de Duarte Díaz—Madrid, 1590—, en el *Libro primero de Anatomía*—Baeza, 1590—, del doctor Andrés de León.

Ediciones modernas: *Grandezas de Nuestra Señora*—1806—, *Romancero*, en la *Sociedad de Bibliófilos Españoles*, 1880; *Poesías*, en los tomos X, XVI y XXXV de la "Biblioteca de Autores Españoles", de Rivadeneyra.

V. PÉREZ PASTOR, C.: *Bibliografía madrileña*, parte III, pág. 445.—SCHEVILL Y BONILLA: Edición de *La Galatea*, II, pág. 221, Madrid, Victoriano Suárez.

PÁEZ DE CASTRO, Juan.

Humanista y cronista español. Nació —¿1515?—y murió—1570—en Quero (Guadalajara). Estudió en Alcalá y fue amigo de Florián de Ocampo, Ambrosio de Morales, Alvar Gómez y Juan de Vergara, quienes le alabaron cumplidísimamente. Dominó a la

P

perfección las lenguas hebrea, caldea, griega, árabe, latina e italiana. Hacia 1540 estuvo en Salamanca, relacionándose con Hernán Núñez, "el Comendador griego". Asistió al Concilio de Trento como asesor del cardenal don Diego Hurtado de Mendoza. Y estudió con primor los manuscritos griegos adquiridos en Venecia por este noble purpurado. En 1555 estuvo en los Países Bajos formando parte del séquito del emperador Carlos I de España. A la muerte de Ocampo fue nombrado Páez de Castro cronista del emperador, con un sueldo de 80.000 maravedíes, más la concesión de una capellanía de honor.

Páez de Castro dirigió al rey don Felipe II un precioso memorial sobre la *utilidad de formar una buena biblioteca real.* Y este consejo acaso originó la biblioteca del Real Monasterio de El Escorial.

Páez dejó al morir siete colecciones de documentos importantísimos, perfectamente estudiados y clasificados.

Obra: *Memoria sobre el método para escribir la historia.*

Textos: Tomos XXVIII y XXIX de la revista *La Ciudad de Dios.*

V. CATALINA GARCÍA, J.: *Biblioteca de escritores de la provincia de Guadalajara.* Madrid, 1899.—GRAUX, Charles: *Essai sur les origines du fond grec de l'Escorial.* París, 1880.—MOREL-FATIO, A.: *Historiographie de Charles Quint.* París, 1913.

PÁEZ DE LA RIBERA, Ruy.

Poeta español del siglo XV. Nació en Sevilla. "Ome muy sabio y entendido." Aun cuando siempre vivió en la mayor pobreza, era de la noble familia de Perafán de Ribera, Adelantado de Andalucía, cuyos descendientes fueron marqueses de Tarifa y duques de Alcalá. En la *Crónica de Juan II* figura entre los caballeros que acompañaron al monarca cuando este había asentado sus reales en Medina del Campo.

"Por todos los trabajos e angustias e dolores de que puede el ome ser afligido", lloró de una manera tan original como poética sus desdichas en los versos del *Proceso que ovieron en uno la Dolencia e la Vejez e el Destierro e la Pobreza,* en el cual cada una de estas figuras alegóricas expone su propia acción sobre el hombre. Escribió otro *Proceso que ovieron la Soberbia e la Mesura* y una obra en loor de la regencia de don Fernando de Antequera.

Sus composiciones figuran en el *Cancionero de Baena,* desde el número 288 al 300 inclusive, insertándose, además de los dos *Procesos* citados, doce composiciones...

Páez de la Ribera fue el discípulo más aventajado de Micer Francisco Imperial, primer imitador del Dante en España y manejador del endecasílabo italiano. Su nombre figura en el *Catálogo de autoridades* del idioma, publicado por la Real Academia Española.

Amador de los Ríos escribe de él: "En ninguno de los poetas de su siglo brillan tanto como en él las galas características del ingenio andaluz. Abundante y rico, más que ningún otro, en las descripciones, enalteció la inventiva con los recursos de una imaginación lozana y risueña, aunque seguía las huellas de la imitación. Poseyó el difícil arte de comunicar a la palabra la dulzura de las medias tintas que infunden inusitada armonía a todos sus cuadros. Dueño del instrumento que emplea, su frase es limpia, flexible, decorosa y poética, y no menos escogida su dicción."

Sus poesías deben buscarse en cualquier edición del *Cancionero de Baena.* Modernamente, en los tomos II y XXII de la "Nueva Biblioteca de Autores Españoles".

V. PUYMAIGRE: *La cour littéraire de don Juan II.* París, 1879.—PUYMAIGREH *Les vieux auteurs castillans.* París, 1888-1890.—SANVISENTI, B.: *I primi influssi di Dante, del Petrarca... sulla Letteratura Spagnuola.* Milano, 1902.—AMADOR DE LOS RÍOS, J.: *Historia crítica de la literatura española...* Tomo I.—MENÉNDEZ PELAYO, M.: *Antología de poetas líricos...* IV, 1942.

PAGANO, José León.

Crítico, ensayista, historiador, comediógrafo, pintor argentino. Nació—1875—en Buenos Aires. Polígrafo de vastísima cultura. Ha viajado por toda Europa y América, en cuyas principales bibliotecas y pinacotecas formó su espíritu y su criterio estético. A través de incontables y notabilísimas conferencias se ha destacado en los ambientes periodísticos, literarios y artísticos. En el teatro ha logrado muchos y definitivos éxitos.

Entre sus obras teatrales destacan: *Más allá de la vida, Nirvana, Almas que luchan, Los astros, El sobrino de Malbrán, El secreto de los otros, Cartas de amor, El inglés de anoche se llama Aguirre, Lasalle, El hombre que volvió a la vida...*

Otras obras: *La balada de los sueños, Federico Nietzsche*—1905—, *A través de la España literaria*—con prólogo de doña Emilia Pardo Bazán—, *El Santo, el Filósofo y el Artista; Cómo estrenan los autores*—crónicas—, *La bola de los sueños, El arte de los argentinos, Formas de vida.*

Al ingresar Pagano en la Academia de la Historia, Juan Pablo Echagüe dijo de él: "La especialización no le cerró puerta alguna, y ninguna actividad del espíritu le parece indigna de examen."

Como crítico, Pagano es uno de los pocos

que posee una seria información de los problemas estéticos contemporáneos.

V. GIMÉNEZ PASTOR, Arturo: *Historia de la literatura argentina*. Buenos Aires. Editorial Labor, dos tomos.—PINTO, Juan: *Panorama de la literatura argentina contemporánea*. Buenos Aires, 1941.—BRAGAGLIA, Antón Giutro: *El nuevo teatro argentino*. Buenos Aires, 1930.—ECHAGÜE, Juan Pablo: *Una época del teatro argentino*. Buenos Aires, 1926.

PAGÉS DE PUIG, Aniceto de.

Poeta y filólogo español. Nació—1843—en Figueras (Gerona). Murió—1902—en Madrid. Licenciado en Derecho por la Universidad de Barcelona. Uno de los restauradores de los Juegos florales de Barcelona y fundador de la agrupación literaria La Jove Catalunya. Mestre en Gay Saber—1896—. Desde 1878, Pagés de Puig fijó su residencia en Madrid. Colaborador ilustre y fecundo del famoso *Diccionario Hispano-Americano*.

Poeta delicado. Crítico vibrante y culto. De mucha y excelente cultura.

Obras: *Diccionario crítico del idioma castellano*—Madrid, 1900, dos tomos—, *Los dramas de la Historia*—Madrid, 1879—, *Poesías completas*—Barcelona, 1906, *La Ilustració Catalana*.

V. PAGÉS DE PUIG, en *La Lectura Popular*. Barcelona, 1914.

PALACIO, Eduardo del.

Poeta, comediógrafo y prosista español. Nació—¿1836?—en Málaga. Murió—1900—en Madrid. Ingeniero industrial. Desde muy joven se dedicó a la literatura, publicando numerosos artículos festivos y poesías humorísticas en los principales diarios y revistas de España. Durante algunos años hizo popular su seudónimo de "Sentimientos" como crítico de la fiesta taurina. En 1899, en la plaza de toros de Madrid, un novillo que saltó la barrera le hirió de bastante consideración.

De gracia muy grande. De lenguaje populachero. Su vis cómica innegable hace sumamente agradables de leer sus obras teatrales o literarias.

Obras: *El garbanzo*—1875, cuadros históricos contemporáneos—, *Adán y Compañía*—1892, cuadros históricos—, *El corazón de un bandido*—1878, novela—, *El mes de "Sentimientos"*—1891—, y las producciones escénicas: *El alcalde de Móstoles, El caballero de Olmedo, La línea recta, El león enamorado, Callos y caracoles, En la plaza de Oriente, Los forasteros, El sargento de Utrera, La fiesta del Santo, En un lugar de la Mancha, La moral en acción, Buñolería, En la Vicaría, El toro de gracia*...

PALACIO, Manuel del.

Gran poeta, cronista y autor dramático español. Nació—1832—en Lérida. Murió—1906—en Madrid. Se graduó bachiller en Valladolid. En Granada figuró como miembro de la famosa *Cuerda granadina*—academia o tertulia literaria—, al lado de Alarcón, Fernández y González, Moreno Nieto y otros. Apenas llegado a Madrid, por formar parte de las Redacciones de periódicos de ideas muy liberales, sufrió persecuciones múltiples y fue deportado a Puerto Rico. Secretario de la Legación española en Florencia. Oficial de los Ministerios de Fomento y Estado. Representante de España en el Uruguay. Bibliotecario y archivero del Ministerio de Estado. Ministro residente. Académico—1892—de la Real de la Lengua. Presidente durante varios años de la Sección de Literatura del Ateneo de Madrid. Caballero de la gran cruz de Isabel la Católica y de la Orden de Carlos III. Colaborador ilustre de *Madrid Cómico, La Ilustración Española y Americana, Para Todos, Pluma y Lápiz, Nosotros, Gil Blas, La España Moderna, Vida Galante, Blanco y Negro* y otros muchos periódicos y revistas. Popularizó en ellos el seudónimo de "Paco Ila".

El mordaz crítico "Clarín" dijo que en la España de su tiempo había *dos poetas y medio*. Los poetas eran Núñez de Arce y Campoamor; el *medio*, Palacio. El dictado es injusto. Manuel del Palacio es un gran poeta. Muy sensible. Muy correcto. Muy delicado en los temas serios. Lleno de emoción y de musicalidad. Como autor teatral, dominó la técnica y derrochó la gracia. Gran costumbrista. Satírico de calidad. Dueño de un vocabulario rico y castizo. En su época fue de los autores teatrales más solicitados por las empresas y que obtuvo éxitos más resonantes.

Obras: *Museo cómico o tesoro de los chistes*—1863—, *El amor, las mujeres y el matrimonio; Cabezas y calabazas, Doce reales en prosa y algunos versos gratis*—1864—, *Cien sonetos...*—1870—, *Letra menuda*—1877—, *Melodías íntimas*—1884—, *Fruta verde*—1881—, *Veladas de otoño*—1884—, *Adriana*—leyenda—, *Blanca, historia inverosímil*—1885—, *El hermano Adrián...*, y las producciones escénicas *El tío de Alcalá, Por una bellota, El motín de las estrellas, Antes del baile, en el baile y después del baile; Tanto corre como vuela, Marta, Stradella, La reina Topacio, El zapatero y la maya, Don Bucéfalo*...

V. BLANCO Y GARCÍA, P.: *La literatura española en el siglo XIX*.—ALAS, "CLARÍN", Leopoldo: *0,50 pesetas*.—CEJADOR FRAUCA, Julio: *Historia de la lengua y de la literatura castellanas*. Tomo IX.

P

PALACIO ACEBES, José María.

Novelista y autor teatral. Nació—1923—en Valladolid.

Obras: *La vida que no fue de Julio Algarabel*—novela, Madrid, 1945—, *Armando y Julieta*—farsa, estrenada en Madrid, 1946—, *Tres variaciones sobre una frase de amor* —farsa, estrenada en Madrid, 1946.

PALACIO FONTÁN, Eduardo del.

Poeta, crítico literario, ensayista y profesor español. Nació—1872—y murió—1969—en Madrid. Hijo del gran escritor don Manuel del Palacio. Estudió el bachillerato en los colegios de San Isidoro y de Nuestra Señora del Recuerdo. Licenciado en Filosofía y Letras por la Universidad de Madrid. Archivero, bibliotecario, arqueólogo, procedente de la Escuela Superior de Diplomática. Colaborador de *La Ilustración Española y Americana* y de otras muchas revistas. Catedrático de Francés en varios Institutos nacionales, y últimamente—1927—en el del Cardenal Cisneros, de Madrid. Conferenciante amenísimo y de temas eminentemente trascendentales. Laureado por la Real Academia Española de la Lengua con el "Premio Fastenrath, 1929". Ex directivo de la Asociación de Escritores y Artistas Españoles (Madrid), en la cual fue bibliotecario, contador y tesorero; compilador y reeditor de las obras de su padre. Membre effectif de l'Académie de la Ballade Française et des poèmes à forme fixe; délégué général en Espagne de la misma, y colaborador de su periódico; Maître èsjeux vieux-français, único de nacionalidad no francesa.

Obras: *Espuma*—poemas, 1917—, *Théâtre espagnol contemporain*—1914—, *Baratillo* —ensayos y bosquejos literarios, 1934—, *Los hermanos de Bethania*—retablo bíblico en cuatro actos y en verso—, *Clepsidra*—poemas, 1940—, *Pasión y gloria de Gustavo Adolfo*—Madrid, 1945...

Ha traducido innumerables obras de autores franceses y ha compuesto gramáticas y crestomatías excelentes para el estudio del francés...

PALACIO VALDÉS, Armando.

Célebre novelista español. 1853-1938. A mí siempre me ha parecido Palacio Valdés el tipo perfecto del literario burgués. Y la burguesía que aquí le aplico no debe tomarse sino en un sentido estricto de posición vital. Es decir: para mí, Palacio Valdés ha sido siempre un literato ajeno al ambiente literario; el literato que vive acomodado y eufórico, que viste relimpio y correcto, que habla con donosura hogareña, que lee libros bien encuadernados y escribe en un despacho suntuoso y tranquilo, y se acaricia una barba de plata impoluta y cuidada, y se apoya en un bastón con puño de oro; el literato a quien importan tres pitos la fama y la publicidad; el literato que labora como, cuando y lo que le da la real gana; el literato de los batines ingleses de casa; y de las zapatillas guateadas, y de los lentes montados al aire, y de las reconfortantes sobremesas y de los escalofríos entre los radiadores calenturientos; el literato de la Gran Peña, del coche-cama y de los hijos y de los nietos ingenieros y arquitectos; el literato que mejor sabe llevar el hongo, el gabán de cuello de astracán y los botines gris perla por el más sosegado paseo otoñal del Retiro.

Acaso me equivoque en parte. Dicen de Palacio Valdés—nacido en el pueblecito asturiano de Entralgo, bachiller en Oviedo y abogado en Madrid—que su juventud madrileña fue una juventud muy movida en la "Cacharrería" y en el salón de actos del Ateneo, en las Redacciones de *El Imparcial* y *La Correspondencia de España*, alrededor de las mesas del café Inglés y del café Suizo; en las salas de armas, donde pontificaba Cabriñana; en la librería de Fe, donde filosofaba y chascarrilleaba Campoamor; en el ambigú del Congreso, donde ceceaba panaceas políticas Cánovas. Palacio Valdés y su amigo íntimo y paisano "Clarín" eran dos jóvenes muy leídos y... krausistas, empapados de suficiencia oratoria y de un humorismo recalcitrante—suave y vago en Valdés, y fuerte y retozón en "Clarín"—, capaces de poner peros a Santo Tomás y sin embargos a Kant.

Es fácil que fuera como dicen. Pero yo —ni creo que ningún lector de mi generación—no puedo hacerme a la idea de un Palacio Valdés ateneísta y bohemio, señorito perdis y literato profesional, orador violento de paradojas y crítico malévolo de reticencias. Si fue así como dicen, aquello le debió de durar muy poco tiempo. En seguida reaccionó, sanó, se volvió hacia sí mismo y empezó a vivir a buenos y lentos sorbos de paladeo la existencia burguesa de un buen señor cualquiera que escribe cosas para pasar el rato.

Seguramente, porque Palacio Valdés se manumitió con una hijuela de primogenitura del ambiente literario, le fue posible escribir sin prisas no demasiados libros, y que estos libros nos parezcan con un agradable empaque de serenidad y de ponderación. Hasta cuando escribe tragedias a tiempo lento, bien marcadas las situaciones, y en las que no cabe nada vago ni irreal.

Las novelas de Palacio Valdés rezuman la pausa vital, la medida intención, el sopeso constante, el saboreo pleno de su autor. No cabe pensar que el ardor creador llevara a Palacio Valdés a componer una novela en treinta días; ni que su indolencia de perfecto burgués demorara dos o tres años la imposición de otra novela. Cada novela de Palacio Valdés nos entrega la seguridad de que se ha engendrado en el solemne instante en que la pura imaginación quedó copulada por un noble pensamiento; de que se ha gestado en el plazo reglamentario, con la única fatalidad normal de unos días más o unos días menos; de que ha nacido en el momento oportuno para no empecer la vida de sus hermanas mayores; de que ha nacido robusta, atractiva, con mucho aire de familia y muy apegada a los valores de la estirpe. Todas las obras de Palacio Valdés, sea cual fuere su tema, tienen un sello mismo de franqueo en su origen.

Señorío. Ponderación. Claridad. Palacio Valdés nos ha enseñado cómo en el arte de la novela pueden ser abordados todos los temas del realismo... con guante blanco.

Toda la literatura del gran asturiano guarda consonancia con su aspecto físico. Ojos grandes, azules, suavemente chungones. Un rostro algo rubicundo. Una sonrisa de quien sabe que la sonrisa es la mejor disculpa del hombre. Una hermosa barba blanca, bien recortada, bien perfumada, bien acariciada.

Palacio Valdés publicó su primera novela en 1881: *El señorito Octavio,* subtitulándola: novela sin pensamiento trascendental. Y así es, en efecto. Poca acción. Aciertos parciales en la pintura de los caracteres. Un humorismo soterraño, a lo Dickens. Dos años después, en 1883, dos novelas: *El idilio de un enfermo* y *Marta y María.* Aquella, excesivamente divagatoria, absorbiendo el humorismo a la acción, con un buen dibujado paisaje, con unas figuras un tanto inanes. Esta, un verdadero primor. Marta—la ilusión vital—y María—la ilusión soñadora—son dos de las más humanas y bellas mujeres de la novelística española. La oposición entre la vida mística y la vida activa, el análisis de una serie de escrúpulos espirituales, la atinada descripción de Nieva—Avilés—y de sus moradores sirven a Palacio Valdés para lograr una obra de interés y de una emoción inolvidables. Y, en 1885, *José,* ese idilio marino, cuya belleza y verdad le llevan a emparejar dignamente con la *Sotileza,* de Pereda. Con *José* alcanzó Palacio Valdés la fama. Ya era un novelista solicitado. Pero él... no apresuró el paso ni se dio por aludido. ¡Bueno! En 1886, *Riverita.* En 1887, *Maximina.* En 1888, *El cuarto poder. La hermana San Sulpicio,* en 1889. En todas ellas, la técnica igualmente naturalista por lo impersonal; la forma, idéntica en lo clara y sin artificio; el humorismo, siempre fiel a su formación pesimista de los hechos y siempre propenso a un encogimiento de hombros frente a la fatalidad. Y en todas ellas, tipos de

mujer de una atracción irresistible; mujeres que existen, sin duda alguna, y a las que cada hombre iría con gusto, de rodillas, a buscar a la Meca... si le estuviera destinada alguna de ellas; mujeres exquisitas, verdadero premio gordo de la Vida.

En 1890, *La espuma.* Y en 1892, *La fe.* Dos novelas en las que Palacio Valdés acusa la influencia del naturalismo francés. Influencia nefasta y pasajera. Y, en seguida, el grupo de novelas más logradas, para mi gusto: *Los majos de Cádiz*—1896—, *La alegría del capitán Ribot*—1898—y *La aldea perdida* —1903—. De esta última dijo un crítico que era "la novela más purificadora sin moraleja y más docente sin tesis que se ha escrito en España desde hace muchos años". Tres novelas modelos. En las que nada falla. En las que todo cumple y con creces. En las que no se sabe qué admirar más. Tres novelas compuestas sin prisas para la pervivencia sin tiempo.

El origen del pensamiento, Los papeles del doctor Angélico, Tristán o el pesimismo, Santa Rogelia, Los cármenes de Granada. Más novelas. Más novelas. Pero sin abrumar al público. Sin abrumarse él.

En 1906 fue elegido Palacio Valdés miembro de la Academia Española. Agudo de observación, instinto de artista de selección, realista sin extremismos, justo en la mesura de todo y en cada uno de los aspectos literarios, Palacio Valdés es uno de los más grandes novelistas contemporáneos. "No será mucho decir—afirma el crítico Showermann—que ningún novelista español ni extranjero compuso media docena de novelas que aventajen a las seis mejores que han salido de la pluma de Palacio Valdés."

Murió Palacio Valdés en Madrid el 3 de febrero de 1938, en pleno fragor de la guerra civil española.

Otras obras de Palacio Valdés: *El pájaro en la nieve*—1925—, *Sinfonía pastoral*—novela, 1931—, *A cara y cruz*—novela—, *El gobierno de las mujeres, Testamento literario, Tiempos difíciles, Seducción*—1914—, *La guerra injusta*—1918—, *Semblanzas literarias...*

Palacio Valdés es uno de los escritores españoles más traducidos y admirados en el extranjero. Algunas obras suyas están vertidas a once idiomas.

La mejor de sus ediciones es la de M. Aguilar, Madrid, en dos volúmenes, de *Obras completas*—1945.

V. ANTÓN DEL OLMET Y TORRES BERNAL: *Palacio Valdés.* Madrid, [¿1922?]—BELL, Aubrey, F. G.: *Contemporany Spanish Literature.* Nueva York, 1925.—ASTRANA MARÍN, L.: *Estudio* al frente de las *Obras completas.* Madrid, 1945.—BALSEIRO: *Novelistas españoles modernos.* Nueva York, 1933.—NARBONA, R.: *Palacio Valdés o la armonía.* Madrid,

P

1941.—CRUZ RUEDA, A.: *Armando Palacio Valdés*. Jaén, 1924.—PASSEUX-RICHARD, H.: *Armando Palacio Valdés*, en *Rev. Hisp.*, XLII, 305.—VÉZINET, P.: *Les maîtres du romain espagnol contemporain*. París, 1907.— PITOLLET, C.: *Palacio Valdés*, en *B. Hisp.*, 1938, XL, 208.—ROMERA NAVARRO, M.: *Historia de la literatura española*. Boston, 1928. BORDES, L.: *Armando Palacio Valdés*, en *Bull. Hisp.*, tomo I, pág. 62.—SHOWERMANN, G.: *Palacio Valdés*, en *Sewance Review*, 1914, tomo XXII.—ENTRAMBASAGUAS, Joaquín: *Las mejores novelas españolas contemporáneas (1905-1909)*. Barcelona, Planeta, 1958, páginas 3-79. (Contiene una bibliografía exhaustiva.)—FERNÁNDEZ CASTAÑÓN, Luis: *Aportación documental a la vida y obra de Palacio Valdés*. Madrid, *Revista de la Universidad*, I, 1951.—ROCA FRANQUEZA, José María: *La novela de Palacio Valdés*, en *Boletín Estudios Asturianos*, VII, 1953.—COLANGELI ROMANO, María: *Palacio Valdés, romanzieri*. Milella, Lecce, 1957.

PALACIOS, Leopoldo Eulogio.

Poeta, ensayista, profesor español. Nació —1912—en Madrid. Doctor en Filosofía y Letras. Catedrático de Lógica—1944—en la Universidad de Madrid. Conferenciante ilustre. Goza de justa fama como catedrático y pensador. Ha colaborado en *Cruz y Raya, Los Cuatro Vientos, Sí, La Vida sobrenatural* y otras importantes revistas.

Es, además, un muy sensible y hondo poeta.

Obras: *La prudencia política*—1946—, *El Mito de la Nueva Cristiandad, Don Quijote y La vida es Sueño, Filosofía del Saber, El Juicio, el Ingenio y otros ensayos...*

V. SAINZ DE ROBLES, F. C.: *Historia y antología de la poesía española*. Madrid, Aguilar, 1969, 5.ª edición.—VALBUENA PRAT, Angel: *Antología de poesía sacra española*. Barcelona, 1942.—MORENO, Alfonso: *Poesía actual española*. Madrid, Ed. Nacional, 1946. GONZÁLEZ-RUANO, César: *Antología de poetas españoles contemporáneos*. Barcelona, editorial Gili. 1946.

PALACIOS, Pedro Bonifacio (v. «Almafuerte»).

PALACIOS BRUGUERAS, Miguel de.

Poeta y autor teatral muy popular en su época. Nació—1863—en Gijón. Murió—1920—en Covadonga (Asturias). Estudió la carrera de Medicina y Cirugía en Madrid; pero abandonó su ejercicio para dedicarse a la literatura. Ya antes de doctorarse había publicado dos poemas—*Flores de azahar, La cruz del valle*—, una leyenda histórica—*La noche de Villalar*—y una novela—*Las dos*

pobrezas—, que le dieron cierto renombre. También había estrenado, a los dieciocho años de edad, en el teatro de la Comedia, de Madrid, su primera obra dramática, *Modesto González*, a cuya primera representación asistió en pleno la Facultad de Medicina madrileña, que jaleó escandalosamente la obra, consiguiendo que el público llenase el teatro en noches sucesivas.

Dirigió varias revistas teatrales, como *El Trovador* y *La Batuta,* y colaboró en muchos periódicos de Madrid, Barcelona y América.

Sus obras teatrales—escritas la mayoría en colaboración con Perrín—pasan de ciento cuarenta. Además, publicó once obras, entre novelas y cuentos.

Palacios tenía ingenio, gracia y el don de apoderarse oportunamente de los motivos más en boga y del gusto del público para trasplantarlos a la escena con vistosidad.

Obras sin colaboración: *Los dioses de fuego, Las gafas verdes, La esclava de mármol, El comandante, Bocetos madrileños, El rajá de Bengala, El diablo de plata, Pancho, Paco y Paquita; La esclava de su deber, Por una equivocación...*

Obras en colaboración con Perrín: *Madrid en el año dos mil, Los inútiles, Una señora en un tris, Caralampio, El club de los feos, Certamen nacional, Las tres B B B, Las alforjas, Los belenes, La cencerrada, El abate San Martín, Roberto el Diablo, Los amigos de Benito, La maja, Cuadros disolventes, Pepe Gallardo, El traje de boda, El barbero de Sevilla, Enseñanza libre, La manta zamorana, Bohemios, El húsar de la guardia, A B C, La corte de Faraón, El país de las hadas, La generala, Los dioses del día...*

Obras literarias: *Las manzanas*—novela—, *El casco de hierro*—novela—, *Cómo sueñan los hombres*—poemas—, *Propias y ajenas* —novelas cortas—, *Las tres cartas*—poemas—, *Cómo sueñan las mujeres*—poemas...

PALACIOS RUBIOS, Juan López de Vivero (v. **López de Vivero de Palacios Rubios, Juan).**

PALAFOX Y MENDOZA, Juan de.

Erudito y ascético español. Nació—1600— en Fitero (Navarra) y murió—1659—en Osma. Hijo natural—reconocido—de don Jaime Palafox y Mendoza, marqués de Ariza. Estudió en Alcalá y Salamanca, donde llamó la atención por su aplicación y talento. Fiscal del Consejo de Guerra y del Consejo de Indias. Muy admirado y protegido por el rey don Felipe IV. Capellán, consejero y limosnero de la emperatriz doña María, a la que acompañó en su viaje por Italia, Moravia, Bohemia, Suecia, Flandes y Francia. En 1639 fue consagrado obispo de Puebla de los Angeles, en México, saliendo a fines del mismo año para las Indias. Virrey, gobernador, capitán general de Nueva España —1642—. Durante algún tiempo regentó la diócesis de la ciudad de México. Creó más de cincuenta iglesias en su sede, y dio pruebas magníficas de mando y de caridad. Se manifestó adversario radical de los jesuitas, contra quienes escribió numerosos folletos. En 1643 regresó a España, y en 1649 ocupó la sede de Osma.

Fue Palafox y Mendoza un magnífico escritor, de erudición vastísima y de rica y jugosa prosa. Figura en el *Catálogo de autoridades* de la lengua.

Obras: *Sitio y socorro de Fuenterrabía y sucesos del año 1638*—Madrid, 1639—, *Excelencias de San Pedro, príncipe de los Apóstoles*—Madrid, 1659—, *El pastor de Nochebuena, Las direcciones espirituales, Varón de deseos*—1642—, *Año espiritual*—1656—, *Peregrinación de Philotea al santo templo y monte de la Cruz*—Lisboa, 1660—, *Trompeta de Ezequiel a curas y sacerdotes*—1658—, *Tratado breve de escribir bien y de la perfecta ortografía*—1662—, *Bocados espirituales, políticos, místicos y morales*—Madrid, 1662—, *Vida interior del excelentísimo y venerable señor don Juan Palafox*—escrita por él mismo y publicada en Sevilla, 1691, por Lucas Martín...

Edición: Madrid, 1767, 13 tomos.

V. GONZÁLEZ ROSENDE, Antonio: *Biografía de don J. P. y M.* Madrid, 1762.—LATASSA, Félix de: *Biblioteca antigua y nueva de escritores aragoneses...* Zaragoza, 1885, tomo II, págs. 450 y sigs.

PALÁU, Bartolomé de.

Historiador, prosista y autor dramático español. Nació—¿1525?—en Burbáguena (Teruel). Murió en lugar y fecha desconocidos, aunque, probablemente, después de 1583. Estudió en Salamanca, obteniendo el título de bachiller en Sagrada Teología. Sacerdote. Escribió varias comedias alegóricas y religiosas, y varios tratraditos de Historia. Su mayor mérito es haber sido el primero en escribir un drama histórico en castellano de asunto nacional: *Vida de Santa Orosia,* que se refiere a la historia del rey visigodo don Rodrigo, a la caída del Imperio visigótico y a la pérdida de España.

Otras obras: *Farsa llamada Custodia del hombre*—Astorga, 1547—, *Farsa llamada salmantina*—1552, entremés de estudiantes, tomadas las escenas de la realidad, con recuerdos de *La Celestina*—, *Victoria de Cristo* —Zaragoza, 1569, dedicada al arzobispo don Hernando de Aragón—, *Historia de Santa Librada*—citada por Nicolás Antonio.

Hay excelentes ediciones modernas de las obras de Bartolomé Paláu: De la *Farsa salmantina*, en *Bulletin Hispanique,* 1900, tomo II. De la *Victoria de Cristo,* en *Revista Crítica,* 1899. De la *Farsa llamada Custodia del hombre,* en *Archivo de Investigaciones Históricas,* 1911, tomos I y II. De la *Historia de Santa Orosia,* Madrid, 1883, ed. Fernández-Guerra.

V. LATASSA: *Escritores aragoneses...,* I, 280.—MOREL-FATIO, A.: *Estudio* en la edición *Bulletin Hispanique,* 1900.—ROUANET, L.: *Estudio* en la edición *Rev. de Investigaciones Históricas,* 1911.—FERNÁNDEZ GUERRA, A.: *Estudio* en la edición de Madrid, 1883.

PALÁU CATALÁ, Melchor de.

Poeta y publicista español de prestigio. Nació—1843—en Mataró. Murió—1910—en Madrid. Ingeniero de Caminos, Canales y Puertos. Licenciado en Derecho. Catedrático de Geología y Paleontología en la Escuela Especial de su Cuerpo. Académico correspondiente de la de Bellas Artes de San Fernando y honorario de la de Buenas Letras de Barcelona. Académico—1908—de la Real Española de la Lengua.

Son famosísimos los *Cantares* de Paláu, que hoy se sabe de memoria el pueblo. Cantares llenos de delicadeza, de hondura, de sentimiento, en una forma sencilla, concisa y siempre elegante y natural. En este género dificilísimo de poesía *homeopática* nadie ha superado a Paláu. Su éxito inmenso fue sobre manera merecido.

Escribió en catalán y castellano muchas poesías admirables. Y ejerció durante varios años el cargo de crítico literario—con probidad, sutileza y espíritu generoso—en importantísimas publicaciones: *El Museo Universal, La Ilustración Española y Americana, El Mundo Ilustrado, La Ilustración Ibérica...*

Obras: *De Belén al Calvario*—poemas, 1876—, *Verdades poéticas*—1879—, *Poesías* —1914—, *Acontecimientos literarios*—1896—, *Horas de amor*—poemas, 1877—, *Poesías* —Barcelona, 1896—, *Poesías y cantares*—Madrid, 1878—, *Nuevos cantares*—1890—, *Cantares populares y literarios*—Madrid, 1889—, *La ciencia como fuente de inspiración poética*—discurso de ingreso en la Academia Española, 1908...

PALCOS, Alberto.

Escritor, profesor, periodista. Nació en San Carlos, provincia de Buenos Aires, en 1894. Ha dirigido la "Colección de Grandes Escritores Argentinos", en la que publicó libros de autores casi olvidados. Ha realizado importantes estudios sobre el movimiento de mayo de 1810, sobre la Asociación de Mayo, sobre Sarmiento y sobre Bernardino Rivadavia. Su libro *El genio* le destacó en los

P

ambientes científicos y literarios. Su biografía sobre Sarmiento es una de las más completas y está construida de acuerdo con su teoría del genio. Una amplia visión histórica proyecta aquella heroica y entusiasta vida de ciudadano y de hombre. El genio con su obra y sus jornadas cotidianas, viven su pasión en estas páginas de Palcos. Un estilo claro, sin retóricas, ajustado al pensamiento, prieto de hechos y documentos, vertebra el libro.

Alberto Palcos ha publicado: *El genio, Sarmiento: su obra, su vida y su genio, El Facundo*—estudio crítico—, *La visión de Rivadavia, Echeverría, Dogma socialista*—amplio estudio sobre la generación de mayo, proscripta durante la época de Rosas, y posteriormente organizadora de la unidad nacional.

PALENCIA, Alfonso Fernández de.

Gran prosista y cronista español. Nació —1423—en Osma. Murió en 1492. Su verdadero nombre era Alfonso Fernández de Palencia. Se educó en el palacio del ilustre burgalés Alfonso de Santa María. En 1441 fue familiar del famoso Alonso de Cartagena, obispo de Burgos. Pasó a Italia, entrando al servicio del cardenal Besarión, con quien permaneció hasta 1453. Estudió Humanidades con Jorge Trapezuncio. Vuelto a España, después de pertenecer durante algún tiempo a la casa del arzobispo de Sevilla, Fonseca, sucedió a Juan de Mena en el cargo de secretario de cartas latinas y cronista de Juan II. Se declaró luego partidario de don Alfonso—1468—e intervino en las negociaciones para la boda de doña Isabel con don Fernando de Aragón, siendo actor en arriesgados y pintorescos lances. Ayudó eficazmente a establecer la Santa Hermandad en Sevilla—1476—. Desde esta fecha desaparece bruscamente de la escena política, y nada más se sabe de él, sino que murió en 1492. Su nombre figura en el *Catálogo de autoridades* del idioma.

De ingenio observador y perspicaz, escribió el castellano con brío y empuje; pero todavía latiniza como los más de sus contemporáneos, "aunque la mordacidad sincera le haga sacar del romance más vivos chispazos que a otros". Como historiador, se le acusó de ser terriblemente parcial, de ensañarse con las figuras de don Alvaro de Luna y de don Enrique IV. La crítica moderna ha comprobado que no lo fue tanto. Conoció escasamente el griego, pero fue un magnífico latinista. Hablaba a la perfección el italiano y el francés. De gran cultura. Humanista de extraordinaria importancia.

Obras: *Batalla campal de los perros y los lobos*—1556, impresa en Sevilla, 1590, sátira alegórica de las luchas políticas de su tiempo—, *Tratado de la perfección del triunfo militar*—1459, impresa en Sevilla hacia 1490—, *De sinoymis elegantibus*—Sevilla, 1491—, *Universal vocabulario en latín i romance*—Sevilla, 1490—, *Décadas*, es decir, *Gesta Hispaniensia ex annalibus suorum diebus*—su obra magna, traducida por Paz y Meliá con el título de *Crónica de Enrique IV*—, y las traducciones de los *Varones ilustres*, de Plutarco, y de las *Guerras de los judíos*, de Josefo.

Ediciones modernas: *Dos tratados*, ed. Fabié, en *Libros de antaño*, tomo V. *Crónica de Enrique IV*, Madrid, 1904 y 1912, en cinco volúmenes.

V. HOLLAND, W. L.: *Fur geschichte Castillens, Bruchstücke aus der Chronik des Alonso de Palencia*. Tubinga, 1850.—CIROT, G.: *Les "Décades" d'Alfonso de Palencia...*, en *Bull. Hispanique*, 1909, XI.—FABIÉ, A. M.: *Estudio* en la ed. de *Dos tratados*. Madrid, 1876.—PAZ Y MELIÁ, A.: *El cronista Alfonso de Palencia*. Madrid, 1914.—PUYOL, J.: *Los cronistas de Enrique IV*, en *Boletín de la Academia de la Historia*, 1921, LXXVIII.

PALENCIA, Ceferino.

Autor dramático español. Nació—1860—en Fuente de Pedro Naharro (Cuenca). Murió —1928—en Madrid. Estudió en esta ciudad Medicina y antes de acabar la carrera estrenó su primera obra escénica: *El cura de San Antonio*. Contrajo matrimonio con la famosa actriz María Alvarez Tubáu, y desde entonces dedicóse a dirigir la compañía teatral en que figuraba su esposa como primera actriz, viajando por toda España y América durante muchos años. En 1915 fue nombrado catedrático de Declamación del Conservatorio de Madrid.

Autor muy hábil para escoger las situaciones dramáticas. Fino dibujante de personajes y ambientes. Expertísimo en los diálogos y en la dosificación del interés de los argumentos. Con cierto patetismo de buen gusto.

Obras: *El guardián de la casa*—1881—, *Cariños que matan*—1882—, *La charra* —1884—, *Decíamos ayer...*—1893—, *Nieves* —1894—, *Currita Albornoz*—1897—, *Comediantes y toreros, o La Vicaría*—1897—; *Pepita Tudó*—1901—, *La nube*—1908—, *La mala estrella*—1910—, *La bella Pinguito*—1915...

PALÉS MATOS, Luis.

Poeta puertorriqueño. Nació—1899—y murió—1959—en Guayama. Maestro rural. Muy pronto se hizo popularísimo con sus poemas de sentidos y hondos temas afrocubanos, con sus evocaciones brillantes, encalenturadas y casi angustiosas de misteriosos pueblos. Según Leguizamón, refiriéndose a Puerto Rico: "El más original de sus poetas es Palés Matos, trabajador en la veta entrañable de los motivos negros. En ellos prescinde de toda influencia extraña, tal vez por tocar la raíz misma de la expresión genuina. A veces irónico—*Canción festiva para ser llorada*—, su genio descriptivo señorea en la fiel transcripción del folklore o el cuadro negro: *Lamento, Danza negra, Camdombe, Majestad negra*, etc...."

Palés Matos, impresionista de primer orden, pletórico de gracia humana y de fuerza colorista y de genial dibujo, es uno de los líricos más interesantes de hoy en toda Hispanoamérica.

Obras: *El palacio de sombras*—novela de política y bandidaje—, *Canciones de la vida media, Azaleas*—1915—, *Tun-Tun de Pasa y Grifería*—1937.

V. Valbuena Prat, Angel: *Sobre la poesía de Luis Palés Matos y los temas negros*. Prólogo de *Tun-Tun de Pasa y Grifería*. 1937.—Sanz y Díaz, José: *Lira negra*. Madrid, "Colección Crisol", núm. 21, Madrid, 1943.—Ribera Chevremont, E.: *Antología de poetas jóvenes de Puerto Rico*. San Juan, 1918.—Valbuena Briones, Angel: *La poesía portorriqueña contemporánea*. Tesis doctoral. Madrid, 1952.—Ortiz, Fernando: *Acerca de la poesía mulata. Escorzos para su estudio*, en *Revista Bimestre Cubana*, 1936.—Arce de Vázquez, Margot: *Más sobre los poemas negros de Arce*, en *Revista Bimestre Cubana*, 1936.—González Contreras, Gilberto: *La poesía negra*, en *Revista Bimestre Cubana*, 1937.

PALMA, Bachiller Alonso.

Historiador español del siglo XV, de quien se tienen escasísimas noticias. Fue hijo del licenciado Palma; debió de nacer en Toledo y estudiar en Salamanca. Sacerdote. Tuvo un pleito con otro clérigo, Francisco Sánchez, por la posesión y goce de beneficio servidero en la iglesia de San Miguel, del lugar de Tarazona, aldea y término de la ciudad de Salamanca.

Se conoce de él una única, breve y curiosa obra: *Divina retribución sobre la caída de España en tiempo de don Juan II*, libro que sigue la historia de Castilla durante cerca de un siglo: 1385 a 1478, y que no es erudito, sino de amena divulgación. Está escrito con imparcialidad, claridad y brillantez. La primera mención de este libro la hizo Fernán Mexía, en su *Nobiliario Vero*.

Hay una buena edición moderna: "Bibliófilos Españoles", Madrid, 1879.

V. Escudero de la Peña, J. M.: *Introducción* a la edición de 1879, Madrid.—Amador de los Ríos, J.: *Historia crítica de la literatura castellana*.

PALMA, Angélica.

Escritora peruana, hija de don Ricardo. Nació—1883—en Lima. Estudió en el Colegio Fanning, de su ciudad natal. Colaboró en numerosos diarios y revistas, firmando con el seudónimo de "Marianela". Delegada del Perú en el Congreso Interamericano de Mujeres celebrado en Panamá—1926—. Delegada del Perú en las Exposiciones de Sevilla y Barcelona—1929—. Ha colaborado en el gran diario madrileño *El Sol* y en la *Nación*, de Buenos Aires. En 1921 obtuvo un premio del Congreso Internacional Literario de Buenos Aires con su libro *Coloniaje romántico*. Miembro de las Academias Hispanoamericana de Cádiz y de Buenas Letras barcelonesa. Posee la encomienda de la Orden de don Alfonso XII. En 1924 ganó el primer premio del Concurso Ayacucho, de Lima, con *Tiempos de la patria vieja*.

Posee una sensibilidad exquisita, gran fuerza creadora, maestría narrativa, primores de estilo y de pintura de ambientes y caracteres. En sus obras se armonizan la claridad, la emoción, el realismo y la ternura.

Otras obras: *Vencida*—Lima, 1918—, *Por senda propia*—Lima, 1921—, *Cartas son cartas, Al azar, Uno de tantos*—novela, Madrid, 1926—, *"Fernán Caballero", la novelista novelable*—Madrid, 1931—, *Contando cuentos* —1930—, *Dos hipótesis, Ricardo Palma*...

V. Sánchez, Luis Alberto: *La literatura peruana*. Lima, 1936, tres tomos.—Sánchez, Luis Alberto: *La literatura del Perú*. Buenos Aires, 1944.

PALMA, Clemente.

Literato y diplomático peruano. Nació —1872—en Lima. Hijo del famoso autor de las *Tradiciones peruanas*. Estudió en los colegios de Guadalupe y Labarthe. Diplomático ilustre. Ha representado a su país en distintos países europeos e hispanoamericanos. De 1902 a 1904 fue cónsul en Barcelona. En 1907 creó y dirigió la revista *Prisma*. Y en 1908 dirigió la revista *Variedades*. También ha dirigido la *Ilustración Peruana* y—desde 1912—*La Crónica*.

De pluma ágil y sugerente, ha escrito narraciones admirables por el interés y la fuerza creadora.

Obras: *De jueves a jueves*—crónicas y narraciones—, *Cuentos malévolos*—París, 1904—, *Historietas malignas*—Lima, 1923—, *X Y Z*—novela de humor y de fantasía, Lima, 1934...

V. Sánchez, Luis Alberto: *La literatura peruana*. Lima, 1936, tres tomos.—Sánchez, Luis Alberto: *La literatura del Perú*. Buenos Aires, 1944.

P

PALMA, Luis de la.

Notable escritor ascético español. Nació —1560—en Toledo. Murió—1641—en Madrid. Jesuita. Enseñó Filosofía y Teología en Murcia. Predicador del célebre Colegio Imperial de Madrid. Predicó varias veces ante Felipe II en la Real Capilla. Rector del Colegio de Talavera. Dos veces provincial de Toledo. No empezó a escribir hasta los últimos años de su vida, y si publicó sus escritos, se debe a las exhortaciones del padre Mucio Vitelleschi, general de la Compañía.

Luis de la Palma fue profundo, sobrio y elegante de estilo, sutil de ideas, magnífico de razonamientos, sólido de doctrina, de tierna devoción y fervorosos afectos. Y merece figurar entre los primeros escritores ascéticos españoles.

Obras: *Historia de la Sagrada Pasión*—Alcalá, 1624—, *Camino espiritual de la manera que lo enseñaba el bienaventurado padre San Ignacio de Loyola...*—Alcalá, 1626—, *Práctica y breve declaración del camino espiritual*—Madrid, 1629—, *Tratado de examen de conciencia...*—traducido al latín y publicado en Amberes, 1700—, *Vida del señor Gonzalo de la Palma*—Madrid, 1879—. Algunos opúsculos suyos han quedado inéditos.

V. ASTRAÍN, P.: *Historia de la Compañía de Jesús...* Tomo V.—GUILHERMY, P.: *Ménologe de la Compagnie de Jésus, Assistance d'Espagne.* Tomo I.—SOMMERVOGEL: *Bibliothèque de la Compagnie de Jésus.* Tomo VI.

PALMA, Ricardo.

Poeta, cuentista, prosista, historiador de extraordinaria fama. 1833-1919. De Lima (Perú). Vivió una juventud bohemia y romántica, escribiendo dramas truculentos, algunos de los cuales—*Rodil*, 1851—obtuvo éxito grande, y poesías inspiradas en las de Bécquer y Zorrilla. Tradujo a Víctor Hugo y a Longfellow. Perseguido por burlas hechas a políticos en candelero, hubo de vivir en Chile durante algún tiempo, sin dejar de intervenir en debates políticos. Gozó de gran influencia durante el gobierno de José Balta —1868 a 1872—, de quien fue secretario, y en cuyo período desempeñó una senaduría. Palma ocupó la dirección de la Biblioteca Nacional de Lima desde 1884 hasta 1912, restaurándola poco después de su destrucción por los invasores chilenos—1881.

Palma se ha hecho famoso en todo el mundo por sus *Tradiciones peruanas,* modelo de amenidad, de fuerza evocadora, de gracia expresiva. Palma ha sido el prosista más castizo de su tierra, claro, elegante, apicarado, socarrón a veces, siempre sugestivo.

Don Juan Valera le declaró en una sabrosa carta americana de las suyas: "Yo tengo la firme persuasión de que no hay historia grave, severa y rica de documentos fehacientes que venza a las *Tradiciones* de usted en dar idea clara de lo que fue el Perú hasta hace poco y en presentar su fiel retrato... Su obra de usted es amenísima: el asunto está despilfarrado, tan conciso es el estilo. Anécdotas, leyendas, cuentos, cuadros de costumbres, artículos críticos, todo sucede con rapidez, prestando grata variedad a la obra, cuya unidad estriba en que todo concurre a pintar la sociedad, la vida y las costumbres peruanas desde la llegada de Francisco Pizarro hasta casi nuestros días. En la manera de escribir de usted hay algo parecido a la manera de mi antiguo y grande amigo Serafín Estébanez Calderón, el *Solitario;* portentosa riqueza de voces, frases y giros tomados alternativamente de boca del vulgo, de la gente que bulle en mercados y tabernas, y de los libros y demás escritos de los siglos XVI y XVII y barajado todo ello y combinado con no pequeño artificio. En el *Solitario* había más elegancia y atildamiento; en usted, mucha más facilidad, espontaneidad y concisión... Aunque es usted tan conciso, tiene usted el arte de animar las figuras y dejarlas grabadas en la imaginación del lector."

La narración de Palma no es nunca impersonal; cada frase, cada palabra transparenta en el tono espontáneo de la pasión y la ironía la actitud del autor respecto de los personajes y los sucesos. Filosofía humana y generosa hay en los escritos de Palma. "Palma se acerca más en su burla a la locuaz manera española que a la concisa ironía de Francia. No es la suya la frase incisa de Voltaire, en que más se adivina que se lee, esa sonrisa apenas insinuada. Casi nunca intenta ser irónico. En la ironía hay siempre escondida cierta hostilidad, y Palma, amante sincero de la colonia, no puede reír de sus hábitos y escarnecer sus supersticiones. Por esta mezcla de emoción y travesura, en que hay bastante entusiasmo para evitar la malevolencia y mucha lucidez para dejarse cegar por el entusiasmo, Palma consigue que su visión parezca la más veraz." (García Calderón.)

Las *Tradiciones peruanas* han sido traducidas a distintos idiomas y reimpresas numerosísimas veces.

Como poeta y dramaturgo, no vale Palma gran cosa, ni él presumió tampoco de ello.

El estilo de Palma es sumamente castizo, y lo es sin aparato y todo lo más español que cabe serlo. No tiene, cuando escribe, las preocupaciones de un artista ni los escrúpulos de un académico; de aquí la sencillez encantadora de su prosa, con la que dice bien cuanto quiere decir.

Obras: *Armonías*—versos, París, 1865—, *Pasionarias*—versos, Havre, 1870—, *Tradicio-*

nes peruanas—1.ª serie, con los *Anales de la Inquisición de Lima*, Lima, 1872—, *Tradiciones peruanas*—2.ª serie, Lima, 1874—, *Tradiciones peruanas*—3.ª serie, Lima, 1875—, *Tradiciones*—seis series y el estudio histórico *Monteagudo y Sánchez Carrión*, más la *Polémica*, Lima, 1876—, *Poesías y La bohemia de mi tiempo*—Lima, 1886—, *Ropa vieja*—7.ª serie de las *Tradiciones*, Lima, 1889—, *Ropa apolillada*—8.ª serie de las *Tradiciones*, Lima, 1891—, *Recuerdos de España*—Lima, 1899—, *Papeletas lexicográficas*—1905—, *Mis últimas tradiciones peruanas*—Barcelona, 1906—, *Apéndice a mis últimas tradiciones peruanas*—Barcelona, 1910—, *Poesías completas*—Barcelona, 1911—, *El demonio de los Andes*—1911—, *Apuntes para la historia de la Biblioteca de Lima*—Lima, 1912—, *Filigranas*—poesías, Lima, 1892...

La edición más hermosa y completa de las *Tradiciones* es la publicada por la editorial madrileña Espasa-Calpe, en seis volúmenes, con ilustraciones de Marco.

Posteriormente—1952—, la editorial Aguilar ha publicado otra edición—en un tomo de lujo—que en nada desmerece de la anterior; edición preparada por Edith Palma, hija del gran escritor.

V. VALERA, Juan: *Nuevas cartas americanas*. Madrid, 1890.—LAUXAR, J.: *Motivos de crítica hispanoamericana*, pág. 51.—GARCÍA CALDERÓN, Ventura: *La literatura peruana*. París, 1914.—LEAVIT STURGIS, E.: *A tentativa bibliography of peruvian literature*. Harvard, 1932.—SÁNCHEZ, Luis A.: *La literatura peruana*. Lima, 1936, tres tomos.—SÁNCHEZ, Luis A.: *La literatura del Perú*. Buenos Aires, 1944.—PALMA, Edith: Prólogo a la edición M. Aguilar, Madrid, 1952.

PALMA Y ROMAY, Ramón.

Poeta, novelista y periodista cubano. Nació—1812—y murió—1860—en la Habana. En 1830 aparecieron sus primeras poesías, que firmó con el seudónimo del "Bachiller Alfonso de Maldonado". Y tres años después, con ocasión de las fiestas por la jura de la princesa Isabel (II) de España, dedicó a esta futura reina una poesía: *Atributos de la hermosura*, por la que mereció ser nombrado *Vate del Carrousel*.

En 1837, en colaboración con Echeverría, publicó la colección de artículos y poesías de autores cubanos el *Aguinaldo habanero*. En 1838 fundó *El Plantel*. Y colaboró asiduamente en *El Album*, en el *Diario de la Habana*, en *El Artista*, en el *Diario de Avisos*, en la *Revista de la Habana* y en otras revistas y colecciones importantes. Durante algunos años dirigió un colegio de segunda enseñanza en Matanzas. En 1842 se licenció en Leyes y ejerció, sin mucho éxito, durante poco tiempo.

Obras: *Aves de paso*—poesías, 1841—, *Hojas caídas*—poesías, 1843—, *Melodías poéticas*—1846—, *El ermitaño del Niágara*—novela—, *La vuelta del cruzado*—drama, 1837—, *Una escena del descubrimiento de Colón*—opereta, 1848—, *Una pascua en San Marcos*—novela—, *El cólera en la Habana*—novelita...

V. REMOS Y RUBIO, Juan: *Historia de la literatura cubana*. La Habana, 1925.—SALAZAR Y ROIG, S.: *Historia de la literatura cubana*. La Habana, 1939.—MENDIVE, Rafael María: *América poética*. La Habana, dos tomos, 1854-1856.—GUITERAS, Pedro: *Estudios de literatura cubana*. Nueva York, 1875.—CALCAGNO, Francisco: *Diccionario biográfico cubano*. Nueva York, dos tomos, 1878-1886. GONZÁLEZ DEL VALLE, Martín: *La poesía lírica en Cuba*. La Habana, 1892.

PALMIRENO, Juan Lorenzo.

Humanista y erudito español. Nació —¿1514?—en Alcañiz (Teruel) y murió en 1579. Tuvo cátedra de latinidad y de retórica en Zaragoza. De la Universidad zaragozana pasó a la de Valencia, ciudad en la que permaneció hasta su muerte.

Juan Lorenzo Palmireno fue un extraordinario pedagogo, hombre muy erudito en latín y en griego. Se graduó bachiller en Medicina, en Valencia, hacia 1563. De sus aulas de Zaragoza y de Valencia sacó muchos y excelentes discípulos.

Como poeta, fue muy malo. Y en sus obras de erudición peca por la abundancia desordenada. "Las obras de Palmireno—escribió Mayáns con zumba—son semejantes a una almoneda, donde se puede tomar algunas cosas y dejar muchas más." Su nombre figura en el *Catálogo de autoridades de la lengua*, publicado por la Academia Española.

Obras: *Rhetorica*—1564 y 1565—, *Silva de vocablos y frases de medidas y monedas*—1563—, *Vocabulario del humanista* —1559—, *Ortographia*—1573—, *El latino de repente*—1573—, *Descuidos de los latinos de nuestro tiempo*—1573—, *España abreviada* —1573—, *Descanso de estudiosos ilustres* —1578—, *El estudioso cortesano*...

V. LATASSA, Félix: *Biblioteca nueva de los escritores aragoneses*.—LATASSA-GÓMEZ URIEL: *Diccionario biográfico-bibliográfico de escritores aragoneses*. Zaragoza, 1885.

PALOMINO JIMÉNEZ, Ángel.

Humorista, periodista, narrador. Nació —1919—en Toledo, donde estudió el bachillerato, licenciándose en Ciencias en la Universidad de Madrid. Durante la guerra española de Liberación, recién salido de la Academia de Infantería, tomó parte muy activa en ella. Más tarde fue oficial instructor en el

P

ejército marroquí. Ha colaborado en diarios y revistas con crónicas y cuentos de excelente humor, muy moderno. Por siete veces ha obtenido el "Premio Ejército de Literatura y Periodismo". Y también ganó el "Premio Internacional de Literatura Publicitaria". Profesor de Historia y Geografía durante algún tiempo en la Escuela Militar de Infantería. Colaborador habitual de La Codorniz. Varios años ha ocupado puestos directivos en la industria hotelera. Y en 1971 le fue otorgado el "Premio Nacional de Novela Miguel de Cervantes" a su obra Torremolinos Hotel. En su haber, más de un centenar de excelentes cuentos.

Otras obras: Mientras velas las armas—ensayos—, El César de papel—novela—, La luna no se llama Pérez—poesía de humor—, Zamora y Gomorra—novela, "Premio Club Internacional de Prensa, 1968".

PALLAIS, Azarías H.

Poeta y prosista nicaragüense. Nació —1885—en León, de una familia de origen francés. Estudió en el Seminario de Lovaina (Bélgica). Sacerdote. Viajero incansable. Maestro muy respetado de las posteriores generaciones de líricos, quienes le llamaban "nuestro capellán" o bien "nuestro arcipreste". Gran orador sagrado y recitador. Domina el hebreo y el griego. Es miembro de la Academia Nicaragüense de la Lengua y corresponsal de la Real Española. Párroco del Puerto Corinto.

"Con la pureza del agua, utile et humile et pretiosa et casta, como decía San Francisco de Asís, la poesía de Pallais es una de las menos variables que hay, siempre igual a sí misma, pero sus versos corren con una novedad y frescura permanentes. Es una poesía limpia, de pulcritud holandesa, con sus versos muy aseados y formales, muy honestamente rimados. Siempre llevan la misma regla y el mismo hábito sus versos, uniformes parejas de alejandrinos, como un desfile cadencioso de frailes. Con su doble pausa y unidos en el ángulo de las rimas, esos pares de alejandrinos son al modo de los arcos ojivales. Tienen una música que recuerda las cantilenas alternadas del rosario, las letanías monorrítmicas... Pero ese ritmo invariable no nos cansa nunca, porque al igual que en los cantos de la Iglesia, debajo corre una poesía fresquísima y sin rutina." (Ernesto Cardenal.)

Obras: A la sombra del agua, Espumas y estrellas, Caminos, El libro de las palabras evangelizadas, Bello tono menor, Hesperia, Glosas...

V. NUEVA POESÍA NICARAGÜENSE: Introducción de Ernesto Cardenal. Selección y notas de Orlando Cuadra Downing. Madrid, 1949.

PAMPLONA ESCUDERO, Rafael.

Novelista y periodista aragonés. Nació —1865—y murió—1928—en Zaragoza. Doctor en Derecho y profesor mercantil. Colaboró asiduamente en Blanco y Negro, La Revista de Aragón, Cultura Española y en varios diarios de Zaragoza. Alcalde de su ciudad natal y presidente de la Sección de Literatura del Ateneo zaragozano.

En 1904, su novela Cuartel de inválidos fue premiada en un concurso abierto por una editorial catalana, al que concurrieron los mejores novelistas españoles.

De él escribió el gran crítico Andrés González-Blanco: "Es de los novelistas sanos y fuertes, de buena cepa castellana, de los que tienen la franqueza de hacer novela plácida y honesta que deja en paz el alma. Pamplona es de la estirpe de Alarcón, Pereda, Palacio Valdés y la Pardo Bazán en algunas de sus obras."

Otras obras: Engracia—1905—, Tierra prometida—1906—, El camino de los ciegos —1908—, Boda y mortaja—1909—, Juego de damas—1910—, Los pueblos dormidos. —1911—, El hijo de Parsifal—1912—, El asalto de Fuerte Aventín—1912—, El cura de misa y olla—1916—, Don Martín el Humano—1916—, Cuentos del silenciario, La nueva era, Expiación, Compendio de la vida de Santa Teresa, Los amarillos, Las tamboras, El charlatán político...

Cejador escribió de él: "Novelista de robusto temple y sano realismo..., sobrio en el describir..., dejándose correr por los carriles del tradicional aliento español y empapando sus obras en la sana moral del cristianismo..."

V. CEJADOR Y FRAUCA, Julio: Historia de la lengua y literatura castellana. Madrid, 1920, tomo XII, págs. 141-44.—GONZÁLEZ-BLANCO, Andrés: Historia de la novela contemporánea en España. Madrid, 1909.—[ANÓNIMO]: Aragoneses contemporáneos... Zaragoza, 1934.

PANE, Ignacio A.

Poeta, profesor y crítico literario paraguayo. 1880-1920. Periodista. Conferenciante. Crítico y antologista de gran talento. Cultivó con gran inspiración y naturalidad los temas vernáculos, las leyendas y los cuadros de la Naturaleza.

Entre sus composiciones más populares figuran: Ybapurú, El Pombero, Oda al Paraguay, Al héroe de Curupayty, La mujer paraguaya..., Tratado de Sociología.

V. RODRÍGUEZ ALCALÁ, José: Antología paraguaya. Asunción, 1910.—BUZÓ GOMES, Sinforiano: Indice de la poesía paraguaya. Buenos Aires, 1943.—DE VITIS, Michael A. de: Parnaso paraguayo. Barcelona, Maucci,

1924.—FLEYTAS DOMÍNGUEZ: *Parnaso para-guay*. Asunción, 1911.—DÍAZ PÉREZ, Viria-to: *La literatura del Paraguay*, en el to-mo XII de la *Historia universal de la lite-ratura*, de Prampolini. Buenos Aires, Uteha Argentina, 1940.

PANERO, Juan.

Poeta excelente. Nació—1908—en Astorga (León). Murió en 1937.

"La juventud de Juan Panero dejó una obra casi en su mayoría inédita, en la que se aprecian bien claramente dos tenden-cias: una, serena, neorrenacentista, en la que principalmente los sonetos tienen ecos comunes con los de Dionisio Ridruejo...; otra, de verso libre, poesía de largo período, que nos recuerda ciertas semejanzas con las maneras de Luis Felipe Vivanco: un clasi-cismo de pensamiento, de concepto, y una expresión casi sálmica, laboriosa y lenta. Había en Juan Panero uno de los poetas jóvenes más hondos y precisos de su tiem-po." (G.-Ruano.)

Obras: *Selección poética*—en la revista *Sí*, de Madrid, 1942—, *Presentimiento de la ausencia*—selección poética, en el núme-ro 1 de *Escorial*, Madrid, 1940—, *Cantos de ofrecimiento*—Madrid, 1936.

V. VALBUENA PRAT, A.: *Historia de la lite-tura española*. Barcelona, edit. Gili, 1950, tomo III.—DÍAZ-PLAJA, G.: *Poesía lírica es-pañola*. Barcelona, Labor, 1948.—SAINZ DE ROBLES, F. C.: *Historia y antología de la poesía española*. Madrid, Aguilar, 1969, 5.ª edición.

PANERO, Leopoldo.

Uno de los más hondos y originales poetas españoles contemporáneos. Nació—1909—y murió—1962—en Astorga (León). Licenciado en Derecho. Amplió estudios en Cambridge —1932 a 1934—y en Tours y Poitiers (Fran-cia)—1935—. Sus primeros versos los pu-blicó en *Nueva Revista*, de Madrid. Dirigió la revista *Correo Literario*, y figuró—1952—como organizador de las Exposiciones de Arte (Bienales). Sobresalió rápidamente, a partir de 1939, por su lirismo lleno de hu-manidad y de emoción, por su dominio y elegancia de la forma, por su transparente melancolía, por la desnuda verdad de su mensaje poético.

Leopoldo Panero, sin ceder a ningún otro poeta actual en el hondo sentir expresado con una impresionante modernidad, ha su-perado a casi todos en puro fervor poético, en sutil reconcomio patético, en un autén-tico regreso a las más espléndidas emocio-nes barrocas de nuestros mejores líricos del siglo XVII. En la poesía de Panero todo es trance de fervor, aviso de anhelo espiritual,

precisión de valores morales, universalidad de conceptos, verdad de entrega íntima. Aca-so no haya demasiado color ni detonantes imágenes en su poesía; pero, compensando, ¡cuánto apremio ilusionado, cuánta inquie-tud casi angustiosa! Poesía cálida, estreme-cida, supurada, la de Leopoldo Panero...

Tiene tres colecciones muy prietas de poe-sía en las revistas *Escorial*—Madrid, 1940—, *Haz*—Madrid—y *Fantasía*—Madrid, 1944—. En 1949 publicó su libro *Escrito a cada ins-tante*, al que la Real Academia Española de la Lengua concedió el "Premio Fastenrath". *Canto personal. (Carta perdida a Pablo Ne-ruda.)*—poema, 1953—, *Poesía*—1963—, Ins-tituto de Cultura Hispánica.

V. MORENO, Alfonso: *Poesía española ac-tual*. Madrid, Ed. Nacional, 1946.—VALBUENA PRAT, A.: *Historia de la literatura española*. Barcelona, 1950, tomo III.—SAINZ DE RO-BLES, F. C.: *Historia y antología de la poesía española*. Madrid, Aguilar, 1969, 5.ª edición. DÍAZ-PLAJA, G.: *Poesía lírica española*. Bar-celona, Labor, 1948, 2.ª edición.—ALONSO, Dámaso: *La poesía arraigada de Leopoldo Panero*, en *Poetas Españoles Contemporáneos*. Madrid, edit. Gredos, 1952.

PANES, Fray Antonio.

Místico español. 1625-1676. Probablemente nació en Granada. Estudió en Alcalá y en Salamanca, ingresando después en la Orden franciscana. Llevó una vida entregada a la devoción y a la emoción. Se le atribuyen éxtasis y milagros. Fue, además, un poeta fluido, libre de los vicios del culteranismo y conceptismo, "de moda" en su época.

Obras: *Escala mística*—1675, tratado de la contemplación—, *Estímulo de amor divi-no*—en verso.

Se le atribuye a fray Antonio Panes la famosa décima, dedicada a la Virgen Santí-sima, que empieza: *Bendita sea tu pureza...*

También publicó una *Chronica de la Pro-vincia de San Juan Baptista de Religiosos Menores Descalzos*—Valencia, 1665.

PAR, Alfonso.

Literato y filólogo español. Nació—1879—y murió asesinado—1936—en Barcelona. Co-merciante de profesión. Estudió Letras. Y dedicó toda su vida a los estudios filológi-cos y críticos con la mayor competencia. Su labor científica fue siempre de gran solidez. Estudió con grandes detalles el teatro inglés de la época isabelina, y principalmente el de Shakespeare, autor del que tradujo algu-nas obras.

Obras: *Shakespeare y la literatura espa-ñola*—1935, dos tomos—, *Sintaxis catalana de Bernat Metge*—1923—, *Curial y Guelfa: notas lingüísticas*—1928—, edición crítica de

P

Curial y Guelfa—1932, en colaboración con Miquel y Planas...

PARAVICINO Y ARTEAGA, Hortensio Félix.

Interesante poeta y orador sagrado español. 1580-1633. Madrileño. Estudió con los jesuitas de Ocaña y en las Universidades de Alcalá y Salamanca. Ingresó en los Trinitarios de la villa y corte. Famoso orador sagrado y famoso poeta, con un intenso culteranismo en los sermones y en las poesías. Sufrió las burlas de no pocos de sus contemporáneos: de Tirso, Calderón, Ruiz de Alarcón, Montalbán... Llegó a provincial de su Orden. Le protegieron Felipe III y Felipe IV, monarcas de los que fue orador predilecto. Amistó con el Greco, artista maravilloso, que le hizo un retrato pasmoso, y al que correspondió Paravicino con cuatro sonetos, que son de lo más inspirado de su obra poética. Como definidor general de los Trinitarios, recorrió Flandes, Francia, Roma y Nápoles. En *Obras póstumas, divinas y humanas*—Madrid, 1641—quedó recogida la mayor parte de sus poesías.

Paravicino representa el triunfo del barroquismo en la oratoria sagrada. Sus obras poéticas nos han llegado en el volumen de *Obras póstumas, divinas y humanas*, publicadas en 1641. Son una serie de composiciones de asunto sacro-profano, y una comedia —*Gridonia, o Cielo de amor vengado*—, que es un puro alarde de tramoya y de imágenes detonantes. En los temas profanos, Paravicino es un imitador fiel de Góngora; la temática es nimia; la cuestión es acumular el juego retórico...

> En maligno albor, la noche
> orientes arduos emula,
> y sobre huellas lucientes
> estampas afecta oscuras.
> Medrosa al caer del cielo
> los crepúsculos, escucha
> ecos de un ardor que ausente
> batallas dilata muda...

En el aspecto religioso, Paravicino es un conceptuoso, que sigue las huellas de Quevedo y de Ledesma. A Paravicino le entusiasmaba lo patético abultado, lo apoteótico sin explicación posible, para expresar lo cual —muy vagamente, como es lógico—abusó de alegorías, sutilezas y de otros impropios artificios. Fuegos artificiales, en suma, cuanto más detonantes y coloreados, mejor.

Otras obras: *Oraciones evangélicas o discursos panegíricos y morales*—1638—, *Epitafios y elogios fúnebres a Felipe III "el Piadoso"*, *España probada*, *Vida... del beato Simón Rojas*, *Constancia christiana*...

Poesías de Paravicino pueden leerse en los tomos XVI y XXXV de la "Biblioteca de Autores Españoles".

V. PELLICER: *Fama, Exclamación, Túmulo y Epitafio de aquel gran padre fray Hortensio*. Madrid, 1634.—HARTZENBUSCH, J. E.: *La oratoria sagrada en el siglo XVIII*. Discurso en la Academia de la Lengua, en contestación al de ingreso de Ferrer del Río, 1853.—ALARCOS, E.: *Los sermones de Paravicino*, en *Rev. Fil. Esp.*, 1937, XXIV.

PARDO Y ALIAGA, Felipe.

Literato y político peruano. Nació—1806—y murió—1868—en Lima. Hijo de un magistrado español. Se educó en Madrid, en el famoso colegio de San Mateo, que dirigía don Alberto Lista. Fue condiscípulo de Espronceda, Escosura, Ventura de la Vega... En 1828 regresó al Perú. Ejerció la abogacía. Colaboró en *El Conciliador* y en *El Mercurio Peruano*. Fundó *El Intérprete*. Sufrió cárceles y destierros por sus ideas políticas. En 1840 fue nombrado magistrado del Tribunal Supremo. Dos veces ministro de Relaciones Exteriores. Sus frecuentes expatriaciones quebrantaron su salud. Y vivió los últimos años de su vida paralítico y ciego.

Fue Pardo y Aliaga un gran temperamento romántico, lleno de nobleza y de altisonancia.

En el teatro alcanzó grandes triunfos con sus obras *Frutos de la educación*, *Don Leocadio, o El aniversario de Ayacucho*, *Una huérfana en Chorrillos*...

Otras obras: *El espejo de mi tierra*—cuadros de costumbres, 1840—, *Poesías y escritos en prosa*—París, 1869.

V. ESCOSURA, Patricio de la: *Tres poetas contemporáneos: Pardo, Espronceda y Vega*. Discurso en la Academia de la Lengua. 1870. MENÉNDEZ PELAYO, M.: *Historia de la poesía hispanoamericana*. Madrid, 1911-1913.—POLO, José Toribio: *El parnaso peruano*. Lima, 1862.—CORTÉS, José Domingo: *Parnaso peruano*. Valparaíso, 1871.—SÁNCHEZ, Luis Alberto: *La literatura del Perú*. Buenos Aires, Facultad de Filosofía y Letras, 2.ª edición, 1943.

PARDO BAZÁN, Emilia.

Célebre y extraordinaria novelista, prosista y crítica literaria española. Hija única de los condes de Pardo Bazán, la gran novelista nació en La Coruña el 16 de septiembre de 1851. Murió—1921—en Madrid. Según refieren familiares suyos, a los cuatro años leía y escribía con facilidad. A los catorce se sabía de memoria las grandes obras universales: la *Biblia*, la *Ilíada*, *La Divina Comedia*, el *Quijote*, y hasta las comentaba en artículos de la mejor intuición crítica. Sus primeros versos los escribió a los ocho años, para celebrar la entrada en su ciudad natal de las fuerzas que regresaban victoriosas de la campaña africana de 1860. Se casó, aún no cumplidos los dieciocho años, con don José Quiroga. Y como al conde de Pardo Bazán le eligieron diputado en las Constituyentes del 69, Emilia se trasladó a Madrid con toda su familia, pasando los inviernos en la capital y los veranos en Galicia, en los hermosos y milenarios pazos de Meirás. El Madrid que conoció, y al que se aficionó la Pardo Bazán, era un Madrid ya castizo y simpático, en el que alternaban el *Tato* y Prim, los jardines del Retiro y las frondas de las Delicias, la parada en la plaza de Armas y las verbenas en el Soto de Migas Calientes, los saraos en los palacios de Fernán-Núñez y Salamanca y las funciones de gala en el Real, las giras a caballo por la Casa de Campo y las exhibiciones en berlinas y landós por la Castellana, los estrenos casi románticos de Ayala y Tamayo, realizados por Romea y Lamadrid en el teatro del Príncipe, y los duelos de madrugada en las fincas del Berro y de Osuna.

Emilia Pardo Bazán viajó mucho entre 1870 y 1875. París, Londres, Bruselas, Suiza, Italia, Viena... Conoció a fondo, y en la salsa genuina del idioma, a Shakespeare, a Hugo, a Alfieri, a Goethe. Cuando regresó a España tenía un conocimiento absoluto del movimiento europeo..., exceptuando el español. Hacia 1875, Emilia Pardo Bazán ignoraba aún quiénes fueran Alarcón, Pereda, Galdós, Varela. La maternidad le inspiró los poemillas que forman su primer libro: *Jaime*. Poco después ganó la Rosa de Oro ofrecida por la Diputación de Orense al mejor libro acerca de Feijoo. En este certamen la Pardo Bazán eliminó a una ya famosa escritora, en el apogeo de su gloria: Concepción Arenal. En *La Ciencia Cristiana*, revista que se publicaba en Madrid bajo la dirección de Ortí y Lara, publicó otros estudios acerca del darvinismo y de los poetas épicos cristianos. Según propia confesión, un amigo le recomendó que leyera las obras de Alarcón, Valera y Galdós. Empezó con *Pepita Jiménez* y siguió con *El sombrero de tres picos*. Y de tal modo se asombró de sus valores y se aficionó al género, que en unos meses escribió su primera novela: *Pascual López*, publicándola—1879—en la *Revista de España*. Desde este momento su suerte estaba echada. Y aun cuando no olvidó por completo sus afanes críticos, y de vez en vez lanzó a la curiosidad pública volúmenes dedicados a la revisión de valores literarios y a la insinuación de tendencias, su verdadera vocación fue la de creadora.

Uno de sus libros de crítica, *La cuestión palpitante*—1883—, en el que defendía un naturalismo mitigado y correcto para fondo del realismo español, alborotó el corral o la rebotica de las letras españolas. El padre

Blanco, Valera, Alarcón, Pereda y otros muchos astros de menor magnitud atacaron con saña a la gran escritora, acusándola de querer implantar en España el sucio naturalismo francés de la escuela de Medan. Felizmente para ella, con sus hermosas novelas naturalistas *La Tribuna*—1883—, *Los pazos de Ulloa*—1886—, *La Madre Naturaleza*—1887—, demostró bien a las claras cuáles eran sus aspiraciones. El chungón Alarcón, el ácido Pereda, el solapado Valera, el pedantuelo Blanco García quedaron en ridículo.

Profundamente femenina, imaginación inagotable—pero insobornablemente realista—, cultura excepcional, dominadora del idioma como pocos grandes escritores, ingenio sutilísimo y espontáneo, fue, desde entonces, la Pardo Bazán gloria legítima de las letras españolas. Fecunda—y no en perjuicio de la calidad—, más de sesenta volúmenes forman el pedestal inconmovible de su gloria. Pocos escritores en España han sido tan discutidos como la insigne autora de *La Quimera* —1905—; la pasión, encrespada como un mar, se ha desbordado muchas veces alrededor de ella, sacudiéndola con ramalazos tan violentos como injustificados. Y ella siempre impasible, correcta, audaz, sin fanfarronería, pagando con sonrisas y frases delicadas. Y, casi siempre, esgrimiendo la razón. En 1916, La Coruña, su ciudad amada—Marineda de sus ensueños—, organizó un homenaje sensacional en su honor con motivo de haberle erigido una estatua. En el mismo año, el ministro de Instrucción Pública, Burell, creó para ella, en la Universidad Central, la cátedra de Literaturas contemporáneas comparadas. Lo que jamás consiguió la admirable mujer—después de desearlo siempre— fue el ingreso en la Real Academia Española.

¡Magnífica personalidad la de Emilia Pardo Bazán! No fue el suyo un ingenio angosto, ni supeditado a exclusividades su ingenio. Su numen múltiplo, pero no prolijo, concentró diversidad de apetencias e innumerable copia de perspectivas. Coexistió con los grandes maestros de la novela, y es justo decir que su sexo débil sobrepujó no pocas veces en arranque, nervio y calidad viriles a sus barbados antagonistas. Porque si Galdós la excedió como creador y Valera en cultura y Pereda en purismo idiomático, ella sobrepujó a todos en la gracia narrativa, en el colorido de la frase, en la naturalidad de los problemas psicológicos.

Y en un aspecto se alza la Pardo Bazán por encima incluso de Galdós: como cuentista. En este género literario no ha habido en España nadie que pueda hacerla sombra, no en su siglo, sino a lo largo de todo el panorama literario español. Los cuentos de la Pardo Bazán son de una originalidad, de un interés, de una emoción que pasma. No po-

P

cos dechados o arquetipos narrativos o de ficción se encuentran entre ellos. Y arquetipos insuperados.

Además de las obras mencionadas, destacan en la labor ciclópea de esta mujer: *San Francisco de Asís*—1882—, *Insolación* —1889—, *Morriña*—1889—, *Una cristiana* —1890—, *La prueba*—1890—, *Cuentos de Marineda*—1892—, *Doña Milagros*—1892—, *El saludo de las brujas*, *Cuentos de amor* —1898—, *Cuentos sacro-profanos*—1899—, *La Quimera*—1905—, *La sirena negra* —1908—, *Dulce dueño*—1911—, *Cuentos trágicos*—1916—, *La literatura francesa contemporánea* (cuatro tomos), *La revolución y la novela en Rusia, De mi tierra, Mi romería, La piedra angular, Por la Europa católica, Belcebú, Novelas ejemplares, Nuevo teatro crítico...*

Emilia Pardo Bazán murió en Madrid. Y Madrid le ha dedicado el recuerdo permanente de una estatua, levantada casi enfrente del palacete donde ella vivió tantos años, en la calle de la Princesa.

Las obras de Emilia Pardo Bazán han sido traducidas a varios idiomas y celebradas por los más insignes críticos de todo el mundo. Y si es verdad que, a raíz de la muerte de su gloriosa autora, cayeron sus obras en un lapso de olvido inexplicable, desde 1943, al publicarlas la editorial M. Aguilar, en una edición de lujo, completas, nuevamente se ha iniciado su revalorización justísima, ya que si como novelista la igualan muy pocos, como autora de narraciones breves no le ha igualado nadie en España. Su gloria se hará firmísima, inconmovible.

La edición más completa de las obras de doña Emilia Pardo Bazán es la de Madrid, M. Aguilar, preparada, prologada y anotada por Federico Carlos Sainz de Robles; *Antología*—Madrid, Editora Nacional, 1944.

V. SAINZ DE ROBLES, F. C.: *Estudios*, notas y bibliografía en las *Obras completas* de Emilia Pardo Bazán. Madrid, 1943, 1947.— GONZÁLEZ-BLANCO, A.: *Historia de la novela en España...* Madrid, 1909.—KELLER-JORDÁN, H.: *Emilia Pardo Bazán.* 1905, en *Beilage zur Allgemeinen Zeitung*, núm. 129, 419-22.— MARTÍNEZ SIERRA, G.: *La feminidad de Emilia Pardo Bazán*, en *Nuestro Tiempo*, 1905.— GÁLVEZ, M.: *Emilia Pardo Bazán*, en *Nosotros*. Buenos Aires, 1921.—ANDRADE COELLO, A.: *La condesa Emilia Pardo Bazán.* Quito, 1922.—TANNENBERG, Boris de: *L'Espagne littéraire.*—BALSEIRO, J.: *Novelistas españoles modernos.* Nueva York, 1933.—MENÉNDEZ PELAYO, M.: *Estudios de crítica literaria.* Madrid, 1942, V.—BROWN, M. G.: *La vida y las novelas de Emilia Pardo Bazán* (tesis doctoral). Madrid, 1940.—VÉZINET, F.: *Les maîtres du roman espagnol contemporain.* París, 1907.—RÍOS, Blanca de los: *Elogio de*

la condesa de Pardo Bazán, en *Raza Española*, 1921.—GÓMEZ DE BAQUERO, E., "Andrenio": *Novelas y novelistas...* Madrid, 1918.— CASTRO, Carmen: Prólogo en la *Antología.* Madrid, Editora Nacional, 1944.—BRAVO VILLASANTE, Carmen: *Emilia Pardo Bazán.* Madrid, 1963.—ENTRAMBASAGUAS, Joaquín de: *Las mejores novelas españolas contemporáneas (1905-1909).* Barcelona. Planeta. 1958, págs. 894-976. (Contiene una biobibliografía exhaustiva.)

PARDO DE FIGUEROA, Mariano («Doctor Thebussen»).

Literato y erudito español. Nació—1828— en Medina Sidonia (Cádiz). Murió—1918—en la misma ciudad. De familia ilustre y adinerada. Doctor en Derecho civil y canónico. Académico correspondiente de las Reales de la Historia y de la Lengua. Académico de número de la Sociedad de Buenas Letras Sevillana. Miembro de la Sociedad Histórica, de Utrecht; del Instituto Arqueológico, de Roma, y de las Sociedades de Gastronomía y Filatelia, de Londres. Cartero mayor honorario del reino.

Pardo de Figueroa fue un verdadero polígrafo. Su cultura excepcional le permitió escribir con tino y tono excelentes acerca de las más diversas materias: filatelia, culinaria, literatura, historia, tauromaquia, música, heráldica... Fue colaborador de las revistas más importantes de su época. Sostuvo polémicas brillantes con escritores de la talla de Barbieri, Castro y Serrano, Adolfo de Castro, Hartzenbusch. Y otros como Zorrilla, Valera, Cánovas del Castillo, el padre Fita, le prodigaron los elogios más sinceros; su prosa era rica y naturalísima. Su ingenio, sutil. Certera su crítica.

Obras: *Tinta fina y negra de escribir, Cosas y casas de hidalgos, El rey don Felipe IV y el duque de Medina Sidonia, Cómo se acabó en Medina el rosario de la Aurora, Ajilimójili, Chiquirritita, Ristra de ajos formada por seis cabezas, Fábulas fabulosas, Poesías, Cuentos y chascarrillos andaluces, Cartas de Paca Pérez, Señor y don, Piratería callejera, La mesa moderna, Cartas sobre el comedor y la cocina, Algo de Philatelia, Cartas philatélicas, Literatura philatélica de España, El correo en España, Sellos de Correos, Fruslerías postales, Siete cartas sobre el "Quijote" y Cervantes, Notas bibliográficas sobre Medina Sidonia, Ración de artículos, Futesas literarias, Yantares y conduchos de los reyes de España, Tarjeta postal, En escabeche, Thebussianas...*

V. CASTRO Y SERRANO: *El Doctor Thebussen.*—RIVA, Enrique de la: *Apuntes para la formación de un catálogo de las obras del Doctor Thebussen.*—MONNER Y SANZ: *El*

Doctor Thebussen, en *Nosotros,* 1918, Buenos Aires.

PAREJA DÍEZ-CANSECO, Alfredo.

Novelista y cronista ecuatoriano. Nació —1908— en Guayaquil. Desterrada y empobrecida su familia por cuestiones políticas, hubo de desempeñar varios oficios humildes, tanto en su patria como en Nueva York. De regreso a Quito fue nombrado profesor de Historia de Literatura Española. Inspector general de Enseñanza Secundaria. Nuevo destierro —en Chile— por incidencias políticas. Diputado de la Asamblea Constituyente en 1938.

Cultiva un realismo crudo —en temas sociales— con ciertas vetas imaginativas y hasta poéticas. En ocasiones su realismo alcanza una fiebre de cuarenta y dos grados.

Obras: *La casa de los locos* —novela, 1927—, *La señorita Ecuador* —novela, 1928—, *Río arriba* —novela, 1929—, *El muelle* —novela, 1931—, *Baldomera* —novela, 1938—, *Don Balón de Baba, La Baldaca, Las tres ratas...*

PARELLADA, Pablo.

Poeta, autor dramático y periodista español. Nació —1855— en Valls (Tarragona). Murió hacia 1934. Ingeniero militar. Profesor de la Academia General del Ejército. Popularizó en todas las revistas satíricas y literarias de España el seudónimo de "Melitón González". Era también un dibujante de mucha gracia y finísima intención. Colaboró en *Blanco y Negro, A B C, Gedeón, Barcelona Cómica, Madrid Cómico, Nuevo Mundo, La Vanguardia,* la *Correspondencia de España, La Avispa, Caras y Caretas* y *El Hogar* —de Buenos Aires estas dos últimas publicaciones.

De mucho ingenio e inventiva, de enorme vis cómica, de un estilo personal y con un castellano castizo, puro y elegante. En sus obras cómicas satiriza y fustiga con tanta gracia como oportunidad. Jamás se mostró estragado por groserías ni desplantes declamatorios. Instruyó y deleitó sin acudir a recursos o a resortes forzados ni convencionales. Fecundo y siempre original.

Obras: *Memorias de un sietemesino* —novela, 1917—, y las producciones escénicas: *Los asistentes, El figón, El regimiento de Lupión, Tenorio modernista, El celoso extremeño, Repaso de examen, Tenorio musical, Pelé y Melé, ¿Tienen razón las mujeres?, ¡Qué amigas tienes, Benita!, Colonia veraniega, En un lugar de la Mancha, La forastera, Los macarrones, Los de cuota, El veranillo de San Martín, El gay saber, De pesca...*

«PARMENO» (v. López Pinillos, José).

PARRA, Teresa de la.

Novelista venezolana contemporánea. Nació —1890— en París y murió —1936— en Madrid. Su verdadero nombre es Ana Teresa Parra Sanojo. Es una de las más ilustres representantes de la actual generación de escritoras hispanoamericanas. Temperamento lleno de aristocracia y de los más delicados y hondos matices. *Diario de una señorita que se fastidia* —1922—. Su novela *Ifigenia (Diario de una señorita que escribió porque se fastidiaba)* ganó el primer premio —1924— de novelistas americanos.

Sin pedantería, sin excesos, sin prescindir de ninguna virtud esencialmente femenina, Teresa de la Parra defiende todos los derechos de la mujer moderna, oponiéndose al clasicismo rutinario y doctrinal, absurdamente restrictivo para la mujer.

De su segundo libro: *Las Memorias de Mamá Blanca,* ha escrito el gran crítico Picón Salas: "La descripción, que era profusa en *Ifigenia,* se estiliza en el arte más sobrio y esencial de *Las Memorias de Mamá Blanca,* uno de los libros de evocación infantil más bellos que pueden encontrarse en toda la literatura hispana."

Algunos otros críticos han afirmado que Teresa de la Parra ha logrado en la novela similar éxito "de remoción y de conmoción" al logrado en la poesía por Gabriela Mistral.

V. PICÓN SALAS, Mariano: *Formación y proceso de la literatura venezolana.* Caracas, 1940.—ANGARITA ARVELO, Rafael: *Historia y crítica de la novela en Venezuela.* Berlín, 1938.

PASEYRO, Ricardo.

Poeta, prosista, crítico uruguayo. Nació —1926— en Montevideo. Estudió Derecho y Filosofía y Letras en la Universidad de su ciudad natal. En 1948 se trasladó a Europa, viviendo casi siempre en París. Ha viajado por todo el mundo. En España pasa dos o tres meses cada año. Cónsul de su país en Lyon durante algunos años. Contrajo matrimonio con la hija del gran escritor francés Jules Supervielle. Colaborador de populares diarios americanos —*El Universal, El Nacional,* de Caracas; *La Mañana,* de Montevideo— y de revistas de varios países: *Indice,* de Madrid; *Cuadernos,* de París; *La Nouvelle Revue Française, Les Lettres Nouvelles, Sur,* de Buenos Aires...

Ha traducido al castellano obras de André Roussin, François Mauriac, Jules Supervielle, Jean Cocteau, Robert Mallet... A su vez, han sido traducidas sus obras al francés, italiano, inglés, holandés, árabe... Sus poemas figuran en la famosa *Poésie non tra-*

P

duite, de Armand Rolin, junto a las de Pasternak, Ungaretti, Holderlin, Dylan Thomas...

Obras: *Plegaria por las cosas*—Buenos Aires, 1950—, *Poema para un Bestiario Egipcio*—Buenos Aires, *La botella en el mar,* 1950—, *El costado de fuego*—Madrid, *Indice,* 1952—, *La palabra muerta de Pablo Neruda*—Madrid, *Indice,* 1952.

PASO, Alfonso.

Comediógrafo y humorista español. Nació —1925—en Madrid. Hijo del famoso comediógrafo y sainetero don Antonio Paso, y hermano de los también autores teatrales Antonio, Manuel y Enrique Paso. Estudió el bachillerato y Filosofía y Letras en Madrid. Está casado con la hija del gran innovador de la escena española y genial humorista Enrique Jardiel Poncela. Se comprenderá que el destino teatral de Alfonso Paso era inevitable. Sin embargo, según propia confesión, hubo de luchar casi angustiosamente hasta poder estrenar. Lo que logró gracias al "Premio Carlos Arniches", ganado por su sainete *Los pobrecitos,* que obtuvo un éxito sensacional. Desde entonces se le abrieron las puertas de la popularidad y de todos los teatros de España. En menos de diez años ha estrenado alrededor de setenta u ochenta obras; de las cuales, las dos terceras partes han alcanzado éxitos sensacionales. Hoy es Alfonso Paso el autor dilecto de los públicos y, por ende, de las empresas.

Alfonso Paso posee cualidades excepcionales de gran comediógrafo: elección acertada de ambiciosos temas, perfecta arquitectura genérica, gran dosis de humor, sabia graduación del sentimentalismo, gran poder de observación. Y es una lástima que su inmoderación—diez o doce obras por temporada—le esté empujando a la mediocridad, cuando le sobran virtudes para una alta categoría literaria dentro y fuera de España. Junto a obras de magnífica calidad hay demasiadas carentes de valor literario. En 1972 lleva estrenadas cerca de ciento sesenta obras.

Ha obtenido el "Premio Nacional de Teatro", 1957 y 1961; el "Premio Alvarez Quintero 1959" de la Real Academia Española.

Obras—algunas—: *El canto de la cigarra, Papá se enfada por todo, Cosas de papá y mamá, Vamos a contar mentiras, La corbata, Las niñas terribles, Una broma llamada Abelardo, Rebelde, Mónica, El cielo dentro de casa, No se dice adiós, sino hasta luego; Veneno para mi marido, 48 horas de felicidad, Juicio contra un sinvergüenza, Cena de matrimonios, Hay alguien detrás de la puerta, No hay novedad, doña Adela; Sí, quiero; Llaman a Julio César, Usted puede ser un*

asesino, Los palomos, Enseñar a un sinvergüenza, Los que tienen que alternar, Nerón-Paso, Viuda ella, viuda él; No somos ni Romeo ni Julieta...

En la actualidad—1970—ha estrenado ¡155! obras.

V. MARQUERÍE, Alfredo: *Alfonso Paso y su teatro.* Madrid, Escelicer, 1960.—TORRENTE BALLESTER, G.: *Panorama de la literatura española contemporánea.* Madrid, edit. Guadarrama, 1962, 2.ª edición. Tomo I, pág. 466.

PASO Y CANO, Antonio.

Autor teatral español muy popular. Nació —1870—en Granada. Murió—1958—en Madrid. Cursó el bachillerato con los Escolapios de su ciudad natal. Abogado. Se dedicó desde casi un niño al periodismo y al teatro. A los quince años entró como redactor en *El Defensor de Granada.* A los veinte se trasladó a Madrid, perteneciendo a las Redacciones de *El Resumen* y *La Correspondencia Militar.* Ha sido director escénico de casi todos los teatros de Madrid y uno de los fundadores de la Sociedad de Autores Españoles.

Su fecundidad es verdaderamente asombrosa. Ha estrenado más de doscientas obras, casi todas en colaboración con Carlos Arniches, Abati, Muñoz Seca, García Alvarez, Lucio, sus hijos Antonio y Enrique y otros varios. Docenas de sus obras han pasado de las ciento, de las doscientas representaciones. Muchas compañías teatrales *han salvado sus temporadas* gracias a varias de las producciones de este fecundo, graciosísimo y experto autor.

En ocasiones, durante muchos días, en dos, tres y cuatro teatros madrileños, se han representado al mismo tiempo comedias, juguetes cómicos, zarzuelas o sainetes suyos.

De mucha gracia gorda, pero de buena ley, de inventiva inagotable, agilísimo de técnica, Antonio Paso es uno de los mejores comediógrafos—en su género bufo—con que cuenta el actual teatro español.

Obras: *El arte de ser bonita, La marcha de Cádiz, El bateo, La alegría de la huerta, El asombro de Damasco, El niño judío, El orgullo de Albacete, El infierno, Genio y figura, Los rancheros, Los niños llorones, El pícaro mundo, La loba, La alegre trompetería, El velón de Lucena, El río de oro, El tren rápido, Los perros de presa, El paraíso, El gran tacaño, La divina Providencia, Pasta flora, Sierra Morena, Nieves de la Sierra, El cabeza de familia, La bendición de Dios, La república del amor, Mi querido Pepe...*

PASO Y CANO, Manuel.

Poeta y autor dramático español. Nació —1864—en Granada. Murió—1901—en Madrid. Licenciado en Filosofía y Letras. Redactor de *El Defensor de Granada* y, en Madrid ya, de *El Resumen, La Correspondencia de España, Heraldo de Madrid*.

Poeta delicado y de tono sentimental, con Reina, R. Gil y Fernández Shaw, representa la transición entre el romanticismo decadente y el modernismo de Rueda y Rubén Darío. Puso en sus obras teatrales el mismo fervor poético y una indiscutible sensiblería de buen tono.

Obras: *Nieblas*—poesías, Madrid, 1886—, *Zahara*—poema—, *La medianoche, El canto a la Alhambra*—poema—, *San Francisco de Borja*—poema—, *Después del combate*—drama—, *Curro Vargas*—drama lírico—, *La cortijera*—drama lírico…

PASOS, Joaquín.

Poeta y prosista nicaragüense. Nació —1915—en Granada. Estudió Jurisprudencia en la Universidad de Managua. Murió —1947—en Managua. Era de los más jóvenes de su "grupo". Muy niño aún, se dio a conocer con dos extrañas y fuertes composiciones: la *Canción de las boinas* y *Odeta al Arco Iris*. Con Alberto Ordóñez dirigió la revista *1938* en este mismo año. Y colaboró hasta su muerte en la revista humorística *Los Lunes*. Aun cuando la obra en prosa de Joaquín Pasos no ha sido recogida en volúmenes, en ella cuentan páginas primorosas, como las del cuento *El ángel pobre*.

Joaquín Pasos, "el benjamín del grupo de vanguardia, estaba lleno de sueños geográficos y de viajes sin haber salido nunca de Nicaragua, y escribía magníficamente en inglés, y cantaba al indio y al pueblo como nadie, y no terminaba la carrera de Derecho, no se casaba, no publicaba libros, siempre indócil a todo, siempre riendo de todo, y desde los diarios haciendo reír al país entero con sus crónicas. Era una fiesta oírle poemas desde la hamaca familiar de su casa, y nunca antes de él dio Nicaragua tanta alegría, tanto buen humor poético, tanta exuberancia" (E. Cardenal).

Obras: *Las bodas del carpintero*—1935—, *Misterio indio*—1945—, *Guía del sueño, Canto de guerra de las cosas*—1946—, *Breve suma*—antología, 1947…

Reunió, pero no llegó a publicar, sus sugestivos *Poemas de un joven que no ha viajado nunca*, y que son, precisamente, *poemas viajeros*.

V. NUEVA POESÍA NICARAGÜENSE: *Introducción* de Ernesto Cardenal. *Selección y notas* de Orlando Cuadra Downing. Madrid, 1949. CUADRA, Pablo Antonio: Prólogo a *Breve suma*. 1947.

PASTOR DÍAZ, Nicomedes.

Poeta y novelista español de prestigio. Nació—1811—en Vivero (Lugo). Murió—1863— en Madrid. Estudió en el Seminario de Mondoñedo y en las Universidades de Santiago y Alcalá de Henares. Funcionario del Ministerio de la Gobernación. Fundó periódicos: *Heraldo, El Sol*… Colaboró en *El Correo Nacional* y en *El Conservador*, haciendo en ellos ásperas campañas políticas, que le aparejaron persecuciones y encarcelamientos. Diputado a Cortes durante muchos años. Subsecretario de Gobernación. Ministro de Comercio, Instrucción Pública, Obras Públicas, Gracia y Justicia y Estado. Senador del reino. Académico—1847—de la Real Española de la Lengua y de la de Ciencias Morales y Políticas. Gran cruz de Carlos III.

Como poeta, se distinguió por su tono delicado, tierno y bastante pesimista. "Su fe religiosa, su amor a España y a la tierra gallega, su respeto a la mujer y sus tendencias románticas, son las notas que distinguían sus exquisitas composiciones, entre las que sobresalen las tituladas *Al Eresma, Al acueducto de Segovia, Amor sin objeto, La mariposa negra, A la luna…*"

Como novelista, Pastor Díaz tuvo imaginación, agilidad narrativa y una prosa correcta y naturalísima. También fue excelente crítico y orador de fácil y brillante verbo.

Obras: *Poesías*—1840—, *Galería de españoles célebres contemporáneos*—1841 a 1864, nueve volúmenes—, *De Villahermosa a la China*—novela, 1858—, *Italia y Roma, Album literario…*

Por iniciativa y bajo los auspicios de la Academia Española, fueron publicadas sus *Obras completas* entre 1866 y 1868.

V. COUCEIRO FREIJOMIL, Antonio: *El idioma gallego (Historia. Gramática. Literatura)*. Barcelona, 1935.—CHURCHMAN, P. H., y ALLISON PEERS, E.: *A Survey of the Influence of Sir Walter Scott in Spain*, en *Revue Hispanique*, tomo LV, págs. 268-310.—GARCÍA MORÁN, Celso: *Influencia de los escritores románticos ingleses en el romanticismo español*. Madrid, 1923.—MARTINENCHE, Ernest: *L'Espagne et le romantiscime français*. París, 1822.—VALLE MORÉ, J. del: *Pastor Díaz: su vida y su obra*. La Habana, 1911.

PAYNO, Manuel.

Mexicano. 1810-1894. Periodista, funcionario y hombre público de intensa actividad. Se le considera como uno de los mejores escritores costumbristas de su país.

Obras: *El fistol del diablo*—1845, folletín—, *Los bandidos de Riofrío*—novela, 1889—, *El hombre de la situación*—1861—, *Tardes nubladas*—1871.

V. JIMÉNEZ RUEDA, J.: Prólogo a la *Anto-*

P

logía de la prosa en México. 1931.—GONZÁ-
LEZ PEÑA, Carlos: *Historia de la literatura
mexicana.* 1940, 2.ª edición.

PAYRÓ, Roberto J.

Periodista, autor dramático, novelista, crítico literario, pensador de extraordinario
prestigio. Nació—1867—en Mercedes (Buenos
Aires) y murió en esta misma capital en
1928. A los quince años se inició en el periodismo. Fundó *La Tribuna* en Bahía Blanca. Desde 1892 se incorporó como redactor
ilustre a *La Nación,* el importantísimo diario de Buenos Aires, donde publicó notabilísimos artículos y ensayos que muy pronto
hicieron popular su nombre, y colocándole
en la primera fila de los literatos argentinos.
Numerosos y bien aprovechados viajes a
Europa dieron a su vasta cultura y a su pluma admirable una profundidad y una elegancia occidentales. En Bélgica residió varios años, enviando jugosísimas crónicas a
La Nación, en las que juzgaba con sutileza,
gracia y amenidad, de personas, de hechos y
de cosas de la vieja y decadente Europa.
Payró alcanzó en este continente la misma
celebridad y autoridad que ya le había otorgado la América hispana.

En Payró destacan las agudas dotes de
observación, la fuerza de su estilo y de su
prosa de riquísimo vocabulario, su fina ironía, su cultura tan sólida en sus raíces como
feliz y ligera en la expresión, su agilidad
mental eternamente puesta en juego hacia
todas las novedades, la complejidad asombrosa de su producción.

Obras: *Divertidas aventuras del nieto de
Juan Moreira*—novela considerada por algunos críticos como la mejor novela argentina—, *Las tierras de Inti, Pago chico, El casamiento de Laucha*—novela—, *La Australia
argentina, El falso inca, Violines y tone-
les, Ensayos poéticos, Antígona*—novelas—,
Scripta—cuentos—, *Novelas y fantasías, Los
italianos en la Argentina, Emilio Zola, Cuentos de otro barrio*—1931—, *Nuevos cuentos
de Pago chico*—1929—, *Charlas de un optimista*—1931—, *Chamizo, Los tesoros del rey
blanco*—1934—, *El capitán Vergara*—1925—,
Mar dulce—1937—y los dramas *Marco Seve-
ri, El triunfo de los otros, Canción trágica,
Vivir quiero conmigo, Alegría...*

V. GIUSTI, Roberto F.: *La obra literaria
de Roberto J. Payró.*—ECHAGÜE, Juan Pablo:
Un teatro en formación.—ROJAS, Ricardo:
La literatura argentina. Buenos Aires, 1924.
LEGUIZAMÓN, Julio A.: *De cepa criolla.*—CA-
RRA, Raúl: *Payró.* Buenos Aires, 1938.—AN-
DERSON IMBERT, E.: *Tres novelas de Payró...*
Buenos Aires, 1942. Publicaciones Univ. Tu-
cumán.

PAZ Y MELIÁ, Antonio.

Literato y erudito español. Nació—1842—
en Talavera de la Reina (Toledo). Murió
—1927—en Madrid. Licenciado en Filosofía
y Letras. Diplomado de archivero, bibliotecario, arqueólogo; adscrito—1869—a la Biblioteca Nacional de Madrid. Bibliotecario
de las casas ducales de Alba y Medinaceli.
Colaborador de *La Ilustración Española y
Americana, Bulletin Hispanique, Revista de
Archivos* y otras varias publicaciones famosas de erudición.

De gran modestia y de grandísima cultura. Investigador infatigable de archivos españoles. Su singularísimo entendimiento crítico puso en claro no pocos puntos oscuros
de nuestra historia literaria, ilustrándolos
con notas originales y comentarios brillantes. De fecundidad extraordinaria.

Obras: *Obras de Juan Rodríguez de la
Cámara o del Padrón*—"Col. Bibliófilos Españoles", 1884—, *Cancionero de Gómez Manrique*—"Col. Escritores Castellanos"—, *Nobiliario de los conquistadores de Indias, Catálogo de los manuscritos de obras de teatro...
de la Biblioteca Nacional, Opúsculos literarios de los siglos XIV a XVI*—"Col. Bibliófilos Españoles", tomo XXIX—, *Diario del
viaje a Moscovia del duque de Liria...,* *El
cronista Alonso de Palencia: Su vida y sus
obras*—1914—, *Sales españolas o agudezas
del ingenio nacional*—"Col. Escritores Castellanos", tomos LXXXI y CXXI—, *Vida del
soldado español don Miguel de Castro: 1593-
1611, Los sucesos de Flandes y Francia del
tiempo de Alejandro Farnesio...*—"Col. Documentos inéditos para la Historia de España", tomos LXXII, LXXIII y LXXIV—;
*Conquista de Nápoles y de Sicilia... por el
duque de Berwick y de Liria*—"Col. Escritores Castellanos", tomo LXXXVII—, *Vida de
Carlos III, por el conde de Fernán Núñez,* y
otras muchas de gran valor crítico.

PAZ SOLDÁN, Pedro.

Literato y periodista peruano. Nació
—1839—y murió—¿1897?—en Lima. Estudió
mucho y bien en el Convictorio Carolino.
Pero llevado de su espíritu aventurero, durante varios años recorrió toda América,
toda Europa y el Cercano Oriente. De regreso en su patria fue—1874—funcionario del
Ministerio de Relaciones Exteriores, embajador en Chile—1876—, profesor de Literatura Latina en la Universidad de San Marcos. Fundó y dirigió el periódico satírico *El
Chispazo,* que se hizo famoso y temible por
su agresividad constante, por su falta de
recato. Se dice que una de las muchas personas agraviadas por el periódico causó a
Paz Soldán las heridas que le ocasionaron

la muerte. Está considerado como uno de los fundadores de la filología peruana.

Obras: *Ruinas*—1863—, *Cuadros y episodios peruanos*—1867—, *El intrigante castigado*—teatro, 1867—, *Diccionario de peruanismos*—1883—, *Sonetos y chispazos*—1885—, *Páginas diplomáticas del Perú*—1891—, *La inmigración en el Perú*—1891—, *La línea de chorrillos*—1894...

V. SÁNCHEZ, Luis Alberto: *Literatura peruana.*

PAZOS KHANKI, Vicente.

Historiador, prosista, orador boliviano del siglo XIX, nacido en Sorata. Fue un autodidacto. Con un ejemplar esfuerzo y con un caballeresco sentido de la justicia, llegó a ocupar importantes cargos administrativos y políticos en su país. "Indio talentoso y extravagante" le llamó un crítico de Bolivia. Pazos Khanki fundó diarios políticos y viajó por Europa. En Londres publicó una versión en aimará del Evangelio cristiano, y dirigió unas sutiles y curiosísimas cartas —sobre los más diversos temas—al conde de Aberdeen. Pazos Khanki mantuvo una polémica famosa con Rivadavia, maestro de polemistas; y rebatió con éxito el proyecto de Belgrano para restablecer la monarquía incaica. Pazos Khanki, alma de estricta justicia, luchó por América contra España, para defender después a España contra América... Simplemente porque así se lo exigieron la justicia y la verdad.

En su mejor obra, *Memorias histórico-políticas*, "Pazos Khanki—escribe Díez de Medina—revela una sólida cultura, una inteligencia perspicaz, abierta a la erudición y ejercitada en el juicio filosófico. Historiador, sociólogo intuitivo, periodista de visión aguda y sobria, el sorateño se remonta muchas veces al esplendor del auténtico hombre de letras: en una descripción fulgurante de Bolivia, en solo una ceñida página de sintéticas y sugerentes imágenes, habla de la grandiosidad natural del Ande, *donde solo el hombre era pequeño.* Brochazo magistral, que pinta por vez primera la antinomia dramática de nuestra realidad republicana: excesivo escenario para tan diminuto poblador."

V. DÍEZ DE MEDINA, Fernando: *Perfil de la literatura boliviana*, en *Thunupa*. La Paz, 1947.—FINOT, Enrique: *Historia de la literatura boliviana*. México, 1943.

PEDRAZA, Juan de.

Poeta y autor dramático español del siglo XVI. Debió de nacer en Segovia, y vivió en esta ciudad ejerciendo el oficio de tundidor. La Barrera, otros varios críticos y la Academia Española creen que es un mismo personaje este Juan de Pedraza y el llamado Juan Rodrigo Alonso de Pedraza. Como tal figura en el *Catálogo de autoridades* del idioma.

En 1551 publicó *Comedia hecha por Juan Rodrigo Alonso (que por otro nombre es llamado de Pedraza), vecino de la ciudad de Segovia, en la cual, por interlocución de diversas personas, en metro se declara la historia de Santa Susana a la letra.* Está escrita en redondillas bastante correctas y fáciles. El autor, escribe Bonilla San Martín, "dio pruebas, no solo de ser muy apreciable poeta, sino de poseer notable instinto dramático, puesto que supo dar interés a la acción y expresar con cierta elocuencia los afectos".

También compuso e imprimió en 1551, para la fiesta del Corpus de Segovia, la farsa llamada *Dança de la muerte, en que se declara cómo a todos los mortales, desde el Papa hasta el que no tiene capa, la muerte hace en este mísero suelo ser yguales y a nadie perdona.*

De la *Dança de la muerte* hay un ejemplar manuscrito en la Biblioteca Real de Munich. De la *Historia de Santa Susana* hay ejemplar en la Biblioteca Nacional de Madrid y otro fechado en Alcalá en 1558.

Ediciones modernas: de la *Dança*, Viena, 1852, ed. de E. Wolf, reimpresa según el ejemplar de Munich, y tomo XXII de la "Colección de documentos inéditos para la Historia de España", 1853. De la *Historia de Santa Susana*, Bonilla publicó su texto —1912—en la *Revue Hispanique.* También puede encontrarse en el tomo LVIII de la "Biblioteca de Autores Españoles".

V. BONILLA SAN MARTÍN, A.: *Estudio* en la ed. de la *Revue Hispanique*, 1912.—MARISCAL DE GANTE, J.: *Los autos sacramentales.* Madrid, 1911.—WOLF, E.: *Estudio* en la edición de Viena, 1852.—SALVÁ Y SAINZ DE BARANDA: En la ed. de "Colección de documentos para la Historia de España", 1853, tomo XXII.

PEDRO, Valentín de.

Novelista, autor dramático, periodista. De padres españoles, nació en la ciudad argentina de Tucumán, el 16 de diciembre de 1896.

En 1906 se trasladó, con su familia, a Buenos Aires, donde, en 1912, comienza su carrera literaria ganando un primer premio en un concurso de comedietas irrepresentables, organizado por la entonces popular revista *P. B. T.*

En 1916 publica un episodio dramático, en verso, de la guerra de la independencia, titulado: *Con la alas rotas*, y un cuaderno de poesías: *El ritmo de la idea.*

A fines de 1916 viene a España, colaborando desde aquí en las revistas bonaerenses

P

Plus Ultra y *Caras y Caretas*. (Algunos de esos artículos fueron recogidos luego en su libro *España renaciente,* aparecido en Madrid en 1923.)

En 1920 publica en Madrid un libro de versos: *Rimas de Pasión.*

En 1922, a su regreso de un viaje a Venezuela, publica, en la editorial Cervantes de Barcelona, *Los mejores cuentos venezolanos,* con prólogos y notas.

A fines de ese mismo año, en Madrid, su novela *El arlequín azul.* En 1923, *Una aventurera,* y en 1924, *Primera actriz única,* también novelas. Poco después, estrena y publica su comedia *El veneno del tango.*

En 1927 aparece su *Nuevo Parnaso argentino,* editado en Barcelona. Ese mismo año funda en Madrid *La Farsa,* semanario de obras teatrales.

En 1930 publica otra novela: *Veinticuatro horas fuera del colegio.*

En 1934 viaja a Buenos Aires, donde estrena un drama histórico, en verso: *Romance de Juan Facundo,* y una comedia poemática: *El hechizo del mar.*

Regresa a Madrid, y, a fines de 1935, estrena la zarzuela *La españolita,* en colaboración con Ardavín, y música de Guerrero.

A principios de 1936 publicó un volumen de' cuentos: *El maleficio de la pantalla,* la mayoría de ellos aparecidos en *La Prensa,* de Buenos Aires, donde colabora desde el año 1924.

De regreso a Buenos Aires, en 1941, ha publicado en la capital argentina: *Próceres argentinos en España,* y una novela, *La vida por la opinión.*

Pero su obra es aún mucho más vasta. Ha estrenado varias obras de teatro—*Don Esperpento, El veneno del tango, El gato con botas, El caudillo*—en colaboración con Antonio Paso, Tomás Borrás y Ardavín, y numerosas novelas cortas en *La Novela Semanal, La Novela Popular, La Novela Mundial* y otras revistas. similares. Y ha traducido obras de Teixeira de Pascoes, Raul Brandao, Soren Kierkegaard, Correa d'Oliveira, Puig y Ferrater...

PEDRO DE ALCÁNTARA, San.

Místico español. 1499-1562. Nació en la villa de Alcántara (Extremadura). Estudió Filosofía en Salamanca. Franciscano. En 1524 se ordenó sacerdote. Fundador y provincial de conventos. Su existencia fue una suma de hechos prodigiosos y ejemplares. Fue sumamente venerado por seres tan excepcionales como Teresa de Jesús, Francisco de Borja, Luis de Granada y Juan de Avila. Sus penitencias causan verdadero asombro; y no menor asombro su humildad y caridad. Jamás tuvo otra cama que el suelo. Fue

beatificado—1622—por Gregorio XV, y canonizado—1669—por Clemente IX.

Obras: *Petición especial de amor de Dios, Tratado de la oración y meditación.*

V. Sainz Rodríguez, Pedro: *La mística española*—Madrid, 1926.

PEDROLO, Manuel de.

Poeta, narrador y autor teatral español en lengua catalana. Nació—1918—en L'Aranyó (Lérida). Dedicado a las letras desde su primera juventud, su producción literaria es muy variada y extensa. Ha obtenido los más importantes premios de las letras catalana: el "Sant Jordi" de novela, el "Maragall" de poesía, el "Víctor Catalá" de cuentos, el "Joanot Martorell" de novela.

Toda su obra, tanto en verso como en prosa, está transida por una cálida necesidad de humanidad trascendente, de un existencialismo determinante del ser y del estar del hombre.

Obras: *Cendra per a Martina*—novela—, *Totes les bésties de cárrega*—novela—, *M'enterro en els fonaments*—novela—, *Temps obert*—novela—, *Un món per a tothom*—cuentos—, *Violació de límits*—cuentos.

PELLERANO CASTRO, Arturo.

Poeta y prosista dominicano. Nació —1865—en Curaçao y murió—1916—en Santo Domingo. Estudió en el Colegio de San Luis Gonzaga, siendo condiscípulo de los hermanos Deligne. Al margen de las luchas políticas, su existencia transcurrió entre sus ocupaciones de funcionario y de contable, los tranquilos goces del hogar y las alegres reuniones nocturnas, en las que lucía sus excepcionales dotes de improvisador. Estuvo casado con la poetisa cubana doña Isabel Amechazurra. Con el seudónimo de "Byron" publicó trabajos en verso y en prosa en *Revista Ilustrada, La Cuna de América, Letras y Ciencias, Los Lunes del Listín...*

Poseyó raras dotes de facilidad, ingenio y brillantez; y supo condensar la emoción de un momento con trazo intenso y breve. Contra lo que parece indicar su seudónimo, Pellerano Castro nada tuvo de poeta turbulento, patético y librepensador.

Obras: *La última cruzada*—poema, 1888—, *Criollas, De casa*—poesías, 1907.

Dejó escritas algunas obras teatrales: *Fuerzas contrarias, De mala entraña, De la vida...*

V. García Godoy, Federico: *La literatura dominicana.* 1916.—Mejía, Abigaíl: *Historia de la literatura dominicana.* Santo Domingo, 5.ª edición, 1943.—Contín Aybar, Pedro René: *Antología poética dominicana.* 1943.— Antología de la literatura dominicana. Ciudad Trujillo, 1944, dos tomos.

PELLICER, Carlos.

Poeta y prosista mexicano. Nació—1899—en Villahermosa (Tabasco).

El crítico español Federico de Onís le llama "el poeta mayor de la poesía mexicana actual". Y Castro Leal afirma "que su certero instinto le salvó de la gran entonación civil y americana".

Es, indiscutiblemente, un poeta de tonos y alientos universales, más continental que nacional. Ha viajado por Europa y por toda América. Ha pasado virilmente, esforzadamente, a través de todos los ismos poéticos, sin que ninguno de ellos haya conseguido retenerle o, menos aún, aprisionarle. Mas, añade otro crítico, "no por ello deja de ser mexicano, nacional, de esencias peculiares, patrióticas, íntimas. Mas sintiendo a su patria, la interpreta y se remonta en un viaje lírico y humano a regiones superiores, desde las que se divisan las fronteras y lo que hay más allá de las fronteras. Y cuando bucea en la cultura, en tonos fervorosos e íntimos, se va hacia los caminos de los reyes y de los símbolos de Israel. Viaja y recorre los caminos en el tiempo y en el espacio. Pero, como observa Benjamín Jarnés, no lo hace en plan de turista, sino de insobornable contemplador. Canta las cosas como son, en el tono adecuado que cada una de ellas necesita. Pero la poesía es siempre su poesía, sin vacilaciones ni cambios circunstanciales; y aún más, sin concesiones".

Carlos Pellicer, sumamente popular en México, es también un finísimo crítico literario y un articulista brillante.

Obras: *Colores en el mar y otros poemas* —1921—, *Piedra de sacrificios*—1924—, *Seis, siete poemas*—1924—, *Hora y veinte*—1927—, *Camino*—1929—, *Cinco poemas*—1931—, *Hora de junio*—1937...

V. Angarita Arvelo, Rafael: *Antología de la poesía mexicana moderna*. México, 1928.—Maples Arce, Manuel: *Antología de la poesía mexicana moderna*. México, 1940.—González Peña, Carlos: *Historia de la literatura mexicana*. México, 2.ª edición, 1940.

PELLICER, Juan Antonio.

Erudito y bibliógrafo español. Nació —1738—en Encinacorba (Zaragoza) y murió —1806—en Madrid. En esta ciudad estudió Latín y Humanidades, y en la Universidad de Alcalá, Cánones y Leyes. Bibliotecario del Real Palacio—1762—. Académico de la Real de la Historia, de la que también fue bibliotecario. Fue el descubridor de la partida de nacimiento de Cervantes. Su edición con notas del *Quijote* es sumamente elogiable. Su nombre figura en el *Catálogo de autoridades* de la lengua, publicado por la Real Academia Española.

Entre sus numerosas y notables obras figuran: *Ensayo de una biblioteca de traductores españoles*...—Madrid, 1778—, *Discurso sobre las antigüedades de Madrid*...—Madrid, 1791—, *Disertación sobre el origen, nombre y población de Madrid*—1806—, *Carta historicoapologética que en defensa del marqués de Mondéjar examina de nuevo la aparición de San Isidro en la batalla de las Navas de Tolosa*...—1793—, *Vida de Miguel de Cervantes, de Lupercio y Bartolomé Leonardo de Argensola*...

PELLICER DE OSSAU SALAS Y TOVAR, José.

Historiador y literato español. Nació —1602—en Zaragoza. Murió—1679—en Madrid. Estudió Humanidades en Salamanca y Madrid, Filosofía en Alcalá, Cánones y Leyes en Salamanca, graduándose en ambos Derechos, y representando como comisario en esta ciudad a la Mancha y Toledo. Señor de las Casas de Pellicer y de Ossau. Del Consejo de Su Majestad. Cronista de Castilla y León—1624—a la muerte de Antonio de Herrera, y de Aragón—1640—a la de Argensola.

Ilustre y laboriosísimo erudito. Entregóse a las letras humanas, a la Historia, lenguas, antigüedades, genealogías y documentos. Escribió un sinfín de obras—más de doscientas—, que pueden verse, con su biografía, en el *Ensayo de una biblioteca de traductores*, de don Juan Antonio Pellicer, en Nicolás Antonio y en Gallardo. En ocasiones, el estilo de Pellicer es gongorino y pedantesco.

Algunas obras: *El poema de Lucrecia* —1622—, *El rapto de Ganímedes*—1624—, *Argenis continuada*—1626—, *El Fénix y su historia natural*—1630—, *Lecciones solemnes a las obras de don Luis de Góngora*—1630—, *Amphiteatro de Felipe "el Grande"*—1631—, *Fama austríaca*—1641—, *La Astrea Sáfica, panegírico al gran monarca de las Españas* —1641, poema—, *Idea del Principado de Cataluña*—1642—, *Historia genealógica de la Real Casa de Alagón*—1649—, *Población y lengua primitivas de España*—1672—, *Aparato de la monarquía antigua de España* —1673...

V. Cejador y Frauca, J.: *Historia de la lengua y literatura castellanas*. Tomo V, 13 y sigs.

PEMÁN, José María.

Gran poeta, prosista y autor dramático español. En la salada claridad y en el sonoro ámbito de Cádiz nació José María Pemán el 8 de mayo de 1898. Con el gozo del mes y con el cántico de la estación. Y en su honor se recogió sobre sí mismo ese simbólico pañuelo con que la ciudad gaditana se despide

P

de todas las empresas líricas y de todos los afanes cósmicos de Europa. De noble y pudiente familia. Su niñez estuvo llena de gracia imaginativa y de recónditas comezones poéticas. Fue el niño marchoso. Fue el niño alegre. Fue el niño que se perdía en las revueltas de su propio azoguillo y que reaparecía en las esquinas de su plante garboso.

A los dieciséis años, el primer triunfo. En los juegos florales del Puerto de Santa María, el mozo espigado, al que ya le baten palmas todas las coplas de la ribera, lee su poesía *Trova* con una entonación efervescente, que hace cosquillas en la atención de los espectadores. A los dieciocho años, otro éxito, en Sevilla, durante otro certamen celebrado en el teatro Reina Victoria. La cosa tiene ya más importancia. José María estudia Derecho en la Universidad bética, y dicen que dicen, no se sabe, a punto fijo, qué de favores que debe y paga a esa ciudad voluble y patética que es la Poesía, apegada a un ambiente y enardecida por un estilo. José María Pemán anda ya a gusto y sin embozos, suave de alarde, fácil de ritmo, todos los comienzos de la rosa emotiva.

En Madrid se doctoró, doctó sin jactancias, pero con clara prisa y con una vaga indecisión del porvenir. Le urgía antes que nada y sobre todo prender su lirismo terso y musical en la letra de molde de revistas y periódicos.

De 1920 a 1930, José María Pemán se califica de gran poeta nuevo y de gran poeta andaluz. Se califica con sobresaliente. Ningún otro poeta sabe responder mejor que él, con más ceceosas hechuras que él, con más rota melancolía alegremente que él, a esos mil acertijos que propone su tierra en rondas de sensaciones que parecen efímeras y que espeluznan. El es, casi, el único poeta que sabe mezclar, en las proporciones debidas, esos ingredientes peligrosísimos de estallido mal empleados que son los tópicos del andalucismo.

Sin embargo, no publica su primer libro —*De la vida íntima*—, prologado por Rodríguez Marín, hasta 1932, ya cuajado y perfilado el gran escritor. Como queriendo ganar los años sin libros suyos, en seguida los años con muchos libros; en poco más de tres: *Nuevas poesías, Señorita del Mar, El barrio de Santa Cruz, A la rueda, rueda..., El romance del fantasma y doña Juanita, Volaterías, La vencedora, Cuentos sin importancia, De Madrid a Oviedo, pasando por las Azores; Fierabrás, El divino impaciente, Cuando las Cortes de Cádiz..., Poema de la Bestia y el Angel, Elegía de la tradición española, Cisneros...* Novelas, drama, versos... En 1935 le es otorgado el "Premio Mariano de Cavia", dedicado al mejor artículo periodístico del año. Su obra dramática *El divino impaciente* es galardonada por la Academia Española con el "Premio Espinosa Cortina", destinado a coronar la mejor obra teatral del período 1929-1933. El mismo 1935, la Real Academia le elige, por unanimidad, académico de número... En 1950 ganó el "Premio Pujol"—dotado en 100.000 pesetas—para obras teatrales.

Gran español—de raíz y fronda—, orador magnífico. Desde 1938 hasta 1946 desempeñó el cargo de director de la Real Academia de la Lengua. Y siempre con más y mejor lirismo, henchido de fe y ya tocado de serenidad exquisita, produciendo nuevas obras... *Crónicas de antes y después del Diluvio, Historia de España contada con sencillez, ¡Atención!... ¡Atención!* En 1941 estuvo en la Argentina y en otros países sudamericanos, pronunciando conferencias de hondo y perenne españolismo.

Otras obras teatrales: *La santa verreyna, La casa, Hay siete pecados, Las viejas ricas, Julieta y Romeo, Metternich, La loba, El testamento de la mariposa, Ella no se mete en nada, El viejo y las niñas, Paca Almuzara, Electra, Doña Todavía, Callados como muertos, Entre el sí y el no, El viento sobre la tierra, La hidalga limosnera, Yo no he venido a traer la paz, Felipe II, La luz de la víspera, Los tres etcéteras de don Simón, Paño de lágrimas, Vendimia, La verdad, Tiestes, La divina pelea, El hombre nuevo, El abogado del diablo, La coqueta y don Simón, La viudita marinera, Los monos gritan al amanecer, El río se entró en Sevilla, Pero en el centro, el amor.*

Poesías: *Las flores del bien*—1946.

V. HURTADO Y PALENCIA: *Historia de la literatura española*. Madrid, 1943.—SAINZ DE ROBLES, F. C.: *Historia y antología de la poesía castellana*. Madrid, 1946.—SAINZ DE ROBLES, F. C.: Prólogo a *Tres obras teatrales y Antología poética*, de José María Pemán. Madrid, Aguilar, 1944.—ENTRAMBASAGUAS, J.: *José María Pemán*, en *Cuadernos de Literatura Contemporánea*. Madrid, 1943, núm. 8.—GONZÁLEZ RUIZ, Nicolás: *El teatro de José María Pemán*, en *Cuad. de Lit. Contemp.*, Madrid, 1943, núm. 8.—ALBAREDA, Ginés: *Pemán orador*, en *Cuad. de Lit. Contemp.*, Madrid, 1943, núm. 8.—ROMO ARREGUI, Josefina: *Bibliografía de José María Pemán*, en *Cuad. de Lit. Contemp.*, Madrid, 1943, núm. 8.—CRUZ RUEDA, Angel: *La poesía de Pemán*, en *Cuad. de Lit. Contemporánea*, Madrid, 1943, núm. 8.—TORRENTE BALLESTER, Gonzalo: *Teatro español contemporáneo*. Madrid, edit. Guadarrama, 1957, páginas 267-81.—VALBUENA PRAT, Angel: *Historia del teatro español*. Barcelona. Noguer, 1956, págs. 620-24.

PENAGOS, Rafael de.

Nació en 1924.

Madrileño. Hijo del que fue famoso dibujante del mismo nombre. Poeta, periodista, conferenciante, actor. Viajero por casi todas las geografías de América—desde Chile a Estados Unidos—, donde ha pronunciado innumerables conferencias y ha recitado —en teatro, radio y televisión—los versos más representativos de la gran poesía española, como un moderno juglar de nuestro tiempo. Su firma ha aparecido en importantes diarios americanos. Actualmente, colabora en *A B C*. Ha sido pensionado por la Fundación March en 1963. Su lirismo alcanza una admirable perfección formal. Pero esta perfección oculta una temática enraizada en los más patéticos procesos humanos. Penagos es el Rimbaud español.

Obras: *Sonetos del buen amor*—1953—, *Memoria de mis días*—1962—, *Declaración de equipaje*—1963—, *Como pasa el viento* —1964, "Premio Nacional de Literatura".

PENEDO REY, Fray Manuel.

Literato e investigador español. Es hoy, quizá, la máxima autoridad en los estudios referentes a Tirso de Molina. Nació en 1907 en El Seijo (La Coruña). A los catorce años ingresó en la Orden de la Merced, donde hizo sus estudios de Humanidades, Filosofía y Teología, ordenándose en junio de 1931. Licenciado en Filosofía y Letras por la Universidad Central. Director de la revista *Estudios*. Del Instituto de Estudios Madrileños. Miembro de la Asociación *The Comediantes*, dedicada en Norteamérica al estudio del teatro clásico español. Maestro nacional por la Escuela Normal de Madrid.

Publicaciones: *Muerte documentada de fray Gabriel Téllez en Almazán y otras referencias biográficas, Noviciado y profesión de Tirso de Molina (1600-1601), Almazán y Madrid en la biografía de Tirso, El fraile músico de los "Cigarrales" de Toledo (fray Pedro González), Tirso de Molina, ¿legítimo o natural?; Tres nuevos documentos de su fallecimiento en Almazán (Soria), La segunda visita de Tirso de Molina a Sevilla y "La Huerta de Juan Fernández", Vida de San Pedro Nolasco, por el maestro Tirso de Molina (Selección y notas), Fragancia mística de Santa María de Cervellón, San Serapio, por fray Gabriel Téllez (Selección); La vida de Santa Tecla, por el maestro Tirso de Molina; Fray Gabriel Téllez, hijo del convento de la Merced, de Madrid; Tirso de Molina (febrero 1648-1948), Tirso de Molina y los Mercedarios, Felipe IV, el maestro Boyl y el venerable Falconi; Cervantes y fray Alonso Vázquez de Miranda, Del tercer centenario de la muerte de Quevedo, El Rmo. P. Ga-* briel Barbastro, General de la Orden de la Merced; Fray Pantaleón García Troncón (1666-1724), Maestro General; El Padre José Campuzano de la Vega, Maestro General (1672-1731); El Ayuntamiento de Madrid y Lope de Vega, Acuerdo sobre Autos sacramentales y el P. Remón, Tercer centenario de la muerte de Tirso de Molina, Aspectos vitales de la cultura española (Teatro teológico de fray Gabriel Téllez); Valor formativo del teatro clásico histórico español, Ampliación al trabajo del P. Ríos "Tirso no es bastardo", Tirso de Molina en Toledo, Tirso de Molina en Sevilla, Tirso de Molina, desterrado en Cuenca; Tirso de Molina, comendador de Soria; Definidor provincial, Su muerte en Almazán, Biografía del período 1654-1684, Biografía de Tirso, por el P. Hardá y Múxica; Tirso y su grado de maestro, La inscripción del retrato de Tirso de Molina, Una décima y una aprobación no conocidas de fray Gabriel Téllez, Exequias y entierro de Tirso de Molina, Tirso de Molina: "Historia general de la Orden de la Merced". Edición y estudio.* En preparación: *Vida y obras del maestro fray Juan Interián de Ayala.*

PEÑA, Josefina de la.

Poetisa y periodista española. Nació en 1920. Desde muy joven se dedicó al periodismo. Ha viajado por todo el mundo, residiendo mucho tiempo en Cuba, Uruguay, Argentina y Brasil. Ha colaborado en numerosas revistas hispanoamericanas. Corresponsal de *El Hogar* en el Brasil y de *Atlántida* en España, y en la actualidad, de *A Noite*, de Río de Janeiro. Durante cinco años ha sido artista de Radio Belgrano, de Buenos Aires, y también de la Emisora Nacional de Río de Janeiro. Sus reportajes radiofónicos le han conquistado gran popularidad en España e Hispanoamérica.

Como poetisa ha publicado: *Intimo, Cirros, Las horas muertas.*

El lirismo de Josefina de la Peña es absolutamente plástico, sensual—en el más noble sentido—; un lirismo que seduce rápidamente.

V. Sainz de Robles, F. C.: *Historia y antología de la poesía española*. Madrid, Aguilar, 1951, 2.ª edición.

PEÑA BATLLE, Manuel Arturo.

De la República Dominicana. Ensayista e historiador. Doctor en Derecho, Diplomático y político. Ex secretario de Estado. Es una de las plumas más vigorosas del moderno pensamiento dominicano.

Ha publicado varias e interesantes obras, entre ellas: *El descubrimiento de América y sus vinculaciones con la política internacional de la época*—1931—, *Las devastacio-*

P

nes de 1605 y 1606—1938—, *Transformaciones del pensamiento político*—1942—, *El sentido de una política*—1943—y *La rebelión del Bahoruco*—1948—. Ha publicado también: *Historia de la cuestión fronteriza dominicohaitina*—primer volumen, 1946—. Dirigió la "Colección Trujillo" (19 volúmenes), publicada en 1944.

PEÑA Y GOÑI, Antonio.

Literato y crítico musical español. Nació —1846—en San Sebastián. Murió—1896—en Madrid. Pasó su juvenud en Francia. Estudió en París y en Burdeos. Alumno del Conservatorio de Madrid. En 1879 fue nombrado catedrático de Historia y Crítica de arte de la música en la Escuela Nacional de Música de Madrid. Académico de la Real de Bellas Artes de San Fernando—1892—. Gran Cruz de Carlos III y caballero de la Orden de Isabel la Católica. En numerosas publicaciones españolas fue crítico musical y crítico taurino. Un moderno escritor ha dicho de él: "Realmente, Peña y Goñi es el tipo de crítico de periódico, y tal atracción ejercía sobre semejante género y de tal modo el temple de su alma encuadraba en esta literatura, que por ser íntima necesidad, y para practicarla continuamente, de la música la extendió a la tauromaquia y a la pelota vasca, resultando en una pieza crítico y revistero de músicos, toreros y pelotaris."

De buena y amena prosa. Humorista a veces. Siempre ingenioso y muy conocedor de los temas tratados.

Obras: *La ópera española y la música dramática en el siglo XIX*—Madrid, 1881—, *Nuestros músicos: Barbieri; Los despojos de "La Africana", Los maestros cantores de Nuremberg, Miguel Marqués*—biografía—, *Jesús de Monasterio*—biografía...

PEÓN Y CONTRERAS, José.

Poeta y autor dramático de extraordinaria importancia. Nació—1843—en Mérida (México). Murió en 1908. Se le llama "el restaurador del teatro en la patria de Ruiz de Alarcón y Gorostiza". Doctor en Medicina. Director de la Vacuna y del Hospital de San Hipólito. Pero su vocación enorme fue el teatro. A los diecisiete años escribió la leyenda dramática *La cruz del paredón*—imitación de las de Zorrilla—y los dramas *El castigo de Dios, María "la Loca"* y *El conde de Santisteban*.

Tuvo Peón y Contreras el don de la afluencia lírica y fue un gran discípulo de José Zorrilla. Poseyó una imaginación vivísima —no siempre bebiendo en las fuentes de inspiración nacional—, un apasionado temperamento, una asombrosa facilidad versificadora, instinto dramático grande, don excepcio-

nal para crear caracteres y para "diseccionar (¡!) almas", dominio de los trucos y de los tópicos escénicos del romanticismo.

Su obra teatral es fecunda y resiste el examen de las modernas generaciones críticas. Naturalmente que le sobran énfasis, ripios y extravagancias; pero reúne indiscutibles calidades de invención, dramatismo y poesía.

Entre sus obras teatrales sobresalen: *¡Hasta el cielo!, La hija del rey, Gil González de Avila, Un amor de Hernán Cortés, Antón de Alaminos, Por el joyel del sombrero, El conde de Peñalva, Luchas de honra y amor, Juan de Villalpando, Doña Leonor de Sarabia, Una tormenta en el mar, Laureana, Gabriela, En el umbral de la dicha...*

Otras obras: *Poesías*—1868—, *Romances históricos mexicanos, Romances dramáticos, Pequeños dramas, Hernán Cortés*—poema—, *Meditación a la memoria de mi madre*.

V. JIMÉNEZ RUEDA, Julio: *Historia de la literatura mexicana*. México, 1942.—NAVARRO, Francisco: *Teatro mexicano*. Madrid, editorial Espasa-Calpe.—OLAVARRÍA Y FERRARI, Enrique de: *Reseña histórica del teatro de México*. México, 1895. Cuatro tomos.—GONZÁLEZ PEÑA, Carlos: *Historia de la literatura mexicana*. México, 1940, 2.ª edición.

PERALTA Y BARNUEVO, Pedro de.

Polígrafo y poeta peruano. Nació—1663—y murió—1743—en Lima. Según el padre Feijoo—en una nota marginal que puso al párrafo segundo de su discurso sobre los españoles americanos—, Peralta y Barnuevo era criollo. El ilustre benedictino traza su semblanza afirmando que "no se hallará en toda Europa hombre alguno de superiores talento y erudición". Con juicio tan hiperbólico coincidieron todos sus contemporáneos. Peralta y Barnuevo fue ingeniero y cosmógrafo mayor del reino, catedrático de Matemáticas, perfecto conocedor de ocho lenguas —versificando en las ocho—, presidente y fundador de una Academia de Matemáticas y Elocuencia, contador de cuentas y particiones de la Real Audiencia, socio correspondiente de la Academia de Ciencias de París, rector de la Universidad de San Marcos, etc., etc., etc... "Monstruo de erudición" le llama Menéndez Pelayo. La amplitud de sus conocimientos explica, como es lógico, la extensión de su bibliografía: obras de metalurgia, astronomía, gramática, el calendario oficial, arte de fortificaciones, traducciones de idiomas extranjeros...

Como literato, pese a su enorme talento y a su enorme cultura, no pasó de "muy mediano". Hábil versificador, pero muy prosaico, de muy cortos vuelos; su gusto era pésimo, y la afectación le coloca entre los gongoristas más hinchados y retorcidos.

Obras literarias: *Historia de España vin-*

dicada...—Lima, 1730—, *Lima fundada, o Conquista del Perú*—poema, Lima, 1732—, *Lima triunfante, glorias de América, juegos pythios y júbilos de la Minerva peruana*—Lima, 1708—, *El Templo de la Fama, vindicado*—poema, 1720—, *El cielo en el Parnaso*—poema, 1736, Lima—, *La Galería de la Omnipotencia*—1739...

Texto: De *Lima fundada...* en *Documentos literarios del Perú*—tomo I—, de Manuel Odrizola.

V. GUTIÉRREZ, Juan María: *Poetas sudamericanos anteriores al siglo XIX*. Lima, 1865. GUTIÉRREZ, Juan María: *Pedro de Peralta y Barnuevo*, en *Rev. del Plata*, tomos VIII, IX y X.—SÁNCHEZ, Luis Alberto: *La literatura peruana*. Lima, 1928 y 1929, y Santiago, 1936. Tres tomos.—MENÉNDEZ PELAYO, M.: *Historia de la poesía hispanoamericana*. Madrid, 1911-1913, dos tomos.

PERALTA LAGOS, José María.

Literato salvadoreño. Nació—1873—y murió—1943—en Nueva San Salvador. Estudió en el Liceo salvadoreño y en las Academias militares españolas de Toledo y Guadalajara. Director general de Obras Públicas. Ministro de la Guerra. Ministro plenipotenciario de El Salvador en Madrid desde 1927 a 1930. Miembro correspondiente de la Real Academia Española de la Lengua. Como ingeniero realizó en su patria obras importantísimas, entre ellas las del Teatro Nacional y Palacio Nacional.

Fue un literato excelente, fácil, ameno y original, que popularizó el seudónimo de "T. P. Mechin".

Obras: *Burla, burlando*—1922—, *Brochazos*—1924—, *Doctor Gonorreitigorrea*—1926—, *En defensa del idioma*—1929—, *Candidato*—comedia, 1931...

PERDIGUERO PÉREZ, Fernando.

Novelista, cuentista, periodista. Nació—1929—en Madrid. Desde muy joven se dedicó al periodismo activo, siendo uno de los principales y constantes colaboradores de la revista *La Codorniz*. Suele firmar casi siempre sus escritos con el seudónimo de "Oscar Pin". Figura en la *Enciclopedia del Humorismo* de la Omnia Editrice, de Milán.

Obras: *Cuando no hay guerra, da gusto*—1953—, *Los náufragos del "Queen Enriqueta"*—1955—, *El pobre de pedir millones*—1956—, *El rey y Mari Pepi*—1956—, *El regalo*—1962...

«PERE QUART» (v. Oliveri Sallares, Joan).

PEREA, Antonio.

Poeta y autor dramático. Nació—1923—en Toledo. Licenciado en Leyes. Recitador muy notable de propias y ajenas poesías. Colaborador de *A B C* y otros importantes diarios y revistas de poesía.

Antonio Perea ha de quedar incluido en el más fácil y brillante neopopularismo, pero con una personalidad perfectamente definida por el tono, la gracia expresiva, la calidez humana y el fervor siempre en el mejor celo. Algunas de las poesías de Perea buscan el modelo de un García Lorca, luminoso en andalucismos y donaires imaginativos. Pero otras, más peculiares, nos delatan al lírico que se ha lanzado con paso seguro por un camino propio sobresaltado de emociones y jalonado de excelentes hallazgos imaginativos.

Obras: *Romances de ayer y de hoy*—1947—, *Poemas del hombre*—1950—, *¡Dejadme que no me calle!*

V. MARQUERÍE, A.: Epílogo al libro *Romances de ayer y de hoy*. 1947.—SAINZ DE ROBLES, F. C.: Prólogo al mismo libro. 1947. SAINZ DE ROBLES, F. C.: *Historia y antología de la poesía española*. Madrid, Aguilar, 1969, 5.ª edición.

PEREDA, José María.

Célebre y extraordinario novelista español. 1833-1906. El hidalgo de Polanco don Juan Francisco de Pereda y la gran dama de Comillas doña Bárbara Sánchez de Porrúa, casados a los dieciocho y a los quince años, respectivamente, formaron un matrimonio ejemplar por su religiosidad, por su españolismo y por sus virtudes domésticas, del que nacieron veintidós hijos. El benjamín, nuestro gran novelista, que vino al mundo en el lugar paterno de Polanco (Santander) el día 6 de febrero de 1833.

Estudió las primeras letras en Polanco y en La Requejada. El bachillerato, en el Instituto Cántabro de Santander. Para intentar el ingreso en la Academia Militar de Artillería, llegó a Madrid en el otoño de 1852. Se le atragantaron las Matemáticas. Se inficionó del ambiente literario de la corte. Abandonó los estudios—en los que nunca se había distinguido por su aplicación ni por su facilidad—y se dio a escribir versos y crónicas. Aquellos, inéditos, muy discretos. Estas, inéditas también, muy amenas y llenas de humor y de agudeza. En 1855, ya en Santander, estuvo a punto de morir del cólera, asistiéndole como médico don Agustín de Pelayo, abuelo materno del admirable polígrafo don Marcelino Menéndez Pelayo. El 25 de agosto de 1858 publicó en *La Abeja Montañesa*—revista fundada por Cástor Gutiérrez de Latorre—su primer artículo, titulado *Ya escampa*, firmado modestamente con una P. En 1864 pasó una breve temporada en París. Y fue elegido diputado por Cabuérniga en las primeras Cortes reunidas

P

por don Amadeo I de Saboya, tomando asiento en los escaños tradicionalistas. Antes—1869—había contraído matrimonio con doña Diodora de la Revilla, dama perteneciente a uno de los más linajudos solares montañeses. Desde 1873 apenas si salió Pereda del ambiente de su amada provincia. Polanco y Santander. Santander y Polanco. Y, si acaso, alargarse hasta Torrelavega, por abajo; a la diestra, hasta Castro-Urdiales; por la contraria banda, hasta San Vicente de la Barquera.

¡Pero... ir a Madrid! El solo pensamiento le sulfuraba al hidalgo escritor, quien achacaba a la vida cortesana unos vicios nefandos..., que los tenía tan a mano en su aldea, aun cuando un poco menos recalcados. Sino que la cazurrería rural es lo que más da el pego de hombría de bien. Su rencor a Madrid como capital política de la nación y como porción geográfica española lo aprovecharon hábilmente los primeros mantenedores del separatismo catalán para hacerle ir a Cataluña—1892—y pronunciar en los Juegos florales de Barcelona un discurso sobre el regionalismo, que tuvo mucha miga y mayor resonancia. Un año antes había sido derrotado como candidato a senador por las Económicas de León. 1896: segundo viaje a Andalucía. 1897: ingreso de Pereda—21 de febrero—en la Real Academia Española, contestando a su discurso Pérez Galdós, su gran amigo. Durante un viaje que realizó a Jerez de la Frontera—1904—, para apadrinar a un nieto suyo, sufrió un ataque de apoplejía. Trasladado fervorosamente—por el amor filial y por la general admiración—a Santander, aún vivió hasta el 1 de marzo de 1906.

Admirable tipo y admirable carácter los de Pereda. En lo físico, auténtico hidalgo español, "de los de otra época"; alta la frente, los ojos penetrantes, la nariz afilada, el bigote grande, la perilla solemne, enjuto, nervioso, abundante de encrespados cabellos... Y en lo moral..., de una pieza de granito. Amable sin dulzonería. Sencillo sin huraña. Un tantico impulsivo, eso sí; y amigo de controversias, en las que solía levantar la voz tonitrosa. Antes dejara el sol de alumbrar que Pereda abdicara de sus ideas ortodoxas, tradicionales, regionalistas.

Aun cuando Pereda escribió versos y piezas dramáticas—se conocen cinco de estas, estrenadas en Santander, entre 1861 y 1866, con poca fortuna—, no se le puede considerar como poeta—en verso, ¿eh?—ni como autor dramático—teatralmente, se entiende—. Pereda es un portentoso costumbrista y un novelista genial. Muy al principio creyó la crítica que era Pereda un discípulo de Trueba, de Mesonero Romanos, de Estébanez Calderón... Nada menos cierto.

La miopía de tal opinión débese a la admiración, no recatada, de Pereda por aquellos maestros y a sus propias manifestaciones de considerarlos como sus inspiradores. Pereda fue perfectamente personal. Inimitable como costumbrista, jamás imitó. Porque no cabe calificar, en general, de imitadores a cuantos se suceden dentro de un mismo género literario. El sello de individualidad omnímoda que admiramos en las obras de Pereda basta para desvanecer cualquier sospecha en contrario. Puede concederse, cuando más, a los citados maestros que llegaran a inspirarle la conciencia de sus aptitudes creadoras, no a trazarle caminos por los que jamás les siguió.

Con ser novelista literalmente genial, Menéndez Pelayo daba mayor valor al Pereda pintor inimitable de cuadros de costumbres.

Pereda es un realista portentoso, con un realismo netamente español, heredado de Cervantes y de Velázquez. Sus personajes se mueven, palpitan—¡viven y se desviven, en suma!—, no al antojo del artista, sino con la espontánea independencia de los seres vivos que hacen lo que les da la gana, sin necesitar que su creador les dé permiso para ello. El estilo de Pereda es una maravilla: preciso, correcto, natural, robusto, sin el menor dejo de amaneramiento. De los grandes novelistas españoles del siglo XIX, incluido Valera, ninguno ha llegado con Pereda a un dominio absoluto y sencillo del idioma. Jamás huelgan una palabra ni una frase en un escrito suyo, y cada una tiene su fuerza mayor y su colorido más propio y atrayente.

No es Pereda un creador de caracteres así, de un soplo, como Galdós. Pero están calados los suyos por la poesía, y hasta tales entresijos han sido expresados por manera tan minuciosa, que, aun siendo pocos, a veces, los rasgos, la reciura de su color y el contraste con el ambiente y con las cosas los han rebultado tanto, que nos parecen fuera del cuadro y como si anduvieran ya por ahí en cuerpo y alma.

Entre las obras más importantes de Pereda están: *Escenas montañesas*—1864—, *Tipos y paisajes*—1871—, *Bocetos al temple* —1876—, *Don Gonzalo González de la Gonzalera*—1879—, *El sabor de la tierruca* —1882—, *Sotileza*—1885—, *La Puchera* —1889—, *Peñas arriba*—1895...

De *Peñas arriba*, considerada, con *Sotileza*, como las más hermosas y perfectas de Pereda, unánimemente, por la crítica y el público españoles y extranjeros, se han escrito los elogios más encendidos y se han hecho los estudios más minuciosos. Si *Sotileza* es el poema shakespeariano del mar, *Peñas arriba* es el poema homérico de la montaña. *Peñas arriba* es un prodigio continuado desde la primera línea hasta la última. Caracteres humanos, costumbres, habla, paisajes..., todo ello tiene una reciedumbre imponente que pasma, una belleza brava y honda a la par, que es difícil encontrar en novela alguna española. Y si ello no fuera ya suficiente, está escrita *Peñas arriba* en el castellano más puro y armonioso, más preciso y firme que puede concebirse.

La edición más acabada de las obras completas de Pereda es la preparada por José María de Cossío, y publicada por la casa editorial M. Aguilar, de Madrid.

Otras obras: *Pachín González, La Montálvez, Los hombres de pro, El buey suelto, Nubes de estío, Al primer vuelo...*

Menéndez Pelayo admiraba en Pereda "el extraordinario poder con que se asimila lo real y lo transforma; el buen sentido omnipotente y macizo; la maestría del diálogo, por ningún otro alcanzada después de Cervantes; el poder de arrancar tipos humanos de la cantera de la realidad; la frase viva, palpitante y densa; la singular energía y precisión en las descripciones; el color y el relieve; los músculos y la sangre; el profundo sentido de las más ocultas armonías de la Naturaleza, no reveladas al vulgo profano; la gravedad del magisterio moral; la vena cómica, tan nacional y tan inagotable, y, por último, aquel torrente de lengua no aprendida en los libros, sino sorprendida y arrancada de los labios de la gente".

V. Menéndez Pelayo, M.: *Estudios de crítica literaria.* 1942, VI, 325.—Cossío, José María de: *La obra literaria de Pereda. Su historia. Su crítica.* Santander, 1934.—Cossío, José María de: *Estudio preliminar a las "Obras completas" de Pereda.* Madrid, Aguilar, 1934.—Camp, Jean: *Pereda, son oeuvre et son temps.* París, 1938.—Aicardo, P.: *Pereda, novelista y literato...,* en *Razón y Fe,* 1906.—Eguía, C.: *Literaturas y literatos.* Madrid, 1914.—Roure, N.: *Pereda. Su vida y sus obras,* en *Boletín Menéndez Pelayo,* 1924, VI.—Charro Hidalgo, A.: *Pereda,* en *Revista Contemporánea,* 333.—Montero, José: *Pereda, Biografía crítica.* 1915.—Pérez Galdós, B.: *Estudio* en la ed. de *El sabor de la tierruca.*—Outzen, Gerda: *El dinamismo en la obra de Pereda.* 1936.—Pfandl, Ludwig: *Pereda der Meister des modernen spanischen Romans.* Hamburgo, 1920.—Balseiro: *Novelistas españoles...* Nueva York, 1933.—Sibert, Kurt: *Des Naturschilderungen in Peredas Romanen.* Hamburgo, 1932.—Romera Navarro, M.: *Historia de la Literatura española.* Boston, 1928.—Gullón, Ricardo: *Vida de Pereda.* Madrid, Editora Nacional, 1944.—Entrambasaguas,

Joaquín de: *Las mejores novelas españolas contemporáneas (1895-1899).* Barcelona, Planeta, 1957, págs. 3-53. (Contiene una biobibliografía exhaustiva.)

PEREDA Y REVILLA, Vicente de.

Nació en Santander el 19 de julio de 1881, y fue hijo del novelista José María de Pereda. Murió en 1950. Sus artículos, publicados en periódicos y revistas desde 1898 a 1905, son muchísimos. En 1906, y con motivo de la muerte de su padre, decidió no escribir, considerando como desacertadas sus aficiones literarias. Pero volvió a caer en el supuesto desacierto y publicó todas sus obras sin regularidad y con silencios repetidos de varios años. Son muchos también sus estudios y conferencias sobre diversos temas, y esta diversidad se manifiesta en sus novelas—tesis, humorismo, epopeya, sentimiento, psicología y asuntos bíblicos y cosmopolitas—y en sus libros de viajes, memorias y artes plásticas. Fueron numerosas y ponderativas las críticas que le dedicaron Emilia Pardo Bazán, Ortega Munilla, Ricardo León, López Prudencio, Ballesteros de Martos, Díez-Canedo, Cossío, Espinós, Río Sainz y muchos más, dentro y fuera de España. Estas críticas se publicaron en la casi totalidad en los periódicos madrileños *A B C, El Sol, El Debate, El Liberal,* etc., y en semanarios y revistas literarias y de cultura general, diarios de provincias, Prensa hispanoamericana, norteamericana y portuguesa y en algunos libros como *Torre de Babel,* de Fidelino de Figueiredo. Se han traducido algunos de sus títulos al inglés y al alemán, y otros originaron comentarios y referencias de extensión. La coincidencia de la crítica se halla en las alabanzas al estilo y a la variedad de temas y actitudes. Sin embargo, el propio escritor considera que dicha variedad y desorden expresan sus continuos temores y respetos a las justificadas comparaciones genealógicas.

Las obras de Vicente de Pereda desde 1910—aparte de distintos folletos, como *Sociología y cristianismo, Bellas Artes, Política, Religión y política* e innumerables artículos de Prensa—son las siguientes, todas impresas en Madrid, menos la primera edición de su primera novela, hecha en Santander, y el último de sus libros, editado en Bilbao: *Viejo poema*—1910—, *La casa de Goethe*—1912—, *La fiera campesina*—1919—, *Cenizas y leyendas*—1920—, *La hidalga fea*—1922—, *Cantabria*—1923—, *Las soberanas circunstancias*—1926—, *Cartas de un solariego*—1926—, *Arco Iris*—1928—, *Película*—1929—, *El arte*—1930—, *Meditaciones castellanas*—1931—, *Cotos forestales de Previsión*—1932—, *La vejez*—1932—, *Esqueletos de oro*—1934—, *Jesucristo*—1939—, *Cincuen-*

P

ta años—1942—, Estilos arquitectónicos —1944—, *Pintura y escultura*—1946—, *Libro de la Caja de Ahorros y Monte de Piedad de Madrid*—1946—. Este último libro es un volumen histórico, lujosamente editado, que arranca del siglo XVII de Italia y llega hasta principios del siglo XIX español, con los ambientes de cada época y con fondos y formas esencialmente literarios.

PEREDA VALDÉS, Ildefonso.

Poeta y prosista uruguayo. Nació—1899—en Tacuarembó. En 1920 fundó la revista *Los Nuevos,* desde cuyas columnas defendió la "nueva literatura", atacando el periodismo político y la literatura oficial.

Pereda Valdés es el precursor de los poetas jóvenes americanos a quienes interesa el *tema negro*. En 1920 se sumó al movimiento ultraísta español. Colabora en *La Cruz del Sur* y en *Martín Fierro,* de Buenos Aires, dos revistas abiertas audazmente a todos los "aires de renovación".

"Pereda Valdés asume la responsabilidad de reivindicar a la raza y de crear un ciclo de poesía con motivos negros. A la primera dirección corresponden *Línea de color, El negro rioplatense, Negros esclavos y negros libres* y *Antología de la poesía negra americana.* A la segunda—creación poética—, *La guitarra de los negros* y *Raza negra.* Pereda Valdés aprehende la nota decorativa y característica... Es poesía de aproximación simpática al negro y de fuerte valor evocativo. Deja la nostalgia de lo ruidoso y colorido carnaval." (Leguizamón.)

Pereda Valdés se muestra tan íntimamente ligado al alma negra, que llega a expresar las emociones sencillas, los terrores y entusiasmos de los negros con un incomparable acento de verdad, con una emoción humana perdurable. Pereda Valdés reproduce en su lirismo, inclusive, las deformaciones de la lengua cometidas por los negros.

Otras obras: *La casa iluminada*—1920—, *El libro de la colegiala*—1921—, *El arquero*—críticas...

V. Boj, Silverio: *La poesía negra en Indoamérica,* en *Substancia,* Tucumán, marzo 1940.—Cúneo, Dardo: *Esquemas americanos.* Buenos Aires, 1942.—Torre, Guillermo de: *La aventura y el orden (literatura de color).* Buenos Aires, 1943.—Sanz y Díaz, José: *Lira negra.* Madrid, "Col. Crisol", número 21, 1945.

PEREIRA, Antonio.

Poeta y novelista. Nació—1923—en Villafranca del Bierzo (León). Cursó el bachillerato en su ciudad natal y en Ponferrada. Colaborador de las más importantes revistas

poéticas de España. En 1966 ganó el "Premio Leopoldo Alas" con su libro *Una ventana a la carretera.* Y una de las "Huchas de Plata" ofrecidas en el concurso internacional de las Cajas de Ahorro, por su cuento *Un Quijote junto a la vía.*

Como novelista cultiva un realismo costumbrista muy interesante y nimbado por un permanente halo lírico. Su idioma es de los más ricos y plásticos de nuestras letras de hoy.

Obras: *El refreso*—poemas, 1964—, *Del monte y los caminos*—poemas, 1966—, *Un sitio para Soledad*—novela, 1969—, *El cancionero de Sagres*—1969.

PEREIRA, Gómez (v. Gómez Pereira).

PERÉS Y PERÉS, Ramón Domingo.

Poeta, crítico y publicista español. Nació—1863—en Matanzas (Cuba), de padres españoles. A los dieciocho años, ya en España, empezó a publicar notables artículos de crítica en *La Ilustración,* de Barcelona, y en *La Gaceta de Cataluña.* Fundador de la revista *La Gaviota.* Dirigió *L'avenç.* Redactor de *La Vanguardia.* Durante varios años viajó por toda Europa.

De mucha cultura, Perés y Perés domina el inglés, el alemán y el francés como su propio idioma. Ha sido elogiado por críticos de prestigio, como "Clarín", Carlos Frontaura, Miguel y Badía, Martinenche, Fitzmaurice-Kelly, García Calderón, Peseux-Richard. El famosísimo premio Nobel inglés Kipling manifestó que la traducción de su obra *The Jungle Book*—*El libro de las tierras vírgenes*—, hecha por Perés, era un modelo de traducción, en la que no se perdían ni uno solo de los valores del original.

Ultimamente, Perés y Perés ha publicado ensayos meritísimos en *The Athenaeum,* de Londres; en la *Revue Hispanique,* en *Cultura Española,* en *Hispania* y en *Revista Crítica de Historia y Literatura.* Correspondiente de la Real Academia Española, de la de los Arcados de Roma, e individuo de número de la de Buenas Letras de Barcelona.

Obras: *Adolescencia*—versos, 1881—, *Cantos modernos, A dos vientos*—críticas y ensayos literarios—, *Norte y Sur*—poema, 1893—, *Los poetas del siglo XV, Estado de la cultura española, y principalmente catalana, en el siglo XV; Bocetos ingleses, Dulce terruño*—versos—, *El espíritu castellano y catalán en la poesía española, Verdaguer y la evolución poética catalana*—1913—, *La madre tierra*—poema, 1918...

Perés y Perés ha traducido magníficamente libros de Conrad, Hugo Benson, J. K. Jerome, Wells...

V. Fitzmaurice-Kelly, James: *Perés y Perés,* en *Revue Hispanique,* 1902.—Marti-

NENCHE: *Perés y Perés,* en *La Revue de l'Amérique Latine,* 1908.

PEREYRA, Carlos.

Historiador, ensayista, crítico literario, erudito magnífico. Toda la simpatía y la gratitud de España tienen que estar con este admirable espíritu reivindicador, consciente de la obra gigantesca de España en América. 1871-1944. Nació en Saltillo (México) y murió en Madrid, donde las autoridades y el pueblo tributaron una sentida, espontánea y gran manifestación de duelo. Doctor en Leyes. Abogado fiscal en su ciudad natal. Profesor de Sociología e Historia en la Universidad mexicana. Diputado. Diplomático. Casi toda su existencia transcurrió en España, donde vivió muy a gusto y donde fue querido y agasajado. Miembro correspondiente de la Real Academia Española de la Historia. Miembro del Tribunal Permanente de Arbitraje de La Haya.

El cultivador de más talla que ha tenido la Historia en la América española. Crítico de sutilísima penetración. Prosista castizo. De una cultura soberana. Polemista serio y casi siempre irrebatible. En su gran libro *La obra de España en América* ha puesto en evidencia vergonzosa a escritores extranjeros e ignorantes, que la falsearon ridículamente.

Gran caballero, conciencia literaria incorruptible, toda la vida de Pereyra fue un portentoso esfuerzo en pro de la verdad, de la belleza y del progreso. Sus obras han sido traducidas a todos los idiomas. Sus ideas fecundas van produciendo en la actualidad los frutos apetecidos.

El gran crítico Leguizamón ha escrito: "Solo el tiempo podrá establecer exactamente cuánto debe la moderna historia de los pueblos hispánicos a Carlos Pereyra, 'cuya labor formidable—al decir de Manuel Ugarte—tendrá que ser recompensada algún día'. En efecto: probidad, espíritu crítico y sagacidad penetrante informan una labor personal y benedictina en archivos y fondos paleográficos. Con varonil denuedo y cortante estilo ha venido diciendo la verdad sobre la obra de España en América y la política de los imperialismos foráneos en el solar de la estirpe."

Son sus obras fundamentales: *La obra de España en América, Las huellas de los conquistadores, Hernán Cortés y la epopeya de Anáhuac, Rosas y Thiers, Bolívar y Washington: un paralelo imposible; El mito de Monroe, Tejas: la primera desmembración de México; La Constitución de los Estados Unidos como elemento de dominación plutocrática, Breve historia de América, Historia de la América española, El pensamiento político de Alberdi, Francisco Pizarro, La con-*

quista de las rutas oceánicas, Historia del pueblo mexicano, El Imperio español...

V. LEGUIZAMÓN, Julio A.: *Historia de la literatura hispanoamericana.* Buenos Aires, 1925.—MEJÍA, Abigaíl: *Historia de la literatura castellana e hispanoamericana.* Barcelona, 1933.—GONZÁLEZ PEÑA, C. *Historia de la literatura mexicana.* 2.ª edición. México, 1940.

PÉREZ, Alonso.

Poeta y narrador español del siglo XVI. Nació en Salamanca, y en esta ciudad ejerció su profesión de médico. Fue gran amigo de Jorge de Montemayor. Y se le conoce literariamente por la continuación que escribió de la *Diana* de este. Alonso Pérez el "Salmantino" le llaman casi todos sus biógrafos. *La segunda parte de la "Diana",* un tanto pedantesca y muy hinchada, se publicó con la obra de Montemayor, y obtuvo un éxito grande, hasta el punto de ser la más leída de las continuaciones de la *Diana*—incluida la de Gil Polo—. Se hicieron ediciones: Valencia y Alcalá, 1564; Venecia, 1568, 1574; Amberes, 1580, 1581; Madrid, 1585, 1591, 1595, 1599.

La prosa de la continuación del doctor Alonso Pérez es pesada y vulgar; el verso, duro; déjanse sueltos todos los cabos para otra tercera parte, que no salió. El cura de *Don Quijote* entregó esta obra mazorral al brazo secular del ama, para que la arrojara al fuego purificador.

Yendo "del brazo" de la obra inmortal de Montemayor, la *Diana* de Alonso Pérez pasó las fronteras patrias y fue traducida al francés, al inglés y al alemán.

En los tomos XVI y XLII de la "Biblioteca de Autores Españoles", de Rivadeneyra, pueden leerse algunos versos de Alonso Pérez.

V. MENÉNDEZ PELAYO, M.: *Orígenes de la novela.*—RENNERT, H.: *The Spanish Pastoral Romances.* Baltimore, 1892.

PÉREZ, Fray Andrés.

Escritor y religioso español. Nació en León. Y se tienen escasas noticias de su vida. Julio Puyol ha establecido las siguientes: nació entre 1556 y 1561; entró en el noviciado de la Orden dominica entre 1572 y 1577; profesó de 1576 a 1581, y empezó a publicar sermones de Cuaresma en 1595. Fue lector en el convento de San Pablo, de Valladolid—1601—, y maestro de estudiantes en San Vicente, de Plasencia. Hacia 1621 se hizo famoso por sus sermones en el convento de Santo Tomás, de Madrid.

Fue fray Andrés Pérez un famoso predicador y un escritor castizo. Nicolás Antonio afirma que en su tiempo se atribuía generalmente a fray Andrés Pérez la paternidad del famoso libro *La Pícara Justina,* que pu-

P

blicó con el seudónimo "Francisco López de Ubeda". Y el gran erudito contemporáneo don Julio Puyol afirma que "hay numerosas razones e indicios muy vehementes para sospechar que el autor de *La Pícara Justina* era leonés, clérigo y fraile dominico". Por ello cree que el autor de dicha novela picaresca fue fray Andrés Pérez.

Las pruebas aportadas por Puyol no han convencido a la crítica moderna, la cual cree en la personalidad de López de Ubeda, distinta de la del dominico.

Obras: *Vida de San Raymundo de Peñafort*—Salamanca, 1601—, *Sermones de Quaresma*—Valladolid, 1621—, *Sermones de los Santos*—dos tomos, Valladolid, 1622.

V. Puyol, Julio: Edición crítica de *La Pícara Justina*, en *Bibliófilos Madrileños*, tomos VII, VIII y IX.—Pérez Pastor, Cristóbal: *La Imprenta en Medina del Campo*. Madrid, 1895.—Foulché-Delbosc, R.: *L'auteur de "La Pícara Justina"*, en *Rev. Hispanique*, X, 236-44.

PÉREZ, Antonio.

Interesante prosista e historiador español. Nació—1534—en Madrid. Murió—1611—en París. Su padre fue durante muchos años secretario de Carlos I y Felipe II. Antonio era hijo natural. Su madre fue una mujer casada, llamada Juana Escobar. Su legitimación se obtuvo por una real cédula en 1542. Estudió en Alcalá y en Salamanca. Viajó mucho con su padre por Europa. Secretario de Ruy Gómez de Silva, príncipe de Eboli, ministro muy querido de Felipe II, quien, a instancias de aquel, nombró a Antonio Pérez secretario de Estado de las cosas de Italia. En poco tiempo, Antonio Pérez—casado por entonces con doña Juana Coello—ganó la absoluta confianza del monarca. Caído en desgracia por causas a él únicamente imputables, huyó a Aragón—1590—y luego a Francia, donde acabó tristemente sus días.

Tuvo una cultura grande, un talento muy sutil, una simpatía arrolladora. Pero, lleno de vicios y de ambiciones, pospuso los intereses de su patria y de su rey a los propios, y fue traidor a ambos, y aun los difamó implacablemente desde su destierro.

Su prosa se considera hoy como uno de los modelos del buen decir, y su nombre figura en el *Catálogo de autoridades* del idioma, publicado por la Academia de la Lengua.

Hay siempre originalidad y valor en su estilo, que resulta siempre vigoroso y da la sensación de la cosa viva. "Tal vez le perjudique también—escribe un crítico—el alarde frecuente de rasgos eruditos; pero, en general, los defectos que apuntamos no bastan para ocultar las grandes condiciones de escritor y, sobre todo, su solidez de espíritu, que se desliza a través de un lenguaje elegante y lleno de interés, empleando con igual acierto el tono patético, el irónico y el metafórico, porque su erudición, su inteligencia y su conocimiento de las personas y de las cosas lo permitían así."

Obras: *Relaciones de su vida*—publicadas en Francia, 1592, con el seudónimo de "Rafael Peregrino"—, *Cartas... con aforismos...* —París, 1598—, máximas que presentó al rey Enrique IV de Francia—Madrid, publicadas en 1818—, *Pasquín del infierno*—publicado por el marqués de Pidal—, *Norte de Príncipes*—dedicado al duque de Lerma y publicado en 1788.

En Francia se publicaron—de 1644 a 1676—las *Oeuvres amoureuses et politiques* de A. Pérez. En el volumen XIII de la "Biblioteca de Autores Españoles", de Rivadeneyra, se han publicado las *Cartas*.

V. Zarco, P. Julián: *Antonio Pérez*, en *La Ciudad de Dios*, 1920-1921.—Mignet, F.: *Antonio Pérez et Philippe II*. París, 1845.— Marañón, doctor Gregorio: *Antonio Pérez*. Buenos Aires, Espasa-Calpe, ¿1946?—García Mercadal, José: *Antonio Pérez...* Barcelona, ¿1943?—Bermúdez de Castro, S.: *Antonio Pérez*. Madrid, 1848.

PÉREZ, Dionisio.

Excelente literato y periodista español. Nació—1871—en Grazalema (Cádiz). Murió —¿1934?—en Madrid. Se dedicó al periodismo desde los dieciséis años, en el *Diario de Cádiz* y en *La Dinastía*, sufriendo persecuciones y arrestos por sus violentas campañas contra el caciquismo y la inmoralidad política.

Desde 1891 vivió en Madird. Popularizó los seudónimos "Mínimo Español" y "Post-Thebussen". Verdadero maestro de periodistas, su firma fue un gran aliciente en periódicos y revistas de España e Hispanoamérica: *Nuevo Mundo, La Esfera, Heraldo de Madrid, El País, Diario Universal, El Imparcial, A B C, El Sol, El Mundo*—de la Habana—, *El Diario Español*—de Buenos Aires...

Su pluma siempre estuvo al servicio de la verdad, de la justicia y de la patria. Con ella llevó a cabo campañas famosísimas, de gran repercusión política, conducentes a evitar desafueros o a prestigiar los principios fundamentales de la sociedad española.

Pocas prosas tan limpias, tan castizas, tan naturales, tan expresivas como las suyas. Pocas inteligencias tan claras y agudas como la suya.

Obras: *Jesús*—novela—, *La Juncalera*—novela—, *Por esas tierras*—crónicas de viajes—, *España ante la guerra*—1917—, *Daniel Vierge, el renovador y el príncipe de la ilustración moderna*—1929—, *En el cendal de la vida* —novela, 1926—, *Guía del buen comer*

—1929—, *La Dictadura a través de sus notas oficiosas*—1930—, *El enigma de Joaquín Costa. ¿Revolucionario? ¿Oligarquista?*—1930.

PÉREZ, José Joaquín.

Poeta y prosista dominicano. Nació—1845— y murió—1900—en Santo Domingo. Abogado. Funcionario de Relaciones Exteriores. Director del Liceo de Ozama. Diputado. Magistrado de la Suprema Corte de Justicia. Secretario de Estado, Justicia, Fomento e Instrucción Pública. Director de *El Nacional*. Fundador de la *Revista Científica, Literaria y de Conocimientos útiles*. Colaborador de *La Gaceta, Letras y Ciencias, Los Lunes del Listín, El Álbum del Hogar* y *Revista Ilustrada*. Estuvo desterrado en Venezuela durante los llamados "seis años de Báez" (1868-1873). Popularizó el seudónimo "Flor de Palma".

Según Pedro Henríquez de Ureña, "representa en su época y en su patria una fisonomía espiritual cuya rara distinción no advierten los talentos superficiales. Hijo del siglo de los pesimismos y las rebeldías líricas, fue un espíritu equilibrado, de aquellos cuyo tipo supremo es Goethe; espíritu amplio y profundo, amable y fuerte, a veces doloroso, pero profundamente optimista, que asumió en la poesía antillana el mismo papel que Tennyson en la inglesa".

Obras: *Fantasías indígenas*—Santo Domingo, 1877—, *La lira de José Joaquín Pérez* —Santo Domingo, 1928—, *Vuelta al hogar* —poema—, *Contornos y relieves, Americanas*—episodios de la revolución cubana de 1895...

V. GARCÍA GODOY, Federico: *La literatura dominicana*. 1916.—MEJÍA, Abigaíl: *Historia de la literatura dominicana*. 5.ª edición, 1943. HENRÍQUEZ UREÑA, Pedro: *Santo Domingo, en la Historia universal de la literatura*, de Prampolini, vol. XII, 1941.—CONTÍN AYBAR, Pedro René: *Antología poética dominicana*. 1943.—ANTOLOGÍA DE LA LITERATURA DOMINICANA. Ed. oficial. Dos tomos, Ciudad Trujillo, 1944.

PÉREZ ALFONSEDA, Ricardo.

De la República Dominicana. Poeta y diplomático. Nació en 1892. Murió en Lima en 1950. Fue proclamado benjamín de la poesía hispanoamericana en 1910 por Rubén Darío, del que fue amigo personal. Modernista sin desprenderse totalmente de lo clásico. Su verso es culto y tiene profundidades filosóficas.

Ha publicado: *Mármoles y lirios*—1909—, *Oda de un yo*—1913—, *Finis Patria*—1914—, *Palabras de mi madre y otros poemas* —1925—y *Los diez mil de Trujillo*—1936.

Para Manuel Valldeperes, "la iniciación romántica, o neorromántica, de Pérez Alfonseca puede servir de punto de partida para el análisis evolutivo de su pensamiento. Sujeto a las exigencias de una influencia puramente tradicional, piensa con la época; pero a medida que el poeta se relaciona con el mundo exterior, siente la necesidad de expresarse por su cuenta, atendiendo a los dictados de su alma. Y así se produce metódicamente su evolución, que, si ofrece un período de extremismo modernista, es a consecuencia del impulso lógico que lo lleva de la postración a la vehemencia.

"Al encontrarse el poeta a sí mismo, su poesía cambia de signo. Ya no es la estrella solitaria que persiguió y le persiguió en su soledad, sino la estrella-orbe cuya esencia es el alma humana, con todos los dolores, todas las inquietudes, todas las alegrías y todas las esperanzas del hombre".

Finalmente, afirma Valldeperes que por eso Pérez Alfonseca es una voz solitaria y se situó "entre dos sectores de la hora: el modernismo, ya en franca decadencia, y el ultraísmo, en pleno perfil renovador".

PÉREZ DE AYALA, Ramón.

Magnífico poeta, novelista y ensayista español. Nació—1881—en Oviedo (Asturias). Murió—1962—en Madrid. Estudió con los jesuitas en Gijón y en Carrión de los Condes. Abogado. Embajador de España en Londres durante la segunda República española. Muy influido en sus ideas por el pensamiento de "Clarín". Uno de los estilistas más admirables—no *castizo*, ¿eh?—de la prosa castellana contemporánea. Académico de la Real Española de la Lengua. Su obra poética está comprendida en tres volúmenes: *La paz del sendero*—1903—, *El sendero innumerable* —1916—y *El sendero andante*—1921—. El primero de estos volúmenes es el poema del campo; el segundo, el poema del mar; el tercero, el poema del río. En los tres aparece Pérez de Ayala como un poeta original, duro de forma, difícil de música, de contenido humano, pero poco emotivo, de sentido conceptual y arquitectural. Pérez de Ayala está en un término medio entre Unamuno y Antonio Machado. La preocupación religiosa, el predominio ideológico de su poesía, la dureza con que afronta la emoción, la reminiscencia filosófica que le rezuma, sin querer se aproximan al primero. Y al segundo, su fuerza descriptiva del paisaje, su ilusión por acercarse a las cosas pequeñas y furtivas y hallar en ellas veneros de lirismo puro. No es raro ver cómo Pérez de Ayala prefiere en su poesía el símbolo a la persona y la idea a la visión. Fuerza, novedad, barroquismo, tiene la lírica de Pérez de Ayala; pero también excesivo intelectualismo. Quizá le nazca su poesía del corazón; él, sin

P

embargo, no la vuelca directamente en las cuartillas, sino que la hace subir a su cabeza y en la cabeza la examina, la retoca, le quita espontaneidad, le añade *formalidad* —en todas sus acepciones—de fondo y de forma. La ternura poética de Ayala—las pocas veces que nos da su ternura—llega al lector fría, cuajada. Cada uno de los tres libros poéticos de Ayala tiene un sentido y un valor distintos. *La paz del sendero* es el más espontáneo y diáfano, el más histórico y musical. *El sendero innumerable,* el más nervioso, el más sentencioso e irónico. *El sendero andante,* el más filosófico y retórico, el más *espejo* de su autor, ya personalizado en el estilo definitivo. Eso sí, en los tres se encuentra un mismo sabor añejo a musa española: a Berceo, a Hita; sabor que nos excita tal vez los monorritmos tan usados por Ayala:

Con sayal de amarguras, de la vida romero,
en la cima de un álamo sollozaba un jilguero,
topé, tras luenga andanza, con la paz del sendero.
Fenecía del día el resplandor postrero.

Por su enorme cultura, por el conocimiento que Pérez de Ayala tiene de las literaturas europeas, se le han achacado influencias italianas, francesas, inglesas. Pudiera ser. Pero él las ha tamizado tanto, las ha retenido tanto, tan bien las ha cortado y cosido a su medida, que no lo parece. Español y muy español. Eso sí: tipo perfecto del escritor con un predominio de lo intelectual, del idealismo práctico.

Pero si es excepcional el valor de Pérez de Ayala como poeta, no lo es menos como novelista.

"En la novela de Ayala—opina Valbuena—podríamos señalar dos momentos. El primero, hasta *Belarmino,* juvenil, impetuoso, desenfadado, revela ya a un gran artista. En las primeras grandes novelas, Ayala se muestra fuerte, realista, con un fondo amargo, pesimista, en que la concepción trágica de la vida se disfraza de ingenioso humorismo. Nos hace pensar en nuestros grandes noveladores clásicos de la picaresca, como Alemán y Quevedo, pero con personal, con típica significación de la época coetánea. Riqueza de caracteres, vivos cuadros satíricos aparecen en las novelas primeras de Ayala... Pero la primera gran creación en que aparece pleno el segundo estilo es *Belarmino y Apolonio.* Aquí ya el cuadro de sociedad, caricatura trágica unas veces, ahondamiento de tipos simbólicos, eternos; otras, recreación en las figuras más complejas y personales en lo fundamental, origina una nueva forma de novela."

Por su parte, dice Cejador: "Conoce muy a fondo las literaturas francesa, italiana, española y, sobre todo, la inglesa. De todas ellas ha tomado notables elementos artísticos. De la francesa, la sensibilidad modernista; de la italiana, la elegancia florentina del Renacimiento; de la inglesa, el humorismo y la seriedad de fondo que hay en cuanto escribe; de la castellana, la galanura y la riqueza en el decir y el aire picaresco y zumbón que hace que, si su humorismo tiene mucho de inglés, no tenga menos de castellano."

De su primera novela, *Tinieblas en las cumbres,* don Benito Pérez Galdós, el mejor novelista español después de Cervantes, dijo así: "Diré en breves palabras que diría poco si dijese que me ha gustado. Me ha encantado, me ha embelesado, la tengo por una obra maestra de la literatura picaresca. Verdad, gracia, sentimiento, realidad, idealidad, todo hay en ella. Y en riqueza de léxico no creo que nadie pueda igualarle."

Y otro gran crítico moderno, "Andrenio", ha escrito: "Tiene Pérez de Ayala fuerza sentimental, melancolía y humorismo en su evocación de la comedia humana; sabe describir con delicadeza exquisita un paisaje y escudriñar con fina atención el mecanismo espiritual de las almas. Le atraen más, al parecer, los individuos que las multitudes; más la interpretación psicológica que los caracteres, y las pasiones y emociones, que el espectáculo y el movimiento colectivos. Se advierte en él cierta afición a los personajes extraordinarios; su estilo es elegante, castigado, sin afectación, pero no sin estudio."

Toda la obra novelesca de Ayala rezuma humorismo melancólico, ternura, certero espíritu crítico y una finísima penetración psicológica. De una de sus narraciones breves, *Luz de domingo,* podría afirmarse que es una de las seis mejores novelas cortas españolas, de todas las épocas, que puedan seleccionarse. Para el crítico italiano Felipe Sachi, es Ayala "el novelista más interesante de la Europa joven".

Es igualmente Pérez de Ayala un maestro del ensayo. Perfecto de forma, denso de pensamiento, agudísimo de crítica y sutil de interpretación, castizo y claro de exposición, siempre avalado por una cultura selecta y vasta. El castellano de Ayala es sencillamente maravilloso; quizá un tanto trabajado, pero indiscutiblemente castizo, terso, riquísimo, jugoso.

Otras obras: *A M. D. G.*—1910—, *La pata de la raposa*—1912—, *Troteras y danzaderas* —1913—, *Prometeo, Luz de domingo y La caída de los limones*—1916, tres novelas cortas deliciosas—, *Hermán encadenado*—1917, crónicas de guerra—, *Las máscaras*—1918, crítica teatral—, *Política y toros*—1918, crítica—, *Belarmino y Apolonio*—1921, novela—, *Bajo el signo de Artemisa*—novelas breves—, *Luna de miel, luna de hiel*—1923, no-vela—, *Los trabajos de Urbano y Simona* —1923, novela—, *Tigre Juan*—1926, nove-la—, *El curandero de su honra*—1926, no-vela—, *Justicia*—novela corta, 1928—, *El libro de Ruth*—ensayos—, *Poesías completas* —"Colección Austral", 1942—, *Divagaciones literarias*—1958—, *Principios y finales de la novela*—1959—, *El país del futuro*—1959—, *Más divagaciones*—1959—, *Fábulas y ciuda-des*—1961—, *Amistades y recuerdos*—1961—, *Raposin*—1962—, *Tributo a Inglaterra* —1963—, *Obras completas*—Madrid, Agui-lar, 1964.

V. Agustín, Francisco: *Ramón Pérez de Ayala. Su vida y sus obras.* Madrid, 1927.— Canssinos-Asséns, R.: *Ramón Pérez de Ayala, en la Nueva Literatura.* Volumen IV, 1927.—Balseiro, J.: *El vigía.* Madrid. Mun-do Latino, ¿1929?, II.—Barja, César: *Libros y autores...* 1935.—Gómez de Baquero ("An-drenio"): *Novelas y novelistas.* Madrid, 1918.—González-Blanco, Andrés: *Los Con-temporáneos.* Primera serie.—Romera Nava-rro, M.: *Historia de la literatura española.* Boston, 1928.—Valbuena Prat, A.: *Historia de la literatura española.* Barcelona, 3.ª edi-ción, 1950, tomo III.—Bell, F. G. Aubrey: *Contemporary Spanish Literature.* Nueva York, 1925.—Madariaga, Salvador de: *The Genius of Spain.* Oxford, 1923.—Nora, Eu-genio G. de: *La novela española contem-poránea.* Madrid. Gredos, 1958. Tomo I, pá-ginas 467-513.—García Mercadal, José: *Prólogo al libro Tributo a Inglaterra.* Madrid, Aguilar, 1963.—García Mercadal, José: *Es-tudio en las Obras completas* de P. de A. Madrid, Aguilar, 1964.—Sainz de Robles, F. C.: *La novela española en el siglo XX.* Madrid, edit. Pegaso, 1957.—Entrambasa-guas, J. de: *Las mejores novelas contemporá-neas (1925-1929).* Barcelona, Planeta, 1961, páginas 271-347. (Contiene una biobibliogra-fía exhaustiva).—Reinink, K. W.: *Algunos aspectos literarios y lingüísticos de la obra de Ramón Pérez de Ayala.* La Haya, Goot Zonin's, 1955.—Urrutia, Norma: *De Trote-ras a Tigre Juan.* Madrid, Insula, 1960.

PÉREZ BAYER, Francisco.

Ilustre polígrafo español. Nació—1714—y murió—1794—en Valencia. Doctor en Teolo-gía por la Universidad de Gandía y en Le-yes por la de Salamanca. Beneficiado de la parroquia de San Nicolás, de Valencia. Se-cretario de cámara del arzobispo valenciano. Catedrático de Lengua hebrea en las Uni-versidades valenciana y salmantina. Ordena-dor de los Archivos de Toledo y El Escorial. Canónigo de la catedral de Barcelona. Pre-ceptor de los hijos de Carlos III. Director de la Real Biblioteca. De la Academia de

Ciencias de Gotinga y de la de Artes de San Petersburgo. Su nombre figura en el *Catálogo de autoridades* del idioma, publica-do por la Academia Española.

Su erudición fue muy grande. "Ningún soberano se gloriará—decía Carlos III, refi-riéndose a Pérez Bayer—de tener un literato y un anticuario mejor que el mío."

El juicio del juicioso monarca era justo. Pérez Bayer era un trabajador infatigable, lleno de buen sentido crítico y de sutil in-terpretación literaria.

Obras: *Catálogo de la Real Biblioteca de El Escorial, Damasus et Laurentius hispani* —Roma, 1756—, *Del alfabeto y lengua de los fenicios y sus colonias*—1772—, *Etimología de la lengua castellana, Viaje arqueológico desde Valencia a Andalucía y Portugal; Dia-rio*—de sus viajes a Italia—, *Instituciones de lengua hebrea, Origen de las voces espa-ñolas derivadas de las voces hebreas...*

V. García, L. Juan: *Pérez Bayer y Sala-manca.* Salamanca, 1918.—Sidró Villarroig: *In funere Francisci Perezii Bayerii. Oratio ad Senatum et Academiam valentinam.* Va-lencia, 1794.

PÉREZ BALLESTEROS, José.

Poeta y erudito gallego. Nació—1833—en Santiago de Compostela y murió—1918—en La Coruña. Fue licenciado en Derecho y en Filosofía y Letras. Y desempeñó durante muchos años, y hasta su muerte, la direc-ción del Instituto de Segunda Enseñanza co-ruñés. En un certamen celebrado—1884—en La Coruña ganó sendos premios con sus obras *Refranero gallego* y *Diccionario de la lengua gallega.*

Fue un lírico eminentemente popular y entrañable, y un profundo conocedor del idioma regional. En opinión de la crítica, puede ser considerado como el primer fol-klorista de Galicia. En *El Heraldo Gallego* publicó más de un centenar de cantares ga-llegos, compuestos al modo popular.

Otras obras: *Versos en dialecto gallego y correspondencia castellana de sus principales voces*—Madrid, 1878—, *Cancionero popular gallego*—Madrid, tres tomos, 1885 y 1886—, *Foguetes*—epigramas gallegos, La Coruña, 1888—, *Apuntes cervantinos*—La Coruña, 1905—, *Juicio crítico acerca del Concilio de Trento...*—Madrid, 1859.

V. Couceiro Freijomil, A.: *El idioma ga-llego. (Gramática. Historia. Literatura.)* Bar-celona, 1935, págs. 342-44.—Saco y Arce, Juan A.: *Prólogo a Versos en dialecto galle-go...* Madrid, 1878.—Braga, Teófilo: *Prólogo a Cancionero popular gallego.* Madrid, 1885-1886.—Cotarelo Valledor, A.: *Don José Pérez Ballesteros, en Boletín Academia Galle-ga,* tomo XI.

P

PÉREZ BOJART, José.

Poeta y novelista. Nació—1882—en Madrid. Desde muy joven vivió en la capital una absurda y simpática vida bohemia. Dio conferencias curiosas, llenas de ingenio, en el Ateneo, en las Redacciones y en los cafés. Colaboró en *Los Lunes de "El Imparcial"*, *Heraldo de Madrid, Nuevo Mundo, La Esfera, Por Esos Mundos*, la *Correspondencia de España, Cervantes* y otros muchos diarios y revistas. Recorrió España en un vagabundeo sentimental, que se fue cuajando de anécdotas y de emociones fuertes.

Pérez Bojart es un gran escritor, al que ha malogrado su vida y su pereza. Como Sánchez Rojas, con quien tiene tantas semejanzas de bohemio, escribe en una excelentísima prosa; y es agudo, humorista; oculta con cierto sarcasmo desgarrado el enorme sentimentalismo de su espíritu de auténtico poeta.

Obras: *Micropoemas*—Madrid, 1911—, *Fabián Airón*—novela, Barcelona, 1916, ed. Doménech...

PÉREZ BONALDE, Juan Antonio.

Venezolano—1846-1892—. Neorromántico, precursor del modernismo, excelente lírico, cuya "amarga filosofía" deploraba Menéndez Pelayo.

Tradujo *El libro de las canciones*, de Heine, y *El cuervo*, de Poe.

Entre sus poemas más famosos están: *Primavera, Flor, Al Niágara, Vuelta a la patria*. Según Leguizamón, las poesías de Pérez Bonalde "dan una nota nueva en la poesía venezolana; un romanticismo de recatada intimidad, concentrado y vaporoso, tan diferente a la exclamación, al grito, a la violenta antítesis de los poetas del año 40".

V. MENÉNDEZ PELAYO, M.: *Historia de la poesía hispanoamericana*. Dos tomos, Madrid, 1911-1913.—PICÓN FEBRES, Gonzalo: *La literatura venezolana en el siglo XIX*. Caracas, 1906.—PICÓN SALAS, Mariano: *Formación y proceso de la literatura venezolana*. Caracas, 1940.

PÉREZ CAMARERO, Arturo.

Poeta y prosista. Nació en Covarrubias (Burgos). Murió—1963—en Madrid. Licenciado en Derecho. En 1915 se trasladó a Madrid, donde vivió siempre. Redactor-jefe y director de la famosa revista *La Ilustración Española y Americana*. Redactor de *La Libertad*. Con el seudónimo de "Micrófono" fue fundador y director de las primeras estaciones emisoras: Radio Ibérica y Radio Castilla, de Madrid. También ha sido uno de los primeros paladines del cine español, al que ha logrado dar un impulso gigantesco.

Agudo y erudito crítico del *séptimo arte*. Recitador. Conferenciante. Dirigió numerosas películas dedicadas al paisaje y a las costumbres de España. Colaborador de *La Epoca, Nuevo Mundo, Mundo Gráfico*.

Pérez Camarero es un lírico de un modernismo evolucionado, de poderoso aliento, de musicalidad sinfónica, de temas tradicionales.

Obras: *El galeón*—teatro poético—, *Así es España*—dos tomos—, *La verdad de España, Los Palacios Reales de España, Política Social...*

V. SAINZ DE ROBLES, F. C.: *Historia y antología de la poesía española*. Madrid, Aguilar, 1951, 2.ª edición.

PÉREZ CAPO, Felipe.

Poeta festivo y autor teatral español. Hijo de Felipe Pérez y González. Nació—1878—en Sevilla. Desde casi un niño se dedicó a escribir para el teatro. Su fecundidad ha sido asombrosa. Fue uno de los fundadores de la Sociedad de Autores Dramáticos de España.

Cultivó para la escena el género cómico de costumbres con ingenio y facilidad, consiguiendo muchos éxitos. Publicó también novelas llenas de gracejo y poesías festivas de gran fuerza hilarante.

Novelas: *El papel vale más, Rocío, Flor de estufa, Olga, Venganza de apache, El solitario de Yuste, De aquí y de allá, El secreto de Susana, Montón de huesos, ¡Ja, ja, ja!, Flor de tango, Astrakán puro, El misterio de la Villa Azul, El collar de miss Alicia, Margaritiña...*

Teatro: *¡Estoy en el secreto!, El mozo crúo, Flor de mayo, Dora, la viuda alegre; Don Miguel de Mañara, La compañera, El Carnaval de Venecia, El canto del gallo, Don Casto del Todo, Tres mil beatas, La canariera, ¡Guerra a los sastres!, La zaragatona, Un secretario muy particular, Justicia, Juan Manuel, El doctor Centeno, Peritas en dulce, Teatro cómico, Teatro entretenido...*

PÉREZ CLOTET, Pedro.

Notable y originalísimo poeta. Nació —1902—en Villaluenga del Rosario (Cádiz). Murió en 1966. Toda su vida fue una dedicación a la más pura y desnuda poesía. Estudió el bachillerato con los jesuitas del Puerto de Santa María. Doctor en Derecho por la Universidad de Madrid. Vivió en Madrid, Sevilla y Cádiz. Pero él prefirió la tranquilidad de su natal Villaluenga, "paisaje serrano de encinas". Fundó y dirigió la gran revista poética *Isla*, de Cádiz. Viajó por España, Francia, Italia y Portugal.

De él y de su poesía ha escrito el padre Félix García: "La poesía químicamente pura es un mirlo blanco; pero no lo es esta poesía que aspira a conseguir pureza de cumbre alpina y diafanidad dura y traslúcida de diamante, como la de Pérez Clotet, que ha sabido ver "al trasluz" en su intimidad y en su mundo circundante para estilizar después "lo vivido" en un segundo plano de creación. Pérez Clotet se mostró ya en su libro anterior *Signo de alba* como un auténtico poeta, fluctuante entre la devoción de Góngora y Guillén... En *Trasluz*, el poeta adensa su personalidad: tiene un lenguaje poético más expresivo y más animado. En aquel buscaba con preferencia el ritmo interno; en este se preocupa también con exquisita pulcritud del ritmo externo, aunque sin perder la serenidad ni dar en desbordamientos líricos verbales que ahogarían el vuelo de esta poesía recatada y limpia. Con este volumen, Pérez Clotet, el audaz ensayista de *La política de Dios,* de Quevedo, da una prueba definitiva de su capacidad poética y de su hondo y nuevo sentido de la poesía nueva."

La mejor y la mayor gloria de Pérez Clotet es haber dado un acento moderno—con intimidad, con fervor, con brillantez—a las influencias que de los mejores clásicos—San Juan de la Cruz, Góngora, Quevedo, los dos Luises—se precisan en su obra, ya extensa y singularmente valiosa.

Obras: *Signo del alba*—Málaga, 1929—, *Trasluz*—Cádiz, 1933—, *A la sombra de mi vida*—Madrid, 1935—, *Invocaciones*—Cádiz, 1941—, *A orillas del silencio*—Málaga, 1943—, *Presencia fiel*—Sevilla, 1944—, *Tiempo literario*—prosas, 1939—, *Bajo la luz amiga*—prosas, 1949—, *Soledades en vuelo*—poemas—y *Noche del hombre*—1950.

V. MONTERO CALVACHE, F.: Prólogo a *Presencia fiel.* Sevilla, 1944.—VALBUENA PRAT, Angel: *Historia de la literatura española.* Barcelona, Gili, 1950, tomo III.—SAINZ DE ROBLES, F. C.: *Historia y antología de la poesía española.* Madrid, Aguilar, 1964, 4.ª edición.—MORENO, Alfonso: *Poesía española actual.* Madrid, Ed. Nacional, 1946.

PÉREZ-CREUS, Juan.

Nació en La Carolina (Jaén) el 28 de abril de 1912. Maestro nacional. Licenciado en Letras. Pensionado en la Universidad de Ginebra, Instituto J. J. Rousseau. Colaboró antes de la guerra civil en las revistas de poesía de aquella época. Publicó un solo libro de versos: *Poemas del Sur,* prologado por el poeta Pedro Garfias, en 1932. En la actualidad ha colaborado en *Garcilaso* y otras revistas, y prepara la edición de dos libros. Uno, en castellano: *Poemas de la soledad.* Y otro, en gallego: *Canciós d'amor.*

Ha publicado, además, los siguientes libros: *El desenvolvimiento del interés glósi-co en la primera infancia*—Ginebra, 1933—y *Orientación y selección profesional*—Madrid, 1947.

Juan Pérez-Creus es, además, un gran prosista y un magnífico recitador. Cultiva también en poesía el género satírico, en el que derrocha la intención y el ingenio.

V. SAINZ DE ROBLES, F. C.: *Historia y antología de la poesía española.* Madrid, Aguilar, 1969, 5.ª edición.

PÉREZ EMBID, Florentino.

Ensayista, periodista y profesor español. Nació—1918—en Aracena (Huelva). Estudió en Sevilla Filosofía y Letras, y en la Universidad bética fue catedrático. Colaborador asiduo de la revista *Arbor* y uno de los fundadores de la revista *Atlántida*—1963—. En la actualidad ocupa, en la Universidad de Madrid, la Cátedra de Historia de los Descubrimientos Geográficos. "Ha ocupado bastantes puestos directivos de destacada notoriedad en la vida universitaria y en la vida pública. A través de todas estas actividades ha manifestado una acusada personalidad intelectual y política." Seguidor del pensamiento español fiel a la tradición—desarrollada y defendida por Donoso Cortés y Menéndez Pelayo—, Pérez Embid lo trata con mente y formas adecuadas a nuestro tiempo.

Obras: *El mudejarismo en la arquitectura portuguesa de la época manuelina*—Madrid, 1944—, *El Almirantazgo de Castilla hasta las capitulaciones de Santa Fe*—Sevilla, 1944—, *Diego de Ordás, compañero de Cortés y explorador del Orinoco*—Sevilla, 1950—, *Los viajes a Indias en la época de Juan de la Cosa*—Santander, 1951—, *Ambiciones españolas*—Madrid, 1953—, *En la brecha*—Madrid, 1956—, *Nosotros, los cristianos*—Madrid, 1958—, *Paisajes de la tierra y del alma*—Madrid, 1963.

PÉREZ ESCRICH, Enrique.

Popular novelista y dramaturgo español. Nació—1829—en Valencia. Murió—1897—en Madrid. Múltiples y dolorosas incidencias de su vida amargaron su mocedad, impidiéndole los estudios serios y continuados. Desde muy joven tuvo que ganarse el pan escribiendo sin sosiego como novelista *por entregas,* forma de publicación popularísima que había puesto en boga Fernández y González, su maestro, al que, si no iguala, sigue muy de cerca, hasta el punto de haber escrito tanto como él, y haber ganado poco menos que él, de 40.000 a 50.000 pesetas anuales, cantidad enorme para la época, que él gastaba rápidamente en vivir como un nabab y en obsequiar a sus amigos. En los últimos años de su vida, arruinado y enfermo,

P

consiguió que le dieran el cargo de director del Asilo de las Mercedes.

Pérez Escrich fue hombre bondadosísimo, caballero ejemplar, de simpatía extraordinaria.

Literariamente, le superó su maestro, Fernández y González; pero se le puede calificar como el más adelantado de sus discípulos. Su imaginación inagotable, su facilidad narrativa, su maestría en el diálogo y en las descripciones, su sentido de lo sensacional o melodramático, su prosa clara y vulgar, le hicieron un verdadero ídolo de las clases populares españolas. Durante veinte años se vendieron miles y miles de ejemplares de sus novelones, coleccionados principalmente en los sotabancos, en las porterías, en las trastiendas, en las fábricas y talleres. Pérez Escrich supo llegar como pocos a la emoción íntima de los seres vulgares de la vida difícil.

Novelas: *El cura de la aldea, La caridad cristiana, El mártir del Gólgota, El matrimonio del diablo, Historia de un beso, Fortuna, Sor Clemencia, La envidia, La mujer adúltera, Escenas de la vida, El infierno de los celos, Las obras de misericordia, La esposa mártir, El genio del bien, El amor de los amores, El manuscrito de una madre, La madre de los desamparados, Las redes del amor, Los que ríen y los que lloran...*

Teatro: *Juan el tullido, Sueños de amor y de ambición, Alumbra a tu víctima, Los extremos, El ángel malo, El maestro de baile, Herencia de lágrimas, La hija de Fernán Gil, La corte del rey poeta, El vértigo de Rosa, Amor y resignación, Las garras del diablo, Gil Blas, La mosquita muerta...*

V. BLANCO GARCÍA, P.: *La literatura española del siglo XIX.*—CEJADOR Y FRAUCA, J.: *Historia de la lengua y literatura españolas.*

PÉREZ FERNÁNDEZ, Pedro.

Fecundísimo autor teatral español. Nació —1885—en Sevilla. Murió—1956—en Madrid. Estudió el bachillerato con los padres Escolapios de su ciudad natal. Perito mercantil. Colaborador desde los catorce años en periódicos y revistas de su patria chica y del resto de España. Redactor—1906—de *Nuevo Mundo*, de Madrid. Colaborador de *Por esos mundos, Blanco y Negro, La Esfera...*

La fecundidad de Pérez Fernández es realmente asombrosa. Se acercan a doscientas sus producciones escénicas, casi todas estrenadas con éxito, y muchas de ellas más de cien y doscientas veces consecutivas sostenidas en los carteles de los principales teatros españoles.

Colaborador asiduo de don Pedro Muñoz Seca (V.), el nombre de este, no sabemos el porqué dejó un tanto preterido el suyo. Injustamente, porque Pérez Fernández ha demostrado, en obras únicamente suyas, su gracia fuerte y espontánea, su ingenio extraordinario, su dominio de la técnica teatral, su feliz inventiva. Creemos con sinceridad que cuanto hay en el género *astracanesco* de Muñoz Seca de *contención*, de buen gusto, de sometimiento a lo real y a lo natural, se debe a *la mano* modesta de Pérez Fernández.

Obras sin colaboración: *El milagro, La penetración pacífica, Los Florete, El sino perro, A la lunita clara, La fuerza del querer, El gordo en Sevilla, Para pescar un novio, La Lola, El latero, Las cosas de la vida, La nicotina, Las mujeres mandan, Los toros del Puerto, La sequía, La resurrección de la carne...*

Obras en colaboración con Muñoz Seca: *La fórmula 3 K 3, Fúcar XXI, El paño de lágrimas, Lolita Tenorio, El voto de Santiago, Un drama de Calderón, De rodillas y a tus pies, El teniente alcalde de Zalamea, Trianerías, Las Verónicas, El oro del moro, Pepe Conde, Martingalas, El clima de Pamplona, El parque de Sevilla, ¡Ahí va esa mosca!, Los chatos, Bartolo tiene una flauta, Los extremeños se tocan, La Caraba, La Oca, El alma de Corcho, Anacleto se divorcia, El cuatrigémino, La mala uva, Mi padre, Los campanilleros, ¡Un millón!, María Fernández, La Plasmatoria, La Perulera* y muchas más...

La editorial Fax, de Madrid, ha publicado —1948 a 1951—, en lujosos volúmenes, las obras de Pérez Fernández escritas en colaboración con Muñoz Seca.

PÉREZ FERRARI, Emilio (v. Ferrari, Emilio).

PÉREZ GALDÓS, Benito.

El más excelso de los novelistas y autores dramáticos contemporáneos de España.

Nació en Las Palmas (Canarias) el día 10 de mayo de 1843. Su familia materna procedía de Azpeitia, y fue el menor de numerosos hermanos. Desde muy niño mostró una afición decidida y muy buenas aptitudes para el dibujo. Las primeras letras y el bachillerato los cursó en su tierra natal; de sus estudios él mismo nos dice: "Vine a Madrid en 1862 y estudié la carrera de Leyes, de mala gana; allá, en el Instituto, fui bastante aprovechado; aquí, todo lo contrario".

Madrid sedujo en seguida al futuro genial novelista y dramaturgo. Y este no volvió a acordarse de sus Islas y se forjó—por adopción apasionada—como un madrileño riguroso, incondicional, vibrante. Le entusiasmaba cuanto fuera madrileño: las calles viejas, los caserones destartalados, los cafés ensuciados, las cochambrosas Redacciones de los periódicos, las miserables casas de huéspedes, los teatros de un estrepitoso barroquismo, las covachuelas ahumadas de los ministerios, las frondas centenarias del Retiro y hasta las afueras esteparias de las Ventas y Vallecas.

Abogado sin vocación, habiéndose olvidado de los dibujos y habiendo fracasado —1868—su intento de ser autor teatral, Galdós inició su labor de novelista, que había de alcanzarle la inmortalidad en 1870 con *La Fontana de Oro* y en 1873 con los *Episodios Nacionales*.

Galdós concurría con frecuencia al viejo Ateneo de la calle de la Montera. Amistó con Pereda, con Cánovas, con Silvela, con Menéndez Pelayo. Asistió a las tertulias del café Inglés, de la Iberia y del viejo café de Levante. Viajó por Francia, Inglaterra e Italia varias veces. Escribió en *El Debate,* de José Luis Albareda; en *La Nación* y en la *Revista de España.* Su entrañable amistad con Pereda hízole aficionarse a Santander, en cuyo Sardinero veraneaba y en el que logró construirse el celebérrimo hotelito "San Quintín". También visitaba con gran frecuencia Toledo, ciudad legendaria que le atraía inefablemente, y a la que hizo escenario de una de sus más hermosas novelas: *Angel Guerra.* En 1884 estuvo en Portugal. Un año después, influencias de amistad le regalaron el acta de diputado por Puerto Rico, y asistió a las Cortes en la legislatura de 1886, pero "sin despegar los labios". El Congreso fue para él un nuevo observatorio desde el que contemplar un aspecto muy curioso de la humanidad española. Para conocer bien España se dedicó a viajar por toda la vieja piel de toro en vagones de tercera clase, codeándose con los míseros y hospedándose en posadas y hostales de ínfima categoría. En 1890 y 1891 fue reelegido diputado por la misma circunscripción antillana. Habiéndose unido a las fuerzas políticas republicanas, Madrid lo eligió su representante en las Cortes de 1907. Pero él, que "no se sentía político", se apartó en seguida de las luchas "por el acta y la farsa" y se dedicó de nuevo a la novela y al teatro. Ingresó en la Academia Española en 1897, contestándole Menéndez Pelayo. A los pocos días, le correspondió a él contestar al discurso de ingreso de su gran amigo Pereda. Cargado de laureles, indiscutido, verdadero ídolo literario de España, ciego como Homero, murió Galdós en Madrid, en su hotel de la calle de Hilarión Eslava, el día 4 de enero de 1920.

Era Galdós físicamente alto, enjuto, nervioso, desaliñado, muy premioso para hablar; tenía sagaz la mirada y compasivo el corazón. Mantenía sus ideales y sus ideas con la mejor buena fe. Y no sintió grandes apetencias por nada. Gran señor del espíritu, desistía de las alegres añagazas de la vida con esa sonrisa melancólica que ya tuvieron muy impresionante, antes que él, Cervantes y Felipe II.

Pérez Galdós es el restaurador de la novela española. De la genuina novela española: la realista, equidistante, por igual, del naturalismo, del sentimentalismo culto y dulzón del rococó francés y del romanticismo detonante, con ruido de besos *saporitos* y de pistoletazos suicidas. Antes de Galdós, "Fernán-Caballero" había hecho unos pinitos muy estimables en el género. Antes de "Fernán-Caballero", varios ingenios exuberantes: Navarro Villoslada, Fernández y González, Enrique Gil, intentaron aclimatar la novela histórica, inspirándose desaforadamente más en Walter Scott que en Alejandro Dumas, y no consiguiendo apuntarse sino muy escasos éxitos. Antes de estos noveleros..., siglo y medio de esterilidad. Pedantería, polémicas seudoeruditas de salón, teatro perfilado en demasía, crítica denostativa, aprensión—y aprehensión—culta, indigesta, ingenios malogrados en el afán imitativo de modas y de modos galos..., que nunca fueron sino cuestión de forma. Antes, en el siglo XVII, la portentosa novela picaresca española y ¡CERVANTES! Es decir, otra vez lo auténtico hispánico. Realismo ribeteado de una íntima ternura consciente de humanidad.

Sin exageración, por ende, puede afirmarse que Galdós es el continuador *inmediato* de Cervantes; que entre los dos no existe ningún otro novelista de talla gigantesca. Al restaurar la novela, el realista Galdós crea la novela nacional, género en el que surgirán inmediatamente otros admirables cultivadores capaces de equipararse con los mejores europeos de la centuria diecinueve: siglo este en que la novela adquiere su máxima categoría y su máximo esplendor. Aludimos a Valera, Alarcón, Pereda, la Pardo Bazán, Palacio Valdés, "Clarín"... Pero ninguno semejante al maestro Galdós, que es el impar de esta época. Como Cervantes en la suya.

Cervantes y Galdós son los dos novelistas geniales de España. Aquel, la cumbre de la literatura, más intenso. Galdós, más extenso. Cervantes, hondo como un mar. Galdós, ancho como un paisaje diverso contemplado desde una cima con los más potentes prismáticos. Es, además, Galdós, el novelista más novelista si se le compara con los grandes genios de la novela en el pasado siglo: Balzac, Dickens, Zola, Dostoievski..., precisamente por ser el único insobornablemente objetivo. La obra de Galdós, imperecedera, es un mundo subyugador en el que cerca de ocho mil personajes cautivan, con sus existencias llenas de sentidos y de sentimiento, la atención de cuantos lectores se pongan en contacto con ellos.

P

Cuando Galdós se pone a escribir la primera cuartilla de su primera novela se encuentra todo por hacer. Si quiere cumplir su afán, no basta con que sea el autor de cuatro, de diez, de veinte novelas. Es preciso que cree un mundo novelístico que en nada se diferencie de este novelero en que vivimos. Es preciso que sea el Homero de una raza maravillosa que vivió dos siglos, de zozobra en zozobra, fuera de su ámbito y fuera de su ambiente, despistada de su camino, olvidada de sus valores tradicionales. Es preciso que se convierta en un almacén de documentos humanos.

Felizmente para la novela española, Galdós es un verdadero titán. Galdós lo observa todo. Galdós lo recoge todo. Galdós lo aprovecha todo. Y si se toma las mayores libertades con la novela—extensión, digresiones...—, es porque bien sabe él que las mayores resultan dulces y accesibles al paladar del lector. Galdós acierta genialmente a perfilar un tipo, a escarbar en su alma, a lanzarlo en una vorágine humana donde ni una sola pasión es falsa o se falsea. Galdós acierta a plantear los problemas de conciencia con una imponente precisión, con una valentía que da escalofríos. Galdós acierta a describir el físico de un ser con los mismos pocos trazos pasmosos, impecables de fidelidad, con que lo hizo el pincel más exacto que ha existido: el de Velázquez; y a la vez, con la sensibilidad y, con la sensación profundamente realista, esto es: mezcla de piadoso patetismo y de cálida ternura espiritual con que Velázquez movió sus pinceles, y en sus mismos tonos plateados, y grises, y carmines, que son los tonos del fervor humano.

Galdós acierta cuando novela a no salirse ni un solo momento de la zona compleja y seductora en que se desviven los hombres y a reflejar los caracteres—espejo ustorio paseado a lo largo de un camino—en su sincera y palpitante desnudez. La crítica más exigente no puede negar a Galdós ese *don de humanidad*—de sentirla, de crearla, de juzgarla—privativa de los grandes genios. Le podrá negar primores de estilo. Y poesía descriptiva. Y repulgos de dicción. Pero la potencia de crear seres vivos—¡hombres y mujeres que se le escapen de las manos a vivir entre los que viven por ahí!—es suya. Como lo fue antes del más humano y humanitario de todos los creadores humanos: Cervantes.

Desde *La Fontana de Oro* hasta *Santa Juana de Castilla*, ¡qué serie inacabable de mujeres y de hombres felices y míseros, ricos y pobres, buenos y perversos, simpáticos, antipáticos, bobos, inteligentes, hermosos, feísimos, que chillan, gimen, mienten, peroran, rezan, maldicen, insultan, suplican, odian y aman, todos ellos en plena posesión de su ciudadanía en el planeta humano!

Un anónimo crítico escribió—1894—en *La España Moderna*: "Entre los escritores modernos de España no hay uno solo que pueda competir con Galdós en fuerza creadora. Sus novelas contienen, no un museo, sino una verdadera población de tipos diversos, de personas reales, a las cuales nos parece haber tratado familiarmente y cuyas penas y dolores nos han hecho derramar lágrimas abundantes. Todos los personajes de Galdós tienen vida propia, existen y nos inspiran, como si fuesen reales, repugnancia o simpatía."

Galdós es el maestro indiscutible que deja dichas las lecciones precisas para quienes intenten alcanzar el título de novelistas realistas, que es serlo doblemente españoles. Esas lecciones no admiten cortes, cambios, interpretaciones. Son dogmáticas. Son paradigmáticas. Unicamente *como enseña* Galdós se crean tipos que encarnan y se animan. Unicamente *como enseña* Galdós se describe un paisaje para que lo sea y no para que lo parezca; diferencia sutil, más diferencia al cabo.

Si Galdós no tiene internacionalmente la fama que merece—cuando menos, pareja a la de Balzac y Dickens—, débese a la absurda incomprensión, de una parte, de la opinión española, y de otra, a la labor nefasta de aquella generación española llamada del 98, compuesta de muchos y verdaderos talentos *mal enfocados*.

Parte de la opinión no supo—o no quiso—separar al Galdós novelista del Galdós político. Y la repulsa inexorable que le mereció este envolvió a aquel. Los militantes de la generación aludida creyeron que su única misión—para liquidar con lo pasado y con el pasado—era derribar, negar, atacar. Labor antipática hasta la exageración. Galdós, el más genuino y genial novelador de aquella España de lo pasado y del pasado, era el enemigo más considerable, el más difícil de vencer. Y como con razones era inatacable, se le atacó con el ácido más corrosivo de la envidia y de la inquina: el silencio. En torno a la obra de Galdós, la generación del 98—con escasísimas y honrosas excepciones—creó una atmósfera de olvido. Y, paradójicamente, por una vez, colaboraron los jóvenes representantes de una España pedantesca, barnizada malamente de europeísmo, con los carcamales del conservantismo canovista, que no habían sabido guardar el honor y dirigir los destinos imperiales de España. "Más que de toda su inmensa soberanía podía Inglaterra vanagloriarse de contar entre sus hijos a Shakespeare", dijo Carlyle. Más que toda la pléyade del 98 y que todas las esencias políticas, valía para España una sola obra de Galdós.

"Los grandes creadores—escribe Andrés González-Blanco—no pueden ser juzgados con cuatro frases más o menos mordientes y epigramáticas. Los grandes creadores resisten el embate de estas marejadas contrarias de odio o de envidia que de tarde en tarde los azotan. Porque ellos llevan en sí suficiente fuerza interna para contrarrestar estos ímpetus enérgicos. Galdós es, ante todo, un creador, y por eso su gran arte triunfa de todos los hostiles dicterios."

Y para que este entusiasmo mío por Galdós no parezca—debido a mi escasa talla intelectual—una devoción mal enderezada, quiero que me avalen los juicios del mejor de los críticos españoles de todos los tiempos: Menéndez Pelayo, y de uno de los más *fríos* y perfectos intelectuales modernos: Pérez de Ayala.

"Pocos novelistas de Europa—afirma aquel cerebro privilegiado, restaurador literario de la hispanidad—*le igualan en lo trascendental de las concepciones, y ninguno le supera en riqueza inventiva.* Su vena es tan caudalosa, que no puede por menos de correr turbia a veces; pero con los desperdicios de ese caudal hay para fertilizar muchas tierras estériles. Si Balzac, en vez de levantar el monumento de su *Comedia humana,* con todo lo que hay en él de endeble, de tosco, de monstruoso, se hubiera reducido a escribir un par de novelas por el estilo de *Eugenia Grandet,* sería, ciertamente, un novelista muy estimable; pero no sería el genial, opulento y desbordante Balzac que conocemos. Galdós, que tanto se le parece, no valdría más si fuera menos fecundo, porque su fecundidad es signo de fuerza creadora, y solo por la fuerza se triunfa en la literatura, como en todas partes."

Ramón Pérez de Ayala escribe así: "Las similitudes y correspondencias entre Cervantes y Galdós son tantas y tan manifiestas, que casi huelga señalarlas. Cervantes creó el género novelesco, este modo literario característico de la Edad Moderna; Galdós lo ha llevado al término más cumplido de perfección y madurez... Cervantes y Galdós, como dos altas montañas, fronteras y mellizas, están separados por un hueco de tres siglos. Hay también montes muy empinados y majestuosos; pero ninguno, a lo que presumo, alcanza la altura de aquellas dos montañas, mellizas y señeras. Cervantes no llegó a ser el primer autor dramático de su época; Galdós lo es, sin disputa, de la nuestra, y uno de los primeros entre los de cualquiera época y comarca."

Y por si estas dos opiniones, aun siendo de espíritus tan magistrales y selectos, fueran recusables para algunos espíritus tardíos y retardatarios, por ser de españoles, quiero recoger la de uno de los más finos críticos ingleses, Arthur L. Owen, cuando traza el parangón de tres personajes inmortales: el *Harpagón,* de Molière; el *Grandet.* de Balzac, y el *Torquemada:* "Este avaro del genial español merece vivir entre los grandes avaros de la ficción. En *Torquemada,* las dos pasiones paralelas de la tacañería y de la voracidad quedan cuidadosa y claramente diferenciadas; pero Galdós no ha hecho de él ni una caricatura, como el *Harpagón,* de Molière, ni un monstruo, como el *Père Grandet,* de Balzac... *Torquemada* es, a pesar de todo, un ser humano con derecho a nuestra simpatía... Sabe de otras emociones independientes de su avaricia. Tiene temores, esperanzas, aflicciones, ¡hasta ama! Aquí se apoya la fuerza de la caracterización galdosiana: en que ha creado una figura de carne y hueso y no una abstracción."

GALDÓS, AUTOR TEATRAL.—¿Fue tan grande el Galdós dramaturgo? No olvidemos que su primera vocación literaria fue la de dramaturgo. En 1868 leyó un drama, *La expulsión de los moriscos,* al famoso actor don Manuel Catalina, a la sazón usufructuario del teatro Español, y si bien llegó este a admitirla con grandes elogios, no la llevó a la escena. Desanimado, abandonó Galdós sus tentativas teatrales hasta 1892, año en que, animado por el gran actor Mario, teatralizó su novela dialogada *Realidad* y logró estrenarla con un éxito clamoroso en el teatro de la Comedia, el 15 de marzo. Este éxito le excitó a reverdecer aquellos no olvidados juveniles intentos de ganar honra y provecho en la escena.

¿Cuál es la significación teatral de Galdós? La de un realismo sano, español, libre por completo del romanticismo declamatorio que se infiltraba en las obras de los autores en boga entonces: Echegaray, Sellés, Cano... Galdós logra en su teatro lo mismo que veintidós años antes había logrado con sus novelas: *reanudar* un género tradicional de realidad insobornable y sugestiva, casi perdido desde la muerte de Calderón. Galdós acaba con los efectismos, con los latiguillos, con las concesiones, con las divagaciones, con las parrafadas retóricas. Su teatro es claro, rectilíneo, natural hasta lo asombroso, escueto de diálogo—podado hasta el límite—, desprovisto de derivaciones y de episodios, en el que las ideas fluyen, lúcidas y permanentes, desde el principio al fin. Teatro sincero antes que nada.

"Así—escribe Cejador—, del teatro fantástico, melodramático, romántico e hinchado de Echegaray, el público tuvo que pasar al teatro realista, humano y natural de Galdós. Quedóse parado y estupefacto y no aplaudió sus primeras obras, ni los críticos calaron el

P

porqué, tan explicable, de que, acostumbradas a la tensión de nervios, se quedasen las gentes sintiendo la falta de algo, de esa misma nerviosa tensión. Achacáronlo algunos a la lentitud novelesca, que no abandonaba del todo al dramaturgo; otros, a pocos conocimientos de los recursos dramáticos y de las triquiñuelas teatrales, que se aprenden entre bastidores, poco frecuentados por Galdós. El cual fundamenta sus dramas en uno o más caracteres, de naturalidad casi brutal, ajena a los dictados sociales, a las farsas recibidas, a las doctrinas rutinarias, más o menos opuestas a la naturaleza del hombre. Puestos estos caracteres en el fallo medio social, sufren sus consecuencias, y con ellos los espectadores, en quienes se despierta la sinceridad y los principios naturales, que jamás están del todo dormidos en el alma, y enamorándose del que es víctima de las falsedades sociales, yérguese contra ellas, poniéndose al lado de la víctima, siendo así arrastrados hacia el pensamiento filosófico pretendido por el autor, y abrazándolo y empapándose en él, salen del teatro robustecidos y como ahorrados del lastre social que llevaban, con mayor claridad en la mente para columbrar la verdad y mayor vigor en el corazón para practicar la sinceridad en la vida y no dejarse enredar en sus falaces dictámenes y prácticas rutinarias. Hay en el teatro de Galdós las partes sustanciales del verdadero drama. Arranca de fuertes caracteres, que simbolizan las virtudes varoniles y los principios naturales de la vida humana. Los choques con el medio en que se mueven son naturales y forzosos. Los efectos despertados, patéticos y caros al humano corazón. El autor cuida mucho de que las costumbres, vestidos, habla y demás respondan a la realidad, no menos que cuida de todo ello en sus novelas. El defecto que enflaquece a veces algunas partes de sus dramas es el elemento simbólico, al cual acude para algunas escenas, abandonando el terreno de la realidad... En tales casos parécese a Calderón..."

Pero el máximo valor del teatro de Galdós es que el sentido humano del autor triunfa plenamente de todo lo que pueda ser un convencionalismo. La ley del espíritu y la ley de la carne son las únicas leyes a las que se sujeta Galdós. Mucho más a aquella que a esta. Y nadie le ha superado en traducir los temas más arduos de la Vida a un lenguaje universal que se mete decididamente por los sentimientos más nobles en el alma del espectador.

En todas sus obras teatrales ha dejado marcada Galdós la garra de su genio por la valentía dramática, por la hondura de pensamiento, por el choque de los afectos, por sus situaciones, por la verdad impresionante de los caracteres. Con Galdós, el teatro volvió a dejar de ser teatro para ser *trozos de vidas*.

Entre 1892 y 1918 Galdós escribió veintitrés obras teatrales. De ellas, siete son hijas de novelas dialogadas o no: *Realidad, La loca de la casa, El abuelo, Casandra, Doña Perfecta, Zaragoza y Gerona*. Son las restantes: *La de San Quintín, Mariucha, Pedro Minio, Celia en los infiernos, Sor Simona, El tacaño Salomón, Voluntad, La fiera, Electra, Alma y vida, Bárbara, Amor y ciencia, Alceste, Los condenados, Santa Juana de Castilla, Antón Caballero...*

Aún dejó inédita una comedia: *Un joven de porvenir*. De estas obras fueron éxitos apoteóticos *El abuelo, Doña Perfecta, La loca de la casa, La de San Quintín, Celia en los infiernos y Electra*.

Pérez Galdós escribió miles de artículos en diversos periódicos de España y América. La enumeración alargaría este índice de manera enojosa. Por si esta no fuera suficiente razón, el lector debe considerar el ímprobo trabajo que representaría detallarlos *todos*, sin tener la más leve referencia de muchos de ellos en cuanto a la fecha y al periódico en que se publicaron.

Pero aún existe otro motivo más convincente: de tantos artículos, extraordinario número de ellos aparecieron sin su firma. Caso muy frecuente en el periodismo militante en brega. Gacetillas alargadas, impresiones parlamentarias, sugestiones acerca de sucesos de candente actualidad y hasta esas disquisiciones que aparecen en la primera plana y con un tipo mayor de letra para que el público entienda que son *el fondo y el meollo* de los graves debates de cada día. ¿Con qué seguridad podríamos atribuirlos a su pluma gloriosa—aun apoyándonos en esa corazonada que difícilmente se engaña y que excitan mil pequeños detalles—, sin exponernos a desagradables rectificaciones en posibles casos?

Preferimos, por tanto, no enumerar sino aquellas obras galdosianas perfectamente determinadas—que son las que cimentan y nimban la gloria y la transfiguración del autor—, dividiéndolas en cuatro grupos:

A) Episodios Nacionales.
B) Novelas.
C) Teatro.
D) Miscelánea.

La fecha que colocamos entre paréntesis después de los títulos corresponde a la que Galdós puso en la página final de cada una de sus obras. Con excepción de *La Fontana de Oro*—escrita en 1867 y 1868 y publicada en 1870—, puede asegurarse que todas las demás producciones de Galdós se publicaron en el mismo año en que fueron escritas; o un par de meses después si se terminaron de escribir con el último mes del año. En sus obras de teatro, la fecha es la del estreno; y en las comprendidas en la Miscelánea, la de su publicación.

A) Episodios Nacionales.—Primera serie: 1. *Trafalgar* (Madrid, enero-febrero de 1873).—2. *La corte de Carlos IV* (Madrid, marzo y abril de 1873).—3. *El 19 de marzo y el 2 de mayo* (Madrid, julio de 1873).—4. *Bailén* (Madrid, octubre y noviembre de 1873). 5. *Napoleón en Chamartín* (Madrid, enero de 1874).—6. *Zaragoza* (marzo y abril de 1874). 7. *Gerona* (junio de 1874).—8. *Cádiz* (septiembre y octubre de 1874).—9. *Juan Martín el "Empecinado"* (Madrid, diciembre de 1874).—10. *La batalla de los Arapiles* (Madrid, febrero y marzo de 1875).

Segunda serie: 11. *El equipaje del rey José* (Madrid, junio y julio de 1875).—12. *Memorias de un cortesano de 1815* (Madrid, octubre de 1875).—13. *La segunda casaca* (Madrid, enero de 1876).—14. *El Grande Oriente* (Madrid, junio de 1876).—15. *El 7 de julio* (Madrid, octubre y noviembre de 1876).— 16. *Los cien mil hijos de San Luis* (Madrid, febrero de 1877).—17. *El terror de 1824* (Madrid, octubre de 1877).—18. *Un voluntario realista* (Madrid, febrero y marzo de 1878).— 19. *Los apostólicos* (Madrid, mayo y junio de 1879).—20. *Un faccioso más y algunos frailes menos* (Santander, noviembre y diciembre de 1879).

Tercera serie: 21. *Zumalacárregui* (Madrid, abril y mayo de 1898).—22. *Mendizábal* (Santander, agosto y septiembre de 1898).— 23. *De Oñate a La Granja* (Santander, octubre y noviembre de 1898).—24. *Luchana* (Santander, enero y febrero de 1899).—25. *La campaña del Maestrazgo* (Santander, abril y mayo de 1899).—26. *La estafeta romántica* (Santander, julio y agosto de 1899).—27. *Vergara* (Santander, octubre y noviembre de 1899).—28. *Montes de Oca* (Madrid, marzo y abril de 1900).—29. *Los Ayacuchos* (Madrid, mayo y junio de 1900).—30. *Bodas reales* (Santander, septiembre y octubre de 1900).

Cuarta serie: 31. *Las tormentas del 48* (Madrid, marzo y abril de 1902).—32. *Narváez* (Santander, julio y agosto de 1902).— 33. *Los duendes de la camarilla* (Madrid, febrero y marzo de 1903).—34. *La revolución de junio* (Santander, septiembre de 1903, y Madrid, marzo de 1904).—35. *O'Donnell* (Madrid, abril y mayo de 1904).—36. *Aita Tettauen* (Madrid, octubre de 1904 y enero de 1905).—37. *Carlos VI en la Rápita* (Madrid, abril y mayo de 1905).—38. *La vuelta al mundo en la "Numancia"* (Madrid, enero y marzo de 1906).—39. *Prim* (Santander-Madrid, julio y octubre de 1906).—40. *La de los tristes destinos* (Madrid, enero y mayo de 1907).

Quinta serie: 41. *España sin rey* (Madrid, octubre de 1907 y enero de 1908).—42. *España trágica* (Madrid, marzo de 1909).— 43. *Amadeo I* (Madrid, agosto y octubre de 1910).—44. *La primera República* (Madrid, febrero y abril de 1911).—45. *De Cartago a Sagunto* (Santander-Madrid, agosto y noviembre de 1911).—46. *Cánovas* (Madrid-Santander, marzo y agosto de 1912).

B) Novelas: 1. *La Fontana de Oro* (Madrid, 1867-1868).—2. *La sombra* (Madrid, noviembre de 1870).—3. *El audaz. Historia de un radical de antaño* (Madrid, 1871).— 4. *Doña Perfecta* (Madrid, abril de 1876).— 5. *Gloria* (dos tomos. Madrid, diciembre de 1876 y mayo de 1877).—6. *Marianela* (Madrid, enero de 1878).—7. *La familia de León Roch* (dos tomos. Madrid, julio y diciembre de 1878).—8. *La desheredada* (dos tomos. Madrid, enero y junio de 1881).—9. *El amigo Manso* (Madrid, enero y abril de 1882).— 10. *El doctor Centeno* (dos tomos. Madrid, mayo de 1883).—11. *Tormento* (Madrid, enero de 1884).—12. *La de Bringas* (Madrid, noviembre de 1884).—13. *Lo prohibido* (dos tomos. Madrid, noviembre de 1884 y marzo de 1885).—14. *Fortunata y Jacinta* (cuatro tomos. Madrid, enero de 1886 a junio de 1887).—15. *Celín, Trompiquillos y Theros* (Madrid, noviembre de 1887).—16. *Miau* (Madrid, abril de 1888).—17. *La incógnita* (Madrid, noviembre de 1888 a febrero de 1889).—18. *Torquemada en la hoguera* (Madrid, febrero de 1889).—19. *Realidad* (Madrid, julio de 1889).—20. *Angel Guerra* (tres tomos. Madrid y Santander, abril de 1890 a mayo de 1891).—21. *Tristana* (Madrid, enero de 1892).—22. *La loca de la casa* (Madrid, octubre de 1892).—23. *Torquemada en la cruz* (Santander, octubre de 1893).—24. *Torquemada en el purgatorio* (Santander, junio de 1894).—25. *Torquemada y San Pedro* (Madrid, enero y febrero de 1895).—26. *Nazarín* (Santander, mayo de 1895).—27. *Halma* (Santander, octubre de 1895).—28. *Misericordia* (Madrid, marzo y abril de 1897).— 29. *El abuelo* (Santander, agosto y septiembre de 1897).—30. *Casandra* (Santander, julio y septiembre de 1905).—31. *El caballero encantado* (Santander-Madrid, julio y diciembre de 1909).—32. *La razón de la sinrazón* (Madrid, primavera de 1905).

C) Teatro: 1. *La expulsión de los moriscos* (Madrid, 1865. Perdida).—2. *Realidad* (drama en cinco actos. Madrid, 15 de marzo de 1892).—3. *La loca de la casa* (comedia en cuatro actos. Madrid, 16 de enero de 1893).—4. *Gerona* (drama en cuatro actos. Madrid, 3 de febrero de 1893).—5. *Las de San Quintín* (comedia en tres actos. Madrid, 27 de enero de 1894).—6. *Los condenados* (drama en tres actos. Madrid, 11 de diciembre de 1894).—7. *Voluntad* (comedia en tres actos. Madrid, 20 de diciembre de 1895).— 8. *Doña Perfecta* (drama en cuatro actos.

P

Madrid, 28 de enero de 1896).—9. *La fiera* (drama en tres actos. Madrid, 23 de diciembre de 1896).—10. *Electra* (drama en cinco actos. Madrid, 30 de enero de 1901).—11. *Alma y vida* (drama en cuatro actos. Madrid, 9 de abril de 1902).—12. *Mariucha* (comedia en cinco actos. Barcelona, 16 de julio de 1903). 13. *El abuelo* (drama en cinco actos. Madrid, 14 de febrero de 1904).—14. *Bárbara* (tragicomedia en cuatro actos. Madrid, 28 de marzo de 1905).—15. *Amor y ciencia* (comedia en cuatro actos. Madrid, 7 de noviembre de 1905).—16. *Pedro Minio* (comedia en dos actos. Madrid, 15 de diciembre de 1908).—17. *Casandra* (drama en cinco actos. Madrid, 28 de febrero de 1910).—18. *Celia en los infiernos* (comedia en cuatro actos. Madrid, 9 de diciembre de 1913).—19. *Alceste* (tragicomedia en tres actos. Madrid, 21 de abril de 1914).—20. *Sor Simona* (drama en tres actos. Madrid, 1 de diciembre de 1915).—21. *El tacaño Salomón* (comedia en dos actos. Madrid, 2 de febrero de 1916).—22. *Santa Juana de Castilla* (tragicomedia en tres actos. Madrid, 8 de mayo de 1918).—23. *Antón Caballero* (comedia en tres actos. 16 de diciembre de 1921. Rehecha por Serafín y Joaquín Alvarez Quintero).—24. *Un joven de porvenir* (comedia en cuatro actos. Inédita).

D) MISCELÁNEA: 1. *Crónicas de Portugal* (Barcelona, 1890. "Colección Diamante").— 2. *De vuelta de Italia* (Barcelona, 1890. "Colección Diamante").—3. *Discurso de ingreso en la Real Academia Española* (Madrid, 1897).—4. *Memoranda* (Madrid, 1906. Artículos y cuentos).—5. *La novela en el tranvía* (varias ediciones sin año).—6. *Política española* (Tomo I. Madrid, 1923).—7. *Política española* (Tomo II. Madrid, 1923).—8. *Arte y crítica* (Madrid, 1923).—9. *Fisonomías sociales* (Madrid, 1923).—10. *Nuestro teatro* (Madrid, 1923).—11. *Cronicón. 1883 a 1886* (Madrid, ¿1924?).—12. *Cronicón. 1886 a 1890* (Madrid, ¿1924?).—13. *Toledo. Su historia y su leyenda* (Madrid, 1927).—14. *Viajes y fantasías* (Madrid, 1929). (En este tomo se reproducen las crónicas de los viajes a Portugal e Italia, con otros artículos.)—15. *Memorias* (Madrid, 1930).

V. ALARCÓN Y CAPILLA, Antonio: *Galdós y su obra*. Madrid, 1922.—ALAS, Leopoldo ("Clarín"): *Galdós. Obras completas de "Clarín"*. Tomo I. Madrid, 1912.—ALAS, L. ("Clarín"): *Benito Pérez Galdós. Estudio crítico-biográfico*. Madrid, 1889.—ALONSO CORTÉS, Narciso: *Los precursores de Galdós*. Valladolid, 1930. En el tomo titulado *Quevedo en el teatro y otras cosas*.—ANTÓN DEL OLMET Y GARCÍA CARAFFA: *Los grandes españoles: Galdós*. Madrid, 1912.—ARROYO, César: *Galdós*. Madrid, 1930.—"AZORÍN" (José Martínez Ruiz): *Lecturas españolas*.—"AZORÍN": *El paisaje de España visto por los españoles*.

Madrid.—BALSEIRO, J. A.: *Novelistas españoles modernos*. Nueva York, 1933.—BERKOWITZ: *La biblioteca de Benito Pérez Galdós*, en *Boletín de la Biblioteca Menéndez Pelayo*. Santander, 1932.—BOUSSAGOL, B.: *Sources et composition du "Zumalacárregui"*, de *Benito Pérez Galdós*, en *Bulletin Hispanique*, 1924.—CASALDUERO, J.: *Pérez Galdós*. Buenos Aires, 1942.—CASARES, J.: *Crítica efímera*. Madrid, 1919. Tomo II, págs. 31-49. Acerca de *Marianela*.—CASTROVIDO, Roberto: *Figuras de la raza: Galdós*. Madrid, 1927.—CEJADOR Y FRAUCA, Julio: *Benito Pérez Galdós. El hombre. El escritor*. Madrid, 1918. Separata de su *Historia de la lengua y literatura castellanas*.—COSSÍO, José María de: *La obra literaria de Pereda*. Santander, 1934. Se relaciona con algunos aspectos de Galdós.—COTARELO MORI, Emilio: *Catálogo sincrónico de las obras de don Benito Pérez Galdós*, en el *Boletín de la Real A. de la Lengua*. Abril 1920.—CUÉLLAR, José de: *Dioses caídos ("Clarín", Pardo Bazán, Galdós)*. Madrid, 1895.—DENDARIENA, G.: *Galdós. Su genio. Su espiritualidad. Su grandeza*. Madrid, 1922.—DÍEZ-CANEDO, Enrique: *Conversaciones literarias*. Madrid, págs. 206 y 273.— ELLIS, Havelock: *Electra and the Progressive Movement in Spain*, en *The Critic.*, 1906.— FITZ-GERALD, Juan D.: *Doña Perfecta*, en *Modern L. Notes*, XXI-223-24.—GARCÍA Y GARCÍA DE CASTRO, Rafael: *Los intelectuales y la Iglesia*. Madrid, 1934.—GAVIRA, José: *Algo sobre Galdós y su topografía madrileña*, en *Boletín Bca., Arch. y Mus.*, tomo X, pág. 63. GÓMEZ DE BAQUERO, Eduardo: *El Renacimiento de la novela en el siglo XIX*. Madrid, 1924. GÓMEZ DE BAQUERO, Eduardo: *Novelas y novelistas*. Madrid, 1918.—GÓMEZ DE BAQUERO, Eduardo: *Los Episodios Nacionales*, en *Cultura Española*, X, 391.—GÓMEZ DE BAQUERO, Eduardo: *Unamuno y Galdós*. Barcelona, 1920.—GÓMEZ RESTREPO, Antonio: *Don Benito Pérez Galdós*. Bogotá. Colombia, 1920. Reproducido en *El Gráfico* del día 31 de enero.—GONZÁLEZ-BLANCO, Andrés: *Historia de la novela en España durante el siglo XIX*. Madrid, 1909.—GONZÁLEZ-BLANCO, Andrés: *Galdós*. Madrid, 1918.—GUTIÉRREZ GAMERO Y DE LAIGLESIA, Emilio: *Galdós y su obra. Los Episodios Nacionales*. Madrid, 1933.—GUTIÉRREZ GAMERO Y DE LAIGLESIA, Emilio: *Galdós y su obra. Las novelas*. Madrid, 1934.—GUTIÉRREZ GAMERO Y DE LAIGLESIA, Emilio: *Galdós y su obra. El teatro*. Madrid, 1935.—HOMENAJE a Galdós. Entre canarios. Madrid, 1900.—KENISTON, Hayward: *Galdós Interpreter of Life*. Hispania, 1920.—KEREVILLE: *Galdós and the New Humanism*, en *Modern Language Journal*, 1932.—LANDE, Louis: *Le roman patriotique en Espagne: Los "Episodios Nacionales"*, en *Revue des Deux Mondes*, abril 1876.—LOLIÉE, Federico: *Estudio de las* literaturas comparadas.—MADARIAGA, Salvador de: Semblanzas literarias contemporáneas. Benito Pérez Galdós. Madrid, 1924.— MARAÑÓN, Gregorio: Galdós y su Historia de España. Discurso leído en el XIII aniversario de su muerte.—MARAÑÓN, Gregorio: Elogio y nostalgia de Toledo. Madrid, 1941, págs. 61-101.—MARTINENCHE, Ernesto: El teatro de Pérez Galdós, en la Revue des Deux Mondes y en La España Moderna, 1906. El abuelo, en Revue Latine, 1905.—MAURA, Antonio: Don Benito Pérez Galdós, en el Boletín de la Real Academia de la Lengua. Abril de 1920.—MENÉNDEZ PELAYO, Marcelino: Don Benito Pérez Galdós considerado como novelista, en Estudios de crítica literaria. Quinta serie. Madrid, 1908.—MENÉNDEZ PELAYO, Marcelino: Discurso de contestación al de ingreso de Galdós en la Real Academia Española. Madrid, 1897.—MESA, Rafael de: Don Benito Pérez Galdós. Su familia. Sus mocedades. Su senectud. Madrid, 1920.— MILLARES CUBAS, Agustín: Recuerdos de la infancia de Galdós en Las Palmas. Madrid, La Lectura, núm. 228.—MILLARES CUBAS, Agustín: Estudio biográfico de Galdós (discurso). Las Palmas, 1886.—MUIÑOS, R. Padre Conrado: Realismo galdosiano, en La Ciudad de Dios. Tomos XXI y XXII.—NAVARRO LEDESMA, Francisco: Apuntes para un estudio de Galdós. Madrid, Nuestro Tiempo, 1901.—ORTEGA MUNILLA, José: Los viejos maestros: Galdós. Barcelona, 1920.—OWEN, Arthur L.: The "Torquemada" of Galdós, en Hispania, 1934.—PARDO BAZÁN, Emilia: Nuevo teatro crítico. Madrid, abril de 1902. Realidad, págs. 18-69, 1902; Tristana, páginas 76-90, 1892; La loca de la casa, págs. 84-108, 1893; Gerona, págs. 234-48, 1893.—PARDO BAZÁN, Emilia: Polémicas y estudios literarios.—PÉREZ DE AYALA, R.: Las Máscaras. Tomo I. Madrid, 1924.—PÉREZ GALDÓS, Benito: Memorias de un desmemoriado. Madrid, 1916, en La Esfera, III.—REVILLA, Manuel de la: Galdós, en Obras de, pág. 109.— RUIZ CONTRERAS, Luis: Memorias de un desmemoriado. Madrid, 1917.—SAINZ DE ROBLES, F. C.: Estudio, notas y censo de personajes galdosianos, en la ed. M. Aguilar, Madrid, de Obras completas de Galdós.—SALAVERRÍA, José María: Nuevos retratos. Pérez Galdós. Madrid, 1930.—SÁNCHEZ TRINCADO, José Luis: Galdós. Madrid, 1934.—SCATORI, S.: La idea religiosa en la obra de Galdós. Toulouse, París, 1927.—TANNENBERG, Boris de: Benito Pérez Galdós, en Bulletin Hispanique, 1900. TREND, J. B.: Pérez Galdós and the Generation of 1898, en A Picture of Modern Spain. Boston-Nueva York, 1921.—VÁZQUEZ ARJONA, Carlos: Un episodio nacional de Pérez Galdós: El 19 de marzo y el 2 de mayo, en Bulletin Hispanique, 1931.—VÁZQUEZ ARJONA, Carlos: Introducción al estudio de la primera serie de Episodios Nacionales de Pérez Galdós. Publications of the Modern Language Association of America. Baltimore, 1933.— VÁZQUEZ ARJONA, Carlos: Cotejo histórico de cinco "Episodios Nacionales" de Benito Pérez Galdós. Publications of the Modern Language Association of American. Baltimore, 1933.—WALTON, L.: B. Pérez Galdós and the Spanish Novel of the Nineteenth Century. Londres, 1927.—WARSHAW, J.: Introducción a "La loca de la casa". Nueva York, 1929.—GULLÓN, Ricardo: Galdós, novelista moderno. Madrid, Taurus, 1959.—BERKOWITZ, H. Ch.: Pérez Galdós, the Spanish liberal Crusader. Madison, 1948.—H. EOFF, Sherman: The novels of Pérez Galdós. Saint Louis, 1954.—ENTRAMBASAGUAS, Joaquín de: Las mejores novelas contemporáneas (1895-1899). Barcelona, Planeta, 1957.—PÉREZ VIDAL, José: Galdós en Canarias (1843-1862). Madrid, 1952.—RÍO, Angel del: Estudios galdosianos. Zaragoza, 1953.—CORREA, Gustavo: El simbolismo religioso en las novelas de Galdós. Madrid, Gredos, 1962.—HINTERHAÜSER, Hans: Los "Episodios Nacionales" de B. P. G. Madrid, Gredos, 1963.—PÉREZ MINIK, D.: Novelistas de los siglos XIX y XX. Madrid, Guadarrama, 1957, págs. 67-108.

PÉREZ Y GONZÁLEZ, Felipe.

Popular poeta, autor dramático y periodista español. Nació—1854—en Sevilla. Murió —1910—en Madrid. Bachiller. Abogado. Desde los catorce años se dedicó al periodismo, haciendo sus primeras armas en los periódicos sevillanos La Mariposa y El Tío Clarín. Oficial del Archivo municipal de Sevilla. En 1884 se trasladó a Madrid. Colaboró en El Motín y El Progreso y en otros muchos diarios y revistas.

Dramaturgo fecundísimo, de vis cómica grande, fue también muy culto y estudió con primor algunos temas de erudición literaria acerca de Vélez de Guevara y del "El Diablo Cojuelo".

En 1886 estrenó la archifamosa revista La Gran Vía, con música de Chueca, que le hizo popular y rico. Poco después—1892— entró en la Redacción de El Liberal, de Madrid.

Pérez y González es un gran simpático, un gran caballero, un conversador amenísimo. Todos sus escritos rebosan gracia natural, excelente observación, pintura de sano realismo, amenidad...

Sus obras teatrales son numerosísimas: El fruto prohibido, Simón por horas, El oso y el centinela, La manzana, El viaje al Suizo, Oro, plata, sobre, nada; Lo pasado, pasado; París de Francia, La jaula, Mariquita, estoy que ardo; Las mentiras, Los cortos de genio, Los vecinos del segundo, Las oscuras golondrinas, Pelillo a la mar, Pasar la raya,

P

*Champagne, manzanilla y peleón; El niño
Jesús, Bonito soy yo, El barbián de la Persia, Recurso de casación, Doña Inés del alma
mía, Las ligas verdes, El marquesito...*

Otras obras: *El libro malo*—1872—, *Tajos
y reveses, ¿Quieres que te cuente un cuento?... Pues allá van ciento*—1897—, *Fuegos artificiales*—1897—, *Pompas de jabón*
—1896—, *El nuevo sistema métrico, Teatra-
lerías*—1897—, *Chucherías y fruslerías históricas, Peccata minuta, ¡Salud y pesetas!,
Levantar muertos*—poema—, *Filibusterías y
yankees al hombro*—1898—, *Un año de sonetos, Un cuadro de historia...*

Popularizó en *El Liberal* y en *Blanco y
Negro* el seudónimo "Tello Téllez" para
firmar unas curiosísimas *Efemérides.*

PÉREZ DE GUZMÁN, Fernán.

Gran prosista y poeta español. ¿1370-1440?
Señor de Batres, sobrino del canciller Ayala
y tío del marqués de Santillana, fue hijo de
don Pedro Suárez de Guzmán y de doña Elvira de Ayala. Embajador en Aragón en
tiempo de Enrique III. Asistió a la batalla
de la Higueruela, durante la cual salvó la
vida a don Pero Meléndez de Valdés, capitán
de mesnada del señor de Hita. Por ser pariente del arzobispo de Toledo, don Gutierre
Gómez—fervoroso partidario de los infantes
de Aragón—cayó en desgracia de Juan II.
Aspero de genio, poco amigo de componendas con nadie, ni rey ni roque, recto en la
justicia y aficionado a la lectura y al estudio, se retiró de cincuenta y seis años a su
señorío de Batres, de donde apenas volvió a
salir, habiendo muerto, según conjeturas verosímiles, a los ochenta y dos años de su
edad.

Pérez de Guzmán es el primer prosista del
siglo XV, un gran analista y observador de la
naturaleza moral. Su ingenio grave y sentencioso, muy similar al de su tío el canciller, le
valió ser llamado *Lucilo*, siendo su *Séneca* su
gran amigo el obispo don Alonso de Cartagena. Pero como poeta no valió gran cosa. Su
lirismo—que lo tenía a veces—quedaba sepultado en un mar de erudición, de citas latinas, de giros conceptuosos, de simbolismos
inconcretos. Sus poesías más antiguas figuran en el *Cancionero* de Baena. Decires, cantigas de amores, requestas... "Fernán Pérez
de Guzmán, mi tío—escribió Santillana—, ha
compuesto muchas cosas metrificadas é entre
las otras aquel epitafio de la sepoltura de mi
señor el almirante don Diego Furtado, que
comiença *Ombre que vienes aquí de presente... Cuatro virtudes cardinales* es una composición alegórica, en redondillas, bastante
prosaica. Los *Loores de los claros varones de
España*, un compendio de historia en octavas de arte menor. Escribió, además, una
elegía, muy sentida, a la muerte de su gran

amigo Alonso de Cartagena, y un poema
—acaso su mejor obra poética, la menos
confusa y la más fluida—titulado *Que las
virtudes son buenas de invocar é malas de
platicar."* Las numerosas poesías de Pérez de
Guzmán no han sido todavía reunidas en
colección, trabajo que dejó proyectado Amador de los Ríos.

Como prosista, fue Pérez de Guzmán sencillamente extraordinario. "Fue—opina Menéndez Pelayo—uno de los primeros analis-
tas y observadores de la naturaleza moral,
que, mediante esta observación, renovaron
la historia, haciéndola pasar del estado de
crónica al de estudio psicológico que principalmente ha tenido en los tiempos modernos. En esos retratos tan breves [se refiere
a *Generaciones y semblanzas*], de corte tan
moderno, compuesto con tanta habilidad y
con tan disimulado artificio, sin omitir ni
rasgo fisonómico ni cualidad moral relevante en el personaje, pero sin que aparezca
demasiado a las claras el propósito de agru-
parlos para el efecto; en esa prosa tan viril,
tan sobria, tan nerviosa, tan rígidamente ceñida al asunto, tan remota de todo vestigio
de pedantería y de mala retórica, tan empapada de realidad y de vida, Fernán Pérez
no es solamente un clásico, sino poderoso
iniciador de un arte nuevo."

"Al poner, pues, los ojos en los poderosos
de su tiempo, para pintar sus semblanzas,
los miró como miró a los del suyo el historiador Tácito, con la misma severidad de
juicio, con la misma honradez y rectitud de
ánimo, con el mismo espíritu aristocrático,
y como Tácito los halló, hallólos Pérez de
Guzmán. La misma bravía elocuencia brotó
de sus pechos y pasó a sus plumas, empapa-
das en hieles; con la misma penetración
ahondaron en las almas y desmenuzaron sus
fibras; con parecidos rasgos y recias pinceladas retrataron los personajes. La prosa
castellana de Pérez de Guzmán es limpia y
concisa, grave y bien domeñada." (Cejador.)

Obras: *Floresta de los philosophos*—colección de sentencias, la mayor parte sacadas
de Séneca, inédita hasta 1904—, *Mar de istorias*—Valladolid, 1512, dividida en tres partes: retratos de emperadores y príncipes,
retratos de sabios y santos, y semblanzas y
obras de los excelentes reyes Enrique III y
Juan II, y "de los venerables prelados e nobles caualleros que en los tiempos de estos
nobles reyes fueron"—, *Generaciones y semblanzas*—su obra maestra, que es la parte
tercera de la obra anterior—, *Las Setecientas*—Sevilla, 1516, remedo en verso del poema famoso de Mena *Las Trescientas*—, y algunas otras de menor interés.

De *Mar de istorias* hay ediciones de Sevilla, 1527 y 1542; Valencia, 1531.

De *Generaciones y semblanzas*—desligadas de *Mar de istorias*—: Logroño, 1516; Sevilla, 1543; Pamplona, 1590 y 1591; Madrid, 1675, 1678, 1775, 1790 y 1877.

De *Las Setecientas:* Sevilla, 1492, 1506, 1509 y 1516; Lisboa, 1512, 1541 y 1564.

También hay muy buenas ediciones modernas. De los *Proverbios* y de los *Claros varones.* París, 1844, ed. de Eugenio de Ochoa, con las *Rimas inéditas; Las Setecientas,* en el *Cancionero castellano del siglo XV,* "Nueva Biblioteca de Autores Españoles", XIX; las *Poesías,* edición facsímil, hecha —1904—por Archer M. Huntington; de *Mar de istorias,* ed. Foulché-Delbosc, en la *Revue Hispanique,* 1913; de *Generaciones y semblanzas,* ed. Domínguez Bordona, en *Clásicos Castellanos;* de *Mar de istorias,* la de "Colección Cisneros", Madrid, 1944.

V. FOULCHÉ-DELBOSC, R.: *Etude bibliographique sur Fernán Pérez de Guzmán,* en *Revue Hispanique,* 1906.—MENÉNDEZ PELAYO, M.: *Historia de la poesía castellana en la Edad Media.* II.—AMADOR DE LOS RÍOS, J.: *Historia crítica de la literatura española.* 1865.—LANG, H. R.: *Comunications from Spanish Cancioneros...,* en *Transactions of the Connecticut Academy of Arts and Sciencies,* XV, julio 1909.—RENNERT, H.: *Some unpublished poems...* Baltimore, 1907.—DOMÍNGUEZ BORDONA, J.: *Estudio preliminar,* en edición *Clásicos Castellanos.* Madrid.—PUIMAGRE, M. de: *La cour littéraire du Juan II.*

PÉREZ DE HERRERA, Cristóbal.

Literato y médico español. Nació—1558— en Salamanca. Murió—1625—en Madrid. Estudió en su ciudad natal. Fue protomédico de galeras y médico de cámara del rey don Felipe III, asegurando Nicolás Antonio que también lo había sido de Felipe II. Con el dinero que ganó en su profesión fundó en Madrid una casa-albergue para menesterosos, a los que atendía con extraordinaria caridad. Era tan humilde que, aun dotado de una gran erudición, no publicaba ninguno de sus escritos sin antes haberlos sometido a la censura de sus amigos y compañeros.

Sus obras son enjundiosas y están escritas en una prosa natural de vocabulario muy castizo.

Obras literarias: *Discurso de la forma y traza como se pudieran remediar algunos pecados y desórdenes*—Madrid, 1593—, *Remedios para el bien de la salud del cuerpo de la república, Discurso del amparo de los legítimos pobres...*—Madrid, 1598—, *Elogio a las esclarecidas virtudes del rey don Felipe II y carta oratoria a su hijo don Felipe III, Elogio de la vida y muerte de Felipe II*—manuscrito de la Biblioteca Nacional de Madrid, y probablemente el mismo escrito que el anterior *Elogio*—, *Proverbios*

morales y consejos christianos muy provechosos para consejo y espejo de la vida, adornados de lugares y textos de las divinas y humanas letras—Madrid, 1612, obra en verso—, un *Discurso* sobre adornar Madrid, *Enigmas y emblemas*—Madrid, 1618...

V. HERNÁNDEZ MOREJÓN, A.: *Historia de la Medicina española,* IV, 117-365.

PÉREZ DE HITA, Ginés.

Excelentísimo narrador, historiador y prosista español. Nació—¿1544?—probablemente en Mula (Murcia). Murió—¿1619?—probablemente en Barcelona. En su mocedad fue zapatero y "vecino de la ciudad de Murcia". Antes de los dieciséis años entró como escudero en la casa de don Luis Fajardo, marqués de los Vélez, a cuyas órdenes asistió Hita a la guerra contra los moriscos de las Alpujarras—1568—. En 1570 se encontraba ya en Lorca. Dos años después se hallaba en Murcia, donde escribió sus *Guerras civiles* y su *Bello Troyano.* En 1585 vive en Madrid, según su propio testimonio. Se casó en 1597. En 1619 debía de estar en Barcelona, negociando la reimpresión de su obra maestra, ya que de este año es la licencia correspondiente.

Si hemos de creer al propio interesado, Hita se batió heroicamente en las Alpujarras, salvando, con peligro de su vida, del degüello por la soldadesca a veinte mujeres, y recogiendo del seno de su degollada madre a un niño de pecho, en la horrible carnicería del pueblo de Félix.

La fama literaria universal de Pérez de Hita, la que le ha llevado al *Catálogo de autoridades* del idioma, radica en su célebre libro de las *Guerras civiles de Granada —Historia de los bandos de zegríes y abencerrajes, cavalleros moros de Granada...,* de *las civiles guerras que hubo en ella... hasta que el rey don Fernando V la ganó, agora nuevamente sacada de un libro arábigo, cuyo autor de vista fue un moro llamado Aben Amín...*—, que se publicó en dos partes, la primera en Zaragoza y en 1595, la segunda en Alcalá y en 1604. En ambas se combinan los elementos fantásticos e históricos, predominando aquellos en la primera y estos en la segunda. La parte primera se refiere a la lucha de bandos en la Granada anterior a 1492; la segunda, a la guerra coetánea de la Alpujarra. En aquella predominan el carácter novelesco, los romances y relatos verbales lejanos, y tiene mucho de objetivo, de refinada narración sobre un tema alejado de sus pasiones, estilizado, con toques de color local; la segunda ofrece más historicidad y dramatismo, menos poesía, "más eco directo de las impresiones de un soldado".

Muy acertadamente se ha dicho que la primera parte es una *novela histórica* y la

P

segunda una *historia novelada.* Las dos están hermoseadas por un idealismo noble y elegante, por una suprema distinción en el decir y un pintoresco y brillante colorido. El supremo encanto de Hita reside en que narró lo que veía y oía contar en el campamento, sin consultar documentos oficiales, de suerte que en muchos casos dice la verdad y en otros la envuelve con los cuentos y apreciaciones con que la verdad se engrosando y vistiéndose al pasar de labio en labio. "Pero siempre es sencillo, claro y elegante su estilo, y el lenguaje tan escogido, terso, puro y sonoro como el de los mejores escritores castellanos, con cierto aire moderno, que parece obra escrita mucho después."

Ginés Pérez de Hita fue el fundador de la novela histórica y el que más contribuyó a la moda de los romances moriscos, muchos de los cuales esmaltan deliciosamente su admirable relato.

Las fuentes de la primera parte son: algunos romances fronterizos y moriscos, las crónicas cristianas de los siglos XV y XVI (Garibay y Pulgar, sobre todo) y ciertas noticias geográficas adquiridas por el autor cuando tomó parte en la guerra.

De la segunda parte derivan obras tan interesantes como el drama de Calderón *Amar después de la muerte; Aben Humeya,* drama de Martínez de la Rosa; *Los monfíes de las Alpujarras,* novela de Fernández y González; *La Alpujarra,* de Pedro Antonio de Alarcón; *Aben Humeya,* drama de Francisco Villaespesa.

"Una obra como la de Hita, que con tal fuerza ha hablado a la imaginación de los hombres por más de tres centurias y ha trazado tal surco en la literatura universal, por fuerza ha de tener condiciones de primer orden. La vitalidad épica, que en muchas partes se conserva; la hábil e ingeniosa mezcla de la poesía y de la prosa, que en otras muchas novelas es tan violenta y aquí es naturalísima; el prestigio de los nombres y de los recuerdos tradicionales, vivos aún en el corazón de nuestro pueblo; la creación de caracteres, si no muy variados, interesantes siempre y simpáticos; la animación, viveza y gracia de las descripciones, aunque no libres de cierta monotonía así en lo bélico como en lo galante; la hidalguía y nobleza de los afectos; el espíritu de tolerancia y humanidad con los enemigos; la discreta cortesía de los razonamientos; lo abundante y pintoresco del estilo, hacen de las *Guerras civiles de Granada* una de las lecturas más sabrosas que en nuestra literatura novelesca pueden encontrarse." (Menéndez Pelayo.)

El éxito de esta obra fue enorme. Se hicieron ediciones: Alcalá, 1598; Lisboa, 1598; Alcalá, 1601; Lisboa, 1603; Barcelona, 1604;

Alcalá, 1604; Valencia, 1604; Málaga, 1606; París, 1606; Barcelona, 1610; Sevilla, 1613; Valencia, 1613; Lisboa, 1616; Barcelona, 1619; Alcalá, 1619; Cuenca, 1619; Sevilla, 1625; Madrid, 1631, y hasta doce ediciones más en el siglo XVII, y seis en el XVIII, y doce en el XIX, y más de quince en lo que va del XX.

Al francés se tradujo en 1606: *Histoire des guerres civiles de Grenade*—París, 1608—, por traductor anónimo; por A. M. Sané —1809—; por mademoiselle de la Roche Guilhem—1683—, y por mademoiselle Gómez, Augusto Spalding la vertió al alemán —Berlín, 1821—, y Thomas Rodd, al inglés —Londres, 1891.

Y a Pérez de Hita plagiaron e imitaron en el extranjero: Mlle. Scudery y Mlle. La Fayette—en sus novelas *Amahide y Zaïde*—; Chateaubriand, en su *Ultimo Abencerraje;* Washington Irving, en la *Crónica de la conquista de Granada;* el caballero Florián, en su *Gonzalo de Córdoba...*

De las *Guerras civiles de Granada* abundan las buenas impresiones. La del tomo III de la "Biblioteca de Autores Españoles". La edición de P. Blanchard-Demouge, Madrid, 1913-1915. Las *Poesías* de Hita se encuentran en el tomo XVI de la ya mencionada "Biblioteca de Autores Españoles".

Otras obras de Pérez de Hita: *Libro de la población y hazañas de la muy noble y muy leal ciudad de Lorca*—1572, reimpreso por Nicolás Acero, Madrid 1889—, *Los diez y siete libros de Daris del Belo Troyano* —1596, traducción, en verso suelto, de la *Crónica troyana,* manuscrito de la Biblioteca Nacional, de Madrid.

V. ACERO Y ABAD, N.: *Ginés Pérez de Hita. Estudio biográfico y bibliográfico.* Madrid, 1889.—BLANCHARD-DEMOUGE, P.: *Estudio* en la edición madrileña de 1913-1915.—PÉREZ PASTOR, C.: *Bibliografía madrileña,* III, 450. MENÉNDEZ PELAYO, M.: *Orígenes de la novela,* I, 380.—ESPÍN RAEL, J.: *De la vecindad de Pérez de Hita en Lorca desde 1568 a 1577.* RUTA, E.: *L'Ariosto en Pérez de Hita,* en *Arch. Rom.,* 1933, XVII, 665.

PÉREZ LUGÍN, Alejandro.

Novelista y periodista español, popularísimo en su época. Nació—1870—en Madrid. Murió—1926—en El Burgo (Coruña). Licenciado en Derecho por la Universidad de Santiago de Compostela. Empezó a practicar el periodismo en *El Pensamiento Galaico,* de aquella ciudad. Ya en Madrid, fue redactor de *El Correo, El Globo, España Nueva, La Mañana, La Tribunal, Heraldo de Madrid* y *El Liberal.* Hizo popularísimo el seudónimo de "Don Pío", con que firmaba sus amenísimas, personales y batalladoras críticas taurinas, modelos en su género, que leía y comentaba toda la afición española.

Pero su fama de novelista la alcanzó con la publicación de *La Casa de la Troya (Estudiantina)*, premiada por la Real Academia Española, llevada a la escena—por Linares Rivas—y a la pantalla; novela cuyo éxito fue apoteótico, reimprimiéndose treinta veces en menos de diez años y habiéndose vendido en ella más de 500.000 ejemplares.

La Casa de la Troya es una novela de ambiente estudiantil provinciano—se desarrolla en Santiago de Compostela—, llena de encanto juvenil, de sanísima emoción, de realismo verdad, y escrita en una prosa natural, fácil, con mucho colorido *del bueno*.

Otras obras: *Currito de la Cruz*—novela, también escenificada por Linares Rivas y también llevada al cine—, *Arminda Moscoso* —novela—, *¡La Virgen del Rocío ya entró en Triana!*—novela—, *La Corredoira y la Rúa*—crónicas—, *La amiga del rey...*—impresiones.

En el año 1946, la editorial Fax, de Madrid, ha publicado las *Obras completas* de Pérez Lugín en una edición de verdadero lujo.

V. Nora, Eugenio G. de: *La novela española contemporánea*. Madrid, Gredos, 1958. Tomo I.—Entrambasaguas, Joaquín de: *Las mejores novelas contemporáneas (1915-1919)*. Barcelona. Planeta, 1959, págs. 3-52. (Contiene una bibliografía exhaustiva.)

PÉREZ MARTÍNEZ, Héctor.

Poeta, crítico, historiador mexicano contemporáneo. Periodista. Diputado. Gobernador de Cuauhtemoc. Ha sido uno de los espíritus que más ha laborado, y con mayores aciertos, para elevar la condición moral y material de sus compatriotas. De mucha y excelente cultura. Buen prosista. Historiador concienzudo y ameno.

De él ha dicho un crítico: "Pérez Martínez es un caso de vocación y de voluntad orientadas a las esferas de la creación literaria. Estas son: la poesía, la crítica y la historia, con permanente afán de superación. En medio de las tareas urgentes y dispersas del periodismo, concentra su espíritu y se deleita en el trato de los clásicos extranjeros y castellanos. Mientras las rotativas lanzan a diario el periódico, que él *forma* por la noche, no pasa un año sin que produzca un libro."

Obras: *Juárez el Impasible*—1934—, *Facundo en su laberinto*, *Se dice de amor en cinco sonetos*, *Trayectoria del corrido*, *Relación de las cosas del Yucatán*, *Piraterías en Campeche*, *Por los caminos de Campeche*, *Cuauhtemoc...*

PÉREZ MINIK, Domingo

Ensayista y crítico literario español. Nació—1903—en Santa Cruz de Tenerife. Miembro fundador del Círculo de Bellas Artes y del Ateneo de su ciudad natal. Colaborador de importantes revistas literarias. En 1965 obtuvo el "Premio Nacional del Teatro" (Crítica).

Obras: *Antología de la poesía canaria, Debates sobre el teatro español contemporáneo, Novelistas españoles de los siglos XIX y XX, Teatro europeo contemporáneo: su libertad y compromisos, Introducción a la novela inglesa actual...*

PÉREZ DE MONTALBÁN, Juan.

Magnífico poeta y dramaturgo español. Nació—1602—y murió—1638—en Madrid. Su padre, Alonso Pérez, de origen judío, librero del rey desde 1604, trasladó a principio de siglo su librería alcalaína a la madrileña calle de Santiago. Y en Madrid nació su hijo Juan, *nuestro* doctor don Juan Pérez de Montalbán, a quien el mordaz Quevedo despojó de su bambolla de linaje—con la misma saña que un forajido le hubiera privado de su bolsa en descampado—en aquella cuarteta inolvidable, que nos sabemos todos:

> El doctor tú te lo pones;
> el Montalbán no lo tienes;
> conque, quitándote el don,
> vienes a quedar Juan Pérez.

No se sabe el día ni el mes en que nació. Estudió mucho y bien, y se doctoró—1620—en Filosofía y Humanidades por la Universidad de Alcalá de Henares. Un año antes, a los diecisiete de edad, ya había estrenado la comedia *Morir y disimular*. De su padre —constante editor de Lope de Vega—heredó Montalbán un cariño y una admiración incondicionales por el Fénix de los Ingenios. La gloria inmensa de este, el afán de imitarle en la fecundidad, quizá perjudicó no poco a nuestro dramaturgo. Lope de Vega correspondió a esta admiración protegiendo a Montalbán y, en opinión de algunos críticos, colaborando *en la sombra* con él. Precisamente en esa comedia *Morir y disimular*, que Montalbán escribió aún mozalbete. En 1622, con motivo de la canonización de Santa Teresa, San Ignacio y San Francisco, San Felipe Neri y San Isidro, Montalbán, en competencia con los poetas más esclarecidos, tomó parte en los certámenes poéticos, y obtuvo varios premios. El juez de estos torneos líricos era Lope. Y no digo esto para rebajar los méritos de las composiciones de Montalbán. En 1625, y en Alcalá, se doctoró en Teología y se ordenó de sacerdote. Un año antes había publicado *El Orfeo en lengua castellana*—poema en cuatro can-

P

tos y doscientas treinta y cuatro estrofas—, encomiado en una carta panegírica de Lope, que le sirve de prólogo, y acompañado de versos laudatorios de ingenios tan famosos como Tirso, Gabriel del Corral, López de Zárate y Villaizán. Críticos modernos han pretendido que este poema es obra de Lope, deseoso de abrir camino a su protegido. Sea como fuere, "el *Orfeo* divulgó el nombre de Montalbán y le valió una pensión de cierto admirador peruano".

En 1627 publicó *La vida y purgatorio de San Patricio,* utilizada por Calderón para su hermosa obra *El purgatorio de San Patricio.* Y en 1632 apareció su famoso *Para todos,* curiosa miscelánea de comedias, novelas, autos, ejemplos morales, humanos y divinos.

¿Cómo nació la terrible enemistad entre Montalbán y Quevedo? El primero siempre alabó al segundo. En el *Para todos.* En el *Indice de los ingenios de Madrid.* En la *Memoria de los que escriben comedias en Castilla.* Quizá Montalbán heredó de su padre, con el amor a Lope, la inquina de Quevedo, cuyo *Buscón* había editado subrepticiamente, falseando la edición de Zaragoza, de 1626. Lo cierto es que la enemistad fue terrible y que levantó los dos bandos correspondientes. Con Montalbán: fray Diego Niseno, "Don Fulgencio Lucero de Clariana"—seudónimo—, el "Licenciado Arnaldo de Franco-Furt"—seudónimo—. Con Quevedo, el "Doctor Vera", seudónimo quizá de Pedro de la Ripa. ¿Armas? Una feroz, envenenada, de Quevedo: *La perinola.* La de los partidarios de Montalbán—¿no la esgrimió este?— tan feroz, pero menos venenosa: *El Tribunal de la Justa Venganza,* en que se calificaba al gran polígrafo de doctor en desvergüenzas, maestro en errores, licenciado en bufonerías, bachiller en suciedades, catedrático en vicios y protodiablo entre los hombres. El odio permaneció intacto—por parte de Quevedo—hasta la muerte de Montalbán.

En 1633 fue elegido Montalbán *discreto* de la Venerable Orden Tercera de San Francisco, y poco después ingresó en la Congregación de Sacerdotes Naturales de Madrid, y fue nombrado notario de la Inquisición.

La muerte de Lope de Vega, su entrañable amigo y protector, acaecida en 1635, inició el proceso de su locura. "Aún pudo, fidelísimo, en 1636, reunir en el volumen *Fama póstuma* todos los elogios que se hicieron al Fénix de los Ingenios, para el cual compuso una poesía emocionante de amargura. Inmediatamente empezó a sufrir de frecuentes arrebatos, uno de los cuales le tuvo inconsciente durante ocho meses. Recluido en un asilo de Madrid, permaneció en completo estado de imbecilidad hasta su muerte, ocurrida en los últimos meses de 1638. Abandonado de los amigos, no perdo-

nado de sus enemigos, llegó a faltarle lo más necesario en sus días postreros.

Un retrato se conserva de Montalbán. Le representa a la edad de treinta y seis años. Es decir, en el último de su vida. Nada en este retrato delata su locura. Aparece gallardo, juvenil, entintado de cabellos, bigote y mosca, pálido, con ojos vagos. Viste hábito. Pecha la insignia de su cargo inquisitorial. Y sobre él, un ángel con túnica le corona de laurel, mientras toca la trompa de la fama, de la que sale esta voz: *Cantabo musas in Montalbano locutas.* Los elogios al ingenio del poeta dramaturgo fueron recogidos por su amigo Pedro Grande de Tena en el volumen *Lágrimas panegíricas.*

Montalbán era virtuoso, ilustrado, cortés, ingenioso y amable. Y tenía ciertamente el *don,* que le negaba Quevedo, por sus doctorados y por la condición sacerdotal. Sino que él ni lo usó siquiera, intitulándose el licenciado Juan Pérez de Montalbán.

Pellicer, gran erudito y hombre grave, hizo de Montalbán el siguiente juicio: "Fue entendido, modesto, apacible, cortés y blando. Sus escritos están respirando erudición, y sus libros, doctrina. De nadie dijo mal. Alabó a todos. Nació en el regazo de las musas, como de Hesíodo y de Sidonio se cuenta. Calíope le dio la inventiva en la poética. Clío, la noticia de la Historia; Melpómene, la disposición elegíaca; Euterpe, la infabilidad matemática; Talía, lo bucólico, y Palimnia, lo lírico. Dejó en su muerte lástima y deseo, y aun la envidia le lloró."

Llana y fluida, armoniosa y rotunda es la versificación de Montalbán. Su inventiva no es escasa. Su tono es natural y muy afín a los temas. Su gracia, espontánea y de buena ley. Domina la técnica. Ve con sutileza los detalles. Sabe cuidar el interés teatral.

Indudablemente le perjudicó no poco su afán por imitar a Lope. Parte de la crítica moderna no quiere reconocer en él valores innegables. Y, sin embargo, los tiene, y muy firmes. Una ternura honda y una poesía cordial para tratar las vidas de santos. Un españolismo recio y un decoro máximo para tratar los temas históricos. El mismo Schack, que tanto le combatió, hubo de reconocer que diez o doce comedias suyas son francamente dignas de encomio. Todas las comedias de Montalbán fueron representadas con general aplauso—algunas, simultáneamente, en dos teatros de Madrid—hasta muy entrado el siglo XIX.

De Montalbán se conocen 58 dramas; de ellos, 48—entre comedias y autos sacramentales—escritos con anterioridad a 1632.

Estas obras pueden dividirse en: *a)* Comedias heroicas: *Los amantes de Teruel, A lo hecho no hay remedio, Amor, lealtad y amistad; No hay vida como la honra, El se-*

gundo Séneca de España; b) Comedias de capa y espada: *Como amante y como honrada, La monja alférez, La toquera vizcaína, La ganancia por la mano, Despreciar lo que se quiere; c)* Comedias de santos: *El divino portugués San Antonio de Padua, La gitana de Menfis, Santa María Egipcíaca, El hijo del Serafín, San Pedro de Alcántara; d)* Comedias devotas: *El valiente Nazareno, Sansón, El Polifemo, Las Santísimas de Alcalá.*

Montalbán colaboró con Lope en *Los terceros de San Francisco.* Con Mira de Amescua y Coello, en *Circe y Polifemo.* Con Calderón y Coello, en *Felipe Catanea y El privilegio de las mujeres.*

Ocho obras de Montalbán no han llegado a nosotros. Y treinta y tantas le han sido negadas por la crítica moderna para *devolverlas* a sus verdaderos autores (Lope, Vélez, Alarcón, fray Alonso Remón, Enciso, Moreto, Bances Candamo, Matos...)

El propio Pérez de Montalbán preparó y editó las dos primeras partes de sus comedias—Madrid, 1635 y 1638—, que comprendían, cada una, doce obras. En el prólogo de la segunda edición se quejaba amargamente de que le atribuyesen algunas que no eran suyas: "Vanidad muy enojosa para mí, porque si son buenas, les usurpo la gloria a sus dueños, y si son malas, me desacredito con quien las compra."

Escasísima son las ediciones modernas de Montalbán. El tomo XLV de la "Biblioteca de Autores Españoles" recoge siete comedias suyas, y el XIV, las escritas en colaboración. Muy interesantes son las ediciones de *El segundo Séneca de España,* aparecida en *The Romanic Review* (1910), y la de *La monja alférez,* en *The Nun Enseign,* de Londres (1908).

V. BACON, G. M.: *The life and dramatic works of doctor Juan Pérez de Montalbán,* en *Revue Hispanique,* 1912, págs. 1-474.—PÉREZ PASTOR: *Bibliografía madrileña.* Parte III, 451.—SCHACK, conde de: *Historia de la literatura y del arte dramático en España.* III.—FITZMAURICE-KELLY, J.: *The Nun Enseing.* Londres, 1908.—MESONERO ROMÁNOS, R.: *El teatro de Montalbán,* en *Semanario Pintoresco Español,* 1852, 50.—SAINZ DE ROBLES, F. C.: *Historia y antología del teatro español.* Madrid, 1943. Tomos II y IV.—SAINZ DE ROBLES, F. C.: *Dramáticos de la escuela de Lope,* en el tomo III de la *Historia general de las literaturas hispánicas.* Barcelona, 1953.

PÉREZ DE MOYA, Juan.

Literato y matemático español de renombre. Nació—¿1513?—en Santisteban del Puerto (Jaén). Murió—1596—, probablemente, en Granada. Estudió en Salamanca y acaso en Alcalá. Sin embargo, no alcanzó otro

título que el de bachiller, que usó hasta el final de su vida. En 1536 consiguió una capellanía fundada en su pueblo por el conde Men Rodríguez de Benavides. Más adelante gozó un beneficio ración en la parroquia de San Marcos, de León. En Alcalá vivió varios años; estaba ya en 1572; allí residió, por lo menos hasta 1585, aunque algunos prólogos de sus libros están firmados en otros pueblos: Las Navas, Castellar... El 10 de septiembre de 1590 se expidió en San Lorenzo de El Escorial la real privisión presentándole para una canonjía de la catedral de Granada. Tenía el bachiller Juan Pérez de Moya setenta y seis años, y se habían publicado ya casi todas sus obras. El último cabildo al que asistió fue el del día 29 de octubre de 1596. El 15 de noviembre de este año ya había muerto, pues que el cabildo mandó que se diese al organista Gonzalo Gutiérrez "la casa en que biuía el canónigo Moya..."

Como matemático, tuvo Moya fama europea. De su *Aritmética práctica y especulativa* se hicieron trece ediciones en menos de veinte años. Pero aquí no debemos tener en cuenta sino al literato.

Obras literarias: *Philosofía secreta... con el origen de los ídolos de la gentilidad*—Madrid, 1585—, *Comparaciones o símiles para los vicios y virtudes*—Alcalá, 1584—, *Varia historia de sanctas e ilustres mujeres*—Madrid, 1582.

De la *Philosofía secreta*—su principal obra literaria—dice Gómez de Baquero que es "un ameno texto literario, que con relación a los estudios científicos de Mitología representa el preludio humanístico, de erudición poética, y, en general, literaria".

De este libro existe una excelente impresión moderna: Madrid, 1928, "Clásicos Olvidados", preparada por E. Gómez de Baquero, "Andrenio".

V. GÓMEZ DE BAQUERO, "ANDRENIO": *Estudio* a la ed. Madrid, 1928, "Clásicos Olvidados".—FERNÁNDEZ VALLÍN, A.: *Cultura científica de España en el siglo XVI.* Madrid, 1893.—DOMÍNGUEZ BERRUETA, M.: *El bachiller Juan Pérez de Moya,* en *Rev. de Archivos y Bibliotecas,* 1899.—NICOLÁS ANTONIO: *Bibliotheca Hispana Nova.*—REY PASTOR, J.: *Matemáticos españoles del siglo XVI.* Madrid, 1926.

PÉREZ NIEVA, Alfonso.

Fino novelista y cuentista español. Nació —1859—en Madrid. Murió—1931—en Badajoz. Doctor en Filosofía y Letras. Funcionario del Ministerio de Instrucción Pública. Jefe del Negociado de Institutos Generales y Técnicos. Redactor y colaborador de muchos y buenos diarios y revistas de España: *El Liberal, El Imparcial, A B C, Blanco y*

P

Negro, Nuevo Mundo, La Esfera, Pluma y Lápiz, La Ilustración Española y Americana, Correspondencia de España...

Escritor muy fecundo. Realista sano. Elegante prosista. "Obra literaria la suya no muy sobresaliente, pero hija de extensa cultura y de fina observación, sana en sus efectos y discretísima en los medios de expresión... Confía Pérez Nieva en la fuerza propia de lo que narra, que refleja la realidad de la vida, vista o, por lo menos, fielmente imaginada." (Cejador.) Cuentista amenísimo.

Novelas: *El alma dormida*—1889—, *El señor Carrascas*—1889—, *Agata*—1897—, *La tierra redentora*—1897—, *La savia*—1899—, *El buen sentido*—1905—, *La dulce oscuridad* —1907—, *Fray Jerónimo*—1913—, *La alemanita*—1914...

Cuentos: *Historias callejeras*—1888— *Cuentos de la calle*—1890—, *Los gurriatos* —1890—, *Para la noche*—1891—, *Narraciones*—1892—, *Los humildes*—1893—, *Diminutas*—1893—, *Mundanas*—1895—, *Angeles y diablos*—1904—, *Niños y pájaros*—1904...

Poesías: *El valle de lágrimas*—1885—, *Mi muerta*—1903...

Viajes: *Por Levante*—1892—, *Un viaje a Asturias*—1895—, *Playas y cíclopes*—1895—, *Por la montaña*—1896—, *Por las rías bajas* —1900—, *Viajando por Europa*—1911...

PÉREZ DE OLIVA, Fernán.

Gran prosista y humanista español. Nació —¿1494?—y murió—¿1531?—en Córdoba. De ilustre familia. Estudió en las Universidades de Salamanca, Alcalá y París. Y después, tres años en Roma, pensionado y protegido por el Pontífice León X. Fue discípulo muy apreciado de Juan Martín Silíceo. El Papa Adriano IV le señaló una pensión de cien ducados. En París enseñó tres años *Las Eticas,* de Aristóteles. De nuevo en España, obtuvo por oposición la cátedra de Teología moral en la Universidad de Salamanca, de la cual después—1529—fue rector. Nombróle Carlos I maestro del príncipe don Felipe (II), pero murió a poco, a la edad de treinta y tantos años.

De cultura extraordinaria, sutil entendimiento, habilísimo en recursos didácticos, ideas originales, Pérez de Oliva fue uno de los principales humanistas europeos. Fue enorme su amor a España y a la literatura patria, y enorme su celo en enriquecer la lengua castellana con lo más excelente que en todo género de doctrina se hallaba. Su prosa fue dechado de pureza, majestad y energía. Dominando el latín—instrumento expresivo de las ciencias por entonces—, escribió de intento en castellano. Su nombre ha sido incluido en el *Catálogo de autoridades* del idioma, publicado por la Academia Española.

Obras: *Enigmas, Enigma de la hormiga, Lamentación al saqueo de Roma* y *Canción del maestro Oliva*—poesías—, *Venganza de Agamenón, Hécuba triste* y *Comedia de Anfitrión*—tres tragedias, arreglo, respectivamente, de la *Electra,* de Sófocles; *Hécuba,* de Eurípides, y *Anfitrión,* de Plauto—, *Razonamiento sobre la navegación del Guadalquivir, Tratado sobre la piedra imán*—"de cómo se pudiesen hablar dos absentes", que es una curiosa adivinanza del teléfono—, *Discurso de las potencias del alma y buen uso de ellas, Diálogo entre el cardenal... Silíceo, la Aritmética y la Fama; Diálogo de la dignidad del hombre*—su obra maestra, que "si no es de oro, es más preciosa que el oro", según frase de Mayón, traducida al italiano por Alfonso de Ulloa—1563—y al francés —1583—por Jerónimo d'Avost.

El famoso historiador Ambrosio de Morales, sobrino de Oliva, publicó las *Obras completas* de este, Córdoba, 1585. Otra magnífica impresión es la de Madrid, 1787.

Abundan las ediciones modernas del *Diálogo de la dignidad del hombre,* tomo LXV de la "Biblioteca de Autores Españoles"; Madrid, [¿1928?], "Bibliotecas Populares Cervantes".

V. ESPINOSA MAESO, R.: *Pérez de Oliva en Salamanca,* en *Boletín de la Academia Española,* 1926, XIII.—HENRÍQUEZ UREÑA: *Pérez de Oliva.* La Habana, 1914.—ATKINSON, William: *Hernán Pérez de Oliva. A Bibliographical and Critical Study,* en *Revue Hispanique,* LXXI, 309 y sigs.—ATKINSON, William: *El teatro de Hernán Pérez de Oliva,* en *Revue Hispanique,* LXIX, 1927.—MENÉNDEZ PELAYO, M.: *Páginas de un libro inédito,* en *Ilustración Española y Americana,* 1875, XIX, 154 y sigs.—ALONSO CORTÉS, N.: *Datos acerca de Pérez de Oliva,* en *Homenaje a Menéndez Pidal,* I, 779.

PÉREZ OLIVARES, Rogelio.

Nació en Sevilla el mes de septiembre de 1879. Murió—1963—en Madrid. Cursó la carrera de Derecho en aquella Universidad, y antes de terminar sus estudios comenzó a publicar distintos trabajos, especialmente en verso, en el diario local *El Noticiero Sevillano.*

Una vez licenciado, se entregó por completo al periodismo, al teatro y a la poesía, cambiando el culto de Astrea por el de Talía y el de Erato.

Inició su labor teatral con el estreno de *Ustedes dirán,* al que siguieron *Marujilla, La reina de la campiña, La gran vía sevillana* y *La bella dorada.*

En 1905 se trasladó a Madrid, y al año siguiente se fundó el periódico *España Nueva,* en cuya Redacción figuró algún tiempo.

El período comprendido entre 1905 y 1910

lo llena casi por entero su actividad teatral. Estrena las obras *El príncipe real, La corte de Júpiter, El sino perro, La Santa Hermandad, Los celosos, Los reyes del oro, La canción a la vida* y *El agua prodigiosa.*

Curioso del movimiento cultural y artístico de la República Argentina, marchó a Buenos Aires en el citado año de 1910 y continuó ofreciendo a aquel público, al mismo tiempo que diferentes trabajos literarios, poéticos y de crítica, que encontraron favorable y entusiástica acogida en varios periódicos porteños, algunas de las obras ya estrenadas en Madrid y otras nuevas, con los títulos de *Me dijiste que era fea,* comedia en tres actos; *El tío Perico,* y la estampa lírica *Watteau.*

En el mismo año regresó a Madrid, y en unión del periodista y autor dramático Enrique Contreras Camargo publicó *El Arte del Teatro,* revista profesional, presentada con gran lujo tipográfico.

Permaneció diez años en Prensa Gráfica, empresa editora de *Mundo Gráfico, Nuevo Mundo* y *La Esfera,* y separado voluntariamente de dicha sociedad, fundó la revista titulada *Mundial,* de gran estimación en los medios literarios y artísticos españoles.

Desaparecida lamentablemente esta revista por dificultades económicas de la sociedad anónima que se constituyó para crearla, continuó sus colaboraciones en periódicos españoles y americanos, estrenó la obra *El vencedor de los parthos* y siguió la publicación de sus libros, entre los que figuran, anteriores a esta fecha, *Ensayos*—1900—, *Ratos perdidos*—1904—, *Ideales*—1902—y *Dos lecciones de Sociología*—1906—, *¡Sevilla!*—1929, de la que se han agotado dos ediciones—, *Aixa*—novela, 1933—, *España en la cruz*—diario de la guerra, 1936; también dos ediciones agotadas—, *El general Mola*—silueta biográfica, 1937—, *El general Saliquet*—silueta biográfica, 1937—, *El general Serrador*—silueta biográfica, 1937—, *Tu medalla*—poema, 1938—, *El Alcázar de Sevilla*—1943—, *Anecdotario pintoresco*—1944, dos ediciones—, *Próceres, aventureros, pícaros...*—1945—, *La Alhambra de Granada*—1946—y *La Mezquita de Córdoba*—1947.

PÉREZ DE LA OSSA, Huberto.

Poeta, novelista, director teatral y catedrático español. Nació—1897—en Albacete. Se educó en Barcelona. Doctor en Filosofía y Letras. Sus primeros trabajos aparecieron en *El Correo Catalán.*

Tras una corta temporada de periodismo, que adiestra al joven escritor en el manejo de la prosa y le abre las revistas de la época donde publica sus primeros cuentos, aparece en 1921 *El ancla de Jasón,* novela, editada por Biblioteca Patria. Bien acogida por la crítica, esta pequeña novela despierta el interés de un editor, don José María Yagüe, propietario de la editorial Mundo Latino, que le publica el primer libro de versos, *Polifonías*—1922—. Desde entonces sigue sin interrupción en el trabajo con *La lámpara del dolor*—novela, Biblioteca Patria, 1923—, *El opio del ensueño*—novela, editorial Renacimiento, 1924.

Este año de 1924 obtiene el "Premio Nacional de Literatura" para su novela *La santa duquesa.*

Gómez de Baquero comenta, al hablar de ella, en *El Sol:* "Propende el autor a los primores del estilo, a los finos matices sentimentales, a cierta voluptuosa cinceladura de la palabra, y esta orientación del gusto, que parece revelarse en su novela, le ha permitido trazar una delicada figura virginal de códice antiguo, en un asunto moderno y arriesgado."

La obra salta las fronteras. M. Carayon, en París—*Europe,* 15 mayo 1925—, señala "un talento precoz de análisis, y al mismo tiempo de íntima poesía", comparándolo con Radiguet.

Es traducida al inglés—con el título de *María Fernanda*—por el famoso hispanófilo Mr. Allison Peers—Londres, 1931.

Siguen a estas obras un libro de cuentos, *Veletas*—editorial Virtus, 1926—, *La casa de los masones*—novela, Mundo Latino, 1927—, para llegar a su obra hasta la fecha más conseguida, *Obreros, zánganos y reinas*—Mundo Latino, 1928—, que se continúa en *Los amigos de Claudio*—Renacimiento, 1931—. Con esta serie llega el autor a la plenitud de su estilo, que define González Ruiz en *La literatura española*—Pegaso, 1943—: "La condición de Pérez de la Ossa es decir bella y concisamente cosas muy apretadas de contenido. Esa es la característica mejor y principal de este escritor, y la que hace de él un novelista jugoso en extremo."

Otras obras: Las biografías de *Santa Teresa de Jesús y Dantón*—1930—y sus tres interesantísimos libros sobre historia de América, publicados en Biblioteca Fax; *Orellana y la jornada del Amazonas*—1935—, *Almagro y la epopeya de los Andes*—1936—, *Pedro de Mendoza y la fundación de Buenos Aires*—1936.

Sometido a la dominación marxista durante la revolución española de 1936, rueda de cárcel en cárcel, hasta que, liberado con la toma de Barcelona, es agregado al Servicio de Recuperación del Patrimonio Artístico Nacional, y más tarde nombrado codirector del teatro nacional María Guerrero. Aparte de su labor directiva de dicho teatro, ha estrenado en él una adaptación castellana de la *Dulcinea,* de Gastón Baty—2 diciembre

P

1941—, con un éxito extraordinario, en gran parte debido a la recreación del lenguaje, a la que ha sabido dar un ambiente cervantino sin ningún arcaísmo, ni hacerle perder naturalidad. *Dulcinea* ha sido publicada por la editorial Gredos en 1944, y así mismo ha aparecido en *Fantasía*—julio de 1945—una obra teatral llena de gracia original, de Pérez de la Ossa, *En el kilómetro 13*, escrita para su representación en un teatro privado, de los que estuvieron tan de moda en el Madrid literario por los años 1920 al 30. Otra bella novela suya es *El aprendiz de ángel* —1953.

Catedrático de dirección escénica en el Conservatorio de Declamación de Madrid.

V. VALBUENA PRAT, Angel: *Historia de la literatura española*. Barcelona, 1950, tomo III. SAINZ DE ROBLES, F. C.: *Historia y antología de la poesía española*. Madrid, Aguilar, 1969, 5.ª edición.—SAINZ DE ROBLES, Federico Carlos: *La novela en el siglo XX*. Madrid, Pegaso, 1957.—NORA, Eugenio G. de: *La novela española contemporánea*. Madrid, Gredos, 1962, tomo II, págs. 287-96.

PÉREZ PASTOR, Cristóbal.

Notable polígrafo español. Nació—1833— en Horche (Guadalajara). Murió—1908—en la misma población. Sacerdote. Capellán de las Descalzas Reales de Madrid. Del Cuerpo Facultativo de Archiveros, Bibliotecarios y Arqueólogos. Académico—1905—de la Real Española de la Lengua.

De modestia ejemplar, fue, sin embargo, uno de los más ilustres bibliófilos españoles, acaso el primero después de Menéndez Pelayo. Colaboró en las principales revistas de erudición literaria de toda Europa. Tan concienzudas fueron todas sus investigaciones, que nunca han podido ser rectificadas. La crítica española sobre temas de bibliología y bibliografía le debe adelantos admirables. Sus obras constituyen un manantial inagotable de informaciones curiosísimas y verdaderas.

Obras: *La Imprenta en Toledo*—1887—, *Bibliografía madrileña del siglo XVI*—1891, premiada, como la anterior, en sendos concursos organizados por la Biblioteca Nacional—, *La Imprenta en Medina del Campo* —1895, también premiada—, *Proceso de Lope de Vega*—1901—, *Documentos para la biografía de don Pedro Calderón de la Barca* —1905—, *Documentos cervantinos hasta ahora inéditos*—dos tomos, 1897 y 1901—, *Bibliografía madrileña de 1601 a 1620*—1906—, *Bibliografía madrileña de 1621 a 1625*—1907...

PÉREZ Y PÉREZ, Rafael.

Novelista y poeta español. Nació—1891— en Cuatretondeta (Alicante). Maestro normal. Bachiller. En 1909, en los Juegos florales organizados por el *Diario de Alicante*, ganó un primer premio con su monografía histórica acerca de las *Germanías de Valencia*. Muchas poesías y crónicas suyas aparecieron en el mencionado diario levantino.

Fácil y fecundísimo narrador. Se ha especializado en ese género novelesco denominado *rosa* que tantos lectores tiene entre las mujeres de las clases media y baja. Acaso es hoy el novelista español cuyas obras se reimprimen más, agotándose rápidamente las ediciones. Tiene un estilo llano y digno, mucha inventiva y gran maestría dialogal. A veces, en las descripciones acierta a pintar con vivos colores.

Novelas: *Quien siembra, recoge; Amor que no muere, Esperanza, La señora, Levántate y anda, El último cacique, Inmaculada, Al borde de la leyenda, María Pura, Rebeldía, El hada Alegría, La clavariesa, La rapella, El secretario, Duquesa Inés, Por el honor del nombre, El monasterio de la Buena Muerte, Almas recias, Los cien caballeros de Isabel "la Católica", Lo imposible, Doña Sol, La eterna historia, Mariposa, Muñequita, Madrinita buena, Mariquita Monleón, Un hombre cabal, Los caballeros de Loyola, La gloria de amar, El excelente conde...,* y muchas más, hasta sumar más de setenta.

Varias de ellas fueron premiadas en concursos de novelas organizados por la "Biblioteca Patria", creada para difusión de sanas lecturas.

PÉREZ PETIT, Víctor.

Poeta, cuentista, autor dramático uruguayo. Nació—1871—en Montevideo. Doctor en Leyes—1896—. Presidente del Círculo de la Prensa de Montevideo y de la Sociedad de Autores del Uruguay. Secretario perpetuo de la Academia Uruguaya, correspondiente de la Real Española de la Lengua. En 1903 publicó su libro *Los modernistas*—colección de estudios acerca de Zola, Verlaine, D'Annunzio, Strindberg, Tolstoi y otros—. Como poeta, ha estado muy cerca de la escuela parnasiana francesa. Como novelista y dramaturgo, se afilió al naturalismo. En 1905 publicó otro libro de estudio: *Cervantes*. En 1895 fundó—con Rodó y los hermanos Martínez Vigil—la *Revista Nacional de Literatura y Ciencias Sociales*. En 1915 dirigió *El Tiempo*.

En el teatro ha obtenido éxitos grandes con *Cobarde*—1894—, *La rosa blanca* —1906—, *Claro de luna*—1906—, *Yorick, tragedia de almas*—1907—, *La rondalla* —1908—, *El baile de Misia Gaya*—1908—, *La ley del hombre*—1913—, *Mangacha* —1914—, *Nochebuena*—1914—, *Los picaflores*—1915—, *El príncipe azul*—1916...

Otras obras: *Gil*—cuentos, 1905—, *Joyeles bárbaros*—sonetos, 1907—, *Civilización y barbarie*—1914—, *Rodó*—1918—, *Entre pastos*—novela—, *Acuarelas*—cuentos—, *Aguafuertes*—cuentos...

Por disposición oficial, entre 1942 y 1944 fueron editadas en once tomos sus *Obras completas*.

V. MONTERO BUSTAMANTE, R.: *Historia de la literatura uruguaya*. Montevideo, 1910.—MONTERO BUSTAMANTE, R.: *El Uruguay a través de un siglo*. 1910.—GARCÍA CALDERÓN, V.: *La literatura uruguaya*, en *Rev. Hispanique*, tomo XXI, 1914.—COESTER, A.: *The Literary History of Spanish America*. 1916.—ROXLO, Carlos: *Historia crítica de la literatura uruguaya*. Montevideo, 1912, siete tomos.

PÉREZ DEL PULGAR, Hernán.

Gran prosista e historiador español. Nació —1451—en Pulgar (Toledo). Murió—1531— en Granada. Por su valor indomable como guerrero, fue calificado como *el de las Hazañas*. De noble familia. Estuvo en las guerras de Portugal y de Granada, haciéndose famoso y popularísimo por sus actos de valor inverosímil y por sus hazañas, casi maravillosas. Se casó tres veces, siendo su segunda esposa doña Elvira de Sandoval, y su tercera, doña Elvira Pérez del Arco.

Por mandato del césar Carlos I compuso *Breve parte de las hazañas del excelente nombrado Gran Capitán*—Sevilla, 1527—, de estilo sencillo, como el de las antiguas crónicas, quizá con alguna afectación de conceptos y con cierta erudición prolija. La obra está esmaltada con máximas morales, expresadas en su mayoría con singular acierto.

De esta obra hay ediciones modernas: Madrid, 1834, premiada por Martínez de la Rosa; Madrid, "Nueva Biblioteca de Autores Españoles", tomo X, preparada por Rodríguez Villa.

En la obra de Pérez del Pulgar se basó Lope de Vega para componer su comedia *El cerco de Santa Fe*.

Las hazañas portentosas de Pérez del Pulgar pasaron al *romancero popular*, siendo Gabriel Lobo Lasso de la Vega quien primero ensalzó tales hazañas en cuatro deliciosos romances.

V. MARTÍNEZ DE LA ROSA, F.: *Hernán Pérez del Pulgar, "el de las Hazañas". Bosquejo biográfico*. 1834.—VILLARREAL Y VALDIVIA, F. P.: *Hernán Pérez del Pulgar y las guerras de Granada...* 1892.—BALCÁZAR Y LABARIEGOS, J.: *Hernán Pérez del Pulgar. Estudio historicocrítico*. Madrid, 1898.—MENÉNDEZ PELAYO, M.: Prólogo al tomo XI de las *Obras de Lope de Vega*. Madrid, 1900.—RODRÍGUEZ VILLA, A.: *Estudio* en la edición de "Nueva Biblioteca de Autores Españoles".

PÉREZ-RIOJA, José Antonio.

Ensayista, erudito y filólogo español. Nació—1917—en Granada. Doctor en Filología clásica. Actualmente—1972—catedrático en el Instituto de Soria. Director de la Casa de la Cultura de esta misma ciudad. Miembro de la Sociedad de Estudios Clásicos, del Instituto de Fernando el Católico—del Consejo Superior de Investigaciones Científicas—; correspondiente de la Real Academia de la Historia.

Obras: *El humorismo*—ensayos, Barcelona, 1949—, *El libro y la biblioteca*—ensayo histórico, Barcelona, 1952—, *Gramática de la Lengua Española*—Madrid, Tecnos, 1953, primera edición, cuarta edición 1962—, *Diccionario de símbolos y mitos*—Madrid, Tecnos, 1962—, *Mil obras para jóvenes*—ensayo criticobibliográfico, Madrid, 1952—, *Importancia del libro en la Historia de la Humanidad...*—ensayo, Madrid, 1956—, *Biblioteconomía del espíritu*—ensayo, Madrid, 1954—, *Antología del "Recuerdo de Soria"* (introducción, selección, notas e índices)—Soria, 1956—, *El helenista Ranz Romanillos y la España de su tiempo*—Soria, 1963—, *Proyección y actualidad de Feijoo*—Madrid, Instituto de Estudios Políticos, 1965—, *El estilo de "Azorín" y su influencia en la literatura española*—1965—, *Estilística, comentario de textos y redacción*—1967—, *Síntesis del arte universal*—1970.

PÉREZ ROSALES, Vicente.

Narrador y periodista chileno. 1807-1886. De vida turbulenta e indisciplinada. Mozalbete aún, su familia, para castigarle, le hizo embarcar en la fragata inglesa *Owen-Glendower*, mandada por lord Spencer, muy amigo de los padres. Pero él se escapó al llegar a Río de Janeiro. En 1825 vino a Europa, y se educó en el Colegio Hispanoamericano, fundado por Manuel Silvela en Francia. De regreso en América fue "hacendado, minero, contrabandista, buscador de oro en California y Oregón, agente colonizador..." Cónsul en Hamburgo. Senador por Llanquihué. Al fin, se casó con una viuda rica, *sentó la cabeza* y se dedicó a escribir morosamente sus memorias.

Su obra principal, *Recuerdos del pasado*, se publicó en el diario *La Epoca*. La primera edición como libro es de 1882. Narración amenísima, sincera, realista, abarca sucesos literarios, artísticos, políticos, descripciones de tierras recorridas palmo a palmo, retratos de contemporáneos, realizados con mano maestra. Es un verdadero relato misceláneo retrospectivo. Y pocos relatos tan amenos y que reúnan tantas noticias interesantes de época y de lugar.

Los *Recuerdos del pasado* han sido reim-

P

presos numerosas veces y merecido figurar —1910—en la "Biblioteca de Escritores de Chile".

Otras obras: *Ensayo sobre Chile, Diccionario del entremetido.*

V. LATORRE, Mariano: *La literatura de Chile.* Buenos Aires, Facultad de Filosofía y Letras, 1941.—FIGUEROA, Pedro Pablo: *La literatura chilena.* Santiago, 1891.—SILVA CASTRO, Raúl: *Curso de historia de la literatura chilena.* Ed. Universidad de Chile. Santiago, 1933.

PÉREZ TRIANA, Santiago.

Literato, político y orador colombiano. Nació—1858—y murió—1916—en Bogotá. Hijo de su homónimo, que fue presidente de la República. Abogado. Diputado. Representante de su país en España e Inglaterra. Delegado en la Conferencia Internacional de la Paz en La Haya.

En Londres dirigió la importante revista *Hispania,* defensora en Europa de los intereses culturales y sociales de Hispanoamérica.

Fue Pérez Triana un orador brillantísimo, un delicado poeta, un prosista castizo, un original pensador.

Obras: *Reminiscencias tudescas*—Madrid, 1902—, *De Bogotá al Atlántico, Cuentos a Sonny, Aspectos de la guerra*—1915...

V. GÓMEZ RESTREPO, A.: *Historia de la literatura colombiana.* Dos tomos, 1938 y 1940. Bogotá.

PÉREZ DE URBEL, Fray Justo.

Historiador, poeta, prosista y crítico literario español. Nació—1895—en Pedrosa del Río Urbel (Burgos). Abrazó la vida benedictina en 1912, y en 1918 recibió la ordenación sacerdotal. Desde 1915 a 1925 enseñó Humanidades, Filosofía, Apologética, Patrística e Historia Eclesiástica. Domina a la perfección el árabe, el hebreo, el inglés, el francés y el alemán. Orador sagrado y conferenciante. Sus primeros ensayos aparecieron en el *Boletín de Santo Domingo de Silos.* Durante muchos años ha sido el principal redactor de la *Revista Eclesiástica.*

Fray Justo Pérez de Urbel es un prosista admirable y posee una erudición realmente asombrosa. En 1944 alcanzó el "Premio Francisco Franco" con su libro *Historia del Condado de Castilla.*

Otras obras: *Semblanzas benedictinas, San Eulogio de Córdoba*—1928—, *El claustro de Silos*—1930—, *Año Cristiano*—biografías de santos, cinco tomos—, *San Isidoro de Sevilla*—1940—, *El monasterio en la vida española de la Edad Media*—1941—, *Itinerario litúrgico*—1940—, *San Pablo, apóstol de las gentes*—1940—, *Vida de Cristo*—1941—, *His-*toria de la Orden Benedictina*—1941—, *Vida de San Basilio*—1942—, *Fernán González*—1943—, *Los monjes españoles en la Edad Media*—1933...

Fray Justo Pérez de Urbel ha publicado, además, centenares de artículos en gran número de revistas y periódicos, especialmente en *Boletín de Santo Domingo de Silos, Revista Eclesiástica, Consigna, Escorial, Liturgia, La Epoca, El Debate, A B C, Arriba,* en el *Dictionnaire d'Histoire et de Géographie Ecclésiastiques*—París—, en la *Revue d'Histoire Ecclesiástique*—Bruselas—, etc.

PÉREZ VALIENTE, Salvador.

Nació en San Juan, barrio gitano de Murcia, junto a la plaza de toros, el día 23 de enero de 1919. Pasó en la niñez largas temporadas en Fortuna, pueblo de su provincia natal. Huérfano de padre a los cinco años, cuando apenas contaba diez, su madre hubo de trasladarse a Madrid. Vivirá entonces con unos tíos maternos en Alcalá de Henares, a quienes debe vocación y cuidados. Estudia el bachillerato en los Escolapios, de Alcalá, y a punto de estallar la guerra, comienza la carrera de Derecho, que abandona después—pasados los tres años de correrías por España—para matricularse en Letras, que cursa en la Universidad de Madrid. Allí conoce a una serie de gentes que han de formar más tarde a su lado en las publicaciones minoritarias y en los primeros ensayos. Da a la publicación su más inédita muestra lírica en la *Antología del alba,* que ordena y garantiza la Universidad. Terminada su licenciatura, vive en Lorca una corta temporada, en el servicio de sus obligaciones militares, y luego en Talavera de la Reina, donde enseña Literatura y va escribiendo, sin demasiada prisa, su libro sobre Elche, que empezó aquí, en una de sus escapadas alicantinas, frente al palmeral unánime de Illice Augusta. Ha sido becario del Consejo Superior de Investigaciones Científicas y colaborador de sus revistas. Prepara una tesis doctoral sobre el teatro de Leopoldo Cano. En total, ha dado a luz en periódicos más de trescientos trabajos de toda índole: poemas, crítica, cuentos, ensayos, artículos. Mereció ser recogido en las antologías más recientes de poesía y narración: González-Ruano, Alfonso Moreno, Josefina Romo. Forma parte, como destacado miembro, del grupo poético que hizo sus primeras armas en la revista *Garcilaso.* Sus claves personales sobre cada uno de los personajes del café Gijón serán interesantes cuando lleguen a publicarse formando parte de un gran censo. En 1952 obtuvo el primer accésit del "Premio Adonais" de Poesía con *Por tercera vez*—1953.

Obras: *Poesías de Gutierre de Cetina*—selección y prólogo, Valencia, 1942, "Colección Flor y Gozo"—, *Cuando ya no hay remedio*—poemas, 1947—, *Paisajes en prosa*—Madrid, 1947—, *El libro de Elche*—ensayo, 1949—, *Lo mismo de siempre*—poema, 1960—, *No amanece*—1962—, *Volcán*—1965. V. SAINZ DE ROBLES, F. C.: *Historia y antología de la poesía española*. Madrid, Aguilar, 1969, 5.ª edición.—JUAN, A.: *Salvador Pérez Valiente*, en *Rev. de Filología Española*, 1943.—MORENO, Alfonso: *Poesía actual española*. Madrid, Ed. Nacional, 1946.

PÉREZ ZÚÑIGA, Juan.

Popular poeta, novelista y autor dramático español. Nació—1860—en Madrid. Y murió—1938—en esta misma ciudad. De niño, muy aficionado a la música, cursó los estudios de violín en el Conservatorio madrileño. Abogado. Colaborador en más de un centenar de revistas y diarios españoles. Su firma fue imprescindible, principalmente en los de carácter festivo. Redactor de *A B C*, *Blanco y Negro*, *El Liberal*, *Heraldo de Madrid*, *Nuevo Mundo*, *La Esfera*...

De humor y gracia singulares e inagotables. Dueño de todos los recursos para mover a risa. De facilísimo ingenio. Versificador extraordinario. De chistes de la mejor ley.

La labor literaria de Pérez Zúñiga es enorme. Se calculan en 20.000 sus poesías festivas escritas y publicadas. Pasan de cincuenta sus obras teatrales. Y de treinta los volúmenes dedicados a una producción varia. En la escena obtuvo muchos y grandes éxitos. Sus libros se vendieron—y aún se siguen vendiendo—copiosamente.

Obras: *Historia cómica de España*—dos volúmenes—, *Viajes morrocotudos*—cuatro volúmenes—, *Cosquillas, Guasa viva, Doña Tecla en Pomotú, Buen humor, Pura broma, Alma guasona, El chápiro verde, Cuatro cuentos y un cabo, Coplas de sacristía, La Soledad y el cocodrilo, Seis días fuera del mundo, Villapelona de Abajo, Amantes célebres puestos en solfa, Cuentos embolados, Galimatías, Guía cómica de San Sebastián, Camelario zaragotono, Zuñigadas, Piruetas, La familia de Noé, Fermatas y banderillas, Pizcas y miajas, Ganitas de broma, Novelas ínfimas, Lo que cuenta don Juan, Desahogos particulares*...
Teatro: *¡Viva la Pepa!, El salvavidas, La india brava, La manía de papá, El traje de gala, El quinto cielo, Los tíos, El pasmo de Cecilia, Las goteras, El portal de Belén, El néctar de los dioses, Muerte y dulzura, o El merengue triste; Exposición permanente, Los de la burra, La Gloria, La gente del patio*...

PEROJO Y FIGUERAS, José del.

Literato, periodista y político español. Nació—1852—en Santiago de Cuba. Murió—1908—en Madrid. Estudió el bachillerato en Santander. Amplió sus estudios de Filosofía y Jurisprudencia en Francia, Inglaterra y Alemania, obteniendo el doctorado de Filosofía en la Universidad alemana de Heidelberg. Conferenciante excepcional. En 1880 fundó la famosa *Revista Contemporánea*, uno de los mejores órganos españoles de orientación científica. Fue redactor de *El Progreso*. Y fundó y dirigió *La Opinión*—1886—, *Nuevo Mundo*—1894—y *El Teatro*—1900—. Diputado a Cortes en las legislaturas de 1886, 1893, 1898 y 1905.

Poseyó una gran cultura y una mentalidad profunda, ágil y renovadora. Fue, además, maestro excepcional de periodistas.
Obras: *Ensayos sobre el movimiento intelectual en Alemania*—1875—, *Cuestiones coloniales*—1883—, *Ensayos de política colonial*—1885—, *Cuestiones de España en las Repúblicas hispanoamericanas*—1893—, *La ciencia española bajo la Inquisición, Ensayos sobre educación*—1907.
Tradujo excelentemente obras de Kant, Draper, Fischer...

PERRÍN Y VICO, Guillermo.

Autor dramático español. Nació—1857—en Málaga. Murió—1923—en Madrid. Sobrino del eminente actor Antonio Vico. Estudió el bachillerato en Valencia y la licenciatura de Derecho en Madrid. Desde muy joven dedicó todos sus entusiasmos al teatro, y casi siempre en colaboración con Miguel Palacios (V.), estrenó más de cien zarzuelas, algunas de las cuales se representaron centenares de veces en todos los teatros de España y de la América española.

De ingenio fácil y de indiscutible gracia; maestro en la técnica teatral.
Obras (exclusivamente suyas): *Católicos y hugonotes, Los empecinados, Colgar el hábito, El gran turco, El faldón de la levita, La esquina del Suizo, Cambio de habitación, Mundo, demonio y carne; Manomanía musical*...
Las escritas en colaboración con Miguel Palacios pueden leerse en la bibliografía de este autor.

PERUCHO, Juan.

Novelista, crítico de arte, ensayista. Nació—1920—en Barcelona, ciudad en la que cursó estudios. Escribe indistintamente en catalán y castellano. Dirige la Biblioteca Breve de Arte Hispánico. En 1953 obtuvo el "Premio Ciudad de Barcelona" con su obra *El Médium*. Colaborador asiduo del diario *La Van-*

P

guardia y del semanario *Destino,* ambos de Barcelona.

Le gustan los temas raros, extraños, casi mágicos, en los que él hurga a placer y con ingenio. Su prosa es preciosista.

Obras: *Llibre de Cavalleries*—novela—, *Les históries naturals*—narraciones—, *Galería de espejos sin fondo*—narraciones—, *Nicéforas y el grifo*—narraciones—, *Los misterios de Barcelona*—narraciones—, *El arte en las Artes, Gaudí: una arquitectura de anticipación; Joan Miró, La cultura y el mundo visual.*

PESADO, José Joaquín.

Poeta, prosista, erudito mexicano. Nació —1801—en San Agustín del Palmar (Puebla) y murió—1861—en México. Se educó en Orizaba, donde tenía sus bienes y donde contrajo su primer matrimonio. Su fortuna fue muy grande y su catolicismo, profundo y auténtico. Poseyó igualmente una vasta cultura, que le permitió traducir excelentemente a Horacio, a Tasso y los *Salmos.* Ministro del Interior en 1838 y de Relaciones Exteriores en 1846. Catedrático de Literatura de la Universidad de México. Fue el primer escritor mexicano que obtuvo el preciado título de académico correspondiente de la Real Española de la Lengua.

En los comienzos de la literatura propiamente mexicana, José Joaquín Pesado es una de las piedras angulares de la poesía y de las tendencias dcl clasicismo americano. Su fina sensibilidad lírica tocó, con desigual valor, todos los géneros poéticos. En sus *Rimas* amorosas sobresalen: su delicadísima composición *Mi amada en la misa de alba,* dedicada a su esposa doña María de la Luz de la Llave y Segura, a la que da el poético nombre de *Elisa,* y al *Angel de la Guarda de Elisa.*

Entre sus poemas sagrados destacan: *Jerusalén* y *Alabanzas a la Santísima Virgen.* Nuestro Menéndez Pelayo, que siempre mostró su entusiasmo por los escritores católicos, prodigó exageradísimas alabanzas a Pesado.

Mención especial merece su obra *Los aztecas,* traducción o adaptación de poesías populares mexicanas, entre las que figuran las atribuidas a Netzahualcóyotl... y que mereció este juicio elogioso de Montes de Oca: "Pesado tiene el mérito de haberlas hecho cantar en castellano con la armonía, dulzura, ritmo y fuego semisalvaje con que ellos [los aztecas] hubieran versificado en su propio idioma." El poeta supo identificarse genialmente con el alma de su patria.

Otra obra: *Escenas del campo y de la aldea en México.*

Ediciones: *Poesías originales y traducidas.* México, 1839, 1840, 1866. [Esta última, publicada por sus hijas, es la única completa y correcta.]

V. ROA BÁRCENAS, José: *Biografía de José Joaquín Pesado.* México, 1878.—MENÉNDEZ PELAYO, M.: *Historia de la poesía hispanoamericana.* Madrid, 1911, tomo I, págs. 134-148.—ARRÓNIZ, Marcos: *Manual de biografías mexicanas.* París, 1857.—SOSA, Francisco: *Biografías de mexicanos distinguidos.* México, 1884.—PIMENTEL, Francisco: *Historia crítica de la literatura en México.* México, 1883.—GUTIÉRREZ, Juan María: *Poesía americana.* Dos tomos, 1866.

PETIT CARO, Carlos.

Nacido en Sevilla el 13 de septiembre de 1923. Tras cursar el bachillerato, se licenció en Derecho en la Universidad de su ciudad natal en 1945. Actualmente ejerce la abogacía, hallándose incorporado al Ilustre Colegio de Abogados de Sevilla. Su vocación literaria, de la que dio muestras desde muy temprana edad, le ha llevado al campo de la investigación histórica, especializándose en temas de carácter local.

Ha colaborado en diversas publicaciones, y entre su producción merece destacarse: *Un ilustre erudito andaluz: don José Vázquez Ruiz*—estudio biográfico, publicado en el número 4 de la revista *Archivo Hispalense,* Sevilla, 1944—, *La cárcel real de Sevilla* —monografía premiada en el concurso convocado por la Excma. Diputación Provincial de Sevilla en 1945; publicada en los números 11 y 12 de *Archivo Hispalense,* Sevilla, 1946. Edición separata de cincuenta ejemplares en papel de hilo—, *Quince romances andaluces*—selección de romances populares. Librería Hispalense, Sevilla, 1946—, *El mesón del mundo,* de Rodrigo Fernández de Ribera—estudio biobibliográfico y edición de esta interesante novela. Librería Hispalense, Sevilla, 1946—; *Sevilla en la obra de Quevedo*—trabajo galardonado con el "Premio José María Izquierdo, 1946", otorgado por el Excmo. Ayuntamiento y el Ateneo de Sevilla. Publicado en los números 18, 19 y 20 de *Archivo Hispalense,* Sevilla, 1947. Edición separata de cien ejemplares para bibliófilos—, *La asinaria*—poema, hasta ahora inédito, de Rodrigo Fernández de Ribera. Edición, estudio y notas. Bibliófilos Sevillanos, Sevilla, 1947-1948.

PETIT DE MURAT, Ulyses.

Poeta, novelista, autor dramático, guionista de cine. Nació—1907—en Buenos Aires. Diez años jefe de las secciones artísticas del diario *Crítica.* Jefe, conjuntamente con Jorge Luis Borges, del Suplemento Literario de ese periódico; durante cinco años, colaborador de *La Nación, El Hogar, Criterio, Mar-*

tín Fierro. Participó en el movimiento más amplio y renovador de las letras argentinas en el periódico de ese mismo nombre, teniendo dieciocho años, junto a Ricardo Güiraldes, Francisco Luis Bernárdez, Jorge Luis Borges, Macedonio Fernández, Eduardo Mallea. Dos veces laureado, como argumentista, por la Academia de Artes y Ciencias Cinematográficas de la Argentina. Ha traducido libros de Baudelaire, D. H. Lawrence, Rainer María Rilke, T. S. Elliot...

Libros de poesía: *Conmemoraciones* —1929—, *Rostros*—1931—, *Las Islas*—premio de poesía de la ciudad de Buenos Aires, 1935—, *Marea de lágrimas*—1937—, *Aprendizaje de la soledad*—1942—, *Las manos separadas*—1950.

Teatro: *La novia de arena*—Teatro Odeón, compañía Delia Garcés, 1945.

Novela: *El balcón hacia la muerte*—"Premio Nacional de Literatura" 1942-43-44.

Cine: *Prisioneros de la tierra*—"Premio Ciudad Buenos Aires, 1939"—, *La guerra gaucha*—"Premio Nacional, 1942"—, *Su mejor alumno*—"Premio Nacional, 1943-44"—, *Donde mueren las palabras, Rosa de América, Tierra de fuego, Suburbio, Pampa bárbara.*

V. MORALES, Ernesto: *Antología poética argentina.* Buenos Aires, 1943.—GIMÉNEZ PASTOR, Arturo: *Historia de la literatura argentina.* Buenos Aires, edit. Labor, dos tomos.—GIUSTI, Roberto: *Panorama de la literatura argentina contemporánea,* en *Nosotros,* segunda época, núm. 68, noviembre 1941, Buenos Aires.—PINTO, Juan: *Panorama de la literatura argentina contemporánea.* Buenos Aires, 1941.

PEZA, Juan de Dios.

Poeta y dramaturgo de relieve. 1852-1910. Nació en México. Diplomático. Fue secretario de la Legación en Madrid—1878—de su país natal. "Cantor de la dicha sencilla y de los castos afectos. Tal vez por eso mismo su poesía fue inmensamente popular y alcanzó el honor de la traducción a diversos idiomas, entre ellos al japonés. Pero si tal éxito traduce homogeneidad de sentimientos comunes, en proporción inversa denuncia aquella poesía falta de hondura y finas aristas, así como escasos planos estéticos. Mas la poesía de Peza resulta insustituible para reflejar, precisamente, aquello que con tanta fidelidad retrata: el círculo de los afectos domésticos, la sinfonía del amor puesta en clave burguesa, y la posición apoyada en la segura columna de la fe." (Leguizamón.)

En efecto, la fama de sus sencillas y sentidas poesías fue universal. Sedorowith las tradujo al ruso; Longe, al sueco; Lagarda,

al italiano; Gilpatrik, al inglés; Vedra, al portugués, y hasta Imamura al japonés.

Algunos críticos modernistas llegaron a motejarle de *coplero;* naturalmente, de dichos críticos ya no se acuerda nadie, y los versos de Peza siguen leyéndose por todo el mundo.

Para lo que no valía era para encumbrarse con el vuelo de águila de un Zorrilla o de un Víctor Hugo, ni para dedicarse a hueras filosofías. Su inspiración era sencilla, tierna, de tono menor; reflejaba la enorme paz de su alma, pues no debe olvidarse que habiendo vivido Peza una de las épocas más turbulentas de la historia de México—la ejecución del emperador Maximiliano, el triunfo de Juárez, la insurrección contra Lerdo, el encumbramiento de Porfirio Díaz, las terribles violencias de este y su aparatosa caída—, jamás pareció reflejar las dramatismos. Siempre sencillo. Siempre imperturbable. Siempre bondadoso. No conspiró, ni soñó con escapar a París, ni se desesperó estentóreamente. Inmensa tranquilidad de conciencia la suya, que reflejan sus composiciones líricas.

Obras: *Poetas y escritores mexicanos* —1877—, *Memorias, reliquias y retratos* —1900—, *Benito Juárez*—1904—, *Cantos del hogar*—Nueva York, 1890—, *Los trovadores de México*—poesías, 1898—, *Recuerdos de mi vida*—México, 1907—, *Poesías completas* —única colección autorizada por el autor, París, 1891 a 1901, que comprende los tomos siguientes: I. *El arpa de amor,* 1891. II. *Hogar y patria,* 1891. III. *Flores del alma y versos festivos,* 1893. IV. *Leyendas históricas, tradicionales y fantásticas de las calles de México,* 1898. V. *Recuerdos y esperanzas,* 1899. VI. *Cantos del hogar,* 1900. VII. *De la gaveta íntima,* 1901.

Varios monólogos editados en la Habana: *En vísperas de boda, Recuerdos de un veterano, Tirar la llave, Sola, Escribiendo un drama, Alfredo Torroella...*

V. URBINA, Luis G.: Prólogo al *Devocionario de mis nietos* (póstuma), Habana, 1915.— PICÓN-FEBRES, G.: *Páginas sueltas.* Curaçao, 1890.—LEGUIZAMÓN, Julio A.: *Historia de la literatura hispanoamericana.* Buenos Aires, 1945.—JIMÉNEZ RUEDA, J.: *Historia de la literatura mexicana,* México, 1926.—GONZÁLEZ PEÑA, Carlos: *Historia de la literatura mexicana.* México, 1940, 2.ª edición.

PEZOA VELIZ, Carlos.

Gran poeta chileno. 1879-1908. De familia humilde. De vida miserable, triste y bohemia. Murió tísico en un hospital. No conoció sino a sus padres adoptivos. Su verdadero padre murió aplastado por un tranvía. Lógicamente, su poesía es un espejo fiel del patetismo de la vida de los indigentes, de

P

la angustia económica, de los dolores físicos; es decir: de su propia existencia. Sus temas fueron profundamente humanos. Y está considerado hoy como el más típicamente chileno de los poetas de su tierra. "Fuera de algunas poesías muy sensuales, que primero escribió, las más son, unas, modernistas y musicales; otras, de dolorosa y desgarrada tristeza, sobrias e intensas, de hechura sencilla y como transparente reflejo del estado de su espíritu, que presentía la muerte; otras, finalmente, populares, en popular lenguaje, cantando las costumbres de la tierra y el heroísmo de la raza. En todas mostró tener fino temperamento poético." (Cejador.)

Con los años, su fama ha crecido extraordinariamente. Y los intelectuales chilenos que en 1927 editaron sus *Poesías y Prosas*, patrocinan la erección de un monumento a su gloria.

Pezoa Veliz ha tenido la fortuna, para su mayor conocimiento personal y para su mejor conocimiento lírico, de encontrar un biógrafo excepcional en otro gran poeta y finísimo crítico de hoy: Antonio de Undurraga, quien, con una maestría insuperable, sigue paso a paso la existencia trágica de Pezoa Veliz, acomodándola a la verdad absoluta, y uno a uno analiza y como *biografía también* sus poemas, sacándoles toda su belleza y su trascendencia indiscutibles. El sugestivo libro de Undurraga gana la mejor batalla de la inmortalidad para Pezoa Veliz. Del amargo realismo y de la filosofía escéptica de este gran vate saca Undurraga la comprensión sugestiva de un espíritu fenomenal.

V. UNDURRAGA, Antonio de: *Pezoa Veliz (Biografía. Crítica. Antología)*. Santiago, 1950. Obra que alcanzó el "Gran Premio Chileno de Literatura".—SOLAR, Hernán del: *Indice de la poesía chilena contemporánea*. Santiago, 1937.—LATORRE, Mariano: *La literatura de Chile*. Buenos Aires. Facultad de Filosofía y Letras, 1941.—CASANOVA, R. P.: *Ojeada crítica sobre la literatura en Chile (1840-1912)*. Santiago, 1913.

PEZUELA Y CEBALLOS, Juan de la.

Poeta y prosista español. Nació—1809—en Lima (Perú). Murió—1906—en Madrid. Primer conde de Cheste. Estudió Humanidades en el famoso Colegio de San Mateo, de Madrid, que dirigía don Alberto Lista, y fue gran amigo de Espronceda, Ventura de la Vega, Miguel de los Santos Alvarez, el marqués de Molíns y otros muchos famosos literatos del período romántico. Siguió la carrera militar y asistió a las guerras carlistas en los ejércitos liberales. Capitán general de Madrid en 1848. Gobernador militar de Cuba—1853—y Puerto Rico—1849—. Ca-

pitán general de Cataluña—1867—. Senador del reino. Ministro de Marina, Comercio y Ultramar. Académico—1845—de la Española de la Lengua.

Poeta fácil. Pero su fama literaria la debe a las traducciones que hizo en verso de la *Divina Comedia, Las Lusíadas y Orlando furioso*, traducciones tan populares como discutidas por la crítica.

Otras obras: *El cerco de Zamora*—poema, 1832—, *Las gracias de la vejez*—comedia, 1833—. Compuso, además, cerca de mil poesías, publicadas en diversas revistas.

Firmó sus primeros escritos con el seudónimo de "Delmiro".

V. ROZALEJO, marqués de: *Cheste*, en *Vidas españolas e hispanoamericanas*. Ed. Espasa-Calpe, Madrid, 1934.

PI Y MARGALL, Francisco.

Literato y pensador español de gran prestigio. Nació—1824—en Barcelona. Murió —1901—en Madrid. En el Seminario de su ciudad natal estudió Latín y Humanidades. Doctor en Derecho. Dominó el griego, el latín, el francés, el inglés y el italiano. De memoria prodigiosa, le eran familiares los clásicos griegos y romanos, cuyas obras comentó con sutileza sorprendente. A los dieciséis años tradujo una de las tragedias de Eurípides y escribió dos tragedias originales: *Coriolano* y *Don Fruela*. Dirigió varios periódicos—entre ellos *El Correo*—y colaboró en otros muchos: *La América, El Museo Universal*, la *Revue des Deux Mondes...* Diputado a Cortes. Jefe del partido republicano federal español. Ministro de la Gobernación—1873—. Presidente de la primera República española.

Fue Pi y Margall un verdadero apóstol de las virtudes cívicas. Sus propios adversarios políticos reconocieron efusivamente su caballerosidad sin tacha, su moralidad acrisolada, la bondad extrema de su corazón, la pureza de sus costumbres, sus muchos e insignes servicios prestados a la causa de las libertades españolas.

Como literato, estuvo dotado de las mejores calidades. De una cultura enciclopédica y consciente. De excelente prosa. Buen catador de emociones artísticas. De finísimo espíritu crítico. Historiador severo y veraz. Narrador ameno y claro.

De labor literaria fecundísima, sobresalen entre sus obras: *Cataluña*—1842—, *Historia de la pintura española*—1851—, *Estudios sobre la Edad Media*—1852—, *La reacción y la revolución, Joyas literarias*—1876—, *Las nacionalidades*—1876—, *Historia general de América*—1878—, *Observaciones sobre el carácter de don Juan Tenorio*—1884—, *Juan de Mariana*—1888—, *Amadeo de Saboya, Re-*

belión—ensayo dramático, 1897—, *Cartas íntimas*—1897...

V. Pujulá y Vallés: *Francisco Pi y Margall*. Barcelona, 1902.—Sánchez Pérez, A.: *Francisco Pi y Margall*. Madrid, 1917.—Gras y Elías: *Eu Francisco Pi i Margall (Siluetes d'escriptors catalans del segle XIX)*. Barcelona, 1910.

PICATOSTE Y RODRÍGUEZ, Felipe.

Historiador y literato español. Nació —1834—en Madrid. Y murió—1892—en esta misma ciudad. De ideas liberales. Miliciano nacional en 1854. Doctor en Leyes y en Ciencias. Catedrático de Matemáticas en el Instituto de San Isidro, de Madrid. Director de la *Gaceta* y de *El Manifiesto*. Redactor de *Las Novedades* y *Heraldo de Madrid*. Del Cuerpo de Archiveros y Bibliotecarios —1890—. Fue matemático, astrónomo, geógrafo, historiador, bibliófilo y crítico literario. De mucha cultura y gran amenidad narrativa.

Obras literarias: *Andar y ver, Recuerdo de los conciertos del Buen Retiro, Impresiones de viaje, Los diálogos del bachiller Juan Pérez de Moya, Las frases célebres, Biografía de don Pedro Calderón de la Barca*—1881—, *Poesías inéditas de Calderón*—1881—, *La estética en la Naturaleza, La Ciencia y el Arte; Diccionario popular de la lengua castellana, Don Juan Tenorio, Estudios sobre la grandeza y decadencia de España*—1887—, *La casa de Cervantes en Valladolid...*

PICO, Pedro E.

Autor teatral argentino. Nació—1882—y murió—1945—en Buenos Aires. Desde su mocedad dedicó toda su actividad al teatro. "El de Pico—su casi única experiencia literaria—se caracteriza por su finura, elegancia del diálogo, humano sentido y pulcritud en los conceptos y versión escénica."

Obras: *La polca del espiante, Para eso paga, La Seca, Trigo gaucho, Pueblerina, La novia de los forasteros, Las rayas de una cruz, La luz de un fósforo, La historia se repite, La verdad en los ojos, Novelera, Usted no me gusta, señora; Yo no sé decir que no, Agua en las manos.*

V. Berenguer Carissomo, Arturo: *Teatro Argentino Contemporáneo*. Madrid, edición Aguilar, 1959.

PICÓN, Jacinto Octavio.

Notabilísimo novelista y crítico español. Nació—1852—y murió—1924—en Madrid. Doctor en Derecho. Diputado a Cortes durante varios años. Secretario y vicepresidente de la Sección de Literatura del Ateneo de Madrid. Colaborador insigne de *La Revista de España, El Imparcial, El Cuento Semanal, Los Contemporáneos, La Esfera* y otras muchas publicaciones. Secretario de la Junta de Iconografía Nacional. Vicepresidente del Patronato Nacional de Pintura y Escultura. Académico de la Real de la Lengua—de la que fue bibliotecario perpetuo— y de la Real de Bellas Artes de San Fernando.

Jacinto Octavio Picón es uno de los mejores novelistas españoles. Prosista castizo, jugoso y acrisolado. Psicólogo profundo. Magnífico dibujante y colorista de caracteres y de ambientes. De un realismo fuerte—exagerado a veces—y muy español. De un estilo correcto y nítido, ático y personalísimo.

En su época, en la que abundaron los novelistas extraordinarios, como Galdós, "Clarín", la Pardo Bazán, Valera, Pereda, Alarcón, Palacio Valdés..., Picón no desmerece de ellos en cuanto a inventiva, pintura y naturalismo, y gana a alguno de ellos en la riqueza y nitidez de la prosa. Sus novelas interesan, conmueven, se recuerdan... Sus cuentos admiran y deleitan. Algunas de las obras salidas de su pluma—cuentos y narraciones breves, principalmente—son de lo más bello y atractivo del género narrativo español de todos los tiempos.

Obras: *Apuntes para la historia de la caricatura*—1878—, *Vida y obras de don Diego Velázquez*—1898—, *El desnudo en el arte*—1902—, *Lázaro*—novela, 1882—, *La hijastra del amor*—1884—, *Juan Vulgar*—1885—, *El enemigo*—1887—, *La honrada*—1890—, *Dulce y sabrosa*—1891—, *Ayala*—estudio biográfico, 1884—, *Novelitas*—1892—, *Cuentos de mi tiempo*—1895—, *Tres mujeres*—cuentos, 1896—, *Castelar*—discurso, 1900—, *Cuentos*—1900—, *La Vistosa*—1901—, *Drama de familia*—cuentos, 1903—, *El "Quijote"*—1903—, *Mujeres*—cuentos, 1911—, *Juanita Tenorio*—1909...

En 1909, la editorial Renacimiento—Madrid—publicó una edición de lujo de las *Obras completas* de Jacinto Octavio Picón.

V. Valera, Juan: Prólogo al tomo II de las *Obras* de Picón. Madrid, 1910.—González-Blanco, A.: *Historia de la novela en España*. Madrid, 1909, 693-700.—Perseaux-Richard, M.: *Jacinto Octavio Picón*, en *Revue Hispanique*, XXX, 511.—Sainz de Robles, F. C.: *La novela española en el siglo XX*. Madrid, Pegaso, 1957.—Nora, Eugenio G. de: *La novela española contemporánea*. Madrid, Gredos, 1958. Tomo I.—Bretón, Concha: *Jacinto Octavio Picón, novelista*. Tesis de la Universidad de Madrid, en *Revista Universitaria de Madrid*, I, 1952.—González de Amezua, Agustín: *Apuntes biográficos de don Jacinto Octavio Picón*. Madrid, 1925.

P

PICÓN, José.

Autor teatral español de prestigio. Nació —1829—en Madrid. Murió—1873—en Valladolid. En 1853 terminó la carrera de arquitecto, y fue nombrado cronista de una expedición artística para estudiar los monumentos de Salamanca. A su regreso fue nombrado profesor de la Escuela de Arquitectura y redactor de *El Clamor Público*. Pero abandonó el ejercicio de su carrera —en cuya especialidad estaba considerado como un verdadero maestro— para dedicarse a la literatura teatral.

En 1859 estrenó su primera pieza escénica, *El solterón*, a la que siguió *La guerra de los sombreros*—1859—y *Memorias de un estudiante*—1860.

Su popularidad se inició con el éxito enorme de *Pan y toros*—zarzuela a la que puso música deliciosa el inolvidable Barbieri—, obra llena de realismo sano, de honda gracia popular, de colorido atractivo, digna de la pluma de don Ramón de la Cruz, estrenada en el año 1864.

En el último año de su vida, Picón se volvió loco, y tuvo que ser recluido en el manicomio de Valladolid, donde falleció en seguida.

Otras obras teatrales: *Un concierto casero*—1861—, *Anarquía conyugal*—1862—, *La isla de San Balandrán*—1862—, *La corte de los milagros*—1862—, *La doble vista*—1863—, *El médico de las damas*—1864—, *Gibraltar en 1890, Palco, modista y coche*—1867—, *Entre la espada y la pared*—1868—, *Los holgazanes*—1869...

V. Ballesteros Robles, L.: *Diccionario biográfico matritense*. Madrid, 1912.—Blanco García, P.: *Historia de la literatura española en el siglo XIX*. Madrid, 1895.—Picón, Jacinto Octavio: *Prohibición de "Pan y toros"*, en *Rev. Hispanique*, XL, I.

PICÓN FEBRES, Gonzalo.

Venezolano (1860-1918). Funcionario, diplomático, poeta, novelista, crítico, historiador. El crítico Picón Solís le califica como "un naturalista de la escuela de doña Emilia Pardo Bazán". Picón Febres inició en su patria la novela criolla, por el asunto, los acaracteres, los ambientes y el léxico.

Obras: *Fidelia*—novela, 1893—, *Ya es hora*—novela, 1895—, *Flor*—novela, 1911—, *Nieve y lodo*—novela, 1914—, *El sargento Felipe*—1899—, *Caléndulas*—poemas, 1893—, *Claveles encarnados y amarillos*—poesías, 1895—, *Literatura venezolana en el siglo XIX*—1906—, *El libro raro*—1909.

V. Leguizamón, Julio A.: *Historia de la literatura hispanoamericana*. Buenos Aires, 1945.—Picón Salas, Mariano: *Formación y proceso de la literatura venezolana*. Caracas, 1940.

PICÓN SALAS, Mariano.

Crítico, novelista y ensayista venezolano. Nació—1901—en Mérida. Disconforme con la situación política de su país, muy joven aún emigró a Chile, en cuya Universidad de Santiago fue primero alumno y más tarde profesor. Fue en Chile uno de los fundadores del grupo vanguardista *Indice*—1930 a 1934—. A la caída del dictador venezolano Juan Vicente Gómez regresó a su patria.

Ha viajado por gran parte de Europa y América. En Madrid residió algún tiempo. Profesor y diplomático ilustre. Crítico, poseedor de una vasta, finísima y bien filtrada cultura; acogedor entusiasta de todos los movimientos literarios promovidos por las juventudes con deseos renovadores; dueño de una estética llena de sugestión; mentalidad abierta objetivamente a los más dispares conceptos de la belleza y de la creación.

Está considerado como el primer crítico literario de su patria y como uno de los primeros de Hispanoamérica.

Obras: *Buscando el camino*—1921—, *Mundo imaginario*—1936—, *Odisea de Tierra Firme*—1931—, *Registro de huéspedes*—relatos novelescos, 1934—, *Preguntas a Europa*—1938—, *Formación y proceso de la literatura venezolana*—1940—, *Intuición de Chile, Hispanoamérica, posición crítica; Literatura y actitud americana, Sentido americano del disparate, Sitio de una generación*—ensayos, 1931—, *San Pedro Claver*.

V. Narbona Nenclares, F.: *La literatura de Venezuela*, en el tomo XII de la *Historia universal de la literatura*, de Prampolini. Buenos Aires, Uteha Argentina, 1941.

PIDAL, Pedro José.

Erudito y literato español. Primer marqués de Pidal. Nació—1800—en Villaviciosa de Asturias. Murió—1865—en Madrid. Doctor en Derecho civil y canónico. De ideas liberales. Publicó en Oviedo *El Aristarco*, publicación de significación política avanzada. En 1822 llegó a Madrid, fundando *El Espectador*. Huyó a Cádiz con el Gobierno constitucional en pleno cuando la entrada en España de los "cien mil hijos de San Luis". En 1834 fue nombrado alcalde de Cangas de Onís. Oidor en Pamplona—1837—. Fiscal togado del Tribunal Mayor de Cuentas—1840—. Diputado a Cortes durante muchos años. Ministro de la Gobernación y de Estado con Narváez. Senador del reino. De ideas profundamente católicas, siempre defendió a la Iglesia romana, con la que, siendo ministro, firmó un Concordato. De la Real Academia Española desde 1844.

Pedro José Pidal fue un gran crítico literario y un investigador original y concienzudo. Su erudición era grande. Natural y fácil como prosista, y correcto y de firmes ideales como poeta. Su nombre figura en el *Catálogo de autoridades* del idioma publicado por la Academia Española.

Obras: *Ocios de mi edad juvenil*—poesías—, *Tablas históricas y cronológicas de la Historia de España...*—1828—, *Vida del trovador Juan Rodríguez del Padrón, La poesía considerada como elemento de la Historia, Estudios literarios, Discurso sobre la poesía castellana de los siglos XIV y XV* —su mejor obra—, *Formación del lenguaje vulgar en los Códigos españoles, Las Crónicas y el "Poema del Cid", Estudio sobre las unidades dramáticas, Historia de las alteraciones de Aragón en el reinado de Felipe II, Fuero Viejo de Castilla, Teatro escogido de Tirso de Molina, Recuerdos de un viaje a Toledo...*

V. MENÉNDEZ PELAYO, M.: Prólogo al tomo de *Estudios literarios*. Madrid, 1890, en la "Colección de Escritores Castellanos".

PIFERRER, Pablo.

Importante poeta y prosista español. Nació—1818—y murió—1848—en Barcelona. Estudió Filosofía en el Colegio de San Pablo, de su ciudad natal, y Jurisprudencia en la Universidad barcelonesa. Muy aficionado al arte, a la poesía y a la música. De sensibilidad extremada y romántica. De él dijo Menéndez Pelayo: "Fue un maestro del lenguaje y de la crítica." Subbibliotecario de la Biblioteca de San Juan. Catedrático de Instituto.

De espiritualismo cristiano, enamorado de la belleza ideal, inteligencia altísima, unida a un corazón apasionado... "Piferrer estaba tallado para iniciar una gran restauración, cuyo bosquejo se columbra en sus escritos."

Conviene tener muy en cuenta sus vastísimos conocimientos en música y arqueología para juzgarle como poeta, ya que en su escasísimo número de composiciones—cinco: *La cascada y la campana, Alina y el genio, El ermitaño de Montserrat, Canción de la primavera* y *El retorno de la feria*—, todas ellas de tinte evocador y melancólico, predominan lo melódico y lo rítmico.

Piferrer fue uno de los iniciadores del movimiento romántico catalán. Como crítico literario, su producción—muy desperdigada en revistas y periódicos—es notabilísima.

Otra obra: *Recuerdos y bellezas de España: Cataluña*—Barcelona, 1839.

V. "AZORÍN": *Piferrer y los clásicos*. Barcelona, 1913.—MENÉNDEZ PELAYO, M.: *Estudios de crítica literaria*.—RUBIÓ ORS: *Piferrer, considerado desde el punto de vista de su intuición artística*.—SARDÁ, J.: *Piferrer*.

Necrología, en *La Ilustración Catalana*. Barcelona, 1884.—VALERA, Juan: *Florilegio de poesías castellanas del siglo XIX. Estudio y notas*. Madrid, F. Fe, 1904.

PIJOÁN, José.

Admirable literato, crítico de arte e historiador español. Nació en Barcelona—1880— y murió en 1963. Estudió en Barcelona, hasta graduarse. Completó sus estudios en la Universidad de Roma, donde también se graduó. Volvió a Barcelona, donde actuó como miembro de la Junta de Museos que fundó el Museo de dicha ciudad. Oganizó la Biblioteca Nacional de Cataluña en Barcelona. Fue enviado al Museo Británico por el Gobierno español para estudiar los manuscritos. De allí fue enviado a Roma para organizar la Escuela de España. Marchó al Canadá el año de 1913.

Catedrático en Chicago. En 1930, requerido por la Secretaría de la Sociedad de Naciones, pasó a Ginebra para establecer un nexo entre sus enseñanzas y el ideal de la institución. Domina el inglés, el francés, el alemán, el italiano, el latín, el griego...

Ha colaborado en *Anuari de l'Institut d'Estudis Catalans*, Barcelona; *La Lectura*, Madrid; *L'Arte*, Roma; *Burlington Magazine* y *The Nineteenth Century and After*, Londres. Es miembro del Instituto Imperial Germánico de Arqueología, del Institut d'Estudis Catalans, del Royal Canadian Institute y de la Hispanic Society of America. Ha sido profesor auxiliar de Historia de la Arquitectura, Barcelona; director de la Escuela de España en Roma; conferencista en la Toronto University y profesor en el Pomona College, California.

Pijoán fue escritor de enorme cultura, original expositor, divulgador de talla excepcional, sutilísimo comentador de sucesos y teorías, investigador de primer orden, un verdadero artista, en quien se unen la sensibilidad más extraordinaria y una elegancia expresiva imposible de superar. Pocos pensadores con ideas tan claras y tan decisivas. Cada una de sus obras es un monumento de precisión erudita y de gracia literaria.

Ha publicado: *Raimundo Lull*—Libre de Santa María, XIII cent. texto—, *Dietari de un pelegri a Terra Santa*—XIV, cent. texto—, *Cerámica Ibérica al' Aragón, Historia del Arte*—tres volúmenes—, *Historia del mundo*—cinco tomos—, *Summa Artis*—van publicados catorce volúmenes, la más prodigiosa historia del arte que existe en el mundo—, *Mi don Francisco Giner, El meu don Joan Maragall, Lo cançoner*—poesías...

Ha explicado centenares de conferencias magistrales en Europa y América. Su fama es universal.

P

PILARES, Manuel.

Poeta, novelista y cuentista español. Nació—1921—en Busdongo (Asturias). Según él, ha llevado una vida vagabunda, inclusive como trabajador en las minas. Poeta realmente muy notable. Y narrador de muy fino humor, observación agudísima y expresividad admirable. A nuestro criterio, no goza de la fama que debiera, muy superior a la de incontables poetas y cuentistas "muy traídos y llevados" por la crítica "comanditaria".

Obras: *Poemas mineros, Sociedad Limitada*—poemas, 1950—, *El andén*—"Premio Café Gijón, 1951", para novela corta—, *Cuentos de la buena y de la mala pipa*—Barcelona, 1960—, *Historias de la cuenca minera* —Santander, 1953...

V. TORRENTE BALLESTER, Gonzalo: *Panorama de la literatura española contemporánea.* Madrid. Edit. Guadarrama, 1961, 2.ª edición, dos tomos.

PIN Y SOLER, José.

Novelista, autor dramático y polígrafo español de gran prestigio. Nació—1842—en Tarragona. Murió—1927—en Barcelona. Cursó las Humanidades en el Seminario de su ciudad natal y la carrera del Magisterio también allí. En Madrid, mientras preparaba unas oposiciones a cátedras de Escuelas Normales Superiores, tomó parte en las trágicas revueltas estudiantiles de la famosa *noche de San Daniel*, por lo que tuvo que huir de España y refugiarse en Marsella, en donde vivió muchos años como canciller del Consulado de España. En muy pocos años se hizo arquitecto y ganó el primer premio en un concurso de edificios abierto por el Cercle Artistique de Marseille.

Entre 1875 y 1888 vivió en varias ciudades belgas, y contrajo matrimonio con una dama de esta nacionalidad. En esta última fecha regresó a España, instalándose en Barcelona. De la Academia Catalana de Buenas Letras—1912.

Pin y Soler es uno de los mejores novelistas que ha tenido Cataluña. De su hermosísima trilogía novelesca: *La familia dels Garrigas, Jaume y Niobe* ha dicho un moderno crítico: "Estudio admirable de costumbres, maravilla de observación psicológica, fuente pura de poesía y bagaje riquísimo de enseñanzas de la vida, ha legado un verdadero monumento a su ciudad natal, Tarragona."

De estilo siempre firme, sobrio y elegante; de tipos dibujados con mano maestra y coloreados del mejor realismo, de indudable emoción, de inventiva rica y siempre removida en lo natural y humano, las obras de Pin y Soler son de las que gustarán mientras existan catadores de belleza.

Como dramaturgo, Pin y Soler posee fuerza, intención moral, dominio de la técnica.

Obras: *Varia, Excursions y viatges, Crítica y ética, Sonets d'uns y d'altres*—antología de sonetos—, *Sogra y nora*—drama—, *Tía Tecleta*—drama—, *Sirena*—drama—, *La baronesa*—comedia—, *Lo miracle del Tallat, llegenda; Orient,* y alguna más de valor más escaso.

V. ROCA Y ROCA, José: *Las novelas de Pin y Soler.* Barcelona, 1892.—RUIZ PORTA, Juan: *Tarraconenses ilustres.* Tarragona. 1891.— OPISSO, Alfredo: *Las últimas obras de Pin y Soler...* Barcelona, 1917.

PINA Y DOMÍNGUEZ, Mariano.

Periodista y autor dramático español. Nació—1840—en Granada. Murió—1895—en Madrid. Licenciado en Derecho. Periodista desde los veinte años, fue redactor, en Madrid, de *La Patria, Las Novedades, El Eco Nacional* y la *Correspondencia de España.* Fue un comediógrafo fecundísimo. Sus producciones escénicas se acercan al centenar; unas, las menos, son originales; otras, las más, son traducciones muy libres y arreglos de obras extranjeras de éxito. Tuvo Pina dominio de la técnica, bastante ingenio y gracia. Y obtuvo éxitos ruidosos y ganó mucho dinero, lo que motivó que le combatieran con dureza terrible otros muchos escritores y la mayoría de los críticos, en ocasiones con verdadera injusticia.

Teatro: *El viejo Telémaco, Entre frailes anda el juego, Sensitiva, Adiós mi dinero, De Herodes a Pilatos, Lo sé todo, La novia del general, El caballo blanco, Odieme usted, caballero; Dimes y diretes, ¡Arda Troya!, Me es igual, Curarse en salud, El país de las gangas, Coro de señoras, La comedianta, Creced y multiplicaos, Ya somos tres, Ya no hay Pirineos, Mi misma cara, Mil duros y mi mujer, El crimen de la calle de Leganitos...*

Otras obras: *Aventuras de un joven tímido*—novela, 1875—, *Percances de tres mujeres*—novela, 1876—, *El hombre de las tres pelucas*—1876—, *Un seductor de criadas* —1877...

Lo mismo en el teatro que en la novela, Pina cultivó el género llamado *picante* o *verde.*

PINEDA, Juan de.

Notable escritor y teólogo español. Nació —¿1514?—en Medina del Campo (Valladolid). Murió en 1597. Franciscano de singulares virtudes. Muy instruido en letras divinas y humanas.

"Fue hombre de inmensa lectura..., llegando a asegurar algunos de sus biógrafos que conocía directamente cuantos libros se habían escrito hasta su tiempo; en una sola de sus obras, *La monarquía eclesiástica, o Historia universal del mundo*—Zaragoza, 1576—, cita o extracta más de 1.040 autores distintos, y las citas no son nunca de segunda mano." (Hurtado y Palencia.)

Su nombre figura en el *Catálogo de autoridades* del idioma, publicado por la Academia Española.

Buen estilista, de rico y castizo vocabulario.

Otras obras: *Historia maravillosa... de San Juan Bautista*—Salamanca, 1574—, *El paso honroso defendido por Suero de Quiñones*—Salamanca, 1589—, *Agricultura christiana, que contiene XXXV diálogos familiares*—Salamanca, 1589—, *Exposición de la salutación angélica*—Barcelona, 1590...

De los *Diálogos sobre la agricultura* hay una edición moderna: Madrid, "Gil Blas", 1919.

V. Mir, P. Juan: *Centenario quijotesco y Prontuario de hispanismo*, Madrid, 1908.— Daza, A.: *Historia ordinis minorum.*—Antonio, Nicolás: *Bibliotheca Hispana Nova.*— San Antonio, P. J.: *Biblioteca franciscana.* Wadding, J.: *De scriptoribus ordinis minorum.*

PINEDO, Luis de.

Escritor español del siglo XVI. Poquísimo se sabe de la personalidad de Luis de Pinedo. Y usamos del superlativo para no declarar la ignorancia casi completa que se tiene del colector de la célebre colección de chistes y cuentos—una de las más antiguas conocidas—, cuyo título latino es: *Liber facetiarum et similitudinum Ludovici di Pinedo et amicorum,* manuscrito de letra del siglo XVI que se encuentra en nuestra maravillosa Biblioteca Nacional.

¿Quién fue Luis de Pinedo? Seguramente, uno de los comensales y contertulios de don Diego de Mendoza, espíritu el de éste agudo y mordaz; autor, según conjeturas muy fundadas, de la mayoría de los cuentos que reúne aquel en su colección. De todos modos —escribe Menéndez Pelayo—, "la colección debió de ser formada en los primeros años del reinado de Felipe II, pues no alude a ningún suceso posterior a aquella fecha. El recopilador era, al parecer, castellano viejo, o había hecho, a lo menos, larga residencia en tierra de Campos, porque se muestra particularmente enterado de aquella comarca.

El *Libro de chistes* es anterior a las obras de Timoneda, y tiene el gran mérito de contener cuentos y sales auténtica y legítimamente españolas.

V. Menéndez Pelayo, M.: *Orígenes de la novela*, II.—Paz y Meliá: *Sales españolas*, I.—Sainz de Robles, F. C.: *Cuentos*

viejos de la vieja España. Madrid, Aguilar, 1949, 3.ª edición.

PINILLOS, Manuel.

Nacido en Zaragoza en 1914. Fundador y director de la revista *Ambito*—1951-62.

Libros publicados: *A la puerta del hombre*—1948—, *Sentado sobre el suelo*—1951—, *Demasiados ángeles*—1951—, *Tierra de nadie*—1952—, *De hombre a hombre*—"Premio Ciudad de Barcelona, 1951"—, *La muerte o la vida*—1955—, *El octavo día*—1958—, *Débil tronco querido*—1959—, *Debajo del cielo* —1960—, *En corral ajeno*—1961—, *Aún queda sol en los veranos*—1962—, *Esperar no es un sueño*—¿ ?—, *A voces y en secreto* (Edición argentina), *Nada es del todo*—1963.

PINO GUTIÉRREZ, Francisco.

Poeta y prosista español. Nació en Valladolid en el año 1910. Licenciado en Derecho.

Con un grupo de amigos, en 1928, publicó *Meseta,* donde se inició su vocación literaria. Sucesivamente fundó, en compañía del poeta José María Luelmo, las revistas *Ddooss* y *A la nueva ventura,* que responden a una tendencia subrealista, acusada en sus escritos de este momento. En 1932 y 1933 viajó por Francia (estancias en Angulema) e Inglaterra (Londres, University College, Halle). En 1934 estudió Filosofía francesa, en la Universidad Central, al mismo tiempo que asistió, como alumno, a las clases de Pedro Salinas sobre la generación del 98. En 1942 publicó *Espesa Rama* y empezó a ordenar su ininterrumpida, desde 1928, labor poética para recogerla en ediciones limitadas. Así aparecen: *XXXV Canciones del sol* —1952—, *Versos religiosos*—1954—, *El caballero y la peonía*—1955—y *El pájaro y los muros*—1955.

PINTO, Alfonso.

Poeta, crítico literato y traductor español. Nació—1924—en Madrid. Desde niño vive en Barcelona, en cuya Universidad se licenció en Filosofía y Letras en 1948. Ha viajado por Francia, Italia y Suiza. Colaborador de *Insula, Manantial, La Isla de los Ratones, Cántico, Raíz* y otras muchas revistas de poesía. Domina varios idiomas.

Su poesía, cerrada en apariencia, pero cargada de material humano del más noble y sugerente, deriva de la de Vicente Aleixandre, con raíces en William Blake y los superrealistas franceses.

Su primer libro fue *Corazón en la tierra* —1948—, el cual hizo escribir a Vicente Aleixandre: "Frente al indiviso mundo, confuso y gigante, con ciega materia sin sentido, el poeta pregunta, anhela, establece secretas

P

relaciones, maneja la originaria masa y acaba resolviéndose en desesperado amor que besa sin respuesta. En ese turbio y borroso casi lúgubre, está la ternura desconocida, la esperanza. Todo maltratado, ignorado, y todo visible en el corazón untado de tierra."

Muy superior es su segundo libro: *Habitado de sueño*—1950—, en el que ya cuajan su lirismo inconfundible, su acento excluyente y su inspiradísima conciencia creadora.

Otras obras: *Antología de poetas brasileños de ahora (El libro inconsútil)*—Barcelona, 1949—, *La paz y otros poemas*—1952.

V. SAINZ DE ROBLES, F. C.: *Historia y antología de la poesía española*. Madrid, Aguilar, 1969, 5.ª edición.

PIÑA, Juan Izquierdo de.

Novelista y poeta español. Nació—hacia 1566—en Buendía (Cuenca). Murió—1643—en Madrid. Tuvo una excelente educación humanista. Fue escribano *de Provincia,* o sea lo que hoy se llama *de actuaciones*. En 1594 se titulaba ya escribano de su majestad.

Casi más que sus obras han hecho famoso a Juan de Piña su amistad y adoración por el inmenso Lope de Vega: "El mayor y más antiguo amigo de Lope de Vega", como él se declaraba siempre. Causa tanto asombro como emoción la fidelidad amical de Juan de Piña a Lope. Se conocieron mozalbetes, acaso a la vuelta del destierro que el gran poeta sufrió por sus libelos contra su antes amada *Filis* y sus parientes. Y ya jamás dejaron de estar unidos. Tal admiración llevó a Piña hasta servir de alcahuete a Lope en sus muchos amoríos y trapicheos. El único orgullo que Piña parecía sentir es el de su incondicional adhesión al "monstruo de la Naturaleza", por lo que incontables veces escribió versos panegíricos para distintas obras de Lope: el *Isidro, La hermosura de Angélica, El peregrino en su patria, La Jerusalén conquistada, Los pastores de Belén*... Lope correspondió a tan idolátrica amistad dedicando a Piña y a sus familiares varias obras, y alabando su fidelidad en verso y en prosa. *El dómine Lucas* lleva esta dedicatoria del Fénix: "A Juan de Piña, *su mejor amigo*." Y ante Piña otorgó Lope más de cincuenta escrituras.

"Juan de Piña es un escritor de orden secundario; pero en él resplandecen, como en casi todos los autores de la primera mitad del siglo XVII, cualidades de invención y de originalidad... Tenía habilidad para narrar, colocando con bastante arte y gradación los sucesos historiados y aderezándolos con sabias reflexiones y agudas aunque oscuras comparaciones y referencias..." (E. Cotarelo.)

Obras: *Novelas exemplares y prodigiosas historias*—Madrid, 1624 [contiene siete novelas cortas: *La duquesa de Normandía, El celoso engañado, Los amantes sin terceros, El casado por amor, El engaño en la verdad, Amor por ejemplo* y *El matemático dichoso*]—, *Amar y disimular*—comedia incluida en el volumen anterior—, *Varias fortunas* —Madrid, 1627 [contiene cuatro novelas cortas: *Las fortunas de don Antonio Hurtado de Mendoza, Fortunas del segundo Orlando, Fortunas de la duquesa de Milán, Leonor Esforzia y Próspera y adversa fortuna del tirano Guillermo, rey de la Gran Bretaña*]—, *Las fortunas del príncipe de Polonia*—comedia incluida en el tomo anterior—, *Casos prodigiosos y cueva encantada*—Madrid, 1628—, *Segunda parte de los casos prodigiosos*—Madrid, 1629—, *Epítome de las fábulas de la antigüedad*—Madrid, 1635.

Edición: De *Casos prodigiosos y cueva encantada*—Madrid, 1907, tomo VI de la "Colección selecta de antiguas novelas españolas".

V. COTARELO MORI, Emilio: *Estudio y notas* en la ed. de Madrid, 1907.

PIÑERA LLERA, Humberto.

Ensayista, filósofo, crítico cubano. Nació —1911—en Cárdenas. Doctor en Filosofía y Letras por la Universidad de la Habana y catedrático de Filosofía en ella, por oposición, entre los años 1946 y 1960. Miembro de la Academia Nacional de Artes y Letras. Fundador y presidente de la Sociedad Cubana de Filosofía. Director de la *Revista Cubana de Filosofía*. Miembro de la Sociedad Interamericana de Filosofía de la Unesco y de la Société Européene de Culture. Desde 1960 reside en los Estados Unidos, siendo profesor titular del Departamento de Español de la New York University. Ha dado centenares de conferencias en los principales centros culturales de América y ha publicado miles de artículos en la Prensa de Hispanoamérica y de Estados Unidos. Su cultura es extraordinaria, y extraordinaria su originalidad pensante y su expresividad literaria.

Obras: *Filosofía de la vida y filosofía existencial*—Cuba, 1953—, *Lógica*—Cuba, 1953—, *Introducción a la Filosofía*—Cuba, 1954—, *Apuntes de una Filosofía*—1956—, *Historias de las ideas contemporáneas en Cuba*—México, 1959—, *Panorama de la filosofía cubana* —Nueva York, 1961—, *Unamuno y Ortega y Gasset*—México, 1965—, *El pensamiento español de los siglos XVI y XVII*—1970.

En prensa: *Unamuno y la metafísica de la eternidad, Las grandes intuiciones de la Filosofía, Ensayo y novela de "Azorín".*

PIÑEYRO Y BARRI, Enrique.

Prosista y crítico literario. Nació—1839— en la Habana. Murió en 1911 en la misma ciudad. Estudió Humanidades en el Colegio del Salvador, del que fue, años más tarde, profesor de Historia y Literatura. Abogado. Colaboró en *Noches Literarias, Revista Cubana, El Siglo, Brisas de Cuba, Revista Habanera, Revista del Pueblo.* En 1861 viajó por Italia, Francia y España. De regreso a su patria, sirvió la causa de su independencia con fervor. En 1870 dirigió *La Revolución* y *El Mundo Nuevo.* Estuvo en Nueva York—1869—de secretario de la Delegación cubana presidida por Morales Lemos. En 1875 viajó por la América del Sur. Y marchó nuevamente a Francia, regresando a Cuba después de la paz del Zanjón.

Piñeyro fue un excelente crítico literario, aun cuando, quizá, demasiado frío. Manuel de la Cruz ya advirtió esta frialdad comunicada a su ejercicio intelectual: "Un olímpico de hielo, cuyas sentencias producirían punzantes sensaciones de frío, si el artista no proyectase sobre ellas, como el sol del ocaso sobre la nivosa cumbre andina, el rayo de luz que, tiñéndola de oro y rosa, le da el aspecto de una llamada, el colorido de la sangre, el tono de la vida."

Piñeyro fue discípulo dilecto de Luz y Caballero, y orador elocuente y enérgico.

Obras: *Estudios y conferencias de Historia y Literatura*—Nueva York, 1880—, *Poetas famosos del siglo XIX*—París, 1883—, *El Romanticismo en España*—París, 1904—, *Hombres y glorias de América*—París,1903—, *Biografías americanas*—París, 1906—, *Biografía del general San Martín*—1870—y otras de interés menor.

V. MITJÁNS, Aurelio: *Literatura cubana.* "Biblioteca Andrés Bello". Madrid, 1918.— REMOS Y RUBIO, J. J.: *Historia de la literatura cubana.* La Habana, 1925.—SALAZAR Y ROIG, S.: *Historia de la literatura cubana.*

PIÑOL, Joaquín.

Literato y periodista. Nació—1908—en Barcelona. Cursó el bachillerato en los Institutos de Gerona y Cardenal Cisneros, de Madrid. En 1924 inició su colaboración en el diario madrileño *Informaciones.* Cursó Declamación en el Real Conservatorio. Fundó —1925—*La Voz del Estudiante.* Nuevas colaboraciones en *El Imparcial, Raza y Caras y Caretas,* de Buenos Aires. 1926: vida bohemia en París, ciudad en la que se dio a conocer con muy comentadas crónicas acerca de Clemenceau, Josefina Baker, Pierre Benoit y otros personajes del momento. Secretario de Redacción de *La Ilustración Moderna Ibero-Americana.* En Unión Radio, de Madrid, pronuncia charlas acerca de temas literarios, que le dan rápida popularidad. Colaborador del gran semanario *Estampa,* de *Bohemia, Cine Mundial;* jefe de Redacción de *Espectáculos,* revista en la que publica

numerosas entrevistas con personalidades del arte y de la literatura. Redactor de *Síntesis.*

Joaquín Piñol ha publicado más de mil artículos, buscados con fervor por el gran público. Es un cronista elegante, ameno, intencionado, muy culto, muy moderno. Su prosa es garbosa y brillante.

PIQUER, Andrés.

Médico y filósofo español. Nació—1711— en Fórnoles (Teruel) y murió—1772—en Madrid. Se doctoró en Medicina en la Universidad de Valencia—1734—. En 1742 ganó la cátedra de Anatomía en esta misma Universidad. Fernando VI le nombró médico de cámara, por lo que hubo de trasladarse a Madrid en 1751. Asistió en sus últimas enfermedades a doña Bárbara de Braganza y a Fernando VI. Carlos III le mantuvo en tan honroso cargo.

A Piquer se le ha llamado "el Hipócrates español". También estudió con entusiasmo y sutileza Filosofía, escribiendo acerca de esta materia muchos y muy curiosos libros. Si en Medicina fue hipocrático y, a la vez, apasionado de la experimentación, en Filosofía, conociendo ampliamente a Aristóteles y las doctrinas extranjeras de su época, no se apartó jamás de la tradición española, mereciendo por ello que Menéndez Pelayo le comparase con Luis Vives. Escribió con la misma facilidad y elegancia en castellano y en latín.

Andrés Piquer poseyó una de las culturas más sólidas de su época y una poderosa mentalidad de criterio.

Obras de Medicina: *Medicina Vetus et nova...*—Valencia, 1735—, *Tratado de calenturas*—Valencia, 1751—, *Institutiones medicae ad usum scholae Valentinae*—Madrid, 1762—, *Praxis medica...*—Madrid, 1764—. Tradujo en tres volúmenes las obras de Hipócrates—Madrid, 1757...

Obras filosóficas: *Lógica moderna, o arte de hablar la verdad y perfeccionar la razón*—Valencia, 1751—, *Filosofía moral para la juventud española*—Madrid, 1755—, *Hidalguía de sangre*—Madrid, 1767—, *Discurso sobre la aplicación de la filosofía a los asuntos de la religión para la juventud española*—Madrid, 1757—, *Discurso sobre el sistema del mecanismo*—Madrid, 1768.

Mención aparte merece la *Física moderna, racional y experimental*—Valencia, 1745—, primer libro de esta materia escrito en castellano.

V. GÓMEZ IZQUIERDO: *Andrés Piquer,* en *La Ciencia Tomista,* Madrid, 1912.—HERNÁNDEZ MOREJÓN, A.: *Historia bibliográfica de la Medicina española.* Madrid, 1842-1852, cinco tomos.—XIMENO, Vicente: *Escritores del Reyno de Valencia...*—Valencia, 1749.— MENÉNDEZ PELAYO, M.: *La ciencia española.*

P

«PITILLAS, Jorge» (v. **Hervás, José Gerardo).**

PITTALUGA FATTORINI, Gustavo.

Ensayista, psicólogo y médico español de origen italiano. Nació—1876—en Florencia. Murió—1956—en la Habana. Estudió en la Universidad de Roma, donde se doctoró en 1900. En 1903 llegó a Madrid para asistir a un Congreso Internacional de Medicina; y desde entonces vivió en España, revalidando sus estudios en Madrid—1904—y nacionalizándose español. Sus primeros estudios sobre distintas enfermedades tropicales son universalmente conocidos. Catedrático de la Facultad de Medicina de Madrid desde 1911. Académico de número de la Real de Medicina desde 1914. Director de la Escuela de Sanidad. Diputado de las Cortes Constituyentes.

Como tantos otros médicos insignes, el doctor Pittaluga se ha dedicado con fervor y con éxito a la literatura, escribiendo libros de ensayos de gran hondura de pensamiento, originalidad de ideas, nobleza de forma y amenidad.

Obras literarias: *El vicio, la voluntad y la ironía*—1921—; *Seis ensayos sobre la conducta*—1939...

PLA Y BELTRÁN, Pascual.

Poeta y prosista. Nació en Ibi (Alicante) el 12 de noviembre de 1908. De formación autodidacta. Ha publicado los siguientes libros de poesía: *La cruz de los crisantemos* —1929—, *Huso de Eternidad*—1930—, *Narja* —1932—, *Epopeyas de sangre*—1933—, *Tragedia campesina*—teatro, 1934—, *Hogueras en el Sur*—1935—, *Voz de la tierra*—1935—, *Poema del amor y de la angustia*—1935—, *Poesía*—1936—, *Madre española*—1937—, *Canción arrebatada*—1938—, *Romances* —1938—, *Vencedor de la muerte*—1939—, *La muerte o el recuerdo*—1939—, *Poesía* —1947—. Y en prosa: *Uno de blindados* —1938—y *Cuando mi tío me enseñaba a volar.*

Colabora en *Cuadernos Americanos, Revista de Guatemala, Alma latina, Cultura* (Venezuela) y otras revistas importantes de España y América. Poemas y narraciones suyos han sido traducidos y publicados en Francia, Estados Unidos, Inglaterra, Alemania y otros países.

PLA Y CASADEVALL, José.

Prosista, ensayista y periodista. Nació el día 8 de marzo de 1897 en Palafrugell, comarca del Bajo Ampurdán, provincia de Gerona. Su padre fue un pequeño propietario y perito agrimensor. Su madre es hija

de un herrero. Estudió las primeras letras en su villa natal; el bachillerato, en el Instituto de Gerona; la carrera de abogado, en la Universidad de Barcelona. Al terminar la carrera entró de redactor de sucesos en *Las Noticias,* de Barcelona. Hizo la información de gran número de atentados ocurridos en Barcelona en los años 1918-1919. En 1920 pasó de corresponsal en París de *La Publicidad.* Entre 1920 y 1931 ha sido corresponsal de *La Publicidad* en París; corresponsal de *El Sol* y de *La Publicidad* en Italia—época de la marcha sobre Roma y de los principios del fascismo—; corresponsal de *La Publicidad* en Alemania en la época de la ocupación del Ruhr y de la inflación; corresponsal en Inglaterra en la época de la agitación sindical y de la huelga general; enviado en Rusia en 1925 por el mismo periódico—tres meses de permanencia (crónicas recogidas en un libro)—; diversas veces corresponsal en Ginebra y miembro de la Asociación Internacional de Periodistas acreditados ante la Sociedad de Naciones; ha vivido un año en Estocolmo—artículos en *El Sol* y *La Publicidad*—; estancias en Praga, Varsovia y los países bálticos. Viajó por *La Veu de Catalunya* a los Balcanes, Grecia, Turquía; segunda larga permanencia en Italia y en París. Cuando fue proclamada la República, enviado y corresponsal político en Madrid, donde vivió hasta abril de 1936. Terminada la guerra, regresó a su casa después de dieciséis años de ausencia.

Obras en catalán: *Coses vistes, Llanterna mágica, Rusia*—una encuesta periodística—, *Relacións, Madrid*—un dietario—, *Cartes de lluny, Cartes meridionals, Vida de Manolo, Cambó*—una historia del catalanismo, tres volúmenes—, *Madrid (Adveniment de la República), Viatge a Catalunya, La filosofía de F. Pujols, Cadaqués*—en prensa—, *L'escultor Josep Llimona*—en preparación.

En castellano: *Historia de la segunda República española*—cuatro volúmenes—, *Viaje en autobús, Humor honesto y vago, El pintor Joaquín Mir, Guía de la costa brava, La huida del tiempo, Las ciudades del mar, Un señor de Barcelona, Santiago Rusiñol y su tiempo, Guía de Mallorca, Vida de Manolo, Viaje a pie, La calle estrecha*—novela.

Todas las obras de Pla, originariamente, han sido editadas en Barcelona, habiendo sido varias de ellas traducidas al francés y al italiano. En 1951 le fue concedido el "Premio Ciudad de Barcelona", de novela en catalán.

«PLÁCIDO», Gabriel de la Concepción Valdés.

Poeta de fama. 1809-1844. Nació en la Habana. Hijo de un peluquero cuarterón y de una bailarina burgalesa. Abandonado por sus padres, creció en la Inclusa con el nombre de Gabriel de la Concepción Valdés. Su juventud fue aventurera y azarosa. Su formación, caprichosa y deficientísima. Desempeñó los oficios de carpintero, tipógrafo y peinetero en carey. Se casó, y en 1842 fue detenido por estar complicado en conspiraciones contra España. Era miembro de la llamada "Conspiración de la escalera". Dos años después fue fusilado, sabiendo morir con ejemplar y contrita serenidad.

"Quien escribió el magistral y primoroso romance de *Xicotencal,* que Góngora no desdeñaría entre los suyos; el bello soneto descriptivo *La muerte de Gessler,* la graciosa letrilla de *La flor de la caña* y la inspirada *Plegaria* que iba recitando camino del patíbulo, no necesita ser mulato ni haber sido fusilado para que la posteridad se acuerde de él." (Menéndez Pelayo.)

Abundan entre sus composiciones las superficiales, vulgares e incorrectas; en su mayor parte son poesías de encargo. Pero algunas de ellas son realmente magníficas y sobresalen por su sentimentalismo hondo, por su romanticismo efervescente, por su irreprimible melancolía de piel y de destino. Estas excepciones, henchidas de gracia y de frescura, ungidas por la más impresionante naturalidad, le han colocado entre los principales líricos americanos. Y el gran escritor Enrique José Varona ha comentado: "¿No son inimitables la gracia, la limpidez, la frescura de las letrillas de Plácido? ¿No huelen a flores nuevas?... El poeta más espontáneo de toda la literatura hispanoamericana..., que por el esfuerzo de su genio asombroso se eleva a intervalos a la cima de la inspiración poética para caer vertiginosamente más tarde; escritor a la par grandilocuente e incorrecto, versificador callejero, poeta comensal de fiestas domésticas y lírico sublime. De sus labios brotan en raudal los versos más sonoros y las frases más triviales; su fantasía se enciende con imágenes grandiosas y se extravía tras fútiles concepciones."

Obras: *Poesías de Plácido*—Matanzas, 1838—, *Poesías completas, con 210 composiciones inéditas...*—la Habana, 1886—, *El veguero*—poesías cubanas, Matanzas, 1841—, *El hijo de la maldición*—poema, Matanzas, 1843—, *Ultimas composiciones de Plácido* —Matanzas, 1844...

V. Lasso de los Vélez, Pedro: *Plácido: Su biografía y juicio crítico.* Barcelona, 1875.—Piñeyro, Enrique: *Gabriel de la Concepción Valdés (Plácido).* 1906, en *Biografías Americanas.*—Figarola-Caneda, D.: *El retrato de Plácido.* 1909.—Menéndez Pelayo, M.: *Historia de la poesía hispanoamericana.* Madrid, 1913, tomo II.—Carruthers, B. Frederic: *The Life, Work and death of*

Plácido. Ubana (Illinois), 1941.—Hostos, E. María: En el tomo IX de sus *Obras completas.*

PLANCHAR, Enrique.

Poeta, ensayista y crítico literario. Nació —1894—en Caracas. En su educación intervino decisivamente su hermano, el crítico Julio Planchar. Durante algunos años estuvo dedicado al comercio. Director de Cultura y Bellas Artes—1937—. Director de la Biblioteca Nacional—1938—. Fundador del Círculo de Bellas Artes. Primer presidente-fundador de la Asociación Venezolana de Conciertos. Miembro de la Junta de Protección del Patrimonio Nacional y de la Comisión editora de las obras de Andrés Bello.

Pertenece a la promoción de 1918, cuyo libro inaugural fue, precisamente, los *Primeros poemas*—1919—, de Planchar; obra esta que es uno de los hitos más significativos de la moderna lírica venezolana.

Otras obras: *Poema a Muky Götz*—1934—, *Dos suites en verso*—1934—, *Don Martín Tovar y Tovar*—1938—, *Arturo Michelena* —1948—, *Notas sobre la Historia de la Pintura venezolana*—1949—, *Historia de la Pintura en Venezuela...*

PLANS, Juan José.

Periodista, narrador, especialista en el género de ficción, del que es uno de los mejores cultivadores. Nació—1943—en Gijón. Desde muy joven trabajó en los periódicos asturianos *El Comercio, La Nueva España, Región, La Voz de Asturias.* Dirigió la revista *Siete Villas,* de Gijón. En 1965 se incorporó a la redacción de *La Estafeta Literaria,* de Madrid, de la que fue redactor-jefe en 1967. Colaborador en los diarios madrileños *Informaciones* y *Ya.* En 1967 obtuvo el "Premio Nacional de Relatos de Ciencia-Ficción" con su obra *El retorno,* y el "Premio Ateneo de Jovellanos", de novela corta, con *La gran coronación.*

Obras: *Casona* (Alejandro Rodríguez Alvarez)—biografía dialogada, 1966—, *Las langostas*—relatos.

POBEDA Y ARMENTEROS, Francisco.

Poeta cubano. 1796-1881. Hizo popularísimo el seudónimo de "El Trovador Cubano". En su larga vida, según afirma su biógrafo Antonio López Prieto, "desempeñó sucesivamente los oficios de peón ganadero, cómico de la legua, amanuense de procurador, capitán de partido, maestro de escuela, dependiente de ingenios y cafetales, notario eclesiástico y, últimamente, vendedor de carnes en Sagua la Grande".

Fue un poeta muy fecundo y fácil, pero sumamente incorrecto.

P

"Sus décimas amorosas no carecen de mérito y tienen cierto perfume de antigua galantería castellana, debido indudablemente a las comedias de capa y espada que Pobeda había representado en el tiempo en que fue actor ambulante." (Menéndez Pelayo.)

Obras: *Poesías a Cuba*—1830—, *Rosas de amor*—1831—, *Obras poéticas*—1863.

V. Menéndez Pelayo, M.: *Historia de la poesía hispanoamericana*. Madrid, 1911, tomo I, pág. 285.—López Prieto, Antonio: *El Parnaso cubano*. La Habana, 1881.—Remos y Rubio, Juan: *Historia de la literatura cubana*. La Habana, 1925.—Salazar y Roig, S.: *Historia de la literatura cubana*. La Habana, 1939.—Calcagno, Francisco: *Diccionario biográfico cubano*. Nueva York, dos tomos, 1878-1886.

POLO, Gaspar Gil (v. Gil Polo, Gaspar).

POLO DE MEDINA, Salvador Jacinto.

Gran poeta. ¿1607-1658? El mismo, en versos romanceados, confiesa que nació en Murcia, a orillas del Segura, y que se aficionó bien pronto a las obras de Góngora, Cervantes y Quevedo, a quienes imitó en el estilo, en los temas y hasta en los títulos. Recordemos su *Adjunta al Parnaso*. En su tierra exúbera y risueña, Salvador Jacinto fue ese poeta vernáculo que se gana el premio de la flor natural en cuantas fiestas de Amor y Poesía se organizan. Su facilidad para la rima era mucha. Feliz su gracejo. Proverbial su don de gentes. Paradigmático su carácter abierto y comprensivo. Muy capaz de atacar sin herir. Muy hábil en defenderse sin molestar. A Salvador Jacinto le mencionaban sus coterráneos con esa simpatía comunicativa que engendra lo inofensivo y agradable, aquello que hace muchísima gracia.

En 1630 Polo de Medina se trasladó a Madrid. Como cada ingenio provinciano, pensó que únicamente en la corte podía *vivir su vida*. El traía unas buenas armas para abrirse paso sin ir repartiendo empujones y codazos. El traía la ganzúa de su ingenio. El traía la palanqueta de su ironía penetrante. Conoció a cuantos quería conocer. Los trató. Los pudo juzgar. Le debieron de defraudar muchos de ellos, porque cuando dedica, en 1634, su fábula de *Apolo y Dafne burlesca* al corregidor de Murcia, Antonio Prieto y Lisón, le confiesa de "sus melancolías que le llevan a maltraer, a causa de unos hombres que llevan la mala intención en el cuerpo". Indudablemente, la suavidad elegante de sus burlas, la sagacidad amable de su gracejo, la aguda serenidad de sus acciones, no pudieron *penetrar* la epidermis dura y correosa de la vida cortesana y de los cortesanos empedernidos. Realmente, era intentar ha-

cer cosquillas a un elefante con un mondadientes. Su mejor amigo fue Solís y Rivadeneyra, quien le imitó en su poesía. Por otra parte, en aquella época y en aquella corte de galanuras y galanterías, en las que casi todos los triunfos estaban en manos de los osados, de los guapos mozos, Salvador Jacinto tenía poco que asombrar por su pergeño y por su catadura, según propia y modestísima confesión. Era estevado y cargado de espaldas, de pies grandes, en posición de noventa grados. De nariz larguísima y acarnerada. De ojos pequeños. De lacios cabellos castañoscuros. Siempre llevaba baja la cabeza. Siempre sus miradas iban pegadas al suelo.

Entre 1630 y 1638 publicó, además de su ya mencionada *Fábula de Apolo y Dafne burlesca*, *Las academias del Jardín* y el *Buen humor de las musas*—colecciones de muy celebradas poesías festivas—y el famosísimo romance *Pan y Siringa*. Una poesía suya, inserta en el libro *Lágrimas panegíricas a la muerte de Montalbán*—1638—, declara, sin dejar lugar a dudas, que ya era sacerdote y secretario del obispo de Lugo. Este cargo o no lo llegó a desempeñar o no le obligó a residir en la diócesis gallega, porque consta que Salvador Jacinto no se alejó de Madrid sino en dos ocasiones: en 1636, a Orihuela, donde publicó *El hospital de incurables y viaje de este mundo al otro* —imitación en prosa y prosaica de los *Sueños*, de Quevedo—y en 1657, a Murcia, para dar a la imprenta una obra seudofilosófica de gran éxito: *Gobierno moral a Lelio*. ¿Murió en este año Polo de Medina en la tierra que le vio nacer? Muchas conjeturas nada caprichosas hacen así creerlo. A fines del pasado siglo se encontró en Murcia el documento acreditativo de que fue—y está—enterrado en la iglesia de Santa Catalina, de la ciudad del Segura. El nombre de Polo de Medina figura en el *Catálogo de autoridades* de la lengua.

Adolfo de Castro escribió de Salvador Jacinto Polo de Medina que "era un poeta de vivísimo ingenio incansable y feliz sobre manera en apodos y calificaciones. Tuvo por modelo en los romances satíricos a Góngora; sus epigramas no tan buenos como los de Baltasar del Alcázar, distinguiéndose por más picantes en la sátira. En el estilo festivo, en prosa, imitó primero a Cervantes y luego a Quevedo. Sus obras fueron muy estimadas en su siglo y aun después, como se prueba con las muchas ediciones que de ellas se hicieron".

José de Valdivielso, censurando *El buen humor de las musas*, elogia "sus sales con que sazona lo desabrido de nuestra edad". Alabáronle igualmente Lope de Vega, Barbadillo, Montalbán, Solís, López de Zárate. Fray Atilano de San José decía que "sus fábulas poéticas fueron celebradas de naturales y extranjeros, por la dulzura de sus versos y donaires ingeniosos". Padilla y Moscoso le llamó "el Quevedo murciano".

Además de las ediciones mencionadas de las obras de Polo de Medina, merecen indicarse: *Bureo de las Musas y honesto entretenimiento para el ocio*—Zaragoza, 1658—, *Obras en prosa y en verso*—Zaragoza, 1670—, *Poesías*—"Biblioteca de Autores Españoles", tomos XVI y XLII—, *Obras escogidas*—en "Clásicos Olvidados", Madrid, 1931—, *Obras completas*—edición Valbuena Prat, Murcia, ¿1944?

V. NICOLÁS ANTONIO: *Bibliotheca Hispana Nova.*—MARTÍN MERINERO: Prólogo a las *Obras de Polo de Medina.* Zaragoza, 1670.— CEJADOR Y FRAUCA: *Historia de la lengua y literatura castellanas.* Tomo V.—Cossío, José María: *Estudio* en la ed. "Clásicos Olvidados". Madrid, 1931.—Cossío, José María: *Notas y estudios de crítica.* Madrid, 1939.— GONZÁLEZ, A. J.: *Jacinto Polo de Medina.* Conferencia. Murcia, 1895.

POLO Y PEYROLÓN, Manuel.

Literato y catedrático español. Nació —1846—en Cañete (Cuenca) y murió—1918— en Valencia. Doctor en Derecho y en Filosofía y Letras. Catedrático de Psicología, Lógica y Etica. Diputado a Cortes y senador del reino. Correspondiente de la Real Academia de la Historia.

"Fue un discípulo, en la novela, de la 'Fernán-Caballero', narrador regional y popular, de los escritores más castizos y que mejor conocieron y emplearon nuestra lengua." Emilia Pardo Bazán dijo de él: "Es autor castizo y ameno, honesto y formal, católico sin intransigencia." Y Menéndez Pelayo calificó de joya de oro su novela *Los Mayos,* sencilla y poética pintura de una costumbre popular de las montañas aragonesas.

Obras literarias: *Realidad poética de mis montañas: costumbres de la sierra de Albarracín*—1873—, *Los Mayos*—1879—, *Sermones al aire libre*—1881—, *Guía de Tierra Santa*—1882—, *Borrones ejemplares*—1883—, *Bocetos de brocha gorda*—1884—, *Por París a Suiza*—1886—, *Vida de León XIII*—1888—, *Quien mal anda, ¿cómo acabará?*—1891—, *Pepinillos en vinagre*—1891—, *Hojas de mi cartera de viaje*—1892—, *Manojico de cuentos*—1895—, *Alma y vida serrana*—1910—, *Menéndez y Pelayo*—1912—, *El cristianismo y la civilización, Elogio de Santo Tomás de Aquino, Memorias de un sexagenario*—manucrito legado a la Real Academia de la Historia...

POMBO, Rafael.

"El más completo y más grande de los poetas colombianos." Y, a juicio de Gómez Restrepo, "también de los hispanoamericanos". 1833-1912. Nació en Bogotá. Ingeniero militar. Diplomático desde 1855. Secretario de la Legación de Colombia en Nueva York. Secretario de la Cámara de Representantes y secretario perpetuo de la Academia Colombiana de la Lengua. Académico correspondiente de la Real Española.

Cultivó todos los géneros líricos con el mismo rotundo éxito. Fue grande en la concepción, en la musicalidad, en la imagen, en el sentimiento de la Naturaleza, en la expresividad cordial, en el colorido cálido y brillante, en la percepción de la belleza dondequiera que esta residiese.

"El rasgo más característico y genial de Pombo es el dominio de todas las claves, su señorear en todos los géneros. Sensibilidad profunda y rica, experimenta las más contrapuestas emociones, con lujosa emoción de matices e ideas." (Leguizamón.)

"Sus versos, no exentos de dureza a veces, pero henchidos siempre de altos pensamientos y de un modo de sentir la vida y la Naturalezaz hondo, viril y nuevo en nuestra literatura, ora recuerdan a Byron, ora a Leopardi, ora a Longfellow, ora a Cullen Bryan, sin que la semejanza sea nunca imitación, ni deje de sobreponerse a toda la vigorosa y saludable naturaleza del poeta." (Menéndez Pelayo.)

"A la universalidad de los géneros y motivos que cultivó se suma en Pombo una indudable genialidad en la instrumentación lírica y en la creación de imágenes, don alternativamente filosófico, pictórico y plástico." (Leguizamón.)

Genial, variado y complejo, profundo y rico en matices, de un sentimiento humano sorprendente, con un sugestivo patetismo en su actitud cósmica. Pombo merece uno de los primeros puestos en el Parnaso hispanoamericano.

La edición oficial de sus *Poesías completas* se publicó en Bogotá, 1916-1917, dirigida por Gómez Restrepo. En los tomos primero y segundo se incluyen las poesías originales y la ópera en cinco actos *Florinda.* El tercero contiene sus traducciones del griego, latín, alemán, portugués, francés e inglés. El cuarto, las fábulas y cuentos, seguidos de un *Nuevo método de lectura y cartilla objetiva.*

Pombo publicó numerosos artículos con los seudónimos "Florencio" y "Edda".

Algunos títulos: *Mi amor*—poema—, *La hora de tinieblas*—su obra maestra—, *Preludio de primavera, Eva de los aires*—poema—, *El Bambuco, Simón el bobito*—cuento—, *Rin-Rin renacuajo*—cuento—, *Doña Pánfaga*—cuento—, *Cuentos morales, Cuentos pinta-*

P

dos, La casa del cura, Fonda libre, La pareja humana, El pecado original, Alfa y Omega, El Valle y la Luna, Extasis...

V. GÓMEZ RESTREPO, A.: Prólogo a la edición *Poesías completas.* Bogotá, 1916-1917.— BAYONA POSADA, N.: *Panorama de la literatura colombiana.* Bogotá, 1942.—MENÉNDEZ PELAYO, M.: *Historia de la poesía hispanoamericana.* Madrid, 1913.—ORTEGA, José J.: *Historia de la literatura colombiana.* Bogotá, 1935.—GÓMEZ RESTREPO, A.: *Historia de la literatura colombiana.* Ed. Biblioteca Nacional. 1938-1940.

POMBO ANGULO, Manuel.

Nació en Santander en septiembre de 1912. Cursó la carrera de Medicina en Valladolid, obteniendo el premio extraordinario de licenciatura en septiembre de 1940. Colabora en diversos periódicos, especialmente en *Ya.* Permaneció en Alemania desde el año 1942 al 1944 como corresponsal de *Ya* y *La Vanguardia,* visitando Crimea, el frente de Leningrado, y asistiendo a los bombardeos de Berlín y Hamburgo. Fue nombrado subdirector de *Ya* en el año 1944. En este periódico escribió la sección diaria titulada *Mundo ligero.* Fue galardonado con el "Premio Menéndez Pelayo" y con el "Premio Virgen del Carmen" de periodismo. Ha escrito *La juventud no vuelve,* donde recoge sus impresiones sobre la guerra alemana; *En la orilla* y un libro de versos titulado *Aún.* Su especialidad de médico es la neuropsiquiatría, habiendo estudiado en Alemania con el profesor De Crinis. Su novela *Hospital general* quedó finalista en el "Premio Eugenio Nadal, 1947".

En 1951 ganó el "Premio Pujol" de novela —dotado con 100.000 pesetas—con su obra *Valle sombrío. El agua amarga*—1953—, *Sol sin sombra*—1954—, *Te espero ayer*—comedia, "Premio Lope de Vega, 1968"—, *La sombra de las banderas*—novela, "Premio Ateneo de Sevilla, 1969".

V. NORA, Eugenio G. de: *La novela española contemporánea.* Madrid, Gredos, 1963. Tomo III, págs. 221-24.

PONCE DE LEÓN, Fray Bartolomé.

Literato y monje español del siglo XVI, nacido en Aragón. Profesó en el monasterio cisterciense de Nuestra Señora de Santa Fe, cerca de Zaragoza, en 1551, del que fue abad años después. También vivió en Cardeña.

Quiso contrarrestar la influencia—según él, nociva—de la *Diana,* de Montemayor, escribiendo y publicando—Zaragoza, 1581—*La clara Diana a lo divino, o Alabanza a la Santísima Virgen María, Madre de Dios,* obra escrita en excelente prosa y en cuyo

preámbulo se refiere a la muerte a mano airada de Montemayor.

Otra obra: *Puerta real inexcusable de la muerte*—Zaragoza, 1577, biografía de don Pedro de Acosta, obispo de Osma.

V. ANTONIO, Nicolás: *Bibliotheca Hispano Nova.*—MONTALVO: *Crónica del Císter.* Libro II, c. XXXIII, pág. 336.—MUÑIZ: *Biblioteca Cisterciense,* 1793.

PONCE DE LEÓN, Fray Basilio.

Teólogo, predicador español. Nació—1569— en Granada y murió—1629—en Salamanca. Sobrino de Fray Luis de León. Estudió en Salamanca y profesó—1592—en la Orden agustiniana. Explicó Teología en Alcalá y en Salamanca. Dos veces desempeñó el cargo de Prior. Gran apologista de su tío. Según opina Menéndez Pelayo, pudieran ser suyas varias de las excelentes poesías atribuidas a Fray Luis. Fue muy combatido por los escotistas y muy alabado por los tomistas. Poseyó extraordinaria sabiduría. En 1604 publicó su libro *De Agno typico,* defensa magnífica de su pariente y gran escriturario. Su nombre figura en el *Catálogo de autoridades* de la lengua publicado por la Real Academia Española.

Entre sus numerosas y muy curiosas obras figuran: *Sermones de Cuaresma*—1605—, *Vida de don Gaspar de Guzmán, conde duque de Olivares*—manuscrito—, *Apología de las obras y doctrina de San Juan de la Cruz* —manuscrito de la Biblioteca Nacional...

Sus tratados teológicos latinos fueron universalmente admirados. Y de la reputación que gozó es buena prueba la *Fama póstuma* que, a su fallecimiento, le dedicaron los poetas españoles, publicada en Salamanca —1630—por Francisco Montesdoca; en ella se le llama *Príncipe de los ingenios y fénix de las ciencias.*

PONCE DE LEÓN, Luis.

Ensayista, crítico y periodista español. Nació—1918—en Madrid. Estudió el bachillerato en el Instituto del Cardenal Cisneros, de la capital, y con los padres Escolapios de Getafe. Entre 1934 y 1936 estudió Derecho y Filosofía y Letras en la Universidad Central, y periodismo en la Escuela fundada por el diario madrileño *El Debate.* Fundó, siendo estudiante, las revistas estudiantiles *Prisma* y *Almena.* Terminada la guerra civil en España, se licenció—1945—en Medicina en la Facultad de Madrid. Durante ocho años ejerció como médico y cirujano en un sanatorio antituberculoso. Diplomado por la Escuela Oficial de Periodismo. Desde los primeros números del periódico *El Español* escribió en él la sección titulada *De Consolatione Philosophiae.* Ha obtenido los Premios Nacionales de Periodismo otorgados por el Ministerio de Información y por la Jefatura del Movimiento. También, durante años, en *La Estafeta Literaria,* ha escrito asiduamente la sección *Mañana será otro día.* Dirigió la revista *Ateneo,* de Madrid, y en ella ejerció la crítica de cine. Muchas de las crónicas que ha publicado las ha firmado con los seudónimos "Andrés Aviroz", "El doctor Maraña" y "Pedro Pérez Piedra". En la actualidad—1964—dirige *La Estafeta Literaria* y es crítico de libros de TV Española.

Obras: *Contra aquello y esto*—Madrid, Editora Nacional, 1945.

PONDAL ABENTE, Eduardo.

Gran poeta español. Nació—1835—en Puenteceso (La Coruña). Murió—1917—en La Coruña. Doctor en Medicina por la Universidad de Santiago. Fundador en esta ciudad del famoso Liceo de San Agustín. Ingresó por oposición en el Cuerpo de Sanidad Militar. Pero siéndole imposible soportar la disciplina castrense, abandonó su destino.

Su fama de poeta lírico fue rápida y grande y justísima. Con Rosalía de Castro y Curros Enríquez forma la gran trilogía de cantores excelsos del alma de Galicia. En su prosa, en sus versos, el habla galaica adquiere una virilidad y una gracia expresiva hasta entonces desconocidas. Poseyó una cultura extensa, un juicio crítico certero, una sensibilidad extraordinaria. Colaboró en todas las revistas de la región gallega, y suya es la letra del *Himno gallego,* al que puso música el maestro Veiga.

Obras: *Rumores de los pinos*—1879—, *Campana d'Aullons, Queixumes dos pinos* —1886—, *Os Eoas, O Dolmen de Dombate* —1895.

V. MURGUÍA, Manuel: *Los precursores.* La Coruña, 1886.—PARDO BAZÁN, Emilia: *De mi tierra.* La Coruña, 1888.—CARRÉ ALDAO, E.: *Literatura gallega.* La Coruña, 1903.—BLANCO GARCÍA, P. Francisco: *La literatura española en el siglo XIX.* Madrid, 1896.—COUCEIRO FREIJOMIL, Antonio: *El idioma gallego. (Gramática. Historia. Literatura.)* Barcelona, 1935.

PONFERRADA, Juan Oscar.

Poeta, ensayista y autor teatral argentino. Nació—1908—en Catamarca. Estudió Letras en la Universidad de Buenos Aires. En 1938 ganó el "Premio Municipal" con su obra *Flor Mitológica,* y volvió a ganar el mismo famoso "Premio", pero para teatro, en 1947, con *El trigo es de Dios.* Entre los años 1947 y 1955 dirigió el Instituto Nacional de Estudios del Teatro.

Obras: *Calesitas*—poemas—, *La noche y yo*—poemas—, *El alba de Rosa María*—poemas—, *Loores de Nuestra Señora del Valle* —poemas—, *El carnaval del diablo*—drama—, *El gran nido verde*—drama.

V. BERENGUER CARISSOMO, Arturo: *Teatro argentino contemporáneo.* Madrid, editorial Aguilar, 1959.

PONTE, Pero da.

Poeta gallego del siglo XIII. López Ferreiro le identifica con Pedro Fernández de Ponte. De familia hidalga. Con el séquito del rey don Fernando III asistió a la campaña andaluza. Más tarde, con las huestes de Jaime I, asistió a la conquista de Valencia, hecho que cantó con el mayor entusiasmo. Nuevamente recorrió las dos Castillas, León y Navarra. Fue enemigo de Alfonso X el Sabio, quien acusaba al poeta de haber dado muerte al poeta Cotón y de haberle robado sus composiciones, lucrándose con ellas.

Se conocen de Pero da Ponte cincuenta y dos poemas en una métrica serena, con barruntos prerrenacentistas. Algunos de sus "cantares d'amigo", según Menéndez Pidal, "fueron secularmente cantados; uno de ellos reaparece en los labios de Melibea y en coplas populares de hoy, sea que Da Ponte los iniciase, sea que tuviese el acierto de acogerlos con fortuna."

Además de las *Canciones d'amigo,* Pero da Ponte escribió canciones de amor, una tensón y treinta y siete *Dizeres de escarnio.*

Ediciones: *Cancioneiro portuguez da Vaticana.* Monacci, 1871; Th. Braga, 1878.

V. FILGUEIRA VALVERDE, José: *Lírica medieval gallega y portuguesa,* en el tomo I de la *Historia General de las Literaturas Hispánicas.* Barcelona, 1949.—MOURIÑO, P. José: *La literatura medieval en Galicia.* Madrid, 1929.—MENÉNDEZ PIDAL, R.: *Poesía juglaresca y juglares.* Madrid, 1924.

PONZ, Antonio.

Erudito, literato y pintor español. Nació —1725—en Bechí (Valencia) y murió—1792— en Madrid. Doctor en Teología por la Universidad de Valencia. En Madrid, durante cinco años, se dedicó con entusiasmo a la pintura, marchando a Italia—1751—para ampliar sus conocimiento artísticos. En Roma vivió durante nueve años. De regreso en España, el Gobierno le confirió el estudio de los códices de El Escorial. Recorrió toda España, catalogando y estudiando su riqueza artística; poco después publicó en veinte tomos el resultado de sus estudios, con el título de *Viaje por España,* obra que alcanzó un éxito excepcional por su documentación y su interés. Los tomos 19 y 20 reúnen sus estudios de las obras de arte conocidas fuera de España. Antonio Ponz fue secretario de la Real Academia de Bellas Artes de

P

San Fernando. Publicó, con notas muy eruditas, la obra de Felipe de Guevara, *Comentarios de la pintura,* cuyo manuscrito halló en Plasencia.

Todavía hoy, el *Viaje por España* es una obra de imprescindible estudio, pletórica en datos del mayor interés y cuya amenidad supera al de muchas excelentes narraciones de viaje.

Edición moderna en un tomo: Madrid, Manuel Aguilar, 1948.

V. RIVERO, Casto M. del: *Estudio* de la edición de Madrid, 1948.

PORCEL, Baltasar.

Novelista, periodista, ensayista español en lengua catalana. Nació—1937—en Andratx (Mallorca). Desde mozo empezó a escribir en la Prensa local y en la revista *Papeles de Son Armadans.* Desde hace años reside en Barcelona, siendo asiduo colaborador de *Serra d'Or, Destino, La Vanguardia.* En 1960 obtuvo el "Premio Ciudad de Palma" con su novela *Sol negre;* en 1969, el "Premio de la Crítica Catalana" con su novela *Els argonautes;* en 1968, el "Premio Ramón Godó Lallana" para artículos; en 1969, el "Premio Josep Pla" con su novela *Difunts sota els ametllers en flor.* Algunas de sus piezas escénicas han sido estrenadas en teatros de cámara y ensayo.

Obras: *Els escorpins*—novela, 1965—, *Viatge literari a Mallorca*—1967—, *Viatge a les Balears menors*—1968—, *Arran de mar* —1967—, *Guía turística de Mallorca*—1964—, *Guía turística de Ibiza*—1966—, *Els condemnats*—"Premio Ciudad de Palma, 1958", de teatro—, *La simbomba fosca*—"Premio Joan Santamaria, 1961", de teatro—, *El general* —teatro—, *L'inspector*—teatro—, *Exode* —teatro—, *Romanç de cec*—teatro—, *Història d'una guerra*—teatro—, *La lluna i el Cala Llamp*—novela—, *Las sombras chinescas*—narraciones—, *Els xuetes, Los encuentros*—entrevistas.

PORCEL Y SALABLANCA, José Antonio.

Extraño poeta español. Nació—¿1720?—en Granada. Y murió en Madrid hacia el año 1789. Colegial del Sacro Monte de Granada, en donde recibió las órdenes sagradas y la licenciatura en Cánones y Teología, obteniendo más adelante una canonjía en la Colegiata de San Salvador, de Granada. Protegido del conde de Torrepalma. Miembro de la Academia del Trípode—con el nombre de *El Caballero de los Tahalíes*—y de la Academia del Buen Gusto, de Madrid—con el de *El Aventurero*—. Traductor de Boileau, en el prólogo de su larguísimo poema—en cuatro églogas venatorias—*Adonis,* se confiesa "discípulo del incomparable cordobés

don Luis de Góngora, delicia de los entendimientos no vulgares". De este poema habló Quintana como de algo exquisito y extraordinario "que confiesa no conocer, a pesar de sus múltiples pesquisas". Pero la inspiración gongorina del *Adonis* no le llega a Porcel directamente, sino a través del *Adonis* de Soto de Rojas, en una amplificación perifrástica y blanda. En la *Fábula de Alfeo y Aretusa*—octavas reales—, y en la de *Acteón y Diana,* hay aún como un eco de Góngora, pero ya lejano, ininteligible casi, inseguro; eco que les presta, hay que afirmarlo, un cierto encanto turbador.

Porcel figura en el *Catálogo de autoridades* del idioma, publicado por la Academia Española, aun cuando no consta que fuera académico de número de esta, como afirmaron sus contemporáneos.

Además de las mencionadas obras, se conocen de Porcel: una *Oración graculatoria* —que parece ser leyó el 5 de enero de 1752 en la Academia Española—y un *Juicio lunático* o crítica burlesca de las producciones que se leyeron en la Academia madrileña del Buen Gusto, examinando como fiscal de ellas las composiciones de sus compañeros y las suyas propias, con notable donaire y en prosa fácil y elegante.

Las poesías de Porcel pueden leerse en el tomo LXI de la "Biblioteca de Autores Españoles", de Rivadeneyra; en la *Historia y antología de la poesía castellana,* de Sainz de Robles—Madrid, 1946—, y en *Neoclásicos y románticos,* de Félix Ros—Barcelona, 1942.

V. ARCO, A. del: *Don José Antonio Porcel y Salablanca,* en la revista *Alhambra,* XXI, números 478 a 482. Año 1918.—CUETO, L. A.: *Poetas líricos del siglo XVIII,* en "Biblioteca de Autores Españoles". Tomo LXI.—MENÉNDEZ PELAYO, M.: ... *Ideas estéticas...* 1940, III, 262.

PORLÁN Y MERLO, Rafael.

Poeta español. Nació—1899—en Córdoba y murió—1945—en Jaén. Vivió casi siempre en Sevilla, donde estudió Humanidades y varios cursos de Filosofía y Letras. Colaboró asiduamente en varias revistas poéticas: *Mediodía, Litoral, Carmen, Meseta, Los Cuatro Vientos, Escorial...*

Sus primeros poemas, aparecidos cuando en España "hacía furor" el ultraísmo, quedaron tocados levemente por esta subversión. Sin embargo, supo manumitirse de servidumbre tal, exclusivamente exterminadora y absolutamente estéril, y regresar a un lirismo íntimo, delicadísimo, prendido de matices "juanramonianos", pero avalorado con indiscutible acento propio.

Obras: *Pirrón en Tarfia*—1926—, *Romances y canciones*—Sevilla, 1936—. Dejó preparado otro libro con el título de *Nuevas poesías...*

V. GONZÁLEZ RUANO, César: *Antología de poetas españoles contemporáneos.* Barcelona, G. Gili, 1946.—SAINZ DE ROBLES, F. C.: *Historia y antología de la poesía española.* Madrid, M. Aguilar, 1951, 2.ª edición.—MORENO, Alfonso: *Poesía española actual.* Madrid, Editora Nacional, 1946.

PORRAS, Antonio.

Notable novelista y crítico español. Nació —¿1895?—en Pozoblanco (Córdoba). Abogado. Y uno de los más finos y originales escritores españoles contemporáneos. De sátira sutil; de prosa original, garbosa; de elegante modernidad narrativa; muy humano y hondo en los temas. Ingenio, humorismo y amenidad rebosan todas sus obras, una de las cuales, la novela *El centro de las almas,* fue premiada por la Real Academia Española y mereció un estudio de alabanza de "Azorín". Realmente, *El centro de las almas* rebosa realismo de oro de ley, interés emocionante, penetración psicológica, colorido, gracia y elegancia y naturalidad dialogal.

Otras obras: *Curra*—1922, narraciones infantiles—, *El misterioso asesino de Potestad*—1923, novelas y ensayos humorísticos—, *Santa mujer nueva*—1925—, *Lourdes y el aduanero*—1928, novela—, *El burlador de Sevilla*—ensayos, 1937—, *Quevedo*—biografía, 1935.

V. NORA, Eugenio G. de: *La novela española contemporánea.* Madrid, Gredos, 1962, tomo II, págs. 369-71.

PORRAS BARRENECHEA, Raúl.

Historiador, ensayista, crítico literario, periodista, diplomático, político peruano. Nació—1897—en Pisco. Doctor en Derecho. Ha representado a su país en varias naciones, entre ellas España. Verdadero humanista. Representante peruano en Congresos y Conferencias internacionales. Ha tomado parte activa en la política de su país, ocupando altos cargos públicos.

Entre sus numerosas obras sobresalen: *La literatura peruana*—Lima, 1918—, *El periodismo en el Perú*—1921—, *Pizarro el Fundador*—1941—, *El Inca Garcilaso de la Vega*—1946—, *Cervantes y el Perú*—1945—, *El sentido tradicional de la literatura peruana*—1946—, *Mito, tradición e historia sobre la conquista del Perú*—1951—, *Fuentes históricas peruanas*—1955—, *Tres ensayos sobre Ricardo Palma*—1954.

PORTAL, Luis.

El propio autor, gran novelista y autor teatral, nos escribió:

"Mi biografía es inválida. ¿Le basta saber que nací en Luarca (Asturias) el 12 de agosto de 1896? Diez años de infancia con sensaciones que asoman por alguna página de *Ataraxia.* Dos más en un colegio de Francia (Bayona). Los diez siguientes, vuelto a la oscura vida provinciana. Estudios desordenados, sin sometimiento a oficial sanción. Sensibilidad desnuda. Lecturas varias y andaduría hacia la vida literaria; pero en secreto, como un vicio andariego y con un freno de autocrítica que me hacía romper lo escrito nada más empezado, o no empezar siquiera."

Sin embargo, quedan notas y apuntes desde sus dieciséis años, que no fueron rotos:

"Y a los veintiún años se acabó la vida. Enfermé. Tuberculoso. Tuve que venirme a Castilla, por el clima. Y desde entonces hago vida de sanatorio, de reposo, de cama, de 'sepulcro de colchón', al decir de Heine. Diez años de esperar a morir."

1917, Sanatorio de Guadarrama. 1919, San Lorenzo de El Escorial. 1920, Sanatorio de la Fuenfría.

"Pascal o Nietzsche pudieron escribir hurtándole momentos a la enfermedad. Pero yo, por desgracia, soy nada junto a ellos, y aunque quiera, como Montaigne, "mirarme dentro de mí para contarme luego mi somera vida interior", es poco. Por todo esto, en 1921 resolví suicidarme literariamente y posé la pluma. Pasan cinco años de baldío silencio. Resucité y me enfrenté con el teatro. No sé hasta cuándo. Tengo siempre delante el consejo de Horacio: "Imagínate que cada día es el último que para ti luce, y recibirás con gratitud cada hora que no hubieras esperado."

En 1922 vuelve a Luarca, y pasa allí un año. En 1923 regresa a El Escorial, y en el 28 marcha a Madrid, en donde lo encuentra la muerte, a los treinta y cinco años, el 25 de marzo de 1931, cuando luchaba en el mundillo del teatro por conseguir el tan deseado estreno, y cuando creía tener la promesa cierta de conseguirlo.

Obras: *En su jardín murado*—novela. Escrita en Luarca, 1917; Real Sanatorio de Guadarrama, 1918; San Lorenzo de El Escorial, 1919. Publicada en 1921 por Rafael Caro Raggio, Madrid.

Ataraxia—borrador de novela introspectiva. Escrita en San Lorenzo de El Escorial de enero a abril de 1921. Publicada por los talleres tipográficos de Renovación, de San Lorenzo de El Escorial.

El hijo—drama en tres actos. San Lorenzo de El Escorial, enero-abril 1921. Publicada por editorial Eugenia en 1925. Barcelona.

Cuentos de pecado y edificación—Real Sanatorio de Guadarrama, 1917. Publicado por V. H. Sanz Calleja, Madrid.

¡Pum! ¡Pum! ¡Pum!, o El vengador de su

P

honra—novela eutrapélica. Septiembre 1930. Madrid.

PORTILLO, Eduardo M. del.

Autor dramático, crítico teatral, periodista. Nació—1895—y murió—1968—en Madrid. Licenciado en Filosofía y Letras. Redactor y colaborador de *España Nueva,*, *Hoy, El Liberal, Heraldo de Madrid, La Libertad, Escena, La Opinión, La Voz, Mundo Nuevo, Mundo Gráfico, La Esfera, Blanco y Negro, Buen Humor, Proscenio, Semana, Domingo* y otros muchos diarios y revistas de prestigio.

Eduardo M. del Portillo fue un periodista del momento actual, de fina inteligencia, mucha cultura, facilísima pluma y el "don de la oportunidad", tan necesario en el periodismo. En el teatro consiguió muchos e importantes triunfos. En 1951 ganó el "Premio Ciudad de Barcelona", de teatro, con su drama *Monte perdido*. Preparó y prologó las *Obras escogidas* de Carlos Arniches para la Editorial Aguilar.

Novelas: *Sor María del Divino Dolor, La carne bruta, Lienzo antiguo, Tragedia y anécdota en la vida de un hombre, El "colí" de l'Argumosa, El muerto al hoyo..., Se vende una actriz, Un marido como hay pocos, El cisne de Leda y su hijo, El beso, El Club de la Tonadillera, Macro-Club*.

Obras teatrales: *Las alas de la hormiga, Cante jondo, Calle de la Amargura, El Mesón del Pato Rojo, Tirada en la vida, La fama de Luis Candelas...*

Otros libros: *Horas de cautiverio, Esquema para una biografía de Charlot, Biografía de un jefe de Estado, La vida errante de Pío Baroja...*

Ha traducido del portugués obras de Julio Dantas y de Camilo Castello-Branco.

PORTOCARRERO, María Francisca de Sales.

Gran dama y erudita española. Condesa de Montijo. Nació—1754—en Madrid. Quedó huérfana siendo muy niña. Por muerte de su tío, el arzobispo de Toledo don Luis Fernández de Córdoba, heredó las casas de Teba y Ardales. Poseyó, además, otros muchos títulos nobiliarios. A los catorce años contrajo matrimonio con don Felipe Antonio de Palafox, marqués de Ariza. Dominaba el griego, el latín, el francés, el inglés y el italiano, la Filosofía y la Retórica. Habiendo traducido del francés la obra de Nicolás de Torneaux *Instrucciones cristianas sobre el sacramento del matrimonio*, libro marcadamente jansenista, se vio procesada por el Santo Oficio.

"El principal foco de lo que se llamaba *jansenismo*—escribe Menéndez Pelayo en el tomo III de la *Historia de los heterodoxos españoles*—estaba en la tertulia de la condesa de Montijo. A su casa concurrían habitualmente el obispo de Cuenca, don Antonio de Palafox—cuñado de la condesa—; el de Salamanca, Tavira; don José Yeregui, preceptor de los infantes; don Juan Antonio Rodrigálvarez, arcediano de Cuenca; don Joaquín Ibarra y don Antonio Posada, canónigo de la Colegiata de San Isidro."

Tuvo dos hijos y cuatro hijas. Su primogénito, don Eugenio Eulalio, enemigo de Godoy, fue acusado por este de haber redactado—en colaboración con su madre—un *Discurso* ofensivo contra él. La condesa justificó su conducta, pero no pudo evitar el destierro de su hijo.

Esta singularísima mujer falleció en Logroño el 15 de abril de 1808.

V. ALVAREZ DE BAENA: *Hijos ilustres de Madrid*. Tomo IV.—COLOMA, padre Luis: *Retratos de antaño*, cap. XVI.

PORTOGALO, José.

Poeta, prosista, periodista argentino. Nació en 1904. En su juventud fue pintor de brocha gorda. Periodista brillante, colaborando en los principales diarios del continente. Publicó *Tregua* en 1933 y luego *Tumulto* ("Premio Municipal de Poesía") en 1935. Sus libros siguientes son *Destino del canto, Centinela de sangre, Luz liberada, Mundo del acordeón* y *Perduración de la fábula* (ed. Lautaro), uno de sus más importantes poemarios. Tiene también una *Vida de Miguel Angel*—ed. Atlántica, Buenos Aires.

PORTUONDO, María.

Poetisa española. Nació—1921—en Madrid. Estudió en el madrileño colegio de la Asunción. Doctora en Derecho por la Universidad de Madrid y licenciada en Filosofía y Letras. Ha viajado por Francia, Bélgica, Italia, Portugal y Marruecos.

Su primer libro de poemas, *Pétalos,* llamó la atención de la crítica, alcanzando con él un puesto destacado entre las mejores poetisas contemporáneas de habla castellana.

María Portuondo es de una exquisita sensibilidad, exteriorizada en unas formas tan modernas como originales.

Otra obra: *Según fui pasando*.

V. SANZ DE ROBLES, F. C.: *Historia y antología de la poesía castellana*. Madrid, Aguilar, 2.ª edición, 1951.

POTTS, Renée.

Cuentista, cronista, autora dramática cubana. Nació—1908—en la Habana. Maestra nacional en 1927. Desde muy joven cultivó el periodismo en diarios y revistas de gran importancia: *El País, El Mundo, Diario de la Marina, Recortes, Grafos...* En 1936 obtuvo el "Premio Lyceum Femenino" con su libro de poemas *El romancero de la maestrilla*. En 1955 ganó el "Premio Hernández Catá" para cuentos, con el suyo *Camino de herradura*.

De su teatro se ha dicho que "todo, realidad o imaginación, pasa ante nosotros con la sencillez de la vida diaria y envuelto en una poesía fresca, franca, clara, pero, a la vez, penetrada de toda hondura humana".

Obras: *Fiesta mayor*—poemas—, *La ventana y el puente*—cuentos—y las teatrales: *El amor del diablo*—"Premio del Círculo de Bellas Artes, 1931—, *El Conquistador*, *Habrá guerra de nuevo, Una historieta de muñecos, Domingo de Quasimodo, Los umbrales del arte, Cena de Navidad, Buen tiempo de amor, Camila o la muñeca de cartón, Imagíname infinita...*

POUS Y PAGÉS, José.

Excelente novelista y autor dramático español. Nació—1873—en Figueras (Gerona). Murió en 1952. Toda su vida la ha dedicado con fervor extraordinario e incansable a la literatura. Pous y Pagés no ha sido nunca ni más ni menos que un notabilísimo hombre de letras. Colaborador de los más selectos periódicos y revistas de Cataluña: *L'Avanç, Catalonia, Le Poble Català*..., todos ellos de tendencias abiertamente izquierdistas en política.

Cronista agudo y ameno. Novelista fuerte, brillante y de mucha enjundia. Autor teatral de realismo insuperable.

Obras: *Perla vida*—novela, 1900—, *Quan se fa nosa*—novela, 1903—, *Revolta*—1908—, *La vida y la mort de'n Jordi Freginals*—novela, 1916—, *Papallones*—comedia, que obtuvo el "Premio Fastenrath, 1920"—, *Quan passava la tragedia*—farsa, 1920—, *Primera volada*—comedia, 1921—, *María Lluisa i els seus pretendents*—comedia, 1928—, *Vivim a les palpentes*—comedia, 1930...

POYO, Damián Salucio del.

Discreto autor dramático y poeta español. Nació—¿1550?—en Murcia. Murió en 1614. No fue sacerdote, conforme creyeron La Barrera y algunos otros críticos. De su testamento, redactado el día antes de su muerte, se deduce que estaba casado—y sin hijos—con doña Juana Fajardo, y que era rico, pues vincula sus fincas principales de Murcia a favor de su hermano Antonio Salucio del Poyo, poniendo como condición que los herederos de este lleven siempre el apellido Poyo.

Cervantes elogió a Poyo en el *Viaje del Parnaso*, citándole en segundo lugar de la lista de poetas escogidos por Apolo; Rojas

Villandrando le alabó también en la *Loa de la Comedia;* y si Lope se olvida de él en el *Laurel de Apolo,* lo recuerda en su alegórico *Jardín*—epístola octava de *La Filomena,* 1621—, y le dedica—Madrid, 1621—su comedia *Los muertos vivos* con este panegírico: "Lo que la antigüedad llama *llevar vasos a Sumo,* esto es, dirigir a vuesa merced una comedia, habiendo con las muchas que ha escrito adquirido tanto nombre, particularmente *La próspera y adversa fortuna del condestable don Ruy López de Avalos,* que ni antes tuvieron ejemplo ni después imitación." Finalmente, Antonio Navarro le coloca en tercer lugar en el catálogo de los más célebres escritores cómicos de principios del siglo XVII. El nombre de Poyo figura en el *Catálogo de autoridades* del idioma, publicado por la Academia Española.

Sin embargo, la crítica actual coloca a Salucio del Poyo entre los dramaturgos de *tercera categoría* de su época.

Otras obras: *La privanza y caída de don Alvaro de Luna, Vida y muerte de Judas, El premio de las letras por el rey Felipe II, La corona pretendida y rey perseguido, Discurso de la Casa de Guzmán y su origen*—historia genealógica—, *Proverbios y refranes castellanos.*

Las obras teatrales de Poyo se publicaron en la *Tercera parte de las comedias de Lope de Vega y otros autores*—Valencia, 1611, y Barcelona, 1612—, y en *Flor de las comedias de España...*, *quinta parte*—Madrid y Alcalá, 1615.

De *La corona pretendida* hay una edición moderna: Klaus Toll, París (Leipziger, Rom. St., 11, 6).

V. GARCÍA SORIANO, Justo: *Damián Salucio del Poyo,* en *Boletín de la Academia Española,* 1926, XIII.—GILLET, J. E.: *Traces of the Wandering Jew in Spain,* en *Rom. Review,* 1931, XXII, 16.

POZO GARZA, Luz.

Poetisa española. Nació—1922—en Ribadeo (Lugo). En 1930 se trasladó a Vivero, donde vive desde entonces. Estudió el bachillerato en Lugo y más tarde en Marruecos. Después de casada se hizo maestra y profesora de música. Su primer libro publicado—1949—, *Anfora,* le valió el ingreso en la Real Academia Gallega.

La "Colección Xistral", de Lugo, publicó su segundo libro: *O paxaro na boaca.* Su tercer libro, *El vagabundo*—1952—fue señal cierta de su gran importancia lírica. Ha estudiado Filosofía y Letras.

Su lirismo está transido por una enternecedora melancolía y una obsesionante melodía íntima.

P

PRADO, Pedro.

Poeta y prosista chileno. Nació—1866—en Santiago. Fundó el grupo Los Diez. Ministro de Chile en Colombia. En 1949 le fue concedido el "Premio Nacional de Literatura", el más alto galardón de su patria.

Su obra, en prosa y en verso, es uno de los más significativos exponentes de las letras de su país.

Obras: *Flor de cardo*—1908—, *La casa abandonada*—1912—, *El llamado del mundo* —1913—, *La reina de Rapa Nui*—1914—, *Los Diez*—1915—, *Los pájaros errantes*—1915—, *Ensayos*—1916—, *Alsino*—1920—, *Las copas* —1921—, *El juez rural*—1924—, *Androvar* —1925—, *Camino de las Horas*—"Premio Municipal, 1934"—, *Otoño en las dunas* —1940—, *Esta bella ciudad envenenada* —1945—, *No más que una rosa*—1946.

V. PINO SAAVEDRA, Y.: *Antología de poetas chilenos*. "Biblioteca de Escritores Chilenos", 1940.—SOLAR, Hernán del: *Indice de la poesía chilena contemporánea*. Santiago de Chile, Ercilla, 1937.—DONOSO, Armando: *Antología de poetas chilenos contemporáneos*. Santiago, 1917.—DONOSO, Armando: *Nuestros poetas*. Prólogo y notas. Santiago, Nascimiento, 1924.—LATORRE, Mariano: *La literatura de Chile*. Facultad de Filosofía y Letras. Buenos Aires, 1941.—LILLO, Samuel: *La literatura chilena*. Santiago, 1930.

PRADO NOGUEIRA, José Luis.

Nació—1919—en El Ferrol (La Coruña). En 1929 llegó a Bilbao, estudiando en el Colegio de los padres jesuitas. Cursó el bachillerato—desde 1932—en los Institutos madrileños de Cisneros, Calderón de la Barca y Lope de Vega. En 1938 estuvo en la prisión de San Lorenzo, de Madrid, y en diciembre de este año un tribunal le condenó—por espionaje y alta traición—a dieciséis años y un día en el Penal de Mora (Toledo), donde le sorprende el fin de la guerra de Liberación. En 1940 ingresó en la Escuela Naval militar. Perteneció al Cuerpo de Intendencia de la Armada. En distintos barcos de la Armada española ha recorrido todos los mares. Empezó a publicar sus poemas en las revistas *Acanto*, *La Estafeta Literaria*, *Juventud*, *Ateneo*—de Madrid—y *Alfoz*—de Córdoba.

Es "Premio Nacional de Literatura José Antonio Primo de Rivera, 1960", y "Premio Ciudad de Barcelona, 1959", los dos otorgados a *Miserere en la tumba de R. N.*

Obras: *Testigo de excepción*—1953—, *Oratorio del Guadarrama*—1956—, *Respuesta a Carmen*—1958—, *Miserere en la tumba de R. N.*—1960—, *Sonetos de una media muerte* —1963—, *La carta*—"Premio Leopoldo Pa-

nero del Instituto de Cultura Hispánica, 1966"—, *El signo*—1968.

PRADOS, Emilio.

Fino y delicado poeta español. Nació —1899—en Málaga. Murió—1962—. Licenciado en Filosofía y Letras. Viajero en Francia, Suiza y Alemania. Libros suyos: *Tiempo* —1925—, *Canciones del farero*—1927—, *Vuelta*—1927—, *Tres cantos*—1937—, *Mínima muerte, Jardín cerrado*—1950, su obra poética más importante.

Prados se relaciona líricamente con Lorca y Alberti, aun cuando en la diafanidad de su andalucismo y en el cincelamiento de sus imágenes hay mucho de personal y de admirable. Prados es, como insiste un crítico moderno, "la elegancia en la facilidad y la gracia meridional del arabesco".

Este poeta fundó y dirigió con Manuel Altolaguirre la revista y las ediciones de *Litoral*—1927 a 1929, Málaga—, dedicadas a la *poesía* pura.

Pueden leerse sus versos en *Poesía española*—Madrid, *Signo*, 1932—, de Gerardo Diego, y en *Historia y antología de la poesía castellana*—Madrid, Aguilar, 1951—, de Sainz de Robles.

De Prados ha escrito Valbuena y Prat—en su *Historia de la literatura española*, Barcelona, 1950, tomo III—: "Parte de Lorca y Alberti, de su andalucismo diáfano, infantil, con el que naturalmente coincidían sus dotes de poeta ágil y musical... Sutileza, ritmo de repeticiones, imágenes cinceladas, lucen en sus libros... Ultimamente, Prados se halla apartado del grupo de nuevos poetas; las composiciones que de él conocemos revelan —como en Cernuda y Aleixandre—el paso a la seria dimensión infinita, en un tipo de creación más libre de ataderos formales, pero también más exigente de profundidad."

V. DIEGO, Gerardo: *Nota* en la ed. *Signo*. Madrid, 1932.—VALBUENA PRAT, A.: *Historia de la literatura española*. Barcelona, 1950, 3.ª edición. Tomo III.—DÍAZ-PLAJA, Guillermo: *Poesía lírica castellana...* Barcelona. Edición Labor, 1948, 2.ª edición.—MORENO, Alfonso: *Poesía española actual*. Madrid, Editora Nacional, 1946.—SAINZ DE ROBLES, Federico Carlos: *Historia y antología de la poesía española*. Madrid, Aguilar, 1964, 4.ª edición.—ALONSO, Dámaso: *Una generación poética: 1920-1936*, en *Finisterre*, 1948.

PRECIADO, Tomás.

Nació—1928—en Hellín (Albacete). Cursó estudios de Derecho, que no acabó, y de Filosofía y Letras, en Madrid. Fundó, con Rafael Millán y otros poetas, la revista *Agora*. "Premio Diputación de Albacete, 1959". Se dio a conocer en *Versos a medianoche*. Ha obtenido diversos premios y ha dado recitales por casi toda la Península y Mallorca. La muerte prematura de su primer hijo lo apartó de los ambientes literarios madrileños, retirándose a su pueblo natal, donde actualmente vive. Su poesía es eminentemente emotiva, impresionista; sangra pronto por cualquier parte que se toque en ella.

Obras: *Tierra de sol y lejanía*—1950, Ediciones Rumbos—, *La rosa y la muerte* —1952—, *6 sonetos del libro inédito Retrato* —"Colección Hojas", núm. 2—, *El árbol herido (algunos poemas)*—1953, "Colección Neblí", núm. 10—, *Cancionero*—1953, "Colección Escálamo", núm. 2—, *El árbol herido* —1955, 2.ª edición, ampliada, publicación de *Agora*—, *En el nombre del hijo*—1956, "Colección Cardencha", núm. 1—, *Dios en la Tierra*—1959—, *Calle de la Luz*—1962, "Colección Palabra y Tiempo", núm. 10.

V. Entrambasaguas, Joaquín de: *Revista de Literatura del Consejo Superior de Investigaciones Científicas*, año 1955, tomo VII.— Henares, O. F. M., fray Francisco: *Juventud seráfica*, año 1955, tomo XXVIII.

PRÉNDEZ SALDÍAS, Carlos.

Poeta chileno. Nació en 1892. Universitario. Ha viajado varias veces por Europa y América. Se dio a conocer en 1914 con su obra *Misal rojo*. Pertenece a la categoría de poetas intimistas neorrománticos que confían al lirismo la sincera historia de su alma.

Préndez Saldías se aparta sistemáticamente de la línea subversiva de Neruda, para seguir en la línea de la sensitiva Gabriela Mistral.

En 1929 publicóse en Barcelona una selección de sus poemas en la Colección titulada "Los Mejores Poetas".

Otras obras: *Paisajes de un corazón, El alma de los cristales, Amaneció nevado, Luna nueva de enero, Devocionario romántico, Peregrino del ansia, Cielo extranjero...*

V. Anguita y Teitelboim: *Antología de la poesía chilena nueva*. Santiago, Zig-Zag, 1935. Donoso, Armando: *Antología de poetas chilenos contemporáneos*. Santiago, 1917.—Donoso, Armando: *Nuestros poetas. Antología chilena moderna*. Santiago, edit. Nascimiento, 1924.—Latorre, Mariano: *La literatura de Chile*. Buenos Aires, Facultad de Filosofía y Letras, 1941.—Azócar, Rubén: *La poesía chilena moderna*. Santiago, 1931.

PRIETO, Antonio.

Novelista español. Nació—1930—en Almería. Estudió el bachillerato en su ciudad natal, y se trasladó a Madrid para seguir las disciplinas de la licenciatura de Filosofía y Letras. En 1955 logró el "Premio Planeta".

De él ha escrito José Luis Alborg: "Una cosa es segura: su preocupación por el *hacer* y unas dotes para la composición poco comunes, que le colocan a la vanguardia de nuestros novelistas en este campo de su arte. No habrá que esperar mucho, me parece, para verle florecer en obras enteramente maduras." Y añado yo: Antonio Prieto es de los pocos novelistas de su promoción que han "echado mano de la fantasía", de cuando en cuando, para ennoblecer el realismo.

Obras: *Tres pisadas de hombre*—Barcelona, 1955—, *Buenas noches, Argüelles*—Barcelona, 1956—, *Vuelve atrás, Lázaro*—Barcelona, 1958—, *Encuentro con Ilita*—Barcelona, 1961.

V. Alborg, José Luis: *Hora actual de la novela española*. Madrid, Taurus, 1958, tomo I, págs. 321-31.

PRIETO, Guillermo.

Poeta y prosista mexicano. Nació—1818— en Molino del Rey y murió—1897—en Tacubaya. Durante medio siglo fue el poeta más popular y querido de su patria. Tomó parte activísima en la guerra de la Reforma. Diputado. Ministro de Hacienda—1858—con el presidente Juárez, al que acompañó en su huida después del pronunciamiento de Zuloaga, y al que salvó la vida, cuando iba a ser fusilado en Guadalajara, por la guardia sublevada, con una admirable arenga. Profesor de Historia del Colegio Militar de México. Se distinguió por su insobornable integridad y su caballerosidad sin tacha, llegando a convertirse en una institución y en un símbolo. Sus años de profesorado formaron varias generaciones de jóvenes, llenos de los más nobles designios.

Como poeta, cultivó un romanticismo exaltado y versificó con abundancia de tópicos y de ripios. "Si ahora nos parece hueca su sonoridad—escribe el gran poeta Luis G. Urbina—y vacíos sus tropos, es porque lo extraemos de su ambiente, de su época batalladora y tumultuosa, de su período jacobino..., en el que toda voz tomaba entonación oratoria; toda emoción, amplitud excesiva; todo brazo, actitud frenética; todo pensamiento, expresión pindárica."

De su *Romancero de la Independencia* dijo Altamirano que era "la epopeya nacional con todos sus caracteres".

Otras obras: *Musa callejera*—publicada con el seudónimo "Fidel"—, *Los cangrejos*—sátira anticlerical—, *Poesías escogidas, Versos inéditos, Memorias de mis tiempos*—crónicas—, *Compendio de Historia de México...*

V. Roa Bárcena, José María: *Antología de poetas mexicanos*. Ed. de la Academia Mexicana, dos tomos, México, 1892-1894.—Esteva, Adalberto A.: *Antología mexicana*.

P

México, 1893.—MENÉNDEZ PELAYO, M.: *Historia de la poesía hispanoamericana*. Madrid, 1911-1913.—GONZÁLEZ PEÑA, Carlos: *Historia de la literatura mexicana*. México, 2.ª edición, 1940.—PUYA Y ACAL, Manuel: *Los poetas mexicanos contemporáneos*. México, 1888.

PRIETO, Justo.

Pensador, crítico y sociólogo paraguayo contemporáneo. Universitario de gran erudición y talento. Su influencia es mucha en las letras contemporáneas de su patria, y su fama ha llegado a la Argentina, Brasil y Uruguay.

Ha desempeñado cargos importantes en la política. En sus escritos se armonizan con maestría la claridad de la exposición y la trascendentalidad de las ideas.

Entre sus mejores obras figuran: *Ideas para la concepción de la juventud universitaria*—Buenos Aires, 1937—y *Síntesis sociológica*—Buenos Aires, 1937.

V. DÍAZ PÉREZ, Viriato: *La literatura del Paraguay*, en el tomo XII de la *Historia universal de la literatura*, de Prampolini. Buenos Aires, Uteha Argentina, 1940.

PRIETO DE LANDÁZURI, Isabel.

Poetisa y escritora dramática española-mexicana. Nació—¿1828?—en Alcázar de San Juan (Ciudad Real). Murió—1876—en Hamburgo. Poseyó una cultura vastísima, dominando el inglés, el francés, el alemán y el italiano. Contrajo matrimonio con don Pedro de Landázuri, escritor y cónsul de México en Hamburgo. En 1861 estrenó con éxito su primera producción dramática, y en 1872, la última.

Tradujo a la perfección poemas de Schiller, Goethe, Byron, Shelley, Alfieri, Ronsard... Y algunas de sus poesías líricas—*El "no me olvides"*, *A una mariposa*, *A mi hijo dando limosna*—figuran en numerosas antologías.

Mereció elogios calurosos de Zorrilla, Núñez de Arce y Fernández y González.

Obras escénicas: *Las dos flores*, *Oro y oropel*, *La escuela de las cuñadas*, *Los dos son peores*, *El ángel del hogar*, *Duende y serafín, una noche de Carnaval; Abnegación, Lirio entre zarzas, Soñar despierto...*

PRIETO LETELIER, Jenaro.

Periodista y novelista chileno. Nació —1889—en Santiago. Desde casi niño se dedicó con el máximo fervor al periodismo, llamando la atención del gran público con su notable vena satírica y su sutilísima psicología de las costumbres y las gentes. Durante algún tiempo dirigió el *Pacífico Magazine*. En 1921 publicó su primer libro, *Pluma en ristre*, recopilación de crónicas bien escritas y sabrosísimas. Y en 1926, su novela *Un muerto de mal criterio* le colocó entre los primeros escritores de su país.

Su fama universal la debe a su novela *El socio. Historia de lo que no ha sucedido*, obra traducida a varios idiomas, de un intenso dramatismo y de un humor de la mejor ley.

También es Prieto un excelente pintor.

Edwards Bello ha dicho de él "que es un espíritu griego, como Camba en España".

En todas las obras de Prieto se suman armónicamente un gran idealismo muy hondo —como el contrapunto de una melodía sugestiva—, una sátira fina e incapaz de ofender, una originalísima inventiva y un estilo personal envuelto en una prosa limpia y señora.

Prieto es autor de varios centenares de cuentos y de crónicas, todos ellos escritos con una maestría ejemplar, y muchos, dignos de las antologías.

V. LATORRE, Mariano: *La literatura de Chile*. Buenos Aires, Facultad de Filosofía y Letras, 1941.—LILLO, Samuel: *La literatura chilena*. Santiago, 1930.—CERRATO, Oscar: *Panorama de la literatura chilena*. Buenos Aires, en *Nosotros*, segunda época, núm. 21, diciembre 1937.—MELFI, Domingo: *Panorama literario chileno. La novela y el cuento*, en *Atenea*, núm. 58, octubre 1929.

PRIMO DE RIVERA Y SÁENZ DE HEREDIA, José Antonio.

Marqués de Estella, grande de España. Nació en Madrid el 24 de abril de 1903. Murió trágicamente en la Prisión Provincial de Alicante en la madrugada del 20 de noviembre de 1936. Hijo primogénito del general Primo de Rivera, jefe del Gobierno español desde 1923 a 1930. Estudió en Madrid el bachillerato y la carrera de Derecho, dedicándose desde muy joven al ejercicio de la profesión de abogado, en la que destacó rápidamente por sus profundos conocimientos y su aguda inteligencia. Al sobrevenir la caída de la Dictadura de su padre y fallecer este en París, las circunstancias familiares y la situación española le arrancaron de su pasión profesional y el silencio de su despacho para colocarle de lleno en el primer plano de la política española. Creador en 1933 de la Falange Española y elegido diputado a Cortes por Cádiz en aquel mismo año, inició una actividad como escritor y orador político de gran altura, que cortó bruscamente su fusilamiento, a los treinta y tres años.

A pesar del carácter exclusivamente político de sus escritos, José Antonio Primo de Rivera figura con derecho propio en este *Diccionario de la Literatura*, no solo por el valor excepcional de su prosa bellísima, ágil, certera y llena de calidades literarias

—él mismo se consideraba discípulo del gran pensador Ortega y Gasset—, sino por la influencia extraordinaria que su estilo "ardiente, directo y combativo" ejerció sobre las jóvenes generaciones de escritores surgidos desde 1934. Parece ser que en los últimos meses de su existencia, Primo de Rivera alternó sus trabajos de índole política con otros de pura creación literaria—se habla de una novela y un drama—perdidos hasta la fecha, y en los que, seguramente, pondría de manifiesto sus excepcionales condiciones de gran escritor. Solo se conocen de él—y han sido impresos numerosas veces, la última en el año 1951, por la Dirección General de Propaganda, del Ministerio de Educación Nacional—sus discursos y escritos políticos.

La recopilación de sus *Obras completas* está ordenada en cuatro partes: I. *Discursos de la Falange*. II. *Discursos frente al Parlamento*. III. *Escritos: Misión y Revolución;* y IV. *Escritos: Política española*.

V. XIMÉNEZ DE SANDOVAL: *José Antonio*. Barcelona, 1941.—BRAVO, Francisco: *José Antonio*. Madrid, 1939.

PRÍNCIPE, Miguel Agustín.

Catedrático, poeta y periodista. 1811-1866. Nacido en Caspe—16 de octubre—, catedrático de Literatura de la Universidad de Zaragoza, ejerció la abogacía en Madrid y fue bibliotecario de la Nacional y redactor del *Diario de Sesiones*. Pero la verdadera vocación de Miguel Agustín Príncipe era la de periodista. Le poseía el azoguillo indispensable para llegar a tiempo a todas partes. Tenía la sutileza precisa para meterse en cuanto no le importaba..., siempre que importara a los demás. El sabía mejor que nadie tocar la tecla emotiva con la que mejor armonizaban las emociones ajenas en los momentos culminantes. Era maestro en el arte del sonsacar, de coger el cabo suelto de una confidencia y... tirar, tirar de él sin romperlo. Estos dones y estas dotes le fueron reconocidos ampliamente. Y no hubo periódico ni periodiquillo en la villa y corte cuyo director no se acordara de Príncipe como de un elemento indispensable. Formó parte de las Redacciones de *La Prensa* —1840—, de *El Entreacto*—1840—, de *El Espectador*—1841 a 1848—, de *El Anfitrión Matritense*—1843—, de *La Themis*—1857—y de *El Semanario Pintoresco*—1845 a 1853—. Dirigió *El Moscardón*—1844—y *El Gitano* —1846—. En algunos de ellos utilizó para firmar seudónimos como "Marcareque", "Don Yo"...

Cuando había que llenar una columna de sales finas o de chuscadas..., allí estaba Príncipe. Cuando era necesario *hinchar* un suceso de poca miga..., allí estaba Prín-

cipe. Cuando se precisaba un comentario de relumbrón a un acto político..., allí estaba Príncipe. Cuando dos o tres redactores enfermaban..., allí estaba Príncipe. Capaz de escribirse él solito todo el periódico sin que la amenidad se resintiera. Y capaz de no dar la menor importancia a cuanto escribía. Lo que a él le interesaba verdaderamente era sentirse abrumado *por cosas que hacer;* que le vinieran cortas las veinticuatro horas del día; exclamar por todas partes, a troche y moche, que no tenía tiempo que perder y que no le detuvieran ni le importunasen.

Cada madrileño, entre 1846 y 1866, tuvo la impresión de que, constantemente, como su sombra, llevaba detrás de sí, a su lado, delante, a don Miguel Agustín Príncipe dispuesto a enterarse de cuanto aconteciera a cada madrileño.

Murió de desvivirse en 1866. Posiblemente, sin poder dominar su impaciencia informativa, salió corriendo al encuentro de la muerte.

Dice Cejador que Príncipe "escribió en excelente y culta prosa acerca de historia, leyendas y narraciones; hizo pocos, aunque buenos dramas; pero sobresalió como escritor festivo y de buen amor y se hizo todavía más famoso por sus bonitas *fábulas* en variedad de metros".

Obras importantes de Miguel Agustín Príncipe son: *El conde don Julián*—drama, Zaragoza, 1839—, *Poesías ligeras, satíricas y festivas*—Madrid, 1840—, *Guerra de la Independencia*—1844, tres tomos—, *Periquillo entre ellas*—comedia, 1844—, *Tirios y troyanos*—política en broma, 1854—, *La Baltasara*—drama en colaboración con García Gutiérrez y Gil Zárate, 1852—, *Diccionario poético*—1852—, *Fábulas en verso castellano y en variedad de rimas*—Madrid, 1861-1862.

V. CEJADOR Y FRAUCA: *Historia de la lengua y literatura castellanas*. Tomo VII.— BUSTILLO OLMOS: *Poesía festiva castellana*. Madrid, 1888.—SAINZ DE ROBLES, F. C.: *Historia y antología de la poesía castellana*. Madrid, Aguilar, 1964.—VALERA, J.: *Florilegio de poesías castellanas del siglo XIX*. Madrid, 1904.

PRISCILIANO.

Heresíarca y escritor hispanolatino. ¿345-385? San Jerónimo, en *De viris illustribus*, 121, en pocas palabras nos da las máximas noticias de la vida de Prisciliano: "Obispo de Avila (nombrado y elegido por sus secuaces Instancio y Salviano), acusado por la facción de Idacio e Itacio, fue degollado en Tréveris por el tirano Máximo; dio a luz muchos opúsculos, de los cuales algunos han llegado hasta nosotros. Ha sido acusado, y aún hoy lo es, de la herejía gnóstica, es de-

P

cir, de Basílides y Marción, de los que escribe Ireneo, aunque algunos le defienden y dicen que no sintió así."

Noble y rico, de vasta cultura, fogosa palabra y audaz en la acción, Prisciliano, aún laico, apareció en la vida española hacia el año 370, propagando una doctrina esotérica de origen gnóstico-maniqueo. Prisciliano fue la primera víctima del brazo secular al servicio de la Iglesia. Sin embargo, desaprobaron su ejecución San Martín de Tours, San Ambrosio y el papa Siricio.

A lo largo de los siglos, los autores han seguido no poniéndose de acuerdo acerca de la significación religiosa de Prisciliano. Para unos, fue un católico místico; para otros, un gnóstico y maniqueo. Lo cierto es que hoy sigue denominándose *priscilianismo* a una de las últimas ramificaciones del gnosticismo mezclada con el maniqueísmo.

El priscilianismo se manifestó antitrinitario, no admitiendo distinción de personas en la Trinidad, sino solo de atributos o modos de manifestarse.

El priscilianismo fue condenado por los concilios de Zaragoza (380), de Astorga, primero de Toledo y de Braga (567).

Los escritos que hoy se conservan de Prisciliano son los *Cánones* a las *Epístolas* de San Pablo.

V. MENÉNDEZ PELAYO, M.: *Heterodoxos españoles.* Madrid, 1880, tomo I.—BONILLA SAN MARTÍN, A.: *Historia de la filosofía española.* Madrid, 1908.—BABUT, E. C.: *Priscillien et le Priscillianisme.* París, 1909.—LÓPEZ FERREIRO: *Estudios historicocríticos sobre el Priscilianismo.* Santiago, 1878.—SCHANZ, Martin: *Geschichte der Römischen Litteratur.* 1914.—LEZIUS, F.: *Die "Libra" des Priscillianisten Diktinius von Astorga.* Munich, 1908.

PROAZA, Bachiller Alonso de

(Vivió entre 1470 y 1530.)

Era oriundo de Asturias, aun cuando acaso naciera en Valencia. Se hizo famoso defendiendo las doctrinas de Raimundo Lulio y editando en Sevilla—1501—*La Celestina*, para la que escribió coplas encomiásticas. Catedrático de Retórica—1504—en Valencia. Sacerdote. Muy amigo del Cardenal Ximénez de Cisneros. Escribió—posiblemente—las comedias *Thebayda, Hipólita y Serafina*, publicadas en—1521—Valencia. Y añadió nuevos actos a *La Celestina*.

Poesías de Proaza figuran en las *Sergas de Esplandian* y en el *Cancionero General* —1511—de Hernando del Castillo.

PRUDENCIO, Roberto.

Filósofo, ensayista, crítico de arte contemporáneo boliviano. Está considerado como uno de los adalides de la insurrección juvenil. Mentalidad extraordinaria y forma expresiva magnífica. Roberto Prudencio ha cultivado con raro acierto el ensayo filosófico literario, la crítica de arte, la investigación histórica. Posee, armonizadas hasta límites insospechados, la sagacidad del análisis, la precisión y señorío del estilo y la fuerza sintética.

Según el agudísimo crítico boliviano Díaz de Medina: "Prudencio es el ensayista de mayor vuelo y el más avisado espíritu crítico de su generación, en la cual viene influyendo con noble eficacia por la originalidad de su pensamiento. Ha hecho, entre nosotros, algo de lo que Ortega y Gasset hizo con los españoles, acercándolos al conocimiento de los grandes pensadores de Occidente. Los mejores estudios interpretativos de Goethe, de Simmel, de Keyserling, de Spengler, de Heidegger se deben a su pluma.

V. DÍEZ DE MEDINA, Fernando: *Perfil de la literatura boliviana*, en *Thunupa*, La Paz, 1947.—FINOT, Enrique: *Historia de la literatura boliviana.* México, 1943.

PRUDENCIO CLEMENTE, Aurelio.

Gran poeta español. El más importante de los poetas latinocristianos de España. Aurelio Prudencio Clemente nació el año 348—de nuestra Era—probablemente en Zaragoza, aun cuando hay quien cree que en Calahorra (Logroño). Murió entre los años 405 y 410, no se sabe dónde. Las pocas noticias que conocemos de su vida están consignadas en cierta biografía incluida en el prefacio del *Libro de los himnos*, que sirve como de introducción a la edición completa de sus obras, publicada cuando Prudencio contaba cincuenta y siete años. Se educó esmeradamente en Zaragoza, estudiando Retórica y Derecho. Fue abogado, y gobernador de una provincia española. También ejerció un alto empleo militar. Perteneció a una familia tan ilustre, que el nombre de ella figura en algunas de las medallas conmemorativas acuñadas en Zaragoza. A los cincuenta y siete años se retiró a un monasterio, muriendo poco después. Diferentes biógrafos añaden que vivió algunos en Roma y que fue *praefectus praetorio* durante el reinado de Teodosio.

Obras: *Cathemerinon, Peristephanon, Hamartigenia, Psychomachia, Apotheosis y Dittochacon.* En estos seis libros están reunidas todas sus composiciones poéticas. Escribió, además, *Dos libros contra Sicomaco.*

El *Cathemerinon* reúne doce himnos, a modo de oraciones cotidianas. El *Peristephanon* reúne los himnos en loor de los mártires. *Hamartigenia* se refiere al origen del mal y del pecado. *Psychomachia* es el poema de la lucha del alma con sus enemigos. *Apotheosis* es la apología de la divinidad de

Cristo y la diatriba de las sectas heréticas. El *Dittochacon* es un poema—en 49 tetrásticos—en que se explican otros tantos cuadros, con pinturas tomadas del Antiguo y del Nuevo Testamento.

En Prudencio aparece una poesía enteramente cristiana, con grandeza y con retórica. Erasmo lo consideró como el mejor poeta latinocristiano. La fama de Prudencio perduró en los primeros siglos a través de Sidonio Apolinar, Avito, San Isidoro, el venerable Beda, Rábano Mauro... Bossuet afirmó que su poesía vale tanto como la de los mejores clásicos latinos.

La primera edición de las obras de Prudencio es la de Devesiter—1472—, a la que siguió Amberes—1564, de Giselin—. En 1788 las reimprimió en Roma F. Arévalo, con un magnífico comentario. Ediciones modernas son las de Tubinga—1847—y Leipzig—1860, por Dressel.

Ediciones críticas: J. Bergmann, Viena-Leipzig, 1926; M. Lavarenne, París, 1933; I. Stam, Amsterdam-París, 1940; Lavarenne, París, Coll. Budé, 1943; P. Isidoro Rodríguez y José Guillén, Madrid, 1950, Ediciones de Autores Católicos.

Muchísimas de sus poesías han sido reproducidas en *Breviarios, Vidas y Actos* de los santos. Francisco Palomino—1559—tradujo muchas de ellas en la *Psicomaquia*, y Luis Díez de Aux, en Zaragoza, 1619; Rodríguez de Castro—según Nicolás Antonio—tradujo otras. Y bastantes, el canónigo Miguel Franco de Villalba, en Zaragoza, 1727. Menéndez Pelayo ha vertido magníficamente el *Himno* a los dieciocho mártires de Zaragoza. Y el magnífico humanista contemporáneo don Lorenzo Riber ha traducido en verso catalán muchos fragmentos que pueden leerse en su libro *Los Sants de Catalunya*.

V. VIÑAZA, conde de la: *Prudencio Clemente. Estudio biográfico-crítico.* Madrid, 1888.—TONA BARTHET, A.: *Aurelio Prudencio Clemente*, en *Ciudad de Dios*, 1902, LVII y LVIII.—GARCÍA VILLADA, Z.: *Historia eclesiástica de España.* Madrid, 1929, I.—RIBER, Lorenzo: *Aurelio Prudencio Clemente.* Barcelona, 1936.—SCHWEN, Ch.: *Vergil bei Prudencio.* Leipzig, 1937.—PUECH, A.: *Prudence: étude sur la poésie latine-chrét.* París, 1888.—BERGMANN, J.: *Lexicon prudentianum.* Upsala, 1894.—RODRÍGUEZ, P. Isidoro, y GUILLÉN, José: *Aurelio Prudencio.* Madrid, "Biblioteca de Autores Católicos", 1950.—LAVARENNE, M.: *Etudes sur la langue de Prudence.* París, 1933.

PUCHE, Eliodoro.

Poeta y periodista. Nació—1887—en Lorca (Murcia). En Madrid, desde muy joven, llevó una vida bohemia impenitente. Fue uno de los asistentes a la famosa tertulia literaria de Pombo y colaboró en *La Esfera, Nuevo Mundo, Mundo Gráfico, La Libertad* y otros muchos periódicos y revistas. Durante la segunda República española fue alcalde de su pueblo natal.

"Sinceridad, sentimiento, color y facilidad de versificación son las dotes de este poeta. Inspírase en los poetas decadentes franceses." (Cejador, XIV.)

Obras: *Libro de los elogios galantes y los crepúsculos de otoño*—1917—, *Motivos líricos*—Madrid, 1917—, *Corazón de la noche* —Madrid, 1918...

PUENTE, José Vicente.

Novelista, autor dramático y periodista. Nació—1915—en Madrid. Licenciado en Derecho y Filosofía y Letras, habiendo ampliado estudios en Francia, Bélgica, Suiza y Alemania. Periodista desde 1936. Redactor-jefe de *Fotos*. Colaborador de *Vértice, Arriba, Ya, Semana*... Corresponsal en Buenos Aires de los diarios *Madrid* y *A B C*.

Tiene un gran sentido del humor y una fina percepción crítica. Su prosa es natural y muy peculiar. Narra con amenidad muy "a la moderna".

Obras: *Viudas blancas*—novela, 1937—, *Una chica topolino*—novela, 1942—, *Madrid recobrado*—reportajes—, *Mari-Dolor*—comedia, 1937, "Premio Piquer" de la Academia Española—, *Gente que pasa*—1943, en colaboración con Agustín de Foxá, también premiada por la Academia—, *Fausto 43*—adaptación libre de la obra de Goethe—, *Arcángel* (Biografía de Manolete)—1959.

PUENTE, Luis de la.

Prosista, ascético y teólogo español de mucha fama. Nació—1554—y murió—1624—en Valladolid, cursando las primeras letras en esta ciudad. En 1574 ingresó en la Compañía de Jesús. Durante algunos años fue profesor de Filosofía y Teología. Desempeñó cargos de gobierno. Magnífico director de almas. Escribió doctísimos libros ascéticos en muy buena prosa castellana, que fueron muy traducidos y comentados en distintos idiomas; libros cuya máxima calidad es la profundidad.

Obras: *Meditaciones de los misterios de nuestra santa fe*—1605—, *Guía espiritual* —1609—, *De la perfección del cristiano en todos sus estados*—1612 a 1616, tres volúmenes—, *Directorio espiritual para la Confesión, Comunión y Sacrificio de la Misa* —1625—, *Sentimientos y avisos espirituales* —impresos, después de su muerte, en 1672—, *Vida del Padre Baltasar Alvarez*—1615—, *Vida de doña María de Escobar*—1665 a 1673.

De todos los libros del P. Luis de la Puente se han hecho numerosísimas impresiones, dentro y fuera de España. En 1690, y en

P

Madrid, se publicó la primera edición de sus obras completas, en seis volúmenes.

V. ABAD, C. M.: *Luis de la Puente. Compendio de su santa vida.* Palencia, 1939.

PUIG FERRETER, Juan.

Gran novelista, poeta y autor dramático español. Nació—1882—en La Selva del Campo (Tarragona). En esta capital estudió el bachillerato. Vivió algunos años en París. De 1904 data su primera producción: *Dialechs dramatichs,* que alcanzó un gran éxito de público y de crítica. En el mismo año estrenó en Barcelona su primera pieza escénica: *La dama alegre,* que fue la revelación sensacional de un dramaturgo recio, originalísimo, grandemente influido, sin embargo, por los rusos Andreiev y Gorki, aun cuando en modo alguno capaz esta influencia de torcer la personalidad interesante y fuerte de Puig y Ferreter.

Es Puig y Ferreter el temperamento literario más violento, crudo, pesimista y patético de la moderna literatura catalana. También es el autor del que mejor se puede esperar una obra que seduzca y que repugne, que deje una honda huella imborrable en el ánimo del lector o del espectador. Acaso voluntariamente Puig y Ferreter ahoga, cuando escribe, toda intención lírica, todo matiz de ternura sensiblera. Conmover y estremecer parecen ser sus postulados artísticos. Y en verdad que jamás ha fracasado en ellos. Hay en sus producciones todas una potencia lírica resentida que estalla; pero también como un intento purificador de elevar a sus personajes, luego de mil dolores, a una serenidad inviolable.

Puig y Ferreter, igualmente gran periodista, ha sido redactor de *La Vanguardia, El Día Gráfico, La Tribuna,* de Barcelona, y ha colaborado en *La Publicitat, Nova Revista* y *Revista de Catalunya.* En 1929, con su novela *El cercle mágit,* obtuvo el "Premio Crexells", la más alta recompensa de la literatura catalana.

Novelas: *L'home que tenía més d'una vida, Les facecies del amor, Una mica de amor, Servitut, Vida interior d'un escriptor, Els tres allucinats...*

Teatro: *Arrels mortes, Boires de ciutat, Aigües encantades, La dama enamorada, El gran Aleix, Desamor, La dolça Agnés, Garidó y Francina, Segones nupcies, L'escola des promesos, Les ales del fang, Si n'era una mignyona, Dama Isaura, Drama d'humils, L'innocenta, Un home genial, La dama de l'amor feréstec...*

V. MONTANER, J.: *Puig y Ferreter,* en *El Sol,* Madrid, 27 de diciembre de 1917.—CURET, Francisco: *El arte dramático en el resurgir de Cataluña.* Barcelona, s. a.—PLANA:

Antología de poetes catalans moderns. Barcelona, 1914.

PUJOL, Juan.

Periodista, poeta, novelista. Nació—1883—en La Unión (Murcia). Murió—1967—en Madrid. Estudió el bachillerato en Cartagena y Derecho en las Universidades de Barcelona y Madrid, dedicándose en seguida íntegramente al periodismo. Su nombre se hizo popular durante la gran guerra de 1914-1918, durante la cual, como corresponsal de *A B C,* de Madrid, acompañó a las tropas alemanas en las campañas de Bélgica, Francia, Italia, Rumania y Turquía, escribiendo crónicas llenas de emoción, interés y colorido. Posteriormente ha colaborado en *El Debate,* dirigiendo *La Nación* y *La Iberia.* Fundador—1937—del semanario *Domingo.* Fundador y director, del diario *Madrid.*

Pujol perteneció a la castiza estirpe y a la insigne escuela de los maestros del periodismo madrileño, como Moya, como Vicenti, como Luca de Tena, como Gasset. Su cultura fue mucha y muy práctica. Su don de gentes, grande. De espíritu ágil y muy sagaz. Como novelista, es fácil y ameno. Tiene un estilo jugoso y realista.

Obras: *Ofrenda a Astartea*—poesías, 1904—, *Jaculatorias y otros poemas*—1905—, *De Londres a Flandes...*—crónicas de guerra, 1915—, *En Galitzia y el Isonzo*—crónicas de guerra—, *La guerra*—cuentos y narraciones—, *El hoyo en la arena*—novela...

PULGAR, Hernando del.

Gran prosista e historiador español. Nació —1430—probablemente en Toledo. Murió hacia 1493. Se crió en la corte de Juan II y de Enrique IV, sirviendo más especialmente a la princesa doña Isabel, futura Reina Católica. Embajador de España en Francia durante los años 1474 y 1475. Con una misión diplomática semejante estuvo—1473—en Roma. Desempeñó los cargos de secretario y de cronista de los Reyes Católicos. Acabó sus días en vida retirada, con su esposa, ya vieja, entre libros y recuerdos, que con emoción revelan sus cartas, en las que hay huellas de su noble entereza varonil.

Hernando del Pulgar fue el mejor cronista de aquel memorable reinado. Como acompañaba a los Reyes Católicos a todas partes, sus noticias tienen un extraordinario interés y rebosan verdad, dignidad y altos pensamientos.

En 1485 y 1486, Burgos, se publicaron sus *Cartas*—en núero de treinta y dos—a personas ilustres, modelos de estilo epistolar, más natural y noble que el de las *Cartas* de Guevara y menos rebuscado que el de Eugenio de Salazar, llevando la palma, por consiguiente, a todas cuantas *Cartas* se imprimieron. El año 1486, en Toledo, publicó el *Libro de los claros varones de Castilla,* parecido a la obra de Pérez de Guzmán, pero de estilo más ceñido, brioso, elegante y rítmico y lenguaje más castizo y perfeccionado. Escribió, además, la *Chronica de los muy altos y esclarecidos Reyes Catholicos Don Fernando y Doña Isabel,* cuyo manuscrito dejó a Nebrija para que lo tradujese al latín, como lo hizo, publicándose en 1545 a 1550. El original castellano lo publicó—1565—el nieto de Nebrija, atribuyéndolo, por equivocación, a su abuelo. Deshecho el error, ya en 1565 apareció la edición castellana con el nombre de Hernando del Pulgar.

También glosó—Sevilla, 1506—, las *Coplas de Mingo Revulgo.*

Todas las obras de Pulgar son admirables por su prosa magnífica, por su estilo, lleno de nobleza y de claridad; por sus comentarios agudos, por la rigurosa verdad de cuanto escribe, por el fondo de ternura que delatan. Pero entre ellas sobresale la titulada *Claros varones de Castilla,* galería incomparables de retratos, en los que no se sabe qué admirar más: si el dibujo impecable, o el colorido brillante, o la expresión "realísima, siempre vital", de los retratados.

Se ha considerado esta obra como la continuación de las *Generaciones y semblanzas,* de Pérez de Guzmán, a la que supera en varios sentidos.

Hernando del Pulgar figura en el *Catálogo de autoridades* del idioma, publicado por la Academia Española.

De las *Cartas de Pulgar* ha escrito Eugenio de Ochoa: "Puede decirse que enseñan a conocer los hombres más que la mayor parte de nuestras historias juntas. Brillan en ellas una grandeza sin pompas y una cultura sin afectación; desaparece el arte en fuerza de su noble sencillez. No hay voces superfluas ni reflexiones inútiles; la locución es rápida y donosa, mas siempre valiente, así para decir lo bueno como lo malo. Pulgar pinta siempre de un rasgo; nunca retoca lo que una vez sale de su pluma. Es uno de los escritores castellanos más castizos, discretos y elegantes."

Hay buenas ediciones modernas de las obras de Hernando del Pulgar. Para los *Claros varones de Castilla:* edición—Madrid, 1775—de Llaguno Amirola y edición—Madrid, 1923, "Clásicos Castellanos"—de Domínguez Bordona. Para la *Crónica de los Reyes Católicos:* tomo LXX de la "Biblioteca de Autores Españoles". Para las *Cartas:* tomo XIII de la misma "Biblioteca de Autores Españoles".

V. DOMÍNGUEZ BORDONA, J.: *Estudio* y notas a la ed. "Clásicos Castellanos", Madrid, 1923.—BONILLA, A.: *Anales de la literatura española.* Madrid, 1904.—SITGES, J. B.: *Enrique IV...,* págs. 22 y 23.—CAMBRONERO, Carlos: *Casas de antaño,* en *Rev. Contemporánea,* 1893, IV.

PUYOL, Julio.

Historiador y literato español de relieve. Nació—1865—en León. Murió—1937—en Madrid. Doctor en Derecho—1891—por la Universidad Central. Jefe de la Sección de Reformas Sociales del Ministerio de la Gobernación. Académico de las Reales de la Historia y de la de Ciencias Morales y Políticas, y correspondiente de la de Buenas Letras, de Sevilla.

Historiador de sólida preparación. Investigador admirable y crítico muy agudo. De buena prosa y gran amenidad expositiva.

Obras: *Una puebla en el siglo XIII*—París, 1904—, *La hostería de Cantillana*—novela histórica, en colaboración con Bonilla San Martín—, *Cuentos populares leoneses* —1905—, *Estado social que refleja el "Quijote"*—1905—, *El arcipreste de Hita*—1906—, *Sepan cuantos...*—Madrid, 1910—, *Silva de varia lección*—Madrid, 1909, críticas—, *Cantar de gesta de don Sancho II de Castilla* —Madrid, 1911—, *La Crónica popular del Cid*—1911—, *Las Hermandades de Castilla y León*—1913—, *Estudio, notas y edición de* "La pícara Justina"—Madrid, 1912—, *Vida y aventuras de don Tiburcio de Redín, soldado y capuchino*—Madrid, 1913—, *El abadengo de Sahagún*—1915—, *Elogio de Cervantes* —1916—, *Los cronistas de Enrique IV*—Madrid, 1921—, *Las crónicas anónimas de Sahagún*—1920—, *Glosario de algunos vocablos usados en León, El supuesto retrato de Cervantes* [atribuido a Jáuregui]...

P

Q

QUADRA SALCEDO, Fernando de la.

Poeta y prosista. Nació—1890—en Güeñes (Vizcaya). Murió—1936—en Bilbao. Marqués de los Castillejos. Doctor en Leyes—1916—. Fundador de la revista de minorías *Idearium*. Pretendiente al trono de Navarra y al de Andorra, según su gran amigo González Ruano. "Su árbol genealógico llegaba hasta Iñigo Arista."

"Poeta nobiliario y culto y al mismo tiempo simple y elemental como un *versolari*, publicó en reducidas ediciones libros de una originalidad poética sorprendente dentro de los cánones preciosistas y modernistas. Sus versos constituyen un verdadero documento en la lírica encartada en el panorama de las letras vasco-montañesas, que en él tuvieron, quizá, el más legítimo rapsoda. Cultivó los estudios históricos y heráldicos." (G.-R.)

Obras: *El versolari*—Madrid, 1918, con prólogo de Valle-Inclán—, *Llanto de los Pirineos*—Madrid, 1919—, *Libro de los abuelos* —inédito...

QUADRADO Y NIETO, José María.

Gran poeta, prosista, historiador y crítico español. Nació—1819—en Ciudadela (Menorca). Murió—1896—en Palma de Mallorca. Estudió Humanidades con los jesuitas de Montesión. Archivero—1840—del antiguo reino de Mallorca. Fundador del periódico *La Palma*. En 1844 marchó a Madrid para estudiar Teología en su Universidad. Entró de redactor en el periódico madrileño *El Católico* y colaboró en *El Semanario Pintoresco Español*, *Revista de Madrid*, *Almacén de Frutos Literarios* y *Heraldo*. Gran amigo y colaborador de Balmes. Católico y tradicionalista. De la Real Academia de la Historia desde 1847. Viajó mucho y con lento deleite por toda España para tomar las notas topográficas, históricas y arqueológicas que habían de servirle para los numerosos volúmenes que escribió de la monumental obra ideada por Parcerisa: *Recuerdos y bellezas de España;* volúmenes dedicados a *Castilla la Nueva*—1848 a 1850—, *Asturias y León*—1855 a 1859—, *Valladolid, Palencia y Zamora* —1865—, *Salamanca, Avila y Segovia* —1872—, *Aragón*—1848—, *Islas Baleares* —1886.

Asombra la capacidad de trabajo que tuvo Quadrado. Porque sus obras son tan numerosas como excelentes. Polemista vigoroso y temible—como lo demostró en su *Vindicación a "Jorge Sand"*, refutando infinitas tonterías de esta escritora acerca de Mallorca—, mente equilibrada y potente, de hondo y claro saber, temperamento de artista y alma de poeta sereno, prosista castizo y estilista tan recio como natural, Quadrado es uno de los mejores polígrafos españoles de todas las épocas. Su modestia excesiva y su retirada vida en su amada isla han sido causas de que su nombre no tenga la gran fama que merece. Escritores como Menéndez Pelayo, Madrazo, Revilla, "Clarín", Miguel S. Oliver, jamás se recataron en alabarle, considerándole como un admirable maestro de la historia, del arte y de la hispanidad.

Otras obras: *El príncipe de Viana*—novela—, *Leovigildo, El manto de Jerges, Cristina de Suecia y Martín Venegas*—dramas— *Historia de la conquista de Mallorca.* —1850—, *Discurso sobre la Historia Universal*—continuación del de Bossuet, 1880— *El último rey de Mallorca*—leyenda—, *Forenses y ciudadanos: historia de las discusiones civiles de Mallorca en el siglo XV, Ensayos religiosos, políticos y literarios* —1854...

V. MENÉNDEZ PELAYO, M.: *Quadrado: su vida y sus obras*, en *Estudios de crítica literaria*, 1942, V, 195.—ARTIGAS, M.: *Los papeles de Quadrado*, en el *Boletín Menéndez Pelayo*, 1919.—ALCOVER, A. M.: *Quadrado, su vida e ses obres*. Mallorca, 1919.—S. OLIVER, Miguel: *Quadrado, un colaborador de Balmes*. Barcelona, 1910.

QUEROL, Vicente Wenceslao.

Poeta español muy leído en su época. Nació—1836—en Valencia. Murió—1889—en Bétera (Valencia). Estudió Latín en las Escuelas Pías y Derecho en la Universidad valenciana. Fundó la Sociedad poética La Estrella. En 1856 leyó Querol en la Academia de

San Carlos su oda *A las Bellas Artes,* que le dio mucho nombre. Con Teodoro Llorente, fue Querol uno de los iniciadores de los Juegos florales en Valencia, y traductor de los poemas de Byron. Subdirector de los Ferrocarriles de Madrid a Zaragoza y a Alicante. Vivió algún tiempo en París. Caballero de la Orden de Carlos III y del Cristo de Portugal.

Poeta que se distingue por su ternura muchas veces, y otras por su energía. De gran musicalidad. Claro, correcto y elegante. Cantó la religión, la patria, la mujer y los afectos familiares.

En sus *Rimas*—1877—"hay reflejos bíblicos, clásicos y modernos, siempre refundidos con exquisito arte; es visible en ocasiones la influencia de Quintana".

Otros libros: *Poesías, Poesías*—ed. "Clásicos Castellanos", núm. 160, 1964.

La mayor parte de las composiciones de Querol yacen desperdigadas en revistas y periódicos de su época.

V. SAINZ DE ROBLES, F. C.: *Historia y antología de la poesía castellana.* Madrid, Aguilar, 1946.—ALARCÓN, P. Antonio de: Prólogo a la ed. de *Poesías.*—LLORENTE, Teodoro: Prólogo a la edición de *Rimas.*—PALÁU, Melchor de: *Acontecimientos literarios.* Madrid, 1889.—BLANCO GARCÍA, P.: *La literatura española en el siglo XIX.* Madrid, 1893.—GUARNER, Luis: *Estudio* en *Poesías,* ed. "Clásicos Castellanos", 1964.

QUESADA, Alonso (v. «Alonso Quesada» [seudónimo de Rafael Romero]).

QUEVEDO Y VILLEGAS, Francisco de.

Portentoso polígrafo y poeta español. 1580-1645. Don Pedro Gómez de Quevedo, secretario de la princesa María—hija de Carlos I de España y mujer de Maximiliano II de Alemania—, y María de Santibáñez, que asistía a la cámara de la reina, casados antes de 1577, fueron los padres de aquel peregrino ingenio que se llamó Francisco de Quevedo y Villegas, nacido en la villa de Madrid—imperial ya por *la imperial gana* del césar español—el año de 1580. Los ascendientes eran oriundos y originarios del valle de Toranzo, en la montaña burgalesa. Pero Francisco, sin nada que delatase dicha oriundez, se sintió únicamente madrileño, calado del madrileñismo hasta los tuétanos. Y durante toda su vida, no muy larga, pero sí bastante ajetreada, no aspiró, no inspiró sino anhelos y motivos madrileños. Cortesano puro. Más de corte que de cortejo.

Quevedo estudió en los Jesuitas las Humanidadess. Y las Lenguas clásicas y la Filosofía en Alcalá—1596 a 1600.

Muy joven aún, perdió a sus padres. Pasó a Valladolid para cursar la Teología. La poesía le tentó decisivamente; y en las *Flores* de Espinosa—1605—ya se leen dieciocho poesías suyas, que en nada desmerecen de las de Góngora. Con los estudios intensos —tanto que le merecieron la amistad admirativa del gran humanista Justo Lipsio—, con el ejercicio continuo de la poesía, Quevedo dedicaba sus fogosidades al manejo de las armas. Al maestro de armas Luis Pacheco de Narváez le quitó el sombrero de un botonazo—luego de una finta sorprendente—para demostrarle la eficacia de *su juego* original. Y en el atrio de la iglesia de San Martín, durante la devota celebración de las tinieblas, atravesó de una estocada a cierto caballerete que se había atrevido a dar de bofetadas a una dama desdeñosa. Para salvarse, huyó Quevedo a Sicilia—1611—, donde era virrey el duque de Osuna. Celebérrimas son las andanzas italianas de nuestro gran polígrafo. Confidente y consejero del duque, conspiró contra la Saboya y Venecia, librando en ambas ocasiones la cabeza por verdadero milagro, bien disfrazado de mendigo en la segunda de ellas.

Regresó a España por defender a Osuna de las muchas calumnias que se le habían levantado. Esfuerzo inútil. Quevedo fue desterrado—1620—a la Torre de Juan Abad, para que no se comunicase con el virrey, caído ya en la desgracia real. Muerto don Felipe III, Quevedo recobró el favor regio. Por muy poco tiempo. Olivares, el nuevo y omnipotente valido, *se le atragantó* al admirable escritor. Y difícilmente pudo contenerse de escribir mal de él, ya que maldecir lo hacía con inusitada frecuencia. Se casó —1634—, por consejo del duque de Medinaceli, con doña Esperanza de Aragón y la Cabra, señora de Cetina, viuda con pingües caudales y varios hijos ya zangolotinos. El matrimonio fue una continuada gresca de insultos y de pleitos, muy aireados y sonados en la corte, con gran regocijo de los cortesanos. Al fin se separaron los cónyuges en 1636. La señora se llevó sus hijos... y sus dineros.

A fines de 1639, y a los inicios de un banquete, encontró Felipe IV, entre los dobleces de la servilleta, el famoso memorial que empieza: "Católica, sacra y real majestad." Averiguado, por la delación de un amigo del poeta, que su autor era Quevedo, fue detenido a las once de la noche del 7 de diciembre y llevado a San Marcos de León, donde estuvo preso, en una mazmorra lóbrega y húmeda, durante cuatro años. Terminada la privanza de Olivares—1643—, por intercesión de don Juan de Chumacero, presidente del Consejo de Castilla, el rey decretó la libertad de Quevedo, quien, caduco y morboso, se retiró a la Torre de Juan

Q

Abad—1644—para, un año más tarde, morir en Villanueva de los Infantes.

Un retrato de Quevedo se conserva, obra asombrosa de Velázquez. *En cuerpo y alma* está recogido—cogido y acogido—don Francisco en el lienzo de oscuros tonos. El retrato resulta un espejo y una biografía. Crespa melena. Quebrada color. Ojos fulgurantes detrás de las antiparras—Quevedo detrás de los *quevedos*—y de expresión entre picaresca y maligna, chiquirritines y algo estrábicos. Mosca cuidada. Mostachos ungidos—por el ungüento y no por la unción—. Atuendo negro aterciopelado, severo. Empaque, aprovechándose de comparecer en busto; ya que era zambo y de mal talle. Don Francisco, en el retrato de don Diego, es lo que era. Un señor con alma de pícaro. Un escritor agudo sumado a un refinado aventurero. El alma que todo lo puede en el cuerpo que todo lo desdeña.

Quevedo es uno de los más grandes escritores españoles de todos los tiempos. Su cultura era portentosa. Como hombre culto, excedió en mucho a sus más célebres contemporáneos: Cervantes, Lope, Calderón, Paravicino, Ruiz de Alarcón, Gracián, Mariana... Ningún género literario le fue ajeno y en todos triunfó decisivamente. Dominó el estilo y la gramática de manera portentosa. Su gracia es un primor y un prodigio, aun cuando a veces caiga en licencias de un mal gusto excesivo. Quevedo, que combatió denodado el culteranismo—retorcimiento de la frase, sutilidad de las figuras retóricas, imágenes detonantes—, cayó en el conceptismo—oscuridad del concepto, retorcimiento de la idea—. Sin embargo, no fue él, aun siendo su más excelso representante, el creador del conceptismo, gloria que se disputan Alfonso de Ledesma y Alfonso de Bonilla.

"Sin el calor del regazo de sus padres, en medio de aquella sociedad fría, interesada y cejijunta de los últimos años del reinado de Felipe II, solo, libre y llenos de ducados los bolsillos, ¿qué podía ser de un ingenio agudo, vivo, y ya, a pesar de sus cortos años, grande observador de las gentes y amigo de saber? No llegó a brotar en su pecho el menor sentimiento delicado de ternura; ocupóle, en cambio, el hastío y aborrecimiento de la injusticia, del vil interés, de la gazmoñería hipócrita, vicio que por doquier hallaba en aquella corrompida sociedad, y que después fueron creciendo más y más durante su vida, hasta hundir a la monarquía española, y él fue contemplando, años adelante, como hombre metido en el mundo y tráfago de la corte y ocupado en asuntos diplomáticos y políticos. Solo perdona Quevedo en sus sátiras a los pobres y a los soldados no fanfarrones, como agudamente advirtió Mérimée (pág. 207), los diablos no saben en el *Alguacil alguacilado* nada de los pobres. *Ce trait ne peint-il pas bien ce peuple vaillant et généreux, où les héros étaient presque aussi communs que les mendiants.* Pundonoroso caballero y defensor de damas ultrajadas, fue, como cualquier español de aquellos tiempos; pero lo que se dice corazón tierno y delicadeza de sentimientos, no hay que buscar nada de esto en todos los escritos de Quevedo, porque no llegó en su orfandad a conocer las caricias de una madre, a saborear el calor del hogar paterno, donde estos sentimientos se recogen y cosechan para lo restante de la vida. Y tal salió y fue siempre Quevedo, un duro y frío estoico, de extraña entereza en los casos prósperos, de tenaz sufrimiento en los adversos, segundo Séneca de su raza, aunque más aventurero y bullidor y menos hondo y pausado, más mordaz y menos empacado. Los contratiempos de la vida, la falta del calor familiar, la sangre española, dura y austera, la desvergüenza moral de los poderosos cuajaron aquel hombre berroqueño en el pensar y en el sentir, aquel tremendo espíritu satírico, que dijo de sí mismo:

> que soy
> un escorpión maldiciente,
> hijo al fin de las arenas,
> engendradoras de sierpes.

Es Quevedo el satírico más terrible, desenvuelto, duro, seco y desvergonzado de España: que no perdonó ni a la flaqueza de las damas, ni al retraimiento de las monjas, ni a la omnipotencia de los validos, ni al sagrado de frailes y clérigos; que usó y abusó del diccionario castellano, derrochando el rico caudal de sus voces, barajando las más groseras con las más levantadas, las más delicadas con las más gruesas y subidas de color, haciendo y deshaciendo a su antojo como en propia hacienda, que lo fue suya, el idioma como de nadie, sacando de su viva y recia cantera chispazos centelleadores de desusado brío, jugueteando con él hasta retorcer y enmarañar el estilo con ingeniosidades sutiles, disparatadas a veces, pero siempre de una vivacidad, de un color y de una fuerza incomparable."

"Varón de los más admirables que tuvo España en lo vivo del ingenio, en lo agudo de los dichos, en lo hondo de las sentencias. Su apacibilidad y gracia en el decir no tuvieron, ni después han tenido, rival en nuestra patria. El genio español y el genio de la lengua castellana parecen encarnados en Quevedo. Alma noble y generosa, corazón ardiente, fantasía rica y volandera, pasiones desaforadas. A puñados brotan de sus escritos las maneras de decir más populares y castizas, con todo el brío y color del realismo de la raza. Su pluma satírica pintó las rasgadas costumbres de su tiempo como nadie lo hizo en España. La socarronería castellana frúncele a la continua el labio. Su españolismo le llevó a batallar contra el depravado estilo de Góngora; pero lo agudo de su ingenio le hizo introducir otra depravación del estilo: el conceptismo, del cual fue maestro no igualado, ni aun por el mismo Gracián. El tesoro inmenso de su castizo léxico, la maestría en doblegar a su talante la frase castellana, la facilidad no sobrepujada en versificar, la valentía de colorido en la expresión, sirvieron a su sin par ingenio para escribir trozos, ya en prosa, ya en verso, de los más hermosos que pueden leerse en lengua castellana; pero no menos le sirvieron para retorcer y enrevesar en otros la expresión, enchufar metáforas en metáforas, adelgazar por tan sutiles y alambicadas maneras de pensamiento, que si nos espanta la inagotable riqueza de su fantasear y de su decir, nos agobia, en cambio, con duelo de que un tan enorme artista de la palabra derroche sus tesoros con tan desaforado gusto y tan poca naturalidad. Nunca es oscuro, como Góngora, para el que conoce bien el caudal riquísimo del romance; pero a menudo es extravagante por despilfarrador de ese mismo caudal y por la novedad que quiere dar a la expresión. Por lo mismo, revolotea demasiado ligeramente sobre los pensamientos, sin ahondar ni hacer asiento en ellos, siendo, a mi parecer, de menor hondura filosófica que Gracián. Fáltale, además, ternura de sentimientos y sóbrale amargura de tintas a su vena satírica. La mesura ática de Cervantes en la prosa y de los Argensolas en el verso no eran de su humor bravío y desenfrenado." (Cejador.)

Menéndez Pelayo, *Ideas estéticas,* tomo II, volumen II, pág. 490: "El caudillo de los conceptistas (Quevedo) no presume de dogmatizador literario, forma escuela sin buscarlo ni quererlo. Sigue los rumbos excéntricos de su inspiración, que crea un mundo nuevo de alegorías, de sombras y de representaciones fantásticas, en las cuales el elemento intelectual, la tendencia satírica directa, si no predominan, contrapesan, a lo menos, el poder de la imaginativa. Quevedo no hace versos por el solo placer de halagar la vista con la suave mezcla de *lo blanco* y de *lo rojo;* acostumbrado a jugar con las ideas, las convierte en dócil instrumento suyo, y se pierde por lo profundo como otros por lo brillante. El *conceptismo,* lejos de nacer de penuria intelectual, se fundaba en el refinamiento de la abstracción; era una especie de escolasticismo trasladado al arte."

Menéndez Pelayo, *Discurso acerca de Cervantes y el "Quijote":* "Por la fuerza de-

moledora de su sátira; por el hábil y continuo empleo de la ironía, del sarcasmo y de la parodia; por el artificio sutil de la dicción, por la riqueza de los contrastes por el tránsito frecuente de lo risueño a lo sentencioso, de la más limpia idealidad a lo más trivial y grosero; por el temple particular de su fantasía cómicamente pesimista, Luciano revive en los admirables *Sueños* de Quevedo con un sabor todavía más acre, con una amargura y una pujanza irresistibles. Era Quevedo helenista y de los mejores de su tiempo."

Y... caso curioso: Quevedo, que no se propuso afamarse como lírico, lo es, y de los más grandes de la literatura castellana. El presumía de filósofo, de escoliasta, de erudito, de traductor, de político. Por pasar sus ratos de ocio, por olvidarse de intrigas y de trabajos, se dedicaba a la poesía. Algo semejante a lo que le pasó a fray Luis de León. Quevedo es uno de los poetas castellanos más fecundos, y eso que parece ser que, por consejo del jesuita P. Tébar, quemó más de la mitad de su producción poética.

La que ha llegado hasta nosotros está contenida en *El Parnaso español (Las Musas)*—1648—, *Las tres últimas musas castellanas*—1670—y en otras colecciones de muy diversas épocas.

Quevedo, gran satírico y profundo y melancólico filósofo, escribió poesías de tono jocoso y de tono serio. Sátiras, canciones y sonetos, de una parte; y de otra, jácaras, romances y letrillas. Pero, indistintamente, en los dos tonos se advierte con facilidad su actitud espiritual única, raíz íntima de *una postura* doble: el anhelo realista y la fuga ascética del mundo, valores antitéticos bien conjugados, interferidos con una fuerza admirable. Quevedo, mientras se desvivió en su existencia compleja, no hizo sino fluctuar, porque así se lo exigía su alma, entre afanes y desistimientos. Quevedo era extremado. En lo noble y en lo grotesco. De esta contradicción nace tal vez la violencia con que procede en todos los géneros en la prosa y en el verso, la exageración y la hipérbole, a las que sacrifica a veces la verdad y hasta la naturaleza.

Sumamente notable es el juicio que Quevedo mereció a Quintana: "En primer lugar, sus versos son de ordinario llenos y sonoros; sus rimas, ricas y fáciles. Y aunque este mérito, el primero que debe tener el poeta, no sea principal, nuestro escritor sabe acompañar de muchos rasgos, excelentes unos por la viveza de los colores, otros por la robustez y el vigor. Su poesía nerviosa y fuerte va impetuosamente a su fin; y si sus movimientos se resienten demasiado del esfuerzo y afectación, se le

Q

ve marchar no pocas veces con una fiereza, con una audacia y una singularidad que sorprenden. Sus versos, de cuando en cuando, salen del fondo general, y sin necesidad del auxilio de los otros, vienen a herir el oído con su vibración fuerte y sonora, o a grabarse en la mente por la profundidad de la sentencia que contienen o por la novedad y energía de la expresión. De nadie se pueden citar tantos bellos versos aislados como de él; de nadie períodos poéticos tan pomposos y valientes."

Y es verdad. Valiente, enérgico, vigoroso, fácil poeta fue Quevedo. Su ímpetu de originalidad se sorprende hasta en las imágenes. *Llama guerra civil entre los nacidos* al amor. Llama *ley de arena* a la orilla del mar. Le falta ternura de sentimientos. Le falta la mesura ática que tuvieron los Argensolas. Le falta la hondura filosófica de Gracián. Pero su propio ingenio le libra de caer en las oscuridades expresivas de Góngora. Fácil, bravío, natural, dueño del tesoro inmenso de un léxico castizo, Quevedo escribió sus versos casi todos de circunstancias y medio improvisando. Si el chiste, el humor y la agudeza constituyen la trinidad de los elementos del conceptismo, nadie fue tan maravillosamente conceptista como Quevedo, que en ingenio, agudeza y chiste dejó muy atrás a todos sus contemporáneos. Con fría severidad y rígida moral, poetizó sus pensamientos en sin igual ligereza. Cuando quiso ser culterano, suplió su falta de convicción con un delirio de imágenes, con una rebuscada afectación de metáforas.

Las obras de Quevedo se dividen en dos grandes grupos: *prosa* y *verso*. Las *en prosa* se subdividen en ascéticas, filosóficas, críticas, satiricomorales, festivas, novelescas y cartas.

Las *en verso* comprenden: *El Parnaso español (Las Musas)*—1648—, *Las tres últimas musas castellanas*—1670—, versos no incluidos en las dos colecciones anteriores. *Entremeses.*

Entre tantas obras en prosa destacan: *Providencia de Dios*—1641—, *Política de Dios, gobierno de Cristo y tiranía de Satanás*—1617—, *Grandes anales de quince días* —1621—, *Marco Bruto*—1632—, *La culta latiniparla*—1629—, *Los sueños, La hora de todos*—1635—, *Cartas del caballero de la tenaza*—1625—, *El Busccón*—1603—, *Vida de fray Tomás de Villanueva*—1620—, *La casa de locos de amor*—1608—, *Premáticas de las cotorreras*—1609—, *Libro de todas las cosas*—1631—.

Las ediciones de las obras de Quevedo se multiplicaron con una rapidez vertiginosa. Ediciones fraudulentas. Ediciones mutiladas. Ediciones incorrectas. Ediciones apócrifas en parte, algunas. Los editores se enriquecían con ellas y no sentían rubor en recurrir a los manuscritos inéditos del gran polígrafo para tomar de ellos al azar, capricho, a conveniencia, sin respeto alguno.

Sintiéndose muy enfermo, a toda prisa Quevedo quiso recoger sus obras, ordenarlas retocarlas. La edición iba a estar a cargo de Melchor Sánchez, en Madrid—1658—, e intitularíase *Obras varias*. Desdichadamente la muerte de Quevedo malogró la única edición seria. Jusepe Antonio González de Salas y Pedro de Alderete no hicieron sino profanar los manuscritos quevedescos y oscurecer las ediciones siguientes.

Fue don Aureliano Fernández-Guerra, el mejor biógrafo que ha tenido Quevedo, quien preparó la primera edición digna de loa: la de la "Biblioteca de Autores Españoles" —I, 1852, y II, 1859—. Desdichadamente, no llegó a darle fin. Con los materiales dejados por el gran erudito, Menéndez Pelayo inició otra edición—Sevilla, 1897—en la Sociedad de Bibliófilos Andaluces. Tampoco esta edición llegó a su fin. Si en la de Fernández-Guerra faltaron las obras en verso—y algunas en prosa—, en la de Menéndez Pelayo faltaron las obras en prosa—y algunas en verso...

La primera edición rigurosamente completa de Quevedo es la publicada por la editorial Aguilar—1932—, en dos tomos, dedicados, respectivamente, a la prosa y a las poesías; edición encomendada a don Luis Astrana Marín, quien siguió devotamente las sugerencias de Fernández-Guerra y exhibió una correcta vocación de investigador literario.

V. FERNÁNDEZ-GUERRA, Aureliano: *Vida de don Francisco de Quevedo Villegas*, en la "Biblioteca de Autores Españoles", XXIII.— MÉRIMÉE, Ernest: *Essai sur la vie et les oeuvres de Francisco de Quevedo*. París 1886.—CASTRO, Américo: Prólogo a la edición de *El Buscón*. "Clásicos La Lectura". Madrid, 1927.—SPITZER, Leo: *Die Kunst Quevedos in seinen "Buscón"*. Archivum Romanicum. 1927.—JUDERÍAS, Julián: *Don Francisco de Quevedo Villegas. La época, El hombre. Las doctrinas.* Madrid, 1923.—ASTRANA MARÍN, Luis: Prólogo a la edición de *Obras completas*. Madrid, 1932.—PORRAS, Antonio: *Quevedo*. Madrid, 1930.—GONZÁLEZ PALENCIA, A.: *Pleitos de Quevedo con la villa de la Torre de Juan Abad*, en *Boletín de la Academia Española*, 1927.—ASTRANA MARÍN, L.: *Vida turbulenta de don Francisco de Quevedo*. Madrid, 1944.—ASTRANA MARÍN, L.: *Epistolario*—completo—*de Quevedo*. Madrid 1946.—SÁNCHEZ ALONSO, B.: *Los satíricos latinos y la sátira de Quevedo*, en *Rev. Fil. Esp.*, 1924.—ALARCOS, Emilio: *El dinero en las obras de Quevedo*. Discurso. Universidad de Valladolid, 1942.—Pérez Bustamante, C.: *Cartas y noticias... de Quevedo,* en "Biblioteca Universitaria". Santiago, 1933.—Fernández-Guerra, A.: *Quevedo como escritor político,* en *Revista Católica de España.* Madrid, 1871.—Sánchez Alonso, B.: *Poesías inéditas e inciertas de Quevedo,* en *Revista Ayuntamiento de Madrid.* 1927.—Nacarino, R. M.: *Don Francisco de Quevedo,* en *Rev. Archivos,* XXII, pág. 490.

«QUIJANO, Gracián».

Seudónimo de Francisca Cristina Sáenz de Tejada y Ortiz, poetisa y prosista española, nacida—¿1900?—en Andújar (Jaén).

Desde sus primeros versos y colaboraciones en periódicos de España y América, entre los que podemos anotar *Blanco y Negro, Medina, Ellas, Domingo, Máter Admirábilis, El Alcázar,* de Madrid; *Afán,* de Palencia; *Correo Español,* de Bilbao; *La Gaceta de Africa,* de Tetuán; *Voluntad,* de Gijón; *Unidad,* de San Sebastián; *Diario de Sudeste,* de México, etc., etc., se reveló como gran escritora.

Sus primeros libros fueron una selección de cuentos; pero si la prosa es en esta escritora fácil, fluida y abundante, como poetisa ha destacado, sobre todo con lo publicado a partir de 1946, donde su obra, madura y cuajada, nos muestra un aliento lírico intenso y un colorido pictórico como corresponde al genio racial de Andalucía.

Otras obras: *Mujeres*—1934, cuentos—, *Meccano*—1935, cuentos de humor, prologados por García Sanchiz—, *La piedra en el lago*—novela, prólogo del P. Figar—, *Ofrenda*—poesías místicas—, *La insaciable*—novela—, *Cante jondo*—poesías gitanas—, *Mujeres hispanas*—ensayos—, *La vida incompleta* —novela—, *Canciones de Fijitsubo* y *Poemas del capitán O-Yuki*—poesías—, *Baladas del Alma-niña, Poemas del tronco y la rama, Poemas de la maternidad estéril, Poemas del puro amor, El lago de los cisnes ciegos*—novela poemática.

Es miembro correspondiente de la Real Academia de Bellas Letras y Nobles Artes de Córdoba.

QUINTANA, Francisco de (v. «Cuevas, Francisco de las»).

QUINTANA, Manuel José.

Gran poeta, dramaturgo y gran prosista español. 1772-1857. Nació en Madrid y estudió en Salamanca, siendo aquí discípulo de Meléndez Valdés. Patriota fervoroso, desempeñó durante la guerra de la Independencia el cargo de secretario de la Junta Central. Por sus ideas constitucionales, estuvo preso en Pamplona de 1814 a 1820. Durante la reacción liberal inmediata, fue director de Instrucción Pública y secretario de Interpretación de Lenguas; más tarde, profesor de Isabel II y de la infanta Luisa Fernanda. En 1855, su regia discípula le coronó públicamente en el Senado como poeta nacional.

Por su educación, por su manera poética —neoclásica por su temática y por su factura—, Quintana procedía del siglo XVIII. También para él, como para los principales maestros líricos de esta centuria, la poesía debía estar al exclusivo servicio de las ideas de *progreso, libertad* y *patria;* ideas madres muy del siglo XVIII. Sin embargo, ningún poeta como Quintana se encuentra un poco cohibido en la misma vertiente de dos siglos, de dos tendencias, de dos estilos dispares en todo: en ideas, en ideales, en motivos, en expresividad. A veces se piensa que sea Quintana "el espíritu nuevo en moldes viejos".

Pero la simple lectura del título de algunas de sus mejores poesías: *A la invención de la Imprenta, A la vacuna, Al panteón del Escorial, A España después de la revolución de marzo,* y el fervor apostólico con que indica que los versos son únicamente cauce por donde se precipita la idea noble, desvanecen aquella primera impresión. Indudablemente, deseó Quintana desentumecer a una nación en decadencia, dejando oír las vibraciones de sus acentos patrióticos. Buscó temas aptos para despertar viriles emulaciones, símbolos del espíritu de independencia; para ello, conmocionado por la invasión gala, hubo de renunciar a sus conceptos enciclopedistas; al explorar la historia española en busca de modelos que ofrecer a los que trataba de animar, de enardecer, de exaltar, encontró *un tono original,* en el que renacía nuevamente aquella sospecha "del espíritu nuevo en moldes viejos".

La personalidad poética de Quintana queda probada con solo advertir que su tono declamador, heroico y brioso señoreó en España, perdidos los ecos de Meléndez Valdés, hasta que les puso sordina el ímpetu de Espronceda. Fácilmente se comprende que Quintana limaba muy despacio sus versos. Se ha llegado a decir que primeramente escribía sus poemas en prosa y luego "los pasaba" al verso. Afirmación no descabellada, aun cuando falle en algunas composiciones delicadísimas, espontáneas, como las tituladas *La danza* y *A una negrita, protegida de la duquesa de Alba.* Quintana ignoró el arte supremo de condensar; sus largas parrafadas, despeñadas en una manera declamadora y enfática, se llenan de ripios, de frases vagas, de epítetos vulgares, de reiteraciones, de pura prosa. Quintana huyó de fantasear las cosas en su concreción poética y variada; tendió a las ideas abstractas, en las que hallaba la

Q

fuerza impulsiva "que puede correr sin precisarse".

Los que opinan que Quintana debe ser incluido entre los poetas románticos apelan a su carencia de sobriedad, de mesura, de templanza, de serenidad. Y cuantos le confirman neoclásico patentizan su énfasis huero y declamatorio, sus ideas francesas y enciclopedistas, su actitud ceñida y hostil ante el movimiento romántico, su prosaísmo.

¡Terrible incertidumbre poética en la que se debate Quintana contra su voluntad!

Como dramaturgo, su mérito es mucho menor al alcanzado en la esfera lírica. Conservamos dos de sus dramas: *El duque de Viseo*—que no gustó al estrenarse—y *Pelayo*, que logró un gran éxito. Los dos están escritos conforme a las reglas más ortodoxas del clasicismo. Como prosista, fue Quintana realmente admirable. Su prosa es como una tela de puro lino, blanca, sencilla, fría, de vocabulario tan rico como castizo. Académico de la Lengua desde 1814, su nombre figura justamente en el *Catálogo de autoridades* del idioma.

Otras obras: *Vidas de españoles célebres* —Madrid, 1807—, *Poesías*—Madrid, 1802—, *Tesoro del Parnaso español*—1830—, *Cartas a lord Halland...*—1853—, *Vida de Cervantes, Vida de Meléndez Valdés*.

Son buenas ediciones de las obras de Quintana: Madrid, 1852, *Obras completas*, en el tomo XIX de la "Biblioteca de Autores Españoles", de Rivadeneyra; Madrid, 1872, *Poesías; Obras poéticas completas*, Madrid, 1880; *Obras completas*, Madrid, 1897 y 1898; *Obras inéditas*, Madrid, 1892; Madrid, "Clásicos Castellanos", *Poesías*, 1927.

V. PIÑEIRO, E.: *Manuel José Quintana. Ensayo crítico y biográfico*. París, 1892.— BLANCO, R.: *Quintana. Sus ideas...* Madrid, 1910.—VALMAR, Marqués de: *Discurso* en la Academia Española.—MENÉNDEZ PELAYO, M.: *Estudios de crítica literaria*. 1942, IV.—DÍAZ-JIMÉNEZ, E.: *Epistolario inédito de Quintana*, en *Boletín de la Academia Española*, 1936, XXIII.—MÉRIMÉE, E.: *Les poésies lyriques de Quintana*, en *Bulletin Hispanique*, 1902, IV.—ALONSO CORTÉS, N.: *Estudios* en la ed. "Clásicos Castellanos". Madrid, 1927. SAINZ DE ROBLES, F. C.: *Historia y antología de la poesía castellana*. Madrid, M. Aguilar, 1950, 2.ª edición.—SAINZ DE ROBLES, F. C.: *Historia y antología del teatro español*. Madrid, Aguilar, 1943, tomo V.

QUINTANA ROO, Andrés.

Periodista, poeta y tribuno mexicano. Nació—1787—en Mérida de Yucatán y murió —1851—en México. Casi niño se dedicó a la política, al periodismo y a la lucha por la independencia de su patria. Dirigió *El Ilustrador Americano*, el *Semanario Patriótico*, el *Diario de México*, *El Ilustrador Nacional*, *El Despertador Americano* y *El Federalista Mexicano*. En ellos dejó, a cientos, sus artículos políticos llenos de apasionamiento. Revolucionario ardiente, sufrió peregrinas vicisitudes, errando con su esposa—un amor de romance—por selvas y serranías. En una cueva de las montañas nació su primera hija. Presidente del Congreso de Chilpancingo, congregado por Morelos en 1813. Autor de la primera *Declaración de Independencia*.

Quintana Roo fue magistrado y varón respetado por sus conciudadanos a causa de su probidad y entereza.

"Su inspiración discurría por nobles cauces. No es el repentista ingenioso e inflamado, instrumento involuntario de la pasión que desbordaba en esta época. Quintana Roo impresiona como el creador de reposada inspiración, cuanto firme y elevado pensamiento. No carecía de amplios conocimientos, como lo prueban sus observaciones a la *Ortología* del abate Sicilia y un *Tratado sobre sáfico adónico español*. Así se explica la cuidada limpieza de sus versos, patente a veces como en el bruñido joyante de la obra de la piedra de ágata." (J. A. Leguizamón.)

Su composición más representativa es la oda *Al 16 de septiembre de 1821*, escrita pocos días antes de la entrada triunfal de Itúrbide en México.

V. ARRÓNIZ, Marcos: *Manual de biografías mexicanas*. París, 1857.—SOSA, Francisco: *Biografías de mexicanos distinguidos*. México, 1884.—MENÉNDEZ PELAYO, M.: *Historia de la poesía hispanoamericana*. Madrid, 1911, tomo I, págs. 106-107.—PIMENTEL, Francisco: *Historia crítica de la literatura en México*. México, 1883.—SÁNCHEZ MÁRMOL, M., y REGIL PEÓN, A.: *Poetas yucatecos y tabasqueños*. Mérida de Yucatán, 1861.

QUINTERO, Antonio.

Autor dramático español. Nació—1895—en Jerez de la Frontera. De mucha y fina gracia. En colaboración con Pascual Guillén, y él solo, ha logrado rotundos triunfos escénicos. En colaboración con el poeta Rafael de León y con el popular compositor maestro Quiroga, ha popularizado centenares de canciones y piezas escénicas de las llamadas de folklore.

Obras: *Morena Clara, Los Caballeros, La copla andaluza, Oro y marfil, La luz, Como tú, ninguna; Sol y sombra, Filigrana, Rumbo, Azabache...*

QUINTILIANO, M. Fabio.

Célebre escritor latinoespañol. Nació—del año 35 al 42 de nuestra Era—en Calahorra (Logroño). Murió hacia el año 96. De familia acomodada. Estudió en Roma con el gramático Palemón. A los veinte años ya tenía fama de sabio. Siendo Galba pretor de la Tarraconense, se lo llevó consigo, haciéndole abogado del Tribunal de Justicia. Al ser nombrado emperador Galba, Quintiliano volvió a Roma con él y desempeñó una de las cátedras públicas creadas por Vespasiano, y dotada de 100.000 sestercios—unas 20.000 pesetas—, cifra enorme para la época. Domiciano le nombró profesor de los hijos de Flavio Clemente, a quien pensaba dejar el Imperio, y le nombró cónsul. Fue maestro también de Plinio, quien, por amor a su maestro, dotó espléndidamente a la única hija superviviente de este.

Quintiliano fue un hombre sabio, recto y modestísimo. Acudían gentes de todo el mundo civilizado para escucharle. "Honra de la toga romana" le llamó Marcial. "La perla de la literatura hispanolatina" le proclamó Mommsen. Para Menéndez Pelayo, Quintiliano no debe su fama "a la corrección esmerada de su latinidad y al acicalamiento y limpieza de su estilo, que se acerca mucho a la perfección sostenida, sino también al carácter eminentemente conservador y tradicionalista que ostenta su obra".

Una sola obra es hoy considerada como suya: los doce libros de las *Instituciones oratorias*, famosas en el mundo entero y traducidas repetidas veces a la mayoría de los idiomas cultos. No se tienen exclusivamente por obras suyas ni las *Declamaciones* ni el *Diálogo de los oradores*, aun cuando en ambas pudo colaborar él.

El manuscrito completo de las *Instituciones* fue descubierto—1417—en el monasterio de Saint-Gall por Poggio, erudito que asistía al Concilio de Constanza.

Ediciones clásicas: Roma—1470—, Venecia, por Jensau—1471—; Milán, por Zaroto —1476—; Venecia—1481—, Venecia, por Aldo—1514—; Leyden, por Lerevelio y Granovio—1665—; París, por Rollín—1715—, Gotinga, por Gesner—1738—, y, la mejor de todas, Leipzig, por Zumpt—1798 a 1829.

Ediciones críticas: H. Halm, Leipzig, 1859; F. Meister, Praga, 1886-1887; L. Radermacher, Leipzig, 1907-1935, dos tomos.

En castellano existen dos buenas ediciones: Madrid, 1799 y 1887; esta última, la mejor, con la magnífica traducción de los Padres escolapios Ignacio Rodríguez y Pedro Sandler, forma parte—tomos CIII y CIV— de la "Biblioteca Clásica", de la edit. Hernando.

V. ALFARO Y NAVARRO: *M. Fabio Quintiliano (Memoria biobibliográfica)*. Madrid, 1899.—MENÉNDEZ PELAYO, M.: ... *Ideas estéticas...* Tomo I.—BLANCO, R.: *Quintiliano y sus ideas pedagógicas*. Madrid, ¿1904?— DODWELL, H.: *Annales Quintiliani*. Londres, 1877.—COUSIN, J.: *Etudes sur Quintilien*. París, Boivin, 1936, dos tomos.—GALINDO, P.: *Estudios latinos: Quintiliano...* Zaragoza. La Academia, 1926.—BASSI, D.: *Quintiliano*. Roma, Formiggini, 1929.—SILHER, E. G.: *Quintlian of Calagurris*, en *American Journal of Philology*, 1920.—TEICHERT, P.: *De fontibus Quintiliani rhetoricis*. Bunsberg, 1884.— REIZENSTEIN, R.: *Studien zu Quintilians grösseren Deklamationen*. Estrasburgo, 1909. WAHLEN, S.: *Studia critica in declamationes minores quae sub nomine Quintiliani feruntur*. Upsala, 1930.

QUINTO, José María de.

Narrador, ensayista, crítico teatral. Nació —1925—en Madrid. En 1947 se incorporó al grupo de Arte Nuevo, dedicado al teatro y al arte experimentales. En 1948 fundó y dirigió el grupo teatral La Carátula, que dio a conocer obras de vanguardia europea y americana. En 1950, con Alfonso Sastre, fundaron y dirigieron el T. A. S. (Teatro de Agitación Social); y en 1961, el G. T. R. (Grupo de Teatro Realista). Publica ensayos y críticas teatrales en periódicos tan importantes como *Indice, Cuadernos Hispanoamericanos, Primer acto, Insula, Papeles de Son Armadans, Cuadernos para el Diálogo, La Estafeta Literaria, Blanco y Negro...*

Obras: *Las calles y los hombres*—narraciones, 1956—, *La sed*—teatro, 1947—, *La tragedia y el hombre*—ensayo, 1962—, *Siete notas sobre Gorki y su teatro*—prólogo a la obra de Gorki *Los hijos del sol*, 1964—, *Toque de silencio*—novela, 1965.

QUIÑONES, Fernando.

Poeta y narrador español. Nació—1930— en Chiclana de la Frontera (Cádiz). Universitario. Publica sus poemas y cuentos en las más importantes revistas literarias. Colaborador habitual en el famoso diario *La Nación*, de Buenos Aires. Crítico literario de *Cuadernos Hispanoamericanos*, publicados por el Instituto de Cultura Hispánica.

Obras: *Ascanio o Libro de las flores*—poemas, Málaga, 1956—, *Cercanías de la gracia* —poemas, Madrid, 1956—, *Cinco historias del vino*—cuentos, Madrid, 1960—, *La gran temporada*—cuentos, Madrid, 1961—, *Retratos violentos*—poemas, Arcos de la Frontera, 1963—, *Historias de la Argentina, De Cádiz y sus cantes, Las crónicas de mar y tierra, Andalucía, En la vida, Nuevos rumbos de la poesía española, Las Crónicas de Al-Andalus*.

QUIÑONES DE BENAVENTE, Luis.

Famoso autor dramático y poeta español. ¿1589?-1651. Nació en Toledo. Y no se sabe con certidumbre la fecha. Sí su patria chi-

Q

ca, porque consta en la portada de la *Joco-sería*—obra suya, Madrid, 1645—y en la aprobación de esta obra, dada por fray Juan de Aguilera.

¿Era de familia humilde? ¿Era de linaje notable? Se ignora en absoluto. Nada tenía que ver con la celebérrima familia leonesa de los Quiñones, cuyo último representante —coetáneo de nuestro autor—, Juan Quiñones de Benavente, natural de Chinchón y autor de famosos libros de entretenimiento acerca de las monedas, las langostas, las contrariedades y el carbunclo; fue alcalde mayor de Madrid.

¿Estudió mucho Luis Quiñones? ¿Estudió poco? ¿Dónde? ¿Hasta cuándo? Nuevo encogimiento de hombros. Ya varón machucho se le llamaba *licenciado*. Mas no porque lo fuera en Leyes, como lo pretendía don Cayetano Rosell, sino por su condición de sacerdote. Como Lope, como Calderón, Quiñones debió ordenarse ya de muchos años, harto de los tres enemigos del hombre. ¿Escribió desde muy joven? Su entremés *Las civilidades* tiene fecha de 1612. Pero la primera alusión a su fama nos la da—1618—don Antonio Hurtado de Mendoza en su entremés *Miser Palomo:*

Vaya un baile con tono de Juan López,
o sea por mi amor, el excelente,
metrópoli de bailes, Benavente.

Y por la misma fecha, Ruiz de Alarcón le elogia desde el escenario, en su comedia *La culpa busca la pena,* por boca de Vallejo:

La comedia, felizmente,
aplaudida al puerto llega,
que era de Lope de Vega,
y el baile, de Benavente.

Debió Quiñones de empezar a escribir hacia 1609, con una facilidad y con una fecundidad pasmosas. En 1620 tenía ya compuestas ¡300 obras!, entre jácaras, loas, entremeses y bailes, según asegura "Tirso de Molina" en su famosa comedia *Tanto es lo de más como lo de menos,* dispuesta para imprimirse en 1621. Como aún siguió escribiendo veinte años más, si en diez escribió trescientas, no es exagerada la cifra de novecientas obras las escritas que le asigna la crítica.

Ya al final de su vida, Quiñones de Benavente perteneció, como la mayoría de los literatos de su tiempo, a la Orden Tercera de San Francisco y a los Esclavos del Santísimo Sacramento. Y murió el 25 de agosto de 1651, en la calle del Olmo, en una casa de Juan Bautista, después de recibir los Santos Sacramentos, de testar y de "dejar misa y funeral a voluntad de los testamentarios".

Quiñones de Benavente, que fue "hombre mozo, [¿gallardo?], cuerdo, cortesano y virtuoso", a sentir de "Tirso de Molina", en la aludida comedia declarado, vivió modestísimamente de algunas colaciones que apenas le daban para comer y de los derechos cortísimos de sus obras, hasta el punto de que no pudo pagar él la edición primera que se hizo de sus entremeses. Y algo más puede completar su retrato: las declaraciones de su gran amigo y primer editor de sus obras Manuel Antonio de Vargas, quien dice de él: "Preguntarásme qué me ha movido a esta diligencia [imprimir las obras de Quiñones], estando vivo su autor..., respondo que no ha sido una, sino muchas. La primera, que es tal el encogimiento y tan rara su modestia, que persuadido, importunado, responde, con su acostumbrada discreción, que para imprimir sus obras, o ellas habían de ser más o él menos. La segunda..., que después que este ingenio, o atento a sus enfermedades o distraído de sus cuidados, ha retirado del teatro su pluma, no hay ninguno que se atreva a..."

Alto, seco y oliváceo era Quiñones. Suave en el hablar. Ingenioso al discutir. Atento y discreto al escuchar. Muy aficionado al teatro, pasó por él con su proverbial miramiento como sobre ascuas. De nadie habló mal, y consiguió que jamás le imputaran ninguna de esas pequeñas canalladas tan lógicas y tan provechosas en tal ambiente y en ámbitos tales. Si pecó, su pecado lo fue desdibujado y no perturbó con su mal ejemplo.

Ha sido Quiñones de Benavente uno de los autores más y mejor alabado por sus contemporáneos. "Sazón del alma, deleite de la Naturaleza y, en fin, prodigio de nuestro Tajo", habla "Tirso" en sus *Cigarrales.* Preguntando Venus a su hijo Cupido dónde estaban las Gracias, le responde el hijo:

Madre, no busque ya de tantas una;
porque sepa que están, y juntamente,
todas juntas, en Luis de Benavente.

Habla Lope de Vega en *El laurel de Apolo* —1630—: "En esta parte [los entremeses y loas añadidos a las comedias] ha sido solo por la gracia natural, ingenio florido, donaire brioso y agudeza continua con que le dotó el cielo." Habla Pérez de Montalbán en su *Para todos*—1632—: "Enseña ingeniosamente con lo moral, lo peregrino, lo raro, lo conceptuoso, nuevo y nunca de otro talento comunicado a la alabanza general, con tantos aplausos, nunca a otro tan dignamente debidos; que nadie en el mundo, no solamente no le ha imitado, sino que solos legos y sombras de su pluma no se ha atrevido a rastrear, siendo el más singular ingenio en esta provincia de cuantos ha tenido España." Habla Vélez de Guevara en la aprobación que hizo—1644—de la *Jocosería* de Quiñones. Y el mismo Vélez, en una décima que compuso para esta obra, le llama

Dulcísimo Benavente,
nuevo Terencio español.

"Pontífices de los bailes y entremeses." Habla el licenciado Andrés Sánchez del Espejo en una de sus *Relaciones*—1637—a las fiestas celebradas en el Buen Retiro.

Del valor de Quiñones de Benavente como autor nada mejor se puede decir que lo dicho por don Emilio Cotarelo en el prólogo a la "Colección de entremeses" publicada en la "Nueva Biblioteca de Autores Españoles": "Llegamos, por fin, a tratar del gran maestro y pontífice del género entremesil, que, sin despreciar toda la materia cómica acumulada por sus antecesores, ni las trazas, marañas y procedimientos dramáticos empleados, supo refundirlo todo, y, dándole al entremés una flexibilidad, ligereza y sana alegría que antes no tuvo, supo dejarnos esos prodigiosos cuadros de género, modelo imitado muchas veces con acierto, pero nunca superado ni aun por los mejores escritores que después de él compusieron entremeses. En el fondo suprimió la acritud brutal o amargura sarcástica de los rasgos satíricos por una ironía mansa, una burla decorosa, amable e intransigente, que recrean el espíritu y excitan suavemente la risa. Extendió a todas clases y lugares la pintura de costumbres, sin encerrarse en aquello que más excitaba el odio o desprecio de las personas honestas, pero sin caer en lo trivial o falto de interés por corriente o vulgar; pues aun lo menos saliente de los caracteres o de los hábitos sociales que describe, sabe su agudísimo, su incomparable ingenio, hallarles *punta* (como suele decirse), algo inesperado, pero tan propio y verdadero, que a la vez que satisface el entendimiento, ilustrándole con tan curiosos datos y documentos, deleita el sentimiento con el arte exquisito, novedad y fuerza realista con que los presenta. En la forma también deben de ser completos los elogios. Estilo claro, llano, pero no plebeyo, sino elegante y muy literario; lenguaje a la vez familiar y escogido, rico en vocablos propios y figurados y neologismos muy bien ideados; frases exactas, precisas y nuevas y otras con graciosísimos recuerdos arcaicos de viejos romances, tomadas del derecho, de los oficios y del pueblo. Mil primores de expresión en equívocos, retruécanos, alusiones y reticencias de buen gusto; epítetos y calificativos tan oportunos y graciosos como originales, aplicados a las personas y cosas. En la versificación sobresale también por la armonía y dulzura; sobriedad en el empleo de imá-

genes y metáforas; carencia de ripios y amplificaciones forzados de la rima, pues su traviesa musa halla recursos para salir, no solo con fortuna, sino de un modo a veces sorprendente o imprevisto de los lances más apretados."

"En los diálogos pocos le habrán aventajado. ¡Qué viveza, animación y prontitud en las respuestas! ¡Qué pugilatos de agudeza, malicia, exageración, según los casos, entre el interpelante y el interpelado; sobre todo, si un sexo contiende con el otro!"

La parte más extensa y más importante en la obra de Quiñones de Benavente está formada por los entremeses. Los compuso de todas clases: morales, satíricos, burlescos, de costumbres, simplemente jocosos. La mayoría de ellos son originales en el tema y en el procedimiento. Algunos resultan imitaciones de los de otros autores y aun de los anteriores del mismo Quiñones. Otros están sacados de motivos históricos, de cuentos populares, de chistes vulgares o de sucesos anecdóticos. Los tipos que desfilan por este mundo de guirigay que son los entremeses de Quiñones son los más diversos y reales: el casamentero, el murmurador, el hidalgo con goteras, el soldado bravucón, el licenciado trapisonda, el clérigo pícaro, el moralista riguroso y ridículo, el gorrón, el jovenzuelo afeminado, el hablador impenitente, el correveidile, las damas del tusón y las celestinas, las dueñas barbudas y los rodrigones, la moza de partido varonil, la marisabidilla, las venteras, las beatas, los rústicos bobos o maliciosos, los sacristanes, los barberos, los boticarios, los físicos (médicos), los alcaldes monterillas, los cacicones, los frailes trotamundos y sentenciosos, los viejos maridos celosos, las malcasadas refitoleras, los seductores, los capitanes...

Quiñones de Benavente ha sido uno de los autores más copiados e imitados del siglo XVII. *La vista de la cárcel* es el patrón de *El alcalde Ardite,* obra atribuida a Rojas Zorrilla. *El borracho* fue imitado por don José Julián de Castro en *El gato. Los muertos vivos* sirvieron de argumento a Quirós para su entremés del mismo título. *El remediador* sirvió a don Ramón de la Cruz para componer su *El hambriento. Los maricones* son la esencia de *Los maricones burlados,* de López Armesto. *La hechicera* es semejante a *Los putos,* de Cáncer y Velasco.

La clasificación natural de las obras de Quiñones de Benavente es en *loas, bailes, jácaras, mojigangas y entremeses.* Y en su total—unas 140 piezas—puede asegurarse que está reflejada toda la sociedad española de los dos primeros tercios del siglo XVII. Entremeses muy famosos y magníficos de Quiñones son los titulados: *El guarda-infante, El murmurador, La maya, El borracho, El*

Q

retablo de las maravillas, El marido flemático, Los coches, Los cuatro galanes, La capeadora y *El talego-niño.*

La edición príncipe de las obras de Quiñones—impresa en Madrid, 1645, a expensas de su gran amigo Manuel Antonio de Vargas—lleva por título: *Jocoserías, Burlas veras, o reprehensión moral y festiva de los desórdenes públicos. En doce entremeses representados y veinte y quatro contados. Van insertas seis loas y siete jácaras que los Autores* [actores] *de Comedias han representado y cantado en los teatros desta Corte.*

De esta obra se hicieron nuevas ediciones: Valladolid, 1653; Barcelona, 1656; Madrid, 1672.

Se encuentran obras de Quiñones en los siguientes libros: *Vergel de entremeses y conceptos de donaire*—Zaragoza, 1675—, *Entremeses nuevos de diversos autores*—Zaragoza, 1640; Alcalá, 1643—, *Tardes apacibles* —Madrid, 1663—, *Navidad y Corpus Christi*—Madrid, [1659]—, *Ociosidad entretenida* —Madrid, 1668—, *Segunda parte de las comedias de Tirso de Molina*—Madrid, 1635—, *Flor de entremeses, bailes y loas*—Zaragoza, 1676—, *La mejor flor de entremeses que hasta hoy ha habido*—Zaragoza, 1679, todos los incluidos de Quiñones de Benavente—, *Verdores del Parnaso en diferentes entremeses* —Pamplona, 1697—, *Entremeses varios*—Zaragoza, 1699—, *Libro de entremeses de varios autores...*—Madrid, 1700—, *Fiestas al Santísimo Sacramento, de Lope de Vega*—Zaragoza, 1644—, *Teatro poético repartido en 21 entremeses nuevos*—Zaragoza, 1651.

En la Biblioteca Nacional se conservan 54 piezas manuscritas de Benavente.

Las ediciones modernas más completas e importantes son la de don Emilio Cotarelo, publicada en la "Nueva Biblioteca de Autores Españoles", Madrid, tomo XVIII, y la de don Cayetano Rosell, aparecida en la "Colección Libros de antaño", dos volúmenes, Madrid.

V. COTARELO MORI, Emilio: *Estudio* en la edición de entremeses publicada en la "Nueva Biblioteca de Autores Españoles". Madrid, 1911. Tomo XVII.—ROSELL, Cayetano: Prólogo en la edición de entremeses publicada en "Libros de antaño". Madrid, I y II.— ROUANET, L.: *Intermédes espagnols du siècle XVII.* París, 1897.—SAINZ DE ROBLES, Federico Carlos: *Historia y antología del teatro español.* Madrid, Aguilar, 1943, tomo IV.—SCHACK, Conde de: *Arte y literatura dramática de España.*

QUIROGA, Adán.

Arqueólogo, poeta, político argentino. Nació en San Juan el 16 de marzo de 1863. Falleció en 1904. Se doctoró en la Universidad de Córdoba en 1884. Diputado por la jurisdicción de Catamarca, donde residió desde niño. Miembro del Tribunal Superior. Fundó dos periódicos: *El Combate,* en Catamarca, y *El Nacional,* en Tucumán. Se hallaba en Catamarca cuando debió emigrar por razones políticas a Tucumán. Perteneció al Instituto Geográfico Argentino, a la Sociedad Científica Argentina y a la Junta de Historia y Numismática.

Entre sus libros sobre Arqueología citaremos: *Calchaquí, Folklore calchaquí, El diablo en el Norte: Zapay; La cruz y el falo en Calchaquí y Símbolos calchaquíes.* En el orden jurídico publicó diversos trabajos, entre otros: *Delito y pena*—tesis—, *Proyecto de Código de Policía y procedimiento judiciales* y *Defensas criminales y civiles.* Su total labor poética ha sido reunida en un solo volumen, con el título general de *Flores del aire.*

Era un gran erudito, sentía como un poeta y poesía una extraordinaria capacidad de trabajo. Con Samuel Lafone Quevedo y Juan B. Ambrosetti forma la trilogía inicial de los que afirmaron los estudios americanistas en la Argentina.

QUIROGA, Carlos A.

Poeta y prosista argentino contemporáneo.

Ha publicado los siguientes libros: *Cerro nativo, Alma popular, La partícula iluminada, Cartilla romántica, La montaña bárbara y misteriosa, La imagen noroéstica, La raza sufrida, Los animalitos de Dios, El paisaje argentino en función del arte, Liriolay*—poema nativo.

La obra de este escritor está enraizada en las fuerzas telúricas de la región natal. Hay como un sueño y una meditación frente al paisaje nativo, al que interpreta y cuyo secreto trata de penetrar. Su novela *La raza sufrida* es una fuerte expresión regional lograda.

QUIROGA, Horacio.

Poeta, cuentista y novelista notable. 1878-1938. Nació en Salto (Uruguay), pero vivió casi siempre en la Argentina. De espíritu aventurero, estuvo en las Misiones de las selvas tropicales, donde el roce con la áspera Naturaleza y los hombres de instintos primitivos moldearon su carácter y desarraigaron de él sus juveniles ímpetus de literato extravagante y decadente, que tal le había delatado su primer libro de versos, *Arrecifes de coral.* En muchísimos de sus cuentos más hermosos refleja aspectos desconocidos de la vida en el Chaco y en las Misiones. En su país natal, Quiroga presidió el Consistorio del Gay Saber. Quiroga viajó por Europa y toda América y ha colaborado en revistas y diarios de la mayor importancia, alcanzando para su nombre una fama justa e imperecedera.

"Señalar en Quiroga—escribe Leguizamón—el don agudo y penetrante de la observación sería destacar apenas una condición implícita en todo escritor de temperamento y de obra novelísticos. Mucho más justo es decir que ese don de recoger la imagen viva y describir una parábola emocional se realiza en un plano de extremada violencia. Es su propio concepto del cuento, especie en la que no tiene rival americano, pero sí influidos, Quiroga arma el relato como a un arco tenso, del que dispara, con descarga súbita y potente, la flecha del desenlace. El ambiente elegido—selvas y orillas de los ríos del subtrópico—le proporcionó elementos de recia vida y fuerte dramaticidad. Quiroga los aprovechó en su grandeza escueta, casi ceñida a líneas simples, pero de ardorosa comunicación. Hombres y alimañas rebullen en sus relatos como fuerzas primitivas, y por eso insustituibles para la creación estética."

Horacio Quiroga reúne condiciones excepcionales para el cultivo de la literatura narrativa: fuerza creadora, temas fascinantes, concesión impresionante en la expresividad, colorido fúlgido, casi cegador; lenguaje de una naturalidad sin límites.

Obras: *Historia de un amor turbio, Cuentos de amor, de locura y de muerte; El salvaje, El crimen del otro, Los perseguidos, Cuentos de la selva, Anaconda, El desierto, Los desterrados, La gallina degollada y otros cuentos, La miel silvestre, El alambre de púa, Los pescadores de vigas, Los cazadores de ratas, A la deriva, La reina italiana, El almohadón de pluma, La meningitis y su sombra...*

V. DELGADO, J. María, y BRIGNOLLE, Alberto, J.: *Vida y obra de Horacio Quiroga.* Montevideo, 1939.—LEGUIZAMÓN, Julio A.: *Historia de la literatura hispanoamericana.* Buenos Aires, 1945.—ZUM FELDE, Alberto: *La literatura del Uruguay.* Buenos Aires, 1939.—ZUM FELDE, Alberto: *Proceso intelectual del Uruguay y crítica de su literatura.* Montevideo, 1941.

QUIROGA, Pedro de.

Sacerdote y escritor español. Vivió en el Perú durante el siglo XVI. Y escribió una obra muy curiosa: *Coloquios de la verdad* —escritos hacia 1583—, cuatro diálogos entre un ermitaño, recién llegado de España, y un indio astuto y discutidor. Tratan de la entrada y de la conquista de los españoles en el Perú. El libro está inspirado en la desafortunada *Brevísima relación de la destrucción de Indias,* del P. Las Casas, de la que toma la mayoría de los excesos y errores. Sin embargo, abunda en la obra de Pedro de Quiroga los aciertos y está escrita en un castellano de gran energía y viveza.

Edición: *Coloquios,* con un estudio de G. Zarco, 1922.

QUIROGA, Vasco de.

Escritor eclesiástico español. Nació—1470—en Madrigal de las Altas Torres (Avila) y murió—1565—en Uruapán, obispado de Michoacán (México). Estudió Jurisprudencia en Valladolid. Fue nombrado juez en las acusaciones que se hicieron contra Hernán Cortés y Nuño de Guzmán, procediendo con magnífico criterio y con la máxima justicia. Fue oidor de la primera Audiencia que hubo en México, adonde llegó en 1531. Carlos I le nombró obispo de Michoacán. Protegió a los indios. Fundó colegios. Protegió la cultura. Fomentó las industrias en su diócesis. Fue mucha su cultura. Y dejó un imborrable ejemplo de caballerosidad y de amor a sus diocesanos.

Obras: *Doctrina para los indios, Sermones, Cartas al arcediano, Reglas y ordenanzas para el gobierno de los hospitales de Santa Fe, de México y Michoacán...*

QUIROGA Y DE ABARCA, Elena.

Novelista española contemporánea. Nació —¿1926?—en Santander, pero de familia gallega, siendo sus padres los condes de San Martín de Quiroga, cuya casa solariega radica en Barco de Valdeorras (Orense). Casó en 1950, en Santiago de Compostela, con el historiador Dalmiro de la Válgoma y Díaz-Varela, residiendo en Madrid desde entonces.

Su primera obra, *La soledad sonora,* editada a expensas de la Diputación Provincial de La Coruña, se publicó en 1948.

En 1950 obtuvo el "Premio Eugenio Nadal" con su novela *Viento del Norte,* que antes del año de su publicación fue llevada a la pantalla.

Su autora tiene publicados en la revista gallega *Alba* un relato breve—*Vela al viento*—y un cuento—*El pájaro de oro*—, en los cuales predomina la nota lírica, delatando una alta espiritualidad. En *Escorial*—número 63—publicó también un ensayo sobre *El maestre de Santiago,* de Montherlant, que despertó la curiosidad del propio literato francés, cuyo punto de vista rebate. En 1960 su novela *Tristura* obtuvo el "Premio de la Crítica Catalana".

Otras obras: *La sangre*—Barcelona, 1953—, *Algo pasa en la calle*—1954—, *La careta* —1955—, *La enferma*—Barcelona, 1955—, *Plácida la joven y otras narraciones*—Madrid, 1956—, *La última corrida*—1958—, *Tristura*—Barcelona, 1960—, *Escribo tu nombre* —Barcelona, 1964—, *Trayecto uno y La otra ciudad*—novelas cortas.

Q

V. ALBORG, Juan Luis: *Hora actual de la novela española*. Madrid, Taurus, 1958. Tomo I, págs. 191-200.—NORA, Eugenio G. de: *La novela española contemporánea*. Madrid, Gredos, 1962. Tomo III, págs. 161-177.—HOYOS, Antonio de: *8 escritores actuales*. Murcia, 1954, págs. 87-118.—TORRENTE BALLESTER, Gonzalo: *Panorama de la literatura española contemporánea*. Madrid, 1962, 2.ª edición.—SAINZ DE ROBLES, F. C.: *La novela española en el siglo XX*. Madrid, Pegaso, 1957.

QUIROGA PLA, José María.

Gran poeta. Nació—1902—en Madrid. Murió—1955—en Ginebra. Desde muy joven frecuentó las tertulias del café de Platerías, del Sotanillo, con López Rubio, Sainz de Robles, González-Ruano, los Rello, Hidalgo de Caviedes, Galán... En la editorial Caro Raggio, bajo el seudónimo de "Anselmo Reguera", publicó una novelita interesante, "a lo Willy", *Melita busca sensaciones*.

Colaborador de la *Revista de Occidente* y de *Litoral*, de Málaga. Reside en París. Estuvo casado con una hija de don Miguel de Unamuno.

Es uno de los espíritus más originales, varios y audaces de la literatura española contemporánea.

Sugestivas y admirables son sus *Baladas para acordeón*. Ha traducido magníficamente a Proust.

V. SAINZ DE ROBLES, F. C.: *Historia y antología de la poesía española*. Madrid, Aguilar, 1950, 2.ª edición.

QUIRÓS, Pedro de.

Poeta de mérito. ¿1601?-1670. Los críticos se han hecho el auténtico lío refiriéndose a Pedro de Quirós. ¿Pedro de Quirós? ¿Cuál de ellos? Porque hay dos. Los dos Pedro, los dos *de Quirós*. Los dos sevillanos. Los dos nacidos a principios del siglo XVII. Los dos clérigos. Los dos poetas. Los dos hombres de buen humor. Los dos con juventudes llenas de ardores sensuales y con madureces pletóricas de reconcomios espirituales. ¡Y aún hay más! ¿Más aún? Un tercer Pedro de Quirós—sino que: Pedro *Manuel* de Quirós—, igualmente sevillano, cura, poeta, nacido en dicho siglo y gran barajeador y cortador durante su vida de los naipes de fortura diversa que son los resquemores y los anhelos. ¿Cuál de estos tres Pedros es el Pedro *que nos conviene*, el autor de los epigramas ingeniosos y de correctísimo estilo? Casi casi podría echarse *a suertes*. Tan despistada anda la crítica más sutil. Esa que parece que nunca puede engañarse ni engañarnos.

Leídas algunas de las obras de los tres Pedros, nos inclinamos a pensar que el epigramista fue el Pedro de Quirós nacido en Sevilla hacia el año 1601 y muerto en Madrid en 1670. Clérigo—1624—regular menor de la comunidad establecida en la capital bética aquel mismo año. Y este padre, que a todos pareció siempre tan serio y de tan grave contenido dentro de tan severo continente, sin embargo, era un desaforado romántico. Se parapetó para escribir sus primeras poesías eróticas en el seudónimo poetiquísimo de "Daliso". Y su amada respondía —poéticamente, se entiende—al poetiquísimo de "Ardemia". A esta amada importunó durante muchos años, enviéndole soneto tras soneto; y cada soneto era una caja logomáquica conteniendo sabe Dios qué crecido número de lágrimas, ayes, suspiros e imprecaciones; amén de alguna amenaza que otra de eliminación propia de la vida por medios truculentos. Los hábitos fueron serenando sus *hábitos*. Los años acabaron con la combustión de su patetismo. Y fue un clérigo ejemplar, los restos de cuyos ímpetus se valvulaban a escape en las chirigotas versificadas de los epigramas.

Como poeta, fue Pedro de Quirós fervoroso conceptista y poquísimo culterano. En la *Aclamación de las musas al nacimiento del príncipe Felipe Próspero*—1652—, corona poética publicada por el doctor Diego Ayllón y Toledo, rector de la Universidad de Alcalá, figura el nombre, entre otros, 106, de Pedro de Quirós, autor de un soneto mediocre. También en los versos suyos en el *Aplauso gratulatorio*—¿1637?—, publicado en Lisboa por el portugués Manuel de Azevedo y dirigido al conde-duque por haber logrado del rey la restauración de los votos de los estudiantes en la Universidad de Salamanca. Menéndez Pelayo, valiéndose del manuscrito de Quirós que poseía el conde del Aguila, publicó en Sevilla—1887—los versos del vate sevillano. Y el mismo Menéndez Pelayo dio a la imprenta—1887—las *Poesías divinas y humanas de Quirós*.

V. NICOLÁS ANTONIO: *Bibliotheca Hispana Nova*.—ORTIZ DE ZÚÑIGA: *Anales de Sevilla*. PÉREZ DE GUZMÁN, J.: *La Rosa*, I, 331.—BIBLIOTECA DE AUTORES ESPAÑOLES. Tomos XVI-XVII.—AMADOR DE LOS RÍOS: *El Cisne*. 1838.

R

RABANAL ÁLVAREZ, Manuel.

Ensayista, filólogo. Nació—1914—en La Magdalena de los Canales (León). Estudió Humanidades en la Universidad Pontificia de Comillas y Filosofía y Letras en la Universidad de Salamanca, donde obtuvo los premios extraordinarios de la Licenciatura —1940—y del Doctorado—1948—. Enseñó, como profesor adjunto, griego en la Universidad salmantina. Catedrático de griego de Instituto desde 1941. En la Universidad de Santiago de Compostela desempeñó cursos de Lengua griega y de Gramática histórica. En 1968 ganó por oposición la cátedra de Lingüística y Literatura griegas en la Facultad de Filosofía y Letras de la Universidad de Santiago. Colabora con artículos de lingüística y curiosidades del lenguaje en *A B C* y *Ya*, de Madrid; *El Diario de León, Espadaña* —revista leonesa.

De profundos conocimientos lingüísticos que divulga con mucha amenidad y sin la menor pedantería.

Obras: *Antología de Safo*—prólogo, traducción y notas—, *Rasgos de substrato de la lengua gallega*—ensayo—, *Didáctica de las lenguas clásicas*—en colaboración—, *El lenguaje y su duende. Historias mágicas y lógicas de las palabras*—1967—; *Hablas hispánicas, Temas gallegos, El atractivo de las sirenas, Unamuno y Homero, El Cristo de Asorey*—poemas.

RADA Y DELGADO, Juan de Dios de la.

Historiador y literato español. Nació —1827—en Almería. Murió—1901—en Madrid. Doctor en Derecho. Director del Museo Arqueológico Nacional. Catedrático de Disciplina eclesiástica en la Universidad Central. Senador del Reino. Académico de las Reales de la Historia y de Bellas Artes de San Fernando. Director del Museo de Reproducciones Artísticas. Consejero permanente de Instrucción Pública. Colaborador ilustre de *El Museo Universal* y de *El Museo Español de Antigüedades*. Representante de España en varios Congresos europeos de Arte y Literatura.

Fecundísimo escritor. Historiador insigne. Maestro en temas de arte. Prosista castizo.

Obras: *Historia de la villa y corte de Madrid*—1860, en colaboración con José Amador de los Ríos—, *Cristóbal Colón*—drama, 1863—, *Mujeres célebres de España y Portugal*—Barcelona, 1868—, *Crónica de la provincia de Granada*—Madrid, 1869—, *Viaje a Oriente de la fragata "Arapiles"*—1876—, *Don Ramón Berenguel "el Viejo"*—novela—, *Wifredo II, conde de Barcelona*—novela—, *Génesis de la pintura, Historia de España...* —hasta los visigodos—, *Frescos de Goya en San Antonio de la Florida*—Madrid, 1888—, *Historia de la Orden de María Luisa*—tomo II de las *Ordenes de Caballería...*

RAIMUNDO, Arzobispo.

Prelado y erudito español. Murió en 1150. Prelado de Toledo. Gran canciller de Castilla. Fundador de la famosa Escuela de Traductores de Toledo, en la que trabajaron, entre otros insignes eruditos, Gundisalvo y Juan Hispalense, quienes tradujeron al latín las obras de Avicena, Algazel, Avicebrón y otros muchos célebres escritores y filósofos árabes. La obra cultural del arzobispo Raimundo alcanzó una gran difusión en toda Europa. A su Escuela llegaron famosos eruditos europeos, quienes aprendieron de sus maestros el arte de traducir al latín literario.

RAIMUNDO LULIO (v. Lulio, Raimundo).

RAMÍREZ, Carlos María.

Literato y político uruguayo. 1848-1898. Periodista. Desde muy joven intervino activamente en la política. Fundó y dirigió el periódico *La Bandera Radical*. Tomó parte en el movimiento revolucionario de 1868 y se halló en el combate del Quebracho. Fracasado aquel, Ramírez hubo de emigrar. Ministro plenipotenciario en el Brasil. Diputado. Ministro de Hacienda, Senador. Catedrático de Derecho en la Universidad de Montevideo. Fue uno de los más ilustres directores de la cultura de su país, poeta romántico y prosista brillante.

Obras: *Los palmares*—novela, 1882—, *Los amores de Marta*—novela, 1884—, *Poesías, Bosquejo histórico de la República Oriental del Uruguay*—1882—, *Artigas* — biografía, 1884...

V. Montero Bustamante, R.: *Historia de la literatura uruguaya*. Montevideo, 1910.— Roxlo, Carlos: *Historia crítica de la literatura uruguaya*. Montevideo, 1912.

RAMÍREZ, Ignacio.

Literato y político mexicano. Nació—1818— en San Miguel de Allende y murió—1879— en la ciudad de México. Abogado. Formó parte de la famosa Academia de San Juan de Letrán, a la cual pertenecían los más destacados ingenios de su época. Gran defensor de las ideas liberales. Catedrático. Tomó parte en la lucha contra los Estados Unidos. Diputado por el Estado de Sinaloa. Ministro de Fomento y de Justicia. Fundador de la Biblioteca Nacional. Magistrado de la Suprema Corte de Justicia. Orador formidable y no menos formidable polemista. Sostuvo una controversia muy comentada con Emilio Castelar. Popularizó el seudónimo de "El Nigromante". Fundó *El Correo Mexicano* y mereció el sobrenombre de "el Voltaire mexicano".

Obras: *Desespañolización*—obra que motivó su controversia con Castelar—, *Lecciones de literatura, Obras completas*—1889.

V. González Peña, Carlos: *Historia de la literatura mexicana*. Médico, 2.ª edición, 1940.

RAMÍREZ, Juan Andrés.

Literato y periodista uruguayo. Nació —1875—en Buenos Aires. Acababa de cumplir los quince años cuando pronunció, en público, su primer discurso. Dirigió los diarios *El Siglo, La Razón, Diario del Plata* y *El Plata*. Fue diputado casi sin interrupción. Catedrático de Derecho Constitucional en la Facultad de Derecho y Ciencias Sociales. Sus artículos periodísticos—de mucha enjundia y trascendencia—suman varios miles. Obras: *El partido constitucional*—1900—, *El Derecho constitucional en el Uruguay* —1906.

En su cátedra se han formado culturalmente varias generaciones, que han tenido en él su mejor maestro y guía.

RAMÍREZ ÁNGEL, Emiliano.

Notabilísimo cronista, novelista y poeta español. Nació—1883—en Toledo y murió —1928—en Madrid. Desde casi niño se entregó resuelta y fervorosamente a la literatura, consiguiendo rápidamente un justísimo prestigio. Su primera novela, *La Tirana* —1907—, le llevó a la fama y a la popularidad. Dirigió las revistas madrileñas *Información, Música* e *Ilustración*. Colaboró en publicaciones importantes: *A B C, Blanco y Negro, La Esfera, Nuevo Mundo, El Cuento Semanal, Los Contemporáneos, La Novela de Bolsillo, La Novela Corta*... En 1924 ganó el codiciado premio anual "Mariano de Cavia" por un artículo primoroso: *El balcón de los pájaros*. Y en 1927, la Academia Española otorgó el "Premio Chirel" a su libro *La villa y corte pintoresca*.

Pocos escritores tan delicados, amenos, hondos y efusivos como Ramírez Angel. Su amor inmenso por Madrid le convirtió en uno de los mejores y más sugestivos panegiristas de la vida madrileña. Costumbrista de fino dibujo y brillantísimo colorido. Psicólogo profundo y comprensivo. Prosista de excepcionales calidades y de personalísima vitola. De estilo sencillo, cordial, cautivador. De vivísima imaginación y delicados sentimientos y sentimentalismos. Verdadero enamorado y conocedor de las más íntimas sensaciones y reacciones madrileñas. Ha descrito como nadie en sus libros la vida de la clase media, humilde y apasionada. Muchos de sus cuentos y crónicas son verdaderos modelos en el género y merecen figurar en las antologías.

Novelas: *Después de la siega, La voz lejana, Los ojos abiertos, Los ojos cerrados, Penumbra, Caperucita López, Vuelos de golondrinas, Sinfonía doméstica, De corazón en corazón, La tragedia del comedor, Santiago el Verde, Ella y él se buscan, Uno de los dos, Todos gorriones, Anda que te anda, Juventud, ilusión y compañía; Cambio de conversación...*

Otras obras: *Bombilla-Sol-Ventas, La vida de siempre, Madrid sentimental, La cabalgata de las horas, El perfecto casado, Niñerías, Zorrilla*—biografía—, *Haendel*—biografía—, *Nuestras hermanas*—comedia...

V. Cejador y Frauca, J.: *Historia de la lengua y literatura españolas*. Tomo XIII.— González-Blanco, A.: *Los contemporáneos*. Tercera serie.—Sainz de Robles, F. C.: *La novela corta española (Promoción de "El Cuento Semanal")*. Madrid, Aguilar, 1952.— Francés, José: Prólogo a *las Obras escogidas*, edición del Ayuntamiento de Madrid, 1951.

RAMÍREZ BORDES, Vicente.

Literato y periodista español. Nació en Valencia el 28 de septiembre de 1900. Licenciado en Derecho en Valencia. Doctor en Derecho en Madrid. Ha estrenado varias piezas teatrales cortas en prosa y verso. Ha publicado una novela y varios poemas en lengua valenciana. Su principal obra está dispersa en varias revistas. Redactor-fundador de *La Semana Gráfica,* de Valencia, en donde publicó muchas poesías y ensayos literarios. Colaborador de otras más, ha publicado originales en *Las Provincias,* de Valencia, y *Atlántida* y *Para Ti,* de Buenos Aires.

RAMÍREZ DE VILLAURRUTIA, Wenceslao.

Historiador, literato y diplomático español de gran prestigio. Primer marqués de Villaurrutia. Nació—1850—en Cuba. Murió después de 1930. Doctor en Derecho por la Universidad Central. Representante de España en Washington, Londres, Montevideo, Tánger, Lisboa y París. Subsecretario de Estado. Individuo de número de las Reales Academias de la Lengua y de la Historia. Representante del Gobierno español en dos Conferencias de la Paz. Socio de honor de la Real Sociedad de Historia de Londres y de la de Amberes.

De extraordinaria cultura y consumado políglota. Ha sido en España el primer y mejor cultivador de la "pequeña historia", a la manera de Bauville y de Lenotre en Francia. Amenísimo narrador, los problemas de la historia íntima salían de su pluma vivificados y sugestivos como si se tratara de novelas. Prosista castizo y elegante. Ironista sutil. Crítico agudo. Evocador admirable. Intérprete sorprendente.

Sus obras han sido traducidas a todos los idiomas, consiguiendo en España y en el extranjero éxitos enormes y lectores a miles. Algunos *retratos pintados* por él tienen el colorido incomparable, la finura y el hechizo de la "escuela velazqueña".

Obras: *Francisco de Vitoria, España en el Congreso de Viena...*—1906—, *El rey José Napoleón*—1911—, *Las mujeres de Fernando VII, rey constitucional; Fernando VII, rey absoluto; Cortesanas italianas del Renacimiento, La Giorgina*—1928—, *Ocios diplomáticos*—1928—, *Teresa Cabarrús*—1927—, *El general Serrano, duque de la Torre* —1929—; *Madame de Staël*—1930—, *La bella Imperio*—1924—, *Palique diplomático* —1928—y otras muchas.

RAMÓN Y CAJAL, Santiago.

Literato y sabio histológico español. Nació —1852—en Petilla de Aragón. Murió—1934— en Madrid.

Su fama como histólogo es universal y alcanzó el codiciado "Premio Nobel" de Medicina. Pero aquí no queremos referirnos sino a sus actividades literarias. Académico de la Real de la Lengua desde 1905, no llegó a tomar posesión de su número.

Buen prosista, de estilo llano y castizo. Amenísimo narrador. Ingenio original y muy profundo.

Obras literarias: *Mi infancia y mi juventud, Cuentos de vacaciones, Charlas de café, La vida vista a los ochenta años.*

La editorial M. Aguilar—Madrid, 1947—ha publicado en primorosa edición las *Obras literarias completas de Ramón y Cajal.*

V. ANTÓN DEL OLMET Y GARCÍA CARAFFA: *Los grandes españoles: Cajal.* Madrid, ¿1913? MARAÑÓN, Gregorio: *Ramón y Cajal y su tiempo.* Madrid, 1951.—SAINZ DE ROBLES, Federico Carlos: Prólogo a la edición *Obras literarias de Santiago Ramón y Cajal.* Madrid, Aguilar, 2.ª edición, 1950.

RAMOS, José A.

Periodista, narrador, autor dramático. Nació—1885—y murió—1946—en la Habana. Cuando se había afamado como periodista extraordinario, ingresó en la carrera diplomática y fue cónsul de su país en España, en Francia, en Portugal, en Nueva York... En 1932, opuesto a la política del dictador Machado, buscó asilo en México. Caído el dictador, volvió a la carrera consular y fue nombrado cónsul general en México. Hizo frecuentes viajes a los Estados Unidos para escribir su *Panorama de la literatura norteamericana.* Según Juan J. Remos, "Ramos fue un inadaptado, cargado de razones y saturado de sabiduría".

Obras: *Entreactos, Apuntes político-sociales, Manual del perfecto Fulanista, Humberto Fabra*—novela—, *Las impurezas de la realidad*—novela—, *Coabay*—novela—y las dramáticas: *Almas rebeldes, El traidor, La leyenda de las estrellas, Cuando el amor muere, Satanás, En las manos de Dios, Tembladera...*

RAMOS CARRIÓN, Miguel.

Notabilísimo poeta festivo y autor teatral. 1851-1915. Ramos Carrión nació en Zamora. Estudió las primeras letras en su ciudad natal y rudimentos de música en el Conservatorio de Madrid. Muy joven aún, desempeñó un empleo modesto en la Junta General de Estadística. Protegido por Hartzenbusch, empezó a colaborar en *El Museo Universal,* semanario muy leído que dirigía este gran dramático del romanticismo. Más tarde, Ramos Carrión fundó el semanario satírico *Las Disciplinas,* y sus chascarrillos, versos jocosos, cuentos humorísticos, llenaron las páginas de *El Fisgón, Jeremías, El Moro Muza*—de la Habana—, *La Publicidad* y *La Libertad,* periódicos en los que firmaba con los seudónimos de "Boabdil el Chico" y de "Daniel". Su primera obra se la aceptó el famoso empresario Arderíus, quien la estrenó en su no menos célebre teatro "de los Bufos" el año 1866. La obrita se titulaba *Un sarao y una soirée,* y obtuvo un éxito muy halagüeño.

R

La había escrito en colaboración con Eduardo Lustonó. Desde entonces Ramos Carrión se dedicó plenamente a escribir para el teatro, en el que triunfó durante cincuenta años. La última obra de Ramos lleva fecha de 1908, el título de *Mi cara mitad,* y fue representada en Lara.

Cerca de setenta obras dejó escritas este saladísimo autcr. Muchas, exclusivamente suyas. Otras, en colaboración con Vital Aza, Eusebio Blasco, Lustonó, Campo-Arana, Carlos Coello, Granés, Estremera, Pina Domínguez y su hijo Antonio Ramos Martín.

Durante cincuenta años tuvo Ramos Carrión la máxima autoridad teatral; fue verdadero dictador de los teatros dedicados al género cómico, muy solicitado de empresarios, que estaban siempre a su mandar, no menos que de cómicos y autores. Escribió zarzuelas, sainetes, juguetes cómicos, pasillos, en los que destacaban el plan muy bien trazado y la gracia de las situaciones. Murió Ramos Carrión en Madrid el 8 de agosto de 1915.

Ramos Carrión y Vital Aza se *completaron* tan admirablemente, que formaban en realidad un autor único. Ramos Carrión era... el plan firme, la observación exacta—un poco caricaturesca—, la ponderación, el dominio técnico. Vital Aza era... la gracia desbordante, el optimismo sano, la facilidad versificadora, el chiste de la mejor ley. Juntos eran... el autor dilecto del público, ya cansado de los dramones de Echegaray, Sellés, Cano y demás realistas románticos sueltos por los escenarios. Eran... el autor heredero de toda la auténtica gracia y picardía españolas que tanto centellean en todo nuestro teatro desde *La Celestina,* pasando por los graciosos y figurones de Lope, Tirso, Moreto, Moratín y Bretón. Eran juntos... el autor que nada debe a ningún teatro extranjero. Español y nada más que español. Con sus virtudes —muchas—y con sus vicios —pocos.

El puntilloso Ixart los alaba así: "Ramos y Aza son unos practicones del teatro, muy hábiles en presentar las situaciones con una claridad, con una nitidez extraordinarias; se muestran celosos de comunicar vida, color y movimiento reales a las escenas más baladíes... Usan, además, una prosa limpia, afluente, correcta, con gracejo."

Obras sanas, cultas, burguesas, agradables las de Ramos-Aza, quizá hoy un tanto inocentes, un poco anticuadas, pero que son el nexo del teatro de Bretón con el llamado humorista o *astracanesco* de nuestros días. Del suceso que tuvieron en su época dan medidas esas incontables traducciones que se hicieron de ellas al francés, alemán, inglés, sueco, portugués, italiano ¡y hasta al esperanto!

Entre las obras exclusivas de Ramos Carrión están: *Los sobrinos del capitán Grant, El chaleco blanco, La tempestad, Agua, azucarillos y aguardiente; La bruja, El noveno mandamiento, La careta verde, La mamá política...* Los mejores compositores españoles, Caballero, Chueca, Chapí, Arrieta, pusieron música inmortal a muchas de las zarzuelas enumeradas.

Obras famosas de Ramos Carrión y Vital Aza: *El señor gobernador, El oso muerto, Zaragüeta, El rey que rabió, La calandria, Los lobos marinos, Robo en despoblado, La ocasión la pintan calva, El padrón municipal.*

V. IXART, J.: *El arte escénico,* II, 66.—PICÓN, J. O.: Prólogo a la *Prosa escogida* de Ramos Carrión. Madrid, 1916.—SAINZ DE ROBLES, F. C.: *Historia y antología del teatro español.* Madrid, Aguilar, 1943, tomo VII.

RAMOS DE CASTRO, Francisco.

Poeta, autor dramático y periodista español de gran popularidad. Nació—1890—y murió—1963—en Madrid. Estudió el bachillerato en Toledo y en su ciudad natal. Y empezó a prepararse para el ingreso en la Academia Militar de Infantería. Pero el año 1909, como soldado, marchó a Marruecos, tomando parte activísima en la guerra y siendo herido en el zoco del Jemis de Beni-bu-Ifrur. Licenciado, desistió de sus propósitos militares y se dedicó al periodismo y a la literatura. Antes, para ganarse la vida, había desempeñado oficios diversos: dependiente de una sombrerería de señoras, pintor de anuncios en vallas de solares, escribiente en casa de un procurador, encuadernador...

Pero su ingenio felicísimo, su talento y su simpatía personal le dieron pronto justo renombre en el periodismo y en el mundillo teatral.

En 1910 estrenó su primera obra, *A ras de las olas,* en el teatro Martín. Durante muchos años, en *El Parlamentario,* en *La Nación,* en *Informaciones,* ha escrito diariamente una sección, comentando en versos fáciles, optimistas e ingeniosísimos, sucesos de novedad. Luis de Tapia y Ramos de Castro fueron, quizá, los dos mejores poetas satíricos contemporáneos.

En el teatro consiguió éxitos ruidosos y merecidos.

Ramos de Castro, de una modestia ejemplar, poseyó cultura, maestría literaria, talento, mucha sensibilidad y un extraordinario vigor para crear caracteres cómicos y situaciones de un humor excepcional, raras y preciosas en el teatro español de hoy.

Estrenó, entre España y América, 119 obras, entre dramas—uno—, zarzuelas, sainetes, comedias y juguetes cómicos. Fue también amenísimo conferenciante. Y su gracia personal e inagotable fluía lo mismo en su vida que en sus escritos.

Obras: *Más bueno que el pan, El niño "se las trae", ¡Y viva Alcorcón, que es mi pueblo!, Al cantar el gallo, Me llaman la presumida, La del manojo de rosas, La boda del señor Bringas, ¡Pare usté la jaca, amigo! El Niño de Hielo, El concejal*—drama...

Ramos de Castro vivió, de 1936 a 1939, en Uruguay, Chile, Argentina y Perú.

Perteneció a la Junta directiva de la Asociación de la Prensa.

V. SAINZ DE ROBLES, F. C.: *Historia y antología de la poesía española*. Madrid, Aguilar, 1964, 4.ª edición.

RAMOS DEL MANZANO, Francisco.

Erudito y profesor español. Nació —¿1616?—en Salamanca y murió—1683—en Madrid. Doctor en Leyes, en Teología y en Letras. Catedrático de Derecho en la Universidad de Salamanca. Mereció la admiración de sus contemporáneos por su personalidad y aptitud sorprendente para la cátedra. Según Mayáns, fue Ramos del Manzano el jurisconsulto más admirable de su época. Vivió algunos años en Florencia, Bolonia, Nápoles y Roma, logrando igualmente el respeto y la admiración de los más famosos juristas italianos.

Obras: *El memorial a nuestro santísimo padre Alejandro VII sobre la provisión de las iglesias que están vacantes en la Corona de Portugal*—Madrid y Nápoles, 1659 y 1666—, *Respuesta de España al manifiesto de Francia*—Madrid, 1668—, *Reinado de menor edad y de grandes reyes*—Madrid, 1672...

RAMOS MARTÍN, Antonio.

Comediógrafo español. Hijo de Ramos Carrión. Nació—1885—en Madrid. Licenciado en Filosofía y Letras. Bibliotecario del Casino de Autores. Fue también secretario de la Sociedad y del Montepío de Autores.

Gran sainetero. De gracia fina y de mucha dignidad literaria. Ha conseguido grandes triunfos en la escena.

Obras: *El sexo débil, La real gana, La cocina, El compañero cocido, La afición, Mantequilla de Soria, En capilla, La gran familia, ¡Que nos entierren juntos!, El mejor de los mundos*...

RAMOS MARTÍN, José.

Comediógrafo español. Hijo de Ramos Carrión. Nació—1892—en Madrid. A los diecinueve años estrenó su primera obra: *El nido de la paloma*. Ha colaborado en *A B C, Blanco y Negro, El Liberal*... Sus éxitos teatrales han sido muchos, pues posee mucha y fina gracia, gran dominio de la escena y gran dignidad literaria.

Ha desempeñado varios cargos directivos en la Sociedad de Autores Españoles.

Obras: *Madrecita, El redil, Hormiguita, Gramática parda, Su desconsolada viuda, Las madreselvas, Soleares, Abejas y zánganos, La pelusa, Ramón del alma mía, La alsaciana, La costilla del prójimo*...

RAMOS PÉREZ, Vicente.

Poeta y prosista español. Nació en Guardamar del Segura (Alicante) el 7 de septiembre de 1919. En Alicante cursó el bachillerato y los estudios del Magisterio primario.

En 1943 obtuvo el título de licenciado en Filosofía y Letras (Sección de Filosofía) en la Universidad de Madrid.

Actualmente es director de la Biblioteca "Gabriel Miró", de Alicante, y profesor del Instituto nacional de Enseñanza Media de la misma ciudad.

En Alicante ha fundado y dirigido las siguientes revistas y publicaciones: *Intimidad Poética, Colección Leila, Sigüenza, Verbo, Colección Ifach.*

Ha publicado, además de poemas y artículos en diversas revistas y periódicos españoles, las siguientes obras: *Pórtico Auroral* —Alicante, 1943—, *Voz Derramada*—Alicante, 1946—, *Cántico de la creación y del amor* —Alicante, 1950 ("Col. Ifach", núm. 5)—, *Vida y obra de Gabriel Miró*—1955—, *Destino de tu ausencia*—poemas, 1957—, *Elegías de Guadalest*—1955—, *Fábulas de la mañana y el mar*—1960—, *El mundo de Gabriel Miró*—1964—, *El Teatro Principal en la historia de Alicante*—1965—, *Literatura alicantina: 1839-1939*—1966—, *Vida y teatro de Carlos Arniches*—1967...

RAS FERNÁNDEZ, Aurelio.

Nació en Tarragona el 8 de noviembre de 1882. Fundó en Barcelona, en 1908, la Sociedad de Estudios Económicos, de la cual fue presidente efectivo durante muchos años, y luego presidente honorario. En dicha Sociedad publicó algunos folletos sobre cuestiones económicas. También dirigió, en la misma ciudad, la revista mensual *Estudio*, que se publicó desde enero de 1913 hasta diciembre de 1920, distribuidos por trimestres en 32 tomos.

En 1924 se trasladó a Madrid, donde reside, y después de una larga interrupción en sus actividades literarias, ha empezado a publicar una serie de libros, bajo el título de *Reflexiones*, que constituyen obras separadas e independientes, pero cada una de las cuales presenta una faceta distinta de un pensamiento central, pues en ellas se investiga, desde perspectivas diferentes, los elementos de las sociedades contemporáneas y la posición del individuo dentro de la sociedad.

Hasta la fecha van publicados los siguien-

R

tes libros de esta serie: *Reflexiones sobre la economía*—1944—, *Reflexiones sobre el estilo*—1944—, *Reflexiones sobre la burocracia*—1944—, *Reflexiones sobre la moda* —1945—, *Reflexiones sobre la filosofía* —1945—, *Reflexiones sobre el "Quijote"* —1945—, *Reflexiones sobre la técnica, Reflexiones sobre el amor y la guerra.*

RAS FERNÁNDEZ, Matilde.

Nació en Tarragona en 1 de septiembre de 1881. Fue pensionada en 1923 y 1925 por la Junta de Ampliación de Estudios en París, para estudiar el peritaje de escritos en la "Société Technique des Experts en Escriturs", obteniendo su diploma.

Libros publicados: *Grafología* (Estudios del carácter por la escritura)—edit. Estudio, Barcelona, 1917—, *Quimerania*—novela, editorial Estudio—, *Donde se bifurca el sendero*—novela, edit. Estudio—, *Cuentos de la guerra*—edit. Estudio—, *Grafología: Las grandes revelaciones de la escritura*—3.ª edición, edit. Labor—, *La inteligencia y la cultura en el grafismo*—edit. Labor—, *Charito y sus hermanas*—libro para niñas, edit. Aguilar.

En la obra *Teatro de mujeres,* edición Aguilar, dos comedias: *El amo y El taller de Pierrot. Diario* (Una española habla de Portugal). Edit. Coimbra.

Traducción y compilación de cuentos clásicos y novelas para niños (Perrault, hermanos Grimm, Andersen, condesa de Sigur). Traducción de *Renacimiento,* de Gobineau. Y otras traducciones. En preparación, para editorial Plus Ultra, *Historia de la escritura.*

Publicaciones de cuentos, artículos, biografías sintéticas, estudios grafológicos en *Por Esos Mundos, Nuevo Mundo, Blanco y Negro, Heraldo de Madrid, El Sol, La Voz, Estampa, Crónica, Horizonte, Arriba, Estudio*—de Barcelona—y otros diarios y revistas.

RASIS (AHMAD AL-RAZI).

Historiador, literato y poeta árabe español. 887-936. Conocido por el *Moro Rasis.* De gran cultura, se sabe que enseñó en Córdoba, Sevilla y otras ciudades, y que escribió numerosas obras. Pero únicamente se conservan de él los fragmentos de una *Crónica,* en los que se contienen descripciones felices de algunos lugares y hechos de España. Estos fragmentos, traducidos al castellano, fueron editados por Gayangos—1850—, y completados más tarde con un manuscrito de la Biblioteca del Real Palacio, estudiado por P. J. Pidal en el *Catálogo* de aquella. Críticos tan doctos como Dozy y Gayangos creen que la *Crónica* conservada no es el texto genuino de Rasis, sino un compendio

del mismo, redactado con bastante posterioridad.

V. GONZÁLEZ PALENCIA, Angel: *Historia de la literatura arábiga.* Barcelona, Labor, 1928. DOZY, R.: *Historia de los musulmanes de España.* Madrid, Calpe, 1920. "Col. Universal".—PONS, F.: *Historiadores y geógrafos arabigoespañoles.* Madrid, 1898.—TERÉS, E.: *La literatura arabigoespañola,* en el tomo I de la *Historia general de las literaturas hispánicas.* Barcelona, 1949.

REBOLLEDO, Bernardino de, conde de Rebolledo.

Notable poeta. 1597-1676. Fue su padre don Jerónimo de Rebolledo, señor de Irián. Su madre, doña Ana de Vellamizar y Lorenzana. Y nació en León. A los catorce años se dedicó a la carrera de las armas. Era insolente y bravo. Como alférez de Marina estuvo en las galeras de Nápoles y Sicilia, tomando parte, durante dieciocho años, en todos los combates que sostuvo España contra los turcos. Se distinguió en Lombardía a las órdenes de Spínola, "el de las lanzas". Marchó a Flandes con el empleo de maestre de campo general. El emperador de Alemania Fernando II le nombró conde del Imperio, gobernador del Bajo Palatinado y capitán general de Artillería. Más tarde fue embajador de España en Dinamarca, a la que asistió, durante su guerra con Suecia, con tal acierto, que Copenhague le debió no caer en poder del enemigo y Federico III, quizá, la corona.

Cuantos momentos le dejaba de sosiego el ejercicio de la guerra, dedicábalos a las musas, con no poca inspiración. En 1652 publicó, en Colonia, *La selva militar y política* —máximas y preceptos acerca del arte de la guerra—. Tradujo el *Salterio,* titulándolo *Selva Sagrada,* y el *Libro de Job,* llamándole la *Constancia victoriosa,* y los *Trenos* de Jeremías con el título de *Elegías sacras.* En Amberes, los años 1656 y 1660, publicó *Ocios poéticos,* que comprendían sonetos, romances, tercetos, epigramas, una tragicomedia —*Amar despreciando riesgos*—, un entremés—*Los maridos conformes*—y una loa.

Hasta seis retratos existen en la Biblioteca Nacional de este mílite poeta al modo de Garcilaso y Jorge Manrique—sino que estos, más trovadores que soldados—. Seis retratos —grabados—magníficos. En todos ellos el señor conde está garrido y bizarro. Sobre manera en el grabado por Ballester. Comparece aquí Rebolledo cuarentón ya. La melena crespa espléndida, partida por gala en dos, Los ojos, exaltados. La mosca, graciosa. Un poco lacios los mostachos. Puntillada gorguerilla. Venera santiaguina. Jubón brocado. La mano zurda en el talle y la diestra en la cruz de una hermosa espada. Mirando, mirando al conde no se convence uno de que con ese talante tan bravo, tan duro, tan belicoso, se tengan ratos de ocio en que la espada pueda ser reemplazada por la lira. En los retratos del conde hasta hay sus lemas, que vienen al caso como el anillo al dedo. En uno, este, latino: *Constans laboriosus in otio.* En otro, este, castellano: *Consumado político, esforzado militar y eminente poeta.*

Otra obra no citada de don Bernardino de Rebolledo es su *Discurso de la hermosura y del amor,* del que escribió Menéndez Pelayo—*Historia de las ideas estéticas,* II—que "fue, por decirlo así, el canto del cisne de la escuela platónica entre nosotros. La brevedad nos convidaría a extractarlo, aunque, por otra parte, no nos encantase la belleza de su lenguaje y lo inmune que está de todos los vicios literarios de su tiempo, así del culteranismo, que el conde procuró evitar siempre, como del prosaísmo, del cual fue el primer corifeo. La forma es elegante todavía, pero más elegante y graciosa que bella. La frase es pura, pero las más veces muelle, oscilante y poco precisa".

El conde de Rebolledo figura en el *Catálogo de autoridades,* publicado por la Academia de la Lengua.

Son las principales ediciones de sus obras: *Obras completas*—Amberes, 1660, tres tomos—, *Discurso de la hermosura y del amor* —Copenhague, 1652—, *Idilio sacro*—Amberes, 1660—, *Selva militar y política*—Colonia, 1652—, *Amor no teme a riesgos*—manuscrito, Biblioteca Nacional—, *Ocios del conde don Bernardino de Rebolledo*—Madrid, 1778. Tres tomos en cuatro volúmenes—, *Obras de don Bernardino de Rebolledo*—Madrid, "Biblioteca de Autores Españoles", XLII.

V. Gigas, E.: *Crev Bernardino de Rebolledo, Spangk Cesandt,* Kjöbbenhavn, 1648-1659. Cejador y Frauca: *Historia de la lengua y literatura castellanas.* Tomo V.—Navarro y Llanos, C.: *El prosaísmo y sus corifeos.* Madrid, 1897.

REGA MOLINA, Horacio.

Poeta, dramaturgo y prosista argentino. Nació en San Nicolás de los Arroyos, provincia de Buenos Aires, el 10 de julio de 1899.

Ha publicado los siguientes libros: De versos: *La hora encantada*—sonetos, en 1919, con el cual se inició en las letras—, *El poema de la lluvia, El árbol fragante, La víspera del Buen Amor*—"Premio Municipal de Poesía"—, *Domingos dibujados desde una ventana, Azul de mapa*—"Premio Nacional de Literatura" y mejor libro del año, por el P. E. N. Club, Asociación Internacional de Escritores—, *Oda provincial*—"Premio de la Comisión Nacional de Cultura"—, *Sonetos con sentencia de muerte, Patria del campo, Sonetos de mi sangre.*

En 1936, en que se inauguró el Teatro Nacional de Comedia en Buenos Aires, su drama lírico *La posada del León* fue escogido para ser representado en dicha sala. Fue la incorporación del poeta al teatro argentino. La obra obtuvo el "Premio Municipal para Dramas" y "Premio de la Comisión Nacional de Cultura". Luego estrenó en el Teatro del Pueblo, sala que reúne a los principales representantes de la moderna literatura escénica argentina. *La vida está lejos,* también en verso, y *Polifemo o las peras del olmo,* en prosa, pieza esta última audaz en su concepción y su tema, que obtuvo grandes elogios y fue atacada al mismo tiempo.

Horacio Rega Molina ha dado a conocer, además, una obra de ensayos, *La flecha pintada,* y ha publicado más de mil quinientos trabajos—ensayos, artículos, críticas—de literatura, que constituyen algo así como el proceso del movimiento intelectual contemporáneo en su país.

Ha sido vocal de la Comisión Nacional de Bellas Artes, Junta que fue rectora del desarrollo artístico, y profesor de Literatura y Castellano en los colegios nacionales Carlos Pellegrini, de Pilar, Manuel Belgrano, Nicolás Avellaneda, Mariano Moreno y en las escuelas industriales números 3 y 4 de la capital federal. Actualmente explica cátedra en el colegio nacional Bernardino Rivadavia. Dio conferencias sobre Martín Fierro en la Universidad de Chile, y con motivo de su disertación en la Biblioteca pública de La Paz, el Gobierno de Bolivia le condecoró, por méritos en el ejercicio de las letras, con el grado de oficial de la Orden del Cóndor de los Andes.

Horacio Rega Molina es editorialista y crítico literario del gran matutito *El Mundo,* y redactor de *Crítica.* Colabora asiduamente en el prestigioso diario *La Nación,* y ejerce la crítica teatral y musical en *Mundo Argentino.*

Horacio Rega Molina ha sido miembro de las Comisiones directivas de la Sociedad Argentina de Escritores, del Círculo de la Prensa y del P. E. N. Club.

V. Leguizamón, Julio A.: *Historia de la literatura hispanoamericana.* Buenos Aires, 1945.—Pinto, Juan: *Literatura argentina del siglo XX.* Buenos Aires, s. a.—Pinto, Juan: *Panorama de la literatura argentina.* Buenos Aires, 1941.—Giusti, Roberto F.: *Panorama de la literatura argentina contemporánea,* en *Nosotros,* segunda época, núm. 68, Buenos Aires, noviembre 1941.—Cansinos-Asséns, R.: *Poetas y prosista del Novecientos (España y América).* Madrid, editorial América, 1919.

R

REGA MOLINA, Mary.

Poetisa y prosista argentina. Nació en San Nicolás de los Arroyos—¿1907?—. Ha cursado estudios de Pedagogía y Letras. Conferenciante extraordinariamente amena y original.

Un crítico argentino contemporáneo ha dicho de esta singularísima poetisa: "La totalidad de la obra de Mary Rega Molina podría catalogarse dentro de una intimidad romántica, de un recato ejemplar. Hay una íntima relación entre su vida y su obra. En todas las poesías de Mary Rega Molina se advierte por igual, con transparencia, su natural delicadeza, su frágil sentir femenino, la fuerza de su fe. Con perfecto acento hispano, forjado en un vigor castizo, hermana la autora una sencillez sincera con la reflexión erudita y la eficacia festiva."

Obras: *Canto llano*—1928—, *Anunciación* —1930—, *Arbol de Navidad*—1938—, *Exvoto* —1931—, *Retablo*—1934—, *Cancionero* —1936—, *El canto de los hijos*—poema en prosa—, *Homenaje a la escuela, La "Divina Comedia"*—comentario a esta obra inmortal.

REINA Y MONTILLA, Manuel.

Buen y delicado poeta español. 1856-1905. De Puente Genil (Córdoba), estudió Leyes en Sevilla, Granada y Madrid. Fundó periódicos. Diputado por Montilla y Lucena. Senador por Huelva. También a Reina, como a Grilo, le calificaron *comparativamente:* Reina era "el Fortuny de la poesía". Y acertaron, como en Grilo, con el calificativo. Clara luz de la tierra andaluza, colorido estridente y cegador, metáfora de arabescos, musicalidad íntima muy sugerente y con apremio. De los poetas de segunda fila de la reacción antirromántica, es, sin duda alguna, Reina el más interesante. Apenas se acordó de ningún otro poeta para serlo él. Su espontaneidad es deliciosa. Reina puede, además, ser considerado—con Ricardo Gil y Rueda—precursor del modernismo. Rubén Darío, máximo pontífice del modernismo hispánico, dijo de Reina: "Ha llamado la atención desde largo tiempo por su apartamiento del universal encasillado académico, hasta hace poco reinante en estas regiones. Su adjetivación variada, su bizarría de rimador, su imaginativa de hábiles decoraciones, su pompa extraña entre los uniformes tradicionales, le dieron un puesto aparte, un alto puesto merecido." De parnasiano calificó a Reina, no sin un relativo acierto, don Juan Valera. *Andantes y allegros, La vida inquieta y Cromos y acuarelas,* títulos de las principales obras de Reina, ya delatan las características del poeta. Resulta nada exagerado decir que abrir cualquiera de dichos tomos de poesías es abrir de par

en par una amplia ventana frente a lo más florido y rutilante de que presuma Andalucía. Colores. Armonía. Perfumes. Júbilo cordial. Exuberante fantasía. Emoción de vivir.

V. ORY (Eduardo): *Manuel Reina. Estudio biográfico.* Cádiz, 1916.—SAINZ DE ROBLES, Federico Carlos: *Historia y antología de la poesía castellana*—Madrid, Aguilar, 1951, 2.ª edición.—BLANCO GARCÍA, P.: *La literatura española en el siglo XIX*—Madrid, 1895.

REINOSA, RODRIGO DE.

Poeta español del siglo XVI, de cuya vida se tienen escasísimas noticias. Pero su nombre figura en el *Catálogo de autoridades* del idioma por sus famosas *Coplas de las Comadres,* y por otras muchas más, intituladas: *Comienza un razonamiento por coplas, en que se contrahace la Germania y fieros de los rufianes y las mujeres del partido. Comienzan unas coplas a los negros y negras. Coplas contra las rameras. Gracioso razonamiento en que se introducen dos rufianes.*

Según Gallardo: "Es una pintura al fresco, viva y colorada, de las costumbres de aquel tiempo. Pocas poesías se leerán impresas en España más libres y licenciosas que estas *Coplas.* Son, además, graciosísimas."

Rodrigo de Reinosa imitó en lo pastoral a Juan del Encina. Y también cultivó la lírica religiosa.

Otra obra: *Cancionero de Nuestra Señora...*—Sevilla, 1612.

Ediciones: GALLARDO, *Ensayo de una Biblioteca de libros raros y curiosos.* Madrid, 1889, tomo IV, 42-59 y 1406-1422; USOZ, *Cancionero de burlas,* págs. 237-241; *Romancero general de* DURÁN, 285, 1252 y 1845.

V. COSSÍO, José María de: *Rodrigo de Reinosa y sus obras,* en *Boletín Social Menéndez Pelayo,* 1945, XXI, 9-70.

REINOSO, Félix José.

Excelente poeta español. 1772-1841. Sevillano. Gran humanista. Fundador de la Academia sevillana de Letras Humanas—después de Buenas Letras—. Sacerdote y párroco de la iglesia de Santa Cruz. Afrancesado. En 1825, redactor-jefe de la *Gaceta del Gobierno.* En 1833 preparó la ceremonia del juramento de Isabel II. Y el mismo año fue nombrado deán de la Metropolitana de Valencia y juez auditor del Tribunal de la Rota. Fue el único poeta épico de prestigio de la llamada escuela sevillana del siglo XVIII, entre cuyos poetas se le daba el pastoril nombre de *Liseno.*

No merece un gran interés como poeta lírico. Sus anacreónticas—emitación de las de Villegas—, sus odas religiosas—imitación de las de Lista—, sus silvas, elegías y epístolas no se recuerdan hoy; tanta es su vacuidad y falseamiento y retoricismo. Pero Reinoso es el *épico* del grupo. En 1804 publicó su poema en dos cantos y en octavas reales, *La inocencia perdida,* con el tema mismo del *Paraíso perdido,* de Milton, poema este al que no intenta copiar ni remotamente el de Reinoso. La Academia sevillana de Buenas Letras premió esta obra, prefiriéndola a otra compuesta por Lista, en competición. De este poema nos quedan dos juicios valiosos: el de Quintana y el de Alcalá Galiano. El primero se expresó así: "La dicción es generalmente noble y escogida; el estilo, animado y poético; los versos, sonoros y armoniosos. Jamás la bella y difícil versificación de la octava se ha visto en estos últimos tiempos manejada tan superiormente." Alcalá Galiano la juzgó con menos entusiasmo: "No es aquella poesía un raudal que con ímpetu brota copioso, fresco y cristalino, de las entrañas de la tierra; es el juego de aguas artificioso de una fuente a que da salida el fontanero, y no sin conocerse que la llave del conducto está un tanto premiosa."

Las obras de Reinoso pueden leerse en la edición de "Bibliófilos Andaluces", 1872, dos volúmenes, y en el tomo LXVII de la "Biblioteca de Autores Españoles", de Rivadeneyra.

Las *Reflexiones sobre el uso de las palabras nuevas en lengua castellana,* en *Cruz y Raya,* Madrid, núm. 21.

V. VILLA, Martín: *Biografía de Félix José Reinoso,* en "Bibliófilos Andaluces", 1872, 1879, dos volúmenes.—DÍAZ Y CÁRDENAS: *Biografía de Félix José Reinoso,* en *Galería de Españoles Célebres.*—ARTIGAS, M.: *Estudio,* en *Cruz y Raya,* número 21, Madrid, 1935.—PALOMO, F. de B.: *Datos biográficos de don Félix José Reinoso y noticia acerca de sus obras.*

REJANO, Juan.

Poeta y prosista español. Nació—¿1902?—en Puente Genil (Córdoba). Empezó estudios universitarios en Madrid, que no llegó a terminar. Durante algún tiempo fue secretario de la editorial Cenit, de Madrid. En Málaga, donde vivió algún tiempo, convivió con los poetas en la revista *Litoral:* Emilio Prados, Manuel Altolaguirre. De ideas republicanas, en 1939 marchó a México, donde ha vivido desde entonces. En México fundó y dirigió las revistas *Romance, Ars, Litoral, Ultramar...* De 1947 a 1957 dirigió el suplemento dominical de cultura en el diario *El Nacional.* En este periódico mantiene una sección titulada *Cuadernillo de señales,* que nutre comentando temas españoles. Ha viajado por los cinco continentes, pronunciando conferencias en las que ha exaltado los valores eternos de su España.

Poeta muy notable mecido entre un neopopularismo emotivo y un superrealismo transparente.

Obras: *Fidelidad del sueño*—poemas, México, 1943—, *El Genil y los olivos*—poemas, México, 1944—, *El poeta y su pueblo* (homenaje a Federico García Lorca)—prosa, 1944, México—, *La esfinge mestiza* (crónica menor de México)—México, prosa, 1945—, *Víspera heroica*—poemas, México, 1947—, *El oscuro límite*—poemas, México, 1948—, *Noche adentro*—poemas, México, 1949—, *Oda española* —México, 1949—, *Constelación menor*—poemas, México, 1950—, *Canciones de la Paz* —poemas, México, 1955—, *La respuesta* (en memoria de Antonio Machado)—México, 1956—, *El río y la paloma*—poemas, México, 1960—, *Libro de los homenajes*—poemas, México, 1961—, *Elegía rota para un himno* —México, 1963.

REJÓN [DE SILVA] Y LUCAS, Diego Antonio.

Novelista español. Nació—hacia 1735—en Murcia. Murió en 1796. De muy noble familia. Bachiller en Artes. Académico de la Real Española de la Lengua. Se desconocen más detalles de su vida. Con el seudónimo de "Diego Ventura Rexón de Lucas" publicó—Madrid, 1781—las *Aventuras de Juan Luis, historia divertida,* novela picaresca de cierta gracia y de pasajes gratos, aun cuando en su conjunto peque de pesadez y de engolamiento. En modo alguno era la obra necesaria que pudiera resucitar la deliciosa picaresca literaria española.

V. CEJADOR Y FRAUCA, J.: *Historia de la lengua y literatura españolas.* Tomo VI.— HURTADO Y G. PALENCIA: *Historia de la literatura española.* Madrid, 1943.

RELLO, Guillermo y Francisco.

Nacidos—1900 y 1902—en Madrid. Francisco murió—1922—en su ciudad natal. Estudiaron para maestros nacionales. Francisco murió cuando aún gustaba de la primavera. Escribieron en colaboración íntima y adquirieron alguna fama. Muerto su hermano, Guillermo dejó de escribir. Fueron muy alabados por Ramón Gómez de la Serna y por Rafael Cansinos Asséns. Su posmodernismo estuvo transido de afanes y pesimismos patéticos.

REMÓN [O RAMÓN], Fray Alonso.

Interesante prosista y comediógrafo español. Nació—¿1565?—en Vara de Rey (Cuenca). Murió en 1632. Estudió en Belmonte con los jesuitas, y en las Universidades de

R

Alcalá y de Salamanca. Entró en la religión mercedaria poco antes de 1611 y fue un gran cronista y predicador famoso de ella. Escribió hasta 200 obras teatrales, ocultando de ordinario su nombre. "Fue el primero que acompañó a Lope en el teatro, ayudándole a llenarlo de obras, siendo elogiado por todos los de su tiempo."

Rojas Villadrando—en su *Loa de la comedia*, 1603—le llama *licenciado*. Antonio Navarro—*Discurso apologético de las comedias*—, *maestro y sacerdote*. Cervantes—en el Prólogo de sus *Comedias*—dice: "Pero no por esto dejan de tenerse en precio los trabajos del doctor Ramón, que fueron los más, después de los del gran Lope." Lope de Vega —*Laurel de Apolo*, silva 1.ª—le elogia así:

> Fray Alonso Ramón, puesto que olvida
> las musas por la historia,
> Cuenca le ofrezca duplicada gloria,
> a sus letras debida.

Y Quevedo—en *El Buscón*—: "Y está ya de manera esto, que no hay autor que escriba comedias, ni representante que no haga su farsa de moros y cristianos; que me acuerdo yo antes que, si no eran comedias del buen Lope de Vega y Ramón, no había otra cosa."

Posiblemente, fray Alonso Remón fue compañero de hábito y convento de "Tirso de Molina".

Montalbán—en el *Para todos*—resume de él: "Predicador y cronista general de la sagrada Orden de Nuestra Señora de la Merced; perpetuo estudiante y varón tan grande, que tiene hasta hoy estampados con su nombre 46 libros de diferentes materias."

El erudito P. Julián Zarco Cuevas cree que el escritor Antonio de Liñán y Verdugo (V.) encubre a fray Alonso Remón.

Remón tuvo feliz imaginación, mucho talento, facilidad versificadora y una gran prosa.

Obras teatrales: *¡De cuando acá nos vino!, Las tres mujeres en una, El hijo pródigo, La ventura en el engaño, El santo sin nacer y mártir sin morir, El sitio de Mons por el duque de Alba...*

Otras obras: *La espada sagrada y arte para los nuevos predicadores*—Madrid, 1616—, *Historia general de la Orden de la Merced*—1618, 1633, dos volúmenes—, *Vida del Caballero de Gracia*—Madrid, 1620—, *Entretenimientos y juegos honestos...*—Madrid, 1623—, *Gobierno humano ajustado al divino*—1624—, *Casa de la razón y el desengaño*—1625—, *Laberinto político manual*—1626.

V. CABALLERO, Fermín: *Conquenses ilustres*. Madrid, 1868.—CEJADOR Y FRAUCA, J.: *Historia de la lengua y literatura españolas*. Tomo IV.

REMOS RUBIO, Juan J.

Ensayista, historiador, crítico literario cubano. Nació—1896—en Cuba. Doctor en Filosofía y Letras por la Universidad de la Habana. Catedrático, por oposición, de Lengua y Literatura Castellanas. Diplomático. Fue Ministro de Estado, Educación Nacional y Defensa Nacional. Primer Presidente del Consejo Nacional de Educación y Cultura. Fue Secretario del Consejo de Estado de la República. Individuo de Número de la Academia de la Historia, de la Academia Nacional de Artes y Letras y de la Academia Cubana de la Lengua. Académico correspondiente de la Real Academia Española, del Instituto Internacional de Historia Política y Constitucional de la Sorbona, de París... Ha representado a su país en incontables Congresos y Conferencias europeas y americanas. Durante varios años, embajador de Cuba en España. Fundador y director de las revistas *Arte* (1914-1921) e *Ideal* (1929-1930).

De gran cultura. Sutil ideólogo y estético. Prosista de excepcional pureza idiomática.

Obras: *Historia de la Literatura Cubana* —tres tomos—, *Doce ensayos, Hombres de Cuba, Panorama literario de Cuba en nuestro siglo, Hidalgo, el fundador; Historia de la Literatura castellana, Tendencias de la narración imaginativa en Cuba, Deslindes de Martí, Historiadores de Cuba, Manuel Tamayo y Baus, Juan Montalvo...*

Ha dirigido—en unión de los académicos Ramiro Guerra, Emeterio S. Santovenia y S. M. Pérez Cabrera—la *Historia de la Nación Cubana* (diez volúmenes), para la que escribió ocho monografías.

REPARAZ Y RODRÍGUEZ, Gonzalo de.

Literato y geógrafo español. Nació—1860— en Porto (Portugal). Hasta 1880 escribió en lengua portuguesa. Fundó numerosas revistas. Doctor en Ciencias Históricas y Geográficas. Viajó por todo el mundo y perteneció a numerosas Academias españolas y extranjeras. Polemizó como un maestro, en la Prensa, sobre temas literarios y científicos. En 1920, los artículos por él publicados pasaban de seis mil. Tomó parte en numerosos Congresos de Geografía e Historia.

De extraordinaria cultura. Prosista vibrante.

Obras: *Aventuras de un geógrafo errante* —1920—, *La derrota de la civilización* —1922—, *Páginas turbias de la Historia de España...*—1927—, *China a vista de pájaro* —1927—, *Historias que parecen cuentos* —1930—, *El infierno blanco*—novela, 1929—, *Geografía y política*—1929—, *Episodios de una tragedia histórica*—1932—, *Origen de las civilizaciones ibéricas*—1932...

RÉPIDE, Pedro de.

Magnífico prosista, cronista, poeta y novelista español. Nació—1882—y murió—1948—en Madrid. Licenciado en Derecho y Filosofía y Letras por la Universidad Central. Periodista excepcional desde su juventud. Redactor de *El Liberal* y *La Libertad*. Colaborador eximio de *Blanco y Negro, La Esfera, Nuevo Mundo, El Cuento Semanal, Los Contemporáneos, La Novela Samanal, La Novela Corta, La Novela de Hoy, El Libro Popular*... Vivió algunos años en París, estudió en la Sorbona, y la desterrada reina española doña Isabel II le confió la custodia de su biblioteca. Cronista oficial de Madrid.

Como cronista de Madrid, Pedro de Répide—sin exageración alguna—puede codearse con Mesonero Romanos y "Fígaro". Como ellos, conoce y ama a Madrid con auténtica emoción. Como ellos, narra de forma magistral. Como ellos, es dueño de una prosa tersa, colorista, castiza, original. Como ellos, es un evocador lleno de gracia y de autenticidad. Como ellos, sabe mezclar lo garboso, lo pintoresco, lo romántico, lo sentimental. Como ellos, es paladín de cuanto de sabroso, de sugestivo, de tradicional, de glorioso hay en el madrileñísimo. Sí, los tres más excelsos cronistas de Madrid han sido: Larra, Mesonero y Répide.

Sus novelas de costumbres madrileñas son sencillamente deliciosas y están llenas del mejor y más sano realismo, del más fuerte y atractivo colorido goyesco; algunas de ellas, inmejorables y paradigmáticas, *cuadros vivos de época* de un valor extraordinario.

Como poeta, es Répide delicado, musical, brillante de imágenes, garboso—y chulesco a veces—, refinado, de un modernismo audaz.

Novelas: *El solar de la bolera, Del Rastro a Maravillas, Noche perdida, Cuento de viejas, Los cohetes de la verbena, El maleficio de la U, El agua en el cestillo, No hay fuerza contra el amor, Cartas de azafatas, La enamorada indiscreta, Chamberí por Fuencarral, Un conspirador de ayer, La Negra, Los pícaros de Amaniel, La torre sin puerta, Del rancio solar, Los espejos de Clío, Jardín de princesas, La llave de Araceli, La desazón de las Angustias*...

Otros libros: *Costumbres y devociones madrileñas, La lámpara de la fama, El Madrid de los abuelos, Isabel II, Alfonso XII, La villa de las Siete Estrellas, La saeta de Abaris, Del Mar Negro al Caribe, Las canciones*—versos, 1901—, *Madrid a vista de pájaro*..., *Estampas grotescas*—versos—, *La Rusia de ahora*...

V. CEJADOR Y FRAUCA, J.: *Historia de la lengua y literatura españolas.* Tomo XIII.—CANSINOS-ASSÉNS, R.: *Poetas y novelistas del novecientos.* — GONZÁLEZ-BLANCO, A.: *Los contemporáneos.* Tercera serie.—SAINZ DE ROBLES, F. C.: *La novela corta española (Promoción de "El Cuento Semanal").* Madrid, Aguilar, 1952.—SAINZ DE ROBLES, F. C.: *La novela española en el siglo XX.* Madrid. Pegaso, 1957.—NORA, Eugenio G. de: *La novela española contemporánea.* Madrid. Gredos, 1958. Tomo I, págs. 354-355.

RESTREPO, Antonio José.

Periodista y literato. 1855-1933. De Colombia. Desde muy joven se dedicó al periodismo y a la política. Sostuvo valientes polémicas en los diarios y en el Parlamento. Era liberal convencido y exaltado, y fue jefe de un grupo que luchó ardorosamente por la razón, la ciencia y el progreso. Su patria le envió como representante plenipotenciario a Suiza, para dirimir ante un Jurado internacional ciertos intereses por límites que Colombia sostuvo frente a Venezuela. En 1921 asistió, en Barcelona, a la Conferencia Internacional del Tránsito. De regreso a su tierra natal, fue nombrado rector de la Universidad Libre.

Como parlamentario, tuvo una intervención fecunda y lucida. Fundó y dirigió varios diarios y revistas, en los que publicó centenares de artículos, amenos y llenos de ideas nuevas, acerca de muy diversas materias: política, Derecho internacional, poesía, crítica literaria, historia, sociología.

Con solo tres poesías—*El dios Pan, Un tanto y A Epicuro*—alcanzó una fama grande de poeta excelente.

El valor más alto de Restrepo fue como prosista. "Prosa del vino añejo del Siglo de Oro" la calificó un crítico. Realmente, muy pocos escritores hispanoamericanos han conseguido como Restrepo escribir un castellano tan limpio y viril, tan rico y tan natural.

Obras: *Poesías*—Lausana, 1897—, *Prosas medulares, Los capuchinos del Caroní*—leyenda histórico-burlesca—, *El moderno imperialismo*—1921...

V. ARANGO FERRER, Javier: *La literatura de Colombia.* Buenos Aires, Facultad de Filosofía y Letras, 1940.—BAYONA POSADA, N.: *Panorama de la literatura colombiana.* Bogotá, 1942.—GÓMEZ RESTREPO, A.: *Historia de la literatura colombiana.* Bogotá, 1938-1940, dos tomos.—ORTEGA, José J.: *Historia de la literatura colombiana.* Bogotá, 1935.—SANÍN CANO, B.: *Letras colombianas.* México, Fondo de Cultura Económica, 1944.

RETANA, Wenceslao E.

Literato, historiador y bibliógrafo español. Nació—1862—en Boadilla del Monte (Madrid). Murió—1924—en Madrid. Ingeniero militar. Habiendo pedido su baja en el Ejército, marchó—1884—a Filipinas a desempeñar un cargo en la Hacienda pública de la

R

colonia española. En 1890 regresó a España, quedando adscrito al Ministerio de Ultramar. Siempre se dedicó con fervor y talento al periodismo. En Manila fue redactor de *La Oceanía Española* y subdirector de *La Opinión*. En Madrid, colaborador de *La Época, Heraldo de Madrid, El Nacional, La España Moderna, Nuestro Tiempo, Raza Española, Boletín de la Academia de la Historia...*

Le fueron familiares todos los problemas y aspectos filipinos, sobre los que escribió con seriedad, juicio ponderado y asombrosa perspicacia. Académico de la Real de la Historia—1924—. Diputado a Cortes. Gobernador civil de varias provincias.

Obras literarias: *La tristeza errante*—novela, 1903—, *Frailes y clérigos*—1890—, *Sinapismos*—1890—, *Vidas y escritos del doctor Rizal*—1907—, *De la evolución de la literatura castellana en Filipinas*—Madrid, 1909—, *El periodismo filipino*—Madrid, 1895—, *Orígenes de la Imprenta filipina*—Madrid, 1911—, *Avisos y profecías*—Madrid, 1892—, *La Inquisición en Filipinas*—Madrid, 1910—, *Noticias historicobibliográficas del teatro en Filipinas*—Madrid, 1910—, *Fiestas de toros en Filipinas*—Madrid, 1896—, *Cosas de allá*—1893...

RETANA RAMÍREZ DE ARELLANO, Álvaro.

Novelista, dibujante y músico español. Nació—1890—en alta mar, frente a la isla de Ceylán, cuando sus padres dirigíanse a Filipinas. Murió—1970—en Torrejón de Ardoz (Madrid). De noble familia. Autodidacto. Sus primeras crónicas, llenas de humor, aparecieron—1911—en *Heraldo de Madrid*, firmadas con el seudónimo de "Claudina Regnier". Su primera obra, *Rosas de juventud*, colección de cuentos—1913—, llamaron la atención de la crítica y del público por su extraño decadentismo y su brillante prosa. Con gran rapidez se abrió paso en la literatura, colaborando en *La Mañana, El Liberal, La Tribuna, Revista de Varietés, La Esfera...*

Unas cuantas novelas—de éxito público sensacional—, publicadas entre 1917 y 1922, le dieron una indiscutible fama de narrador audaz, erótico, humorista, maestro de la técnica y de la amenidad: *Al borde del pecado, El capricho de la marquesa, La carne de tablado, El crepúsculo de las diosas, Ninfas y sátiros, El octavo pecado capital...*

Diferentes publicaciones, muy en boga, dedicadas a la novela breve, *La Novela Corta, La Novela de Hoy*, le ofrecieron exclusivas. Grandes escritores como Cejador, Pérez de Ayala, Zamacois, Fernández-Flórez, Insúa, Blasco Ibáñez, le colmaron de públicos elogios. Entre 1920 y 1936, Retana fue—con Mata, Insúa y Fernández-Flórez—el novelista más solicitado y leído en España. Desdi-

chadamente, ansioso de popularidad y de dinero, se lanzó al cultivo del género erótico. Y decimos *desdichadamente*, porque muy pocos escritores estuvieron tan bien dotados como Retana para haber logrado la fama por caminos normales y nobles. Retana poseyó gran sensibilidad, elegancia expresiva, humor finísimo, graciosísimo desparpajo.

También alcanzó fama como figurinista y como compositor de tonadillas y "cuplets" que se hicieron centenarios en los teatros, y aún pasaron a la popularidad de las calles...

Otras novelas: *Rosas blancas, El corazón de Eva, Todo de color de rosa, La máscara de bronce, El espejo de Paulina Bonaparte, El alma encantadora de Oriente, Las locas de postín, Las alegres chicas de París, El escapulario...*

Retana ha escrito, además, más de sesenta novelas cortas...

V. CEJADOR, Julio: *Historia de la lengua y literatura castellanas*. Madrid, 1925, t. XIII.
NORA, Eugenio G. de: *La novela española contemporánea*. Madrid, Gredos, 1958. Tomo I. Págs. 423-24.

RETÉS, Francisco Luis de.

Autor dramático español muy popular entre 1850 y 1890. Nació—1822—en Tarragona. Murió —1911—en Madrid. Oficial administrativo en la Intervención General del Ejército. Contador del Supremo Tribunal de Cuentas del Reino y director general de la Deuda Pública. Director general de Contribuciones. Gran cruz de Isabel la Católica. Autor teatral fecundísimo, que cultivó un género romántico en decadencia, pero delicadamente lírico. Versificaba con facilidad, musicalidad y hondo sentimiento. De un incipiente naturalismo—a veces—sano y tradicional. Dominador de la técnica escénica. Buen observador. De seguros efectismos.

Muchas de sus obras las escribió en colaboración con Echevarría. Alcanzó éxitos rotundos y duraderos.

Obras teatrales: *Doble corona, Justicia y no por mi casa, Inés de Castro, El genio contra el poder, Los colegiales de Puerto Real, El motín contra Esquilache, El hidalguillo de Ronda, Lucha contra la cruz, La Fornarina, La Beltraneja, El buen ejemplo, Doña María Coronel...*

Otras obras: *Letanía a la Virgen*—paráfrasis, 1876—, *La Hispálida*—poema épico, Madrid, 1843—, *Romancero histórico español*—1863...

RÉVESZ, Andrés.

Nació en 1896 en Galgoc, en aquella época, Hungría septentrional, y más tarde, Checoslovaquia. Murió—1970—en Madrid. Cursó sus estudios secundarios en el colegio de Padres premonstratenses en el Szombathely y en el Instituto de Fiume. Estudió luego Filosofía y Letras (Filología románica) en las Universidades de Budapest y París. Reside en España desde hace treinta años. Desde muy joven se especializó como comentarista de política internacional, y después de haber trabajado en *El Sol*, ingresó en *A B C*, donde sigue escribiendo diariamente sus breves y acertados comentarios. En calidad de enviado especial de los periódicos en que trabajó, recorrió Europa desde Finlandia hasta Grecia y desde Inglaterra hasta Polonia.

Sus libros abarcan varios campos de la actividad intelectual. Sus obras políticas son: *La Conferencia de Washington y el problema del Pacífico*, *La Grecia de hoy y la guerra greco-turca*, *La reconstrucción de Europa*—con prólogo de Gabriel Maura Gamazo—, *Mussolini, el dictador en pijama; Frente al dictador*—semblanza del general Primo de Rivera, con prólogo de W. Fernández-Flórez—, *Los Balcanes, avispero de Europa; Treinta años trágicos, 1914-1945; Alemania no podía vencer, No habrá guerra*—con prólogo del duque de Maura—. Biografías: *Vida de amor, Wellington*—con prólogo del duque de Alba—, *Mambrú*—prólogo de André Maurois, epílogo del duque de Alba; el libro ha valido a su autor una carta de felicitación autógrafa de Winston Churchill, descendiente del duque de Marlborough—; *Morillo, La vida patética de Eleonora Duse*—prólogo de Walter Starkie—, *Un dictador liberal: Narváez*—1953—. Novelas: *La periodista y su rival, Se le fue el novio, La novia invisible, Me sobra dinero, Contrato de asesinato, Huracán sobre la puszta*—con prólogo de W. Fernández-Flórez—, *Libros sobre mujeres y amor, Edad y belleza en el amor*—prólogo de J. Miquelarena—, *La felicidad en el matrimonio, La mujer ideal, ¿Qué es el amor?, El Anti-Tenorio, Así son ellas, El matrimonio ideal*.

Antes de revelarse como escritor había traducido del húngaro unos veinte libros, obras de Jókai, Herczeg, Heltai, Kóbor, Biró, etcétera; cuatro comedias, así como una *Antología de cuentistas húngaros* (Biblioteca Nueva) y dos *Antologías de humoristas húngaros*, la primera para Espasa-Calpe; la segunda, más completa, para José Janés.

Andrés Révesz mereció, aparte de sus prologuistas, los elogios de Benavente, "Azorín", Pemán, Fernández Almagro y muchos otros escritores y críticos.

Fue comendador de la Orden de Isabel la Católica y posee, además, quince condecoraciones extranjeras.

REVILLA Y MORENO, Manuel de la.

Notable erudito y crítico literario español. Nació—1846—en Madrid. Murió—1881—en El Escorial. Doctor en Derecho y en Filosofía y Letras—1870—por la Universidad de Madrid. Fundador de la revista *El Amigo del Pueblo*. Colaborador de *El Pueblo y El Globo*, en los que publicó famosas críticas. Fundador—con Peña y Goñi—de *La Etica*, publicación de polémica que alcanzó un éxito enorme. Facilísimo orador, pronunció interesantes conferencias en la cátedra del Ateneo madrileño.

Revilla fue uno de los mejores y más considerados y temidos críticos de la época. Compartió con "Clarín" la fama en tan difícil género literario. Era comprensivo, justo, insobornable. Y excelente prosista. Y sumamente culto. Así hubieron de reconocerlo escritores del mérito de Galdós, Mesoneros Romanos, Echegaray, Campoamor, Núñez de Arce, Zorrilla..., quienes buscaban con avidez ser juzgados por él, tomando muy en cuenta sus reparos. Sostuvo interesantes polémicas literarias y filosóficas con Menéndez Pelayo, "Clarín" y la Pardo Bazán.

Obras: *Dudas y tristezas*—poesías, 1875—, *Críticas*—dos volúmenes, Burgos, 1884—, *Cánovas y las letras, Cervantes y el "Quijote", Principios generales de literatura*—Madrid, 1872, en colaboración con Alcántara y García—, *La filosofía española*—1876—, *La tendencia docente en la literatura contemporánea, El naturalismo en el arte, El teatro español*.

El Ateneo de Madrid, y a sus expensas, publicó las obras de Revilla—Madrid, 1883—, a las que puso un brillante prólogo Antonio Cánovas del Castillo.

Tradujo con admirable precisión—1878—las obras de Descartes.

V. Cejador y Frauca, J.: *Historia de la lengua y literatura españolas*. Tomo XI.—Blanco y García, P.: *La literatura española en el siglo XIX*.

REY DE ARTIEDA, Andrés.

Notable poeta y autor dramático español. Nació—1549—en Valencia (aun cuando Lope de Vega, que fue su amigo, afirma que en Zaragoza, afirmación que dan por válida N. Antonio y Latassa). Murió—1613—en Valencia. Bachiller en Filosofía a los catorce años. Estudió Derecho en las Universidades de Lérida y Tolosa, doctorándose en esta última *in utroque iure*. Explicó Astrología en la Universidad de Barcelona. Pero abandonó los estudios para servir con las armas a Felipe II y a Felipe III. Con el grado de capitán de infantería sirvió más de treinta años. Peleó bravamente en Lepanto, en Navarino, en el socorro de Chipre y en otros varios

R

encuentros. Casó en Valencia con doña Catalina de Monave, de quien tuvo dos hijos y dos hijas. Y perteneció a la famosa Academia poética valenciana de *Los Nocturnos*, con el nombre de *Centinela*.

Cuando Rey de Artieda contaba catorce años, ya fue celebrado como poeta por Gaspar Gil Polo en el *Canto del Turia*.

> Los metros de Artieda y de Clemente
> tales serán en años juveniles,
> que los de quien presuma de excelente
> vendrán a parecer bajos y viles.
> Ambos tendrán entre la sabia gente
> ingenios sosegados y sutiles,
> y prometernos han sus tiernas flores
> frutos entre los buenos los mejores.

Le elogiaron también Lope de Vega en el *Laurel de Apolo* y Cervantes en el *Viaje del Parnaso*.

En 1581, hallándose en Valencia, publicó su drama en cuatro actos—única pieza teatral hoy conocida de este autor—titulado *Los amantes*, sobre la leyenda de los de Teruel, drama que sirvió para otros de Tirso, Montalbán y Hartzenbusch con el mismo tema. En 1605, y en Zaragoza, con el título de *Discursos, epístolas y epigramas de Artemidoro*, recogió varias producciones poéticas excelentes, entre las que destacan los sonetos.

Otras poesías suyas se encuentran en *El Prado de Valencia*, de Gaspar Mercader, 1606; en la *Historia... de las provincias orientales*, de Bolea, 1601; en *Los sagrados misterios del Rosario*, de Francisco Segura, 1602; en *El solitario poeta*, de A. La Sierra, 1605; en *La hija de la Celestina*, de Salas Barbadillo, 1612; en las *Flores*, de Espinosa, y en el manuscrito 3-795-97 de la Biblioteca Nacional, y en el *Códice Ricardino* 3.358 (V. E. Mele y A. Bonilla).

En los tomos XXXV y XLII de la "Biblioteca de Autores Españoles" hay poesías de Artieda. Y Martí Grajales—1908—ha publicado en Valencia una edición excelente de *Los amantes*.

V. Martí Grajales, F.: *Estudio y notas en Los amantes*. Valencia, ed. F. Carreras y Vallo, 1908.—Cotarelo Mori, E.: *Sobre el origen y desarrollo de la leyenda de los amantes de Teruel*, 2.ª edición, 1907.—La Barrera, C. A. de: *Catálogo razonado del teatro español...* Madrid, 1860.—Cancionero *de la Academia de Los Nocturnos*. Valencia, 1905-1912, cuatro tomos.

REY SOTO, Antonio.

Vigoroso y original poeta, prosista y dramaturgo español. Nació—1879—en Santa Cruz de Arrabaldo (Orense). Murió—1966— en Madrid. Estudió el bachillerato en Santiago y la carrera de Filosofía y Letras en las Universidades compostelana y madrileña. Sus primeros versos los publicó a los catorce años en el periódico orensano *La Nueva Epoca*. Cursó los estudios eclesiásticos en el Seminario de Orense, ordenándose sacerdote. Ha hecho varios viajes a la América española, dando magníficas conferencias de exaltación españolista. Individuo de número de la Real Academia Gallega y correspondiente de la de la Historia, Luliana de Mallorca y de la de Buenas Letras de Barcelona. La Academia Española premió su hermoso drama *Amor que vence al amor*.

Rey Soto es un gran poeta vibrante, generoso, de románticas explosiones, dueño de un ritmo y de una musicalidad a veces casi sinfónicos. Como dramaturgo, es crudo, de un realismo avasallador, de una gran fuerza sugestiva. Domina el dibujo más firme y rotundo y el colorido más terso e impresionante de los caracteres y de los ambientes.

Entre los poetas modernistas de España, Rey Soto acusa una personalidad llena de originalidad y de atractivo.

Obras: *Falenas*—versos, Orense, 1905—, *Nido de áspides*—versos, 1911—, *Remansos de paz, campos de guerra*—crónicas, 1916—, *La loba*—novela, 1918—, *Amor que vence al amor*—drama, 1917—, *Cuento del lar*—drama, 1918—, *El dolor del Almirante*—drama—, *El crisol del alquimista*—¿1929?—, *Divagaciones en torno a la poesía*—1916—, *Los paladines iluminados*—poesías—, *La copa de cuasia*—ensayos, 1931...

V. Valero de Bernabé, Antonio: *El poeta de Galicia: Antonio Rey Soto*. Madrid, 1919. Cansinos-Asséns, Rafael: *Poetas y prosistas del novecientos*. Madrid, 1919.—Sainz de Robles, F. C.: *Historia y antología de la poesía española*. Madrid, Aguilar, 1964, 4.ª edición. *Obras completas* (tomo I: Poesías. Tomo II: Dramas). Madrid, 1964.

REYES, Alfonso.

Crítico literario, historiador, ensayista, novelista, poeta... Una de las más espléndidas mentalidades contemporáneas de la América española. Nació—1889—en Monterrey, Nuevo León (México). Murió en 1959. Ingresó en la Escuela Nacional Preparatoria de México. Y en 1913 obtuvo el título de abogado en la Escuela Nacional de Jurisprudencia. Diplomático insigne. Secretario de la Embajada mexicana en París. Desde 1914 vivió muchos años en España, siendo igualmente secretario de la Embajada en Madrid. Profesor fundador de la cátedra de Historia de la Lengua y Literatura españolas en la Escuela Nacional de Altos Estudios. Colaborador de la Sección de Filología en el Centro de Estudios Históricos, de Madrid, dirigido por Menéndez Pidal. Colaborador de revistas y diarios tan prestigiosos como *Revista de Filología Española, Revista de Occidente* y *El Sol,* de Madrid; *Revue Hispanique,* de París; *Revue de Gèneve...*

Alfonso Reyes goza de una justa reputación mundial. En España se siente por él y por su obra una verdadera admiración y un cariño grande.

Entre los individuos de la gran familia intelectual mexicana, puede considerársele, hoy, como el talento más poderoso y el espíritu más culto y el de mayor fuerza dinámica.

Poeta hondo, delicadísimo y elegante. Prosista brillante y enjundioso. Crítico comprensivo, certero y magistral. Divulgador histórico lleno de fuerza y de sugestión. De una gran ideología, de la mejor ley. De sana y copiosa erudición.

Alfonso Reyes, espíritu artista por excelencia, sensibilidad prodigiosa, supo hacer de cada una de sus obras un venero limpio y fresco de sugestiones, un ejemplo de pura y excelsa literatura.

Obras poéticas: *Huellas*—1922—, *Ifigenia cruel*—1924—, *Pausa*—1926—, *5 casi sonetos* —1931—, *Romances del Río de Enero* —1933—, *A la memoria de Ricardo Güiraldes*—1934—, *Golfo de México*—1934—, *Yerbas de Tarahumara*—1934—, *Minuta*—1935—, *Infancia*—1935—, *Otra voz*—1936—, *Cantata en la tumba de Federico García Lorca* —1937—, *Villa de Unión*—1940—, *Algunos poemas*—1941...

Otras obras: *Cuestiones estéticas*—París, 1914—, *Cartones de Madrid*—México, 1917—, *Visión de Anahuac*—1919—, *El suicida*—Madrid, 1920—, *Retratos reales e imaginarios* —México, 1920—, *El plano oblicuo*—cuentos, Madrid, 1920—, *Rubén Darío en México* —Madrid, 1916—, *Don Indalecio aparece y desaparece*—1932—, *Reloj de sol*—Madrid, 1926—, *Cuestiones gongorinas*—Madrid, 1927—, *Cuadernos del Plata*—1929—, *Simpatías y diferencias*—ensayos, cinco volúmenes—, *Homilía por la cultura*—1938—, *Capítulos de literatura española, La crítica en la edad ateniense*—1941—, *La antigua retórica* —1942—, *La experiencia literaria*—1942...

V. DÍEZ-CANEDO, E.: *Facetas de Alfonso Reyes,* en *Letras de América.*—ESTRADA, Jenaro: *Poetas nuevos de México,* 1916.— GONZÁLEZ PEÑA, C.: *Historia de la literatura mexicana.* México, 1940, 2.ª edición.—JIMÉNEZ RUEDA, J.: *Historia de la literatura mexicana.* México, 1942, 2.ª edición.

REYES, Antonio.

Literato y diplomático venezolano. Nació —1901—en Caracas. Miembro de la Academia Venezolana de la Lengua. Miembro de la Academia de Bellas Artes de Madrid. Correspondiente de la Real Academia Española. Miembro de la Academia Luliana de Baleares. Miembro del Consejo Académico de la Escuela Luliana de Baleares.

Distinciones y premios: Primer premio al libro *Primeras damas de la República de Venezuela en el siglo XIX,* considerado como el mejor libro en prosa publicado en 1948. Primer premio de cuentos a *La tortuga de carey blanco*—*Ahora,* Madrid, 1934—. Premio *A B C,* Madrid, 1936 (entre los diez mejores libros del año), a la obra intitulada *Del racionalismo averroísta al razonamiento luliano.* Premio "Juan Bernardo Arismendi" al mejor trabajo acerca de un cacique de la tribu de los Caracas, concedido al cacique "Tiuna", cuyo monumento, inspirado en ese trabajo, se levanta en una importante avenida de la capital de Venezuela.

Condecoraciones: Orden del Libertador, Venezuela. Comendador con placa de la Orden de Isabel la Católica (España). Orden del Jalifa de Marruecos. Miembro de la Legión de Honor. Orden de los Estados Unidos Mexicanos.

Obras: *El Blasco Ibáñez que yo conocí, Cuentos brujos, Lucrecia Amorós, Del racionalismo averroísta al razonamiento luliano, Las viudas de color, La única verdad de la bailarina, Mitos, mujeres y encajes; Teresa ante la vida y el verso, Caciques aborígenes venezolanos, La risa de Caracas, La influencia del árabe en la lengua castellana, Gil Fotoul: su duelo con Enrique Gómez Carrillo; Tiuna, cacique de los Caracas; Mujeres de todos los tiempos, Hay esmeraldas en Mérida, Fantasía de la crónica popular, Primeras damas de la República en el siglo XIX, Los tres Reyes Magos eran blancos y eran personas, Las previsiones del doctor Iluminado, Poetas de diversas tendencias, El lulismo en América, Matrimonio, ambiente y rito; La ciencia del Iluminado, Los sofismas del "séptimo" Leonardo.*

Traducciones: Al francés: *Lucrecia Amorós,* por Judith Marguerite; *Del racionalismo averroísta al razonamiento luliano,* por Willis Petit. Lille, 1935.—Al inglés: *Del racionalismo averroísta al razonamiento luliano.* San Francisco (Estados Unidos), 1936.— Al catalán: *Del racionalismo averroísta al razonamiento luliano.*—Al alemán: *El lulismo en América.* Maguncia, 1951.

REYES, José Trinidad.

Poeta y religioso hondureño. Nació—1797— en Tegucigalpa y murió en 1855. Monje de la Merced. Estudió Música, Filosofía, Matemáticas, Literatura, Teología y Cánones en León de Nicaragua. En 1824 tuvo que emigrar a Guatemala. En 1828 regresó a Honduras, donde, suprimidas todas las órdenes monásticas a raíz de la revolución de 1829, viose secularizado, ocupando los cargos de

R

coadjutor y cura párroco de Tegucigalpa. En 1845 fundó una *Sociedad del genio emprendedor y del buen gusto,* cuna de la futura Universidad.

A José Trinidad Reyes debe su patria: la Biblioteca Nacional, la primera imprenta en Tegucigalpa y el primer piano del país traído por el entusiasta obispo—lo era desde 1840—, quien compuso *Pastorelas* a estilo de los autos españoles de los siglos XIV y XV, y *Villancicos* muy originales, con letra y música suyos. Estos bocetos escénicos marcaron el origen del teatro nacional hondureño. Y son nueve: *Noemi, Micol, Neftalia, Zelfa, Rubenia, Elisa, Albano, Olimpia y Flora, o La pastorela del diablo.*

José Trinidad Reyes fue también un magnífico predicador y trabajó incansablemente, fecundamente, por la cultura de su país.

V. MENÉNDEZ PELAYO, M.: *Historia de la poesía hispanoamericana.* Madrid, 1911-1913, dos tomos.

REYES, Matías de los.

Poeta y autor dramático español. Nació —¿1575?—en Madrid y murió en esta misma ciudad después de 1640. Estudió Humanidades en Alcalá de Henares. Fue condiscípulo en las primeras letras del inmortal mercedario fray Gabriel Téllez. A los veinte años hallábase en Extremadura entregado a la poesía y administrando "las alcabalas reales de las hierbas de la Orden de Alcántara en la jurisdicción de la Serena", viviendo en Villanueva de la Serena.

En este pueblecito compuso estas seis comedias: *Los enredos del diablo, El qué dirán y donaires de Pedro Corchuelo, Di mentira y sacarás verdad, Dar al tiempo lo que es suyo, El agravio agradecido y Representación de la vida y rapto de Elías,* comedias excelentes de versificación e intriga, en las que se muestra como uno de los primeros imitadores de Lope. A Lope dedicó la segunda de dichas comedias, y la quinta a Tirso de Molina. Estas seis comedias se imprimieron en Jaén—1629—por Pedro de la Cuesta.

Otras obras: *El nacimiento de Cristo* —auto, manuscrito, en la Biblioteca Nacional de Madrid—, *El curial del Parnaso*—Madrid, 1624, seis novelas breves—, *El menandro*—novela, Jaén, 1636—, *Para algunos* —Madrid, 1640, imitación de *Para todos,* de Montalbán.

"No tiene Reyes inventiva, tomando el fondo de sus obras de otros autores; pero sí el don de hermosear lo leído, de extenderlo y de tener consecuencias morales. Su estilo es elocuente, abundoso, fácil, armonioso y rodado y a veces con giros elegantes y calificativos briosos y expresivos." (Cejador.)

En 1909 apareció en Madrid una edición excelente de *El menandro,* cuidada por Cotarelo.

V. COTARELO MORI, E.: *Estudio* y notas a *El menandro.* Madrid, 1909.—LA BARRERA, C. A. de: *Catálogo razonado... del teatro español.* Madrid, 1860.—CEJADOR Y FRAUCA, J.: *Historia de la lengua y literatura españolas.* Tomo IV.—SAINZ DE ROBLES, F. C.: *Historia y antología del teatro español.* Madrid, Aguilar, 1943, tomos II y IV.

REYES, Pedro de los.

Prosista y ascético español. Nació —¿1540?—en Colmenar del Río (Madrid). Murió—1628—en el convento de Paracuellos de Jarama (Madrid). A los catorce años profesó en la Orden de San Francisco, y casi toda su vida, entre 1560 y 1628, la pasó en el convento de Paracuellos. Estuvo lleno de virtudes y de humildad. Y fue un gran poeta, a quien alabaron y admiraron muchos de sus más célebres contemporáneos, entre estos Lope, quien en el *Laurel de Apolo* le dedica esta estrofa:

> Vestido el cielo de virtudes santas,
> que nunca fueron sus estrellas, tantas,
> aunque descansó al suelo
> fray Pedro de los Reyes,
> Apolo de sayal, musas del cielo...
>
> ¡Oh, qué bien que escribías
> aquellos tiernos, penitentes días
> en tu sagrado cántico
> «Loco debo de ser, pues no soy santo.»

Se le atribuyen dos composiciones famosísimas: el soneto que empieza:

> No me mueve, mi Dios, para quererte...

y la octava real (con su glosa):

> Yo ¿para qué nací? Para salvarme...

Esta última sí es suya, pues que tenemos el testimonio afirmativo de varios de sus contemporáneos, entre ellos Lope.

En el tomo XXXV—pág. 306—de la "Biblioteca de Autores Españoles" puede leerse la mencionada octava real con el elogio de Lope.

V. ESTUDIO BIOBIBLIOGRÁFICO *sobre fray Pedro de los Reyes,* en *El Eco Franciscano.* Santiago, 1905.

REYES, Raimundo de los.

Poeta, prosista, periodista. Nació—1896— en Murcia. Murió—22 de noviembre de 1964—en Madrid. Estudió el bachillerato y algunos cursos de Derecho en su ciudad natal. Desde muy joven se dedicó por completo al periodismo. Maestro nacional. Redactor de *La Verdad,* diario murciano. Colaborador de *A B C, Blanco y Negro, Nuevo Mundo, Cró-*

nica, Estampa... Crítico teatral de *Cuadernos de Literatura,* revista del Consejo Superior de Investigaciones Científicas.

Raimundo de los Reyes es un lírico intenso, original, de un peculiar superrealismo y de un más decidido retorno a la tradición.

Fue redactor del diario madrileño *Ya,* donde escribió, a diario, un comentario de actualidad, con el seudónimo de "Hilarión", y un poema satírico con el seudónimo de "Luis Romera". Estuvo considerado como uno de los maestros del periodismo español. Poseyó un noble estilo y un muy rico vocabulario, mucho ingenio.

Obras: *Campo*—poemas, 1927—, *Abecedario*—poemas, 1929—, *Arbol*—poemas, 1942—, *Tránsito*—poemas—, *Antología de poetas murcianos...*

V. SAINZ DE ROBLES, F. C.: *Historia y antología de la poesía española.* Madrid, Aguilar, 1964, 4.ª edición.—GONZÁLEZ RUIZ, Nicolás: Prólogo a *Arbol.* Madrid, 1942.—SAINZ DE ROBLES, F. C.: Prólogo en el libro *Ripios de Luis Romera,* 1959.

REYES, Salvador.

Poeta y prosista chileno. Nació en 1899. Durante su juventud sintió agudamente el amor al mar—a cuyo lado había nacido—, a los viajes, a la aventura. Muy joven aún, empezó a escribir en *Zig-Zag.* Y su obra *Barco ebrio* le destacó como poeta, y su obra *El último pirata* le afamó como prosista.

En 1928 fundó—con Cruchaga, Hübner, Hernán del Solar y Luis Enrique Délano—la revista *Letras.* Redactor de *Hoy.*

Cónsul y primer secretario de Embajada en París.

Obras: *Barco ebrio*—1923—, *El último pirata*—1925—, *Las mareas del Sur*—1930—, *Lo que el tiempo deja*—1930—, *Tres novelas de la costa*—1934—, *Ruta de sangre*—1935—, *Piel nocturna*—1936—, *Norte y Sur*—1947...

V. LATORRE, Mariano: *La literatura de Chile.* Buenos Aires, Facultad de Filosofía y Letras, 1941.—LILLO, Samuel: *La literatura chilena.* Santiago, 1930.—SOLAR, Hernán del: *Indice de la poesía chilena contemporánea.* Santiago, Ercilla, 1937.—PINO SAAVEDRA, I.: *Antología de poetas chilenos,* en "Biblioteca de Escritores de Chile", 1940.

REYES AGUILAR, Arturo.

Gran poeta y novelista español. Nació —1864—y murió—1913—en Málaga. Huérfano desde muy niño, tuvo únicamente dos grandes afanes: Málaga y la literatura. Y así podría afirmarse que amó la literatura y se sirvió de ella para mejor exaltar su tierra natal. Poeta, y bueno, lo fue desde que *supo sentir,* pero su primera poesía *la escribió* a los once años.

En 1891 publicó su primer libro lírico: *Intimas.* Dos años después, sus primeras novelas: *Cosas de mi tierra.*

El localismo de Reyes, ¡tan fervoroso!, le ha hecho perder no poca fama española. Siempre tímido, siempre inclinado a las clases modestas de su tierra, siempre sin querer alejarse de esta, ni aun por poco tiempo, no es de extrañar que muchos españoles que se precian de cultos no hayan leído nada de Reyes, no sepan, siquiera, quién fue Arturo Reyes.

Que fue un gran poeta. Que fue un buen novelista. De sensibilidad exquisita, de íntimas delicadezas, con inmensa emoción, de colorido brillante y de finísimo dibujo, natural y garboso en su prosa, Arturo Reyes era un admirable literato español, muy digno de que su obra sea revalorizada y de que su nombre sea conocido, al menos, por todos los españoles cultos y de buen gusto literario.

Poesía: *Desde el surco*—1896—, *Otoñales*—1904—, *Béticas*—1910—, *Romances andaluces*—1912—, *Nerón*—1902—, *Del crepúsculo*—1914.

Novelas: *Cartucherita*—1898—, *El lagar de la viñuela*—1898—, *La goletera*—1900—, *Del bulto a la coracha*—1902—, *Las de Pinto*—1908—, *De Andalucía*—1910—, *Cielo azul*—1911—, *De mis parrales*—1911—, *La moruchita, El Niño de los Caireles, De mi almiar, El del Rocío, Sangre gitana, Sangre torera, Miraflores, Oro de ley, Entre breñas...* Estas nueve últimas, novelas breves, publicadas en *El Cuento Semanal* y *Los Contemporáneos.*

V. CEJADOR Y FRAUCA, J.: *Historia de la lengua y literatura españolas.* Tomo XI.

REYES HUERTAS, Antonio.

Buen prosista y novelista español. Nació —1887—en Campanario (Badajoz). Murió en 1952. Cursó Humanidades, Filosofía y Teología en el seminaro de esta capital. Sin ordenarse sacerdote, marchó a Madrid, en cuya Universidad estudió Derecho y Filosofía y Letras. Dedicado con fervor al periodismo, dirigió *La Defensa,* de Málaga, y *El Noticiero Extremeño,* de Badajoz. Ha colaborado en muchas publicaciones de España y América. Académico de la Sevillana de Buenas Letras. *El Diario Español,* de Buenos Aires, premió y publicó su novela *La Colorina.*

A Reyes Huertas, su modestia de gran señor y su amor a la tierra extremeña le impidieron lograr la mucha fama que merecen sus méritos literarios, y que hubiera logrado en la gran corte literaria de Madrid.

Imaginación viva y muy original, auténtica sensibilidad poética, prosista de oro de

R

ley, maestro en la técnica de la novela, en la amenidad y en la observación psicológica; pintor de colores calientes y brillantes, Reyes Huertas ha escrito libros sencillamente magistrales.

Poesía: *Ratos de ocio, Tristezas, La nostalgia de los dos...*

Novelas: *Fuente serena, La ciénaga, Los humildes senderos, Agua de turbión, La sangre de la raza, Lo que está en el corazón* y algunas más.

REYES ORTIZ, Félix.

Poeta y autor dramático boliviano. Nació —1828—en Sagarnaga. Murió en 1884. Se educó en La Paz, en cuya Universidad se licenció en Derecho. Pero ejerció su profesión muy poco tiempo, ya que sus gustos le empujaban decididamente al periodismo, a la literatura y a la política. Fundó el semanario satírico *El Padre Cobos* y los periódicos *El Telégrafo, El Constitucional, La Voz de Bolivia, El Consejero del Pueblo.* Desempeñó importantes cargos administrativos en el Estado y fue diputado varias veces. Murió loco, y sus últimas obras delatan francamente su desequilibrio mental.

No tienen excesivo interés, dentro del género teatral, su drama *Odio y amor,* su drama histórico *Los Lanza* y su comedia *Chismografía,* pero "con ellos nace la dramaturgia boliviana".

Otras obras: *Poesías, El Templo*—leyenda—, *La Zafra*—leyenda—, *Prosodia y métrica, Los fundamentos de la religión, Ortología, Introducción general al estudio del Derecho...*

V. Otero, Gustavo Adolfo: *Literatura boliviana,* en el tomo XII de la *Historia Universal de la Literatura,* de Prampolini. Buenos Aires, Uteha Argentina, 1941.—Díez de Medina, Fernando: *Perfil de la literatura boliviana,* en *Thunupa,* La Paz, 1947.—Finot, Enrique: *Historia de la literatura boliviana.* México, 1943.

REYLES, Carlos.

Magnífico novelista y prosista. 1878-1938. Nació en Montevideo. Para la crítica más selecta de España e Hispanoamérica, las dos novelas más hermosas que han dado las letras de la América hispana son: *La gloria de don Ramiro,* de Larreta, y *El embrujo de Sevilla,* de Reyles. A los dieciocho años era Reyles hacendado y millonario. Y se dedicó a viajar por todo el mundo, admirando a Tolstoi, a Ibsen, a D'Annunzio, a Bourget, a Sudermann... Vivió algún tiempo en España, hasta pegársele un dejo andaluz bastante señalado en el lenguaje y en el estilo.

En 1888 publicó su primera novela, *Por la vida,* que fue el primer ensayo naturalista hecho en el Uruguay, donde causó un estupor extraordinario y numerosas polémicas. Con el mismo ánimo de escandalizar volvió a la carga—1894—con *Beba,* una de las mejores novelas americanas, de un naturalismo duro, pero en la que impresionan la verdad, la valentía, el carácter y la pureza y elegancia del lenguaje.

Montero Bustamante—en *El Uruguay a través de un siglo*—: "Reyles fue el importador directo en nuestro país de la novela psicológica moderna, con su sabor un sí es no es mórbido, en la cual intervienen más el temperamento y la sensibilidad del autor que la fuerza del pensamiento o la realidad de la creación."

Y Cejador: "Reyles reúne grande erudición, estilo robusto, numeroso, suelto, vibrante; habla limpia, propia y armoniosa; proporción ordenada en la estructura de las partes y del todo de la composición; lenguaje apropiado y correcto; personajes vivos, reales; tales son las buenas notas de este gran novelista."

Casi todas las novelas de Reyles estuvieron originalmente contenidas en sendos cuentos, de cuyos esquemas saldrían, después de una amplificación largamente gestada, aquellas obras extensas. También puede señalarse como dato curioso, que delata al *ser sensitivo* que es Reyles y su profundo apego a los escritores *intimistas*—como Dostoievski y Tolstoi y D'Annunzio—, el de que en todas sus novelas aparece un personaje *que siempre es él;* así, él es el Guzmán de la *Raza de Caín,* y el pobre Tocles, de *El terruño,* y el *Tito,* de *Beba...*

Reyles es un prodigioso estilista, un narrador de una intensidad extraordinaria y de una maestría absoluta. Y es original, original, original... Su obra maestra es *El embrujo de Sevilla,* "libro de maravilloso entusiasmo, de ardoso sensualismo, de singular belleza plástica y lírica", como ha observado Torres Rioseco. Y en verdad que "el alma auténtica de Sevilla" late en esta novela, cuyos cuadros dejan una impresión penetrante y duradera. Mejor ha calado Reyles en Sevilla que Larreta en Avila.

Otras obras: *Primitivo*—1896—, *El extraño*—1897—, *El sueño de rapiña*—1899—, *La muerte del cisne*—1911—, *Diálogos olímpicos* —1918—, *El gaucho florido...*

V. Valera, Juan: *Ecos argentinos.* Madrid, 1901.—García Calderón, V.: *La literatura uruguaya.*—Zum Felde, Alberto: *La literatura del Uruguay.* Buenos Aires, 1939.—Torres Rioseco, A.: *La novela en la América hispana.* Berkeley, 1939.—Torres Rioseco, A.: *Novelistas contemporáneos de América.* Edición Nascimiento. Santiago, 1940.—Rodó, Enrique J.: Prólogo a *El terruño.*

REYNOLDS, Gregorio.

Poeta y autor dramático boliviano. Nació —1890—en Sucre. Doctor en Letras. Ha sido rector de la Universidad de Chuquisaca y encargado de Negocios en el Brasil. Poeta instintivo, sentimental y cósmico, de tendencias modernista, parnasiana y simbolista. Ha traducido excelentemente *Edipo, rey,* de Sófocles.

Obras: *Quimeras, Horas turbias, El cofre de Psiquis, Redención, Prismas, Beni, Illimani...*

V. Finot, Enrique: *Historia de la literatura boliviana.* México, 1943.—Díez de Medina, Fernando: *Perfil de la literatura boliviana,* en *Thunupa.* La Paz, 1947.—Otero, Gustavo Adolfo: *Literatura boliviana,* en el tomo XII de la *Historia universal de la literatura,* de Prampolini. Buenos Aires, Uteha Argentina, 1941.

RIBA BRACÓNS, Carlos.

Humanista, poeta y crítico literario. Nació —1893—y murió—12 de julio de 1959—en Barcelona. Doctor en Filosofía y Letras por la Universidad de Madrid y doctor en Derecho por la de su ciudad natal. Profesor de Literatura general en la Escuela Superior de Bibliotecas de la extinguida Mancomunidad de Cataluña. Pensionado en Munich para estudiar Filología románica bajo la dirección de Karl Vossler. Miembro—1931— del Instituto de Estudios Catalanes. Colaborador de la admirable Fundación Bernat Metje. Fundador de *La Revista.* Muchos de sus magníficos ensayos de crítica y erudición han aparecido en los *Quaderns d'Estudi, La Veu de Catalunya, La Publicitat...* Domina el griego, el latín, el inglés, el francés. Ha traducido espléndidamente al catalán obras de Plutarco, Homero, Virgilio, Sófocles, Jenofonte, Poe, Gogol, Grimm...

Riba es un poeta personalísimo, hondo, aun cuando excesivamente cerebral. En ocasiones, para él cuentan muy poco los elementos fundamentales de la poesía: imagen, sentimiento y música, elementos que transforma en reconcomio moral o en intelectualismo trascendente. Riba llega a convertir la poesía en metafísica. Se vale de un lirismo excesivamente depurado para patentizar trances de inquietud filosófica. Sin embargo, está considerado justamente como uno de los poetas más interesantes e influenciadores del actual Parnaso catalán.

Obras: *Estances*—poesías, Barcelona, 1919, edición *La Revista*—, *Estances*—Sabadell, 1931, ed. *La Mirada*—, *Les aventures de Perot Marrasqui*—novela infantil, Barcelona, 1923—, *L'ingenu amor*—cuentos, Barcelona, 1924—, *Sis Joans*—cuentos, Sabadell, 1928—, *Escolis i altres articles*—críticas, Barcelona,

1921—, *Els marges*—Barcelona, 1927—, *Resum de literatura llatina* y *Resum de literatura grega*—Barcelona, ed. "Colección popular Barcino"...

V. Plana: *Antología de poetes catalans moderns.* Barcelona, 1914.—Schneeberger, A.: *Anthologie des poètes catalans contemporains.* París, 1922.—Giardini, Césare: *Antologia dei poeti catalani contemporanei.* Turín, 1926.—Montoliú, M. de: *Breviari critic.* Barcelona, 1926, 1929 y 1931, vol. I, II, III.

RIBADENEYRA, Pedro de.

Magnífico prosista y autor ascético español. Nació—1526—en Toledo. Murió—1611— en Madrid. Sus verdaderos apellidos eran Ortiz de Cisneros. El adoptó por el que se le conoce tomándolo del origen de su abuela materna, que procedía de la riba de Neyra, en Galicia. Cuando contaba diez años de edad marchó a Roma como paje del cardenal Alejandro Farnesio. En Roma, abandonando la servidumbre del cardenal, entró en la Compañía de Jesús. Discípulo favorito de San Ignacio de Loyola, en 1542 fue enviado a París para completar sus estudios. Volvió a Roma en 1543 y emitió los votos ante el fundador de la Compañía. De nuevo estudió en Padua. Después, durante tres años, enseñó Retórica en el colegio que la Compañía había fundado en Palermo. En 1553 recibió en Roma la ordenación sacerdotal. Conociendo su experta diplomacia y su gran talento catequista, la Compañía le confió los más delicados negocios, para resolver los cuales tuvo que viajar por Europa incansablemente. Organizó la Compañía en Bélgica—1555—. Asistió a bien morir a la reina María de Inglaterra—1558—. Estuvo en Flandes, en Francia, en Toscana, en Roma, en Nápoles. En 1573 fue nombrado asistente general para las provincias de España y Portugal, desembarcando en Barcelona en noviembre de 1574 y llegando a Toledo—que fue su morada corriente durante los treinta y siete años que pasó en España—en febrero del siguiente año. Su larga estancia en su patria la dedicó a escribir y a pulir sus numerosas obras. Su nombre figura en el *Catálogo de autoridades* del idioma.

Pedro de Ribadeneyra es uno de los más excelsos humanistas españoles. Como ascético, fue discípulo del P. Avila y de fray Luis de Granada, pero queda muy por bajo de ellos. Su prosa es magnífica. Sus razones, sutilísimas. Su biografía de San Ignacio es de las mejores que produjo el humanismo europeo, por su fondo y por su forma, de carácter moderno.

Sus obras pueden dividirse en *históricas apologéticas, ascético-morales* y *varias.*

Entre las históricas apologéticas destacan: *Vida de San Ignacio de Loyola*—Nápoles,

R

1572—, *Vida de San Francisco de Borja y Vida del P. Diego Laínez*—juntas, en Madrid, 1594—, *Tratado del modo de gobierno... de San Ignacio*—Madrid, 1578...

Entre las ascéticos-morales: *Tratado de la tribulación...*—Madrid, 1589—. *Tratado de la religión y virtudes que debe tener el príncipe cristiano...*—Madrid, 1595—, *Libro de las vidas de los santos*—Madrid, 1599 y 1601, dos partes—, *Vida y misterios de Cristo Nuestro Señor, Vida y misterios de la gloriosa Virgen María, Tratado de las virtudes o Paraíso del alma...*—Madrid, 1595...

Otras obras: *Historia del cisma de Inglaterra*—Madrid, 1588—, *Historia de la Compañía de Jesús*—1605...

En 1945, en Madrid, la "Biblioteca de Autores Católicos" ha publicado magníficamente las *Obras completas* del P. Pedro de Ribadeneyra, en un volumen. *Antología*—Madrid, Ed. Nacional, ¿1946?

V. LÓPEZ, P.: *Vida del P. Pedro de Ribadeneyra*. Madrid, 1920, 1923.—PALMA, P. Luis de la: *Vida del P. Pedro de Ribadeneyra*.—PRAT, P. José María: *Histoire du Père Ribadeneyra...* París, 1862.—MUÑOZ CORTÉS, Manuel: *Estudio* en la *Antología*. Madrid, Editora Nacional, ¿1946?

RIBER, Lorenzo.

Humanista, biógrafo, ensayista y crítico español. Nació—1888—y murió—1958—en Campanet (Mallorca). Doctor en Teología. Sacerdote. Fue catedrático de Retórica y Poética y Perfección de latín en el seminario de San Pedro, de Palma. Trasladado a Barcelona, se dedicó al cultivo de la literatura vernácula en prosa y en verso, y obtuvo numerosas distinciones literarias: Maestro de Gay Saber, "Premio Fastenrath"—de la Real Academia Española—, "Premio Concepción Rabell", "Premio de Filología", "Copa de honor", otorgada a la prosa. Perteneció a la Real Academia Española como académico regional, en representación de su nativa Mallorca.

Lorenzo Riber fue un humanista admirable. Llegó a dominar la prosa castellana con una perfección, con una brillantez y con un colorido difícilmente igualables. Poseyó una cultura realmente extraordinaria.

Sus obras en idioma mallorquín no bajan de veinte volúmenes, que contienen su obra lírica original, traducción en verso de todo el *Opus* virgiliano, seis volúmenes de investigaciones hagiográficas, obras de imaginación, una autobiografía de su niñez... La totalidad de estas obras está agotada y constituyen hoy una rareza.

Obras en castellano: *Mireya*—traducción del poema de Mistral—, *Itinerario sentimental del Poblet, Raimundo Lulio, Aurelio Prudencio, Un celtíbero en Roma: Marco Valerio*

Marcial; traducción de las obras completas de Virgilio y Horacio, con sendos extensos prólogos; traducción de las *Confesiones,* de San Agustín, con un documentadísimo estudio: *Séneca*—estudio precedente a su traducción de las obras completas del gran filósofo cordobés—, *Juan Luis Vives*—estudio extensísimo que precede a su traducción de las obras completas del mismo—, *Erasmo de Rotterdam*—estudio magistral, que precede a la traducción de las obras completas del gran humorista holandés—, *Sibila de Fortia*—biografía, 1944—, *La aventura del condestable, Pedro IV "el Ceremonioso", De la corte de los señores reyes de Mallorca, Santa María Ripoll, hogar de fe y de cultura; El santo virrey de Cataluña, A la conquista del grano del Paraíso...*

RIBERA, Anastasio Pantaleón de la.

Poeta satírico y aventurero español. Nació—¿1600?—en Zaragoza (aun cuando son varios los críticos que le reputan natural de Madrid). Y murió asesinado—1629—en esta misma ciudad. De muy joven ingresó en un convento de franciscanos, pero huyó de él al poco tiempo para pelear en Flandes, distinguiéndose en el sitio y en la conquista de Ostende. Lleno de heridas y de baladronadas, regresó a España. Le protegieron Felipe IV, el duque de Cea y el marqués de Velada. Una sátira en verso que molestó a Olivares, le hizo caer en desgracia. Sus dichos agudísimos y mordaces fueron muy famosos en Madrid, y las gentes los comentaban y transmitían con gran regocijo. Mujeriego y tahúr, valentón y pendenciero, malhablado y maldiciente, era Ribera, sin embargo, muy simpático para el trato de amigo. En una emboscada nocturna *se perdió* un golpe fatal, y se lo encontró él. El duque de Lerma se encargó del amparo de sus padres.

Anastasio Pantaleón de la Ribera fue un gran poeta satírico, en ocasiones tan expreso y feroz como Quevedo. Su gracia fue mucha y natural. Su ingenio, sutil. Su nombre figura justamente en el *Catálogo de autoridades* del idioma, publicado por la Academia Española.

En 1634, en Madrid, se imprimieron por Francisco Martínez—cuidando de la edición el famoso José Pellicer de Tovar—las *Obras* de Ribera, ilustradas con la protección de don Rodrigo de Silva y Mendoza. Contienen versos y prosas de notable calidad. Otras poesías de Ribera figuran en los *Cancioneros manuscritos* citados por Salvat en su *Catálogo* con el número 199; en las *Poesías varias de grandes ingenios españoles*—Zaragoza, 1634—; en la *Relación de las fiestas... de la canonización de San Isidro*—Madrid, 1622—; en la *Relación de las fiestas que* hizo el Colegio Imperial... en la canonización de San Ignacio...—Madrid, 1622—. Y Sánchez-Rayón y Zarco registra un manuscrito titulado Cuaderno de versos de Antonio Pantaleón, al excelentísimo señor marqués de Velada..., en el que se hallan El búho—sátira dedicada al duque de Lerma—y dos Vejámenes, compuestos para la Academia de Madrid.

En el tomo LXII de la "Biblioteca de Autores Españoles" puede leerse el famoso soneto de Ribera, que empieza:

Tú, que en la pompa ya de flores vana...

V. BALLESTEROS ROBLES, L.: Diccionario biográfico matritense. Madrid, 1912, pág. 549.

RIBERA, Luis de.

Delicado poeta religioso español. Nació —¿1555?—en Sevilla. Murió hacia 1620. Las escasas noticias que de su vida se tienen están consignadas en las adiciones manuscritas a los Varones ilustres, de Rodrigo Caro. Marchó muy joven a México—1588—, donde sirvió con valor y lealtad a España. Fue teniente mayor de la ciudad de Chuquijaca, la cual, durante su mando, mereció ser calificada por el rey "de muy leal". Una hermana suya, doña Constanza María de Ribera, fue monja profesa concepcionista. A ella están dedicadas las Sagradas poesías —Sevilla, 1612, y Madrid, 1626—, "de gusto exquisito y gran sentimiento religioso". Para el crudo y mordaz Gallardo, "el gusto del autor es muy severo y clásico; nada de oropel y argentería; otro macizo".

Luis de Ribera es uno de los mejores poetas religiosos que ha tenido España; en ocasiones, comparable al mismo fray Luis de León. Respírase en todas sus composiciones un ambiente de fervor místico y de pureza, que recuerda los más bellos y delicados pasajes poéticos de la Biblia.

De su libro merecen destacarse las poesías tituladas De la santidad y gozo de la gloria —en tercetos—, Los nombres simbólicos de María—canción—, De la virtud heroica.

Las mejores poesías de Ribera pueden leerse en el tomo XXXV de la "Biblioteca de Autores Españoles", de Ribadeneyra.

V. AMADOR DE LOS RÍOS, José: Historia crítica de la literatura española.—CALANCHA, Fray Antonio: Crónica moralizada. Libro I, capítulo XVIII.

RIBERA CHEVREMONT, Evaristo.

Gran poeta y crítico puertorriqueño. Nació —1892—en San Juan de Puerto Rico. Hijo de padre español y de madre francesa. Está hoy considerado por la crítica más exigente como uno de los líricos más interesantes, fecundos, originales de Puerto Rico. En diarios y revistas quedan diseminadas sus magníficas críticas literarias y sus artículos pletóricos de interés humano.

Valbuena Briones le juzga así: "Su canto es recio y prolongado. A través de sus obras podemos seguir las evoluciones poéticas que se han verificado en lo que va de siglo. Ribera Chevremont es hoy un poeta actual, a pesar de que se inició como posromántico. Espíritu inquieto, sensible, mantiene una búsqueda incesante de formas y expresiones. Hemos visto en él al modernista, al creacionista, al expresionista, alcanzar la posición neotradicional de García Lorca y, finalmente, desembocar su propia voz en una rigidez estructural. Comenzando en un modernismo, que se encierra en la estructura formal perfecta del soneto, vuelve ahora, en plena madurez, a la misma forma métrica, después de haber seguido un largo camino. Su búsqueda de estructuras ha quedado encerrada en un círculo. Su obra densa se presta a la labor de abstracción."

Los temas de este gran poeta son fácilmente determinados: la exaltación del mar, la exaltación del árbol, la exaltación de sus emociones infantiles, la exaltación de la muerte, la exaltación de la sed de inmortalidad. En todos estos temas, Ribera Chevremont ha encontrado los más felices aciertos de pensamiento y de expresión. Amplio, diverso, profundo, Rivera Chevremont es uno de los más excelsos poetas nacidos en Puerto Rico.

Obras: Desfile romántico—¿1917?—, El templo de los alabastros—Madrid, 1919—, La copa de Hebe—Madrid, 1922—, Los almendros del paseo de Covadonga—San Juan, 1929—, Pajarera—San Juan, 1929—, Tierra y sombra—San Juan, 1930—, Color—San Juan, 1938—, Tonos y formas—San Juan, 1943—, Verbo—San Juan, 1947—, Creación —San Juan, 1951—, Tú, mar, y yo y ella; El hondero lanzó la piedra, Vitrales góticos, Yo sé de uno que tiene una canción, Velas negras...

V. VALBUENA BRIONES, Angel: La poesía puertorriqueña contemporánea. Tesis doctoral. Madrid, 1952.—VALBUENA BRIONES, Angel: La nueva poesía puertorriqueña (Antología). Madrid, 1952.—MELÉNDEZ, Concha: La inquietud sosegada. Univ. de Puerto Rico, 1946.—GUERRA MONDRAGÓN, Miguel: Libros y poetas... Ribera Chevremont, en Rev. de las Antillas, 5-14, año II, núms. 2-83.

RIBERA Y TARRAGÓ, Julián.

Notable arabista y literato español. Nació —1858—en Carcagente (Valencia). Murió —1934—en Alicante. Estudió el bachillerato con los PP. Escolapios de su tierra natal y

R

la carrera de Derecho en la Universidad valenciana. En Madrid se doctoró en Filosofía y Letras. A los veintinueve años ganó por oposición la cátedra de Arabe de la Universidad de Zaragoza, desempeñándola durante cerca de treinta años. En 1905 pasó a enseñar Literatura arabigoespañola en la Universidad de Madrid. Académico de la Real Española de la Lengua—1904—y de la Real Española de la Historia—1915.

Ribera y Tarragó fue uno de los maestros más admirables de los estudios arábigos en España. A sus enseñanzas deben su gran formación intelectual escritores de la talla de Asín Palacios, González Palencia y García Gómez.

Obras: *La enseñanza entre los musulmanes españoles*—1893—, *Bibliófilos y bibliotecas en la España musulmana*—1896—, *Orígenes del justicia mayor de Aragón*—1897—, *Orígenes de la filosofía de Raimundo Lulio* —1899—, *El "Cancionero" de Abencuzmán* —1912—, *La épica entre los musulmanes españoles*—1915—, *La música de las "Cantigas"*—1922—, *Música andaluza medieval en las canciones de trovadores, troveros y minnesinger*—1923 a 1925—, *Lo científico en la Historia*—1906—, *Disertaciones y opúsculos* —1928—y los estudios y crítica de los textos de los diez volúmenes de la *Biblioteca arábigo-hispana*—1882 a 1893...

RICA, Carlos de la.

Nació—1929—en Cuenca. Ingresó en el Seminario de Cuenca, desde donde arma lo suyo, enraizado en la rebeldía poética del momento y formando parte del grupo audaz de la revista *El pájaro de paja;* pero pronto brilla en él con luz e inspiración propias. Funda en Barcelona la revista *Haliterses,* y en Cuenca, *Gárgola.* Toma contacto directo con la revista *Estría,* del Colegio Español de Roma. Colabora activamente en las principales revistas poéticas del momento. Ordenado sacerdote, es destinado a un pueblecito de Cuenca, Carboneras de Guadazón, donde organiza el I Congreso Eucarístico Diocesano, celebrando unos juegos florales. De su poesía ha dicho Gerardo Diego: "La poesía de Carlos de la Rica es variadísima, pero siempre nace urgente de una necesidad expresiva que no se amilana ante la ocurrencia marginal de la imagen desaforada o la metáfora audaz. Una última voluntad de forma la contiene *in extremis,* librándola del delirio en que la potencia de arranque y vuelo la podía hacer caer." Y Federico Muelas ha dicho de su poesía que es "la vuelta a la gran calzada". Apunta Gerardo Diego: "... no indigna de la más alta tradición salmística y genesíaca".

Obras: tiene publicados dos libros de poemas: *El Mar y La Casa. De paso por el ansia, Ciudadela, Los duendes, Elipo el Rey, Oda a España, Canciones y otros poemas, La salvación del hombre...*

RICO Y AMAT, Juan.

Literato y crítico español. Nació—1821— en Elda (Alicante). Murió—1870—en Madrid. Licenciado en Derecho por la Universidad Central. Fundó y redactó él solo dos periódicos satíricos: *La Farsa y Don Quijote.* Fue redactor y colaborador de *El Semanario Pintoresco Español, La Ilustración Española, La Esmeralda, El Noticiero de España, El Español* y de otras muchas publicaciones.

Su primer libro de *Poesías* lo publicó —1842—con un prólogo laudatorio de Juan Eugenio de Hartzenbusch.

Poeta delicado, de fina y honda intención satírica—a veces—. Narrador ágil y de excelente inventiva. Dramaturgo discreto, discípulo de la mejor escuela romántica española.

Obras: *Cuadros de costumbres*—1844—, *Diccionario de los políticos...*—1855—, *Historia política y parlamentaria de España*—Madrid, 1860—, *El libro de los senadores y diputados*—1862—, *La unidad católica*—1869—, *Misterios de Palacio*—drama—, *Conspirar con buena suerte*—drama—, *Vivir sobre el país*—drama—, *El mundo por dentro*—drama—, *La belleza del alma*—drama...

RIDRUEJO, Dionisio.

Nació—1912—en Burgo de Osma (Soria). Licenciado en Derecho. Viajero por toda Europa. De 1939 a 1942 desempeñó diversos altos cargos oficiales. Colaborador de *Escorial, Vértice, Destino, La Estafeta Literaria, Entregas de Poesía, Arriba.* En 1950 le fue concedido el "Premio Nacional de Poesía".

Ridruejo es un lírico de perfección formal. En ocasiones rezuma un conceptismo de raíz clásica. Posee profundidad de pensamiento, un vasto ámbito poético, un dominio magistral del idioma. Su neoclasicismo peca, en ocasiones, de frío, de rígido, de meditado.

Obras: *Plural*—1935—, *Primer libro de amor*—1939—, *Poesía en armas*—1940—, *Fábula de la doncella y el río*—1943—, *Sonetos a la piedra*—1943—, *En la soledad del tiempo*—1944—, *Don Juan*—ensayo, 1945—, *Elegías*—1948—, *En once años*—1950—, *Dentro del tiempo*—memorias de una tregua, 1959—, *En algunas ocasiones*—1962—, *Escrito en España*—1962—, *España*—1964—, *Cataluña* —1968—, *Cuaderno de Roma*—1968—, *Guía de Castilla la Vieja*—dos tomos, 1968.

V. VALBUENA PRAT, A.: *Historia de la literatura española.* Barcelona, 1950, tomo III.— DÍAZ-PLAJA, G.: *Poesía lírica española.* Barcelona, 1948, 2.ª edición.—LAÍN ENTRALGO, Pedro: *Estudio* sobre D. R., en *Escorial*, marzo de 1942.—MARICHALAR, A.: *Estudio* sobre D. R., en *Escorial*, marzo 1942.—MORENO, Alfonso: *Poesía española actual.* Madrid, Editora Nacional, 1946.

«RIENZI» (v. Gómez Domingo, Manuel).

RINCÓN LAZCANO, José.

Poeta y autor dramático. Nació—1880—y murió—1963—en Madrid. Cursó el bachillerato, y la licenciatura de Derecho en la Universidad Central. En el diario *A B C* y en la revista *Blanco y Negro* ha publicado numerosos cuentos y poesías, ganando varios premios literarios.

Como poeta, perteneció a la "escuela" de Gabriel y Galán. Pero tuvo indudable personalidad, mucha inspiración, intención noble y facilidad versificadora. Como dramaturgo, su valor es mucho mayor. Acierta con brillantez en el ambiente—bien dibujado y mejor coloreado—; acierta en los tipos, llenos de sano realismo; domina la técnica con dignidad y con un hondo matiz poético; su prosa es natural y muy castiza. Escritor, Rincón Lazcano, de fervores tradicionales de la mejor ley.

Obras: *Historia de los monumentos de la Villa de Madrid*—1909, premio del Ayuntamiento madrileño—, *Del viejo tronco*—poesías, 1910—, *La alcaldesa de Hontanares*—comedia premiada por la Real Academia de la Lengua y el Círculo de Bellas Artes, 1917, *El ajuste*—entremés—, *Después de misa*—entremés—, *Capullito de rosa*—entremés—, *Espigas de un haz*—comedia, 1920—, *Senderos del llanto y de la sierra*—poemas...

RÍO, Ángel del.

Erudito y crítico literario español. Nació —1900—en Soria. Murió—1961—. Doctor en Filosofía y Letras. Desde muy joven marchó a los Estados Unidos, donde ha sido profesor de Literatura y Lengua españolas en la Universidad de Nueva York. Ha dado incontables conferencias por toda América con temas de investigación y crítica, admirables por sus doctrina y criterio. En colaboración con M. J. Bernardete, han recogido, en el libro *El concepto contemporáneo de España,* magníficos ensayos de grandes escritores españoles comprendidos entre Unamuno y Ganivet y el mucho más joven Ramón Gómez de la Serna. Director de la *Revista Hispánica Moderna.*

Obras: *Historia de la Literatura Española*—1948—, *Vida y obra de Federico García Lorca*—1952—, *Estudios galdosianos*—1953—, *Antología General de la Literatura Española*—1954—, *El mundo hispánico y el mundo* anglosajón *en América*—1960—, *Poeta en Nueva York*—Madrid, 1958.

RÍO SAINZ, José del.

Poeta y prosista. Nació—1886—en Santander. Murió—1963—en Madrid. Estudió náutica, y durante muchos años recorrió todos los mares del mundo en el vapor *Sardinero.* Director del diario montañés *La Atalaya.* Fundó *La Voz de Cantabria,* periódico en el que popularizó el seudónimo "Pick", redactando la sección diaria titulada "Aires de la calle". En 1925 la Real Academia Española concedió el "Premio Fastenrath" a su obra *Versos del mar y otros poemas.*

José del Río Sainz es uno de los mejores líricos españoles contemporáneos *cantores del mar.* Menos sinfónico que Tomás Morales; porque si este poetiza con una gran orquesta, Río Sainz lo hace *al piano,* en solos apasionados y conmovedores. Posee nervio auténtico, acento propio inolvidable. A todos "nos baila y canta en el oído alguna poesía marinera de José del Río Sainz, con un fondo musical de acordeones melancólicos".

A diario, durante muchos años, escribió en *Informaciones,* de Madrid, unos agudos y amenos comentarios firmados con el seudónimo "Peatón".

Obras: *Versos del mar y de los viajes* —Santander, 1912—, *La belleza y el dolor de la guerra*—Valladolid, 1922—, *Hampa* —Madrid, 1923—, *Versos del mar y otros poemas*—Santander, 1925, "Premio Fastenrath", de la Academia Española—, *La amazona de la estrella*—1927—, *Aire de la calle* —artículos, 1933—, *Historia de la literatura inglesa*—Madrid, 1946, en la *Historia de la literatura universal,* ed. "Atlas"—, *Zumalacárregui*—biografía, Madrid, 1943—, *Nelson* —biografía, Madrid, 1943—, *Churchill y su tiempo*—Madrid, 1944—, *Antología*—de sus poemas, Santander, 1953—, *Historia de la Cruzada Española*—Sevilla y Madrid, 1940 a 1944, los tomos IV, VII, XI, XII, XIII, XIV, XXII y XXIV.

V. SAINZ DE ROBLES, F. C.: *Historia y antología de la poesía española.* Madrid, Aguilar, 1964, 4.ª edición.—VALBUENA PRAT, A.: *Historia de la literatura española.* Tomo III. Barcelona, 1950.

RIOJA, Francisco de.

Magnífico poeta y prosista español. 1583-1659. Sevillano, teólogo, jurista y erudito, fue un gran amigo del conde-duque de Olivares. Por concesión de este, Rioja llegó a ser bibliotecario y cronista de Su Majestad, canónigo de Sevilla, consejero de la Inquisición. Fiel amigo de su protector, no le abandonó, caído. Pero muerto Olivares, Rio-

R

ja se retiró a Sevilla, no volviendo a Madrid hasta 1654. Y en la villa y corte murió. Tuvo fama de altanero y fatuo. Lope de Vega decía con repajolera gracia "que jamás se apeaba de su divinidad". Acaso la amistad con personaje tan cosmético y suntuoso como Olivares le contagiara la presunción y el empaque que tanto irritaban a sus contemporáneos.

Sus poesías son muy bellas y naturales. Sus sonetos y sus sextinas en verso suelto abundan en pensamientos delicados. Sus silvas a las estaciones, a las virtudes y a las flores, muy justamente figuran en todas las antologías, por su forma perfecta y por su terso lenguaje.

Rioja es mucho más poeta que Caro, Jáuregui y Arguijo. Aun desposeído, como lo ha sido por la crítica moderna, de las dos grandes poesías *Epístola moral a Fabio* y *Canción a las ruinas de Itálica*, su producción poética conserva unos valores muy acusados. Rioja—hábil versificador, de elevados sentimientos—es un sensual. Ama con pasión a la Naturaleza.

Rioja siente en su alma un barrunto de goce material ante un paisaje, ante una flor, ante un espectáculo de vivo colorido. Rioja se sumerge en la deliciosa voluptuosidad que se exalta en cada contorno. ¡Rioja sí que sabe qué es eso del festín de los sentidos! ¡Rioja sí que sabe explicar por qué es la vida bella, y por qué el mundo clásico es un canon exclusivo de belleza, y por qué sus amadas, más o menos efectivas, se llaman Laida, Lesbia, Aglaya, y por qué la rubicundez y la exultación de la apetencia humana es orgiástica y cascabelera. Rioja conoció como nadie el valor de los calificativos. Y los matizó con morosidad y regusto...

> Pura, encendida rosa,
> émula de la llama...

y

> Clavel ardiente,
> envidia de la llama...

Rioja supo como muy pocos *acoplar* nombres y adjetivos. Y buscó como nadie la auténtica ponderación del color. El rojo, rojo... El rosa, rosa... El amarillo, oro... Cuando él evoque un "río de plata", debemos pensar en una argentería auténtica, en la que el agua suene y corra alamares metálicos. Cuando él evoque unos "álamos blancos", debemos creerlos así, blancos o lívidos, con una blancura espectral.

Durante mucho tiempo se atribuyó a Rioja la *Epístola moral a Fabio*. Pedro Estala lo afirmó así en sus *Rimas de Bartolomé Leonardo de Argensola*—1805—. Adolfo de Castro descubrió en un manuscrito de la Biblioteca Colombina, del siglo XVII, una copia

de la *Epístola* con este título: "Copia de la carta que el capitán Andrés Fernández de Andrada escribió desde Sevilla a don Alonso Tello de Guzmán, pretendiente en Madrid, que fue corregidor de México". Aun no siendo una prueba definitiva, ya que el manuscrito es una copia, hoy se cree autor de la *Epístola* a Fernández de Andrada. Emoción, sobriedad, síntesis de diversos elementos de época, interpretación de la sensibilidad estoica, senequista, imágenes y versos fáciles, posee la *Epístola*, obra maestra del género moral en tercetos, que se aparta de los ardores barrocos y busca las medias tintas del clasicimo decadente.

Se conservan de Rioja algunos escritos en prosa: una *Carta* con un juicio de las poesías de Herrera; un *Discurso* sobre los clavos de Cristo; el *Aristarco*—1640—, contestación, en nombre de Olivares, a la *Proclamación católica* de los catalanes, y el *Nicandro* en defensa del caído valido.

Son excelentes ediciones modernas de Rioja: la de La Barrera, en "Bibliófilos Españoles", 1867; la del tomo XXXII de la "Biblioteca de Autores Españoles"; la de "Bibliófilos Andaluces", 1872, adiciones a la edición de 1867.

V. LA BARRERA, C. A.: *Poesías de Francisco de Rioja*. Madrid, 1867, en *Bibliófilos Españoles*.—WILSON, E. M.: *Note on a Sonnet of Rioja's*, en *H. Rev*, 1934, II, 155.—MONTOTO, Santiago: *El poeta Rioja, prebendado de la catedral de Sevilla*, en *Boletín de la Academia Española*. 1934. XXI. CAÑETE, M.: *Paralelo entre Garcilaso, Luis de León y Rioja*. Discurso en la Academia Española, 1958.—SAINZ DE ROBLES, F. C.: *Historia y antología de la poesía castellana*. Madrid, Aguilar, 1964.—VALBUENA PRAT, A.: *Poesía lírica castellana...* Madrid. C. I. A. P., [¿1929?]

RÍOS, Blanca de los.

Notable escritora e investigadora española. Nació—1862—en Sevilla. Murió—1956—en Madrid. Sobrina de don José Amador de los Ríos. Desde muy niña sintió una auténtica y fervorosa vocación literaria. A los quince años publicó su primera poesía y en 1876 su primera novela: *Margarita*. Contrajo matrimonio con el gran arquitecto y crítico e historiador de arte don Vicente Lampérez. Ha viajado por toda Europa.

Poetisa y novelista de altos vuelos, elogiada cumplidamente por Menéndez Pelayo y la Pardo Bazán, su gran fama la debe, sin embargo, a sus estudios de crítica literaria, principalmente los dedicados a estudiar la figura gloriosa de fray Gabriel Téllez, "Tirso de Molina". Se puede afirmar que es doña Blanca de los Ríos el mejor biógrafo y comentarista que ha tenido el gran monje mercedario.

Sus versos son inspirados, delicados, musicales. Su prosa, castiza, enérgica, varonil. Sus novelas, amenas, realistas, brillantes, modelos en el género de costumbres. Sus críticas, agudas, certeras. Sus investigaciones, definitivas, luminosas.

Novelas y poesías: *Esperanzas y recuerdos*—versos, 1881—, *La novia del marinero*—poema, 1886—, *Romancero de don Jaime, Madrid goyesco, El salvador*—cuentos—, *La niña de Sanabria*—novela—, *Melita Palma*—novela—, *Sangre española*—novela—, *Los diablos azules*—novela—, *La rondeña*—novela—, *El tesoro de Sorbas*—cuentos...

Estudios literarios: *El "Don Juan" de Tirso de Molina, De la mística y de la novela contemporánea, Las mujeres de Tirso, Del Siglo de Oro, De Calderón y de su obra, Santa Teresa de Jesús y su apostolado de amor, Los grandes mitos de la Edad Moderna...*

Doña Blanca de los Ríos pertenece a las siguientes Academias: de Buenas Letras de Barcelona, de Buenas Letras de Sevilla, de Ciencias Históricas de Toledo, Hispanoamericana de Ciencias y Artes de Madrid. Ha dirigido la gran revista *Raza Española* y colaborado en importantes revistas culturales de España y América. Es gran cruz de Alfonso XII. Lleva su nombre una de las calles de su ciudad natal. Varias de sus obras han sido traducidas al inglés y al francés. La editorial Aguilar—Madrid, 1947—ha publicado las *Obras completas* de Tirso de Molina con los admirables estudios y notas críticas de esta singularísima dama, orgullo de las letras españolas.

RÍOS, Doña Francisca de los.

Escritora madrileña del siglo XVII, notable por su feliz ingenio y por su precoz inteligencia. Nació en la calle de Santiago. Y fueron sus padres don Hernando García, procurador de los Consejos de su majestad, y doña Francisca de los Ríos.

"Tuvo inclinación desde sus primeros años a la vida religiosa, y con tal objeto la educaron sus padres, poniéndola desde muy niña al estudio del latín, en cuyo idioma salió tan aventajada, que a los doce años de edad tradujo y dio a la prensa la vida de la beata Angela de Fulgino, obra por la que ha sido su nombre transmitido a la posteridad. No sabemos si su propósito de ser monja lo hubo de llevar a cabo... La traducción que hizo de la citada obra llama la atención por lo correcto de su estilo y la exactitud de la versión, apenas comprendiéndose cómo puede ser obra de una niña de doce años. Consta, sin embargo, la exactitud del hecho por los aprobantes del libro, que fue-

ron el doctor Gutierre de Cetina—famosísimo poeta—y fray Baltasar de Ajofrín, perteneciente al Colegio de doña María de Aragón, y así mismo por la licencia del privilegio, donde se hace mención de la edad, se nombran a sus padres y se refiere al intento de la autora para entrar monja. Llama también la atención el modo como originalmente maneja la lengua castellana, como se muestra en la bellísima dedicatoria que de la traducción hizo a doña Isabel de Borbón, esposa de Felipe IV, en 1618, cuando aún estos no eran sino príncipes:

"A la serenísima princesa de España y señora nuestra doña Isabel de Borbón. Dos atrevimientos he tenido, serenísima señora, en la traducción de este libro, por la desigualdad de mis fuerzas y tierna edad de doce a trece años: una con la beata Angela Fulgino, que lo escribió en lengua latina..., y otra en dirigirla a V. A., donde concurren asimismo tan celestiales y divinas partes; pero es, sin duda que el primero me disculpa el segundo, porque habiéndome obligado la devoción a traducir mi ángel, claro está que la había de dirigir a otro..."

V. PARDADA, Diego Ignacio: *Eruditas y escritoras españolas*. Madrid, 1881.

RÍOS, José Amador de los (v. **Amador de los Ríos, José**).

RÍOS, Juan.

Poeta, cronista y autor dramático peruano. Nació—1914—en Lima. Ha viajado incansablemente por Europa y América. Ha logrado cuatro Premios Nacionales de Teatro: 1946, 1950, 1952 y 1954; y dos Premios Nacionales de Poesía: 1948 y 1953.

Juan Ríos es, como dramaturgo, un caso aparte dentro del actual movimiento teatral del Perú: porque solo busca la realidad íntima del hombre a través del análisis de figuras universales, o elaborar símbolos de indudable calidad poética. Como poeta es un decidido espiritualista que se vale del superrealismo.

Obras: *Don Quijote*—poema escénico, 1946—, *Cinco poemas de la agonía*—1948—, *Medea*—tragedia, 1950—, *Ayar Manko*—leyenda incaica, 1952—, *Cinco cantos al destino del hombre*—1953—, *Argos*—drama, 1954.

V. TEATRO PERUANO CONTEMPORÁNEO. Madrid, edit. Aguilar, 1959.

RÍOS, Rodrigo Amador de los (v. **Amador de los Ríos, Rodrigo**).

RÍOS Y RÍOS, Angel de los.

Original literato y erudito español. Nació —1823—en Proaño (Santander). Y murió —1899—en el mismo lugar. Estudió Humanidades en Reinosa, Briviesca y Burgo de

R

Osma. Licenciado en Derecho por la Universidad de Valladolid. Una precoz sordera le hizo refugiarse en la torre de Proaño, nido ruinoso y caballeresco. Las gentes le conocieron por *El Sordo* y *El Hidalgo* de Proaño. En su torre fue acumulando libros y consumiendo ensueños. La soledad y la sordera le dieron un carácter áspero y altivo, pero era un gran caballero español, con un corazón de oro puro. Las pocas veces que salía de su torre solariega era para recluirse en su finca de Taja-Hierro. Y pasaba todas sus horas leyendo y escribiendo artículos a centenares. Cronista de la provincia de Santander. Académico correspondiente de la Real de la Historia. Batalló ardorosamente contra el caciquismo y la política rastrera, en campañas cuya violencia le atrajeron persecuciones, quebrantos, sinsabores y cárcel. De alma indomable, movida por ideales quijotescos, el hidalgo de Proaño fue una magnífica figura española de tiempos medievales, que irradiaba simpatía y admiración.

Su erudición era portentosa. Y su prosa, recia, rotunda, castiza.

Obras: *Ensayo histórico, etimológico y filológico sobre los apellidos castellanos desde el siglo X hasta nuestra edad*—premiada por la Real Academia Española—, *Noticia histórica de las behetrías...*, *Don Pedro Calderón de la Barca, La parte de los montañeses en el descubrimiento de América, Memoria sobre las antiguas y modernas comunidades de pastos..., El fraile*—historia novelesca—, *Orígenes de un apellido*—leyenda—, *El vaquero montañés, El alcalde Gamonal*—comedia—, *Noticia de la Colegiata de Cervatos y extracto de su libro becerro...*

V. BOLADO ZUBELDÍA, Fermín: *Don Angel de los Ríos.*—BONAFOUX, Luis: *El hidalgo de Tablanca.*—MONTERO, José: *El solitario de Proaño.* 1916.

RÍOS RUIZ, Manuel.

Nació—1934—en Jerez de la Frontera. Desde los diecisiete años colabora en la Prensa nacional y extranjera con artículos y reportajes. Formó parte del Grupo Atalaya de poesía, de su ciudad natal, en cuya revista aparecieron sus primeros poemas. Fundó y dirigió las revistas jerezanas *Calandria y La Venencia,* así como una colección de libros de poesía con igual nombre de la última. Pertenece a la Cátedra de Flamencología del Ateneo de Jerez, de la que fue secretario durante seis años. Ha participado en cuantos ciclos y congresos de arte flamenco se han celebrado en Madrid y Andalucía, con ponencias y conferencias acerca del folklore andaluz. En Radio Jerez llevó a cabo durante seis años el programa semanal "La bodega de la luna", dedicado a la divulgación literaria. Ha pronunciado conferencias en el Ateneo de Madrid y otras entidades culturales españolas, así como numerosas lecturas de su obra poética.

Entre los diversos premios obtenidos cuenta con el "Premio de Poesía del Círculo de Artesanos", de Sanlúcar de Barrameda; "Premio Promoción", de Nueva York, y el "Premio Bécquer" de poesía convocado con motivo del primer centenario de la primera publicación de las *Rimas,* y el primer accésit del "Premio Adonais" de 1969. Actualmente reside en Madrid, y desde 1966 es secretario de redacción de *La Estafeta Literaria.* Otros premios en su haber son el "Nacional de Prensa Flamenca", en dos ocasiones consecutivas, y la Flor Natural", de los I Juegos Florales del Flamenco—Jerez, 1968—, por su poema *El cante de Jerez,* grabado en su propia voz en el disco *Diez poetas españoles dicen su poesía flamenca.* Ha publicado varios cuadernos de poemas y tres libros: *La búsqueda*—1963—, *Dolor de Sur*—1969—y *Amores con la tierra*—1970—. "Premio Nacional de Poesía José Antonio Primo de Rivera, 1972", con su libro *El oboe.*

RÍOS URRUTI, Fernando de los.

Escritor y catedrático español. Nació —1879—en Ronda (Málaga). Murió—1949—en Estados Unidos. Sobrino de don Francisco Giner de los Ríos. Bachiller en Córdoba. Doctor en Derecho por Madrid. Profesor de la Institución Libre de Enseñanza. Ha ampliado sus estudios en la Sorbona, en Londres y en varias Universidades alemanas. Y varias veces ha sido pensionado en el extranjero por la Junta de Ampliación de Estudios. Diputado a Cortes. Ha explicado varios cursos en las Universidades de México y de Columbia (Estados Unidos). Ministro durante la segunda República española. Organizador de numerosos focos de cultura, como el Centro de Estudios Arabes de Granada y Madrid, el Teatro Lírico Nacional, el Teatro Universitario "La Barraca", el Centro de Estudios Hispanoamericanos de Sevilla, la Universidad Internacional de verano en Santander...

De muchísima cultura, pensador hondo, profesor competente, escritor de prosa peculiar y brillante, agudo polemista.

Obras: *La filosofía política de Platón* —1910—, *La filosofía del Derecho en don Francisco Giner*—1916—, *La crisis de la democracia*—1917—, *Una supervivencia señorial*—1920—, *Mi viaje a la Rusia soviética* —1924—, *El sentido humanista del socialismo*—1926—, *Estado e Iglesia en la España del siglo XVI*—1928...

RIQUER, Martín de.

Historiador y crítico literario español. Nació—1914—en Barcelona. Estudió el Bachillerato con los jesuitas. Doctor en Filosofía y Letras por la Universidad barcelonesa. Miembro numerario de la Real Academia de Buenas Letras de su ciudad natal. Correspondiente de la Real Academia de la Historia. Jefe de la Sección de Literaturas romances del Consejo Superior de Investigaciones Científicas. Catedrático de Historia de las literaturas románicas en la Universidad de Barcelona. Investigador literario de la máxima solvencia. Miembro de número de la Real Academia Española.

Obras: *La lírica de los trovadores*—1948—, *Los Cantares de Gesta Franceses*—1952—, *Obras Completas del trovador Cerverí de Girona*—1959—, *Obras de Bernat Metje* —1959—, *Historia de la Literatura Universal*—1957—, *Caballeros andantes españoles* —1967.

Ha estudiado doctamente a Covarrubias y a Montemayor, y ha publicado una primorosa edición del *Cancionero* de Juan Boscán y otra del *Quijote* de Avellaneda—1972.

RISCO, Vicente.

Novelista, ensayista, cronista español. Su verdadero nombre: Vicente Martínez-Risco Agüero. Nació—1884—y murió—1963—en Orense. Realizó casi todos sus estudios sin salir de su ciudad natal. Maestro Nacional. Licenciado en Derecho. Profesor de Historia en la Escuela Normal de Orense. Catedrático de Pedagogía en la Normal de Orense. Durante algún tiempo colaboró en el diario madrileño *Pueblo*. Desde muy joven colaboró en los diarios y revistas gallegos. Solo de tarde en tarde publicaba sus crónicas en diarios y revistas de Madrid, como si no diera importancia a la fama, y fuera toda su ilusión conseguir lo que al fin consiguió: el patriarcado de las letras gallegas y la admiración absoluta de los gallegos. No obstante, tantos fueron sus méritos literarios que, aun sin proponérselo él, ganó justa fama en toda España. De mucha y muy filtrada cultura. Su prosa está llena de lirismo. Acaso su excesiva cultura pesa un poco en sus relatos novelescos. Es uno de los maestros contemporáneos de la literatura gallega.

Obras: *Historia de los judíos desde la destrucción del templo*—1944—, *Historia de Galicia*—1952—, *Biografía de Satanás*—1948—, *La puerta de paja*—novela, 1953.

V. NORA, Eugenio G. de: *La novela española contemporánea*. Madrid, edit. Gredos, 1962. Tomo II bis, págs. 70-76.—COUCEIRO FREIJOMIL, Antonio: *Documento biobibliográfico de escritores gallegos.*—TORRENTE BALLESTER, Gonzalo: *Panorama de la literatura española contemporánea*. Madrid, edición Guadarrama, 2.ª edición, 1961.

RIVA AGÜERO, José de la.

Literato y político peruano. Nació—1885— en Lima. Nieto del primer presidente de la República del Perú. Doctor en Jurisprudencia y Letras por la Universidad de San Marcos. Ha viajado por toda Europa, viviendo mucho tiempo en España, Francia e Inglaterra. Miembro correspondiente de las Reales Academias Españolas de la Lengua y de la Historia. Colaborador de *El Ateneo de Lima, Revista Histórica del Perú y Mercurio Peruano*. Animador cultísimo de la cultura de su país. Director—con Ventura García Calderón—de la *Biblioteca de Cultura Peruana*. Dotado de clarísimo talento, sólida cultura y magnífica prosa. Cada uno de sus libros es un definitivo alarde de rigurosidad erudita y de amenidad expresiva.

Obras: *Carácter de la literatura del Perú independiente*—Lima, 1905—, *La Historia en el Perú*—Lima, 1910—, *Elogio del inca Garcilaso*—Lima, 1916—, *Un cantor de Santa Rosa*—Lima, 1919—, *El Perú histórico y artístico...*—Santander, 1921—, *Por la verdad, la tradición y la patria*—1937—, *Paisajes peruanos...*

V. GARCÍA CALDERÓN, Ventura: *La literatura peruana*, en *Rev. Hispanique*, París, 1914, tomo XXI.—SÁNCHEZ, Luis Alberto: *La literatura peruana*. Santiago, 1936, tres tomos.

RIVADENEYRA, Pedro de (v. Ribadeneyra, Pedro de).

RIVAROLA, Pantaleón.

Poeta y prosista argentino. 1754-1821. Nació en Buenos Aires. Bachiller en Humanidades y doctor en ambos Derechos; presbítero, catedrático de Leyes en la Universidad chilena de San Felipe, y, de regreso a Buenos Aires, de Filosofía en el Colegio de San Carlos; capellán del Fijo y notario del Santo Oficio; miembro—1812—de la Junta Conservadora de la Libertad de Imprenta. Se le conoció más comúnmente por el mote de "poeta de las invasiones inglesas". Representa la mejor tradición del romance castizo y popular. Cantó las hazañas de los criollos contra Whitelock y Berresford en un *Romance heroico de la Reconquista*—Buenos Aires, 1806—, compuesto para ser cantado con guitarra.

Otras obras: *Poema... por la libertad a los esclavos*—Buenos Aires, 1807—, *La gloriosa defensa de la ciudad de Buenos Aires...* —Buenos Aires, 1808—, *Oraciones*—discursos, 1790...

V. PUIG, Juan de la Cruz: *Antología de poetas argentinos*. Buenos Aires, 1910, tomo I.—MENÉNDEZ PELAYO, M.: *Historia de la poesía hispanoamericana*. Madrid, 1911-

R

1913.—GUTIÉRREZ, Juan María: *Poetas suramericanos anteriores al siglo XIX.* Lima, 1865.—ROJAS, Ricardo: *La literatura argentina.* Buenos Aires, 2.ª edición, 1924, ocho tomos.

RIVAS, Duque de.

Angel Saavedra Ramírez de Baquedano. Célebre poeta, prosista, autor dramático e historiador español. 1791-1865. Asusta un poco la importancia que se le dio al duque de Rivas siendo niño. Y él mismo debía de estar un poco asustado. No era para menos. Nacido en Córdoba, hijo segundón de don Juan Martín de Saavedra y de doña María Dominga Ramírez de Baquedano y Quiñones, marquesa de Andía y Villasinda, y ambos grandes de España, a los seis años se le hizo caballero de Justicia de la Orden de Malta, y se le agració con la bandolera de guardia de Corps supernumerario; a los siete años recibió el real despacho de capitán del Arma de Caballería. Sería un niño angelito de esos que no pueden dedicar su tiempo a las niñerías. Y es que en seguida le hicieron comprender que él no podía dedicarse a otra cosa que a convertirse en un hombre excepcional. Tendría constantemente a su alrededor cien miradas graves analizándole los actos; cien voces graves conminándole a la seriedad. Dos canónigos franceses llegados a España huyendo de la revolución, Tostin y Bordés, le enseñaron latín, francés, historia, matemáticas, pintura... ¡Y qué sé yo cuántas cosas más! Cuando ingresó en el Seminario de Nobles—1805—sabía más que Lepe, y dejó atónitos a los profesores más sapientes y pejigueras para los exámenes. A los dieciséis años, como alférez de los guardias de Corps, presenció el motín de El Escorial, a consecuencia del cual fue arrestado el futuro Fernando VII, y la revolución de Aranjuez de 1808. Patriota apasionado, luchó contra los franceses en Tudela, Sepúlveda, Uclés, Talavera y Ocaña. Las balas enemigas le marcaron en la carne once condecoraciones rojas. La última a punto estuvo de causarle la muerte. Convaleció en Córdoba. Vivió en Cádiz el período constitucional y desfogó sus ideas liberalísimas en *El Redactor General.* En 1822, Córdoba, su tierra, le nombró su representante en Cortes; y como secretario de estas votó la incapacidad de Fernando VII. Condenado a muerte por el déspota, pudo huir por Gibraltar a Inglaterra. En la *travesía se sintió* romántico por primera vez, componiendo su poema *El desterrado.* Contrajo matrimonio en 1825; y con su mujer—doña Encarnación Cueto, hermana del marqués de Valmar— intentó vivir en Italia. Habiéndole sido prohibido permanecer en los Estados Pontificios, bajo el amparo del cónsul inglés en

Liorna embarcó para Malta. La acogida franca y amistosa que le dispensaron el gobernador, marqués de Hastings; el general Woodford y lo más selecto de la sociedad inglesa de la isla, hizo que permaneciera allí más de lo que se había propuesto. Cinco años duró su estancia en la isla acogedora; cuando salió de ella lo hizo a todo honor: en el yate que el teniente gobernador Ponsonby puso a su completa conveniencia. 1830: París. 1831: Marsella. 1832: Orleáns. 1833: Tours. Y viviendo de dar clases de pintura. Muerto Fernando VII y concedida por su viuda una amnistía general, el duque de Rivas volvió a España... ¡diez años después de haber salido de ella! Exactamente el 1 de enero de 1834. Por fallecimiento de su hermano mayor había heredado el título, con el señorío y preeminencias correspondientes, y por su calidad de grande de España tomó asiento con derecho propio en el Estamento de los Próceres. En 1836, ministro de la Gobernación con Istúriz. Y, ¡oh gran paradoja!... Quien en 1823 hubo de emigrar por liberal, en 1837 hubo de emigrar por reaccionario. Esta vez a Portugal y a Gibraltar. En 1838 ya vivía en Sevilla. Desde entonces solo existe para los honores y los triunfos. En la política y en el teatro. Senador vitalicio, embajador en Nápoles —1848—y en París—1849—; presidente del Gobierno—1854—, del Consejo de Estado —1863—, caballero del Toisón, presidente de Belles Artes de San Fernando, del Ateneo Literario y Científico, académico de número de la de la Historia...

El duque de Rivas fue, sobre todo, un gran caballero español. Basta leer cualquiera de sus obras. Basta contemplar cualquiera de sus retratos. Verdaderamente, mirándole, mirándole..., parece mentira que sea quien desbocó, bajo la presión de sus rodillas, el potro enloquecido del romanticismo español. La apariencia física del duque de Rivas *no se ajusta* a la de un poeta romántico. No gasta melena abundosa y rebelde, ojos fulgurantes, tez pálida, barba de collar con mosca y perilla, gestos lacrimosos, actitudes declamatorias. Sí, el duque de Rivas no se ajusta al *patrón* Musset ni al *patrón* "Fígaro". En cuantos retratos conocemos de él le contemplamos marcial, de cabeza clásica, sonrisa escéptica, indumentaria exquisita. Tiene *tipo* de un Metternich galante y maquiavélico después de apurado el trago de Viena. Formidable embajador nos parece el duque. Prestancia. Galanura. Sutileza dialogal. Estupendo ministro nos parece el duque. Serenidad. Imperio. Pero... ¿poeta romántico, y el adalid romántico de los dramaturgos? ¡De ninguna manera! Y es que fue, posiblemente, el duque de Rivas la antítesis de Larra. Este, clásico de intelecto y romántico de acción. Aquel, clásico de acción y romántico de intelecto. Nos parece, contemplando los retratos del duque, muy natural su posición conservadora final en la política. Lo que no nos parece tan natural es que este señor caballero, cuyo pecho cruzan bandas de seda y cubren condecoraciones de metales y esmaltes preciosos, siguiera manteniendo viva en su corazón la hoguera disparatada del romanticismo; que siguiera, quizá, soñando bajo la máscara clásica, con prescripciones, con viajes de latente sensiblería, con evocaciones lejanas de patria y hogar. Y nos extraña más que no delate sus desilusiones tremendas antiguas: sus tragedias no representadas, sus versos desdeñados por el público, la penuria económica de sus destierros, el desconocimiento para los demás de sus obras pictóricas, el olvido en la masa española de las once graves heridas que por defenderla cobró en acciones bélicas de un romanticismo impar.

¡Magnífico caballero español este duque de Rivas de los retratos! Si, como vulgarmente se dice, la procesión le anda por dentro, él parece terne, ecuánime, risueño, senequista, con facha de gran diplomático y de gran ministro..., él, que era, pudorosamente, un romántico puro, es decir, un puro desdichado.

Siendo director de la Academia de la Lengua, murió el duque de Rivas en su palacio de Madrid, situado en la calle que hoy lleva su nombre. Su sepelio fue el de un gran hombre de Estado. Hasta en esto se trabucó la realidad viviendo del realismo.

El destierro del duque de Rivas fue la causa de que se *iniciase* en la nueva tendencia literaria que conmovía en Europa. Fue el intelectual inglés sir John Hookham. Frere—a quien luego dedicaría Rivas su *Moro expósito* con gran cordialidad—quien le aconsejó que "debía volver la vista a lo nacional español", a la Edad Media y al Romancero. Porque conviene advertir que se hallan en la obra poética de Rivas *dos zonas* perfectamente limitadas: la *neoclásica* y la *romántica*. Zonas a las que, quizá, sirve de frontera de transición la famosa composición *El faro de Malta*.

El duque de Rivas, apasionado en su mocedad por la escuela salmantina de Meléndez, empezó a escribir pastorales y anacreónticas, poesías patrióticas—*A la victoria de Bailén, Napoleón destronado, España triunfante*—henchidas de un fuego y de un entusiasmo quintanesco, y hasta un poema descriptivo—en cuatro cantos y sesenta octavas reales—titulado *El paso honroso*. Aun cuando don Juan Valera califica este poema como la mejor leyenda de Rivas, después de *El moro expósito* y de los *Romances;*

aun cuando para otros críticos en el poema se advierten ya señales manifiestas de la nueva tendencia, estos y aquel exageran no poco. Salvo el tema, todo en *El paso honroso* es neoclásico: la forma rígida, los alardes mitológicos, el énfasis, la limada meticulosidad adjetiva. Júzguese por la *Invocación:*

> Dios de Amatante, numen poderoso
> que en la diestra enojada del Tonante
> logras helar el rayo riguroso
> que dio castigo a Encelado arrogante;
> pues inspiraste el hecho valeroso
> que hoy el Destino quiere que yo cante,
> mi pecho inflama, dame aliento y brío,
> y al tiempo venza el rudo canto mío.

En su mocedad fue, pues, Rivas, un por completo poeta clásico. ¡Ah! Y un completo poeta clásico... bastante malo. Por estas sus primeras composiciones, hoy nadie se acordaría de él.

Dos poesías, a mi entender, acusan ya una preocupación por la nueva manera en Rivas: las tituladas *El desterrado* y *El sueño del proscrito*; la primera, escrita a bordo del barco que le llevaba emigrado a Inglaterra; la segunda, muy poco tiempo después, y calificada esta por don Eugenio Ochoa como "un sueño vago y sombrío, inspiración ossiánica, empapada de las nieblas húmedas del Támesis". Sin embargo, estas composiciones fueron unos atisbos olvidados muy pronto. Rivas volvió a escribir poesías neoclásicas de rebuscadas expresiones. La crítica señala *El faro de Malta* como la poesía que inicia la reacción vigorosa del poeta. En *El faro de Malta*—1828—reproduce Rivas el metro de una oda de Leandro F. de Moratín, *A la Virgen de Lendinara*. Leída la famosa composición, los lectores cultos y curiosos discreparán en absoluto de la crítica que tal afirma. *El faro de Malta* se sujeta férreamente a la disciplina formal, utiliza los resortes retóricos de la vieja escuela, las expresiones son rebuscadas, las imágenes ya rancias. Apenas si el ambiente nocturno y el lamento nostálgico pueden aludir a una temática radicalmente nueva. En *El moro expósito*—1834—, poema terminado de escribir en Orleáns y publicado en París, leyenda en doce romances, con una dedicatoria: *To the Right Hon. John H. Frere*, es cuando el duque de Rivas se muestra ya absolutamente romántico. El tema buscado corresponde a lo más trágico de la tradición patria; el metro elegido—el endecasílabo—, también; han sido olvidadas las férreas reglas del arte; los vocablos genuinos de la nueva manera aparecen por doquier; el sentimiento del paisaje adquiere una importancia capital; juegan sus triunfos la melancolía, el apasionamiento, el dolor y la muerte. Y para que se cumplan con

R

rigor todos los postulados románticos, hasta la figura del protagonista, Mudarra, no se ajusta al tipo y carácter que tuvo en la gesta: bravo, duro, seco, sin otra aspiración que su feroz venganza. El Mudarra de *El moro expósito* es un auténtico héroe romántico: dulce, melancólico, de hermosa frente, que cuando...

> De pronto, el azaroso pensamiento
> de que al crimen, tal vez, o a la desgracia
> debe el vivir, sus ilusiones borra,
> nubla sus ojos y su faz espanta.

En 1841 publicó el duque de Rivas sus *Romances históricos,* escritos en el metro octosílabo—que sonaba en los oídos españoles a cosa bien conocida—, con sucesos, anécdotas y tradiciones netamente españoles, desde el reinado de Pedro I—*Una antigualla de Sevilla*—a la batalla de Bailén. Fiel pintura de la realidad. Fiel interpretación de los caracteres. Fiel descripción de los escenarios. Utilización de todas las libertades sentimentales y sensibleras de lo romántico.

El padre Blanco García, hablando de los *Romances históricos,* se entusiasma así: "La grandeza de los asuntos rivaliza con lo acabado de la descripción, que en el duque de Rivas es siempre majestuosa y exacta, algunas veces dura y áspera, nunca innoble ni femenil... El romanticismo del insigne prócer, como engendrado por el espíritu nacional, es grave y de severo porte, y vive en la realidad como en su propia atmósfera."

Como poeta lírico, aún escribió Rivas unas *Leyendas románticas,* al modo de Zorrilla: *La azucena milagrosa, La guirnalda misteriosa, El aniversario,* en las que se acentúa el romanticismo temático y expresivo.

Muy interesante es señalar el gran temperamento pictórico del duque de Rivas. En el destierro se ganó la vida vendiendo los cuadros que pintaba con singular maestría y personalidad. Por su temperamento impresionista, su estilo estético descuella en la fuerza del color y en el contraste de las luces. Su fantasía es visual, pareciéndose en ello a Gautier, a los Goncourt, pintores y literatos como él. Las aficiones pictóricas del poeta contribuyeron a la *plasticidad y vitalidad* de las descripciones.

Tienen mucha razón dos eminentes críticos del siglo pasado, Pastor Díaz y Francisco de Cárdenas: para comprender las distintas y capitales direcciones estéticas del duque de Rivas a lo largo de su carrera literaria, hay que considerar sutilmente su vida y dividirla en tres grandes períodos, ya que a los distintos ambientes sociales corresponden diversos climas intelectuales. Primera etapa, 1811: mocedad, lucha patriótica, estancia en Cádiz, amistad con los gran-

des poetas clásicos Noreña, Gallego, Arriaza, Quintana. Producto literario: poesías *clásicas,* frías, opacas, impersonales. Segunda etapa, 1834: París, amistad con el entonces exaltado Alcalá Galiano, emigración, reminiscencias de Malta, Inglaterra, amistad con sir John Hookham Frere, conocimiento de Shakespeare, Byron, Walter Scott; residencias en Marsella, Orleáns y Tours. Producto literario: odas transicionales, *El moro expósito*—la más bella poesía romántica de la época—, primer borrador del *Don Alvaro,* mezcla curiosa de lo prosaico, de lo pintoresco y de lo ideal. Tercera etapa, 1840: senaduría, ministerio, condecoraciones, academicismo, "defensa de los principios conservadores". Productos literarios: *contención* del romanticismo, comedias de reminiscencias decimoséptimas.

No me toca hablar aquí del duque de Rivas poeta lírico ni del duque de Rivas historiador y prosista; aun cuando sí recalcar sucintamente su importancia capitalísima en el primer dictado. El duque de Rivas enlaza nuestro maravilloso romancero con el lirismo barroco de la época actual. Fue el restaurador de la antigua épica en asunto y metro. "En medio de las calenturientas extravagancias de los románticos, de sus exageraciones idealistas, de sus horripilantes cuadros, de sus milagrerías estupendas, descubrió la soterrada vena del romancero, tan sinceramente realista, tan sencillamente expresiva, tan castizamente nacional." Parece lo escrito una paradoja si se considera que en su mejor tragedia, *Don Alvaro,* nadie le ha superado en exageraciones idealistas y en horripilantes cuadros. El duque de Rivas, a semejanza de los hermanos Goncourt, de Gautier, pintores y literatos como él, poseía un temperamento pictórico. Colores en gamas, efectos, contraste de luces y sombras, armonía impresionista.

Las obras dramáticas del duque de Rivas pueden dividirse en: comedias moratinianas, tragedias neoclásicas, dramas románticos y dramas de hechura decimoséptima. Entre las comedias de *corte* moratiniano están: *Tanto vales cuanto tienes*—1840—y *El parador de Bailén*—1823—. De sus tragedias clásicas, escritas sobre la falsilla de Jovellanos y Quintana y de regusto francés, destacan: *Ataúlfo*—1814—, *Aliatar, El duque de Aquitania*—especie de *Orestes*—, *Maleck Adhel*—inspirada en la *Matilde,* de madame Cottin—, *Lanuza y Arias Gonzalo*—1828—. Su drama eminentemente romántico es *Don Alvaro o la fuerza del sino.* Sus dramas de tradición española decimoséptima son: *El desengaño en un sueño*—1844—, *Solaces de un prisionero*—sobre Francisco I de Francia preso en Madrid—, *La morisca de Alajuar*—sobre la expulsión de los moriscos valencianos en 1609—y *El crisol de la lealtad,* basada en *La crueldad por el honor,* de Ruiz de Alarcón.

Las más hermosas, perfectas e interesantes de estas obras dramáticas son, cada una de estilo distinto, *El desengaño en un sueño* y *Don Alvaro.* La primera de estas obras, inspirada en *La vida es sueño,* de Calderón, y en una obra muy mala del siglo XVIII, titulada *Sueños hay que lecciones son y efectos del desengaño,* queda envuelta en su parte esencial, por la poesía del drama calderoniano y por las ideas en *The Tempest,* una de las últimas producciones de Shakespeare. La versificación de *El desengaño en un sueño* es tan deliberadamente calderoniana, que a veces nos parece un calco. Por esta obra, opina Valbuena que "en la historia de nuestro drama simbólico, Rivas, a pesar de Bances Candamo, se sitúa inmediatamente después de Calderón". El tema, desenvuelto de manera completamente distinta que lo hace el genial dramático del barroco, es aún más ideal y fantástico en *El desengaño.* Segismundo, gracias a su sueño, queda más hábil para pervivir, superando su horóscopo. El protagonista de la obra del duque de Rivas—Lisardo—, por el sueño, desdeñando el horóscopo, renuncia a sus quimeras y acepta la alegría real del vivir: la felicidad de los que son carne de su carne. Interés dramático, delicada poesía, profundo pensamiento filosófico, imaginativa espléndida son los grandes valores de este magnífico cuanto injustamente olvidado drama de Saavedra. Tal vez superior al grandioso *Don Alvaro.* Sin embargo, es *Don Alvaro*—estrenada en Madrid el 22 de marzo de 1835—la gran obra revolucionaria de Rivas. Equivalente en España al *Hernani* de Víctor Hugo en Francia. La obra que pulveriza los gustos anteriores y que apunta el alba de una nueva concepción y de un nuevo sentimiento de la vida. Fuerza, pasión, amargura, efectismo; poesía recóndita son los valores de esta obra sensacional. Acerca de ella escribió así el maestro Menéndez Pelayo a su amigo Laverde: "... creo que *Don Alvaro* es una concepción mucho más amplia y más admirablemente ejecutada que cuantas admiramos en el antiguo teatro español; tal, en suma, que solo en Shakespeare o en el *Wallestein,* de Schiller, puede encontrar semejante." Don Alvaro es un carácter tan audaz como Carlos Moor, tan apasionado como don Juan Tenorio, tan sensible como René, suicida igual que Werther. La *fuerza del sino* arrastra a don Alvaro, a su pesar, a los mayores crímenes. Pese a sus buenos propósitos y a sus mejores deseos, el *sino* le mete en trances terribles, de los que únicamente la heroica virtud podría escapar sin menoscabo. Precisamente el ser

inmerecidos tantos infortunios como caen sobre don Alvaro, motivos son más que suficientes para hacérnoslo simpático; para que no nos angustie más el terror trágico que lo envuelve y arrebata. La fatalidad es un hecho real. Y es posible, y suele verse muy a menudo, que en una sola alma cargue con toda su fuerza imponente. Si el alma no es un atlante—esto es, un santo—, el alma cruje, cede, se desploma con estrépito. En este drama vuelven a verse mezclados—con ponderación—lo cómico y lo trágico, como en los mejores dramas de nuestro Siglo de Oro, aun cuando únicamente en los detalles, en lo episódico. El fondo es rotundamente romántico. La rebeldía de la nueva tendencia literaria que Rivas llevaba al extremo alcanzaba hasta a la forma; el *Don Alvaro* está escrito parte en prosa vibrante y parte en verso candente. "Pero en el arte—escribe Cejador—no solo cabe lo real, sino lo ideal, lo posible, y dentro de lo posible, lo sorprendente y lo casual. Son muchas las casualidades, son muchas las cosas extraordinarias que se acumulan en una acción y en el personaje de *Don Alvaro;* mas son posibles, y eso basta para que no pueda decirse que está la obra fuera del arte. Está dentro del arte romántico, que en eso consiste; en acumular casos sorprendentes y espeluznantes, en exagerar fondo y forma. El final, tan inesperado como terrorífico, es para el gusto romántico un grandioso final. Es el *sino* o *hado,* inexplicable tanto para los cristianos como para los paganos. Tampoco hay que pedir al poeta romántico el que desentrañe psicológicamente los movimientos internos del alma; eso vendrá más tarde en la literatura. Por entonces bastaba ver en acción y como en la sobrehaz los efectos de la lucha que las pasiones allá dentro entablan, sin ahondar más en la conciencia." Y añade el personalísimo y rotundo crítico aragonés: "El arrojo del autor [cuando escribe el *Don Alvaro*] no tenía que ver con el eclecticismo de Larra en su *Macías* ni con los paños calientes de Martínez de la Rosa en *La conjuración de Venecia;* aquí todo es enorme. La casualidad, el ingenio del autor, hizo que el drama resultase, con todo, románticamente admirable, tremendamente conmovedor."

Es verdad. El drama del duque de Rivas se impone por la grandeza romántica y española de su héroe, por su ambiente de inmensa sugestión poética, por su técnica tan atractiva del claroscuro, por la versificación robusta y calidísima, por su clima vital tan afín a la sensiblería que *pide vivir* en cada uno de nosotros, aun de los más secos y ponderados de alma.

Las ediciones más interesantes de la *obra dramática* del duque de Rivas son: *Don Al-*

R

varo. Madrid, imprenta de Yenes, 1839; *El desengaño en un sueño*. Madrid, 1845; *Obras completas* del duque de Rivas. Edición de la Real Academia Española. Cinco tomos. 1854-1855; *Obras completas* del duque de Rivas. Barcelona, 1884-1885. Dos tomos; *Obras completas* del duque de Rivas. "Colección de Escritores Castellanos". Siete tomos; *Obras completas*. Madrid. M. Aguilar, 1945. Edición la más completa y perfecta.

V. CUETO, L. Augusto: *Discurso necrológico en elogio del duque de Rivas*, en *Memorias de la Academia Española*. Tomo II. Páginas 498-601.—CUETO, L. Augusto: *Examen de "Don Alvaro"*, en el *Artista*. III.—PIÑEIRO, E.: *El romanticismo en España*.—MAZADE, Ch. de: *Poètes modernes de l'Espagne: le duc de Rivas*, en *Revue des Deux Mondes*. Enero 1846.—PASTOR DÍAZ, N.: *Galería de españoles célebres contemporáneos*. Madrid, 1841.—VALERA, Juan: *El duque de Rivas*, en *El Ateneo*. Madrid, 1889.—AMADOR DE LOS RÍOS, José: *Elogio del excelentísimo señor duque de Rivas*. Madrid, 1886.—AMADOR DE LOS RÍOS, José: *El duque de Rivas considerado como dramático.*—MORENO BARRANCO, Juan: *Apuntes biográficos... del duque de Rivas*. Córdoba, 1892.—CAÑETE, Manuel: *Autores dramáticos contemporáneos...* Madrid, 1889.—ALLISON PEERS, E. A.: *Some observations on "El desengaño en un sueño"*, en el *Homenaje a Menéndez Pidal*. Tomo I.—ALLISON PEERS, E. A.: *Rivas and Romanticism in Spain*. 1925.—"AZORÍN": *Rivas y Larra*. Madrid, 1916.—RIVAS CHERIF, C.: *Estudio* en los tomos IX y XII de *Clásicos Castellanos.*—DÍAZ-PLAJA, Guillermo: *Introducción al estudio del Romanticismo español*. Madrid, 1936.—RUIZ DE LA SERNA, Enrique: *Prólogo a las Obras completas*. Edición Aguilar. Madrid, 1945.

RIVAS, Victoriano.

Poeta y prosista español. Nació—1914—en Algodre (Zamora). Muy joven ingresó en la Compañía de Jesús, cursando la mayoría de sus estudios en Bélgica, cuando el Instituto estuvo desterrado de España durante la segunda República—1932-1936—. Lleva ya varios años como profesor de Literatura española en el Colegio de la Inmaculada de Simancas (Gijón).

El padre Rivas es uno de los más personales líricos españoles entre los incontables excelentísimos con que cuentan hoy Ordenes e Institutos de religiosos. El mismo ha declarado su entusiasmo por el inmortal Antonio Machado, a quien tiene como modelo. Del padre Rivas, como poeta, ha escrito un crítico:

"Este poeta joven nos ha traído en su obra algo nuevo. Ha revestido con ropajes limpios y luminosos de la más moderna factura—sin que sea modernismo obtuso y confuso, por Dios—toda la reciedumbre escolástica, clásica y de vieja raigambre de nuestra mejor poesía imperial. Los versos del padre Rivas son fuertes y viriles, aunque sean místicos y silenciosos. Profundidad y dimensión de idea, y dura, como el antiguo romance paladino, sin que dejen de estar revestidos de claridades y de ternuras vaporosas. El mismo lenguaje, en su modo externo, concilia el gusto moderno con el pensamiento robusto y preciso del que tiene presentes exactitudes y sistemas."

Obras: *... Y se hizo la luz*—Retablos evangélicos. Biblioteca Anking. Palencia, 1946—, *Canciones del silencio*—poemas. *Umbral*, por Concha Espina. Gijón, 1948—, *Siete palabras*—sonetos de Pasión. Zamora, 1949—, *La Iglesia de Jesucristo*—su historia y su liturgia. Madrid, 1950—, *Huellas peregrinas*—salmos y momentos líricos, con un soneto de Gerardo Diego. Asturias, 1951—, *El sentido religioso en la lírica española actual*—en Humanidades. Universidad de Comillas. Volúmenes II y III—, *Poesía española asuncionista*—en *Razón y Fe*. Julio-agosto 1951—, *Antonio Machado, revalorizado*—sobre un libro de Concha Espina, en *Humanidades*. Comillas. Volumen II.

RIVAS CHERIF, Cipriano.

Notable comediógrafo, ensayista, crítico literario y director teatral español. Nació —1891—en Madrid. Murió—1967—en México. Estudió bachillerato con los Agustinos de El Escorial. Licenciado en Derecho —1910—por la Universidad de Valladolid. Doctor por la de Bolonia como colegial de San Clemente de los Españoles. Durante algún tiempo vivió en Italia: 1911 a 1914. Dos años—1919-1920—permaneció en París. De 1924 a 1925 dirigió, por España y Portugal, la compañía teatral de Mimí Aguglia y Alfredo Gómez de la Vega. Más tarde, director escénico, durante muchos años, del teatro Español, de Madrid, al frente de la compañía de Margarita Xirgu. Con García Lorca colaboró en el famoso teatro ambulante "La Barraca". Coeditor de la revista literaria *La Pluma*—1920-1922—. Secretario del semanario *España*—1922-1924—. Colaborador de *El Liberal*—1917—. Corresponsal en París de *La Libertad*—1919-1920—y *Heraldo de Madrid*—1923-1927—. De la Universidad Popular de Madrid—1907-1911—y de la Escuela Nueva de Educación. Conferenciante por la Universidad Popular y por encargo del Museo del Prado. Fundador del teatro de la Escuela Nueva—1920.

De gran cultura y fina sensibilidad. De estilo elegante y poético. Espíritu inagotablemente ávido de todo lo original y sorprendente. En 1942 organizó el "Teatro de Arte" en la residencia penitenciaria de El Dueso. En 1945 dirigió los destinos del teatro Lara, y en 1946 los del teatro Cómico, ambos de Madrid.

Ha publicado: *Versos de abril*—1907—, con el seudónimo "Leonardo Sherif", edición propia—; *Los cuernos de la luna*—1908—, *Un camarada más*—novela, ediciones de *La Pluma*, Madrid, 1922—y las traducciones que siguen: *Florecillas de San Francisco* —Renacimiento, Madrid, 1922—, *Vita Nuova*, del Dante—Biblioteca Estrella, 1922—, *La posadera*, de Goldini; *El convivio*, del Dante; *Cartas de Jacobo Ortiz*, de Fóscolo; *Daniel Cortés*, de Fogazzaro; *La vida en los campos y los Malasangre*, de Verga; *Tres ramas*, de S. Di Giacomo—del napolitano—; *Hombre acabado, Bufonadas y Memorias de Dios*, de Papini—Biblioteca Nueva, 1923-25-27—; *Vida de Cristo*, de Papini—Voluntad, 1926, sin nombre de traductor—; *El milagro*, de Puccini—edit. América, 1924—; *Memorias de La Rochefoucauld*—Calpe, 1918—; *Memorias de Casanova*—interrumpidas al segundo tomo, Renacimiento, 1916—; *El capitán Fracasa*, de Gautier—Calpe, 1923—; *El matador de Cinco Villas, La viuda del halcón*, de Arnold Bennet—Calpe, 1922—; *Con flores a María*—adaptado del napolitano, estrenado en el teatro Lara, de Madrid, en 1914—, y dos ediciones críticas: *Romances históricos del Duque de Rivas y Campoamor*—La Lectura, Madrid, 1912—; *La Costumbre*—comedia.

RIVAS GROOT, José María.

Literato y político colombiano. Nació —1865—en Bogotá y murió—1923—en Roma, siendo ministro plenipotenciario de su país ante la Santa Sede. Estudió en Europa. En 1894 fue nombrado director de la Biblioteca Nacional. Ministro de Instrucción Pública—dos veces—y de Relaciones Exteriores. Diputado. Senador. Miembro de la Academia Colombiana de la Historia, de otras Academias hispanoamericanas, y correspondiente de las españolas de la Historia y de la de Ciencias Morales y Políticas. En 1884 alcanzó un premio nacional con su *Canto a Bolívar*. Fundó y dirigió periódicos en Colombia; y en España, donde residió mucho tiempo y muy a su gusto, colaboró en *El Debate* y *El Universo*, y fue uno de los fundadores de *Raza Española* y de la *Biblioteca de Historia Hispanoamericana*.

José María Rivas Groot siempre se mostró poeta clásico en la forma, y católico y de elevados ideales en el fondo; no fue muy fecundo, pero sí de gran intensidad de inspiración y de admirable pureza de forma,

como observa Gómez Restrepo. Admiró e imitó demasiado a Víctor Hugo.

Obras: *La lira nueva*—Bogotá, 1886—, *Víctor Hugo en América*—Bogotá, 1890—, *Resurrección*—novela, Bogotá, 1901—, *Historia de la gran Colombia*—Bogotá, 1910—, *La Naturaleza, Constelaciones*—Bogotá, 1895—, *La verdadera originalidad en las letras y en las artes*—1903—, *Páginas de la historia de Colombia (1907-1909)*—1909, dos tomos—, *El triunfo de la vida*—novela, 1916, Madrid—, *Discursos...*

V. Gómez Restrepo, Antonio: *Parnaso colombiano*. Cádiz, 1915.—Gómez Restrepo, Antonio: *Historia de la literatura colombiana*. Bogotá, 1942, dos tomos.—Caro Grau, Francisco: *Parnaso colombiano*. Barcelona, Maucci, 1915.

RIVAS PANEDAS, José.

Nació—1890—en Madrid. Fue fundador de las revistas poéticas *Ultra* y *Tableros*. Una de las más interesantes figuras de los movimientos poéticos subversivos que atacaron al modernismo decadente.

Obra: *Cruces*—1922.

RIVAS SANTIAGO, Natalio.

Prosista, biógrafo y crítico literario. Nació en Albuñol (Granada)—el 8 de marzo de 1865—. Murió—16 de enero de 1958—en Madrid. Cursó las primeras letras en su pueblo natal, el bachillerato en las Escuelas Pías de Granada y en el Colegio de San Bartolomé y Santiago, de la misma capital. La carrera de Derecho la siguió en la Universidad de Granada. Ejerció la abogacía en la suprimida Audiencia de lo Criminal de Albuñol y en la Territorial de Granada.

Cargos que ha desempeñado: En 1890, juez municipal de Albuñol. En 1892, diputado provincial por la circunscripción de Albuñol-Ojíjar. En abril de 1893, presidente de la Diputación provincial de Granada. En 1901, en elecciones generales, fue elegido diputado a Cortes por el distrito de Orgiva (Granada), cargo para el que fue reelegido sin interrupción en todas las elecciones que se verificaron hasta que dio el golpe de Estado el general Primo de Rivera en 1923.

En 7 de junio de 1909 obtuvo en reñidísima lucha el cargo de diputado tercero de la Junta de Gobierno del Ilustre Colegio de Abogados de Madrid, mediante 653 votos.

En junio de 1906 fue nombrado subsecretario de la Presidencia del Consejo de Ministros, y en 1 de octubre del mismo año volvió a desempeñarlo, como también en octubre de 1909, siempre a las órdenes del presidente don Segismundo Moret.

En 1911, director general de Comercio; en el mismo año, subsecretario del Ministerio

R

de Instrucción Pública y Bellas Artes, volviendo a desempeñar el mismo cargo en 1915 y 1918.

En octubre de 1919, ministro de Instrucción Pública y Bellas Artes en el Gobierno de coalición que presidió don Manuel Allendesalazar.

En 1922, presidente del Consejo de Instrucción Pública.

En 1901 fue elegido concejal del Ayuntamiento de Madrid por el distrito de la Universidad y nombrado teniente de alcalde del del Hospicio.

En 8 de marzo de 1940, elegido académico de número de la Real Academia de la Historia.

Posee las grandes cruces de Isabel la Católica y la de la Concepción de Villaviciosa, de Portugal.

También ha sido presidente del Casino de Madrid y fue presidente honorario de la Sociedad Española de Comisionistas y Viajantes desde 1913, en cuyo cargo sucedió a don Segismundo Moret. Perteneció también, como vocal, a la Junta de Iconografía Nacional.

En 1889 publicó bajo su dirección un semanario titulado *La Alpujarra*, en Albuñol, y antes había sido redactor del periódico *Diario de Granada*. Colaboró con muchísima frecuencia en *Diario de Barcelona* y en la revista *Liceo*, de la misma capital; en *A B C*, *El Ruedo*, *El Español* y *Dígame*, de Madrid, y en *Las Provincias*, de Valencia.

Obras publicadas: *Políticos, gobernantes y otras figuras españolas*—dos volúmenes—, *La Escuela de Tauromaquia de Sevilla*—un volumen—, *Curiosidades históricas contemporáneas*—un volumen—, *Narraciones y anécdotas de antaño*—un volumen—, *Anécdotario histórico contemporáneo*—un volumen—, *El siglo XIX*—un volumen—, *Luis López Ballesteros, gran ministro de Fernando VII*—un volumen—, *Semblanzas taurinas*—un volumen—, *José María "el Tempranillo"*—un volumen—, *Sagasta, conspirador, tribuno y gobernante*—un volumen.

En prensa: *Estampas del siglo XIX*—un volumen.

En preparación: *Narváez*—un volumen—, *Amores de Martínez de la Rosa*—un volumen—, *Las novias de Fernando VII*—un volumen.

En la "Colección Crisol", de Aguilar, ha publicado *Anecdotario histórico* y *Toreros del romanticismo*.

RIVERA, José Eustasio.

Poeta y novelista de extraordinaria calidad. 1889-1928. Colombiano de nacimiento, murió en Nueva York. Rivera vivió una vida intensa, dramática, cálida en el trópico. Fue inspector de yacimientos petrolíferos y miembro de una Comisión delimitadora de fronteras entre Colombia y Venezuela. Enamorado de las llanuras y de las selvas, sintió una atracción terrible ante el suplicio dantesco que sufren los caucheros en los siringales. Domó potros y apartó toros bravos. Luchó contra las fieras y contra los indios y bandoleros.

Fantasía poderosa, lujo verbal, impresionante capacidad descriptiva reunió Rivera para escribir. Su única novela, *La vorágine* —1924—le hizo famoso en todo el mundo. Para la gran mayoría de los críticos, es la novela más hermosa y patética que han producido las letras hispanoamericanas.

"No conozco en la literatura contemporánea—afirma Wild Ospina—una obra en que el horror animal palpite y se exprese con mayor fuerza que en esta novela del colombiano José Eustasio Rivera."

La vorágine es el poema maravilloso de la selva, del caucho, de la bárbara fiereza del hombre y de la Naturaleza, de las aciagas influencias del miedo y de la angustia.

"Es *La vorágine*—escribe José María Salaverría—el triunfo del árbol, la apoteosis del bosque impenetrable, la exaltación de una Naturaleza inauditamente vigorosa que crea y mata con espantable inexorabilidad. Y ante esta Naturaleza sublime y monstruosa, el hombre de la ciudad refinada, el poeta José Eustasio Rivera, se siente arrebatado por una mezcla de terror y de entusiasmo y escribe, en efecto, el libro de las selvas vírgenes que en nuestra literatura de lengua española estaba por hacer."

"Rivera narra y describe con poderosa fuerza de creación. Su realismo es de una extraordinaria capacidad evocadora... Pero la maestría del novelista se reconoce en la creación de ese clima de fuerza telúrica, realidad y presencia de la selva... En aquel palpita y se estremece un terror biológico e impera una crueldad salvaje, incontrastable e inflexible como la dura ley del triunfo del más fuerte. *La vorágine*, ha conquistado por propia e indiscutible gravitación un puesto de primera fila en la narrativa de habla hispánica." (Leguizamón.)

Rivera es autor de un libro de sonetos, *Tierra de promisión*, en que el poeta canta igualmente la selva profunda y grandiosa de su patria.

V. ARANGO FERRER, Javier: *La literatura de Colombia.* Universidad de Buenos Aires, 1940.—HENRÍQUEZ UREÑA, Pedro: *La novela en América.* La Plata, 1927.—TORRES RIOSECO, A.: *La novela en la América hispana.* Berkeley, 1939.—LEGUIZAMÓN, Julio A.: *Historia de la literatura hispanoamericana.* Buenos Aires, 1945.—GÓMEZ RESTREPO, A.: *Historia de la literatura colombiana.* Bogotá, 1938-1940, dos tomos.

RIVERA, María Inés.

La celebridad de esta dama española se debe tanto como a los grandes méritos de su ingenio a las raras vicisitudes de su vida. Nació—1790—en Palma de Mallorca. Y murió—1861—en esta misma ciudad. Cuando contaba trece años, y sin que hubiera demostrado la menor vocación religiosa, fue colocada en un monasterio de jerónimas. Por obediencia, temor o debilidad, no se opuso. Cumplido el noviciado, en 1806 pronunció sus votos. Consagrada a los idiomas y al estudio, no pudo, ni con estas atenciones, sobrellevar la vida claustral. Sus padres, que conocieron, aunque tarde, su equivocación con respecto a María Inés, intentaron hacerle más llevadera su situación, llevando al convento, como educandas, a varias niñas de la familia. No se animó con ello la religiosa, aunque se ocupó con gran celo de la educación de sus parientas. Muertos sus padres, aprovechando las disposiciones que por la Constitución de 1812 vinieron a regir en materias religiosas, se aprovechó de ellas para salir del claustro y pedir la anulación de sus votos. Sus pretensiones le atrajeron no pocos disgustos con las autoridades eclesiásticas españolas. Varias veces estuvo encarcelada. Por fin pudo marchar a Roma, para hacer su propia defensa. Y ante los cardenales Odescaldi y Justiniani estuvo perorando en latín, en italiano y en francés durante tres horas. Cuando contaba cuarenta y cuatro años pudo, al fin, lograr la anulación de sus votos, y contrajo matrimonio con don Gabriel Cabanellas.

Entre sus obras destacan: *Viaje que yo, María Inés de Ribera, hice a Valencia, Madrid, Roma y otras capitales extranjeras...*, *Medidas poderosas para la perfecta enmienda de la vida entera y durable conversión...*—1847.

V. BOVER, Joaquín María: *... Escritores mallorquines...* Palma de Mallorca, 1868.

RIVERO, Atanasio.

Literato y periodista español. Nació —¿1860?—en Oviedo. Murió—1930—en Madrid. De mocedad aventurera por varias naciones de la América española. Vivió muchos años en la Habana, colaborando en varios diarios y revistas de esta capital, y principalmente en *El Diario de la Marina.* Hacia 1910 regresó a España.

Prosista de recio y castizo estilo y de exquisita dicción. Polemista brillante. Expositor de la verdadera galanura y gracia y no exento de picardía y humorismo. Sostuvo polémicas muy curiosas con los mejores cervantistas de su época, por defender él que Cervantes había escrito su *Quijote* con *traza,* es decir, que cada capítulo del libro inmortal *encerraba otro capítulo distinto* de intención satírica.

Obras: *El mayorazgo de Villahueca*—novela, la Habana, 1904—, *Duelos y quebrantos*—la Habana, 1905—, *Pollinería andante* —cuentos, 1905—, *El crimen de Avellaneda* —Madrid, 1916—, *El secreto de Cervantes* —1916—, *El bien de España en Cuba...*

RIVERO, Carlos.

Novelista, poeta, cronista. Nació—1922— en Pontevedra. Se recrió en Orense, ciudad que ha ejercido positiva influencia en su formación literaria, en sus gustos y en su entera actitud vital. Se dedicó al periodismo desde la adolescencia. En 1945 se trasladó a Madrid, donde ha publicado todos sus libros, excepto el primero, *Ancla,* un volumen de poemas que lleva pie de imprenta orensana. Aparte sus deberes de urgencia informativa como redactor-jefe de Radio Nacional de España, cultiva en la Prensa un periodismo de gran preocupación literaria, enfocado más bien a temas intemporales que le permiten situar el artículo en un género híbrido de microensayo y brevísimo capítulo de novela. En 1952 publicó su primera novela extensa, *Hombre de paso.* Con una novela corta titulada *Mañana empieza el alba* obtuvo en 1960 el "Premio Ateneo de Valladolid". Es, además, premio nacional de periodismo "29 de octubre", de la Secretaría General del Movimiento, y premio nacional a las tareas informativas en Radio y Televisión. Carlos Rivero considera que su libro más importante—"porque me justifica conmigo mismo", dice él—es una breve entrega de poemas en gallego titulada *Catavento ao Norde,* aparecida en 1956. Acaba de publicar su tercera novela, *Los dientes de la sombra,* con la que vuelve literariamente a sus paisajes natales y también a las tierras de América, que Carlos Rivero conoce con la visión dramática del muchacho emigrante que fue.

RIVERO, Pedro.

Poeta y prosista venezolano. Nació—1893— en Porlamar, Isla Margarita, Estado de Nueva Esparta. Licenciado en Derecho Diplomático. Vicecónsul en Nueva York, Cónsul y Cónsul General en Inglaterra. Delegado Gubernamental en la Conferencia del Trabajo de Berna. Jefe de la Cancillería de Venezuela en la Oficina de la Sociedad de Naciones. Secretario de Legación y Encargado de Negocios de Washington. Miembro de la Asociación de Escritores venezolanos. Y fue secretario del PEN Club de Venezuela.

Poeta modernista de exquisita perfección formal.

R

Obras: *El mar de las perlas*—Caracas—, *El mar de Ulises*—Mallorca—, *El pescador de ánforas*—Madrid.
Son tres libros de sonetos magníficos, de gran rareza.

ROA, Martín de.

Historiador y prosista español de relieve, Nació—1561—en Córdoba. Murió—1637—en Montilla (Córdoba). A los diecisiete años entró en la Compañía de Jesús. Fue superior de las casas de Jerez, Ecija, Sevilla, Málaga y Córdoba. Durante cerca de veinte años enseñó Gramática, Humanidades, Retórica y Sagrada Escritura. Dominaba el hebreo, el griego y el latín.

Su prosa castellana es pura y brillante, de riquísimo vocabulario. Su sentido crítico, muy agudo y certero. Como historiador, es digno del mayor crédito. Su nombre figura en el *Catálogo de autoridades* del idioma, publicado por la Academia Española.

Obras literarias e históricas: *Vida de doña Ponce de León, condesa de Feria, monja de Santa Clara, de Montilla*—Córdoba, 1604—, *Vida y maravillosas virtudes de doña Sancha Carrillo*—Sevilla, 1615—, *Fiestas y santos de Córdoba*—1915—, *Estado de las almas del Purgatorio*—Sevilla, 1619—, *Estado de los bienaventurados en el cielo, de los niños en el limbo, de los condenados en el infierno...*—Sevilla, 1626...

Muchas de estas obras fueron traducidas al francés, portugués, italiano y alemán.

V. ASTRAÍN, P.: *Historia de la Compañía de Jesús...* (V.). Madrid, 1616.—ROA Y BACKER: *Biblioteca de la Compañía de Jesús.* 1887, VI.—CAÑAL Y MIGOLLA, C.: *Apunte acerca de Martín de Roa*, en *Homenaje a Menéndez Pelayo.* II, Madrid, 1898.—SOMMERVOGEL, P.: *Bibliothèque de la C. de J.: Bibliographie*, 1887, VI.

ROA BÁRCENA, José María.

Literato mexicano. Nació—1827—en Jalapa y murió—1908—en la ciudad de México. Fue una de las figuras literarias más notables y populares de su tiempo. Profundamente religioso y de ideas conservadoras, Fue director de *El Eco Nacional* y de *La Sociedad*. Individuo de la Junta de Notables durante la invasión francesa, fue uno de los que votaron a favor de la monarquía en la persona de Maximiliano. Perteneció a la Academia Mexicana y fue miembro correspondiente de la Real Academia Española de la Lengua. Al triunfar la revolución que derribó la monarquía, no tomó represalias contra Roa Bárcena; tal había sido su conducta de gran caballero. Roa Bárcena fue poeta, prosista, traductor, crítico literario, historiador y biógrafo. En ninguno de estos aspectos consiguió la nota genial; pero el conjunto de su obra es muy estimable. Cantó en tono menor; pero sus poemas resultan sencillos, limpios, muy sentidos, muy castellanos. Sus narraciones novelescas merecieron las alabanzas de don Juan Valera.

El romanticismo literario de Roa Bárcena queda mitigado por un suave y sereno realismo costumbrista.

Obras: *Diana*—poesías, 1857—, *Poesías líricas*—1859—, *Nuevas poesías*—1861—, *Leyendas mexicanas*—en verso, 1862—, *Ensayo de una historia anecdótica de México*—1862—, *Recuerdos de la invasión norteamericana*—1883—, *Ultimas poesías líricas*, *Cuentos y baladas del norte de Europa*, *El rey y el bufón*—narración—, *La quinta modelo*—novela—, *Lanchitas*—novela—, *Noche al raso*—novela—, *Una flor en su sepulcro*—narración—, *Biografía de Gorostiza*, *Vasco Núñez de Balboa*—poema...

V. MENÉNDEZ PELAYO, M.: *Historia de la poesía hispanoamericana.* Madrid, 1911-1913, dos tomos.—GONZÁLEZ PEÑA, Carlos: *Historia de la literatura mexicana.* México, 2.ª edición, 1940.—ESTEVA, Adalberto A.: *Antología mexicana.* México, 1893.

ROBLES SOLER, Antonio.

Novelista y cuentista español de mucha personalidad. Nació—1897—en Robledo de Chavela (Madrid). Estudió el bachillerato en el Colegio de Alfonso XII, de El Escorial, dirigido por los padres Agustinos, y Derecho en la Universidad Central. Colaborador en muchas revistas literarias—principalmente en las dedicadas al humor y a los niños—y en diferentes radioemisoras españolas.

Entre 1923 y 1939 colaboró asiduamente en los más importantes diarios y revistas de España: *La Esfera, Nuevo Mundo, La Voz, Gutiérrez, Buen Humor.* Desde 1939 reside en México y es colaborador ilustre de *Excelsior, Mañana, Revista de Revistas...* Ha dado conferencias en los Estados Unidos y países hispanoamericanos.

La gran fama de Antonio Robles—o *Antoniorrobles*, como él se firma en la literatura que dedica a la infancia—se basa principalmente en los varios centenares de cuentos publicados para recreo y sugestión de los niños.

Antonio Robles es hoy maestro de este género delicadísimo de literatura. Su imaginación es riquísima y brillante; su expresividad está llena de colorido y de gracia; sabe filtrar en sus narraciones una ternura suave, llena de simpatía y de modernidad; es un inagotable venero de ocurrencias tan naturales como sugestivas para sus pequeños lectores; pone siempre su mucha sensibilidad al alcance de los pocos años y los conmueve con generosidad y con estímulo.

Pero Antonio Robles es también un novelista "para mayores" y de los más originales y modernos. Sus obras se distinguen por su realismo duro y audaz, por su humorismo picante, que toca en lo sarcástico y cruel; por su novedad desconcertante, que acaba por impresionar al lector; por su agudeza psicológica y crítica, por su recargamiento de imágenes explosivas, por su alegre desenvoltura, por su prosa desaliñada y fácil...

Obras infantiles: *Veintiséis cuentos por orden alfabético*—Madrid, 1930—, *Ocho cuentos de niñas y muñecas*—Madrid, 1931—, *Cuentos de las cosas de Navidad*—Madrid, 1932—, *Cuentos de los juguetes vivos*—1932.

Novelas: *Tres*—1926—, *El archipiélago de la muñequería*—1928—, *El muerto, su adulterio y la ironía*—1929—, *Novia, partido por 2*—1931—, *Torerito soberbio*—1932—, *Aleluyas de Rompetacones* (cien cuentos y una novela)—1939—, *Literatura infantil...* —1942—, *¿Se comió el lobo a Caperucita?* —1942—, *Un gorrión en la guerra de las fieras*—1942—, *El refugiado Centauro Flores* —novela, 1945—, *Zig-Zas, La bruja doña Paz, Albéniz, genio de Iberia*—biografía, 1953—; *Granados*—biografía, 1954—, *8 estrellas y 8 cenzontles*—novela, 1954—, *Rompetacones y cien cuentos más*—1962—, *Un cuento diario*—adaptaciones, cuatro tomos.

Algunas de sus obras han sido traducidas al inglés.

V. Nora, Eugenio G. de: *La novela española contemporánea*. Madrid, Gredos, 1962. Tomo II, págs. 260-64.

ROCA FRANQUESA, José María.

Historiador y erudito. Nació—¿1915?—en Barcelona, en cuya Universidad estudió, doctorándose en Filología Románica y Literatura. Durante muchos años, catedrático del Instituto de Oviedo y profesor de su Universidad. De extraordinaria cultura y un juicio crítico certero y agudo.

Con Díez-Echarri, autores de la *Historia Universal de las Literaturas Española e Hispanoamericana*—Madrid, Aguilar, varias ediciones.

Otras obras: *Un dramaturgo de la Edad de Oro: Guillén de Castro*—en *Rev. de Filología Española*, 1944—, *Notas para el estudio de Menéndez Pelayo...*—en *Archivum*, Oviedo, 1956—, *Palacio Valdés: técnica novelística y credo estético*—en *Inst. Estudios Asturianos*, 1951—, *La leyenda de "El tributo de las cien doncellas"*—en *Boletín Inst. Estudios Asturianos*, Oviedo, 1948—, *Memoria biográfica de J. M. Bartrina*—Barcelona, 1961—, *Personalidad poética de don Juan Valera*—en *Rev. Universidad de Oviedo*, 1947...

ROCA REY, Bernardo.

Autor teatral y director de cine peruano. Nació—1918—en Lima. Cursó estudios superiores en la Universidad Católica del Perú. Diplomático. Ha dirigido alguna película de singular interés: *La Lunareja*. Delegado del Perú en el Congreso Internacional de Filmología—1947—. "Premio Nacional de Teatro, 1949", y "Premio Nacional de Teatro, 1950".

Obras: *Las ovejas del alcalde*—1946—, *Un pueblo ha de nacer*—oratorio, 1949—, *Loys* —1949—, *La muerte de Atahualpa*—1950.

V. Teatro Peruano Contemporáneo. Madrid, edit. Aguilar, 1959.

ROCA DE TOGORES, Mariano (v. Molíns, Marqués de).

ROCABERTI, Sor Hipólita de Jesús.

Religiosa, escritora y visionaria española de ilustre linaje. Nació—1549—en Barcelona. Murió—1624—en la misma ciudad. Su padre fue don Francisco Dalmáu, vizconde de Rocaberti, conde de Peralada, marqués de Anglesola, primer conde de Módica y Osona. A los once años de edad ingresó en el convento de Nuestra Señora de los Angeles, de dominicas, y en el cual era priora su tía, sor Estefanía de Rocaberti. Profesó en 1565. Desde niña andaba obsesionada con la idea del martirio por Cristo.

"Su vida en el convento fue una serie de estupendos milagros y de raras visiones; Cristo le convirtió en pescado la carne de un plato; en otras ocasiones le puso su corona de espinas y le ayudó a tocar las campanas; San Vicente y el coro de los mártires la recibieron por hermana; vio subir al cielo las almas del Purgatorio en forma de palomas; Santo Tomás de Aquino le explicó los méritos de la Eucaristía; San Jerónimo y San Agustín rezaron con ella las Horas canónicas." (S. S.)

Dejó escritas innumerables obras, todas indigestas y farragosas.

Se la designó reformadora del convento de monjas agustinas de Barcelona, llamado de la Magdalena. Tuvo en Barcelona, y aun en toda Cataluña, una fama inmensa.

Entre sus libros destacan: *Exposiciones literales y místicas, Perfecto christiano, Libro de su vida, De los sagrados huesos de Cristo, Memorial de la Passion de N. S. Iesv Christo, Templo del Espíritu Santo, Tratado de los estados, Tratado de la penitencia, temor de Dios y meditaciones celestiales... Tratado del rendimiento del tiempo perdido, Tratado de los santos ángeles..., Tratado de las virtudes...*

V. Serrano y Sanz, M.: *...Escritoras españolas...* Madrid, 1903, tomo II.

R

ROCABERTI, Hugo Bernat.

Poeta y trovador español del siglo XV. Se tienen de su vida apenas unas vagas referencias. Catalán. De una de las más nobles familias del condado, fundada por los duques soberanos de Austrasia, en Francia, de estirpe carolingia.

De él se conoce una única obra: *Comedia de la gloria de amor*—1461—, de influencia dantesca, y cuyo asunto es un viaje por el valle de los enamorados célebres, así antiguos como de la Edad Media, a los que se hace contar sus venturas y desventuras de amor.

V. HURTADO Y PLASENCIA: *Historia de la literatura española*. Madrid, 1943.—BALAGUER, Víctor: *Historia política y literaria de los trovadores*. Madrid, 1878.—TORRES AMAT, F.: ... *Diccionario crítico de escritores catalanes*... Barcelona, 1836.

ROCAMORA, Pedro.

Profesor y literato español. Nació—1910—en Madrid. Hijo del gran periodista don José Rocamora. Doctor en Leyes. Ex virrector del Colegio Mayor "Jiménez de Cisneros", de la Universidad Central. Del Instituto "Francisco de Vitoria", del Consejo Superior de Investigaciones Científicas. Fundador y director de la *Revista de Educación Nacional*. Ex director general de Propaganda de la Subsecretaría de Educación Nacional. En la actualidad—1963—agregado cultural a la Embajada de España en Lisboa.

De mucha y honda cultura. Gran conferenciante. Prosista castizo. Ha publicado numerosas monografías en las más importantes revistas españolas.

Obras: *El sentido español de la muerte en el Greco*—1949—, *Hombre, Paisaje y Política*—1948—, *Ensayo de un Museo imaginario*—"Premio Nacional de Literatura, 1949"—, *Genios y espectros*—1962—, *De Góngora a Unamuno*—1965...

ROCAMORA FERNÁNDEZ, José.

Gran prosista y literato español. Nació —1874—en Burgos. Murió en Madrid hacia 1930. Cursó el bachillerato en las Escuelas Pías y en el Instituto del Cardenal Cisneros, de Madrid. Doctor en Leyes. Funcionario, por oposición, del Tribunal de Cuentas del Reino. Popularizó en *El Globo* el seudónimo "Tersites". Redactor de *El Español* y *Heraldo de Madrid*, llegando a ser director de este último gran diario. Conferenciante ilustre. Diputado a Cortes. Oficial de la Legión de Honor y comendador de la Orden del Cristo de Portugal.

Rocamora—prosista castizo y fácil, gran cultura—fue uno de los grandes periodistas españoles, juntamente con Roure, Cavia, Moya, Luca de Tena...

Su maestría indiscutible dio origen a una generación de periodistas—entre 1905 y 1925—llena de entusiasmo, de finas aptitudes, que sintió por él verdadera devoción.

Obras: *Don Francisco de Quevedo, Figuras de retablo, Gente que pasa, Rasgos y caracteres, Diálogos vulgares*...

ROCUANT, Miguel Luis.

Poeta, ensayista, narrador chileno. Nació en Valparaíso el 11 de mayo de 1877. Hizo sus estudios en el Instituto Nacional y se inició en el periodismo como director de la revista *Artes y Letras*. Fue en 1910 secretario del Consejo de Letras, que presidió don Gonzalo Bulnes; jefe de sección en la Biblioteca Nacional en 1912, y secretario de la Academia Chilena de la Lengua, correspondiente de la Real Academia Española. Durante todo este período su labor literaria fue fecunda e interesante. En 1918 inició su carrera diplomática con una importante comisión en Brasil, por espacio de tres años, al cabo de los cuales fue enviado a Europa con misión semejante. En 1922, consejero de la Embajada de Chile en Río de Janeiro y encargado de Negocios. En 1924 fue elegido miembro de la Academia de Letras del Brasil. En 1925 fue nombrado subsecretario de Relaciones Exteriores, cargo que desempeñó durante dos años. Ministro en México dos años casi, fue después designado ministro en Bolivia, adonde fue a terminar el tratado de 1904, entregando al Gobierno de Bolivia el tramo del ferrocarril de Arica a La Paz, que corre en territorio boliviano. En 1928 formó parte, con el carácter de ministro plenipotenciario, en la embajada enviada a la Argentina con ocasión de la ascensión al mando del excelentísimo señor don Hipólito Irigoyen. Fue también ministro en Cuba, Venezuela, Panamá y Santo Domingo.

Se retiró después del servicio diplomático para continuar sus actividades literarias. Su obra, aparte de su copiosa labor periodística muy interesante, está recopilada en los siguientes libros: *Brumas, Poemas, Cenizas de horizontes, Impresiones de la vida militar, Los líricos y los épicos, Tierras y cromos, Las blancuras sagradas, San Sebastián del Río de Janeiro, En la barca de Ulises, El crepúsculo de las catedrales, Con los ojos de los muertos, Paisajes del Evangelio*. Además, sus libros póstumos *El muro de Bergson, Estética del lenguaje* y sus *Memorias*

Representó al Gobierno y a la Universidad de Chile en varios Congresos internacionales y en el Instituto de Cooperación Intelectual, dirigido por M. Edouard Herriot. Era oficial de la Legión de Honor y tenía muchas otras condecoraciones. En 1943 fue elegido miembro de número de la Academia Chilena de la Lengua, correspondiente de la Real Española, de la cual fue después tesorero y secretario perpetuo. Falleció el 2 de febrero de 1948 en Valparaíso.

RODAO, José.

Poeta y prosista español. Nació—1865—en Cantalejo (Segovia) y murió—1927—en Segovia. Desde la juventud se dedicó con gran entusiasmo al periodismo, en Segovia y en Madrid, alcanzando justo renombre por sus poesías festivas, verdaderos alardes de ingenio oportuno. En diferentes diarios, durante muchos años, publicó "a diario" versos comentando sucesos de momentáneo interés con una pasmosa facilidad. Ganó premios en más de cuarenta certámenes poéticos de toda España. Fue académico correspondiente de la Real Española de Bellas Artes de San Fernando y un caballero profundamente bueno, optimista y sin hiel. Jamás nadie salió ofendido de sus festivas composiciones. Amó a Segovia entrañablemente. Y en Segovia fundó la Biblioteca Popular y numerosas instituciones benéficas. En el teatro alcanzó éxitos de risa con La primera declaración, Sospechas y Los tímidos.

En más de cien publicaciones españolas dejó dispersas más de 5.000 composiciones festivas. También en serio fue un poeta "muy serio".

Otras obras: La cruz de nácar—poema—, Retazos—versos festivos—, Noche y día —poesías, 1894—, Polvo y paja—versos festivos, 1900—, Contrastes—1903—, Cazando bajo cero—1903—, Música de organillo —1906—, Ripios con moraleja—1912—, Mis chiquillos—1914—, Coplas de aldea—1918...

RODÓ, José Enrique.

Pensador, ensayista, prosista y poeta de calidad excepcional. 1871-1917. De Montevideo (Uruguay). Hijo de lemosín y de uruguaya. Estudió y se doctoró en su patria. Fundó con algunos amigos—1895—la Revista Nacional de Literatura y Ciencias Sociales. Catedrático de Literatura de la Universidad de Montevideo—1898—. Director de la Biblioteca Nacional—1900—. Diputado varias veces. Gran orador parlamentario. Redactor de El Orden—1898—y del Diario del Plata —1912 a 1914—. Corresponsal de la gran revista argentina Caras y Caretas por la Europa arrasada por la guerra mundial de 1914. Murió en Sicilia cuando se disponía a regresar a su patria, pasando por España.

Juan Ramón Jiménez, en Españoles de tres mundos, le ha juzgado así: "Siempre he visto a Rodó estatuario y fijo. Rodó es para mí un paseante de altos niveles clásicos, un peregrino de pie ajustado a las soleras inmortales con yerba perenne cariñosa... La correspondencia de Grecia, Roma, España y Francia prestó a Rodó un hermoso fundamento de piedra perpetua, y él repartió encima sus bloques propios con un orden de templo, de columnata, promontorios nuevos."

En Rodó se integran plenamente el hombre de pensamiento y el poeta. Poseyó una cultura máxima, bien asimilada, sutilísimo sentido crítico, maravillosa fuerza de expresión, sugestividad de ideales, hondura de pensamiento fecundo. Rodó es el más alto espíritu del Uruguay y uno de los primeros de toda la América. Maestro de maestros, con grandeza moral, anhelos de belleza artística y siempre expedito para las empresas más excelsas de la inteligencia y del corazón. Hizo total dedicación de su vida a las ansias de mayor y mejor perfección, moral y artístisa; a la armonía helénica en el pensar, obrar y decir, a un renovarse continuo y sin término.

"Pero por encima de su manejo del idioma y de su temperamento artístico, de su crítica atinada, de su portentosa erudición y de sus emersonianos ensayos, está un altísimo magisterio. Toda la juventud americana le rodeaba y seguía en espíritu y en verdad, atenta y ganosa de escuchar sus consejos, arrebatada en pos de la altísima idea que para su educación intelectual, ética y artística les proponía, de los nobles propósitos y recios alientos que infundía generosamente en sus pechos... Más que filósofo, fue, de hecho, un enamorado del elegante decir y del brillante mariposear por nobles temas, a la manera de Renán, a quien tuvo y a quien propuso por maestro a la juventud. Fue su apostolado, más bien que de virtud, de belleza artística, de refinada aristocracia del arte." (Cejador.)

"Rodó—escribe Emilio Oribe en El pensamiento vivo de Rodó—es el mayor misterio del pensamiento hispanoamericano; se constituye solo, se aísla, se perfecciona, se nutre en las fuentes primarias de lo natural y lo bello y condensa lo fundamental de su ser en una fábrica limitada, precisa, perfecta y al mismo tiempo viva, abundante, creciente, impregnada de luz cegadora."

Rodó fue de los primeros que advirtió la amenaza de hegemonía americana que llegaba de los Estados Unidos, y exaltó con demasía el idealismo de Ariel (la América latina) para oponerlo al materialismo de Calibán (la América sajona).

No fue Rodó, en nuestra opinión, un pensador genial. Para serlo le faltaron profundidad, originalidad de temas y fijación de un sistema. Fue un altísimo espíritu inquieto, al que bazuquearon muchos y muy diversos problemas, muchas y muy distintas

R

emociones. Precisó poco. Insinuó mucho. Estimuló con ahínco, pero no señaló con decisión y con entusiasmo concreto un camino.

Gran prosista fue Rodó. Con tersura, con diafanidad, con naturalidad, forjó su castellano. A nuestro entender, Rodó es un magnífico ensayista, un elegante escoliasta; problemas espirituales, como nuestro Ortega y Gasset, que tampoco es filósofo ni creador, y que también escribe con maestría insuperable en una prosa maravillosa.

Obras: *Vida nueva*—opúsculo juvenil, Montevideo, 1897—, *Rubén Darío*—estudio, 1897—, *Ariel*—Montevideo, 1900—, *Liberalismo y jacobinismo*—Montevideo, 1906—, *Motivos de Proteo*—Montevideo, 1908—, *El morador de Próspero*—Montevideo, 1914—, *Bolívar*—Caracas, 1914—, *Cinco ensayos (Montalvo, Ariel, Darío, Bolívar y Liberalismo)*—Madrid, 1915—, *El camino de Paros (Andanzas y meditaciones)*—ensayos, obra póstuma, Valencia, 1918.

V. Lauxar (Crispo Acosta): *Motivos de crítica hispanoamericana*. Montevideo, 1914.—Andrade Coello, Alejandro: *Rodó*. Quito, 1915.—Zubillaga, Juan A.: *Crítica literaria*. Montevideo, 1914.—González-Blanco, Andrés: *Escritores representativos de América*. Madrid, 1917.—García Godoy, F.: *Americanismo literario*. Madrid, 1918.—Pérez Petit, Víctor: *Rodó*. Montevideo, 1919.—Valera, Juan: *Ecos argentinos*. Madrid, 1901.—García Godoy, F.: *La literatura americana*. 1915.—Oribe, Emilio: Prólogo a *El pensamiento vivo de Rodó*. Buenos Aires, 1944.—Zaldumbide, Gonzalo: *Montalvo y Rodó*. Edición Casa de las Españas. Nueva York, 1938.—Lauxar (Crispín Acosta): *Rubén Darío y José Enrique Rodó*. Montevideo, 1923. Zum Felde, Alberto: *Crítica de la literatura uruguaya*. Montevideo, 1921.—Gallinal, Gustavo: *Leyendo el "Ariel" de Rodó*, en *La Nación*, de Buenos Aires, julio 1925.—Zum Felde, Gustavo: *El problema de la cultura americana*. Buenos Aires, 1943.

RODOREDA, Mercé.

Novelista española en lengua catalana. Nació—1909—en Barcelona. Terminada la guerra de Liberación, salió de España, y ha vivido desde entonces en París y en Ginebra. En 1937 obtuvo el "Premio Creixells" con su novela *Aloma*. Y en 1957, el "Premio Víctor Catalá" con el libro de narraciones *Vint-i-dos*. En 1966, el "Premio Sant Jordi" con la novela *El carrer de les Camélias*.

Cultiva un realismo costumbrista con cierto contrapunto de entrañable lirismo y fantasía. Digna continuadora de su modelo Catalina Albert ("Víctor Catalá").

Otras obras: *La plaça del diamant*—1962—, *Jardi vora el mar*—1967—, *La meva Cristina i altres contes*—1967—, *Mirall trencat*—1968.

RODRÍGUEZ, Alonso.

Gran prosista y escritor ascético español. Nació—1538—en Valladolid. Murió—1616—en Sevilla. A los diecinueve años ingresó en la Compañía de Jesús, después de haber estudiado Gramática y Filosofía en su ciudad natal y Teología en Salamanca. Inspector en la provincia de Andalucía. Y profesor en los colegios de Monterrey y de Montilla.

El crítico Pérez Goyena le juzga así: "De una claridad portentosa en la explicación de los conceptos; de una riqueza incomparable en las comparaciones con que mantiene vivo el interés del lector; de un caudal inmenso de ejemplos con que matiza la exposición de la doctrina y templa su aridez; de una constante comunicación con el lector; de un lenguaje de pura cepa castellana, sencillo, pero hidalgo, tan natural como gracioso."

El nombre del P. Alonso Rodríguez figura en el *Catálogo de autoridades* del idioma, publicado por la Academia Española.

Fue, además, varón lleno de virtudes y de sabiduría.

Su obra más importante es la titulada *Ejercicio de perfección y virtudes cristianas* —Sevilla, 1609—, que tuvo tal acogida a su aparición, que se multiplicaron en seguida sus reimpresiones... Sevilla—1614, 1616—, Barcelona—1618, 1647—, Zaragoza—1625—, Madrid—¿1618?—... Su éxito fue tanto mayor que en España en el extranjero.

Se ha traducido al inglés, alemán, francés, portugués, italiano, latín, húrgaro, polaco, holandés, ruso, checo, griego, árabe, armenio, vascuence, bohemio, croata, chino, tagalo, tamul..., repitiéndose las ediciones en varias de estas lenguas... Veinte en alemán, treinta y dos en francés, cuarenta y seis en italiano. Además, se han hecho de esta obra excelsa más de cien compendios y resúmenes en distintos idiomas. En castellano se ha reimpreso cerca de cien veces.

"Es obra sin igual en el estilo llano, familiar, sabroso y lleno de devoción." (Cejador.)

Otras obras: *Tratado de la conformidad con la voluntad de Dios*—Tarragona, 1680—, *Acto de contrición para alcanzar el perdón de los pecados*—Sevilla, 1615...

V. Fita, P. Fidel: *Galería de jesuitas ilustres*. Madrid, 1880, págs. 22-30.—Nieremberg, P.: *Varones ilustres de la Compañía de Jesús*. Bilbao, 1892, tomo IX, pág. 239.—Pérez Goyena, P.: *Tercer centenario de la muerte de Alonso Rodríguez*, en *Razón y Fe*. Madrid, 1916, XLIV.—Astraín, P.: *Historia de la Compañía de Jesús...* Madrid, 1913, IV.

RODRÍGUEZ, Fray Cayetano José.

Poeta, prosista, periodista de mérito. Nació—1761—en San Pedro (Buenos Aires). Murió—1823—en Buenos Aires. Franciscano desde 1778. Se doctoró en Filosofía y Letras y Derecho en las Universidades de Buenos Aires y Córdoba. Y fue catedrático de Filosofía y Teología en este último centro docente. Provincial de su Orden en 1810. Tomó parte activa en el movimiento insurreccional argentino, siendo su celda punto de reunión de los hombres que más lucharon por encauzar los antecedentes de la revolución. En Buenos Aires enseñó Hermenéutica y Física. Formó parte—1812—de la Asamblea Nacional. Diputado del Congreso de Tucumán—1813—, donde tuvo a su cargo la dirección y redacción política de *El Redactor*. En las columnas del *Oficial del Día* publicó numerosos artículos polémicos de política y religión. Defendió—1822—ardorosamente la ortodoxia católica contra las arbitrarias innovaciones y las falsas reformas. El gran patricio Mariano Moreno le nombró conservador de la biblioteca fundada por su iniciativa.

Fue fray Cayetano José Rodríguez un magnífico orador sagrado y político, un erudito humanista, estilista personal de castizo vocabulario. Tuvo muy arraigado el sentimiento patriótico.

Inició un intento de épica cristiana con su largo poema *Vida de doña María San Diego Ojeda*. Pero su numen no respondía al temperamento altisonante, sino más bien al insobornablemente sentimental o suavemente festivo.

Entre sus poesías sobresalen: *Himno a la patria*, *Himno al 25 de mayo*, *Al paso de los Andes y victoria de Chacabuco*, *Al augusto día de la patria*, *A la unidad de Buenos Aires*, *Convite universal*, *Al brigadier don Carlos María Alvear*, *A la memoria de Mariano Moreno*, *Consejo a la madre España*, *A una moza muy hablativa*.

Algunas de estas poesías pueden leerse en *Colección de poesías patrióticas* y *La lira argentina*—Buenos Aires, 1826.

V. OTERO: *Estudio biográfico sobre fray C. Rodríguez*. Buenos Aires, 1905.—ROJAS, Ricardo: *La literatura argentina*. Buenos Aires, 1924.

RODRÍGUEZ, Yamandu.

Poeta, cuentista y dramaturgo uruguayo. Nació—1891—en Montevideo. De juventud apasionada y viajera. Periodista. En 1917 se hizo célebre en Montevideo con el estreno, en el teatro Solís, de su drama *1810*. Alentado por este éxito, se trasladó a Buenos Aires, donde estrenó el también drama histórico *El fraile Aldao* y el poema—con música del compositor argentino Felipe Boero—*El matrero*. Esta ópera afortunada aún se representa en los países del Plata.

Yamandu Rodríguez es también notable poeta gauchesco y cuentista de inagotable

fantasía o de realismo con el contrapunto poético.

Otras obras: *Aires de campo*—poesías—, *Cachorros*—drama—, *Bichitos de luz*—cuentos—, *Cimarrones*—cuentos.

RODRÍGUEZ ACOSTA, Ofelia.

Novelista cubana. Nació—1902—en la Habana. Sus primeras narraciones y artículos aparecieron en las revistas *Social* y *Bohemia*. Cultiva con gran éxito el género realista, con una originalísima comprensión psicológica de los personajes por ella creados o re-creados. Posee un temperamento pasional, libre de convencionalismos. "Es una de tantas mujeres 'de vanguardia' que en la ciudad del Morro arrostran el desafío a todos los prejuicios por predicar y estudiar arduos problemas feministas, en toda su radical reivindicación de derechos, inclusive el amor libre, tan libre para la 'mujer nueva' como en realidad lo fue para el hombre, no menospreciado por ella nunca." (A. Mejía.)

Obras: *Mi viaje a la Isla de Pinos*—1926—, *La Vida manda*—1928—, *El triunfo de la débil presa*—1929—, *Dolientes*—1931...

RODRÍGUEZ ALCALDE, Leopoldo.

Poeta, ensayista, narrador español. Nació—1920—en Santander. Es licenciado en Derecho y ha ganado mucha y justa fama como traductor admirable de poetas extranjeros, pues domina a la perfección varios idiomas y posee una finísima sensibilidad para la interpretación de los estados de ánimo. Colabora como ensayista y crítico en las más importantes revistas. Sus poemas son incluidos, con justicia, en las antologías más exigentes. Poeta esencialmente neorromántico, perenne exaltador del tema amoroso.

Obras: *Viernes Santo*—1949—, *Cancionero de Monte Corbán*—1952—, *La invisible frontera*—1954—, *El duende*—1953—, *Antología de la poesía francesa religiosa*—1947—, *Antología de poesía francesa contemporánea*—1950.

RODRÍGUEZ DE ALMELA o DE ALMELLA, Diego.

Historiador y prosista español. Nació—hacia 1426—en Murcia. Murió después de 1492. Paje y familiar del obispo Alfonso de Santa María o de Cartagena en la corte de Castilla. Sacerdote en 1451. Arcipreste de Santibáñez. Canónigo de Cartagena. Capellán de la reina Isabel la Católica, a la que acompañó en su campaña contra Granada—1491—. Historiador tan firme y serio, prosista tan excelente, que su nombre figura en el *Catálogo de autoridades* del idioma, publicado por la Academia Española.

A instancia del arcediano de Valpuesta, Juan Manrique, que le instaba a que com-

R

pilase, en prosa o verso, las obras del famoso obispo de Burgos, su señor, y de las "escolásticas historias", Almela publicó *Valerio de las historias escolásticas de España*—Murcia, 1847—, libro de singularísimo valor, atribuido erróneamente—ediciones de 1527; Sevilla, 1536, 1542 y 1551; Toledo, 1541; Madrid, 1568; Medina del Campo, 1574, y Salamanca, 1587—a Fernán Pérez de Guzmán.

Otras obras: *Tratado que se llama compilación de las batallas campales...*—Murcia, 1487, por el famoso impresor Lope de la Rosa—; *Compendio historial*—dirigido a los Reyes Católicos y que permanece inédito en la Biblioteca de El Escorial.

Del *Valerio de las historias* hay una edición moderna, preparada por J. A. Moreno, Murcia, 1793.

V. MORENO, J. A.: *Estudio* en la edición del *Valerio de las historias*. Murcia, 1793.—CIROT, G.: *Les histoires générales d'Espagne entre Alphonse X et Philippe II*, Burdeos, 1905.

RODRÍGUEZ-ARAGÓN, Horacio.

Dramaturgo español contemporáneo. Nació en Cádiz en 1913. Estudia Derecho y Filosofía en la Universidad Central. Escribe la fábula escénica *Entre dos luces*—primer premio del Teatro Español Universitario—, la comedia *Te busco lejos de ti*, la farsa y milagro *Títeres con cabeza*—"Premio Amigos de los Quintero"—, el milagro *¡Sálvese el que pueda!*..., cuyos temas son la resurrección de la carne, la clarividencia del amor, la armonía entre destino y libertad, el hombre vivo caído en los profundos infiernos... Teatro original—"presenta la inverosimilitud como tal verosimilitud"—, de un existencialismo católico y gran vuelo literario, porque "de tanto llamar al pan pan y al vino vino, se nos iba olvidando todo lo que el pan y el vino pueden llegar a ser".

Obras: *Te busco lejos de ti*—publicada en *Fantasía*, 1946—, *Entre dos luces*—Publicaciones Universo, 1944.

RODRÍGUEZ BATLLORI, Francisco.

Ensayista, biógrafo, periodista. Nació —1908—en Galdar (Las Palmas de Gran Canaria), estudiando la segunda enseñanza en su isla natal e iniciándose como importante cronista, fácil narrador y reportero agudo en la Prensa local. En 1934 se trasladó a Madrid, iniciando su colaboración asidua en el diario *A B C* y en tres diarios y revistas de la capital. Ha dado innumerables conferencias, con temas literarios, en toda España. De mucha cultura y buena prosa, Rodríguez Batllori pone en cuanto escribe originalidad,

agudeza y un hondo sentido de ejemplaridad social.

Obras: *Biobibliografía de don José Vera y Clavijo*—"Primer Premio" en el concurso organizado por el Museo Canario de Las Palmas para conmemorar el centenario del nacimiento del gran polígrafo isleño—, *Vera y Clavijo, periodista y orador*—ensayo crítico—, *Estudio sobre las Serranillas* (Itinerario geográfico del Marqués de Santillana), *Pasión granadina de Washington Irving*—ensayo—, *Galdós en su tiempo*—ensayo.

RODRÍGUEZ DE LA CÁMARA o DEL PADRÓN, Juan.

Magnífico prosista y poeta español. ¿1395?-¿1452? Llamado Rodríguez de Padrón por ser Padrón su ciudad natal. Fue paje de Juan II, y estuvo en el Concilio de Basilea como secretario del cardenal Cervantes. Su vida, como la de Macías, se pierde un tanto en la leyenda. Por una indiscreción suya, fue abandonado de una gran señora que se había enamorado de él. El se fue a llorar su desgracia a los montes agrestes de Galicia. Y posiblemente terminó su vida como franciscano en el convento de Herbón.

Sus obras principales son: *El triunfo de las donas,* elogio apasionado de las mujeres, con el que quiso rebatir el *Corbacho,* y *El siervo libre de amor,* novela alegórica, dividida en tres partes. Se le atribuyen los romances *artísticos* del *Conde de Arnaldo,* de *Rosa florida* y de la *Infantina,* magníficos ejemplares de la genuina poesía tradicional.

Sus versos son sencillos, tradicionales, y están llenos de pasión y de amargura, aunque con un ritmo algo afeminado y lánguidos.

Fuera de las seis composiciones líricas insertas en *El siervo libre de amor,* consérvanse pocas más de una docena en los *Cancioneros,* general, de Baena, de Stúñiga, de Herberg des Essarts y los dos de la Biblioteca Real. En todas ellas hay mucha mezcla de erotismo y de alusión religiosa. La mejor de ellas es la *Flama del divino rayo,* himno de su conversión.

Sobresalen también: *Los siete gozos de amor, Los diez mandamientos de amor* y la canción *Ham, ham, huya que ravio...*

Pero la prosa de Rodríguez del Padrón vale mucho más que su poesía. Su obra principal es *El siervo libre de amor*—1449 a 1450—, novela romántica en prosa y en verso, alegórica, dividida en tres partes, en ella se mezclan los recuerdos autobiográficos y los hechos caballerescos y sentimentales. Está inspirada en la *Fiammetta,* de Boccaccio. Es amena.

También escribió en prosa la *Estoria de los dos amadores Ardanlier e Liesa,* sentimental y caballeresca, inspirada en el *Amadís* y en los viajes de aventureros españoles.

De *El siervo libre de amor* se han hecho numerosas ediciones. Y ha sido traducida al alemán y al francés.

Modernamente es muy interesante la edición de "Bibliófilos Españoles", Madrid, 1884, cuidada por A. Paz y Meliá.

V. Paz y Meliá: *Obras de Rodríguez del Padrón*. "Sociedad de Bibliófilos Españoles", 1885.—Menéndez Pelayo, M.: *Orígenes de la novela*, I, 304.—Schevill, R.: *Ovid and the Renascence in Spain*, 1903, pág. 115.—López Atocha, M.: *Rodríguez del Padrón* (Memoria doctoral), Madrid, 1906.—López, P. A.: *La literatura criticohistórica y el trovador R. de la C.* Conf. Santiago, 1918.—Sanvisenti, B.: *I primi influssi di Dante... sulla Letteratura spagnuola*, Milán, 1902.—Mussafia, A.: *Per la bibliografia dei Cancioneros spagnuoli*, Viena, 1902, tomo XLVII de Denkschriften der Kaiserlichen Akademie der Wissenschaften...—Rennert, H. A.: *Lieder des J. R. del P.*, en *Zeitschrift für Romanische Philologie*. 1903, XVII, 544-558.

RODRÍGUEZ DE CAMPOMANES, Pedro
(v. **Campomanes, Pedro Rodríguez de**).

RODRÍGUEZ CASADO, Vicente.

Historiador y ensayista español. Nació —1918—en Ceuta. Doctor en Filosofía y Letras. Catedrático de Historia Universal Moderna y Contemporánea de la Universidad de Sevilla, de cuya Facultad fue Decano. Fundador de la Escuela de Estudios Hispanoamericanos de Sevilla. Consejero del Consejo Superior de Investigaciones Científicas. Rector de la Universidad Hispanoamericana de La Rábida. Ex director General de Información. Ex presidente del Ateneo de Madrid. Consejero Nacional del Movimiento. Director General Técnico del Instituto Social de la Marina. Miembro de la Sociedad de Historia Argentina. Miembro consultor para España del Instituto Hispanoamericano de Geografía e Historia.

Obras: *Primeros años de dominación española en la Luisiana*—"Premio Nacional del Consejo Superior de Investigaciones Científicas", Madrid, 1943—, *Jorge Juan en la corte de Marruecos*—1943—, *La política exterior de España en torno al problema indiano*—Madrid, 1944—, *Iglesia y Estado en el reinado de Carlos III*—Sevilla, 1948—, *La política interior de Carlos III*—Valladolid, 1950—, *Sentido de la Revolución Norteamericana*—Madrid, 1951—, *El Pacífico y la política interior española hasta la emancipación americana*—Sevilla, 1950—, *El intento español de ilustración cristiana* — Sevilla, 1955—, *La Revolución burguesa del XVIII español*—Madrid, 1953—, *De la Monarquía española del barroco*—Sevilla, 1955—, *Ejército y Marina en el reinado de Carlos III*

—Lima, 1957—, *La administración pública en tiempo de Carlos III*—Oviedo, 1962—, *La nueva sociedad burguesa en la literatura de la época de Carlos III*—Sevilla, 1960—, *Los cambios sociales y políticos en España e Hispanoamérica*—Madrid, 1955—, *La política y los políticos en el reinado de Carlos III*—Madrid, 1962—, *Alcance político de las Obras públicas y de la colonización interior en la España de Carlos III*—Lima, 1960—, *Conversaciones de Historia de España*—(primer tomo) Madrid, 1963—, *Las Construcciones Militares del Virrey Amat*—(en colaboración con don Florentino Pérez Embid). Sevilla, 1949—, *Memorias de gobierno del Virrey Abascal*—en colaboración con don José Antonio Calderón Quijano. Sevilla, 1944—, *Memorias de gobierno del Virrey Pezuela*—en colaboración con don Guillermo Lohman Villena. Sevilla, 1947—, *Conversaciones de Historia de España*—tomo II, 1965, y tomo III, 1965.

RODRÍGUEZ CORREA, Ramón.

Literato y periodista español. Nació —1835—en la Habana (Cuba). Murió—1894— en Madrid. De familia española muy rica. Estudió el bachillerato en el Colegio de San Felipe de Neri, de Cádiz. En Sevilla estudió Leyes, haciéndose gran amigo de los hermanos Bécquer y de Narciso Campillo, con los que publicó una revista literaria titulada *El Mediodía*—1856—. Arruinada su familia, marchó a Madrid, donde, por recomendación de O'Donnell, entró de temporero en el Ministerio de Hacienda. Fue colaborador de *La Crónica, El Occidente, El Día* y *El Contemporáneo*. Fundó—1864—*Las Noticias*. Diputado a Cortes. Marchó a Cuba como consejero de Administración, y cayó prisionero de los rebeldes cubanos, salvando milagrosamente la vida. En España nuevamente —1866—, escribió en *El Gobierno* y en la *Revista Española*. Fue amigo entrañable de Gustavo Adolfo Bécquer, su primer biógrafo y el primer editor de sus obras.

Rodríguez Correa tiene—y tuvo—menos fama de la que en justicia le corresponde. De él ha escrito González-Blanco en su *Historia de la novela*...: "El humorista, amigo de antítesis y comparaciones burlescas, en la vida y en el arte, Rodríguez Correa... Un poco disparatado e hiperbólico a veces en sus comparaciones, quizá abusando demasiado del humorismo; pero siempre genial, con medula, y encantador aun en sus devaneos trascendentales. Su novela—*Rosas y perros*—deja una impresión fuerte; se extraña uno de que un escritor así haya sido menos estimado de lo que merece. Hay rasgos de ternura y rasgos de humorismo que ningún escritor de aquella época tuvo y que pocos han igualado después. Se adivina en

R

sus procedimientos que aún está en formación la novela realista..., pero hay a veces en ella relampagueos de genio. El talento de Rodríguez Correa se adelantó en mucho a sus contemporáneos."

Obras: *Rosas y perros*—novela, 1872, con un prólogo de Bécquer—, *Agua pasada*—novelas cortas—, *Un hombre corrido*—novela—, *El mejor de los amores*—narración—, *El premio gordo*—narración—. Estas tres últimas publicadas en la *Revista Española*.

V. GONZÁLEZ-BLANCO, A.: *Historia de la novela en España...* Madrid, 1909.

RODRÍGUEZ DE CUENCA, Juan.

Historiador y prosista español del siglo XIV. Nació—¿1340?—en Cuenca. Murió ya empezado el siglo XV. Despensero mayor de la reina doña Leonor, esposa de Juan I de Castilla.

Muy veraz como historiador y excelente como prosista.

Dejó una obra sumamente interesante: *Sumario de los Reyes de España*, que abarca desde Pelayo de Asturias hasta Enrique III, "el Doliente". Siendo las partes dedicadas a este monarca y a Pedro I las mejores. En varias reimpresiones de los siglos XVI, XVII y XVIII le fueron adicionados a este libro, por un autor anónimo, detalles de mucho menor valor.

La mejor edición es la de Madrid, 1781, cuidada por Llaguno, quien se preocupó de limpiarla de las aludidas anexiones.

"No carece el *Sumario*—escribe Amador de los Ríos—, a pesar de su mortificante brevedad, de algunas anécdotas y tradiciones, no recogidas antes en otras historias, las cuales contribuyen a darle cierta novedad e interés... La narración corre a menudo con facilidad y soltura: el lenguaje es generalmente sencillo."

V. AMADOR DE LOS RÍOS, J.: *Historia crítica de la literatura española*. Madrid, 1846, V, páginas 262-264.—LLAGUNO Y AMIROLA: *Estudio* a la edición de Madrid, 1781.—MONDÉJAR, Marqués de: *Corrupción de crónicas y memorias...*

RODRÍGUEZ CHAVES, José.

Novelista y autor dramático español. Nació—1849—y murió—1909—en Madrid. Abogado. Empleado en la biblioteca y archivo del duque de Medinaceli. Periodista. Crítico taurino. Colaborador de *La Ilustración Española*, *El Progreso*, *El Mundo*, *Nuevo Mundo*, *Madrid Cómico*, *Blanco y Negro...* En el teatro consiguió muchos éxitos con sus obras *El amor en la ausencia*, *Las alas de cera*, *Frente a frente*, *Males del alma*, *El verdugo de sí mismo*, *Dos hojas de un libro*, *El motín de Aranjuez...*

Otras obras: *Recuerdos del Madrid viejo* —1879—, *Sancho Sánchez*—novela, 1880—, *La Corte de los Felipes*, *Páginas en prosa*, *Cuentos de dos siglos*, *Cuentos nacionales*, *El príncipe Carlos...*

RODRÍGUEZ DEMORIZI, Emilio.

De la República Dominicana. Historiador. Nació en Santo Domingo de Guzmán en 1908. Es uno de los más infatigables investigadores.

Ha publicado obras notables: *Juan Isidro Pérez, el ilustre loco*—1939—, *Canciones y poesías de Scanlan*—1946—, *Rubén Darío y sus amigos dominicanos*—1949—, *Refranero dominicano*—1950—, etc. Académico de la Lengua y de la Historia.

RODRÍGUEZ DÍAZ RUBÍ, Tomás.

Distinguido poeta y autor teatral español. Nació—1817—en Málaga. Murió—1890—en Madrid. Huérfano a los trece años, quedó bajo la protección del conde de Montijo, quien le encomendó el archivo de su casa. Se dedicó al periodismo y a la política activa, con tendencia moderada. Ministro de Ultramar—1868—durante unos meses. Comisario regio de Hacienda en la Habana. Gran caballero y muy simpático. Académico —1860—de la Real Española de la Lengua.

En su tiempo muy muy aplaudido. Hoy está casi olvidado. De gran facilidad para versificar; no muy profundo de pensamiento; de mucho gracejo y de chistes naturales y de buena ley; con una observación nada vulgar; dominador de la técnica teatral; costumbrista acertado, con tendencia moralizadora; se especializó en las comedias de costumbres contemporáneas y en los cuadros políticos con intenciones satíricas a veces exageradas hasta lo grotesco.

Indiscutiblemente, no es justo el olvido en que han caído las obras de Rodríguez Díaz Rubí.

Fue fecundísimo dramaturgo—su repertorio se acerca al centenar—y sus obras pueden clasificarse en tres grupos: 1.º Comedias históricas: *Bandera negra*, *El Fénix de los Ingenios*—1853—, *La corte de Carlos II*, *Los dos validos, o castillos en el aire*; *Alberoni, o la astucia contra el poder*; *La rueda de la fortuna* e *Isabel la Católica*; 2.º Comedias de costumbres contemporáneas: *El gran filón*—1874, su obra maestra—, *Fiarse del porvenir*, *La flor de la maravilla*, *El arte de hacer fortuna*, *La feria de Mairena*, *El cortijo de Cristo*, *De potencia a potencia*; 3.º Dramas románticos: *Honra y provecho*, *Detrás de la cruz, el diablo*; *La escala de la vida*, *Borrascas del corazón*, *La trenza de sus cabellos...*

Otras obras: *Poesías andaluzas*—1840—

Excelencia, importancia y estudio presente del teatro—discurso de ingreso en la Academia Española, 1860.
V. PASTOR DÍAZ, N.: *Galería de españoles ilustres...* 1846.—PICÓN, Jacinto Octavio: *Rodríguez Rubí, en Autores dramáticos contemporáneos*, II, 65.—FABIÉ, A. M.: *Tomás Rodríguez Rubí*. Discurso en la Academia Española, 1891.—SMITH, W. F.: *Contributions of R. R. to the development of the alta comedia*, en *Hisp. Rev.*, 1942, X, 53.

RODRÍGUEZ EXPÓSITO, César.

Notable autor dramático, crítico literario y periodista cubano. Nació en la villa de Rodas, provincia de Las Villas, el 10 de julio de 1904. Inició sus tareas periodísticas como reportero en 1923, trabajando en los diarios *Cuba, Libertad, La Lucha, La Noche, El Imparcial, Heraldo de Cuba, Diario de la Marina, Excelsior, El País, Información y Avance,* donde trabaja desde la fundación de este diario. Actualmente desempeña en este importante rotativo el cargo de reportero del Ministerio de Salubridad, del Ministerio de Educación y del Club Rotario de la Habana, y lleva a su cargo la Sección bibliográfica, donde ha logrado justa fama de crítico ponderado, culto y gran conocedor de las más modernas corrientes literarias mundiales. Dentro de la actividad periodística ha ocupado distintos importantes cargos: como vocal, vicepresidente, presidente en la Asociación de Reporteros de la Habana, donde actualmente figura como vocal y presidente de la Comisión de Cultura de la misma; en el seno del Colegio Nacional de Periodistas, es diputado y presidente de la Comisión de Cultura; en la Escuela Profesional de Periodismo "Manuel Márquez Stérling", es secretario del Patronato de dicho plantel. Es miembro del Pen Club de Cuba; vicedirector de la Institución Hispanocubana de Cultura, de la Sociedad de Autores Teatrales de Cuba, de la Corporación Nacional de Autores, de la Sociedad Geográfica de Cuba y otras muchas instituciones.

Obtuvo el primer premio de la Feria Nacional del Libro de 1945, de la Dirección de Cultura del Ministerio de Educación, y tiene el "Premio Varona" del Ministerio de Defensa Nacional—agosto 1945—. Está condecorado con la Orden Nacional del Mérito "Doctor Carlos J. Finlay", en el grado de comendador.

Se le deben numerosas obras, entre las que destacan: Comedias: *Huyendo de la verdad*—1932—, *Humano antes que moral* —1933—, *El poder del sexo*—1934—, *Los muertos viven*—1935—, *Los que tienen la culpa*—1937—, *Adulterio ocasional*—1938—, *Violación*—1943—, *Multitudes*—1944—y *La superproducción humana.* Sus ensayos: *Granos de arena*—apuntes periodísticos, 1943—, *Entre libros*—apuntes bibliográficos, 1944— y *Apuntes bibliográficos*—entre libros, 1947.

RODRÍGUEZ FLORIÁN, Bachiller Juan.

Escritor español del siglo XVI. Se le supone nacido en Valladolid y bachiller. Y en Valladolid vivía al publicar—1554, Medina del Campo—su mejor obra: *Comedia llamada Florinea,* imitación de *La Celestina,* juzgada así por Menéndez Pelayo: "Su labor, toda de imitación y de taracea, revela un talento muy adocenado y es de una prolijidad insoportable. Nada menos que cuarenta y tres actos o escenas larguísimos tiene, y todavía promete una segunda parte, que, afortunadamente, no llegó a escribir o publicar... De la primitiva *Celestina* aprovechó menos que otros, salvo los datos capitales de la fábula y algunos rasgos en el carácter de la alcahueta Marcelia. Todo lo demás procede o de la *Comedia Thebayda* o de la *Segunda Celestina,* de Feliciano de Silva, aunque sin la brutalidad de la primera ni el interés novelesco de la segunda."

El lenguaje de la obra de Rodríguez Florián es castizo y rico, y más honesto de lo convenido para el género, y el estilo resulta brillante y bastante personal. En la *Comedia llamada Florinea* se intercalan algunas poesías, entre las que destaca una danza, cuyas estrofas constan de cuatro versos de doce sílabas, dos de seis y uno de nueve, combinación que Menéndez Pelayo supone fue inventada por Rodríguez Florián y "que es anterior en diez años a las tentativas provenzales y francesas de Gil Polo". Rodríguez Florián figura en el *Catálogo de autoridades* del idioma.

Edición: Menéndez Pelayo, en *Orígenes de la novela.* Madrid, 1910, III, págs. 157 a 311, "Nueva Biblioteca de Autores Españoles", tomo XIV.
V. MENÉNDEZ PELAYO, M.: *Orígenes de la novela.* Madrid, Consejo Superior de Investigaciones Científicas, IV, 1943, págs. 138-147.

RODRÍGUEZ GALVÁN, Ignacio.

Poeta lírico y dramático mexicano. Nació —1816—en Tizacuya y murió—1842—en la Habana, víctima de la fiebre amarilla. Hijo de modestos agricultores. Autodidacto. Aprendió el griego, el latín, el francés y el italiano. Aprendiz en la librería de un tío suyo. Su fama fue rápida y grande. Y el Gobierno le encomendó varias misiones diplomáticas en la América del Sur. El y Fernando Calderón fueron los más importantes literatos románticos de México. Tradujo a Delavigne, a Lamartine, a Manzoni, a Monti. Según Luis G. Urbina: "Amaba a una mujer, amaba la gloria. En ninguno de estos

R

dos amores tuvo fortuna." Era un creyente fervoroso y un gran mexicano. Exaltó con fervor la patria, la historia y la tradición. Como su compatriota Manuel Acuña, Rodríguez Galván es una gran figura malograda de las letras mexicanas. Poseyó acento propio muy sugestivo, imaginación ardiente, grandiosidad expresiva. Fundó y dirigió *El Teatro Escogido, El Teatro de las Familias* y *El Año Nuevo.*

Obras escénicas: *Muñoz, visitador de México; El privado del virrey, La capilla...*

Leyendas dramáticas: *La profecía de Guatimoc*—considerada por Menéndez Pelayo como la "obra maestra del romanticismo mexicano"—, *El rayo de luna, El tenebrario, El ángel caído, Mis ilusiones, Eva ante el cadáver de Adán, El buitre, La visión de Moctezuma...*

Novelas: *Manolito el pisaverde, La hija del oidor, La procesión, Tras un mal nos vienen muchos.*

Rodríguez Galván fue uno de los forjadores del teatro nacional de su patria.

V. MENÉNDEZ PELAYO, M.: *Historia de la poesía hispanoamericana.* Madrid, 1911-1913. GONZÁLEZ PEÑA, Carlos: *Historia de la literatura mexicana.* México, 2.ª edición, 1940.— NAVARRO, Francisco: *Teatro mexicano.* Madrid, Espasa-Calpe. ¿1928?—USIGLI, Rodolfo: *México en el teatro.* 1932.—GÓMEZ Y FLORES, F. J.: *La poesía dramática en México,* en *Nueva Revista,* de Buenos Aires, tomo V.

RODRÍGUEZ DE LENA, Pero.

Prosista español de la primera mitad del siglo XV. Nada se sabe de su vida. Su fama la debe a ser el cronista o notario que asistió, para dar fe de él, al *passo honroso* defendido por Suero de Quiñones y nueve caballeros más contra otros sesenta y ocho de España y de fuera de ella. La obra, escrita con gran imparcialidad y excelente prosa por Rodríguez de Lena, se titula: *Libro del Passo honroso defendido por el excelente cavallero Suero de Quiñones.* El suceso se verificó el año 1439. Suero de Quiñones, joven noble de veinticinco años, había hecho promesa de llevar al cuello, todos los jueves, una argolla, en señal de cautiverio amoroso en que le tenía su dama, que no se nombra. Y para librarse de este cautiverio, se comprometió a defender, en unión de otros nueve compañeros de armas, el puente de San Marcos de Orbigo, a seis leguas de León, desde el 10 de julio de 1439 al 9 de agosto siguiente. Setecientos combates se tuvieron con un sinnúmero de peripecias, narradas amenamente por Rodríguez de Lena. La obra de este fue resumida y remozada en 1588 por el franciscano Juan de Pineda.

El resumen o compendio de Pineda se publicó en Salamanca.

En 1902, Huntington, en Nueva York, publicó una edición facsímil del resumen de Pineda. Y otra edición—Madrid, 1783—, la Academia de la Historia, también en compendio.

V. CEJADOR Y FRAUCA, J.: *Historia de la lengua y literatura castellanas.* Tomo I.— AMADOR DE LOS RÍOS, J.: *Historia crítica de la literatura española.* VI, págs. 238 y sigs.

RODRÍGUEZ DE LEÓN, Antonio.

Crítico literario y periodista español de excepcional categoría, gran prosista y de mucha cultura. Aunque nacido en Córdoba, con apenas dos años se trasladaron sus padres a Sevilla—por lo que todos lo creen sevillano—, donde cursó sus estudios de bachillerato y Universidad. Nació en 1901. Murió—1964—en Madrid. En Sevilla, pues, se formó. Cultivó en sus primeros tiempos la poesía. Algunas de sus composiciones, como *Los nocturnos del barrio de Santa Cruz,* han sido traducidas a varios idiomas y publicadas en incontables revistas y periódicos, entre ellos *La Renaissance d'Occident,* traducidos por Max Deauville, con un estudio sobre el poeta.

Fundó en Sevilla la revista *Alma,* exclusivamente literaria, y luego *La Novela Semanal,* por la que desfilaron los escritores jóvenes de entonces. Entró en *El Liberal* sevillano, y publicó trabajos literarios y de crítica de todo orden. Ya por entonces comenzó a colaborar en *La Esfera, Nuevo Mundo* y *Mundo Gráfico,* entre otras publicaciones. Estuvo de cronista de la guerra en Africa, y al terminar le obsequiaron en Sevilla con un banquete popular. De allí pasó a la Redacción de *El Sol,* de Madrid, al cual periódico enviaba crónicas desde Sevilla desde la fundación de dicho rotativo. En *El Sol* hizo críticas de libros, de teatros, editoriales, etc. Unas veces con su nombre y otras con seudónimos. Su afición a los seudónimos es desmedida. Actualmente escribe la página de teatro del diario *España* con la firma "Sergio Nerva". Al concluir la guerra de liberación estuvo en Sevilla, y trabajó en los diarios *A B C,* de allí; *FE* y *Sevilla,* hasta que se trasladó de nuevo a Madrid y entró a formar parte de la Redacción de *A B C,* donde también hace, en ocasiones, crítica de teatro, de cine—esto con el seudónimo "Pick"—, artículos, editoriales, etcétera, etc. Es jefe en *A B C* de los servicios de Archivo y Biblioteca de Redacción.

Durante la guerra, en *La Novela del Sábado,* que inició sus tareas en la zona nacional, publicó *Edipo, padre.*

Colaboró en *Social,* de la Habana, la gran revista; en *El Comercio,* de Lima; en *Ex-*

celsior, de México, y en muchos otros diarios y revistas de Hispanoamérica...

Ha sido gobernador de Ciudad Real y de Córdoba.

Lo dejó todo por el periodismo, su pasión indeclinable. En *FE,* de Sevilla, llegó a escribir diariamente cinco secciones fijas. Ha desperdigado su labor en las hojas efímeras de la Prensa.

Actualmente, a más de en *A B C,* de Madrid y de Sevilla, colabora en *España,* como decimos; *Semana, La Voz de Aragón, El Diario Vasco, La Gaceta del Norte,* etc., etc., con crónicas sobre temas literarios o de actualidad.

RODRÍGUEZ MARÍN, Francisco.

Insigne polígrafo español. Nació—1855—en Osuna (Sevilla). Murió—1943—en Madrid. Cursó el bachillerato en el Instituto de su ciudad natal, y la carrera de Derecho en Sevilla. Ejerció con éxito algunos años la abogacía. Y animado por su maestro, don José Fernández-Espino, empezó a publicar sus poesías en la Prensa sevillana. Con machado y Alvarez, Montoto y otros amigos, fundó la Sociedad El Folklore Andaluz. La Academia Española premió varios de sus primeros trabajos de investigación literaria. Una enfermedad de la laringe le retiró de sus actividades jurídicas y le movió a marchar a Madrid, para dedicarse exclusivamente a los trabajos literarios. Académico—desde 1905—de la Real Española de la Lengua. Y desde 1927, de la Real de la Historia. De la de Buenas Letras sevillana. Consejero de Instrucción pública. Jefe del Cuerpo Facultativo de Archiveros, Bibliotecarios y Arqueólogos. Director de la Biblioteca Nacional de Madrid desde 1912 a 1930. Individuo de número de la Hispanic Society, de Nueva York, y correspondiente de la Tiberina, de Roma; de la de Ciencias, de Lisboa; del Instituto, de Coimbra.

La fecundidad de Rodríguez Marín es realmente pasmosa. Más de 125 obras, que suman más de 140 volúmenes.

Uno de los cervantistas más agudos y constantes. Crítico literario admirable, muy original en sus dictámenes y apreciaciones. Cultivó con gracia y fortuna el cuento anecdótico. En todos sus escritos muestra pasmosa erudición, especial cuidado en documentar todos sus asertos, amenidad no frecuente en la exposición, empleando un estilo suelto, elegante y a veces con algún dejo arcaico. Poeta delicadísimo. Conoció como muy pocos nuestros clásicos.

Algunas obras: *Comentarios al "Quijote"* —varias ediciones—, edición crítica de *Rinconete y Cortadillo*—1905—, *Cantos populares españoles, Luis Barahona de Soto, Pedro Espinosa, Suspiros*—poesías, 1875—, *Auroras*

y nubes—poesías, 1878—, *Entre dos luces* —artículos, 1879—, *Ilusiones y recuerdos* —poesías, 1 8 9 1—, *Sonetos y sonetillos* —1893—, *Madrigales*—1896—, *El Loaysa de "El celoso extremeño"*—1901—, *Del oído a la pluma*—anécdotas, 1908—, *Luis Vélez de Guevara*—1910—, *Azar*—novela, 1910—, *"El casamiento engañoso" y "Coloquio de los perros"*—1918—, *Cincuenta cuentos anecdóticos*—1919—, *Ensaladilla*—anécdotas, cuentos, historietas—, *Burla, burlando...*, *Un millar de voces castizas*—1920—, *Más de 21.000 refranes castellanos...*—1926—, *Cuentos escogidos...*—1927—, *El alma de Andalucía en sus mejores coplas...*—1929—, *12.600 refranes más*—1930...

V. MENÉNDEZ PELAYO, M.: *Crítica literaria.* 1942, V, 37.—CEJADOR Y FRAUCA, J.: *Historia de la lengua y literatura españolas.* Tomo IX.

RODRÍGUEZ MOÑINO, Antonio.

Erudito y literato español. Nació—1910—en Calzadilla de los Caños (Badajoz). Murió —1970—en Madrid. Estudió el bachillerato en Jerez de la Frontera y El Escorial. Licenciado en Derecho y en Ciencias históricas. Viajó, ampliando estudios y dando conferencias, por el extranjero. Colaborador de numerosas revistas técnicas: *Revista del Centro de Estudios, Revista del Ateneo, Boletines* de la Academia de la Historia, de la Academia de la Lengua, de la Universidad de Madrid y del Ayuntamiento madrileño. De la Academia Hispanoamericana desde 1929. De la Hispanic Society of America. Profesor en la Universidad de California. Miembro de número de la Real Academia Española.

Bibliófilo y bibliógrafo de gran competencia y extraordinaria erudición.

Obras: *Desarrollo de los estudios folklóricos en Extremadura*—1926—, *La Imprenta en Jerez de la Frontera*—1928—, *La biblioteca de Benito Arias Montano*—1929—, *Virgilio en España: Diego López*—1930—, *Una visita de Archivos en el siglo XVIII*—1930—, *Dictados tópicos de Andalucía*—1932—, *Ascensio Morales, cronista de Badajoz*—1931—, edición, prólogo y notas de la *Miscelánea,* de Luis Zapata—1931—, *Bibliografía hispano-oriental*—1931—, *Historia de la literatura extremeña (Notas para su estudio.)* I. *Hasta la Reconquista*—1942—, *El capitán Francisco de Aldana* (1537-1578)—1943—, *La Imprenta en Extremadura (1489-1800)*—1945—, *Catálogo de libreros españoles (1661-1840)* —1945—, *Francisco de Aldana. Epistolario poético completo*—1946—, *Curiosidades bibliográficas. Rebusca de libros viejos y de papeles traspapelados*—1946—, *Don Iñigo Antonio de Argüello Carvajal (1602-1685)* —1947—, *Viaje a España del Rey Don Sebastián de Portugal (1576-1577)*—1948—, *Catálogo de los documentos de América exis-*

R

tentes en la "Colección de Jesuitas" de la Real Academia de la Historia—1949—, Juan López de Ubeda, poeta del siglo XVI—1962—, Diccionario geográfico popular de Extremadura—1965—, Cancionero de romances. Anvers 1550—1967—, Sobre poetas hispanoamericanos de la época virreinal—1968—. Su bibliografía completa comprende más de cien títulos, todos ellos de gran valor erudito.

RODRíGUEZ DEL PADRÓN, Juan (v. Rodríguez de la Cámara, Juan).

RODRíGUEZ DE RIVAS, Mariano.

Prosista, poeta e historiador. Nacido en Madrid, en 18 de enero de 1913. Murió —1962—en su ciudad natal. Hijo de madrileños. Nieto por línea materna de Florentino De Craene, pintor de cámara de Isabel II, miniaturista de la época romántica, retratista extraordinario de la época, nacido en Tournai (Bélgica), en 1793; discípulo de Piat Sauvage; pintor de cámara de Luis XVI, y hermano de Alejandro Augusto Francisco de Craene, arquitecto de Napoleón I, que recorrió Italia a pie a principios del XIX haciendo dibujos de los monumentos del país.

Licenciado en Derecho por la Universidad de Madrid. Académico de la Nacional de Jurisprudencia y Legislación. Es socio o directivo de algunas entidades culturales (Amigos del Arte, Amigos de Bécquer, Academia Breve, etc.), y presidente de la Federación Ibérica de Sociedades Protectoras de Animales y Plantas. Director del Museo Romántico. Y cronista oficial de la Villa de Madrid.

Libros: Publicó algunas monografías, Florentino de Craene, su vida y obras; libro: Trajes de España, libro de los trajes regionales de España, con ilustraciones de Teodoro Delgado. Y prologó algunos libros: Poesías, de Martínez Valderrama; Multitudes, de Garrido.

Organizó los actos literarios Visitas a los cementerios románticos, Los crepúsculos—en el propósito colaboraron escritores jóvenes y consagrados—, y Visitas de arte a las iglesias del antiguo Madrid, palacios madrileños, etc.

En la sección "En este país"—de Arriba—, y con el seudónimo "Puck", escribió un millar—abril de 1947—de notas literarias.

RODRíGUEZ SOLíS, Enrique.

Literato y periodista español. Nació —1843—y murió—1925—en Madrid. Siendo estudiante, tomó parte activa en los famosos sucesos de la noche de San Daniel —1866—y también en casi todos los sucesos revolucionarios posteriores, por lo que en 1869 tuvo que emigrar a Francia. Colaboró en casi todos los periódicos madrileños, principalmente en la Correspondencia de Espa-

ña, El Imparcial, El Progreso, El Globo, El País, La Mañana, Nuevo Mundo, La Ilustración Española y Americana..., en los que dio a conocer interesantes anécdotas históricas y numerosos estudios de historias teatrales. En 1903 fue nombrado profesor de Declamación del Conservatorio de Madrid.

De gran amenidad narrativa, mucha cultura y excelente prosa.

Obras: Historias populares—1874—, El obispo Acuña—1876—, La mujer defendida por la historia, la ciencia y la moral—1878—, Eva—1880—, Panorama literario—1881—, Las extraviadas—1882—, Evangelina—1883—, Espronceda: su vida y sus obras—1883—, La vida madrileña—1884—, Majas, manolas y chulas—1886—, Los guerrilleros de 1808, Historia de la prostitución- -1896—, La guerra de Cuba—1896—, Guía artística—1903— y otras varias.

RODRíGUEZ SPITERI, Carlos.

Nació en Málaga el 12 de enero de 1911. Casado, con dos hijos. Abogado en la Universidad Central de Madrid, terminando las últimas asignaturas en la Universidad de Granada. Ha viajado por Francia, Italia, Suiza, Portugal, Marruecos, antiguas colonias inglesas de Costa de Oro y Guinea.

Obras publicadas: Choque feliz—Ediciones La Tentativa Poética, dirigida por Manuel Altolaguirre. Madrid, 1935—, Los Reinos de Secreta Esperanza—Málaga, 1938—, Hasta que la voz descanse—Madrid, 1943—, Amarga sombra—"Colección de Poesías Halcón", núm. 10. Valladolid, 1947—, Las voces del ángel—Adonais, LXVIII. Madrid, 1950—, Málaga (1.ª edición), Revista de Occidente. Madrid—1953. Ese día—Adonais, CLXX. Madrid—1959—; Una puerta ancha. Cuadernos María Cristina, núm. 11. Málaga—1962—; Málaga (2.ª edición), Revista de Occidente. Madrid—1962—, Cinco poemas—1966—, Callar juntos—1967.

RODRíGUEZ VILLA, Antonio.

Notable historiador y literato español. Nació—1843—y murió—1912—en Madrid. Estudió el bachillerato en el Instituto de San Isidro. En 1866 obtuvo en la Escuela Diplomática el título de archivero y bibliotecario. Doctor en Filosofía y Letras. Vivió en Londres, donde ayudó a Gayangos en la formación del Catálogo de manuscritos del British Museum. Profesor de bibliografía e historia literaria en la Escuela Diplomática. Académico—1893—de la de la Historia, de la que fue bibliotecario perpetuo desde 1910. Trabajador infatigable, gran espíritu crítico, magnífico expositor, investigador de asombrosa sutileza, talento inmejorable para lo metódico.

Obras: *Misión secreta del embajador don Pedro Ronquillo en Polonia en 1674, Memorias para la historia del asalto y saqueo de Roma en 1527...*, *El marqués de la Ensenada—1878—, Bosquejo biográfico de la reina doña Juana..., Bosquejo biográfico de don Beltrán de la Cueva—1881—, Etiquetas de la casa de Austria, Patiño y Campillo...—1882—, La Corte y la Monarquía de España en los años 1836 y 1837, Ambrosio de Spínola...—1905—, Don Pablo Morillo—1909—, Historia de don Juan de Austria, de Baltasar Porreño—1891—, La reina doña Juan la "Loca"—1892—, Don Francisco de Rojas, embajador de los Reyes Católicos,* y otras varias.

V. CEJADOR Y FRAUCA, J.: *Historia de la lengua y literatura española.* Tomo IX.

RODRÍGUEZ DE VILLAVICIOSA, Sebastián.

Poeta y dramaturgo e s p a ñ o l. Nació —¿1616?—en Tordesillas. Murió después de 1670. Clérigo. Caballero de la Orden de San Juan—1653—. Capellán de obediencia a título del Priorato de San Salvador de Pazos de Acentesio. Fue muy dado a la vida cortesana y muy amigo de cómicos y autores. Habló de él Cáncer en su *Vejamen*—1649—. Sirvió de secretario en el certamen de la *Soledad*—1660—. Escribió una *Silva* a la muerte de la reina doña Isabel de Borbón —en *Pompa funeral*, 1645.

Casi todas sus obras teatrales las escribió en colaboración con Moreto, Cáncer, Matos, Avellaneda y otros varios.

Su obra maestra es la titulada *Cuantas veo, tantas quiero*—en colaboración con Francisco de Avellaneda—. En esta obra amenísima, original y delicada, se inspiraron Calderón—*No hay burlas con el amor*— y Solís—*El amor al uso*—. Montfleury se inspiró en otra obra de Villaviciosa, *La dama corregidor*, para su obra *La femme jugue et partie*.

"Son notabilísimos los entremeses de Villaviciosa 'por la gracia y donosura en la expresión, lo rápido de las escenas, lo urbano e inesperado del chiste' y por la finura y el buen gusto, solo comparables con los de Cervantes y Quiñones." (Cotarelo.)

Merecen citarse: *La casa de vecindad, Las visitas, El retrato de Juan Rana, El sacristán Chinela, El licenciado Truchón, El sacamuelas, El hambriento...*

Otras comedias: *La corte en el valle, Reinar por obedecer, El rey don Enrique, enfermo; Vida y muerte de San Cayetano, El redentor cautivo, Dejar un reino por otro* y *Mártires de Madrid...*

En el tomo XLVII de la "Biblioteca de Autores Españoles" puede leerse la comedia *Cuantas veo...*

V. COTARELO MORI, E.: Prólogo a los *Entremeses* en "Nueva Biblioteca de Autores Españoles".—SAINZ DE ROBLES, F. C.: *Historia y antología del teatro español.* Madrid, M. Aguilar, 1943, tomos III y IV.

ROGERIO SÁNCHEZ, José.

Erudito y literato español de prestigio. Nació—1876—en Valladolid. Murió—1949—en Madrid. Estudió el bachillerato en Talavera de la Reina. Doctor en Filosofía y Letras por la Universidad Central. Catedrático, por oposición, en Literatura española en los Institutos de Ciudad Real, Santander, Guadalajara y San Isidro, de Madrid. Catedrático de Filosofía en la Escuela Superior del Magisterio. Consejero y director general de Instrucción Pública—1930—. Director de la revista *La Segunda Enseñanza.* Colaborador ilustre de muchas revistas profesionales.

Ameno y castizo novelista. Fino crítico literario. Investigador profundo. Profesor admirable por muchos conceptos.

Novelas: *Almas de acero, En busca de la vida, Tristes destinos.*

Otras obras: *Estética general (Lógica del sentimiento)*—1907—, *Técnica o preceptiva literaria*—varias ediciones—, *Garcilaso de la Vega*—estudio crítico, tomo XIV de la *Antología de poetas líricos castellanos...* Madrid, Hernando, 5.ª edición, 1923—, *Historia de la lengua y literatura españolas*—varias ediciones—, *Introducción a los estudios psicofilosóficos*—1918—, *Lo que podría ser un bachillerato*—1916—, *Autores españoles e hispanoamericanos*—1911—, *Los grandes literatos*—antología, varias ediciones...

ROHDE, Jorge Max.

Poeta y prosista a r g e n t i n o. Nació —¿1896?—en Buenos Aires. Hizo sus estudios en el Instituto y en la Facultad de Letras de su ciudad natal. Ha viajado por Europa, los Estados Unidos y América Central. Representó a su país en el Japón. En 1921 alcanzó el "Premio Municipal de Literatura" con su libro *Estudios literarios.* Lo que Ricardo Rojas hizo—con su *Historia de la literatura argentina*—en la parte histórica, Rohde lo hizo en el campo de las ideas estéticas. Conferenciante admirable y crítico de la máxima agudeza. Ha realizado también felices incursiones en el mundo maravilloso de la poesía.

Obras: *Cantos*—1918—, *Nuevos cantos* —1919—, *Evocaciones*—1921—, *Nieves de antaño*—1923—, *Angel de Estrada*—1924—, *Las ideas estéticas en la literatura argentina* —1928—, *Juan María Gutiérrez*—1929—, *Némesis*—novela, 1930—, *Stella Maris*—1930—, *La senda de los Palmeros, Espejos andinos* —1928—, *Crónicas de viaje...*

R

ROJAS, Arístides.

Literato e historiador venezolano. Nació
—1826—y murió—1894—en Caracas. Doctor
en Medicina y Cirugía—1853—. Amplió sus
estudios en Europa y los Estados Unidos.
Desde 1846 empezó a colaborar en los principales diarios y revistas de Venezuela.
Miembro de la Academia de Bellas Artes
de Santiago de Chile, de la de Ciencias Físicas y Naturales de la Habana, de la Sociedad Zoológica de Francia.

"Sin que alcanzase la talla de Ricardo
Palma, que en Perú había creado el género,
Arístides Rojas asiste al desenvolvimiento
de la historia de su patria en los libros antiguos con fidelidad y emoción insuperables.
No se sabe si es demasiado fiel por amor a
la verdad histórica o por falta de capacidad
creadora. De todos modos, sus libros y su
sistema han influido considerablemente en
las generaciones modernas."

Rojas fue un historiador que narró y comentó con el bello estilo del mejor literato.

Obras: *Humboldtianas, Libro en prosa,
Orígenes venezolanos, Estudios históricos,
El elemento basco en la historia de Vene-
zuela, Leyendas históricas de Venezuela*...

V. CALCAÑO, Julio: *Reseña histórica de la
literatura venezolana.* Caracas, 1888.—GÜEL
Y MERCADER, José: *Literatura venezolana.*
Caracas, 1883, dos tomos.—PICÓN FEBRES,
Gonzalo: *La literatura venezolana en el siglo XIX.* Caracas, 1906.—PICÓN SALAS, Mariano: *Formación y proceso de la literatura
venezolana.* Caracas, 1940.

ROJAS, Fernando de.

Famosísimo escritor español del siglo XVI.

El bachiller don Fernando de Rojas, cuya
existencia se puso en duda hasta hace muy
pocos años, y a quien, aún, críticos tozudos
niegan la paternidad de *La Celestina,* o se
la atribuyen *en combinación* con otra aún
más clandestina—paternidad de vodevil, en
el que la paternidad es más presunción, en
cualquier sentido, que nunca—, parece ser
que estaba un tanto avergonzado o, quizá
mejor, atemorizado de su ascendencia. A
fines de la centuria dieciséis no andaban las
cosas muy mollares en España para los
judíos. Y Fernando de Rojas era judío. ¿Judío converso? Lo de soplarse los dedos antes
de quemárselos fue siempre muy de la ocasión. Alvaro de Montalbán, suegro de Rojas,
declaró en un proceso que se le siguió
—1525—por judaizante: "que tenía una hija
llamada Leonor Alvares, muger del bachiller
Rojas, que compuso a Melibea, vecino de
Talauera". Y más adelante dijo que: "nom-
braba por su letrado al bachiller Fernando
de Rojas, su yerno, vecino de Talavera, que
es converso". Por si la acusación del suegro

no bastara a llamar la atención de la Inquisición sobre aquel bachiller converso—¿de
cuándo?...—, se cayó en la cuenta de que ya
llovía sobre mojado, porque, en 1517, otro
procesado judaizante, Diego de Oropesa, vecino de Talavera de la Reina, en su descar-
go, "en lo de sus abonos e yndiretas" ya incluyó como testigo al converso Fernando de
Rojas.

Cosme Gómez Tejada de los Reyes, en
su *Historia de Talavera*—manuscrito de la
Biblioteca Nacional—, hace, acerca de Fernando de Rojas, las siguientes afirmaciones:
"que Fernando de Roxa[s], autor de *La Celestina,* fábula de *Calixto y Melibea,* nació
en La Puebla de Montalbán, como él lo dice
al principio de su libro en unos versos de
arte maior acróstico, pero hiço asiento en
Talavera; aquí viuió y murió, y está enterrado en la yglesia del conuento de monjas
de la Madre de Dios; fue abogado docto y
aun hiço algunos años en Talavera oficio
de alcalde mayor. Naturaliçóse en esta villa
y dejó hijos en ella".

Aún encontramos otra mención indirecta
de Fernando de Rojas en las *Relaciones geográficas que los pueblos de Castilla dieron
a don Felipe II desde 1574 en adelante.* En
ellas se lee, al referirse a La Puebla de Montalbán, que "... de la dicha villa fue natural
el bachiller Rojas, que compuso *La Celestina*".

Don Julio Cejador, laborioso crítico, que
tanto estudió esta obra inmortal, el año
1916, en la *Revista Crítica Hispanoamericana,* prometió dar a conocer algunos documentos preciosos acerca de la vida de Fernando de Rojas que le habían sido propor-
cionados, tales como el testamento del inmortal escritor, un inventario de los libros
de su propiedad y otros papeles no menos
curiosos.

¿Por qué el autor de *La Celestina,* que
comenzó su obra con el recelo de firmarla,
y que declaró le interesaba que la obra
"fuese sin división en un acto o escena con-
cluso" y sin firma de autor, terminó por ala-
barla a boca llena con orgullo sin límite de
padre engreído del todo, y puso su nombre
y declaró su condición mediante un ingenioso artificio: las iniciales distribuidas en los
versos de once octavas reales, y aun obligó
al editor a una nueva reimpresión de siete
octavas reales finales, en la quinta de las
cuales se "declara un secreto que el autor
encubrió en los metros que puso al principio
del libro"? ¡Terrible laberinto en el que
Rojas dejó metida a la crítica! ¿Por pura
travesura? ¿Con su cuenta y razón? ¿Deseaba que su nombre *sonara* lo menos posible
y que se le dejara ni envidiado ni envidioso,
leguleyo y caciquín de sus tierras toledanas
"de hueso dulce"? Ya, testigo él en los aludi-

dos procesos de 1517 y 1525, se revuelve entre fanfarrón y fariseo, y clama: "Que no ay logar; e que no es persona con sospecha..., sino hijodalgo de pura sangre como sus padres y abuelos." Sino que pudo más la vanagloria de su obra, cuyo éxito fue detonante y cuya boga no tuvo riberas. Dejóse ya de temores, y decidióse a reconocer *a su hija* con todas las de la ley y las consecuencias consiguientes, a donarle sus apellidos ilustres y a mimarla con desplantes y a boca llena de los mejores adjetivos. De juez legitimador hizo el editor afortunado, que así sentenció ¡en versos! :

No quiere mi pluma ni manda razón
que quede la fama de aqueste gran hombre,
ni su digna fama, ni su claro nombre
cubierto de olvido por nuestra ocasión.
Por ende, juntemos de cada renglón
de sus once coplas la letra primera,
los cuales descubren de sabia manera
su nombre, su tierra, su clara nación.

Y, en efecto, el acta judicial declara—juntando esas primeras letras de los versos de las once octavas reales—: *"El bachiller Fernando de Rojas acabó la comedia de 'Calysto y Melybea' y fue nascido en La Puebla de Montalbán."*

Fernando de Rojas, Rodrigo de Cota, Juan de Mena, en opiniones dispares de la crítica, pasaron durante muchos años por *padres* de esta joya literaria que se llama *La Celestina o Tragicomedia de Calisto y Melibea.* ¿Escribieron Cota o Mena el primer acto y Rojas los veinte últimos? ¿Son todos los actos *de una misma mano?* ¿Un mismo ingenio logró los dieciséis primeros, siendo *postizos* y muy posteriores los cinco últimos? Cada pregunta tiene sus defensores y sus impugnadores insobornables. Pero para la más elevada y respetable crítica—Menéndez Pelayo, Bonilla San Martín, Serrano y Sanz, Cejador, Navarro Ledesma—es algo ya indubitable la paternidad de Fernando de Rojas. "La admirable unidad de pensamiento que campea en toda la obra, la constancia y fijeza en el trazado de los caracteres, el desarrollo lógico y gradual de la fábula y el señorío y dominio con que el bachiller Rojas se mueve dentro de ella, no como quien continúa obra ajena, sino como quien dispone libremente de obra propia..." movieron a Menéndez Pelayo a creer que fuera obra de un solo autor. En todas las continuaciones de las grandes obras se patentiza de modo inconfundible *el paso de unas manos a otras* de los tipos, que se decoloran o caricaturizan; de la psicología de estos, que se vulgariza; del desarrollo del tema, que suele desdibujarse cuando no perderse. Recuérdese el *Quijote* de Avellaneda, las dos continuaciones del *Lazarillo de Tormes,* el segundo *Guzmán de*

Alfarache, de Mateo Luján de Sayavedra. "Pero—insiste Menéndez Pelayo—, ¿quién será capaz de notar diferencia alguna entre el Calixto, la Celestina, el Sempronio o el Parmeno del primer acto y los personajes que con iguales nombres figuran en los actos siguientes?" Las fuentes de *La Celestina* las ha señalado con gran precisión Castro Guisasola; son ellas la Biblia y dos escritores eclesiásticos: Orígenes y San Pedro Crisólogo; Aristóteles y una colección de sentencias de la literatura griega; de la latina: Virgilio, Ovidio, Persio, Terencio, Séneca, Publio Sirio y Boecio; de la italiana renacentista: Petrarca y Boccaccio, aquel por sus obras latinas y este por su *Fiammetta;* de la castellana: Alfonso X, el Arcipreste de Hita, el *Tristán*—quizá—, el arcipreste de Talavera, Diego de San Pedro y otros escritores del siglo XV.

Innumerables fueron los imitadores de esta genial obra inimitable. Feliciano de Silva escribió la *Segunda comedia de Celestina;* Gaspar Gómez de Toledo, la *Tercera Celestina;* Sancho Muñoz, *Roselia o Tercera Celestina;* Francisco Delicado, *La lozana andaluza;* Sebastián Fernández, la *Tragedia policiana;* Juan Rodríguez, la *Comedia Florinea;* Alonso de Villegas, la *Comedia Selvagia;* Pedro Hurtado de la Vera, la *Dolería del sueño del mundo;* Ferreira de Vasconcellos, la *Eufrosinia;* Salas Barbadillo, la *Ingeniosa Helena, hija de Celestina;* Salazar de Torres, la *Segunda Celestina;* Lope de Vega, su maravillosa *Dorotea.*

Pedro Manuel de Urrea puso en buenos versos el primer acto de la obra de Rojas. Juan de Sedeño, en 1540, toda, con menor inspiración.

Se adivina sin grandes esfuerzos el influjo de *La Celestina* en algunas églogas de Juan del Encina—en las de *Plácida y Victoriano* y *Fileno y Zambardo*—, en otros pasajes de Gil Vicente, en la *Himenea,* de Torres Naharro; en la *Tidea,* de Francisco de las Natas; en la *Tesorina y Vidriana,* de Jaime de Huete; en muchos tipos de Lope de Rueda, en *Teodora de El infamador,* de Juan de la Cueva; en bastantes de las novelas ejemplares de Cervantes—*Rinconete, El celoso extremeño, El casamiento engañoso, La tía fingida*—, en la mayoría de las narraciones de Barbadillo, en cierto pasaje de *El Buscón,* de Quevedo; en *La pródiga,* de Luis de Miranda; en *El encanto es la hermosura y el hechizo sin hechizo,* de Agustín de Salazar y Torres...

Del éxito inmenso de *La Celestina* da una idea—y téngase en cuenta la época—el que se lanzaran solo en el siglo XVI más de veinticinco ediciones y el que fuera traducida a los principales idiomas europeos por el célebre humanista Gaspar Barth. En 1506 ya

R

lo estaba al italiano, en 1520 al alemán, al francés en 1527, al inglés en 1530.

La primera edición conocida de la *Comedia de Calixto y Melibea* es la de Burgos, de 1499. ¿Existió alguna anterior? Indudablemente. Quizá la de 1498, a la que se hacen referencias vagas. La de 1499 salió de las prensas de Rodrigo Alemán de Basilea, y el único ejemplar conservado de ella pertenece al gran hispanófilo norteamericano Huntington. En esta edición rarísima, la obra inmortal no consta sino de los dieciséis actos primeros, precedido cada uno de ellos de su correspondiente argumento. Dieciséis actos que, en opinión de Cejador, son los atribuibles a Fernando de Rojas, siendo los otros cinco obras del avispado editor Alonso de Proaza, que en 1501 lanzó en Sevilla la segunda edición conocida de *La Celestina*, prontamente agotada.

En 1500 parece ser que se publicó en Salamanca la tercera edición, desconocida—¿hipotética?—igual que la primera, y de la que se supone es reproducción la edición valenciana de 1514.

La cuarta, segunda conocida e igualmente con un ejemplar único, propiedad de la Biblioteca Nacional de París, es la aparecida en Sevilla el año 1501, por cuenta y riesgo del editor Proaza, quien, poeta y no malo, agregó a los dieciséis actos siete octavas reales laudatorias. La quinta es la de Sevilla —1502—, también a expensas de Alonso de Proaza. Esta edición es famosísima, por ser la primera en que la obra se titula *Tragicomedia de Calixto y Melibea,* y en que contiene *cinco nuevos actos,* interpolados entre los antiguos decimocuarto y decimoquinto, pasando a ser este el acto vigésimo, y el dieciséis, vigésimo primero.

La sexta edición es la de Zaragoza, de 1506. La séptima, la de Valencia, de 1514, una de las más perfectas, reproducción esmerada de la de Sevilla—1502—y reeditada por Krapf, en Vigo, 1900. La octava, la de Toledo, de 1526, también notabilísima, por ir seguida *de un acto veintidós,* llamado *Aucto de Traso y sus compañeros,* evidentemente apócrifo y sin género de dudas episódico, sacado que fue "de la comedia que ordenó Sanabria". Nadie sabe quién fue Sanabria... Aun cuando no pocos críticos hagan como que están en el secreto. Es lo mismito que el "sépase quién es Calleja"...

Son igualmente ediciones notables la de Roma, de 1506, y la de Rouen, de 1633. Quien desee conocer las traducciones de esta obra inmortal, puede acudir al artículo de Wolf, en *La España Moderna,* que cito en la bibliografía.

La importancia de *La Celestina* es excepcional. Su importancia excede del nacionalismo para hincarse en la universalidad. Celestina, Calixto y Melibea son tipos esenciales y paradigmáticos. Calixto representa el neoplatonismo de la finita Edad Media respecto de la concepción idealista de la amada. Melibea es el ideal de mujer hecho carne. Más bella y dulce y *pastosa y caliente* que ella, ni Julieta, ni Inés, ni mujer alguna. Melibea, de verdes ojos luminosos y sonrisa en la que el pecado tiene un nimbo de oro, es el punto más álgido de su humanización, que representaban—en la literatura prerrenacentista, humanista ya, pero aún *no humana*—Beatrice, Laura, Fiammetta. De Celestina dijo Juan de Valdés, en su *Diálogo de las lenguas:* "Está, a mi ver, perfectísima en todo cuanto pertenece a una fina alcahueta." Celestina tiene tan extensa y tan intensa realidad, que ha logrado convertir en apelativo su nombre propio. En el inmenso mundo de la literatura universal, apenas si existen diez o doce creaciones que resistan la comparación de esta figura portentosa, concepción de la Edad Media, en cuanto representa brujería, artimañas, cacumen puesto, con miras egoístas, al servicio de las pasiones del prójimo.

El *tono* de *La Celestina* peca en ocasiones de lo ampuloso, falso y pedantesco de la época. Pero, en general, el estilo, según el mismo maravilloso prosista, eternamente padre del más precioso y justo estilo castellano, "va siempre acomodado a las personas que hablan". Junto al estilo un poco pretencioso está, según escribe el muy fino crítico Valbuena y Prat, "otro estilo y lenguaje, el vivo, el popular, el de la calle y plaza, el de los refranes, que había descubierto el arcipreste de Talavera, se derrama por la pieza dramática como una atmósfera real, apropiada a los tipos humanos, que sienten y que padecen en cuerpo y alma".

Y todos recordáis cómo juzgó *La Celestina* el incalificable Miguel de Cervantes...

> Libro, en mi entender, divi[no]
> si encubriera más lo huma[no]...

Para Menéndez Pelayo, es "la obra más importante de nuestra literatura medieval, que refleja ya del todo el espíritu renacentista y es la base más firme de nuestra dramática". Y cree, refiriéndose a los enamorados Calixto y Melibea, pareja inmortal que precede a la de Julieta y Romeo, que "nunca antes de la época romántica fueron adivinadas de un modo tan hondo las crisis de la pasión impetuosa y aguda, los súbitos encendimientos y desmayos, la lucha del pudor con el deseo..."

Las ediciones más importantes modernas son las de Foulché-Delbosc, en la Biblioteca Hispánica, 1900; Menéndez Pelayo, Vigo, 1899-1900; Hispanic Society, Nueva York,

1909 (facsímil de la de 1499); Cejador y Frauca, *Clásicos Castellanos*.

V. SERRANO Y SANZ, Manuel: *Noticias biográficas de Fernando de Rojas*, en *Revista de Archivos*, 1902.—CASTRO Y GUISASOLA, F.: *Las fuentes de "La Celestina"*, 1925.—MENÉNDEZ PELAYO, M.: *Orígenes de la novela*. Tomo III.—FOULCHÉ-DELBOSC, A.: *Observations sur "La Célestine"*, en *Rev. Hispanique*, 1900.—MARTINENCHE, F.: *Quelques notes sur "La Célestine"*, en *Bulletin Hispanique*, 1902. BONILLA Y SAN MARTÍN, Adolfo: *Antecedentes del tipo celetinesco en la literatura latina*, en *Rev. Hispanique*, 1906.—MENÉNDEZ PIDAL, R.: *Una nota a "La Celestina"*, en *Rev. Filología*, 1917.—SPITZER, Leo: *Zur "Celestina"*, 1930.—WOLF: *"La Celestina" y sus traducciones*, en *La España Moderna*, 1895.—SORAVILLA, Javier: *"La Celestina" (sus pensamientos, máximas, sentencias y refranes)*. Madrid, 1895.—GONZÁLEZ AGEJAS, L.: *"La Celestina"*, en *La España Moderna*, 1894.—ROMERO, Federico: *Salamanca, teatro de "La Celestina"*. Madrid, 1959.—MAEZTU, Ramiro de: *Don Quijote, Don Juan y la Celestina*. Espasa-Calpe, "Colección Austral", núm. 31. PENNEY, Clara: *The book called Celestina*. Hispanic Society of America, Nueva York, 1945.—SÁNCHEZ ALBORNOZ, Claudio: *España, enigma histórico*. Buenos Aires, 1956, páginas 615-62.—VALLE LERSUNDI, Fernando del: *Documentos referentes a Fernando de Rojas*, en *Rev. Filol. Esp.*, XII, 1925.—LIDA, María Rosa: *Originalidad artística de "La Celestina"*, Buenos Aires, edit. Universitaria, 1962.

ROJAS, Jorge.

Poeta y prosista colombiano. Nació —1911—en Santa Rosa de Viterbo. Estudió el bachillerato en el colegio de San Bartolomé y cursó Derecho en la Universidad Javeriana de Bogotá. En 1939 fundó y dirigió *Cuadernos de Poesía: Piedra y Cielo*. Su primer libro: *La forma de su huida*—1939— ya reveló al público el valor y la veracidad de su lenguaje.

Obras: *La ciudad sumergida*—Bogotá, 1939—, *Rosa de agua*—sonetos, Bogotá, 1941—, *Cinco poemas*—Bogotá, 1942—, *Poemas*—Medellín, 1945—, *Parábola del Nuevo Mundo*—Santo Domingo, 1945—, *La invasión de la noche*—México, 1946—, *Poemas*—Bogotá, 1946—, *La doncella del agua*—tragedia, Bogotá, 1948—, *Rosa de agua*—2.ª edición, aumentada, 1948—, *Soledades*—1949...

De este último libro ha escrito un crítico colombiano contemporáneo: "*Soledades* es el libro que, considerado en su justa dimensión lírica, nos ofrece el pletórico panorama emotivo de un poeta. Contiene en sí toda la actitud y percepción de una conciencia ante la sorpresa angustiosa y alborozada que

depara el vivir determinado por la propia interpretación. Es, además, una reunión de poemas colmados de tersura en el lenguaje y cruzados por una sostenida corriente humana analizadora de experiencias y constantemente en indagación del ser y los sentidos. Su *forma* y *actitud* ascienden del hontanar frondoso de la gran tradición castellana, pero enriquecidas con un hábito telúrico americano, con nuevos y vigorosos ritmos y entonaciones cálidas de sorprendente belleza, y viviendo el fluctuar perenne de las dos fórmulas contradictorias—pero complementarias—de la expresión poética: clasicismo y romanticismo."

V. CAPARROSO, Carlos Arturo: *Antología lírica*. Bogotá, 1951, 4.ª edición.

ROJAS, Manuel.

Poeta y prosista chileno. Nació—1896— en Buenos Aires. Durante su mocedad y su juventud desempeñó los más rudos y variados oficios. Hoy trabaja en la Universidad de Chile.

Su obra lírica es escasa. Pero muchos de sus cuentos figuran entre los mejores que se han escrito en su patria.

Obras: *Poéticas*—1921—, *El hombre de los ojos azules*—1926—, *La tonada del transeúnte*—1927—, *Hombres del Sur*—1928—, *El delincuente*—1929, "Premio Universidad de Concepción"—, *Lanchas en la bahía*—1933—, *La ciudad de los Césares*—1936—, *De la poesía a la Revolución*—1938...

V. LATORRE, Mariano: *La literatura de Chile*. Buenos Aires, Facultad de Filosofía y Letras, 1941.—CERRUTO, Oscar: *Panorama de la novela chilena*, en *Nosotros*, 2.ª época, número 21, Buenos Aires, diciembre de 1937. DURANDO, Luis: *Algo sobre el cuento y los cuentistas chilenos*, en *Atenea*, núm. 100, año X, Concepción (Chile), agosto de 1933.— MELFI, Domingo: *Panorama literario chileno: la novela y el cuento*, en *Atenea*, número 58, octubre de 1929, Concepción (Chile).—ROJAS CARRASCO, Guillermo: *Cuentistas chilenos*. Santiago, 1936.—SILVA CASTRO, Raúl: *El cuento chileno*, en *Cuentistas chilenos del siglo XX*. Santiago, 1935.

ROJAS, Ricardo.

Historiador y crítico literario de gran prestigio. Nació—1882—en Tucumán (Argentina) y murió—1957—en Buenos Aires. Catedrático de Literatura española en la Facultad de Ciencias de la Educación. Fundador y catedrático de la cátedra de Literatura argentina en la Facultad de Filosofía y Letras de la Universidad de Buenos Aires. Rector de la Universidad. Director de publicaciones de la Biblioteca Nacional argentina. Redactor de *La Nación*. Polígrafo de los más

R

cultos de aquella tierra. Orador, poeta y prosista. De extraordinaria cultura, muy sutil espíritu crítico, habilísimo expositor. Su obra cumbre, en ocho tomos, *Historia de la literatura argentina,* es un monumento de erudición, panorama total de la vida espiritual del país, de su cultura íntegra, muy útil, no superada aún y muy difícil de superación en lo futuro. Algunos críticos han echado en cara a Rojas su estilo oratorio, su prosa engolada, el abuso de la percusión sonora y retumbante, de la suntuosa decoración del párrafo, excesivamente policromo, su continua alusión a sí mismo como si le faltase el sentimiento de humildad necesario.

Rojas es un buen poeta, aun cuando quede muy por bajo de Freyre y de Lugones.

Manuel Gálvez ha escrito: "Rojas es, orgánicamente, un ideólogo. En este país, donde los escritores tienen escaso apego a las ideas, tal vocación le caracteriza. Su obra, pues, lejos de ser puramente literaria, se acrecienta en mérito por su haber ideológico... La ideología de Rojas es, más que psicológica o moral, política. Se trata de un espíritu práctico, de un hombre de acción que filosofa sobre múltiples cuestiones que atañen a la sociedad. Le interesan los grandes problemas sociales y los destinos de los pueblos, la educación, los sentimientos colectivos. No es un psicólogo del subjetivismo, o, para decirlo mejor, *un intimista,* sino un pensador político."

La influencia intelectual de Rojas sobre las modernas generaciones argentinas es muy grande y noble.

Obras: *La victoria del hombre*—poema, 1903—, *El país de la selva*—1907—, *El alma española*—1907—, *Cosmópolis*—1908—, *Cartas de Europa*—1908—, *La restauración nacionalista*—1909—, *Blasón de plata*—1910—, *La argentinidad*—1916—, *La ronda de los muertos*—cuentos—, *Calíope*—discursos y conferencias—, *Los arquetipos*—1922—, *Eurindia*—1924—, *La guerra de las naciones* —1924—, *El Cristo invisible*—1927—, *Las provincias*—1927—, *Elelín*—1929—, *La historia de las escuelas*—1930—, *Cervantes* —1935—, *Retablo español*—1938—, *El titán de los Andes*—1939—, *Ollantay*—1939—, *El santo de la espada*—1942—, *Archipiélago* —1942...

V. VARIOS: *La obra de Rojas: veinticinco años de labor...* Buenos Aires, 1929.—LEGUIZAMÓN, Julio A.: *Historia de la literatura hispanoamericana.* Buenos Aires, 1945.—GARCÍA VELLOSO, E.: *Historia de la literatura argentina.* Buenos Aires, 1914.

ROJAS PAZ, Pablo.

Poeta, ensayista, novelista, crítico argentino. Nació—1895—en Tucumán. Murió en 1956. Inició su carrera literaria publicando un cuento en *La Prensa,* de Buenos Aires, cuando tenía diecisiete años de edad. En 1924, la Universidad Nacional de Buenos Aires, a instancias de su rector, publicaba el primer libro de Rojas Paz, *Paisajes y meditaciones,* colección de ensayos, con que obtuviera el "Premio Municipal de Letras" de la capital argentina de ese año. A este volumen siguieron otros tomos de ensayos, que se publicaron en años sucesivos: *La metáfora y el mundo*—1926—, *El perfil de nuestra expresión*—1927—y *Arlequín*—1929—. Con sus narraciones provincianas *El patio de la noche* obtuvo el "Premio Nacional de Letras" de 1941. A este conjunto de narraciones siguió *El arpa remendada.*

Sus novelas tienen por título: *Hombres grises, montañas azules; Hasta aquí, no más* —1937—, *Raíces al cielo* y *Los cocheros de San Blas.* Sus biografías son las siguientes: *Alberdi, el ciudadano de la soledad; Cada cual y su mundo*—ensayos biográficos—, *Bolívar, Martí.* Además, ha publicado *Hombres y momentos de la diplomacia, Campo argentino*—usos y costumbres—, *La biografía de la ciudad de Buenos Aires, La historia de una negra, El pensamiento vivo de Alberdi.*

Intervino en forma directa y predominante en la transformación profunda que se operara en las letras argentinas al comenzar el año 1924. Fundó la revista *Proa* con Ricardo Güiraldes y Jorge Luis Gorges. Fundó, así mismo, por esa época el periódico *Martín Fierro,* que tuvo la virtud de atraer a todos los jóvenes escritores, no solo de Argentina, sino de toda América del Sur. Sus narraciones han sido traducidas al italiano, al francés y al inglés.

Pablo Rojas Paz es uno de los intelectuales argentinos de su generación que goza de más prestigio. Su obra es múltiple, se define vivamente en el ensayo y nos revela una personalidad creadora. Un clasicismo vertebrado por la moderna concepción de la imagen en la literatura sustenta su obra total, marcadamente argentina, aunque con una amplia concepción de la Humanidad. La raíz de su emoción estética está en su paisaje nativo, que poéticamente realiza en las primeras páginas de *Paisajes y meditaciones.* Su obra va desde la emoción artística a la valoración económica del problema social. Escritor completo, no vive ajeno al paisaje político que el destino le adjudica.

V. ESTRELLA GUTIÉRREZ, Fermín: *Panorama sintético de la literatura argentina.* Santiago de Chile, Ercilla, 1938.—GIUSTI, Roberto F.: *Panorama de la literatura argentina contemporánea,* en *Nosotros,* 2.ª época, número 68. Buenos Aires, noviembre de 1941. PINTO, Juan: *Panorama de la literatura argentina contemporánea.* Buenos Aires, 1941.

ROJAS VILA, Carlos.

Novelista español. Nació—1928—en Barcelona. Licenciado en Letras por la Universidad de su ciudad natal. Ha enseñado literatura española en algunos centros docentes de Inglaterra y los Estados Unidos. En 1958 le fue otorgado el "Premio Ciudad de Barcelona", de novela. Realista sin estridencias. Buen narrador. Incluso cuando toca los temas más crudos no prescinde de un contrapunto de ternura, de piedad.

Obras: *De barro y esperanza*—Barcelona, 1957—, *El futuro ha comenzado*—Barcelona, 1958—, *El asesino de César*—Barcelona, 1958, "Premio Ciudad de Barcelona"—, *Las llaves del infierno*—Barcelona, ¿1960?—, *La ternura del hombre invisible*—Barcelona, 1963—, *La Revolución Francesa*—Barcelona, 1956—, *Napoleón*—Barcelona, 1958—, *Adolfo Hitler no está en casa*—1965—, *Auto de fe*—"Premio Nacional Miguel de Cervantes", 1968—, *Aquelarre*—novela, 1970.

ROJAS VILLANDRANDO, Agustín de.

Notable novelista y actor. Nació—1572—en Madrid. Murió—1619—en Paredes de Nava. Ningún novelista—y de los que tienen más suelta la imaginación—creó jamás un personaje tan complejo y movido en la vida como este don Agustín de Rojas, hombre de talante y de talento, de plante y de desplante. Peleó por Francia y fue hecho prisionero en La Rochela. Pirateó contra Inglaterra. Fue buscavidas con ventaja en las más célebres ciudades de Italia. Mató a un hombre en Málaga y libró la pelleja acogiéndose al templo de San Juan, del que hubiera salido para entregarse a los corchetes si no fuera porque una hermosísima mujer, enamorada de él, le disuadió haciéndole comprar su impunidad por los únicos trescientos ducados que Rojas poseía. Para mantener a su hermosísima amante, pidió limosna de día y escribió de noche sermones, que entregaba a los clérigos a trueque de comida. No bastándole los ingresos obtenidos por tales industrias, robó capas, escamoteó sombreros y tizonas, asoló huertas y "tiró de la jábega" durante varios meses. Y, en fin, cuando en Granada prohibieron la representación de sus comedias—1598 a 1600—, puso una tienda de mercería, con la que, según propia confesión, ganó lo suficiente y aun lo superfluo.

Desde 1601 se dedicó a frecuentar la compañía de cómicos y a ir con ellos de la Ceca a la Meca y de zoco en colodro, muy terne y avisado y capaz lo mismo de escribir una comedia que de representarla, ambas cosas con tono y tino. Se casó con una dama boba, doña Ana de Arceo—1603—, y le entraron los apuros y los pujos de la nobleza y del "que dirán". En 1604 pidió la confirmación del privilegio de hidalguía, concedido a su padre, y seis años después aún andaba insistiendo en ello, titulándose "escribano de Su Majestad y del número de Zamora y del Adelantamiento de Castilla".

A don Agustín de Rojas Villandrando, natural de Madrid, y llamado "el caballero del milagro"—porque vivió de este y por este—, ni le dio el Tiempo tiempo de llevarse la mano al pecho y ser así un caballero del Greco; su mano diestra—en ambos sentidos—donde más alto subió fue a la cruz de su espada y a la escarcela de su prójimo.

Escribió Rojas *El buen república*, farsa de gobernantes, administradores y augures. Y la Inquisición prohibió que se leyese y circulase. Mas su obra capital es el *Viaje entretenido*—1603—, narración novelesca y dialogada, en la que abundan las anécdotas y las noticias teatrales, las notas de costumbres, los dichos y los dicharachos de la época, las loas en prosa y en verso.

El *Viaje entretenido* tuvo una aceptación asombrosa. Y en él se inspiraron: Scarron, para su *Le roman comique*, y Teófilo Gautier, para su *El capitán Fracassa*. Don Luis Eguílaz, dramaturgo español de segunda categoría, pergeñó, en el pasado siglo, una comedia, *El caballero del milagro*, de la que era protagonista don Agustín de Rojas. Del *Viaje entretenido*, el cuento "Soñar despierto" deriva de *Las mil y una noches*, e inspira, a su vez, la única comedia conocida del propio Rojas: *El natural desdichado*, *La vida es sueño*, de Calderón; el prólogo de *The taming of the shrew*, de Shakespeare, y *Schluck und Jan*, de Hauptmann.

Textos: *El viaje*, Madrid, 1901, en "Col. libros picarescos" con prólogo de Cañete, dos volúmenes, ed. "Col. Crisol", núm. 113. Madrid, Aguilar, 1945. De *El natural desdichado*, ed. Cronwell, Nueva York, Instituto Españas, 1939.

V. ALONSO CORTÉS, Narciso: *Agustín de Rojas*, en *Revista Castellana*, 1923. VII.—CIROT, G.: *Valeur littéraire du "Viaje entretenido"*, en *Bull. Hisp.*, XXV.—CEJADOR Y FRAUCA, J.: *Historia de la literatura española*. IV.—VALBUENA PRAT, Angel: *La novela picaresca española*. Madrid, Aguilar, 1949.—CORREA CALDERÓN, Evaristo: *Costumbristas españoles*. Madrid, Aguilar.

ROJAS ZORRILLA, Francisco de.

Magnífico poeta y autor dramático español. 1607-1648.

Francisco de Rojas Zorrilla, toledano de carne madura dulce y de almendrilla íntegra amarga, nació en la imperial ciudad el 4 de octubre de 1607. Fue bautizado el día 27 de este mismo mes en la iglesia parroquial del Salvador, de Toledo, según consta

R

en la partida incluida en las pruebas de caballero para su ingreso en la Orden de Santiago. Sus padres fueron doña Mariana de Vesga Zorrilla y el alférez don Francisco Pérez de Rojas, ambos toledanos. Francisco, que *se comió* impertérrito los gentilicios necesarios—el Pérez y el Vesga, vulgarotes— para reafirmarse señorón eufónico, salió avispado, audaz, muy templado de tajo y socarrón de subterráneo.

A los tres años estaba ya en Madrid, y vivió en un caserón de la plaza del Angel, con sus padres y sus hermanillos Diego, Luisa Ana, Bernarda Jusepe y María Manuela. Regresó mocito a Toledo, a estudiar bien y de prisa las Humanidades en una circunstancial Universidad toledana. Se largó, mancebo, a Salamanca a proseguir sus anhelos culturales. Sin embargo, en los libros de matrículas de este famoso centro, su nombre no consta. Pero pueden más que los silencios burocráticos las comedias *Lo que quería ver el marqués de Villena* y *Obligados y ofendidos,* en las que se citan tales pormenores de la pícara vida estudiantil salmantina y se patentizan tantos pormenores escolares y un tan sutil conocimiento de la ciudad y de sus aulas, que solo pudo adquirirlos quien vivió con intensidad y largueza del caño al coro, y viceversa, entre las unas y la otra. Sí, Francisco insiste en que se hospedó en una posada "pegada al deán, junto a la Puerta del Río". De su estada en la ciudad del Tormes, sin haberse graduado en nada y habiendo picoteado en todo, le quedaron a nuestro Rojas unas petulancias—o flatulencias—jurídicas muy sueltas por todas partes con el mayor énfasis. Hasta 1636 anduvo vestido de estudiante, pareado con su condiscípulo don Antonio Coello, pringando axiomas y derramando textos papinianescos. En 1631 residía ya en Madrid, terminados ya o ya abandonados sus estudios. En este año, Pellicer de Tovar le invitó a colaborar con un soneto en su libro *Anfiteatro de Felipe el Grande,* dedicado a celebrar la hazaña de don Felipe IV de haber muerto, en la plaza del Parque, cerca de Palacio, de un certero disparo de arcabuz, a cierto toro de siete hierbas jarameñas, superviviente vencedor de una trifulca en la que intervinieron un león, un tigre, osos, caballos, perros, el dicho toro y otras susodichas alimañas, azuzadas unas contra otras por hombres escondidos bajo un ingenioso caparazón de madera, con ruedas, en forma de tortuga, que andaban por medio de ellas [las fieras] con unas largas patas. Cuando el toro quedó dueño del campo, el rey linfático y pronto, rubianco y voluntarioso, pidió el arcabuz, "le tomó con gala, y componiendo la capa con brío, y requiriendo el sombrero con despejo, hizo la puntería con tanta destreza y

el golpe con acierto tanto, que mató al toro". El soneto panegírico de Rojas es culterano y conceptuoso sin demasía. Y frío como un carámbano. No le sobró inspiración por el estrambote. En 1632, Pérez de Montalbán, en su *Para todos* declaraba así: "Don Francisco de Roxas, poeta florido, acertado y galante, como lo dicen los aplausos de las ingeniosas comedias que tiene escritas." Por este mismo año colaboraba con Calderón de la Barca en la composición de la muy aplaudida y representada tragedia *El monstruo de la fortuna. Felipa Catanea o La lavandera de Nápoles.* En 1634 se le pagaban sus derechos de autor, "en el Corral del Príncipe", novecientos reales, que debía de repartir con su colaborador Antonio Coello. Rojas Zorrilla, lanzado con audacia impar y fértil ingenio a la vida cortesana, concurrió a las tertulias de Vélez, a las *gradas* de San Felipe, al *mentidero* de los Representantes, a los festejos del señor de Haro y del duque de Benavente, a los certámenes del Consejo y a las mismísimas antesalas del Alcázar, en las que se dejaba ver con frecuencia el llamado Rey Galán.

Muerto Lope de Vega—agosto de 1635—, Rojas contribuyó a su *Fama póstuma* con otro soneto más sentido que el aludido antes, y más limpio también de polvo—conceptismo—y paja—culteranismo—. El año 1636 fue un año, para él, de magnífica cosecha de éxitos. En enero—10—le representó en Palacio, la compañía de Juan Martínez, *Progne y Filomena;* en enero—17—, por la misma compañía y sobre idéntico escenario, fue estrenada *El jardín de Falerina,* comedia escrita en colaboración con don Pedro Calderón; en febrero—2—, igualmente en compañía de Calderón y de Luis Belmonte, dio a la escena *El mejor amigo, el muerto,* interpretada por Juan Martínez de los Ríos; este cómico, el 6 de junio, en el Buen Retiro, representó la preciosa obra *Obligados y ofendidos,* y Pedro de la Rosa, el 29 del propio mes, en el mismo lugar, la titulada *No hay amigo para amigo.* Aún estrenó este año, en fecha desconocida, *Casarse para vengarse.*

Si el de 1636 fue año para Rojas de los éxitos, el de 1638 fue año de los jaleos y de los trapatiestas. En noviembre de 1637 llegó a España doña María de Borbón, princesa de Carignan, esposa del príncipe Tomás de Saboya, por entonces en lucha contra los franceses y al servicio de España. Para organizar jolgorios *por todo lo alto* no necesitaba don Felipe IV mayores motivos, siempre él dispuesto a la bulla, siempre atento a solazarse. A la llegada a Madrid de tan importante dama se iniciaron las fiestas. Luminarias. Juegos corridos en antorchas. Mascaradas. Saraos. Comedias. Carreras. Sortijas. Estafermo. Alanceamiento de toros. Meriendas. Los festejos costaron quinientos mil ducados. En El Pardo se representaron las comedias de Rojas *Donde hay agravios no hay celos*—29 de enero, por la compañía de Pedro de la Rosa—y *El más impropio verdugo*—14 de febrero, por la de Tomás Fernández Cabredo—. Nuestro dramaturgo fue nombrado fiscal de un certamen poético celebrado en el Buen Retiro el viernes 20 de febrero; certamen que presidió Vélez de Guevara y del que fueron jueces, entre otros, el príncipe de Squilache, Francisco de Rioja, Antonio Hurtado de Mendoza, Méndez de Haro... Todos los temas del concurso eran burlescos. *¿Por qué a las criadas de Palacio les llaman mondongas? ¿Por qué las beatas no tienen unto? ¿En qué caerán primero los regidores de la Villa: en la tentación o en la plaza? ¿Con qué defenderá mejor la entrada en el Buen Retiro su alcalde don Diego de Covarrubias y Leiva, si con el cuidado o con la panza? ¿Cuál estómago es más envidiado, el que digiere grandes pesadumbres o grandes escenas?* Al certamen —21 temas—concurrieron 27 poetas, con 43 composiciones. Faltaron, de los insignes, Calderón, Quevedo y Montalbán. El premio del tema de *Las criadas de Palacio* lo ganaron Antonio de Solís, Jerónimo de Cáncer y Antonio Coello. El de *las beatas,* el agudísimo Quiñones de Benavente. El de *los regidores,* Mejía de la Cerda. Y Rojas Zorrilla el *del estómago.* El *Vejamen* de este certamen, o sea la crítica de los trabajos presentados a él, fue encomendado a Rojas Zorrilla. Y, justo es declararlo, a este *se le fue la mano* en lo de echar especias al guiso, que, naturalmente, se indigestó a casi todos los comensales, provocando las malévolas réplicas de los más agudos. Jerónimo de Cáncer imprimió *una noticia* de la que es este picotazo: "Volví la cara y vi venir a un hombre que se las pelaba por caminar apriesa. Traía, a mi parecer, la cabeza colgada de la pretina y sobre los hombros una calabaza. Parecióme extraño el modo de caminar; y acercándome más, conocí que era don Francisco de Rojas, que la priesa no le había dado lugar a ponerse la cabellera, y al pasar junto a mí le dije:

> La priesa al revés te pinta;
> hombre, para caminar,
> yo siempre he visto llevar
> la calabaza a la cinta."

Porque conviene advertir que Rojas Zorrilla, hombrón garrido, don Juan de tablado y de casas de malicia, muy apegado de sus mostachos untuosos, de su peso y de su paso, de su voz barítona, de su tono con el ademán y de su tino con la espada, era completamente calvo. Como otro don Juan circunstancial: Villamediana. De resultas de

sus estocadas literarias *vejatorias,* y aun de otras que repartió donoso y muy tirado a fondo, con motivo de un segundo *Vejamen,* Rojas se ganó demasiados rencores disimulados. Y una mañana de abril de 1638 apareció tumbado sobre las losas del callejón de los Gitanos—hoy calle de Arlabán—. "El viernes—escribe el primer periodista español, Barrionuevo, en sus *Avisos* de 24 de abril—sucedió la desgraciada muerte del poeta celebrado don Francisco de Rojas, alevosamente, sin que se haya podido penetrar la causa del homicidio, si bien el sentimiento ha sido general por su mocedad..." Pero... también los periodistas de entonces se veían obligados a rectificar las noticias dadas *un poco de oídas.* Con fecha 24 de mayo, Barrionuevo rectifica sin dejar de *que se le vea el plumero:* "Ha corrido la voz por la corte de que la muerte, sucedida en días pasados, del poeta Francisco de Rojas tuvo su origen del *Vejamen* que se hizo en el palacio del Retiro las Carnestolendas pasadas, de donde quedaron algunos caballeros enfadados con el dicho." A Rojas, malherido, se lo tragó la tierra. Alguien le ocultó para librarle de un posible *remate.* Corrió la voz de su muerte... Se le hicieron honras fúnebres. Y se le empezó a tejer una corona poética. Felizmente, resucitó. Más engallado que nunca. Mejor que nunca dispuesto a ganar su fama. El 4 de febrero de 1640 se inauguró el coliseo del Buen Retiro con su comedia *Los bandos de Verona.* El 21 de noviembre de este mismo año casó con Catalina Yáñez Trillo de Mendoza. A los pocos días publicó, en Madrid, la *Primera parte* de sus comedias.

Rojas Zorrilla vivió siempre muy apretado económicamente. En 1641 dejó de escribir comedias. ¿Por qué? Las comedias daban poco dinero a los autores. Trescientos reales... Cuatrocientos... Menos, en ocasiones. En cambio, los *Autos sacramentales,* muy en boga, proporcionaban—a Calderón— mil quientos reales cada uno. Rojas Zorrilla se decidió a escribir *autos. El sotillo de Madrid, El Sansón, La viña de Nabot...* Pingües fueron las ganancias. Años hubo en que don Felipe IV parecía preferir el ingenio de Rojas al de dramático alguno. Rojas *no se ponía* tan trágico ni profundo como don Pedro.

El año 1643 fue de gran sofoco y de gran ira para nuestro poeta. Felipe IV, queriendo recompensar su talento, le hizo la merced del hábito de Santiago. El Consejo de las Ordenes expidió con fecha 20 de agosto su decreto nombrando informantes de sus pruebas a los caballeros de la Orden don Fernando Peralta y doctor Alamo. Era este persona muy quisquillosa y muy agria, reventante. Se plantó en Toledo y tomó declaraciones

R

a los vecinos Francisco Francés y Gabriel López; los cuales juraron con toda seriedad que Rojas descendía no solo de moriscos, sino de judaizantes quemados por el Santo Oficio. El doctor Alamo, muy terne en su regocijo malévolo, redactó el informe desfavorable. Trinó Rojas. Clavó su alarido en el quinto cielo. Revolvió Roma con Santiago. Suplicó. Amenazó. Al año siguiente, removido el pleito por la solicitud del interesado, se inició una segunda información. Fue nombrado escribano de cámara de la Orden don Francisco de Quevedo, amigo de Rojas. Se dio de lado a la acusación aquella de los toledanos. Pero... Apareció el *pero*, pese a los pesares... y a la gran faena de la mano izquierda que llevó a cabo el inmortal autor de *El Buscón*, maestro en dar la vuelta tan campante a todas las encrucijadas. Y era el *pero* que el padre de Rojas había sido escribano profesional en Murcia, oficio nada honorable, aun cuando pingüe; oficio de los que pugnan a todas horas con la honorabilidad caballeresca. ¿Qué hacer? Se lo preguntó, para su capote, el rey. Y para su sayo, cada uno de los consejeros. ¿Qué hacer? La solución fue bien sencilla: acudir al Papa. Así como así, aquel año habían ingresado en la Orden once caballeros y los once con licencia pontificia. Por uno más... Rojas Zorrilla, como años más tarde el maravilloso Velázquez, después de mil contrariedades y muy poquito antes de morir, pudo lucir al costado la roja venera. Era el año 1646...

El año antes de darse este gustazo de ya, para siempre, poder jurar "poniendo la mano en la cruz del hábito, que trae en el pecho", Rojas publicó a sus expensas, y en Madrid, la *Segunda parte* de sus comedias, "dedicadas al excelentísimo señor don Pedro Nuño Colón y Portugal, almirante de Indias, duque de Veragua y de la Vega, marqués de la Xamaica y de Villanueva del Ariscal, conde de Gelves..."

Entre 1646 y 1648, Rojas no pudo estrenar obra alguna, debido a la prohibición que de toda representación hizo el rey don Felipe, sinceramente apenado por la muerte de su encantador hijo el velazqueño principillo Baltasar Carlos. Cuando en el segundo de dichos años fue levantada dicha medida, Rojas Zorrilla ya había muerto. Cumplidos los cuarenta años, sin dolencia alguna delatada, repentinamente falleció. En la parroquia de San Sebastián, de Madrid, se conservaba su partida de defunción: "Don Francisco de Roxas, cauallero del ábito de Santiago, casado con doña Catalina Yáñez de Mendoza, plazuela del Angel, casas de su madre, murió en veinte y tres de henero de 1648. Recibió los Santos Sacramentos. No testó; en-terróse con licencia del señor Vicario. Dio de fábrica cien reales."

Francisco de Rojas Zorrilla, desaparecido de la vida súbitamente, no dejó bienes, ni dejó estelas poéticas laudatorias, ni excesivos rencores. Dejó, eso sí, además de su viuda, un hijo legítimo menor de edad: Antonio Juan de Rojas; una hija natural: la famosa comedianta Francisca Bezón, *la Bezona*, habida en su mocedad con la cómica María de Escobedo, mujer de otro Francisco de Rojas—el *Raspado* de mote y representante, pésimo, de oficio—; dejó algunas deudas, que no se cobrarían nunca, y ochenta y tantas obras, que vivirían siempre. Un muy mediano poeta aragonés, Juan Moncayo de Gurrea, caballero de Santiago, años después le dedicó el único elogio sincero y bastante culterano:

Moriste en juveniles resplandores;
el Erebo mortal te usurpó el día,
marchitó tus verdores,
frígidos yelos de la noche fría.
Mas ¿qué importa, si en nubes de oro y grana
te contempla la cándida mañana
tan dichoso en tu ser, que forma iguales
a tu deidad de nítidos cristales
folio, y en la vitoria de ti mismo
ultrajas las gargantas del abismo?

Entre los grandes dramaturgos del siglo XVII, Rojas personifica la rebeldía. Le hierve la sangre contra lo injustamente estatuido, contra lo admitido en las costumbres caprichosamente. Rojas repudia el concepto que se tenía del honor, de la omnipotencia real, del deber de la mujer en el matrimonio, que le ata a él como una esclava de su marido y dueño; de la determinación ampulosa e injusta del derecho. Los otros dramaturgos—Calderón más que ninguno—se habían adaptado al medio, habían aceptado lo prescrito, procuraban triunfar exaltando los mismos postulados que se tenían como intangibles y halagando los juicios generales y las sociales conveniencias. Rojas es quien primero se rebela. Porque Mira de Amescua no dio sino que sospechar de que una rebeldía semejante le acidulaba la sensibilidad siempre crispada. Es Rojas quien se atreve primero a no seguir la convención de ambiente. Y eso se le nota trabado por mil recursos de nudos difíciles de soltar: la familia, las relaciones amistosas, la educación, su ortodoxia religiosa, su españolismo de la mejor ley, su respeto innato a las Instituciones. Pero, aun así y todo, en cuanto puede, dando la cara o con un habilísimo subterfugio, Rojas se atreve a sonreírse del respeto idolátrico a la persona del rey, del honor calderoniano del noble, de sus derechos absolutos sobre quienes componen la familia, y que le sacan *honrado* luego de matar a la adúltera esposa. Rojas se atreve a plantear el derecho de la mujer a vengar su honra mancillada, a exigirle cuentas al esposo del adulterio; se atreve a discutir problemas conyugales de la importancia y la novedad del de la incompatibilidad de caracteres; se atreve a disculpar que los maridos ultrajados perdonen a las infieles esposas en consideración a *su hermosura;* se atreve a insinuar toda la miseria y necedad que pueden ocultarse bajo el paripé de una corona real utilizada más allá de su alcance político; se atreve a que el deber quede pospuesto al amor...

Rojas Zorrilla representa entre los dramaturgos del ciclo de Calderón lo que "Tirso de Molina" entre los del ciclo de Lope de Vega. Es un creador formidable de caracteres. Es un audaz narrador de asuntos francamente picantes. Es un defensor apasionado de la mujer. Su lenguaje, como el del fraile mercedario, es rico, crudo, ingenioso; está muy cargado de sales y de pimienta, y salta a veces en invenciones de una fuerza y de un encanto magistrales.

Cotarelo y Mori, en su magistral estudio acerca de Rojas Zorrilla, ha destacado así sus cualidades:

"*Invención.*—Es su cualidad principal. Voluntariamente quiso apartarse de la pauta normal de nuestro teatro, buscando nuevos problemas morales y lances en que el choque de las pasiones humanas resistiese formas inusitadas en nuestra escena. Su atrevimiento le condujo a idear situaciones ultratrágicas (fratricidios, filicidios, violaciones) y a presentar conflictos de honor muy poco comunes en nuestro teatro antiguo (*Cada cual lo que le toca, La traición busca el castigo, La prudencia en el castigo*).

"Es, según pensamos, el creador del género llamado de *figurón,* comedias jocosas. Término medio entre la comedia urbana y la parodia de las comedias llamadas *burlescas,* como *Durandarte y Belerma, El caballero de Olmedo* y otras. Su comedia *Entre bobos anda el juego* no es posterior a 1638, época en que no sabemos se hubiera escrito ninguna obra de esta clase.

"Contra esta originalidad que le atribuimos no es argumento el que haya tratado algún asunto tocado antes por Lope de Vega, como en *Los amantes de Verona* y *Los celos de Rodamonte,* o de Guillén de Castro en *No hay ser padre siendo rey,* porque fuera de que los temas referidos eran patrimonio común, dimanados de cuentos y poemas italianos, él los llevó por rumbos distintos de sus predecesores. El caso de *Persiles y Sigismunda* tampoco obsta, porque, además de que esta es única entre setenta, casi no tiene la comedia de Rojas más que el título de común con la novela cervantina.

"*Técnica artística.*—Hay que reconocer en Rojas maestría en la concepción y desarrollo del plan de sus dramas. Casi siempre se justifica todo cambio de situación de los personajes. Están bien preparados y logrados los efectos dramáticos. El desenlace, escollo común a casi todos los mejores autores del tiempo, es artístico y en general acertado y lógico. Tiene recursos dignos de los grandes poetas, como el de que un personaje vea en sueños y confusamente lo que ha de constituir el lance principal de la obra cuando es sangriento. En *El Caín de Cataluña,* Constanza, prometida de Ramón, ve a Berenguer manchado con la sangre de su hermano. En *El más propio verdugo,* lo mismo César que Alejandro ven que su padre degüella al segundo. En *Brogue y Filomena,* ve la primera que Teseo, su esposo, viola y maltrata a Filomena. En *La vida en el ataúd,* Aglae ve en sueños degollado a su amante Bonifacio, como lo es al final del drama.

"*Caracteres.*—Son vigorosos y precisos, aunque a veces recargados y tendiendo a lo inverosímil. En los personajes caballerescos, el punto del honor se halla tan arraigado como en Calderón, y justamente este matiz da fuerza e interés a muchas comedias y corona caracteres como el de *García del Castañar.* Los femeninos son muy reales. En este punto Rojas se da mucho más la mano con Lope que con Calderón. Las mujeres de Rojas, sin ser, ni mucho menos, perfectas en lo moral, tienen una gran perfección artística, a mi ver, superiores a algunas, a muchas, de las de Téllez. Poseyó Rojas especialidad en fantasear caracteres ridículos, en los que sobrepujó a los demás dramaturgos.

"*Estilo.*—No tiene circunstancia de carácter general. Es levantado en las situaciones graves y corriente en las otras. Pomposo y aun afectado en las descripciones, en las cuales procede por metáforas y comparaciones a veces oscuras e inexactas. En lo cómico, es en algunas, aunque pocas, ocasiones trivial y bajo. Posee gran desembarazo y viveza en el diálogo; esta buena cualidad es característica en el poeta. Gracioso y sucinto en los cuentos y paradigmas. Chistoso, cuando aspira a serlo, y parco y no amargo en la sátira.

"*Idioma.*—Castizo, como todos los de su tiempo, bien que poco variado y no muy selecto; casi siempre llano, excepto en los casos de cultismo. Menos poético que Lope, mucho menos agudo e ingenioso que "Tirso", y menos florido y adornado que Calderón. Usa muy pocos neologismos, ni de expresión ni de concepto. Como trabajaba de prisa, descuidaba estos primores, a los que su ingenio fogoso y amigo de ir pronto al cabo no le permitía consagrar el necesario espacio. Para el común de los lectores resul-

R

ta, sin embargo, más claro que "Tirso", Alarcón y aun Lope de Vega. Parece más *moderno*, pero es más vulgar. Su inclinación al culteranismo es mucho menor de lo que se ha pregonado, especialmente por Lista, que solo había leído una media docena de las obras de Rojas. Más de treinta, y no de las peores, pueden citarse que no están afeadas por esta mácula, que tampoco llevó nunca al extremo.

"*Versificación.*—Sin defectos, pero también sin grandes primores. Emplea mucho el romance y las redondillas; poco las quintillas y la décima; menos los sonetos y casi nunca las octavas reales. En general, no utiliza mucho los versos de arte mayor. Su poesía rueda dulce y sencilla, y, salvo en los casos de afectación culterana, la expresión siempre es armoniosa y poética, y muy adecuada a los personajes y a las situaciones."

He copiado una síntesis de las opiniones, acerca de Rojas, del señor Cotarelo, por ser este uno de los investigadores más concienzudos del teatro español, y generalmente muy acertado en sus juicios. Sin embargo, mis interpretaciones precedentes a esta síntesis van de acuerdo con una más moderna ponderación de Rojas, que, quizá temerariamente, reputo más justas.

De Rojas Zorrilla, autor muy fecundo, si se tiene en cuenta que murió a los cuarenta años y que varios años antes de morir ya no escribía comedias, se conservan setenta comedias, quince autos sacramentales y dos entremeses indiscutibles, y veintidós obras entre apócrifas y dudosas.

Las obras dramáticas de Rojas pueden dividirse: a) Género trágico: *Progne y Filomena, García del Castañar, El Caín de Cataluña, No hay ser padre siendo rey, Los bandos de Verona* y *Los áspides de Cleopatra;* b) Género de costumbres, subdividido en comedias de figurón: *Entre bobos anda el juego,* y comedias de gracioso: *Donde hay agravios no hay celos y Amo y criado, Obligados y ofendidos, Lo que son las mujeres,* y c) Géneros menores: el auto sacramental —*La viña de Nabot, El robo de Elena, El rico avariento, El gran patio de Palacio*—y el entremés—*Abre el ojo, El alcalde Ardite, El doctor.*

Rojas Zorrilla ha sido uno de los autores más copiados y plagiados en España y en el extranjero. De su *Donde hay agravios no hay celos* sacó Scarrón su *Jodelet ou Le maître valet*—quedando muy por bajo de su modelo—; de su *No hay amigo para amigo,* Le Sage sacó su *Le point d'honneur;* su *Obligados y ofendidos* fue aprovechada por tres poetas franceses: Scarrón, en *L'ecolier de Salamanca;* Corneille, en *Les ilustres ennemis,* y Boisrobert, en *Les généraux ennemis;* su *Morir pensando matar* inspiran la

Rosemonde, de Rucellai; la *Rosmunda,* de Alfieri, y *La copa de marfil,* de Zorrilla; de su *No hay ser padre siendo rey* sacó Rotrou su tragedia *Venceslas;* su *Casarse por venganza* es el origen de la novela de Le Sage *Le mariage de vengeance,* y de las tragedias de Thompson *Tancredo y Sigismunda;* de Goldini, *Enrico, re di Sicilia,* y de Saurín, *Blanca y Guiscardo;* su *Entre bobos anda el juego* es el origen del *Don Bertrand de Cigarral,* de Tomás Corneille.

Una de las mejores consecuciones del teatro francés: la comedia *de gracioso* procede directamente de Rojas. El criado que vale más que el amo—*Donde hay agravios no hay celos,* refundida modernamente por Tomás Luceño con el título de *Amo y criado*—, es el gran acierto que se atribuirá a Beaumarchais por su obra *El barbero de Sevilla.*

La obra más famosa de Rojas es, sin duda alguna, *Del rey abajo, ninguno, o El Labrador más honrado o García del Castañar,* traducida a todos los idiomas cultos, y de la que dijo Menéndez Pelayo: "Con tales elementos hizo el poeta toledano una obra próxima a la perfección, conducida con extraordinaria habilidad, rica de nobles y puros afectos, en que alternan la idílica dulzura y el terror trágico. Es el drama más moderno en su estructura que puede encontrarse en todo el teatro antiguo; por eso, comparte con *El desdén,* de Moreto, el privilegio de ser representado sin refundición alguna."

Las ediciones antiguas más importantes de las obras de Rojas Zorrilla son: *Primera parte de las comedias...* Madrid, 1640. Comprende doce comedias; *Segunda parte de las comedias...* Madrid, 1645. Comprende doce comedias; en *Colecciones de comedias del siglo XVII*—1636 a 1697—. Partes 2, 6, 29, 30, 31, 32, 33, 41, 42, 43, 44, 57; *Colección general de comedias escogidas*—1652 a 1702—. Partes 1, 3, 5, 6, 7, 9, 20, 32, 35, 42, 44 y 45.

Ediciones modernas: *Colección general de comedias escogidas.* Ortego y compañía. Madrid, 1827-1831 (comprende siete comedias de Rojas); *Colección de autores españoles.* Tomo LIV. Madrid, 1861. Prólogo de Mesonero Romanos; *Tesoro del teatro español,* de Ochoa. París, 1838. Tomo IV; *Teatro selecto antiguo y moderno,* de Orellana. Barcelona, 1867. Tomo II; *Clásicos Castellanos* "La Lectura". Madrid, 1917. Con un estudio de Ruiz Morcuende; *Colección Universal* Calpe. Madrid, 1920 y 1921; *Biblioteca Cervantes.* Madrid. C. I. A. P. Número 60; *Teatro antiguo español.* Madrid, 1917. Con un estudio de Américo Castro.

V. COTARELO MORI, E.: *Don Francisco de Rojas Zorrilla.* Madrid, 1911.—CASTRO, A.: *Obras mal atribuidas a Rojas Zorrilla,* en *Revista de Filología.* 1916.—MOREL-FATIO, A.:

L'Espagne au XVI et à XVII siècle. Heilbronn, 1878.—RUIZ MORCUENDE, F.: *Estudio al tomo LX de los Clásicos Castellanos "La Lectura"*, 1917.—PÉREZ PASTOR, C.: *Bibliografía madrileña*, III, 453.—VALBUENA PRAT, A.: *Literatura dramática española*. Barcelona, Labor, 1930.—SCHACK, conde de: *Historia de la literatura y del arte dramático en España*. Tomo V.—SAINZ DE ROBLES, F. C.: *Dramaturgos de la escuela de Calderón: Rojas Zorrilla*, 1947.

ROKHA, Pablo de.

Poeta y prosista chileno. Nació en 1893. Sus verdaderos nombre y apellidos son Carlos Díaz Loyola. Uno de los líricos que más profunda huella han dejado en la poesía de su patria. Apasionado, fuerte, áspero; es un verdadero mago del estruendo. Cuando él comienza a cantar, parecen desatarse con violencia cósmica todos los huracanes: los de la vida y los del alma.

Obras: *Los gemidos*—1922—, *U*—1927—, *Heroísmo sin alegría*—1927—, *Satanás*—1927—, *Suramérica*—1927—, *Ecuación*—1929—, *Escritura de Raimundo Contreras*—1929—, *Canto de trinchera*—1933—, *Jesucristo*—1933—, *Oda a la memoria de Gorki*—1936—, *Gran temperatura*—1937—, *Morfología del espanto*—1942...

V. LILLO, Samuel: *La literatura chilena*. Santiago, 1930.—LATORRE, Mariano: *La literatura de Chile*. Buenos Aires, Facultad de Filosofía y Letras, 1941.—SILVA CASTRO, Raúl: *Curso de historia de la literatura chilena*. Universidad de Santiago, 1933.

ROLDÁN, Belisario.

Poeta, cuentista, ensayista, dramaturgo argentino. Nació—1873—en Buenos Aires y se suicidó—1922—en Alta Gracia (Córdoba. Argentina). Estudió en el Colegio Nacional Central. Doctor en Derecho—1895—por la Facultad de Derecho y Ciencias Sociales. Diputado desde 1902. Académico correspondiente de la Real Academia Española desde 1910. Una larga y penosa enfermedad le llevó a la fatal resolución.

Obras: *La senda encantada*—poemas—, *Letanías de la tarde*—poemas—, *Bajo la toca de lino*—poemas—, *Los contagios*—teatro—, *La niña a la moda*—teatro—, *Señor diputado*—teatro—, *Cuando muere el día*—teatro—, *El señor corregidor*—teatro—, *La viuda influyente*—teatro—, *El mozo de suerte*—teatro—, *El burlador de mujeres*—teatro—, *El rosal de las ruinas*—teatro—, *Cuentos de amargura*...

ROLDÁN, José María.

Poeta español de prestigio. Nació—1771— y murió—1828—en Sevilla. Licenciado en Teología. Sacerdote de vida ejemplar. Con su gran amigo el poeta Félix José Reinoso fundó la Academia Sevillana de Letras Humanas, de la que fue secretario perpetuo. Ganó por oposición el curato de San Marcos, en Jerez de la Frontera. Gran orador. La mayor parte de sus poesías, de corte herreriano, vieron la luz en *El Correo Literario*, de Sevilla. Los últimos años de su vida fue párroco de San Andrés, en su ciudad natal.

De carácter retraído y melancólico. Muy pulidor de sus versos. Admirador ferviente de todos los poetas sevillanos de los siglos XVI y XVII. De muchísima y sólida cultura, puede decirse que escribió sus poesías para entretener sus escasos momentos de ocio.

La mayoría dc sus composiciones recuerdan el tono enfático de la literatura hebrea y el sabor bíblico de la tradición herreriana.

Entre sus poesías sobresalen: *A la resurrección de Jesucristo*—oda—, *A la venida del Espíritu Santo*—oda—, *El natal de Filis, Danilo*—poema...

También escribió un *Comentario del Apocalipsis.*

Algunas de sus poesías pueden leerse en el tomo III, de *Poetas castellanos del siglo XVIII*, en la "Biblioteca de Autores Españoles" y en la *Historia y antología de la poesía castellana*, de Sainz de Robles.

V. CUETO, L. A.: *Estudio en la edición de la "Biblioteca de Autores Españoles".*—SAINZ DE ROBLES, F. C.: *Historia y antología de la poesía española*. Madrid, Aguilar, 1951, 2.ª edición.

ROMÁN CORTÉS, Emilio.

Novelista y crítico español. Nació—1886—en Málaga. Estudió Humanidades y Filosofía en el seminario de Madrid, pero dejó los estudios eclesiásticos para emprender en la Universidad Central la carrera de Derecho, doctorándose en esta disciplina. Durante muchos años fue secretario del famosísimo orador sagrado P. Luis Calpena, capellán de honor de Sus Majestades. Académico de número de la malagueña de Buenas Letras. Colaborador en muchos diarios y revistas de toda España.

Poeta delicado, de grata modernidad. Novelista intenso, un tanto pesimista. Prosista elegante.

Obras: *Gusarapo*—novelas cortas—, *El conde Albar*—cuentos—, *Roce de ensueños*—poesías—, *Carne y espíritu*—novela—, *Humo*—novela—, *Desde mi butaca*—críticas—, *Y... esto es el mundo*—novela...

ROMANO, Julio.

Novelista, autor dramático y periodista español. Murió—1952. Sus verdaderos nom

R

bres y apellidos fueron Hipólito González y
Rodríguez de la Peña. En su juventud, para
ganarse la vida, desempeñó varios oficios.
Muy joven aún, se dedicó al periodismo,
destacándose en seguida por su prosa vibrante y por su sentido excepcional de la
crónica oportuna y del sensacional reportaje. Colaborador de *La Esfera, Nuevo Mundo, Mundo Gráfico* y otras grandes revistas.

Julio Romano sobresalió por su ágil estilo, su fuerza dramática y su prosa castiza y
fácil.

Obras: *¡Canalla!*—novela—, *¡Pégame tú!*
—novela—, *Guiñapos*—novela—, *El faro*—comedia—, *Yo quiero tener un hijo*—comedia—, *El corazón de león*—comedia—, *El
castigador*—comedia—, *Weyler*—biografía—,
Campoamor—Madrid, Ed. Nacional, 1949—,
*Fernán-Caballero (La alondra y la tormen-
ta)*—Madrid, Ed. Nacional, 1951—, *Espronceda (El torbellino romántico)* — Madrid,
1950...

ROMANONES, Conde de (v. **Figueroa y Torres, Alvaro de**).

ROMEA Y PARRA, Julián.

Popular actor, poeta y dramaturgo español. Nació—1848—en Zaragoza. Murió
—1903—en Madrid. Sobrino del famoso Julián Romea Yanguas. Desde muy niño sintió una vocación grande por la escena. Protegido por su tía, la célebre Matilde Díez,
pudo entrar en la compañía teatral de esta.
Pronto destacó Romea y Parra como actor
flexible, serio, de muchos matices, aun cuando jamás llegara ni pensara eclipsar a su
homónimo pariente. Viajó, cosechando laureles, por toda América. Y fue él quien, protegiendo a los hermanos Alvarez Quintero
y haciendo representar—contra viento y marea de empresarios y críticos—*La buena
sombra*, abrió de par en par las puertas de
la fama a tan egregios comediógrafos.

Como autor teatral, Romea y Parra fue
fecundo, ingenioso, dominador absoluto de
los recursos y de los trucos teatrales. Consiguió muchos y rotundos éxitos con obras,
algunas de las cuales aún se admiran en la
escena: *El padrino de "El Nene", o todo por
el arte*—1896—, *El señor Joaquín*—1898—,
La tempranica—1900...

Otras obras teatrales: *El libro verde, De
Cádiz al Puerto, Felices Pascuas, Conflictos
entre dos ingleses, Doctor en Medicina, Viruelas locas, Salirse de madre, El tambor
mayor, Las grandes potencias, La baronesi-
ta, El teniente cura, El último tranvía, El
carnaval del amor, El mocito del barrio, El
país de la cucaña, Los domingueros...*

V. ESCOBAR Y LASSO DE LA VEGA: *Historia
del teatro español*. Barcelona. Tomo II.

ROMEA YANGUAS, Julián.

Famoso actor y excelente poeta y prosista
español. 1818-1863. Nació en Aldea de San
Juan (Murcia). Desde muy joven sintió una
vocación decidida por la escena. En Madrid
tomó parte en varias funciones de aficionados, llamando la atención del duque de Rivas y de Quintana. Su maestro y modelo fue
el magnífico Carlos Latorre, a quien superó
en elegancia y naturalidad. Contrajo matrimonio con la maravillosa actriz Matilde Díez.
Y juntos, durante muchos años, dirigieron
el teatro del Príncipe. Fue un verdadero revolucionario de la escena española. Y también un poeta muy delicado. Sus versos fueron coleccionados en un tomo titulado *Poesías*—1846 y 1861.

De ellas dijo don Juan Valera: "Las composiciones de Romea, aun cuando escritas
en pleno romanticismo, tienen la sobriedad,
la sencillez y la ternura de nuestra mejor
poesía clásica. La moderación de su lirismo,
su juiciosa crítica y su delicado buen gusto
hiciéronle esquivar las rarezas y extravagancias de la moda."

Romea fue un discípulo y admirador entusiasta de Meléndez Valdés.

V. FERRER DEL RÍO, A.: *Julián Romea*, en
Revista Española, 1868. Tomo III.—VALE-
RA, Juan: *Florilegio de poesías castellanas.
Estudio y notas*. Madrid, F. Fe, 1904.

ROMERA NAVARRO, Miguel.

Crítico literario, filólogo y profesor español. Nació—1888—en Almería y murió en
¿1954? Doctor en Filosofía y Letras. Lector
de español en varias Universidades extranjeras. Y pensionado en Francia, Suiza y Bélgica. Durante muchos años residió en los Estados Unidos, como profesor en la Universidad de Pensilvania. En 1918 fue enviado por
el Gobierno norteamericano a España para
fomentar las relaciones culturales entre ambos países y explicar el movimiento cultural
y científico norteamericano. Conferenciante
magnífico. De cultura excepcional y de criterio tan firme como objetivo. Su *Historia
de la literatura española*—1928, Heath, Nueva York—la reputamos como un modelo,
aún no superado, de precisión, de claridad,
de armonioso y sugestivo "conjunto", sin
explicarnos aún cómo no ha sido elegida texto de Institutos o Universidades españolas.

La labor hispanista de Romera Navarro
en los Estados Unidos es del mayor interés
—fecunda pródigamente—para España e Hispanoamérica.

Otras obras: *La vida que pasa*—cuentos y
crónicas—, *Antología de clásicos castellanos
anteriores al siglo XIX, Ensayo de una filosofía feminista*—1909—, *Feminismo jurídico,*

Historia de España—1923—, *El hispanismo en Norteamérica*—1917—, *América española*...

Pasan de un centenar los ensayos y monografías de Romera Navarro que, sobre temas de literatura y filología, han aparecido en revistas tan importantes como *The Romanic Review, The Modern Philology, The Modern Languages Notes, Hispania, Revue Hispanique, Bulletin Hispanique, Revista de Filología Española, Nuestro Tiempo, La Esfera, Nuevo Mundo, La Prensa*—de Nueva York—, *Mercurio*—de Nueva Orleáns...

ROMERO, Elvio.

Poeta y prosista paraguayo. Nació en ¿1905? en Asunción. Considerado con Guillén y Neruda una de las grandes voces del continente e innovador de la poesía paraguaya. Publicó *Días Roturados*—1947 (Lautaro. Buenos Aires)—, *Resoles Aridos, Despiertan las fogatas*—edit. Losada, 1953—, *El sol bajo las raíces*—edit. Losada, 1955—, *Miguel Hernández*—destino y poesía. Editorial Losada, 1958.

ROMERO, Francisco.

Ensayista y filósofo argentino. Nació —1891—y murió—¿1962?—en Buenos Aires. Inició los estudios militares, que abandonó para dedicarse con plenitud a la Filosofía. Fue discípulo dilecto de Alejandro Korn, a quien sucedió en la Cátedra de Metafísica de la Universidad de Buenos Aires. Profesor de Filosofía Contemporánea en la Universidad de La Plata y de Teoría del Conocimiento en el Instituto Nacional del Profesorado. Se le ofreció la dirección de la Universidad de Wisconsin. Miembro de incontables instituciones, entre las que figura la International Phenomenological Society y el Colegio Libre de Estudios Superiores. En este fundó y dirigió la "Cátedra Korn". Al constituirse en los Estados Unidos el Centro de Intercambio Filosófico de las Américas, le fue ofrecida su presidencia. Colaborador de las más famosas revistas filosóficas: *Philosophy and Phenomenological Research, Philosophic Abstracts*... Su fama es universal, sólida y fecundísima.

Obras: *Lógica*—1938—, *Alejandro Korn* —1940—, *Filosofía contemporánea. 1.ª Serie* —1941—, *Sobre la lectura de la Filosofía* —1943—, *Filosofía de la persona*—1944—, *Papeles para una filosofía*—1945—, *Filosofía de ayer y de hoy*—1947—, *Filósofos y problemas*—1947—, *Ideas y figuras*—1949—, *El Hombre y la Cultura*...

V. FERRATER MORA, José: *Diccionario de la Filosofía*. Buenos Aires, editorial Suramericana, 1951. 3.ª edición.

ROMERO, José Rubén.

Literato y diplomático mexicano. Nació —1890—en Cotija de la Paz (Michoacán). Doctor en Leyes. Periodista. Orador brillante. En varias ocasiones, consejero del presidente de la República. Embajador de México en Cuba. Hombre de singular y muy decisivo prestigio en la cultura y las relaciones exteriores de su país. Gran conocedor y gran defensor de la cultura europea—y principalmente española—. Poeta y prosista, pero, ante todo, humorista de excelente calidad.

"Rubén Romero hace gala de un humorismo y una capacidad de observación que da a sus tipos y a sus páginas calidades plenamente nacionales, que no dejan de ofrecer ciertos rasgos de universalidad. De forma jugosa y perfil picaresco, Romero es un escritor sobrio en la pincelada y esencialmente bueno en la apreciación..."

Ha vivido muchos años en Europa y en distintos países hispanoamericanos, trabajando siempre con la pluma y la palabra en pro de la cultura.

Obras: *Tacámbaro*—1922—, *Versos viejos* —1930—, *Apuntes de un lugareño*—1932—, *Desbandada*—1936—, *El pueblo inocente* —1936—, *Mi caballo, mi perro y mi rifle* —1936—, *La vida inútil de Pito Pérez*—1938, novela llevada a la pantalla...

ROMERO, Luis.

Novelista, poeta y cronista español. Nació —1916—en Barcelona. Terminó el peritaje mercantil. Combatió bajo las banderas del general Franco durante la guerra de Liberación; y terminada esta, se alistó en la División Azul. Al regresar a España, para poder vivir hubo de trabajar como representante de una Compañía de Seguros. En 1951 marchó a Buenos Aires, donde trabajó en distintos menesteres durante dos años. Estando allí envió su primera novela al "Premio Nadal", que le fue otorgado. Ya desde entonces, vive de su pluma, pues es colaborador de varios diarios y revistas. En 1963 ha ganado el "Premio Planeta" para novelas con la suya *El cacique*, presentada bajo seudónimo.

Luis Romero se preocupa más de los llamados "problemas interiores" que de problemas de la sociedad en que vive; aun cuando no desdeñe estos para tratarlos con segura técnica. El simple título de su última novela, *El cacique*, ya indica una concesión, a uno de los problemas sociales de más significación—funesta— en España. En general, Luis Romero no sabe librarse por completo de su carga intelectual; lastre en el género narrativo.

Obras: *Cuerda tensa*—poemas, 1950—, *Ta-*

R

bernas—prosas, 1950—, *La noria*—Barcelona, 1952—, *Carta de ayer*—Barcelona, 1953—. *Las viejas voces*—Barcelona, 1955—, *Los otros*—Barcelona, 1956—, *Esas sombras del trasmundo*—Madrid, 1957—, *La Nochebuena* —Madrid, 1960.

V. NORA, Eugenio G. de: *La novela española contemporánea*. Madrid, edit. Gredos, 1962. Tomo II bis. Págs. 193-195.—ALBORG, José Luis: *Hora actual de la novela española*. Madrid, Taurus, 1962. Tomo II. Páginas 311-332.—PÉREZ MINIK, O.: *Novelistas españoles de los siglos XIX y XX*. Madrid, editorial Guadarrama, 1957. Pág. 329.

ROMERO, Rafael (v. «Alonso Quesada»).

ROMERO BREST, Jorge Aníbal.

Literato, crítico de arte, profesor argentino. Nació—1905—en Buenos Aires. Profesor de Historia del Arte en la Academia de Bellas Artes y en el Colegio Nacional, dependiente de la Universidad de La Plata. Ha ejercido la crítica artística en varios diarios y revistas.

Obras: *Prilidiano Pueyrredón, David, Lorenzo Domínguez, Historia de las artes plásticas...*

ROMERO DE CEPEDA, Joaquín.

Notable poeta, prosista y autor dramático español del siglo XVI. Vivió casi siempre en Badajoz, por lo que se le supone natural de aquí. Nada de particular se sabe de su vida, sino que escribió muchas y excelentes obras, que le han merecido que su nombre esté consignado en el *Catálogo de autoridades* del idioma, publicado por la Academia Española.

En 1582 publicó en Sevilla, en un tomo de *Obras* suyas, la *Comedia salvage,* imitación de *La Celestina* en sus dos primeros actos, y lo demás de invención del autor, no poco absurda. La *Comedia salvage* es presentable y se representó, y se compone de cuatro breves jornadas en redondillas dobles.

Otras obras: *El infelice robo de Helena* —poema en diez cantos y décimas de quintillas, Sevilla, 1582—, *La antigua, memorable y sangrienta destruyción de Troya*—romances, Toledo, 1584—, *Conserva espiritual* —poesías extrañas, Medina, 1588—, *La comedia metamorfoseada*—pastorela, de versificación excelente. Sevilla, 1582.

Los libros de Cepeda son hoy rarísimos. Y Cervantes le dedicó una cumplida alabanza en el *Viaje del Parnaso*. Aparte sus pequeños extravíos por cierto mal gusto, Cepeda es un buen poeta de pura cepa castellana.

La *Comedia salvage* y *La comedia metamorfoseada* fueron incluidas por Eugenio de Ochoa—París, 1838—en el *Tesoro del teatro español* tomo I.

V. GALLARDO, B. J.: *Ensayo de una biblioteca...* Tomo IV, columnas 254-59.—SAINZ DE ROBLES, F. C.: *Historia del teatro español.* Madrid, Aguilar, 1943, tomo I.

ROMERO FLORES, Hipólito R.

Ensayista, biógrafo, crítico literario español de la máxima competencia y excepcional prosista. Doctor en Filosofía y Letras y catedrático, desde 1926, en los Institutos de Lugo, León y Palencia. Nació en Valladolid en 1896. Ha publicado trabajos de crítica y filosofía en revistas españolas y extranjeras. En 1933 se le concedió el "Premio Nacional de Literatura", compartido, por su obra *Reflexiones sobre el alma y el cuerpo de la España actual,* que fue su primer libro. En 1935, la Real Academia Española de la Lengua le otorgó el "Premio Antonio Maura" por su obra *Estudio psicológico sobre Lope de Vega,* y en el mismo año apareció su libro *Perfil moral de nuestra hora.* En 1941 publicó *Unamuno. Notas sobre la vida y la obra de un máximo español.* Actualmente colabora en revistas y publicaciones de crítica e investigación. Ha ganado el "Premio Aedos"—Barcelona, 1951—con su obra *Biografía de Sancho Panza: filosofía de la sensatez*—1952.

ROMERO FLORES, Jesús.

Poeta, prosista, crítico e historiador. Nació—1885—en la ciudad de La Piedad de Cabadas, Michoacán (México). Cursó Humanidades en Morelia y Filosofía en el Colegio seminario de esta ciudad. Maestro nacional. De ideas revolucionarias, se afilió—1910—al partido del general Madero. Director de Educación Primaria—1917—. Fundador y primer director de la Escuela Normal para Maestros—1916—. Diputado en el Congreso Constituyente. Director de la Escuela "El Pensador Mexicano". Catedrático de Historia, Geografía, Psicología y Literatura e Idioma español en Morelia. De la Sociedad Mexicana de Geografía y de la Liga de Escritores de América. Miembro de la Real Academia Hispanoamericana de Ciencias y Artes, de Cádiz, y de la Unión Iberoamericana, de Madrid. Colaborador de periódicos y revistas de la mayor importancia.

Como poeta, Romero Flores no tiene mayor importancia, pero es un historiador erudito y objetivo, y un prosista natural y castizo. En su patria, en toda la América hispana y en España goza de gran crédito literario.

Ha publicado: *Celajes*—Morelia, Mich., 1905—, *Don Vasco de Quiroga, su vida y sus obras*—La Piedad, Mich., 1911—, *Pétalos* —versos, La Piedad, Mich., 1912—, *La obra*

cultural de la Revolución—Morelia, Mich.,
1916—, *Labor de raza*—Morelia, Mich.,
1917—, *El rosal romántico*—versos, México, D. F., 1919—, *Páginas de Historia*—México, D. F., 1921—, *Geografía del Estado de
Michoacán*—librería de la viuda de Ch. Bouret, México, D. F., 1921—, *Historia de la
civilización mexicana*—Compañía Nacional
Editora Aguilas, dos ediciones, México, D. F.,
1923—y *Literatura michoacana*—antología
poética, imprenta de la Escuela de Artes,
Morelia, Mich., 1924—. Publicó en 1906, en
La Piedad de Cabadas, el periódico *Don
Quijote,* para hacer labor social y política en
contra de los elementos del régimen porfiria-
no. Es autor de otras varias obras de interés
menor.

V. JIMÉNEZ RUEDA, J.: *Historia de la lite-
ratura mexicana.* México, 1942.—GONZÁLEZ
PEÑA, C.: *Historia de la literatura mexicana.*
México, 1940.

ROMERO GÓMEZ, Emilio.

Novelista, periodista, cronista, autor teatral. Nació—1917—en Arévalo (Avila). Terminada la guerra de Liberación, publicó un
libro de poemas. Dedicado por completo al
periodismo, ha dirigido *La Mañana,* de Lérida; *Información,* de Alicante; fundando
aquí la revista *Tabarca.* Ya en Madrid, fue
editorialista del semanario *El Español.* En
1952 fue nombrado director del diario madrileño *Pueblo.*

En 1957 obtuvo el "Premio Planeta", de
Barcelona, para novelas, y en otoño de 1963
estrenó su primera obra teatral en el Teatro
Reina Victoria, de Madrid. Es procurador
en Cortes y miembro del Consejo Nacional
del Movimiento. Gran polemista, siempre
buceador en los más exigentes problemas de
la política y de las costumbres.

Ha llevado a sus novelas y a su teatro
una preocupación nobilísima por la resolución de las más audaces demandas del espíritu.

Obras: *La conquista de la libertad*—ensayos, 1948—, *Los pobres del mundo desunidos*
—ensayos, 1950—, *La paz empieza nunca*
—novela, Barcelona, 1957—, *El vagabundo
pasa de largo*—ensayos, Barcelona, 1959—,
*El futuro de España nace un poco todos los
días*—ensayos, 1961—, *Juego limpio*—miscelánea, Barcelona, 1962—, *Historia de media
tarde*—teatro, 1963—, *Las personas decentes
me asustan*—teatro, 1964—, *Cartas a un príncipe*—1967—, *Cartas al pueblo soberano*
—1968—, *Sólo Dios puede juzgarme*—teatro, 1969—, *Los Gallos*—crónicas, 1968...

ROMERO LARRAÑAGA, Gregorio.

Vehemente poeta y autor dramático español. 1815-1872. Nació y murió en Madrid, en
cuya Universidad, ya muy talludo, siguió y
término la carrera de Leyes, ejerciendo con
éxito y provecho. De mozo fue asistente asiduo a la tertulia literaria de El Parnasillo,
y capitaneaba un grupo de exaltados románticos que defendía el éxito de cuantas obras
teatrales estrenaban los amigos.

Romero Larrañaga fue oficial de la Biblioteca Nacional y secretario particular de Bretón de los Herreros. Dirigió *La Mariposa,*
revista de literatura y modas. Colaboró en
muchos periódicos, entre ellos el popular
Semanario Pintoresco Español. Publicó sus
Poesías en 1841; en las líricas imitó a Espronceda, y en las narrativas, a Zorrilla.

Fue Romero Larrañaga un poeta muy inclinado a la cuerda sensible. Su apasionamiento amoroso y su fervor amistoso esta-
llaban en calidísimas poesías, que marcan el
tono álgido del romanticismo poético.

Imitó a Zorrilla en algunas composiciones
orientales.

Obras: *Cuentos, leyendas y tradiciones*
—Madrid, 1841—, *Amor con poca fortuna*
—novela en verso—, *Historias caballerescas
españolas*—Madrid, 1843—, *Cuentos históricos, La Biblia y el Alcorán, El sayón, La
enferma del corazón*—novela, 1848—, *Las ferias de Madrid*—1845—, *La Cruz y la Media
Luna*—novela, 1849.

Teatro: *Jimena de Ordóñez*—1838—, *El
galán don Enrique, La vieja del candilejo,
Garcilaso de la Vega, Felipe "el Hermoso",
El licenciado Vidriera...*

V. ALONSO CORTÉS, N.: *Anotaciones literarias.* Valladolid, 1822.—SEMANARIO PINTORES-
CO ESPAÑOL: *Crítica de las poesías de Romero Larrañaga.* Madrid, 1841, pág. 405.—VA-
RELA, José Luis: *Romero Larrañaga. Su vida
y sus obras.* 1948.

ROMERO MURUBE, Joaquín.

De Villafranca y Los Palacios (Sevilla). Nació en 1904. Murió—1969—en Sevilla. Estudió con los PP. Jesuitas de la plaza de
Villasís. Perteneció al grupo literario *Mediodía.* Colaborador de importantes diarios y
revistas. Director de los jardines del Alcázar
de Sevilla.

Poeta delicado, intenso, y de los menos
desviados en las actuales tendencias líricas,
y de los más personales.

Obras: *Canción del amante andaluz, Sevilla en los labios, Kasida del olvido, Sombra apasionada*—1929—, *Tierra y canción*
—1948—, *Ya es tarde...*—1948—, *Discursos
y memoriales, El cielo que perdimos...*

Del primero de estos libros ha escrito Guillermo Díaz-Plaja: "El más completo de los
libros de poesía andaluza de este momento.
Completo porque contiene las dos dimensiones de la poesía andaluza: la popular y
la clásica. A una parte, los más sabrosos deci-

R

res: romances, coplas, canciones de amor, soñadoras kasidas y nanas infantiles. De otra parte, se enraíza el libro con la escuela clásica sevillana, uniendo su palabra a la meditación melancólica de Bécquer, a la sutil tristeza elegíaca de Herrera, a la otra Andalucía tan auténtica—y acaso más—que la poesía policroma y señera de los poetas representativos."

V. DÍAZ-PLAJA, G.: *Poesía lírica española.* Barcelona, Labor, 2.ª edición, 1948.—SAINZ DE ROBLES, F. C.: *Historia y antología de la poesía española.* Madrid, 1964, 4.ª edición.— MORENO, Alfonso: *Poesía española actual.* Madrid. Ed. Nacional, 1946.—GONZÁLEZ-RUANO, C.: *Antología de poetas contemporáneos españoles.* Barcelona, Gili, 1946.

ROMERO RAIZÁBAL, Ignacio.

Nació en Santander el 24 de mayo de 1901. Estudió el bachillerato en el colegio de Lecároz (Navarra) y la carrera de Odontólogo en Madrid. Ha recorrido en viajes de recreo casi toda Europa, el norte de Africa y gran parte de América. Actualmente ejerce su profesión en Santander.

Desde su juventud ha publicado multitud de poesías, artículos y cuentos en la Prensa católica y tradicionalista, formando parte, de estudiante, de la Redacción de *El Siglo Futuro.* Durante la República fue director y propietario de la revista *Tradición,* órgano del Consejo Superior de Cultura Tradicionalista, de la que era director honorario don Víctor Pradera y secretario de Redacción don Manuel Pombo Angulo, que allí inició sus actividades periodísticas y que es actualmente subdirector de *Ya,* y en la que colaboraba lo más saliente y representativo del partido carlista.

Ha publicado los siguientes libros:

En verso: *Un alto en el camino*—Madrid, 1925—, *La novia coqueta*—Santandes, 1928—, *Montón de versos*—Santander, 1928 (edición para amigos)—, *Los tres cuernos de Satanás* —Santander, 1931—, *Boinas rojas (Versos carlistas)*—Santander, 1933—, *Rosario de amor*—Santander, 1934 (edición para amigos)—, *Cancionero de la novia formal*—Santander, 1934—, *Vía Crucis en sonetos*—Santander, 1936 (tres ediciones)—, *Cancionero carlista*—San Sebastián, 1938 (tres ediciones).

En prosa: *Boinas rojas en Austria*—reportaje, San Sebastián, 1936 (siete ediciones)—, *La promesa del tulipán*—novela, San Sebastián, 1938 (tres ediciones)—, *Regalo de boda*—anecdotario, San Sebastián, 1939—, *La paloma que venció a la serpiente*—estampa mexicana, Santander, 1943—, *Por el país del chicle y de los rascacielos*—estampas norteamericanas, 1944.

V. SAINZ DE ROBLES, F. C.: *Historia y an-* *tología de la poesía española.* Madrid, Aguilar, 1964, 4.ª edición.

ROMERO SARACHAGA, Federico.

Poeta y autor dramático español. Nació —1886—, por eventual estancia de sus padres, en Oviedo. De familia manchega, él se siente compenetrado con la noble tierra de la Mancha. Estudió el bachillerato con los PP. Agustinos en el Real Colegio Alfonso XII, de El Escorial. Del Cuerpo de Telégrafos. Colaboró en *Nuevo Mundo, Mundo Gráfico, La Esfera...*

En colaboración con Guillermo Fernández-Shaw ha logrado en el teatro éxitos extraordinarios, estando considerados como los maestros en el españolísimo género de la zarzuela.

Después de varias obras menores, en el interregno que media de *La canción del olvido*—1916—a *Doña Francisquita*—1923—, o sean *La sonata de Grieg*—1916—, *La serranilla* y *Los fanfarrones*—1920—y *Las delicias de Capua*—1921—, llega el momento de su consagración al estrenarse *Doña Francisquita* en el teatro Apolo, de Madrid, la noche del 17 de octubre de 1923.

Doña Francisquita se representó, y se representa desde hace tantos años, por todas las compañías de zarzuela en toda España y en los países americanos de habla española. Se tradujo al francés, representándose en Montecarlo, Bruselas y Vichy.

Otras obras escénicas: *El dictador, La sombra del Pilar*—1923—, *La severa*—1925—, *Blancaflor, El caserío, La meiga*—1928—, *La villana*—1927—, *La rosa del azafrán, Las alondras*—1927—, *La moza vieja*—1931—, *Luisa Fernanda*—1932—, *La Chulapona* —1934—, *Monte Carmelo*—1939—, *La labradora, Luna de mayo, No me olvides, La tabernera del puerto, Juan Lucero*—1941—, *Pepita Romero*—1943—, *El amor no tiene edad*—1969.

Con los libretos de estas zarzuelas, verdaderos modelos del género, lograron consagrarse músicos como Sorozábal, Moreno Torroba, Alonso, Luna, Guerrero, Magenti...

Además de las obras en colaboración con Guillermo Fernández-Shaw, ha producido Romero *La rubia del Far-West,* con Luis Germán, y música de Rosillo, y *Las Calatravas,* con José Tellaeche, y partitura de Pablo Luna.

A Federico Romero se le debe la transformación de la antigua Sociedad de Autores Españoles, que, cumplidos sus primitivos fines en defensa del autor, para que fue creada, llegó a encontrarse en 1930-31 en muy apurado trance. Apoyado entonces Romero en la autoridad de don Carlos Arniches y los hermanos Alvarez Quintero, fundó la actual Sociedad General de Autores de

España, que, por su organización moderna y original y por su amplia visión del panorama recaudatorio de la propiedad intelectual, ha sido y es admirada por cuantas ilustres personalidades extranjeras, especializadas en estas materias, desfilan desde entonces por España.

Otras obras: *Por la calle de Alcalá*—crónicas—, *Salamanca, teatro de "La Celestina"; Prehistoria de la Gran Vía, Mesonero Romanos, activista del madrileñismo*—ensayo.

Colabora Romero literariamente en varias publicaciones periodísticas españolas, entre ellas *A B C, El Español* y *Semana*. Es miembro del Instituto de Estudios Madrileños.

V. SAINZ DE ROBLES, F. C.: *Historia y antología de la poesía española*. Madrid, Aguilar, 5.ª edición, 1969.

ROMERO SERRANO, Marina.

Poetisa y prosista española. Nació—1908—en Madrid. Fue educada por su tutor, el doctor Luis Simarro. A los cuatro años comenzó a ir al colegio americano llamado International Institute for Girls in Spain. A los diez ingresó en el Instituto Escuela. Cursó estudios en la Facultad de Filosofía y Letras de Madrid.

Durante el verano de 1935 viajó por Alemania, Bélgica y Francia. De regreso a Madrid, poco después emprendió viaje a los Estados Unidos, con objeto de seguir estudios graduados, con una beca que le había otorgado Smith College, de Northampton. Se licenció en Mills College (California). Enseñó español en esta misma institución, y desde 1938 enseña Lengua y Literatura españolas en Nuew Jersey College, de New Brunswick.

En 1935 publicó en Madrid su primera recopilación de poemas, con el título de *Poemas A*, y en 1943, en México (Ediciones Rueca), el segundo, *Nostalgia de mañana*.

V. SAINZ DE ROBLES, F. C.: *Historia y antología de la poesía española*. Madrid, Aguilar, 4.ª edición, 1964.

ROMILLO, José.

Poeta español. Nació—1916—en Madrid. La guerra civil española de 1936 le cortó en flor sus estudios. Ha colaborado en importantes revistas de poesía.

Romillo es un original y hondo lírico. No se ha dejado arrastrar por ningún ismo desorbitado o extravagante, y es moderno sin exageración y tradicional sin servilismo. Auténtico poeta, tiene acento propio, inconfundible; acento fuerte—angustioso, en ocasiones—, cálido y brillante tono, prodigalidad imaginataiva. Y... ¡qué ternura tan recóndita con sonido del metal más precioso!

Obras: *Tamboril de lluvia*—1936—, *Cancionero de Rita "la Cantaora", Piedra y nube, El dardo y la venda, Los hijos de los hombres*—1948.

V. SAINZ DE ROBLES, F. C.: *Historia y antología de la poesía española*. Madrid, Aguilar, 1951, 2.ª edición.

ROMO ARREGUI, Josefina.

Nació en Madrid. Estudió en la Facultad de Filosofía y Letras de la Universidad Central, donde se licenció y doctoró con premio extraordinario. En la actualidad es profesora de la Universidad de Madrid, miembro del Centro de Estudios sobre Lope de Vega y secretaria de *Cuadernos de Literatura Contemporánea*.

Ha publicado, entre otras obras, *Núñez de Arce y su tiempo*—Madrid, 1947—, *Cántico de María Sola*—1949.

V. SAINZ DE ROBLES, F. C.: *Historia y antología de la poesía española*. Madrid, Aguilar, 1951, 2.ª edición.

ROS CEBRIÁN, Félix.

Poeta, ensayista, periodista. Nació—1912—en Barcelona. Cursó el bachillerato, interno, en un colegio de religiosos. Licenciado en Derecho. En 1932 inició sus colaboraciones en los grandes rotativos de Madrid—*Luz, Blanco y Negro*—y de Barcelona—*La Vanguardia*—. Colaborador de *Cruz y Raya* —1935—. Redactor-ejefe de la revista *Diablo Mundo*. Licenciado en Filosofía y Letras. En 1935 realizó un viaje por Rusia y Centroeuropa. Director de la editorial Apolo. Jefe —1939—de la Sección española del Departamento de Cinematografía Nacional.

Ganador de una parte del "Premio Franco, 1939", de periodismo, por su crónica *Hemos entrado en la otra etapa*, publicado en *Solidaridad Nacional*, de Barcelona. Oposiciones a cátedras de Lengua y Literatura de Institutos. Las gana, con destino al de Palma de Mallorca. Al curso siguiente—1941-1942—está ya, por concurso de traslado, en el Verdaguer, de Barcelona. En 1945 obtuvo el "Premio Verdaguer", de periodismo, por unanimidad. "Premio Nacional Camino de Santiago, 1965", por su libro de viajes *De la estrella de Oriente a la estrella de Occidente*.

Gran cantidad de conferencias, casi todas por Cataluña, por cuenta de la Diputación de Barcelona. Publicaciones de tipo científico, libros de texto, etc.

En 1940 había fundado, en unión de José Janés, la editorial Emporiom. Al cabo de año y medio—junio de 1941—, ambos socios se separan, y Ros funda la editorial Tartessos, a cuyo frente permanece hasta octubre de 1944, fecha en que la traspasa. (Esa edi-

R

torial subsiste, ramificada en tres: Tartessos, Victoria, Lara.)

En 1944, 45 y 46 (hasta agosto de ese año, en que se suprimen todos los servicios de crítica de la emisora), crítico teatral de Radio Nacional de España, en Barcelona.

1945-46: Delegado del SEPEM (Servicio Español del Profesorado de Enseñanza Media) para la zona Cataluña-Baleares y decano del Colegio Oficial de Doctores y Licenciados para la misma. Cargos ambos de los que se le releva a petición propia.

Obras: *Verde voz*—1934—, *Jordi de Sant Jordi*—selección, traducción y estudio, 1934—, *Una lágrima sobre la "Gaceta"*—1935—. *Explicación del Greco toledano*—1935—, *Un meridional en Rusia*—1936—, *Nueve poemas de Valery y doce sonetos de la muerte*—1939—, *Francisco de Quevedo*—selección y estudio, 1939—, *Preventorio D (Ocho meses en el S. I. M.)*—1939—, *Neoclásicos y románticos*—selección y estudio, 1940—, *Campoamor*—selección y estudio, 1943—, *Práctica de literaturas no castellanas*—selección, traducción y estudio, 1944—, *Los bienes del mundo*—poemas, 1945—, *El paquebot de Noé*—1946—, *60 notas sobre literatura*—1950—, *Elegía incompleta*—1952—, *Poesías completas (1928-1962)*—1963—, *Wu-Li-Chang*—nueva adaptación del drama de Vernon y Owen—, *Me casé con un ángel*—adaptación de una comedia húngara de János Vászary—, *María Tudor*—adaptación del drama de Víctor Hugo—.

Teatro original: *Tres fantasmas*—1949—, *Los alegres compadres del Viso*—1950—, *Las maletas del más allá*—1952—, *Nuestro amor termina el día 30*—1952—, *En la Selva*—1953—, *Historias del abuelo, Antología Poética de la lengua catalana*—1965.

ROS DE OLANO, Antonio.

Poeta y prosista español. 1808-1886. Natural de Caracas (Venezuela). A los cinco años vino a España. Alférez de la Guardia Real. Sirvió en el ejército del Norte y en el de Aragón contra los carlistas.

Fue diputado independiente en 1838. Ministro de Comercio, Instrucción y Obras Públicas. Ministro de España en Portugal. Capitán general en las posesiones de Africa. Senador vitalicio. Mandó un Cuerpo de ejército durante la guerra africana de 1859, mereciendo el título de marqués de Guad-el-Jelú por la victoria conseguida en la batalla de tal nombre. Fue el gran amigo de Espronceda, escribiéndole un prólogo excelente para su famoso poema *El diablo mundo*, que Espronceda le había dedicado.

Ha dicho un crítico moderno que la característica literaria de Ros de Olano es *la rareza*. Y acaso haya acertado. Todas sus obras son un tanto enigmáticas y extravagantes.

Sin embargo, se muestra siempre poeta fácil y prosista correcto dentro de la tendencia romántica más mitigada.

Obras: *Ni el tío ni el sobrino*—comedia, en colaboración con Espronceda—, *El diablo las carga...*—1840—, *Leyendas de Africa*—1860—, *El doctor de Lañuela*—1863—, *La Gallomaquia*—1864—, *Poesía*—1866, con un prólogo de Pedro Antonio de Alarcón—, *Episodios militares*—1884.

V. VALERA, J.: *Florilegio de poesías castellanas del siglo XIX*. Madrid, F. Fe, 1904.

ROS PARDO, Samuel.

Novelista, ensayista y autor dramático. Nació—1905—en Valencia. Murió—1945—en Madrid. Estudió el bachillerato con los Jesuitas de su ciudad natal. Doctor en Derecho por la Universidad de Madrid, con viajes para ampliar estudios por Francia, Alemania e Inglaterra.

Su libro de humorismo *Bazar*—1928—le alcanzó una justa fama y le abrió las colaboraciones en las revistas y periódicos más importantes: *A B C, Blanco y Negro, Estampa, Crónica, El Sol...* Dirigió *Vértice* entre 1938 y 1941. Samuel Ros es un escritor originalísimo, cuyas obras alcanzan el ápice del humor y del vanguardismo. "Poeta en prosa" le ha llamado Eugenio Montes. Delata huellas de Pirandello y de Gómez de la Serna; pero su personalidad es tan fuerte, de tantos quilates, que rebasa todas las influencias para presentarse como un literato pleno de sabor, de interés, de peculiaridades inimitables. En ocasiones, de un mundo irreal extrae la más honda poesía humana y de la Naturaleza. En todos los libros de Ros se aúnan el humor más sugestivo, una íntima poesía sorprendente, la realidad insobornable de la acción, las nostalgias de una felicidad entrevista, la gozosa gracia de las imágenes más ingeniosas o bellas, una sutilísima penetración crítica de los seres, de las acciones y de las cosas.

Otras obras: *Las sendas*—novela—, *El ventrílocuo y la muda*—novela, 1930—, *Marcha atrás*—cuentos, 1931—, *El hombre de los medios abrazos*—novela, 1933—, *En Europa sobra un hombre*—farsa—, *Los vivos y los muertos*—1943—, *Víspera*—sátira escénica—. *En el otro cuarto*—comedia de humor...

V. VALBUENA PRAT, A.: *Historia de la literatura española*. Barcelona, 1950, tomo III.—ENTRAMBASAGUAS, Joaquín: *Las mejores novelas contemporáneas (1935-1939)*. Barcelona. Planeta. 1963. Págs. 733-762. (Contiene una biobibliografía exhaustiva.)—NORA, Eugenio G. de: *La novela española contemporánea*. Madrid, Gredos, 1962. Tomo II. Páginas 264-269.

ROSALES, Luis.

Nació en Granada el año 1910. Estudió el bachillerato en los PP. Escolapios de su ciudad natal. Licenciado en Filosofía y Letras. En Madrid inició su carrera literaria publicando sus primeros versos en el número 2 de la revista *Los Cuatro Vientos*. Ha colaborado en las más importantes revistas de poesía y ha sido redactor de *Vértice*. Sus artículos han aparecido en numerosos diarios españoles. En 1940 se licenció en Filología en la Universidad de Madrid. De la Real Academia Española. Dirige los *Cuadernos Hispanoamericanos* del Instituto de Cultura Hispánica.

Luis Rosales es uno de los poetas más profundos, interesantes, personales. Su libro *Abril*, aparecido—1935—en la revista *Cruz y Raya*, marca una clave de la tendencia lírica contemporánea y explica bastante a la generación de poetas posteriores a 1936. En su lirismo, patetismo y colorido, enjundia y gracia pura, netamente andaluces, están como recortados en un ámbito de expectación espiritual.

Rosales es uno de los poetas que antes se han librado de todas las influencias para dar un neto acento personal.

Valbuena Prat ha escrito de él: "Rosales es, quizá, el más intenso poeta de los que constituyen un grupo independientemente del valor de los líricos que se forman aparte. Al temblor de su terso estilo conjugan su verso varios poetas de los más jóvenes. Con él... se formó el sentido especial de estos años de la *vuelta a Garcilaso*, en vez del *neogongorismo*."

Obras: *Abril*—1935—, *La mejor reina de España*—Madrid, Ed. Nacional, en colaboración con Luis Felipe Vivanco—, *Retablo sacro del Nacimiento del Señor*—Madrid, 1940, Editora Escorial—, *Antología de la poesía heroica española*—Madrid, Ed. Nacional—. *Antología poética del conde de Villamediana*, *La casa encendida*—1949—, *Cervantes y la libertad*—1960, dos tomos—, *Pasión y muerte del Conde de Villamediana*—1968.

En 1951 ganó el "Premio Nacional de Poesía José Antonio Primo de Rivera" con su libro *Rimas*.

V. VALBUENA PRAT, A.: *Historia de la literatura española*. Barcelona, Gili, 3.ª edición, 1950, tomo III.—DÍAZ-PLAJA, G.: *Poesía lírica española*. Barcelona. Labor, 2.ª edición, 1948.—MORENO, Alfonso: *Poesía española actual*. Madrid, Ed. Nacional, 1946.—SAINZ DE ROBLES, F. C.: *Historia y antología de la poesía española*. Madrid, Aguilar, 1964, 4.ª edición.—TORRENTE BALLESTER, Gonzalo: *Panorama de la literatura española contemporánea*. Madrid, edit. Guadarrama, 2.ª edición, 1961.

ROSAS MORENO, José.

Poeta, autor dramático y prosista mexicano. Nació—1838—en Lagos (Jalisco) y murió—1883—en México. Estudió Leyes. Y fue sumamente liberal, sumamente romántico y sumamente bueno. Sufrió persecuciones y cárceles por sus inofensivos ideales, jamás manifestados con violencia. Fue diputado varias veces. Pero siempre vivió en la modestia más absoluta, dedicado a la práctica de las virtudes hogareñas y ciudadanas. Muchas veces se quitó el pan de la boca para ponerlo en la de algún desdichado.

Rosas Moreno estrenó bastantes comedias —la mejor: *Sor Juana Inés de la Cruz*—, sin conseguir algún éxito definitivo. La fama discreta que alcanzó debióla a sus *Fábulas*, alabadas con entusiasmo por Altamirano, Pimentel y Menéndez Pelayo. *Fábulas* muy superiores a las más populares de Lizardi, y de las que escribió el gran Altamirano, su prologuista: "Rosas Moreno ha dado en las suyas razonable entrada al elemento descriptivo, en pequeños cuadros, brillantes de ligereza, de gracia y de colorido poético."

Rosas Moreno cultivó, además de la fábula, un lirismo de tiernas calidades románticas, un lirismo de breves alientos, muy personales y emotivos, que hace pensar que sus modelos españoles fueron Bécquer, Ruiz Aguilera, Selgas...

Obras: *Fábulas*—de texto de lectura, aún, en las escuelas—, *Hojas de rosas*—poemillas.

V. ALTAMIRANO, I.: Prólogo a las *Fábulas*. MENÉNDEZ PELAYO, M.: *Historia de la poesía hispanoamericana*. Madrid, 1911, tomo I, páginas 157-58.—PEZA, Juan de Dios: *La lira mexicana*. Madrid, 1879.—PIMENTEL, Francisco: *Historia crítica de la literatura en México*. México, 1883.—AGÜEROS, Victoriano: *Escritores mexicanos contemporáneos*. México, 1880.

ROSELL Y LÓPEZ, Cayetano.

Erudito y literato español de gran prestigio. Nació—1817—en Aravaca (Madrid). Murió—1883—en Madrid. Licenciado en Filosofía y Letras y Derechos civil y canónico. Del Cuerpo de Archiveros y Bibliotecarios. Oficial de la Biblioteca Nacional. Catedrático de Bibliografía en la Escuela Diplomática. A la muerte de Hartzenbusch—1880—le sucedió como director del Cuerpo de Archiveros. Presidente de la Asociación de Escritores y Artistas. Académico de número de la Real de la Historia y de la de Buenas Letras Sevillana. Usó el seudónimo de "Torresca y Llano". Publicó numerosos artículos sobre temas históricos, teatrales y eruditos en *El Semanario Pintoresco Español*, *La Ilustración Española y Americana*, *Revista Españo-*

R

la de *Ambos Mundos, La América, El Laberinto...* Y dirigió la *Crónica General de España, o sea historia ilustrada y descriptiva de sus provincias.*

Cayetano Rosell fue un espíritu elevado y señor, y poseyó una gran cultura, un fino sentido crítico, gran sensibilidad y una asombrosa capacidad de trabajo.

Compuso obras teatrales, fue historiador notable y editó con erudición antiguas obras españolas.

Entre sus producciones escénicas sobresalen: *Antes que te cases..., Por un reloj y un sombrero, Una broma pesada, Un hurtador burlado, El tarambana, La madre de San Fernando, El hipócrita, El dinero y su opinión, El padre pródigo...*

Obras históricas: *Historia del combate naval de Lepanto...*—1853, premiada por la Academia de la Historia—, *Discurso sobre la expedición de Orán y proyecto de conquista de Africa, concebido por el Cardenal Cisneros; Historia de España*—continuación de la del P. Mariana—, *Historia de la Villa y Corte de Madrid*—en colaboración con Amador de los Ríos y De la Rada...

Ediciones y estudios literarios: *Poemas épicos, Novelistas posteriores a Cervantes, Historiadores de sucesos particulares, Poemas castellanos heroicos, Obras no dramáticas de Lope de Vega, Crónicas de los Reyes de Castilla...* Todos ellos publicados en la "Biblioteca de Autores Españoles", de Rivadeneyra.

V. Cejador y Frauca, J.: *Historia de la Lengua y Literatura españolas.* Tomo VII.

ROSETE NIÑO, Pedro.

Curioso poeta y autor dramático español del siglo XVII. Se ignora dónde y cuándo nació y murió. Se sabe por Pellicer—en sus *Avisos* de 1641—que fue herido *por varios desconocidos* con motivo de cierta comedia, intitulada *Madrid por dentro,* en la que se vieron retratados con ofensa varios ingenios de la Corte.

Cáncer, en su *Vejamen* de la "Academia de Madrid", le cita con cierta chungona amistad. Y le alabaron Antonio Enríquez Gómez —en su poema *Samsón*—, y Bances Candamo—en su *Teatro de teatros*—, como continuador de Diego de Enciso en hacer comedias de capa y espada.

Las poesías de Rosete Niño no carecen de elegancia y sentimiento, y su teatro es ingenioso, fácil, realista. Casi todas sus producciones escénicas las escribió en colaboración con otros autores, como Cáncer, Zabaleta, Moreto, Villaviciosa, Martínez de Meneses...

De lo que Cáncer declara en su *Vejamen* se deduce que Rosete Niño vivió muy enfermo, y que durante veinte años anduvo como derrengado. "Preguntóme mi camarada quién era, y yo, que ya le había conocido, le dije: —Este es don Pedro Rosete; no está el pobre para caminar aprisa, porque está muy enfermo y ha más de veinte años que está de aquel lado..."

Poesías célebres: *Lágrimas panegíricas* —1639, tercetos en la muerte de Pérez de Montalbán—, *Elegía*—1645, a la muerte de la reina doña Isabel de Borbón.

Teatro: *Comedia de San Isidro*—con Cáncer y Meneses—, *El mejor representante, San Ginés*—con Cáncer y Martínez de Meneses—; *El arca de Noé*—con los mismos—, *El rey don Enrique, "el enfermo"*—con Zabaleta, Villaviciosa, Cáncer y Moreto—, *Julián y Basilisa*—con Cáncer y Huerta—, *Chico Baturri y siempre es culpa la desgracia* —con los mismos—, *Amadís de Grecia, Todo sucede al revés, Ello es hecho o Acertar pensando errar, La gran torre del Orbe, Pelear hasta morir, Los bandos de Vizcaya, La rosa de Alejandría, La conquista de Cuenca, Solo en Dios la confianza...*

En la Biblioteca Nacional de Madrid se conservan manuscritos *Allá se verá*—comedia—y *El gigante*—entremés.

V. Cejador y Frauca, J.: *Historia de la Lengua y Literatura españolas.* Tomo V.

ROSO DE LUNA, Mario.

Literato y teósofo español. Nació—1872— en Logrosán (Cáceres) y murió—1931—en Madrid. Licenciado en Derecho, Filosofía, Letras y Ciencias fisicoquímicas. Astrónomo que descubrió—1893—el cometa que lleva su nombre y otras varias estrellas. Fundador de la revista científica y teosófica *Hesperia* y colaborador en *Ciencia Natural.* Miembro del Instituto Geográfico Argentino, de la Real Sociedad Arqueológica de Bruselas y de la Real Academia de la Historia. Recorrió todo el mundo pronunciando conferencias del mayor interés. Enseñó matemáticas en Ostende y en Londres.

Obras: *Preparación al estudio de la fantasía humana, Hacia la Gnosis, Astrobiología, La Humanidad y los Césares, La dama del ensueño, La ciencia hierática de los mayas, El tesoro de los lagos de Somiedo, Por la Asturias tenebrosa, Wagner, mitólogo y oculista; En el umbral del misterio, El árbol de las Hespérides, De Sevilla al Yucatán...*

V. Canetti, Liborio: *El mago de Logrosán. Vida y milagros de un raro mortal, teósofo y ateneísta.* Madrid, 1917.

ROURE, José de.

Periodista, cronista y cuentista español. Nació—¿1850?—en Vitoria y murió—1909— en Madrid. Estudió el bachillerato en su ciudad natal; pero como su única vocación era el periodismo, se trasladó muy joven a Madrid, y figuró en las redacciones de importantes diarios: *Mundo, El Liberal, La Correspondencia de España, A B C*. Colaboró en *Blanco y Negro, La Ilustración Española y Americana, La Ilustración Artística, Nuevo Mundo...* Y lo mismo en diarios que en revistas dejó incontables pruebas de su gran talento: cuentos, crónicas, críticas, en los que se admira por igual la inventiva inagotable, las noticias engalanadas por el ingenio, los comentarios literarios y artísticos, llenos de erudición y ponderación. Pero de todos sus trabajos sobresalen con mucho sus cuentos, injustísimamente olvidados, entre los que abundan con calidad de antológicos y no inferiores a los de "Clarín" o la Pardo-Bazán. De su numen salieron famosas campañas políticas de las que prestigiaron a la también famosa revista *Gedeón*.

Obras: *El príncipe sin nombre*—comedia fantástica—, *Cuentos madrileños, Cuadros del género*.

Con sus cuentos y crónicas recogidos en los mentados periódicos podrían nutrirse diez o doce volúmenes.

ROVIRA VIRGILI, Antonio.

Historiador y prosista español. Nació —1882—en Tarragona. En su ciudad natal cursó el bachillerato, y en la Universidad de Barcelona se doctoró en Derecho. Redactor de *La Avanzada, El Poble Catalá, L'Opinió, El Sol*—de Madrid—. Director de *La Nau* y *La Revista de Catalunya*. Colaborador ilustre de otras muchas publicaciones españolas. Conferenciante brillante y de mucha enjundia. Diputado a Cortes por Tarragona. Políticamente, siempre mantuvo ideas liberales e ideas catalanistas.

Ensayista de hondura y de pensamiento vivo y moderno. Historiador notable.

Obras: *El nacionalismo catalán*—Barcelona, 1919—, *Los valores ideales de la guerra* —1918—, *Historia de Cataluña*—cinco tomos, 1921...—, *Biografía de Pablo Clarís* —1922—, *Historia de Rusia, Nova vida*—drama—, *Episodios*—narraciones—, *Teatre de la natura, El Corpus de Sang...*

V. COMERMA Y VILANOVA, J.: *Historia de la literatura catalana*. Barcelona, 1924.

ROXLO, Carlos.

Literato, periodista y político uruguayo. Nació—1860—y murió—1926—en Montevideo. Hijo de padres españoles, realizó sus primeros estudios en Barcelona. En 1896 regresó al Uruguay. Y, lleno de entusiasmo, fue periodista brillante, magnífico orador, diputado durante muchas legislaturas, catedrático de Literatura, guía intelectual seguro de muchas generaciones juveniles. Como poeta, produjo abundante cosecha, plena de lirismo y emotividad. Poseyó mucha cultura. Y solamente se equivocó al tratar temas de religión o españoles. ¡Extraña paradoja en quien tanto había vivido en España!

Obras: *Veladas poéticas*—1878—, *Bocetos y narraciones infantiles*—1879—, *Estrellas fugaces*—poemas, 1885—, *Fuegos fatuos*—poemas, 1887—, *Soledades*—poemas, 1902—, *Cantos a la tierra*—1902 y 1914—, *Luces y sombras*—poesías—, *Alas, En los bosques, Curso de estética*—1907—, *El libro de las rimas*—1907—, *Glorias de América*—1909—, *El país del trébol*—1913—, *Historia crítica de la literatura uruguaya desde 1810 hasta 1916*—1916, siete tomos—, *Teatro*—1915—, *José Robles*—romance criollo, 1917...

V. FALCAO ESPALTER, Mario: *Antología de poetas uruguayos: 1807-1921*. Montevideo, 1922.—BUSTAMANTE, Raúl: *El Parnaso oriental*—Montevideo, 1905.—ZUM FELDE, Alberto: *La literatura del Uruguay*. Buenos Aires, 1939.—ZUM FELDE, Alberto: *El proceso intelectual del Uruguay*. Montevideo, 1930, tres tomos.—ZUM FELDE, Alberto: *Proceso intelectual del Uruguay y crítica de la literatura*. Montevideo, 1941.

ROYO VILLANOVA, Luis.

Periodista, poeta y crítico literario español. Nació—1866—en Zaragoza. Murió —1900—en Madrid. Doctor en Derecho a los veinte años. Pero su vocación literaria le impulsó al abandono de las prácticas jurídicas. Redactor de *El Imparcial*, de Madrid. Colaborador de *Blanco y Negro* y *Gedeón* —que fundó y dirigió—. Fundador de la revista satírica *La calabaza*.

De claro talento, juicio rápido y seguro, gracia natural y mucha cultura.

Sus obras, según Navarro Ledesma, "tenían mucha más enjundia de la que quizá el propio autor y los demás suponían". Prosista correcto. Poeta festivo, pero de gran delicadeza y siempre elegante.

Obras: *Los Gremios*—tesis doctoral—, *Manchas de tinta*—poesías—, *Dos guitarras, Baltasar del Alcázar*—estudio crítico—, *Los gansos del Capitolio*—cuento...

RUBALCAVA, Manuel Justo de.

Poeta y prosista cubano. Nació—1769—y murió—1805—en Santiago de Cuba. Estudió en el seminario de San Basilio el Magno de su ciudad natal. Siguió la carrera de las armas con gran brillantez. Tomó parte en la campaña de Santo Domingo. Vivió algunos años en Puerto Rico.

Tradujo excelentemente las églogas de Virgilio. Fue Rubalcava un poeta muy considerable que adquirió su acento más perso-

R

nal en el género bucólico. Su mejor poema es el titulado *La muerte de Judas,* y entre sus poesías destacan el soneto *A Nise* y la elegía *A la noche.*

Ediciones: *La muerte de Judas,* 1830 y 1847; *Poesías,* la Habana, impresas a costa de don Luis Alejandro Baralt.

V. Menéndez Pelayo, M.: *Historia de la poesía hispanoamericana.* Madrid, 1911, tomo I, págs. 226-27.—Fornaris, J., y Luaces, J. L.: *Cuba poética.* La Habana, 1855, 1861.—López Prieto, Antonio: *El Parnaso cubano.* La Habana, 1881.—Remos y Rubio, Juan: *Historia de la literatura cubana.* La Habana, 1925.—Salazar y Roig, S.: *Historia de la literatura cubana.* La Habana, 1939. Calcagno, Francisco: *Diccionario biográfico cubano.* Nueva York, dos tomos, 1878-1886. Chacón y Calvo, J. María: *La literatura de Cuba,* en el tomo XII de la *Historia universal de la literatura,* de Prampolini. Buenos Aires. Uteha Argentina, 1941.

«RUBÉN DARÍO» (v. **Darío, Rubén**).

RUBÉN ROMERO, José (v. **Romero, José Rubén**).

RUBÍ, Tomás Rodríguez Díaz (v. **Rodríguez Díaz Rubí, Tomás**).

RUBINOS, S. J., P. José.

Poeta, crítico literario, historiador español. Nació—1898—en La Coruña. Murió en 1963. En 1914 ingresó en la Compañía de Jesús. En 1917 se trasladó a Bogotá, donde realizó los estudios superiores de Filosofía y Ciencias. En Quito (Ecuador) se doctoró en Teología y recibió las sagradas órdenes del sacerdocio—1926—. Y en esta ciudad inició su vocación literaria, publicando cuentos y poesías en periódicos y revistas. Profesor de Literatura en el Colegio Nacional de San Bartolomé (Bogotá) y en el de Belén (la Habana). Fundador de la Academia Literaria "Gertrudis Gómez de Avellaneda". Doctor en Filosofía y Letras por la Universidad de la Habana. Director de la gran revista *Belén* desde 1930 a 1941. Orador magnífico y crítico sagaz, ha pronunciado en España e Hispanoamérica incontables conferencias. Fundador del Instituto Cultural Cubano-Español. Miembro de la Academia Gallega—1948—. Su actividad como profesor y como divulgador de la cultura es realmente asombrosa y fecundísima. Suman varios millares sus artículos en diarios y revistas.

El P. José Rubinos es un admirable poeta de acentos y de forma propios. A su mucho saber y a su simpatía radiante debe gran parte de su fama y de su popularidad.

Obras: *Poema de la mirada de García Moreno*—1926—, *La poesía mariana en Colombia*—1927—, *Aún hay niños...*—1928—, *Roble y palma*—poemas, la Habana, 1933—, *O poema da Cruña*—Santiago de Compostela, 1933—, *Lope de Vega, poeta religioso* —Madrid, 1935—, *Comentarios a poesías célebres de la literatura universal*—la Habana, 1945—, *José Ignacio Rivero*—oración fúnebre, la Habana, 1947—, *O orixe da gaita galega*—poema galardonado con la "Flor de Oro" en Santiago de Galicia, 1946—, *Covadonga*—epopeya en XVI gestas; textos gallego y castellano, la Habana, 1950—, *Diario poético del viaje de un gallego por los Estados Unidos de Norteamérica*—1952...

V. Do Campo, A.: *Indice de revistas gallegas.* La Habana, 1949.

RUBIO, Rodrigo.

Novelista y articulista. Nació—1931—en Montalvos (Albacete). Autodidacto. A los veinte años se trasladó a Valencia, donde trabajó en el comercio. Obligado por un fuerte reuma articular al abandono de los trabajos físicos, se dedicó a estudiar y escribir con la mayor ilusión. Muy pronto empezó a colaborar en importantes diarios y revistas de España, y en la emisora Radio Peninsular de Valencia.

Su fama literaria se inició al obtener en 1965 el "Premio Planeta" con su novela *Equipaje de amor para la tierra.* Desde entonces, con auténtica pasión y resultados brillantes, Rodrigo Rubio no ha dejado de escribir crónicas y novelas, publicándolas con éxito.

Obras: *Un mundo a cuestas*—"Premio Gabriel Miró, 1961—, *La tristeza también muere*—1963—, *El incendio*—novela corta, 1965—, *La espera*—1967—, *Palabras muertas sobre el polvo*—narraciones, 1967—, *La sotana*—1968—, *La feria*—"Premio Ateneo de Valladolid, 1968", para novela corta—, *El regicida*—narraciones, 1968—, *Las manos tiemblan todavía*—1968—, *El Papa bueno y los enfermos*—ensayos, 1964—, *La deshumanización del campo*—ensayos, 1966—, *Hombres y mujeres como tú*—ensayos, 1968—, *Radiografía de una sociedad promocionada* —ensayos, 1968.

RUBIÓ Y BALAGUER, Jorge.

Literato y bibliólogo español de extraordinario y justo prestigio. Nació—1887—en Barcelona. Hijo del gran investigador y crítico Rubió y Lluch. Doctor en Filosofía y Letras—1907—por la Universidad de Madrid. Amplió sus estudios en Italia y Alemania. Director de la Biblioteca de Cataluña. Catedrático de la Universidad barcelonesa y de la Escuela de Bibliotecarios, en las disciplinas de Biblioteconomía, Bibliología, Literatura española y catalana. Sucedió a su padre

en la cátedra de Literatura catalana en la
institución de Estudis Universitaris Catalans. Ha dado incontables y magníficas conferencias. Su cultura es tan vasta como sólida y fecunda.

Obras: *De arrha anima de Huch de Sant
Victor*—1910—, *Consideraciones generales
acerca de la Historiografía catalana medieval...*—1911—, *Los códices lulianos en la Biblioteca de Innichen (Tirol)*—1919—, *Clasi-
ficació decimae de Brusel-les, Adaptació pe-
ra les Biblioteques populars de Catalunya*
—1920—, *Butlles incunables de la Abadía de
Montserrat*—1922—, *Cóm s'ordena y cataloga
una biblioteca, El libro español*—1922—, *Ca-
talogación y ordenación de bibliotecas...*
—1928...

RUBIÓ Y LLUCH, Antonio.

Notabilísimo polígrafo español. Nació
—1856—en Valladolid. Murió—1938—en Barcelona. Bachiller y doctor en Filosofía y Letras por Barcelona. Discípulo dilecto de Milá
y Fontanals. Compañero de Menéndez Pelayo y de Costa y Llobera, con ios que le unió
una amistad grande e inalterable. Catedrático de Literatura general—1885—de la Universidad de Oviedo. Y en el mismo año, por
traslado, de la Universidad de Barcelona, y
de la misma asignatura, vacante por la muerte de Milá y Fontanals.

Durante más de cuarenta años, Rubió y
Lluch ejerció una admirable maestría con
varias generaciones de investigadores y literatos. Catedrático de Literatura catalana en
la entidad Estudis Universitaris Catalans
desde 1904. Miembro del Institut d'Estudis
Catalans. Colaboró en las principales revistas
de erudición españolas.

Viajó por toda Europa, y con mayor detenimiento por Italia y Grecia. Académico de
la Real Española de la Lengua—1927—y de
la barcelonesa de Buenas Letras.

Poeta delicado, de depurado sabor y arte
clásico. Sagaz y exacto crítico. De depurado
gusto estético. Investigador original y profundo. Infatigable escritor, de prosa brillante.
Ameno e interesante profesor. De una labor
copiosísima y eficaz, y tan sutil que parece
llevar el sello de lo definitivo.

Obras: *El sentimiento del honor en el
teatro de Calderón, Sumario de la historia
de la literatura española, La expedición y
dominación de los catalanes en Oriente, juzgada por los griegos*—1883—, *Elogio de Menéndez Pelayo, Impresiones sugeridas por
el "Quijote"*—1905—, *Ausias March y su
época, Los navarros en Grecia y el ducado
catalán de Atenas...*—1886—, *Estudio crítico
y bibliográfico sobre Anacreonte...*—1879—,
*El renacimiento clásico en la literatura cata-
lana*—1889—, *Novelas griegas*—1893—, *La
escuela poética catalana en la época román-*

tica—1912—, *La Grecia catalana desde 1377
a 1379*—1920—, *Consideraciones sobre la
tigua literatura catalana*—1901—, *Ramón
Lluch*—1911—, *La escuela histórica catalana*
—1913—, *La cultura catalana en el reinado
de Pedro III*—1917—, *Escritos académicos*
—1930...

V. COMERMA Y VILANOVA, J.: *Historia de
la literatura catalana.* Barcelona, 1924.—SE-
GALÁ Y ESTALELLA, L.: *El renacimiento helénico en Cataluña.* Barcelona, 1911.—VIDAL
DE VALENCIANO, C.: *Discurso* [acerca de R.
y L.]. Academia de Buenas Letras de Barcelona, 1889.

RUBIÓ Y ORS, Joaquín.

Historiador, poeta y profesor español
de mucho prestigio. Nació—1818—y murió
—1899—en Barcelona. Estudió Humanidades
en el Seminario de Barcelona. Doctor en Derecho y Filosofía y Letras por la Universidad de su ciudad natal. Catedrático de literatura general en la Universidad de Valladolid—1847—. En 1858 se trasladó a la de
Barcelona. Para publicar en el *Diario de Barcelona* sus poesías en catalán utilizó el
seudónimo "Lo Gayter del Llobregat". En
1862 fue proclamado Mestre en Gay Saber.
Presidente de la Academia de Buenas Letras
de Barcelona. Rector de la Universidad barcelonesa. Gran Cruz de Isabel la Católica.
Poeta romántico muy estimable, admirable
apologista católico, investigador serio e infatigable, de muy sólida cultura clásica, fecundo y de gran sensibilidad, verdadero patricio de la vida y de las letras. Rubió y Ors
es uno de los más interesantes ingenios de
Cataluña y de España.

Entre sus numerosas obras destacan: *Los
supuestos conflictos entre la Religión y la
Ciencia*—su obra mejor—, *Brunequilda o la
sociedad francogala en el siglo VI, Origen
de la independencia del Condado catalán, El
hombre, origen, antigüedad y unidad de la
especie humana..., Reseña del actual renacimiento de la lengua y literatura catalanas,
El Romanticismo, La Mitología, Estudios de
literatura, Consideraciones acerca de la poesía de la Naturaleza... De la sátira en la antigüedad y en la Edad Media, Primeros ensayos poéticos, La Prehistoria, Milá y Fontanals, El rector de Vallfogona, doctor don
Vicente García, y sus obras poéticas; Lecciones de Historia universal, Ausias March y
su época...*

V. BLANCO GARCÍA, P.: *La literatura espa-
ñola en el siglo XIX.* Madrid, 1892.—COMER-
MA Y VILANOVA, J.: *Historia de la literatura
catalana.* Barcelona, 1924.—MENÉNDEZ PELA-
YO, M.: *Ideas estéticas...* Madrid, 1889.—RU-
BIÓ Y LLUCH, A.: *Milá y Fontanals y Rubió
y Ors.* Barcelona, 1919.—RUBIÓ Y LLUCH, A.:
La escuela poética catalana en la época ro-

R

mántica. Barcelona, 1912.—Jordán de Urríes y Azara: *Rubió y Ors como poeta castellano*. Barcelona, 1912.—Gras y Elías, F.: *Siluetes d'escriptors catalans*. Barcelona, sin año.

RUEDA, Lope de.

Extraordinario autor dramático y actor español. ¿1510?-1565.

Hasta hace muy pocos años, la biografía más breve y enjundiosa de Lope de Rueda era la escrita por el impar Cervantes. "Yo, como el más viejo que allí estaba, dije que me acordaba haber visto representar al gran Lope de Rueda, varón insigne en la representación y en el entendimiento. Fue natural de Sevilla, y de oficio batihoja, que quiere decir de los que hacen panes de oro. Fue admirable en la poesía pastoril; y en este modo, ni entonces, ni después acá, ninguno le ha llevado ventaja; y aunque por ser yo muchacho entonces no podía hacer juicio firme de la bondad de sus versos, por algunos que me quedaron en la memoria, visto ahora en la edad madura que tengo, hallo ser verdad lo que he dicho. Murió Lope de Rueda, y por hombre excelente y famoso le enterraron en la iglesia mayor de Córdoba (donde murió) entre los dos coros..." (Prólogo a sus *Ocho comedias*. Madrid, 1615.)

Posteriormente, desde hace pocos años, se han podido ir encontrando espigas de la gran vida. O piezas sueltas del *rompecabezas*... que no acaba de presentar *su vista* de retazos, pero toda entera. Juan de Rueda se llamó el padre de nuestro Lope. Ebrio de Giralda, nuestro Lope debió de sentir las náuseas de su oficio y los barruntos de su vocación. A Sevilla llegaron las mojigangas y las gangarillas, y aun las compañías, de aquellos cómicos de la legua llamados Juan Rodríguez, Hernando de la Vega y Oropesa, buenos recitadores de las églogas y farsas de Juan del Encina, de Lucas Fernández, de Gil Vicente. Nuestro Lope las vería. ¡Y... con qué resortes de caja de sorpresa saltaría su vocación! En cualquiera de aquellos carros faranduleros huiría de Sevilla nuestro Lope. Con el único sentimentalismo de ver recortarse la Girarla, lejana, garbosa, en un crepúsculo de pan de oro, sobre la línea quebrada de un caserío, con esa indudable apariencia de tarjeta postal iluminada para uso de los turistas. ¿Cuántos años duró el aprendizaje de nuestro Lope? ¿Ocho...? ¿Diez...? ¿Doce años...? Pueblos oscuros, en cuyas plazas, arrimados a los porches, se levantaban los tabladillos. Rechiflas. Hambres. ¡Cuántos trabajos preliminares para llegar a la fama! Riñas entre los del oficio. Tentativas literarias malogradas. Envidiejas. Entradas con recelos y salidas de estampía. Por fin..., en 1554, nuestro Lope fue elegido por don Antonio Alonso de Pimentel,

conde de Benavente, para realzar las fastuosas fiestas que hizo en honor del mejor rey de España, don Felipe II, al pasar este por la villa de Benavente cuando fue a embarcarse para Inglaterra. Toros. Cañas. Cacerías. Torneos a pie. Fuegos de artificio. Invenciones. Y el día 8 de mayo, un festejo dramático. Nuestro Lope a escena. Ya era todo un señor director de cómicos y danzantes. Ya escribía muy graciosos y regocijados entremeses. Ya estaba casado con la pizpireta Marianita, que fue el hazmereír ingeniosísimo del cojo zambo y desmedulado don Gastón de la Cerda, tercer duque de Medinaceli. Ya había logrado redimir a los representantes de la pésima fama que gozaban desde antiguo *los facedores de juegos de escarnio, remedadores, troteras y danzaderas*... Ya nadaba él mismo en la salsa de sus propios entremeses.

Hacia 1545 acertaron a pasar por la villa de Cogolludo dos mujeres jóvenes y lindas, que iban camino de Aragón, y, según manifestaron, sabían cantar y bailar. Oírlo el triste y lisiado duque y hacerlas llevar a su presencia todo fue uno. Bailaron... Cantaron... La llamada Marianita rezumaba tanta repajolera gracia, que le propuso don Gastón se quedase en su servidumbre para "decirle gracias", contarle exorbitancias y "hacerle músicas de movimiento". Seis años bien cumplidos vivió Marianita en la mansión ducal, y sus habilidades y monadas fascinaron de tal modo al noble señor, que la vistió de paje con un jubón y unos zaragüelles, a manera de calzas, y le cortó el cabello, para que pudiese acompañarle en sus viajes y cacerías, porque "se holgaba mucho de vella estar en el hábito de hombre". Y testigos del arte de Marianita declararon "que la dicha Mariana es en extremo única y sola en lo que hace...", "... que era mujer muy graciosa e gran cantadora e bailadora".

Con esta singular criatura se casó nuestro Lope, ya cuarentón, hacia 1552. Y como el duque hubiera fallecido—1551—sin que pagara a la tal sus servicios ni la casara de su mano y con buena dote, según promesa, Lope entabló pleito de marido chasqueado y, con sentencia propicia, logró del heredero ducal—duque de Maceda—los salarios de su mujer, a razón de 25.000 maravedíes cada año. Un total de 60.000 "por todo", conforme aclaró una tercera sentencia de los tribunales de Valladolid de fecha 16 de marzo de 1557.

En 1558 tenemos a nuestro Lope al frente de su compañía en Segovia. Se celebran fiestas con motivo de la inauguración de la nueva catedral. Colgaduras. Luminarias. Procesiones. Danzas. Sermones. Torneos. Y el día 15 de agosto, según escribe el doctísimo cronista segoviano don Diego de Colmenares: "A la tarde, celebradas las solemnes vísperas, en un teatro que estaba entre los coros..., la compañía de Lope de Rueda, famoso comediante de aquella edad, representó una gustosa comedia, y, acabada, anduvo la procesión por el claustro, que estaba vistosamente adornado."

En 1559 —29 de abril—, nuestro Lope está en Sevilla cobrando 40 ducados, a cuenta de los 60 que se le adeudaban por las dos representaciones que hizo "en dos carros con varias figuras en la fiesta del Corpus, siendo una de las obras de *Navalcarmelo* y otra del *Hijo pródigo,* con todos los vestimentos de seda".

En 1561 está en Madrid. En la corte se le obliga a que pague una deuda de 22 ducados a un Bernardino de Milán, afianzado por un ropero, si pretende que se le deje marchar a Valencia... Poco antes había representado en el Real Alcázar ante la reina doña Isabel de la Paz. Y viudo por entonces, contrajo en seguida segundas nupcias con la valenciana Rafaela Angela Trillas, de cuyo matrimonio nació una hija, Juana, bautizada en Sevilla el día 18 de julio de 1564 y fallecida de muy tierna edad en Córdoba. En 1562, muy a principios, ya estaba nuestro Lope, con su segunda mujer, en Valencia. Dos, tres años residió en la ciudad del Turia. Amistó con su admirador el editor y librero Juan de Timoneda. Corrigió algunas de sus obras para darlas a la imprenta. Representó a razón de dos piezas por semana. Ganó el dinero. Y lo gastó. En 1565 estaba en Córdoba. Se le murió su hija Juana. Otorgó testamento a 21 de marzo de este año. Murió... ¿Qué día? ¿Qué mes, siquiera? El testamento ni aun firmarlo pudo. Le enterraron, donde su hija, en la catedral, entre los dos coros. Curioso es su testamento. Sinceridad de hombre alegre y alcanzado siempre por la realidad. Por todas partes de España se fue dejando prendas. En Toledo, en casa del calcetero Cuéllar, habitante en el arrabal de Santiago, un cofre, y dentro de él, seis sábanas, un frutero, dos manguitos de terciopelo, una imagen de Nuestra Señora con su Niño Jesús, una saya de paño verde guarnecida... En Toledo, también, en casa de un joyero, empeñado en dos ducados, un cordón de plata... También en Toledo... Y en Valencia... Y en Sevilla... Y en Madrid... Rastros de miseria y de risa. Alhajas... Brocados... Jubones... Calzas... Telones... Lo que hoy llamamos el *atrezzo.*

Dos son los grandes méritos de Lope de Rueda. Se dejó de soñar, se dejó de piedades y creó lo que veían sus ojos: el teatro realista. Y dignificó la representación teatral. Antes que él dirigiese la farsa, bastaba —lo asegura Cervantes— a los cómicos unas mantas, cuatro tablas, cuatro barbas y cabelleras y cuatro cayados. Lope de Rueda *inventó* el *atrezzo.* El decorado sucinto. "Las figuras que parecían salir del centro de la tierra, por lo hueco del teatro, y las nubes, que bajaban de los cielos con ángeles o con almas." Los trajes, variados y pertinentes. Las telas, brocadas. Y a Cervantes corrobora el ingeniosísimo Agustín de Rojas en *El viaje entretenido:*

> Y porque yo no pretendo
> tratar de gente extranjera,
> sí de nuestros españoles,
> digo que Lope de Rueda,
> gracioso representante
> y en su tiempo gran poeta,
> *empezó a poner la farsa*
> *en buen uso y orden buena,*
> porque la repartió en actos
> haciendo *introito* en ella,
> que ahora llamamos *loa;*
> y declaraban lo que eran
> las marañas, los amores;
> y entre los pasos de veras,
> mezclados otros de risa,
> que porque iban entremedias
> de la farsa, los llamaron
> *entremeses* de comedias.
> Y todo aquesto iba en prosa
> más graciosa que discreta;
> tañían una guitarra,
> y esta nunca salía fuera,
> sino adentro y en los blancos,
> muy mal templada y sin cuerdas;
> bailaba a la postre el bobo,
> y sacaba tanta lengua,
> todo el vulgacho embobado,
> de ver cosas como aquellas.

Para crear el teatro realista le bastó a este sevillano pinturero, tan apegado a la vida, detener su mirada sobre cuantas personas y cosas tenía en derredor. Eran aquellas hidalgüelos de gotera, tan apetentes de potajes como hinchados de orgullo y comidos de malas pulgas; sopistas y estudiantes enamoradizos y picados del todo, siempre tan alejados de las aulas como apegados a las sayas; mozas de partido largas y zafias de carcajadas y manotazos; soldados fanfarrones licenciados y licenciosos, con más laureles mustios que doblas relucientes; mesoneros chupabolsas, clérigos descarriados, campesinos sin malicia, galeotes fugitivos, alguaciles y ministros del Santo Oficio aficionados al enjuague, mágicos vejetes de la bellaquería, celestinas con bozo y sin rebozo, arrieros del ajo, falsas doncellas de hospedaje despuceladas cada noche... Y las cosas no podían estar más llenas de enjundia y gracia. Hurtos familiares. Trapisondas de amores. Equívocos de amistades. Cuentas galanas de vida hechas añicos, como el cántaro de la lechera cuentista. Graciosos desplantes y coloquios con el gracejo en agraz. Picardías amostazando y salpimentando las graves relaciones sociales. Malicias y torpe-

R

zas. Chismes y murmuraciones. Infundios y apologías. Penas apenas apuntadas y carcajadas resueltas del todo. ¡Vida! ¿Es que la vida no tenía enjundia suficiente para distraer y emocionar a quienes eran cachitos —vidas—de ella? Lope de Rueda, agudo y sagaz, y, sobre todo, lapa vital, no hizo sino escribir y representar lo que, estando tan a la vista, apenas si era percibido por la mayoría. Y aquí estriba su gloria. Y por esto puede pasar por el patriarca del teatro realista español. Lo que a él no le entrara por los sentidos...

La obra total de Lope de Rueda se compone de: *a*) Cuatro comedias: *Eufemia, Armelina, De los engañados y no de los engaños y Medora. b*) Una comedia en verso: *Discordia y cuestión de amor. c*) Tres coloquios pastoriles: De *Camila*, de *Tymbria* y *Prendas de amor. d*) Siete pasos, comprendidos en *El Deleitoso: Los criados, La carátula, Cornudo y contento, El convidado, La tierra de Jauja, Pagar y no pagar, Las aceitunas. e*) Tres pasos en el *Registro de Representantes: El rufián cobarde, La generosa paliza, Los lacayos ladrones. f*) El diálogo *sobre la invención de las calzas. g*) Auto *de Naval y Abigail. h*) Dos obras dudosas: el auto de *Los desposorios de Moisén* y la *Farsa del sordo. i*) Diversos *pasos*—en número de catorce—, intercalados en sus comedias y coloquios, que pueden ser considerados y tomados como obras independientes.

Las tres ediciones de obras de Lope de Rueda datan de 1567, y fueron hechas por el saladísimo Juan de Timoneda, a sus expensas, en Valencia. Comprenden estas ediciones cuatro comedias—la *Eufemia*, la *Armelina*, los *Engañados* y *Medora*—, dos coloquios pastoriles—*Camila* y *Tymbria*—, el *Diálogo sobre la invención de las calzas* y *El Deleitoso*. La cuarta edición es de Sevilla y del año 1576. Fue impresa por Alonso de la Barrera y comprende las mismas cuatro comedias y los mismos dos coloquios de la primera edición; pero entre estos y aquellos va un soneto de Francisco de Ledesma a la muerte de Lope de Rueda y el *Diálogo sobre la invención de las calzas*.

Moratín, en sus *Orígenes del teatro español*, incluyó las comedias *Eufemia* y de los *Engañados*, pero una y otra con muchas variantes respecto del texto original.

Las ediciones modernas más importantes son: la de la Real Academia Española, Madrid, 1908, en dos tomos, cuidada y anotada por E. Cotarelo; la de la *Colección de libros españoles raros y curiosos*. Madrid, 1896, en dos tomos, cuidada por el marqués de Fuensanta del Valle; la del *Registro de Representantes*, Madrid, 1917, cuidada y anotada por Bonilla San Martín; la incluida en *Clá-*

sicos Castellanos—tomo LIX—, cuidada y anotada por José M. Villa.

El llamado paso de *Las aceitunas* goza de fama universal; se ha traducido a diferentes idiomas y existen de él ediciones extranjeras sumamente cuidadas, entre las que merecen citarse: *The olives*, de G. H. Lewis, Londres, 1845, publicada en *The Spanish Drama; Die Oliven*, de Moriz Rapp, en *Spanisches Theater*, Leipzig, sin año; *Tem Spanish Farces*, Boston, Nueva York y Chicago, 1922, ejemplar edición de Northup.

El Deleitoso es tan popular que no necesita elogio ni argumento mío favorable. Está lleno de gracia renacentista, inspirado tal vez en varios argumentos de Boccaccio, pero con una indudable vena y un superior venate de legitimidad española. La comedia *Eufemia* es la menos primitiva de las obras de Rueda. En ella se levantan ya esos vientos conmovedores que arrasarán muchas veces en las tragedias de Calderón y de "Tirso". Como dato curioso, indicaré que la tragedia de Shakespeare *Cymbeline* coincide en el asunto con esta obra de Rueda.

Aun cuando Menéndez Pelayo no fuera gran admirador de Rueda, y aun muchas veces pecara con él de injusto, no queremos dejar de traer aquí su opinión, siempre valiosa, y ahora acertada únicamente en su segunda parte:

"La importancia histórica de Lope de Rueda en los anales de la comedia española ha sido algo exagerada—dice Menéndez Pelayo en el prólogo a *Tres comedias de Alonso de la Vega*, Dresde, 1905—por haberse tomado al pie de la letra los recuerdos personales de Cervantes, Juan Rufo y Agustín de Rojas, que apenas se remontaban más allá del batihoja sevillano, ni conocían a sus precursores. Por otra parte, los méritos del actor, cuyo recuerdo quedó vivo en la generación que fue espectadora de sus farsas, se sumaron con los del poeta, y así llegó la tradición a los historiadores literarios cada vez más abultada y engrandecida por el tiempo y la distancia.

El mérito positivo y eminente de Lope de Rueda no está en la concepción dramática, casi siempre ajena, sino en el arte del diálogo, que es un tesoro de dicción popular, pintoresca y sazonada, tanto en sus pasos y coloquios sueltos como en los que pueden entresacarse de sus comedias. Esta parte episódica es propiamente el nervio de ellas. Es lo que admiró y en parte imitó Cervantes no solo en sus entremeses, sino en la parte picaresca de sus novelas. Lope de Rueda, con verdadero instinto de hombre de teatro y de observador realista, transportó a las tablas el tipo de la prosa de *La Celestina*, pero aligerándolo mucho de su opulenta frondosidad, haciéndolo más rápido e incisivo, con toda la diferencia que va del libro a la escena."

V. COTARELO, Emilio: *Lope de Rueda y el teatro español de su tiempo*, en *Revista de Archivos, Bibliotecas y Museos*. Abril 1898.— COTARELO, Emilio: *Obras de Lope de Rueda*. Edición de la Real Academia Española, 1908. COTARELO, Emilio: *Satisfacción a la Real Academia Española y defensa del vocabulario puesto a las obras de Lope de Rueda*. Madrid, 1909.—ALONSO CORTÉS, Narciso: *Un pleito de Lope de Rueda*. Madrid-Valladolid, 1903.—ALONSO CORTÉS, Narciso: *Lope de Rueda, en Valladolid*, en *Boletín de la Academia Española*, 1916.—BONILLA SAN MARTÍN, A.: *Registro de Representantes*, en *Clásicos de la literatura española*. Madrid, Ruiz Hermanos, 1917.—RAMÍREZ DE ARELLANO, R.: *Lope de Rueda y su testamento*, en *Revista Española de Literatura, Historia y Artes*, 1901.—UHAGÓN, F. R. de: *Comedia llamada "Discordia y questión de amor"*, en *Revista de Arch.*, 1902.—SALAZAR, S.: *Lope de Rueda y su teatro*. Santiago de Cuba, 1911.—SÁNCHEZ ARJONA, J.: *Anales del teatro en Sevilla desde Lope de Rueda...* Sevilla, 1898.— FUENSANTA DEL VALLE, Marqués de: *Obras de Lope de Rueda*. "Colección de libros raros y curiosos". Tomos XXIII y XXIV.— CAÑETE, Manuel: *Lope de Rueda*, en *Almanaque Ilust. Española y Americana*, 1884.— LEVIGNE, A. Germond de: *La comédie espagnole*. París, Michaud, 1893.—ROUANET, L.: *Intermèdes espagnols du XVIIe siècle*.—STIEFEL, A. L.: *Lope de Rueda und das italienische Lustspiel*, en *Zeitscrift für rom. Phil.*, 1891. Tomo XV.—VALLÓN, A. de: *Sobre Lope de Rueda: La comédie espagnole*, en *Le Contemporaine*, 1883.—FOULCHÉ-DELBOSC, R.: *Entremés del mundo y no-nadie*, en *Revue Hispanique*, 1900.—NORTHUP: *Ten Spanish farces*. Boston, Nueva York, 1922.

RUEDA SANTOS, Salvador.

Magnífico poeta y novelista español. Nació —1857— en Málaga. Murió —1933— en su tierra natal. De padres labradores. A los dieciocho años apenas si sabía garrapatear su nombre. Le conoció Núñez de Arce, y prendado del *instinto poético* de Rueda, se lo llevó a Madrid y le consiguió un destinillo en la *Gaceta*. Del Cuerpo de Archiveros, Bibliotecarios y Arqueólogos, estuvo destinado en la biblioteca de la Universidad madrileña. En 1883, Núñez de Arce prologó su primer libro de versos: *Noventa estrofas*. Viajero incansable por España y América. *Cantando por ambos mundos* se titula una de sus obras poéticas más interesantes.

De asombrosa facilidad versificadora, de enorme poder creador, de musicalidad casi sinfónica. Pero desigual en su abundancia. Laten en él todas las fuerzas de la Natura-

leza, que, en ocasiones, le arrastran y precipitan en abismos de mal gusto o en selvas de tópicos y ripios. De Rueda dice Federico de Onís, con su fino criterio de siempre: "Hay que reconocer, venciendo toda repugnancia, que los aciertos de Salvador Rueda son innumerables; que de su obra varia y multiforme ha surgido una influencia difusa, que se encuentra por todas partes, y que es uno de los poetas más completos y espontáneamente originales de esta época... Panteísmo el suyo retórico y declamatorio, hecho de formas, luces, colores y sonidos expresados con facundia inagotable." Rueda, en efecto, sintió en verso cuantos aspectos puede presentar la realidad a un espíritu lírico y nada más que lírico. Rueda no es un innovador; pero modificó, volvió del revés todos los elementos poéticos conocidos. Pudo conseguir esto porque dominó como nadie los dos grandes recursos artísticos: el color y la música. Su léxico excita con el mismo encanto la retina y el tímpano. Espléndido colorista, prescindió del dibujo; dibujó con el mismo pincel, amplia la pincelada, ruda y vigorosa a veces, en ocasiones suave, siempre con el nerviosismo de la exaltación:

> Desfila el abejorro como una flecha,
> y aparece, de negro todo vestido,
> una rápida bala, de ébano hecha,
> que estremece los aires con su zumbido.

Desbordado de ritmo, su musicalidad tiene la misma naturalidad vehemente y alcanza muchas veces magnificencia sinfónica.

Rueda, valientemente, ensayó todos los metros, agotó todas las rimas, estrofas y acentuaciones; apuró hasta lo inverosímil los efectos poéticos, inventó las cadencias más turbadoras. Generoso de su poesía hasta lo inverosímil, le sobró precisamente esa generosidad. Sus libros de poesías más interesantes son: *Cantos de la vendimia* —1891—, *En tropel* —1892— y *El poema a la mujer* —1910.

Injustamente se le ha desposeído a Rueda —en favor de Rubén Darío— de su gloria de *creador* del "modernismo" poético en España. Lo es, y magnífico y admirable, Rueda, y también maestro de la escuela colorista en España. Su influencia fue grande en el propio Rubén, en Juan Ramón Jiménez, en Villaespesa, en Martínez Sierra... Introdujo en la poesía valientes y bellísimas innovaciones métricas. El soneto dodecasílabo y el alejandrino. Los tercetos de catorce sílabas consonantando los dos primeros versos de cada uno y los terceros agudos de cada dos tercetos. La estrofa de versos pareados de dieciocho sílabas, repartidos en seis grupos trisílabos. El sistema monónimo de doce sílabas y el de dieciséis.

R

Como novelista, sobresalió por su colorido fulgente, por el impresionismo descriptivo, por la pasión de sus temas, por la exaltación de su andalucismo.

Novelas: *Sinfonía callejera*—cuentos—, *El salvaje, La cópula, La reja, El gusano de luz, La gitana, El cielo alegre...*

Poesías: *Sinfonía del año, Poema nacional, Estrellas errantes, Himno a la carne, Trompetas de órgano, Camafeos, Piedras preciosas, El poema de América, Lenguas de fuego, El país del sol, La corrida de toros, La procesión de la Naturaleza...*

V. Ruiz de Almodóvar, G.: *Salvador Rueda y sus obras.* Málaga, 1901.—González-Blanco, Andrés: *Los grandes maestros... Salvador Rueda.* Madrid, 1916.—González Olmedilla, A.: *Salvador Rueda. Su significación, su vida y sus obras.* Madrid, s. a.— Prados, M.: *Salvador Rueda, poeta de la raza. Su vida y sus obras.* Málaga, 1941.— Sainz de Robles, F. C.: *Estudio* al frente de la edición de *Antología poética de Salvador Rueda.* Madrid, Aguilar, 1945.—Tamayo, J. A.: *Salvador Rueda o el ritmo,* en *Cuadernos de Lit. Contemporánea,* Madrid, 1943, número 7.—Diego, Gerardo: *Salvador Rueda,* en *Cuad. de Lit. Contemp.,* Madrid, 1943, número 7.—Romo Arregui, Josefina: *Bibliografía de Salvador Rueda,* en *Cuad. de Literatura Contemp.,* Madrid, 1943, núm. 7.— Alonso Cortés, N.: *Armonía y emoción en Salvador Rueda,* en *Cuad. de Lit. Contemporánea,* Madrid, 1943, núm. 7.

RUFO, Canio.

Poeta hispanolatino. Nació en Cádiz y vivió en Roma durante el imperio de Domiciano, siendo celebradísimo por el ingenio y la dulzura de sus versos. Su íntimo amigo Marcial cuenta en varios de sus epigramas que Canio Rufo derramó en la Roma de Domiciano "un torrente de gracia, dulzura y jovialidad", y que si Ulises, en vez de los cantos de las sirenas, hubiese escuchado la voz de Canio Rufo, lanzando sus agudezas y dulzuras, no habría podido continuar su viaje.

Tito Livio, que también fue su amigo, le reprendió suavemente por lo mucho que le gustaba el trato con las damas. Entre sus muchas amantes figuró Teófila, poetisa de origen helénico, culta y amable, y de morigeradas costumbres.

Canio Rufo escribió elegías, epigramas, tragedias.

V. Menéndez Pidal, Ramón: *Historia de España* (dirigida por...). Tomo II: *España romana.* Madrid, Espasa-Calpe, 1935.—Dolç, Miguel: *Literatura hispanorromana,* en el tomo I de la *Historia general de las literaturas hispánicas.* Barcelona, 1949.

RUFO, Juan.

Poeta y paremiólogo. Nació en ¿1547? Murió después de 1620. Nació en Córdoba. Y nació con mala estrella, por no decir estrellado. De chico, amó la piedra lanzada, la jugarreta y la cabriola. De mozalbete, se aficionó al hurto familiar y al amorcillo mercenario. Su padre, el tintorero Luis Rofos, le molió las costillas no pocas veces. Y él reprimía los zollipeos y juramentos para gritar que aquellas *sus cosas* "eran graciosos disparates y yerro de mozo de poca edad". Rodando la bola, se adiestró en la estafilla y en la sustracción práctica, por lo que fue procesado tres veces. Eso sí, muy mirado por el honrado apellido de su padre, lo transformó primero en Rufo y más tarde en Rufo Gutiérrez. Así se parecía una persona nueva, crecida por generación espontánea en la ronda de briba y estruendo. En viaje de *recreo*—según él confiesa—se pasó a Portugal. Quería olvidarse las caras conocidas e inminentes del corchete y del escribano, muy ternes en lo de pedirle cuentas de no sabía él qué cuentas. Por renuncia de su padre obtuvo el oficio de jurado, al que, entre 1568 y 1580, renunció nueve veces; tantas como se puso en tela de juicio su probidad por escamones convecinos. Asistió a la batalla de Lepanto, y tanta coba cordobesa dio a don Juan de Austria, que este le protegió decididamente, recibiendo en agradecimiento el poema *La Austríada,* que obtuvo una acogida muy estimable de público. El año 1586 vivió en Toledo. En 1589 asistía en Sevilla a la tertulia del marqués de Tarifa, especializado en encerar la insinuación malévola, en recoger el cabo perdido de la cotillería, en zurcir el roto de la acción villana. Pero *todo aquello* no le daba para mal comer. Así que cuando falleció su padre, dejándole "pobre huerfanito" de cuarenta y siete años y heredó la casa y la tintorería paternas, renunció a sus pretensiones poéticas y a sus fintas cortesanas y se metió a tintorero de todos los colores del iris y de mil más que él hacía derivar con su peritaje en componendas y enjuagues.

Y, claro está, se acordó de que, siendo persona decente, debía volverse a llamar Juan Gutiérrez Rofos. Era lo canónico. Y lo civil. Todavía, con motivo de la proclamación de don Felipe III, se plantó en Madrid con su hijo Luis, de dieciséis años y muy ducho en la pintura. Juan logró que Luis llegara ante el monarca y le espetara una epístola versificada con unción paternal que conmovió a los presentes y arrancó a don Felipe un puñado de escudos. La epístola contenía consejos para gobernar. Que el gobierno ha sido siempre inspiración para las aleluyas campechanas de esas impresas e impresionadas en papel de estraza.

Luis Rufo logró ir a Italia y aun ganar —para pavoneamiento de su padre tintorero y poeta—en público certamen *nada menos* que al Caravaggio.

Juan Rufo murió en Córdoba hacia 1621.

Las obras conocidas de Juan Rufo son: *La Austríada*—1584—, de la que en tres años se hicieron tres ediciones, 1585 y 1586; *Los seiscientos apotegmas*—1596—, *Poesías*.

Algunos episodios de *La Austríada* están inspirados en la *Guerra de Granada,* de Hurtado de Mendoza. Y el poema tuvo una imitación bastante bella en el *Austrias Carmen,* escrito en hexámetros latinos de corte virgiliano por el negro Juan Latino.

Los seiscientos apotegmas es la primera colección original de esta clase en España. "Son máximas morales sugeridas por la experiencia del mundo y expresadas en breves anécdotas, terminándose con algún dicho agudo." (Hurtado y G. Palencia.) De este exemplario tomaron inspiración Melchor de Santa Cruz, Mey y otros muchos.

V. Ramírez de Arellano, R.: *Juan Rufo, jurado de Córdoba.* Madrid, 1912.—Hurtado y G. Palencia: *Historia de la literatura española.*—Menéndez Pelayo, M.: *Orígenes de la novela.*—González de Amezúa, A.: Edición de *Los apotegmas,* en *Bibliófilos Españoles,* 1924.—*La Austríada,* en la "Biblioteca de Autores Españoles". Tomo XXIV.—*Poesías de Juan Rufo,* en la "Biblioteca de Autores Españoles". Tomos XVI y XLII.—Sainz de Robles, F. C.: *Cuentos viejos de la vieja España.* Madrid, Aguilar, 1949. 3.ª edición.

RUIZ, Juan («Arcipreste de Hita»).

Glorioso poeta español. ¿1283?-¿1350? Alegre. Membrudo. Velloso. Pescozudo. Las cejas, pobladas, y los cabellos, negros; los ojuelos, vivos y pardos; los labios, gruesos; narizotas y orejón; los pechos, delanteros, y las espaldas, bien grandes; fornido el brazo, y las muñecas, robustas. Como conviene al poeta caminante del Guadarrama.

Y no es que lo suponga yo. El mismo da su nombre y profesión:

'Yo, Joan Ruiz, el sobredicho arcipreste de Hita'

él pone su retrato en la boca de la trotaconventos:

'Velloso, pescozudo..., de andar infiesto, de nade grandes espaldas...';   [riz luenga,

él, quien a lo largo de su famosa y deliciosa obra, se muestra glotón y sensual, jocundo y jocoso, salaz y salado.

Debió de nacer hacia el año 1283. ¿Dónde? En el códice de Salamanca que ha conservado el poema, dice él mismo, dirigiéndose

a su amada: "Fija, mucho vos saluda uno que es de Alcalá." Por orden del que fue arzobispo de Toledo entre 1337 y 1367, don Gil de Albornoz, sufrió nuestro arcipreste prisión de trece años. El año 1351 ya no era arcipreste de Hita, puesto que este cargo lo ocupaba un tal Pedro Fernández.

Muy andariego fue Juan Ruiz. Mas no se piense que por lejanas tierras. Guadalajara, Segovia, Madrid... Pueblos de tierra y peña. Paisajes desnudos y delirantes. Hombres y mujeres rígidos hasta en sus liviandades. Juan Ruiz poetizó unos amores alegres y despreocupados. Pura inventiva. Puro deseo. Los que él pudo vivir fueron secos y sin trascendencia poética. No se debe olvidar que la Carpetana es una altitud de serenidad absoluta.

Juan Ruiz amó su tierra y su sierra con amor tremendo. Quizá más por el contraste de aquellas que por su temperamento. Para sentirse él purificado de una liviandad, de un cuento pecaminoso rimado, le era suficiente una caminata por entre los riscos de acebos y peñotas y lagunas frías y ganados merinos.

¿Qué escribió Juan Ruiz? El mismo lo dice. Oigámosle:

'Fise muchos cantares de danzas e troteras
para judías e moras, e para entendederas...
Cantares fis algunos de los que dicen ciegos
et para escolares que andan nocherniegos,
et para otros muchos, por puestos andariegos,
cazurros et de burlas, non cabrían en diez pliegos.'

Sin embargo, únicamente se conservan, de tantos escritos, las 1.728 estrofas de su poema *Libro de Buen Amor;* título no impuesto por él, sino, muchos siglos después, propuesto por Wolf, aprobado por Menéndez Pidal y adoptado por Ducamín.

El *Libro de Buen Amor* es obra escrita en pleno siglo XIV. Es el exponente de la vida y de la imaginación de un clérigo bazuqueado por las pasiones. Algunos críticos piensan que Juan Ruiz quiso moralizar en fuerza de presentar los vicios—y sus consecuencias— al desnudo. Otros han pretendido, por el contrario, demostrar el cinismo del poeta, narrador de los episodios más graciosos y obscenos. "En todo caso, la experiencia humana no puede negarse al gran poeta, y mucha y muy honda ha de haber tenido, ni mejor ni peor que los demás hombres de su tiempo. Pero pocos saben entender con delicadeza las relaciones entre la vida y la obra del poeta." (Alfonso Reyes.)

Según Menéndez Pelayo, el libro del arcipreste de Hita puede descomponerse de esta manera:

a) Una novela picaresca de forma autobiográfica.

b) Una colección de *enxiemplos.*

R

c) Una paráfrasis del *Arte de amar,* de Ovidio.

d) Una forma dramática de la comedia *De Vetula,* de Pamphilo.

e) Un poema burlesco o parodia épica de la *Batalla de don Carnal y doña Cuaresma.*

f) Varias sátiras.

g) Una colección de poesías líricas: sagradas y profanas.

h) Varias digresiones morales.

Juan Ruiz crea uno de los tipos maravillosos de la literatura mundial de todos los tiempos: la *trotaconventos* o *Celestina,* en nada inferior a Otelo, a Don Juan, a Don Quijote.

Juan Ruiz es el poeta más personal que tuvo la Edad Media española. Su estilo es nítido. Su frase, directa y maciza. Su vena, inagotable y castellanísima.

Otros poetas le vencerán en la nobleza del intento, o en el concepto poético de la vida, o en la intimidad del sentimiento lírico. Pero a todos los vence él en haber escrito "una asombrosa comedia humana del siglo XIV" y haber hecho patente la consecución de *un estilo personal;* consecución rarísima en la época. "Como fuente histórica, vale tanto, que si él nos faltara, ignoraríamos todo un aspecto de nuestra Edad Media, como sería imposible comprender la Roma imperial sin la novela de Petronio, aunque Tácito se hubiera conservado íntegro." (M. P.) Juan Ruiz es un auténtico poeta inimitable al tiempo que un maravilloso psicólogo. La gracia vigorosa y desenfadada de su estilo, la frescura y viveza del color con que pinta, la naturalidad con que ahonda en el conocimiento humano, esa terrible tranquilidad con que mezcla—sin confusión— lo más sagrado con lo más humano, lo honorable con lo picaresco, hacen de su obra un prodigio de amenidad, en el que el caudal de palabras es inmenso, y cuyas audacias de construcción tanto contribuyeron a la anchura de la lengua poética de Castilla. "Azorín", en su bello libro *Al margen de los clásicos,* ha escrito este párrafo, dedicado al inmortal arcipreste: "Querido Joan Ruiz, sosiega un poco. Has corrido mucho por campos y ciudades, y todavía no te sientes cansado. El reposo y el olvido no son para ti; tú necesitas la animación, el ruido, el color, las sensaciones enérgicas, los placeres fuertes; tú necesitas ir a las ferias, estar en compañía de los estudiantes disipadores, tratar a las cantarinas y danzaderas; tú necesitas exaltarte, enardecerte con las músicas, los cantos amatorios, las alegres comilonas."

En la obra poética de Juan Ruiz conviene distinguir entre la parte puramente lírica y la parte satírica. La puramente lírica comprende las trovas cazurras, las trovas de ciego, las escolares, las serranillas, los loores en honor de María Santísima. La parte satírica abarca los elogios picarescos de las mujeres, su cínico e incomparable retrato, la sutileza acerca de las propiedades del dinero, las "maestrías e sotilezas engannosas del loco amor del mundo", las piruetas anticlericales, los enredos de la trotaconventos. Se han señalado a la obra de Juan Ruiz influencias clásicas—el *Pamphilo* y las colecciones de Esopo y Fedro—, latinoeclesiásticas—las *Decretales* y el *Decreto*—, árabes —*Calila e Dimma* y el *Sendebar*—, la francesa—la historia de Pitas Payas, pintor de Bretaña—y la provenzal—en las cantigas y loores—. Puimaigre asegura que el arcipreste, habiendo saqueado a todo el mundo, es mucho más original que sus modelos, a causa de tener personalidad admirable. Esta personalidad es la que ha logrado que sea Juan Ruiz un poeta *siempre vigente,* como si acabara de escribir su obra, mientras tantos poetas excelentes, posteriores a él, han envejecido lamentablemente. No debió, creo, de ser Juan Ruiz hombre de muchas lecturas, de nutrida biblioteca, sino de vida muy intensa y de gran talento natural.

Fue un vidente de la Naturaleza, de las almas, de la sociedad en que vivía; un asombroso poeta y psicólogo genial, que estaba por encima de los libros y calaba hasta donde los libros no llegan. Por el *Libro de Buen Amor* pasa inacabable un viento fuerte, pero no molesto, sino todo lo contrario: oreador y acariciante, de poesía entre risueña y acre, que lo aviva todo y le da un valor estético superior al del nuevo realismo, haciéndonos entrever una categoría superior, cual es el mundo de lo cómico fantástico.

Si nuestro infante don Juan Manuel en nada es inferior a Boccaccio, y aun le excede en dignidad y en delicadeza narrativa, Juan Ruiz nada pierde al ser comparado con el Chaucer de los *Canterbury Tales,* y aun le gana en lozanía poética y en desparpajo inventivo.

La versificación ordinaria del *Libro de Buen Amor* es el llamado tetrástrofo o *cuaderna vía* o alejandrino.

Las ediciones del *Libro de Buen Amor* son incontables, muchas de ellas interesantísimas. Entre las modernas merecen destacarse: la de Jean Ducamin—Toulouse, 1913—, la de Cejador—1913, en *Clásicos Castellanos*—, la de Alfonso Reyes—Madrid, 1917, edit. Calleja—, la de Sainz de Robles—Madrid, 1946, Aguilar, "Col. Crisol"—, la de F. Janer—tomo LXII de la "Biblioteca de Autores Españoles", de Rivadeneyra.

V. PUYOL Y ALONSO, Julio: *El arcipreste de Hita.* Madrid, 1906.—REYES, Alfonso: *Estudio* a la ed. Madrid, 1917, Calleja.—CEJADOR Y FRAUCA, Julio: *Estudio* y notas a la edición

Clásicos Castellanos, 1913.—Ducamin, Jean: *Edición paleográfica del L. de B. A.* Toulouse, 1901.—Menéndez Pelayo, M.: *Antología de poetas líricos...* III, págs. LIII-CXIII. Amador de los Ríos, J.: *Historia crítica de la literatura española.* IV, págs. 101-55.— Aguado, José María: *Glosario sobre J. R., poeta castellano del siglo XIV.* 1929, Madrid, Cirot, G.: *J. R.,* en *Bull. Hispanique*, 1913. "Azorín": *Al margen de los clásicos*, 1915. Tacke, O.: *Die Fabelu des Erzpriesters von Hita...* Breslau, 1911.—Lecoy, F.: *Recherches sur le "Libro de Buen Amor"...* París, 1938.—Battaglia, S.: *Saggio sul "Libro de Buen Amor"*, en *Nuova Cultura*, 1930, IX, 721.—Lida, Rosa María: *Interpretación, fuentes, textos, influencia del "Libro del Buen Amor"*, en *Rev. de Filol. Hispánica* 1940. Págs. 105-50.—Castro, Américo: *El "Libro de Buen Amor"*, en *Realidad histórica de España*, México, 1954. Págs. 378-442. Sánchez Albornoz, Claudio: *España, enigma histórico.* Buenos Aires, 1956. Págs. 351-533.

RUIZ, Luis Alberto.

Poeta y prosista argentino. Nació—1923— en Concepción del Uruguay (Entre Ríos). Estudió algún tiempo en el Colegio Nacional y Escuela Normal de aquella ciudad, sin terminar carrera alguna. Ya en Buenos Aires, se dedicó con plenitud al periodismo, como redactor de *Clarín.* Ha dado incontables conferencias con temas literarios por toda la Argentina.

De fino criterio y notable cultura. Pero su castellano es muy deficiente.

Obras: *La pasión que nos salva*—poemas. 1947—, *Los ojos cerrados (Gran Requiem para Ana Teresa Fabrini)*—1950—, *La mujer lejana*—poemas, 1950—, *Entre Ríos cantada* —antología de poetas entrerrianos, 1955—, *Diccionario de la Literatura Universal*—tres tomos, 1955-1956...

RUIZ AGUILERA, Ventura.

Nació en 1820. Murió en 1881. Salmantino. Estudió la carrera de Medicina con discreto lucimiento en su ciudad natal. Como a tantos otros espíritus con pretensiones de literatos, Madrid le atrajo—1844—y Madrid le sorbió. Sus ilusiones inminentes eran el periodismo, la literatura y la política progresista. Y menos mal que era hombre discreto y que Olózaga le mantuvo en un segundo término; porque los poetas políticos son los corrosivos de los partidos. Sean ejemplos Núñez de Arce y Campoamor, que fueron poniendo en ridículo a cuantos partidos los admitieron en su seno. La poesía es el alcanfor de la potencia cívica.

Ruiz Aguilera, en la comedia constitucional no pasó de desempeñar *papelitos.* Y como su temperamento suave no le permitía exigir ni rebelarse, halló una válvula de escape a su desilusión en el libro y en el teatro. ¡Y escribió más que "El Tostado"! Leyendas, epigramas, poemillas, dramas, sainetes, sátiras, cuentos, proverbios, cantares, novelas, fábulas, artículos morales y patrióticos, impresiones de viajes, fantasías... Y es el caso que de ninguna de sus infinitas obras puede decirse que sea mala ni, casi, deleznable.

Ruiz Aguilera fue director del Museo Arqueológico Nacional, y los retratos que nos han llegado de él más parecen los de un sabio que los de un poeta. Llevaba una gran barba blanca patriarcal. El pelo, abundante, no le cubría sino los parietales y el colodrillo. Cejas espesas en forma de toldos. Mirada aguda. Gesto malhumorado. Indumentaria pulcra.

Ruiz Aguilera fue "fecundo poeta—escribe Cejador—, fácil, aunque ni muy elevado ni muy escogido en la forma, pero de intención sana y moral, que cantó los sentimientos populares, patrióticos y religiosos, remedando, a veces, a los cantores del pueblo con sentida sinceridad. Las mismas cualidades brillan, además de la ingeniosa invención y limpieza de estilo, en sus cuentos y proverbios ejemplares y proverbios cómodos".

Entre sus obras merecen citarse: *Del agua mansa nos libre Dios...*—comedia, 1847—, *Bernardo de Saldaña*—drama, 1848—, *El conspirador de a folio*—novela burlesca, 1848—, *Poesías, ecos nacionales*—1849 y 1854, dos tomos—, *Veladas poéticas*—poesías serias, satíricas y burlescas, 1860—, *Judas* —novela, 1860—, *Obras poéticas: Elegías* —1862,— *Proverbios cómicos*—1864 y 1870—, *Limones agrios*—cuentos, 1866—, *Epigramas, letrillas, fábulas y moralejas*—1874—, *Poesías*—1880.

V. Cejador, Julio: *Historia de la lengua y literatura castellanas.* Tomo VII.—Bravo y Cano, Agustín: *Semblanzas de algunos poetas del siglo XIX.* Sevilla, 1902.—Sainz de Robles, F. C.: *Historia y antología de la poesía española.* Madrid, Aguilar, 1951, 2.ª edición.

RUIZ DE ALARCÓN, Juan.

Célebre y magnífico poeta y autor dramático español. 1581-1639. De Ruiz de Alarcón es tan interesante como su retrato su caricatura. No se sabe por qué fue el hierro imantado de una feroz tormenta de epítetos denigrativos. Apenas puesto el pie en España por segunda vez—hacia 1614—, apenas como iniciado en los encantos y desengaños de la vida literaria madrileña, la tormenta se cierne, la tormenta se hincha, la tormenta se rompe sobre él. Y le coge de medio a medio. ¿Qué, en él, pudo originarla? ¿Qué,

R

de él, pudo atraerla? ¿Qué, por él, pudo merecerla? Ruiz de Alarcón era un tanto fatuo y tenía una hermosa joroba doble: de pecho y espalda. Después de saber esto ya se comprende un tanto su caricatura. La fatuidad le ganó las enemistades. Las çorcovas le dieron hecha a sus enemigos la burla cruel.

La caricatura de Ruiz de Alarcón era tan fácil de hacer, que la sacaron los menos hábiles poetas en trazar inventivas con caretas de ingenioso epigrama. Bastaban dos trazos. Es decir: tres trazos. Las dos jorobas y la barba bermeja—barbitaheño era también don Juan—. Fatuo y apersonado era el mexicano hijo de españoles. Y no se resignaba a ser Juan a secas, sino un don Juan de categoría con imperio y con ceremonias. Por si estas no fueran ya suficientes pretensiones, intentó codearse y hombrearse con Lope, con Quevedo, con Tirso, gigantes en la apostura o en la postura. Y le corrieron, le acorralaron, le arrinconaron. La estocada de un epíteto mata más que la de un acero toledano. Pues que "como el caracol lleva su casa a cuestas", Ruiz de Alarcón se achicó y se recogió dentro de sí mismo. Para no tener que llorar al mundo, hizo como que lo desdeñaba.

Parece ser que fue Vélez de Guevara, solera rondeña aun siendo ecijano, quien por vez primera hizo su caricatura. "Colchado con melones, cuando lo veía lejos no sabía si iba o venía." El primer trueno. Después, el primer rayo. Se lo lanza el famoso regidor Juan Fernández, edulcorado con el soniquete de la quintilla:

Tanto de corcova atrás
y adelante, Alarcón tienes,
que saber es por demás
de dónde te corco-vienes
o adónde te corco-vas.

Después... ¡El diluvio! Los rayos y las centellas. Los atronadores estampidos. Los deslumbres. "Poeta entre dos platos." "Don Talegas por una y otra parte." "Camello enano de loba." "Un hombre que de embrión parece que no ha salido." "Zambo de los poetas." "En el cascarón metido—el señor bolamatriz." "Zancadilla por el haz y el envés." "No nada entre dos corcovas." "Hombre formado de paréntesis." "Que él tiene para rodar—una bola en cada lado." Se le hace decir de sí mismo:

A ningún corcovado
daré ventaja,
que una traigo en el pecho,
y otra en la espalda.
¡Jesús! ¿Qué tengo?
Que parecen alforjas
de bordonero.
Encontróme un amigo;

dijo: No veo
si de espaldas viene
o si de pechos.

¿Era realmente Ruiz de Alarcón tan birria físicamente? No se conserva de él sino un retrato amañado: el que se halla en la iglesia parroquial de Tasco, ciudad meridional de México, donde residía su familia. Y digo amañado, porque de este retrato parece no ser suya sino la cabeza. El cuerpo gigantesco, erguido hasta la tiesura, es postizo. En el mismo cuadro se advierte que el mediano pintor no supo pegar bien la cabeza a un cuerpo que no era el suyo. El retrato, triste y petulante, tiene algo de maniquí y algo de figurón para un museo de muñecos de cera. El atrabiliario Suárez de Figueroa lo describe como de estatura mínima, muy velloso y con espesas barbicas, vistiendo "traje y atavío de caballerete, seda, cabestrillo, sortijuelas y cosas así".

Quitando mucho hierro a las pullas de sus enemigos literarios, Ruiz de Alarcón debió de ser, sin embargo, una persona bastante grotesca. Hasta el punto de privarle su fealdad física de algunos beneficios merecidos por su talento. Así, el Consejo de Indias declaró—1 de julio de 1625—que "aunque por sus partes era merecedor de que [el Consejo] le propusiese a V. M. para una plaza de asiento en las Audiencias menores, lo ha dejado de hacer por el defecto corporal que tiene, el cual es grande para la autoridad que ha menester representar en cosa semejante".

En una época de vitalidad maravillosa, en que los defectos físicos movían más a risa que a piedad, puede adivinarse el calvario del gran dramático, sabiéndose su pasmosa sensibilidad, siempre en carne viva. Debió de sufrir espantosamente, él, tan señoritín y tan apegado a su don; él, tan amigo de finflanear y de versificar invenciones de bizarros galanes; él, tan curioso de festejos reales y de ceremonias auditoriales; él, tan pirrado por los atuendos detonantes, llenos de preseas y de zarandajas.

Juan Ruiz de Alarcón nació en México, probablemente a fines de 1581. Su padre, don Pedro Ruiz de Alarcón, alto empleado de la Real Hacienda de Nueva España, de familia de cierta alcurnia del valle de Trasmiera, en las Asturias de Santillana. Su madre, doña Leonor de Mendoza. En su ciudad natal estudió Artes y preparó Cánones. Se vino a España—1600—en la flota de Juan Gutiérrez de Garibay. Desembarcó en Sevilla y se trasladó a Salamanca, en cuya Universidad alcanzó el bachillerato en Cánones el mismo año 1600—25 de octubre—, y el bachillerato en Leyes el 3 de diciembre de 1602. ¿Quién le ayudaba a vivir con cierto empaque en España? Don Gaspar Ruiz de Montoya, su pariente, veinticuatro de Sevilla, quien le asignó una pensión anual de 1.600 reales "para auxiliarse en sus estudios". En 1606 Ruiz de Alarcón vive en Sevilla de picapleitos. No tiene el título de abogado. Pero la Audiencia *hace la vista gorda* en su caso... y en otros infinitos. La cuestión es armar jollines y enderezarlos casi siempre *a zurdas*, lado por el que corren más los derechos... obvencionales. Pero hasta los picapleitos viven más de la figura y de la figuración que de la justicia y de las leyes. Feo o corcovado, de voz chillona, Ruiz de Alarcón no debió de tener muchos clientes, porque ya en 1607 intentó regresar a su tierra en la fallida expedición de fray Pedro Godínez Maldonado, obispo de Nueva Cáceres, en Filipinas, quien llevaba entre su servidumbre al genial hombrecillo. Por fin, el 12 de junio sale Alarcón para Nueva España, en la flota de setenta navíos que manda el general don Lope Díez de Aux y Almendáriz. Acompaña al dramaturgo su criado Lorenzo Morales. Y los dos formaban parte del séquito de fray García Guerra, arzobispo de México y futuro virrey. 1609. México. Familia. Ciertas prosperidades. Menos rencores soliviantados en torno. Se gradúa de licenciado en la Universidad de México. 1610... 1611... 1612... Estudia. Oposita a diversas cátedras—Instituta... Decreto... Código...—sin resultado satisfactorio alguno. Se escurre, y casi por la puerta falsa consigue entrar de abogado de la Real Audiencia. 1610... 1611... 1612... Años sosos. Lo mediano. Lo insípido. Ni fracasar del todo ni conseguir nada. Alguna esperanza alimentando cierta ilusión. En 1613 aún zascandileaba por México. En 1615 se encuentra ya en España.

¡Y en Madrid! ¿De Madrid al cielo? —¡Vamos a verlo!—se diría Alarcón. Y se lanzó al mar cortesano, lívido y ávido. Le trastornó *el veneno Lope*. Madrid era... Lope. España era... Lope. Lo magnífico era... Lope. Lope era un atractivo irresistible y una sugestión invencible. ¡Escribir como Lope! ¡Vivir como Lope! ¡Brillar como Lope! ¡Ser admirado y acatado como Lope! Pero Lope era un sol, y Alarcón, recomiéndose, se veía como un sapo en un cañaveral sonoro. Por ello, mirándose en Lope... se alejó de él. Amistó y aun colaboró con un fraile: Tirso de Molina, en quien encontró un remanso más epítetos apercibidos.

Alarcón, poseído de un singular entusiasmo, escribe..., escribe..., escribe..., escribe... Comedias heroicas. Comedias de enredo. Comedias de carácter. Comedias a imitación de Lope y de Tirso. Comedias preciosas, pulidas, elevadas, ejemplares. El las cree así. Y la posteridad le dará la razón. Y la justicia con la gloria. Pero... Sus contemporáneos ni las representan ni las mencionan ni las conocen. O si las conocen, procuran olvidarlas. Hasta el punto que la mejor de ellas, *La verdad sospechosa*, será impresa como de Lope, figurando entre otras de este genial autor.

Alarcón se desanima. Sangra su sensibilidad como el cuerpo de un San Sebastián moribundo. Poco a poco va abandonando la pluma. Se dedica a los negocios mercantiles. Protegido por don Ramiro Núñez Felípez de Guzmán, yerno del conde-duque de Olivares, y de su pariente y homónimo el señor De la Frontera y de Buenache, obtiene una plaza de relator interino en el Consejo de Indias —julio de 1626—, que en 1633 se transforma en titular. Alarcón parece haberse olvidado de sus apremios poéticos y sentimentales. Se nota el perfecto burócrata. Le absorben la atención y el tiempo la política casi de camarilla y la administración. Las gentes con quienes se codea en estas esferas nada románticas se muestran más piadosas con él. No se chunguean de su físico. No les sacan punta a sus pruritos señoriles, y, por ende, no le escatiman su adorado *don* en el tratamiento cotidiano. Es don Juan. Siempre don Juan. Don Juan por aquí... Dígame, don Juan... Y del regusto de oírselo llamar a trochemoche, a don Juan aún se le hincha más la pechuga y se le inclina más la cabeza hacia los espaldares. Hasta el punto que en 1633 un literato pobretón y no muy a bien con las musas, Fabio Franchi, queriendo ofrecer una dedalita de miel—hoy, prosaicos y crueles, diríamos: *dar coba*—a don Juan, rogaba a Apolo que hiciera buscar por toda la tierra a Ruiz de Alarcón y le exhortara a no olvidar el Parnaso por América, ni la ambrosía por el chocolate. Olvido que, por otra parte, parecía muy cierto.

Porque don Juan, tomador de rapé, dormilón de la siesta, gustador de la buena mesa, puntilloso del atuendo, grave de expresiones políticas, vivía con cierta holgura en la calle de las Urosas, tenía coches, criados y dinero para sus amigos. Y hasta cierta melindrosa dama de tapadillo, que se perfumaba con algalia y ámbar. "Ya ni por capricho—comenta Fernández Guerra—visitaban las musas un solo día el aposento de la calle de las Urosas." Pero añade Alfonso Reyes: "No es posible creerlo: las letras fueron la verdadera alegría de su vida. Amigo de la sociedad y de la buena conversación, como lo revela su teatro, siempre encontró que la sociedad le cerraba sus puertas, castigando en él errores de la Naturaleza. Del mundo agresivo, de la mendicidad literaria, se aleja en cuanto puede. Acaso—y esto es lo mejor— no le contentaban del todo los gustos de su tiempo."

Murió Alarcón el 4 de agosto de 1639. Dejó fama de gran señor un poco currinche. Y una hija casada en la Mancha, Lorenza

R

de Alarcón, que había tenido de doña Angela Cervantes. Yace en la parroquia de San Sebastián..., se ignora el sitio. Como Lope, su enemigo.

"Su gloria principal—escribe el incomparable Menéndez Pelayo, acertando como casi siempre—será siempre la de haber sido el clásico de un teatro romántico, sin quebrantar la fórmula de aquel teatro ni menguar los derechos de la imaginación en aras de una preceptiva estrecha o de un dogmatismo ético: la de haber encontrado, por instinto o estudio, aquel punto cuasi imperceptible en que la emoción moral llega a ser fuente de emoción estética... Los aficionados a la corrección y a la pulcritud de la forma, a la moralidad humana y benévola, al fino estudio de los caracteres medios, a la parsimonia y al decoro en la expresión de los afectos, se sienten invenciblemente atraídos por el teatro de don Juan Ruiz de Alarcón, nuestro Terencio castellano, tan semejante al latino en las dotes que posee y en las que le faltan... Vence a todos nuestros dramáticos en aticismo, en limpieza, en tersura y acicalamiento de la frase, en el buen gusto sostenido y en la perfección exquisita del diálogo."

Y el sagaz y cultísimo crítico mexicano Alfonso Reyes comenta de Alarcón: "Complejísima debió ser la elaboración de esta psicología refinada. Un claro sentimiento de la dignidad humana parece ser su último fondo, y a medida que del yo íntimo avanzamos hacia sus manifestaciones sociales y estéticas, vamos encontrando, como otras tantas atmósferas espirituales, un viril amor de la sinceridad, que nunca desciende a la crudeza; un gran entusiasmo por la razón, que quisiera instaurar sobre la tierra el régimen de la inteligencia, y siempre dedicado a mostrarnos el desconcierto de las existencias que gravitan fuera de esta ley superior; cierto orgullo caballeresco del nombre y la prosapia, por afición al mayor decoro de la vida, como una nueva dignidad que sirve de máscara a la dignidad interior; el gusto de la cortesía y el cultivo de las buenas formas, freno perpetuo de la brutalidad, que hace vivir a los hombres en un delicado sobresalto, el disgusto de la rutina y los convencionalismos su arte, pero sin consentirse nunca—por culto a la moderación—un solo estallido revolucionario; una elegancia epigramática en sus palabras, y en sus retratos un objetivismo discreto; una actitud de vacilación ante la vida, ocasionada tal vez por su desgracia y defectos personales, y hasta por cierta condición de extranjero, que todos se encargaban de recordarle; finalmente, una apelación a todas las fuerzas organizadoras de que el hombre dispone, una fe perenne en la armonía, un ansia de mayor cordialidad humana, que imponen a su vida y a su obra un sello de candidez."

El teatro de Alarcón, con una admirable nota de sobriedad, con un estilo sencillo y exacto, con una impecable corrección del lenguaje, representa "una mesurada protesta contra Lope". En Lope lo esencial es la acción. Llamémosle *la intriga*. En Alarcón lo sustancial es la idea. Llamémosle *la intención*. Lope se enamora de la peripecia; Alarcón, de la verdad interna. En Lope, a veces, la fuerza de la inventiva arrasa la psicología y hasta la ética. En Alarcón, la firmeza espiritual de los personajes resiente, en ocasiones, de monotonía el tema. Lope lo subordina todo a la espectacularidad. Alarcón todo lo supedita al sentimiento de la dignidad humana. A Lope le son simpáticas las calidades humanas *de la calentura*: la pasión, el anhelo, la soberbia, el desplante. A Alarcón, las calidades que pudieran llamarse "lógicas": la discreción, la lealtad, la sinceridad, la comprensión. A Lope le seduce todo lo detonante; quiere tormentas; quiere ciclones; quiere batallas... cósmicas o patéticas. A Alarcón, todo *lo susurroso*: quiere el conflicto íntimo; quiere la pasión de ánimo.

De todos los grandes dramáticos del Siglo de Oro es Alarcón el menos fecundo. Sus comedias de autenticidad indiscutible son veinte. Ocho publicadas en 1628 con el título de *Parte primera de las Comedias de Don Ivan Ruiz de Alarcón y Mendoça, Relator del Real Consejo de las Indias, por Su Majestad*. Fueron impresas en Madrid, por Juan López, a costa del librero Alonso Pérez. Las otras doce vieron la luz en Barcelona—1634—, impresas por Sebastián de Cormellas. *Parte segunda de las Comedias del licenciado Don Ivan Ruiz de Alarcón y Mendoça, Relator del Consejo Real de las Indias. Dirigidas al Excelentísimo Señor Don Ramiro Felipe de Guzmán, Duque de Medina de las Torres...*

A las veinte comedias indiscutibles deben añadirse, "sin tanta seguridad", *La culpa busca la pena y el agravio la venganza*, publicada en la *Parte cuarenta y una de comedias de varios autores*, Valencia, 1650; *Quien mal anda, mal acaba*, en Sevilla, por Francisco de Leefdael, sin año [¿1652?]; *No hay mal que por bien no venga*, impresa en el *Laurel de comedias, cuarta parte de diferentes autores*, Madrid, 1653. Se le atribuye la colaboración con Tirso de Molina en *Cautela contra cautela, Siempre ayuda a la verdad, Don Alvaro de Luna* y *La villana de Vallecas*. Entre las muy admirables obras de Ruiz de Alarcón destacan: *La verdad sospechosa*—su mejor obra de *carácter*—, *Las paredes oyen, Los pechos privilegiados, El examen de maridos, Ganar amigos, El tejedor de Segovia, La prueba de las promesas* y *Mudarse por mejorarse.*

Es de la pluma de Alarcón la escena primera del segundo acto de la comedia *Algunas hazañas de las muchas de don García Hurtado de Medoza,* impresa en Madrid, 1622, y obra en la que colaboró con Luis de Belmonte, Mira de Amescua, Luis Vélez de Guevara, Guillén de Castro y otros.

Fue Ruiz de Alarcón de los autores dramáticos españoles que más y mejor aceptación tuvieron en el extranjero, principalmente en Francia. *Le menteur,* una de las más famosas producciones de Pedro Corneille, no es sino una traducción casi servil de *La verdad sospechosa.* No lo ocultó el trágico francés, asegurando—aquí se sospecha la anécdota—que daría dos de sus mejores comedias por el gusto de haber escrito la de Ruiz de Alarcón. *Le menteur*—disfraz de *La verdad sospechosa*—originó la vocación teatral de Molière. En el *Hernani,* de Víctor Hugo, se hallan reminiscencias de *Ganar amigos* y *El tejedor de Segovia.* Y Schiller encontró quizá modelo para la terrible figura del Karl Mohr de su tragedia *Los bandidos* en el indomable Ramírez de *El tejedor de Segovia.*

Por el contrario, la primera (¿?) comedia de Alarcón, *El semejante a sí mismo,* está inspirada en la maravillosa novela cervantina *El curioso impertinente.* Y se estrenó sin gran éxito. Pero inició para su autor —que ya apuntaba sus magníficas condiciones dramáticas—una serie ininterrumpida de odio y de chuflas y de envidiejas.

Existen muchas y buenas ediciones de las obras de don Juan Ruiz de Alarcón. Destaco entre ellas: la de Hartzenbusch, tomo XX de la "Biblioteca de Autores Españoles"; las de Alfonso Reyes: *Ruiz de Alarcón,* en "Clásicos La Lectura", y *Páginas selectas,* edición S. Calleja, Madrid; la de la Real Academia Española, en tres tomos, con prólogo y notas de don Isaac Núñez de Arenas; las ediciones de *La verdad sospechosa,* de A. Hamel, Munich, 1924, y de E. Barry. Colection Mérimée. París, 1897; la edición de *Las paredes oyen,* de Bourland, Nueva York, 1914, en la "New Spanish Series"; la de Bonilla, en "Clásicos de Literatura Española", Madrid, 1916, de *No hay mal que por bien no venga.*

Para conocimiento de las escasísimas obras *no teatrales* de Alarcón, puede consultarse el Apéndice V de la edición A. Reyes en "Clásicos Castellanos", núm. 37.

V. FERNÁNDEZ GUERRA, Luis: *Don Juan Ruiz de Alarcón y Mendoza.* Madrid, 1871.— HARTZENBUSCH, J. E. de: Prólogo y notas a las *Obras completas* de Ruiz de Alarcón. Tomo XX de la "Biblioteca de Autores Españoles".—NÚÑEZ DE ARENAS, Isaac: *Estudio* a las *Comedias escogidas* de Ruiz de Alarcón. Edición Academia de la Lengua. Tres tomos. REYES, Alfonso: Prólogo, notas y apéndices de la obra *Ruiz de Alarcón.* "Clásicos Castellanos La Lectura", núm. 37, Madrid.—REYES, Alfonso: *Juan Ruiz de Alarcón,* en *Revista General,* Madrid, 15 agosto 1918.— HENRÍQUEZ UREÑA, Pedro: *Estudio sobre la vida y la obra de don Juan Ruiz de Alarcón y Mendoza.* México, 1914.—RANGEL, Nicolás: *Documentos acerca de Ruiz de Alarcón,* en *Boletín de la Biblioteca Nacional de México,* 1913-1915.—PÉREZ, E.: *Influencia de Plauto y Terencio en el teatro de Ruiz de Alarcón,* en *Hispania.* California, 1918.—RODRÍGUEZ MARÍN, Francisco: *Nuevos datos para la biografía de don Juan Ruiz de Alarcón.* Madrid, 1912-1913.—BARRY, E.: *Estudio* en la edición de *La verdad sospechosa.* París, 1897. "Collection Mérimée".—MENÉNDEZ PELAYO, M.: *Historia de la poesía hispanoamericana. I.*— MORLEY, S. Griswold: *Etudies in Spanish Dramatic Versification of the Siglo de Oro.* Universidad de California. 1918. "Publications in Modern Philology".

RUIZ ALBÉNIZ, Víctor.

Periodista, cronista, crítico español. Nacio—1885—en Mayagüez (Puerto Rico). Murió—¿1960?—en Madrid. Ha popularizado los seudónimos "El Tebib Arrumi", "Acorde" y "Chispero". Cuando contaba escasos días fue trasladado a Madrid, siendo bautizado en la parroquia madrileña de San José. Sobrino carnal del gran músico Isaac Albéniz. Médico.

Desde muy joven se dedicó al periodismo, adquiriendo popularidad y justo renombre. Redactor del *Diario Universal, El Liberal, Informaciones, El Debate*—diarios de Madrid—; *El Liberal,* de Bilbao; *La Nación,* de Buenos Aires, y de otros muchos diarios y revistas. Durante la guerra civil española—1936-1939—fue cronista oficial del Cuartel General del generalísimo Franco. Sus crónicas radiadas de esta guerra le llevaron a la máxima popularidad.

Con gran competencia escribió sobre temas marroquíes, firmando sus crónicas con el seudónimo de "El Tebib Arrumi". Con el de "Acorde" firmó sus críticas musicales. Con el de "Chispero", una sección diaria en *Informaciones,* titulada "Chisperadas", durante muchos años.

Obras: *El Rif*—1910—, *Higiene del alma* —1911—; dos novelas sobre temas marroquíes: *La carga de Tardix y Bu-Suifa; La verdad de la guerra* y *Estado actual del problema de Marruecos*—1912 y 1913—, *España en África*—1921—, *Keb Rumi*—novela, 1921—, *Ecce Homo, Actuación de España en Marruecos, Tánger y la colaboración hispanofrancesa en Marruecos*—obra igualmente traducida al inglés y al francés—, *Historia*

R

de la reconquista de España, para uso de los niños; Por amar bien a España—cuentos, 1943—, *¡Aquel Madrid!*—1946—, *Isaac Albéniz*—1949—, *Historia de treinta y seis años de teatro madrileño, Historia del teatro de Apolo y su tiempo...*

RUIZ AYÚCAR, Angel.

Novelista, crítico literario, cronista, periodista español. Nació—1919—en Ciudad Rodrigo (Salamanca). Jefe de la Guardia Civil y profesor de su Academia. En la actualidad dirige el semanario madrileño *El Español*. Colaborador asiduo del diario de Madrid *Arriba*. Crítico literario en varias revistas.

Como novelista—certero en la observación y sobrio en la expresión—cultiva el realismo, buscando los temas en el mundo "de espaldas de las leyes", que él tan bien conoce por su profesión.

Obras: *La sierra en llamas*—1953—, *Las dos barajas*—1956—, *Mientras llueve en la frontera*—1957—, *¿Para qué?*—1958—, *La ley olvidada*—Madrid, 1963—, *La Rusia que yo conocí*—Madrid, 1954—, *Cara al viento* —1965.

RUIZ CONTRERAS, Luis.

Erudito, prosista, ensayista y poeta. Nació en Castelló de Ampurias (Gerona) el día 8 de enero de 1863; hijo segundo de don Hilarión Ruiz Amado, ingeniero de Montes, santanderino, y de doña Ana Contreras Carbonell, barcelonesa. Murió—1953—en Madrid. Entró a los once años en el Instituto, sin afición a los libros, y a los catorce, la lectura de las décimas de *La vida es sueño* en la clase de Retórica y Poética despertaron todo un porvenir: "¡Ser poeta!" Calderón, Lope, Tirso y, principalmente, Zorrilla le distrajeron del estudio conveniente para labrarse una posición. Hizo de la Química y la Mecánica motivos dramáticos. Reacciones que disgregan o que unen; fuerzas que actúan en la misma dirección o en dirección contraria. ¿No es lo que vemos en el teatro? Escribía comedias ¡como quien lava! sobre los desarrollos de las ecuaciones y los giros de la descriptiva... No leía novelas, ¡ni las de Julio Verne, tan populares entonces! ¡Versos y más versos! ¡Castellano puro y ni asomarse a una traducción!... ¿Prosa? ¿Crítica literaria? La casualidad le puso en ese camino.

Con el seudónimo "Palmerín de Oliva" inició sus colaboraciones en *La Dinastía*, diario de Cánovas, y en el semanario satírico *El Busilis*. Fundó numerosas publicaciones literarias, entre ellas la famosa *Revista Nueva*, en la que se dieron a conocer los escritores de la llamada "generación del 98". Ha colaborado en casi todos los periódicos de España; últimamente, en *El Español, La Estafeta Literararia* y *Pueblo*. Los artículos que ha escrito pasan de cinco mil. Utilizó y popularizó también el seudónimo "El Amigo Fritz". Y ha hecho verdaderas joyas literarias de sus traducciones de las obras de Anatole France, Willy, Maupassant, Rachilde, Mauclair..., hasta el punto de haber dicho algún crítico como "Andrenio" que en ellas no se perdía ni uno de los valores del original francés, mereciendo ser calificada de "re-creaciones".

Obras: *La linterna*—semanario dificultoso, 1894—, *Historias crueles*—novelitas, 1888—, *La Montálvez*—estudio crítico, 1888—, *Dramaturgia castellana*—1891—, *En defensa propia*—1892—, *La Mesa Redonda*—semanario, 1893—, *Libritos, librotes y librajos*—folleto pedagógico, 1894—, *Desde la platea*—críticas teatrales, 1894—, *Novelas infantiles*—1895—, *Para muestra*—sonetos amorosos, 1895—, *De guante blanco*—estudios literarios, 1895—, *Más historias crueles*—novelitas, 1895—, *De amor*—novelitas, 1896—, *Tres moradas* —1897—, *La Lectura*—revista literaria, 1897—, *El pedestal*—drama en tres actos, 1898—, *Revista Nueva*—1899—, *La chifladura del ministro*—folleto inútil, 1900—, *Sem-teatro (Pródigo, Los padres y los hijos)* —1900—, *Memorias de un desmemoriado* —1902—, *La novela en el teatro*—1901—, *Revista de Arte Dramático*—1902—, *Mis jesuitas*—1903—, *Clave matrimonial*—bosquejo de un tema escabroso, 1906—, *De un poeta muerto*—rimas amorosas, 1907—, *El amigo de las mujeres*—1915—, *Medio siglo de teatro infructuoso*—1930—, *Memorias de un desmemoriado*—1946; este último libro, publicado por Aguilar en su "Colección Crisol", después de aparecer en el semanario *El Español*—y las conocidas traducciones de Willy, Maupassant y France, desde 1902.

RUIZ DE CORELLA, Juan.

Poeta excelente y caballero valeroso español del siglo xv. Maestro de Teología y amigo y consejero del príncipe de Viana. Vivía aún en 1500. Nada más se sabe de su vida. Figura como poeta en el famosísimo libro titulado *Obres y trobes en lahors de la Vierge...*, el primero impreso en España —Valencia, 1474—, con una *Oración* a la Virgen, "de las mejores piezas literarias catalanas".

Es autor de la *Tragedia de Caldesa*, de aventuras amorosas y caballerescas, con mucha influencia italiana.

Otras obras: *La historia de Joseph, fill del gran Patriarca Jacob; Lo Quart del Cartoixá*—Valencia, 1495.

V. Cejador y Frauca, J.: *Historia de la lengua y literatura españolas...* Tomo I.

RUIZ DE LA FUENTE, Horacio.

Dramaturgo español. Nació—1905—en La Coruña. A los quince años colaboraba en una revista juvenil titulada *Plus Ultra*. Apenas terminados los estudios, se dedicó por completo a cumplir su enorme y gozosa vocación teatral.

De mucha originalidad de invención, peculiarísimo de técnica, pleno de modernidad, Ruiz de la Fuente jamás se ha rendido a las llamadas "exigencias de taquilla" y permanece fiel a su tendencia dramática, que no se parece a la de ninguno de los restantes autores dramáticos de su tiempo. Prefiere los temas de conciencia, o los de evasión hacia una intimidad. Casi onírica. Varias de sus obras están escritas para un solo personaje y casi todas se han traducido al francés, al italiano, al portugués, al alemán, siendo representadas con éxito en el extranjero.

Obras: *Retaguardia, Sor Cristina, El rescate, El infierno frío, El jardín secreto, No me esperes mañana, Aurora negra, La novia, Jacqueline, El alma prestada, La vida que no se vive, La muerte a un paso atrás, La muñeca muerta, La rebelión del barro, A solas con Dios, El Mesías, Yo condeno, El derecho a morir...*

RUIZ IRIARTE, Víctor.

Uno de los más originales, delicados e intensos comediógrafos contemporáneos. Nació en Madrid, el 24 de abril de 1912. Estudió el bachillerato en el colegio de los hermanos Maristas de la calle del Cisne. Tenía desde la infancia—la primera infancia un poco melancólica, con largas horas de lectura dispares y prolongados ensimismamientos—una gran afición y bastante facilidad para el dibujo. Durante mucho tiempo soñó con ser un gran pintor. Pasó algún tiempo en las salas del Museo de Reproducciones ("El Casón") copiando del yeso al carbón; reproducía, en diversas técnicas conseguidas por su curiosidad de autodidacto, toda clase de dibujos y grabados que caían en sus manos, y retrataba al carboncillo a todos los miembros de su familia. Le ilusionaba fantásticamente el teatro, pero por entonces no imaginaba escribir una comedia. Dibujaba incansable, y leía, leía con verdadera gula, todos los libros que caían en sus manos.

Su salud no era excesiva, y un médico aconsejó seriamente a sus familiares que se le prohibiese toda clase de lecturas. Excusado es decir que sus padres acataron enérgicamente la orden, poniendo fuera de su alcance libros y periódicos. Pero la verdad es que fue inútil. Por artes de su propia magia, seguía leyendo, y por entonces debió de emborronar sus primeras cuartillas. Más tarde, tendría unos dieciocho años, se fue amortiguando en él el entusiasmo por la pintura, y empezó esta otra y más fuerte vocación de la literatura. Durante varios años fue uno de los más contumaces asistentes, día a día, y hora a hora, a la sala de lectura de la Biblioteca Nacional y a la Biblioteca del Museo Pedagógico. Tendría unos diecinueve años cuando vio impresas sus primeras cuartillas en una revistita insignificante. Era un artículo sobre las mujeres oradoras. Y allí comenzó la lucha—tan ardua entonces para los aprendices de escritores—por situar un original en cualquier rinconcito de periódico o de revista. Al cabo de dos o tres años conseguía publicar algunos trabajos en la sección de crítica literaria de *El Sol*, que dirigía Mourlane Michelena, y colaboró en *Ciudad,* que gobernaba Víctor de la Serna.

Formó también parte de la Redacción de un modestísimo semanario, donde hacía artículos, críticas de teatro, reportajes y extractos de la *Gaceta*. Por entonces—1933, 1934, 1935—ganó sus primeras pesetas—poquísimas—con la pluma. Pero escribía afanosamente: artículos, crónicas, cuentos, ensayos... Solo una pequeñísima parte de lo escrito se publicaba. Y, al mismo tiempo, componía una tras otra muchas comedias, que recorrían infructuosamente unos y otros escenarios. Durante un tiempo, desalentado, se prometió a sí mismo no emplear más tiempo en escribir para el teatro, y llegó a destruir sus originales. Pero hacia 1939 y 1940—luego de la pausa impuesta por la guerra española—, la vieja y heroica ilusión surgió de nuevo. De entonces a acá ha trabajado bastante. En la actualidad es uno de los más importantes comediógrafos de España. Desde 1969 es presidente de la Sociedad General de Autores de España. Han sido traducidas a varios idiomas muchas de sus obras, y puestas como libro de texto español en muchas Universidades extranjeras.

Ha colaborado en algunos periódicos y revistas; ha dirigido la página teatral de *La Estafeta Literaria,* y ha estrenado las siguientes comedias: *Un día en la Gloria* —1943—, *El puente de los suicidas*—1944—, *Don Juan se ha puesto triste*—1945—, *Academia de amor*—1946—, *El cielo está cerca* —1947—, *La señora, sus ángeles y el diablo* —1947—, *El aprendiz de amante*—1947—, *Los pájaros ciegos*—1948—, *Las mujeres decentes*—1949—, *El landó de seis caballos* —1950—, *El gran minué*—1950—, *Cuando ella es la otra*—1951—, *Juego de niños* —1952, acaso su obra mejor y la que ha obtenido un éxito más extraordinario—, *La soltera rebelde*—1952—, *El café de las Flores*—1953—, *La cena de los tres reyes* —1953—, *Usted no es peligrosa*—1955—, *La vida privada de mamá*—1956—, *El príncipe*

R

durmiente—1956—, *El pobrecito embustero,
La guerra empezó en Cuba*—1955—, *Esta
noche es la víspera*—1959—, *Tengo un millón, El carrusel, El paraguas bajo la lluvia,
La señorita del sombrero rosa, La señora recibe una carta, Historia de un adúltero, Primavera en la Plaza de París.*

Bajo el título general *La pequeña comedia*
ha escrito más de sesenta deliciosas obras
para la Televisión.

Le ha sido otorgado el "Premio Nacional
de Teatro, 1952", a *Juego de niños.*

V. TORRENTE BALLESTER, Gonzalo: *Teatro
español contemporáneo.* Madrid, Guadarrama, 1957. Págs. 316-25.—VALBUENA PRAT, Angel: *Historia del teatro español.* Barcelona,
Noguer, 1956.

RUIZ PEÑA, Juan.

Delicado y hondo poeta. Nació en Jerez
de la Frontera el 25 de marzo de 1915. Su
infancia y su adolescencia transcurrieron en
su ciudad natal, donde estudió el bachillerato. En 1932 ingresó en la Universidad de Sevilla, y conoció a Jorge Guillén, que influyó en su formación espiritual. El año 1935
fundó la revista *Nueva Poesía*, y mantuvo
relación epistolar con Juan Ramón Jiménez.
Al siguiente año se licenció en Filosofía y
Letras. Desde el año 1942 vivió en Madrid,
como escritor, y colaboró en numerosos periódicos y revistas; estos años influyeron
decisivamente en su manera de pensar humana y literaria. Es catedrático de Literatura del Instituto de Salamanca. En la actualidad reside en esta ciudad bellísima, pero
su corazón suspira siempre por el Sur luminoso.

Ruiz Peña ha dicho de su poesía: "Mi
ideal sería conseguir una poesía profunda y
aérea a la vez. Algo así como la cuadratura
del círculo poético. Sé que en parte aspiro
a un imposible. Y he aquí mi drama interior.
Por eso la creación es para mi espíritu una
tortura y un goce al mismo tiempo, según
me acerque o no a mi ideal poético.

"Creo hacer una poesía directa, desnuda y
esencial. Que, vivo chorro, brota de mi corazón. Yo no canto sino lo que he vivido. Y,
por tanto, en mi poesía el sentimiento es
algo fundamental. Siempre expreso menos de
lo que siento o imagino, y sé que debo mucho a ese don celeste que se llama inspiración; de aquí que crea en el carácter divino
de la poesía, en cuanto a esencia y en cuanto a misterio. La poesía nos la revela Dios
a los poetas. Y es ese relámpago clarísimo
y misterioso que nos deslumbra con su vívi-
do resplandor, mientras entrevemos el rostro de su belleza.

"Mi poesía tiende por misterioso impulso a
desligarse de lo terreno y a elevarse hacia
Dios."

Obras: *Canto de los dos*—Cádiz, 1940—,
Libro de los recuerdos—Madrid, 1946—, *Vida
del poeta*—1950—, *La vida misma*—1956—,
*Memorias de Mambruno y Nuevas memorias
Mambruno*—prosas líricas, 1956, 1961—, *Andaluz solo (1957-1962)*—Madrid, 1962—, *Historia en el Sur*—prosas líricas. Madrid,
1954—, *Cuadernos de un solitario*—prosas líricas. Burgos, 1958—, *Burgos en la literatura romántica*—ensayo, 1957—, *Poesía de
Quevedo*—ensayo, 1950—, *Cuaderno apócrifo de Mambruno*—1964—, *Nudo*—poemas,
1966.

V. SAINZ DE ROBLES, F. C.: *Historia y antología de la poesía española.* Madrid, Aguilar, 1964, 4.ª edición.—GONZÁLEZ-RUANO, C.:
*Antología de poetas españoles contemporá-
neos.* Barcelona, Gili, 1946.

RUIZ DE LA SERNA, Enrique.

Poeta y cronista. Nació—1887—en Madrid,
donde cursó el bachillerato. Murió—1956—
en Las Palmas de Gran Canaria. Ingresó en
la Escuela de Ingenieros Industriales; pero
hubo de abandonar los estudios por una grave afección a la vista. Desde 1910 se dedicó
a la literatura y al periodismo. Redactor de
*Heraldo Alavés, El Pueblo Vasco, La Infor-
mación*—de San Sebastián—, *La Jornada,
Heraldo de Madrid...* Colaborador en *La Esfera, Nuevo Mundo, Los Lunes de "El Imparcial", Blanco y Negro, La Libertad, La
Hoja del Lunes*—de Madrid—, *El Español,
Tajo, Semana...* Ha popularizado los seudónimos "Colline" y "Fermín de Iruña".

Sus poesías y sus crónicas—incontables—
andan furtivas por diarios y revistas.

Ruiz de la Serna es un lírico profundo,
personal, delicado, que figura con justicia
en varias *Antologías* de poesía española.

V. SAINZ DE ROBLES, F. C.: *Historia y antología de la poesía española.* Madrid, Aguilar, 1951, 2.ª edición.

RULFO, Juan.

Novelista y cuentista mexicano, nacido hacia 1912. Universitario, viajero incansable, ha
ejercido el periodismo y la política con tanto
arte como escepticismo. Su fama, ya universal, la debe a su novela *Pedro Páramo*
—1953—, traducida a incontables idiomas, y
en la que la fantasía desvela una realidad social profunda y dolorosa. Nadie como él ha
captado a México en su dramática problemática humana y en su hondo espíritu popular.
Según el novelista mexicano Carlos Fuentes,
"Juan Rulfo y Agustín Yáñez cierran para
siempre—con llave de oro—la temática documental de la revolución mexicana, procediendo a la mitificación de las situaciones, de los
tipos y del lenguaje del campo. La obra de
Rulfo es la máxima expresión de la novela de

México, y a través de ella podemos encontrar el hilo que nos conduce a la nueva novela hispanoamericana".

Otras obras: *El llano en llamas*—relatos—, *Tres relatos...*

RUMAZO, José.

Notable poeta, historiador y dramaturgo. Nació en Latacunga (Ecuador) el 27 de agosto de 1904. Estudios de bachillerato y Filosofía en el Instituto de los Lazaritas (Paúles). Diversas actividades, principalmente agricultura y periodismo (colaboraciones en los diarios *El Comercio, El Día, Revista de la Sociedad Jurídico-Literaria de Quito*, etc.); luego, archivero del Consejo Municipal de Quito. Inicia la publicación de los *Libros del Cabildo de la ciudad*—libros primero y segundo, cuatro volúmenes, 1534-1541—y da a luz el libro *El Ecuador en la América prehispánica*. Aparecen también por la misma época, alrededor de 1932, varias poesías en periódicos y revistas del Ecuador; igualmente breves monografías históricas, críticas de arte, etc. Desde 1934 hasta 1947 ha sido cónsul del Ecuador en Sevilla, Cádiz, Lisboa y Barcelona, y desde 1947 desempeña las funciones de encargado de Negocios de su país en España. En 1948 fue delegado del Ecuador en la III Conferencia de la Unesco, que se celebró en Beyrouth. Ha representado a su país en otras Conferencias. En España ha publicado, a más de colaboraciones en la *Revista de Indias: La región amazónica del Ecuador en el siglo XVI*—historia, 1946, Sevilla, Instituto Fernández de Oviedo—, *Sevilla del oro* y la *Leyenda del cacique Dorado* —dramas—, *Documentos para la historia de la Audiencia de Quito*. Hasta ahora han aparecido cuatro tomos. Se propone el autor en esta bublicación hacer una historia de la cultura hispánica en la antigua Audiencia de Quito en forma documental. Los siete primeros tomos irán dedicados al geógrafo y explorador don Pedro Vicente Maldonado. Por último, *Raudal*—poesías.

RUMAZO, Guadalupe.

Ensayista, cuentista ecuatoriana. Nació —1935—en Quito. Estudió el bachillerato y otros estudios superiores en Colombia, Uruguay y Estados Unidos. Colaboradora asidua de periódicos tan importantes como *Indice Literario*—en *El Universal*, de Caracas—, *Papel Literario*—en *El Nacional*, de Caracas—, *Cuadernos*—París—, *El Comercio*—de Quito—, *El País*—de Cali (Colombia)—, *Letras del Ecuador, Revista Literaria*—de Caracas.

Sus ensayos y sus cuentos, escritos en bella y lírica prosa, delatan un espíritu lleno de curiosidad y una sensibilidad exquisita.

Obras: *En el lagar*—ensayos, 1962—, *Sílabas de la tierra*—cuentos, 1964—, *Yunques y crisoles americanos*—ensayos.

V. BARRERA, Isaac: *Historia de la literatura ecuatoriana*.—CARRIÓN, Benjamín: *Lupe Rumazo, ensayista y cuentista*.—ZALDUMBIDE, Gonzalo: Prólogo al libro *En el lagar*.—PICÓN SALAS, Mariano: Prólogo en el libro *En el lagar*.—IBARBOUROU, Juana: Prólogo en el libro *Sílabas de la tierra*.

RUMAZO GONZÁLEZ, Alfonso.

Historiador, poeta, novelista y crítico ecuatoriano. Nacido—hacia 1903—en Quito. Doctor en Filosofía y Letras. Catedrático de Historia de América, Composición castellana e Historia de la Cultura en la Universidad Central de Venezuela. De mucha erudición y estilo noble con un vocabulario castizo. Cónsul en Cali (Colombia) y Montevideo. Miembro de la Academia de la Historia de Venezuela, del Ateneo de Caracas, de la Nacional de Historia del Valle, Cali, Colombia, de la Venezolana de Escritores. Miembro numerario de la Academia de la Lengua (correspondiente de la Real Academia Española) y de la Academia de la Historia del Ecuador.

Obras: *Bolívar, Gobernantes del Ecuador (1830-1932)*—"Premio de la Academia Ecuatoriana de la Historia"—, *Siluetas líricas de poetas ecuatorianos, O'Leary, edecán del Libertador, Esencia del periodismo, Nuevas siluetas de poetas ecuatorianos, Esmeraldas* —novela—, *Vibración azul*—poemas—, *Tríptico bolivariano, Sucre, Gran Mariscal de Ayacucho*—Madrid, Aguilar, 1963—, *En una calle del cielo*—novela...

RUMÉU DE ARMAS, Antonio.

Nació en Santa Cruz de Tenerife en el año 1912. Cursó los primeros estudios en su ciudad natal, desde donde se trasladó a Madrid para ingresar en la Universidad Central. En este centro docente siguió los estudios de Derecho y Filosofía y Letras, licenciándose y doctorándose en ambas disciplinas con premio extraordinario.

Después de ingresar por oposición en el profesorado de Institutos de Enseñanza Media (con el número uno de las oposiciones), el señor Ruméu ingresó en el profesorado universitario, pasando a desempeñar la cátedra de Historia de España en la Universidad de Granada. En la actualidad desempeña la misma disciplina en la Universidad de Madrid.

El señor Ruméu de Armas pertenece como miembro a los Institutos "Jerónimo Zurita", de Historia, y "Balmes", de Sociología, del Consejo Superior de Investigaciones Científicas; es académico correspondiente de la Real de la Historia en Barcelona; per-

R

tenece a otras varias entidades científicas y ha colaborado en todas las revistas culturales de nuestra nación.

Obras: *Historia de la censura literaria en España*—Madrid, Aguilar, 1940—, *Ataques piráticos y acciones navales contra las Islas Canarias*—tres tomos, 1945, "Premio Antonio de Nebrija, 1945"—, *El bando de los alcaldes de Móstoles*—Toledo, 1940—, *Colón, en Barcelona; Las bulas de Alejandro VI y los problemas de la llamada exclusión aragonesa*—Sevilla, 1944—, *La inoculación y la vacunación antivariólica en España*—Valencia, 1941—, *Breve historia de la Prensa antiliberal en España*—Memoria de la Asociación de la Prensa de Barcelona, 1943—, *Historia del periodismo español*—Memoria de la Asociación de la Prensa de Barcelona—, *Los gremios españoles. Su origen y vicisitudes*—Revista de Trabajo, 1945—, *Los derechos de Felipe II al trono y conquista de Portugal*—Universidad, 1940—, *El duque de Rivas, pintor*—Revista de la Sociedad de Amigos del Arte, 1935—, *La conquista de Túnez por Don Juan de Austria*—Razón y Fe, 1940—, *El Gran Capitán, peregrino en Santiago de Compostela*—Razón y Fe, 1941—, *El duque de Rivas y la censura*—Acción Española, 1934.

RUSIÑOL, Santiago.

Ensayista, novelista, autor dramático y pintor español. Nació—1851—en Barcelona y murió—1931—en Aranjuez. Como pintor, su fama es justa y universal; y posiblemente esta fama artística ha llevado injustamente a un segundo término su personalidad literaria, a nuestro parecer, no menor ni menos fecunda que la pictórica.

Como literato, inició su vocación publicando artículos de humor en diferentes diarios y revistas de Cataluña: *L'Avenç, L'Esquella de la Torratxa, La Vanguardia...*

Rusiñol escribió en catalán sus tres primeros libros: *Anant pel mont*—1896—, *Oracions*—1897—, *Fulls de la vida*—1898—. Y en 1890 estrenó el monólogo *L'home de l'orga.* Desde este año, casi ininterrumpidamente, consiguió grandes éxitos sobre la escena con más de 40 obras, entre las que destacan: *L'alegría que passa, Cigales y formigues, La nit de l'amor, El pati blan, ¡Llibertat!, L'hereu Escampa, L'auca del senyor Esteve, El mistic, La bona gent, La mare...* Traducidas al castellano muchas de estas obras—por Benavente y Martínez Sierra—, lograron triunfos definitivos.

Otras obras: *El poble gris, Del Born al Plata, L'illa de la calma, El catalá de "La Mancha", La niña gorda*—novela de humor—, *De la vida, Jardines de España, Aucells de fang, Glosari, Desde el molino, Impresiones de Arte...*

Rusiñol escribió indistintamente en catalán y en castellano. Y numerosos libros suyos han sido traducidos al francés, al inglés, al italiano...

Rusiñol llevó a su literatura el mismo colorido brillante, el mismo impresionismo sugestivo, la misma sutileza interpretativa que a su pintura. Y está considerado en justicia como uno de los más grandes maestros de las letras catalanas contemporáneas.

RUSSELL, Dora Isella.

Gran poetisa y prosista uruguaya. Nació en Buenos Aires el 15 de marzo de 1925, pero su familia se trasladó a Montevideo en 1933, siendo actualmente ciudadana legal uruguaya. Hizo aquí todos sus estudios, finalizando los de bachillerato en Derecho en 1942. Actuó un par de años como profesor agregado de Literatura. En 1943 publicó su primer libro: *Sonetos,* al que siguió en 1944, en prosa, un ensayo-prólogo a la edición uruguaya del *Peer Gynt,* de Ibsen. De 1944 a 1945 trabajó honorariamente en la clasificación de manuscritos de Rodó, en el Instituto Nacional de Investigaciones y Archivos Literarios. En 1946, otro libro de poesía: *El canto irremediable,* que fue premiado por el Ministerio de Instrucción Pública. En 1949, otra vez poesía: *Oleaje,* que prologó Ventura García Calderón; la segunda edición, edición-homenaje ofrecida por un núcleo de amigos, publicada en 1951, lleva, además, epílogo de Juana de Ibarbourou. Sobre la lírica de esta ilustre poetisa, escribió varios ensayos, publicados como separatas de la *Revista Nacional,* entre 1947 y 1948. En 1951 publicó un trabajo más completo, pues sintetiza su biografía, con el título de *Juana de Ibarbourou.* Y acabada de compilar y anotar sus *Obras completas,* para la "Colección Joya", de Aguilar. También en 1951 se publicó en París la *Première anthologie,* edición Garnier, con traducciones de Miomandre y Vandercammen. Participó en el reciente Congreso Internacional de Poesía celebrado en París. Para las ediciones venezolanas de *Lírica Hispana* se le solicitó una antología de poetas uruguayos, que apareció en mayo de 1952, con el número 111; y le dedicaron un volumen, número 114, que comprende poesías de sus tres libros éditos y del inédito. Este, que llevará por título *El otro olvido,* se encuentra actualmente en prensa en México, y aparecerá en las ediciones de "Cuadernos Americanos".

Ha pronunciado conferencias sobre temas literarios, tales como las ya citadas sobre Juana de Ibarbourou, *Artigas en la poesía uruguaya, Dimensión y mensaje en "La Tempestad", de Shakespeare; José Martí, José Pedro Varela y la democracia uruguaya, Elvira Reyes, la última romántica; José Santos*

Chocano, El niño y su isla (el cuento en la formación espiritual del niño), etc. En 1950 dio conferencias sobre la literatura uruguaya en la Argentina y Chile, como enviada oficial del Ministesio de Instrucción Pública. Es socia fundadora de la Asociación Uruguaya de Escritores, en la cual, desde que se fundara en 1948 hasta mediados del año 1952, desempeñó el cargo de secretaria de Actas.

Actualmente, como miembro delegado del Poder ejecutivo, integra el Consejo de Derechos de Autor.

Dora Isella Russell es una de las más admirables y personales poetisas de Hispanoamérica, cuyos países tantas incomparables poetisas han dado al idioma castellano. Aún es muy joven para que pueda sentenciarse nada definitivo de ella; pero sí cabe afirmar que su lirismo sugestivo, original, impresionante de emoción y de eterno destino, enraíza en una sensibilidad en carne viva, en un corazón fecundo de hermosas y trascendentes *corazonadas*.

Dora Isella Russell no es *una* mujer que escribe poemas; es... *la mujer;* la mujer en su plenitud de mensaje cordial, de su apetencia de futuros logrados y aun superados dentro de la más espléndida humanidad.

RUYRA OMS, Joaquín.

Poeta y novelista español de mucho interés. Nació—1858—en Gerona. Murió en 1939. Estudió Derecho en la Universidad de Barcelona. Pero, sin terminar sus estudios, se retiró a su casa solariega de Blanes para dedicarse al cultivo fervoroso de la literatura. Hasta los treinta años escribió exclusivamente en castellano. A partir de tal edad empezó a escribir en catalán. Obtuvo —1895—el premio extraordinario en los Juegos florales barceloneses con su poesía *Lo mellor de la terra*. Perteneció al Institut d'Estudis Catalans. Ha traducido maravillosamente a poetas tan distintos como Mosco, Horacio, Dane, Racine y Verlaine.

Fue Ruyra de una sensibilidad exquisita. En toda su obra, como ha dicho Salvador Albert, "se percibe el sonido de su alma". Como poeta, es melancólico, armonioso, de impresionante "música interior". Como prosista, es intenso, patético; tiene un colorido de suaves gamas y una expresividad incrustada de fulgencias mediterráneas.

Obras: *Jacobé*—novela—, *Marines y boscatjes*—1903—, *El país del placer*—poema—, *La parada, Pinya de Rosa.*

V. COMERMA Y VILANOVA, J.: *Historia de la literatura catalana.* Barcelona, 1924.

R

S

SA DE MIRANDA, Francisco.

Poeta hispanoportugués. Nació—1495—en Coimbra y murió—1558—en Tapada (Entre Duero-Miño). Estudió Humanidades y Lenguas en su ciudad natal. Doctor en Leyes. Estuvo muy protegido por el monarca lusitano Juan III. Viajó por España e Italia, llegando a dominar como la propia las lenguas italiana y castellana. Le cabe el honor de haber introducido en Portugal la versificación italiana de la época. Su carácter íntegro le obligó a retirarse de la corte, refugiándose en su quinta, Tapada, para dedicarse a la lectura y al cultivo de la poesía. Amigo y admirador de Garcilaso de la Vega, lamentó su prematura muerte en la égloga *Nemoroso*. Sus poesías son sentenciosas y ricas en filosofía moral; su estilo, correcto; su frase, pura. Sa de Miranda representa en las letras portuguesas precisamente lo que Garcilaso en las castellanas. Dejó setenta y cinco composiciones en castellano. Y escribió dos obras escénicas: *Comedia de Vilhalpandos*—1560—y *Comedia dos extrangeiros*—1569—, en las que exaltó una tendencia opuesta a la de Gil Vicente. Sa de Miranda dejó una excelente y delicada producción, compuesta de sonetos, églogas, epístolas, himnos, canciones populares y comedias, a imitación de Plauto y Terencio, escrita toda ella en lenguaje noble y elevado. Entre tales obras sobresalen con mucho las ocho églogas, seis de las cuales están escritas en castellano.

De las obras de Sa de Miranda se hicieron ediciones en 1595, 1614, 1632, 1651, 1677...

Edición moderna: *Poesías,* Halle, 1881.

V. Michaelis, Carolina: *Estudio de Sa de Miranda,* en la ed. de Halle, 1881.—Michaelis, Carolina: *Sa de Miranda,* 1885.—Sousa Machado, José de: *O poeta do Neiva. Noticias biográficas e genealógicas...* 1928.—Aubrey Bell: *Portuguese literature.* 1922.

SAAVEDRA Y CUETO, Enrique.

Poeta y novelista español. Nació—1828—en Malta, durante el destierro de su padre, el famoso autor de *Don Alvaro o la fuerza del sino.* Murió—1914—en Madrid. Estudió Humanidades en Sevilla y se licenció en Derecho y en Filosofía y Letras en Madrid. Cuarto duque de Rivas. Desde muy joven empezó a publicar poesías y narraciones en la Prensa, firmando estos juveniles trabajos con el título de "Marqués de Auñón". Concejal —1857—del Ayuntamiento de Madrid. Diputado a Cortes. Académico de la Real Española de la Lengua—1864—. Ministro plenipotenciario de España en la corte del rey Víctor Manuel. Senador vitalicio. Consejero de doña Isabel II y de Alfonso XII. Gentilhombre de Cámara. Gran cruz de la Orden de Carlos III y caballero de la Orden del Toisón de Oro.

Enríquez Ramírez de Saavedra fue un poeta romántico y delicado, de escasa espectacularidad, muy influido por su padre y por Zorrilla. Como prosista, en sus narraciones tuvo vivacidad, dibujo correcto, estilo personal y brillante.

Obras: *Sentir y soñar*—poesías—, *Historias novelescas, La leyenda de Hixem II, Discursos, cartas y otros escritos; Cuadros de la fantasía y de la vida real.*

SAAVEDRA FAJARDO, Diego de.

Magnífico polígrafo y prosista español. 1584-1648. Nació en Algezares (Murcia) el 6 de mayo de 1584. Su familia era noble y pudiente. Fue un niño grave y precoz. Antes de los tres años supo leer y escribir. A los seis ya estaba muy ducho en el latín y en la retórica. Y por su carácter bondadoso y pacífico, creyeron sus padres que ningún destino era más afín a él que el de la clerecía sabihonda y campanuda. En el Seminario murciano cursó las Humanidades, y en la Universidad de Salamanca, la Jurisprudencia y los Cánones. Pero contando dieciocho años, suave y fuerte, se negó a recibir órdenes sagradas. Quería independencia. Quería ver mundo. Apenas cumplidos los veintidós, se lo llevó como su secretario a Roma el cardenal Gaspar de Borja, un purpurado cuya estampa severa nos recuerda al cardenal Niño de Guevara, que pintó el *Greco* y que emociona un tanto con su entequez y con su fuego interior.

En 1606 ya estaba en Roma Saavedra Fajardo; y en Roma permaneció muchos años —muy breve un paréntesis napolitano—, asistiendo de conclavista—1621 y 1623—a la elevación al solio pontificio de los cardenales Alejandro Ludovisio y Mafeo Barberini, conocidos en la Historia con los nombres de Gregorio XV y Urbano VIII.

En recompensa de sutiles trabajos diplomáticos que él realizaba correcto de ademán, concreto de palabra y cortesano de intento, Felipe IV le recompensó con una canonjía en Santiago de Compostela, adonde no llegó a ir, entre otras muchas causas, porque a él, ni tonsurado siquiera, nada se le había perdido en la rancia ciudad apostólica de Galicia; ni siquiera las ganas de lanzar en canto llano los rezos y las preces.

En 1633 aún estaba en Roma. Poco después sucedió en el cargo de embajador a su protector el cardenal Borja. En 1638 hizo un viaje de exploración política en el condado de Borgoña. Asistió en Ratisbona a la coronación de Fernando III como rey de romanos. Tomó parte en ocho Dietas. Representó intereses españoles muy peliagudos en el Franco-condado, los cantones suizos y la corte de Baviera. Y cada vez pisaba más firme, pero siempre igual de suave, de sonriente, de sutil—los tres adjetivos del perfecto diplomático, según La Bruyère—, nuestro impar político don Diego de Saavedra Fajardo, cuya fama era ya europea y muy encomiada. En 1644 fue enviado como plenipotenciario al Congreso de Münster, siendo él quien preparó sagazmente el plan de los tratados con las ciudades anseáticas y con los Estados generales de las Provincias Unidas. España ya no vivía la situación privilegiada de exigir. Saavedra logró que pudiera aún presumir de exigencias. La oratoria y la pluma del gran escritor y diplomático enmascaraban de gallardías las muecas de la impotencia bélica. Antes que se firmaran los tratados, Saavedra Fajardo regresó—1646—a España, de la que había estado ausente cuarenta años. Además, se sentía muy cansado, inmensamente amargado. Oigámosle: "Muchas causas de compasión, y pocas o ninguna de envidia, se hallan en el autor de este libro—*Empresas políticas*—, y hay quien envidia sus trabajos y continuas fatigas, o no advertidas o no remuneradas. Fatal es la emulación contra él. Por sí mismo nace y se levanta sin causa, atribuyéndole cargos que primero los oye que los haya imaginado; pero no bastan a turbar la serenidad de su ánimo cándido y atento a sus obligaciones; antes ama a la envidia porque le despierta, y a la emulación porque le incita." ¡Amargas verdades!

Muchos otros cargos desempeñó y otros muchos títulos obtuvo Saavedra. En 1640 fue caballero de Santiago; consejero de Indias en 1643; introductor de embajadores en 1646; camarista del Consejo de Indias en 1647. Ya en Madrid, se retiró al convento de los reverendos padres Recoletos, donde vivió con toda la paz religiosa que le ofrecía aquella santa casa. Y en ella murió el 24 de agosto de 1648, a los sesenta y cuatro años, tres meses y diecinueve días de edad. Fue sepultado en el oratorio inmediato al coro, detrás de una lauda, con una inscripción mucho más solemne de lo que había sido su vida.

Las obras más importantes de Saavedra Fajardo son: *Idea de un príncipe político cristiano, representada en cien empresas* —Münster, 1640—, *Corona gótica, castellana y austríaca*—Münster, 1645—, *La República Literaria*—que quedó póstuma—, *Locuras de Europa, Introducciones a la política y razón de Estado del rey católico don Fernando* —1631—, *Razón de Estado del rey don Fernando el Católico,* algunas cartas y algunas poesías.

Su obra fundamental es la primera mencionada, conocida universalmente con el título abreviado de *Empresas políticas,* y que viene a ser una réplica magnífica al *Príncipe,* de Maquiavelo. El contramaquiavelismo pudiera subtitulársela. Profundo de intención moral, sutilísimo en el tema arduo, claro y grave de estilo, ameno en la fórmula expresiva, Saavedra Fajardo logró en ella la obra política de más aliento y repercusión del siglo XVII. Menos profunda, pero más amena, es la *Corona gótica,* única que compuso Saavedra, ya que las *castellana y austríaca*—que no llegó ni a bosquejar—se deben a la pluma del cronista Alonso Núñez de Castro. Con ella intentó convencer Saavedra a la política sueca del valor político inmenso de España durante más de diez siglos. En ella son deliciosas las biografías que traza de los treinta y cinco monarcas godos españoles. De *La República Literaria* ha escrito Menéndez Pelayo: "Es uno de los más ingeniosos y apacibles de nuestra literatura del siglo XVII, una también de las últimas obras en que la lengua literaria está pura de toda afectación y contagio. Todo es, en esta *República,* ameno, risueño, fácil..."

Saavedra Fajardo conoció y manejó el castellano con suma maestría; sus pensamientos son originales y profundos; su dicción es pura y tersa; sus frases, en general, majestuosas y rotundas. Severo, enérgico y conciso, se le nota influenciado por su gran cultura clásica. Puede reprochársele, quizá, de estilo algo afectado, de no usar los períodos largos y de encadenados miembros, que tan naturales son en el castellano, ya que procede por frases cortas y con una expre-

S

sión, por decirlo así, epigramática, de la que resulta un laconismo de afectación y de cierta oscuridad. Con todo, es Saavedra Fajardo uno de los prosistas españoles más admirables. Su nombre figura en el *Catálogo de autoridades,* de la Academia de la Lengua. Todos sus defectos no son sino la falta de tiempo y sosiego.

Como detalle curioso, cabe señalar que la fama literaria de nuestro gran diplomático fue mucho mayor en el extranjero que en España. Hasta el punto que un autor de tan rigurosa crítica como Adolfo de Puibusque —en su *Historia comparada de las literaturas españolas y francesa,* obra premiada por la Academia Francesa en 1842—le juzga así: "Diego de Saavedra es el más grande hombre del reinado de Felipe IV. Crítico instruido, sagaz y delicado, asoció las gracias del ingenio a la gravedad del juicio; sus composiciones políticas, morales y literarias son tales, que el ingenio ateniense habría podido concebirlas, y se comprende solamente que no podían recibir sino de un español el calor que las anima. Vasta erudición, filosofía profunda, sana moral, conocimiento exacto del corazón humano, ironía fría y suave; estilo puro, correcto y claro... Tales son las cualidades eminentes que reúne."

De las obras de este eximio escritor multiplicáronse las impresiones durante los siglos XVII y XVIII, siendo traducidas en su mayoría a todos los idiomas europeos.

De *La República Literaria:* Alcalá, 1670; Madrid, 1759 y 1788; Valencia, 1768 y 1772.

De *Idea de un príncipe político cristiano:* Münster, 1640; Mónaco, 1640; Milán, 1642; Amberes, 1655; Amsterdam, 1658; Valencia, 1660; Madrid, 1675, 1789; Londres, 1700; Bruselas, 1640.

De la *Corona gótica:* Münster, 1646; Madrid, 1658, 1671; Amberes, 1681...

Ediciones modernas: *Obras,* Madrid, 1819, en cuatro volúmenes; tomo XXV de la "Biblioteca de Autores Españoles", de Rivadeneyra; tomos 82, 83 y 84 de la "Colección de documentos inéditos para la Historia de España", 1884; *Idea de un príncipe,* en *Clásicos Castellanos,* ed. García de Diego, Madrid; *República Literaria:* Madrid, 1907, edición Serrano y Sanz; *Corona gótica:* Madrid, 1945, Aguilar, "Colección Crisol", número 55.

Pero la edición más completa y perfecta es la de *Obras completas* de Saavedra Fajardo, Madrid, 1945, Aguilar, "Col. Obras Eternas", preparada y anotada por A. González Palencia.

V. GONZÁLEZ PALENCIA, A.: *Estudio y notas* a la ed. *Obras completas,* Madrid, 1945.— GARCÍA DE DIEGO, V.: Prólogo y notas a la edición *Clásicos Castellanos,* Madrid.—CO-RRADI, Fernando: *Juicio acerca de Saavedra Fajardo... Discurso* en la Academia de la Historia, 1876.—BENITO, L. de: *Juicio crítico de las "Empresas políticas"...* Zaragoza, 1904. CORTINES, F.: *Ideas jurídicas de Saavedra Fajardo.* Sevilla, 1907.—"AZORÍN": *De Granada a Castelar.*—ROCHE y PÍO TEJERA: *Saavedra Fajardo: Sus pensamientos...* Madrid, 1884.—IBÁÑEZ GARCÍA, J. M.: *Saavedra Fajardo. Estudio sobre su vida y sus obras.* GREEN, O. H.: *Documentos y datos sobre la estancia de Saavedra Fajardo en Italia,* en *Bulletin Hisp.,* 1937, XXXIX.

SAAVEDRA Y RAMÍREZ DE BAQUEDANO, Angel (v. Rivas, Duque de).

SÁBATO, Ernesto.

Novelista y ensayista argentino, nacido hacia 1912. De honda cultura y espíritu ávidamente inconformista. A partir de 1960, su fama se ha hecho universal. Según el gran crítico Alberto Zum Felde, "el narrador demuestra tanta agudeza psicológica y es tan dueño de su técnica y lenguaje como el ensayista. Si como tal ejercita un habilísimo juego dialéctico en el manejo de los temas y problemas fundamentales y palpitantes..., el narrador revela no menos destreza en el arte de componer su relato, de reconcentrada tensión y ritmo, en el que traza el proceso mental de un personaje con exactitud magistral. La sutileza y precisión del análisis psíquico aúna el sostenido y creciente interés novelesco del desarrollo a través de un estilo prieto, aparentemente llano, con intensa carga de magnetismo mental y de carácter..."

Obras: *Uno y el Universo*—ensayos—, *Hombres y engranajes*—ensayos—, *Heterodoxia*—ensayos—, *El túnel*—novela, 1948—, *Sobre héroes y tumbas*—novela sensacional realmente—, *Informe sobre ciegos*—historia espeluznante, atravesada por una metáfora extraordinaria...

SABUCO Y ÁLVAREZ, Miguel.

Notable erudito, psicólogo y prosista español. Nació—¿1529?—en Alcaraz. Murió en 1588 en la misma ciudad.

Fue bachiller y vecino de Alcaraz. Y el verdadero autor de la *Nueva filosofía de la naturaleza del hombre*—1587—, que aparece con el nombre de su hija doña Oliva Sabuco de Nantes. Esta honra quiso darle su padre. Así, al menos, se deduce del poder que el bachiller Sabuco dio a favor de su hijo Alonso para que imprimiese dicho libro en Portugal: "... yo, el bachiller Miguel Sabuco, vecino desta ciudad de Alcaraz, autor del libro intitulado *Nueva filosofía,* padre que soy de doña Oliva Sabuco, mi hija, a quien puse por autor solo para darle la honrra y no el probecho ni interés, otorgo..."

La *Nueva filosofía* es un conjunto de coloquios, el primero de los cuales, llamado "de las pasiones", es el más notable.

Igualmente, en su testamento, otorgado en Alcaraz el día 20 de febrero de 1588, el bachiller Sabuco se declara autor de tal obra; confiesa que fue casado dos veces—la segunda con Ana García—, que tuvo tres hijos: Alonso, Miguel y Oliva, y manda a esta, "so pena de mi maldición", que no se entremeta en el provecho del libro.

La curiosísima obra de Sabuco es un tratado de las pasiones en relación con la fisiología. Los tres últimos coloquios tratan: de la compostura del mundo (meteorología), de los auxilios y remedios de la Medicina y de las cosas que mejoran el mundo y sus repúblicas.

El éxito de la obra fue grande. En Madrid se publicó dos veces: 1587 y 1588; en Braga, 1622; en Madrid, 1728. El Santo Oficio mandó recogerla en 1588. Los estudios de Laverde y Menéndez Pelayo acerca de una filosofía nacional volvieron a darle un gran interés, y con justicia, ya que delata una suma de conocimientos muy certeros sobre Medicina, Higiene y Filosofía, una sagacidad crítica poco común, independencia de criterio y precisión científica excepcional. La obra es, además, un modelo de prosa didáctica en lenguaje castellano.

Hay ediciones modernas excelentes. Madrid, 1847; tomo LXV de la "Bibl. de Autores Españoles", de Rivadeneyra; París, 1866; Madrid, 1888; Madrid, Aguilar, 1935.

V. CUARTERO, Octavio: *Obras de doña Oliva Sabuco.* Madrid, 1888.—HIDALGO, J. M.: *Doña Oliva Sabuco no fue escritora,* en *Revista de Archivos,* 1903.—MARCOS, José: *Biografía de doña Oliva de Sabuco.* Madrid, 1900.—TORNER, Florentino M.: *Doña Oliva Sabuco de Nantes.* Madrid, Aguilar, 1935.

SABUCO DE NANTES, Oliva (v. Sabuco y Alvarez, Miguel).

SACO, José Antonio.

Historiador, literato y jurista cubano. Nació—1797—en Bayamo y murió—1879—en Barcelona. Estudió en su ciudad natal y en el Seminario de San Carlos, de la Habana. Gran orador. Catedrático de Filosofía. En 1828 fundó *El Mensajero Semanal.* Fue un gran caballero y un notabilísimo jurisconsulto, que antes de cumplir los treinta años había alcanzado una absoluta popularidad y una indiscutible influencia en Cuba. Viajó por Europa y toda América. Tres veces estuvo electo diputado por su isla en las Cortes españolas, sin que en ninguna de las tres llegara a ocupar el escaño por causas de índole interna española. Defendió incansablemente la libertad de Cuba, con gran nobleza, en la misma España; pero se opuso virilmente a las ideas de muchos cubanos deseosos de una anexión a los Estados Unidos.

Fue José Antonio Saco un alma grande, generosa, que amó la verdad y la justicia sobre todas las cosas; y un historiador competente, minucioso; y un literato ameno y fecundo, de originales ideas.

Obras: *Justa defensa de la Academia Cubana*—1834—, *Paralelo entre la isla de Cuba y algunas colonias inglesas*—1838—, *Ideas sobre la incorporación de Cuba a los Estados Unidos, La situación política en Cuba y su remedio*—1851—, *La cuestión de Cuba, Historia de la esclavitud desde los tiempos más remotos hasta nuestros días*—su obra más importante...

V. AGÜERO, P. de: *Don José Antonio Saco.* Londres, 1858.—PÉREZ, Luis M.: *Estudio sobre las ideas políticas de José Antonio Saco.* La Habana, 1908.—CHACÓN Y CALVO, José María: *La literatura de Cuba,* en el tomo XII de la *Historia universal de la literatura,* de Prampolini. Buenos Aires, Uteha Argentina, 1941.

SACO Y ARCE, Juan Antonio.

Poeta y erudito gallego. Nació—1836—en Alongos (Orense) y murió—1881—en Orense. Cursó el bachillerato en esta ciudad, ingresando después en el Seminario Conciliar de San Fernando, donde terminó la carrera eclesiástica. Doctor en Filosofía y Letras por la Universidad de Santiago de Compostela. Catedrático de Retórica y Poética en el Instituto de Segunda Enseñanza orensano. Académico correspondiente de la Real Española de la Lengua. Sus conocimiento filológicos fueron extraordinarios. Su *Gramática gallega*—1866—aún tiene un valor inapreciable. Como poeta, fue sumamente delicado, hondo y religioso. Sus *Poesías,* escritas entre 1855 y 1877, aparecieron en Orense —1878—en un volumen de 420 páginas. Casi todas ellas están escritas en castellano, y solo nueve en gallego.

Dejó inéditos los libros: *Literatura popular de Galicia* y una *Colección de coplas, romances, cuentos y refranes gallegos,* que han sido publicados en parte en el *Boletín Provincial de Monumentos de Orense.*

V. FERNÁNDEZ ALONSO, Benito: *Juan Antonio Saco y Arce,* en *Orensanos ilustres.* Páginas 161-64.—COUCEIRO Y FREIJOMIL, Antonio: *El idioma gallego (Gramática. Historia. Literatura).* Barcelona, 1935, págs. 344-346.—PARDO BAZÁN, Emilia: *Un libro reciente: las "Poesías" de Saco,* en *El Heraldo Gallego,* 5 de julio de 1878.

SÁENZ HAYES, Ricardo.

Prosista, historiador, periodista, crítico argentino. Nació—1888—en Buenos Aires. Des-

S

de muy joven ha vivido en Europa, especialmente en Inglaterra y Francia. De aquí la formación europea de su espíritu, que se revela en los temas de la mayor parte de sus libros. Periodista de una sugestiva actualidad, su copiosa colección de artículos llenaría numerosos volúmenes. Durante más de un cuarto de siglo publicó a diario artículos sobre política en el gran diario bonaerense *La Prensa*. En 1930 representó a este gran diario en España, dando notables conferencias en el Ateneo, Círculo de Bellas Artes y otros varios centros culturales. Escribe con preferencia ensayos de crítica literaria y filosófica, expresándose en un estilo brillante, limpio, señoril, de grandes "resonancias musicales".

Obras: *España, La fuerza injusta, El viaje de Anacarsis, Los amigos dilectos, Almas de crepúsculos, De Stendhal a Gourmont, Blas Pascal y otros ensayos, La polémica de Alberdi con Sarmiento y otras páginas, España: meditaciones y andanzas, Perfiles y caracteres, Antiguos y modernos, Miguel de Montaigne, De la amistad en la vida y en los libros, El Brasil moderno, Reminiscencias: pláticas con Anita.* Prepara la publicación de *Diario íntimo* (veinte años de su vida en Europa).

Paul Hazard ha dicho que el *Montaigne* de Sáenz Hayes "es uno de los más hermosos libros de exégesis que se han escrito", sin paralelo en ninguna otra literatura. Según Rafael Alberto Arrieta, "Sáenz Hayes cultiva el ensayo a la manera inglesa, y el ensayo inglés, a lo largo de dos siglos, suele ser una forma de periodismo intelectual. Crítico, meditador y viajero, su *Montaigne* es el primer libro que se ha escrito en lengua española, y habrá de contarse entre los primeros de la bibliografía pertinente, en cualquier idioma".

SAGARRA Y DE CASTELLARNÁU, José María de.

Gran poeta, dramaturgo y ensayista español. Nació—1894—y murió—1961—en Barcelona. Cursó el bachillerato con los jesuitas de su ciudad natal. Y se licenció en Derecho en 1914 en la Universidad barcelonesa. Sus primeros versos en lengua catalana los escribió a los doce años. Un viaje a Italia, que realizó contando dieciocho años, decidió su vocación literaria. Amistó con Maragall, Alcover, Costa y Llobera y Carner, en cuyas escuelas poéticas se hizo ferviente adepto. En 1917, la amistad con el gran dramaturgo catalán Ignacio Iglesias le empujó a escribir para el teatro, estrenando su primera producción escénica—*Rondalla d'esparvers*— en 1918.

Sagarra es el único autor que ha ganado todos los grandes premios literarios de Cataluña. En 1913 y en 1931, la "englantina de oro" en los Juegos florales de Barcelona. En 1926, el "Premio Fastenrath" con su libro *Cansó de totes les hores.* El "Premio Ignacio Iglesias, 1932", con su drama *L'Hostal de la Gloria.* El "Premio Crexells, 1932", con su novela *Vida privada.* Maestro en Gay Saber—1931.

Sagarra ha colaborado en numerosos periódicos y revistas, buscando con verdadero deleite el gran público sus artículos, llenos de amenidad, modernidad y sutileza. Durante algunos años fue crítico teatral de *La Publicitat*, y, entre 1920 y 1921, corresponsal en Berlín de *El Sol*, de Madrid.

Sagarra es admirable como poeta, como novelista, como dramaturgo y como ensayista. Pocos escritores españoles contemporáneos tan magníficamente dotados como él. De mucha cultura, de prosa riquísima, de gran inventiva, original y expertísimo psicólogo, maestro en el diálogo y en la descripción. Sus versos son siempre elevados, musicales, emotivos.

Sus novelas caen dentro de un realismo natural, lleno de sugestión y de fuerza patética.

Su teatro es un modelo de interés, de humanidad, de colorido, y, a veces, de una fantasía que cautiva. Muchas de sus obras han sido traducidas a varios idiomas.

Poesía: *Primer llibre de poemes*—1914—, *El mal cassador*—1916—, *Cansons de rem y de vela*—1924—, *Cansons de taberna y d'oblit* —1922—, *Cansons d'abril y de novembre* —1918—, *El comte Arnáu*—poema, 1928—, *El poema de Nadal*—1931.

Novelas: *Paulina Buxaren*—1919—, *Els ocells amichs*—1923—, *All i salobre*—1929—, *Cafe, copa i puro*—1929—, *Vida privada* —1932.

Teatro: *Juan Enrich*—1918—, *Dijous Sant* —1919—, *L'estudiant y la pubilla*—1921—, *El jardinet de su amor*—1922—, *El matrimonio secret*—1922—, *Les Veus de la terra* —1923—, *Cansó de taberna*—1922—, *Cansó d'una nit d'estiu*—1923—, *La careta* —1924—, *Fidelitat*—1924—, *La follia del desity*—1925—, *Març al Prior*—1926—, *L'assassinat de la senyora Abril*—1927—, *Les llágrimes d'Angelina*—1929—, *El café de la Marina, Judith*—1929—, *La filla del Carmesí* —1930—y otras varias.

V. Comerma y Vilanova, J.: *Historia de la literatura catalana.* Barcelona, 1924.—"Gaziel": *Un escritor popular*, en *La Vanguardia.* Barcelona, 15 diciembre 1932.—Giardini, César: *Antología di poeti catalani contemporanei.* Milán, 1926.

SAHAGÚN, Fray Bernardino de.

Historiador español. Nació—¿1505?—en Sahagún (León) y murió—1590—en Tlaltelolco (México). Estudió en la Universidad de Salamanca; y en esta misma ciudad profesó como franciscano. En 1529 marchó a México. En muy poco tiempo conoció a la perfección varias lenguas indígenas del país, dedicándose con caridad infinita a la educación de los indios. También dedicó muchos años al estudio de la Historia y de la Arqueología. Se documentó haciendo escribir en jeroglíficos a los indígenas más cultos y traduciendo luego al castellano sus relatos. Su labor fue, pues, muy larga y penosísima.

Su *Historia general de las cosas de Nueva España* es uno de los más interesantes e importantes documentos de su género; y sus mismas fuentes la convierten en la mejor enciclopedia de noticias acerca de los aztecas. Sin embargo, esta obra fundamental permaneció inédita hasta el año 1829, en que la publicó, en México, Carlos María de Bustamante. Posteriormente la incluyó lord Kingsborough en el tomo VI de sus *Antigüedades mexicanas.*

Otras obras: *Sermonario, Manual del Cristiano, Vocabulario trilingüe*—en castellano, latín y mexicano—, *Gramática mexicana...*

Edición moderna: De la *Historia,* México, 1938, ed. Pedro Robredo.

V. BUSTAMANTE, Carlos María: *Estudio* en la edición de la *Historia* de 1829-1830. México.—GONZÁLEZ PEÑA, Carlos: *Historia de la literatura mexicana.* México, 2.ª edición, 1940.—JIMÉNEZ RUEDA, Julio: *Historia de la literatura mexicana.* México, 1928, 1934 y 1942.—GONZÁLEZ OBREGÓN, Luis: *Epoca colonial, viejo...* París-México, 1900.—RIVA PALACIO, Vicente: *México a través de los siglos...* México, 1887-1889.

SAHAGÚN, Carlos.

Poeta y prosista. Nació—1938—en Alicante. Licenciado en Filosofía y Letras por la Universidad de Madrid. Catedrático de Lengua y Literatura Españolas de Instituto. En 1956 obtuvo el "Premio José Luis Hidalgo", de poesía. Su poesía es profundamente intelectual y de la hoy calificada como "comprometida" por sus temas.

Obras: *Profecías del agua*—poemas, "Premio Adonais, 1958"—, *Como si hubiera muerto un niño*—"Premio Boscán, 1959".

SAID ARMESTO, Víctor.

Prosista y crítico literario español. Nació —1874—y murió—1914—en Madrid. Doctor en Filosofía y Letras. Catedrático de Lengua y Literatura galaico-portuguesa en la Universidad Central. Autoridad máxima en los estudios críticos e históricos relacionados con las antiguas literaturas.

De gran competencia crítica. Buen prosista. Investigador sagaz.

Obras: *La leyenda de Don Juan*—Madrid, 1908—, *Tristán y la literatura rústica*—Madrid, 1911.

V. CEJADOR Y FRAUCA, J.: *Historia de la lengua y literatura españolas.* Tomo XIII.

SAINZ DE ROBLES, Federico Carlos.

Poeta, novelista, crítico literario, ensayista, historiador español. Nació—1898—en Madrid. Estudió Humanidades y Filosofía en el Seminario Conciliar de San Dámaso, el bachillerato en el Instituto del Cardenal Cisneros y las licenciaturas de Derecho y Filosofía y Letras en la Universidad Central; todos estos centros, de Madrid. Archivero-bibliotecario-arqueólogo, por oposición, del Ayuntamiento madrileño. Historiador de Madrid. Miembro del Instituto de Estudios Madrileños en el Consejo Superior de Investigaciones Científicas. Cronista oficial de Madrid. Miembro de la Hispanic Society of America, de Nueva York. "Premio del Ayuntamiento de Madrid", 1931 y 1963. "Premio Nacional de Teatro", 1953 y 1963. "Premio Nacional de Crítica Pardo Bazán, 1966". Crítico literario—desde 1952—del diario *Madrid.* Ha dado más de quinientas conferencias y publicado varios miles de artículos en la más importante prensa de España y de Hispanoamérica.

En la actualidad—1973—lleva publicadas setenta y siete obras. De las cuales seleccionamos:

Poesías: *La soledad recóndita*—1920—, *El silencio sonoro*—1923—, *Ritmo interior* —1927—, *Poemillas a Celina*—1957—, *Diálogos de la sombra y la pena*—1967.

Novelas: *Mario en el foso de los leones* —1925—, *La decadencia de lo azul celeste* —1928—, *Madrid y... el resto del mundo* —1957—, *Escorial: Vida y Transfiguración* —1963.

Historia de Madrid: *Por qué es Madrid capital de España*—1931, y varias ediciones—, *Historia y Estampas de la Villa de Madrid*—1932, dos tomos ilustrados—, *Vida y muerte de don Rodrigo Calderón*—1933—, *Cuerpo y alma de Madrid*—1945—, *La Estrella de Madrid (Beata Mariana de Jesús)* —1945—, *Los teatros de Madrid*—1954—, *Autobiografía de Madrid*—1949, y varias ediciones—, *Madrid: Crónica y Guía de una ciudad impar*—1962—, *Historia de Nuestra Señora de la Almudena*—1964—, *Breve historia de Madrid*—1970—, *Cielo y tierra de Madrid*—1969—, *Crónica y Guía de la Provincia de Madrid*—Madrid, 1966—, *Madrid siempre es mejor*—1966—, *Madrid, autor teatral y cuentista*—1973.

Ensayos: *Panorama literario*—tres tomos, 1953 a 1955—, *La novela española en el siglo XX*—1957—, *Alejandro Casona y su teatro*—1966—, *Los movimientos literarios*

S

—1955—, *El espíritu y la letra* (Cien años de literatura española: 1860-1960)—*Madrid, 1966*—, *Galdós: su vida, su tiempo, su obra* —1970—; *Raros y olvidados*—1971—, *Caprichos, fantasmas y otras anomalías*—1972—; *La Imprenta en la España del siglo XV* —1972.

Biografías: *Benito Pérez Galdós: su vida, su obra, su época y Censo de sus personajes* —1941, 1942—, *Mesonero Romanos*—estudio biográfico-crítico al frente de sus *Escenas Matritenses*—1950—, *Emilia Pardo Bazán* —estudio biográfico-crítico al frente de sus *Obras completas*—1947—, *Velázquez, vivificador de imágenes*—1943—; *Lope de Vega: vida, horóscopo y transfiguración*—1962—; *Jacinto Benavente*—1957.

Divulgación: *Cuentos viejos de la vieja España*—1941—, *El Epigrama Español* —1942—, *Historia y Antología de la Poesía Española* (en lengua castellana)—1943, y varias ediciones—, *Historia y Antología del teatro español*—siete tomos, 1942 a 1943—, *Diccionario de la Literatura*—tres tomos, 1947—, *Diccionario de Sinónimos y Antónimos*—varias ediciones—, *Diccionario de Mitología Universal*—varias ediciones—, *Diccionario de la Sabiduría*—en colaboración con Tomás Borrás—, *Diccionario de mujeres célebres.*

Historia: *Enigmas de cincuenta mujeres inolvidables*—1960—, *Castillos en España*—1946—, *Monasterios españoles*—1947—, *Ayer y hoy, Cien años de historia española (1860-1960)*—1964.

Varias: *Elipando y el Beato de Liébana* —Madrid, 1934—, *Un autor en un libro: Balmes*—1964—, *El "otro" Lope de Vega* —1941.

V. VALBUENA PRAT, Angel: *Historia de la Literatura española*. Tomo III. Barcelona, "G. Gili", 1950, 3.ª edición, págs. 676-77.— NORA, E. G. de: *La novela española contemporánea*. Madrid, Gredos, 1962, tomo II, páginas 229-33.—TORRENTE BALLESTER, Gonzalo: *Panorama de la Literatura . española contemporánea*. Madrid, Guadarrama, 1961, 2.ª edición, tomo I, págs. 354-55. Tomo II, página 1029.—DÍEZ-ECHARRI, Emiliano, y ROCA FRANQUESA, José María: *Historia de la Literatura española e hispanoamericana*. Madrid, Aguilar, 1960.

SAINZ DE ROBLES Y RODRÍGUEZ, Federico C.

Narrador, investigador y crítico español, hijo del anterior. Nació—1927—en Madrid. Doctor en Derecho. Juez de Primera Instancia y Secretario Judicial por oposición. En la actualidad—1964—, Magistrado de Sala de lo Contencioso-Administrativo. Son muchos sus ensayos y artículos jurídicos.

Obras literarias: *Albert Camus*—biografía

y estudio crítico, al frente de las obras de A. C., también traducidas por él. Madrid, edición Aguilar, "Colección Premio Nobel", 1959—, *El monje, el tiempo y la serpiente* —narraciones, Madrid, ed. Aguilar, 1959—, *Historia y Antología de las Utopías*—Madrid, Aguilar, 1964—, *Gogol*—estudio y retrato al frente de las *Obras completas* de N. G.—Madrid, Aguilar, 1951—, *Grandes figuras de la Humanidad*—1964, en colaboración con su padre.

SAINZ Y RODRÍGUEZ, Pedro.

Literato y catedrático español. Nació —1897—en Madrid. Estudió el bachillerato en los Institutos de San Isidro y del Cardenal Cisneros, de su ciudad natal. Doctor en Filosofía y Letras por la Universidad Central y con el premio extraordinario. Catedrático de Lengua y Literatura españolas en la Universidad de Oviedo. A los veintinueve años ganó la cátedra de Bibliología de la Facultad de Filosofía y Letras en la Universidad de Madrid. Bibliotecario del Ateneo madrileño. Diputado a Cortes. Ministro de Educación Nacional. Fundador de la Compañía Ibero-Americana de Publicaciones (C. I. A. P.) y de la Biblioteca de "Clásicos Olvidados". Miembro de las Reales Academias de la Lengua y de la Historia.

Espíritu sagaz y moderno, escritor castizo y elegante, de sólida cultura y de mucha novedad de las ideas, de gran ponderación en los juicios. Tuvo una juventud colmada de grandes promesas para la literatura española; acaso el haberse entregado Sainz y Rodríguez a las luchas políticas ha malogrado los mejores años de su vida de erudito y de literato.

Obras: *Antonio Agustín y sus obras inéditas*—1914—, *Don Bartolomé José Gallardo y la crítica literaria de su tiempo*—1921—, *La obra de "Clarín"*—1921—, *La evolución de las ideas sobre la decadencia española* —1924—, *Documentos para la historia de la crítica literaria en España, La mística española*—1926, *"Premio Nacional de Literatura"*—, *Ascetismo y humorismo en la literatura española*—1928—, *Documentos para la historia de la crítica literaria española...*

SALAS, Francisco Gregorio de.

Poeta español de no escaso mérito. ¿1755?-1822. Nació en Jaraicejo (Cáceres). Estudió Humanidades en Salamanca. Se ordenó sacerdote en Madrid. Fue capellán mayor de la Real Casa de Santa María Magdalena de Recogidas, en la villa y corte, y académico honorario de la Real de San Fernando. Godoy, que tenía en mucho el talento de Salas, quiso favorecerle varias veces con cargos políticos y prebendas. Nuestro poeta le suplicó siempre que le dejase en su modesto cuarto de la calle de Hortaleza y en la dirección del Refugio. Sin embargo, y precisamente por su amistad con Godoy, el día 18 de marzo de 1808, al sublevarse el pueblo contra el favorito, Salas, como tantos amigos del caído en desgracia, hubo de huir precipitadamente, sin otros bienes que el breviario y el cartapacio de sus versos, entre los que no pocos estaban dedicados, con elogios hiperbólicos, al Príncipe de la Paz. La turba, al no encontrar al clérigo, se contentó con ahorcar a una de sus sotanas del marco de la ventana más alta y a defenestrar sus muebles y sus libros para hacer con ellos una hoguera en medio de la calle.

En 1813 volvió Salas a su amada habitación. Y a dedicar melifluos sermones a las jóvenes magdalenas acogidas al Refugio. Y a reunir, de nuevo, sus libros. Y a escribir sus epigramas. Había envejecido un poco a fuerza de sustos; pero su lealtad se conservaba intacta. De vez en vez redactaba largas epístolas, muy cuidadas de estilo y gramática, dirigidas a don Manuel Godoy, alma en pena de la Francia napoleónica.

Curioso es el sucedido que Moratín cuenta de Salas. "Tenía un hermano exento de Guardias, y una tarde, subiendo Carlos IV por la calle de Alcalá, el hermano de Salas, que iba al estribo del rey, le dijo: 'Señor, aquel clérigo que se quita el sombrero es mi hermano Paco.' Mandó el rey parar el coche y que se llamase al capellán, el cual se acercó sin admiración, sin timidez ni orgullo. Le habló el rey cariñosamente, diciéndole lo mucho que le agradaban sus versos y el gusto que tenía de leérselos a la reina; le encargó que no dejase de enviarle, por medio de su hermano, cualquier cosa que en adelante escribiese."

El propio Moratín dedicó a Salas este epitafio:

En esta veneranda tumba, humilde
yace «Salicio», el ánima celeste,
roto el nudo mortal, descansa y goza
eterno galardón. Vivió en la tierra
pastor sencillo, de ambición remoto,
al trato fácil y a la honesta risa,
y del pudor y la inocencia amigo.
Ni envidia conoció, ni orgullo insano.
Su corazón, como su lengua, puro,
amaba la virtud, amó las selvas.
Diole su plectro, y de olorosas flores
guirnalda le ciñó la que preside
el canto pastoril, divina Euterpe.

En 1797 publicó Salas en Madrid su primera colección de versos, titulada *Observatorio rústico*. En 1799, los *Elogios poéticos*. Hacia 1802, el *Compendio práctico del púlpito*. Según Moratín, la persona de Salas valía mucho más que sus obras, y eso que alguno de los epigramas pasa por modelo del género de los compuestos en lengua castellana. Muchos críticos acusan a Salas y a Iriarte de haber llevado sus poesías al extremo de lo prosaico, intentando desterrar la viveza de la fantasía, la calidez de la expresión y los rasgos líricos inherentes a lo poético.

V. CEJADOR Y FRAUCA: *Historia de la lengua y literatura castellanas.*—BUSTILLO OLMOS, José: *La poesía festiva castellana.* (Estudio y selección.) Madrid, 1888.—ALONSO DE UBIERNA, Luciano: *Las amistades literarias del Príncipe de la Paz.* Madrid, 1879.—BIBLIOTECA DE AUTORES ESPAÑOLES: *Poetas líricos del siglo XVIII.* Tomo III.—SAINZ DE ROBLES, F. C.: *El epigrama español. (Estudios y notas.)* Madrid, Aguilar, 1940 y 1946.

SALAS BARBADILLO, Alonso Jerónimo de.

Notabilísimo novelista y poeta español. 1581-1635. Las primeras noticias de su vida nos las da él mismo en la introducción de *Corona del Parnaso y platos de las musas* —1635—, en la cual simula presentarse ante Apolo apadrinado por Cervantes y Liñán, diciendo que su patria es "aquella nobilísima villa, cabeza de la mayor de las monarquías". La biografía se ha podido ir completando con las noticias de Alvarez y Baena, Cayetano Alberto de la Barrera, Pérez Pastor y Cotarelo Mori.

En Madrid, calle de la Morería Vieja, parroquia de San Andrés—nació Salas Barbadillo, el día 30 de julio de 1581. Su padre era el licenciado don Diego, agente de negocios de la Nueva España. En el tomo de matrículas de la Universidad de Alcalá, correspondiente al quinquenio 1594-1598, consta que en este último año cursaba Cánones nuestro poeta. Trasladada por don Felipe III la Corte a Valladolid—1601—, allá se fue Alonso con su padre, según él mismo nos dice. "Trasladó Felipo III su corte a Valladolid, pueblo ilustre y rico de Castilla la venerable y antigua. En su Universidad doctísima estudié los sagrados Cánones y recibí el primer laurel. Mi padre salió sin cumplir el año décimo, peregrinó el nuevo mundo, y después de varias fortunas eligió para reposo de tantas fatigas a la grande madre del mundo: Madrid."

Estuvo tres veces procesado. La primera, por dar de cuchilladas, en riña, a don Diego de Persia, quien se gastaba alegremente la pensión que el rey de España le había concedido tanto a él como a otros miembros de aquella Embajada que el shah envió a Felipe III. La segunda, por unas sátiras que compuso contra unos alguaciles y sus esposas, a quienes se había alejado de la corte por causas de vida irregular. La tercera, por unos libelos con reticencias hacia el Santo Oficio. Los tres procesos se le acumularon.

S

Total: cincuenta ducados de multa y cuatro años de destierro de la corte. La pena se mitigó a dos años y no fue cumplida sino unos meses. Y de la multa..., ¡ni hablar! ¡Bueno estaba de deudas Alonso para dar importancia a una más! En septiembre de 1613 dejó en manos de la usura por siete mil reales sus casas de la calle de la Morería Vieja. Desde entonces, ¡cómo peregrinea de casa en casa de su Madrid adorado! Vivió en la calle de la Flor—casa de doña María Coronel—, en la de San Bernardo—"en las casas de un barbero, antes de llegar al Noviciado de la Compañía de Jesús"—, en la de las Beatas—casa de un buhonero—y en la de Toledo—casas de la Compañía, donde murió.

El año 1609 ingresó en la Hermandad de los Esclavos del Santísimo Sacramento. Según Cejador, por esta época, y apenas indultado de los procesos anteriores, "tuvo otra pendencia, u otros versos le costaron tres muelas y nuevo destierro a Tudela de Navarra, donde dejó al alférez Francisco de Segura *La hija de la Celestina*, para que se la imprimiese, y de donde se trajo a Madrid otras tres novelas acabadas y un libro de poesías".

Salas Barbadillo vivió en la corte todos *los milagros* y espantos de la picaresca. Sus amigos fueron el vagabundo descamisado, el huésped de cárceles y el pupilo de galeras, el noble arruinado y parásito—moscón de zumba y picotazo—, el hidalgo provinciano —pretendiente dispuesto a la heroicidad o a la bajeza—, el arrendatario entrampado, los mayordomos astutos y ladrones, la tusona y la buscona, la daifa y la coima, la virgen zurcida y la malmaridada. Salas Barbadillo era el perfecto husmeador de los barrios más apretados y sobresaltados de Madrid. Del Arenal de San Ginés, plagado de los parásitos de las cofradías. Del de Morería, aún con las malas pulgas de lo morisco. De las Cavas, llenas de comezones filipescos. Del arrabal de San Martín. De los pozos de la nieve... Era Salas Barbadillo un asistente asiduo a los regocijos y jolgorios populares. El en la Tarasca del Corpus. El en los toros y cañas de la Plaza Mayor. El en la cazuela del Corral de la Pacheca. El en las tinieblas pascuales de la vieja iglesia de Santa María. El en los autos de fe de la Puerta de Alcalá. El en el cotarro de las gradas de San Felipe. Más madrileño que él, rebozado en el madrileñismo y la madrileñería, ningún otro madrileño. A no ser Isidro Santo. A no ser el oso pardo de El Pardo, empinado en el madroño.

En 1633 obtuvo un cargo oficial: ujier de la saleta de la reina. Total: pocos ducados y muchos engorros. En la casa de la Compañía—calle de Toledo—, y asistido por su hermana Magdalena, falleció Salas el mismo año—y un mes antes—que el *monstruo* Lope de Vega. Y, claro está, nadie se dio cuenta de tal muerte. Aludimos *a los alguien* en el mundillo de trapatiesta de las letras.

Salas Barbadillo, de correcto estilo, gracia indudable, conocimiento grande de las costumbres, técnica maestra, socarronería sutil, es uno de los más grandes escritores castellanos *de segunda fila*. Esa admirable segunda fila de autores de nuestro Siglo de Oro, en la que se alinean y se aprietan, entre otros, Castillo Solórzano, Zayas Sotomayor, Solís y Rivadeneyra, Coello, Villamediana, Cubillo de Aragón, Guillén de Castro, Polo de Medina, Jerónimo de Cáncer...

Las obras más importantes de Salas Barbadillo son: *Patrona de Madrid restituida* —1609—, *La hija de la Celestina*—Zaragoza, 1612—, *El caballero puntual*—1614—, *Corrección de vicios en boca de todas verdades* —1615—, *El sagaz Estacio, marido examinado*—1620—, *El sutil cordobés Pedro de Urdemalas*—1620—, *La sabia Flora malsabidilla* —1621—, *Don Diego de Noche*—1623—, *La Estafeta del dios Momo*—1627—, *El curioso y sabio Alexandro, fiscal y juez de vidas ajenas*—1634—, *Coronas del Parnaso y platos de las musas*—1635.

Las obras de Salas Barbadillo se han publicado modernamente en la "Colección de Escritores Castellanos"—1907 y 1909, con un estudio de Cotarelo Mori—, en la "Nueva Biblioteca de Autores Españoles"—1911, volumen XVII—, en los "Clásicos Castellanos La Lectura"—1924, estudio preliminar y notas de Francisco A. de Icaza—, en la Biblioteca Románica de Halle, en la Sociedad de Bibliófilos Españoles—1894, con un estudio de Uhagón—y en la *Novela picaresca española*—Madrid, Aguilar, 1944.

V. ALVAREZ Y BAENA: *Hijos de Madrid...* 1789.—MENÉNDEZ PELAYO, M.: *Orígenes de la novela.*—PÉREZ PASTOR: *Bibliografía madrileña.*—VALBUENA PRAT, A.: *Estudio y notas* a la *Novela picaresca española.* Madrid, Aguilar, 1943, 1946.—ICAZA, Francisco A. de: *Estudio* en la ed. *Clásicos Castellanos,* 1924.—PLACE BOULDER, E. B.: *Estudio* en la edición *La casa del placer honesto.* Colorado, Estados Unidos, 1927.—PLACE BOULDER, E. B.: *Salas Barbadillo satirist,* en *Romanic Review,* 1926.—AGLOSSE, P. d': *Molière, Scarron et Barbadillo.* Blois, 1888.—HERRERO GARCÍA, M.: *Imitación de Quevedo,* en *Revista del Archivo, Biblioteca y Museo* del Ayuntamiento de Madrid, 1928.

SALAS Y QUIROGA, Jacinto.

Literato y periodista español. Nació —1813—en La Coruña y murió—1849—en Madrid. Cuando acababa de cumplir los diecisiete años marchó a Hispanoamérica, viviendo una romántica existencia de aventuras y penalidades. En 1832 regresó a España y se quedó en Madrid. Fundó y dirigió —1837-1838—el periódico *No me Olvides,* "buen documento—escribe Cejador—para la historia del romanticismo". Dirigió también —1841—*La Constancia* y la *Revista del Progreso*—1841—. Colaboró en *El Artista* y el *Semanario Pintoresco.*

Fue Salas y Quiroga un romántico exaltado, nebuloso y bastante *lamentoso.*

Obras: *Poesías*—Madrid, 1834—, *Claudina* —drama, 1834—, *Mis consuelos*—Madrid, 1840—, *Viajes*—Madrid, 1840—, *El Españoleto*—Madrid, 1840—, *Historia de Francia* —Madrid, 1846, dos tomos—, *Historia de Inglaterra*—Madrid, 1846.

SALAVERRÍA, José María.

Novelista y ensayista español. Nació —1873—en Vinaroz (Castellón de la Plana). Murió—1940—en Madrid. De familia guipuzcoana, pasó su infancia en San Sebastián. A los quince años empezó a escribir; pero, para ayudarse a vivir, tuvo que desempeñar varios empleos en distintos lugares de España y América. Desde los veinte años se dedicó por completo a la literatura, dándose a conocer por sus artículos magistrales en *La Vanguardia,* de Barcelona; *A B C,* de Madrid; *La Nación,* de Buenos Aires, y en otros muchos periódicos y revistas. Dio notables conferencias por España y América. Sus obras se tradujeron a varios idiomas. Y alcanzó una fama grande y merecida de público y de crítica.

Pensador hondo, escritor de transparente y varonil estilo, con muchos conocimientos; crítico sereno y muy sutil; de sincera y noble expresión, de sensibilidad exquisita, José María Salaverría es uno de los escritores —y *es,* porque en su obra vive—más interesantes y enjundiosos entre los ensayistas españoles contemporáneos.

Obras: *El perro negro*—ensayos, 1906—, *Vieja España*—ensayos, 1907—, *Nicéforo "el Bueno"*—novela, 1909—, *La Virgen de Aranzazu*—novela, 1909—, *Tierra argentina*—viajes, 1910—, *Las sombras de Loyola*—ensayos, 1911—, *A lo lejos, España vista desde América*—1914—, *Cuadros europeos*—viajes, 1916—, *La afirmación española*—ensayos, 1917—, *Espíritu ambulante*—ensayos, 1917—, *El poema de la Pampa*—ensayos, 1918—, *El muchacho español*—1918—, *En la vorágine* —ensayos, 1919—, *Páginas novelescas* —1919—, *Los fantasmas del Museo*—ensayos, 1919—, *Alma vasca*—ensayos, 1920—, *Santa Teresa de Jesús*—ensayos, 1921—, *Guerra de mujeres*—drama, 1921—, *El oculto pecado* —novelas, 1924—, *Los paladines iluminados* —ensayos, 1925—, *Viajero de amor*—novelas, 1926—, *Retratos*—crítica literaria, 1926—, *El*

muñeco de trapo—novelas, 1928—, *Sevilla y el andalucismo*—ensayos, 1929—, *Nuevos retratos*—crítica literaria, 1930—, *Iñigo de Loyola, Iparraguirre, el último bardo*—1932—, *El rey Nicéforo*—novela...

V. SAINZ DE ROBLES, F. C.: *La novela corta española (Promoción de "El Cuento Semanal")*. Madrid, Aguilar, 1952.—SAINZ DE ROBLES, F. C.: *La novela española en el siglo XX*. Madrid, Pegaso, 1963.—NORA, Eugenio G. de: *La novela española contemporánea*. Madrid, Gredos, 1958. Tomo I, páginas 275-77.—GONZÁLEZ BLANCO, Andrés: *José María Salaverría* en *Los Contemporáneos*. París, Garnier, 1910.—ROMERA, Antonio R.: *La figura y la obra de José María Salaverría*, en *Atenea*, Concepción, Santiago de Chile, 1954. PETRIZ RAMOS, Beatrice: *Introducción crítico-biográfica a José María Salaverría*. Madrid, edit. Gredos, 1960.

SALAVERRY, Carlos Alberto.

Poeta y dramaturgo de importancia. 1831-1890. Nació en Piura (Perú). Fue hijo del general y presidente de la República fusilado en Arequipa por Santa Cruz, luego de vencerlo en Socabaya—1836—. Fue también militar y poeta lírico, perteneciendo al grupo "La Bohemia", de Lima. Publicó algunos ensayos y artículos en diferentes periódicos y revistas. Y abandonó su carrera para dedicarse al teatro, en el que no obtuvo sino escasos éxitos. Viajó por Europa.

En 1851 publicó *Albores y destellos,* poesías reeditadas—1871—en El Havre, junto con *Diamantes y perlas.* "No afirmaré—escribe Menéndez Pelayo—que sean *diamantes y perlas* todo lo que contiene el tomo de Salaverry, que no anduvo muy modesto en el título; pero sí que en aquellos versos *alborea y destella* un numen lírico más vigoroso que el de Althaus y más seguro de sus fuerzas que el de García. Tiene buenos sonetos. Pero la mejor que conozco de sus obras es la inspirada y sentida elegía *Acuérdate de mí..."*

Fue Salaverry un poeta romántico sin grandes estridencias, de tono discreto, de viva inspiración, fluido en los versos, rico de imágenes, de mucha y fina sensibilidad. Como autor teatral, careció de fuerza y de ese don mágico que da carne y sangre a las figuras escénicas.

Otras obras: *Cartas a un ángel*—1871—, *Misterios de la tumba*—poema filosófico, 1883—. Y entre sus obras teatrales sobresalen: *Abel, El bello ideal, El amor y el oro, El pueblo y el tirano, Arturo Atahualpa*—su obra maestra—y *La estrella del Perú*—más bien leyenda patriótica...

V. GARCÍA CALDERÓN, F.: *La literatura peruana.*—MENÉNDEZ PELAYO, M.: *Historia de la poesía hispanoamericana*. Madrid, 1913.—

S

Sánchez, Luis Alberto: *La literatura peruana.* Lima, 1936.

SALAZAR, Adolfo.

Literato y crítico musical español. Nació —1890— en Madrid. Murió —1958— en México. Cursó la carrera de Música bajo la dirección del maestro Pérez Casas. Colaboró en importantes diarios y revistas. Crítico musical de *El Sol* —1918—. Fundador y secretario de la Sociedad Nacional de Música y vicepresidente de la Sección de Música en el Ateneo de Madrid —1918—. Su autoridad como crítico ha sido grande en España. Pero Adolfo Salazar, poseedor de una cultura extraordinaria, ha dado a todos sus escritos la máxima dignidad literaria.

Obras: *Música y músicos de hoy* —1928—, *Sinfonía y ballet* —1929—, *Andrómeda* —ensayos—, *Modesto Mussorgsky* —1922—, *Borodine* —1922—, *Siglo romántico* —ensayos—, *Manuel García y sus hijas* —biografías—, *La música contemporánea...*

SALAZAR, Ambrosio de.

Interesante erudito y prosista español. Nació —¿1575?— en Murcia. Y murió en fecha desconocida. Vivió en Francia la mayor parte de su vida como maestro e intérprete de español al servicio del rey de Francia, Enrique IV, quien le encargó de la educación del Delfín, después Luis XIII. Al abandonar la corte francesa pasó a Ruán, donde durante varios años dirigió un importante colegio de enseñanza española. Pero en 1615 hubo de regresar a París, por haber sido nombrado secretario de la reina doña Ana de Austria.

Su nombre figura en el *Catálogo de autoridades* del idioma, publicado por la Academia Española.

De ingenio sutil, erudición vasta y elegantísima prosa.

Obras: *Almoneda general de las más curiosas recopilaciones de los reinos de España* —París, 1612, traducida al francés por su autor—, *Espejo general de gramática* —diálogos, 1614—, *Las clavellinas de recreación* —Ruán, 1614, anécdotas, proverbios, reflexiones—, *Tesoro de diversa lición* —1636, miscelánea curiosísima—, *Antorcha de la conciencia, Flores diversas y curiosas* —1620—, *Horas de Nuestra Señora, El hombre honesto, Vergel del alma y manual espiritual* —Ruán, 1613—, *Tratado de las cosas más notables que se ven en la gran ciudad de París y algunas del reino de Francia* —París, 1616—, *Forma de escribir cartas* —París, 1617.

V. Morel-Fatio, A.: *Ambrosio de Salazar et l'étude de l'espagnol en France sous Louis XIII.* París, 1901.—Fournier, Albert

Th.: *Un opuscule inconnu d'Ambrosio de Salazar,* en *Revue Hispanique,* XVIII.

SALAZAR, Diego de.

Erudito y militar español que vivió en la segunda mitad del siglo XVI. Sirvió en Italia a las órdenes del Gran Capitán. Y terminó su existencia de ermitaño. Su nombre figura en el *Catálogo de autoridades* de la lengua, publicado por la Real Academia Española.

Tradujo la *Historia de todas las guerras civiles que hubo entre los romanos,* de Apio Alejandrino —1536—, y, en colaboración del canónigo toledano Diego López de Ayala, la *Arcadia,* de Sannazaro —1549—, figurando en esta traducción algunos versos suyos.

Otras obras: *Tratado de re militari, Tratado de la cavallería hecho a manera de diálogo que passó entre los illustríssimos señores don Gonçalo Fernández de Córdoua, llamado Gran Capitán, duque de Sessa, etc....., y don Pedro Manrique de Lara, duque de Nájera* —1536—, obra de extraordinario interés para el arte militar de la época.

SALAZAR, Juan Bautista de.

Poeta y prosista español. Nació —1787— y murió —1844— en Granada. De familia aristócrata. Su verdadero nombre fue Juan Bautista Muñiz de Salazar y Olmedilla. Fue, en su ciudad natal, hasta su muerte, un eficaz mantenedor del foco de cultura literaria que allí existía, consejero y amigo de José Fernández-Guerra y sus hijos Aureliano y Luis, de José Jiménez Serrano, de los hermanos Miguel y Emilio Lafuente Alcántara, de los canónigos del Sacro Monte Baltasar Lirola y Juan Cueto.

Por su espléndida situación económica y por su vastísima cultura fue sumamente respetado. Reunió en su casa, a modo de liceo, una tertulia literaria, en la que se leían poesías y se cantaba y tocaba muy buena música. No se cuidó jamás de reunir en volumen sus poesías, desperdigadas en revistas y periodicales locales.

Sin embargo, escribió Valera: "Sus poesías merecen ser leídas y aplaudidas por la sinceridad y gracia con que están escritas y por su estilo pasmosamente fácil."

V. Valera, Juan: *Florilegio de poesías castellanas del siglo XIX.* Con introducción y notas biográficas y críticas. Madrid, F. Fe, 1904, cinco tomos.

SALAZAR DE ALARCÓN, Eugenio de.

Poeta y prosista español. Nació —¿1530?— en Madrid. Murió después de 1610. Fue hijo de don Pedro de Salazar, cronista de Carlos I, y de doña María de Alarcón. Estudió en Alcalá y Salamanca, tomando el grado de licenciado en Leyes en Sigüenza. Fue juez pesquisidor en Asturias, juez de las salinas reales—cerca de la frontera de Portugal—y gobernador de las islas de Tenerife y Las Palmas desde 1576 a 1583, en que, nombrado oidor de la isla Española—hoy Santo Domingo—, se embarcó para esta ciudad con su mujer e hijos. De la Española pasó a Guatemala, como fiscal de la Audiencia, en donde se hallaba en 1580, siendo autor de los jeroglíficos y versos con que se adornó el túmulo en las honras que hizo aquella Audiencia en la muerte de la reina doña Ana de Austria. Luego obtuvo igual plaza en la Audiencia de México, y después la de oidor, que servía en 1598, y allí también redactó los versos y emblemas para las exequias de Felipe II, celebradas en aquella ciudad, en cuya Universidad se graduó de doctor. Felipe III premió sus méritos haciéndole ministro del Consejo de Indias en 1601. Desde este año vivió en su ciudad natal, en la que murió no muchos años después.

De mucho ingenio y agudeza, humorista extraordinario, satírico mordaz, muy culto, hondo de pensamiento y de intención, prosista castizo. Su nombre ha sido incluido en el *Catálogo de autoridades* del idioma, publicado por la Academia Española.

Obras: *De los negocios incidentes en las Audiencias de Indias, Silva poética, dividida en cuatro partes*—obra que quedó manuscrita en un tomo de 533 hojas en folio, y que se conserva en el archivo de la Real Academia de la Historia—, *Carta de los catarriberas*—deliciosa sátira de los pretendientes a empleos públicos—, *Carta al licenciado Guedeja, Navegación del alma por el discurso de todas las edades del hombre, La perpetuación de mayo*—poema.

"Las *Cartas* son dignas de ser conocidas y maestras en su género; por esto en las antologías epistolares se ven figurar en primer término; resultan uno de los mejores dechados de la prosa castellana, por lo ingenioso, desenfadado y elegante del estilo, por las pinturas de las costumbres, por la propiedad y riqueza del idioma."

Las *Cartas* de Salazar pueden leerse: tomo LXII de la "Biblioteca de Autores Españoles"; *Sales españolas*, de Paz y Meliá, Madrid, 1902; volumen I de la "Sociedad de Bibliófilos Españoles", Madrid, 1866.

V. GALLARDO, B. J.: *Ensayos de una biblioteca española...* Volumen IV. Col. 236-395.—GAYANGOS, Pascual: *Cartas de Eugenio de Salazar*, en *Sociedad Bibliófilos Españoles*. Madrid, 1866.—BALLESTEROS ROBLES, Luis: *Diccionario biográfico matritense*. Madrid, 1912.

SALAZAR BONDY, Sebastián.

Autor dramático peruano. Nació—1924—en Lima. Siguió los cursos en el Conservatorio de Arte Dramático de París. Muy joven entró como redactor en el diario limeño *La Prensa*. "Premio Nacional de Teatro" en 1947 y en 1951. Es uno de los renovadores más eficaces y originales del moderno teatro peruano, más propenso a los modelos franceses que a los tradicionales españoles

Obras: *Amor, gran laberinto*—1947—, *Rodil*—1951—, *Algo quiere morir, Como vienen se van, Todo queda en casa, No hay isla feliz, Los novios, El de la valija, En el cielo no hay petróleo, Un cierto tic-tac*.

V. TEATRO PERUANO CONTEMPORÁNEO. Madrid, edit. Aguilar, 1959.

SALAZAR Y CASTRO, Luis de.

Erudito y literato español. Nació—1658—en Valladolid. Murió en 1734. Huérfano de padre a los siete años, marchó a Baena, donde fue paje del conde de Luque, quien, más adelante, le hizo su secretario y aún apadrinó su matrimonio con doña María Magdalena Roldán y del Aguila, que murió a los seis meses de la boda. Movido por el dolor de la viudez, Salazar marchó a Madrid, donde, afamado de hombre docto, le solicitaron muchos nobles, entre ellos el duque del Infantado, que le hizo su consejero. Carlos II le hizo su ayuda de cámara, y la reina viuda, doña Mariana de Austria, su secretario de cartas. Nombróle el agradecido monarca cronista de Castilla—1685—, caballero de Calatrava—1686—, comendador de Zorita—1691—, cronista mayor de Indias—1691—, fiscal y procurador de la Orden de Calatrava—1699—y alguacil mayor de la Inquisición de Toledo—1700—. Felipe V le nombró consejero de las Ordenes militares, consejero en las materias de Gracia y Gobierno y superintendente de los archivos de las mismas Ordenes. Contrajo un segundo matrimonio con doña María Manuela Petronila de Quevedo, de la que no tuvo descendencia.

Salazar y Castro fue un gran caballero, famoso universalmente por su erudición, estimado y elogiado por todos. Su simpatía y su sencillez fueron tantas, que consiguieron que nadie pudiera malquererle. Dominaba el francés, el italiano y el latín. Su vastísima erudición comprendía todo género de letras y facultades; su estilo fue puro, claro, agradable; sus calidades críticas fueron muy sutiles, firmes y de suma justicia. Sus grandes dotes de historiador quedaron puestas al servicio de la genealogía. Y todas sus obras resultan admirables y no han sido superadas en el método ni la exposición.

Obras: *Historia genealógica de la gran casa de Silva*—1685—, *Historia genealógica*

S

de la gran casa de Lara—1696—, *Glorias de la casa de Farnesio*—1715—, *Catálogo historial genealógico de los señores y condes de Fernán Núñez*—1682—, *Advertencias históricas sobre obras de algunos escritores modernos*—1688—, *Carta del maestro de niños* —1713—, *Jornada de los coches*—1714...

La colección de documentos históricos que logró reunir Salazar y Castro forma hoy uno de los más ricos fondos de la Biblioteca de la Academia de la Historia.

SALAZAR CHAPELA, Esteban.

Novelista, ensayista y periodista español. Nació—1900—en Málaga, donde estudió el bachillerato. Murió—febrero 1965—en Londres. En 1920 marchó a Barcelona, en cuya Universidad cursó la licenciatura de Historia. Poco después se estableció en Madrid, dedicado con fervor al periodismo. Redactor de *El Sol* y colaborador de la *Revista de Occidente*. Alcanzó un justificado éxito con su primera novela—1931—, *Pero sin hijos*. Vivió muchos años en Inglaterra; así que, en 1938, al tenerse que expatriar por sus ideales políticos, eligió Londres, donde se identificó asombrosamente con la idiosincrasia inglesa y conoció, como poquísimos ingenios extranjeros, los límites de la mentalidad y de la sensibilidad de los ingleses. De aquí que en sus obras se armonicen el realismo español con el humor inglés, el escepticismo andaluz con la flema británica, la ironía y la honda preocupación por una ideología amada y sus probables—y posibles— consecuencias.

Obras: *Perico en Londres*—novela, Buenos Aires, edit. Losada, 1947—, *Desnudo en Picadilly*—Buenos Aires, edit. Losada, 1959—, *Después de la bomba*—novela, 1967.

V. MARRA-LÓPEZ, José R.: *Narrativa española fuera de España*. Madrid, edit. Guadarrama, 1963, págs. 151-76.—NORA, Eugenio G. de: *La novela española contemporánea*. Madrid, edit. Gredos, 1962, tomo II bis, páginas 278-80.—SAINZ DE ROBLES, F. C.: *La novela española en el siglo XX*. Madrid, editorial Pegaso, 1957.

SALAZAR Y TORRES, Agustín de.

Notable poeta y autor dramático español. Nació—1642—en Almazán (Soria). Murió —1675—en Madrid. De esclarecido linaje. Sus padres fueron don Juan de Salazar y Bolea y doña Petronila de Torres y Montalbo. A los cinco años marchó a México con su tío carnal don Marcos de Torres, obispo de Campeche y virrey de México. Aquí estudió nuestro poeta Humanidades, Artes, Cánones, Leyes, Astrología y Teología. En 1660 regresó a España, muerto su tío, con el nuevo virrey duque de Alburquerque. Casó con doña Mariana Fernández de los Cobos. Con Alburquerque estuvo en Sicilia, después de haber servido algún tiempo a la emperatriz de Alemania, esposa de Leopoldo, a la que dedicó su *Real Jornada* y su *Epitalamio*. Sargento mayor de la provincia de Agrigento. Capitán de armas. Regresó a Madrid muy enfermo, y ya en trance de muerte terminó una de sus más bellas comedias: *El encanto es la hermosura*. Su primera biografía la escribió don Juan de Vera Tassis. Y su nombre se halla en todas las Academias y certámenes literarios de su tiempo. Su nombre figura en el *Catálogo de autoridades* del idioma, publicado por la Academia Española. Poeta refinado, fácil, ingenioso, algo gongorino, con mucho gracejo en lo festivo y pensamientos graves en lo serio.

Muerto ya, su amigo Vera Tassis publicó: *Cythara de Apolo, varias poesías divinas y humanas que escribió don Agustín de Salazar y Torres...*—Madrid, 1681 y 1694—. La primera parte comprendía las poesías líricas y alguna dramática; la segunda reunía las comedias con su *Isoas*.

Entre las líricas sobresalen: *Eurídice y Orfeo*—delicada fábula—, *Las estaciones del día*, aun cuando algún crítico cree que la fábula no es de él, sino de Juan de Jáuregui.

Entre las obras escénicas: *La mejor flor de Sicilia, Santo Rosolea, También se ama en el abismo, Elegir el enemigo, Thetis y Peleo, El amor más desgraciado, Céfalo y Procris, Los juegos olímpicos, El encanto es la hermosura y el hechizo sin hechizo, o segunda Celestina; Triunfo y venganza de amor, El mérito es la corona y encantos de mar y amor, Sin armas vence el amor.*

En las partes 22, 38 y 41 de "Comedias escogidas de los mejores autores" se encuentran comedias de Salazar. Y varias poesías en los tomos 16, 42 y 49 de la "Biblioteca de Autores Españoles", de Rivadeneyra.

V. SAINZ DE ROBLES, F. C.: *Historia y antología del teatro español*. Madrid, 1943, tomos III y IV.—BARRERA, C. A. de la: *Catálogo... del teatro antiguo español*, pág. 358.

SALCEDO ARTEAGA, Emilio.

Periodista, ensayista, biógrafo. Nació —1929—en Salamanca. Estudió la primera y segunda enseñanzas en su ciudad natal. La guerra civil española le sorprendió en San Lorenzo de El Escorial, y a punto estuvo de ser enviado a Rusia con otros miles de niños de la zona roja española. Empezó a estudiar Medicina; pero la abandonó para estudiar Derecho. Agente de seguros y agente comercial. Director del Teatro Universitario de Salamanca. Miembro de número del Centro de Estudios Salmantinos. Licenciado en Filología Románica. Miembro de la Academia de Bellas Artes (correspondiente). Al fijar su residencia en Valladolid entró como redactor en el diario *El Norte de Castilla,* del que fue nombrado redactor-jefe en 1968.

Obras: *Salvación del poeta (Gabriel y Galán en su tiempo y en el nuestro)*—1955, libro premiado por las Diputaciones de Cáceres y Salamanca—, *Vida de Espronceda, Literatura salmantina del siglo XX*—1960—, *Puesto en la vida*—novela corta, 1961—, *El cochecito rojo*—novela, 1961—, *Vida de don Miguel de Unamuno*—1964, "Premio especial del Ministerio de Educación"—, *Relatos y paisajes*—1964—, *Las sombras*—novela—, *El holandés pasó por Patoques*—narración—, *Márgenes de Unamuno*—ensayos.

SALCEDO CORONEL, José García de.

Escritor español. Nació—¿1592?—en Sevilla y murió—1651—en Madrid. Estudió en su ciudad natal y en Alcalá. Muy joven, pasó a Italia, donde el duque de Alcalá, virrey de Nápoles, le nombró capitán de su guardia y gobernador de la ciudad de Capua. Caballerizo del infante don Fernando de Austria. Lope de Vega le alabó cumplidamente en la silva octava del *Laurel de Apolo.* Y su nombre figura en el *Catálogo de autoridades* de la lengua, publicado por la Real Academia Española.

Fue un apasionado admirador de Góngora, publicando cuatro volúmenes con el título de *Obras de don Luis de Góngora, comentadas*—Madrid, 1635-1638.

Obras: *Rimas. Primera parte*—Madrid, 1624—, *Ariadna*—poema en octavas, Madrid, 1624—, *Cristales de Heliconia, o Segunda parte de las Rimas*—Madrid, 1642 y 1649—; *Inscripción del sepulcro de Saturnino Penitente, que se halló en la ciudad de Mérida; La España consoladora, panegírico al Serenísimo Infante Cardenal*—Sevilla, 1636.

SALCEDO RUIZ, Angel.

Literato, político y militar español. Murió —1921—en Madrid. Auditor de Guerra. Diputado a Cortes, conservador. Miembro de la Academia de Ciencias Morales y Políticas. Consejero de Instrucción Pública. Popularizó el seudónimo de "Máximo" con sus artículos católicos en *La Lectura Dominical,* de Madrid. También colaboró en *El Universo, El Siglo Futuro, La Epoca* y otros diarios de "derechas". De mucha cultura y fácil pluma.

Obras: *Víctor*—novela, Madrid, 1887—, *Francisco Silvela*—Madrid, 1888—, *El Socialismo del campo*—Madrid, 1894—, *Astorga en la guerra de la Independencia*—Astorga, 1901—, *El libro de Villada*—Madrid, 1901—, *El coronel Cristóbal de Mondragón*—*Estado social que refleja el "Quijote"* —1905—, *La novela de un prohombre* —1909—, *Resumen histórico-crítico de la li-*

teratura española—1911—, *Historia de España*—1914—, *La literatura española*—tres tomos, 1915, 1916 y 1917—, *La época de Goya...*

SALES, Guillermina de.

Ilustre dama española, erudita, patrocinadora de las letras y de las *Cortes y Parlamentos de amor* en Cataluña. Vivió en los últimos años del siglo XII y en los primeros del XIII. Fue esposa del trovador y caballero Hugo de Mataplana, y vivieron en el castillo de Mataplana, situado en las montañas de Ripoll, convirtiéndolo en palenque permanente de certámenes poéticos y caballerescos. La franca y suntuosa hospitalidad del conde Hugo y el atractivo de su bella y galante esposa, sostenían brillantemente aquel centro de fomento e ilustración de los ingenios, siendo célebres las justas literarias del castillo de Mataplana y las *Asambleas y Cortes* de amor presididas por Guillermina.

Un día acabó inopinadamente aquella gloriosa exaltación lírica y caballeresca. Hugo de Mataplana, como buen caballero, marchó a la guerra con el rey don Pedro de Aragón, cuando la contienda llamada de los Albigenses, y en la jornada de Muret cayó mortalmente herido. "Desde entonces—escribió Balaguer—la bandera negra, tremolando por espacio de un año en su torre señorial de Mataplana, anunció a todo el mundo que habían acabado para siempre las fiestas de aquel castillo, donde ya solo moraba, arrastrando luengas vestiduras de luto y entregada a sus recuerdos y a su llanto, su desconsolada viuda Guillermina de Sales, la que un día, complaciente con los gustos de su esposo y de su época, había brillado con todo el esplendor de su belleza y las galas de su ingenio en las *Cortes de Amor* por ella presididas."

V. BALAGUER, Víctor: *Historia política y literaria de los trovadores.*

SALES, Joan.

Novelista español en lengua catalana. Nació en 1912. Licenciado en Derecho. Combatiente republicano en la guerra española de Liberación. Terminada esta, vivió en París, Haití, Cuba, Estados Unidos. Regresó a España en 1948, dedicándose a editar y a escribir.

Obra: *Incierta gloria*—"Premio Joanot Martorell, 1955", y "Premio Ramón Llull, 1968".

SALINAS, Marcelo.

Cuentista, novelista, cronista, periodista, autor dramático cubano. Nació—1889—en Batabanó, provincia de la Habana, en el seno de una familia pobre. Desde muy niño se dedicó a los más diversos oficios: tabaquero, faenas agrícolas, albañil, recadero,

S

plomero, vendedor de periódicos. Anarquista de gran romanticismo, sufrió cárceles en su patria y en España. Escribió en periódicos avanzados, alguno de los cuales dirigió —*Nueva Aurora*—y fundó—*Liberación, El Corsario*—. Por consejo suyo, todos los anarquistas cubanos se apartaron de la Tercera Internacional. La famosa actriz Camila Quiroga premió, y representó su obra *Alma guajira*. En 1935 ganó el "Primer Premio del Ministerio de Educación" con su novela *Un aprendiz de revolucionario*. Como es lógico, en todas las obras de Salinas hay tema social expuesto con crudeza, desarrollado con fuerza y del que extrae vindicaciones o del que forma acusaciones.

Obras: *Gente de la Habana*—relato—, *Mi pueblo y el tuyo*—novela—, *Cimarrón*—teatro—, *La Santa Caridad*—teatro—, *La rosa de la vega*—teatro—, *Ráfaga*—teatro, "Premio del Ministerio de Educación, 1939"—, *El Poder*—teatro—, *El vagón de tercera* —teatro—, *Y llegaron los bárbaros*—teatro...

SALINAS, Pedro.

Interesantísimo poeta e s p a ñ o l. Nació —1892—en Madrid. Murió—1952—en Boston. Estudió Derecho y Filosofía y Letras en la Universidad Central, doctorándose en esta segunda disciplina—1917—. Catedrático de Lengua y Literatura españolas—1918—en la Universidad de Sevilla, y luego en la de Murcia. Entre 1914 y 1917, lector de español en la Sorbona. En 1922, lector de español en la Universidad de Cambridge. Durante algunos años, director de los cursos para extranjeros del Centro de Estudios Históricos de Madrid. Profesor agregado a la Escuela Central de Idiomas. Ha viajado por toda Europa, América y Africa del Norte.

Toda la poesía de Salinas—tan depurada, coloquial e íntima—es como una absoluta exaltación amorosa. El amor es el tema obsesivo de Salinas. Amor doloroso. Amor triunfante. Amor inquieto. Amor juego psicológico. Amor confidencia. Amor conceptismo. Amor real y fantástico a la vez, y sugerente y decaído. Pudiera decirse que las obras de Salinas no son sino una: el poema siempre incompleto de un *Amor en tiempos*.

Transparente, sencilla y espontánea aparece la forma de Salinas. Sin embargo, Salinas llegó a ella por un proceso de rigurosa complejidad y selección. Espontaneidad, sencillez, transparencia dificilísimas las de este admirable lírico. Para alcanzar todos los elementos poéticos simples... ¡superó con maestría las más rebuscadas dificultades!

Es Salinas un auténtico *poeta puro*, es decir, un juanramoniano, que surge impávido sin que le atraiga ni le salpique la subversión poética de 1919-1925. Salinas ha dado una definición muy bella y muy justa de la poesía: "Es una aventura hacia lo absoluto." Díaz-Plaja halla una distinción entre Juan Ramón y Salinas: el maestro busca la depuración poética despojando al poema de los elementos retóricos; el discípulo la busca partiendo ya de una expresión formal muy simple, es decir: *adelgazando el contenido*. Salinas persigue con verdadera unción la *iluminación* de su poesía desnuda. Juan Ramón busca, más que esta iluminación, casi apoteótica, la suprema vaga musicalidad de su desnuda poesía. Con lo que logra Salinas su *originalidad*, a pesar de su fidelidad filial a Juan Ramón. "Porque—comenta Onís— aunque parezca y sea tan sencilla, transparente y espontánea, aunque su forma de verso libre a base de octosilábico o endecasilábico dé la impresión de máxima naturalidad, aunque sus temas sean los más insignificantes episodios de la vida de cada día y rehúya todo alarde llamativo y fastuoso, la poesía de Salinas llega a su segura sencillez por un proceso de rigurosa selección y por modos de creación poética nuevos, sutiles y complejos." La poesía de Salinas se concentra en sus libros *Presagios*—1923—, *Seguro azar*—1929—, *Fábula y signo*—1931—, *Amor en vilo*—1931—, *La voz a ti debida*—1933—, *Razón de amor*—1936—, *Error de cálculo* —1938—, *Poesía junta*—1942—, *El Contemplado*—1947—, *Todo más claro y otros poemas*—1949.

En prosa magnífica ha publicado: *Víspera del gozo*—Madrid, 1926—. Ha puesto en romance moderno el *Poema del Cid* y ha editado—con un fino estudio crítico y notas eruditas—las *Poesías* de Meléndez Valdés—Madrid, 1925, *Clásicos Castellanos*—, *La fuente del Arcángel*—teatro—, *El desnudo impecable y otras narraciones*—México, 1951—, *Jorge Manrique, o tradición y originalidad* —Buenos Aires, 1947—; *La poesía de Rubén Darío*—Buenos Aires, 1948—, *El Defensor* —ensayos, Bogotá, 1948—, *La bomba increíble*—novela, Buenos Aires, 1951—, *Estudios de literatura española del siglo XX, Ensayos de literatura hispánica*...

Salinas ha escrito de su poesía: "Mi poesía está explicada por mis poesías. Nunca he sabido explicármela de otra manera, ni lo he intentado. Si me agrada el pensar que aún escribiré más poesías, es justamente por ese gusto de seguir explicándome mi poesía. Pero siempre seguro de no escribir jamás la poesía que lo explicará todo, la poesía total y final de todo. Es decir, con la esperanza certísima de ir operando siempre sobre lo inexplicable. Esa es mi modestia."

V. Torre, Guillermo de: *Literaturas europeas de vanguardia*. Madrid, 1925.—Diego, Gerardo: *Poesía española*. Madrid, *Signo*, 1934.—Onís, Federico de: *Antología de la*

poesía castellana... Madrid, 1934.—VALBUENA
PRAT, A.: *Historia de la literatura española.*
Barcelona, 1946, págs. 1043-1049.—ALONSO,
Dámaso: *Una generación poética: 1920-1936,*
en *Finesterre,* 1948.—TORRENTE BALLESTER,
G.: *Literatura española contemporánea (1898-
1936).* Madrid, 1949.—VALBUENA PRAT, A.:
La poesía española contemporánea. Madrid,
C. I. A. P., 1930.—RÍO, Angel del: *El
poeta Pedro Salinas.*—ARCE, Margot, y Ro-
SEMBAUN, S. C.: *Pedro Salinas: bibliografía,*
en *Rev. Hispánica Moderna,* 1941.—SAINZ
DE ROBLES, F. C.: *Historia y antología de la
poesía española.* Madrid, Aguilar, 1969,
5.ª edición.—DÍAZ-PLAJA, G.: *Poesía lírica
española.* Barcelona, edit. Labor, 1948, 2.ª edición.—ALONSO, Dámaso: *Con Pedro Salinas,*
en *Poetas Españoles Contemporáneos.* Madrid, edit. Gredos, 1952.

SALINAS DE CASTRO, Doctor Juan.

Poeta y erudito español. Nació en 1559.
Murió en 1642. "Poeta de gracia y donaire,
con ingenio de azúcar", llamó Juan Rufo al
doctor Juan Salinas de Castro, nacido en
Sevilla, según la opinión más corriente, en-
cabezada por el jesuita P. Gabriel de Aranda. Otros críticos creen que nació en Logroño, de donde era su padre, el caballero don
Pedro Fernández Salinas, señor de Boadilla,
en la Rioja. La madre, doña Mariana de
Castro, era una nobilísima dama sevillana.
Muerta esta, la familia se trasladó a Logroño, ciudad en la que Salinas estudió Humanidades, pasando más tarde a recibir todos
los grados a la archifamosa Universidad de
Salamanca. Mozo barbihecho y sazonado ingenio, pasó a Italia, residiendo en Génova,
Florencia y Roma, ciudad esta donde se ordenó de sacerdote, obteniendo como muni-
ficencia del Pontífice Clemente VIII una canonjía en Segovia.

Para recobrar la salud perdida, vivió cuatro años a la sombra del acueducto y del
alcázar, en la tierra alta y fría de Castilla,
cuyos aires templan las almas y cuyo silencio sonoro suaviza los caracteres. Muerto su
padre, y heredero de pingües caudales, renunció a la canonjía y se trasladó a Sevilla,
dispuesto a dedicarse a la piedad y a las
letras. No pudo zafarse, sin embargo, de algunos oficios anexos a su estado, y fue visitador del arzobispado y administrador perpetuo del Hospital de San Cosme y San
Damián. Y con tal probidad administró, que
se acordó por los patronos no se hiciera
ninguna de las acostumbradas visitas de inspección, "ya que les constaba que Salinas
gastaba mucho más en el cuidado de los enfermos que las cantidades asignadas a tal
efecto".

Don Juan Salinas de Castro, magro, alto,
blanco de pelo y terne de figura, expresión

entre zumbona y pía, frase pronta y feliz,
era muy popular en las barriadas populares
de Sevilla. Triana le palpaba los vuelos de
su taladura. El barrio de San Bernardo le
acogía con los primeros olés que se han lanzado a dar la vuelta a un ruedo imaginario.
Por San Juan de Aznalfarache pasaba igual
que la Fortuna, dando bandazos en los que
se le desfondaban de oro las faltriqueras.
Don Juan Salinas de Castro fue un vivo testimonio de cómo la agudeza puede no tener
punta y el puñado de sal no levantar ron-
chas en la herida y la frase de doble filc
pasar *por la carne del alma* lo mismo que
una caricia un poco ruda. "Salinas, en sus
primeros tiempos, fue poeta de buen gusto
literario; en los últimos se convirtió en conceptista, y en todos demostró un gran genio,
sazonado en las burlas, y de gran delicadeza
en la expresión de afectos amorosos. Ni aun
a sus amigos dejaba de castigar con donaires." (Adolfo de Castro.)

Murió con reputación de hombre rico en
las buenas letras y más rico en las buenas
acciones. Era todo un hombre. Nada menos.

Entre 1647 y 1650, José Maldonado Dávila
y Saavedra recogió y publicó todas las obras
líricas de Salinas de Castro.

Varios manuscritos de las citadas poesías
se conservan en la Biblioteca Nacional de
Madrid; y otros fueron propiedad de los
eruditos Sánchez Rayón, Fernández Guerra,
el marqués de Jerez de los Caballeros, Gallardo y Gayangos.

La edición más completa de sus obras la
publicó—Sevilla, 1869—la Sociedad de Bibliófilos Andaluces, con el título de *Poesías
del doctor Juan de Salinas, natural de Sevilla.*

Salinas está considerado por la Academia
Española como una de las autoridades en
el idioma.

V. CEJADOR Y FRAUCA: *Historia de la lengua y literatura castellanas.* III.—MÉNDEZ
BEJARANO, M.: *Poetas y literatos sevillanos
ilustres.*—CANIVELL Y LÓPEZ: *La poesía joco-
so-burlesca.* Madrid, 1868.—SAINZ DE RO-
BLES, F. C.: *El epigrama español. Estudio y
notas.* Madrid, Aguilar, 1946, 2.ª edición.

SALISACHS, Mercedes.

Novelista española. Nació—1918—en Barcelona. Empezó a escribir utilizando los seudónimos de "A. Dan" y "María Ecín". De
familia acomodada y esposa de un gran industrial de Barcelona. En 1956 le fue otorgado el "Premio Ciudad de Barcelona".

De esta escritora ha dicho José Luis Alborg: "Creo que Mercedes Salisachs ha demostrado cumplidamente hasta el momento
que es una mujer cerebral, una inteligencia
mejor dotada para la abstracción teórica
que para la pintura de lo concreto, más
pertrechada de intencionada ironía y de

S

preocupación satírica que de amor por lo vulgar y cotidiano, más alerta al ridículo que a la captura del sentimiento."

Obras: *Primera mañana, última mañana* —Barcelona, 1955—; *Una mujer llega al pueblo*—Barcelona, 1956—, *Carretera intermedia*—Barcelona, 1957—, *Más allá de los raíles*—Barcelona, 1957—, *La sinfonía de las moscas*—parcialmente publicada, 1957—, *Pasos conocidos*—cuentos—, *Vendimia interrumpida*—Barcelona, 1960—, *Adán Helicóptero*—publicado en 1958, pero novela conocida, años antes, con el título *Fohen*—, *Estación de las hojas amarillas*—novela, 1963—, *El declive y la cuesta*—novela, 1966—, *La última aventura*—novela, 1967.

V. ALBORG, José Luis: *Hora actual de la novela española.* Madrid, Taurus, 1962. Tomo II, págs. 383-404.—NORA, Eugenio G. de: *La novela española contemporánea.* Madrid, editorial Gredos, 1962. Tomo III. Págs. 393 y sigs.

SALOM VIDAL, Jaime.

Dramaturgo y cronista español. Nació —1925—en Barcelona. En su ciudad natal hizo sus estudios universitarios de Medicina, ejerciendo como oftalmólogo. Pero desde mozo se instruyó ardiente a su gran vocación: el teatro. Ha intervenido en el desarrollo de casi todos los teatros de Cámara de Barcelona en estos últimos años. Y en algunos de ellos varias de sus obras se hicieron centenarias. Pero también se han hecho centenarias en los teatros de empresa.

Jaime Salom es un dramaturgo y comediógrafo absolutamente actual, en la línea de los más afamados extranjeros. Su lírica es original. Y original su temática. Construye con arte sus obras y las desarrolla con sostenido aliento. Su humorismo queda siempre sostenido por una suave firmeza poética.

Obras: *El triángulo blanco*—teatro—, *El cuarto jugador*—teatro, 1962—, *Verde esmeralda*—1962—, *Culpables*—1962—, *El mensaje*—1963—, *La gran aventura*—"Premio Ciudad de Barcelona, 1963"—, *Juegos de invierno*—"Premio Isaac Fraga, 1963"—, *El baúl de los disfraces*—1964—, *Motor en marcha*—"Premio Ciudad de Barcelona, 1963"—, *Dos mujeres al espejo, Parchis party, La casa de las chivas*—1963, con más de tres mil representaciones consecutivas—, *Los delfines* —1969—, *La playa vacía*—1972-73—, *La noche de los cien pájaros*—1972.

SALOMÓN, Carlos.

Poeta español. Nació—1923—en Madrid. Murió—1955—en Santander. Ha vivido siempre en Santander, unido a los grupos literarios de esta ciudad. En 1945 fue uno de los fundadores de la revista de poesía *Proel,*

en la que aparecieron sus primeras composiciones.

En 1947 obtuvo mención honorífica en el concurso "Adonais" con su libro poético *Pasto de la aurora.* Y en 1950, el accésit en el "Premio Adonais" con la colección de poemas *La sed.*

Otra obra: *La orilla*—poemas—. Y en preparación, la novela titulada *Regresar es también partir.*

SALUCIO DEL POYO, Damián (v. Poyo, Damián Salucio del).

SALVADOR, Tomás.

Novelista y cronista español. Nació—1921— en Villada (Palencia). De ocho años fue llevado a Madrid y recluido en la Fundación Caldeiro. Durante la guerra de Liberación permaneció en Madrid, refugiado en las bibliotecas públicas y formando así sus gustos. En 1941 se alistó en la División Azul, permaneciendo en Rusia hasta 1943. De regreso en España ingresó en el Cuerpo General de Seguridad, siendo destinado a Barcelona, donde aún vive. Por esta época inició su vocación literaria, escribiendo novelas de aventuras y policíacas y colaborando en diarios y revistas importantes. Su novela *Cuerda de presos*—1953—ganó los "Premio Ciudad de Barcelona" y "Premio Nacional de Literatura". Actualmente—1970—dirige la editorial Marte, en la que ha publicado ediciones admirables, ilustradas, de libros clásicos.

Tomás Salvador es un escritor muy fecundo, con un sentido ampliamente humano, siempre en búsqueda de patetismos por mundos de angustia, miseria y delincuencia. Su estilo y vocabulario son sencillos y suficientes.

Obras: *Garimpo*—Barcelona, 1952—, *Historias de Valcanillo*—Barcelona, 1952—, *El charco*—Barcelona, 1953—, *Cuerda de presos* —Barcelona, 1953—, *La virada*—Barcelona, 1954—, *División 250*—Barcelona, 1954—, *Los atracadores*—Barcelona, 1955—, *Hotel Tánger*—Barcelona, 1955—, *El haragán*—Barcelona, 1956—, *Diálogos en la oscuridad*—Barcelona, 1956—, *El Chano*—Barcelona, 1958—, *Lluvia caliente*—Barcelona, 1958—, *Cabo de varas*—Barcelona, 1958—, *La nave*—Barcelona, 1959—, *El agitador*—Barcelona, 1960—, *El atentado*—novela, 1960—, *Una pared al sol*—relatos, 1967—, *La guerra de España en sus fotografías*—1966—, *Marsuf, el vagabundo del espacio*—relato infantil de ciencia-ficción.

V. ALBORG, José Luis: *Hora actual de la novela española.* Madrid, Taurus, 1958. Tomo I, págs. 209-32.—NORA, Eugenio G. de: *La novela española contemporánea.* Madrid, editorial Gredos, 1962. Tomo II bis, págs. 237-

240.—Pérez Minik, D.: *Novelistas españoles de los siglos XIX y XX.* Madrid, edit. Guadarrama, 1957, pág. 337.—Torrente Ballester, Gonzalo: *Panorama de la literatura española contemporánea.* Madrid, edit. Guadarrama, 1961, 2.ª edición, dos tomos.

SALVATGE, Père.

Juglar y poeta catalán del siglo XIII. Su vida ha sido estudiada magníficamente por Miret y Sans. Estuvo a sueldo de Pedro el *Grande* y de su hijo y sucesor Alfonso III. Debió de ser muy estimado por los monarcas, ya que el segundo de ellos le regaló uno de sus caballos, y los dos le encomendaban el reparto de ciertas cantidades entre los demás trovadores y juglares del palacio. En 1287 le fue raptada una hija que con él vivía en la misma residencia real. Terció con Alfonso III en el serventesio tensonado compuesto por este la víspera de la invasión de Felipe en el *Atrevido*, y en el que igualmente intervinieron el conde de Foix y el trovador Bernat d'Auriac. En dichas coplas se alude a las flores de lis, nacidas en primavera, para ser tronchadas por los "palos" del blasón real de Aragón.

V. Miret y Sans: *Notes biographiques d'en Père Salvatge...*, en *Congrès d'Historia de la Corona d'Aragón*, 1909, págs. 152-71.—Rubió Balaguer, Jorge: *Literatura catalana* [medieval], en el tomo I de la *Historia general de las literaturas hispánicas.* Barcelona, 1949.

SAMANIEGO, Félix María.

Notabilísimo fabulista y prosista español. 1745-1801. Nació en La Guardia, de la Rioja. Heredó pronto los mayorazgos de la casa y fue señor de las cinco villas del Valle de Arraya. Estudió—poco y poco tiempo, dos años—en Valladolid. Pasó a Francia. Flaneó entre los enciclopedistas. Y se trajo a España el corazón seco, la fe marchita, el rictus burlesco de labios que puso de moda Voltaire, el placer de mofarse de las cosas y de las cuestiones religiosas y el hábito de tomar rapé y de usar binóculo con aires de suficiencia. Se casó con doña Manuela de Salcedo. Y fue presidente y uno de los primeros miembros de la Sociedad Vascongada. A ruegos de su tío, el conde de Peñalver, escribió sus *Fábulas* para los estudiantes del seminario de Vergara. En ellas traduce, imita y plagia a Esopo, Fedro, Gay y Lafontaine, aun cuando las originales en nada desmerecen de las más bellas de aquellos. Se peleó repetidas veces con Iriarte, y aun pagó los desdenes de este con panfletos violentísimos. Por ciertas poesías satíricas, el Tribunal de Logroño dictó auto de prisión contra él en 1793; paró el golpe, pero no pudo dejar de recogerse durante algún tiempo en el convento de carmelitas del Desierto, junto a Bilbao, correspondiendo al buen trato que le dieron los frailes con una sátira en que los pinta ociosos y glotones. Durante su última enfermedad—tanto menospreciaba la gloria humana—hizo quemar la mayor parte de sus escritos. Y murió cristianamente. Lo que se mama... El refrán dice bien.

Samaniego era graciosísimo en su conversación, picante, licencioso. Se pirraba por contar cuentos verdes y anticlericales. Era también un gran músico y tocaba muy bien el violín y la vihuela. "Iriarte—escribe Quintana—cuenta bien, pero Samaniego pinta; el uno es ingenioso y discreto; el otro, gracioso y natural; las sales y los idiotismos que uno y otro esparcen en su obra son igualmente oportunos y castizos, pero el uno los busca y el otro los encuentra sin buscarlos y parece que los produce por sí mismo."

Sus *Fábulas* tuvieron un éxito enorme. En menos de cien años se reimprimieron en España doce veces. En Valencia—1781—, Madrid—1825, 1831, 1835, 1841, 1845 y 1855—, Bilbao—1842—, Granada—1845—, Logroño—1842—y Valladolid—1847 y 1852—. En París se editaron en 1843; tomo LXI de "Biblioteca de Autores Españoles".

Otras obras de Samaniego son: *Coplas para tocarse al violín a guisa de tonadilla*, una parodia de la tragedia *Guzmán el Bueno.*

V. Fernández de Navarrete: Prólogo a la edición de *Obras inéditas o poco conocidas del insigne fabulista don Félix María Samaniego.* Vitoria, 1886.—Menéndez Pelayo, M.: *Historia de los heterodoxos españoles.* Tomo III.—Biblioteca Vasca: Tomo XXIII. Bilbao, 1898.—Biblioteca de Autores Españoles: Tomo LXI.—Revista de Archivos: 1901. Tomo V.—Cueto, Leopoldo A., marqués de Valmar: *Bosquejo historicocrítico de la poesía castellana en el siglo XVIII.*—Apraiz, Julián: *Obras críticas.* Bilbao, 1898. Apraiz, Julián: *El centenario de Samaniego*, en *La Ilustración Española y Americana*, 1901.—Sainz de Robles, F. C.: *El epigrama español. Estudios y notas.* Madrid, Aguilar, 1946, 2.ª edición.

SAMPEDRO, José Luis.

Novelista. Nació—1917—en Barcelona. En la actualidad es Catedrático de Economía en la Facultad de Ciencias Económicas de la Universidad de Madrid. Sus libros científicos tienen una sólida reputación. En sus novelas se muestra intelectual con exceso; y ni cuando toca un tema popular logra sacudirse por completo el lastre de su cultura profesional, que él disimula, a veces, con una indudable maestría genérica.

Obras: *Congreso en Estocolmo*—Madrid, 1952—, *El río que nos lleva*—Madrid, 1961—, *Un sitio para vivir*—teatro—, *La paloma de*

S

cartón—teatro, "Premio Calderón de la Barca"—, *La estatua de Adolfo*—relatos—, *La sombra de los días*—"Premio Internacional de Primera Novela", 1947.

V. NORA, Eugenio G. de: *La novela española contemporánea.* Madrid, edit. Gredos, 1962. Tomo II bis, pág. 198-200.

SAMPELAYO RUESCAS, Juan.

Literato y periodista. Nació—1910—en Madrid. Cursó el bachillerato en el Instituto-Escuela, y más tarde pasó a la Facultad de Medicina de la Universidad Central. Desde muy joven colaboró en revistas universitarias—*Horizonte, Brújula, Germa* y otras—, ingresando en 1932 en la Redacción de *El Siglo Médico* y colaborando en *El Sol* e *Informaciones*. En 1936, la Real Academia de Medicina le otorgó el Premio de Periodismo Médico "Rodríguez Abaytúa". Primer premio de artículos del Ayuntamiento de Madrid en 1944. Primer premio del Gremio de Libreros de Madrid 1945. Premio Nacional de Literatura del Ministerio de Educación 1945.

Colaborador de la Prensa nacional, y en particular de *Ya, A B C, Vértice, Informaciones, Cuadernos de Literatura, Revista Nacional de Educación,* etc.

Obras: *Lo que los hombres piensan de las mujeres*—antología, Barcelona, s. a.—, *Antología del piropo*—Barcelona, s. a.—, *Carolina Otero, bailarina del mundo*—Madrid, 1944—; *Un novelista: José María Eça de Queiroz* —Madrid, 1946—, *Madrid visto por sus cronistas*—antología, prólogo y notas. Madrid, 1947—, *"El Cínife"*—prólogo y notas. Ediciones Consejo Superior de Investigaciones Científicas, Madrid.

Juan Sampelayo es un escritor muy culto, muy ameno, de cuyas obras fluye una captadora simpatía.

SAMPER, José María.

Poeta, novelista, dramaturgo y erudito. 1828-1888. De Colombia. El más fecundo de los polígrafos colombianos. Catedrático. Diplomático. Senador. Pero sus amores grandes fueron la investigación y el periodismo. Se cuentan por más de veinte los periódicos y revistas que fundó o escribió en calidad de redactor principal. Y como si esta actividad monstruosa no agotara sus recursos intelectuales y sus fuerzas físicas, aún tuvo tiempo para escribir versos excelentes, novelas amenas, comedias representadas con éxito y obras de Historia y de Derecho.

No fue Samper ingenio profundo, pero compensó tal falta con la galanura del estilo, con una observación muy aguda y realista y con "un aliento infatigable" de humanidad. Mientras vivió, su popularidad fue grande en su patria y en toda la América española.

Obras: *Flores marchitas*—poesías, 1849—, *Ecos de los Andes*—poesías, 1860—, *Ultimos cantares*—1864—, *Un alcalde a la antigua y dos primos a la moderna*—comedia—, *Martín Flórez*—novela, 1866—, *Los claveles de Julia*—novela, 1881—, *Apuntamiento para la historia de Nueva Granada desde 1810* —1853—, *Ensayo sobre las revoluciones de las Repúblicas colombianas*—París, 1861—, *El libertador Simón Bolívar*—1878—, *Galería nacional de hombres ilustres*—Bogotá, 1879—, *Pensamientos sobre moral, política, literatura...*—1856—, *Viajes de un colombiano en Europa*—París, 1862...

V. ARANGO FERRER, Javier: *La literatura de Colombia.* Buenos Aires. Facultad de Filosofía y Letras, 1940.—BAYONA POSADA, Nicolás: *Panorama de la literatura colombiana.* Bogotá, 1940.—GÓMEZ RESTREPO, A.: *Historia de la literatura colombiana.* Bogotá, 1938-1940, dos tomos.

SAMSÓN.

Sacerdote, escritor y apologista español. 810-890. Vivió en Córdoba y se le conoció con el nombre de "el abad Samsón", porque lo fue de Peña Melaria. Tomó parte activa en las luchas políticas y religiosas de su tiempo, y combatió sañudamente a Hostegesis, obispo de Málaga, jefe de una secta que daba a Dios forma corporal, y que por ello se llamó de los "antropomorfistas". Condenado por unos obispos y absuelto por otros, desterrado y perseguido con saña, lanzó terribles diatribas contra sus adversarios. Fue rector del monasterio de San Zoilo, uno de los tres que tenían los cristianos en la capital del Califato.

De su *Apologético*, que apareció en el año 864, ha escrito Menéndez Pelayo: "Es la única obra de Teología dogmática y de Filosofía que de los mozárabes cordobeses nos queda... El libro no tiene simple interés bibliográfico, sino que merece figurar honradamente en los anales de nuestra ciencia... Las *Morales* de San Gregorio, las obras de San Isidoro, muchas de San Agustín, las de San Fulgencio de Ruspa y el libro *De statu animae,* de Claudiano, son las fuentes predilectas del abad cordobés."

También escribió Samsón algunas *poesías* latinas, que reprodujo el P. Flórez en el tomo XI de su *España Sagrada.*

V. MENÉNDEZ PELAYO, M.: *Heterodoxos españoles.* Madrid, 1880, tomo I.—MENÉNDEZ PELAYO, M.: *La ciencia española.* Tomo I.—SIMONET, F. J.: *Historia de los mozárabes de España.* Madrid, 1897-1903.

SAN BARTOLOMÉ, Sor Ana.

Famosa religiosa y escritora española, una de las más admirables discípulas de Teresa de Jesús y acaso la que mejor se asimiló el espíritu de la Doctora mística. Nació —1549— en El Almendral (Avila). Huérfana cuando aún era una niña, se vio precisada a guardar ovejas, y en este humilde oficio aprendió a extasiarse ante las bellezas infinitas que Dios había puesto en la Naturaleza. Ella misma confesó ingenuamente que trabajó tanto, que los criados de la casa "ellos no pudieron hacer dos juntos lo que yo hacía". Logró entrar en el convento de San José, de Avila, donde la conoció Teresa de Jesús, quien elogió el espíritu de la novicia. Profesó el 15 de agosto de 1572. Almas gemelas las de Teresa de Jesús y Ana de San Bartolomé, era muy natural que entre ellas hubiese amistad y cariño estrechísimos, y tan ciega era la obediencia de Ana a la reformadora del Carmelo, que, no sabiendo escribir, como esta le dijese en cierta ocasión: "Toma la pluma y escribe", sin más que ver una carta empezó a formar letras; acto de sugestión que sus contemporáneos tomaron por un milagro. En 1580 salió con la Santa a fundar en Villanueva de la Jara, y ambas lograron después las fundaciones de Palencia y Burgos. Cuando en 1582 voló al cielo el alma de Teresa, sor Ana tuvo a esta en sus brazos al expirar, inundada en lágrimas. Junto al sepulcro de la Santa pretendió vivir el resto de sus días, y solo por obediencia marchó al convento de Avila. Después vivió en Madrid. Y acordadas las fundaciones carmelitanas de París y de los Países Bajos, sor Ana recibió tan difícil y honrosa comisión. En 1603 llegó a París. Fundó los conventos de París, Pontoise, Dijon, Tours y Amberes. Y aquí murió santamente en 1626.

Dejó numerosos escritos: *Poesías, Fragmentos espirituales, Cartas, Opúsculos apologéticos.*

V. HENRÍQUEZ, Fr. Crisóstomo: *Historia de la vida de la Venerable Madre Ana de San Bartolomé...* Bruselas, 1632.

SAN JERÓNIMO, Venerable Madre Ana de.

Poetisa española. Nació —1696— en Madrid. Sus padres fueron don Pedro Verdugo y doña Isabel de Castilla, condes de Torrepalma, quienes la educaron magníficamente por sí mismos. Don Pedro fue muy versado en lenguas, en Matemáticas y en Historia. Y la madre hacía primores en el dibujo y en la música. Ana supo cantar con rara afinación y tocar varios instrumentos; habló correctamente el latín, el italiano, el francés y el portugués. Y cuando no contaba sino doce años escribió una curiosísima síntesis de la *Historia del mundo* por el P. Flórez. Su lección de poetas griegos, latinos, italianos y castellanos fue vastísima. Pero la más frecuente era la de los escritores sagrados, sin-

gularmente de San Jerónimo, de quien decía con gracia: *que a pedradas le había metido en el claustro del Angel,* adonde se retiró en 1729, luego de haber desechado las pretensiones amorosas de numerosos y nobles caballeros, pues fue muy bella, gentil y graciosa. Profesó a 8 de julio de 1730. Y aun cuando, con modestia singularísima, intentó no desempeñar sino los oficios humildes de refitolera y tornera, por obediencia llegó a ser maestra. Una prematura sordera le impidió desempeñar el cargo de vicaria. Sus penitencias fueron extremadas. Pasaba noches enteras arrodillada delante del Sacramento, y solo dormía una o dos horas.

Murió el 11 de noviembre de 1771.

Desde muy niña escribió poesías muy sentidas y fáciles, cuya conservación se debe a un canónigo cordobés a quien ella se las enviaba para su corrección. El canónigo, apreciándolas en su justo valor, se negó a romperlas, como le demandaba sor Ana, y ya muerta esta, las publicó en Córdoba en el año 1773 con el título de *Obras poéticas de la Madre Ana de San Gerónimo.*

SAN JOSÉ, Diego.

Poeta, novelista, autor teatral y periodista de mérito. Nació —1885— en Madrid. Murió —1962— en Redondela (Pontevedra). Estudió el bachillerato con los PP. Escolapios de las Escuelas Pías de San Antón. Pero abandonó las disciplinas universitarias para dedicarse al periodismo y a la literatura. En 1908 empezó a publicar versos y crónicas en *El Globo* y *La Montaña,* y estrenó en el teatro de la Princesa su primera producción escénica: *Un último amor,* comedia anecdótica en verso.

Apasionado lector y admirador de los clásicos españoles, Diego San José encauzó su labor en un sentido imitativo, llegando a dar a sus temas y a su estilo un sabor auténticamente de nuestro Siglo de Oro literario. Ha colaborado en casi todos los periódicos y revistas de Madrid: *El Liberal, El Imparcial, Heraldo, Mundo Gráfico, La Esfera, Nuevo Mundo, Blanco y Negro, La Libertad, Los Contemporáneos, La Novela Semanal, El Libro Popular, La Novela de Hoy, La Novela Corta...*

De sus obras ha dicho el crítico José Francés: "Verdaderas antologías de poesías clásicas son sus libros de versos, que causan en el ánimo del lector, no la sensación de la copia de un estilo literario, sino ese mismo estilo en toda su original frescura. Sus novelas son también acabados modelos de reconstrucción de época y de lenguaje." Y Cansinos-Asséns — en *Las escuelas literarias*—: "Diego San José representa la exacerbación del espíritu arcaizante, la furia de la manía clásica..., asume la máscara de una

S

metempsicosis clásica, y escribe, en la primera juventud, llena de hervores y de inquietudes y de revelaciones personales y únicas, con la fría y estirada pulcritud de los ingenios de otro tiempo..."

Obras: *Rufianescas*—versos—, *Los hijosdalgos del hampa*—crónicas, 1910—, *Hidalgos y plebeyos*—poesías, 1911—, *Mozas de partido*—novelas—, *La bella malmaridada*—novelas, 1912—, *Mentidero de Madrid, Doña Constanza*—novela, 1913—, *Libro de diversas trovas*—1914—, *El libro de horas*—novela, 1915—, *Puñalada de pícaro*—novela—, *El sombrero del rey*—novelas, 1916—, *Cuando el motín de las capas*—1917—, *En pecado mortal, La Mariblanca*—novela—, *La estatua de nieve*—novela—, *Gratas memorias*—novela—, *El manteo prodigioso*—sainete, 1918—, *El alma al diablo*—novela, 1921—, *Ginés de Pasamonte*—novela, 1923—, *La corte del rey embrujado*—novela, 1923—, *Madrid fernandino, Una pica en Flandes*—novela, 1925—, *El Madrid de Goya*—1928—, *De capellán a guerrillero*—novela, 1929—, *La monja del amor humano*—novela—, *El mesón del Sevillano*—novela—, *La corte del rey galán, Vida y milagros de Fernando VII, Martirologio fernandino, El abogado del diablo*—novela—, *Las llamas del "Fénix"*...

V. CEJADOR Y FRAUCA, J.: *Historia de la lengua y literatura españolas*. Tomo XIII.—SAINZ DE ROBLES, F. C.: *La novela corta española (Promoción de "El Cuento Semanal")*. Madrid, Aguilar, 1952.

SAN JOSÉ, Jerónimo de.

Poeta, erudito y religioso español. Nació —¿1587?—en Mallén (Zaragoza) y murió —1654—en Zaragoza. Fue discípulo predilecto de Bartolomé Leonardo de Argensola. Doctor en Teología y en ambos Derechos. Carmelita e historiador de su Orden. Gran teólogo y magnífico prosista. Enemigo acérrimo del culteranismo.

Obras: *Historia del Carmen, Dibujo de San Juan de la Cruz, Vida de San Juan de la Cruz*—Madrid, 1641, en siete libros—, *Genio de la Historia*—Zaragoza, 1651—. Dejó también algunas excelentes poesías.

SAN JOSÉ, Sor María de.

Escritora y religiosa española. N a c i ó —¿1550?—en Avila. Sus padres fueron don Cristóbal de Avila y doña Ana de Santo Domingo. Tomó el hábito del Carmen Descalzo en el convento de San José, de su ciudad natal, el 24 de agosto de 1562, pero no profesó hasta 1566. En 1575 marchó con Santa Teresa a Sevilla para fundar un convento, del cual fue elegida priora. La mala voluntad con que veían la Reforma los carmelitas calzados y los odios y las rencillas de las beatas ocasionaron no pocos disgustos a sor María, quien se puso de parte del P. Jerónimo Gracián en la contienda que este tuvo con el P. Nicolás Doria, por creer que aquel encarnaba mejor el pensamiento de la mística Doctora. Sor María y sus carmelitas fueron acusadas ante la Inquisición de ser *alumbradas*. Tales persecuciones las refirió sor María de San José en un libro lleno de amenidad y de profundo encanto, que publicó don Vicente de la Fuente a fines del pasado siglo. Santa Teresa, que conocía a fondo las relevantes cualidades morales, espirituales y temperamentales de sor María, mantuvo con ella larga correspondencia, enviándole instrucciones en momento difíciles, ya dándole cuenta de momentos prósperos o adversos, ya amonestándola con soberana dulzura. En 1584 marchó sor María a Lisboa y fundó un convento de su Orden. A la penetración de esta magnífica religiosa no se ocultó el fraude de la monja lisboeta sor Luisa de la Visitación; y cuando le contaron los milagros de esta, respondió "que la hipocresía sabe obrar mayores cosas". De regreso a España, falleció en el convento de Cuerva el año 1603.

Según Serrano Sanz, "de cuantas discípulas tuvo Santa Teresa, acaso ninguna descolló por su talento literario como sor María de San José; su prosa es fácil, tersa y elegante sin afectación, y sus versos muy dignos de alabanza".

Obras: *Fundación del convento de Carmelitas Descalzas de Sevilla, Libro de recreaciones*—diálogos en alabanza de Santa Teresa—, *Poesías*.

V. SERRANO SANZ, M.: *...Escritoras españolas*. Madrid, 1903.

SAN PEDRO, Bachiller Diego [Fernández] de.

Notabilísimo y original poeta y prosista español del siglo XV. Posiblemente de origen judío. Hasta 1459 estuvo al servicio de don Pedro Girón, maestre de Calatrava. Fue teniente de su villa de Peñafiel—1466—. Oidor de Enrique IV de Castilla y de su Real Consejo. De existencia muy aventurera y amorosa. Su nombre figura en el *Catálogo de autoridades* del idioma, publicado por la Academia Española.

Dio el más vigoroso desarrollo a la novela sentimental en el siglo XV. En los comienzos del reinado de los Reyes Católicos escribió una de las más lindas joyas de la prosa castellana de todos los tiempos: *Cárcel de amor* —impresa en 1492—, dirigida al alcaide de los Donceles, don Diego Hernández, influida por la *Vita nuova*, de Dante; la *Fiammeta*, de Boccaccio, y el *Siervo libre de amor*, de Rodríguez del Padrón. Influyó, a su vez, en *La Celestina*, de Rojas; algunas *Novelas ejemplares,* de Cervantes, y en los episodios sentimentales del *Quijote.* Es notabilísima esta novela por su estilo, "casi siempre elegante, sentencioso y expresivo, y en ocasiones apasionado y elocuente" (Menéndez Pelayo); por su novedad, que trasciende a narración caballeresca, bien que sin los maravillosos e inverosímiles casos de este linaje de escritos; por la exquisitez de la forma; por la armonía y dulzura de su prosa, a veces repulida y hasta rebuscada; por su sentido patético; por su amenidad; por su fuerza humana. Tuvo extraordinaria aceptación, y a pesar de los anatemas del Santo Oficio y de las condenaciones de Luis Vives y otros moralistas, "este libro estaba en las manos de todo el mundo, llegando a ser el *breviario de amor de los cortesanos,* e imprimiéndose más de veinticinco veces en castellano y más de veinte en lenguas extranjeras. Según Usoz, la *Cárcel de amor* es el *Werther's Leiden* de aquellos tiempos" (H. y P.).

Otras obras: *Tractado de amores de Arnalte y Lucenda*—impreso en 1491, dirigido "a las damas de la reyna nuestra señora", novela psicológica, sentimental y medio caballeresca, libro de extraordinaria rareza hoy, del que hay un ejemplar en la Academia de la Historia—, *Sermón de amor*—Alcalá, 1511 y 1540—, *Desprecio de la fortuna* —poemita en verso, Zaragoza, 1509—, *Pasión de Nuestro Redentor y Salvador Jesucristo* —quintillas fáciles y devotas—, *Las Siete Angustias de Nuestra Señora*—Medina, 1534. Fue Diego de San Pedro excelente poeta, gran versificador, de oído muy delicado.

Ediciones antiguas de *Cárcel de amor:* Sevilla: 1492, 1509, 1525; Burgos: 1496, 1522, 1527; Zaragoza: 1516, 1523; Logroño: 1508; Medina del Campo: 1544, 1545, 1547; París: 1548, 1567, 1581, 1595, 1616; Lyón: 1583—en castellano—; Londres: 1575; Amberes: 1556, 1560, 1576, 1598; Venecia: 1513, 1514, 1515, 1521, 1525, 1530, 1533, 1537, 1546, 1553; Barcelona—en catalán—: 1493.

Ediciones modernas de *Cárcel de amor:* tomo XV de la "Bibliotheca Hispana", edición de Foulché-Delbosc; tomo VII de la "Nueva Biblioteca de Autores Españoles", edición de Menéndez Pelayo; "Biblioteca Gil Blas", Renacimiento, Madrid, [¿1923?]; Barcelona, 1941, por J. Rubió.

De *Arnalte y Lucenda:* tomo XXV de la *Revue Hispanique,* 1911, edición de Foulché-Delbosc.

Del *Sermón de amor:* tomo VII de la "Nueva Biblioteca de Autores Españoles".

De la *Pasión de Nuestro Señor:* en *Cancionero y romancero sagrado,* Biblioteca Rivadeneyra.

Otras poesías, en cualquier edición del *Cancionero general.*

V. FOULCHÉ-DELBOSC, R.: *Estudio* en *Revue Hispanique,* 1911.—FOULCHÉ-DELBOSC, R.: *Estudio* en "Bibliotheca Hispana", tomo XV.—MENÉNDEZ PELAYO, M.: *Orígenes de la novela,* I, 315.—COTARELO MORI, E.: *Nuevos y curiosos datos biográficos del bachiller Diego de San Pedro,* en *Boletín de la Academia Española,* 1927.—SAMPERE Y MIQUEL, S.: *Acerca del bachiller Diego de San Pedro,* en *Rev. Bibliogr. Catalana,* 1902.—BUCETA, Erasmo: *Algunas relaciones de la "Menina e Moça" con la literatura española, especialmente con las novelas de Diego de San Pedro,* en *Rev. Ayuntamiento Madrid,* 1933, X, 300.—GIANNINI, A.: *La "Cárcel de amor" y el "Cortesano" de C.,* en *Revista Hispania,* 1919, XLVI.

SÁNCHEZ, Florencio.

El más intenso de los autores dramáticos hispanoamericanos. 1875-1910. De Montevideo (Uruguay). Cursó sus estudios primarios y secundarios en Treinta y Tres, Minas y su ciudad natal. En Minas ejerció el periodismo, colaborando en *La Voz del Pueblo* con el seudónimo de "Jack the Ripper". Desde 1903 vivió en Buenos Aires una existencia tormentosa y atormentada de bohemio, sin otros ingresos que los que le proporcionaba un modesto empleo en la Oficina Antropométrica, dirigida por Juan Vucetich. También colaboró, más tarde, en *El País, El Sol,* de Buenos Aires, y en *La República,* de Rosario de Santa Fe. Hacia 1909, el Gobierno uruguayo le envió a Europa en misión oficial. Recorrió Italia y Francia, y se disponía a trasladarse a Suiza, buscando un clima propicio a sus pulmones enfermos, cuando la tisis le postró, irremediablemente, en Milán.

Florencio Sánchez vivió una breve existencia intensa, angustiosa y creadora. No tuvo cultura, ya que todos sus conocimientos los adquirió al azar, en tertulias de cafés y de periódicos. Su estética fue la naturalista Sus modelos fueron Ibsen, Bracco, Sudermann, Hauptmann, Rovetta, Mirbeau... "Volcó sus entusiasmos en la nueva estética de maestros y discípulos del movimiento naturalista, que hicieron triunfar en París las escenas de vanguardia y el repertorio del teatro libre." (Corti.) Todo el teatro de Florencio Sánchez es de tesis: sombrío, hondo, real y recio, y estaba nutrido de humanidad criolla, bajuna, bien tomada y mejor sentida.

"Es verdaderamente interesante la evolución de este temperamento excepcional, que va desde la tentativa de la comedia plebeya hasta el drama de caracteres y pasiones, orientado hacia las grandes literaturas extranjeras. Sánchez posee en alto grado el sentimiento de la realidad y de lo dramáti-

S

co. Sus dos condiciones madres son la intensidad y la eficacia." (Montero Bustamante.)

"Fue un instintivo, un observador sagaz, dotado·del poder de reproducir en las tablas el color y el movimiento de la vida, sin reflexionar mucho sobre la esencia o el secreto de los hilos que mueven al farsa. Capta las acciones en sí mismas dramáticas, tal como si intuyera de inmediato su resultado, en una anticipación lograda del efecto escénico." (Leguizamón.)

El éxito del teatro de Sánchez fue grande en América y en Europa.

Su obra comprende tres dramas—*La gringa, Barranca abajo* y *Los muertos*—, siete comedias—*M'hijo el dotor, La pobre gente, En familia, El pasado, Nuestros hijos, Los derechos de la salud* y *Un buen negocio*—, tres zarzuelas—*El conventillo, Canillita* y *El cacique Pichuelo*—y ocho sainetes—*La gente honesta, Cédulas de San Juan, Mano santa, El desalojo, Los curdas, La tigra, Moneda falsa* y *Marta Gruni*.

V. JONES, Willis Knapp: *El tema de "La gringa"*..., en *Boletín Est. de Teatro.* Buenos Aires, 1943.—SALAVERRI, Vicente A.: Prólogo al *Teatro uruguayo de Florencio Sánchez.* Valencia, 1919.—CORTÍ, Dora: *Florencio Sánchez*, en *Inst. Lit. Argentina.* Buenos Aires, 1937.—GIUSTI, Roberto: *Florencio Sánchez. Su vida y su obra.* Buenos Aires, 1920.—MONTERO BUSTAMANTE, R.: *El Uruguay a través de un siglo.*—ROXLO, Carlos: *Historia crítica de la literatura uruguaya.* Montevideo, 1912...

SÁNCHEZ, Luis Alberto.

Historiador y crítico peruano contemporáneo. Figura entre las mentalidades más firmes y capaces de su patria. En diarios y revistas del Perú y de toda Hispanoamérica ha sembrado, en magníficos ensayos y artículos, las ideas más modernas y sugestivas acerca de las letras peruanas. Su magisterio es respetado y generalmente elogiado en el mundo de habla castellana.

Posee Luis Alberto Sánchez una gran cultura, un criterio objetivo y justo, gran perspicacia para la interpretación y una claridad máxima para la expresión.

Obras: *La literatura peruana*—tres tomos—, *Historia de la literatura americana* —1937—, *Nueva historia de la literatura hispanoamericana*—1944—, *La literatura del Perú*—1943, 2.ª edición—, *Vida y pasión de la cultura en América*—1935—, *Civilización o cultura*—1936—, *Los poetas de la Colonia* —Lima, 1921—, *Los poetas de la Revolución* —Lima, 1919—, *América, novela sin novelistas*—Lima, 1933—, *Balance y liquidación del 900*—1942—, *Proceso y contenido de la Novela hispanoamericana*—Madrid, 1953.

Ha escrito las biografías de *Don Manuel,* *La Perricholi* y *Haya de la Torre* o *"el Político"*...

SÁNCHEZ, Miguel.

Delicado poeta y autor dramático español. Nació en Valladolid hacia 1545. En 1616 aún vivía. Clérigo. Secretario de don Enrique Enríquez, obispo de Osma y de Plasencia. Le alabó Cervantes en su *Viaje del Parnaso.* Y también Lope de Vega—*Laurel de Apolo*—, diciendo que era

> el primero maestro que han tenido
> las musas de Terencio...

Sus contemporáneos le denominaron "el Divino", por la mucha unción de muchas de sus poesías. Por el contrario, el italiano *hispanizado* Franchi, en un *Vejamen* de la Academia madrileña, le censuró agriamente: "Miguel Sánchez... desea que en sus comedias se haga hablar a cualquiera de dos interlocutores alguna vez siquiera más de veinte versos seguidos... Item: pide que a muchos de sus versos se les abrigue, porque conoce que tienen frío."

Entre sus poesías sobresalen: el romance *Oíd, señor don Gaiferos,* y una canción *A Cristo crucificado,* que algunos han atribuido erróneamente a fray Luis de León.

Comedias: *La isla bárbara* y *La guarda cuidadosa.*

Si sus poesías son delicadas y fervorosas, sus producciones teatrales adolecen de pesadez, poca inventiva y languidez poética.

Sus comedias pueden leerse en la edición de Rennet, Boston, 1896; *La guarda cuidadosa,* en el tomo XLIII de la "Biblioteca de Autores Españoles"; sus poesías, en los tomos X, XIII y XXXV de esta misma colección de Rivadeneyra.

V. RENNERT, H. A.: Prólogo a la edición de Boston, 1896.—ALONSO CORTÉS, N.: *Miscelánea vallisoletana.* Tercera serie.

SÁNCHEZ, Tomás Antonio.

Notable erudito y prosista español. Nació —1723—en Ruiseñada (Santander). Murió —1802—en Madrid. Sacerdote. Magistral de la colegiata de Santillana del Mar. Bibliotecario de la antigua Biblioteca Real. Académico de la Historia y director interino de esta Academia de 1794 a 1795. Académico de la Real Española de la Lengua.

De erudición extraordinaria. Arqueólogo de muy buen gusto estético. A veces, prosista satírico lleno de donaire. Fue el primero que publicó en España una vieja canción de gesta—el maravilloso *Poema del Cid*— "cuando dormían en el polvo todas las europeas". Con Tomás Antonio Sánchez puede afirmarse que empieza en España la "crítica literaria" en su justa ponderación.

Obras: *Colección de poesías castellanas anteriores al siglo XV, Poema del Cid* —1779—, *Gonzalo de Berceo*—1780—, *Poema de Alexandre*—1782—, *Arcipreste de Hita* —1790—, *Elogio histórico de... don Vicente Gutiérrez de los Ríos*—1779—, *Carta de Paracuellos, escrita por don Fernando Pérez a un sobrino que se hallaba en peligro de ser autor de un libro...*—1789.

SÁNCHEZ-ALBORNOZ, Claudio.

Historiador, ensayista y catedrático español. Nació—1893—en Madrid. Doctor en Filosofía y Letras por la Universidad Central. Del Cuerpo Facultativo de Archivos, Bibliotecas y Museos. Catedrático de Historia en las Universidades de Barcelona, Valladolid y Madrid. "Premio XII Centenario de Covadonga", otorgado por las Cortes españolas, con su obra *Historia del reinado asturleonés y de sus instituciones.* Académico de número de la Real de la Historia. Diputado en las Cortes Constituyentes. Rector—1932—de la Universidad de Madrid. Embajador de España. En la actualidad vive en la Argentina, realizando una labor infatigable, brillante, españolísima. Posee una cultura excepcional. Y sabe dar a sus investigaciones una amenidad extraordinaria.

Obras: *La capital de León en el año 1000 y el reinado de Ordoño, Avila en la guerra de la Independencia, La potestad real y los señoríos de Asturias, León y Castilla durante los siglos VIII a XIII, Vías romanas del valle del Duero y Castilla la Nueva, En torno a los orígenes del feudalismo*—1942, tres tomos—, *De Carlo Magno a Roosevelt* —1943—, *España y el Islam*—1943—, *Frente al mañana*—1943—, *Otra vez Guadalete y Covadonga*—1944—, *Orígenes de Castilla. Cómo nace un pueblo*—1943—, *Nota sobre los libros leídos en el reino de León hace mil años*—1944—, *La España musulmana*—dos tomos, 1949 a 1950—, *España, enigma histórico*—Buenos Aires, 1956—. Esta obra, admirable por todos conceptos, dio origen a una famosa polémica con Américo Castro.

SÁNCHEZ ALONSO, Benito.

Investigador e historiógrafo español. Nació en 1884. Estudió en las Universidades de Salamanca y Madrid. Del Cuerpo Facultativo de Archiveros. Bibliotecario del Centro de Estudios Históricos y del Consejo Superior de Investigaciones Científicas. Colaborador de la *Revista de Filología Española.* De gran cultura y singularísima modestia, ha dedicado sus actividades fecundas e incansables a la Historiografía.

Obras: *Fuentes de la historia española e hispanoamericana*—repertorio bibliográfico de indispensable consulta—, *Historia de la historiografía española, El mundo y España* —edición crítica de la *Crónica* latina del Obispo don Pelayo, de Oviedo...

SÁNCHEZ DE BADAJOZ, Bachiller Diego.

Poeta y autor dramático español. Nació —¿1479?—en Badajoz. Murió entre 1545 y 1552. Hermano del magnífico escritor Garci Sánchez de Badajoz. Sirvió a don Pedro Ruiz de la Mota, obispo de Badajoz, pero no le siguió al marchar a la corte, sino que se apegó más y más al terruño. Un sobrino suyo asegura que fue émulo y rival del gran Torres Naharro. Sus farsas debieron de representarse a principios del siglo XVI en Salamanca, Burgos y Toledo. En ellas se muestra apasionado erasmista y se burla de clérigos y frailes con todo desparpajo.

Sánchez tuvo intento de que sus obras fuesen morales y tuviesen trama; "en algunas, sobre todo, a la manera que Calderón, sus autos sacramentales, bien que con muchísima más sencillez por lo común, y mezclando de tal manera lo sagrado y lo profano, presentando escenas de gente baja y de personajes, a quienes hace risibles, con tan fiero realismo, que lo sagrado suele quedar en lo hondo y en el intento, no viéndose en escena más que lo profano. Hizo, pues, en España algo de lo que Torres Naharro hizo en Italia, sacando el teatro más a la plaza todavía que los anteriores autores, prescindiendo más y más de lo eclesiástico, por lo menos en la forma, y de lo pastoril. Es la comedia de costumbres en embrión, esbozados algunos tipos bajos". "Diego Sánchez fue improvisador y repentista, de lo que se resienten sus poesías líricas, donde falta sensibilidad y fuerza, sobra palabrería y los consonantes vienen forzados. Menos de estos defectos se notan en las farsas... En cambio, ello le hace traer palabras enteramente vulgares y aun acaso bastantes compuestas por él; su léxico es riquísimo y notable por lo rústico y brioso. Las dos poesías místicas, que él llama romances, valen más que todas las obras líricas, por lo hondo del sentimiento." (Cejador, I.)

Obras: *Recopilación en metro del bachiller Diego Sánchez de Badajoz...*—Sevilla, 1554, edición llevada a cabo por Juan de Figueroa, sobrino del autor—, *Farsas y sermones*—aquellas, veintiocho, entre las que sobresalen: la del *Matrimonio*, la del *Molinero*, la de *David*, la *Militar*, la de *Abraham*...

La *Recopilación* fue reimpresa por Barrantes, en dos volúmenes. Madrid; 1882-1884, en la "Colección Libros de antaño". También algunas farsas pueden leerse en *Obras dramáticas del siglo XVI*, Madrid, 1914, edición Bonilla San Martín.

V. LÓPEZ PRUDENCIO, J.: *El bachiller Diego Sánchez de Badajoz.* Madrid, 1915.—SAINZ DE

S

Robles, F. C.: *Historia del teatro español.* Madrid, 1943. Tomo I.—Barrantes, V.: Prólogo a la edición de 1882. Madrid.

SÁNCHEZ DE BADAJOZ, Garci (v. Garci Sánchez de Badajoz).

SÁNCHEZ BARBERO, Francisco.

Poeta y erudito español de mucho prestigio en su época. 1764-1819. Natural de Moríñigo (Salamanca); en el Seminario Conciliar de esta ciudad cursó Humanidades y Filosofía. Más admirador de Homero y Virgilio que de los graves doctores de la Iglesia, sin vocación eclesiástica y con una afición desmedida a la poesía, abandonó el seminario y amistó con todos los poetas de la escuela salmantina: Fray Diego Tadeo González, Meléndez Valdés, Forner, Jovellanos... Se trasladó a Madrid, donde vivió con grandes estrecheces económicas...

Fue arcade de Roma con el nombre de "Floralbo Corintio". De ideas liberales, entró a formar parte de la Redacción de *El Conciso,* en Cádiz—1812—. Un año después fundó en Madrid *El Constitucional.* El absolutismo fernandino le recluyó diecinueve meses en la Cárcel de Villa, durante los cuales compuso su *Gramática latina.* Trasladado al presidio de Melilla, con pena de diez años, allí murió.

Sánchez Barbero fue un poeta neoclásico, fácil, inspirado y sencillo. Su composición más famosa es la elegía que dedicó a la muerte de la duquesa de Alba, que escapa a los rígidos preceptos de Luzán; no así sus tres odas *A la batalla de Trafalgar* y sus sátiras *A Ovidio, Los gramáticos* y *Los viajerillos.* Inconforme con el afrancesamiento de Luzán, Sánchez Barbero escribió sus *Principios de Retórica y Poética*—que alcanzaron un gran éxito—, en los que intentó reverdecer los dictados renacentistas españoles.

Escribió un melodrama: *Saúl*—inspirado en Alfieri—y una tragedia: *Coriolano*—inspirada en Shakespeare.

Algunas de sus obras pueden leerse en el tomo LXIII de la "Biblioteca de Autores Españoles", de Rivadeneyra.

V. Anónimo: *Don Francisco Sánchez Barbero,* en *Semanario Pintoresco Español.* 1841, 395.—Cueto, L. A.: *Poetas líricos del siglo XVIII,* en "Biblioteca de Autores Españoles". Tomo LXIII.—Menéndez Pelayo, M.: *Ideas estéticas...* 1940, III, 402.

SÁNCHEZ BARBUDO, Antonio.

Narrador, ensayista, crítico literario español. Nació—1910—en Madrid. Casi nada sabemos de la vida de este escritor, que lleva muchos años en los Estados Unidos. De idea-les liberales, salió de España en 1939; en 1938 había publicado algunos ensayos en la revista *Hora de España,* dirigida por Serrano Plaja. Su primer lugar de exilio fue México, donde fundó las revistas *El hijo pródigo* y *Romance.* En 1938, en España, compartió con Herrera Petere el "Premio Nacional de Literatura" con el volumen de cuentos *Entre dos fuegos.*

De mucha cultura y criterio notable, pero muy subjetivo. Como narrador resulta seco y duro. Más valen que sus narraciones sus libros de crítica literaria.

Obras: *Sueños de grandeza*—novela, Buenos Aires, 1946—, *Estudios sobre Unamuno y Antonio Machado*—Madrid, 1959—, *Una pregunta sobre España*—México, ¿1958?

V. Marra-López, José R.: *Narrativa española fuera de España (1939-1963).* Madrid, Edición Guadarrama, 1963, págs. 501-502.

SÁNCHEZ BELLA, Alfredo.

Ensayista e historiador español. Nació—1916—en Tordesilos (Guadalajara). Doctor en Derecho y en Ciencias Políticas. Vicesecretario del Consejo Superior de Investigaciones Científicas. De 1941 a 1945, director del Colegio Mayor Jiménez de Cisneros. De 1946 a 1956, director del Instituto de Cultura Hispánica. Delegado en la Unesco. Embajador de España en Colombia y en Italia—1964—. Miembro honorario de la Hispanic Society of America. En la actualidad—1973—es ministro de Información y Turismo.

Obras: *El marqués de Valparaíso, vida y aventura de un hispanoamericano del siglo XVII*—tesis doctoral—, *El Conde-Duque de Olivares, La investigación científica en el mundo, Problemas universitarios y otros ensayos, La problemática hispanoamericana en la hora presente...*

SÁNCHEZ DE LAS BROZAS, Francisco («El Brocense»).

Célebre humanista y literato español, conocido por "el Brocense". Nació—1523—en Brozas (Cáceres). Murió—1601—en Salamanca. Estudió en Salamanca. Cursó Gramática en 1553. Era bachiller en 1551 y regente de Retórica del Colegio Trilingüe en 1554. En 1559 enseñaba griego. En 1574 defendió su tesis para doctorado y se casó. Explicó Filosofía natural hasta que fue acusado por la Inquisición de haberse burlado del culto exagerado que daban los católicos a las imágenes. La pena no fue muy severa. Se le señaló como lugar de reclusión la casa de su hijo Lorenzo Sánchez, doctor en Medicina. Su cátedra se declaró vacante el 18 de enero de 1601.

Fue "el Brocense" un formidable humanista. Su fama traspuso las fronteras patrias y le consiguió un renombre universal. Menéndez Pelayo—*Heterodoxos, II*—opinó de él así: "Nadie admira más que yo al 'Brocense'; le tengo por padre de la gramática general y de la filosofía del lenguaje. Como humanista, es para mí *hombre divino,* como lo era para Gaspar Scioppio." Y Felipe Picatoste añade: "'El Brocense' representa a mediados del siglo XVI lo que Nebrija a principios de la misma centuria: la protesta del buen sentido y del claro criterio contra el método de enseñanza; la tendencia de las letras a influir benéficamente en favor de las ciencias, tendencia que realmente no existía en forma visible más que en Italia y en España."

Cervantes le alabó en el *Canto de Calíope:*

> Aunque el ingenio y la elegancia vuestra,
> Francisco Sánchez, se me concediera,
> por torpe me juzgara y poco diestra
> si a querer alabaros me pusiera.
> Lengua del cielo, única y maestra,
> tiene que ser la que por la carrera
> de vuestras alabanzas se dilate,
> que hacerlo humana lengua es disparate

Obras castellanas: *Declaración y uso del reloj español*—Salamanca, 1549—, *Perseo en escolios*—1599—, *Doctrina de Epiteto*—Salamanca, 1600—, *Arte para saber latín*—1595, en versos rimados; comentarios y notas a las obras de Mena, Garcilaso de la Vega, Horacio y Virgilio.

En 1922, Madrid, el profesor Alcayde Vilar tradujo el *Tratado de los errores de Porfirio.* En 1776, Mayáns y Siscar editó las *Opera omnia una cum eiusdem scriptoris vita,* en cuatro volúmenes.

V. MENÉNDEZ PELAYO, M.: *Heterodoxos...* 1889, III.—MENÉNDEZ PELAYO, M.: *La ciencia española.* Madrid, 1891.—MORANTE, Marqués de: *Biografía de Francisco Sánchez "el Brocense"...* Madrid, 1859.—GONZÁLEZ DE LA CALLE, Urbano: *Discurso* inaugural del curso académico. Madrid, 1912.—COLECCIÓN DE DOCUMENTOS *inéditos para la Historia de España.* Tomo II. 1843.

SÁNCHEZ CALVO, Estanislao.

Filólogo y filósofo español. Nació —¿1835?—y murió—1895—en Avilés. Pensador sumamente original. Doctor en Filosofía y Letras. Muy joven aún, se retiró a su pueblo natal, dedicándose a la lectura y a la redacción de sus interesantísimas obras. Contempló y estudió con la más admirable serenidad los problemas más intrincados del hombre. Y fue, además, un prosista selecto y un clarísimo expositor.

Obras: *Estudios filológicos*—1882—, *Los nombres de los dioses*—Madrid, 1884—, *Filosofía de lo maravilloso positivo*—Madrid, 1889—, *Elección de fe en el mundo cristiano*

—1890—, *Vida de Jesús*—inédita y sin concluir.

SÁNCHEZ CAMARGO, Manuel.

Nació en Madrid el 5 de noviembre de 1911 y murió el 19 de febrero de 1967, en la misma ciudad. A los diecinueve años terminó sus estudios de Derecho en la Universidad de Madrid, obteniendo más tarde el grado de doctor en Filosofía y Letras. A los veinte años ingresó en la Redacción de *El Siglo Futuro,* donde publicó artículos críticos sobre música, literatura y pintura contemporánea. En esta época hizo su ingreso en la vida literaria de Madrid, compartiendo las tertulias de García Lorca, Alberti y otros escritores de igual generación. Pasado el Movimiento, ingresó en la Redacción de *El Alcázar,* donde su firma se hizo conocida como crítico de teatros y arte. En el año 1940 publicó el primer libro de versos bajo el título de *Ventana.* En el año 1945 obtuvo el "Premio Nacional de Literatura", por una colección de artículos sobre temas pictóricos. En el mismo año publicó la biografía del pintor *Solana (Estudio de una vida y una obra),* que fue traducida a varios idiomas. Y en el año 1948, *Nosotros los muertos (La vida en el manicomio),* novela calificada de existencialista por la crítica. En el mismo año fue nombrado agregado cultural en la Embajada de España en Colombia. En este cargo pronunció conferencias en distintos países sobre el momento artístico español. De regreso a España, volvió a ejercer la crítica de teatros y de arte en el diario *El Alcázar* y en Radio Nacional, colaborando en diferentes periódicos y revistas españoles y extranjeros. Más de veinte años ejerció la crítica de arte en Radio Nacional de España y en distintos diarios y revistas madrileños; y en TV desde su aparición.

Manuel Sánchez-Camargo fue catedrático de Literatura en el Instituto de San Isidro, de Madrid; profesor de Historia del Arte, y perteneció a la carrera judicial en calidad de juez municipal. Subdirector del Museo de Arte Contemporáneo.

Obras: *La muerte en la pintura española, El relato de la criada Antonia*—novela—y un ensayo sobre pintura contemporánea. *Pintura española contemporánea, La Escuela de Madrid*—Madrid, 1954 y 1965, dos tomos—, *Historia de la Academia Breve de Arte*—Madrid, 1963—, *Historia de la pintura española contemporánea*—dos tomos, Madrid, 1967.

Sánchez-Camargo posee una cultura excepcional. Está considerado como uno de los críticos más interesantes de España, por su sensibilidad, maestría expositiva, hondura de pensamiento y precisión y sutileza de juicio.

V. SAINZ DE ROBLES, F. C.: *Historia y an-*

S

tología de la poesía española. Madrid, Aguilar, 1964, 4.ª edición.

SÁNCHEZ CANTÓN, Francisco Javier.

Historiador y crítico de arte español. Nació—1891—en Pontevedra. Doctor en Filosofía y Letras. Discípulo aventajado de los historiadores y eruditos Tormo y Gómez Moreno, con quienes colaboró en los ficheros de Arte del Centro de Estudios Históricos. Catedrático de Teoría de la Literatura y de las Artes en la Universidad de Granada. Subdirector del Museo del Prado. Académico de número de las Reales de la Lengua, de la Historia y de Bellas Artes de San Fernando. Ha contribuido decisivamente, con una labor fecunda e incansable, a la actual organización de nuestra primera pinacoteca.

Sánchez Cantón posee una vastísima cultura y una gran sensibilidad. Pasan de un millar las conferencias que ha dado con temas artísticos. Y está, hoy, considerado como una de las primeras autoridades en el conocimiento del arte español. Debe advertirse que ha sabido dar a sus libros y ensayos de investigación una indiscutible calidad literaria.

Obras principales: *Los pintores de cámara de los Reyes Católicos*—1916—, *Los retratos en el Museo del Prado*—1919—, *Los tapices de la Casa Real*—1919, en colaboración con don Elías Tormo—, *Fuentes literarias para la historia del Arte*—1923—, *España* —ensayos, 1925—, *Dibujos de antiguos maestros españoles*—1932 a 1933, cinco tomos—, *La librería de Velázquez...*

Ultimamente ha publicado una historia y un comentario notables acerca de *Las Meninas,* de Velázquez, y una obra fundamental: *Don Francisco de Goya Lucientes*—1952.

SÁNCHEZ-CASTAÑER Y MENA, Francisco.

Nació en Sevilla hacia 1915. Doctor en Filosofía y Letras y en Derecho. Fue premio extraordinario en la licenciatura y en el doctorado de Letras, cuya tesis doctoral versó sobre *La pecadora penitente en el teatro español.* En la Universidad Central fue profesor encargado del curso de Lenguas y Literatura españolas. Catedrático por oposición del Instituto de Enseñanza Media de Alcalá de Henares, fue nombrado secretario de la *Revista de Filología Española* y miembro colaborador del Consejo Superior de Investigaciones Científicas. Tras nueva oposición, y con el número uno, ingresó en el escalafón de catedráticos de Universidades, explicando Lengua y Literatura españolas y Literatura universal, primero, en la Universidad de Santiago de Compostela, y luego, en la de Valencia. Actualmente—1970—, catedrático y decano de la Facultad de Filosofía y Letras, de Madrid.

En Valencia, y desde su cátedra universitaria, ha creado y dirige un amplio movimiento literario, del que es órgano *Mediterráneo, Guión de Literatura,* revista trimestral, que lleva publicados veinticuatro volúmenes. En el *Aula de "Mediterráneo",* fundación también suya, ha organizado cursos de conferencias, recitales de poesía y música, exposiciones, certámenes, representaciones teatrales, etc. Especialmente con motivo del cuarto centenario del nacimiento de Cervantes, ha celebrado, con una asistencia ciudadana que sobrepasó la cifra de 500 matriculados, la más brillante conmemoración cervantina de España, que culminó con la grandiosa representación escénica de *La Numancia,* de Cervantes, en el teatro romano de Sagunto, mereciendo el aplauso unánime de la más severa crítica, y siendo por tal motivo nombrado por el Ayuntamiento de Garray-Numancia, en Soria, su hijo adoptivo.

Entre sus publicaciones destaca el grueso volumen sobre *Penumbra y primeros albores del mito quijotesco,* que es solo parte primera de un total y novísima visión sobre *El mito quijotesco y su epopeya,* en prensa. Ha publicado también *Antecedentes celestinescos en las cantigas de Santa María, Quien no fue Avellaneda, Nuevos datos sobre fray Alonso Fernández, La "Llama de amor viva", cima de la mística y de la poesía del Doctor extático, Don Juan sin castigo*—anticipo de un completo estudio donjuanesco, que titula *Glosas al mito literario de Don Juan en España*—, *Viaje de un inglés por España en el siglo XVII, Nueva interpretación estilística de "La española inglesa", La destrucción de Sagunto*—teatro, en colaboración con José María Pemán.

Orador brillante, ha dado conferencias en muchas Universidades y poblaciones españolas, interviniendo en varios cursos para extranjeros. El año 1945 pronunció el *Pregón de la Semana Santa sevillana,* que está impreso; actuando en 1949 como mantenedor de los Juegos florales de Sevilla, en los que presentó una original teoría sobre dicha capital andaluza, que prepara para su edición.

Es miembro correspondiente de las Reales Academias de Buenas Letras de Barcelona y de Sevilla y de la de Artes y Ciencias de Córdoba.

SÁNCHEZ DEL CASTILLO, Justa.

Notabilísima poetisa, tal vez la más famosa del Siglo de Oro. De noble familia. Madrileña. Desenfadada en su vida y en sus versos, tuvo más renombre, en su tiempo, por hermosa y por pecadora que por poetisa. A los quince años se escapó de su casa con un caballerete de la ilustre familia madrileña de los Luzón, al que abandonó, un año después, en Valencia, para regresar a la corte con un hidalgo valenciano, capitán de los tercios del rey don Felipe III. En Madrid asombró con sus escándalos, con sus joyas y con sus dichos mordaces. Fue amante—¿1619?—del famoso conde de Villamediana, al que también abandonó para unirse a don Diego de Tobar. Villamediana no perdonó esta traición, y *lanzó* a la maledicencia una composición que empezaba:

> En nombre, Justa; en obras, pecadora;
> santa del calendario de Cupido...

Justa frecuentó las tertulias literarias de las "gradas" de San Felipe, de las "covachuelas" de Palacio y de las mansiones de Lerma y de Sessa. Fue gran amiga de Lope y de la amante de este, Marta de Nevares. Su ingenio lo demostró en composiciones como la titulada *Romance a una dama que pedía treinta escudos por un beso:*

> Tratar del beso de Judas
> y de los treinta dineros
> ni es decente ni del caso;
> pasemos a otro concepto.
> Tú, serafín mercader,
> que hiciste en besos tu empleo,
> si tan caros los despachas,
> ¿cuándo piensas salir dellos?...

Esta singular poetisa se libró con singular elegancia del gongorismo imperante.

V. NELKEN, M.: *Escritoras españolas.* Barcelona, Labor, 1930.

SÁNCHEZ COQUILLAT, María Marcela.

Nació en Barcelona el 27 de agosto de 1923, y en esta ciudad ha vivido siempre. En la Facultad de Filosofía y Letras de su Universidad terminó sus estudios, en junio de 1945, con la licenciatura en Filología moderna. Actualmente es profesora en un Instituto de Segunda Enseñanza. Escribe desde siempre—por lo menos desde que supo coger un lápiz y formar cualquier garabato—y comenzó a hacer versos a los nueve años.

Es una de las poetisas más hondas, sensibles e inspiradas de la actual generación española.

Obras: *Poemas del amor sencillo*—"Adonais", Madrid, 1947—, *Poemas del limbo* —inédito.

V. RIDRUEJO, Dionisio: *Estudio crítico de la poesía de María Marcela Sánchez Coquillat,* en *Poetas universitarios.* Barcelona, 1944.—SAINZ DE ROBLES, F. C.: *Historia y antología de la poesía española.* Madrid, Aguilar, 1951, 2.ª edición.

SÁNCHEZ FERLOSIO, Rafael.

Novelista y cronista español. Nació —1927—en Roma. Ha cursado la licenciatura de Filosofía y Letras. En 1955 ganó el "Premio Nadal" de novela. Lleva una vida recogida, dedicado al estudio.

Su primer libro, *Industrias y andanzas de Alfanhui*—1951—, pasó casi inadvertido. Se trata de las aventuras de un pícaro excepcional: emotivo, lírico, constructor de sueños en la misma realidad. Libro escrito en hermosa prosa muy trabajada. Su novela *El Jarama,* única hasta hoy que consiguió el "Premio Nadal" por unanimidad, es una muy interesante novela, proyectada en un camino *formal* no recorrido nunca, y cuyo realismo neto, casi obsesivo, adquiere matices superrealistas en un clima que enerva a las criaturas de la ficción y a los lectores. De ella ha escrito Torrente Ballester: "Los problemas que *El Jarama* plantea a la conciencia del novelista son mucho más graves que los presentados por esta o aquella concepción o teoría; es probable que jamás el arte de la novela haya logrado trasladar tan fielmente la realidad; es probable que el resultado del *cotejo* no haya sido nunca tan positivo. *El Jarama* es una auténtica *tranche de vie,* ante la cual, sin embargo, los naturalistas del pasado siglo quedarían perplejos. Porque el naturalismo y las estéticas afines pretendían insertar la *tranche de vie* en una estructura formal; pero *El Jarama* es como la vida misma: corriente amorfa, uniforme, continua. El novelista ha acotado unas horas, un lugar, unos personajes; son límites materiales, principio y fin elegidos por el artista, no exigidos *necesariamente* por la propia ley interna de la novela. Como *Ulysse,* como *A la recherche du temps perdu, El Jarama* es una gran novela destructora, a partir de la cual se impone la reconstrucción de un arte y un género."

Publicada en 1956, *El Jarama* ha sido impresa incontables veces y traducida a varios idiomas. Y ha ejercido indiscutible influencia sobre novelistas posteriores.

Otra obra: *Alfanhui y otros cuentos*—Barcelona, 1961.

V. TORRENTE BALLESTER, Gonzalo: *Panorama de la literatura española contemporánea,* 2.ª edición. Tomo I, pág. 459.—NORA, Eugenio G. de: *La novela española contemporánea.* Madrid, edit. Gredos, 1962. Tomo II bis, págs. 299-305.—ALBORG, José Luis: *Hora actual de la novela española.* Madrid, Taurus, 1958. Tomo I, págs. 305-20.

SÁNCHEZ GARDEL, Julio.

Autor dramático argentino. Nació—1879— en Catamarca y murió—1937—en Buenos Aires. Fue presidente de la Sociedad de Au-

S

tores Argentinos. Finísimo temperamento de comediógrafo, un fuerte soplo lírico pasa a través de sus obras. Tuvo del teatro un concepto noble, y supo que el autor no debe condescender con el público, sino educarlo.

Su producción escénica abarca un lapso que va desde 1904—*Almas grandes,* su primera obra—hasta 1930, y se divide en tres períodos diversamente expresivos de su evolución creadora. La fuerte madurez está representada por *Los mirasoles, La montaña de las brujas* y *Elzonda,* tres obras de ambiente vernáculo, vigorosamente logradas. *La montaña de las brujas* ha fundido, con sentido de fatalidad telúrica, un tema de pasiones elementales y recias en el asombroso y áspero paisaje de la montaña andina.

Otras obras: *Noche de luna, Las campanas, Después de la misa, La llegada del batallón, El príncipe heredero, Cara o cruz, El cascabel del duende, El dueño del pueblo, Amor de otoño, Sol de invierno, La otra...*

V. MARTÍNEZ CUITIÑO, Vicente: *Elogio de Sánchez Gardel,* en *La Nación,* Buenos Aires, 17 de agosto de 1941.—BIANCHI, Alfredo: *Teatro nacional.* Buenos Aires, 1920.—BIANCHI, Alfredo: *Veinticinco años de teatro nacional.* Buenos Aires, 1927.—BRAGAGLIA, Antón Giutro: *El nuevo teatro argentino.* Buenos Aires, 1930.

SÁNCHEZ LUSTRINO, Gilberto.

De la República Dominicana. Abogado y escritor. De prosa ágil y acucioso en los conceptos, escribió algunas obras de valor perdurable, entre ellas *Trujillo, el constructor de una nacionalidad*—biografía, 1938—, *Caminos cristianos de América*—1942—y *El panamericanismo*—1944—. Ejerció la diplomacia. Nació en Santo Domingo de Guzmán en 1902 y murió en la misma ciudad en 1945.

SÁNCHEZ MAZAS, Rafael.

Poeta y prosista de muy finas calidades. Nació—1894—y murió—1964—en Madrid. Licenciado en Derecho. Ha viajado por Europa y colaborado en las revistas más selectas españolas: *Escorial, Vértice, El Español, Acción Española...* Corresponsal de *A B C* en Italia durante mucho tiempo. En *El Sol* y en *Informaciones,* de Madrid, han aparecido magníficos artículos suyos. De la Real Academia Española—1940.

Valbuena Prat ha dicho de él: "Constructor intelectual, Sánchez Mazas representa un neoparsianismo sereno y estructurado. Es a la vez ensayista y crítico, de poderoso verbo y honda formación humanística. Su poesía intelectual y honda se revela en sus sonetos, que merecen ser más conocidos de lo que fueron, por aparecer en edición limitada."

Y González-Ruano: "Quizá haya sido en lo que va de siglo la pluma mejor cortada del castellano. Escritor, sin embargo, de escasísima obra... En cuanto a elegancia y precisión, a matemática y claridad mental desconcertante de este hombre profundamente oscuro, la obra dispersa de Sánchez Mazas le acredita también como un cronista solo comparable a Eugenio Montes."

Su permanencia larga en Italia pesó mucho en su mentalidad y en su sensibilidad. Por una incomprensible decisión, Sánchez Mazas no ha querido reunir en volúmenes los numerosos ensayos, sutiles de fondo y barrocos de forma, que ha publicado en la Prensa, con gran desilusión para los muchos españoles que le consideran una de las mentalidades más sólidas y lúcidas de la hora presente.

Obras: *Memorias de Tarín*—1915—, *Quince sonetos para quince esculturas de Moisés Huerta, España-Vaticano*—publicado con seudónimo—, *Cuatro lances de boda*—1951—, *Las aguas de Arbeloa y otras cuestiones*—1946—, *Fundación, hermandad y destino* —1957.

En 1951 publicó su novela *La vida nueva de Pedrito Andía,* que causó gran sensación, mereciendo incontables y muy favorables juicios críticos, todos los cuales coincidían en considerarla como una novela magnífica.

SÁNCHEZ MOGUEL, Antonio.

Erudito, literato e historiador español. Nació—1838—en Medina Sidonia (Cádiz). Murió—1913—en Madrid. Estudió Filosofía y Letras en Sevilla y en Madrid. Catedrático de Literatura general en la Universidad de Zaragoza—1878—y en la Universidad Central desde 1879. Académico de la Real de la Historia—1878—. Consejero de Instrucción Pública. Oficial de Instrucción Pública de Francia. Correspondiente de la Academia de Ciencias de Lisboa.

De vastísimos conocimientos históricos y literarios, admirable seguridad de juicio, buen gusto, claridad y excelente estilo. Muy elogiado por "Clarín", Valera y Menéndez Pelayo.

Obras: *Historia de Nuestra Señora de la Antigua, patrona de Sevilla*—1868—, *Memoria sobre "El mágico prodigioso", de Calderón*—Madrid, 1881—, *Memoria sobre la poesía religiosa en España, España y la Filología, principalmente la neolatina, Memoria sobre el gramático Nebrija, Las cualidades que distinguen el lenguaje de Santa Teresa, Cartas literarias, El "Fausto", de Goethe; Reparaciones históricas*—1891—, *España y América*—1895—, *Alejandro Herculano*—1896—, *Don Pedro Calderón de la Barca, su vida y sus obras...*

SÁNCHEZ DE PALACIOS, Mariano.

Biógrafo, cronista y crítico de arte español. Nació—1906—en Madrid. De las Reales Academias de Bellas Artes de San Carlos, de la de Bellas Artes de San Telmo, de la Hispanoamericana de Ciencias, Artes y Letras, de la de Bellas Artes y Ciencias Históricas, y de ·la Real Sevillana de Buenas Letras. Posee las Palmas Académicas de Francia. Medalla de Oro de "Arts, Sciencies, Lettres", de París. Miembro numerario del Instituto de Estudios Madrileños. Presidente del Montepío de Prensa. Colaborador asiduo en los más importantes diarios y revistas de España.

Su cultura literaria y artística es muy grande. Y une a un criterio sutil y muy objetivo la noble prosa de un maestro.

Obras: *Los dibujantes de España*—Madrid, 1935—, *El legajo núm. 18*—novela, Madrid, 1928—, *Como los viejos robles*—novela, Madrid, 1928—, *Los Ecce-Homo del Museo de Cádiz*—Cádiz, 1935—, *La Tauromaquia de Goya*—Madrid, 1950—, *En torno a una vida: Alejandro Ferrant*—Cádiz, 1942—, *El Madrid romántico*—Madrid, 1953—, *Mesonero Romanos*—biografía y antología, Madrid, 1963...

Entre sus obras teatrales figuran: *El capricho de Alicia, El engañoso querer, El idilio holandés*—ballet con música del maestro Bertrán Reyna—, *Pues, señor Hedelwais*—opereta, con música del maestro Alburger—, *Los marinos del amor*—opereta con música del maestro Alburger—, *Silvia*—opereta con música de Alburger—, *Trinidad*—sainete lírico en colaboración con José Luis Garrido, música del maestro Alburger—, *Las tres me quitan el sueño*—en colaboración con José Luis Garrido—, *Sara se quiere casar*—en colaboración con José Luis Garrido—, una refundición de *El alcalde de Zalamea*, de Calderón, y otra refundición de *El examen de maridos*, de Ruiz de Alarcón...

Entre sus numerosos ensayos y conferencias sobresalen: *Apuntes y antecedentes para una Historia de la Asociación de Escritores y Artistas*—Madrid, 1958—, *Carlos III y el Buen Retiro*—Madrid, 1954—, *El romanticismo español*—Madrid, 1960—, *Doña Bárbara de Braganza*—Madrid, 1958—, *El Greco*—Madrid, 1961—, *La pintura flamenca*—Madrid, 1962—, *Los tapices de Goya*—Madrid, 1962—, *Estudio* a las *Obras completas* de Bécquer—Madrid, Afrodisio Aguado...

SÁNCHEZ PAREDES, Pedro.

Novelista. Nació—1926—en Mataró (Barcelona). Estudió en Lérida las primera y segunda enseñanzas. Licenciado en Derecho por la Universidad de Madrid. Con ánimo aventurero y escasas pesetas en el bolsillo, marchó a París, donde, para vivir, hubo de desempeñar diversos oficios: fregador de platos, descargador de mercancías, cuidador de niños, profesor particular de castellano, guía de turistas hispanoamericanos, vendedor de periódicos, pegador de carteles, trapero ambulante...

De regreso a Madrid, se dedicó plenamente a la literatura. Actualmente es traductor en el Ministerio de Información y Turismo y colabora en varios diarios y revistas madrileños de importancia. Cultiva la novela con tema ambicioso, en el que se entreveran el realismo, el simbolismo, la ficción, con un idioma muy rico y brillante.

Obras: *Dios ha pasado sobre los bosques* —1963—, *La ley viva*—1964—, *Siete Apocalipsis*—1965—, *La gran apostasía*—1967—, *Sphairos*—1968.

SÁNCHEZ PASTOR, Emilio.

Periodista y autor dramático español. Nació—1853—en Madrid. Murió en esta misma capital hacia 1930. Cursó el bachillerato en el Instituto de San Isidro. Durante muchos años fue redactor y director más tarde de *La Iberia,* y durante cuarenta, colaborador y corresponsal de *La Vanguardia,* de Barcelona. Diputado a Cortes en 1881 y en 1886. Subsecretario de Gobernación. Senador. Y director de la Sección de Artes Liberales en la Exposición Universal de París de 1900. Alternando con sus trabajos políticos y periodísticos, escribió numerosas obras teatrales, casi todas cómicas, algunas de las cuales figuran entre las más aplaudidas y representadas del llamado género chico.

Obras teatrales: *San Franco de Sena, Ni visto ni oído, De confianza, Vivir para ver, Perros y gatos, Como Pedro por su casa, Pares y nones, Los niños de Ecija, El ventanillo, Dulce y sabrosa, Las hijas del Zebedeo, El monaguillo, El ciclón, El tambor de granaderos, El padre Benito, El primer reserva, La vacante de Cañete, El señorito, Los locos, Los vecinos, Los flamencos...*

SÁNCHEZ DE PÉREZ, Ana Quisqueya.

De la República Dominicana. Poetisa. Nació en Santo Domingo de Guzmán (hoy Ciudad Trujillo) el 23 de abril de 1925. Ha publicado: *Ofrendas líricas*—1944—e *Intensidad de abril*—1946—, poemas, y los ensayos *Antonio Machado, tiempo y paisaje en su poesía,* y *Las heríonas de Goethe fueron reales.* Es licenciada en Filosofía y Letras. Su poesía es clásica.

SÁNCHEZ PÉREZ, José A.

Humanista y literato. Nació—1882—en Madrid. Estudió Ciencias Naturales y Exac-

S

tas en la Universidad de Zaragoza, doctorándose en Madrid. En 1900 fundó en Zaragoza la *Revista de Aragón,* donde publicó sus primeros trabajos literarios. Catedrático en los Institutos de Baeza, Jaén, Guadalajara y Madrid. En 1934 fue nombrado miembro de la Real Academia de Ciencias Exactas, Físicas y Naturales.

Obras literarias: *Biografías de matemáticos árabes que florecieron en España*—obra premiada y publicada por la Real Academia de Ciencias. Madrid, 1917—, *San Isidoro, arzobispo de Sevilla, y su cultura matemática*—en *Revista Matemática Hispano-Americana,* Madrid, 1929—, *Las matemáticas en la Biblioteca de El Escorial*—obra premiada y publicada por la Real Academia de Ciencias. Madrid, 1929—, *El Libro de las Cruces, que mandó traducir Alfonso "el Sabio"*—Bruselas, 1930—, *Alfonso X, astrólogo*—en la revista *Investigación y Progreso*—, *La Covada en España*—en la revista *Investigación y Progreso*—, *Alfonso López de Corella*—en los *Anales de la Universidad de Madrid,* 1932—, *Echegaray: rasgos biográficos*—Madrid, 1932—, *Libro del Tesoro, falsamente atribuido a Alfonso "el Sabio"*—en *Revista de Filología.* Madrid, 1932—, *Juan Bautista Labaña*—discurso de ingreso en la Real Academia de Ciencias. Madrid, 1934—, *La Matemática española del siglo XVII*—Madrid, 1935—, *Estudios sobre Lorenzo Hervás y Panduro*—Madrid, 1936—, *Alfonso X "el Sabio"*—en la colección Aguilar y nueva edición en la "Colección Crisol"—, *Luis Vélez de Guevara, "El Diablo Cojuelo" y Teatro*—en la "Colección Crisol"—, *La Aritmética en Babilonia y Egipto*—Madrid, 1943, publicada por el Instituto Jorge Juan—, *El culto mariano en España*—Madrid, 1944, publicado por el Instituto Antonio de Nebrija—, *Cabalgata histórico-matemática*—discurso inaugural del curso 1945-1946 en la Real Academia de Ciencias—, *La Aritmética en Grecia*—Madrid, 1946, publicada por el Instituto Jorge Juan—, *Leyendas españolas*—en colaboración con Fannie Malone. Boston, 1924—, *La obra científica de Alfonso X "el Sabio"*—premiada por la Academia de Alfonso X, de Murcia, y pendiente de publicación.

SÁNCHEZ PRIETO, Julián.

Poeta y dramaturgo español. Nació—1886—en los campos de Ocaña. Toda su juventud estuvo dedicada a las faenas del campo y a la venta de ovejas. Sus estudios fueron muy elementales. Su primera poesía la publicó en *El Amigo del Pueblo,* periódico de Toledo. Protegido por el gran periodista Ortega y Munilla, marchó a Madrid, donde hizo pronto popular su firma de "El Pastor-Poeta".

Como poeta, Sánchez Prieto cultiva un género lírico bucólico, con cierto colorido, que gusta las clases modestas y populares. Como dramaturgo, tiende también a lo muy populachero y melodramático.

Obras: *Al escampío*—drama—, *Un alto en el camino*—drama, 1928—, *El ruiseñor de la huerta*—zarzuela, 1930—, *Los niños del jazminero*—comedia folklórica—, *En el chozo*—poesías...

SÁNCHEZ RIVERO, Angel.

Literato y erudito español. Nació—1888—y murió—1930—en Madrid. Licenciado en Filosofía y Letras—1907—. Del Cuerpo Facultativo de Archiveros, Bibliotecarios y Arqueólogos—1908—. Entre 1922 y 1928, comisionado por la Junta de Ampliación de Estudios, realizó un viaje por Francia, Bélgica, Inglaterra e Italia.

Sánchez Rivero, conocedor de las lenguas clásicas, fue un fino crítico de arte, un literato muy personal y un ilustre bibliófilo. Colaboró en revistas tan prestigiosas como *Boletín de la Biblioteca y Archivo del Ayuntamiento de Madrid, Bulletin of Spanish, Revista de Occidente...* Fue también redactor de la *Enciclopedia Italiana.*

Obras: *Los grabados de Goya*—Madrid, 1920—, *Viaje de Cosme III por España (1668-1669), Madrid y su provincia*—Madrid, 1927—, *Descrédito de la política*—Madrid, 1932—, *Meditaciones políticas*—Madrid, 1934.

Tradujo: *El Renacimiento,* de Anel des Feux; *Lo bello y lo sublime,* de Kant; *Doble error,* de Mérimée, y *La teoría de la educación de la voluntad...,* de Natorp.

SÁNCHEZ ROJAS, José.

Admirable prosista y periodista español. Nació—1885—en Alba de Tormes (Salamanca), y murió—1931—en esta capital. Estudió el bachillerato en Ciudad Rodrigo. Se licenció en Derecho en la Universidad salmantina, donde fue discípulo de Unamuno y Dorado Montero. Se doctoró en Madrid—1906—, marchando a Bolonia y Ginebra para ampliar sus estudios.

Desde los dieciocho años empezó a colaborar en revistas y diarios. *El Adelanto,* de Salamanca; *La Vanguardia, La Publicidad* y *El Día Gráfico,* de Barcelona; *Nuevo Mundo, Mundo Gráfico, La Esfera, El Liberal, Heraldo, El Sol,* de Madrid; *Nuova Rassegna di Letteratura Moderne,* de Florencia; *Mundial,* de París; *El Hogar,* de Buenos Aires; *Mercurio,* de Nueva Orleáns...

Una bohemia caprichosa y absurda malogró a uno de los mejores prosistas que ha tenido la literatura española. Sánchez Rojas escribió, con soltura asombrosa, en un castellano recio, terso, castizo, riquísimo, lleno de naturalidad, de calor y de colorido. Entre los escritores contemporáneos ninguno

—ni aun Pérez de Ayala, *más trabajador del idioma*—le han superado como estilista.

Obras: *A propósito de exámenes*—Salamanca, 1907—, *Las mujeres de Cervantes* —Barcelona, 1916—, *Paisajes y cosas de Castilla*—Madrid, 1917—, *Tratado de la perfecta novia*—Barcelona, 1923.

Ha traducido: *Estética*, de Croce; *El crepúsculo de los filósofos y Lo trágico cotidiano*, de Papini; *El Príncipe*, de Maquiavelo; *España en la vida italiana durante el Renacimiento*, de Croce; *Criquette*, de Halévy...

SÁNCHEZ-SILVA, José María.

Notable cuentista y periodista. Nació en Madrid el 11 de noviembre de 1911. Es periodista profesional desde los veinte años, en que ingresa en la Escuela de Periodismo de *El Debate*. En 1933 viaja por Francia, y en 1934 por América—Cuba, México, Estados Unidos—. En 1943 obtiene, en compañía del malogrado escritor Samuel Ros, el "Premio Nacional de Literatura". En 1945 es galardonado con el "Premio Nacional de Periodismo". Viaja por Italia en 1946, y, finalmente, obtiene en 1947 el "Premio Mariano de Cavia". Es uno de los primeros cuentistas españoles de hoy, por su feliz fantasía y su lenguaje extremadamente rico. Varias de sus historias han sido llevadas al cine.

Obras: *El hombre de la bufanda*—cuentos, Madrid, 1934—, *La otra música*—cuentos. Editorial Tipográfica Moderna, Valencia, 1941, prólogo de Samuel Ros—, *No es tan fácil*—narraciones de la vida próxima. Editorial Cigüeña, Madrid, 1943—, *Juana de Arco* —biografía. Edit. Mediterráneo, Madrid, 1944—, *La ciudad se aleja*—cuentos. Editora Nacional, Madrid, 1946—, *Un "paleto" en Londres*—narraciones, 1952—, *Marcelino Pan y Vino*—admirable narración, 1953—, *Adelaida y otros asuntos personales*—cuentos, 1953—, *Primavera de papel*—1953—, *Historias menores*—1953—, *Historias de mi calle* —1954—, *Aventura en el cielo*—1954—, *Quince o veinte sombras*—1955—, *Historias menores de Marcelino Pan y Vino*—1956—, *Fábula de la burrita Non*—1958—, *Tres novelas y pico*—1958—, *Luiso*—en colaboración con Luis de Diego, 1960—, *San Martín de Porres*—1962—, *¡Adiós, Josefina!*—1962—, *Marcelino en el cielo*—1962—, *Pesinoe y gente de tierra*—1962—, *Colasín*—1963...

SÁNCHEZ DE TAGLE, Francisco Manuel.

Poeta y erudito mexicano. Nació—1782— en Morelia y murió—1847—en México. Doctor en Leyes. Teólogo y canonista muy reputado. Redactor del Acta de Independencia de 1821. Varias veces senador por el Estado de Michoacán. Fue mayoral de la *Arcadia Mexicana*, a continuación de Navarrete. Sus

modelos fueron, sucesivamente, Meléndez Valdés, los clásicos españoles del Siglo de Oro (Caro, Rioja, Torre, Fernández de Andrada), Quintana y Cienfuegos y Lamartine.

En 1833 destruyó gran parte de sus poesías. Las que se salvaron fueron publicadas después de su muerte, en 1852, con un prólogo de su amigo José Joaquín Pesado.

"Algo de su sensibilidad debía vibrar dolorosa, intensa y alternativamente. Su capacidad de emoción era tan grande, que, después de consagrarse a su patria en una fecunda carrera pública, se dice que murió de la impresión que le produjo la invasión norteamericana. Cantó a la Patria y a la Religión; pero su acento entrañable resuena al eco de dolores personales. Hondos y tiernos temas de amor alternan con un doloroso pesimismo. La Religión le salva de la desesperación y se convierte en un dulce resignado. Es en este momento que enlaza con ciertas expresiones de romanticismo, al menos en la fraternidad de los escritores cuya pluma está humedecida por las lágrimas." (J. A. Leguizamón.)

Obras poéticas—México, 1852—. En ellas destacan: *Oda a la entrada del ejército trigarante en México*, *Romance a la salida de Morelos del sitio de Cuautla en 1812*, *Oda en estrofas sáficas a Carlos IV*, *A la gloria inmortal de los valientes españoles y a la coronación de Fernando VII*... ¡Magnífica *mezcla* de sentimientos políticos!

V. ARRÓNIZ, Marcos: *Manual de biografías mexicanas*. París, 1857.—SOSA, Francisco: *Biografías de mexicanos distinguidos*. México, 1884.—PIMENTEL, Francisco: *Historia crítica de la literatura en México*. México, 1883. MENÉNDEZ PELAYO, M.: *Historia de la poesía hispanoamericana*. Madrid, 1911, tomo I, páginas 108-109.

SÁNCHEZ TALAVERA, Ferrán.

Muy curioso poeta español, que vivió a fines del siglo XIV y principios del XV.

Menéndez Pelayo cree que debe llamársele *de Talavera*. La crítica moderna—Dámaso Alonso—opina que *de Calavera*. Representa, en el *Cancionero de Baena*, la poesía seria, pesimista y con sus ribetes de moralizante. Fue quien primero propuso la cuestión angustiosa de la *predestinación*, que culminaría en el drama teológico de Tirso de Molina *El condenado por desconfiado*. Se le atribuye igualmente un *Dezir* a la muerte del almirante Rui Díaz de Mendoza, poesía que es el antecedente inmediato—con *El planto de las Virtudes*, de Gómez Manrique—de las famosas *Coplas* de Jorge Manrique. Sánchez Talavera fue comendador de Villarrubia, y llevó una vida apacible y honesta.

Pueden leerse poesías suyas: en el tomo III de la *Antología de poetas líricos*, de

S

Menéndez Pelayo; *Poesía de la Edad Media*, de Dámaso Alonso; *Antología de la poesía castellana*, de Sainz de Robles—1943. V. MENÉNDEZ PELAYO: *Antología de poetas líricos castellanos*, tomo III.—SAINZ DE ROBLES, F. C.: *Historia de la poesía española*. Madrid, 1951, 2.ª edición.

SÁNCHEZ DE VERCIAL, Clemente.

Erudito y literato español de mucho interés. Nació hacia 1370. Murió, probablemente, en 1426. Poco se sabe de su vida. Que fue arcediano de Valderas, en León, lugar en el que es posible que naciera. Que su manual litúrgico, titulado *Sacramental*—muy reimpreso desde 1476—, fue famosísimo durante más de un siglo en toda Europa.

Pero su fama literaria la debe a ser el autor de la *Suma* o *El libro de los exemplos por A. B. C.,* que contiene 395 cuentos ejemplares—más 72 hallados por Morel-Fatio en 1878—; libro escrito, probablemente, entre 1400 y 1421.

El mismo códice de la Biblioteca Nacional que contiene el llamado *Libro de los gatos* contiene igualmente *El libro de los exemplos,* compilación hecha, a principios del siglo XV, por Clemente Sánchez de Vercial.

Mucho tiempo pasó *El libro de los exemplos*—o *Suma de exemplos por A. B. C.*—por obra anónima. Fue el gran hispanista Morel-Fatio quien descubrió y publicó un códice más completo que el conservado en nuestra Biblioteca Nacional, sacando del anonimato a su compilador, Clemente Sánchez de Vercial—¿1370? a 1426—, arcediano de Valderas y autor, igualmente, de un *Sacramental* muy divulgado durante la decimoquinta centuria. La obra comprende 467 cuentos, cada uno de los cuales va precedido de una sentencia latina "traducida en dos líneas rimadas que quieren ser versos".

Los cuentos tienen carácter de apólogos. No son traducciones de ninguna de las muchas *Alphabeta exemplorum* muy divulgadas durante el siglo XIII, sino que derivan, según confiesa su propio compilador, de la *Disciplina Clericalis,* de la *Vitae Patrum* y de la *Gesta Romanorum*...

El estilo de estos cuentos es sencillo y puro. Su conjunto es de enorme interés para la literatura comparada. Su carácter es doctrinal.

El *Libro de los exemplos* se ha editado numerosas veces. Modernamente, en el tomo LI de la "Biblioteca de Autores Españoles"; en el tomo VII de "Romania", edición de Morel-Fatio; edición Sainz de Robles, Madrid, 1941, en *Cuentos viejos de la vieja España.*

Otra obra de Sánchez de Vercial: *Breve compilación de las cosas necesarias a los sacerdotes,* Sevilla, 1477 y 1478.

V. MENÉNDEZ PELAYO: *Orígenes de la novela*. I.—GAYANGOS, P.: Edición de *El libro de los exemplos*, "Biblioteca de Autores Españoles", LI.—MOREL-FATIO, A.: Edición de *El libro de los exemplos,* en *Romania.* 1878.—PUYMAIGRE, Th. de: *Les vieux auteurs castillans.* París, 1890.—SAINZ DE ROBLES, Federico Carlos: *Cuentos viejos de la vieja España.* Madrid, Aguilar, 1941, 1944.—DÍAZ JIMÉNEZ, E.: *Clemente Sánchez de Vercial,* en *Rev. Fil. Esp.,* 1920, VII, 358.—KRAPPE, A. H.: *Les sources du "Libro de exemplos",* en *Bull. Hispanique,* 1937, XXXIX.

SANDER, Carlos.

Poeta, ensayista y conferenciante chileno. Nació—1918—en Talca. Murió—1966—en Santiago de Chile. Cursó el bachillerato en el Internado Nacional Barros Arana. Graduado en la Escuela de Agricultura de San Felipe. Estudió Literatura, Filosofía y Ciencias en la Universidad de Santiago de Chile. Diplomático.

Carlos Sander, cuyo abuelo paterno fue danés, abandonó la agricultura para dedicarse al periodismo. Ha sido redactor y colaborador de *La Nación, La Hora, Magazine Literario* y otros grandes diarios y revistas.

De mucha y sólida cultura. Carlos Sander destacó en su patria como fácil y brillante conferenciante y charlista. Vivió en España durante los años 1951 y 1952, dando notabilísimas conferencias en los principales centros de cultura acerca de literatura chilena.

Su primer libro poético, *Luz en el espacio* —1939—, causó verdadera sensación, reconociendo la crítica la aparición de un poeta excepcional. Con dicho libro obtuvo dos grandes premios: Primer premio de poesía inédita nacional del Sindicato de Escritores de Chile, y posteriormente el "Premio Municipal de Poesía", que es el más alto galardón a que pueden aspirar los poetas chilenos.

Carlos Sander fue fundador y dirigente de la *Liga de Defensa de los Derechos del Hombre;* fundador y director de la *Alianza de Intelectuales de Chile;* miembro de la Sociedad de Escritores de Chile; académico de Estudios hispánicos.

Entre sus mejores conferencias figuran: *Trayectoria de mi poesía, Tres poetas chilenos (Pezóa Velis, Gabriela Mistral y Juvencio Valle).*

Otro libro poético: *Brújula de sombras* —1952.

SANDINO, Rodolfo.

Poeta nicaragüense. Nació—1925—en Granada. Colaboró en la revista *Poesía* y en el veterano *El Diario Nicaragüense,* de Granada. También ha concurrido al Taller de San Lucas, fundado por Pablo Antonio Cuadra.

Es, quizá, el más joven de los poetas de su generación, la formada con el magnífico aliento del magnífico jesuita español Angel Martínez, profesor de Literatura en el Colegio Centroamérica de Granada.

Rodolfo Sandino, profundamente emotivo, gran ilusionista de los mejores temas, aún no ha llegado a una expresión definitiva.

Obras: *Mi itinerario perdido*—1946—, *La montaña y yo*—1947...

V. NUEVA POESÍA NICARAGÜENSE: *Introducción* de Ernesto Cardenal. *Selección y notas* de Orlando Cuadra Downing. Madrid, 1949.

SANDOVAL, Prudencio de.

Gran historiador y prosista español. Nació —1553—en Valladolid. Murió—1620—en Estella (Navarra). Tomó el hábito benedictino en el monasterio de Santa María de Nájera —1569—. Maestro en Teología. Desempeñó altos cargos dentro de su Orden. Felipe III le admiró mucho, concediéndole la abadía de San Isidoro—1605—, el obispado de Túy —1608—y el obispado de Pamplona—1612—. Cronista regio, continuador de los trabajos de Florián de Ocampo y de Ambrosio de Morales. También fue obispo electo de Valladolid y de Zamora.

De mucha sabiduría y excelente juicio. Objetivo. Prosista castizo. Escribió la mejor historia de Carlos I—*Historia de la vida y hechos del Emperador Carlos V*. Valladolid, 1604, que plagió desenfadadamente el inglés Robertson en su *Historia de Carlos V*.

Intentó imitar al P. Mariana, pero sin poderle llegar ni en la amenidad ni en las excelencias de la prosa.

Otras obras: *Chronica del ínclito Emperador don Alfonso VII de Castilla*—Madrid, 1600—; *Primera parte de las fundaciones de los monasterios del glorioso P. S. Benito* —Madrid, 1601—, *Antigüedad de la ciudad y iglesia cathedral de Túy...*—Braga, 1610—, *Historia de los Reyes de Castilla y de León, don Fernando "el Magno"...*—Pamplona, 1615—, *Historia de Idacio, Isidoro de Badajoz, Sebastián de Salamanca, Sampiro, Pelayo...*—Pamplona, 1615...

De la obra fundamental de Sandoval, *Historia de Carlos I*—que tuvo una gran acogida—hay ediciones: Barcelona, 1625; Pamplona, 1634; Madrid, 1675; Amberes, 1681.

Modernamente se ha reimpreso en Madrid—1847 a 1849—, en nueve volúmenes. Puede consultarse el tomo XXIII de la *España Sagrada*.

V. ANTONIO, Nicolás: *Bibliotheca Hispana Nova*. II. Madrid, 1788.—GARCÍA-VALLADOLID: *Datos para la historia biográfica de la ciudad de Valladolid*. 1894. II.—CASTAÑEDA, Vicente: *El cronista Fr. Prudencio de Sandoval. (Nuevas noticias biográficas.)* Madrid,

1929.—MOREL-FATIO, A.: *Histoire de Charles-Quint*, I, 37.—FUETER, E.: *Historiogr.*, 283.

SANDOVAL Y ABELLÁN, Adolfo de.

Novelista, poeta y ensayista español. Nació—1870—en Oviedo. Murió—1947—en Madrid. Licenciado en Derecho y en Filosofía y Letras. Estudió Música con Saint-Saëns en París. Y a los dieciséis años publicó sus primeros trabajos literarios de erudición en la *Revista de Madrid* y en la *Revista Contemporánea*. Viajó por casi toda Europa. Académico de la de Bellas Artes y Ciencias Históricas de Toledo. Presidente de honor de la Sociedad Cervantina y de la Biblioteca y el Museo Internacional Cervantinos.

Poeta de hondos sentires y romántica entonación. Novelista de la escuela costumbrista de Pereda, de sana inventiva y rica prosa poética. Evocador de encendido lirismo cuando alude a Toledo. Biógrafo competente. Polemista católico "a marcha martillo".

Novelas: *Toda hermosa, Un destino trágico, Angeles caídos, Los amores de un cadete, Fuencisla Moyano, Forjador de almas, El corazón de un estudiante, Una historia de amor, Almas gemelas, La gran fascinadora, Ante todo, lo amado; Novela de un corazón...*

Otras obras: *Estudios históricos de la Edad Media, Santa Catalina de Siena, Girolano Savonarola, Lacordaire, A la sombra de la catedral, El libro de las evocaciones, Rayo de luna, El siglo XIII, Paisajes espirituales, San Francisco de Asís, Los bellos países: España...*

SANDOVAL Y CUTOLÍ, Manuel.

Notable poeta y prosista español. Nació —1872—y murió—1937—en Madrid. Licenciado en Derecho—1896—y doctor en Filosofía y Letras—1897—. Catedrático de Retórica y Poética en los Institutos de Soria, Burgos, Córdoba y Toledo. Y de Lengua y Literatura castellanas en los de Toledo y San Isidro, de Madrid. De la Real Academia Española—1917—y de la de Bellas Letras y Nobles Artes de Córdoba.

Gran poeta de vena tradicional, de gran potencia descriptiva y muy sutil para prestar alma a las cosas y plasticidad a los pensamientos. Poeta que, como muy pocos, se ha compenetrado "con el espíritu y con el nervio de la raza" y sin mezcla alguna con elementos extraños. De gran musicalidad, energía y colorido.

Obras: *Prometeo*—poema, 1893—, *Aves de paso*—poesías, 1904—, *Cancionero* —1909—, *Musa castellana*—1911—, *De mi cercado*—poesías, 1912, "Premio Fastenrath", de la Real Academia Española—, *Renacimiento*—1915—, *El abogado del diablo*

S

—prosas, 1916—, *Aún hay sol...*—Madrid, 1925.

V. COTARELO MORI, E.: *Manuel de Sandoval,* en *Boletín de la Academia de la Lengua,* 1932, XIX.—IÑIGUEZ, B.: *El poeta Manuel de Sandoval,* en *Boletín de la Academia de Córdoba,* 1932, XII.

SANFUENTES Y TORRES, Salvador.

Poeta, autor dramático, traductor y político chileno. Nació—1817—y murió—1860— en Santiago. Realizó sus estudios en el Instituto Nacional de Santiago. Ya apenas cumplidos los veintiún años, fue enviado al Perú como secretario de la Legación. Diputado. Juez de la Corte Suprema de Justicia. Ministro de Justicia, Culto e Instrucción Pública y Estado. Secretario general de la Universidad durante el rectorado de Andrés Bello. Poseyó una cultura muy extensa y sólida. Tradujo excelentemente a Racine —*Ifigenia, Britanico*—y a Molière—*Le cocu imaginaire,* con el título de *Los celos infundados.*

Compuso tres dramas originales: *Carolina, Cora o la virgen del Sol* y *Juan de Nápoles.* También escribió tres larguísimas leyendas: *El bandido, Inami o la laguna de Ranco* y *Huentemagu,* y un poema—en dos volúmenes y 17.626 versos—titulado *La destrucción de la Imperial.*

Sin embargo, lo más apreciable de la labor literaria de Sanfuentes son sus poesías líricas, y entre estas *El campanario,* imitación de las *Leyendas españolas* de Mora, pero con un fuerte colorido chileno.

El campanario—extensa tradición—presenta todos los síntomas del más caudaloso romanticismo.

Edición: *Obras escogidas.* Santiago, 1921

V. AMUNÁTEGUI, Miguel Luis: *Don Salvador Sanfuentes.* Santiago, 1892.—AMUNÁTEGUI, Miguel Luis: *Las primeras representaciones dramáticas en Chile.* Santiago, 1888, páginas 186-205.—AMUNÁTEGUI, Miguel Luis: *Juicio crítico de algunos poetas hispanoamericanos.* Santiago, 1861, págs. 277-315.—LATORRE, Mariano: *La literatura de Chile.* Buenos Aires, Facultad de Filosofía y Letras. 1941.—MENÉNDEZ PELAYO, M.: *Historia de la poesía hispanoamericana.* Madrid, 1913, tomo II, págs. 364-65.

SANGUILY, Manuel.

Historiador y literato cubano. Nació —1848—y murió—1924—en la Habana. Doctor en Derecho. Tomó parte activa en la revolución de 1868. Después de la paz de Zanjón, se trasladó a España, donde amplió sus estudios. En 1893 fundó la revista *Hojas Literarias.* Durante la guerra de la independencia cubana combatió con el grado de coronel; pero su mejor labor fue la diplomática en los Estados Unidos. Diputado y senador. Director del Instituto de la Habana. Secretario de Estado.

Obras: *Los caribes de las islas*—1884—, *Un insurrecto cubano en la corte*—1888—, *José de la Luz y Caballero*—estudio crítico, 1890—, *Céspedes y Martí*—1895—, *Discursos y conferencias, Páginas de ·crítica*—Madrid, 1919...

V. CHACÓN Y CALVO, José María: *La literatura de Cuba,* en el tomo XII de la *Historia universal de la literatura,* de Prampolini. Buenos Aires, Uteha Argentina, 1941.

SANÍN CANO, Baldomero.

Crítico literario, ensayista e historiador colombiano. Nació en 1868. Graduado en Leyes. Diplomático de prestigio. Desde muy joven se dio a conocer en revistas y diarios como un fino crítico y divulgador de las letras. Colaborador ilustre de *Nuestro Tiempo* y la *Revista Contemporánea,* de Bogotá; *La Nación,* de Buenos Aires, e *Hispania,* de Londres. Ha vivido muchísimos años en Europa como representante de su país en diferentes Estados. Esta peregrinación y su dominio de varios idiomas le han llevado a ser el más hondo conocedor de la cultura europea salido de la América hispana.

Para Cejador, es "el crítico del modernismo, gran conocedor de la literatura alemana y de otras europeas, que daba a conocer en sus críticas, en las que sobresalió por su juicio sagaz y magistral decir".

Para Suárez Calímano: "Baldomero Sanín Cano, aunque hombre de otra generación muy anterior a 1907, *como siempre estuvo entre los jóvenes,* ha sido el ensayista crítico hispanoamericano, después de Rodó, que ha realizado obra más seria y de más eficaz influencia. Toda ella dispersa por diarios y revistas, pero justamente, en razón de tal circunstancia, más difundida y accesible. Ha sido el introductor en las tierras de nuestro idioma del pensamiento europeo de mayor alcurnia. En los últimos veinte años, casi diariamente, Sanín Cano ha ido labrando el continente espiritual hispanoamericano para prepararle a sus destinos."

Para Leguizamón: "La universalidad de sus conocimientos, servida por el dominio de las principales lenguas europeas, le permitió escribir sobre las más diversas materias, con un propósito de divulgación cultural en Hispanoamérica, y principalmente en su país, donde ejerció orientadora influencia, y se le considera como el maestro por excelencia. Su percepción de la cultura y actividad literaria europeas han sido fruto de la larga residencia, ejerciendo una corresponsalía de *La Nación,* de Buenos Aires. Pudo así recoger no solo el dato útil, sino también el hecho lleno de moderno sentido histórico, interpretando en síntesis aleccionadora o pedagógica."

Obras: *Divagaciones filológicas, Crítica y arte, La civilización manual y otros ensayos, Divagaciones e imágenes, Letras colombianas...*

V. ARANGO FERRER, Javier: *La literatura de Colombia*. Buenos Aires, 1940. Facultad de Filosofía y Letras.—BAYONA POSADA, Nicolás: *Panorama de la literatura colombiana*. Bogotá, 1942.—GÓMEZ RESTREPO, Antonio: *Historia de la literatura colombiana*. Dos tomos. 1938 y 1940.

SANTA CRUZ, Alonso de.

Erudito, historiador y cosmógrafo español. Nació en Sevilla hacia 1495. Tomó parte en la expedición de Sebastián Cabot—1525—. Cosmógrafo de la Casa de Contratación de su ciudad natal—1536—. Poseyó una extraordinaria cultura. Criticó con destemple los *Anales,* de Zurita, siendo criticado a su vez por Ambrosio de Morales y Páez de Castro. Dedicado a trabajos históricos, continuó la *Crónica de los Reyes Católicos* desde donde la dejó Pulgar hasta la muerte de don Fernando. Escribió—su mejor obra—otra *Crónica de Carlos V* (desde 1500 a 1550), de gran interés, por haber presenciado Alonso de Santa Cruz muchos sucesos de los que cuenta, entre ellos la guerra de las Comunidades.

Otras obras: *Libro de las longitudes y manera que hasta agora se ha tenido en el arte de navegar, Islario general del mundo* —1560—, *Declaración del astronómico cesáreo de Pedro Apiano*—manuscrito de la Biblioteca Nacional...

Edición de la Real Academia de la Historia, en cuatro tomos.

V. PÉREZ PASTOR, C.: *Bibliog.* Madrid, III, 474.—SÁNCHEZ ALONSO, B.: *La Crónica de los Reyes Católicos, por A. de S. C.,* en *Revista de Filología Española,* 1929, XVI, 35.— MENÉNDEZ PELAYO, M.: *La ciencia española.*

SANTA CRUZ, Melchor de.

Prosista y erudito español. Vivió entre 1520 y 1580. Nació en Dueñas y vivió en Toledo. Son cuantas noticias se tienen de su vida. Y publicó: en 1574—Toledo—, *Floresta española de apotegmas o Sentencias sabia y graciosamente dichas de algunos españoles,* que tiene, entre otros méritos, el presentar una colección de dichos, "más o menos auténticos, de españoles célebres, que nos dan a conocer muy al vivo su carácter o, por lo menos, la idea que de ellos se formaban sus contemporáneos" (M. P.); y en 1576—Toledo—, *Los cien tratados de notables sentencias assí morales como naturales.*

V. MENÉNDEZ PELAYO, M.: *Orígenes de la novela.* II.—EDICIÓN DE *"La Floresta",* en "Bibliófilos Madrileños". Madrid, 1910.— SAINZ DE ROBLES, F. C.: *Cuentos viejos de la vieja España.* Madrid, Aguilar, 1949, 3.ª edición.

SANTA CRUZ Y ESPEJO, Francisco Eugenio de.

Poeta, prosista y médico ecuatoriano, descendiente de la raza indígena. Nació —¿1735?—y murió—1796—en Quito. Fue médico y cirujano, alcanzando muchos éxitos y fama en su profesión. Satirizó violentamente en sus escritos el régimen colonial, sufriendo persecuciones y exilio. Su elocuencia fue ardiente. Anduvo en relaciones con una especie de Sociedad económica titulada Escuela de la Concordia, y escribió en *Primicias de la Cultura de Quito,* periódico que fundó aquella Sociedad. Acusado de intervenir en planes revolucionarios, fue encarcelado y murió en el calabozo.

Su fama la debió a su libro *Nuevo Luciano o despertar de ingenios,* que agitó poderosamente la opinión pública. Siguiendo las huellas de nuestro Feijoo, atacó sin contemplaciones los métodos de estudio que imperaban en la colonia. Esta violenta sátira está compuesta en forma de diálogos, y en ella no escasean los ataques personales.

Francisco Eugenio de Santa Cruz y Espejo, "con fama de muy hábil en el ejercicio de su profesión, y con fama todavía mayor y bien merecida de hombre de conocimientos enciclopédicos, de gran variedad de aptitudes, de ingenio despierto y mordaz y de grande inclinación a las ideas novísimas, así en lo científico como en lo social y en lo religioso" (Menéndez Pelayo).

Su libro le valió un año de cárcel, y luego un largo destierro a Bogotá; pero corrió por toda América en incontables copias manuscritas. En él dialogan el doctor don Luis de Mera, natural de Ambato, defensor de la razón y del buen gusto, y el poetastro doctor Murillo, defensor de todas las corruptelas literarias.

Otra obra: *Cartas riobambenses.*

V. HERRERA, Pablo: *Ensayo sobre la historia de la literatura ecuatoriana.* Quito, 1860, 1889, págs. 82-86 y 125-46.—MENÉNDEZ PELAYO, M.: *Historia de la poesía hispanoamericana.* Madrid, 1913, tomo II, págs. 96-100.—CEVALLOS, Pedro Fermín: *Biografías de ecuatorianos ilustres.*—DESTRUGE, Camilo: *Album biográfico ecuatoriano.* Guayaquil. cuatro tomos, 1903-1904.

SANTA ISABEL, Sor María de.

Poetisa española. Nació en Toledo a principios del siglo XVII. Perteneció a una fami-

S

lia ilustre, como da a entender el licenciado Moya en unos versos encomiásticos. Impulsada se ignora si por sentimientos religiosos o por amorosas contrariedades—de las que hay no escasas reminiscencias en sus poemas—, ingresó en el convento toledano de la Concepción, fundado por la legendaria doña Beatriz de Silva.

Ya profesa, continuó escribiendo poesías, ya religiosas, ya profanas, siendo estas últimas mucho mejores que aquellas, lo que demuestra que su vocación no fue nunca intensa y que siempre guardó en su corazón afectos mundanos. Fue sor María de Santa Isabel una de las más fecundas poetisas del siglo XVII. Firmó la mayoría de sus versos con el seudónimo de "Marcia Belisarda".

No se sabe cuándo falleció, pero vivía aún en el año 1646, fecha estampada en una de sus composiciones.

Indudablemente, sor María de Santa Isabel poseyó inspiración, calidez patética, fervor imaginativo...

Sus *Poesías* aparecieron en un manuscrito ya preparado para la imprenta, pues lleva al principio los versos encomiásticos de rigor, debidos a varios poetas. Así, el licenciado Montoya escribe:

> Ingeniosa toledana,
> yerra quien tu libro abona
> y no te llama Elicona...

En sus *Poesías* hay romances, villancicos, octavas, décimas, sonetos, ensaladas, glosas, elogios, letras, décimas estrambotadas... Total: 138 composiciones, entre las que existen varias bellísimas y dignas de una antología, como el soneto gongorino titulado: *Dándome por asumpto cortarse un dedo llegando a cortar un jazmín.*

SANTA MARÍA, Pablo de.

Poeta y erudito español. Judío converso. Nació—1350—y murió—1432—en Burgos. Recibió una esmerada educación, teniendo por maestros a los más sabios rabinos, que le enseñaron la Filosofía y las Sagradas Escrituras. Llamóse primero Selemoh-Ha Leví. Después de haber oído predicar a San Vicente Ferrer, abjuró el judaísmo y recibió el bautismo. No habiéndose querido bautizar su esposa, solicitó judicialmente la separación y se preparó para recibir las órdenes sagradas. Estuvo en París y en Aviñón, ciudad esta última donde residía el Pontífice, quien le promovió a la dignidad de arcediano de la catedral de Burgos—1395—. La fama de su ciencia y de sus virtudes hizo que Enrique III de Castilla le propusiera para el obispado de Cartagena, nombrándole consejero suyo y ayo y canciller del príncipe don Juan. Fue también consejero de don

Fernando de Antequera, rey de Aragón. En 1415 fue elegido obispo de Burgos. Patriarca de Aquilea. De extraordinaria virtud, poco a poco se fue apartando de la vida política y cortesana; poco antes de morir hizo testamento, dejando todos sus bienes a los menesterosos.

Era un poeta muy delicado y pulido. Y erudito grave y profundo.

Obras: *Las siete edades del mundo o Edades trovadas*—poema en el que se hace historia completa del mundo, desde la creación, en 233 octavas reales, y dedicado a la reina doña Catalina de Láncaster en 1430, cuando debió de acabarlo antes de 1404—, *Suma de corónicas de España, Generación de Jesucristo, Cena del Señor.*

V. RODRÍGUEZ DE CASTRO: *Biblioteca Rabínica.*—GALLARDO, B. J.: *Ensayo de una biblioteca española...*, IV, col. 493.—SANTOTIS, Fray Cristóbal: *Biografía de Pablo de Santa María.* Burgos, 1591.—SERRANO, P. Luciano: *Los conversos Pablo y Alonso de Cartagena.* Madrid, 1942.—ZARCO CUEVAS, Julián: *Las Edades trovadas...*, en la *Ciudad de Dios*, CV, 114.

SANTAMARINA, Luys.

Poeta y prosista de interesante personalidad. Nació—1898—en Colindres (Santander). Estudió el bachillerato en Santander y la carrera de Derecho en Oviedo. Y muy joven aún cultivó el periodismo desde *La Atalaya*, de Santander. Ha viajado por Europa. Polemista de nervio y cronista de mucha sugestión.

"Entre los valores humanísticos, por su prosa clásica—inspirada, dentro de su original novedad, en nuestros clásicos—, alcanza vigorosa personalidad Luys Santamarina, cuyo estilo, formado en las castizas bellezas de los viejos sermonarios, es, a la vez, tradicional y personal, jugoso, campechano y rico." (Valbuena Prat.)

Gran prosista del lenguaje, de verbo florido y violento, en prosa, y claro, desnudo y sencillo, en verso; enamorado de la culta y popular tradición hispana, Luys Santamarina es un literato enormemente singular.

Obras: *Tras el águila del César*—1923—, *Tetramorfos, Domus*—1927—, *Isabel la Católica*—1928—, *Labras heráldicas montañesas*—1928—, *Santa Juana de Arco*—1929—, *Estampas de Zurbarán*—en colaboración con Andrés Manuel Calzada, 1929—, *Páginas escogidas de Santa Teresa*—1932—, *Páginas escogidas de Gracián*—1932—, *Páginas escogidas de fray Luis de León*—1934—, *Cisneros*—1933—, *Primavera en Chinchilla*—1939—, *Retablo de la reina Isabel*—1940—, *Halladas*—1940—, *Páginas escogidas de Paravicino*—1943—, *Italia, mi ventura*—1943—, *Las nubes de antaño*—1944—, *Perdida Ar-*

cadia—1953—, *Karla y otras sombras*—Barcelona, 1956—, *Alonso de Monroy*—Barcelona, 1957—, *Hacia José Antonio*—Barcelona, 1958—, *La vida cotidiana en nuestros clásicos...*

SANTANDER, Federico.

Novelista, crítico y periodista español. Nació—1883—en Madrid. Murió en 1936. Estudió Derecho en Valladolid. Redactor de *El Norte de Castilla,* diario del que llegó a ser director. Presidente de la Asociación de la Prensa en la misma ciudad castellana, donde ha vivido siempre. Concejal. Militante en diferentes sectores políticos monárquicos. Gran orador y prosista castizo y elegante. Novelista de un auténtico realismo español en su más sana tendencia.

Obras: *Epistolario*—novela, 1903, premiada por la Biblioteca Patria, a instancias de don José María de Pereda—, *Alma materna* —novela, 1906—, *Por el nombre*—novela, 1908—, *La casa de Balsaín*—novela, 1908—, *Por Francia y por Suiza*—1912—, *Charlas* —1916—, *Los siete pecados nacionales* —1922—, *Por la Verdad y por el Rey*—1925.

SANTA TERESA DE JESÚS (v. Teresa de Jesús, Santa).

SANTAYANA, Jorge Ruiz de.

Extraordinario filósofo, ensayista, novelista y poeta español, que escribió en lengua inglesa. Nació—diciembre de 1863—en Madrid. Murió—1952—en Roma. Los años de su infancia los pasó en Avila, ciudad maravillosa de espíritu, alerta perpetua en las más altas emociones, que marcó indeleblemente su sello en el alma y en la sensibilidad de Santayana. Sí, le dejó *españolizado* a prueba de contrastes, de caprichos, de conveniencias, de reacciones intelectuales. Santayana llegó a Avila cuando tenía tres años, y en ella estuvo hasta los dieciséis, salvo el tiempo de su primer viaje a los Estados Unidos—1872—. Antes de fijar su residencia aquí, viajó por Francia e Inglaterra. En Boston asistió al Kindergarten de miss Welchman, en Chestnut. Luego pasó a la Brimmer School. Más tarde estudió en la Universidad de Harvard, donde vivió once años; primero, como estudiante; después, como instructor y *proctor.* Colaboró en el *Harvard Monthly,* fundado por Houghton; y por entonces se hicieron famosas dos poesías suyas: *Oda atlética* y *Seis tontos discretos.* En 1883 regresó a España, recorriéndola totalmente. También estuvo en Inglaterra, Francia y Alemania. Completó sus estudios en el Trinity College, de Oxford. Por aquella época fueron sus grandes amigos W. James y J. Royce. A los veintiséis

años fue nombrado profesor de Filosofía de Harvard.

Su primer libro, *Sonnets and Poems* —1894—, demostró cómo la filosofía y la poesía pueden ir unidas. Sin embargo, llamó mucho más la atención su primer ensayo filosófico: *El sentido de la belleza*—1896—, del cual dijo Hugo Münsterberg "que era el mejor libro de estética que se había publicado en los Estados Unidos".

En 1900 publicó otro libro de ensayos: *Interpretación de la poesía y de la religión,* y dos volúmenes poéticos: *Lucifer* y *La ermita del Carmelo.*

En 1912 recibió Santayana una cuantiosa herencia. Inmediatamente renunció su cátedra y se trasladó a Inglaterra, instalándose en Oxford, decidido a dedicarse por completo al estudio y a la composición de sus obras. Terminada la gran guerra de 1914-1918, marchó a París, donde vivió algún tiempo. Desde París se dirigió a Roma, ciudad en la que ha vivido los últimos años de su gloriosa existencia, como si su espíritu, conmovido por las dudas y las preocupaciones, se sintiera ligado inexorablemente a la sede del catolicismo, cuya impronta le dejó su amada ciudad de Avila.

En 1923 publicó: *El escepticismo y la fe animal,* que tiene el siguiente subtítulo: *Introduction to a System of Philosophy,* y que es el primer volumen de un nuevo sistema destinado a suplementar y modificar el antiguo sistema filosófico. A tal obra siguieron: *Diálogos en el Limbo*—1925—, *El platonismo y la vida espiritual*—1927—, *Los reinos del Ser (El reino de la Esencia, El reino de la Materia, El reino del Espíritu)* —1297 a 1940.

En 1935, Santayana ofreció inesperadamente su primera novela: *El último puritano,* subtitulada *Una memoria en forma de novela.* Posteriormente, también novelescamente, inició la publicación de sus *Memorias,* de las que se han publicado: *Personas y lugares* y *En mitad del camino,* permaneciendo inédita en castellano una tercera parte.

En la mentalidad de Santayana se contraponen su origen hispánico y su educación sajona; oposición que Santayana ha querido llevar a cierto equilibrio al señalar su intención de decir en inglés el mayor número posible de cosas no inglesas.

Y escribe el crítico y filósofo Ferrater Mora: "El carácter no sistemático que asumía en los comienzos la filosofía de Santayana ha experimentado últimamente una transformación, pero más en el sentido de la ordenación intelectual que en el de sistema propiamente dicho. Tal ordenación es, en efecto, resultado de una síntesis de opiniones y no derivación conceptual de una úni-

S

ca idea o experiencia metafísica. Santayana critica con frecuencia el afán de unidad y de identificación que triunfa en casi toda la historia de la filosofía y contrapone a él la mayor riqueza de lo diverso; su filosofía podría ser, en cierto modo, un pluralismo. Lo que domina, en rigor, todo su pensamiento es una actitud a la vez moral y estética que le permite contemplar el Universo con el único afán de hallar en él la verdad desnuda y con el convencimiento de que esta verdad es suficientemente rica y bella para colmar toda nostalgia humana."

En efecto, Santayana no es un filósofo "de teoría", de dirección única y sostenida. Es, más bien, un crítico de teorías, un esparcidor de sugestiones filosóficas, un buscador ilusionado e incansable de bellezas y de verdades que confinan en el materialismo más noble y con el espiritualismo más hondo. Es una mentalidad superior que, caída entre las sombras, "se revuelve" con ansia por desgarrarlas para salir a la luz absoluta, valiéndose de las armas que le dan la poesía y la metafísica.

Porque aun cuando Santayana hizo poco caso de su poesía, conviene advertir que su poesía es realmente admirable y trascendental, hasta el punto que muchos de sus poemas están considerados como de los más bellos compuestos en lengua inglesa y han sido seleccionados para las más exigentes y minoritarias antologías.

Todas las obras de este excepcional filósofo y poeta han sido traducidas a casi todos los idiomas, y en la actualidad lo están siendo al castellano; advirtiéndose al leerlas en castellano lo genuinamente españoles que han sido siempre el pensamiento, la sensibilidad y las características de Santayana.

Obras filosóficas: *The Life of Reason*. I. *Introduction and Reason and common sense*. II. *Reason in Society*. III. *Reason in Religion*. IV. *Reason in Arte*. V. *Reason in Science*—1905 y 1906—, *The Realm of Essence*. *Soliloquies in England and other soliloquies*—1921—, *Scepticism and animal Faith*—1923—, *Dialogues in Limbo*—1925—, *The Realm of Essence*—1927—, *The Realm of Matter*—1929—, *The Realm of Truth* —1938—, *The Realm of Spirit*—1940—, *Realms of Being*—1940.

Obras de crítica filosófica: *Winds of doctrine*—1913—, *Egotism in German Philosophy*—1915—, *Platonism and spiritual Life* —1927—, *Some turns of thought in modern Philosophy*—1933.

Obras poéticas, estéticas y literarias: *The sense of Beauty*—1896—, *Lucifer. A theological tragedy*—1899—, *Interpretations of Poetry and Religion*—1900—, *The Hermit of Carmel and other poems*—1901—, *Three

philosophical poets—1910—, *Poems, selected by the author*—1923—, *The last Puritain: a memory in the form of a novel* —1935—, *Persons and places*—1945—, *The midle span*—1947.

Obras de religión y de política: *The idea of Christ in the Gospels*—1945—, *Dominations and Powers*—1951.

V. Van Peters Ames: *Proust and Santayana. The Aesthetic Way of Life*. 1937.— Howgate, George Washburne: *George Santayana*. Discurso. 1938.—Munitz, M. K.: *The Moral Philosophy of Santayana*. 1939.— Brownell, Price, Russell y otros: *The Philosophy of Santayana*. 1940. Edit. Arthur Schilpp. Con bibliografía muy completa.— Lida, Raimundo: *Arte y poesía en la estética de Santayana*. 1943.—[Varios]: *Estudios sobre Santayana*, en la revista *Alcalá*, Madrid, números 18 y 19, octubre de 1952.— Ferrater Mora, J.: *Diccionario de Filosofía*. Buenos Aires, 1951, 3.ª edición.

SANTIAGO ARROYO, Carlos de.

Nació en El Ferrol del Caudillo el 25 de enero de 1916. Cursó estudios en El Ferrol y más tarde en La Coruña. En el año 1930 se trasladó a Madrid, donde reside en la actualidad.

Sus primeros trabajos literarios se publicaron todos en Alicante. A continuación se consignan por orden cronológico: *¡Ay, saborcillo...!*—poesía. Publicado en *Arte Joven*. Primera selección literaria, por F. García Sempere. Alicante, enero 1940—, *El hombre y el fuego*—cuento. Obtuvo el segundo premio del concurso organizado por "Barraca Bon Tabaquet", y fue publicado en la revista *Llibret, Homenaje a la Bellea del Foc*. Fogueres de San Chuan. Alicante, junio—1942—, *Semblanza*—publicado en la revista citada anteriormente, con el seudónimo "Carlos Fontevellida"—, *El beso de Judas*—estampa de la Pasión. Publicado en *Via Crucis*, publicación anual de la Hermandad Sacramental del Santísimo Cristo del Mar, Nuestra Señora de los Dolores y San Juan de la Palma. Alicante, abril 1943—, *Sinfonía azul*—cuento. Obtuvo el primer premio en el concurso organizado por la Foguera de Alfonso "el Sabio", y se publicó en *El Llibret*, revista anual ilustrada de la Foguera de Alfonso "el Sabio". Alicante, junio 1943—, *Souto el Viejo*—fragmento. Publicado en la Sección de Libros en galeradas de *Cuadernos de Literatura Contemporánea*. Instituto Antonio de Nebrija. Consejo Superior de Investigaciones Científicas. Núm. 45. Año 1944—, *La encrucijada antigua*—novela. Editorial Biblioteca Nueva. 1946. Prólogo de don Joaquín Entrambasaguas.

En 1951 publicó su novela *El huerto de Pisandiel.*

V. Nora, Eugenio G. de: *La novela española contemporánea.* Madrid. Gredos. 1962, tomo III, págs. 264-266.

SANTILLANA, Marqués de (v. **López de Mendoza, Iñigo).**

SANTISTEBAN OSORIO, Diego de.

Importante poeta español. Nació—hacia 1550—en León. Murió después de 1610. No se sabe ningún pormenor de su vida. Sus poemas son interesantes por los detalles históricos que recogen, no así por la poesía pura, ya que Santisteban era poeta mediocre, al que asistieron contadísimas veces *el caudal y el arte.*

Publicó en Salamanca—1597—*Quarta y quinta parte de "La Araucana",* con algún éxito, ya que este poema se reimprimió en Barcelona—1598—y en Madrid—1735—con la obra de Ercilla.

También publicó *Primera y segunda parte de las guerras de Malta y toma de Rodas*—Madrid, 1599—, poema en octavas, la primera parte en 12 cantos y la segunda en 13.

En su época, Sebastián debió de estar muy considerado, ya que Lope le elogia en *La Arcadia*—1598, I, 5—y Cervantes—en el *Canto de Calíope*—proclama "el alto ingenio de don Diego Osorio".

V. Pérez Pastor, C.: *Bibliografía madrileña.* III, 478.—Alvarez de Toledo: *Purén indómito.* Edición de Barros Arana. París, 1862.

SANTOS, Dámaso.

Periodista y crítico literario leonés. Nació en Villamañán (León) en 1918. Entregado cada día con plenitud, desde muy joven, al periodismo y a la crítica militantes. Colaborador de importantes revistas de letras, desde hace más de veinte años dirige las páginas literarias del diario madrileño *Pueblo* y es miembro indispensable de cuantos jurados se organizan en España para el otorgamiento de los grandes premios oficiales o privados. "Premio Nacional de Crítica Pardo Bazán, 1967".

Otra obra: *Conversaciones con Guillermo Díaz-Plaja*—1972.

Da constantes conferencias por toda la geografía española. De muchas y bien digeridas lecturas, sabe enjuiciar con claridad y buen talante, en ocasiones con fino humor y siempre con donosura. Aun cuando sus escritos llenarían una veintena de volúmenes, su obra publicada más interesante es la titulada *Generaciones juntas,* en la que analiza, centra y pondera las evoluciones de las modernas letras españolas a través de los escritores de la máxima calidad.

SANTOS, Francisco.

Interesantísimo poeta y novelista español. Nació—¿1639?—en Madrid. Y murió—1700—en la misma ciudad. Algún crítico ha puesto en duda que tan excelente ingenio fuera natural de la villa y corte; pero no deja lugar a dudas el hecho de que el propio Santos lo expresara en la portada de sus obras, y muy especialmente en el prólogo de la comedia *El sastre del Campillo,* donde dice: "Hijo de mi amante patria, parroquia y barrio, que teniendo yo *campillo* cerca de mi casa..." Se refiere al campillo de la Manuela, próximo a Lavapiés. Fue soldado de la antigua Guardia Real durante los reinados de Felipe IV y Carlos II. Casó con doña María Muñoz, de la que tuvo a Juan Santos, religioso de la Orden de San Juan de Dios. Vivió tan enfermo de gota, que durante los últimos años de su vida tuvo que utilizar muletas.

Hombre de pluma fértil y de armas expeditas, vivió las malas costumbres de la capital, cuando la capital era un venero de ellas y un compendio de sus efectos más deplorables.

Muchas obras se conservan de él. Unos dieciséis tomos. "Los libros de Santos—escribe el mordaz Torres y Villarroel—, aunque encaminados a la enmienda de costumbres con la representación de los vicios, y llenos de reprensiones y severidades morales, han sido bien recibidos por todo linaje de gentes."

De entre ellos destacan: *Día y noche en Madrid*—1663, su mejor obra—, *El diablo anda suelto*—1663—, *Las tarascas de Madrid y tribunal espantoso*—1664—, *Periquillo el de las gallineras*—1666—, *Los gigantones de Madrid*—1666—, *Alba sin crepúsculo y Madrid llorando*—1690—y *El Arca de Noé*—1697.

"Es curioso el buen sentido crítico de Santos: al mencionar los modelos supremos literarios, escoge el verso de Lope y la prosa satírica de Quevedo... Durante el siglo XVIII, Francisco Santos fue uno de los autores preferidos entre los de la centuria precedente. Su fondo sentimental y docente, su falta de barroquismos exteriores, su blandura y claridad expresiva se avenían a los nuevos gustos." (Valbuena.)

Fue Santos un narrador lleno de realismo, de ingenio, de colorido, de amenidad. Es el último gran narrador español del género picaresco, tan glorioso durante los siglos XVI y XVII. Dibujaba ambientes y costumbres y caracteres con mano maestra, "que tenía algo de velazqueña".

En el tomo XXXIII de la "Biblioteca de Autores Españoles", de Rivadeneyra, puede leerse la deliciosa narración *Día y noche en Madrid.* Y su obra maestra, *Periquillo el*

S

de las gallineras, en la *Novela picaresca en España,* Madrid, M. Aguilar, 1943 y 1946, edición de Valbuena Prat.

De las obras de Santos hay edición en cuatro volúmenes, con quince novelas, de Madrid, 1723.

V. VALBUENA PRAT, A.: *La novela picaresca española.* Madrid, Aguilar, 1943 y 1946.— ALVAREZ DE BAENA, A.: *Hijos de Madrid ilustres...* Tomo II, 216.—ALONSO CÁRDENAS, Luis: *Escritores de costumbres españolas.* 1849.—BIBLIOTECA DE AUTORES ESPAÑOLES: Tomo XXXIII.—CEJADOR Y FRAUCA: *Historia de la literatura castellana.* IV.—CORREA CALDERÓN, E.: *Costumbristas españoles,* tomo I, Madrid, Aguilar, 1950.

SANTOS CHOCANO, José (v. Chocano, José Santos).

SANTOS TORROELLA, Rafael.

Nació—1914—en Port-Bou (Gerona). Licenciado en Derecho. Organizador y secretario, en la actualidad, de los Congresos de Poesía. Ha dirigido la revista *Cobalto* y traducido con primor poesías de Drummond de Andrade, Charles Riba y varios poetas franceses contemporáneos.

Obras: *Ciudad perdida*—1949—, *Altamira* —1949—, *La sombra infiel*—1952.

SANTULLANO, Luis.

Literato y pedagogo español. Nació—1879— en Oviedo. Estudió Derecho en la Universidad de su ciudad natal y cursó las disciplinas del Magisterio en la Escuela Central de Madrid. Inspector de Primera Enseñanza. Ha viajado, ampliando sus estudios, por Francia, Italia, Suiza, Bélgica, Inglaterra... Desde muchacho colaboró en periódicos ovetenses, y, más tarde, en *El Imparcial, El Magisterio Español, La Esfera, Nuevo Mundo, El Sol* y otros diarios y revistas de Madrid. Perteneció a la Junta de Ampliación de Estudios e Investigaciones Científicas. Gran conferenciante. Organizador de la Enseñanza primaria en la Zona del Protectorado Español de Marruecos.

Luis Santullano, poseedor de fina y vasta cultura, ha preparado una edición de las *Obras completas de Santa Teresa*—Madrid, M. Aguilar—y ha escrito novelas como *Carrocera, labrador; Pinon, Bartolo o la vocación, Paxarón o la fatalidad, Telva o el amor puro.*

Otras obras: *Místicos españoles*—Biblioteca del Estudiante, Madrid—, *Las mejores páginas del "Quijote"*—selección y estudio, México, ed. Aguilar, 1948—, *Romancero español*—estudio y notas, Madrid, Aguilar...

SANZ Y DÍAZ, P. Clementino, Sch. P.

Nació en Peralejos de las Truchas (Guadalajara) el 22 de junio de 1914. Sacerdote escolapio; doctor en Sagrada Teología y en Filosofía y Letras, y en 1947 ganó por oposición la cátedra de Lenguas clásicas de la Universidad de Córdoba (Argentina). Es profesor de Segunda Enseñanza y Superior en el colegio de Santo Tomás, de dicha ciudad universitaria, y lo ha sido durante cinco años del colegio que la Orden de San José de Calasanz tiene en la calle Sellinosa, en Buenos Aires. Estudió en la Universidad Pontificia de Roma parte de su carrera durante cuatro años, y conoce los idiomas siguientes: hebreo, sánscrito, latín, griego, español, italiano, francés, inglés, alemán, portugués y otros más.

Es un excelente poeta en latín y español, gran filósofo y agudo crítico literario. Su tesis doctoral trata de "El tema mariano en el teatro clásico español". Es autor de un monumental *Diccionario latino-greco-español,* de numerosas obras de texto para la Orden a que pertenece, y de algunos *Devocionarios.*

Con motivo del IV Centenario del nacimiento de Cervantes, publicó en Buenos Aires la primera edición crítica, con prólogo y notas, en América hispana, de *El Ingenioso Hidalgo Don Quijote de la Mancha,* en dos tomos.

El P. Clementino Sanz escribe en los grandes rotativos argentinos sobre temas de su especialidad, y prepara actualmente varios libros de ensayo sobre los autores clásicos españoles y latinos.

SANZ Y DÍAZ, José.

Literato y crítico español. Nació—1907— en Truchas (Guadalajara).

José Sanz y Díaz ejerce desde el año 1933 como periodista, habiendo pertenecido desde esa fecha a la Agencia Prensa Asociada hasta 1936, de la cual fue corresponsal en París. Ha colaborado y colabora en más de un centenar de periódicos y revistas, lo mismo españoles que extranjeros. Fue crítico de arte de *El Siglo Futuro,* de Madrid, y corresponsal de importantes publicaciones y agencias extranjeras en la capital de España. Ha hecho viajes profesionales por Alemania, Bélgica, Francia, Portugal y Suiza, enviando crónicas desde esos países. Actualmente colabora en los más importantes diarios de España y en muchas revistas de gran circulación y mérito cultural.

Premios obtenidos: El primero, de cuentos, en concurso nacional organizado por el diario *Fe,* de Sevilla, en 1937, con el titulado *El muro.* En 1944 obtuvo uno de los premios "Virgen del Carmen" sobre temas marítimos otorgado por la Presidencia del Consejo de Ministros; en 1945, el segundo Premio Nacional de Literatura (Sección de Crítica literaria); en 1946, el primer premio "Ejército" para periodistas.

Obras: *Espigas de humo*—Buenos Aires, 1934—, *Leyendas de mi aldea*—Vigo, 1937—, *El precio de la gloria*—novela, Vigo, 1937—, *Alois Jiraseh, El regalo de Reyes, Los villancicos, El año literario de 1937 y Lepanto*—cinco folletos, Orense, 1937-38—, *¡Prisioneros!*—novela, 1938—, *Zig-zag literario*—crónicas, Vigo, 1938—, *Por las rochas del Tajo*—memorias de guerra, Valladolid, 1938—, *Lira bélica*—antología-ensayo, Valladolid, 1939—, *La voz del ensueño*—cuentos, Valladolid, 1939—, *Finlandia y Sillanpäe*—ensayo, Madrid, 1940—, *Legazpi*—biografía del conquistador de Filipinas. Madrid, 1941—, *Narradores hispanoamericanos*—500 páginas en 4.º, Barcelona, 1942—, *El tema de la Navidad en la literatura española*—editorial Patria, Madrid, 1941—, *El secreto del lago*—noveletas, Madrid, 1943—, *Los grandes cuentistas americanos del siglo XX*—Madrid, 1945—, *Lira negra*—estudio antológico de la poesía negra afrohispanoamericana, Madrid, 1946—y *El príncipe Saturio*—una vida española del siglo v, Editora Nacional, Madrid, 1947.

SANZ-LAJARA, J. M.

De la República Dominicana. Novelista y diplomático. Nació en Santo Domingo de Guzmán en 1902 (?). Estudió en España. Ha escrito excelentes crónicas de viaje y cuentos que son como una biografía de la vida. Es un escritor ávido de vida, con un conocimiento hondo de la realidad y profunda compenetración con el medio.

Ha publicado *Cotopaxi*—cuentos y crónicas de viaje, 1949—, *Caonex*—novela, 1949—y *Aconcagua*—cuentos y crónicas de viaje, 1950.

SANZ-RAMOS, Juan.

Ensayista. Doctor en Medicina por la Universidad de Madrid. Viajero incansable por varios continentes, completando sus estudios en Francia, Inglaterra, Alemania, Bélgica, Rusia, Suecia, Finlandia, Noruega y Suiza. Cirujano de fama universal, en la actualidad dirige una afamada clínica en Madrid. Sus obras científicas son muchas y han sido traducidas y comentadas con elogio en el extranjero.

Pero, además de un médico cirujano excepcional, Juan Sanz-Ramos es un ensayista literario de la máxima calidad. Ambicioso en sus temas, siempre de la actualidad más candente, original en sus estudios y comentarios, prosista muy peculiar.

Obras literarias: *Los humanos en su ambiente*—ensayos—, *Hacia las incógnitas del hombre*—ensayos—, *De la cuna a la tumba*—ensayos, 1969.

SANZ DEL RÍO, Julián.

Filósofo y crítico español. Nació—1814—en Torrearévalo (Soria) y murió—1869—en Madrid. Estudió en Córdoba Latín y Humanidades, y tres años de Filosofía en el seminario de Santa Pelagia. Se graduó bachiller en Jurisprudencia en el Colegio del Sacro Monte, de Granada. Doctor en Derecho canónico. Ejerció la abogacía. En 1842 empezó a explicar Filosofía del Derecho en la Universidad Central, demostrando su absoluto dominio del alemán y sus amplios conocimientos de las doctrinas filosóficas alemanas de Kant y, especialmente, de Krause. Fue el introductor, comentador y defensor del *krausismo* en España. Vivió algún tiempo en Alemania. Sus doctrinas fueron combatidas por las derechas españolas, y aun llegó a verse privado de la cátedra, en la que le repuso la revolución de 1868. Colaboró en *La Razón, Revista Española de Ambos Mundos, Gaceta de Madrid, Semanario Pintoresco...* Y mereció un manifiesto de simpatía y adhesión firmado por los profesores de la Universidad de Heidelberg.

Sanz del Río no fue un filósofo de ideas originales, pero sí un magnífico divulgador y un sutil crítico de sistemas filosóficos. Su pensamiento se prolongó en la famosa Institución Libre de Enseñanza.

Obras: *Lecciones sobre el sistema de Filosofía analítica de K. Ch. F. Krause*—Madrid, 1850—, *Sistema de Filosofía metafísica. Primera parte: Análisis*—1860—y *Segunda parte: Síntesis*—1865—, *El ideal de la Humanidad para la vida*—Madrid, 1860—, *La cuestión de la Filosofía novísima*—1860—, *Análisis del pensamiento racional, Filosofía de la Historia, Filosofía de la Muerte, El idealismo absoluto...*

V. MENÉNDEZ PELAYO, M.: *Heterodoxos españoles.*—VIQUEIRA, J. V.: *J. S. del R.,* en el *Apéndice* de la traducción de la *Historia de la Filosofía*, de Vorländer—[GINER DE LOS RÍOS, H.]: *En el centenario de Sanz del Río,* por un discípulo, en *Boletín de la Institución Libre de Enseñanza,* 1914.—MANRIQUE, Gervasio: *Sanz del Río: su vida, su pensamiento.* Madrid, Aguilar, 1935.

SANZ Y RUIZ DE LA PEÑA, Nicomedes.

Poeta, crítico e historiador. Nació en Valladolid el 7 de febrero de 1905. Estudió en Segovia y Valladolid, comenzando a escribir desde muy joven en periódicos y revistas hispanoamericanos. Durante buen número de años ha desempeñado el cargo de jefe

S

de Redacción de *El Norte de Castilla,* y es bibliotecario de la Casa de Cervantes, de Valladolid, dirigiendo en la actualidad la editorial Santarén. En 1946 fue elegido académico de número de la Real Academia de Bellas Artes de la Purísima Concepción, siendo correspondiente de varias corporaciones nacionales y extranjeras.

Obras poéticas: *Ruta en imagen*—Madrid, 1935—, *Romancero carnal*—Barcelona, 1936—, *Romances de guerra y amor*—1.ª edición, 1937; 2.ª edición, 1938, Valladolid—, *Romance de la muerte de Pepe García, "el Algabeño"*—Valladolid, 1937—, *Romancero de la reconquista*—Valladolid, 1938—, *Cántico del buen amor*—Valladolid, 1938—, *Flor de romance*—Valladolid, 1939—, *Breviario* —Valladolid, 1947.

En periódicos y antologías y revistas hispanoamericanas se halla esparcida la mayor parte de su obra poética—más de dos mil composiciones no recogidas en libro—, muy en especial la de su primera juventud.

Obras en prosa: *Doña Juana I de Castilla, la reina que enloqueció de amor*—1.ª edición, Madrid, 1940; 2.ª edición, Madrid, 1942—, *Don Pedro I de Castilla, el rey galán y justiciero*—Madrid, 1942—, *Iniciación en la poesía*—manual de la composición y de la rima, 1941, Barcelona—, *Doña Juana I en Tordesillas*—Valladolid, 1947 (discurso de ingreso en la Real Academia de Bellas Artes).

SANZ Y SÁNCHEZ, Eulogio Florentino.

Gran poeta, dramaturgo y periodista español. Nació—1822—en Arévalo. Murió —1881—en Madrid.

Eulogio Florentino Sanz empezó a estudiar Leyes en la Universidad de Valladolid, con muy mediano aprovechamiento. Como amador y pendenciero, tuvo éxitos mucho mayores. Novio de la hija de un vidriero pobre, para que este saliera de su indigencia no se le ocurrió cosa mejor que, con varios condiscípulos jaraneros, en una noche, romper más de quinientos cristales. En efecto, el vidriero hizo su agosto, pero Eulogio Florentino dio con sus huesos en la cárcel y en ella permaneció un mes. Abandonó los estudios. Y se escapó a Madrid, donde vivió una bohemia indecorosa de borracheras, pequeños chantajes y grandes sueños sobre los bancos del Prado.

Don Andrés Borrego le introdujo en la vida literaria, llevándoselo de corrector de estilo a *El Español,* periódico que él dirigía. Con tanto acierto desempeñó su cometido, excediéndose a introducir párrafos en algunos artículos, a sustituir con artículos suyos otros que reputaba peligrosos, a componer sonetos de actualidad, que logró llamar la atención y que le tuvieran por compañero periodistas tan célebres como Moreno Ló-

pez, García Tassara, Cortés, Aribáu... Se cuenta cómo un soneto suyo, que circuló manuscrito por Madrid, preparó la revolución de 1854. Triunfante esta, para premiar sus servicios le nombró encargado de Negocios en la Legación española de Berlín, donde permaneció hasta 1856, estudiando con verdadero fervor a los grandes poetas alemanes y traduciendo con maestría ejemplar a Heine, cuya manera y cuya sensibilidad asimiló, hasta el punto de que una traducción suya de un madrigal del gran poeta alemán se le atribuyó como original en *El Cancionero de la Rosa,* de Pérez de Guzmán, siendo identificado por Díez-Canedo.

De regreso a Madrid, colaboró en los más importantes periódicos de entonces. En *El Semanario Pintoresco,* en *La Ilustración Española,* en *El Nuevo Mundo,* en *La Patria* —de la que fue redactor—, en *Las Novedades,* en *El Museo Universal,* en *La Iberia.* Artículos de política cáusticos y certeros. Poesías originales bellísimas, como la *Epístola a Pedro,* en tercetos, recogida por Menéndez Pelayo en *Las cien mejores poesías de la lengua castellana.* Traducciones encantadoras de las canciones de Heine, que tanto influyeron en la sensibilidad de Bécquer.

Como Quintana, como Zorrilla, Florentino Sanz *se pasó de punto* en vida. Quisquilloso, soberbio, creyéndose superior a cuantos triunfaban en el teatro y postergado injustamente, dejó de escribir, renunció a un puesto de representante de España en el Brasil y se encerró en su humilde casa, viviendo malamente. Casi la gente había olvidado sus poesías, pero aún se comentaban sus *genialidades...*

Aquella de presentarse—1848—ante el famoso actor y empresario don Julián Romea con el manuscrito de su drama *Don Francisco de Quevedo* y entregárselo, ante numerosos autores y cómicos, en el *saloncillo* del teatro del Príncipe, con un seco: "Léalo." Y contestó Romea, sorprendido: "Lo leeré. Y si está bien, se estrenará." Y él, con énfasis: "Pues, entonces, se estrenará..."

O aquella otra, en Berlín, cuando el pedante conde de Esterhazy, embajador de Austria, le preguntó con marcado desdén: "¡Los poetas! ¿Para qué sirven los poetas?" "Los poetas, señor conde—replicó el poeta en muy buen alemán—, sirven para todo lo que ustedes, y además para hacer versos."

O aquella otra de, aprovechando la boda de Eugenia de Montijo con Napoleón III, responder al empaque avieso del embajador de Rusia, que le preguntaba cómo vestían las mujeres de España: "Las mujeres de España, señor embajador, se visten de emperatrices de Francia..."

O aquella de: "Señor Sanz—le dijo un empresario—, convendría estrenar otra obra parecida a *Don Francisco de Quevedo*." Y tan terne le respondió: "Pues intente resucitar a don Pedro Calderón de la Barca..."

¡Tremendo geniazo el de Eulogio Florentino Sanz! Los amigos le fueron abandonando poco a poco. Temían sus exabruptos, sus sornas, sus ataques de egolatría furibunda. Le fueron olvidando los públicos y los lectores. Exacerbado, solo en su humilde sotabanco, papando moscas y mesándose los cabellos, masticando soliloquios, durante muchos años esperó a la muerte. Y la recibió sin mirarla. Postrado de cuerpo, pero no de ánimo, de cara a la pared, murió este ingenio español el 29 de abril de 1881. Murió envenenada su sangre por los respingos anecdóticos.

Eulogio Florentino Sanz y Narciso Serra representan en la historia del teatro español el romanticismo mitigado, la transición entre este y el naturalismo lacrimoso. Esta sensiblería, justo es decirlo, pasó íntegra de una a otra tendencia. En su reacción, los naturalistas no lograron eliminar precisamente el vicio más considerable y feo de lo romántico: la propensión melodramática.

Y lo curioso es que Eulogio Florentino Sanz, la transición, fue uno de los dramaturgos más purgados de sensiblería. Sino que los primeros reaccionarios no se fijaron en él, sino en los corifeos, como Rivas, Hartzenbusch, García Gutiérrez, en quienes lo sensible se subvertía inexplicablemente.

En Eulogio Florentino Sanz se ve ya el romanticismo como deshilachado; un romanticismo en el que, para disimular los zurcidos, se bordan sobre ellos grandes flores de colores un poco detonantes con el tono y la calidad del tejido.

Tres son las únicas obras dramáticas de este autor, y para eso, una de ellas inacabada: *Don Francisco de Quevedo*—1848—, *Achaques de la vejez*—1854—y *La escarcela y el puñal*. Los fragmentos de esta última fueron publicados en el *Semanario Pintoresco Español*—1851—. Mucho gustó al público *Achaques de la vejez*, representada en el teatro del Príncipe por Teodora Lamadrid, Joaquín Arjona y Victoriano Tamayo, durante treinta noches consecutivas. Pero la obra maestra de Sanz es *Don Francisco de Quevedo*. Drama severo, filosófico, ceñido y grave, que contrasta con la desaforada palabrería del romanticismo—apurado ya y ya no puro—y con su desenfadado menosprecio a toda mesura. Tuvo el acierto, además, de poner en boca de su protagonista trozos selectos de sus mejores poesías, escogidos con oportunidad. "Con todos sus errores de orden histórico y psicológico—escribe el gran crítico e investigador Alonso Cortés—, el *Don Francisco de Quevedo* es una obra rebosante de interés y emoción.

Es una de las mejores representadas por aquellos días." Y el P. Blanco García muestra incondicional entusiasmo por esta obra: "Un sello de profunda originalidad distingue al *Don Francisco de Quevedo* de todas las obras que ocuparon la escena española desde 1834 a 1848. No sé qué aliento innovador se siente discurrir por aquellos extraños diálogos, tan llenos de estudio, de intención y de filosofía, y por las situaciones, el estilo y la versificación. Nada tan frecuente hasta entonces, aun entre los más juiciosos, como las exuberancias de un lirismo tentador y lujuriante; nada tampoco más contrario a él que la precisión nimia y monosilábica y la constante sobriedad, distintivos de *Don Francisco de Quevedo*. Histórico por los personajes, este drama anunció entre nosotros una evolución artística, no siendo al cabo el personaje principal sino un instrumento por cuya boca habla el autor, vertiendo a raudales el desengaño y la misantropía. El gran satírico aparece no con su rostro festivo y provocante, sino con otro enlutado por el dolor, y al que asoman de cuando en cuando las sonrisas, pero siempre mezcladas con los desdenes, el sarcasmo y la amargura; carácter anacrónico en el siglo de Felipe IV, y perteneciente en realidad al XIX. El *Quevedo* persistirá, ya que no en la memoria de la plebe literaria, en la de los que conozcan nuestra moderna escena, a la que comunicó un impulso, mitad hijo de su ingenio propio, mitad inspirado por los inmortales maestros del siglo XVII."

Las más importantes ediciones de las obras dramáticas de Eulogio Florentino Sanz son: *Don Francisco de Quevedo*—Madrid. Imprenta Crespo, 1850—, *Don Francisco de Quevedo*—Madrid, 1858—, *Don Francisco de Quevedo*—Madrid, 1908. Casa editorial "La Ultima Moda"—, *Achaques de la vejez* —Madrid, 1864—, *La escarcela y el puñal* —fragmentos. *Semanario Pintoresco Español*, 1851.

De los dramas de E. F. Sanz existen manuscritos en la Biblioteca Nacional de Madrid y en la Municipal.

V. HERRÁN, Fermín: *E. F. Sanz y su "Don Francisco de Quevedo"*, en *Revista de España*, LXXXII, 381.—ALONSO CORTÉS, N.: *Quevedo en el teatro*. Valladolid, 1930.—ZARZA Y ROLDÁN, F.: *Biografía de... E. F. S.* Avila, 1910.—CALVO ASENSIO, C.: *El teatro hispanolusitano del siglo XIX*.—BLANCO GARCÍA, Padre: *Literatura española del siglo XIX*. Madrid, 1891. Tomo II.—SAINZ DE ROBLES, Federico Carlos: *Historia del teatro español*. Madrid, 1943. Tomo VI.

SARALEGUI Y MEDINA, Manuel.

Erudito y literato español. Nació—1851— en El Ferrol (La Coruña). Murió—1926—en

Madrid. Marino. Asistió a la inauguración del canal de Suez y guerreó contra los carlistas. Algunos años vivió en Filipinas. Profesor de la Escuela Naval. Con la graduación de teniente de navío pidió su retiro en 1903. Académico de la Lengua desde 1914. De mucha erudición filológica. Narrador amenísimo. De juicio claro.

Obras: *Escarceos filológicos, Un negocio escandaloso en tiempos de Fernando VII* —1904—, *Los consejos del "Quijote"* —1905—, *Recuerdos y rectificaciones históricos—1907—, Cuadros de la Historia* —1908—, *El corregidor Pontejos—1909—, Silueta del almirante de Castilla don Antonio Jofre de Tenorio—1910—, Alonso de Santa Cruz—1914—, Refranero español náutico y meteorológico—1917—, Menudencias históricas—1918—, Don Manuel Montes de Oca y los piratas de "El Defensor de Pedro"*...

SARAVI, Guillermo.

Poeta y prosista argentino. Nació—1899— en Paraná (Entre Ríos). Cursó los estudios de Letras. Director del Archivo Histórico de la Provincia. Poeta que ha cultivado, sucesivamente, el modernismo y el intimismo lírico con plenitud de imágenes y melodías.

Obras: *Hierro, seda, cristal—1916—, Numen montaraz—1928—, El supremo entrerriano—1929—, Carne de sueño—1930—, Selva sonora—1932—, La lágrima de plata* —1947—, *Tarde antigua—¿1955?—*...

SARDÁ Y LLORET, Juan.

Crítico literario, poeta y periodista español. Nació—1851—en San Quintín de Mediona (Barcelona). Murió—1898—en esta capital. Licenciado en Derecho—1874—. Desde este mismo año formó parte de la agrupación literaria La Jove Catalunya, y colaboró asiduamente en la revista *Reinaxensa*. Uno de los que más y mejor laboraron en pro del movimiento cultural contemporáneo de Cataluña. También escribió en *Lo Gay Saber, La Revista Literaria, La Gaceta de Cataluña, La Mañana, La Publicidad, La Jornada, La España Regional*, de Barcelona, y *La Revista Contemporánea, La España Moderna* y *La Epoca*, de Madrid. Como poeta, fue clásico. Como crítico literario, contundente, persuasivo, justo. Como narrador, unió a un sentido idealista exaltado una sátira fuerte y una expresividad natural y clara.

Las *Obras completas* de Sardá se publicaron en Barcelona y comprenden tres tomos; el primero, dedicado a sus producciones en catalán; los otros dos, a las escritas en castellano. Entre estas obras sobresalen: *El catalanismo y la literatura catalana—1890—* y *Don Joseph Ixart—1894—*.

SARMIENTO, Domingo Faustino.

Prosista, pedagogo, biógrafo famosísimo. 1811-1888. Nació en San Juan (Argentina). En su existencia turbulenta, apasionada, furiosa, fue educador, militar, político, estadista, legislador, gobernante, periodista y escritor. Obra de sus manos garras parece ser la Argentina espléndida de hoy, pero los españoles le correspondemos con la misma moneda con que él nos pagó: el desprecio. Allá con él los americanos...

Lugones ha hecho este retrato de Sarmiento: "La Naturaleza hizo grande a Sarmiento. Diole la unidad de la montaña, que consiste en irse para arriba de punta; mas fuera de esa circunscripción al triángulo proyectivo, que también perfila el remonte de la llama, su estructura es una aglomeración pintorescamente compuesta de piedra, abismo, bosque y agua. Así son de cerca esos caos donde parece expresar una especie de antiguo dolor ceñudo el desorden del granito."

Echado para adelante como ninguno, educado por un tío, presbítero, José de Oro, desde los quince años se lanzó a vivir por su cuenta y riesgo. Luchó con fiereza. Padeció destierros. Estuvo en Europa—1845 a 1848—. Fue gobernador de San Juan, ministro plenipotenciario en los Estados Unidos—1865 a 1868—, senador, ministro de Gobierno y del Interior, superintendente general de las Escuelas de la nación y presidente de la República para el período 1868-1874. Y, sobre todo, educador y exaltador revolucionario perpetuo de su nación contra todo lo que *oliera* a español. Tuvo muy malas pulgas y demasiada egolatría.

Con harta razón le endilgó nuestro Villergas:

> Parece que es usted corto de talla,
> pero gigante en la ambición de gloria.

Menéndez Pelayo ha escrito con gran serenidad, precisión y justicia de Sarmiento: "Era hombre originalísimo y excéntrico, así en su persona como en sus ideas y en su estilo, que adolecían de todos los defectos inherentes a su educación vagabunda y desordenada y a lo cerril e indómito de sus tendencias nativas, las cuales le arrastraban a ser una especie de *gaucho* de la república de las letras, intemperante, desmandado y sin freno en nada... Su gusto, que no llegó a formarse nunca... En 1841, Sarmiento no era más que un periodista medio loco, que hacía continuo y fastuoso alarde de la más crasa ignorancia y que, habiendo declarado guerra a muerte a todo lo español, se complacía en estropear nuestra lengua con toda suerte de barbarismos, afeándola, además, con una ortografía de su propia invención...

Aquel estro bravío y poderoso que había de inspirar las páginas calenturientas de *Facundo Quiroga*, de los *Recuerdos de provincia* y de la *Compañía del ejército grande*, ardía ya en el cerebro de Sarmiento..."

Para Alvaro Melián Lafinur, "Sarmiento triunfa en el color y el relieve por la opulencia de su paleta, e imprime poderoso movimiento a sus descripciones. Pertenece al grupo de los escritores *visuales*. Sus escenas cobran vida extraordinaria merced a su capacidad pictórica".

Tuvo un espíritu esencialmente positivo y un concepto materialista de la utilidad. Derrochó sensualismo, panteísmo, impetuosidad colérica, curiosidad casi impertinente. Todos sus escritos rebosan contradicciones tremendas, malos humores, pintoresquismo popular y una constitución paranoide. Un ideal obsesionante de progreso parecía reconcomerle. "Montonero de la batalla intelectual" le llamó Groussac.

De los numerosísimos libros que escribió, únicamente dos sobreviven para la historia literaria: *Recuerdos de provincia*—1844—y *Facundo*—1845—. "El primero es el más perfecto de sus libros, el más humano por su asunto y el más castizo por su forma. El segundo se le adelanta en profundidad y pasión; es un libro ya clásico en las letras hispanoamericanas." (Leguizamón.)

Sus obras llenan cincuenta y dos volúmenes. Escribió, sobre todo, en periódicos, y de asuntos circunstanciales. Su vida novelesca se refleja en casi todos sus escritos. Poseyó aguda observación y gran flexibilidad de pensamiento, mucha fantasía, aluvión de imágenes no siempre nuevas, lenguaje corriente y muy pobre de vocabulario, pero brioso y cálido. Disparató y mintió de firme.

Otras obras: *Mi defensa*—1843—, *El general fray Félix de Aldao*—1845—, *Método gradual de lectura*—1846—, *La ciento y una* —colección de sus cartas a Alberdi—, *Comentarios de la Constitución*—1853—, *Vida de Lincoln, Las escuelas: base de la prosperidad y de la república en los Estados Unidos*—1870—, *Conflictos y armonías de las razas en América*—1883—, *Vida y escritos del coronel don Francisco Javier Muñiz* —1885—, *La vida de Dominguito*—1866—, *Viajes por Europa, Africa y América*—1849...

V. LUGONES, Leopoldo: *Historia de Sarmiento.*—GUERRA, J. Guillermo: *Sarmiento: su vida y sus obras.* Santiago de Chile, 1901. BELÍN SARMIENTO, A.: *Sarmiento, anecdótico.* Saint Cloud, 1929.—BELÍN SARMIENTO, A.: *El joven Sarmiento.* Saint Cloud, 1929.—GÁLVEZ, Manuel: *Vida de Sarmiento.* Buenos Aires, 1945.—ROJAS, Ricardo: *Bibliografía de Sarmiento.* Univ. del Plata, 1911.—LIDA, Raimundo: *Sarmiento y Herder.* Mem. del Segundo Congr. Intern. de Catedráticos de

Literatura Iberoamericana.—ORGAZ, Raúl A.: *Sarmiento y el naturalismo histórico.* Córdoba (R. A.), 1940.—ROJAS, Ricardo: *La literatura argentina.* Buenos Aires, 1924.—PALCOS, Alberto: *Estudio que precede a Facundo.* Ed. La Plata, 1938.—MENÉNDEZ PELAYO, M.: *Historia de la poesía hispanoamericana.* Madrid, 1913.—RODÓ, J. E.: *El mirador de Próspero.*—LAUXAR, Crispo Acosta: *Motivos de crítica hispanoamericana.* Montevideo, 1914.—BLANCO-FOMBONA, R.: *Grandes escritores de América.* Madrid, 1917.—GONZÁLEZ, Joaquín B.: *D. F. Sarmiento y su obra.* Buenos Aires, 1913.—VALDÉS, C. R.: *Domingo F. Sarmiento y su obra.* Buenos Aires, 1913. ROJAS, Nerio A.: *Psicología de Sarmiento.* Buenos Aires, 1916.

SARMIENTO, Fray Martín.

Ilustre polígrafo español. En el mundo fue llamado Pedro José García Balboa. Nació —1695—en Villafranca del Bierzo (León). Murió—1772—en Madrid. Estudió Humanidades en el convento de Lerez. En 1710 llegó a Madrid e ingresó en el monasterio de San Martín, de la Orden de San Benito. Estudió —1714—Artes en Pamplona. Enseñó Teología—1722—en Celorio. Cronista general de su Orden—1745—. Abad del monasterio de Ripoll. Entre 1750 y 1772 vivió en Madrid entregado por completo al estudio y a la redacción de sus obras. Al morir dejó una biblioteca de cerca de 8.000 volúmenes, entre los que abundaban las impresiones preciosas.

Le alabaron los hombres más insignes de su época de toda Europa: Linneo, Muratori, Collobrak, Loeffling, Alstroemer, Jussieu, Flórez, Aranda, Campomanes, Quer... De todos mereció el calificativo de *sapientisimo.*

De memoria prodigiosa, vastísima y bien digerida erudición, fácil escritor de rico y castizo vocabulario, incansable en la lectura, de sentado juicio, Sarmiento fue uno de los mejores polígrafos del siglo XVIII. "Incansable en el trabajo de leer y extractar..., tiene adivinaciones históricas verdaderamente asombrosas; verbigracia, la influencia gallega en la primitiva lírica española, comprobada por el hallazgo de los dos *Cancioneros* de Roma."

Escribió durante su vida cerca de 6.000 pliegos de papel marquilla. Su obra literaria más importante es la titulada *Memoria para la historia de la poesía y poetas españoles* —1775, obra póstuma—. Para defender a su maestro Feijoo, escribió y publicó—1757— la *Demostración criticoapologética del "Theatro crítico universal",* erudita y razonadísima defensa.

Otras obras: *Los maragatos, La patria de Cervantes, Lugares del reino de Galicia, Lugares del principado de Asturias, Caminos*

S

de España, Cartas sobre el estado de la religión benedictina en España, Reflexiones literarias para formar una Biblioteca real, y otras muchas.
V. López Peláez, Antolín: *El gran gallego.* La Coruña, 1895.—López Peláez, Antolín: *Los escritos de Sarmiento y el siglo de Feijoo.* La Coruña, 1891.—López de la Vega: ... *El sabio benedictino fray Martín Sarmiento,* en la *Revista Contemporánea,* 1878.— Alvarez Jiménez, E.: *Biografía de fray Martín Sarmiento y noticia de sus obras.* Pontevedra, 1884.—Gesta y Leceta, M.: ... *Obras de fray Martín Sarmiento, seguidas de varias noticias biobibliográficas.* Madrid, 1888. Castellanos, Basilio Sebastián: *Biografía eclesiástica.* Tomo XXVI.—Chacón, J. M.: *El P. Martín Sarmiento y el "Poema del Cid",* en *Rev. Fil. Esp.,* 1934, XXI.

SARMIENTO DE GAMBOA, Pedro.

Historiador y famoso marino español. Nació en ¿1530? Murió en 1592. De esclarecido linaje. Asistió a las guerras del Perú. Fortificó algunos puntos importantes del estrecho de Magallanes. Luchó contra el famoso pirata y almirante inglés Drake. Habiendo caído prisionero de los ingleses, la reina Isabel le recibió con agasajo y le devolvió la libertad. También estuvo prisionero de los hugonotes franceses durante algún tiempo, recobrando la libertad gracias a un fuerte rescate que pagó Felipe II. En 1592 marchó a Nueva España como almirante de ocho galeones. Nada más se vuelve a saber de él.
Obras literarias: *Historia del reino de los Incas*—escrita a instancias del virrey don Francisco de Toledo—y el relato de sus *Viajes*—1759 y 1580—.
Fue literato notable, de estilo personal y fácil, ameno y muy preciso en sus afirmaciones.
V. Cejador y Frauca, J.: *Historia de la lengua y literatura españolas.* Tomo III.

SARSANEDAS, Jordi.

Poeta y narrador español en lengua catalana. Nació—1924—en Barcelona. Residió en Francia muchos años, a partir de 1939. Licenciado en Letras por la Universidad de Toulouse. Lector de castellano en el Departamento de Estudios Hispánicos de la Universidad de Glasgow. En 1953 obtuvo el "Premio Víctor Catalá" por su volumen de cuentos *Mites.* En la actualidad es jefe de redacción de la revista catalanista, publicada por los monjes de Montserrat, *Serra d'Or.*
Una vivísima imaginación es la raíz—y las alas—de la casi totalidad de los escritos de Sarsanedas.
Obra: *Contra la nit d'Oboixangó*—novela, 1952.

SARTHÓU CARRERES, Carlos.

Literato, historiador y crítico de arte español. Nació—1876—en Villarreal (Castellón). Estudió el bachillerato en esta capital y se doctoró en Derecho por la Universidad de Valencia. Juez de Villarreal—1909—. Secretario judicial de Burriana—1909—y de Játiva—1920—. Archivero-bibliotecario del Ayuntamiento de esta última población.
Desde muy joven se dedicó a la literatura y a la arqueología. Ha publicado miles de artículos en toda la Prensa española acerca de temas de arte e historia, principalmente relativos al reino de Valencia. Académico correspondiente de la Real de la Historia. Ha tomado parte en numerosos congresos y certámenes.
Sarthóu Carreres reúne a su vasta cultura, a su sólida preparación científica, una amena exposición, un admirable sentido crítico para la síntesis y una prosa correcta y clara, llena de colorido.
Obras: *Viaje por los santuarios de la provincia de Castellón*—1909—, *Impresiones de mi tierra*—1910—, *Geografía general del reino de Valencia*—1913 y 1918—, *La ciudad de Castellón, Los tesoros artísticos de Játiva* —1922—, *Las piedras seculares de Játiva, Heráldica setabense*—1922—, *El alcázar setabense*—1922—, *Castillos de España...* y otras muchas, ya que es asombrosa la fecundidad literaria de Sarthóu Carreres.

SASSONE SUÁREZ, Felipe.

Novelista, poeta y autor dramático peruano. Nació—1884—en Lima, en cuya Universidad cursó dos años de Filosofía y Letras y uno de Medicina. Murió—1959—en Madrid. Abandonó sus estudios movido por su vocación de escritor. En algún periódico limeño redactó crónicas taurinas, popularizando el seudónimo de "El Nene". Desde los veinte años viajó por todo el mundo. Pero ha residido casi siempre en España, donde su nombre goza de la máxima popularidad.
Ha colaborado en innumerables diarios y revistas... *A B C, Blanco y Negro, La Esfera, Nuevo Mundo, Mundo Gráfico, La Novela Semanal, La Novela de Hoy, El Cuento Semanal...*
En el teatro ha conseguido éxitos grandes y justos. Ha sido director de compañías teatrales.
Felipe Sassone es un verdadero maestro del lenguaje, habiendo dedicado cientos de artículos a curiosas aclaraciones filológicas.
Poeta de un modernismo romántico y sensual, lleno de color.
Posee gran inventiva y finísima sensibilidad, un realismo insobornable, gracia, plasticidad y vigor.

Obras: *Malos amores*—novela—, *Viendo la vida*—1908—, *Vórtice de amor*—novela, 1908—, *La espuma de Afrodita*—novela, 1916—, *Bajo el árbol del pecado*—novela, 1917—, *El tonel de Diógenes*—1918—, *La canción del bohemio*—poesías, 1917—, *Rimas de sensualidad y de ensueño, Nacer, vivir, morir*—novela—; *¡Estos mis papelitos, madre!*—1953.

Al teatro ha dado: *El miedo de los felices, El intérprete de Hamlet, La rosa del mar, La noche en el alma, Calla, corazón; Volver a vivir, Todo tu amor, La entretenida, Una mujer sola, Tres cadenas perpetuas, La Maricastaña, Adán, o el drama empieza mañana; Yo tengo veinte años* —1950—y otras muchas.

V. SAINZ DE ROBLES, F. C.: *La novela corta española (Promoción de "El Cuento Semanal")*. Madrid, Aguilar, 1952.

SASTRE, Alfonso.

Dramaturgo, ensayista y crítico español. Nació—1926—en Madrid, en cuya Universidad se licenció en Filosofía y Letras. Ha sido uno de los organizadores del Teatro Universitario. Su enorme vocación teatral le ha hecho dedicarse con plenitud fecunda a escribir para el teatro, ya como autor, ya como crítico. Torrente Ballester ha escrito de él: "Ha ensayado las más variadas técnicas, y su temática es, con un par de excepciones, importante. Dialoga con maestría y soltura y construye con habilidad."

Sastre elige los temas más ambiciosos, los que sienten *la urgencia* de este tiempo nuestro, complejo y contradictorio. Y compone unas obras sobrias, de arquitectura perfecta y muy moderna, muy bien dialogadas, con los "efectos precisos". ¿Tiene el teatro de Sastre, como dicen algunos críticos, una tendencia socializante? Si en esta imputación hay una acusación *ideológica*, cabe negarla. Pero no se puede negar que a Sastre le interesan los problemas de las clases más humildes y menesterosas, las más abandonadas por las leyes. Los "humillados y los ofendidos" atraen la magia escénica de Alfonso Sastre, uno de nuestros más interesantes y nobles dramaturgos.

Obras: *Ha sonado la muerte*—teatro, 1946—, *Cargamento de sueños*—teatro, 1948—, *Tierra roja*—teatro—1949—, *Escuadra hacia la muerte*—teatro, 1953—, *La mordaza*—teatro, 1954—, *La sangre de Dios* —teatro, 1956—, *Drama y sociedad*—ensayos, 1956—, *Ana Kleiber*—teatro, 1957—, *El cuervo*—teatro, 1958—, *Muerte en el barrio* —teatro, 1959—, *El pan de todos*—teatro, 1960—, *La cornada*—teatro, 1960—, *Guillermo Tell tiene los ojos tristes*—teatro—, *Las noches lúgubres*—narraciones, 1964—, *Oficio de tinieblas*—drama—, *Medea*—drama—, *Los acreedores*—drama—, *Mulato*—drama—, *La dama del mar*—drama—. Muchas de sus obras teatrales están traducidas al francés, al inglés, al ruso, al portugués...

V. TORRENTE BALLESTER, Gonzalo: *Teatro Español Contemporáneo*. Madrid. Edit. Guadarrama, 1957, págs. 332-338.—VALBUENA PRAT, Angel: *Historia del teatro español*. Barcelona. Edit. Noguer, 1956, págs. 683-684.

SASTRE, Marcos.

Nació en Montevideo en 1809. Falleció en Buenos Aires el 15 de febrero de 1887. Educador, periodista, escritor. Fundó la Librería Argentina. En la trastienda de esta fue inaugurado el célebre Salón Literario—1835—, donde se conocieron Echeverría, Alberdi, Juan María Gutiérrez, López y otros jóvenes pertenecientes a la generación argentina que había de quedar designada en nuestra historia con el nombre glorioso de "proscriptos". Ellos fundaron la *Joven Argentina*, imitando sociedades europeas análogas. Perseguido por la "Mazorca", hubo de cerrar la librería. En 1849, el general Arquiza le nombró director general de escuelas. En 1851, redactor jefe de *El Federal*, publicación oficial. Colaboró en el *Iris* y *Regeneración*. Después de Caseros, fue nombrado regente general de la Escuela Normal de la provincia de Buenos Aires. Su pasión de educador se revela a los diecinueve años, cuando estableció una escuela de enseñanza de latín, dibujo y primeras letras. Lavalleja interrumpe este primer intento de futuro pedagogo y lo lleva a desempeñar el cargo de oficial mayor del Senado. Entre otros libros y trabajos suyos conviene recordar: *Sistema de enseñanza primaria, La educación popular en Buenos Aires, Guía del preceptor, Educación popular, Manual del labrador argentino* y su *Anagnosia*, con decenas de ediciones, que fue el silabario de generaciones de argentinos. Por último, su *Tempe Argentino*, obra inmortal, en la que Marcos Sastre se revela como un artista, poeta de la Naturaleza, emotivo y documentado a la vez, descubriendo—literariamente—el paisaje del delta. El nombre de Marcos Sastre ha quedado indisolublemente ligado a la historia de la cultura argentina. En los anales de la enseñanza es una personalidad vigorosa. Víctor Mercante señaló lo siguiente en él: "Sastre, para los más, fue un poeta; para otros, un naturalista agrícola; tan preciso es en detallar las costumbres de los animales que habitan las islas y tan sagaz observador en observarlas."

V. LEGUIZAMÓN, Martiniano: *Marcos Sastre*, en *La Cinta Colorada*, Buenos Aires, 1926.—ROJAS, Ricardo: *La literatura argentina*. Buenos Aires, 1924, 2.ª edición, ocho tomos.

S

SAWA Y MARTÍNEZ, Alejandro.

Novelista y periodista español. Nació —1862—en Málaga. Murió—1909—en Madrid. Su adolescencia y su juventud se malograron en una absurda bohemia. Vivió algunos años en París, trabajando para una famosa casa editorial y amistando con los principales literatos franceses. En 1896 regresó a España, entregándose febrilmente al periodismo. Fue redactor de *El Motín, El Globo* y la *Correspondencia de España*, y colaboró en *A B C, Madrid Cómico, España, Alma Española*... Sus últimos años fueron trágicos: quedóse ciego y perdió la razón.

De escasa cultura, pero de gran temperamento, Sawa fue un novelista fuerte y extraño. "Escribió muchas novelas—escribe González-Blanco—, en que a un derroche de metáforas huguescas se unían una acuidad y una penetración en la vida sexual dignas de Zola; Sawa ha sido injustamente postergado, pero sus novelas quedan, pues son a la vez espirituales, como las del simbolista o decadentista más reciente en el uso de las alegrías e instrumentos nuevos del arte, y fuertes e intensas como la Verdad y como la Vida... El burilador de frases, que son luminosas como soles y rutiladoras como brillantes; el buscador de una nueva fórmula novelesca donde se mezclan la altisonancia lírica de Hugo y la notación brutal de la vida ruda que se encuentra en Zola."

Novelista "original y atrevido, florido y sensible" le califica Cejador. Y Cansinos-Asséns ha escrito: "Simbolistas, parnasianos y decadentes les han enviado—de París—, con Alejandro Sawa, un nuncio extraordinario [a los escritores españoles]. Lo que Ganivet ha sido para la generación del 98, lo ha sido Sawa para los jóvenes del 900."

Obras: *La mujer de todo el mundo*—novela, 1885—, *Crimen legal*—novela, 1886—, *Declaración de un vencido*—novela, 1887—, *Noche*—novela, 1889—, *Un criadero de curas*—novela, 1890—, *La sima de Igusquiza* —novela, ¿1897?—, *Iluminaciones en la sombra*—1910.

V. González-Blanco, Andrés: *Historia de la novela...* Madrid, 1909, pág. 701.—Cejador y Frauca, Julio: *Historia de la lengua y literatura españolas*. Tomo IX, pág. 433.— Cansinos-Asséns, Rafael: *Las escuelas literarias*, 1916, pág. 274.

SAWA Y MARTÍNEZ, Miguel.

Literato y periodista español. Murió —1910—en Madrid. Cuando aún no había cumplido los diecisiete años, se dedicó al periodismo. Dirigió el semanario *Don Quijote* y el diario coruñés *La Voz de Galicia*. En Madrid, donde llevó una vida bohemia, fue redactor de *El País* y uno de los primeros colaboradores de la famosa revista *El Cuento Semanal*, fundada por Eduardo Zamacois.

Miguel Sawa derrochó con su vida su ingenio—que fue mucho.

Obras: *Amor*—1897—, *Fernando el Calavera*—1903—, *Ave fémina*—1904—, *Crónica del centenario del "Quijote"*—1905—, *La muñeca*—novela, 1907...

SBARBI Y OSUNA, José María.

Literato, filólogo y musicógrafo español de mucho prestigio. Nació—1834—en Cádiz. Murió—1910—en Madrid. Muy niño aún, fue organista en varias iglesias de su ciudad natal y profesor en varios colegios particulares. Se ordenó sacerdote en el seminario gaditano. Maestro de capilla y organista en la catedral de Badajoz—1857—. Orador sagrado en Sevilla. Canónigo en Toledo —1868—. Y organista y capellán del Real Monasterio de la Encarnación, de Madrid, hasta el fin de sus días.

Sacerdote ejemplar, sabio, modesto y amenísimo, lleno de simpatía. Filólogo de extraordinaria competencia. Prosista castizo y de una riqueza enorme de vocabulario. Si hemos de creer a Cejador, "no fue admitido en la Academia Española, mereciéndolo mejor que cuantos en ella estaban a la sazón, por haberse picado Juan Valera por *Un plato de garrafales*, en que Sbarbi le sacó a relucir las faltas de lenguaje de *Pepita Jiménez*". En cambio, la Real Academia de San Fernando se honró contándole entre el número de sus individuos.

Sbarbi usó el seudónimo o anagrama de "José María Bisbar" en *El Averiguador*; el de "Juarraes Bombasán" en *Doña Lucía*, y el del "Doctor Marañón y Uñate" en un artículo de *El Averiguador*.

Obras: *El averiguador universal, correspondencia entre curiosos, literatos, anticuarios..., etc., etc., y Revista de toda clase de curiosidades*—siete tomos. Madrid, 1868 a 1882—, *Cervantes teólogo*—1870—, *El libro de los refranes*—1872—, *Florilegio o ramillete alfabético de refranes y modismos... de la lengua castellana*—1873—, *El refranero general español...*—1874—, *Doña Lucía*—novela crítica de la Academia, 1886—, *Ambigú literario*—1897—, *In illo tempore y otras frioleras, bosquejos cervantinos*—1903—, *Diccionario de andalucismos, Colección de refranes, adagios, proverbios y frases proverbiales, sentenciosas o idiomáticas que se hallan en las obras de Cervantes*—más de 2.500 papeletas...

V. Cejador y Frauca, J.: *Historia de la lengua y literatura españolas*. Tomo VIII, páginas 410 a 413.

SCARPA, Roque Esteban (v. Esteban Scarpa, Roque).

SCHIAVO, Horacio.

Poeta y prosista argentino. Nació —1903— en Buenos Aires. Cursó estudios en la Escuela de Arquitectura de la Facultad de Ciencias Exactas y en la Facultad de Filosofía y Letras, sin llegar a graduarse. Periodista. Colaborador en *La Nación* y en otros diarios y revistas de su patria y del extranjero desde 1927. Conferenciante. Secretario general de la Dirección de Bibliotecas Públicas Municipales de Buenos Aires. Formó parte del grupo literario Martín Fierro. En 1927 ganó el primer premio del concurso literario municipal con su poema *Aventura*.

Otras obras: *Construcción de Buenos Aires* —poema, 1936—, *Poema de la prisión terrenal, Cántico de Nuestra Señora, Mensaje a la sombra* —1942—, *Catedral infinita* —1942—, *Del tiempo herido* —sonetos, 1943—, *De amistad* —poemas, 1944—, *Mensaje a Europa* —1946—, *Antología poética* —Madrid, 1947...

SCHROEDER BILHERE, Juan Germán.

Autor y director teatral, ensayista. Nació —1918— en Pamplona, pero desde 1927 vive en Barcelona. Estudió el bachillerato con los jesuitas, y las licenciaturas de Medicina y Derecho, en la Universidad barcelonesa. En 1943 fundó el "Teatro Estudio", creando además "El Corral" y el Teatro de Cámara de dicha ciudad. En 1952 montó en la explanada del templo de la Sagrada Familia el auto sacramental de Calderón de la Barca *Pleito matrimonial del Alma y el Cuerpo*. En el Liceo barcelonés ha montado las obras de Menotti *El cónsul, Amelia al ballo* y *La médium; El castillo de Barba Azul*, de Bela Bartok; *Amunt*, de Altisent, y *Partita a pugni*, de Tossatti. En 1958 alcanzó el "Premio de Dirección" del Primer Ciclo Latino, y en 1962, el "Premio a la mejor dirección", otorgado por la crítica barcelonesa.

Ha adaptado varias obras clásicas: *La hidalga del valle, El príncipe despeñado, Los empeños de una casa, El jardín de Falerina*, y, aun con superior pericia y mejor arte, las obras de Lope *El anzuelo de Fenisa, La bella malmaridada, El caballero del milagro, Los locos de Valencia* y *Los melindres de Belisa*...

Su teatro, sin romper abiertamente con la tradición, está ideado y montado con una suprema originalísima y audaz.

Obras: *La ciudad sumergida, La esfinge furiosa, Estrictamente familiar, Medea, El romero de Santiago, Danza de la Vida y de la Muerte, La vergonzosa ternura, La trompeta y los niños* —"Premio Ciudad de Barcelona, 1959"—, *La ira del humo*.

SECO DE LUCENA, Luis.

Literato, historiador y periodista. Nació —1857— en Tarifa. Inició sus estudios en Sevilla, doctorándose —1878— en Filosofía y Letras en la Universidad de Granada. En este mismo año fundó *El Universal*. Y en 1880, *El Defensor de Granada*, periódico que ha influido decisivamente en el movimiento literario y en el progreso social de esta ciudad andaluza. Inició y llevó a cabo el proyecto de la coronación de Zorrilla, en 1889. En 1907 cedió *El Defensor* a la Sociedad Editorial de España y se dedicó por completo a su labor literaria e histórica. Hijo adoptivo y predilecto de Granada. Fundador del Ateneo y la Asociación de la Prensa granadinos. Académico correspondiente de la Real de Bellas Artes de San Fernando.

Obras: *La ciudad de Granada, La Alhambra, Idearium de la Alhambra, Síntesis y glosario de la historia de Granada, Guía artística de Granada, Anuario de Granada, Plano de Granada árabe...*

Seco de Lucena es un prosista brillante, de gran fuerza evocadora.

SEGALÁ, Manuel.

Nació en Barcelona el 10 de octubre de 1917. Murió —1958— en Río de Janeiro. Primera enseñanza y bachillerato en colegios particulares. Cursó estudios en las Facultades de Medicina y Filosofía y Letras de las Universidades de Barcelona y Zaragoza. Alterna sus actividades poéticas con la crítica literaria y el periodismo. Dirige en la actualidad la colección de poesía "Barca Nueva", de Barcelona, así como durante la permanencia de Juan Ramón Masoliver en el extranjero cuida de la revista *Entregas de Poesía*. Su vocación fallida es la de director de orquesta sinfónica. Aunque pase temporadas en Madrid, reside habitualmente en Barcelona.

Su poesía, primitivamente ribeteada de un romanticismo a lo Juan Ramón Jiménez, tiende a la búsqueda de un lazo de continuidad con la bélicamente escindida en 1936. Desde 1944, salvo contadas colaboraciones en revistas españolas —*Garcilaso, Corcel, Espadaña, Mensaje*, etc.—, no ha publicado ningún libro. Tiene anunciada, dentro de las ediciones de *Entregas de Poesía*, su *Soledad confusa*, recopilación de su labor poética de los dos últimos años.

Crítica literaria: *Antonio Ferreira* —selección, traducción y prólogo crítico. "Colección Poesía en la mano". Edit. Yunque, Barcelona, 1940—, *Marqués de Santillana: Poesías, serranillas y sonetos* —selección y prólogo. "Colección Flor y Gozo". Edit. Tipografía Moderna. Valencia, 1941.

Obras poéticas: *Poemas de ausencia* —Bar-

S

1131

celona, 1942. Edición limitada—, *La voz en el aire*—"Colección Barca Nueva", núm. 1. Editorial Berenguer. Barcelona, 1943—, *Romance a la Maja desnuda*—ed. para los amigos de la poesía y del poeta, núm. 1. Barcelona, 1943—, *Elegías*—Edit. Berenguer, Barcelona, 1944.

V. SAINZ DE ROBLES, F. C.: *Historia y antología de la poesía española*. Madrid, Aguilar, 1951, 2.ª edición.—GONZÁLEZ-RUANO, C.: *Antología de poetas españoles contemporáneos*. Barcelona, Gili, 1946.

SEGALÁ Y ESTALELLA, Luis.

Gran humanista y literato español. Nació —1873—y murió—1938—en Barcelona, en cuyo Instituto cursó el bachillerato. En Barcelona y en Madrid estudió Derecho y Filosofía y Letras, doctorándose en ambas Facultades. Discípulo de Clemente Cortejón y de Menéndez Pelayo. Catedrático de Lengua griega en la Universidad de Sevilla—1899—. Catedrático de Lengua y Literatura griegas —1906—en la Universidad de Barcelona. Y en esta misma Universidad, de Lengua latina y—un curso—de sánscrito. Socio numerario de la Association pour l'Encouragemen des Etudes Grecques, de París; de la Bizantiologique Etairia, de Atenas; de la Real Academia Sevillana de Buenas Letras; de la Real Academia de Buenas Letras de Barcelona. Dirigió la "Biblioteca de autores griegos y latinos", la "Colección de autores clásicos griegos y latinos" y la "Bibliotheca Scriptorum Graecorum et Romanorum cum ibericis versionibus", del Institut d'Estudis Catalans.

Segalá y Estalella fue un humanista excepcional, de cultura honda y vasta. Sus versiones de obras griegas no han sido superadas en España ni, posiblemente, en otra lengua viva europea.

De sus traducciones de la *Ilíada* y de la *Odisea*, de Homero, certificó Menéndez Pelayo que eran "el más digno tributo que la ciencia de nuestros helenistas ha pagado a la primera epopeya del mundo".

Obras: *Gramática sucinta del dialecto homérico*—1904—, *Himnos homéricos, epigramas, Batracomiomaquia y fragmentos de obras perdidas atribuidas a Homero*—traducción, 1926—, *Frases famosas*—1911—, *El renacimiento helénico en Cataluña*—1916—, *Cuadro sinóptico de la literatura griega profana*—1916—, *Resum de sintaxi llatina* —1923—, *Crestomatía latina, Vocabulario del libro I de la "Anábasis", de Jenofonte*...

SEGOVIA, Angel María.

Autor dramático y periodista de singular ingenio. Nació—1848—en Logroño. Murió —¿1909?—en Madrid. Antes de cumplir los veinte años se trasladó a Madrid, dedicándose al periodismo. Redactor de *Las Novedades* —1870—. Fundador de *La Izquierda Dinástica* y de *La Estafeta*.

Escritor fecundísimo, de positiva gracia, sátira acerada y prosa selecta. Sus obras teatrales pasan de cien. Costumbrista admirable.

Obras no teatrales: *Cervantes, nueva utopía*—1861—, *Una esquela de un ateo* —1872—, *Melonar de Madrid (Semblanzas, bocetos, caricaturas...)*—1876—, *Figuras y figurones*—1877—, *Sermones de misión cuadragesimal...*—1871—, *Un reo de muerte* —novela, 1879...

Teatro: *Don Blas el Zapatero, La familia H, Amor musical, El conde del Tomate, La noche del besugo, La mejor suegra, Guerra europea, La muerte de Viriato, Fruta prohibida, Isabel y Mansilla, El quinto, El hambriento*...

V. CEJADOR Y FRAUCA, Julio: *Historia de la lengua y literatura españolas*. Tomo VIII, páginas 328 y 329.

SEGOVIA, Pedro Guillén de (v. Guillén de Segovia, Pedro).

SEGOVIA E IZQUIERDO, Antonio María.

Notable poeta, periodista y autor dramático español. Nació—1808—y murió—1874— en Madrid. En 1820 ingresó como cadete en la Guardia de Infantería. Dos años después, por sus ideas liberales, hubo de abandonar la carrera militar. En 1832 se inició en el periodismo, utilizando y haciendo famosos los seudónimos de "El Estudiante" y "El Cócora". Redactor de *El Semanario Crítico* —1833—, *El Jorobado*—1836—, *El Mundo* —1837—, *Nosotros*—1838, del que fue también fundador—, *El Correo Nacional*—1839—, *El Piloto*—1839—, *El Entreacto*—1839—y otros varios. Fundó *El Estudiante*—1839—, *Abenamar*—1839—, *El Cócora*—1860—, *El Progreso*—1865—. Colaboró en el *Semanario Pintoresco Español, El Museo Universal* y *La Ilustración Española y Americana*. En 1840 emigró a París. Entre 1843 y 1845 sirvió en la carrera consular, trasladándose a Singapur, Nueva Orleáns y Santo Domingo. Académico de la Española en 1845, y su secretario desde 1873. Académico de la Real de Bellas Artes de San Fernando—1847.

Tuvo Segovia atrevimiento, gracejo y oportunidad. Distinguióse también por su corrección académica, estilo ameno y jovial y su castizo lenguaje. Poeta festivo de alguna intención, imitando a Larra. Sacáronle de quicio los barbarismos.

Obras: *Manual del viajero español de Madrid a París y Londres*—1851—, *Composiciones en verso y prosa*—1839—, *Del drama li-*

rico y de la lengua castellana como elemento musical, Los anónimos, los anonimistas y los anonimados—1873, contra los seudónimos, de los cuales él había abusado tanto—, y las producciones escénicas *La embajadora, La abdicación de una reina, Don Pacífico, A un cobarde, otro mayor, ¿Cuál de los tres es el tío?, El peluquero en el baile, El aguador y el misántropo, Vida prosaica, Trapisondas por bondad...*

V. BALLESTEROS ROBLES, L.: *Diccionario biográfico matritense*. Madrid, 1912.—CEJADOR Y FRAUCA, J.: *Historia de la lengua y literatura españolas*. Tomo VII, págs. 282 a 284.

SEGURA, Juan Lorenzo.

Poeta español de época desconocida. Posiblemente nació en Astorga, vivió durante el siglo XIII y fue clérigo. De la última copla del famosísimo *Libro de Alexandre*, en el códice de Madrid—Biblioteca Nacional, editado por Tomás Antonio Sánchez—, se deduce que fue *Juan Lorenzo Segura de Astorga* el autor de obra tan magnífica. La Academia Española le ha incluido en el *Catálogo de autoridades* del idioma.

En el otro códice—de París—que se conserva del *Poema*, se insinúa que el autor fue Berceo. Muchos críticos—entre ellos Cejador—se inclinan por este gran poeta. Pero la crítica más seria—Menéndez Pelayo, Menéndez Pidal—afirma la paternidad de Segura, ya que el nombre de este consta en documentos auténticos de Astorga, y que, además, el códice de París es posterior en más de un siglo al de Madrid.

Creo oportuno copiar aquí lo que digo del *Libro de Alexandre* en mi *Historia y antología de la poesía castellana*—Madrid, 1946—: "¿Quién fue el autor del *Libro de Alexandre*, poema de más de diez mil versos, cuyo héroe es Alejandro, rey de Macedonia, escrito en *cuaderna vía*? Se le ha atribuido a Berceo, atribución improbable, ya que difiere de las demás obras del preste de San Millán en el asunto y en el tono y en la unción consiguientes, aun cuando no en la sencillez en el contar, y en la fecundidad de describir por menudo y a veces pintorescamente, y en versificar llana y corrientemente, y en la tendencia a aceptar como válido cuanto halla escrito en códices latinos, y en la paridad de léxico y construcción, y en los chistosos anacronismos. Sin embargo, la crítica moderna ha repudiado esta atribución. De los dos textos del poema que hoy poseemos, el de la Casa de Osuna—Biblioteca Nacional de Madrid—y el de la Biblioteca Nacional de París, en el primero, editado—1782—por don Tomás A. Sánchez, se lee que escribió 'este dictado' Juan Lorenzo Segura de Astorga; lo que no prueba realmente que sea su autor, ya que el nombre consta en la inscripción paleográfica del códice, parte en la que solían firmar los copistas. También ha sido atribuido, con mucha menos razón, a don Alfonso X y al arcediano Jofre de Loaysa. Precisamente en el códice de París es donde se lee el nombre de Berceo. Pero este, como Juan Lorenzo, pudo haberse limitado a la copia del manuscrito que estuviera en la biblioteca del monasterio de San Millán de la Cogolla. El códice de Madrid acredita formas lingüísticas del dialecto leonés, y el de París, del aragonés.

Morel-Fatio, editor del *Libro de Alexandre* —códice parisiense—, ha precisado las fuentes de este interesante poema. Las principales son dos poemas, uno latino medieval, el *Alexandreis*, de Gualtero de Chatillon—que recogía una reminiscencia, entre histórica y fantástica, de Quinto Curcio Rufo sobre el gran macedonio—, y otro francés, *Le roman d'Alexandre*, empezado por Lambert-li-Tors y terminado por Alejandro de Bernay o de París. Menéndez Pelayo asegura que el anónimo autor del *Libro de Alejandro* tuvo constantemente a la vista los dos modelos, ya que, a veces, escribe rápido y seco, muy inclinado a las personificaciones alegóricas, como Gualtero, y, en ocasiones, escribe difuso, con tendencias a lo moderno y maravilloso, como Alejandro de Bernay. Como fuentes secundarias, Moret-Fatio señala el *Epítome*, de Juan Valerio; la supuesta carta de Aristóteles a Alejandro; el poema francés del clérigo Simón; relatos árabes; el *Liber praeliis*, del arcipreste León. Es sumamente curioso el estudio del gran arabista García Gómez sobre el texto árabe de la leyenda de Alejandro. Posteriormente a este texto, basada en él, hubo otra versión aljamiada. Intercalado en el *Libro de Alexandre*, a modo de digresión bastante inoportuna, está otro poema de 1.688 versos sobre el sitio y destrucción de Troya, cuyas fuentes no son ni Homero ni Virgilio, sino la *Crónica Troyana*, de Guido de Colonna, quien se inspira a su vez en *Daris el Frigio* y en *Dictis cretense*, y también en un cierto compendio latino de la *Ilíada* que corría con el nombre de Píndaro Tebano. Algunas otras intercalaciones de menor monta pueden señalarse: los 104 versos sobre la corrupción de las costumbres en los Estados todos del mundo; los 304 versos en que se refiere poco felizmente un descenso a los infiernos; el *exemplo* o apólogo del codicioso. Aparte estas digresiones enojosas, el poema presenta una indudable unidad en cuanto al autor y en cuanto al asunto. Pero si este último no es original, ¿qué mérito es el que podemos conceder al autor español? El de la poesía. El del estilo. El de la imaginación. Crítico tan reparón como Puymaigre reconoce que no todo en el *Alexandre* es una imitación servil. El español expone mucho más felizmente que Gualtero y que Bernay.

"Muchos de sus versos—concede Puymaigre—son lánguidos e incoloros; pero otros llevan el sello de verdadero poeta, y se destacan brillantes y poderosos de relieve." El español tiene una fantasía fogosa y pintoresca. No acierta tanto como Berceo; pero cuando da en el clavo, da con más poder, da con más empuje, da con más originalidad. Versos magistrales *sueltos* abundan en su obra; pero tampoco faltan verdaderos cuadros poéticos que nada pierden al ser aislados del conjunto. Entre sus muy felices descripciones sobresalen: la presentación de la reina de las Amazonas Calestrix—el más antiguo retrato de mujer en la poesía castellana y no el menos feliz—; la evocación de la primavera; el detalle de la tienda de Alejandro; la enumeración de las maravillas de Babilonia y de los misterios de la India y de los palacios de Poro; el relato de la muerte del héroe.

El autor anónimo del poema se apresura a declarar cómo concibe su arte y a qué escuela literaria se radica:

> Mester trago fermoso, non es de ioglaría
> mester es sin pecado, ca es de clerezía,
> fablar curso rimado por la cuaderna vía
> a sillabas cuntadas, ca es grant maestría.

En el poema abundan los más graciosos anacronismos. La madre de Aquiles esconde a este en un convento de monjas. Alejandro recibe la Orden de Caballería y es asesorado por doce pares. Aristóteles resulta un perfecto doctor escolástico. Se canta el *Te Deum*. Alejandro estudia a base de silogismos. El conde don Demóstenes inflama con su elocuencia a los atenienses. Pero estos anacronismos no hacen sino dar un encanto más al poema. Nadie se asombra de que el Veronés y Correggio pinten las figuras bíblicas en un ambiente y en un ámbito italianos del siglo XV. El *Alexandre* fue, por su argumento, mucho más conocido que las obras de Berceo. El autor del *Poema de Fernán González*—siglo XIII—le tomó versos enteros; la descripción que de la tienda de don Amor hace el arcipreste de Hita —siglo XIV—está imitada de la descripción de la tienda de Alejandro; el cronista del conde de Buelna, don Pero Niño, pone—siglo XV—en boca del ayo del conde los mismos *amaestramientos morales* que en el poema dirige Aristóteles a Alejandro. Repentinamente debió de caer en el desinterés, porque ya el marqués de Santillana no lo cita sino como anónimo.

Ediciones modernas: Dresde, 1906, por A. Morel-Fatio; tomo LVII de la "Biblioteca de Autores Españoles", de Rivadeneyra; Princeton, 1934, por R. S. Willis.

Grandes fragmentos del poema se recogen: *Antología de poetas líricos,* de Menéndez Pelayo; *Historia y antología de la poesía castellana,* de Sainz de Robles; *Poesía de la Edad Media,* de Dámaso Alonso.

V. MOREL-FATIO, A.: *Recherches sur le texte et les sources del "L. de A.",* en *Romania,* 1875, IV.—MOREL-FATIO, A.: *Estudio* en la ed. de Dresde, 1906.—WILLIS, R. S.: *Estudio* en la ed. de Princeton, 1934.—GIROT, G.: *La guerre de Troie dans le "L. de A.",* en *Bulletin Hispanique,* 1937, 328.—MACÍAS, M.: *Juan Lorenzo de Segura y el "Poema de Alejandro".* Orense, 1913.—MENÉNDEZ PIDAL, R.: *El "Libro de Alexandre",* en *Cultura Española,* V, 22.—GARCÍA GÓMEZ, Emilio: *Un texto árabe occidental de la leyenda de Alejandro.* Madrid, 1929.

SEGURA, Manuel Ascensio.

Poeta, narrador, autor dramático peruano. Nació—1801—y murió—1871—en Lima. Siguió la carrera militar, llegando a ser comisario de Guerra y Marina. Administrador de Aduanas. Diputado a Cortes—1860—. En 1839 fundó *El Comercio de Lima,* decano de la Prensa peruana; en 1841, *La Bolsa;* en 1843, *El Cometa;* en 1849, *El Moscón.*

En el teatro consiguió grandes éxitos con *El sargento Canuto, La moza mala, La saya y el manto, Ña Catita, El resignado, La espía, Nadie me la pega, El Cacharpari, Un juguete, El santo de Panchita*—en colaboración con Ricardo Palma—, *Lances de Amancaes, Las tres viudas...*

Otras obras: *Le Pelimuertada*—poema satírico, 1849—, *Artículos, poesías y comedias* —Lima, 1886.

V. SÁNCHEZ, Luis Alberto: *La literatura peruana.* Santiago, 1936, tres tomos.—MONLLOA COVARRUBIAS, M.: *El teatro en Lima.* Lima, 1909.

SELGAS Y CARRASCO, José.

Poeta, novelista y periodista español. 1822-1882. De Lorca (Murcia). Por haberse quedado huérfano, tuvo que abandonar sus estudios en el seminario de San Fulgencio, de Murcia. En Madrid le protegieron el conde de San Luis y Fernández Guerra; el primero le consiguió algunos empleos no mal remunerados para la época; el segundo le llevó a la Academia Española. Y González Bravo le hizo diputado. De ideas moderadas, fundó el famoso periódico satírico *El Padre Cobos,* para combatir a los progresistas.

Durante el período revolucionario de 1868

a 1870 fue el más firme y eficaz colaborador de *La Gorda,* periódico de ruda oposición. Subsecretario de la Presidencia con Martínez Campos en pleno período de restauración. Católico, moral y conservador, Selgas fue un poeta delicado, que cantó con aciertos definitivos a la Naturaleza.

En su más famoso libro, *La primavera,* Cañete hallaba "dos cualidades importantísimas, pero muy difíciles de concertar: el espiritualismo, la vaguedad, la melancólica ternura de las poesías del Norte; la gallardía, la frescura, la riqueza, la pompa de las poesías meridionales". Como jugueteando, Selgas encerró pensamientos muy hondos en las palabras más sencillas y musicales del idioma castellano. En *El estío,* el tema amoroso es tratado por Selgas sin retórica alguna, en ese tono menor y delicado, melancólico, de su modelo, Bécquer.

Selgas fue también un novelista delicado, ameno, original, que escribió en excelente prosa. En sus artículos de polémica se mostró satírico implacable, jugueteando con ideas y vocablos, equívocos y retruécanos.

Obras poéticas: *Primavera*—1850—, *Estío* —1882—, *Flores y espinas*—1882—, *Versos póstumos*—1883.

Novelas: *Deuda del corazón*—1872—, *La manzana de oro*—1873—, *Un rostro y un alma, Dos para dos, Las dos rivales, Una madre*—1883—, *Nona, Mal de ojo, La mariposa blanca...*

Otros libros: *El Angel de la Guarda* —1875—, *Escenas fantásticas*—1876—, *Cosas del día*—1879—, *Historias contemporáneas, Mundo, demonio y carne; El corazón y la cabeza, Hojas sueltas, Más hojas sueltas, Un retrato de mujer...*

Entre 1884 y 1894 se publicó una excelente edición de sus *Obras,* en 13 volúmenes.

V. Monner Sans, R.: *Don José Selgas.* Buenos Aires, 1916.—Díaz de Revenga, E.: *Estudio sobre Selgas.* Murcia, 1915.

SELVA, Salomón de la.

Poeta y prosista nicaragüense. Nació —1893—en León. Cursó el bachillerato y su carrera universitaria en los Estados Unidos. Escribió poemas en un inglés tan perfecto, que en varias antologías estadounidenses se incluyeron sus poemas considerándole escritor norteamericano.

Durante la primera gran guerra mundial (1914-1918) luchó en las filas del ejército inglés. Ha viajado por toda América, España e Italia. Catedrático, periodista, *leader* obrero, conferenciante...

En 1933 fundó y dirigió en Panamá un semanario bilingüe: *Digesto Latinoamericano.*

Obras: *Tropical Town*—Nueva York, 1918—, *El soldado desconocido*—México,

1922—, *Oda a la tristeza y otros poemas, Sonata de Alejandro Hamilton, Evocación a Horacio*—1947, premiada en los Juegos florales de Mérida, Yucatán—, *Sajadya*—poema, 1944.

V. Nueva poesía nicaragüense. *Introducción* de Ernesto Cardenal. *Selección y notas* de Orlando Cuadra Downing. Madrid, 1949.

SELLÉS Y ÁNGEL, Eugenio.

Prosista y autor dramático español de mucho relieve en su época. Nació—1842— en Granada. Murió—1926—en Madrid. Marqués de Gerona y vizconde de Castro y Orozco desde 1909. A los veinte años se licenció en Leyes en la Universidad de Madrid. Desde 1869 se dedicó al periodismo y a la literatura, abandonando el ejercicio de la abogacía y su cargo de fiscal. Desde 1862 había empezado a publicar versos con los seudónimos de "E. Ugen" y "O'Sesell". Académico de la Real Española desde 1895. Presidente de la Sociedad de Autores Dramáticos Españoles. Consejero de Instrucción Pública. Redactor de *La Iberia, El Universal, El Globo* y la *Correspondencia de España.*

"El teatro de Sellés pertenece a la briosa y exaltada escuela dramática de Echegaray; pero siempre docente y de tesis. Quiso su autor que fuese moral y realista... Es un continuado juego de ingenio, por el cual, metido el autor en los más de sus personajes, que no tienen otra personal característica, hacen observaciones, sacando el jugo moral a la vida en sentencias brillantes y bien talladas, como él sabía escribirlas, a fuer de excelente literato. Faltan los caracteres y los choques dramáticos que de ellos naturalmente habían de resurtir y, por consiguiente, falta la sustancia dramática. Fue Sellés culto y brillante prosista." (C.)

Casi todas sus obras dramáticas levantaron encontradísimas oposiciones, y alcanzaron grandes éxitos estrepitosos o se hundieron en estrepitosos fracasos. Su obra maestra es *El nudo gordiano*—1878—, inspirada en otra de Dumas (hijo) titulada ¡*Mátala!,* que se representó centenares de veces, y no desmerece al lado de las mejores de Echegaray.

Otras obras escénicas: *La torre de Talavera*—1877—, *Maldades que son justicias* —1879—, *El cielo o el suelo*—1880—, *Las esculturas de carne*—1883—, *Las vengadoras* —1884—, *La vida pública*—1885—, *El celoso de su imagen, o Hacer mal por querer bien* —1893—; *La mujer de Loth*—1896—, *Los domadores*—1898—, *Las serpientes*—1900—, *Tragedia de celos*—1910—, *Icaro*—1910—, *Cleopatra, La vejez de Don Juan, Honor sin conciencia, El esqueleto de Venus, La nube*

S

—zarzuela—, *La balada de la luz*—zarzuela—, *La barcarola*—zarzuela—, *El rayo verde...*

Otras obras: *El periodismo en España* —discurso de ingreso en la Real Academia Española, 1895—, *Narraciones*—1892—, *La política de capa y espada*—1876—, *El tintero de Talavera*—novela—, *Tragedia de celos*—novela.

V. SAINZ DE ROBLES, F. C.: *Historia y antología del teatro español.* Madrid, 1943, tomo VII.—PI Y ARSUAGA, F.: *Echegaray, Sellés y Cano.* Madrid, 1884.—ALVAREZ ESPINO, R.: *Ensayo de crítica sobre "El nudo gordiano".* Cádiz, 1879.—BLANCO GARCÍA, P.: *La literatura castellana en el siglo XIX.* Madrid, 1898.—MÉNDEZ BEJARANO, M.: *La literatura española en el siglo XIX.* Madrid, 1921.—MENÉNDEZ PIDAL, R.: *Eugenio Sellés,* en *Boletín de la Academia de la Lengua,* 1926, XIII.

SEM TOB.

Gran poeta español. ¿1290-1369? Su nombre equivale en castellano al de *maestro don Buen Nombre.* Nació en Carrión de los Condes, villa de Castilla la Vieja. Abjuró el judaísmo y se mostró como muy buen cristiano. Fue muy protegido por el rey don Pedro I, el *Cruel.*

Sem Tob es el primer judío que escribe en castellano. Se cree que nació en Carrión de los Condes. Cuando terminó su obra era ya hombre canudo y muy de vuelta de todos los desengaños. Con gracia, con nobleza, en muy buena medida, con apropiadas metáforas y cierto colorido oriental, supo airear doctrinas muy sustanciosas, tomadas de la Biblia, del Talmud, de Avicebrón, de Pedro Alfonso. Si peca, en ocasiones, de oscuridad y de cierta sequedad, se debe a su extremada concisión y a las muchas alegorías y metáforas. Como un gran trovador lo consideraba el marqués de Santillana.

Su obra, *Proverbios morales,* dedicados al rey don Pedro el *Cruel,* es importantísima, por ser la primera muestra de poesía *gnómica* y por la innovación que aporta a la métrica pesadísima del *mester de clerecía,* escribiendo sus proverbios en cuartetas de versos heptasílabos, propios de la poesía rabínica; aun cuando cabe pensar si no sería tal inovación sino el resultado de dividir el alejandrino, propio del *mester de clerecía,* en dos hemistiquios.

Los *Proverbios* comprenden 686 estrofas y están influenciados por las máximas de la Biblia, del Talmud, de Avicebrón, de Pedro Alfonso; son sentencias tan admirables por su sabiduría como por su poesía auténtica, en un estilo conciso, con cierto carácter exótico de sabor oriental y con un cierto

regusto de la melancolía filosófica. Es indisputable el talento poético de Sem Tob, que triunfa con delicada gracia de la aridez de los temas y que logra metáforas y comparaciones de una originalidad y riqueza sorprendentes.

Sin reparar en su condición de judío, y precisamente aludiendo a ella, copiando un verso del propio Sem Tob, el marqués de Santillana alabó cumplidamente los *Proverbios:*

> Por nascer en espino
> la rosa, no siento
> que pierde, ni el buen vino
> por salir del sarmiento.

El poema de Sem Tob ha llegado a nosotros en dos códices muy diversos; el mejor, el custodiado en la Biblioteca escurialense, que comprende 686 estrofas; otro, el de la Biblioteca Nacional de Madrid, que consta solo de 627. En el género iniciado por Sem Tob escribieron con mucha soltura y el mejor espíritu el marqués de Santillana, Fernán Pérez de Guzmán, Gómez Manrique, Alonso de Baros, Pérez de Herrera, Guajardo Fajardo.

Le fueron atribuidos a Sem Tob, por hallarse en el mismo códice que sus *Proverbios,* la *Visión del ermitaño,* la *Danza de la muerte* y la *Doctrina de la discrición,* tres poemas de muy diversa extensión y mérito, y ninguno de los tres anterior al siglo XVI.

Los *Proverbios* pueden leerse en el tomo LVII de la "Biblioteca de Autores Españoles", de Rivadeneyra; en el tomo III de la *Antología de poetas líricos,* de Menéndez Pelayo. *Proverbios morales.* Cambridge, 1947, edición preparada por Ignacio González Llubera.

V. SAINZ DE ROBLES, F. C.: *Historia y antología de la poesía española.* Madrid, 1964, 4.ª edición.—GONZÁLEZ LLUBERA, Ignacio: *The Test and Languaje of S. de Carrións, "Proverbios morales",* en *Hisp. Rev.,* 1940, VIII, 13.—MENÉNDEZ PELAYO, M.: *Historia de la poesía castellana en la Edad Media.* I, 330 y sigs.—CASTRO, Américo: *Los judíos en la literatura y en el pensamiento españoles: D. Sem Tob,* en *La realidad histórica de España.* Cap. XIV, págs. 525-61.—SÁNCHEZ ALBORNOZ, Claudio: *Sem Tob,* en *España, un enigma histórico.* Vol. I. Cap. IX, páginas 535-614.

SENADOR GÓMEZ, Julio.

Literato y pensador español. Nació—1872— en Cervillego de la Cruz (Valladolid). Abogado. Notario. Ha viajado por varios países de Europa. Desempeñando las notarías de varios pueblos humildes y depauperados de

España, se puso en directa comunicación con el espíritu humillado y noble de los campesinos castellanos. El amor a estos y sus muchos conocimientos económicos y sociales dictaron los mejores de sus libros, pletóricos de ideas y de ideales y escritos en una magnífica prosa, la aparición de cada uno de los cuales provocó encendidas controversias y entusiastas elogios.

Obras: *Castilla en escombros*—Valladolid, 1915—, *La tierra libre*—Valladolid, 1918—, *La ciudad castellana, Entre todos la matamos*—Barcelona, 1919—, *La canción del Duero*—Madrid, 1919.

SENDER, Ramón, J.

Novelista y periodista español. Nació —1902—en Alcolea de Cinca (Huesca). Se educó en un colegio de religiosos. Estudió en el Instituto de Zaragoza y en la Universidad de Madrid. Realizó su servicio militar en Marruecos, escribiendo por entonces su novela de ambiente marroquí *Imán*. Después se dedicó por completo a la literatura y al periodismo. Colaboró en *El Sol,* de Madrid. De ideas republicanas. Visitó Francia, Alemania y Rusia. Durante la guerra civil española defendió sus ideales políticos con las armas y la pluma. Ha vivido, desde 1939, exiliado en Guatemala, México y—actualmente—en Alburquerque (Estados Unidos). Es "Premio Nacional de Literatura, 1935", por su novela *Mr. Witt en el Cantón.*

Sender posee vigor, realismo de la mejor cepa española, maestría narrativa. Sus novelas han sido traducidas al inglés y al francés. Actualmente está considerado como el máximo novelista español por algunos críticos.

Otras obras: *El problema religioso en México*—1928—, *Siete domingos rojos*—1932—, *El Verbo se hizo sexo*—biografía novelesca de Santa Teresa de Jesús, sumamente caprichosa—, *Contraataque*—1938—, *El viento en la Moncloa, La guerra en España, Man's Place*—en inglés, 1940—, *El lugar del hombre*—novela, 1939—, *Proverbio de la muerte* —1939—, *Hernán Cortés*—1940—, *O. P. (Orden Público)*—1941—, *Crónica del alba* —1942—, *Epitalamio del Prieto Trinidad* —1942—, *La esfera*—Buenos Aires, 1947—, *El rey y la reina*—1947—, *El verdugo afable*—1952—, *Los cinco libros de Ariadna* —1957—, *El diantre*—1958—, *Los laureles de Anselmo*—1958—, *La llave*—1960—, *La Quinta Julieta, El mancebo y los héroes, Mosén Millán, Requiem por un campesino español* —1960—, *El bandido adolescente*—1965—, *Bizancio*—dos tomos, 1968—, *Jubileo en el zócalo*—1968—, *La tesis de Nancy*—1967—, *Las criaturas saturnianas*—1968—, *La luna de los perros*—1969—, *En la vida de Ignacio Morel*—"Premio Planeta, 1969"...

V. BARBUSSE, H. (ed.): *Spanish Omnibus.* LORD, David: *This Man Sender,* en *Books Abroad,* XIV, 1940, págs. 352-54.—MARRA-LÓPEZ, José R.: *Narrativa española fuera de España (1939-1961).* Madrid. Edit. Guadarrama, 1963, págs. 343-409.—NORA, Eugenio G. de: *La novela española contemporánea.* Madrid. Gredos, 1962. Tomo III, págs. 35-48. ALBORG, Juan Luis: *Hora actual de la novela española.* Madrid. Taurus, 1962. Tomo II, págs. 21-73.

SÉNECA, Lucio Anneo.

Hacia el año 4 de la era de Cristo nació Séneca en Córdoba. Fue el segundo de los hijos de Marco Anneo "el Retórico". Córdoba, ni en presunción cristiana ni árabe, era entonces cielo y tierra nada más. Cielo impasible. Tierra estoica. ¿Qué mejores padrinos o mentores del senequismo? Lucio Anneo fue siempre un espíritu descomunal en un cuerpo enteco y enfermizo. Sí, el cuerpo no le sirvió siempre sino para darle idea de su destino inevitable de perduración.

Su primer maestro, su padre. Cierto epicureísmo. Cierto desdén por las acciones y las cosas inevitables. Cierta propensión a ponerse de frente a la cara buena de cada día. En Roma estudió poesía y elocuencia. Y nuevos maestros: Atalo, el epiléptico; Metronax, Fabiano, Demetrio "el Cínico", el pitagórico Sotión. Sobre todas, las doctrinas de este le excitaron hasta el punto de que no era dicha filosofía, para él, letra muerta ni un vano ejercicio oratorio, sino una regla práctica a la que se esforzaba en acomodar su vida. Tales prácticas ascéticas disgustaban profundamente al padre retórico, quien ordenó a su hijo que viajase. Séneca estuvo mucho tiempo en Egipto, de donde era prefecto un hermano de su madre; y quizá llegó hasta la India, si hemos de creer a Plinio, quien asegura que Séneca había escrito una Memoria acerca de este país. De regreso a Roma, practicó la abogacía. Ocho años permaneció desterrado en Córcega, a causa de haber sido acusado de mantener relaciones con Julia, hija de Germánico. Muerta Mesalina, Polibio, liberto de Claudio, a quien dedicó el gran cordobés uno de sus mejores libros, *Ad Polybium de Consolatione,* consiguió que se le dejara regresar a Roma. Desposada Agripina con Claudio, encomendó a Séneca la educación de su hijo Domicio, el futuro Nerón. Y ya..., los honores, la gloria, la riqueza..., que hicieron un Séneca contemporizador, epicúreo, ansioso de los éxitos fáciles del foro, tan distinto del ascético mancebo de Córdoba. Pretor y más tarde cónsul, Séneca llegó a reunir una colosal fortuna, que Justo Lipsio calculó en 500 millones de sestercios. Eso

S

sí: a sus invitados servíales pobres viandas en vajilla de oro puro y sobre mesas de cedro. Si como orador forense le odió Calígula, y aun pretendió asesinarle, como filósofo y moralista llegó a odiarle su discípulo Nerón. A ordenarle que se le diera la muerte no le movieron las insinuaciones de Publio Suilio, de Sabina y de Tigelino, que acusaban a Séneca de "ladrón del Fisco"; le movieron inconfesables odios contra quien le presentaba el espejo limpio donde se reflejaban netos sus crímenes de poeta, de hijo y de emperador. La moral de Séneca, caída en el alma infame de Nerón, dejaron en ella los reconcomios, las dudas, las claridades del propio conocimiento. Nerón no perdonó a Séneca que le hiciera comprenderse infame y poetastro.

Séneca se suicidó abriéndose las venas tomando un veneno y haciéndose introducir en una estufa, cuyos vapores le asfixiaron. Murió tranquilamente, casi alegremente. Supo renunciar sus bienes en la persona de su verdugo. Supo aconsejar a cuantos presenciaron sus últimos momentos la templanza en las acciones, la morigerancia en las apetencias, la resignación a los dolores, el perdón desdeñoso de las ofensas.

Séneca es un filósofo estoico. El cielo y la tierra de Córdoba, impasible aquel, imperturbable esta, le lograron así. Pero no un estoico ortodoxo, ya que ni fundó un sistema riguroso y profesó una gran libertad crítica frente a los mismos maestros a quienes siguió de ordinario; y si mancebo escuchó con fervor las enseñanzas de un pitagórico, hombre joven discutió afablemente con un cínico, y hombre maduro se entusiasmó con los escritos de Platón. Cuanto hay de vigoroso, de sano, de cristiano, en la obra de Séneca, más que de esta, rezuma de su alma admirable. Estoicismo el suyo templado y acomodado a la flaqueza humana, pero a la que jamás mima. Ni especulativo ni metafísico, rehuyendo las abstracciones, toma de la filosofía la parte práctica y moral. Todo en Séneca rebosa hambre de virtud y de justicia. Y si le falta plan, orden, unidad, se derrama de sinceridad honda, de grandeza de miras, de nobleza de pensamientos. Todo en él es nervio y calor. Su virtud, tan humana, tan imponente de ejemplaridad y tan porque sí, se llamó desde entonces senequismo. Cuanto en el senequismo hay de doctrina cristiana pudo llegar a Séneca por medio de San Pablo, al que, tal vez, conociera en Roma el año 62.

De las obras de Séneca son las menos conocidas sus tragedias. Tragedias más para ser leídas que para ser representadas. Tragedias en las que se delatan todas las efusiones morales del gran cordobés, y que son nueve: *Medea, Edipo, Hipólito, Tiestes, Hércules, furioso; Hércules Oeteo, Hécuba, Agamenón, Troianas, Fenicia*. La *Octavia* no es de Séneca. Son sumamente originales y contienen muchas ideas filosóficas en un sentido estoico, verbigracia: "Sobre el destino, el fin del mundo, la muerte, el suicidio, etc., aplicó a los modelos griegos los recursos de su educación retórica para producir efecto. Sabe desarrollar descripciones pintorescas, expone magistralmente los afectos, presenta de manera decisiva las situaciones adecuadas a los sentimientos que en cada caso embargaban al auditorio; pero no se compenetra con los caracteres desarrollados, con los motivos de las diferentes acciones, con el gradual desenvolvimiento dramático de un asunto." (H. y P.) "Trata a su modelo más como retórico que como poeta. Ante todo, le importa el discurso: el movimiento dramático ocupa para él un lugar secundario; busca escenas que pongan en tensión el ánimo; por eso descuida la trabazón de las partes para la formación de un todo armónico; necesita, por tanto, el empleo de acentos arrogantes para excitar los nervios adormecidos de su público, pues le falta el secreto de la armonía, que se desprende de todas las obras griegas con dulce calor. El rasgo característico de estas obras de Séneca lo constituyen la carencia de medida, lo forzado, lo patético." (Schanz.)

Infinitamente más valió Séneca como pensador, como filósofo, como retórico. Su talla intelectual y moral es realmente gigantesca. Su influencia fue en su época, y en toda la Edad Media, de incalculable resonancia. Le imitaron. Le copiaron. La juventud romana se enardeció con sus obras. Séneca ha influido en Tertuliano, Lactancio, Martín de Braga, Boecio, Pérez de Guzmán, Dante, Petrarca, Santillana, "El Tostado", Alfonso de Cartagena, Hernán Núñez "el Pinciano", Godoy de Loaysa, Erasmo, Montaigne, Baños de Velasco, Navarrete, Quevedo, Gracián, Saavedra Fajardo, Corneille, Fenelón, Diderot, Schiller, Goethe, Schopenhauer...

En pleno siglo xx, la fuerza "del senequismo" continúa firme; las obras de Séneca siguen agotándose y entusiasmando y comentándose.

Obras: *Apocolokintosis*—sátira menípea, en prosa y verso—, *Epístolas morales a Lucilio*—en número de 124—, y los tratados *De providencia, De constantia sapientis, De consolatione ad Helvetiam matrem, De consolatione ad Marciam, De consolatione ad Polybium, De otio, De vita beata, De brevitate vitae, De tranquilitate animi, Questiones morales*.

Las ediciones de las obras de Séneca son innumerables. Por ello mencionaré únicamente aquellas más destacables entre las antiguas y las modernas.

Opera omnia, Venecia, 1695, llevada a cabo por Lipsio y Gronovio; *Tragediae,* Amstelodami, 1652.

Entre las modernas: París, 1863, "Colección Panckouke", traducción francesa; Madrid, 1884, traducción del *teatro de Séneca,* por P. F. de Navarrete y F. Navarro Calvo; *Epístolas morales,* Madrid, 1921, "Biblioteca Clásica"; París, [¿1916?], Garnier, selección.

Pero a todas las ediciones modernas superan: la de Didot, París, 1878, y la de M. Aguilar, Madrid, 1944, cuidada esta última—de *Obras completas,* como la de Didot—por el mejor humanista español contemporáneo: don Lorenzo Riber.

Ediciones críticas: A. P. Ball, Nueva York, 1902; Bücheler, Berlín, 1904, 4.ª edición; A. Marx, Karlsruhe, 1907; R. Waltz, París, Coll Budé, 1934.

También me limito a señalar la bibliografía fundamental.

V. RIBER, Lorenzo: *Estudio, notas y traducción* en las *Obras completas.* Madrid, 1944.—BONILLA SAN MARTÍN, A.: *Historia de la filosofía española.* Tomo I.—ASTRANA MARÍN, L.: *Séneca.* Madrid, 1947.—RIZO, Juan Pablo Mártir: *Historia de la vida de Séneca.* Madrid, 1625.—MENÉNDEZ PELAYO, M.: *Conferencias sobre Séneca,* en *Boletín de la Sociedad Menéndez Pelayo.* 1923, Santander, V, I.—VERA, Francisco: *Séneca,* en *Biblioteca Cultura Española.* Madrid, M. Aguilar, 1935.—MARCHESI, C.: *Séneca.* Messina, Principato, 1920, 2.ª edición.—WALTZ, R.: *Vie de Sénèque.* París, Perrin, 1909.—PASCAL, C.: *Seneca.* Catania, 1906.—BAILLY, A.: *La vie de Sénèque.* París, Piazza, 1929.—BAILLY, A.: *Les pensées de Sénèque.* París, Piazza, 1929.—HOLLAND, F.: *Seneca.* Londres, Longamns, 1920.—RUSSO, F.: *Seneca.* Catania, Moglia, 1921.—FAIDER, P.: *Etudes sur Sénèque.* Gande, Van Rysselberghe, 1921.—FICARI, Q.: *La morale di Seneca.* Pesaro, Federici, 1938.—BOURGERY, A.: *Sénèque le philosophe.* París, Hachette, 1938.

SÉNECA, Marco Anneo.

Retórico hispanolatino. Nació—54 antes de Cristo—en Córdoba y murió el año 38 de la Era cristiana. Padre del célebre filósofo Lucio. De familia ecuestre. Se educó en Roma. Al regresar a su patria contrajo matrimonio con Helvia, de la que tuvo tres hijos: Lucio, Anneo Novato—adoptado por Junio Gelión—y Anneo Mela, educados por tan magnífica mujer con el mayor cuidado. Su reputación como orador fue extraordinaria en Roma. Poseyó una cultura y una memoria portentosas. Contaba ya setenta y dos años cuando, a instancias de sus hijos, compiló diez libros de controversias y uno de memorias con el título de *Oratorum et rhetorum sententiae, divisiones, colores.* También escribió una *Historia* de las guerras civiles, de la que solo restan algunos fragmentos. Las *Suasoriae*—memorias—se conservan casi completas. De las *Controversiae* quedan los libros I, II, VII, IX y X; de las restantes únicamente conocemos un compendio *(Excerpta)* del siglo IV. Los prefacios de tales obras—lo más personal de Séneca—están "escritos con extraordinaria pureza de lenguaje, estilísticamente ejemplares, y parecen el reverso y la negación de aquellos vicios de su siglo" (M. Dolç). Las obras de Marco Anneo Séneca pecan, en general, de ampulosidad y superficialidad. Sin embargo, han merecido muchos y laudatorios comentarios posteriores, entre los que destacan: *Scholia,* del toledano Juan Pérez; *Castigationes,* de Hernán Núñez, Venecia, 1536; Antonio Covarrubias y Antonio Agustín, quienes comentaron sus *Excerpta.*

Quevedo tradujo y continuó dos de sus *Suasorias.* Y Luis Vives imitó las *Controversias.*

Ediciones: Venecia, 1490-1492, *princeps;* edición crítica de H. J. Mueller, Viena y Leipzig, Freytag, 1887; A. Kiessling, Leipzig, Teubner, 1872, reproducida en 1922; H. Bonnecque, dos tomos, París, Garnier, 1930, 2.ª edición.

V. SANDER, M.: *Der Sprachgebauch des Rhetors Anneus Séneca.* Waren, 1877.—GRUPPE, D.: *Quaestiones Annaeanae.* Stettin, 1873.—NOVAK, R.: *Kritische Studien zu Séneca Rhetor,* en *Wiener Studien,* XXXVI y XXXVII.—BARDON, H.: *Le vocabulaire de la critique littéraire chez Sénèque le Rhéteur.* París, Les Belles Lettres, 1943.—FRIEDLANDER, L.: *De Senecae controversiis in Gestis Romanorum adhibitis.* Königsberg, 1871.

SENTIS, Carlos.

Periodista y literato español. Nació —¿1910?—en Barcelona, en cuya Universidad estudió Derecho. Pero en seguida se dedicó al periodismo, su verdadera vocación. Durante la guerra civil de España fue secretario del ministro don Rafael Sánchez Mazas. Director, durante algún tiempo, de *Prensa Mundial.* Varios años corresponsal de *A B C,* de Madrid, y *La Vanguardia,* de Barcelona, en varios países europeos y en Argelia. En 1950 fue agregado de Prensa en la embajada de España en Bélgica; y en 1952 y 1957 desempeñó el mismo cargo en la embajada española en París. A partir de esta fecha fue corresponsal de varios importantes diarios españoles—*Informaciones, Diario de Barcelona, La Gaceta del Norte*—en Francia, Marruecos y varios países de Hispa-

S

noamérica. "Premio Mariano de Cavia, 1946", para periodistas. Actualmente—1964—es director de la Agencia Efe, de noticias internacionales, en Madrid.

Obras: *La Europa que he visto morir* —1941—, *Africa en blanco y negro, Del Congo a Argel con el general De Gaulle, La Paz vista desde Londres...*

SEPÚLVEDA, Enrique.

Periodista, cronista y cuentista español. Nació—¿1844?—en Zaragoza y murió —1903—en Madrid. Abogado. Redactor de *El Día* y la *Correspondencia de España,* diarios en los que popularizó los seudónimos de "Ese" y "Alegría". Colaborador de *La Ilustración Española y Americana, Madrid Cómico, Nuevo Mundo* y otros famosos semanarios.

Fue Enrique Sepúlveda y Planter un excelente y amenísimo escritor de costumbres, mereciendo alabanzas de Galdós y de Valera.

Obras: *La vida en Madrid... en 1885, 1886, 1887 y 1888*—cuatro tomos—, *Madrid de 1891 a 1892*—artículos, críticas y cuentos, 1892—, *El Madrid de los recuerdos*—1897—, *Desde Comillas, El tren de los maridos, Recuerdos y sombras de Acacio Fernández, Cuentos*—1894—, *El teatro del Príncipe Alfonso*—1892...

SEPÚLVEDA, Juan Ginés de.

Gran polígrafo y humanista español. Nació—¿1490?—en Pozoblanco (Córdoba). Murió—1573—en la misma ciudad. Siempre mostró su orgullo de pertenecer a una familia hidalga. Estudió Humanidades en Córdoba y Filosofía en Alcalá. En 1517 marchó a Italia e ingresó en el colegio del Cardenal Albornoz, de Bolonia, donde perfeccionó sus conocimientos y se hizo famoso por su cultura y por sus obras *Producciones de opúsculos aristotélicos* y *Vida del cardenal Albornoz,* declaradas meritísimas por los humanistas de la época. Durante algún tiempo estuvo protegido por el docto príncipe de Carpi Alberto Pío, y al regresar este a Francia, Sepúlveda, por consejo del cardenal Cayetano, marchó a Nápoles para comenzar la revisión del *Antiguo Testamento.* En 1535 ya estaba de regreso en España, y el césar Carlos I le nombró su cronista y capellán. Sus obras *Diálogos y Demócrates secundus*—admitiendo que se llevara la guerra a América—, cuya publicación no se autorizó, le atrajeron la enemistad violenta y los ataques literarios de varios escritores —entre ellos el famoso padre Las Casas—, quienes le acusaban de heterodoxo y hereje. Carlos I, con ánimo amigo, exigió que una

junta de teólogos, en Valladolid, escuchara la defensa de Sepúlveda. Absuelto, pero sumamente dolorido y enfermo, Sepúlveda, luego de besar la mano del emperador, se retiró a su posesión de Mariano, en Córdoba, y poco después a su pueblo natal, donde falleció algunos años más tarde.

Su cultura fue tan excepcional, que Erasmo le llamó "el más ilustre escritor de su tiempo", llegándose a temer como polemista al publicar Sepúlveda su *Antapología*—Roma, 1532—. A juicio de Menéndez Pelayo, mereció de lleno el título de "ciceroniano". Sincero, patriota, laborioso, formidable helenista y latinista. Sepúlveda fue también un historiador de interés.

Otras obras: *De rebus gestis Caroli V* —1556—, *De rebus gestis Philippi II*—1564—, un arreglo de la *Historia de Indias,* de Fernández de Oviedo; *Deseo de gloria, Diálogo sobre las justas causas de la guerra...*

En 1780, la Real Academia de la Historia editó—en cuatro volúmenes—las obras completas de Sepúlveda.

V. CERDÁ: *Estudio* en la ed. de 1780, Madrid.—FUÉTER, E.: *Historiogr.,* 288.—MENÉNDEZ PELAYO, M.: *Heterodoxos...,* II, 87.— BELL, A. F. G.: *Juan Ginés de Sepúlveda.* Oxford, 1925.—SEPÚLVEDA, F.: *Apuntes biográficos de Juan Ginés de Sepúlveda.* Madrid, 1862.—BENEYTO, Juan: *Ginés de Sepúlveda, humanista y soldado.* Madrid, Ed. Nacional, 1947.

SEPÚLVEDA, Ricardo.

Novelista, cronista, escritor de costumbres, historiador español. Nació—1846—en Zaragoza y murió—1909—en Madrid. Estudió Derecho en las Universidades de Madrid y Barcelona. Redactor de *El Cascabel, El Gato Negro, Museo Universal, La Gran Vía, Blanco y Negro, Gente Vieja, Para Todos, El Día, La Epoca...* Miembro correspondiente de las Reales Academias de la Historia y de Bellas Artes de San Fernando.

"Pocos prosistas—escribe Cejador—han manejado con más donaire y naturalidad el gracejo y la ingeniosa chispa, haciendo amenas las cosas viejas del Madrid histórico."

Ricardo Sepúlveda fue un amenísimo historiador y, además, uno de los mejores costumbristas del siglo XIX.

Obras: *La casa de las siete chimeneas* —1882—, *El monasterio de San Jerónimo el Real*—1883—, *Madrid viejo*—1887—, *El Corral de la Pacheca*—1888—, *Antiguallas* —1897—, *¡Dolores!*—poesías, 1881—, *Notas graves y agudas*—poesías, 1867—, *Lluvia menuda de coplas serias y festivas*—1870—, *De doce a una*—novelas, 1871—, *Las botas* —cuadros de costumbres, 1877—, *Cupido contra Esculapio*—zarzuela...

SERÍS, Homero.

Bibliógrafo, erudito y prosista de mucho mérito. Nació—1879—en Granada. Doctor en Filosofía y Letras—1907—. Realizó ampliación de estudios en París y Nueva York. Ha viajado por toda Europa y América. Discípulo en Francia de los excelentes eruditos e hispanistas Morel-Fatio y Martinenche. Profesor de Lengua y Literatura españolas en el Liceo de Dijon y en la Universidad de Illinois (Estados Unidos). Miembro correspondiente de la Hispanic Society, de Nueva York. Correspondiente de la Real Academia de la Historia. Académico honorario de la Hispano-Americana de Ciencias y Artes de Cádiz. Presidente del Instituto de las Españas en los Estados Unidos. Profesor de Español en la University of North Carolina —1937—, en el Brooklyn College—1939-1943—, en la Siracuse University—1943-1944—. Director y secretario del Centro de Estudios Hispánicos en la University of Siracuse—1945...

Homero Serís ha sido uno de los más eficaces colaboradores del Centro de Estudios Históricos de Madrid; uno de los mejores discípulos de don Ramón Menéndez Pidal y secretario de la magnífica *Revista de Filología Española*. Ha colaborado, además de en esta revista, en *Hispania, Bulletin Hispanique, Revue Hispanique...*

De cultura tan firme como extraordinaria. Gran prosista. Investigador de excepcional capacidad.

Obras: *Ecos del Hudson*—viajes, 1905—, *Gradualidad de la conciencia*—1908—, *Una nueva variedad de la edición príncipe del "Quijote"*—Nueva York, 1918—, *Los nuevos galicismos*—1923, en *Hispania*—, *La reaparición de "Tirant lo Blanch"*—1925, en *Homenaje a Menéndez Pidal*—, *"Comedia de Preteo y Tibaldo"*—1926—, en *Homenaje a Bonilla San Martín*—, *Diccionario de americanismos, Bibliografía de don Ramón Menéndez Pidal*—1938—, *The Libraries and Archives of Madrid*—en *The University of Miami Hispanic-American Studies*, núm. 1, Coral Gables, Florida, 1939—, *The Second Golden Age of Spanish Literature*—en *The University of Miami Hispanic-American Studies*, núm. 1, Coral Gables, Florida, 1939...

SERNA Y ESPINA, Víctor de la.

Prosista y periodista español. Hijo de la gran novelista Concha Espina. Nació—1896—en Valparaíso (Chile). Murió—1958—en Madrid. Estudió en la Facultad de Filosofía y Letras de Madrid y en la Escuela Superior del Magisterio. Inspector técnico de Primera Enseñanza. Fundó el diario *La Región,* de Santander. Redactor de *El Sol,* de Ma-

drid. Director durante varios años de *Informaciones,* de Madrid. Fue subdirector de *El Imparcial* y de *La Libertad.*

De gran cultura. Prosista brillantísimo y garboso.

Obras: *Doce viñetas*—ensayos, Santander, 1929—, *Los frescos de Vázquez Díaz en el monasterio de Santa María de la Rábida, Nuevo viaje de España* (La ruta de los foramontanos)—Madrid, 1955—, *Por tierras de la Mancha*—Ciudad Real, 1959.

SERRA, Narciso.

Curiosísimo, original y notable poeta, autor dramático y periodista español. 1830-1877. Narciso Serra nació en Madrid y en la calle del Carmen, en el mes de febrero de 1830. Su partida de bautismo está fechada el día 24 de dicho mes en la parroquia de San Ginés. En esta partida consta que su madre fue doña Carlota Serra, de veinticuatro años de edad, natural de Madrid y de la parroquia de San Martín, y que fue su padre un riojano de Torrecilla en Cameros, y de cuarenta y cinco años de edad, llamado don Alejandro Sáenz-Díez. ¿Quién es este don Alejandro, de quien no se sabe nada, de quien no se chismorrea nada y que aparece de sopetón como un hombre de paja "que paga lo que consume y se larga"? ¿Será cierta la afirmación de Julio Nombela de que el padre *fetén* del neófito era el general y poeta Ros de Olano? Y añade Nombela en *Impresiones y recuerdos:* "Si lo que se murmuraba acerca del origen del poeta militar era cierto, con sus virtudes, su recogimiento, su conducta ejemplar y el amor que profesó a su hijo, se hizo acreedora aquella santa mujer—Carlota Serra—a la estimación y respeto de todo el mundo." La verdadera paternidad de Narciso Serra la ejerció siempre un tío materno, distinguido médico, hombre recto y bondadoso. Y Narciso, en cuanto pudo, se quitó ese apellido Sáenz-Díez, que era como esas barbas postizas que no disfrazan y que molestan mucho.

Narciso resultó un niño precoz. Su facilidad para versificar era pasmosa. Por ejemplo: a principios de febrero de 1840 le preguntó, ante varias personas, don Eugenio Hartzenbusch: "¿Cuántos años tienes, Narciso?" Y, rapidísimo, replicó Serra:

> «Se lo diré sin engaños,
> que en un niño *sientan mal.*
> Voy a cumplir los diez años
> el martes de Carnaval.»

En el Liceo, de doce años, dio varios recitales de sus poesías. Y la gente se tronchó de risa y lloró a moco suelto. Intentó —o intentaron los suyos que intentara—se-

S

guir la carrera en el Colegio General Militar, pero con un resultado negativo. Y lo peor para que sentara la cabeza resultaron los éxitos que obtuvo a los dieciocho años con sus obras teatrales *Mi mamá* y *La boda de Quevedo*. Se creyó, ya, nada menos que todo un hombre. Trasnochó. Bebió. Se enamoriscó. Juró. Alardeó. Dilapidó. Como las comedias no daban para todo, llegó a escribir aleluyas y romances para los ciegos. "Un impresor que vivía en la plaza de la Cebada—escribe Zamora Caballero—, y que ganó bastantes miles de duros editando la *Vida de don Perlimplín* o las *Aventuras de Jaime el "Barbudo"*, daba cinco pesetas por la propiedad de cada una de estas composiciones, y si hubiese comprado todas las que Serra podía escribir, seguramente no hubiera tenido dinero con qué pagarlas." Narciso Serra escribía en un trozo de papel cualquiera, a lápiz, callejeando, sentado en un cafetín, mientras engullía un *beefsteak*. El propio camarero llevaba los versos al editor y los cobraba y *se cobraba* el importe de la consumición; el resto del duro era lo más fácil que se quedara sobre el tapete del garito más próximo.

Narciso Serra se dedicó al teatro; y de buenas a primeras se constituyó en primer actor y director de una compañía de cómicos de la legua, con la que hizo una breve temporada en el teatro del Instituto, situado en la calle de las Urosas. Serra era un actor pésimo. Y sucedió que una noche, representándose una obra muy *lata* —en todos los sentidos—, a mitad del tercer acto los espectadores empezaron a marcharse. Al ver esto, Serra, que se hallaba en escena, exclamó, dirigiéndose al público:

> ¿Se van ustedes, señores?
> Es muy tarde y no me asusta.
> Pero a ninguno le gusta
> hablar con los bastidores.

Resultó su mejor éxito como actor. Un escandalazo de risa. Y llegó la revolución de 1845 contra el Gobierno del conde de San Luis. Narciso Serra, porque sí o sin porqué, efervescente de liberalismo, según él, se fugó de Madrid a Vicálvaro con el general Ros de Olano, luego del pronunciamiento del Campo de Guardias y de haber sido presentado a O'Donnell. A Vicálvaro se escapaba ya hecho de sopetón alférez de Caballería. Dicen que aquí, en aquel cotarro de tiros perdidos, se portó como un valiente y sufrió un accidente serio. "Herido—escribe Blasco—y abandonado en unos trigos con su compañero Pastorfido, de quien era inseparable, pedía socorro en verso y en verso se burlaba de su mala suerte, echando sangre durante dos horas. "¡Narciso!—gritaba

Pastorfido, herido también, a poca distancia—. ¡Aquí vamos a quedar durante la noche, sin que nadie acuda a levantarnos!" Narciso contestaba:

> Reniego, amén, de mi estrella
> de poeta y de soldado.
> ¡Gran batalla hemos ganado!
> Tales «puntos» hubo en ella.

Poco después fue ascendido a teniente e incorporado al regimiento de Borbón. Y así se le pasaron ocho años. Los más desarreglados de su vida, ¡que ya es decir! Solía andar "con su uniforme de capitán de Caballería, o manchado o desaseado; el tricornio, como él decía, "a media paga"; las botas, sin lustre; falta la levita de botones, el cuello, grasiento..." Se pasaba las tardes en el café Suizo, y las noches, en el café de La Alhambra, bebiendo, vociferando, escribiendo en el mármol de las mesas versos satíricos de repajolera gracia y de intención miureña contra la Milicia Nacional y contra el mismo Espartero. Otras veces se dedicaba a los amoríos fáciles de callejón y suburbio o a tirar de la oreja a Jorge en las chirlatas de las calles de la Aduana y de Jardines. En 1856 tuvo un pleito con la Empresa del teatro del Instituto, que había retirado del cartel unas obras suyas en pleno éxito. Al juicio de conciliación acudió Serra, llevando de "hombre bueno" a don Francisco Camprodón, autor de la letra de la ópera *Marina*. Este, al declarar, se sintió orador forense, y largó una perorata en la que casi casi alegaba por la parte contraria. Serra le dejó acabar sin interrumpirle, sin hacer el menor gesto, y cuando hubo concluido se encaró con y le dijo:

> «Francisco: me has dado un palo
> con ese discurso ameno,
> ¡Yo te traje de hombre bueno,
> y me has salido hombre malo!»

Popularísimo, favorecido por el público asiduo a los teatros, Serra escribió sin descanso para todos los teatros de Madrid, principalmente para el Príncipe y la Zarzuela. No meditaba las obras. Las escribía en muy pocos días. Un día cualquiera le cambiaron de guarnición. No halló mejor medio de evitar la marcha a provincias que pedir la licencia absoluta. La Unión Liberal le nombró entonces oficial del Ministerio de la Gobernación. Desempeñaba este cargo cuando le acometió la terrible parálisis que durante dieciséis años había de tenerle postrado. Compadecidos los elementos oficiales y sus compañeros, le consiguieron el cargo de censor de teatros. Aun entonces, Serra, que no había perdido del todo su buen humor, tuvo ocasión de manifestarlo alguna que otra vez. Dictamen suyo a cierta obra dramática es este: "Habiendo examinado esta comedia, no hallo inconveniente en que su representación se autorice ni en que lleven al autor a Leganés."

En 1868, el Gobierno revolucionario suprimió la censura de teatro, y Serra cesó en su cargo. En 1873, *La Epoca* inició una suscripción a favor del desdichado autor; suscripción que no llegó a los treinta mil reales. En 1877, el conde de Toreno, a petición del Casino de la Prensa, le dio un destino de veinte mil reales en el Ministerio de Fomento.

Los últimos días de su vida los pasó el desgraciado poeta en una casa miserable de la calle de Segovia, el número 26. "Soportó su larga enfermedad—escribe Zamora Caballero—con admirable entereza. Aquel hombre, que parecía frívolo y ligero, tenía un corazón sano y una profunda fe religiosa. Vivió largos años clavado en un sillón, asistido por su pobre madre y rodeado de un corto número de amigos." Serra murió el día 26 de septiembre de 1877. Con él desapareció un tipo interesante del madrileñismo populachero del pasado siglo: mucha gracia, mucho ingenio, mucho flamenquismo, mucho corazón. Y un desprecio casi absoluto ante las exigencias más perentorias de la vida.

Cuatro tendencias informan el irregular, pero interesantísimo teatro de Narciso Serra: la lectura de los dramáticos del Siglo de Oro, la influencia de las exageraciones románticas, la observación y copia fiel de la sociedad en que vivía y el humanismo cómico sentimental de ciertos autores extranjeros como Karr y Mery. Cuatro obras fundamentales representativas de estas cuatro tendencias son: *La calle de la Montera, El reloj de San Plácido, A la puerta del cuartel* y *¡Don Tomás!*

En realidad, es Serra un autor que lo mismo puede quedar incluido entre los dramáticos románticos que entre los dramáticos realistas del siglo XIX. He preferido colocarle entre aquellos, porque su vida bohemia le avala y porque la *parte romántica* de su producción late perenne en el fondo de sus más ligeras comedias de costumbres.

Refiriéndose a las obras de Serra, escribió el notable crítico teatral Fernández Bremón: "Hay autores cuyas obras se prestan al estudio, y a medida que el lector se engolfa en ellas sorprende bellezas inesperadas y va descubriendo poco a poco como la clave y la razón del ingenio del poeta. Lo que ganan con el estudio sus comedias, lo pierden, a mi juicio, las de Serra. Producto de una musa espontánea y sin cultivo, sucede con frecuencia que la lectura y la reflexión desvanecen ciertas impresiones favorables sentidas en la representación. Pero así como en las comedias discretas, razonadas, atildadas y casi libres de defectos falta lo principal, que es la inspiración, así también en las incorrectas, desiguales y poco meditadas de nuestro autor se reconoce y distingue la mano del poeta."

El notabilísimo crítico literario Alonso Cortés añade atinadamente: "Narciso Serra, como autor dramático, fue irregular y desordenado en el desarrollo de sus planes; vertió en sus diálogos, más que sal ática, especias un tanto acres a paladares delicados; arañó superficialmente en los caracteres, que por ello jamás mostraron su intensidad pasional o su fuerza cómica; rasgueó arrebatadamente la versificación y dejó esparcidas en ella, como es consiguiente, numerosas violencias e impropiedades. Todo esto debe entenderse, naturalmente, en aplicación de conjunto; pero pueden señalarse también excepciones muy laudables. Y en pago de todas esas máculas se encontrará en Serra un gallardo desenfado de palabra, grato al público sencillo y popular; una gran facilidad para engarzar los asuntos en la débil trama de hechos insignificantes y un fondo de simpática emotividad, demasiado exacerbada en ocasiones."

Más de cuarenta obras teatrales escribió Narciso Serra. Entre ellas destacan: *La boda de Quevedo*—1854—, *Con el diablo a cuchilladas*—1854—, *El reloj de San Plácido*—1858—, *¡Don Tomás!*—1858—, *La calle de la Montera*—1858—, *El loco de la guardilla*—1861—, *A la puerta del cuartel*—1867—y *Amar por señas,* refundición de la obra de Tirso de Molina.

La Biblioteca Municipal de Madrid posee casi la totalidad de los originales manuscritos y las primeras ediciones de las obras teatrales de Narciso Serra.

V. ALONSO CORTÉS, Narciso: *Narciso Serra,* en *Quevedo en el teatro y otras cosas.* Valladolid, 1930.—NOMBELA, Julio: *Impresiones y recuerdos.*—FERNÁNDEZ BREMÓN, José: *Narciso Serra,* en *Autores Dramáticos Españoles,* I, 347.—REVILLA, Manuel de la: *Críticas.* Segunda serie.—GARCÍA VALERO, Vicente: *Páginas del pasado.* Madrid, s. a.—SAINZ DE ROBLES, F. C.: *Historia del teatro español.* Madrid, 1943. Tomo III.

SERRANO, Eugenia.

Nacida el 30 de diciembre de 1918 en Madrid. Familia andaluza, catalana y castellana; pero se siente muy madrileña, aunque predomina en ella la sangre andaluza.

Universitaria. Licenciada en Filosofía y Letras, sección de Filología española. Católica. Liberal. No pertenece ni pertenecerá a ningún partido.

S

Ha comenzado a publicar después de la guerra, en el año 43, pero su formación no la juzga de esta posguerra.

Bibliografía: *Retorno a la tierra*—novela—, *El libro de las siete damas*—colección de biografías, siete, noveladas—, *Vida de Winston Churchill, Chamberí-Club*—novela madrileña, publicada en folletón en *Pueblo*.

Muchos cuentos y narraciones. Premio "Artes y Letras", de cuentos, en 1943. Artículos en *La Estafeta Literaria, Arriba, Arte y Letras, Semana, Fotos* y *Mundo Hispánico*. Ensayos en la *Revista Finisterre*. Secciones: "La pequeña crónica", en *Arriba*. "Una dama en 'El Español'", en *El Español*. Crítica de "Público", en *Vida Española*. Ha colaborado bastante en la radio.

Otras obras: *Perdimos la primavera*—novela, 1952—, *Pista de baile*—novela, 1963.

V. NORA, Eugenio G. de: *La novela española contemporánea*. Madrid, Gredos, 1962. Tomo III, págs. 241-42.

SERRANO, Dom Luciano.

Historiador y prosista español de singulares méritos. Nació—1879—en Castroceniza (Burgos). Murió—¿1944?—en el monasterio de Silos, oblatorio en el que ingresó antes de los doce años y del que llegó a ser abad durante los últimos años de su vida. Profesó en 1894. Se ordenó sacerdote en 1902. Recorrió toda España para llevar a término sus estudios acerca de los códices antiguos del canto gregoriano. Profesor de Teología en Silos. Viajó por toda Europa, visitando las principales abadías benedictinas. En 1919 fue elegido abad de Silos para sustituir al famoso Dom Guépin, que acababa de fallecer. Viajó también por América, fundando la Comunidad de Buenos Aires. Académico de la Real de la Historia.

Pocos hombres tan maravillosamente dotados para la investigación histórica como Dom Luciano Serrano. Políglota consumado, de enorme capacidad para el trabajo, mente prodigiosamente ordenada, paciencia realmente benedictina, maestro en la síntesis, prosista fácil y brillante, todas sus obras resultan imposibles de mejorar. Supo agotar los temas hasta sus máximas posibilidades y sacar de ellas las consecuencias más extraordinarias y certeras.

Obras: *¿Qué es canto gregoriano?*—1905—, *Música religiosa*—1906—, *Fuentes para la historia de Castilla*—tres tomos, 1906 a 1910—, *Correspondencia diplomática entre España y la Santa Sede durante el Pontificado de Pío V*—Roma, 1913, cuatro tomos—, *Historia de la Liga de Lepanto*—1918—, *Ascéticos benedictinos en lengua castellana* —1925—, *Noticias inéditas del Gran Capitán*

—1921—, *Una leyenda del Cronicón Pacense* —1909—, *El Papa Pío IV y dos embajadores de Felipe II*—1924—, *España en Lepanto* —1935—, *El Real Monasterio de Santo Domingo de Silos*—1926—, *Fueros de Pancorbo* —1932—y otras muchas de extraordinario valor.

SERRANO ANGUITA, Francisco.

Autor dramático y periodista español. Nació—1887—en Sevilla. Murió—12 de febrero de 1968—en Madrid. Ha popularizado el seudónimo de "Tartarín". A la muerte de su padre tuvo que suspender sus estudios, dedicándose por completo a su admirable vocación de periodista. Ha sido redactor de *El Globo, El Nacional, España Nueva, La Mañana, La Tribuna, El Sol, La Voz, Informaciones, Heraldo de Madrid...* En varios de estos diarios desempeñó el cargo de redactor-jefe.

Muchos de sus reportajes y artículos alcanzaron éxitos nacionales. Sus campañas periodísticas consiguieron sensacionales efectos. Posiblemente entre los actuales grandes periodistas españoles ninguno excede a Serrano Anguita en *sentido* o *instinto periodístico*, en ingenio, en facilidad informativa, en intensidad expresiva, en claridad y precisión de estilo. Los artículos, firmados o anónimos, de Serrano Anguita suman varios miles y formarían, coleccionados, 40 o 50 volúmenes.

En el diario *Madrid* redactó diariamente una de las secciones más amenas, más emotivas, más buscadas por el gran público.

Si como periodista fue Serrano Anguita uno de los maestros más indiscutibles, también figuró en la primera fila de los dramaturgos de su tiempo. Su producción teatral fue fecunda. varia, noble, ingeniosísima, original. Sus comedias *Manos de plata, Papá Gutiérrez* y *Tierra en los ojos* son auténticas obras maestras del teatro contemporáneo español.

Otras obras dramáticas: *El padre*—1914—, *El divino pecado*—1916—, *La dama del antifaz*—1917—, *La alegría de los otros* —1919—, *El último episodio*—1920—, *En el llano*—1921—, *El grano de mostaza*—1922—, *El celoso extremeño*—1923—, *El aire de Madrid*—1924—, *La simpatía*—1926—, *La pájara*—1926—, *Las hijas de Merino*—1927—, *La Petenera*—1928—, *Entre todas las mujeres* —1931—, *Juan de las Viñas*—1931—, *En la pantalla las prefieren rubias*—1931—, *Tres líneas de "El Liberal"*—1932—, *Hombre de presa, Siete puñales, La novia de Reverte, Don Manolito, Las hijas del rey Lear...*

Otras obras: *Primicias*—cuentos, 1902—, *Stabat Mater*—novela, 1923...

SERRANO PLAJA, Arturo.

Poeta, ensayista y narrador español. Nació—1909—en San Lorenzo de El Escorial (Madrid). Estudió el bachillerato en Madrid. Después dejó de ir a la Universidad y aun abandonó sus estudios de peritaje industrial para dedicarse al periodismo. Colaboró en *El Sol*, en *Cruz y Raya*. Durante la República, en unión de Alejandro Casona y Rafael Dieste dirigieron el teatro de las Misiones Pedagógicas. Durante la guerra de Liberación dirigió la revista *Hora de España*. En 1939 marchó a París, donde contrajo matrimonio con la hija del escritor Richard Bloch. Más tarde, en Chile y en la Argentina y en los Estados Unidos ejerció el profesorado universitario.

Su calidad literaria es muy notable. Escribe con garbo, juzga con sutileza y piensa con hondura. En todos sus escritos queda un contrapunto de poesía melancólica y de humor sin acidez.

Obras: *Destierro infinito*—poemas, 1933—, *El hombre y el trabajo*—poesía, Barcelona, 1938—, *Del cielo y el escombro*—cuentos, Buenos Aires, 1943—, *Versos de guerra y paz*—Buenos Aires, 1944—, *Don Manuel del León*—novela, Buenos Aires, 1946—, *Galope de la suerte*—poesía, Buenos Aires, 1959—, *Les mains fertiles*—poemas en francés, París, 1949—, *La mano de Dios pasa por este perro*—1965—, *El Greco*—ensayo, 1942—, *Realismo español*—1943—, *El Escorial* —1943—, *España en la Edad de Oro*—1944...

V. MARRA-LÓPEZ, José R.: *Narrativa española fuera de España (1939-1961)*. Madrid. Edición Guadarrama, 1963. Págs. 499-500.— NORA, Eugenio G. de: *La novela contemporánea española*. Madrid. Edit. Gredos, 1962, tomo II bis, págs. 273-74.

SERRANO PONCELA, Segundo.

Novelista, ensayista y cronista. Nació —1912—en Madrid, en cuya Universidad siguió la licenciatura de Derecho. De ideas muy liberales, marchó en 1939 a Santo Domingo, en cuya Universidad enseñó Derecho y Literatura Española. Posteriormente ha sido profesor en Puerto Rico y en Caracas.

Antes que otra cosa, Serrano Poncela es un gran ensayista, muy en la línea de Unamuno y de Machado, a quienes ha estudiado con rigor y acierto. También, según confesión propia, sigue el pensamiento de Américo Castro, de quien se ha llamado discípulo. Serrano Poncela posee gran cultura, mentalidad muy aguda, disposición feliz para entender, comentar y explicar las tendencias más complejas de la literatura y del pensamiento de nuestra España.

Obras: *El pensamiento de Unamuno* —1953—, *Antonio Machado, su vida y su obra*—Buenos Aires, edit. Losada, 1954—, *Seis relatos y uno más*—México, 1954—, *La venda*—Buenos Aires, edit. Suramericana, 1956—, *La raya oscura*—Buenos Aires, editorial Suramericana, 1959—, *Huerto de Melibea*—Madrid, Taurus, 1959—, *La puesta de Capricornio*—Buenos Aires, edit. Losada, 1960—, *Un olor a crisantemo*—Barcelona, Seix Barral, 1961—, *Del Romancero a Machado*—Caracas, 1962—, *Habitación para un hombre solo*—Barcelona, 1963—, *El hombre de la cruz verde*—novela, Barcelona, 1970.

V. MARRA-LÓPEZ, José R.: *Narrativa española fuera de España (1939-1961)*. Madrid. Edición Guadarrama, 1963, págs. 415-41.— NORA, Eugenio G. de: *La novela española contemporánea*. Madrid. Edit. Gredos, 1962, tomo II bis, págs. 279-81.

SERRANO Y SANZ, Manuel.

Historiador y literato español de mucho prestigio. Nació—1868—en Ruguilla (Guadalajara). Murió en 1932. Estudió Teología en el Seminario de Sigüenza y Filosofía y Letras en la Universidad de Madrid, doctorándose brillantemente en dichas disciplinas. Del Cuerpo Facultativo de Archiveros, Bibliotecarios y Arqueólogos desde 1889. Catedrático de Historia en la Universidad de Zaragoza. Cronista oficial de Guadalajara y su provincia. Académico correspondiente de la Real de la Lengua y académico de número de la Real de la Historia. Fue uno de los más estimados colaboradores de la *Revista de Archivos*—que dirigió—, del *Boletín de la Academia de la Historia* y de otras muchas publicaciones de importancia cultural.

Modesto e infatigable investigador; gran erudito, de los más seguros en criterio; amenísimo expositor. Publicó monografías de gran valer y obras antiguas, con meritísimos prólogos y notas. Menéndez Pelayo le estimaba como a uno de sus mejores amigos y le admiraba como a uno de los investigadores españoles más notables.

Obras: *San Ignacio de Loyola en Alcalá de Henares*—1985—, *Cristóbal de Villalón* —1898—, *Apuntes para una Biblioteca de escritoras españolas desde 1401 a 1833*—dos volúmenes, 1893 y 1895—, *Noticias biográficas de Fernando de Rojas, autor de "La Celestina"*...—1902—, *Juan de Vergara y la Inquisición de Toledo, Autobiografías y memorias*—Madrid, 1905, "Nueva Biblioteca de Autores Españoles"—, *Compendio de historia de América*—1905—, *Historiadores de Indias*—Madrid, 1909, "Nueva Biblioteca de Autores Españoles"—, *Pedro de Valencia, estudio biograficocrítico*—1910—, *Noticias y documentos históricos del condado de Ribagorza*...—1912—, *La Imprenta de Zaragoza es la más antigua de España*...—1915—, *Orí-*

S

genes de la dominación española en América, estudios históricos—1918—, "Nueva Biblioteca de Autores Españoles"—, *La escultura paleolítica en Zaragoza*—1924...

V. VARIOS: *El erudito español don Manuel Serrano y Sanz. Noticias biográficas y bibliográficas. Homenaje de la ciudad de Sigüenza.* Madrid, 1935.—ROS RÁFALES: *Adiciones a las "Biografías de hijos ilustres de Guadalajara", de Diéguez y Sagredo.*—REGUERO GARCÍA, G.: *Historia de la Pedagogía.* Tomo II, pág. 131.

SERVET, Miguel.

Humanista y hombre de ciencia español. Nació—1511—en Vilanova de Siquena (Huesca) y murió—1553—en Ginebra. Según Menéndez Pelayo, nació en Tudela de Navarra. Pero esta opinión la desvirtúa el propio Servet en uno de sus escritos—*Dialogorum de Trinitate, libri duo*—, en la que declaró: *Per Michaelem Serveto, alias Reves, ab Aragonia Hispanum.* Cursó Leyes en la Universidad de Toulouse, estudió la Biblia, meditó sobre los problemas teológicos y se impuso en el griego. Desordenado y aventurero, se puso al servicio de fray Juan de Quintana, confesor de Carlos I, quien le envió a viajar por Alemania e Italia. En Basilea y en Estrasburgo tomó parte en las contiendas religiosas provocadas por la Reforma. Estudió Medicina en París y Lyon. Ejerció esta profesión en Viena del Delfinado, ciudad en la que escribió su famosa *Christianismi Restitutio*, en la que combate a católicos y protestantes. En esta obra se da a conocer la circulación de la sangre. La obra fue denunciada y condenada por el feroz Calvino, y Servet fue encarcelado. Habiendo huido de su prisión, se refugió en Ginebra, desdichadamente, pues Calvino, con su poder tiránico, ejercido sobre la ciudad del lago Lemán, consiguió encarcelarle de nuevo, seguirle un mendaz proceso y hacerle morir en una hoguera el 27 de octubre de 1553.

Servet fue un extraordinario hombre de ciencia y un extraordinario humanista.

Otras obras: *De trinitate erroribus libri VI*—Haguenau, 1537—, *De justitia regni Christi et de charitate capitula quatuor* —1532—, *Syruporum universa ratio ad Galeni censaram diligenter exposita*—París—, 1537—, *In Leonardum Fuchsium apologia, Michaelis Villanovani in quemdam medicum apologetica disceptatio pro astrologia, Biblia sacra ex Santis Pagnini traslationes...*

V. MENÉNDEZ PELAYO, M.: *Heterodoxos españoles.*—BULLÓN, Eloy: *Miguel Servet.* Madrid, ¿1917?—GENER, Pompeyo: *Miguel Servet...* Barcelona, 1911.—AMALLO Y MANGET: *Historia crítica de Miguel Servet.* Madrid, 1888.

SETTIER, María.

Novelista, ensayista y poetisa española contemporánea. Nació en Madrid. Su padre, don Julián Settier, fue un excelente escritor, periodista y político. Ha viajado por toda España y por distintos países europeos. En 1939, el Ayuntamiento de Granada le premió una obra teatral. Ha colaborado en revistas tan importantes como *Misión, Tajo, Fotos, Brújula, Domingo...*

Obras: *Tigre real*—novela, 1942—, *Mi Virgen morena y tú*—novela—, *Romance de agua clara*—novela—, *Ellas quieres y ellos olvidan*—novela—, *Luz de mar*—1946, colección de cuentos—, *Alma perdida*—1948—, *Repique de Viernes Santo*—novela—, *El hijo*—novela—, *Carmenchu Vargas*—novela—, *Santa Teresa de Castilla*—biografía novelesca, 1949...

María Settier ha publicado—completándolas—dos obras que dejó a medio escribir su padre: *Caza menor*—1947—y *Caza mayor* —1948.

Es autora también de las biografías: *La ahijada del sol (Eugenia de Montijo), Beethoven, Las favoritas del Rey Sol,* y del libro de poesías *Al vuelo de mi alma.*

SIENRA, Roberto.

Poeta y ensayista uruguayo. Nació —¿1890?—en Montevideo. Licenciado en Leyes. Pasante en bufetes de abogados de fama. Ha llevado una vida de soledad absoluta, alejado siempre de tertulias, lo que ha motivado su corta fama, inferior a sus méritos. Para el gran crítico uruguayo Zum-Felde, los ensayos de Sienra "marcan un punto máximo de intensidad en la penetración intuitiva del fenómeno literario".

Obras: *Naderías*—poemas, 1912—, *Paráfrasis*—ensayos, 1921—, *Stechetti-Tax*—ensayos, 1923—, *La dama de San Juan*—impresionante interpretación del *Cautivo Espiritual* de San Juan de la Cruz—, *Hurañas* —poemas y prosas...

V. ZUM-FELDE, Alberto: *Proceso intelectual del Uruguay.* Buenos Aires, edit. Claridad, 1941.

SIERRA, Angel Raimundo.

Nació en Calatayud (Zaragoza) en 1911. Hizo algunos estudios literarios y es un excelente poeta, que ha publicado *Azul,* su primer libro, prologado por el escritor molinés José Sanz y Díaz.

Ha colaborado con frecuencia en la Prensa local y aragonesa, así como en *El Noticiero,* de Zaragoza; *El Alcázar,* de Madrid, en su página alcarreña; en *Lucha,* de Teruel, y en muchas revistas literarias. Es un buen sonetista, y sus romances, de fácil y magnífica factura, lo colocan a la cabeza de los buenos poetas españoles de la hora actual.

Ha ganado varios premios en concursos literarios de nombradía, tiene en preparación varios libros poéticos y se le incluye en la antología *El tema Navidad en la literatura nacional* (Ediciones Patria, Madrid, 1941).

SIERRA, Juan.

De Sevilla. Nació en 1901. Estudió en la Facultad de Ciencias de la Universidad de Sevilla. Del Cuerpo de la Hacienda Pública. Fundador—1926—de la revista poética *Mediodía*. Colaborador de innumerables revistas de literatura.

Obras: *María Santísima*—Sevilla, 1943—, *Palma y cáliz de Sevilla*—Madrid, 1944.

SIERRA, Justo.

Poeta, prosista y crítico literario de gran importancia. 1848-1912. Nació en Campeche (México). Estudió en el Colegio Nacional de San Ildefonso. Abogado. Diputado. Subsecretario y ministro de Instrucción Pública —1905 a 1911—. Creador de la Universidad Nacional, y fue catedrático de Historia durante muchos años en la Escuela Preparatoria. Colaboró en la *Revista Universal, México, Revista Azul, El Mundo Ilustrado, Revista Moderna* y otras muchas y prestigiosas publicaciones. En 1912 fue nombrado ministro plenipotenciario en Madrid, y en la capital de España murió recién llegado. Justo Sierra, magnífico espíritu, fecundísimo sembrador de cultura, caballero sin tacha, fue discípulo y heredero de Altamirano en el magisterio activo sobre las clases intelectuales y dirigentes de su patria. Su valor como prosista y pensador y pedagogo fue mucho mayor que como poeta. Sin embargo, también como lírico tiene gran interés, porque tuvo un vivo sentido de lo bello, el don de las imágenes felices y de la musicalidad fácil y melódica. Acaso en sus poesías se delata demasiado lo zorrillesco y enfático.

"Sabía amar con fuego divino, lo mismo las grandes cosas que las cosas pequeñas; su intuición poderosa iba siempre en alas de su insaciable amor, en pos de certidumbre moral y de ciencia... en sus libros de Historia y en sus discursos pedagógicos y cívicos palpita el conocimiento de la Humanidad en el fondo de un optimismo sincero, en verdad apostólico, que besa con profunda piedad, a despecho de todas las ironías y de todos los escepticismos, *la mano de la mártir cristiana que encendió la lámpara de las catacumbas;* conocimiento capaz de alcanzar su objeto, porque lo investiga con todos los recursos del alma, porque lo solicita con la atracción irresistible del amante." (Antonio Caso.)

Y añade Luis Alberto Sánchez: "Mas todo esto, que a primera vista constituiría un bagaje pobre en comparación con el de otros prohombres del pensamiento y la literatura, estaba abonado, iluminado, en Justo Sierra, por algo incontrastable: la fuerza interior, el don magistral, la capacidad comunicativa, el valor de enfrentarse a la realidad, sin ataduras lesivas." Jesús Urueta decía que Sierra poseyó "un invencible sortilegio".

Obras: *Conversaciones del domingo*—México, 1868—, *Compendio de la Historia de la antigüedad*—1879—, *Confesiones de un pianista*—novela, 1882—, *Al autor de "Murmurios de la selva"*—epístola poema, 1888—, *Historia general*—1891—, *Trovas colombinas* —1892—, *Discurso y poesía*—1892—, *Historia patria*—París, 1894—, *Cuentos románticos* —1896—, *En tierra yankee*—viajes, 1898—, *México, su evolución social*—Barcelona, 1901—, *Juárez*—Barcelona, 1905—, *Piedad* —drama, 1870—, *Historia de México, la conquista de Nueva España*—Madrid, 1917...

V. Estrada, Jenaro: *Poetas nuevos mexicanos*. 1916.—Caso, Antonio: *Justo Sierra*, en *Revista México*, 1914.—González Peña, C.: *Historia de la literatura mexicana*. México, 1940, 2.ª edición.—Giménez Rueda, J.: *Historia de la literatura mexicana*. México, 1926.

SIGEA DE VELASCO, Luisa.

Sabia española. Nació—1530—en Tarancón (Cuenca). Murió hacia 1560. Como entonces Tarancón pertenecía a la diócesis de Toledo, fue llamada Luisa Sigea *Toletana*. Era hija de Diego Sigea, hombre muy docto, que le dio una instrucción esmeradísima. En 1542 marchó a Lisboa con su familia, y poco después entró al servicio de la infanta doña María, hija del rey don Manuel, permaneciendo en su cargo hasta 1555. En este año se casó con el hidalgo burgalés Francisco de las Cuevas. En 1558 se trasladaron ambos cónyuges a Valladolid.

La celebridad de Luisa en su tiempo fue inmensa. Dominaba las lenguas latina, griega, hebrea y caldea. Era muy entendida en Filosofía, Poesía e Historia. Y unía a su gran talento una espléndida hermosura.

Su mejor obra es el poemita *Cintra*, en latín, muy alabado por Menéndez Pelayo, y publicado en París—1566—.

Otras obras: *Cartas, Varias poesías,* el opúsculo *Dialogus de differentia vitae rusticae et urbanae, Colloquium habitum apud villam inter Flamminia Romanam et Blesillam Senensem...*

SIGÜENZA, Fray José.

Gran poeta e historiador español. Nació —1544—en Sigüenza (Guadalajara). Murió

S

—1606—en San Lorenzo del Escorial (Madrid). A los doce años huyó de su casa y se refugió en el monasterio del Parral, de Segovia, tomando en él el hábito de jerónimo. Sin embargo, no llegó a profesar. Por consejo de sus superiores volvió a su casa y a sus estudios universitarios. Quiso alistarse en una expedición preparada por el rey para socorrer a los caballeros de Malta, sitiados por los turcos, pero llegó a Valencia al día siguiente de haber partido la expedición. Regresó al Parral y profesó en 1567, perfeccionando sus estudios en los monasterios de Parraces y San Lorenzo del Escorial. Fue acusado ante la Inquisición, permaneciendo más de medio año recluido en el convento de la Sisla. Absuelto por un tribunal justiciero, el P. Sigüenza se hizo famosísimo por su bondad inmensa, por la serenidad de su espíritu, por su mucha y honda doctrina y por su elocuencia en el púlpito. El mismo Felipe II, tan austero y enemigo de alabanzas, hablando de El Escorial, solía decir: "Los que vienen a ver esta maravilla del mundo no ven la principal que hay en ella si no ven a fray José de Sigüenza; y según lo que merece, durará su fama más que el mismo edificio, aunque tiene tantas circunstancias de perpetuidad y firmeza."

Sucedió al célebre Arias Montano en el cargo de bibliotecario de El Escorial.

Su obra *Historia de la Orden de San Jerónimo,* cuya primera parte es la *Vida de San Jerónimo*—Madrid, 1595—, le ha dado una grande y justa fama. "En el estilo amplio y redondo, propio del discurso erudito, acaso no haya quien en nuestra lengua le lleve ventaja. La narración tiene calor y vida, como verdaderos cuadros con unos toques de luz y sombra muy bien repartidos; Menéndez Pelayo le pone como estilista entre los mejores, después de Juan de Valdés y de Cervantes. Cada cual tiene su estilo; el de Sigüenza es noble y como linajudo por juro de heredad; cierto encumbramiento parece le comunica la grandeza de El Escorial y del rey, ante quienes escribe."

Otras obras: *La historia del Rey de los reyes y Señor de los señores, Discursos sobre el Eclesiastés, Comentarios de Santo Tomás, Sermones...* Estas obras, manuscritas, se conservan en El Escorial.

Ediciones modernas de la *Historia de la Orden de San Jerónimo:* tomos VIII y XII de la "Nueva Biblioteca de Autores Españoles", de Rivadeneyra; y otras realizadas por la editorial Apostolado de la Prensa. Madrid, entre 1915 y 1946. *Fundación del Monasterio de El Escorial*—Madrid, Aguilar, 1963.

V. CATALINA GARCÍA, Juan: *Elogio de fray José de Sigüenza,* en la ed. "Nueva Bibliote-ca de Autores Españoles", Madrid, 1907.— SAINZ DE ROBLES, F. C.: Prólogo a la edición *Fundación del Monasterio de El Escorial.* Madrid, Aguilar, 1963.

SIGÜENZA Y GÓNGORA, Carlos de.

Poeta, filósofo e historiador hispanomexicano. Nació—1645—y murió—1700—en la ciudad de México. A los quince años ingresó en la Compañía de Jesús, siendo expulsado de ella—por motivos que se ignoran—siete años después. Sin embargo, siempre mantuvo excelentes relaciones con sus antiguos hermanos de hábito. Durante más de veinte años enseñó Filosofía y Matemáticas, alcanzando tanta fama que el rey Carlos II de España le nombró geógrafo real, y el rey francés Luis XV le ofreció en París una cátedra, que Sigüenza y Góngora no quiso aceptar. Mantuvo amistad y correspondencia con la célebre poetisa sor Juana Inés de la Cruz.

Obras: *Las glorias de Querétaro, El triunfo parténico*—1684—, *El belerofonte matemático contra la quimera asteológica de Martín de la Torre, Manifiesto filosófico contra los cometas, Elogio fúnebre de sor Juana Inés de la Cruz, Genealogía de los reyes mexicanos, El Fénix de Occidente, Ciclografía mexicana, El Oriental, planeta evangélico; La piedad heroica de Fernando Cortés, Tratado sobre los eclipses de sol, Teatro de la Santa Iglesia Metropolitana de México, Historia de la Universidad de México, Tribunal histórico, Historia del imperio de los chichimecas...*

V. RIVA PALACIO, Vicente: *México a través de los siglos...* México, 1887-1889.—PIMEN-TEL, Francisco: *Historia crítica de la literatura en México.* México, 1883.—PIMENTEL, Francisco: *Historia crítica de la literatura y de las ciencias en México.* México, 1885 y 1893.

SILVA, Clara.

Poetisa y novelista uruguaya contemporánea. Esposa del gran crítico Alberto Zum-Felde. En plena juventud, esta mujer singularísima ha logrado colocarse en primera línea entre los escritores de su país, y su fama se ha extendido ya por toda Hispanoamérica, penetrando en España y levantando aquí la mayor curiosidad.

Su primer libro, *La cabellera oscura*—poemas, Montevideo, 1945—, ya atrajo sobre ella la atención más despierta de la crítica; y su prologuista, Guillermo de Torre, lector tan agudo como lleno de reservas, señaló bien concretamente los valores múltiples y muy acusados de la autora, intensamente femenina en sus concepciones y en su sensibilidad, pero superando las debilidades propias de su sexo con sugestiva audacia expresiva, con una hondura de ideas y de ideales afines a las mentalidades más firmes.

Clara Silva ha demostrado cómo la más exquisita condición femenina puede encontrar su armonía perfecta en el sentido humano de la propia existencia y aun de las ajenas solicitaciones, sin tener que decaer en blanduras ni en claudicaciones, escollos raramente salvados por las mujeres.

Aún reafirma mejor la potencia creadora de Clara Silva su novela *La sobreviviente* —Buenos Aires, 1951—, obra realmente excepcional, en la que el patetismo más inflexible se aúna a un novísimo sentido novelístico. En *La sobreviviente* quedan angustiosamente latentes los problemas actuales del existencialismo en ese ápice en que este ha sobrepasado no solo el realismo más tremendo, sino también el superrealismo más audaz. Y, sin embargo, en *La sobreviviente* todo es claro, preciso, sugerente, conmovedor, humano. Clara Silva no ha tenido que deshumanizar su arte para lograrlo en una rigurosa renovación.

Otras obras: *Memoria de la nada*—poemas, Buenos Aires, 1948—, *Aniversario* —poemas.

SILVA, Feliciano de.

Interesantísimo poeta y novelista español. Hijo de Tristán de Silva, cronista del césar Carlos I. Nació—¿1492?—en Ciudad Rodrigo. Murió—1560—probablemente en su misma ciudad natal. Hacia 1520 casóse con Gracia Fe, hermosísima doncella, hija de un judío converso, pese a la oposición de sus familiares, por la sangre judía de Gracia. Uno de sus numerosos hijos, llamado también Feliciano, fue paje del sexto duque de Medina Sidonia y salvó de ahogarse en el Guadalquivir a la duquesa, su señora.

"Feliciano de Silva fue lo que hoy llamaríamos un novelista de folletín o por entregas. Imitó *La Celestina* y escribió libros de caballerías con harta inventiva, vena larga y feliz maña, para buscar recursos con que variar y mantener, a fuerza de salsas, la atención de los lectores. Tiene, por lo mismo, cosas buenas y malas. El lenguaje es el corriente de la época; el estilo, desigual, como de quien escribía de prisa, aunque a veces con chispazos brillantes." (Cejador.)

"En el estilo de Silva, las repeticiones y consonantes revelan cómo, aunque fuera de un modo inconsciente y primario, formaban embrionariamente una expresión barroca —ampulosa, conceptista—, que se anticipaba al arte de comienzos del siglo XVII." (Valbuena.)

A Don Quijote, ningunos libros "le pare-

cían tan bien como los que compuso el famoso Feliciano de Silva..."

El éxito de las obras de Silva fue enorme en Europa. Le copiaron e imitaron: Philip Sidney—en *The Arcadia*—y Spencer—en *The Faery Queen*—. En Shakespeare se notan indicios de la fama de Silva en Inglaterra. Y de nuestro autor deriva el *Florizel, prince of Bohemia,* del *Winter's tale.*

Obras: *Amadís de Grecia*—1530—, *Don Florisel de Niquea y el fuerte Anaxartes* —1532—, *Segunda "Celestina"*—1534—, *Don Rogel de Grecia*—1535—, *Cuarta parte de Don Florisel*—1551—, *El sueño de Feliciano de Silva*—alegoría de las dificultades y penas que el autor encontró cuando pretendía casarse con Gracia Fe.

De todas estas obras se hicieron numerosas ediciones: Evora—dos, sin año—; Lisboa, 1566 y 1596; Venecia, 1536; Amberes, 1550; Sevilla, 1534, 1536, 1542 y 1551; Medina, 1534 y 1564; Salamanca, 1536, 1551 y 1555; Zaragoza, 1568 y 1584.

Modernamente: el *Amadís de Grecia* puede leerse en el tomo IX de la "Colección de libros raros y curiosos", Madrid, 1874.

V. Cotarelo Mori, E.: *Nuevas notas biográficas de Feliciano de Silva,* en *Boletín de la Academia Española,* 1926, XIII.—Buceta, Erasmo: ... *Referencias a la familia de Feliciano de Silva,* en *Rev. Fil. Esp.,* 1931, XVIII.—Alonso Cortés, N.: *Feliciano de Silva,* en *Boletín de la Academia Española,* 1933, XX.—Menéndez Pelayo, M.: *Orígenes de la novela.* I.—Gayangos, P.: *Libros de caballerías,* en el tomo XL de la "Biblioteca de Autores Españoles".

SILVA, José Asunción.

Uno de los más grandes poetas de la América española. 1865-1896. De Bogotá (Colombia). Uno de los espíritus más aristocráticos y bellamente poéticos que han existido. Tuvo una infancia triste. Autodidacto. Su vida parece nimbada por el doble prestigio de la anécdota y de la poesía. Ya sus biógrafos apuntan que "un desgraciado germen psicopático le venía por parte de sus progenitores". Pero la herencia fue también "de sensibilidad refinada". Amó la soledad. Amó la melancolía. Amó la secreta y dolorosa angustia de sentir desesperanzadamente.

Silva, con Darío, Casal, Nájera y Herrera y Reissig, pasan por ser los iniciadores del modernismo lírico en América. Su padre tuvo un comercio suntuoso de mercaderías de lujo: sedas, perfumes, lacas, porcelanas, objetos de arte. En 1883 partió para Europa. Al morir su padre, el negocio fracasó, y Silva se comprometió caballerosamente a saldar todas las deudas dejadas por su padre. Pero la muerte de su hermana Elvira, a la que amaba entrañablemente, acabó por des-

S

equilibrarle. Nueva desventura: secretario de la Legación colombiana en Caracas, al regresar a su patria—1895—, en el vapor *L'Amérique*, naufragó el buque cerca de la costa, y aun cuando él logró salvarse penosamente, perdió "la mayor parte y lo mejor de su obra: *Cuentos negros, Las almas muertas* y *Los poemas de la carne*". Era Silva de bello rostro y helénico perfil, atractivo en grado sumo. Nuevos fracasos económicos y sentimentales le llevaron a una fatal resolución: el día 23 de mayo de 1896, con el pretexto de aclarar ciertos síntomas, rogó al doctor Manrique le señalase el sitio del corazón. A la mañana siguiente apareció muerto, con una bala en el lugar determinado por el médico. Cuenta Leguizamón que la noticia fue dada en uno de los periódicos bogotanos de la siguiente forma: "Suceso: Anoche, en su cama, puso fin a sus días el joven José Asunción Silva. Parece que hacía versos."

La poesía de Silva, muy escasa, es refinada, exquisita, sentimental, lujosamente rítmica. Resucitó viejos metros, gustando mucho del dodecasílabo.

El excelente crítico Gómez Restrepo escribe: "Silva es un poeta de pura estirpe castellana, por la calidad del lenguaje y del estilo, por su respeto a la métrica tradicional, por la diafanidad del pensamiento, por la armonía de las proporciones. Pero dice en versos perfectos cosas antes no oídas; nos transmite impresiones nuevas y sutiles; pone en sus paisajes matices suaves y evanescentes, que ningún parentesco guardan con los colores tradicionales de la poesía española; da a sus versos una música exquisita y penetrante; produce, en suma, como todo gran artista, un *frisson nouveau*. El *Nocturno* es una pieza capital de la poesía moderna, es una de esas varias y felices inspiraciones en que un sentimiento profundo y casi inefable halla un motivo poético que lo exprese y una fórmula plástica que lo encarne; vaga sinfonía que suena como cosa inaudita y que, sin embargo, está constituida con elementos de admirable sencillez. Puede haber en la poesía nuevas inspiraciones más complicadas que *Nocturno;* ninguna en que la música brote tan íntimamente de las entrañas del tema y tenga, por lo mismo, una fuerza patética más grande."

Y nuestro Unamuno opinó de Silva: "El misterio da vida a los mejores de sus cantos, y persiguiendo al misterio se cansó del camino de la tierra. Persiguiendo el misterio y tratando de encerrar en sus estrofas las pálidas cosas que sonríen, de aprisionar en el verso los fantasmas grises, según iban pasando, como nos lo dice él mismo... Fue la suya una vida de soñador. Y de Silva

cabe decir que es el poeta puro, sin mezcla de aleación de otra cosa alguna."

Como dice Alberto Miramón, "logró el milagro de la innovación en el arte, sin romper la cadena de la evolución poética". Y añade Arango Ferrer: "Al definir posiciones filosóficas fluctuó entre lo apolíneo y lo dionisíaco, pero bien pronto su maestro Schopenhauer les ganó a Nietzsche y a Goethe lo mejor de ese gran espíritu. Tres poetas, a su turno, influyeron en su rumbo: Bécquer le dio las gamas del intenso claroscuro que le acompañaron hasta la cumbre del *Nocturno;* Bartrina, el escéptico humorismo de la segunda época, y Edgar Poe tiñó definitivamente su desencanto."

Nocturno, poesía inmortal, de una belleza y de una emoción inigualables, tiene, para Juan Ramón Jiménez, la "calidad de un preludio de Chopin eterno", y es "música hablada, suma de amor, sueño, espíritu, magia, sensualidad y melancolía humana y divina".

Obras: *Poesías*—póstumas, publicadas por el colombiano Hernando Martínez. Barcelona, 1908; París, 1913; Caracas, 1913; edición muy imcompleta. La mejor edición es: *José Asunción Silva, Prosas y versos*, introducción, selecciones y notas de Carlos García Prada, Instituto Internacional de Literatura Iberoamericana, Clásicos de América, México, 1942; *Poesías completas*. Aguilar, Madrid, 1951.

V. Valencia, Guillermo: *J. A. Silva*, en *Cervantes*, Madrid, 1916, IV.—Gómez Restrepo, Antonio: *Parnaso colombiano*. Cádiz. Gómez Restrepo, Antonio: *La literatura colombiana*, en *Revue Hispanique*, XLIII.— Gómez Restrepo, Antonio: *Historia de la literatura colombiana*. Bogotá, 1938.—Arango Ferrer, Javier: *La literatura de Colombia*. Universidad de Buenos Aires, 1940.—García Prada, C.: *Antología de poetas colombianos*. Bogotá, 1937, dos tomos.—Menéndez Pelayo, M.: *Historia de la poesía hispanoamericana*. Madrid, 1913.—Mesa Ortiz, Rafael M.: *Colombianos ilustres*. Bogotá, 1916-1917.— Unamuno, Miguel: Prólogo en la ed. Aguilar, 1951.

SILVA, Medardo Angel.

Poeta mulato ecuatoriano. 1902-1920. Nació en Guayaquil y puso fin a su vida, por un gran amor contrariado, antes de cumplir los diecinueve años. Niño aún, se hizo popular en su patria con sus poemas, publicados en diarios y revistas. También escribió para publicaciones extranjeras, excediendo así su fama de las fronteras del Ecuador. En 1916 fundó—con W. Pareja y J. A. Falcón—la revista *Renacimiento,* en la que publicó ensayos y crónicas.

"Su poesía traduce el sentimiento depresivo de la vida. La melodía de la muerte vuelve insistentemente, como la idea acariciadora de la forma para liberar su alma, más alta y armoniosa que su destino mismo. Su noble verso—decorosamente contenido en medio de una lujuria tropical de temperamento y paisaje—no fue cauce suficiente para descargar al espíritu. Precoz y talentoso, con tenaz esfuerzo aprendió a leer solo y completó su caudal nada despreciable de conocimientos. Adquirió así, con tesón y voluntad, el derecho a figurar en el movimiento modernista de su país, cuyo primer lugar ocupa." (J. A. Leguizamón.)

Obsesionado por un amor imposible y por el complejo de su inferioridad social de mulato, se suicidó el mismo año en que apareció su único libro: *El árbol del bien y del mal*—Guayaquil, 1920.

V. CARRIÓN, Benjamín: *Indice de la poesia ecuatoriana contemporánea*. Santiago de Chile, Ercilla, 1937.—BARRERA, Isaac: *La literatura ecuatoriana*. Quito, 2.ª edición, 1926.

SILVA, Víctor Domingo.

Poeta y prosista chileno. Nació en 1882. Ha desempeñado cargos consulares en España y en Argentina. Ha dirigido compañías teatrales. Periodista. Político. Orador. Incansable viajero. Su novela *Golondrina de invierno* multiplica sus ediciones. En el teatro ha conseguido grandes éxitos.

Obras: *Hacia allá*—1905—, *El derrotero*—drama, 1908—, *Romancero naval*—1910—, *La selva florida*—1911—, *Sus mejores poemas*—1916—, *Sus mejores poesías*—1918—, *España y yo somos así*—1927—, *Toque de diana*—1928—, *Poemas de Ultramar*—1935—, *Nuevos poemas*—1937—, *Los mejores poemas*—1948—, *Nuestras víctimas*—drama—, *Los cuervos*—drama—, *Como la ráfaga*—comedia—, *El pago de una deuda*—comedia...

V. PEÑA, Nicolás: *Teatro dramático nacional*. Santiago, 1923.—LATORRE, Mariano: *La literatura de Chile*. Buenos Aires, Facultad de Filosofía y Letras, 1941.

SILVA ARAMBURU, José.

Periodista, poeta y autor dramático español. Nació—1896—en Madrid. Murió—1959—en Barcelona. Estudió el bachillerato con los Escolapios y se licenció en Derecho en la Universidad Central. Fue concejal del Ayuntamiento de Madrid. Ha colaborado en *La Tribuna, El Mundo, La Opinión, Madrid, La Esfera*... En 1919 ganó la Flor natural ofrecida por el Ayuntamiento madrileño y el "Premio Alfonso XIII" con motivo de la Fiesta de la Raza.

De mucho ingenio. Ha obtenido buenos éxitos en el teatro.

Obras: *El sueño de España*—poema, 1919—, *Los pícaros doctores o el amor que*

vuelve a nacer, *La contrabandista, Escribidme una carta, señor cura; La locura de Ernestina, Por qué fue Don Juan Tenorio, La leyenda del beso, La fiesta de la alegría...*

SILVA Y FERNÁNDEZ DE CÓRDOBA, Araceli de, Duquesa de Almazán.

Nació esta escritora, descendiente de la ilustre casa de Híjar y Aranda, en Pau (Francia), el 2 de noviembre de 1898. Murió—1966—en Madrid. Cursó sus estudios en colegios franceses, donde, niña aún, escribió un diálogo dramático titulado *Les sabots de Noel*, representado con gran éxito. Más tarde, en el colegio de la Asunción, de Kensigton Square, en Londres, escribió otra comedia, *Fairy Crocus*, por la que recibió un preciado galardón. Con extraordinario éxito estrenó en Madrid, en diciembre de 1945, su comedia *La pura mentira*, sátira finísima sobre un grupo social determinado, que mereció los más vivos elogios de los críticos. Continuando su decidida vocación teatral, escribió las siguientes obras: *El príncipe encantador, El corazón en la garganta y Cita en el más allá* —esta última ya estrenada, 1947—, así como un trabajo histórico de gran trascendencia: *Las cartas de la condesa de Salvatierra al rey Felipe IV*. Colaboró en diversas revistas y periódicos.

Sus características son, al decir de un crítico, la frase sutil, los rasgos de ingenio, fervores de sensibilidad, personajes de cuerpo y alma, interés del argumento, honda emoción humana, puro realismo en las escenas y absoluta intención moral. Lectora incansable, sus autores predilectos son Oscar Wilde y Somerset Maugham. Fue dama de su majestad la reina Victoria; casó en 1915 con el marqués de Cortes de Graena y fue nombrada académico correspondiente de Bellas Letras y Nobles Artes de Córdoba.

V. SAINZ DE ROBLES, F. C.: Prólogo a *La pura mentira*. Aguilar, 1946.—MAGARIÑOS, S.: *La verdad de los noveles*, en *Cartel*, Madrid, 1946.—RODRÍGUEZ DE RIVAS, M.: *La pura mentira*, en *Semana*, 5 diciembre 1945.—HEREDIA, M. de: *Una charla con la duquesa de Almazán*, en *A que Sí*, 1946.

SILVA VALDÉS, Fernán.

Poeta y prosista uruguayo. Nació—1887—en Montevideo. Empezó sus estudios en Sarandí del Yi y los terminó en su ciudad natal. Pero su inquieto espíritu le llevó a desempeñar los más diversos empleos: guitarrista, empleado público, cantor, viajante de comercio. Estudió voluntariamente la literatura, tomando como modelos a Rubén Darío y Herrera y Reissig.

Silva Valdés representa el retorno a lo nativo—motivos de raza y ambiente rural—

S

con técnica ultramodernista. Sin embargo, sus primeros poemas derivan del modernismo; pero una crisis nerviosa le obligó a refugiarse en el campo, donde se recuperó corporalmente y *se encontró a sí mismo* espiritualmente. "Lo cierto es que si el hombre se apartó de todo atajo morboso, el poeta abandonó el artificioso callejón de su juventud literaria por donde iba, borroso y torcido, para volver a galopar, con la reverdecida alegría de su adolescencia, por las cuchillas natales." (Zum-Felde.)

Obras: *Humo de incienso, Anforas de barro, Agua del tiempo*—1921—, *Poemas nativos*—1925—, *Poesías y leyendas para los niños*—1930—, *El espíritu, Intemperie*—1930—, *Romances chúcaros*—1938—, *Romancero del Sur*—1939—, *Tradiciones y costumbres uruguayas...*

V. PEREDA VALDEZ, I.: *Antología de la poesía moderna uruguaya (1900-1927)*. Buenos Aires, El Ateneo, 1927.—FUSCO SANSONE, Nicolás: *Antología y crítica de la literatura uruguaya*. Montevideo, 1940.—ZUM-FELDE, Alberto: *Indice de la poesía uruguaya contemporánea*. Santiago de Chile, Ercilla, 1934. GARCÍA, Serafín J.: *Panorama de la poesía gauchesca y nativista del Uruguay*. Montevideo, 1941.

SILVANO GODOI, Juan.

Erudito y prosista paraguayo. Nació en 1850. Estudió Humanidades, Leyes y Letras. Durante mucho tiempo viajó por Europa, adquiriendo así una visión amplia de los problemas vitales y una esmeradísima formación cultural. Poseyendo una gran fortuna, pudo dedicarse a sus dos grandes pasiones: los libros y los cuadros, llegando a formar una biblioteca y una pinacoteca excepcionales por su valor y su exquisito gusto. Dio excelentes conferencias y colaboró en revistas selectas.

Obras: *Monografía histórica*—Buenos Aires, 1893—, *Ultimas operaciones de guerra del general Díaz*—Buenos Aires, 1897—, *Misión a Río de Janeiro*—Buenos Aires, 1897—, *El barón de Río Branco*—Asunción, 1912—, *El asalto a los acorazados*—Asunción, 1919...

V. DÍAZ PÉREZ, Viriato: *La literatura del Paraguay*, en el tomo XII de la *Historia universal de la literatura*, de Prampolini, Buenos Aires, Uteha Argentina, 1941.

SILVELA, Manuel.

Poeta, historiador y autor teatral. Nació —1781—en Valladolid y murió—1832—en París. Bachiller en Arte y licenciado en Derecho por la Universidad de Valladolid. En el Madrid ocupado—1809—por los franceses aceptó el cargo de Alcalde de Casa y Corte otorgado por José Bonaparte. En esta época se inició su gran amistad con el también afrancesado Leandro Fernández de Moratín. Con este, al evacuar España los franceses, marcharon a Burdeos, donde dirigieron un colegio. Hacia 1825 se trasladó a París. Compañero abnegado de Moratín, le asistió hasta su muerte y ordenó sus papeles literarios. Fue padre y abuelo de los famosos políticos don Francisco Agustín y don Francisco.

Obras: *Compendio de la Historia antigua hasta los tiempos de Augusto*—póstuma, 1843—, *Obras póstumas*—1845—, *Correspondencia de un refugiado con un amigo suyo de Madrid, Sentencias, Vida de Moratín, Don Simplicio de Utrera*—comedia—, *El reconciliador*—comedia—, *Poesías, Sentencias...*

SILVELA Y DE LE-VIELLEUZE, Francisco.

Muy afamado político, jurisconsulto y literato español. Nació—1845—y murió—1905—en Madrid. Doctor en Derecho por la Universidad de Madrid. Abogado del Consejo de Estado. Diputado a Cortes sin interrupción. Ministro varias veces y en distintos departamentos. Presidente del Consejo de Ministros.

En 1886 fue elegido individuo de número de la Academia de Ciencias Morales y Políticas; en 1889, de la Real Academia de la Lengua. También fue académico de la Real de la Historia, de la de Bellas Artes de San Fernando, de la de Buenas Letras de Sevilla.

En su juventud ejerció el periodismo en *La Epoca*, en *La Voz del Siglo* y en la sección de "El país pintado por sí mismo", de *El Imparcial*.

Su gran cultura, espíritu sensible, talento dúctil y facilidad de asimilación le llevaron a brillar igualmente en las lides literarias y en las políticas. Su estilo es reposado, algo enfático; su prosa, selecta.

Obras literarias: *Reglamento para la constitución del club de los filócalos y neocultos* —sátira—, *Bosquejo histórico*—puesto como introducción a la colección de las cartas de la venerable sor María de Agreda al rey Felipe IV—, *Importancia del arte en la vida social*—discurso en la Academia de San Fernando—, *Orígenes, historia y caracteres de la Prensa española*—1886—, *Discursos*—1892—, *El mal gusto literario en el siglo XVIII*—discurso en la Academia Española.

V. BALLESTEROS ROBLES, L.: *Diccionario biográfico matritense*. Madrid, 1912.—CEJADOR Y FRAUCA, J.: *Historia de la lengua y literatura españolas*. Tomo IX, 215.—MELLADO, Andrés: *Sobre la personalidad literaria y política de don Francisco Silvela*. Madrid, 1912.—PONS Y LLANOS TORRIGLIA: *Necrología de don Francisco Silvela...* Madrid, 1910.

SILVELA Y DE LE-VIELLEUZE, Manuel.

Literato y político español, hermano de Francisco. Nació—1830—en París y murió —1892—en Madrid. Licenciado en Derecho por la Universidad de Valladolid. Abogado en ejercicio de gran fama. Diputado a Cortes durante varias legislaturas. Director general de Instrucción Pública. Consejero y ministro de Estado. Embajador en París. Senador vitalicio. Miembro—1870—de la Real Academia Española. Colaboró en *La Ilustración, Diario Universal, El Imparcial, Heraldo, Revista de España, Diario Español...*

Editó, prologó y anotó excelentemente las obras de Leandro Fernández de Moratín.

Obras: *Negro y blanco*—1851—, *Sin nombre*—artículos, 1868—, *Reseña analítica de las obras de Moratín*—1868—, *Obras literarias*—1890—, *Influencia de la escuela clásica del siglo XVIII en el idioma y en el teatro español*—discurso de ingreso en la Real Academia Española...

SILVESTRE, Gregorio

Buen poeta y músico español. 1520-1569. Nació en Lisboa. Su padre, el doctor Juan Rodríguez, era oriundo de Zafra, fue médico del rey de Portugal y regresó a España en la comitiva de la emperatriz Isabel, esposa de Carlos I. Gregorio tenía en esta ocasión siete años. A los catorce entró al servicio del conde de Feria, en cuya casa se aficionó a la poesía y a la música de tecla. En 1541 ganó la plaza de organista en la catedral de Granada, contrayendo la obligación de escribir cada año para las fiestas nueve entremeses y varias estancias y cancioncillas. Se casó con la guadixeña Juana Cazorla, de la que tuvo dos hijas y dos hijos. Murió de "una calentura pestilencial con tabardete".

Fue Gregorio Silvestre hombre de muy agudo ingenio, admirador incondicional de Garci Sánchez, de Torres Naharro, de Fernández Heredia; combatió la influencia italiana en su *Audiencia de amor*, obra en la que está patente la *manera* de Cristóbal de Castillejo. Las obras de Silvestre están divididas en cuatro libros. El primero contiene diez *lamentaciones*, cinco *sátiras* y varias *glosas* y *canciones*, todo en coplas castellanas; el segundo, la *Fábula de Dafne y Apolo, Píramo y Tisbe, La visita de amor* y *La residencia de amor;* el tercero, *glosas y canciones de moralidad y devoción, romances* y una *glosa* sobre las *Coplas* de Jorge Manrique. El cuarto, sonetos, la *Fábula de Narciso*, en octavas reales, y otras composiciones menores.

Su nombre figura en el *Catálogo de autoridades* del idioma, publicado por la Academia Española.

Sus obras fueron publicadas—Granada, 1582—por su viuda e hijos.

Ediciones modernas: tomos XXXII y XXXV de la "Biblioteca de autores Españoles"; *Selección*, en *Cruz y Raya*, Madrid, 1935; *Selección*, Granada, 1939.

V. RODRÍGUEZ MOÑINO, A.: En la ed. de *Cruz y Raya*, Madrid.—MARÍN OCETE, Antonio: *Estudio* en la ed. de Granada, 1939.— GARCÍA PÉREZ, D.: *Autores portugueses en castellano*. Madrid, 1891.—GUZMÁN, L. M.: *Poesías atribuidas a Gregorio Silvestre*, en *Revue Hispanique*, XXXIII, 1914.

SIMÓN DÍAZ, José.

Investigador, profesor y literato. Nació en Madrid en 1920. Doctor en Filosofía y Letras. Auxiliar de Archivos, Bibliotecas y Museos, con destino en el Cuerpo Facultativo. Colaborador, desde Nacional de la Junta de Cultura de Vizcaya. Catedrático de Lengua y Literatura españolas de Institutos de Enseñanza Media —1945—. Miembro fundador y primer secretario—1946-1948—del Instituto de Estudios Riojanos, de Logroño. Secretario de la Junta Nacional de Cursos para Extranjeros y de los del Consejo Superior de Investigaciones Científicas, donde desempeña, además, los cargos de vicesecretario del Patronato "Menéndez Pelayo", bibliotecario del Patronato "José María Quadrado" de Estudios e Investigaciones Locales y secretario de la Sección de Literatura del Instituto "Miguel de Cervantes" de Filología Hispánica. Secretario de la "Colección de Indices de Publicaciones Periódicas". Consejero de la Delegación española de la Società Dante Alighieri. Presidente del Instituto de Estudios Madrileños. Catedrático de Bibliografía Hispánica de la Universidad de Madrid. Catedrático de Lengua y Literatura Españolas en el Instituto "Isabel la Católica" de Madrid.

Obras: *Un catedrático español: don Santos Díez González; Datos inéditos para la historia de la Congregación Mariana de Madrid, Dos notas sobre los Mora, Ventura Rodríguez en los Estudios Reales de Madrid, don Nicolás F. de Moratín, opositor a cátedras; Nuevos datos sobre S. Alvarez de Cienfuegos, Raíz y ascendencia del Madrid universitario, Documentos referentes a literatos españoles del siglo XVIII, Arriaza, Don Ramón de la Cruz, Estala, "El Censor"...—1944—, Colaboracionismo intelectual en 1808, Noticias varias sobre libreros, bibliotecas y escritores de Madrid en el siglo XVII; Los curtidores de Madrid y el río Manzanares, El helenismo de Quevedo, La casa de López de Hoyos, La pintoresca vida de Azcona, Los pastores de Manzanares, Los papeles de Durán, Francisco Rizi, postergado; Fraudes en la construcción del Real Al-*

S

1153

cázar—1945—, "El Artista" (Madrid, 1835-1836)—volumen I de la "Colección de Indices de Publicaciones Periódicas"—, *Nuevos datos sobre la devoción a la Virgen de la Paloma, Don Ramón de la Cruz y las ediciones fraudulentas, Bibliografía de N. Alvarez de Cienfuegos, Pleitos entre zapateros y curtidores*—1946—, "La villana de Vallecas" y el pan de los mercedarios, Bibliografías de J. B. de Arriaza y N. F. de Moratín, Palomino y otros, tasadores oficiales de pinturas; La Congregación de la Anunciata del Colegio Imperial; "L'Artiste", de París, y "El Artista", de Madrid; El coche de Quevedo, La Academia del Buen Gusto, Precios de las localidades en los teatros de Madrid en 1629, Notas sobre el P. Nieremberg, Cuestionario de oposiciones a cátedras del Seel Arm...de Nobles en 1799, La Biblioteca, de los Estudios ...dra de Historia literaria cátedra de Hebreo en los 'Estu...1947—, La Isidro, El duque de Rivas en el Seminario de Nobles, Algunas noticias cervantinas, Los "Sucesos y prodigios de amor", de Pérez de Montalbán, vistos por la Inquisición; Una carta de pésame de Céspedes y Meneses, Un chiste sobre el hábito de Quevedo*—1948—, Un "juicio" sobre la Prensa ilustrada madrileña del siglo XIX—1949—, Jerónimo de Cuéllar, caballero de Santiago; Patriotismo y desventura de los "Voluntarios del Cardenal Cisneros" (1808), Notas sobre don José María de Carnerero y su caballera—1951—, Historia de un centro docente madrileño: Colegio Imperial, Reales Estudios de San Isidro, Instituto de Segunda Enseñanza de San Isidro (1572-1900)—dos volúmenes, 1952—, Manual de bibliografía de la Literatura Española—1963.

SINUÉS, María del Pilar.

Popular novelista y poetisa española. Nació—1835—en Zaragoza. Murió—1893—en Madrid. De temperamento extraordinariamente romántico. Empezó a escribir casi una niña. Su fecundidad asombra, ya que sus obras pasan de los cien volúmenes, y no hubo periódico y revista en España que no publicara poesías, cuentos, artículos y novelas de esta singularísima mujer. Su boda fue tan romántica como absurda. Sin conocerla sino por unos versos, pidió su mano el escritor José Marco, casándose por poderes. *Novelescamente* se separaron muchos años después.

María del Pilar Sinués ganó mucho dinero, que dilapidó *principescamente* en caprichos y *romantiquerías*. Su última novela fue *Morir sola*, y sola murió, pobrísimamente, hallándola muerta su sirvienta al volver a casa. Dirigió la revista *El Angel del Hogar*.

No careció la Sinués de condiciones literarias. Tuvo vivísima imaginación. Supo urdir *tejidos novelescos*, que gustaron mucho a las clases sencillas españolas, con una mezcla rara de sensiblería, de exaltación, de filosofía vulgar y de prosa de bisutería. Muy empalagosa fue en sentimientos y efectos. Y careció de *fuerza* y *verdad* para pintar los caracteres y aun para reflejar las costumbres.

Algunas obras: *Ecos de mi lira*—poesías, 1857—, *La diadema de perlas*—novela, 1857—, *Amor y llanto*—leyendas, 1857—, *Fausta Sorel*—novela, 1861—, *El ángel del hogar*—estudios acerca de la mujer, 1862—, *La senda de gloria*—novela, 1863—, *Galería de mujeres célebres*—1864—, *El almohadón de rosas*—novela, 1864—, *Un nido de palomas*—novela, 1865—, *El ángel de las tristezas*—novela, 1865—, *A la luz de una lámpara*—cuentos, 1866—, *La flor de Castellar*—novela, 1866—, *Una hija del siglo*—novela, 1873—, *Combates de la vida*—cuadros sociales, 1876—, *Palmas y flores*—leyendas, ...—, *La mujer de nuestros días*—1878—, *La vida .... sombras*—leyendas, 1879 Reinas mártires —1878—, *Damas galantes, Los mártires del honor*—leyendas, 1879—, *Dramas de familia*—dos series, 1883 y 1885—, *La corona nupcial*—novela—, *La confianza en los padres*—novela—, *El patrimonio sin gloria*—novela—, *El último amor...*

V. CEJADOR Y FRAUCA, J.: *Historia de la lengua y literatura españolas*. Tomo VIII, páginas 141-42.

SOBRINO, Cecilia.

Hija de la famosísima doña Cecilia Morillas (V.) y de don Antonio Sobrino. Nació —1570—en Valladolid.

Como su madre y todos sus hermanos, sobresalió por su talento, su cultura y sus virtudes. Habló varios idiomas y poseyó extensos conocimientos en materias humanas y eclesiásticas. Dibujaba, pintaba, cantaba y tocaba varios instrumentos con rara perfección. Profesó en el convento teresiano de Valladolid con su hermana mayor, tomando los nombres de Cecilia del Nacimiento y María de San Alberto. Fue maestra de novicias y priora de aquel monasterio, así como en el de Calahorra, cuya fundación dirigió. Estuvo también en Madrid, donde fue de las primeras monjas que en 1612 vinieron a fundar el convento de las Teresas. Desde la capital regresó al convento de su ciudad natal, donde murió, con gran crédito de santidad, el 7 de abril de 1646.

Entre sus obras figuran: 1. *Comentarios sobre algunos lugares oscuros de las Sagradas Escrituras*; 2. *Tratado sobre la Inmaculada Concepción de la Madre de Dios*; 3. *Libro de su vida*; 4. *Relación de los méritos y virtudes de la Madre María de San Alberto* (su hermana); 5. *Poesías místicas y algunos otros escritos varios.*

Los tres primeros libros se conservan en el monasterio carmelitano de Valladolid, según noticia de Cosme Villiers en su *Bibliot. Carmelitana,* y sus *Poesías,* en el de Madrid. La *Relación* acerca de su hermana fue publicada en parte por los cronistas de la Orden en la *Vida de María de San Alberto.*

V. PARADA SANTÍN, José: *Las pintoras españolas,* en *Ilustración Española y Americana,* 1876.

SOBRINO, María.

Erudita y religiosa española. Hija de la famosa doña Cecilia Morillas (V.) y notable como esta y como su hermana Cecilia (V.) por sus méritos religiosos y por su ilustración. Nació—1566—en Valladolid. Y murió en 1640. Profesó, juntamente con su hermana Cecilia, en el convento teresiano de su ciudad natal, y en él fue priora durante Be-chos años. Refiérese que el .... navente hizo pintar ....rato para conservarlo en su .....acio como el de una bienaventurada. En religión tomó el nombre de María de San Alberto.

Entre sus obras sobresalen las siguientes: 1. *Visiones de Catalina Evangelista, monja en Valladolid, muerta en 1623;* 2. *Diario de sus propias visiones;* 3. *Algunas coplas al nacimiento del Niño Dios y traducciones en metro de los Salmos;* 4. *Cartas varias.*

Como poetisa poseyó mucha delicadeza y gran emoción. Como escritora, y excelente, la incluye Villiers en su *Biblioteca Carmelitana,* tomo II.

Varias de las *Cartas* de María de San Alberto han sido incluidas por don Vicente de la Fuente en su colección de las *Obras* de Santa Teresa.

SOCA, Juan.

Nació en Cabra (Córdoba) el 31 de marzo de 1890. Estudió el bachillerato en el Instituto de Cabra, cursando después los estudios de Comercio.

Ha escrito las siguientes obras: *La tristeza de amar*—versos de juventud. Prólogo de José Francés. 1916. Puente Genil (Córdoba)—, *El alma encendida*—rimas. Prólogo de Cristóbal de Castro. 1924. Puente Genil (Córdoba)—, *Lira del corazón*—poemas, 1929. Edición de la Compañía Ibero-Americana de Publicaciones. Madrid—, *Arbol de sangre*—poema del buen amor. Edición privada. 1941—, *Más de cien poetas inéditos* —antología española. 1946. Cabra (Córdoba)—, *Ideario sentimental*—prosa lírica. Acotación de Rafael Cansinos-Asséns. Cabra (Córdoba), 1920—, *La tragedia del héroe* —novela. Edición de "La Novela Decenal".

Sevilla, 1926—, *Miedo*—novela. Edición de "La Novela del Día". Puente Genil, 1926—, *El hombre que buscaba a Dios (Vidas rotas)*—novelas cortas, Puente Genil (Córdoba), 1927—, *Cuentos para niños*—1933. Cabra (Córdoba)—, *Un libro en cada mano*—artículos premiados por la Cámara Oficial del Libro, de Madrid, 1934—, *Cuentos humanos* —1935. Cabra (Córdoba)—, *¡Quiero vivir!* —comedia cordobesa en tres actos, estrenada en el teatro Principal de Cabra en octubre de 1941—, *¡Ni ella ni tú!*—comedia en tres actos, estrenada en el teatro Principal de Cabra en octubre de 1943—, *No se enamore usted*—comedia en un prólogo y dos actos, estrenada en el teatro Principal de Cabra en mayo de 1944.

Premios: El cuento *Mulato,* para niñ... obtuvo el primer premio en el .....doba, en vocado por *Diario Libr* 1927, fue premiado 1924. Poste.....ración Ibérica de Sociedades Protectoras de Animales y Plantas, de Madrid.

El semanario *El Sol,* de Antequera, le concedió el primer premio al cuento titulado *Luz de Antequera,* en certamen convocado en 1928.

En los Juegos florales de Córdoba celebrados en 1929 obtuvo un premio por su composición poética titulada *Romance.*

El diario de Madrid *La Libertad* le ha premiado tres crónicas en los concursos al "Premio Zozaya", en los años 1930, 1932 y 1933.

Ha colaborado en la Prensa regional, nacional y extranjera. Desde su fundación, en 1934, dirige la Biblioteca Pública Municipal de Cabra (Córdoba), "la primera entre las de su clase", en reiterado juicio de la superioridad. Este centro de cultura publica anualmente Memorias, celebra concursos literarios y conferencias para estimular a los lectores.

Al cumplirse los treinta años de la publicación de su primer libro, el Ayuntamiento de Cabra le ha tributado un homenaje, nombrándole hijo predilecto y entregándole un artístico pergamino en un acto celebrado en el Instituto Nacional de Enseñanza Media "Aguilar y Eslava", de Cabra, el día de la fiesta del Libro, 23 de abril de 1948.

Obras: *El doctor cordial*—novela—, *El pecado ajeno*—comedia (no estrenada).

V. SAINZ DE ROBLES, F. C.: *Historia y antología de la poesía española.* Madrid, Aguilar, 1964, 4.ª edición.

SOFFIA, José Antonio.

Literato chileno. Nació—1843—en Valparaíso—y murió—1886—en Colombia. Posiblemente, el mejor representante, después de Blest Gana, de la generación romántica de

S

Chile. Abogado. Ejerció cargos importantes en la Administración pública. Director de la Biblioteca Nacional. Intendente general político de la provincia de Aconcagua. Subsecretario de Estado. En 1880 fue nombrado ministro plenipotenciario en Colombia, país en el que permaneció hasta su muerte. Los cenáculos literarios de Bogotá contáronlo entre los miembros más activos e ilustres, al lado de Jorge Isaac, Marroquín, Caro, Pombo, Samper y otros. Muchas de sus poesías alcanzaron tal popularidad—*No llores...*, *Las dos hermanas*—, que aún se cantan en Colombia y en Chile, por el pueblo, al son de las guitarras. Fue un conversador ingeniosísimo, un humorista hondo, un gran improvisador en rima, un gran prosista satírico. En 1877 ganó la medalla de oro en un certamen con su poema *Machimalonco*. *otoño*—1878—; *Líricas*—1875—, *Hojas de Bolívar y San Martín*—romances—1879—, obra... mejor

V. SILVA CASTRO, Raúl: *Antología de los poetas chilenos del siglo XIX*, en *Biblioteca de Escritores de Chile*, vol. XIV, Santiago, 1937.—FIGUEROA, P. P.: *Antología chilena*. Santiago, 1908.—AMUNÁTEGUI SOLAR, D.: *Bosquejo histórico de la literatura chilena*. Santiago, 1915.—LILLO, Samuel: *La literatura chilena*. Santiago, 1930.—LATORRE, Mariano: *La literatura de Chile*. Buenos Aires, Fac. de Fil. y Letras, 1941.

SOFOVICH, Luisa.

Novelista, biógrafa, cronista argentina. Nació—1912—y murió—1970—en Buenos Aires. Desde los catorce años envió cuentos y crónicas a los periódicos de su ciudad natal. En 1931 conoció al genial escritor Ramón Gómez de la Serna, con motivo del primer viaje de este a la Argentina, y unida a él fija su residencia en Madrid—1933—, donde recibe la noticia de haber sido galardonado con el "Premio La Peña" su primer libro de cuentos: *La sonrisa*. En 1936 regresó a la Argentina con Ramón, su esposo, y en Buenos Aires han vivido hasta la muerte —1963—del genial autor de las *Greguerías*. Luego de una breve estancia en Madrid y París, Luisa Sofovich regresó a Buenos Aires.

Luisa Sofovich, a la que la crítica americana en general reconoce como un auténtico temperamento de novelista—el eminente crítico uruguayo Zum-Felde ha insistido para que no se desvíe de su verdadera vocación—, escribió incesantemente en revistas y diarios, habiendo creado un género de ceñido artículo crítico-poético-biográfico. Su cultura literaria fue vastísima, pues dominaba media docena de idiomas.

De su libro *Siluetas en negro*—1950—,

donde reúne biografías dispares (de Quincey y Heine, James Joyce, Rodembach, las Brontë), ha dicho el crítico argentino Rega Molina "que es el mejor libro escrito por una mujer en la Argentina".

Otras obras: *La gruta artificial*—novelas cortas, Buenos Aires, 1935—, *Historias de ciervos*—narraciones imaginativas, Buenos Aires, 1943—, *El ramo*—cuentos, Buenos Aires, 1943—, *Biografía de la Gioconda* —"Colección Austral", Espasa-Calpe, 1953...

SOIZA REILLY, Juan José de.

Prosista y crítico argentino, nacido en Paysandú (Uruguay) en 1879. De padre uruguayo y madre argentina. Desgracias económicas de familia le obligaron, de muchacho, a ganarse la vida vendiendo periódicos. A los quince años marchó a la Argentina, donde logró abrirse camino como escritor y como intelectual. Contribuyó a fundar los famosos periódicos *Caras y Caretas* y *Fray pa durante* los que fue corresponsal en Europa durante la primera gran guerra mundial —1914-1918—. Ha sufrido persecuciones por defender la libertad de ideas. Director literario de la *Revista Popular*. Catedrático de Geografía e Historia en Buenos Aires.

Independiente hasta la temeridad, recio de ideas y de estilo, escéptico *sin pasividad*, curioso de todos los problemas humanos, ingenio de los más sobresalientes y personales de Hispanoamérica.

Obras: *Cien hombres célebres*—1908—, *Alma de los perros*—1909—, *Crónicas de amor, de belleza y de sangre*—1910—, *Hombres y mujeres de Italia*—1911—, *Cerebros de París*—1912—, *La ciudad de los locos* —novela, 1913—, *La vida íntima de César Lombroso*—1918—, *¿Hizo bien?*—comedia...

SOLÁ MESTRE, Jaime.

Novelista y periodista español. Nació —1874—en Vigo. Estudió Derecho en las Universidades de Santiago y Valladolid. Siendo mozo, fundó las revistas *Poquita Cosa* y *Vigo Juvenil*. Durante los años que permaneció en Madrid fue redactor de *El Globo*. Nuevamente en su ciudad natal, fundó la primera revista gráfica que tuvo Galicia, *Vida Gallega*, y el diario *El Noticiero de Vigo*. En 1911 y 1912 viajó por la América española, dando conferencias e interesándose por las colonias gallegas expatriadas. Novelista lleno de colorido y de carácter local. Excelente narrador. Original en sus temas y generoso de una atractiva melancolía.

Obras: *La mala sombra*—novela—, *Cuentecitos. Andurina*—novela—, *El alma de la aldea*—novela—, *El otro mundo*—novela—, *Diablillo, El ramo cativo*—novela—, *El dipu-*

tado—comedia—, *Galicia ausente*—crónicas de viaje—, *Cuentos de viaje*...

SOLALINDE, Antonio G.

Literato y filólogo español. Nació—1892— en Toro (Zamora). Murió—1937—en Madison (Wisconsin, Estados Unidos). Doctor en Letras por la Universidad de Madrid. Alumno y profesor después del Centro de Estudios Históricos. Ayudante de don Ramón Menéndez Pidal. Estuvo pensionado por la Junta de Ampliación de Estudios en Portugal, Italia y Alemania. Recorrió los Estados Unidos, dando notables conferencias sobre temas de literatura española en las Universidades de Columbia, Michigan, California, Stanford, Wisconsin, Harvard, Cornell... Colaborador de la *Revista de Filología Española*. Editó, precedidas de estudios admirables, obras de Berceo, de Alfonso el *Sabio*, *Calila e Dimna*, *Cien romances escogidos*...

SOLANO POLANCO, Ramón de.

Fino novelista y poeta español. Nació —¿1880?—en Santander. Licenciado en Filosofía y Letras. Ha publicado incalculable número de poesías, de cuentos y artículos en las principales publicaciones españolas.

De él puede decirse que es el prototipo del caballero literato. Su vocación es honda y serena. Escribe por dictados de sensibilidad y de propia complacencia. Con sus obras delicadas no busca al gran público, sino a esa minoría selecta que sabe apreciar el oro puro en pequeñas monedas. Pensamiento hondo, estilo personal, lenguaje castizo y limpio, verdadera inspiración poética hay en todas las obras de este eximio y recoleto escritor.

De una de sus novelas ha escrito Cejador: "Es de las mejores que en castellano se han escrito, por lo profundo del pensamiento, por lo bien tramada, por la pintura de caracteres, y, sobre todo, por la intensa afección y el decisivo convencimiento, que lleva al alma, de la farsa social. Verdadero *Quijote* en pequeño. Pintura real, viva y en estilo y lenguaje llano, natural, sin la menor afectación."

Obras: *La Tonta*—novela, 1904—, *Amor de pobre*—novela, 1906—, *Las domadoras*—comedia, 1910—, *Vía Crucis*—poemas—, *Romancero de Cervantes*—1916...

SOLDEVILLA, ZUBIBURU, Carlos.

Nació—1892—y murió—10 de enero de 1967—en Barcelona. Estudió las primeras letras y el bachillerato en el Liceo Poliglota. Cursó la carrera de Leyes en la Universidad de Barcelona, licenciándose en 1913. Al año siguiente aprobó en la Universidad Central las asignaturas del doctorado. Desde la edad de dieciocho años participó en tareas periodísticas. Ganó por oposición una plaza de oficial letrado en la Mancomunidad de Cataluña. Disuelta esta, pasó a la Diputación de Barcelona, de la que se separó voluntariamente en 1927, para reingresar en 1930. Fue oficial mayor del Parlamento regional hasta 1936, que se trasladó a París, donde residió cinco años. Intervino, además, de escribir, en asuntos de edición, librería y arte. Fue secretario fundador de Conferencia Club y presidente del Rotary Club de Bareclona. Estuvo casado desde 1917 y tuvo cuatro hijos.

Dirigió la Biblioteca Univers, y durante diecisiete años la revista ilustrada *D'Aci i d'Allá*. Colaboró en *El Poble Catalá, Revista Nova, La Veu de Catalunya, La Publicidad, La Publicitat, Revista de Catalunya* y *La Vanguardia*, de Barcelona; *El Sol, La Gaceta Literaria, Crisol* y *Semana*, de Madrid; *Comoedia, Europe* y *Le Monde Nouveua*, de París; *Atlántida*, de Buenos Aires, etc., etc.

Obras: En catalán: Poesía: *Lletanies profanes*—1913—y *Vint anys*—1930—. Novelas y cuentos: *L'Abrandament*—1917—, *Una atzagaida i altres contes*—1921—, *El senyoret Luis*—1927—, *Lau o les aventures d'un aprenent de pilot*—1928—, *Una nit a Bonrepós*—1928—, *Fanny*—1930—, *Eva*—1931—, *Valentina*—"Premio Creixell, 1933"—, *Moment musical*—1936—. Ensayos y artículos: *Plasenteries*—1936—, *Que cal llegir?*—1928—, *Dietari-Tria*—1928—. Teatro: *Civilitzats tanmateix!*—1921—, *Deu hi fa mes que nosaltres*—1922—, *Vacantes reials*—1923—, *Els milions de l'oncle*—1927—, *Bola de neu*—1928—, *Leonor o el problema domèstic*—1928—, *Escola de senyores*—1929—, *Lilí*—1929—, *Mecenas*—1929—, *La creació d'Adam*—1930—, *Un pare de familia*—1932—, *Valentina*—1934—, *Necessitem senyoreta*—1935.

En castellano: Ensayos: *El arte de leer*—1932—, *El París que yo he visto*—1943—, *Gracias y desgracias de Barcelona*—1943—, *Para comprender la literatura*—1943—. Novelas y cuentos: *Fanny*—1931—, *Los años turbios*—1930—, adaptación de *Moment musical*—1945—, *Los años turbios: Bob en París*—1946—, *Boda tardía*—adaptación de *L'Abrandament*, 1945—, *Historias barcelonesas*—1946—. Todos estos libros han sido editados en Barcelona.

Ha publicado en francés *Ensenada et son temps*, en colaboración con René Bouvier —París, 1940.

Traducciones: Entre otras, *Lletres del meu molí*—en colaboración con L. Beltrán Pijoán—, *Els fracassat de H. R. Lenormand*—en colaboración con J. Pous i Pagés—, *El paquebot "Tenacity", El pelegri y Michel Auclair*, de Charles Vildrac; *La dona*

S

que va comprar marit, de Steve Passeur; *Modes per senyor i senyora,* de Ferenc Molnar, etc.

Ha estrenado en Buenos Aires las comedias *Civilizados* y *Ejemplo de casadas;* en Roma, bajo la dirección de Bragaglia, *Uome civile, sempre.* Se han publicado en versión francesa *Civilisés tout de même, Lilí* y varios cuentos, y en italiano, *Lao* y algunas narraciones.

SOLDEVILLA ZUBIBURU, Fernando.

Nacido en Barcelona el 24 de octubre de 1894. Estudió en la Facultad de Filosofía y Letras de la Universidad de Barcelona, Sección de Letras. Discípulo de Rubió y Lluch en los Estudis Universitaris Catalans. Licenciado en Letras. Secretario-redactor de la Sección Histórico-Arqueológica del Institut d'Estudis Catalans. Grado de doctor en la Universidad Central—1916—. Oposiciones al Cos d'Arxius; tesis doctoral, *La reina María, esposa del "Magnánimo"*—premio extraordinario—, 1922. Bibliotecario en la Biblioteca de Mahón—1922—. Bibliotecario en la Biblioteca del Instituto de Logroño. Excedencia del Cuerpo de Archivos—1924—. Lector de español—Lengua y Literatura españolas—en la Universidad de Liverpool —1926 a 1928—. Sigue el curso del profesor Prou en la Escuela de Cartas de París —1928—. Profesor de Historia de Cataluña en la Escuela de Bibliotecarios—1929—. Archivero en la Corona de Aragón—1931—. Profesor de Historia de Cataluña en la Universidad de Barcelona—1931 a 1938—. Representante del Institut d'Estudis Catalans en la reunión del Comité Internacional de Ciencias Históricas, de Budapest—1931—. Representante en la reunión de La Haya. Representante en el Congreso Internacional de Historia, de Varsovia—1933—. Representante de la Universidad de Barcelona en el Congreso Internacional de Historia de Zurich—1938—. Reside en Francia de 1939 a 1943. Regresa a España en 1943.

Obras históricas: *La História universal* —1920—, *Historia de Catalunya*—en colaboración con Valls Taberner, 1923—, *Jaume I* —Barcelona, 1926—, *Recerques i comentaris* —Barcelona, 1929—, *História de Catalunya* —Barcelona, 1934-1935, tres tomos—, *Les dones en la nostra história*—Barcelona, 1936—, *L'esprit d'Oc et la Catalogue*—en *Cahiers du Sud,* 1942...

Poesía: *Poema de l'amor perdut*—Barcelona, 1916—, *Exili*—*La Revista,* Barcelona, 1918—, *Cántics de mar, d'amor i de mort* —*La Revista,* Barcelona, 1921—, *Antología,* dentro de la "Colección Els Poetes d'ara" —Barcelona, 1924—, *Faules*—ilustraciones de Pierrette Gargallo, Barcelona, s. a.

Teatro: *Matilde d'Anglaterra*—"Premio de l'Escola Catalan d'Art Dramátic. Barcelona, 1923—, *Guifre*—*La Revista,* Barcelona, 1928.

SOLER, Bartolomé.

Nació—1894—en Sabadell (Barcelona). Sin apenas saber leer, a los dieciocho años emigró a la Argentina, desempeñando los más diversos oficios. En Chile se hizo comediante. En 1922 volvió a Sabadell, dedicándose al teatro y debutando como primer actor en el teatro Romea, de Barcelona.

En 1927 publicó su novela *Marcos Villarí,* que le hizo famoso dentro y fuera de España. Volvió a recorrer las dos Américas, dando más de trescientas conferencias en distintas Universidades.

Su primera obra teatral, *Guillermo Roldán,* fue estrenada en Buenos Aires con el título de *Adversarios.*

Bartolomé Soler es uno de los escritores españoles más interesantes y originales. De gran fuerza creadora. Enérgico en la pintura de caracteres. Colorista de tonos enteros y cálidos. De un hondo patetismo y de una inquietud sorprendente, siempre renovada.

Las obras de Soler conmueven, excitan, impresionan inolvidablemente.

Muchas de ellas han sido traducidas a distintos idiomas.

Novelas: *Marcos Villarí, Germán Padilla, Almas de Cristal, La vida encadenada, Karú-Kinka', La llanura muerta, La selva humillada, Tamara, Los muertos no se cuentan*—1960.

Teatro: *Guillermo Roldán, Ana María, Tierra del Fuego, Batalla de rufianes, Al sol de Castilla, Alas en la aldea, El honor de los hombres.*

Ha publicado los tres tomos de sus *Memorias: Mis primeros pasos*—Barcelona, 1962—, *La cara y la cruz del camino*—Barcelona, 1963—, *Mis últimos caminos*—Barcelona, 1965.

En 1949 ganó el "Premio Ciudad de Barcelona", de novela, con su extraordinaria producción *Patapalo.*

V. Nora, Eugenio G. de: *La novela española contemporánea.* Madrid, Gredos, 1962. Tomo I, págs. 375-78.—Entrambasaguas, Joaquín de: *Las mejores novelas contemporáneas (1925-1929).* Barcelona. Planeta, 1961. Páginas 953-1062. (Contiene una biobibliografía exhaustiva.)

SOLER Y HUBERT, Feuerico («Serafí Pitarra»).

Notable poeta, prosista y autor dramático español. Nació—1839—y murió—1895—en Barcelona. De familia modesta, durante muchos años ejerció el oficio de relojero en una tiendecita de la calle Escudillers, de la que llegó a ser dueño, convirtiéndola en un centro animadísimo de literatos y artistas. Al empezar a escribir y publicar sus versos y a estrenar sus producciones dramáticas, popularizó, dentro y fuera de Cataluña, el seudónimo "Serafí Pitarra". En 1888, la Academia Española premió su drama *Batalla de reinas*. En diversos Juegos florales de Cataluña alcanzó numerosos premios extraordinarios, la flor natural y la englantina de oro. En 1875 fue nombrado Mestre en Gay Saber.

Es, acaso, Federico Soler el escritor más popular de Cataluña. En vida le adoró el pueblo catalán, que, durante más de treinta años, aplaudió con frenesí todas sus obras, colmándole de admiraciones y de dinero. Hoy, rara es la ciudad catalana que no ha dado el nombre de Soler a una de sus mejores plazas o calles.

Su fecundidad causa verdadero asombro. Sus obras no cabrían en cien volúmenes de tamaño corriente. Más de ciento cincuenta son sus obras teatrales, a las que hay que añadir poesías líricas y épicas, fábulas, epigramas, sátiras de costumbres, cuentos, novelas, artículos.

Realmente, no fue Federico Soler un literato de primera calidad. Para alcanzarla le faltaron exquisitez, inspiración y ponderación, pensamiento hondo y cultura. Pero acertó, con indudable fortuna, a reunir las calidades que busca con avidez el pueblo apasionado, sensiblero y honrado: mucho colorido, mucho sentimentalismo, mucha gracia gorda, mucho ingenio espontáneo.

Obras en castellano: *La hiedra de la masía*—drama—, *El rector de Vallfolgona*—drama—, *La banda de bastardía*—drama—, *Batalla de reinas*—drama—, *El canceller y el monarca*—drama—, *El cercado ajeno*—drama—, *La batalla de la vida*—novela...

Algunas obras en catalán: *Gatadas*—piezas escénicas—, *Singlots poétichs*, *Poesías catalanas*—1876—, *Dotzena de frare*—fábulas—, *Nits de luna*, *Quentos de la vora del foch*, *La barret blanca*, *Les ales negres*—poema—, *Les joyes de la Roser*—drama—, *Lo collaret de perles*—drama—, *Les claus de Girona*—comedia—, *La pena de mort*—drama—, *Judas de Kerioth*—drama, excomulgado por el obispo de Barcelona en 1892—, *Donya Guadalupe...*

V. TUBINO, Francisco: *Historia del renacimiento literario en Cataluña...* Madrid, 1878. COMERMA Y VILANOVA, J.: *Historia de la literatura catalana.* Barcelona, 1924.—BERNAT Y DURÁN: *Historia del teatro catalán.* Barcelona, 1924.

SOLÍS, Dionisio.

Poeta y dramaturgo de mérito. 1774-1834. Fue su verdadero nombre Dionisio Villanue-

va y Ochoa, y nació en Córdoba el año 1774. Apuntador de teatro del Príncipe, en Madrid, ejerció cierta influencia literaria sobre el gran actor Máiquez, y tradujo del francés las deplorables versiones que Ducis perpetró con Shakespeare. En compensación, refundió, lleno de tacto y buen gusto, obras de Lope—*El mejor alcalde, el rey*—, de Tirso—*La villana de Vallecas* y *Marta la Piadosa*—, de Calderón—*El alcalde de Zalamea*—y de Rojas—*García de Castañar*—. Y otras muchas del francés—Voltaire, Gresset, Chenier—y del italiano—Conde Tana y Alfieri.

Murió oscuramente en Madrid el año 1834.

Originales de él se conservan fábulas, villancicos, epigramas y odas y las comedias *La pupila, Las literatas.*

Durante la guerra de la Independencia demostró su patriotismo exaltado alistándose —a pesar de tener esposa e hijos—como granadero, cayendo prisionero en Uclés.

Calor de alma y olfato dramático, limpio y castizo estilo, facilidad de rima, tuvo Solís. Algunos de sus versos populares son admirables; otros tienen cierto candor anacreóntico. Tradujo a Horacio a los quince años de edad.

V. CUETO, Leopoldo A. de: *Bosquejo... de la poesía castellana en el siglo XVIII.*—CEJADOR Y FRAUCA: *Historia de la lengua y literatura castellanas.* Tomo VI.—*Biblioteca de Autores Españoles.* Tomo LXVII.

SOLÍS LLORENTE, Ramón.

Historiador, ensayista y novelista español. Nació—1923—en Cádiz. La primera enseñanza y la enseñanza media las cursó en Madrid. Inició estudios para marino, ingeniero de minas y de montes, abogado... Y desistió para cursar, y acabar, la carrera de Ciencias Políticas en la Universidad de Madrid, licenciándose en 1957 y obteniendo el "Premio Extraordinario" del Doctorado en 1957. En este mismo año desempeñó, en Cádiz, el cargo de Apoderado General de la Naviera Pinillos, S. A. En 1962 regresó a Madrid para ocupar el cargo de Secretario general del Ateneo, cargo que sigue desempeñando en 1964 con las máximas autoridad y eficacia. Colabora en diarios y revistas. Posee una gran cultura, mente muy clara y esa prosa limpia y jugosa de los buenos escritores andaluces. Desde 1968 dirige la revista *La Estafeta Literaria.* En 1968 obtuvo el "Premio José de las Cuevas", de la Diputación de Cádiz, con su libro *Periodismo gaditano en el siglo XIX (1800-1850).* "Premio Nacional Miguel de Cervantes, 1970".

Obras: *Habitación 32*—teatro, en colaboración con Ricardo Rodríguez Buded, publicado en *Revista Española*, 1952—, *Amanecer en la Plaza de España*—novela corta,

S

El Español, núm. 277, Madrid—, *Mientras duerme la ciudad*—novela corta, 1954, *El Español*, núm. 307—, *La Bella Sirena*—novela, Ed. Rollán, Madrid, 1954—, *Los templos Herakleion y Kronos del Cádiz fenicio* —investigación, 1955, en el *Boletín de la Sociedad Española de Excursionistas*—, *Los que no tienen paz*—novela, Barcelona, 1957, finalista del "Premio Planeta"—, *El Cádiz de las Cortes*—investigación histórica, 1958, "Premio Fastenrath", de la Real Academia Española—, *Ajena crece la yerba*—novela, Ed. Bullón, 1962—, *Un siglo llama a la puerta*—novela, 1963, "Premio Bullón"—, *Cara y cruz de una Constitución: Cádiz 1812-Cádiz 1823*—Madrid, 1963, *Revista de Estudios Políticos*—, *El canto de la gallina*—novela, 1965—, *El alijo*—novela, 1965—, *Coros y Chirigolas* (Antología del Carnaval gaditano)—1967—, *El mar y un soplo de viento* —1968—, *La eliminatoria*—novela, Madrid, 1970—, *El dueño del miedo*—novela, 1971. Algunas de sus novelas han sido traducidas al francés, al portugués, al checo...

SOLÍS Y RIVADENEYRA, Antonio de.

Notable dramaturgo, prosista y poeta. 1610-1686. Grave varón fue siempre don Antonio de Solís, hijo de don Juan Jerónimo de Solís y de doña Mariana de Rivadeneyra, nacido en Alcalá de Henares cuando aún esta villa se rebozaba en el prestigio de su cultura y en el desprestigio de su picaresca. Grave varón fue siempre. Usó antiparras desde los quince años, y esto le dio un carácter marcadamente pretencioso. Sostenerlas con decoro sobre sus narices y ante sus ojos glaucos constituyó su aspiración máxima. En Alcalá y en Salamanca estudió con ahínco—esperanza y logro—el Latín, la Retórica, la Filosofía, los Cánones, las Ciencias morales y políticas. Y en la segunda de las mencionadas Universidades se graduó en ambos Derechos. ¡Ea, ya estaba hecho un hombrecito! Era ese mozo que sirve de emulación a las buenas madres para sus hijos tarambanas. Era ese jovencito pálido, de ojillos tristes y cansados, de actitud circunspecta, de voz siempre medida, a quien se dirigen todos para *que los ilustre* en cualquiera de las arduas cuestiones. Era... el empollón oficial de la familia.

A los veintisiete años entró como secretario al servicio del conde de Oropesa, entonces virrey de Navarra y luego de Portugal. A los cuarenta y cuatro fue nombrado por el rey don Felipe IV oficial de la primera Secretaría de Estado. Cargo bien remunerado, al cual, con la venia exquisita—pues que fue exquisita la súplica—del monarca, renunció a favor de un allegado suyo. Más adelante renunció igualmente—1667—al oficio de cronista mayor de las Indias, que le

había otorgado la reina gobernadora doña Mariana de Austria. Y en este mismo año renunció—por renunciar una vez más—al mundo y a sus pompas y vanidades y se ordenó de sacerdote.

Solís, que fue un buen hijo, un buen estudiante, un buen político, un buen cortesano, fue también—¡claro está!—un buen sacerdote. En puridad, fue un buen hijo bueno y un buen político bueno. Y un buen sacerdote bueno. Ponderación precediendo—heraldo—y calidad subsiguiendo—paje—. Y como creía incompatible con el estado sacerdotal la dedicación de tiempo alguno al ocio poético, dejó de escribir dramas y poesías y aun se negó a continuar algún auto sacramental que Calderón dejó inconcluso al morir. Continuación que le suplicaron los reyes y los cortesanos.

Con más años, más modestia, más circunspección, más gravedad. Entró en la Congregación de Nuestra Señora del Destierro. Y al fallecer en Madrid fue enterrado en la capilla que esta Congregación poseía en el convento de Santa Ana, de los Bernardos.

La fama de que hoy goza Solís débese a la *Historia de la conquista de México, población y progressos de la América septentrional, conocida por el nombre de Nueva España*, Madrid, 1684.

De esta *Historia* bellísima escribe el gran hispanista Ticknor que "el artista logró darle el colorido de un poema épico-histórico en grado eminente, haciendo que la suma de las partes y episodios formase un armonioso conjunto..." "... pocos prosadores españoles hay de lenguaje tan puro y castizo; su fraseología, aunque algún tanto afectada, es, con todo, rica y armoniosa, acomodada al suceso novelesco cuya historia se propuso trazar y brillante de espíritu poético; no es tan atrevido y robusto como Mendoza, ni tan majestuoso y grave como Mariana; por su numen y elocuencia le colocan al lado de estos escritores, y la inalterable y constante popularidad que desde su aparición ha disfrutado su libro le hacen tan importante como cualquiera de los de su clase."

Como dramático, fue Solís un discípulo de Calderón. Su fuerza creadora es muy escasa. Pero imita bien. Versifica delicadamente. Tiene gusto, y se libra muy bien del enemigo del alma—conceptismo—y del enemigo del cuerpo—culteranismo—. Su prosa es castiza. Sus intenciones son simpáticas. La modestia fluye de los puntos de su pluma. Sabe lograr que amemos a sus personajes y nos alegremos de verlos salir con fortuna de sus trances. Su realismo es la pura verdad. Su ficción, la pura mentira.

Entre las comedias de Solís destacan: *Eurídice y Orfeo, El doctor Carlino, Un bobo hace ciento, El pastor Fido*—en colaboración con Calderón y Coello—, *Amor y obligación*—escrita a los diecisiete años, y cuyo manuscrito se conserva en la Biblioteca Nacional—, *La gitanilla de Madrid, Triunfos de amor y de fortuna.*

El nombre de Solís figura en el *Catálogo de autoridades* de la lengua.

Las principales ediciones de sus obras son: *Poesías sagradas y profanas.* Madrid, 1692. Edición Goyeneche; *Comedias,* Madrid, 1681, *Comedias y poesías.* Madrid, "Biblioteca de Autores Españoles", XIV, XXIII y XXVIII; *Historia de la conquista de México.* 1783-1784, en dos volúmenes.

Esta es la edición mejor. Pero debo consignar que el éxito de esta obra ha sido tal, que se llevan publicadas de ella más de sesenta ediciones, en distintos idiomas. Hasta 1900, dieciséis en Madrid, cinco en Barcelona, una en Sevilla, dos en Bruselas, dos en Londres, cinco en París y una en Lyón.

Véanse, para la poesía, tomo XIII de la "Biblioteca de Autores Españoles"; para el teatro, XIV y XXIII de la misma colección. V. CEJADOR Y FRAUCA: *Historia de la lengua y literatura castellanas.* Tomo V.—TICK-NOR, M. G.: *Historia de la literatura española.* Madrid, 1851.—MARTELL, D. E.: *The dramas of don Antonio de Solís y Rivadeneyra.* Philadelphia, 1902.—JULIÁ, E.: *Estudio en Amor y obligación.* Madrid, Hernando, 1930. GOYENECHE, Juan: *Vida y poesías de Antonio Solís y Rivadeneyra.* Madrid, 1692.—MESONERO ROMANOS, R.: *Teatro de Solís,* en *Semanario Pintoresco Español,* 1853.

«SOLITARIO, EL» (v. Estébanez Calderón, Serafín).

SOMOZA Y MUÑOZ, José.

Novelista y poeta. 1781-1852. Nació en Piedrahíta el año de 1781. Zascandileó mucho por Madrid, muy amigote de Cayetana de Alba, Goya, Meléndez Valdés, Quintana y Jovellanos. Fue muy perseguido por sus ideas liberales. Según G. Palencia, "Somoza es un poeta discreto e ingenioso, de ideas enciclopedistas y volterianas, y muestra en sus obras la tendencia a la felicidad—teoría derivada de Fontenelle—, egoísta y cómoda, del apartamiento del mundo".

Amargado de la vida social, se retiró a su pueblo, y dedicado exclusivamente a la literatura y al cariño de su ahijada, murió en 1852.

Obras suyas son: *El bautismo de Mudarra*—novela histórica—, *Lección marcial, La oropéndola en la fuente de la dehesa de la mora* y *El pundonor*—narraciones breves—; las odas *A Fray Luis de León* y *Al sepulcro de mi hermano.*

Somoza, habilísimo calígrafo, gustaba de copiar a mano sus poesías para dedicarlas a sus amigos. Edición muy interesante de sus poesías es la de Madrid, 1839. Otra menos selecta, pero más completa, es la de 1846, también impresa en la villa y corte. V. CORNIDE BLASCO: *Los precursores del romanticismo español.* Madrid, 1904. "Biblioteca de Autores Españoles", tomo LXVII.

SORIANO JARA, Elena.

Novelista española. Nació—1917—en Fuentidueña de Tajo (Madrid). En Madrid cursó los estudios del Magisterio y de Filosofía y Letras. Desde 1949 escribe narraciones breves y algunos ensayos en las principales revistas literarias de España: *El testigo falso*—novela—, *Viajera de segunda*—novela—, *El perfume*—novela—, *Los novios viejos*—novela—, *La abuela loca*—novela—, *El viejo de las pipas*—novela—, *La angustia en la novela española*—ensayo—, *Anouilh y el melodrama*—ensayo—, *Las mujeres en el teatro de Paul Claudel*—ensayo.

Elena Soriano, con indudable maestría formal, cultiva un realismo entreverado de intelectualismo; es decir, está en la línea de un Huxley, de un Mauriac. Cuantos temas sirven de medula a sus novelas son eminentemente espiritualistas o de un temperamentalismo agudo, pero sin excesos sensuales.

Obras: *Caza menor*—Madrid, 1951, una de las mejores novelas escritas en España por una mujer—, *Mujer y hombre:* I, *La playa de los locos;* II, *Espejismos;* III, *Medea 55*—Madrid, 1955.

V. NORA, Eugenio G. de: *La novela española contemporánea.* Madrid, Gredos, 1962. Tomo III, págs. 196-98.

SOS, Eladio.

Poeta español. Nació—1922—en Málaga. Casi siempre ha vivido en Melilla, donde reside en la actualidad.

Según él mismo confiesa, "ha estudiado mucho y de todo—Filosofía y Literatura, principalmente—y ha leído mucho también".

Fue uno de los creadores del *Grupo literario Azor.* Y es secretario de la revista poética *Al-Motamid.*

Eladio Sos caracteriza su poesía con la sensibilidad, la emoción y la claridad.

Obra: *Hombre nuevo.*

V. SAINZ DE ROBLES, F. C.: *Historia y antología de la poesía española.* Madrid, Aguilar, 1951, 2.ª edición.

SOSA PÉREZ, Luis.

Historiador y literato. Nació—1902—y murió—1971—en Madrid. Estudió en la Universidad Central con gran brillantez, docto-

S

rándose en Filosofía y Letras. Auxiliar de Historia moderna y contemporánea en dicha Universidad madrileña. Posteriormente, catedrático de la misma asignatura en la Universidad de Sevilla. Fue catedrático y decano de la Facultad de Ciencias Políticas de Madrid.

Ha colaborado en la *Revista del Archivo, Biblioteca y Museo de Madrid; Boletín de la Universidad de Madrid, Revista Política y Parlamentaria*. Posee diversas e importantes condecoraciones nacionales y extranjeras. Miembro del Consejo Nacional de Investigaciones. Ha desempeñado misiones culturales oficiales muy importantes en varios países sudamericanos. Y ha dado centenares de admirables conferencias sobre temas históricos del máximo interés. Fue colaborador de la magnífica *Historia de América,* que edita Salvat y dirige el catedrático y académico don Antonio Ballesteros, para la cual redacta el tomo referente a la *Independencia de los países sudamericanos.*

Luis de Sosa posee una extraordinaria cultura, una prosa limpia y brillante, gran sensibilidad, sobriedad y exactitud narrativas.

Obras: *Los arbitristas en la guerra de la Independencia*—1929 y 1930—, *Martínez de la Rosa, político y poeta*—1930...

SOTO APARICIO, Fernando.

Este escritor colombiano, nacido en Santa Rosa de Viterbo el día 11 de octubre de 1933, posee ya una densidad biobibliográfica que hace difícil la tarea de sintetizarla. Comenzó a escribir a los trece años, y a los dieciséis ya publicaba cuentos y poemas en la Prensa de Bogotá, y en 1958 obtenía un premio radiofónico. En España comienza a ser conocido cuando Aguilar le publica *Los bienaventurados.* En 1962 gana un "Selecciones Lengua Española", con su novela *La rebelión de las ratas.* Posteriormente, publica *Mientras llueve,* en Ediciones Tercer Mundo; *El espejo sombrío,* en Ediciones Marte; *Viaje al pasado,* edit. Bedout, en 1970. En ese mismo año esta editorial le publica *Después empezará la madrugada.* Con *Viva el Ejército* obtiene una mención en el premio "Casa de las Américas". Finalmente, en las postrimerías de dicho año gana el "Premio Ciudad de Murcia" con *Viaje a la claridad.* En la actualidad dirige una revista colombiana de información general, aparte de escribir guiones para la televisión.

Otras obras: *Solamente la vida*—cuentos, 1961—, *Diámetro del corazón*—poemas, 1964—, *Motivos para Mariángela*—poemas, 1967—, *Palabras a una muchacha*—1968—, *Canto personal a la libertad*—poemas, 1969—, *Cartas a Beatriz*—poemas, 1970.

SOTO, Domingo de.

Teólogo, jurista y religioso español. Nació —1494—en Segovia y murió—1570—en Salamanca. Alcanzó en vida una fama tan extraordinaria como justa. Fue alumno, en aquella, de Santo Tomás de Villanueva. En 1525 profesó en la Orden de Santo Domingo. Desempeñó la cátedra de Artes en Alcalá y la de Teología en Salamanca. Discípulos suyos fueron fray Luis de León, Suárez, Herrera y el beato Juan de Avila. Del primero fue, además, padrino de grados. Carlos I le envió al Concilio de Trento en calidad de teólogo imperial; y puede afirmarse que Domingo de Soto fue el más elocuente, el más científico y el más influyente de los padres del Concilio, y muchas de cuyas teorías pasaron a las decisiones dogmáticas del Concilio. Renunció al obispado de Segovia. Sustituyó al famosísimo Melchor Cano en la cátedra de Prima de Teología en Salamanca. Fray Luis de León le proclamó el hombre más sabio del orbe cristiano. Su producción literaria es enorme, permaneciendo inédita gran parte de ella.

Obras: *De justitia et de Jure libri VII* —Salamanca, 1556, su mejor libro de jurista—, *Summa de Doctrina christiana*—Toledo, 1554—, *De natura et gratia libri tres* —Venecia, 1547—, *In quartum sententiarum commentarii*—Salamanca, 1557...

V. MENÉNDEZ PELAYO, M.: *La Ciencia Española.*—SFORZA PALLAVICINO: *Istoria del Concilio di Trento.* Roma, 1666.—AIME VIEL: *Dominique Soto,* en *Revue Thomiste,* volúmenes XII y XIII, 1904-1907.—BAEZA: *Apuntes biográficos de escritores segovianos.* Segovia, 1877.—GETINO, P. Luis G. Alonso: *Dominicos españoles confesores de reyes.* Madrid, 1916.

SOTO DE ROJAS, Pedro.

Original poeta y prosista español. Nació —1590—en Granada. Murió—1655—en Madrid. Licenciado en Leyes, ejerció algunos años su profesión con éxito en Valladolid y más tarde en la Corte. Se ordenó sacerdote. Fue servidor de don Pedro de Tobar, ministro de Felipe III y del conde-duque de Olivares. Gran amigo de Lope de Vega y de Vélez de Guevara, de Góngora y de Mira de Amescua, quienes le colmaron de elogios. Olivares le recompensó con una canonjía en Granada y con la venera de abogado del Santo Oficio.

En Madrid perteneció a la *Academia Selvaje,* en la que adoptó el nombre de *Ardiente,* y para la que escribió un *Discurso sobre la poética,* que se leyó en dicha Academia el año 1623.

Soto de Rojas fue uno de los discípulos de Góngora más delicados y expresivos; un discípulo que aventajó no pocas veces a su maestro, en opinión del gran poeta García Lorca: "Mientras el maestro cordobés juega con mares, selvas y elementos de la Naturaleza en su poesía, Soto de Rojas se encierra en su jardín a descubrir surtidores, dalias, jilgueros y aires suaves, medio moriscos, medio italianos, que mueven todavía las ramas, frutos y boscaje de su poema. Su característica es el preciosismo granadino." Y esta valiosa y certera opinión la apostilla otro fino poeta actual, Gerardo Diego: "Poeta [Soto] minucioso y goloso, se diferencia claramente de su maestro en la calidad de su verso, siempre muelle y fragante, frente a la mineral dureza de Góngora." Los temas en Soto son siempre anodinos, simples pretextos retóricos. Su posición más culterana se halla en el poema *Paraíso cerrado para muchos, jardines abiertos para pocos*—pura metáfora descriptiva de un carmen granadino—, en su lamentación *Silguero en xaula y ventana de Fénix*—desdeñosa amada encubierta con este nombre—y en el *Elogio de las fiestas que se hizieron en Granada, por setiembre de 1609 años*—de evocaciones de toros y cañas.

"Es un poeta ultragongorino—escribe Cejador—, que llama *violines de plumas* a los jilgueros; *nocturnos paseantes y espadachines enamorados,* a los ruiseñores; *asentista del tiempo,* al sol; *iris en tempestad de memoriales,* al conde-duque."

Otras obras: *Desengaño de amor en rimas*—1623—, *Los rayos de Faetón*—1639, poema en octavas reales—, *Eglogas madrigales*—1650—, *Adonis*—1630...

Algunas composiciones de Soto de Rojas se encuentran en el tomo XLII de la "Biblioteca de Autores Españoles", de Rivadeneyra.

V. GALLEGO BURÍN, A.: *Un poeta gongorino: don Pedro Soto de Rojas,* en *Ext. de Reflejos.* Granada, 1927.

SOUVIRÓN, José María.

Poeta, novelista y ensayista. Nació—1904—en Málaga. Estudió Derecho y Filosofía y Letras. Durante muchos años vivió fuera de España, en París y en Chile. En la capital chilena, Santiago, dirigió una editorial y fue profesor en su Universidad Católica. Desde hace años trabaja en el Instituto de Cultura Hispánica, en Madrid. Colaborador asiduo en los periódicos de Prensa Española. Como poeta permanece fiel al neorromanticismo, y esta misma tendencia se delata en sus novelas y prosas.

Obras: *Rumor de ciudad*—novela, 1935—, *La luz no está lejos*—narraciones, 1945—, *El viento en las ruinas*—narraciones, 1946—, *Isla para dos*—narración, 1950—, *La dan-*za y el llanto*—Barcelona, 1952—, *Cristo en Torremolinos*—novela, 1963—, *Un hombre y dos mujeres*—novela, 1964—, *Príncipe de este siglo: la literatura moderna y el demonio*—ensayo, 1967.

Sus principales libros líricos son: *Gárgola*—1923—, *Conjunto*—1928—, *Fuego a bordo*—Santiago de Chile, 1932—, *Plural belleza*—Chile, 1933—, *Romances americanos*—Chile, 1937—, *Romances del alcázar*—1937—, *Olvido apasionado*—Chile, 1942—, *Del nuevo amor*—1943—, *Señal de vida*—Madrid, 1948—, *La ciudad y los días*—1948—, *Adorados tormentos*—1951—, *Canciones de la llegada*—1953—, *Don Juan el loco*—1957—, *El solitario y la tierra*—1961.

V. NORA, Eugenio G. de: *La novela española contemporánea.* Madrid, edit. Gredos, 1962, tomo II bis, págs. 211-213.

SPERONI, Miguel Angel.

Gran novelista argentino. Nació en Villa Alberdi, provincia de Tucumán (República Argentina), el 11 de mayo de 1911.

Cursó estudios en las Facultades de Ciencias Jurídicas y Sociales y de Ciencias Políticas y Económicas de la Universidad del Litoral.

Su primera novela, *Diario de un solterón penitente*—1940—, de carácter introspectivo y psicológico, es, al mismo tiempo, una anticipación de su tendencia al análisis social y al examen de los diversos aspectos de la vida argentina. *El encuentro*—1942—, su segunda novela, crítica aguda de un sector —la oligarquía—de la sociedad argentina. Pero todavía, tanto esta como la anterior, son novelas formalmente clásicas, sin que en las mismas aparezca la técnica avanzada de *La puerta grande*—1947—, sinfonía de Buenos Aires, con más de cien personajes, y que constituye el primer volumen de un ciclo que se titulará *Las familias del azar,* proyecto ambicioso, cuyo segundo volumen, *Las arenas,* apareció en 1951. El mencionado ciclo aspira a abarcar toda la sociedad argentina y sus cambios en la época que va desde el año 1939 hasta el presente. *La tarántula*—relato surrealista, 1948.

Speroni es, hoy, uno de los más interesantes, originales y vigorosos novelistas hispanoamericanos.

STORNI, Alfonsina.

Magnífica poetisa. 1892-1938. De la Argentina. En su juventud ejerció la docencia primaria y secundaria. Luego luchó ardientemente en el comercio... Volvió a su profesorado. Y triunfó universalmente..., como hija dilectísima de Apolo.

"Cordial, enérgica, sensible y, no obstan-

S

te, de poderoso talento, era una figura popular en las letras. Hacia el fin de su vida fue víctima de una enfermedad de inexorable desenlace. En un estado de doloroso abatimiento, se arrojó al mar, cuyo olvido perenne había cantado." (Leguizamón.)

El fino crítico Solar Correa trazó de la Storni este admirable retrato: "En su compleja estructura anímica dominó el elemento cerebral. A menudo ensayó actitudes filosóficas, mostróse inadaptada, y no obstante su erotismo afiebrado, creyérasela un tanto feminista. Hasta su figura tuvo algo de desconcertante. Su rostro joven, de rasgos mogólicos y labios gruesos, sensuales, formó raro contraste con su blanca cabeza de marquesita versallesca. *Ratoncillo blanco* la llamó un crítico, aludiendo a su pelo y a su cuerpo nervioso y menudo. Abrumóla la vulgaridad cotidiana, y este estado de alma nos la convirtió en una admirable intérprete de la vida moderna. Nunca dio la sensación de naturaleza que se respira en la Ibarbourou o la tibieza de hogar que fluye de los versos de María Enriqueta. Alfonsina evocó mejor la ciudad, el tráfago de la calle, la monotonía ominosa de los altos edificios, los trenes, los parques urbanos... Ese es el aporte realmente novedoso que su lira ofrece a las letras americanas. Sin embargo, la nota más persistente en ella es el amor entendido casi siempre como una especie de furor genésico: "Quiero un amor feroz de garra y diente que me asalte a traición en pleno día..." Los que aman la pureza y la euritmia de la forma o los que buscan en el verso un temblor de emoción, encontrarán en la Storni un interesante ejemplar de mujer, pero no un poeta dilecto."

En la obra de esta poetisa magnífica se hallan gran variedad métrica y melódica, voces fundamentales de calidades eternas, planos románticos, sensibilidad estilizada, honda y compleja, humana y universal integración de temas sutiles.

Obras: *La inquietud del rosal*—1916—, *El dulce daño*—1918—, *Irremediablemente*—1919—, *Languidez*—1920—, *Ocre*—1925—, *Mundo de siete pozos*—1934—, *Mascarilla y trébol*—1938—, *Antología poética*—Buenos Aires, "Col. Austral", 1939—, *Obras poéticas completas*—Aguilar, Madrid, 1952.

V. Orosco, María Teresa: *Alfonsina Storni*. Pub. Inst. de Literatura Argentina. Buenos Aires, 1940.—Solar Correa, S.: *Poetas de Hispanoamérica*. Santiago de Chile, 1926. Rojas, Ricardo: *La literatura argentina*. Buenos Aires, 1924.—Suárez Calímaco, Emilio: *El narcisismo en la poesía femenina hispanoamericana*. Buenos Aires, 1931.—Morales, Ernesto: *Antología poética argentina*. Buenos Aires, 1943.—Maubé y Capdevie-

lle: *Antología de la poesía femenina argentina*. Buenos Aires, 1930.

STÚÑIGA, Lope de.

Muy notable poeta español. ¿1415?-1465. Fue hijo de Iñigo Ortiz de Iñigo, mariscal del reino de Navarra, y de doña Juana, hija natural del rey Carlos II de Navarra. Se educó esmeradamente, entreverando sus estudios con el noble ejercicio de las armas. Su primo, el famoso Suero de Quiñones, le eligió como compañero para tomar parte en el celebérrimo *Paso honroso,* en el que Stúñiga demostró tanto valor como ingenio. Tomó parte activa en las luchas políticas de Castilla a favor de los infantes de Aragón, por lo cual hubo de sufrir persecuciones y aun estuvo preso. Sus poesías, de carácter erótico, son delicadas y sencillas y delatan una marcada influencia provenzal e italiana. Nueve de sus composiciones figuran en un *Cancionero* manuscrito de la Biblioteca Nacional de Madrid; cerca de veinte más, en otro *Cancionero* conservado en la misma Biblioteca; diecisiete, en el *Cancionero* de Gallardo, y nueve, en el *General* de 1511.

Lo que el *Cancionero de Baena* representa en la corte castellana de Juan II, representa en la aragonesa de Alfonso V el llamado *Cancionero de Stúñiga:* la pléyade de sus poetas más encomiados. Y, dato curioso: si Cataluña y Aragón se relacionaron mucho más hondamente con Italia—y precisamente durante el reinado de Alfonso V—que Castilla, el *de Stúñiga* es un *Cancionero* en el que se encuentra la *influencia dantesca* en mucha menor intensidad y cantidad que en el *de Baena*. Es aquel, además, un *Cancionero* mucho más lírico que este, dándose entrada en él a ciertas formas populares, tales como los villancetes, los motes, las glosas y los romances. El predominio del castellano no es absoluto entre los poetas de la Corona de Aragón.

Del *Cancionero de Stúñiga* se conservan tres códices: el de la Biblioteca Nacional de Madrid—que sirvió a Sancho Rayón y a Fuensanta del Valle para su edición primorosa de 1872, en la *Colección de libros españoles raros y curiosos*—, el de la Biblioteca Casanatense de Roma y el de la Marciana de Venecia. El *Cancionero* lleva el nombre del primer poeta que figura en él: Lope de Stúñiga.

V. Menéndez Pelayo, M.: *Antología de poetas líricos castellanos*. Tomos IV y V.—Menéndez Pelayo, M.: *Estudios de crítica literaria*, 1942, V, 275.—Croce, B.: *La lingua spagnola in Italia*. Roma, 1895.—Croce, B.: *Primi contatti fra Spagna e Italia*. Nápoli, 1894.—Croce, B.: *Ricerche ispano-italiane*. Nápoli, 1898.

SUARÉE Y TIRAPO, Octavio de la

Notable periodista, ensayista y pedagogo cubano. Nació en Cárdenas, provincia de Matanzas, el 19 de enero de 1903. Es hijo de Jacinto, primer arquitecto municipal de aquella ciudad, y de Enriqueta, dama cubana de origen vasco. Cursó estudios en La Progresiva, dirigida a la sazón por miss Margaret Evelyn Craig, y en la escuela pública a cargo de don Federico Moreno. Se inició en el periodismo a los dieciséis años como redactor de *El Popular*, pasando después a *La Tribuna Libre* y a *El Tiempo*. Más tarde colaboró en *El Imparcial, El Jején, Sideral*—del gran José Martí—, *Finanzas*, el radioperiódico *Jamalajá, El Liberal, Unión Nacionalista* y *La Voz*. En este diario libró una campaña tenaz a favor de "Cuba para los cubanos", que al interrumpir su publicación el periódico al ser promulgado por el presidente Grau San Martín, en 1933, el decreto-ley del Cincuenta por ciento, las turbas asaltaron el edificio, tratando de incendiarlo en represalia por la suspensión de aquella sección de La Suarée. Más tarde ingresó en la Redacción del *Diario de la Marina*, y, por último, en la de *Avance*, donde ejerce en la actualidad la profesión. Al mismo tiempo que el periodismo, nuestro biografiado ha cultivado las bellas letras, siendo autor de novelas, ensayos, cuentos, críticas y obras docentes, que le han granjeado franca y notoria popularidad. Ha viajado por toda Europa.

Obras: *La porcelana en el escaparate*—novela, 1926—, *En el país de las mujeres sin senos*—novela, 1930—, *Piel de risas*—poemas—, *La brava criolla*—biografía—, *San Miguel*—biografía—, *Manual de psicología aplicada al periodismo, Diccionario de periodistas, Evolución de la Prensa periódica en Cuba, Moral ética del periodismo...*

SUÁREZ, Francisco.

Teólogo, filósofo y jesuita español de fama universal e imperecedera. Una de las mentalidades más firmes y hondas de la Humanidad. Nació—1548—en Granada y murió—1617—en Lisboa. Ingresó—1564—en la Compañía de Jesús, ordenándose sacerdote en 1572. Enseñó Filosofía en Segovia (1572-1574), y desde 1576, Teología en Valladolid, Alcalá, Salamanca y Coimbra. Se le dio el título de *Doctor eximius*. En Teología, como en Filosofía, siguió a Santo Tomás de Aquino, pero disintió de los antiguos tomistas en muchos puntos, sobre todo en la doctrina de la gracia divina. Con su tratado *Ius Gentium* dio la primera exposición teórica del Derecho público, adelantándose a Hugo Grocio. Es el más importante de los teólogos españoles del siglo XVI y el único entre ellos que fue un filósofo original.

Su vasta producción estuvo escrita en latín y se publicó—París, 1856 a 1861—en veintiséis tomos en folio.

En 1597 publicó sus *Disputationes metaphysicae*, primera construcción sistemática e independiente de la Metafísica después de Aristóteles, que tuvo una influencia decisiva en el pensamiento posterior.

Otras obras: *De Incarnatione Verbi* —1590—, *De Deo uno et trino*—1606—, *De legibus*—1612—, *Defensio fidei contra Anglicanae sectae errores, De legibus ac Deo legislatore*—de gran trascendencia para las doctrinas de Derecho político e internacional...

Edición moderna: *Biblioteca de Autores Cristianos*. Madrid. Varios tomos.

V. ABAD, Agustín: *Compendio de la vida del P. Francisco Suárez*. Calatayud, 1748.—SARTOLO, Bernardo: *El Doctor eximio... Francisco Suárez*. Salamanca, 1693.—DESCAMPS, Antonio Ignacio: *Vida del venerable... Francisco Suárez...* Perpiñán, 1671.—CONDE Y LUQUE, R.: *Francisco Suárez...* Madrid, 1914.—GALDÓS, Romualdo: *Suárez, vulgarizado*. Granada, 1917.—GALDÓS, Romualdo: Prólogos a las *Obras* de F. S. Madrid, "Biblioteca de Autores Cristianos", 1951.

SUÁREZ, Marcial.

Novelista y autor dramático. Nació —1918—en Allariz (Orense). Licenciado en Derecho. Desde hace muchos años trabaja para la radio como guionista. Algunas de sus obras escénicas han sido estrenadas por el Teatro de Cámara.

Marcial Suárez, prosista limpio y muy expresivo, prefiere los temas, en apariencia vulgares, cuya trama por el envés resulta patética. Su neorrealismo no excede nunca los límites del buen gusto. "Premio Fraga, 1966", de teatro, con su obra *Las monedas en Heliogábalo*.

Obras: *La llaga*—novela, Madrid, 1948—, *Calle de Echegaray*—novela, Madrid, 1950—, *Pañolín Rompenueces*—1953, cuento infantil—, *Nuevas aventuras de Pañolín Rompenueces*—cuento infantil, Madrid, 1954.

V. NORA, Eugenio G. de: *La novela española contemporánea*. Madrid, edit. Gredos, 1963, tomo II bis, págs. 201-203.

SUÁREZ, Marcos Fidel.

Filósofo y literato colombiano. 1858-1927. Nació en Hatoviejo (hoy Bello). Con Cuervo y Caro cierra el triángulo de los grandes filólogos de su patria. Estudió en el Seminario de Antioquía y en el Colegio del Espíritu Santo, de Bogotá, del que fue pasante. En 1881 ganó el primer premio de la Aca-

S

demia Colombiana—correspondiente de la Real Española de la Lengua—, consistente en el título de académico de la misma, con su obra *Ensayo sobre la Gramática castellana de Bello.* Subsecretario de Relaciones Culturales—1885—. Varias veces diputado por Medellín. Jefe del partido conservador. Ministro de Instrucción Pública y de Relaciones Exteriores. Senador y presidente del Senado.

"Profundo y sereno pensador cristiano, uno de los más castizos, naturales y nemorosos prosistas de América; buen filósofo, filólogo, polígrafo, publicó sus primeros estudios en el *Repertorio Colombiano...*" (Cejador.)

Y Gómez Restrepo escribió: "Muertos Cuervo y Caro, él ha ocupado el primer puesto entre los hombres de letras de Colombia."

Magnífico y castizo prosista, mente lúcida y profunda, maestro insigne en todas las disciplinas literarias.

Los últimos años de su noble existencia los dedicó a los *Sueños de Luciano Pulgar* —doce tomos—, acabado modelo del diálogo escrito, verdadero almácigo de artes y ciencias "y uno de los monumentos más egregios que hispano-parlante alguno haya erigido a la gloria del lenguaje".

Marcos Fidel Suárez mantuvo durante toda su caballerosa existencia una cordialísima inclinación por todo lo español, y fueron muy grandes y precisos sus conocimientos de la literatura hispánica en todas sus épocas. Jamás cayó en la tentación de dejarse llevar por las modas de la cultura francesa.

Obras: *Estudios gramaticales...*—Madrid, 1885—, *El castellano en mi tierra, Análisis gramatical del "Pax"...*

Publicó incontables ensayos en *El Nacionalista*, periódico que dirigió junto con Gómez Restrepo.

V. Gómez Restrepo, A.: *Historia de la literatura colombiana.* Bogotá, 1938-1940, dos tomos.—Arango Ferrer, Javier: *Historia de la literatura colombiana.* Bogotá, 1939.—Laverde Amaya, Isidoro: *Bibliografía colombiana.*—Posada, Eduardo: *Bibliografía bogotana.* Dos tomos.—Otero Muñoz, G. A.: *Semblanzas colombianas.* Dos tomos.—Miramón, Alberto: *Literatura de Colombia,* en el tomo XII de la *Historia universal de la literatura,* de Prampolini. Buenos Aires, Uteha Argentina, 1941.

SUÁREZ BRAVO, Ceferino.

Novelista, periodista y autor dramático español. Nació—1825—en Oviedo. Murió —1896—en Barcelona. Desde casi niño se lanzó al periodismo activísimo y a la literatura. A los diecisiete años estrenó, en su ciudad natal, con éxito grande, el drama en cuatro actos *Amante y caballero.* Animado por este triunfo, se trasladó a Madrid. Publicó cuentos y crónicas en *La España y El Contemporáneo.* Con Selgas, Navarro Villoslada, Garrido y Pedrosa fundó el famosísimo semanario satírico *El Padre Cobos.*

Desempeñó los cargos de cónsul de España en Génova, Burdeos, Bayona y Lisboa. En 1868 se pasó al campo carlista, por lo que, terminada la guerra, emigró a París, regresando a Madrid en 1876. Fundó el diario *El Fénix,* órgano de la Unión Católica. La Academia Española premió—1885—su novela *Guerra sin cuartel.* Los últimos años de su vida los pasó en Barcelona, colaborando semanalmente en *El Diario de Barcelona.*

De fina vena satírica, hondo de sentimiento, de tendencia romántica, de prosa muy cuidada, Suárez Bravo fue un interesante escritor, algunas de cuyas obras merecerían ser revalidadas.

Obras: *Perfiles senatoriales*—retratos satíricos—, *España demagógica*—1872—, *Cuadros disolventes*—1873—, *En la brecha* —1878—, *Hombres y rosas del tiempo* —1878—, *Enrique III*—drama—, *Los dos compadres, o Verdugo y sepulturero*—drama—, *Soledad*—novela—, *Colección de novelas cortas, La honra de Cádiz*—1869—, *El motín contra Squilache*—drama—, *La mancha en la frente*—drama—, *¡Es un ángel!* —comedia, considerada por Hartzenbusch como una de las mejores de su época...

V. *Artículo* sobre *Ceferino Suárez Bravo* en *Revista Contemporánea,* tomo LXIX.

SUÁREZ CARREÑO, José.

Poeta, novelista y autor dramático español. Nació en Guadalupe (México) de padres españoles. Estudió el bachillerato en León y la carrera de Leyes en Valladolid. En 1943 obtuvo—compartido—el "Premio Adonais" de poesía. Colabora en las más importantes revistas de poesía. Su novela *Las últimas horas* ganó el "Premio Nadal ,1949".

Como lírico, delata dos influencias magníficas: la de Antonio Machado y, posteriormente, la de Vicente Aleixandre. Pero ninguna de estas dos influencias evita la aparición señera de su personalidad, en la que destacan una fuerte concepción arquitectónica, una expresividad fervorosa—nunca alejada en demasía de los buenos modelos clásicos—y un feliz juego de imágenes.

Obras: *La tierra amenazada*—1943—, *Edad del hombre*—1944.

En 1951 ganó el "Premio Lope de Vega" de teatro, con su drama *Condenados.*

Proceso personal—novela, 1955.

V. Díaz-Plaja, G.: *Poesía lírica española.* Barcelona, Labor, 1948, 2.ª edición.—More-

NO, Alfonso: *Poesía española actual.* Madrid, Editora Nacional, 1946.—SAINZ DE ROBLES, Federico Carlos: *Historia y antología de la poesía española.* Madrid, Aguilar, 1964, 4.ª edición.—NORA, Eugenio G. de: *La novela española contemporánea.* Madrid, Gredos, 1962. Tomo III, págs. 185-90.

SUÁREZ DE DEZA, Enrique.

Notabilísimo autor dramático. Nació el 26 de febrero de 1905, en Buenos Aires, de padres españoles. Estudió el bachillerato en Buenos Aires. Vino a Madrid a los quince años, y estudió Derecho en la Universidad de Madrid. Terminó en 1925.

Obtuvo la primera beca como estudiante hispanoamericano otorgada por el Gobierno español. En 1923 fue a Italia, integrando una Comisión de estudiantes de la Universidad de Madrid.

En 1925 estrenó su primera comedia, *Ha entrado una mujer.* Esta comedia ha continuado en el repertorio de las compañías españolas durante más de veinte años, habiéndose representado en todos los teatros de España y América.

Suárez de Deza es uno de los más extraordinarios valores actuales de la escena española. A la originalidad de sus temas une un dominio absoluto de la técnica, un delicioso humor, muy ricas vetas de poesía y un ingenio siempre lozano pletórico de matices.

Obras estrenadas: *Ha entrado una mujer* —1925—, *La dama salvaje*—1926—, *Padre* —1927—, *Aventura*—1928—, *Llovida del cielo*—1928—, *Te quiero, te adoro*—1928—, *Los marineros*—1929—, *La chica del Citroën* —1929—, *El molinero y el diablo*—1929—, *Marialegre*—1930—, *Tres eran tres*—1931—, *Amantes*—1931—, *Una gran señora*—1932—, *La princesa del marrón glacé*—1933—, *Mamá ilustre*—1934—, *Cocoliche*—1934—, *Juanita la loca*—1935—, *Adiós, muchachos* —1936—, *Dan*—1936—, *La Millona*—1937—, *Mamá Inés*—1937—, *Trece mujeres*—1938—, *Se alquila un novio*—1939—, *Mi distinguida familia*—1940—, *Casa de mujeres*—1941—, *El dictador*—1942—, *El hombre sin sombra* —1943—, *Cándido de día, Cándido de noche* —1944—, *Catalina, no me llores*—1945—, *Hombre y mujer*—1945—, *Ambición*—1945—, *Nocturno*—1946—, *Miedo*—1946—, *Aquellas mujeres*—1946—, *Los sueños de Silvia* —1946—, *Cuento de Navidad*—1949—, *F. B.* —1952...

SUÁREZ DE DEZA Y ÁVILA, Vicente.

Poeta y autor dramático español del siglo XVII, de cuya vida se tienen escasas noticias. Se ignora dónde nació y murió, y en qué años. Fue ujier de saleta de la reina doña Mariana de Austria—1663—, y fiscal de comedias.

Donoso entremesista y autor de comedias burlescas, escribió para funciones de Palacio con gran donaire y desenfado. En su repertorio—bastante extenso—figuran comedias, entremeses, sainetes, bailes y mojigangas.

Sus mejores calidades literarias fueron una gracia gorda, cierta picardía populachera, un afán por las intrigas disparatadas y sensuales y un gran dominio de la técnica teatral.

Obras: *Parte primera de los donaires de Tersícore*—Madrid, 1663—, conteniendo cuarenta piezas breves y dos comedias burlescas: *Los amantes de Teruel y Amor, ingenio y mujer; Sainetes del cocinero gordo y de los títeres, Mojiganga del juego del ajedrez, Mojiganga de los casamientos, Entremeses del Paratodas, Sainete del poeta y los matachines, Las dueñas, La tabaquería y los peces, Sainete del cocinero sordo fingido, Baile del galeote mulato, Baile de las mozas de la galera...*

En la Biblioteca Nacional de Madrid existen varias obras manuscritas de Suárez de Deza.

V. CEJADOR Y FRAUCA, J.: *Historia de la lengua y literatura castellanas.* Tomo V.

SUÁREZ FERNÁNDEZ, Constantino («Españolito»).

Novelista, historiador, periodista español de gran mérito. Nació—1890—en Avilés (Asturias). Cursó el bachillerato en los Institutos de Gijón y de Oviedo. En 1906 emigró a Cuba, donde tuvo que luchar titánicamente para abrirse paso en la vida. En 1921 regresó a España. Pero su carrera literaria había comenzado mucho tiempo antes. Desde 1908 envió regularmente desde Cuba cuentos y crónicas al *Diario de Avilés,* y en 1913 comenzó a publicar crónicas y cuentos en el *Diario Español* y en el *Diario de la Marina,* de la Habana. En esta misma ciudad popularizó el seudónimo de "Españolito" con obras tan leídas como *Oros son triunfos* —novela, 1917—, *¡Emigrantes!*—1915—, *La desunión de Hispanoamérica*—1919—, *Doña Caprichos*—novela.

Realmente, fue extraordinaria la labor españolista de Constantino Suárez en Cuba. El Gobierno español la recompensó, en parte, con la gran cruz del Mérito Naval —1923—. En este mismo año recibió tres galardones más: un cuento suyo lo premió *El Imparcial,* de Madrid; otro cuento, el *Diario Español,* de Buenos Aires, y el tercero, por un estudio biográfico-crítico del filósofo y lingüista avilesino Estanislao Sánchez Calvo.

Constantino Suárez es uno de los escrito-

S

res españoles contemporáneos más interesantes. Posee mucha cultura, un pensamiento original y muy ágil, un estilo sugestivo y cálido.

Otras obras: *Ideas*—ensayos de crítica, 1921—, *Vocabulario cubano*—1921—, *Galicia la calumniada*—1923—, *Isabelina*—novela, 1924—, *La verdad desnuda*—crítica, 1924—, *Sin testigos y a oscuras*—novela, 1925—, *El hijo de trapo*—novela, 1926—, *Rafael*—novela, 1926—, *Una sombra de mujer*—novela, 1927—, *Galería de poetas cubanos*—seis tomos, 1927—, *Cuentistas asturianos*—1930—, *Diccionario de asturianos ilustres*—cinco tomos, 1933 a 1936...

SUÁREZ DE FIGUEROA, Cristóbal.

Célebre poeta, prosista, satírico y erudito español. Nació—1571—en Valladolid. Desde niño se distinguió por su agrio humor, por su carácter díscolo, por sus intemperancias de lenguaje, por sus rencorosas enemistades. Estando estudiando Derecho en Valladolid—1585—, riñó con su hermano, se peleó bravamente con toda su familia y huyó a Italia, jurando no volver hasta que hubieran muerto todos sus parientes. En Bolonia y Pavía acabó rápidamente los estudios, doctorándose, y después de un año pasado en Milán, fue fiscal de Martesana y juez de Teramo, en el reino de Nápoles.

En 1600 hizo un viaje a Berbería, según dice en las *Varias noticias*. En 1604, sabiendo que habían muerto sus padres y hermanos, regresó a Valladolid, estando aquí a la sazón la Corte, acaso con la esperanza de alguna herencia, pero solo halló deudas. Marchó a Santiago para cumplir el voto que hiciera en el golfo de León, a punto de naufragar por causa de una tempestad. Visitó Córdoba y Sevilla, y en el Puerto de Santa María conoció al gran poeta del barroquismo Luis Carrillo, con quien tornó para Madrid. Y en Madrid se peleó con todos los grandes escritores—entre ellos Cervantes y Lope—, contra los que dirigió panfletos terribles y conspiraciones literarias de un rencor inaudito. Aún le agrió más el alma la muerte repentina de una dama granadina de la que se había enamorado.

Volvió a Italia hacia 1621; al año siguiente, el virrey de Nápoles, don Antonio Alvarez de Toledo, duque de Alba, le nombró oidor de Lecce, ostentando rigor demasiado, que debió de ofender al gobernador de Nápoles, a quien achacó la cesantía en que le dejaron. Siendo auditor de Calabria, libertó violentamente de los calabozos de la Inquisición a un funcionario amigo, para lo cual descerrajó las cuatro puertas de la cárcel. Figueroa fue excomulgado y llamado ante el Tribunal de Roma, pero se negó a ir. Apresóle la Inquisición, y en 1630 hallá-

base preso en Roma, hasta que por carta del rey don Felipe IV viose libre en 1633 y nombrado abogado fiscal de la Audiencia de Trani.

Se ignora la fecha de su muerte, pero debió de estar muy próxima a 1639.

Suárez de Figueroa es un originalísimo escritor, brillante prosista, dueño de imágenes resplandecientes, y un satírico de primer orden, y un ingenio espléndido y fecundo.

Sus dos primeros libros fueron: *Espejo de juventud, requisitos a un caualleró*, y *El pastor Fido*—1602, traducción de Guarini—. En 1609—Valencia—publicó *La constante Amarilis*, bellísima muestra, en cuanto a la forma, de la rezagada moda de la novela pastoril. Figueroa llamó a su obra "prosas y versos", dividida en cuatro discursos, y tanto estos como aquellas acreditan una intensa personalidad y un penetrante acierto. "Por lo limado y cuidado de los versos, por sus expresiones e imágenes, llenas de originalidad; por lo elegante y firme del estilo en prosa, se acredita la *Amarilis* de obra importante en la historia de las formas literarias." (Valbuena.) El crítico Crawford ha identificado a la mayoría de los personajes de su *Amarilis*: "Menandro" es Juan Andrés Hurtado de Mendoza; "Amarilis", doña María de Cárdenas, hija del duque de Maqueda; "Damón" es el propio misógino, inquieto y dolido de Figueroa...

Pero la obra fundamental de Suárez de Figueroa es *El pasajero*—1617—, curiosa modalidad en el entronque del costumbrismo novelesco con formas de sátira dialogada, o anecdotario narrativo en forma docente. Su plan es ingenioso y apto para el propósito del autor. Contiene observaciones curiosas sobre las comedias, los comediantes, la poesía, el amor, las mujeres, la milicia, la justicia... Todo *El pasajero* está excelentemente escrito, en un estilo sobrio, cortante, preciso, "arquitectónico en los vocablos y precisamente gráfico en los toques expresivos realistas". Y está oreado por una ironía sutil y por las descripciones primorosas. Resulta un magnífico espejo de la sociedad de su época. De esta obra magnífica ha escrito Menéndez Pelayo: "Quien busque noticias de apacible curiosidad, sátiras tan crueles como ingeniosas, gran repertorio de frases venenosas y felices rasgos incomparables de costumbres, lea *El pasajero*, en el cual, sin embargo, lo más interesante de estudiar que yo encuentro es el carácter mismo del autor, público maldiciente, envidioso universal de los aplausos ajenos, tipo de misántropo y excéntrico, que se destaca vigorosamente del cuadro de la literatura del siglo XVII, tan alegre, tan confiada y tan simpática."

Otras obras: *Plaza universal de todas ciencias y artes*—1615, en gran parte traducción de *Piazza Universale*, de Tomás Garzoni, especie de enciclopedia—, *España defendida*—1612, poema narrativo sobre Bernardo del Carpio y Roncesvalles—, *Varias noticias importantes a la humana comunicación*—Madrid, 1621—, *Pusilipo, Ratos de conversación en los que dura el paseo*—Nápoles, 1629—, *Hechos de don García Hurtado de Mendoza*—Madrid, 1613...

El éxito de *El pasajero* fue grande. Y aún lo es. Pasan de veinticinco las impresiones europeas. En España existen varias ediciones modernas muy recomendables. La de Rodríguez Marín, Madrid, 1913; la de la "Biblioteca Renacimiento", Madrid, [¿1917?]; la de Seldén-Rose, en Sociedad Bibliófilos Españoles, Madrid, 1914; la de García Morales, en la "Col. Crisol", Madrid, 1945.

V. CRAWFORD, J. P. W.: *Vida y obras de C. S. de F.* Valladolid, 1911.—SELDÉN-ROSE, R.: Prólogo a la ed. de "Bibliófilos Españoles", Madrid, 1914.—RODRÍGUEZ MARÍN, F.: Prólogo a la ed. 1913, Madrid.—GARCÍA MORALES, J.: *Estudio y notas* a la ed. Madrid, 1945, "Col. Crisol".—ALONSO CORTÉS, N.: *Miscelánea vallisoletana.* 4.ª serie, V.—ENTRAMBASAGUAS, J.: *Una guerra literaria en el Siglo de Oro.* Madrid, 1932.—RENNERT, H. A.: *Some documents in the life of C. S. de F.*, en *Modern Language Notes*, 1892, VII.—CRAWFORD, J. P. W.: *Some notes on "La constante Amarilis*, en *Modern Language Notes*, 1906, XXI.—CRAWFORD, J. P. W.: *S. de Figueroa's "España defendida" and Tassó's "Gerusalemme Liberata"*, en *The Romanic Review*, 1914, IV.

SUÁREZ DEL OTERO, Concha.

Poetisa y novelista española. Nació—1910—en Luarca (Asturias). Cursó en Madrid la carrera de Filosofía y Letras, desempeñando la cátedra de Lengua y Literatura españolas en el Instituto-Escuela de Madrid. Ha viajado por Italia, Alemania, Bélgica, Francia y Portugal. También ha sido profesora de aquella misma asignatura en el Instituto Nacional de Mieres (Asturias). Ha colaborado en numerosas revistas con poemas y cuentos, que le han conseguido una justa reputación.

Obras: *Mabel*—novela, 1928, premiada por la "Biblioteca Patria"—, *Vulgaridades*—novela—, *Vida plena*—poemas, 1949—, *Mi amiga Andrée, Satañas no duerme*—novela—, *No llamó Clara*—novela.

SUBIRÁ, José.

Literato e historiador y crítico musical. Nació—1882—en Barcelona. Doctor en Derecho por la Universidad de Madrid. En el Conservatorio de esta capital terminó las carreras de piano y de composición. En 1904 estuvo pensionado en Roma. Ha viajado por todo el mundo, dando magistrales conferencias acerca de temas musicales. Secretario del Instituto Español de Musicología. En 1945 la Real Academia Española premió su *Léxico de música y danza.*

Ha colaborado en las principales revistas españolas—entre ellas, *Revista de la Biblioteca, Archivo y Museo del Ayuntamiento de Madrid; Gaceta de Bellas Artes, Revista Musical Catalana, Las Ciencias y Arbor*—, en las más destacadas revistas musicales y musicológicas de otros países—*Revue de Musicologie, La Revue Musicale y L'Opéra-Comique*, de Francia; *Die Musik y Musik im Leben*, de Alemania; *Acta Musicológica, Boletín de la Sociedad Internacional de Musicología*—y en varios diccionarios musicales—entre ellos el *Musik-Lexicon*, de Riemann, en su undécima edición—y el *Diccionario Enciclopédico Salvat* y en la *Enciclopedia Universitas.*

Sus actividades de aproximación internacional y sus labores intelectuales le han valido testimonios incesantes de consideración. Había sido nombrado officer d'Académie (Palmas Académicas) de Francia, en 1924; oficial de la Orden de la Corona de Bélgica, en 1925; caballero de la Legión de Honor de Francia, en 1928, y caballero de la Orden del León Blanco de Checoslovaquia, en 1931. Además, es socio de honor, de mérito o protector, en diversas entidades, e individuo numerario de la Academia Hispanoitaliana.

Obras de José Subirá: Biblioteca de Artistas Célebres: I. *Los grandes músicos: Bach, Beethoven, Wagner*, 1924. II. *Músicos románticos: Schubert, Schumann, Mendelssohn.* Madrid, 1925.

Colección de monografías musicales: I. *Pergolesi.* II. *Schönberg.* III. *Mussorgsky.* IV. *Mozart.* V. *Rimsky-Korsakoff.* VI. *Gluck.* Ediciones de la Asociación de Cultura Musical.

Las transformaciones orgánicas de la música. Madrid, 1918.

Schumann: *Vida y obras.* Barcelona, 1921.

El paisaje, las canciones y las danzas en Cataluña. Madrid, 1921.

El músico-poeta Clavé. Madrid, 1924.

Ricardo Strauss. Madrid, 1925.

Enrique Granados. Madrid, 1926.

Tonadillas satíricas y picarescas—1927—, *La música en la Casa de Alba*—1927—, *La tonadilla escénica*—1930, tres tomos—, *Historia de la música teatral en España*—Barcelona, 1932—, *La ópera en los teatros de Barcelona*—1945, dos tomos—, *Historia universal de la música*—Madrid, 1945—, *Historia de la música*—Barcelona, Salvat, dos to-

S

mos—, *Historia y anecdotario del teatro Real de Madrid*—Madrid, 1949—, *Su virginal pureza*—novela—, *Carillones en la niebla*—1925—, *Mi valle pirenaico*—cuadros novelescos, 1927—... y otras muchas más.

La fecundidad y la competencia investigadoras de José Subirá son asombrosas. En 1952 ha sido nombrado miembro de número de la Real Academia de Bellas Artes de San Fernando.

SUEÍRO, Daniel.

Cuentista y novelista español. Nació —1931—en La Coruña. Periodista y licenciado en Derecho. En 1958 le fue otorgado el "Premio Café Gijón", para novela breve, y en 1960 el "Premio Nacional de Literatura", para cuentos. Colabora en las principales revistas literarias españolas con cuentos muy originales y muy bien escritos. Como buen gallego, tiene la fantasía muy despierta y el humor muy sutil y el escepticismo muy acusado.

Obras: *La carpa*—1958—, *Los conspiradores*—1960—, *La criba*—1961, finalista en el "Premio Biblioteca Breve"—, *Estos son tus hermanos*—novela, México, 1965—, *La rebusca y otras desgracias*—1958—, *Toda la semana*—relatos, 1964—, *La noche más caliente*—novela, 1966—, *Sólo de moto*—novela, 1966—, *El arte de matar*—1968—, *Corte de corteza*—"Premio Alfaguara, de novela, 1969".

SUX, Alejandro.

Novelista, ensayista y poeta de relieve. Nació en Buenos Aires el 9 de agosto de 1888. Después de su expulsión de la Facultad de Derecho de dicha ciudad, se dedicó a la propaganda libertaria. Fue desterrado dos veces, una a Montevideo y otra a Mendoza, y encarcelado muchas. Siéndole imposible vivir en Buenos Aires, pasó a Barcelona, figurando en la asonada revolucionaria de 1909. Herido y condenado a muerte, logró escapar y llegar a París. Se dedicó por entero a la literatura hasta estallar la guerra europea.

La Prensa—Buenos Aires—le nombró su enviado especial ante los ejércitos aliados, y como tal asistió a la mayoría de las batallas de los frentes europeos. Fue representante de la República Argentina en la Liga de Países Neutrales. Después de la guerra fundó la "Agence des Grands Journaux Ibero-Americains"—París.

Director de *Germen*—Buenos Aires—. Colaborador de *La Ilustración Andina*—Mendoza—, *Ariel*—París—, *La Batalla*—México—, *El Mundo*—la Habana—, *El Universal*—México—, *La Nación*—Santiago de Chile—, *Paris-Bruxelles*—Bruselas—, *L'Ambrosiano*—Milán—, *O Comercio*—Río de Janeiro—y otros muchos diarios y revistas. Desempeñó en la Universidad Libre de Buenos Aires las cátedras de Historia, Geografía y Geología.

Alejandro Sux es un escritor de vivísima imaginación, de estilo nervioso y brillante, de mucha cultura, de amenidad extraordinaria.

Ha publicado: *Cosas del mundo*—editorial Pabet—, *De mi yunque*—La Internacional, Montevideo, 1906—, *De luz y de hierro*—ediciones Germen, Buenos Aires, 1907—, *A la conquista del Antiguo Mundo*—ídem, 1903, dos ediciones—, *Cantos de rebelión*—Granada y Cía., Barcelona, once ediciones, 1910—, *Bohemia revolucionaria*—novela, Granada y Cía., nueve ediciones, dos en México—, *Amor y libertad*—ídem, íd.—, *La juventud intelectual de la América hispana*—Granada y Cía., dos ediciones, prólogo de Rubén Darío—, *Cuentos de América*—Auber y Pla, Barcelona y Buenos Aires; una edición en francés y otra en inglés, Nueva York—, *El cofre de ébano*—*Cuento Semanal*, Madrid; una edición en inglés, Londres—, *Un edilio en Honfleur*—*La Novela Semanal*, Buenos Aires—, *Lo que se ignora de la guerra*—Maucci, Barcelona—, *Curiosidades de la guerra*—Agence Générale de Librairie, París—, *Los voluntarios de la libertad*—ídem, íd.—, *Todos los pecados*—versos, ídem, íd., una edición reducida en bengalí, con prólogo de Rabindranat Tagore, Calcuta (India)—, *Un corazón de quince años*—edición extraordinaria de 40.000 ejemplares de *Mundial*, Buenos Aires; otra de *El Universal Ilustrado*—México—, *El misterioso paquete de cartas*—folletín de *Mundo Argentino*, Buenos Aires, y de *El Universal Gráfico*, México—, *El asesino sentimental*—novela, Agence Mondiale de Librairie, París-Madrid-Buenos Aires—, *Del reino de la bambalina*—Valencia—, *Muñecas de carne y trapo*—Valencia...

V. ROJAS, Ricardo: *La literatura argentina*, Buenos Aires, 1924.—GIMÉNEZ PASTOR, A.: *Historia de la literatura argentina*, Buenos Aires, E. Labor, dos tomos.

T

TABLADA, José Juan.

Poeta, crítico literario y autor de invectivas políticas. Nació—1871—y murió—1945—en México. Se inició poéticamente unido al grupo de la *Revista Moderna.* Ha sido comerciante, periodista, autor de panfletos políticos, viajero incansable por todo el mundo, y principalmente por el Japón, cuyo extraño espíritu llegó a conocer hondamente. En aquella revista se hizo famoso con sus bellísimas crónicas *En el país del sol,* sobre el Japón, y desde 1911 publicó en *Revista de Revistas* sus pintorescas *Impresiones de viajes* sobre Europa.

Tablada pertenece, poéticamente, a la escuela modernista; pero su permanente inquietud, su vitalidad, siempre joven, reconcomida de curiosidades, le coloca en la vanguardia de todos los movimientos poéticos, y si en un tiempo fue gran propagandista de la estética francesa, más tarde evolucionó hacia las formas altruistas y llegó, en una característica manera, a la imitación del *haikai.* "Su estada en el Japón—escribe Leguizamón—le ha permitido desentrañar el sentido de esa fórmula poética, estrofa de tres versos de tono ligero, de concisión alusiva a lo esencial. Si bien el metro de las adaptaciones de Tablada no se ajusta, muchas veces, a la ortodoxia autóctona —cinco, siete y cinco sílabas, respectivamente—, aprehende, en cambio, su sentido expresivo."

Y confirma Luis G. Urbina: "Tablada es un espléndido colorista, y así en sus miniaturas como en sus lienzos decorativos tiene toques de luz y matices de un vigor extraordinario. Lo que en Tablada parece artificial, no es otra cosa que el hallazgo de alguna forma que la multitud no trasegó y que el artista aprovechó con la intuición maravillosa de su temperamento."

Luis Alberto Sánchez ha calificado a Tablada de "padre del estridentismo". Las características más acusadas de este gran poeta son: el colorido espléndido, reverberante; la musicalidad remota, el retorcimiento de las imágenes muy originales.

Obras: *El florilegio*—versos, México, 1899—, *Sonetos a la hiedra, Poemas exóticos, Gotas de sangre, Poemas, Platerescas, Musa japónica, Dedicatorias, Hostias negras, Tiro al blanco*—artículos, s. a.—, *Madero Chantecler*—drama, México, 1910—, *Historia de la campaña del Norte*—México, 1913—, *Hiroschigué, el pintor de la nieve y la lluvia, de la noche y de la luna*—México, 1914—, *Un día*—Caracas, 1919—, *El jarro de flores* —Nueva York, 1920—, *La resurrección de los ídolos*—novela, 1924—, *La feria*—1928—, *La feria de la vida*—1937.

V. Estrada, Jenaro: *Poetas nuevos mexicanos,* 1916.—González Peña, Carlos: *Historia de la literatura mexicana.* México, 1928.— Jiménez Rueda, J.: *Historia de la literatura mexicana.* México, 1926.—Onís, Federico de: *Antología de la poesía española e hispanoamericana.* Madrid, 1934.—Núñez y Domínguez, José de J.: *Los poetas jóvenes de México.* México, 1918.—Torres Rioseco, Arturo: *La poesía lírica mexicana.* Santiago, 1933.

TABOADA, Luis.

Prosista, humorista y periodista español, popularísimo en su época. Nació—1846—en Vigo (Pontevedra). Murió—1906—en Madrid. Estudió el bachillerato en el Instituto pontevedrés. A los diecisiete años llegó a Madrid, empleándose, sucesivamente, en los Ministerios de la Gobernación y de Fomento. Fue secretario particular de los políticos Ruiz Zorrilla, Nicolás María Rivero y Eduardo Chao. Se negó repetidamente a ser diputado a Cortes y gobernador general de algunas provincias.

Su vocación era absolutamente literaria, y ella es la que le absorbió todo su talento, llevándole a ser el mejor costumbrista de su tiempo, con una gracia, un chiste agudo y una facilidad de pluma que no superaron Francisco Santos, Zavaleta y Castillo Solórzano. De sano humorismo, agudísimo para recalcar el lado ridículo de las cosas y la proyección tonta de los seres; de prosa rica y castiza; de amenidad extraordinaria. Sus libros y sus crónicas eran buscados con avidez por cientos de miles de lectores.

Durante muchos años escribió a miles los

artículos de costumbres y de humor delicioso en periódicos y revistas, como *Nuevo Mundo, Madrid Cómico, El Imparcial, El Duende*—de La Coruña—, *La Gran Vía, A B C, Blanco y Negro, Actualidades, Vida Galante, Barcelona Cómica, La Ilustración Española y Americana, El Meteoro, La Ilustración Ibérica*...

El mejor satírico caricaturista y de figurón de su tiempo, acaso—exceptuado Julio Camba—el humorista más admirable que ha dado Galicia a la literatura. Taboada fue, además, un escritor fecundísimo. Pasan de ocho mil sus artículos. Acaso su mejor libro sea el titulado *Intimidades y recuerdos de un autor festivo*, en el que recoge, con los principales sucesos de su vida, los acontecimientos políticos más notables del último tercio del siglo XIX.

Otras obras: *Errar el golpe*—1885—, *Madrid en broma*—1891—, *La vida cursi*—1891—, *Caricaturas*—1892—, *Páginas alegres*—1893—, *Siga la fiesta*—1892—, *Titirimundi*—1892—, *El mundo festivo*—1894—, *Madrid alegre*—1894—, *Cursilones*—1895—, *Perfiles cómicos*—1897—, *Tipos cómicos*—1897—, *Colección de tipos*—1898—, *La viuda de Chaparro*—novela, 1899—, *Notas alegres*—1900—, *Crónicas alegres de 1900, 1901, 1902; Portugal en broma*—1902—, *Pescadero, a tus besugos*—novela, 1905—, *Las de Cachupín, Oráculos del matrimonio*—1906—, *Pellejín*—1910—, *Los ridículos*—1910...

V. "CLARÍN": *Ensayos y revistas.* 1892.— PARDO BAZÁN, Emilia: *Nuevo teatro crítico.* Madrid, noviembre 1901.

TAFUR, Pero.

Curiosísimo escritor español. Nació —¿1410?—en Córdoba. Murió hacia 1484. Descendiente del famoso caballero Pedro Ruyz de Córdoba. Se crió en casa del maestre de Calatrava don Luis de Guzmán, y, aprovechando una tregua entre Castilla y Granada, emprendió su famosísimo viaje, que duró desde 1435 hasta 1439. Embarcó en Sanlúcar de Barrameda y recorrió Italia, Chipre, Judea, Egipto, Rodas, Frigia, Grecia, Tartaria, Suiza, Alemania, Flandes, Borgoña y Francia. Joven, hidalgo y rico, fue agasajado por el Papa, el emperador de Alemania, el rey de Francia y por las personas de cuenta de todas partes.

Pero Tafur fue familiar de Juan II de Castilla y caballero de la Orden de la Escama. Estuvo casado con doña Juana de Orozco.

Su obra célebre, *Andanças é viajes de Pero de Tafur por diversas partes del mundo avidos*, es una amenísima narración, con notas sorprendentes, observaciones curiosas, llana y corriente en lenguaje y llena de buen humor en el estilo.

Hay una excelente edición moderna de su obra en el tomo VIII de la "Colección de Libros Raros y Curiosos", Madrid, 1874.

V. JIMÉNEZ DE LA ESPADA, M.: En la edición 1874. Madrid.—JIMÉNEZ DE LA ESPADA, M.: *Cuestión bibliográfica sobre el libro de Pero Tafur*, en *Rev. Europea*, IV, 349.— RAMÍREZ DE ARELLANO, R.: *Pero Tafur*, en el *Boletín de la Academia de la Historia*, 1902, XLI.—RODRÍGUEZ VILLA, A.: *Pero Tafur*, en *Revista Europea*, II, 193.—VASILIEV, A.: *Pero Tafur a Spanish traveler*..., en *Byzantion.* 1932, VII.—VIVES, J.: *Andanzas e viajes*... *de Pero Tafur.* Estudio. S. a.

TAGORE, Lina.

Delicada poetisa española contemporánea, autora de *Lira de sol y de piedra.* "Lina Tagore crea una lírica peculiar e intensa, de voz cálida, de honda pasión muy femenina, entre imágenes penetrantes y fluidez impetuosa, ascendente unas veces, de exaltación y vuelo, deprimida y torturada otras, entre los dolores y amarguras de la vida. Una creencia firme da consuelo y aliento a estas aflicciones en que vibra poderosamente un alma atormentada, de finísima sensibilidad." (Valbuena Prat.)

TAJÓN, Samuel.

Célebre prelado y escritor español del siglo VII. En el año 651 sucedió a su maestro San Braulio en la sede episcopal de Zaragoza. Antes había sido monje y abad. Y ya era famoso como profundo conocedor de las Sagradas Escrituras y de las obras de los Santos Padres. Estuvo en Roma, por indicación del rey Chindasvinto, para recoger los manuscritos de las obras fundamentales de la religión católica. Asistió a los Concilios VIII, IX y X de Toledo.

Entre los años 649 y 672 debió de escribir sus famosos libros *Sententiarum*, en los que intentó reducir a sistema la Teología. De este libro se sirvió muchos años después Pedro Lombardo.

Al frente de las *Sentencias* figuran varias cartas importantísimas que Tajón dirigió a San Quirico, obispo de Barcelona; a San Eugenio, a San Braulio, y varias poesías.

Se ha perdido un *Compendio*, escrito por Tajón, de los escritos teológicos de San Gregorio Magno.

Las obras de Tajón pueden leerse en el tomo XXXI de la *España Sagrada.*

V. BONILLA SAN MARTÍN, A.: *Historia de la Filosofía española.* I, 257.—LOEWE Y HARTEL: *Bibliotheca Pratum Latinorum Hispaniensis.* Viena, 1887, I.—MEMORIAL HISTÓRICO ESPAÑOL. II, 16. Madrid, 1851.—BECKER: *Catalogis Bibliothecarum Antiqui.* Born, 1885.— VEGA, A. C.: *Una obra inédita de Tajón*, en

La Ciudad de Dios, tomo 155, 1943, págs. 145-177.—GARCÍA VILLADA, Z.: Fragmentos inéditos de Tajón, en Rev. Arch., Bib. y Museos, 1924.—ANSPACH, E.: De Taionis libri primi et quinti Sententiarum capitibus in codice Aemilianensi deperditis, en Taionis et Isidori nova fragmenta et opera. Madrid, 1930, págs. 1-22.

TALAVERA, Arcipreste de (v. **Martínez de Toledo, Alfonso**).

TALAVERA, Ferrán Sánchez de (v. **Calavera, Ferrán Sánchez de**).

TALAVERA, Hernando de.

Notable escritor y tratadista ascético español. Nació—1428—en Talavera de la Reina (Toledo). Murió—1507—en Granada. Hijo de padres nobles de mediana fortuna. Estudió Gramática y Latín sin maestro. Cursó en Salamanca Arte y Teología, graduándose a los veinticinco años. En 1465 tomó el hábito en la Orden de los Jerónimos. Prior de Nuestra Señora del Prado. Confesor muy amado de la reina doña Isabel la Católica. Obispo de Avila. Arzobispo de Granada desde el mismo día—2 de enero de 1492—en que la ciudad fue conquistada por los Reyes Católicos.

Su preclaro talento, su cultura prodigiosa, su virtud extremadísima eran la admiración de toda España. Sus merecimientos eran tantos como su caridad y simpatía. Adorábanle los reyes, los nobles y el pueblo.

Se propuso que sus enseñanzas estuvieran a la altura de comprensión de las clases humildes. Predicaba haciéndose entender "hasta de la más simple viejecita", en tono más de animada conversación que de sermón escolástico. Todos sus tratados ascéticos están llenos de riquísimos motivos costumbristas, en un tono vivo y popular. De "joyas del habla castellana" han calificado algunos críticos los escritos de Hernando de Talavera. Y acaso con justicia, ya que su estilo natural, gracioso y elegante, y su lenguaje popular y castizo, apenas tienen más rival en el siglo XV que La Celestina.

En la Academia de la Historia de Madrid y en la Biblioteca del Monasterio de El Escorial están los manuscritos de los Tratados compuestos por Hernando de Talavera, arzobispo de Granada: 1.º Provechosa doctrina de lo que debe saber todo fiel cristiano. 2.º Confesional... 3.º Del restituir y satisfacer. 4.º De cómo hemos de comulgar. 5.º Contra el murmurar. 6.º De las ceremonias de la misa. 7.º Contra la demasía en el vestir y en el comer. 8.º Impugnación en defensa de nuestra fe. 9.º Ceremonial... Una forma de visitar iglesias y conventos de monjas..., Instrucción para las monjas de un monasterio de Avila.

De los Tratados hay una buena impresión: Salamanca, 1673.

V. SIGÜENZA, P. fray Joseph: Historia de la Orden de San Jerónimo. Madrid, 1907.—AMADOR DE LOS RÍOS, J.: Historia crítica de la literatura española. Madrid, 1861, VII, 355. ZARCO DEL VALLE y SANCHO RAYÓN: Ensayo de una Biblioteca... Madrid, 1863, IV, número 3.396.—ZARCO Y CUEVAS, P.: Catálogo de los manuscritos castellanos de la R. B. de El Escorial. Madrid, 1924.

TALLET, José Zacarías.

Poeta cubano. Nació—1893—en Matanzas. Es uno de los precursores de la poesía afrocubana. Miembro del grupo minorista. Primer presidente de la Universidad popular "José Martí". Director de la Revista de Avance. Su famoso poema La rumba apareció por vez primera en la revista habanera Atuei—1928—, causando una verdadera sensación y ganando para su autor una simpática y efusiva popularidad. En 1934, la gran actriz y recitadora argentina Berta Singerman escenificó y llevó a la pantalla tan sugestivo poema. Tallet es un poeta desconcertante la mayoría de las veces. Su forma queda siempre desnuda de todo artificio. Antítesis aparente del discurrir poético, su esencia y su persistencia reside en algo esencial de la intuición misma.

Obras: La pupila insomne, Elegía diferente...

V. JIMÉNEZ, Juan Ramón: Prólogo a La poesía cubana en 1936. La Habana, 1937.—BÁEZ, G. Paulino: Poetas jóvenes cubanos. Barcelona, 1922.—SANZ Y DÍAZ, José: Lira negra. Madrid, "Col. Crisol", núm. 21, 1944.

TAMAYO, Franz.

Extraordinario poeta y pensador boliviano. Nació—1880—en La Paz, hijo de un caballero de la mejor nobleza y de una indígena hermosa de los Andes. Periodista ilustre. Fundador y jefe del partido radical. Delegado de Bolivia en la Sociedad de las Naciones. De extraordinaria influencia en las letras de su país. De intensa vida política. Fundador del diario El Fígaro. En 1935 fue nombrado presidente de la República, pero el Ejército le impidió gobernar.

De este originalísimo e intenso escritor y magnífico tipo humano ha escrito Gustavo Adolfo Otero: "Tamayo es el diamante negro de la literatura boliviana contemporánea. Proteiforme en sus manifestaciones intelectuales, es, sobre todo, un artista; ama la erudición y la filosofía. Es fiero, audaz, acometedor, irreverente, de recios músculos de hércules y con abundante traza de forja-

T

dor. Poeta épico con pulmones de Hugo, es, sin duda, el más alto exponente de la lírica boliviana por su fuerza y su originalidad."

El magnífico escritor boliviano Fernando Díez de Medina ha escrito con la biografía de Franz Tamayo la biografía de Bolivia, unificando así a este coloso lírico con la inmensamente lírica tierra natal. "Si, estéticamente, Tamayo se orienta hacia los temas clásicos y experimenta las sugestiones parnasianas, su presencia en las letras bolivianas es un hecho de plena contemporaneidad. En efecto; más que su exotismo de asuntos y su cultura helenística, influye en las generaciones jóvenes con el ejemplo vivo de su pensamiento y de su labor. Aquellos podrán ser discutidos—y de hecho lo son acremente—, como lo es su significación política. Pero su obra es un hecho de alta calidad intelectual y permanente inquietud creadora." (Julio A. Leguizamón.)

Obras: *Odas*—1898—, *Proverbios sobre la vida, el arte y la ciencia*—1917—, *Los nuevos Rubayat*—1927—, *Scopas*—tragedia lírica, 1939—, *Tetralogía,* formada por *La Aquileida, Aquiles y Briseida, Los Argonautas y Prometeida*—1937—, *Scherzos*—1932—, *Horacio y el arte lírico, Nuevos proverbios, Epigramas griegos*—1945.

V. Díez de Medina, Fernando: *Franz Tamayo, hechicero del Ande.* Buenos Aires. Ed. "Puerta del Sol", 1944. (Esta obra, de un poder sugestivo impresionante, modelo perfecto de biografía, resume y culmina cuantos estudios pudiéramos citar acerca de Tamayo.)

TAMAYO RUBIO, Juan Antonio.

Erudito, ensayista y profesor español. Nació—1900—en Madrid. Doctor en Filosofía y Letras por la Universidad Central. Catedrático actual de Lengua y Literatura españolas en el famosísimo Instituto de San Isidro, de la capital de España, y profesor adjunto de la Universidad de esta misma villa. Secretario de la importante *Revista de Filología Española.* Colaborador de las principales revistas de investigación españolas. Miembro del Consejo Superior de Investigaciones Científicas. Ha dado numerosas y muy interesantes conferencias.

Ha dedicado principalmente su mucho saber y su fino sentido crítico al estudio literario del siglo XVIII español. Y puede afirmarse que su edición de las *Cartas Marruecas,* de Cadalso, es definitiva y difícilmente mejorable.

Aparte de gran número de obras destinadas a la enseñanza de la materia en que es profesor, de antologías de escritores españoles y extranjeros, últimamente ha publicado una obra del mayor interés erudito y literario: *El teatro de Gustavo Adolfo Bécquer* —Madrid, 1951.

Los ensayos y artículos críticos de Juan Antonio Tamayo son incontables.

TAMAYO Y BAUS, Manuel.

Gran autor dramático español.

Nació en Madrid el 15 de septiembre de 1829. Sus padres eran dos magníficos actores: Joaquina Baus y José Tamayo. Su infancia se desarrolló en los camerinos de los artistas, entre las bambalinas, alrededor de la tramoya escénica. Sus balbuceos fueron frases de dramas románticos escuchadas aquí y allá. Antes que a caminar torpe, aprendió hábil a mover los brazos con ademanes afectados de quien recita para el público. Les asombraba a todos, y mucho, aquel niño prodigio que declamaba con fuego a los seis años y que a los ocho emborronaba cuartillas con bocetos de dramas calenturientos. Tamayo jugó a los teatros con un teatro de verdad. Entre bastidores escuchaba atento las obras del duque de Rivas, de García Gutiérrez, de Hartzenbusch. Y ante sus padres y otros muchos actores y autores, en el "saloncillo" del que aún era teatro del Príncipe, sabía repetir con gesto, ademanes y voz apropiada parlamentos del *Don Alvaro,* de *El trovador,* de *Los amantes de Teruel*... Felizmente, sus aficiones de representante cesaron. Ya tenía un hermanillo, Victoriano, que lo hacía mejor que él. Manuel Tamayo, estimulado por sus padres, se dedicó a escribir para el teatro. El caso era vivir en aquella atmósfera de artificio cuyos resplandores cegaban, cuyas glorias atraían irresistiblemente. A los once años, Tamayo tradujo y adaptó el drama francés *Genoveva de Brabante,* que estrenaron sus padres—1841—en Granada. Pocos años después—1846—imitó libremente, con el título de *Juana de Arco,* la obra de Schiller *La doncella de Orleáns,* también por sus padres representada—1847—en Madrid y en el teatro Variedades. Su primera obra original, campanuda y altisonante, *El 5 de agosto* —1848—, impresa al año siguiente, no tuvo un gran éxito. Pero la suerte estaba echada. No sería él sino autor teatral. Nadie con más afición. Nadie con mayores facilidades. Pero precisamente por ello quedaba obligado a no ser un dramaturgo más, a ser todo un señor dramaturgo.

Durante cuatro años no hizo sino leer, leer, leer... Dramas románticos. Dramas clásicos. Dramas neoclásicos franceses. Teatro español del Siglo de Oro. Teatro español de costumbres... Moratín, Bretón, Gorostiza... Y entrenarse, arreglando, imitando, adaptando obras extranjeras en colaboración con sus entrañables amigos Luis Fernández-Guerra,

Manuel Cañete, Benito de Llanza y Esquivel, con su hermano Victoriano, ya notable actor. Y el 7 de diciembre de 1853, el estreno de su tragedia clásica *Virginia*, con un grandioso éxito de público y de crítica. Con románticos sentimientos, situaciones realistas y serena objetividad clásica compuso Tamayo una tragedia, "la mejor, sin duda, que en castellano se ha escrito, más humana y española que el *Edipo*, de Martínez de la Rosa, y que *La muerte de César*, de Ventura de la Vega". Obra híbrida, sin embargo, porque contra lo que entonces creyó Tamayo, no pueden fundirse en uno la tragedia clásica y el drama romántico. El propio hubo de reconocerlo, ya que, no dejándose ganar por los frenéticos aplausos del público y los elogios de la crítica a su tragedia *Virginia*, dio vueltas al derrotero antes emprendido del drama nacional, hasta que llegó el incontrastable triunfo con *Locura de amor* —1855—, viva pintura de caracteres, hábil manejo de los recursos escénicos y, sobre todo, realista desmenuzamiento de los efectos y análisis minucioso de la verdad que encierra. En el alma ardientemente enamorada hasta la locura de doña Juana de Castilla revivían los valores tradicionales del romanticismo del siglo XVII con el patetismo de la modalidad romántica del XIX.

A los veintiséis años, Tamayo y Baus era uno de los primeros dramaturgos españoles. A los veintinueve ingresó en la Academia Española —1858— con un magnífico y comentadísimo discurso acerca *De la verdad como fuente de belleza en la literatura*, en que cifraba su criterio dramático. No por estos triunfos se ensoberbeció el sencillo, cristianísimo y caballeroso Tamayo. Para estrenar sus obras aún utilizaba diferentes seudónimos... "Joaquín M. Estévanez", "Fulano de Tal", "José García"... Sino que el público se daba cuenta en seguida de la verdadera paternidad de tantas obras celebradas.

Hasta 1868 —triunfo de la revolución que destronó a Isabel II— Tamayo desempeñó un modesto empleo del Estado en la Biblioteca Nacional. Más tarde, la Academia Española le nombró su secretario perpetuo. Desempeñó también el cargo de jefe de la Biblioteca de San Isidro. Y hasta su muerte fue director de la Nacional. Caso curioso: la última producción escénica de Tamayo, *Los hombres de bien*, está fechada en 1870. Desde este año no volvió a escribir para el teatro. ¡Y vivió hasta 1898! Durante veintiocho años, en pleno apogeo de su fama de dramaturgo, Tamayo se dedicó excesivamente a trabajos anónimos de investigación como secretario de la Academia y como director de la Biblioteca Nacional. ¿Qué pudo moverle a dejar su gloria, a prescindir de lo que había sido su vocación decidida desde niño? ¿Ni los consejos más discretos y atendibles, ni los estímulos más apremiantes bastaron a sacarle de su obstinado y casi inexplicable silencio.

Nunca había militado en ningún partido político Tamayo, pero desde 1868 se inclinó francamente por el tradicionalista, que casaba tan bien con su magnífico catolicismo y con su magnífica castellanía.

Tamayo y Baus fue siempre una persona tranquila, sencilla y honesta, que no dio importancia excesiva a ningún problema vital. Pasaba por la vida como de puntillas, sin querer molestar a nadie, queriendo que nadie se fijara en él demasiado. Ni envidiado ni envidioso, como aconsejó el maestro fray Luis de León en estrofas serenísimas. El aspecto físico de Tamayo era el de un buen señor burgués que pasa inadvertido de las multitudes, con su hongo y su gabán largo, con sus barbas cortas y sus gafas ovales montadas en plata. Mirándole, mirándole con atención, más se sospecha en él al director de la Biblioteca que al dramaturgo apasionado que lleva en el pecho su correspondiente Vesubio disimulado por una naturaleza casi paradisíaca.

Para muchos críticos del pasado siglo —Revilla, Fernández Flórez, Cueto, Blanco García, Sicars, Ixart, Alas, Cañete...—, Tamayo y Baus es el primer dramaturgo de la centuria XIX. "Sin entusiasmos prematuros ni adulaciones —escribe con cierta exageración el agustino Blanco García—, sin rebajar en nada al autor de *Marcela*, ni a los de *Don Alvaro, Juan Lorenzo, El puñal del godo, Los amantes de Teruel, El hombre de Mundo* y *El tanto por ciento*; sin desconocer que es muy difícil la comparación en géneros tan distintos, puede afirmarse que en rigor Tamayo ocupa en nuestra literatura un puesto superior al de todos ellos... El ha traspasado como ninguno las fronteras de su patria, haciendo resonar su nombre, aunque español, allí donde se cultiva el arte y se ofrece a sus intérpretes el tributo de la admiración y el entusiasmo."

Tamayo fue un valor sintético de la época, un habilísimo conocedor del teatro, un cultivador de todos los géneros posibles. Clásica es *Virginia*. Romántica europea, *Juana de Arco*. Románticas de temas tradicionales, *La rica-hembra* y *Locura de amor*. Comedia realista, *Lo positivo*. Tradicional universal, *Un drama nuevo*. Trágica de realismo romántico, *La bola de nieve*. Obras de *tendencia* o de ideas, *Lances de honor* y *Los hombres de bien*. Tamayo representa el punto culminante a que llegó el romanticismo realista. Después de él, Echegaray, Sellés, Cano, Cavestany, se refugiarán en un retórico realismo naturalista, que de romántico no tiene sino el lenguaje en sus expre-

T

siones menos felices. Tamayo, en la mayoría de sus obras, sustituyó el verso, que parecía ser la expresión consustancial de los dramas de la época, por una prosa vehemente, poemática, en la que se encuentran bellezas extraordinarias, con la que pronto se contentó el público, hallándola más afín a la realidad aludida.

Obras muy meritorias de Tamayo son: *Angela*—1852, arreglo de *Intriga y amor*, de Schiller—, *Virginia*—1853, superior al modelo de Alfieri—, *La rica-hembra*—1854, en colaboración con don Aureliano Fernández-Guerra—, *No hay mal que por bien no venga*—1869—. Pero sus obras maestras son: *Locura de amor*—1855—, *La bola de nieve* —1856—, *Lo positivo*—1862—, *Lances de honor*—1863—y *Un drama nuevo*.

Locura de amor se basa en la pasión que tuvo doña Juana de Castilla por su esposo don Felipe el "Hermoso", hasta el punto de enloquecer. Posteriores estudios del erudito Rodríguez Villa han demostrado hasta qué punto de fidelidad histórica existe en este hermosísimo drama del más puro abolengo español. *La bola de nieve* es la obra que demuestra el estrago de los celos infundados. *Lo positivo* mejora extraordinariamente la obra de León Laya, *Le duc Job*, y coincide en muchos detalles y en la moralidad con *El tanto por ciento*, de Ayala, estrenada un año antes. *Lances de honor* es una diatriba contra el duelo, feroz institución de la caballería, que le proporcionó a Tamayo innumerables disgustos de los ridículamente calificados como hombres de honor. *Un drama nuevo* marca la cumbre de la dramaturgia de su autor. Para muchos críticos es el drama más bello, perfecto y realista del siglo XIX. Profundidad insuperable de pensamiento. Delicado y exacto análisis de las pasiones. Caracteres de una realidad absoluta. Lenguaje de forma sentenciosa, acomodado maravillosamente a la acción dramática. Para Revilla, "el efecto escénico, el terror trágico y la atrevida originalidad de las situaciones, que llegan a un punto altísimo de perfección, hacen de esta obra una cumbre de la dramática española". Para Fernández Flórez: "El desarrollo de la acción, la progresión de los afectos, la emoción del espectador, jamás se ordenó tan artísticamente... Jamás los personajes de una idealidad se entraron más hondo en el corazón para enternecerle o desgarrale... Jamás los afectos propios de diversas edades, de temperamentos diferentes, de los varios estados de ánimo, se definieron con tanto interés, energía y colorido." Para Ixart, *Un drama nuevo* es "cifra y compendio de todo aquel realismo ideal, con toda su grandeza trágica y todo el vigor posible en caracteres, en el plan, en los sentimientos, en todo". Para

Cejador y para el padre Blanco García, *Un drama nuevo* es una obra digna del numen de Shakespeare.

La edición moderna más importante de las obras dramáticas de Tamayo es: *Obras dramáticas*. Madrid, 1898-1900. Cuatro tomos.

V. SICARS Y SALVADÓ, Narciso: *Don Manuel Tamayo y Baus. Estudio crítico-biográfico*. Barcelona, 1906.—COTARELO MORI, Emilio: *Estudios de historia literaria de España*. Madrid, 1901.—FERNÁNDEZ-GUERRA, A.: *Discursos*, en las *Mem. Acad. Esp.* Tomo II. 1867.— CUETO, Leopoldo Augusto de: ... *"Virginia", por don Manuel Tamayo Baus*, en *Revista Ambos Mundos*. Tomo I, pág. 365... REVILLA, Manuel de la: *Manuel Tamayo y Baus*, en *Bocetos Literarios*.—FERNÁNDEZ FLÓREZ, Isidoro: *Tamayo*, en *Autores Dramáticos Contemporáneos*, II, 461.—TANNEMBERG, Boris: *Un dramaturge espagnol: Manuel Tamayo y Baus*. París, 1898.—TANNEMBERG, Boris: *Tamayo y Baus*, en *Mercure de France*, XXVII. 871.—PIDAL Y MON, A.: *Discurso en elogio de Tamayo*. Madrid, 1899.—OYUELA, C.: *Estudio sobre "Un drama nuevo"*. Buenos Aires, 1891.—SAINZ DE ROBLES, Federico Carlos: *Historia y antología del teatro español*. 1943. Tomo VII.—IXART, J.: *El arte escénico en España*. 1893.—ESQUER Y TORRES, Ramón: *Valoración técnica del teatro de Tamayo y Baus*. Madrid, *Revista de Literatura*, VII, 1955.—ESQUER Y TORRES, Ramón: *El teatro de Tamayo y Baus*. Madrid. C. S. I. C. 1965.

TAMAYO VARGAS, Tomás Martínez de (v. **Martínez de Tamayo Vargas, Tomás**).

TAPIA, Eugenio de.

Poeta, novelista, autor teatral español. 1776-1860. De Avila. Estudió Teología, pero no llegó a ordenarse. Jurisconsulto de fama. Redactor, con Quintana, de *El Semanario Patriótico*. Patriota y liberal, desempeñó durante las Cortes de Cádiz el cargo de director de la *Gaceta*. En 1814 pasó nueve meses en los calabozos de la Inquisición. Director de la Imprenta Nacional y diputado por Avila en 1820. Entre este año y 1831 vivió en Francia. En 1834 formó parte de la Comisión de Codificación civil. Nuevamente diputado por Avila en 1836. De 1843 a 1847, director de la Biblioteca Nacional. Académico de la Lengua desde 1814, al mismo tiempo que Quintana y Martínez de la Rosa. Popularizó los seudónimos "Ernesto", "El Licenciado Machuca" y "Valentín del Mazo". Tapia escribió numerosas composiciones, sometiéndose a la retórica: el trozo épico de *Sevilla, restaurada;* los romances *El mar en estío* y *La vejez*, la *Elegía a la muer-*

te de la duquesa de Frías, la burlesca La posada y los toros. Pero igualmente escribió otras muchas en franca lucha con las reglas del arte; así, el poema La bruja, el duende y la Inquisición, y la Oda a Quintana, en la Corona poética al mismo.

No puede extrañar lo más mínimo que cuantos poetas neoclásicos alcanzaron a contemplar, como Tapia, el desbordamiento triunfal del romanticismo, aun sintiéndose ya viejos, cedieran a impulsos de una rectificación lírica más en consonancia con los tiempos. Los casos de Quintana y Gallego son tan excepcionales como comprensibles. Se trataba de dos grandes poetas. La fidelidad a su obra pudo más que la gracia de un hechizo nuevo.

Obras principales: Ensayos satíricos—Madrid, 1820—, Poesías—Madrid, 1821—, Viaje de un curioso por Madrid, Los cortesanos y la revolución—novela, Madrid, 1838—, Juguetes satíricos—prosa y verso, Madrid, 1839—, Idomeneo—drama—, La madrastra —drama—, El hijo predilecto—comedia—, La soltera perspicaz—comedia—, Amar desconfiando—comedia—, Un falso novio—comedia.

V. PIÑEIRO, E.: El romanticismo en España. París, Garnier, s. a.—SAINZ DE ROBLES, F. C.: Historia de la poesía castellana. Madrid, 1946.—VALLE BÁRCENA: Biografía de Eugenio de Tapia. Madrid, 1859.—PORTER, M. E.: Eugenio de Tapia, a Forerunner of Mesonero, en H. Rev., VIII, 145.

TAPIA, José Félix.

Novelista y prosista español. Nació en Madrid en 1910. Murió—1968—en Madrid. De familia vascongada. Bachiller en el Instituto de Bilbao. Ha estudiado Leyes, Comercio e Ingeniería, sin llegar a coronar carrera alguna.

Una vocación literaria enterrada en el periodismo, pero en el periodismo anónimo del trabajo, desde el suelto a la linotipia y la platina, sin los oropeles de las firmas ni la gloria o el provecho de las prebendas o los homenajes. Desde los veintiún años en que comienza, Tapia es hombre de tinta de imprenta. Considerando el periodismo como vehículo de iniciación literaria, acude a él; pero en sus columnas no saldrán sus versos, sino el trabajo ingrato de la Redacción, la brega. Es época de agitaciones políticas, y no hay espacio más que para sueltos de polémica, diatriba y la escasa información.

Tras haber ejercitado el aprendizaje de la crónica en un periódico de la provincia donde se cría y estudia—El Noticiero Bilbaíno—, pasa a las filas de un diario monárquico en la capital—La Nación—, que es la oposición más enérgica de los tiempos republicanos. Allí se impondrá en lo que prácticamente se llama el metier, desde la sección de mesa, las conferencias, los sueltos, las sesiones municipales, los clásicos telegramas, hasta el editorial, pasando por la confección en las cajas, al par que intercala alguna crítica en la sección bibliográfica, o hace alguna reseña de teatros. Así hasta el año 1936, en que, bajo el paréntesis de la guerra civil—tres años—, suspendido en su ejercicio profesional y encarcelado, Tapia no vuelve a practicar el periodismo hasta el comienzo de la segunda guerra mundial. Esta le sorprende en El Alcázar, del que Tapia era redactor-jefe, a los veintinueve años, y cuyos acontecimientos le hacen separarse de la errónea marcha de un periodismo dirigido sin libertad ni orientación. Tapia dimite y se retira por dos años, hasta el fin de la contienda.

Esta contingencia hace nacer a Tapia en el campo de la literatura pura, y a los treinta y seis años, un poco tardíamente, se revela con su primera novela, La luna ha entrado en casa, que obtiene el "Premio Eugenio Nadal" de 1945, máximo galardón existente en España para la creación de este género.

Y novela realmente excepcional, una de esas obras que basta para cimentar una solidísima fama. Novela poemática, en la que se aúnan con perfección asombrosa el interés del tema, los matices psicológicos de la interpretación, la finura de dibujo y de colorido con que están logrados los personajes, el suave y melancólico humorismo—en cuyo fondo algo se desgarra—, la originalidad bellísima de muchas imágenes y de muchos pensamientos, la delicadeza expresiva —de rico vocabulario—, atrevidamente peculiar. Una atmósfera de afanes sugestivamente inconcretos es la de La luna ha entrado en casa, novela de las más interesantes, hondas y perdurables que se han publicado en España en lo que va de siglo.

Tapia es autor de otra novela: Profesión: empleado—1947—, muy distinta de La luna ha entrado en casa, pero con tantos valores como esta. Novela realista, muy originalmente desarrollada, con personajes de una humanidad impresionante, y escrita en una prosa llena de garbo.

TAPIA, Juan de.

Inspirado poeta español del siglo xv, de quien se tienen escasas noticias. Formó parte del acompañamiento que el rey de Aragón, Alfonso V, llevó a Nápoles. Estuvo preso—1435—en Ponza. Le rescató Filipo, duque de Milán, llevándoselo a su servicio. En 1458 aún vivía.

T

Su nombre figura el segundo entre los poetas que integran el *Cancionero de Stúñiga*—manuscrito de la Biblioteca Nacional de Madrid—. Otras composiciones suyas figuran en otro cancionero: el de la Biblioteca Real.

Casi todas las poesías de Juan de Tapia son amorosas y lisonjeras; se leen con gusto, y demuestran una facilidad elegante en el decir. Así, las tituladas *Canción de Johan de Tapia a la fija del duque de Milán, Canción de Johan de Tapia a la muy excellente reina de Aragón et de Seçilia, Otra canción de Johan de Tapia a madama Lucresia, Alvalá que mandó Johan de Tapia a la fija de la condesa de las Arenas, A la devissa del sennor rey don Fernando*, y los que empiezan: *Muchas veces llamo a Dios, Sennora, mi bien et amor, mi alma encomiendo a Dios; Bien veo que fago mal...*

Las poesías de Juan de Tapia pueden leerse en el tomo IV de la "Colección de libros españoles raros y curiosos"—Madrid, 1872—, y en el tomo V de la *Antología de poetas líricos castellanos*, de Menéndez Pelayo —Madrid, Hernando.

V. MENÉNDEZ PELAYO, M.: *Estudio* en *Antología de poetas líricos castellanos...* Tomo V.—AMADOR DE LOS RÍOS, J.: *Historia crítica de la literatura española*. Tomo V, páginas 441-47.

TAPIA, Luis de.

Notable poeta satírico y periodista. Nació —1871—en Madrid. Murió—1937—en Cuart de Poblet (Valencia). Licenciado en Derecho por la Universidad Central. Desde muy joven empezó a publicar en diversos periódicos y revistas diferentes "secciones" de poesías festivas, humorísticas y satíricas, bajo los títulos expresivos de "Salmos"—en *El Evangelio*—, "Bombones y caramelos"—en *El País*—y "Coplas del día"—en *El Imparcial* y *La Libertad*—. Tapia colaboró en otras muchas publicaciones españolas y americanas. Fue secretario de la Sección de Literatura del Ateneo de Madrid y diputado a Cortes durante las Cortes Constituyentes de la segunda República Española—1931—. Aun cuando le fueron ofrecidos diversos altos cargos, jamás los quiso aceptar, por no separarse de su ciudad natal y por no interrumpir la diaria comunicación con sus miles de lectores.

De pasmosa agilidad de pensamiento, de ingenio agudo, pronto y vivaracho, pícaro en la intención, de sorprendente facilidad para la versificación, Luis de Tapia, medio veras, medio burla, persiguió implacablemente a la ridiculez allá donde esta saltara. A veces la sátira de Tapia es cruel. En oca-

siones, de crudeza excesiva. Pero su intención siempre se salva, porque es noble, y si se equivoca, es noblemente.

Luis de Tapia publicó más de quince mil poesías.

Obras: *Coplas*—1914—, *Coplas del año* —1915, 1916, 1917—, *Así vivimos*—prosas, 1917—, *En casa y en la calle*—prosas, 1918—, *Un mes en París*—crónicas—, *Rosario, o la viuda astuta*—comedieta, adaptación muy libre de una obra de Goldoni, 1920—, *Matemos al lobo*—comedia para niños, 1922—, *50 coplas de Luis de Tapia*—edición homenaje, 1933...

TAPIA Y RIVERA, Alejandrino de.

Literato portorriqueño. Nació—1827—y murió—1882—en la ciudad de Puerto Rico. De él ha escrito Menéndez Pelayo: "Si por la grandeza de los propósitos y por la nobleza de los géneros cultivados hubiera de graduarse el mérito de los autores, pocos aventajarían a Tapia, que procuró vivir siempre en las regiones más elevadas del arte, y a quien no arredraron ni el drama histórico, ni la novela social, ni el poema simbólico. Preceptista y crítico también, y no ajeno a los estudios filosóficos, trabajó siempre de una manera reflexiva, y gustó de razonar el propósito de sus obras. Se ve, además, que leía mucho y con provecho, y que estaba al corriente de la moderna literatura francesa, y aun de los libros alemanes traducidos al francés... Las obras de Tapia no dejan más impresión que las de un talento claro y bien cultivado, ambicioso en demasía, con ambición noble y bien empleada, aunque con medios visiblemente inferiores a sus grandes aspiraciones, que, de realizarse, le hubieran dado un puesto eminente en la literatura universal."

Obras: *Conferencias de Estética y Literatura*—1881—, *Bernardo de Palissy*—drama—, *La parte del león*—drama, 1880—, *Roberto d'Evreux*—drama—, *Póstumo*—novela, 1872 y 1882—, *La Sataniada*—epopeya, 1878—, *La palma del cacique*—leyenda histórica—, *La Cuarterona*—drama, 1847—, *Novelas, cuentos y bocetos*—1880—, *Un alma en pena*—1883—, *La leyenda de los veinte años*—1874—, *Camoens*—drama, 1868—, *Vasco Núñez de Balboa*—1873—, *Poesía y mesenianas, Cofresí*—1876—, *El bardo de Guamaní*—ensayos literarios—, *La antigua sirena*—leyenda, 1862...

V. MENÉNDEZ PELAYO, M.: *Historia de la poesía hispanoamericana*. Madrid, 1911-1913. FERNÁNDEZ JUNCOS, Manuel: *Antología portorriqueña*. Puerto Rico, 1907.—TORRES RIVERA, Enrique: *Parnaso portorriqueño*. Barcelona, Maucci, 1920.—HENRÍQUEZ UREÑA,

Pedro: *Las literaturas de Santo Domingo y Puerto Rico*, en el tomo XII de la *Historia universal de la literatura*, de Prampolini, Buenos Aires, Uteha Argentina, 1941.—VALBUENA BRIONES, Angel: *La poesía portorriqueña contemporánea*. Tesis doctoral. Madrid, 1952.

TÁRRAGO Y MATEOS, Torcuato.

Novelista folletinista muy leído en su época. Nació—¿1822?—en Granada. Murió —1889—en Madrid. Desde muy joven se inició en el periodismo y en la literatura. Dirigió *La Verdad*—1860—y *El Popular*.

Sugestionado por la fama de Fernández y González, y también por las ganancias fabulosas de este popularísimo escritor, se lanzó a emularle, y si casi lo consiguió *en la cantidad*, le quedó muy por bajo *en la calidad*. Tárrago no carece de inventiva y domina los trucos de folletín, pero le falta frescura narrativa y el colorido de la prosa. Y resulta excesivamente sensiblero y trágico. Ni que decir tiene que *destrozó* la Historia antes de haber tenido la menor noticia de ella.

Algunas obras: *El ermitaño de Monserrate*—1848—, *Los celos de una reina*—1849—, *Carlos II "el Hechizado"*—1855—, *El monje negro*—1857—, *Memorias de un hechicero* —1866—, *La hija mártir*—1876—, *Los esclavos del orgullo*—1877—, *La hija del ladrón* —1881—, *Roberto "el Diablo"*—1883—, *Sancho "el Bravo"*—1885—, *El dedo de Dios...*

TÁRREGA, Francisco Agustín.

Excelente poeta, prosista y autor dramático español. Nació—1554—y murió—1602— en Valencia. Estudió Teología en la Universidad de su ciudad natal. Fue canónigo de la catedral valentina. Perteneció desde su fundación, en 1591, a la famosa Academia de los Nocturnos, donde adoptó el nombre de "Miedo". Concurrió a varias justas poéticas, y en la citada Academia leyó el 2 de marzo de 1594 el famoso soneto—atribuido por algunos críticos a Argensola—: *Llevó tras sí los pámpanos otubre...*

Con sus grandes amigos Guillén de Castro y Gaspar de Aguilar contribuyó a la creación y perfeccionamiento del teatro en Valencia. Presidió—1600—el certamen celebrado al trasladarse—desde Vannes—a la catedral valentina una reliquia de San Vicente Ferrer, y redactó la *Relación de las fiestas* celebradas con tal motivo.

Cervantes le alabó en el prólogo de sus *Comedias*—1615—; Lope, en el *Laurel de Apolo* y en *La Dorotea*, como a uno de los grandes poetas de su tiempo; Cristóbal de Mesa, en *La restauración de España*.

Todos los elogios muy justos. Tárrega fue un delicado poeta. Y como autor dramático, tuvo inventiva, fuerza, patetismo, ingenio, finura y facilidad poética. Sigue en méritos —dentro de la llamada "Escuela valenciana"—a Guillén de Castro, y vale más que algunos de los discípulos de Lope de Vega. Como buen levantino, fue gran colorista.

El nombre de Tárrega figura en el *Catálogo de autoridades* del idioma, publicado por la Academia Española.

Entre sus comedias históricas sobresalen: *La sangre real de los montañeses de Navarra, El cerco de Rodas, La fundación de la Orden de Nuestra Señora de la Merced, Los moriscos de Hornachos, El cerco de Pavía y prisión del rey Francisco, Las suertes trocadas y el torneo venturoso...*

Entre las de costumbres: *El prado de Valencia, La duquesa constante, La enemiga favorable, El esposo fingido, La condesa Constanza, El baile de Leganitos, La gallarda Irene...*

Discursos: *Sobre la excelencia de los ojos, Sobre el emblema 36 de Alciato, Sobre la excelencia del loro, Alabando la breva, Recopilación de las necedades más ordinarias en que se suele caer hablando..., Sobre el nacimiento de Cristo.*

En el tomo XIII de la "Biblioteca de Aures Españoles" se hallan cuatro comedias de Tárrega. Y de *Los moriscos de Hornachos* hay edición de 1904, Chicago, por Bourland.

V. SERRANO CAÑETE, J.: *El canónigo Francisco Agustín Tárrega. Estudio bibliográfico*. Valencia, 1889.—MARTÍ GRAJALES, F.: *Poetas valencianos*. Madrid, 1927.—BOURLAND, W.: *Estudio* en la edición de Chicago, 1904.— JULIÁ, Eduardo: *El teatro en Valencia*, en *Boletín de la Academia Española*, 1926, XIII.

TARSIS o TASSIS PERALTA Juan de, Conde de Villamediana (v. Tassis Peralta, Juan de).

TASSARA, Gabriel García (v. García Tassara, Gabriel).

TASSIS PERALTA, Juan de, Conde de Villamediana.

Gran poeta y dramaturgo. 1580-1622.

Villamediana nació incidentalmente en Lisboa. Sus padres—el caballero de Santiago, primer conde de Villamediana, pinciano ilustre, don Juan de Tarsis, y doña María de Peralta Muñatones, hija del comendador de Carricosa—habían acudido a la capital lusitana a presenciar la coronación de don Felipe II como rey de Portugal. El conde padre—o el buen conde—era *correo mayor* de Su Majestad. Villamediana se crió y educó en Palacio. A los monarcas, a los infan-

T

tes, a los dignatarios hacíanles mucha gracia las gracias indiscutibles de aquel menino guapo y díscolo, despreocupado y descreído. El fue quien implantó en Palacio una afición desmedida a los juegos de azar y de envite. Jugaban el rey, la reina, la condesa de Lemos, la duquesa de Medina, el conde de Galves, don Rodrigo de Herrera, el conde de Lemos... Se jugaba a todas horas. ¡Qué gran jugador era Villamediana! Llegó a ganar en una noche treinta mil ducados. Y para ahogar el escándalo, hubo de largarse a Valladolid... El destierro duró poco. Contrajo matrimonio en 1601 con doña Ana de Mendoza y de la Cerda. Su rumbo en los torneos, justas y festejos era proverbial. Derrochaba el oro. Derrochaba el desplante. Derrochaba el ingenio en verso y en prosa. Su atuendo era siempre el más rico. Sus coches y sus cabalgaduras, los más admirados. Y ¡ay de las malas lenguas que intentaran insinuar malevolencias acerca de su persona! Su estocada era siempre la más certera. Su sátira en una cuarteta, la más implacable. Pasó a Italia, ni más ni menos que el Don Juan de Zorrilla. Y, como este, por doquier, sembró el asombro y despertó la envidia. En Haste, en Milán, en Nápoles, durante muchos años se recordaron el despilfarro, la gallardía, los amores y la corrupción de Villamediana. 1617. Regreso a Madrid. Nuevas justas. Nuevos saraos. Audacias. Por ciertos versos mordaces contra Lerma y don Rodrigo Calderón, fue nuevamente desterrado. 1621. Ha muerto don Felipe III. Lerma, Uceda, el confesor Aliaga, han caído en desgracia. Juan de Tarsis—o de Tassis—regresa a la corte. En el certamen de la beatificación de San Isidro se le premia un soneto... 1622. Villamediana, "que pica bien, pero que pica alto", se enamora de la joven reina doña Isabel de Borbón. Largo tiempo se recató, como lo prueba el que Felipe IV le encargara la composición teatral de *La gloria de Niquea y Descripción de Aranjuez*—1622—para celebrar su cumpleaños, en la cual había de tomar parte la misma bellísima reina, representando la *Diosa de la hermosura*. El día 15 de mayo celebróse la fiesta. Por la tarde, el espectáculo finó normalmente. Por la noche representóse *El vellocino de oro,* de Lope de Vega. Y apenas comenzado el segundo acto, "una luz, cayendo encima de un dosel, con emprenderle, y asimesmo algunos ramos del teatro, pusiese en riesgo a su auditorio, y con tan gran turbación, que apenas pudo preservarle de la violencia de las llamas la más prevista diligencia, mostrando entonces un temor las aguijadas y los cetros, y las personas más supremas con las más ínfimas y bajas". Las gentes acusaron a Villamediana de aquel incendio, que le dio pretexto

para tener a la reina en sus brazos con *el aquel* de salvarla. Las habladurías fueron aumentando. Se concretaron las calumnias. Las amparó Olivares, el favorito, nada afecto a doña Isabel. Y...

Quevedo, el enemigo declarado y jurado de Villamediana, en sus *Anales de quince días,* describe así la muerte de su implacable enemigo: "Habiendo el confesor de don Baltasar de Zúñiga, como intérprete del ángel de la guarda del conde de Villamediana, don Juan de Tassis, advertídole que mirase por sí, que tenía peligro de su vida, le respondió la obstinación del conde que *sonaban las razones más de estafa que de advertimiento,* con lo cual el religioso se volvió sentido, más de su confianza que de su desenvoltura, pues solo venía a granjear prevención para su alma y recato para su vida. El conde, gozoso de haber logrado una malicia en el religioso, se divirtió de suerte que, habiéndose paseado todo el día en su coche y viniendo al anochecer con don Luis de Haro, hermano del marqués del Carpio, a la mano izquierda de la testera, descubierto al estribo del coche, antes de llegar a su casa, en la calle Mayor, salió un hombre del portal de los Pellejeros, mandó parar el coche, llegóse al conde y, reconocido, le dio tal herida que le partió el corazón. El conde, animosamente, asistiendo antes a la venganza que a la piedad, y diciendo: *Esto es hecho,* empezando a sacar la espada y quitando el estribo, se arrojó en la calle, donde expiró luego entre la fiereza de este atentado y las pocas palabras referidas. Corrió al arroyo toda su sangre, y luego arrebatadamente fue llevado al portal de su casa, donde concurrió toda la corte a ver la herida, que cuando a pocos dio compasión, a muchos fue espantosa; auto, que la conjetura atribuía a instrumento, no a brazo. Su familia estaba atónita; el pueblo, suspenso, y con verle sin vida, y en el alma pocas señales de remedio, despedida sin diligencia exterior suya ni de la Iglesia, tuvo su fin más aplauso que misericordia."

¿Fue asesinado Villamediana por orden secreta del rey don Felipe IV? La leyenda lo quiere así. A la leyenda contribuyó la famosa décima de Góngora:

> Mentidero de Madrid,
> decidnos: ¿Quién mató al conde?
> Ni se sabe ni se esconde:
> sin discurso discurrid.
> Dicen que le mató el Cid,
> por ser el conde *lozano.*
> ¡Disparate chabacano!
> La verdad del caso ha sido
> que el matador fue *Bellido*
> y el impulso *soberano.*

Se llegó a incluso *a correr* que el asesino había sido Ignacio Méndez, natural de Illescas, a quien Olivares recompensó haciéndole guarda mayor de los reales bosques.

La condesa D'Aulnoy—en su *Relation du voyage d'Espagne*—cuenta cómo Villamediana se presentó en una fiesta caballeresca, en Madrid, con un vestido bordado de monedas de plata, todas nuevas, llamadas *reales*, llevando por divisa *Mis amores son reales*. Para la condesa, Villamediana era hermoso, bien formado, bravo, magnífico, galante y agudo. Para don Luis de Haro: "el caballero más perfecto de cuerpo y alma que se haya visto". Y el escritor Antonio Hurtado —en su *Madrid dramático*—declara de Villamediana:

> Tal fama llegó a alcanzar
> en toda la corte entera,
> que no hubo dentro ni fuera
> grande que le contrastara,
> mujer que no le adorara,
> hombre que no le temiera.

A Villamediana nadie le ha superado en el linaje de sátira personal y franca. Su estilo es claro y cortante. Su lenguaje, castizo. Pura cepa española. A veces, en el hipérbaton y en los retruécanos, discípulo de Góngora. Y siempre desenfadado y terrible. Sus *Poesías* se publicaron por vez primera en Zaragoza, el año 1629, por Juan de Lanaja. La segunda edición es de Madrid —1635—, impresa por María Quiñones. La tercera, igualmente madrileña, por Diego Díaz de la Carrera, es de 1643. La cuarta es impresión barcelonesa, hecha por Antonio Lacavalleria, y corresponde a 1648.

Aun cuando Villamediana lució mucho en la misma academia literaria a la que concurrían Lope, los Argensola, Mira de Amescua y otros, merece una fama de poeta *culterano*, precisamente en atención a sus poemas largos, como la *Fábula de Faetón*, la *Fábula de Apolo y Dafne*, la de *Fénix, Europa y Venus y Adonis*. En estos poemas hay más juegos de palabras que de pensamientos, a la inversa que en sus epigramas procaces, llenos de intención, de gracia y de verdad. El uso del hipérbaton y de los retruécanos es lo que más delata a Villamediana en su valor de culterano. Y algo más: su pasión por la música, por las piedras preciosas, por la pintura y por la aparatosa escenografía teatral pura impuesta en su propia vida. Estos gustos le dieron un *aire* más barroco viviendo que escribiendo.

La comedia más famosa, *La gloria de Niquea*, se estrenó en el Real Palacio de Aranjuez durante el verano de 1622, pocos días antes de su muerte.

Ediciones modernas: Tomo XLII de la "Biblioteca de Autores Españoles"; número 28 de la revista *Cruz y Raya*, Madrid,

1935; *Antología poética*, Madrid, 1945, edición de Luis Rosales.

V. ALONSO CORTÉS, N.: *La muerte del conde de Villamediana*. Valladolid, 1928.—COTARELO MORI, E.: *El conde de Villamediana*. Madrid, 1886.—PINHEIRO DA VEGA: *La corte de Felipe II y aventuras del conde de Villamediana*. Publicado por Gayangos en *Revista España*, CIV y CV.—HARTZENBUSCH, J. E.: *Discurso* leído en la Real Academia Española, 1861.—ROSALES, Luis: Prólogo a la edición de Madrid, 1945.—SAINZ DE ROBLES, F. C.: *Historia y antología de la poesía española*. Madrid, Aguilar, 1951, 2.ª edición.

TAXONERA, Luciano de.

Periodista, novelista y biógrafo. Nació —1890—en El Ferrol (La Coruña). Desde muy joven se dedicó al periodismo y a la literatura, firmando algunos de sus primeros trabajos con el seudónimo de "Juan de Ega". Redactor de los diarios madrileños *Diario Universal*, *La Mañana* y *Fígaro*. Ha viajado por Europa y América, pronunciando conferencias literarias en Ateneos y Universidades. Varios años, entre 1923 y 1928, ha vivido en París. La Real Academia Española ha concedido el "Premio Fastenrath" a su biografía *González Bravo*.

Literato culto y muy ameno. Excelente prosista. De mucha fecundidad.

Novelas: *El otro amor*—1913—, *Rosas de diciembre*—1914—, *La nieve de los años* —1924—, *La vida a distancia*—1923—, *¿Qué haces que no llegas?*—1932—y otras muchas de menor extensión.

Biografías: *Felipe V, Riperdá, Isabel de Farnesio* y otras varias de menor importancia.

Taxonera ha traducido magníficamente obras de Goncourt, Guido de Verona y Oliveira Martins.

TEJADO, Gabino.

Novelista, dramaturgo y prosista español. Nació—1819—en Badajoz. Murió—1891—en Madrid. Su vocación primera fue el periodismo. A los veintidós años ya se había hecho célebre en su ciudad natal por sus artículos—publicados en *El Extremeño*—, en los que se manifestaba polemista temible, de mucha cultura y estilo vibrante. Ya en Madrid, colaboró en casi toda la Prensa católica: *El Padre Cobos, La Constancia, El Laberinto, Altar y Trono, El Semanario Pintoresco Español*. En 1860 fundó *El Pensamiento Español*, órgano batallador en pro de todas las tradiciones españolas: Dios, Patria y Rey. Gabino Tejado, con su espíritu brioso y esclarecido, su temperamento ardiente, su cultura sólida y su estilo castizo y sobrio—formado en la lectura y es-

T

tudio de nuestros clásicos—, riñó y ganó duras batallas por las ideas de la más estricta ortodoxia. En 1880 ingresó en la Real Academia Española, ocupando el sillón vacante por la muerte de Adelardo López de Ayala.

Gabino Tejado fue un novelista discreto y ameno y un autor dramático *de la cuerda* de López de Ayala en sus obras de costumbres.

Obras: *El caballero de la reina*—novela, 1847—, *La herencia de un trono*—drama, 1848—, *La mujer fuerte*—novela, 1849—, *Víctimas y verdugos*—novela, 1859—, *El catolicismo liberal*—polémica, 1875—, *El triunfo*—ensayo poético, 1877—, *El ahorcado de palo*—novela, 1878—, *El caballero sin nombre*—novela, 1879—, *Mundo, demonio y carne*—novela—, *Guía práctica del joven cristiano*, *La España que se va*—discurso de ingreso en la Academia Española...

TEJERA, Diego Vicente.

Poeta y prosista cubano. Nació—1848—en Santiago de Cuba y murió—1903—en la Habana. Estudió en su ciudad natal, en Caracas y en España. En Barcelona cursó las disciplinas de Medicina y Derecho, pero no llegó a concluir ninguna de las dos carreras. Absorbieron su vida los viajes, la literatura y los nobles afanes de la independencia de su patria. Fue un gran amigo de José Martí. Desde los Estados Unidos y Venezuela trabajó incansablemente en cuanto pudiera redundar en beneficio de la libertad política de Cuba. Fue un elegante prosista y un delicado poeta; impuso en su tierra géneros tan europeos como la balada y el *lied*.

Obras: *Consonancia*—poemas, Barcelona, 1874—, *Un ramo de violetas*—París, 1878—, *La muerte de Plácido*—poema dramático, 1875—, *Poesías completas*—Santiago, 1879—, *Poesía*—1893—, *Un poco de prosa, crítica, biografías y cuentos*—1895...

V. CLARENCE, Hills Elijah: *Bardos cubanos*. Boston, 1901.—VALLE, Adrian del: *Parnaso cubano*. Barcelona, 1907.—MITJÁNS, Aurelio: *Literatura cubana*. Madrid, "Biblioteca Andrés Bello", 1918.—REMOS Y RUBIO, Juan José: *Historia de la literatura cubana*. La Habana, 1925.—CHACÓN Y CALVO, José María: *La literatura de Cuba*. En el tomo XII de la *Historia Universal de la literatura*, de Prampolini. Buenos Aires, Uteha Argentina, 1941.

TEJERA, Emiliano.

Historiador, erudito y prosista dominicano. Nació—1841—y murió—1923—en Santo Domingo. Se opuso siempre a la anexión de su patria a España, sufriendo por sus campañas periodísticas prisiones y destierros. Enseñó Historia y Literatura en el Seminario Conciliar y en el Colegio "El Dominicano". Tomó parte preponderante en la Asamblea nacional de 1874. En 1896 fue enviado como ministro plenipotenciario ante la Santa Sede, para intentar el arreglo diplomático de fronteras con Haití. Ministro de Hacienda—1902—y de Relaciones Exteriores —1905 a 1908—. Figuró al frente de la Unión Nacional Dominicana, creada—1920— bajo la ocupación norteamericana.

Emiliano Tejera, hombre íntegro, de vasta cultura, conoció como pocos la historia colonial, la primitiva lengua indígena de su isla. Fue también un prosista admirable, de estilo puro y enérgico, cuya eficacia expresiva está lograda sin el menor rebuscamiento.

Obras: *Los restos de Colón en Santo Domingo*—1878—, *Cristóbal Colón, genovés* —en *Ateneo*, 1910 y 1911—, *Gobernadores de la isla de Santo Domingo, siglos XVI y XVII*—1915, en *La Cuna de América*—, *Epistolario. Palabras indígenas*...—1935.

V. MEJÍA, Abigail: *Historia de la literatura dominicana*. 5.ª edición, 1943.—HENRÍQUEZ UREÑA, Pedro: *Santo Domingo*, en el tomo XII de la *Historia universal de la literatura*, de Prampolini. Buenos Aires, 1941.

TELLAECHE, José.

Periodista y autor dramático español. Nació—1887—y murió—1948—en Madrid. Estudió con los Padres Agustinos de Guernica (Vizcaya). Su vocación literaria le llevó a dedicarse de lleno al periodismo y al teatro. Ha colaborado en numerosos periódicos y revistas de España: *A B C, Blanco y Negro, Heraldo de Madrid, Nuevo Mundo, La Mañana, La Tribuna, Fígaro, Marca*... Fue redactor de *El Imparcial* y de la *Epoca*, y director artístico del famoso teatro Apolo, de Madrid, hasta que fue demolido. Técnico administrativo del Ayuntamiento de Madrid.

Obras teatrales: *Junto al abismo, El "tronío" de Pepe, Viejas leyes*—comedia—, *El honor de los demás*—comedia—, *Las mariscalas*—zarzuela—, *El bello don Diego*—zarzuela—, *La linda tapada*—zarzuela—, *Curro el de Lora*—zarzuela—, *La aventurera, La casa de las tres muchachas*—opereta...

TÉLLEZ, Fray Gabriel («Tirso de Molina»).

Genial poeta, prosista y dramaturgo español. 1584-1648. Fray Gabriel Téllez nació en Madrid. ¿Era hijo natural del gran duque de Osuna, como ha intentado demostrar, sin fortuna, doña Blanca de los Ríos, apoyándose en unas notas marginales puestas por algún entremetido escribano de la época en la partida bautismal del gran dramaturgo? Si lo era, vástago bastardo de Téllez Girón, si él lo sabía y se sabía postergado y pobre, sin jerarquía y, ya que no avergonzado, vergonzoso, se explican sus ironías y chuflillas sobre la vanidad de la nobleza, sobre la injusticia de las leyes sociales, sus alusiones a la igualdad de los hombres ante Dios y a las leyes naturales...

> ...Entre el tosco sayal
> nace la envidia mortal,
> y me causa esta inquietud:
> que hasta la misma virtud
> quieren que sea principal.
> ¿Qué diferencia el cielo hace,
> decid, encinas y robles,
> entre villanos y nobles
> que tanto los satisface?
> Llorando uno y otro nace,
> y con las mismas señales
> cayados y cetros reales
> lloran también al salir;
> que en el nacer y el morir
> unos y otros son iguales.

"Tirso de Molina"—seudónimo glorioso de fray Gabriel Téllez, que arrinconó sus nombres, quizá ilustres por la sangre—estudió en Alcalá de Henares. Así lo afirman el prologuista de la obra de "Tirso" *Deleitar aprovechando*—quien debía de ser su compañero de hábito—: "... gastó su juventud en Alcalá, y en pocos años se hizo dueño de muchas ciencias", y el dramático y novelista, amigo y paisano, Matías de los Reyes, quien en la dedicatoria que le hizo de su comedia *El agravio agradecido*, "dirigida al Padre Presentado, fray Gabriel Téllez, religioso de la Merced", afirma haber cursado con Téllez *desde las primeras letras* y los estudios mayores en Alcalá.

¿Cuándo empezó a escribir para el teatro? En 1606 asegura él mismo en el prólogo de sus *Cigarrales*. ¿Cuándo ingresó en la Orden de la Merced? En la censura de un libro del buen representante y mediocre poeta Andrés de Claramonte y Corroy, cuya data es de 23 de mayo de 1610, ya se alude "al Padre fray Gabriel Téllez, mercedario, poeta cómico". Profesó en el convento de la Merced, en Guadalajara, probablemente en 1601.

En 1616 embarcó "Tirso" en Sevilla para la isla de Santo Domingo, donde no estuvo mucho tiempo, ya que en 1618 le volvemos a encontrar en Sevilla; y en 1619, en Toledo; y en 1620, en Madrid. En la corte residió algún tiempo. En 1621 pertenecía a la Academia Poética de Madrid, que reunía en su casa el doctor Sebastián Francisco de Medrano, clérigo y poeta muy culto e ingenioso. En 1622 tomó parte en los solemnes festejos poéticos celebrados en Madrid con motivo de la canonización de San Isidro y presididos por Lope de Vega; envió

al certamen, al que acudieron numerosísimos ingenios, cuatro octavas reales sobre los celos de San Isidro, "muy malas, gongorinas, artificiosas", en opinión de un moderno investigador. Como es lógico, no alcanzó premio o mención alguna, ni para las octavas reales—cuyo primer premio se llevó Guillén de Castro—, ni para cuatro décimas —cuyo galardón consiguió Mira de Amescua—; pero las vio publicadas en la *Relación de las fiestas que la insigne villa de Madrid hizo en la canonización de San Isidro...*, por Lope de Vega—Madrid, 1625—. De 1623 data una famosa trifulca efervescente en poesía entre "Tirso" y Ruiz de Alarcón. El mercedario no se cohíbe en el insulto.

> Don Cohombro de Alarcón,
> un poeta entre dos platos,
> cuyos versos los silbatos
> temieron, y con razón,
> *escribió* una Relación
> de las fiestas, *que sospecho*
> que, por no ser de provecho,
> le han de poner entredicho;
> porque es todo tan mal dicho
> como el poeta mal hecho.

Se refería la aludida *Relación de fiestas* a las que se celebraron en Madrid con motivo de la llegada del príncipe de Gales y futuro Carlos I, y de las que *se nombró cronista* al gran dramaturgo mexicano *en mal hora.* Quizá de Alarcón y de sus amigos partió la denuncia ante el Consejo de Castilla, en la que se le reprochaba que un fraile escribiese para el teatro y anduviera con cómicos; denuncia que le obligó a refugiarse en la casa profesa de la Orden, en Trujillo. Pero en 1627 ya zascandileaba de nuevo en la corte; en este año publica las dos ediciones de la primera parte de sus comedias, impresa una en Madrid y otra en Sevilla.

Hacia 1629 debía de residir en Salamanca, como hace sospechar cierta alusión "a un muy sabio mercedario" que se hallaba en aquella urbe, que hace el insigne fray Alonso Remón en las fiestas—1629—con que la Orden de la Merced festejó, en Madrid, a su fundador San Pedro Nolasco. Y en este mismo año, Lope de Vega, que está escribiendo su *Laurel de Apolo*—impreso en 1630—, le alaba con alteza:

> Si cuando a Fray Gabriel Téllez mereces
> estás, ¡oh Manzanares!, temeroso,
> ingrato me pareces
> al cielo, de tu fama cuidadoso,
> pues te ha dado tan docto como culto
> un Terencio español y un «Tirso» oculto.

En 1632 fue nombrado *cronista general* de la Orden, en sustitución del P. Remón, muerto aquel año. Y con la misma fecha,

T

definidor de la provincia mercedaria de Castilla. No colaboró en la *Fama póstuma* —1635—en honor de Lope, aunque estaba en Madrid y había sido buen amigo suyo y su mejor seguidor en la dramática. En 1638 residía "Tirso" aún en Madrid. Y en Madrid —1640—dio a la imprenta una *Genealogía del conde de Sástago,* en folio. El 29 de septiembre de 1645 fue elegido *comendador* o prelado del convento de Soria. Y en esta ciudad residió hasta su muerte, acaecida el 12 de marzo de 1648. Los últimos años de su vida los dedicó a ejercicios piadosos, a mejorar cuantos conventos rigió, a redactar su *Historia general de la Orden de Nuestra Señora de la Merced*—1639—y la sugestiva *Vida de la santa madre María de Cerbellón,* mereciendo los elogios de varón tan docto como fray Manuel Mariano de Ribera, en su *Milicia mercedaria,* quien le nombra "escritor insigne, muy fidedigno en su historia, de vasta literatura y de una continua e infatigable aplicación a las letras, a la indagación de la verdad y al trabajo de buscarla".

Sí, en los últimos años de su vida desaparecieron de la atrancada celda de fray Gabriel Téllez aquellos fantasmas estrepitosos que hablaban en versos sonoros y con razones sutiles o picantes; aquellos fantasmas que no se sabía por dónde entraban ni salían, y que debían marear al glorioso fraile con sus risas y sus llantos, con sus broncas y con sus discursos, con sus amorosos coloquios y con sus intrigas espeluznantes. Claro está que, en aquellos años últimos, no era ya fray Gabriel Téllez un monje de Zurbarán, alto, enjuto, firme, de rostro severo, sin acrimonia, ademanes sucintos, pasos tácitos y acento entero susurrado. Los trabajos y los años habíanle amojamado, encorvado y canecido. Arrastraba los pies y la voz algo chillona. Manoteaba sacando de las mangas amplias del hábito los sarmientos de sus manos. Y sus ojos, iluminados en otro tiempo frente a los épicos paisajes toledanos, lagrimeaban ahora en aquella meseta de Castilla, en la que esta forjaba a sus hombres—a golpe de Duero—para deshacerlos en cualquier parte.

Después de Lope, es "Tirso de Molina" el más fecundo de los dramaturgos españoles. Entre 1606, fecha de su primera obra escénica—*Amor por señas*—, y 1638, data de la última—*Las Quinas de Portugal*—, parece ser que escribió cuatrocientas. De ellas nos han llegado, con fijeza de autor, ochenta y seis. En 1620 ya tenía escritas unas trescientas. ¡Asombroso caso!

Durante su vida—y vivió "Tirso" con una enorme intensidad en su tiempo y en su patria—publicó él mismo la mayor parte de sus obras dramáticas. En 1621, en el libro de esparcimiento de los *Cigarrales de Toledo,* incluyó las siguientes comedias: *El vergonzoso en Palacio, Cómo han de ser los amigos* y *El celoso prudente,* comedia esta última "imitada con bastante servilismo" por Calderón en *A secreto agravio, secreta venganza.* En 1627, en Madrid—repetida el mismo año en Sevilla—aparece la parte primera de sus comedias con el título *Doce comedias nuevas del maestro "Tirso de Molina",* entre las que destacan: *La villana de Vallecas, La gallega Mari-Hernández* y *Amar por razón de Estado.* En 1635, y en Madrid, sale a luz la *Segunda parte de las comedias del maestro "Tirso de Molina".* Recogidas por su sobrino don Francisco Lucas de Avila. Cree A. Castro que dicho sobrino Lucas de Avila es una pura invención del dramaturgo para así poder expresarse más libremente. Otras doce comedias. De ellas, algunas tan importantes como *Los amantes de Teruel, Por el sótano y el torno* y *El condenado por desconfiado.* La *Tercera parte de las comedias del maestro "Tirso de Molina", recogidas por don Francisco Lucas de Avila,* fue impresa en Tortosa por Francisco Martorell, 1634, antes, por tanto, que la *Segunda parte.* Sobrepujan en aquella colección a las demás piezas: *La mejor espigadera, La prudencia en la mujer, La venganza de Tamar* y *La villana de la Sagra.*

En Madrid y 1635—lugar y fecha de la *Segunda*—apareció la *Quarta parte de las comedias del maestro "Tirso de Molina". Recogidas por don Francisco de Avila, sobrino del autor,* impresa en el establecimiento de María de Quiñones. Esta parte guarda una de las joyas del teatro "alegre, ingenioso y atrevido" de "Tirso": *Don Gil de las calzas verdes.* La *Quinta parte* fue publicada en Madrid, 1636, por la Imprenta Real. Figuran en ella obras tan notables como *Marta la piadosa* y *La Santa Juana.*

Otras comedias hermosísimas de "Tirso" aparecieron de manera muy curiosa y aún en vida del famoso mercedario. Así, *El burlador de Sevilla, o El convidado de piedra,* en una colección titulada *Doce comedias nuevas de Lope de Vega Carpio y otros autores*—Barcelona, 1630—, *El rey don Pedro en Madrid y el infanzón de Illescas* figura como de Lope en la *Parte XXVII* de las comedias del Fénix—Barcelona, 1633—y como de Calderón en la *Parte V* de sus obras —Barcelona, 1677—. Hartzenbusch la restituyó a su legítimo padre. La crítica moderna insiste en dar como de Lope esta comedia primorosa. *La firmeza en la hermosura, Desde Toledo a Madrid, Amar por señas, El caballero de Gracia, En Madrid y en una casa* aparecen impresas en las diferentes partes de la colección titulada *Comedias de varios autores.* Y sueltas llegaron al público

Los balcones de Madrid, La peña de los enamorados, Las Quinas de Portugal y otras varias de menor importancia. En el prólogo de la *Quinta parte* anunció "Tirso" una *sexta*, que no llegó a la estampa.

Si desde 1638 no volvió a escribir "Tirso" para el teatro—ya muy maduro el mercedario, muy reprendido, muy cansado de tocar pitos con comicastros y censores—, no por eso colgó su pluma genial en la espetera. En 1639 terminó las dos partes de la *Historia general de la Orden de Nuestra Señora de la Merced*, continuación de la de su antecesor cronista fray Alonso Remón. Pocos años después escribió la *Genealogía de la casa de Sástago* y la *Vida de la santa madre doña María de Cerbellón*.

Los Cigarrales de Toledo—1621—es una obra miscelánea. Cuentos. Obras teatrales. Poemas cortos. Relaciones de fiestas. Romances descriptivas. *Deleitar aprovechando* —1635—es otra obra miscelánea. En vez de cuentos alegres, leyendas piadosas. En lugar de comedias, autos sacramentales, y de estos, *El colmenero divino* es—puede decirse que el único de "Tirso"—uno de los más bellos autos sacramentales del teatro español. Y versos devotos. Entre estos, los dedicados a San Pedro Nolasco, 1629.

¿Qué papel desempeña, que lugar le corresponde a "Tirso de Molina" en la dramática española?

Como poeta cómico y satírico del teatro, como maestro del idioma, como creador de caracteres, no le supera ni Lope. Con este y con Calderón forma la trilogía formidable que sostiene a hombros el más rico y vario teatro del mundo. "Tirso" es el creador de *Don Juan*, el tipo más teatral que ha pisado una escena, al que no exceden las mejores creaciones helénicas ni shakespearianas y a las que gana en universalidad *ideal y humana, pastosa y ligera*. Ningún otro poeta ha penetrado tan maravillosamente en la poesía de la Edad Media. Su sentido dramático es el más grande del Siglo de Oro español. Y luego..., su gracia, su desparpajo, *su cara dura* para decir con garbo las mayores atrocidades, su risueña desvergüenza, su picardía sutilísima, su festivo donaire, sus diálogos vivos y sazonados, sus chistes tan oportunos, su inventiva y su enredo... Cosas todas que seducen y cautivan. Y téngase en cuenta que en riqueza de lenguaje y en pureza de estilo es sencillamente inimitable.

"Es agradable hoy 'Tirso'—escriben Hurtado y Palencia—por su poderoso sentido realista, su alegría franca y sincera, su intuición, a la vez cómica y poética, del mundo; su ingenio picante y a veces irónico, su malicia candorosa y optimista. Y como además de realista es romántico y es simbólico,

gusta en todas las épocas, y sus obras influyeron poderosamente en el siglo XIX."

Hartzenbusch, el primer panegirista incondicional de "Tirso" y su primer investigador serio, es aún más entusiasta: "... el espectador atónito no puede resistir a tanta magia y se deja llevar sin resistencia al país encantado donde el juguetón y hechicero 'Tirso' le quiere conducir. El desenfado de este gran poeta es tal, que alcanza a todo cuanto entra en las facultades del ingenio, y así, usa de la lengua con tanta libertad y despejo que admira. Nadie le detiene en este punto; la maneja a su albedrío, venciendo siempre la dificultad de la rima por medios tan oportunos e inesperados, que no parece sino que es dueño absoluto de la lengua, y que esta pone a su disposición sin resistencia todos sus recursos y facultades, segura de que el poeta sabrá engalanarla y enriquecerla. ¡Cuántas frases, palabras y modismos ha creado 'Tirso'! ¡Cuántas de sus aprensiones caprichosas han quedado como proverbios!"

"En el teatro moderno—confirma Menéndez Pelayo, el gran entusiasta de Lope—no hay creador de caracteres tan poderoso y enérgico como 'Tirso', y la prueba es que Don Juan, que de todos los personajes de nuestro teatro es el que conserva juventud y personalidad más viva y el único que fuera de España ha llegado a ser tan popular como Hamlet, Otelo y Romeo, y ha dejado más larga progenie que ninguno de ellos." Pienso que no solo Don Juan alcanza esos méritos que le atribuye el gran polígrafo. Y es que pienso en *La Celestina* y en el *Cid*.

"Tirso de Molina"—y es ello buena prueba de su valor dramático—ha sido uno de los autores más copiados y refundidos dentro y fuera de España. Aquí, Calderón escribe sus obras *El encanto sin encanto, El secreto a voces, A secreto agravio...*, *El mayor monstruo, los celos*, y *Los cabellos de Absalón* con el modelo de las de "Tirso" *Amar por señas, Amar por arte mayor, El celoso prudente, La vida de Herodes* y *La venganza de Tamar*. Moreto, *El parecido* y *La ocasión hace el ladrón*, con los modelos de *La ventura con el hombre* y *La villana de Vallecas*. Solís, sus *El ricohombre de Alcalá* y *La villana de Vallecas* mirándose en las de Téllez *El rey don Pedro en Madrid* y *La villana de Vallecas*. Montalbán, sus *Amantes de Teruel* en *Los Amantes de Teruel* del mercedario. En *El burlador de Sevilla* espigaron Claramonte—¿*Tan largo me lo fiáis?*—, Zamora—*No hay plazo que no se cumpla*—y Zorrilla—*Don Juan Tenorio*—. Matos Fragoso inspira sus *Ver y creer* y *El hijo de piedra* en *Siempre ayuda la verdad* y *La elección por la virtud*. Le toman igualmente como modelo Vélez de Guevara,

Zárate, Monroy, Cañizares, Mesonero... En el extranjero, Scarrón aprovechó sin aprensión alguna escenas enteras de *El amor médico* para su *Jodelet duelliste;* Sirley fundó en *El castigo del pensé que* su *Opportunity;* Montefleury, su *La dame Médecin* en *El amor médico...* Abrumaría una relación detallada de los autores nacionales y extranjeros que han *tratado* el tipo de Don Juan basándose en la pieza característica de "Tirso". Dorimond, Villiers, Molière, Corneille, Byron, Flaubert, Dumas, Shawell, Goldoni, Daponte, Guerra Junqueiro... Por el contrario, a nadie tanto como a "Tirso" han sido atribuidas buenas comedias que escribieron otros. Así, *La locura por la honra, El milagro de los celos, Amantes y celosos, todos son locos,* y [¿] *El rey don Pedro en Madrid* [?], que son de Lope; *Lo que no son las mujeres,* de Rojas; *Cuando tocas vendo, desengaños toco,* de Pérez de Montalbán; *Los coches, Los alcaldes encontrados* y *La malcontenta,* de Quiñones de Benavente.

"El lenguaje de 'Tirso', en el teatro, no tiene nada de culterano, a no ser que hablen personas culteranas, porque es tan natural y realista, que cada personaje usa el que suele en el mundo, sobresaliendo con todo en el conocimiento y propiedad que tiene y presta a los aldeanos y gente bajuna. Donaires y gracejos chorrean a manta, porque lo que el autor se proponía era hacer pasar un rato agradable a los espectadores con la pintura de la vida real, condimentada con dichos y agudezas, y no menos con anécdotas y cuentos salerosísimos, en todo lo cual es tan desenfadado, desenvuelto y picarón, que nadie le ha sobrepujado. De anacronismos, de falta de color local, tratándose de épocas antiguas o de tierras extrañas; ni 'Tirso', ni ninguno de los nuestros, de los franceses ni ingleses, hizo el menor caso: siempre los personajes son españoles del siglo XVII. Aun bien que si, por ser fieles en esta parte, hubieran descuidado el realismo en que sobresalen, lo cual suele acontecer, y aun inventar un color local tan falso como el anacrónico de los nuestros, no fueran ciertamente de alabar. Lo viejo y lo extraño, para vivir, tenían que acomodarse al tiempo presente, y esto mueve y es más teatral que el hielo derramado por el teatro francés, donde, queriendo que hablen los personajes antiguos como hablarían en sus añejas edades, no hablan más que un lenguaje postizo y más francés versallesco que antiguo, convirtiéndose de trágicos en cómicos para el que en ello repara. Una vez abierto el camino del teatro español de intriga, costumbres y carácter, mérito principal de Lope, el mejor dramaturgo español es, hablando en general y como cómico de ley y recio dramáti-

co, 'Tirso de Molina'. No tiene la fecundidad inaudita de Lope; pero cada pieza, de por sí, es un trasunto más acabado de la realidad de la vida, y visto y trazado por un ingenio más hondo y perspicaz, más filosófico y tan natural o más que Lope. No tiene, de ordinario, las grandes concepciones ni la ideología simbólica, pero tampoco afecta la bambolla, la falsedad y el mal gusto que Calderón de la Barca. 'Tirso' es minero inagotable de estudio y de admiración, es el más realista, el más psicólogo y el más cómico de los dramaturgos españoles." (Cejador.)

Agustín Durán: "Las buenas dotes que distinguen a 'Tirso', ya como poeta, ya como dramático, consisten en su estilo natural, en su audacia y oportunidad para el manejo del idioma, en su versificación armoniosa y abundante, en la riqueza de sus rimas, en su caudaloso y rápido diálogo, en su modo travieso e ingenioso de contrastar las ideas, en sus sales picantes y epigramáticas, y, en fin, en su expresión llena de gracia, soltura y amenidad. Los vicios de que adolece, principalmente consisten en la inverosimilitud y pobreza de sus invenciones; en la mala economía que usa para desenvolver sus fábulas; en la monotonía de los caracteres que pinta; en la demasiada confianza que tiene en la fe de los espectadores y en los propios medios y recursos que le aventajan, y, finalmente, en que sacrifica el decoro de la escena al deseo de lucirse en el diálogo y al de proporcionarse ocasiones de gracejear, acaso con demasiada libertad... Lo cierto es que los hombres de 'Tirso' son siempre tímidos, débiles y juguetes del bello sexo, en tanto que caracteriza a las mujeres como resueltas, intrigantes y fogosas en todas las pasiones que se fundan en el orgullo y la vanidad. Parece a primera vista su intento ha sido contrastar la frialdad e irresolución de los unos con la vehemencia, constancia y aun obstinación que atribuyó a las otras en el arte de seguir una intriga, sin perdonar medio alguno por impropio que sea. En esto estriba, más que en nada, el carácter de las invenciones de 'Tirso', y tanto, que no solo se halla este tipo en sus comedias de costumbres, sino también en las heroicas. Un protagonista tímido, irresoluto, tibiamente enamorado, o ciegamente sumiso a los caprichos de una dama, de quien por vanidad y a pesar suyo es amado, es casi siempre el héroe de los dramas de 'Tirso'. La intriga en ellos se reduce generalmente a los obstáculos que varias damas oponen a los deseos de la principal, la cual vence o triunfa por más astuta, más ardiente o más picada que sus rivales."

Mesonero Romanos: "Una imaginación

traviesa y lozana, una filosofía profunda al par que halagüeña, estudio feliz del corazón humano, rica vena poética, gracejo peculiar en el decir, y admirable conocimiento de la lengua patria, tales son, entre otras varias cualidades, las que distinguen notablemente a 'Tirso' de la inmensa multitud de autores que con algunas de ellas conseguían por su tiempo alcanzar una parte del aplauso popular... Preciso es confesar, sin embargo, que en medio de tantas prendas relevantes, los dramas de 'Tirso' se distinguen por un grave defecto capital, cual es el de la liviandad en la acción y en la expresión; y en este punto no puede negarse que sus cuadros son sin disputa los más atrevidos que ha consentido nuestra escena... Tiene además este insigne poeta la gran recomendación de la originalidad e invención de muchos de los pensamientos dramáticos, que después han hecho fortuna manejados por otros autores y no pocos de estos han copiado o imitado a 'Tirso', sin tener en cuenta lo que le debían. La hipocresía y la falsa virtud habían visto una imagen suya en la *Beata enamorada,* antes de Molière y de Moratín, *El convidado de piedra, o El burlador de Sevilla,* de 'Tirso', ha sido imitado después por nacionales y extranjeros. Ni Rotrou, ni Regnard, ni Picard habían escrito antes que 'Tirso' hubiese ya dado en *La ventura con el nombre* una comedia cuyo argumento y una semejanza en el semblante, *La celosa de sí misma* ha sido imitada por varios: Moreto dio en *La ocasión hace al ladrón* una copia de *La villana de Vallecas,* de 'Tirso', y en *El desdén con el desdén* trató el mismo objeto que aquel en *Celos con celos se curan.* Cañizares copió la *Antona García,* ligeramente variada, y lo mismo hizo Matos con la *Elección por virtud,* a que dio el nombre de *El hijo de la piedra* y, finalmente, Montalbán copió servilmente a 'Tirso' en *Los amantes de Teruel...* Pero en donde este poeta aventaja a todos los demás dramáticos españoles es en la pintura de las costumbres villanescas, que sabe trazar con una verdad y gracia en que no dudamos asegurar que no ha tenido rivales ni siquiera felices imitadores."

Alberto Lista: "Pues considerado como poeta cómico y satírico, con dificultad se hallará un escritor más fecundo en chistes y donaires, ni que describa mejor las ridiculeces que se propone revelar... Debemos también observar que 'Tirso' sabía describir tan bien como Lope el verdadero amor fiel, constante, entrañado, independiente de la vanidad, del interés y de la desenvoltura."

Javier de Burgos: "Al ver diálogos ingeniosos sin dejar de ser verosímiles; versos fáciles sin ser triviales; alusiones, ya libres, ya malignas; situaciones de aquellas que encadenan o arrastran al espectador, y, por último, mucha novedad en los argumentos y mucha originalidad en el modo de conducirlos, se puede, sin miedo de equivocarse, fuera de uno u otro caso, atribuir la pieza al maestro 'Tirso'."

Menéndez Pelayo—*Crit. liter.: "Tirso"*—: "A quien—pasada ya, aun en Alemania, la fiebre calderoniana—pocos niegan el segundo lugar entre los maestros de nuestra escena, y aun son muchos los que resueltamente le otorgan el primero y el más próximo a Shakespeare, como, sin duda, lo merece, ya que no por el poder de la invención, en que nadie aventajó a Lope—que es por sí solo una literatura—, a lo menos por la intensidad de vida poética, por la fuerza creadora de caracteres y por el primor insuperable de los detalles... A los ojos de todo el que no sea francés, 'Tirso' es, cuando menos, tan gran poeta como Molière, aunque en género distinto, y evidentemente más poético... Su alejamiento relativo de aquel ideal caballeresco, en gran parte falso y convencional; su poderoso sentido de la realidad, su alegría franca y sincera, su buena salud intelectual, aquella intuición suya, tan cómica y al mismo tiempo tan poética del mundo; la graciosa frescura de su musa villanesca, su picante ingenuidad, su inagotable malicia, tan candorosa y optimista en el fondo, nos enamoran hoy y tienen la virtud de un bálsamo añejo y confortante, ahuyentador de toda pesadumbre y tedio. Y como 'Tirso', además de gran poeta realista, es gran poeta romántico y gran poeta simbólico, no hay cambio de gusto que pueda destronarle, y el jugo de humanidad que hay en sus obras alimentará en lo futuro creaciones nuevas, así como en tiempo del romanticismo renacieron sus *Amantes de Teruel* y su *Doña María de Molina,* se añadieron innumerables ramas al *árbol* genealógico de su *Don Juan,* y hasta "Jorge Sand" intentó, a su modo, la imitación de *El condenado por desconfiado,* en *Lupo Liverani."*

Resulta verdaderamente imposible señalar todas las ediciones de las obras de "Tirso de Molina". Me limitaré a consignar las más importantes:

Vida de la santa madre María de Cerbellón. Ed. Menéndez Pelayo, en *Revista de Archivos,* 1908-1909.

Cigarrales de Toledo. Ed. Víctor Said Armesto. Madrid, "Renacimiento", 1913.

Del teatro: "Autores Españoles", de Rivadeneyra, tomo V; *Teatro escogido.* Madrid, 1839 a 1842, doce tomos; *Comedias,* ed. Cotarelo, en "Nueva Biblioteca de Autores Españoles", tomos IV y IX. (Esta edición completa a la de "Autores Españoles".)

Obras dramáticas completas, ed. Blanca de los Ríos. Madrid, Aguilar, 1947, dos tomos. Esta edición, admirable por todos conceptos, anula las anteriores. Es definitiva, exhaustiva.

V. ALVAREZ DE BAENA: *Hijos ilustres de Madrid...* Tomo II. Madrid, 1790.—VARGAS, fray Bernardo de: *Chronica ordinis B. Mariae de Mercede*. II. Parma, 1622.—HARTZENBUSCH, E.: Prólogo a las *Comedias escogidas de "Tirso de Molina"*. "Biblioteca de Autores Españoles". 1848.—COTARELO MORI, E.: *"Tirso de Molina". Investigaciones biobibliográficas*. Madrid, 1893.—COTARELO MORI, E.: Prólogo a las *Comedias de "Tirso de Molina"*. "Nueva Biblioteca de Autores Españoles". [1906-1907].—Ríos, Blanca de los: *"Tirso de Molina"*. Conferencia dada en el Ateneo de Madrid, 1909.—Ríos, Blanca de los: *Del Siglo de Oro*. Madrid, 1909.—Ríos, Blanca de los: *Estudio-prólogo a las Obras completas de "Tirso de Molina"*. 1947, en la Editorial Aguilar, de Madrid.—SERRANO Y SANZ, M.: *Nuevos datos biográficos de "Tirso de Molina"*, en la *Revista España*, 1894, páginas 66 a 74 y 141 a 153.—MENÉNDEZ PELAYO, M.: *Estudio de crítica literaria*. Segunda serie.—CASTRO, A.: *Estudio preliminar* al tomo II de *Clásicos Castellanos*. 2.ª edición. Madrid, 1922.—MOREL-FATIO: *Etudes sur le théâtre de "Tirso de Molina"*, en el *Bulletin Hispanique*. Burdeos, 1900.—MUÑOZ PEÑA, P.: *El teatro del maestro "Tirso de Molina"*. Valladolid, 1889.—Ríos, Blanca de los: *Estudios y notas* a la edición *Obras completas de "Tirso de Molina"*. Madrid. Aguilar, 1947 y 1952, dos tomos.—VARIOS: *"Tirso de Molina"*. Madrid, número extraordinario de la revista mercedaria *Estudios*, 1949, 932 págs. [Obra fundamental, por los numerosos estudios de gran valor que reúne.]—McCLELLAND, I. L.: *"Tirso de Molina". Studies in Dramatic realism*. Liverpool. Institute of Hispanic Studies, 1948. HESSE EVERETT, W.: *Catálogo bibliográfico de "Tirso de Molina" (1648-1948)*, en la revista *Estudios*. Madrid, 1949, págs. 782-889.—HESSE EVERETT, W.: *Suplemento primero a la Bibliografía general de "Tirso de Molina"*. Madrid, en la revista *Estudios*, número 19, 1951, págs. 98-109.—HESSE EVERETT, W.: *Suplemento segundo a la Bibliografía general de "Tirso de Molina"*. Madrid, en la revista *Estudios*, núm. 22, 1952. [El *Catálogo* de Hesse, imprescindible para cuantos intenten el estudio de algún aspecto de la vida o de la obra de "Tirso de Molina", reúne muchos cientos de fichas biobibliográficas, entre ellas las referentes a las valiosísimas aportaciones eruditas de los Padres Mercedarios Manuel de Penedo, Pedro Nolasco Pérez, Martín Ortúzar, Gumersindo Placer...]

TÉLLEZ MORENO, José.

Nació en Almería el 9 de diciembre de 1895. Murió—1968—en Madrid. Desde niño se ilusionó con la literatura, principalmente con el teatro. No hizo estudios oficiales. Atraído, asimismo, por el periodismo, comenzó a practicar este desde muy joven, primero en su ciudad natal y después en Madrid, donde presentóse el año 1915 sin otra protección y conocimientos que los de su decisión. Tímido de suyo, vencióse siempre a sí mismo con su enorme entusiasmo. Pronto empezó a colaborar en las revistas gráficas de aquellos días.

Por entonces ingresó en la Redacción del diario madrileño *La Mañana*, a la que perteneció solo unos meses, pues, requerido desde su tierra, marchó a Almería a dirigir un diario: *El Día*.

Al año volvió a Madrid y entró a formar parte de la Redacción de *El Liberal*—1921—, en la que pronto sobresalió y en la que el mismo año de su ingreso fue designado para uno de los principales puestos. Como confeccionador y redactor-jefe, perteneció a dicho diario hasta el 36, fecha en la que voluntariamente se apartó del periodismo.

Su labor como periodista—casi toda ella anónima—mereció los máximos elogios, tanto por su competencia e inspiración como por lo intachable de su conducta.

Amante de la profesión, procuró honrarla en todo momento. No olvidó nunca su vocación primera—la del teatro—, e inició su vida de autor escénico, sin abandonar el periodismo, el año 1929, en cuyo mes de febrero le estrenó su primera comedia—*La estrella de don Pepito*—la compañía de Carmen Díaz, en el teatro Lara, de Madrid. Su iniciación no pudo ser más feliz, pues alcanzó el triunfo deseado. Desde el citado año hasta el 35—siempre en Madrid—estrenó otras comedias: *La guapa*—en colaboración—, *Pepe el XIII* y *Canela fina*, todas con franco éxito.

A partir del 35, primero por propia voluntad y después a la fuerza, estuvo apartado de toda actividad literaria hasta el 45, en que, siendo ya director artístico de la editorial Ediciones España, publicó una excelente novela: *Lo insospechado*. Animado de nuevo, se reincorpora a lo suyo, y estrena en Barcelona, con la compañía de Soler Mari—julio de 1946—la comedia del Oeste *El coyote de Sacramento*.

TELLO DE MENESES, Antonio.

Dramático español del siglo XVIII—primera mitad—, de cuya vida no se tienen noticias. Escribió muchas comedias sagradas, cuya colección poseyó don Agustín Durán. En la actualidad se hallan los manuscritos en la Biblioteca Nacional de Madrid. De *El mayor de los milagros* hay un ejemplar en la Biblioteca municipal de la capital de España.

Tello de Meneses pertenece, como Cañizares y Zamora, al *último grupo* de dramaturgos de la "escuela de Calderón". Su técnica, sus temas, su versificación, corresponden a las desarrolladas en el siglo XVII.

Otras obras: *Hallar vida dando muerte y en la desgracia la dicha*—1711—, *La grandeza en el sayal y Príncipe fundador*—1730—, *El eterno temporal, y Criador criatura* —1734—, *Ser deidad vence el amor*—zarzuela—, *Hallar la luz en las tinieblas*—1722.

V. LA BARRERA, C. A. de: *Catálogo... del teatro español.*—MEMORIAS de la Academia. Tomo X, 1911.

TENREIRO, Ramón María.

Novelista y prosista español. Nació—1879— en La Coruña. Murió—1938—en Berna. Cursó el bachillerato en su ciudad natal. Licenciado en Derecho. Sus primeros escritos literarios aparecieron—1908—en la memorable revista madrileña *La Lectura*, de la que fue crítico de libros durante varios años. Dominó el inglés, el alemán, el francés y el italiano, habiendo traducido magníficamente obras de Goethe, Hebbel, Fogazzaro... Diputado a Cortes—1931—. De la Academia Gallega.

Tenreiro fue un escritor de fino temperamento, delicadas concepciones, dueño de un estilo sobrio y de una prosa muy peculiar.

Todas sus obras atraen por su originalidad, su fuerza íntima y su belleza externa. Colaboró en los principales diarios y revistas de España.

Obras: *Embrujamiento*—novela—, *Lunes antes del alba*—cuentos, 1918—, *El loco amor* —1925—, *Dama pobreza*—novela, 1926—, *La esclava del Señor*—novela, 1927—, *La ley del pecado*—novela, 1930.

Varias de estas novelas han sido traducidas al inglés, alemán, checo e italiano.

V. NORA, Eugenio G. de: *La novela española contemporánea.* Madrid, Gredos, 1962. Tomo II, págs. 41-47.

TEÓFILA.

Poetisa y filósofa. Esposa del poeta Canio Rufo. Nació en Cádiz y perteneció al grupo de los estoicos.

Don Francisco Micón, marqués del Mérito, poeta festivo del siglo XVIII, nos ha traducido el epigrama en que Marcial, dirigiéndose a Canio Rufo, hace el elogio de tan singular mujer:

> Esta es, Canio, la esposa prometida,
> Teófila noble, sabia elocuente.
> La Escuela estoica a puesto preeminente
> votara que debía ser admitida.
>
> Mujeril o vulgar no era su juicio,
> del de Partemi poco difería.
> Al coro de las Musas conocía,
> de que dio tantas veces claro indicio.
>
> La misma Safo alaba sus canciones,
> y Platón por discípula la diera
> en su Escuela lugar cual mereciera
> al gran conjunto de sus perfecciones.
>
> A Safo superior fue en la doctrina,
> esta más cauta que ella; en fin, apenas
> la renombrada y docta Atenas
> vio tan ilustre e inclita heroína.

Aun cuando ninguna obra de Teófila ha llegado hasta nosotros, la alabanza del nada propicio a las alabanzas Marcial, dice muy a las claras el gran talento y la suprema inspiración que adornaron a tan singular mujer.

TERESA DE JESÚS, Santa.

Maravillosa mujer, poetisa y escritora. 1515-1582. Uno de los valores literarios más absolutos y permanentes y sugestivos de las letras españolas de todas las épocas. Su nombre y apellidos en el siglo fueron Teresa Sánchez de Cepeda y Ahumada.

Cuando alguien tiene, o siente, la necesidad de encararse—sin descaro alguno, por supuesto—con la figura de Teresa Sánchez de Cepeda y Ahumada, se nota cohibido de una íntima emoción, como turulato, en un clima sobrenatural; de la figura luminosa, recia y suave de consuno, de tan singular mujer, fluye un magnetismo al que es muy difícil resistir. Es como si todo en torno se hiciera melancolía serena de ocaso estival, perfume sano y recóndito de campo ancho castellano, silencio turbador ya preñado de sonoridades encantadoras, inminentes de vibraciones y de ecos; paz enorme envolvente, temperatura ideal, claridad pensante. Sí, cuando alguien o siente la necesidad de encararse con la figura de Teresa de Ávila, espera de un momento a otro verse cogido en esa red caza-corazones humanos que es su humanidad ejemplar y su santidad simpática. ¡Y cualquiera sabe qué es más peligroso para que el intelecto y el sentimiento no den pie con bola en un cometido, si la seducción corporal o la espiritual atracción de una admirable mujer santa!

En fin, procuraremos que no se nos note demasiado la dilección por ella, ya que de ella hemos de contar unas cuantas pequeñas cosas.

T

Avila de los Caballeros es una ciudad castellana airosa y aireada. Su tierra es desnuda. Su cielo, alto y delgado, purísimo de luces. Su talante, austero. El cinturón recio de su muralla guarda una intacta evocación medieval. El tiempo no pasa en Avila. Su perennidad patética destila la angustia de anhelo inconcreto y excita el intento de un éxtasis prolongado. En Avila de los Caballeros, ciudad que arde sin entibiar el ambiente, el 28 de marzo de 1515 nació nuestra Teresa con los ojos abiertos. El detalle es de gran importancia. Sus padres eran nobles y piadosos. Sus ocho hermanos siempre sintieron una especial dilección por ella. De niña, como de mayor, fue Teresa singularmente agraciada, ingeniosísima y discreta, alegre, vehementísima. De poca edad, con su hermanillo Rodrigo, solía jugar a levantar conventos y ermitas en el jardín de la casona solariega. De siete años, con el mismo hermanillo, escapó, camino de Salamanca, con intención de llegar a tierra de infieles para que la descabezasen por amor de Cristo.

Al casarse su hermana mayor—consanguínea—, María, que la había servido de madrecita, Teresa quedó interna—1531—en el convento de Nuestra Señora de Gracia, en Avila. Dos años después, por razones de salud, volvió a la casa paterna, convaleciendo junto a su hermana María en Castellanos de la Cañada. Fecha solemne teresiana fue la del 2 de noviembre de 1536: en el monasterio de la Encarnación toma el hábito carmelita Teresa, la incomparable. Un año y un día después profesó. Y a punto estuvo de morir, porque, habiendo enfermado gravemente, su padre la confió a una célebre curandera de Becedas, que le hizo tomar terribles brebajes. Las frecuentes gracias que recibió de Dios la sanaron. Y la aparición de Cristo llagado—en 1555—hasta tal punto la removió y encendió, que, desde entonces, su vida no fue sino un puro esfuerzo de superación. En 1543 había muerto su amado padre, don Alonso. En 1562 fundó su primer convento, San José, de Avila, y escribió el *Camino de perfección para la fundación de San José*. Ya, hasta veinte años después, fecha de su muerte, no hizo sino andar, rezar, anhelar, fundar. De poco menos que de la nada ella sacaba un convento risueño y austero. Medina del Campo—1567—, Malagón—1568—, Valladolid—1568—, Toledo—1569—, Pastrana—1569—, Salamanca—1570—, Alba de Tormes—1571—, Segovia—1574—, Beas—1575—, Sevilla—1575—, Caravaca—1576—, Villanueva de la Jara—1580—, Palencia—1580—, Soria—1581—y Burgos—1582—. No pudiendo hacer el de Granada, en este último año, delegó en San Juan de la Cruz y en la venerable Ana de Jesús.

Teresa, que ya era de Jesús—como era ya Jesús de Teresa—, no hacía sino andar, andar, andar... Incansable. Alegre. Pedigüeña con gracia. Salerosa en los dichos. Firmísima en las decisiones. Jamás desalentada. Siempre ¡lista!, ¡lista!... Como si su Jesús estuviera siempre un poco más allá.

No se conformó con las fundaciones de los monasterios de carmelitas descalzas. Y se valió del inefable Juan de la Cruz, del firme P. Jerónimo Gracián, para la fundación de los conventos de carmelitas descalzos: Duruelo—1568—, Pastrana, Alcalá de Henares, Altomira, La Roda, Granada, La Peñuela, Sevilla, Almodóvar del Campo, El Calvario, Baeza, Valladolid, Salamanca y Lisboa—1582—. Si para las fundaciones de monjas Teresa tuvo que andar y que andar, para las de frailes tuvo que rezar y que rezar, y que escribir y que escribir. Alentando. Aconsejando. Sugiriendo.

Sin una blanca, como ella misma decía graciosamente, ¿cómo pudo, en aquella época temible de aventuras de hierro, ella, mujer delicada, con poquísima libertad de acción, calumniada muchas veces, llevar a feliz término tan descomunal, erizada de obstáculos casi insuperables? No es fácil explicar todos los trabajos herculinos que pusieron a prueba el temple admirable de mujer tan extraordinaria. Lo mejor es leerlos, muy resumidos, contados con modestia suma, en su libro titulado *Las fundaciones*.

El 26 de julio de 1582, enferma y ya vieja, agotada de cuerpo, salió de Burgos hacia Avila. En Medina del Campo recibió orden del vicario de trasladarse a Alba de Tormes, donde reclamaba su presencia su excelente amiga y bienhechora doña María de Toledo, duquesa de Alba. El 20 de septiembre llegó a esta ciudad en muy grave estado. Y murió el 4 de octubre. Es decir, se desencarnó para vivir gloriosamente. Teresa de Jesús es, ante todo, una santa simpática. Una santa que se cuela alegremente en el corazón universal. La santa que ha hecho de la santidad suprema una suprema sencillez. Casi todos los santos imponen un poco al pecador. Teresa de Jesús le atrae irresistiblemente, le quita el reconcomio y el resquemor, le hace alegremente confianzudo, le deja absolutamente esperanzado.

El primer libro que salió de su pluma fue su *Autobiografía*—en 1562—, al que siguieron *Camino de perfección*, *El castillo interior*, o *Las Moradas*—1567—, *Las fundaciones*, *El modo de visitar los conventos*. A estas obras portentosas hay que añadir varios escritos cortos, algunas poesías y una copiosa correspondencia epistolar, que es una de las mejores joyas de la universal literatura. Las sales más finas de su ingenio, los sentimientos más puros de su corazón, las más firmes razones de su poderosa inteligencia, las pruebas más emocionadas de su carácter, se desbordan en este tesoro epistolar, que la crítica reputa superior al de cuantas mujeres lo han logrado con ejemplaridad.

De sus obras extensas es, sin duda, la más perfecta *Las Moradas,* compuesta por ella en plena madurez espiritual, cuando, a decir de sus biógrafos, "parece había arrancado del pecho de Dios todos los secretos de la vida contemplativa". La clasificación que hace en ella de los grados de la contemplación mística es clásica, y a ella se atienen, más o menos ceñidamente, los escritores místicos posteriores a la santa. El autógrafo de *Las Moradas* se guarda y venera en el convento de las Carmelitas Descalzas de Sevilla. Las *Exclamaciones del alma a Dios* y las *Poesías* son otras dos delicadas muestras de la perfección alcanzada por el genial estilo de la mística doctora.

Santa Teresa fue beatificada en 1614 por un Breve del Pontífice Paulo V. Y Gregorio XV la inscribió en el catálogo de los santos el 19 de marzo de 1622. Por disposición del rey don Felipe III, las Cortes, reunidas en Madrid el 24 de octubre de 1617, la declararon Patrona de todos los reinos de España.

Otras obras: *Conceptos del amor de Dios* —1612—, *Avisos espirituales* — Barcelona, 1641—, *Siete meditaciones sobre la oración del Padrenuestro*—Amberes, 1656—, *Suma y compendio de los grados de oración*—Valencia, 1613.

Encantadora criatura, de sensibilidad pasmosa, de vitalidad *teresiana*—tan cálida como sana y honda—, escribió sencillísimas poesías con el carácter filosoficomoral de la escuela poética castellana del siglo XV; poesías muy aproximadas a las contenidas en los primeros *Cancioneros.* Algunas de las cuales, de retozones ritmos, llevan su estribillo...

> Vertiendo está sangre,
> ¡Dominguillo, eh!
> Yo no sé por qué.

Santa Teresa de Jesús es más superior como escritora en prosa que como poetisa. Una ternura íntima y popular es la que la arrastra a una forma que se le resistía.

"La prosa de Santa Teresa de Jesús es el habla del pueblo en Castilla la Vieja en el siglo XVI, distinguiéndose por su carácter castizo, por su llaneza, sencillez, extrema naturalidad, espontaneidad y un abandono en ocasiones; si alguna vez su lenguaje pudiera parecer tosco, ¡cuánta frescura y cuánto atractivo tiene! Refiriéndose a otro autor, decía la Santa que admiraba en sus obras 'una llaneza y una claridad por la que yo soy perdida', y, en efecto, estas cualidades resplandecen en sus escritos."

Las obras de Santa Teresa están traducidas repetidas veces a todos los idiomas del mundo. Las ediciones españolas son innumerables; raro es el año en que no se reimprimen en España todas o la mayoría de sus obras.

Algunas excelentes versiones modernas son: *Obras,* Madrid, 1881, en seis volúmenes, edición cuidada por V. de la Fuente; ed. "Biblioteca Autores Españoles", tomos LIII y LV; *Obras,* ed. "Apostolado de la Oración". Madrid, 1916; *Obras completas,* ed. del Padre Silverio de Santa Teresa, en nueve volúmenes, Burgos, 1922, la más perfecta; *Obras completas,* ed. M. Aguilar, cuatro ediciones, entre 1934 y 1947; *Obras escogidas,* ed. "Biblioteca Nelson", cuidada por R. Mesa; *Las Moradas,* ed. "Clásicos Castellanos", cuidada por T. Navarro Tomás; *Las moradas, poesías...,* ed. M. Aguilar, Madrid, 1945, cuidada por F. C. Sainz de Robles; *Poesías,* edición "Letras Españolas", Madrid, con un prólogo del R. P. Francisco Jiménez Campaña; *Obras completas,* Madrid, "Biblioteca de Autores Católicos", 1951-1952.

V. CRISÓGONO DE JESÚS SACRAMENTADO, P.: *La escuela mística carmelitana.* Avila, 1930. DOROTEO DE LA SAGRADA FAMILIA, P.: *Escuela de oración mental.* 1943.—CRISÓGONO DE SANTA TERESA, P.: *Santa Teresa de Jesús: su vida y su doctrina.* Ed. Labor, Barcelona, 1936.—CURZÓN, H. de: *Bibliographie Thérèsienne.* París, 1902.—CUNNINGHAME GRAHAM, G.: *Santa Teresa...* Londres, 1894, 1907. (Hay traducción española de 1927.)—TRUC, G.: *Les mystiques espagnols Sainte Thérèse et St. Jean de la Croix.* París, 1921.—MIR, P. Miguel: *Santa Teresa...* Madrid, 1912.—RISCO, A.: *Santa Teresa de Jesús.* Bilbao, 1925.—ANTOLÍN, P. Guillermo: *Los autógrafos de Santa Teresa de Jesús...* Madrid, 1916. ALLISON PEERS, E.: *Studies of the Spanish mystics.* Londres, 1927.—LEÓN, P.: *La joie chez Sainte Thérèse.* Bruselas, 1930.—MOREL-FATIO, A.: *Las lectures de Sainte Thérèse,* en *Bull. Hisp.,* 1908.—ETCHEGOYEN, G.: *L'amour divin, essai sur les sources de S. T.* Burdeos, 1923.—CIROT, G.: *Les éditions des oeuvres de S. T.,* en *Bull. Hisp.,* 1920.—FITA, P. Fidel: *Documentos inéditos acerca de Santa Teresa,* en *Boletín de la Academia de la Historia,* 1914.—FUENTE, Vicente de la: *Preliminares* al tomo LIII de la "Biblioteca de Autores Españoles".—JULIÁ MARTÍNEZ, E.: *La cultura de Santa Teresa y su obra literaria.* Castellón, 1922.—SAINZ Y RODRÍGUEZ, P.: *Introducción a la historia de la literatura*

T

mística española. Madrid, 1927.—Sánchez Moguell, A.: *El lenguaje de Santa Teresa.* 1915.—Hoornaert, R.: *S. T. écrivain.* París, 1922.—Tamayo, Juan: *Ideas pedagógicas de Santa Teresa.* Jaén, 1930.—Castro, Américo: *Santa Teresa y otros ensayos.* Madrid, 1929. Urbano, P.: *Las alegorías predilectas de Santa Teresa,* en *Ciencia Tomista,* 1923.— Ríos, Blanca de los: *Santa Teresa y su apostolado de amor,* en *Raza Española,* 1921.— Rodríguez, Teodoro: *Santa Teresa y los agustinos,* en *La Ciudad de Dios.* 1914.— Arintero, J. G.: *Influencia de Santa Teresa en el progreso de la Teología mística,* en *Ciencia Tomista,* 1923.—García, P. Félix: *El feminismo teresiano,* en *España y América,* 1927.—Zugasti, J. A.: *Santa Teresa y la Compañía de Jesús.* Madrid, 1914.—Bayle, C.: *El espíritu de Santa Teresa y el de San Ignacio,* en *Razón y Fe,* 1922.—Domínguez Berrueta, J.: *Santa Teresa de Jesús.* Madrid, 1930.—Seisdedos Sanz, J.: *Estudio sobre las obras de Santa Teresa,* en *Ciencia Tomista.* 1886.—Viñaza, Conde de la: *Santa Teresa de Jesús.* Madrid, 1882.—Serrano Sanz, M.: *Noticias para la vida de Santa Teresa,* en *Revista España,* tomo 149, página 433.—Palumbo, C.: *Liriche di T. di G. Studio introduttivo e versione.* Palermo, 1930.—Socio del Apostolado, Un: *Vida de la mística doctora Santa Teresa de Jesús.* Madrid. "Apostolado de la Prensa", 1912.—En la famosa "Biblioteca de Autores Católicos", Madrid, 1951-1953, han aparecido las *Obras completas* de Santa Teresa, en edición rigurosamente cuidada, y completada con amplias *biografía y bibliografía,* indispensables de consulta. La estimamos como la mejor edición aparecida hasta hoy.

TERESA DE JESÚS MARÍA, Sor.

Gran escritora ascética y religiosa. Nació —1592—en Toledo. Murió en 1642. Su nombre en el mundo fue María de Pineda. Perteneció a una familia noble y adinerada. Cuando contaba nueve años de edad, ingresó en el convento, tomando el nombre de la sublime doctora de Avila, de la que era devotísima. Poseía sor Teresa de Jesús una erudición bíblica, "sobrepasada, quizá, tan solo, en su tiempo, por la de fray Luis de León; y con frecuencia sus meditaciones, principalmente acerca del *Cantar de los Cantares,* alcanzan, por su sencillez e inspiración, la más depurada belleza".

Esta religiosa, erudita y excelente prosista, merece un puesto harto más señalado que el que actualmente ocupa en nuestras letras. Su producción merece contar entre las obras místicas más puras. Así, sus *Comentarios sobre algunos pasajes de la Sagrada Escritura;* su *Explicación a lo místi-*

co *de los trenos de Jeremías;* sus *Segundos comentarios sobre algunos pasajes de la Sagrada Escritura.*

Aun cuando la época de sor Teresa es la de la *Cultilatiniparla* de Quevedo, por haber ingresado niña aún en el claustro se libró del rebuscamiento de las frases, del confusionismo de las imágenes. Y así, sus escritos son un modelo de buena prosa castellana, de las mejores metáforas y de los más claros y altos conceptos.

TERRAZAS, Francisco de.

"Excelentísimo poeta latino y castellano", según Baltasar Dorantes, en su *Sumaria Relación.* Vivió, probablemente, entre 1530 y 1590. Es el más antiguo poeta mexicano que se conoce. Su padre fue mayordomo de Hernán Cortés, alcalde ordinario de México y "persona preeminente", al decir de Bernal Díaz del Castillo. De Francisco de Terrazas se tienen las escasísimas noticias que da de él el mencionado Dorantes de Carranza.

En un cancionero titulado *Flores de varia poesía, recogidas de varios poetas españoles...*—1577—, y conservado en la Biblioteca Nacional de Madrid, se insertan tres sonetos suyos, uno de los cuales recuerda el estilo y la *manera* de Gutierre de Cetina, a quien aquel debió de conocer en México. Tuvo Terrazas el honor de haber sido elogiado por Cervantes en el "Canto de Calíope", de *La Galatea.*

García Icazbalceta descubrió, hace años, los fragmentos del poema de Terrazas *Nuevo Mundo y Conquista,* su obra más importante, y que reúne al interés literario el interés histórico. Fue Terrazas un ingenio no exento de elegancia, delicadeza poética, colorido brillante y facilidad versificadora. Estando el poema incompleto, cree Menéndez Pelayo que "no es posible formarse una idea clara de él... Entre los innumerables poemas de asunto americano que suscitó el ejemplo de Ercilla, no parece haber sido este de Terrazas uno de los más infelices. La lengua es sana, pero de no mucho jugo; la narración corre limpia; los versos son fáciles, aunque de poco nervio. Hay episodios agradables de amores y escenas campestres que templan la monotonía de la trompa bélica. El ingenio de Terrazas parece más apto para la suavidad del idilio que para lo épico y grandilocuente... No siempre se sostienen a la misma altura los fragmentos del poema, y aun suelen degenerar en crónica rimada; pero, así y todo, fue lástima que Terrazas no llegara a perfeccionar e imprimir sus obras".

V. Menéndez Pelayo, M.: *Historia de la poesía hispanoamericana.* Madrid, 1913. Segunda edición.—García Icazbalceta: En el tomo II de las *Memorias de la Academia Mexicana.*—Castro Leal, Antonio: *Poesías de Francisco de Terrazas.* México, 1941.—Gallardo, B. José: *Ensayo de una biblioteca de libros raros y curiosos.* IV.—Henríquez Ureña, P.: *Terrazas*, en *Revista de Filología Española*, 1917.

TERRAZAS, Mariano Ricardo.

Literato boliviano. Nació—1835—en Cochabamba. Murió—¿1905?—en La Paz. Licenciado en Derecho. Colaborador muy solicitado en la Prensa de su país. Desempeñó algunos empleos públicos. Viajó por Europa, residiendo algún tiempo en París, donde amplió sus conocimientos jurídicos. Más tarde residió en Lima, donde dirigió los periódicos *El Nacional* y *La Patria.* Nuevamente en París, publicó—1872—su curioso libro *El sitio de París.* En 1874 fue nombrado agente financiero de Bolivia en Londres.

Entre sus obras tiene especial importancia la novela *Misterios del corazón,* que, según Díez de Medina, "delata el gusto novelístico de la época, influido por la escuela romántica francesa. No es obra de subida jerarquía, pero su autor demuestra imaginación, facilidad descriptiva en el diálogo y un estilo correcto. Hubo en él vocación de hombre de letras. Le faltó una técnica, una artesanía madura para ser buen novelista".

Otra obra: *Recuerdos de una prisión,* novela póstuma. Cochabamba, 1899.

V. Díez de Medina, Fernando: *Perfil de la literatura boliviana,* en *Thunupa,* La Paz, 1947.—Finot, Enrique: *Historia de la literatura boliviana.* México, 1942.—Guzmán, Augusto: *Historia de la novela boliviana,* en *Rev. México,* La Paz, 1938.—Vaca Guzmán, S.: *Literatura boliviana,* en *Nueva Revista,* de Buenos Aires, tomo IV.

TEURBE DE TOLÓN, Miguel.

Poeta, novelista y autor teatral cubano. Nació—1820—en Matanzas. Murió en 1858. Estudió Filosofía y Literatura, ejerciendo algún tiempo el profesorado. Redactor de periódicos. Complicado en los manejos anexionistas de 1850 y condenado a muerte por un Consejo de guerra, pudo huir de la isla, refugiándose en Nueva York, donde vivió casi en la miseria. Acogiéndose a un indulto, pudo regresar a su patria poco antes de morir.

Fue un poeta de esenciales calidades cubanas, escribiendo bellos romances y leyendas—*Un rasgo de Juan Ribero, La ribereña de San Juan, Paula*—. Su inspiración llegó más alto en las letrillas y décimas que en los versos de arte mayor. "En sus delicados cuadros de costumbres cubanas se encuen-

tran pintados, aunque a grandes rasgos, nuestro cielo, nuestro sol, las flores de nuestros campos, todas las galas, en fin, de nuestra espléndida Naturaleza, y con ella la vida rústica y casi nómada de nuestros campesinos, sus románticas aventuras y cuanto tiene relación con sus usos y costumbres." (Mendive.)

Obras: *Los preludios*—poesías, 1841—, *Leyendas cubanas*—Nueva York, 1856—, *Luz y sombra*—1856—, *Un casorio*—comedia, 1840—, *Lola Juana*—novela, 1846—, *Una noticia*—comedia, 1847—, *Aguinaldo Matancero*—1847—, *Curso de literatura*—1848—, *Ojo al Cristo, que es de plata*—1848—, *El pollo de Juan Rivero*—1856—, *Flores y espinas*—1857...

V. Menéndez Pelayo, M.: *Historia de la poesía hispanoamericana.* Madrid, 1911, tomo I, págs. 284-85.—Guiteras, Pedro: *Estudios de literatura cubana.* Nueva York, 1875. Fornaris, J., y Luaces, J. L.: *Cuba poética.* La Habana, 1855, 1861.—López Prieto, Antonio: *El Parnaso cubano.* La Habana, 1881.—Calcagno, Francisco: *Diccionario biográfico cubano.* Nueva York, dos tomos, 1878-1886.—Remos y Rubio, Juan: *Historia de la literatura cubana.* La Habana, 1925.—Salazar y Roig, S.: *Historia de la literatura cubana.* La Habana, 1939.

«THEBUSSEN, Doctor» (v. Pardo de Figueroa, Mariano).

TIMONEDA, Juan de.

Magnífico prosista, autor dramático y bibliófilo español. ¿1490?-¿1593? En la obra *Registro de representantes,* editada en Valencia el año 1570, se encuentra un retrato de Juan Timoneda grabado en madera. En él, Juan de Timoneda, de perfil, con la gorra de terciopelo fruncida—y de fuelle—, el golín alto y la capichuela oscura, con hombreras, guarda semejanzas con el heresíarca Calvino, que retrataron los grandes pintores de la Reforma. La misma nariz afilada. La misma barbita canuda y caprina. Idénticos ojos alufrados. Idénticos pómulos agudísimos atirantando la piel y ahondando las mejillas.

Sin embargo, imposible una desemejanza mayor en caracteres y espíritus. Juan de Timoneda, nacido en Valencia—en fecha aún desconocida—, sucesivamente acólito —¿seise?—catedralicio, zurrador de pieles, impresor, dueño de una lonja de libros en la ciudad del Turia, y siempre poeta y casi siempre autor teatral y representante, tuvo un carácter alegre y un espíritu optimista.

Eminentemente culto, escribió en lemosín y castellano poesías tan inspiradas, que le lograron un puesto preferente entre los llamados poetas del Siglo de Oro.

T

Aun cuando, probablemente, no tuvo en su imprenta prensas propias, se dedicó con ahínco a reproducir sus obras y las de sus amigos. De estos, ninguno lo fue tanto como el famoso Lope de Rueda, cuyos pasos y entremeses refundió y editó a su costa Timoneda. Cervantes, en el *Viaje del Parnaso*, así lo declara:

... fue de este ejemplo Juan de Timoneda,
que con solo imprimir hízose eterno
las comedias del gran Lope de Rueda.

Cientos de canciones publicó Timoneda en hojas volantes, y, además, la *Rosa de romances*, colección en cuatro partes: *Rosa de amores*, *Rosa española*, *Rosa gentil* y *Rosa real*.

Timoneda puede ser considerado como dramaturgo, como cuentista, como colector de romances y como poeta.

Como dramaturgo, destaca en *Los Menemmos*, *La Filomena*—1564—, *La Aurelia* —1564—, *La trapacera*—1565—, *Rosalina* —1565—, *La comedia de los Mecenas*—traducida de Plauto—, *La comedia Cornelia*, y algunos autos sacramentales, como *La fe*, *La oveja perdida*, *El castillo de Emaús*, *La Iglesia*, *La fuente sacramental* y *Los desposorios*.

Como cuentista, Timoneda consiguió aún mayor fama. Tres colecciones de cuentos se conocen de él: *Sobremesa y alivio de caminantes*, *Buen aviso y portacuentos* y *El Patrañuelo*.

De la primera dijo el mismo Timoneda ser un conjunto de "apacibles y graciosos cuentos, dichos muy facetos y exemplos acutísimos para saberlos contar en esta buena vida".

Están narrados con rapidez; algunos no son sino explicación de refranes populares y poquísimos son originales. Están tomados a Hurtado de Mendoza, a Guevara, a Boccaccio, a Bandello, a Morlini... Pero la gracia con que están adaptados—y adoptados— bien vale como el ingenio original.

El Patrañuelo es, según Menéndez Pelayo, "la primera colección española de novelas escritas a imitación de las de Italia, tomando de ellas el argumento y los principales pormenores, pero volviendo a contarlas en una prosa familiar, sencilla, animada y nada desagradable".

Si hemos de creer a la generalidad de los críticos, aún vivía a principios del siglo XVII este habilísimo imitador de Lope de Rueda y fundador con él del teatro español; por tanto, había sobrepasado en muchos el centenar de años. Muerto ya, su viuda, Isabel Ferrandis, vendió a su hijo Bautista Timoneda, de oficio terciopelero, el almacén de libros; y este siguió con la librería durante largo tiempo.

En 1559 publicó Timoneda *Las tres comedias: el Anfitrión, Los Menemnos* y la *Cornelia*, porque, como él confiesa en el prólogo, "quise hacer comedias en prosa, de tal manera, que fuesen breves y representables; y hechas, como paresciesen muy bien, así a los representantes como a los auditores, rogáronme muy encarecidamente que las imprimiese, porque todos gozasen de obras tan sentenciosas, dulces y regocijadas. Fue tanta la importunación, que, no pudiendo hacer otra cosa, he sacado por agora, entre tanto que otras se hacen, estas tres a luz..." En 1561, *El sarao de amor*. En 1563, el *Sobremesa y alivio de caminantes...* En 1564, *Buen aviso y portacuentos...* En 1565, la *Turiana*—comedias, tragicomedias, pasos y farsas, de las cuales más que autor es editor y refundidor—. En 1566, *El Patrañuelo*. En 1566, las tres comedias: *Tolomea*, *Serafina* y la *Duquesa de la Rosa*. En 1568, la *Obra llamada María* y la *Cartilla de la muerte*, *Arte para ayudar a bien morir*. En 1569, la *Memoria hispanea*—de cosas memorables entre el 626 y el 1569—y la *Memoria Valentina*—sucesos desde su fundación a 1569—. En 1570, *Memoria poética de los más señalados poetas que hasta oy ha avido* y *El cabañero cancionero*. En 1571, el *Reclamo espiritual*—en loor del Santísimo Sacramento. En 1573, la *Rosa de romances*—Rosa de amores, Rosa española, Rosa gentil y Rosa real de príncipes—y *El truhanesco*—chuscadas y dicharachos—. En 1575, el *Timón de tratantes* y el *Ternario sacramental*—con tres autos: *El de la fuente sacramental, El de los desposorios* y *El de la Fee*—. En 1597, el famosísimo *Auto de la oveja perdida*, tal vez obra póstuma, editada por su hijo, Juan Bautista Timoneda, librero. Aun cuando esta pieza ya iba con una primaria redacción en el *Ternario sacramental*, de 1575.

Timoneda "sentía el encanto de una narración y de un cantar y podía realizar sus posibilidades dramáticas. Su sentido de la comedia latina y de la mitología apta para desarrollarse según un plan novelesco y poéticamente anacrónico, y el folklorismo aplicado a asuntos devotos, hacen de Timoneda uno de los más simpáticos y variados predecesores del *Fénix de los Ingenios*". (Valbuena.)

Las ediciones de Timoneda más modernas y recomendables son: *Obras completas de Timoneda*—Sociedad de Bibliófilos Valencianos, Valencia, 1911; edición dirigida por Menéndez Pelayo—; *El buen aviso y portacuentos*—editado por R. Schevill en la *Revue Hispanique*, 1911—; *El Patrañuelo* y *El Sobremesa y alivio de caminantes,* en la "Biblioteca de Autores Españoles", tomo

XXXV—; las *Poesías,* en la "Biblioteca de Autores Españoles", tomos X, XV y XLI; *Los ciegos y el mozo* y *Los Menemnos,* en la "Biblioteca de Autores Españoles", tomo II.

V. MENÉNDEZ PELAYO, M.: Prólogo a la edición *Obras completas* de Timoneda. Valencia, 1911, "Biblioteca de Autores Valencianos".—MENÉNDEZ PELAYO, M.: *Los orígenes de la novela.*—SERRANO Y MORALES: *Diccionario de las imprentas de Valencia.* 1898. CRAWFORD, C. P. Wickersham: *Notes on the "Amphitrion" and "Los Menemnos" of Juan de Timoneda,* en *The Romanic Review Quarterly.* Nueva York, 1914.—SCHEVILL, R.: *Some forms of the riddle question...* Bekerley, 1911. "University of California Publications in Modern Philology". Tomo II. Págs. 183-237.—CEJADOR Y FRAUCA: *Historia de la lengua y literatura castellanas.* Tomo III.— SAINZ DE ROBLES, F. C.: *Historia del teatro español.* Madrid, 1943, tomo I.—SAINZ DE ROBLES, F. C.: *Cuentos viejos de la vieja España.* Madrid, Aguilar, 1964, 5.ª edición.

TINOCO, Juan.

Poeta y prosista venezolano. Nació—1879—en Maracaibo. Murió—1968—en Caracas. Se doctoró en Medicina en la Universidad de su ciudad natal. Poco después, en la Facultad de Medicina de París, obtuvo el título de "Médico Colonial".

Ha viajado por toda Europa y por toda América, ejerciendo su profesión, completando sus estudios y escribiendo literatura. Su cultura es vastísima. Y cuantos temas toca, en la prosa y o en el verso, los envuelve en una extraña prosa que tiene algo de acertijo o de premonición. Es miembro de la Academia Venezolana de la Historia.

Obras: *Historia de la Medicina en Venezuela, Album del viajero, La sombra del centauro, Caminos sobrehumanos, Paisajes y retratos, Síntesis reverente de la vida y muerte del general Urdaneta, Folías, Nuevas folías...*

Folías es un brevísimo poema consonantado en que se satiriza, se retrata, se augura, se simboliza algo o a alguien. Su inventor es Tinoco. La *folía* tiene la sorprendente originalidad de la *greguería* inventada por Ramón Gómez de la Serna.

«TIRSO DE MOLINA» (v. Téllez, Fray Gabriel).

TOLEDANO, Miguel.

Poeta de peculiar interés. Nació en Cuenca hacia 1570. Murió en fecha desconocida. Fue presbítero. Según Schevill y Bonilla, disputó a Alonso de Ledesma la palma de representante del conceptismo.

En 1616 publicó su *Minerva sacra,* a la que precede un soneto de Cervantes dedicado a doña Alfonsa González de Salazar, monja, a quien igualmente va dedicado el libro, y que pudo ser alguna parienta de la esposa del autor de *Don Quijote.*

En la *Minerva sacra,* libro rarísimo hoy, abundan los pensamientos retorcidos, las "vistas desenfocadas", las imágenes más audaces y más complicadas con lo mitológico y con la Naturaleza, las expresiones barrocas a punto de romper su artificio, los simbolismos más puestos en claves rigurosas.

V. CEJADOR Y FRAUCA, J.: *Historia de la lengua y literatura españolas.* Tomo IV.— SCHEVILL Y BONILLA: Prólogo a las *Poesías sueltas de Cervantes.* Madrid, 1922.

TOMÁS, Mariano.

Nació en Hellín (Albacete) el 20 de agosto de 1891. Murió—1957—en Madrid. Ingresó en el Cuerpo de Correos en la convocatoria de 1909, y en 1926 fue nombrado correo de gabinete de Su Majestad, recorriendo con este motivo la mayor parte de Europa. Desde 1946 desempeña el cargo de redactor-jefe del *Indice Cultural Español,* que publica la Junta de Relaciones Culturales. Colabora habitualmente en *Lecturas, Siluetas, Mujer, Arte y Hogar, Domingo* y en los diarios *A B C*—artículos—y *Madrid*—cuentos—. Como investigador, ha trabajado en los archivos de Madrid, París y Viena, en relación con el arte de la miniatura-retrato. Entre otros premios conseguidos de menor importancia, ostenta los siguientes: "Gabriel Miró", concedido por la editorial Juventud el año 1934. "Premio Mariano de Cavia", concedido por el diario *A B C* a la crónica "El parque del recuerdo" el año 1934. "Premio Nacional del Teatro" y "Premio Piquer", este último otorgado por la Real Academia Española a la obra dramática *La mariposa y la llama.*

Obras: *La capa del estudiante*—poesías, 1925—, *La florista de Tiberíades*—novela, 1926—, *Isabel Ana y otros poemas*—1927—, *El anillo de esmeralda*—novela, 1928—, *Semana de pasión*—novela, 1931—, *Viena*—novela, 1932—, *Venga usted a casa en primavera*—novela, 1933—, *Vida y desventuras de Miguel de Cervantes*—1933—, *Sinfonía incompleta*—novela, 1934—, *Santa Isabel de España*—drama, 1934—, *Mañana sale un navío*—drama, 1935—, *Juan de la Luna*—novela, 1936—, *Felipe II, rey de España y monarca del universo*—1938—, *Agustina de Aragón*—drama, 1938—, *San Juan de Dios*—1939—, *Ramón Cabrera*—1939—, *La niña de plata y oro*—novela, 1939—, *El cazador de mariposas*—novela, 1941—, *Lección de amor sin palabras*—novela, 1942—, *La platera del Arenal*—novela, 1943—, *El vende-*

T

dor de tulipanes—novela, 1944—, *Mazurca*
—novela, 1945—, *Salto mortal*—novela,
1945—, *La pobre Circe*—1947...

«TONO»

Seudónimo de Antonio de Lara. Nació
—1900—en Madrid. Humorista y autor dramático español contemporáneo. En diferentes revistas y diarios ha publicado centenares
de crónicas y cuentos llenos de gracia e ingenio. Fue uno de los fundadores de *La Codorniz*. Posee indudable gracia y se muestra muy hábil en la técnica teatral.

Teatro: *Ni pobre ni rico, sino todo lo contrario; Guillermo Hotel, Los mejores años
de nuestra tía, Rebeco, Retorcimiento, Tita
Rufa, Un drama en el quinto pino, ¡Qué bollo
es vivir!, Francisca Alegre y Olé, Federica de
Bramante, La verdad desnudita, Crimen plus-
cuamperfecto, Adán, Eva y Pepe; Romeo y
Julieta Martínez, Minouche, La última opereta...*

Otros libros: *Diario de un niño tonto*
—1948—, *Los caballeros las prefieren casta-
ñas, Cuando yo me llamaba Harry*—1958—,
¡Viva yo!—1960—, *Con la lengua fuera*
—1959...

TORAL SAGRISTÁ, José.

Poeta y novelista español. Nació—1874—
en Andújar (Jaén). Cursó el bachillerato en
Madrid y la carrera de Leyes en la Universidad española de Santo Tomás, en Manila
(Filipinas), aun cuando se doctoró en Madrid. Redactor de *El Globo* entre 1900 y
1905. En este año ganó por oposición una
plaza de notario en la capital de España.
En la Fiesta de la Poesía celebrada en El
Escorial en 1916, y de la que fue mantenedor Jacinto Benavente, Toral obtuvo el primer premio con su poesía *Cadena sin fin*.

Como poeta, pertenece Toral al modernismo más mitigado. Sus novelas son de temas
fuertes, muy realistas, pero están escritas
con mucha pulcritud y en una prosa rica y
fluida.

Obras: *El sitio de Manila*—1900—, *Tradiciones filipinas*—1902—, *Primeras notas*
—poesías, 1904—, *La cadena*—novela, 1918—,
El ajusticiado—novela—, *Odres viejos*—poesías—, *La señorita melancolía*—novela—,
Demasiado tarde—novela—, *La sombra*—novela—, *Para el descanso*—poesías—, *Poemas
en prosa, Un regenerador*—novela—, *Flor
de pecado: Horas sentimentales*—novela—,
Los tres dones del diablo—novela.

TORENO, Conde de.

Historiador, prosista y político español.
Su nombre fue José María Queipo de Llano.
1786-1843. Nació en Oviedo y murió en Pa-

rís. Se educó en Cuenca y estudió Humanidades en Madrid, bajo la dirección de don
Juan Pablo Valdés. En Madrid trabó fraternal amistad con Agustín Argüelles, Gil de
la Quadra, Martínez de la Rosa, el duque de
Rivas y otros muchos ilustres personajes.
El 2 de mayo de 1808 le sorprendió en Madrid. Profundamente conmovido por tan
sangrientos sucesos, marchó a Asturias, contribuyendo a su levantamiento contra los
franceses invasores. Durante las famosas
Cortes de Cádiz defendió ardorosamente los
principios liberales. Rey absoluto Fernando VII, el conde de Toreno hubo de huir,
primero, a Lisboa, y después, a Londres.
En 1820 regresó a España, siéndole resti-
tuidos sus bienes y sus prerrogativas por
los constitucionalistas, quienes le nombraron representante diplomático en Berlín,
cargo al que renunció para ejercer el de
diputado. En 1823, reanudado el absolutismo, volvió a emigrar. En 1833, muerto Fernando VII, regresó a España. Ministro de
Hacienda—1834—. Presidente del Consejo
de Ministros—1835—. Vivió durante mucho
tiempo en el extranjero: Inglaterra, Francia, Suiza, Bélgica, Alemania. Su nombre
figura en el *Catálogo de autoridades* de la
lengua, publicado por la Real Academia Española.

Fue el conde de Toreno un historiador
magnífico y un prosista excepcional. En todos sus escritos, con una armonía admirable, se suman la amenidad, la verdad, la elegancia de estilo, la ponderación de criterio,
la sutileza de la crítica, la nobleza y altura
de los ideales. Es, pues, el conde de Toreno
un ejemplar clásico de nuestras letras.

Obras: *Historia del levantamiento, guerra
y revolución de España*—París, 1832—, *Discursos parlamentarios*—Madrid, 1872—, *El
diario de un viaje a Italia*—Madrid, 1882—.
Dejó sin terminar una *Historia de la dominación de la Casa de Austria*.

V. CUESTA, L. A.: *Galería de hombres célebres*. Madrid, 1841.—PÉREZ DE GUZMÁN,
Juan: *El conde de Toreno*, en *Revista
Contemporánea*, 1881, XXXI y XXXII.—
GARAY DE MONGLAVE, Eugène: *Notice biographique sur M. le Comte de Toreno*. París.
1843, 2.ª edición.

TORMO Y MONZÓ, Elías.

Historiador, arqueólogo y crítico de arte
español. Uno de los maestros más eminentes de la actual generación de críticos y
arqueólogos españoles. Nació—1869—en Al-
baida (Valencia). Murió—1957—en Madrid.
Estudió Derecho en la Universidad de Valencia y Filosofía y Letras en la Universidad de Madrid. En 1897 obtuvo, por oposición, la cátedra de Derecho Natural en la

Universidad de Santiago de Compostela. En 1903 pasó a la Universidad Central como catedrático de Teoría de la Literatura y de las Artes.

Tormo ha colaborado en las más importantes revistas españolas. En 1912 fue nombrado miembro de la Academia de Bellas Artes de San Fernando; y en 1919, de la *Bramante, La verdad desnudita, Crimen* Real Academia de la Historia, de la que fue censor. Diputado a Cortes. Senador. Rector de la Universidad de Madrid—1930—. Presidente del Consejo de Instrucción pública. Consejero de Estado. Vicepresidente del Patronato del Museo del Prado. Ha dado más de tres mil conferencias con temas de arte en distintos países de Europa. Ha desarrollado cursos de divulgación en los Museos del Prado y Municipal de Madrid.

La fecundidad de Tormo y Monzó es sencillamente prodigiosa. Pasan de doscientas las obras por él publicadas, y en todas ellas se suman la erudición, la sagacidad, la precisión y el método. Y tan gloriosa y fecunda como su obra es su maestría. Los mejores críticos de arte españoles contemporáneos han sido sus discípulos. Desde su cátedra, el Centro de Estudios Históricos y las revistas *Archivo Español de Arte y Arqueología* y *Boletín de la Sociedad Española de Excursiones,* Tormo y Monzó ha *rehecho* o *renovado* los estudios españoles en relación con el arte. Perteneció, como miembro de honor, a distintos centros culturales extranjeros y fue doctor *honoris causa* de la Universidad de Tubinga.

Aspecto muy interesante en la obra de Tormo es su dedicación por los estudios madrileños. Así lo testimonian libros como: *Palacio del Buen Retiro—*1911—, *Las Descalzas Reales—*1917—, *Capilla de San Isidro en la iglesia de San Andrés—*1926—, *Iglesias del antiguo Madrid—*1927, dos tomos—, *Los Jerónimos—*1919—, *Las murallas de Madrid—*1943—, *Historia de la calle de Fuencarral...*

Otras obras: *Goya—*1902—, *Antonio Pereda—*1910—, *Velázquez—*1911—, *Vicente López—*1913—, *Jacomart—*1914—, *Morales* —1917—, *Fray Juan Rizzi—*1925—, *Bermejo* —1926—, *Cerezo—*1927—, *Ribera—*1927—, *El Alcázar de Segovia—*1905—, *Guadalupe* —1905 y 1913—, *Tapices de la Corona de España—*1906 y 1919—, *Las tablas de Nájera—*1924—, *Guadalajara—*1917—, *Alcalá de Henares—*1917—, *Avila—*1917—, *Segovia* —1920—, *La Inmaculada y el Arte español* —1910—, *Series icónicas de los Reyes de España—*1917—, *La escultura antigua y moderna—*1903—, *Arte prehistórico—*1921—, *El arte napolitano—*1924—, *Resumen de la escultura española, Edad Antigua—*1926—, *Re-* *sumen de la escultura española, Edad Media* —1926—, *La intimidad de la música pura* —1913—, *Los Museos de Arte cristiano* —1932—, *La expresión del dolor, Sigüenza—*1929—, *Aranjuez—*1930—, *Guía de Levante—*1923—, *Mis ideas filosóficas...*

Los artículos publicados por Tormo posiblemente pasan de los dos mil.

En el panorama actual de las letras españolas, ningún otro maestro excede en plenitud y en fecundidad a Elías Tormo y Monzó.

TORO, Fermín.

Literato, orador y político venezolano. Nació—1807—y murió—1873—en Caracas. Autodidacto. Cuando apenas había cumplido los veinticinco años, era enorme su cultura, principalmente en materias filológicas, históricas y literarias. Profesor de Historia, de Gramática y de Literatura. Diputado muchas veces. Ministro de Relaciones Extranjeras y de Hacienda. Ministro plenipotenciario en Inglaterra, Francia y España. Fue un orador admirable. Firmó algunos artículos y poesías con el seudónimo "Emiro Kastos".

"El primer novelista que aparece en nuestros anales literarios, con la distinción de un estilo correcto y en ocasiones muy brillante, es don Fermín Toro; pero es evidente que sus novelas valen poco, no solo porque adolecen de los resabios románticos, sino también por la exigua originalidad de sus asuntos." (Picón Febres.)

Como poeta, le juzgó así Menéndez Pelayo: "... por todos los conceptos, uno de los hombres más notables de la República, es autor de una poesía deliciosa y verdaderamente etérea: *A la ninfa de Anauco.* Los demás versos que he leído de él no valen tanto, ni con mucho, pero en todos hay rasgos de talento y lujo de dicción."

Novelas: *Los mártires, La Sibila de los Andes, La viuda de Corinto.*

Otras obras: *Costumbres de Ballurópolis* —artículos humorísticos—, *Oda a la zona tórrida, Flora venezolana, Himno a la Omnipotencia, Hecatonfonía—*poema inconcluso sobre *leyendas y prehistoria de América...*

V. Calcaño, José Antonio: *El Parnaso venezolano.* Caracas, 1908.—[Anónimo]: *Parnaso venezolano.* Curaçao, 12 tomos, 1888-1889.—González Gamazo, Juan: *Parnaso venezolano.* Barcelona, 1918, dos tomos.—Calcaño, Julio: *Reseña histórica de la literatura venezolana.* Caracas, 1888.—Güel y Mercader, José: *Literatura venezolana.* Caracas, 1883, dos tomos.—Picón Febres, Gonzalo: *La literatura venezolana en el siglo XIX.* Caracas, 1906.—Menéndez Pelayo, M.: *Historia de la poesía hispanoaemricana.* Madrid, 1911, tomo I.

T

TORÓN, Saulo.

Poeta y sainetero muy interesante. Nació
—1885—en Telde, ciudad de la provincia de
Las Palmas. Ha salido muy poco de su isla
natal, donde desempeña un puesto burocrático en una compañía comercial inglesa. Colaborador de muchas revistas españolas dedicadas a la pura literatura: *La Pluma,* de
Madrid; *Alfar,* de La Coruña; *Florilegio,*
de Las Palmas; *Castalia* y *La rosa de los
vientos,* de Tenerife.

"Torón pertenece a la generación modernista que tiene en Canarias un matiz propio y especial. Un afán de darle a sus poesías cierta gravedad de sentencias nos hace
recordar muchas veces la lectura de Antonio Machado. Es autor de algunos sainetes
canarios representados en el teatro del Puerto de la Luz, que no han sido impresos."
(G.-Ruano.)

Y Valbuena escribe: "La obra más honda
de Saulo se halla en *Canciones de la orilla*
—1932—, donde un tono que puede llamarse neoprimitivo da una jugosidad lírica a
los juegos y profundidades del antiguo sentimiento del mar. Torón une al nuevo sentido de la metáfora con nostalgias difusas de
lo lejano e infantil."

Su verso es siempre musical y hondo. Sus
temas tienen sus raíces en las entretelas del
patetismo.

Otros libros: *Las monedas de cobre*—poesías, Madrid, 1919—, *El caracol encantado*
—1926—, *Frente al muro*—1963.

V. SAINZ DE ROBLES, F. C.: *Historia y antología de la poesía española.* Madrid, Aguilar, 1964, 5.ª edición.—GONZÁLEZ-RUANO, C.:
*Antología de poetas españoles contemporá-
neos.* Barcelona, Gili, 1940.—VALBUENA PRAT,
Angel: *Historia de la literatura española.*
Barcelona, Gili, 1950, tomo III.

TORQUEMADA, Antonio de.

Curioso satírico, novelista y prosista español, de cuya vida se tienen escasas noticias.
Vivió entre los años 1530 y 1590. Y quizá
nació en alguna ciudad del reino de León.
Fue secretario de don Antonio Alfonso de
Pimentel, conde de Benavente. Su nombre
figura en el *Catálogo de autoridades* del
idioma.

En 1553 aparecieron en Mondoñedo sus
Coloquios satíricos—dedicados al de Benavente—, que son siete y tratan de diversas
materias: de los daños del juego, de los
vicios de la gula, del lujo en el vestir, de los
malos médicos y boticarios...

En Salamanca—1570—publicó su *Jardín
de flores curiosas,* obra que consta de seis
tratados, colección de consejas, patrañas y
extravagantes inventos.

En 1564, en Barcelona, apareció otra obra

suya: *Historia del invencible caballero don
Olivante de Laura...,* novela de caballerías,
un tanto desorbitada, de la que hace mención Cervantes en *Don Quijote*—I, cap. 6.

Dejó Antonio de Torquemada un manuscrito: *Tratado llamado Manual de escri-
bientes.*

Su obra de mayor éxito fue el *Jardín de
flores curiosas,* la que mereció que C. Ma-
laspina la tradujera—1590—al italiano,
G. Chappys—1582—al francés, y Lewes Lew-
kenar—1600—al inglés. Sin embargo, literariamente, son mucho más importantes sus
Coloquios, de corte lucianesco, que alabaron
e imitaron los Valdés, Villalón, Pérez de
Oliva, Pero Mexía, Ginés de Sepúlveda, Cervantes de Salazar, Pérez de Moya y Cervantes en su *Coloquio de los perros.*

Torquemada se muestra en ellos dueño de
una buena cultura, gracioso y ameno narrador, pensador sutilísimo y prosista espléndido.

Algunas obras de Torquemada—y muchos
de sus *Coloquios*—se encuentran en los tomos VII y XXI de la "Nueva Biblioteca de
Autores Españoles", y en los *Cuentos viejos
de la vieja España,* Madrid, Aguilar, 1949,
5.ª edición.

V. ELSDON, J. H.: *On the Life and Work
of the Spanish Humanist A. de T.* Universidad de California, 1937.—MENÉNDEZ PELA-
YO, M.: *Orígenes de la novela.*—TICKNOR, J.:
Historia de la literatura española. Madrid,
1851, II, pág. 556.—SAINZ DE ROBLES, Federico Carlos: *Estudios y notas en Cuentos
viejos de la vieja España.* Madrid, Aguilar,
1949, 3.ª edición.

TORRADO, Adolfo.

Nació—1893—en La Coruña y murió
—1957—en Madrid. Autor teatral muy ensalzado por el gran público "municipal y
espeso", pero de escasas virtudes literarias.
Dominó la técnica y tuvo cierta gracia "gorda" y deshumanizada.

Fue el Francisco Luciano Comella de nuestra época; pero cuidó menos que cuidó este
la dignidad literaria.

Torrado pretendió abiertamente enriquecerse él, enriquecer a las empresas, achaba-
canar a los actores y dar gusto al vulgo necio... "pues que paga". Y justo es decir que
lo consiguió todo.

Muchas obras de Torrado han sido llevadas a la pantalla.

Algunos títulos: *La madre guapa, La papirusa, Chiruca, La duquesa Chiruca, El famoso Carballeira, La risa loca, Sabela de
Cambados...*

No es posible negar a Torrado grandes
condiciones de autor teatral: dominio de la
técnica, maestría en el diálogo, gracia en el

dibujo de tipos y de situaciones, acierto en el desarrollo de los temas... Por todas estas calidades que 'posee, resulta menos perdonable su extravío voluntario.

TORRE, Alfonsa de la.

Nació en Cuéllar (Segovia). Estudió el bachillerato en Segovia y la carrera de Filosofía y Letras en Madrid, doctorándose en 1944 con una tesis acerca de *Carolina Coronado, poetisa romántica,* que obtuvo el premio extraordinario.

Obras: *Egloga*—Madrid, 1943—, *La desenterrada*—tragedia—, *Cierva negra*—novela—, *Oda a la reina del Irán*—oda, Madrid, 1951.

V. MORENO, Alfonso: *Poesía española actual.* Madrid, Ed. Nacional, 1946.—SAINZ DE ROBLES, F. C.: *Historia y antología de la poesía española.* Madrid, Aguilar, 1951, 5.ª edición.—VALBUENA PRAT, A.: *Historia de la literatura española.* Barcelona, Gili, 1950, tomo III.

TORRE, Alfonso de la.

Notabilísimo poeta y prosista español. Nació—¿1410?—en un pueblecito de la provincia de Burgos. Murió hacia 1460. Estudió en Salamanca Artes y Teología, alcanzando el título de bachiller, siendo recibido—1437—en el Colegio Mayor de San Bartolomé. Tomó parte en las luchas políticas de Castilla, uniéndose a los enemigos del poderoso don Alvaro de Luna, por lo que tuvo que huir al reino de Aragón, consiguiendo aquí, por su talento y simpatías, muchas amistades con poetas y nobles de las Cortes de Aragón y Navarra. Varias de sus poesías—de un delicado m a t i z erótico—figuran en los *Cancioneros* de Valencia—1511—, Sevilla —1540—y Amberes—1573—. Son, en su mayoría, coplas, canciones, "dezires", "esparzas", muy a propósito para ser recitados al oído de las hermosas mujeres, a las que Torre fue tan aficionado.

Su fama de erudito era tanta, que Juan de Beamonte, prior de la Orden de San Juan de Jerusalén, le aconsejó que escribiera una obra para la educación del príncipe de Viana, hijo del rey don Juan y de doña Blanca. Torre escribió hacia 1440—la publicó en Burgos, ¿1485?—la *Visión delectable de la Filosofía y Artes liberales,* obra de excelente prosa castellana, redactada con soltura y brío, aunque manteniéndose en el lenguaje erudito. Es una enciclopedia de las artes liberales en forma de alegoría, en la que hablan la Razón, la Sabiduría, la Naturaleza, al modo que en el tratado de Boecio.

Son admirables en esta obra la realización literaria de temas abstractos y científicos, la síntesis elegante y elocuente, adecua-

da a una elevada concepción; la felicidad en las alegorías, ciertas ideas de sorprendente modernidad.

Torre se muestra inspirado en Algazel, Avempace y Maimónides. Su obra fue traducida—1556—al italiano por Domenico Delfino.

Hay una buena edición moderna de la *Visión delectable:* tomo XXXVI de la "Biblioteca de Autores Españoles".

V. MENÉNDEZ PELAYO, M.: *Orígenes de la novela.* I, 123.—CRAWFORD, J. P. W.: *The "Visión delectable" of Alfonso de la Torre...,* en *Publication of the Modern Languages...,* 1913, XXI, 188.—CRAWFORD, J. P. W.: *The Seven Liberal Arts in the "Visión delectable"...,* en *The Romanic Review,* 1913, IV, 58-75.

TORRE, Claudio de la.

Nació—1898—en Las Palmas (Canarias). Murió—1972—en Madrid. Estudió el bachillerato en el Colegio de San Agustín, de Las Palmas, ampliando luego sus primeros estudios en el Bringthon College, de Brighton (Inglaterra). Ingresó más tarde en la Escuela de Ingenieros Civiles de Upper-Norwood (Londres), viéndose interrumpidos sus estudios por la guerra europea del 14. Vino en este año a Madrid, y en esta Universidad y en la de Sevilla estudió la carrera de Derecho, licenciándose en 1920.

En este mismo año volvió a Inglaterra, siendo el primer lector español de la Universidad de Cambridge, al inaugurarse en esta los estudios españoles.

Ha publicado novelas, cuentos y poesías, habiendo colaborado en las principales revistas literarias españolas.

Ha obtenido los siguientes premios literarios: *En la vida del señor Alegre*—novela—, "Premio Nacional de Literatura"; *Tren de madrugada*—comedia dramática—, "Premio Piquer", de la Real Academia Española; *Clementina*—comedia—, "Premio del teatro Lara".

Perteneció durante diez años a la organización de la Paramount en Europa, trabajando en los estudios de Joinville-Pont (París), donde dirigió varias películas francesas.

Obras: *El canto diverso*—versos, 1918—, *La huella perdida*—cuentos, 1920—, *En la vida del señor Alegre*—novela, 1924—, *Alicia, al pie de los laureles*—novela, 1940—, *El viajero*—teatro El Mirlo Blanco, 1926—, *Un héroe contemporáneo*—teatro Fontalba, 1926—, *Tic-tac*—teatro Infanta Beatriz, 1930—, *Quiero ver al doctor*—en colaboración con Mercedes Ballesteros, teatro Infanta Isabel, 1941—, *Hotel Terminus*—teatro Infanta Beatriz, 1944—, *El camino negro*

T

—teatro Lara, 1947—, *Los sombreros de dos picos*—en colaboración con Alvaro de Laiglesia, teatro Español, 1948—, *El río que nace en junio, La cortesana*—"Premio Ciudad de Barcelona, 1950"—, *La cortesana*—1952—, *La caña de pescar*—1959—, *Gran Canaria, Fuerteventura y Lanzarote*—guía de arte y literaria, 1966—. Ha refundido: *Los guanches de Tenerife,* de Lope; *Disputa del alma y el cuerpo,* de Calderón; *Muérete y verás,* de Bretón de los Herreros; *Un hombre de mundo,* de Ventura de la Vega; *La loca de la casa,* de Galdós.

Director varios años del teatro María Guerrero, de Madrid. De muchísima cultura. Conocedor como pocos del teatro universal contemporáneo. Prosista magnífico. Autor dramático de enorme originalidad. "Premio Nacional Calderón de la Barca, 1965", por su drama *El cerco.*

V. VALBUENA PRAT, Angel: *Historia de la literatura española.* Barcelona, Gili, 1950, tomo III.—NORA, Eugenio G. de: *La novela española contemporánea.* Madrid, Gredos, 1962, tomo II, págs. 200-04.

TORRE, Fernando de la.

Excelente poeta. Nació—¿1416?—en Burgos. Murió después de 1468. Era pariente del bachiller Alfonso de la Torre, autor de la *Visión delectable.* Las noticias que se tienen de su vida son muy escasas y contradictorias, porque por los años en que él vivió vivían un Fernando de la Torre, doncel del rey y maestresala del almirante Alonso Enríquez; otro Fernando de la Torre, comendador de Ocaña; otro, jurado de Toledo y criado del arzobispo Alonso Carrillo; otro, judío converso, que murió ahorcado en Toledo, con su hermano Alvaro, en 1467; otro, canónigo de Santiago.

Nuestro Fernando de la Torre parece que fue muy amigo de Alonso de Cartagena, al que acompañó al Concilio de Basilea. En 1446 dedicó a la condesa de Foix y Bigorra *Las veinte cartas o quistiones a la corona de las casadas.* En 1465 se le llama "alcaide de la fortaleza de Vitoria y Salinas de Lenis, guarda y vasallo del rey". En este mismo año, Enrique IV le hizo merced de 15.000 maravedises. Nada más se sabe de él.

Fue un poeta delicado, amoroso, muy colorista, de una honda emotividad. Cinco de sus poesías se encuentran en el *Cancionero de Stúñiga;* dos, en el de *Ijar;* una, en un manuscrito de la Biblioteca Nacional de París...

"Por las lecturas de sus cartas—escribe Paz y Meliá—se ve que Fernando de la Torre es un romántico del siglo XV, amigo de platónicos devaneos, enamorado de damas de ilustre prosapia, desahogando su no correspondida pasión en versos de quejumbrosos ayes."

Algunas de sus poesías pueden leerse en el tomo IV de la "Colección de libros raros y curiosos", Madrid, págs. 195, 236, 239 y 237.

V. PAZ Y MELIÁ, A.: Prólogo a la ed. de *Libros raros y curiosos.* Madrid.—MENÉNDEZ PELAYO, M.: *Antología de poetas líricos...* Tomo V.

TORRE, Francisco de la.

Excelso poeta español. ¿1534-1594?

Cuando el año 1631 salía de la oficina madrileña, intitulada Imprenta del Reino, el volumen editado por el mercader de libros Domingo González y titulado: *Obras del bachiller Alonso de la Torre. Dalas a la impresión don Francisco de Quevedo Villegas...,* cuantos sabían *cómo se las gastaba* el madrileño archifamoso, creyéronlas de su pluma con el tapujo de un nombre supuesto. Pero... don Aureliano Fernández-Guerra y Orbe, uno de los más ilustres eruditos españoles en materia literaria después de Menéndez Pelayo, y quien mejor ha estudiado la obra y la personalidad del bachiller Francisco de la Torre, con paciencia singular ha ido aportando valiosísimos testimonios acerca del poeta. ¿El primero? ¡El de su existencia! Nada menos que Lope de Vega avala tal realidad—y realismo tal—en esta cuarteta:

> Humíllense las cumbres del Parnaso
> al divino Francisco de la Torre,
> celebrado del mismo Garcilaso,
> a cuyo lado dignamente corre.

De entre las mismas composiciones de Torre, Fernández-Guerra ha ido allegando definitivas circunstancias de su vida.

El lugar de su nacimiento:

> Vos, a quien la fortuna dulce espira,
> Titiro mío, la graciosa llama
> cantando, vuestro Tajo y mi Jarama
> pasáis al son de vuestra hermosa lira.

Y el citado crítico deduce que el lugar que alude como cuna suya podría suponerse fue Torrelaguna, donde vino a la luz del día el gran cardenal Jiménez de Cisneros y donde yace el poeta Juan de Mena... Y que, según costumbre de aquella edad, "pudieron él o sus mayores tomar apellido del pueblo de su naturaleza, como lo tomaron tantas familias y no menos afamados autores. Antonio de Lebrija fue llamado el 'Ennio' español".

Que estudió Cánones en Alcalá, se sabe por figurar en los cuadernos de matrículas del año 1556: "Francisco de la Torre, Tor de laguna", y que su edad era de veintiún años; por lo que se conjetura con mucho fundamento que naciera en 1534 ó 1535.

Por las poesías de Torre se sabe que amó a una "Filis rigurosa", mujer de un magnate viejo que siempre había protegido al poeta; que estuvo en la Lombardía como soldado; que, retirado a las márgenes del Duero, y ya viejo, aún no había podido olvidar su amor; que murió siendo sacerdote.

Estas dos últimas noticias las deduce Fernández-Guerra de una trova y de unas líneas puestas al frente de su libro. La trova es esta:

> Tú solo te dueles
> de mi suerte amarga,
> que una vida larga
> no hay quien la consuele,
> ya que el cielo ordena
> que apartado viva
> el alma cautiva
> y el cuerpo en cadena.

Las líneas: "Con frenesí escribí esto; ahora se me escandaliza el ánimo."

Francisco de la Torre debió de morir hacia 1594. Fue muy amigo de Lope de Vega, de Francisco de Figueroa y de Pedro Láinez.

Las poesías de Francisco de la Torre, "poeta de la escuela de Garcilaso, que imitó y aun tradujo a los italianos y es tierno y sentimental, melancólico y sencillo", llevaban licencia firmada por Alonso de Ercilla, fueron recogidas por don Juan de Almeida, señor de Couto de Avintes, y muy alabadas por el *Brocense*. A punto de ser editadas, padecieron de extravío, y así llegaron a las manos del autor de *El Buscón*, quien las publicó confundiendo el nombre del autor con el de Alfonso de la Torre. La confusión de Quevedo la rectificó el portugués Manuel de Faria—1590-1644—, haciendo notar que Lope de Vega le había conocido. En el año 1753, Luis Josef Velázquez reimprimió las obras de Torre atribuyéndoselas a Quevedo. El fino crítico y gran hispanista Fitzmaurice Kelly ha advertido que varios de los sonetos de Torre son traducciones del italiano. Así, el 23 del libro I es versión de Torcuato Tasso; los numerados del 2 al 14 del II son versiones de Benedetto Varchi; los 15 y 23 del II lo son de Giambattista Amalteo. En efecto, fácil es reconocer el admirable soneto de Tasso, que empieza:

> *Bella e la donna mia, se del bel crine...*

en el de Torre, iniciado así:

> Bella es mi ninfa, si los lazos de oro...

Para Quintana, las principales dotes de Torre son "la sencillez de expresión, la viveza y la ternura de afectos, y la lozanía y amenidad risueña de la fantasía".

Las principales ediciones de las obras de Francisco de la Torre son: *Obras del bachiller Alonso de la Torre*—Madrid, 1631—, *Entretenimiento de las musas*—Zaragoza, 1654—, *Luzes de la aurora*—Valencia, 1665—, *Reales fiestas*—Valencia, 1667 y 1668—, Edición facsímil de la primera edición, publicada en 1903, Nueva York, a expensas de Archer M. Huntington: *Clásicos Castellanos*, Madrid, 1944.

V. La Puente y Apezechea: *Discurso leído en la Real Academia Española*. Madrid, 1850.—Fernández-Guerra y Orbe, A.: *Discurso leído en la Real Academia Española*. Madrid, 1857.—Crawford, J. P. W.: *Francisco de la Torre y sus poesías*. Madrid, en el homenaje a Menéndez Pidal, 1925.—Zamora Vicente, Alonso: Prólogo a la edición *Clásicos Castellanos*. Madrid, 1944.—Alonso Cortés, Narciso: *Algunos datos sobre Francisco de la Torre*, en *H. Rev.*, 1940, IX, 41.

TORRE, Guillermo de.

Ensayista, crítico literario. Nació—1900—en Madrid. Murió—1971—en Buenos Aires. Licenciado en Derecho. Fundador, con Giménez Caballero, de *La Gaceta Literaria*—1927—. Colaborador de la *Revista de Occidente*. Por espacio de muchos años vivió en Buenos Aires, habiendo sido aquí miembro fundador y asesor literario de la editorial Losada. Ha sido profesor de Literatura española en varias Universidades americanas. En 1925 publicó su libro *Literaturas europeas de vanguardia*, de mucho interés para el conocimiento de un tema tan complejo y detonante. Colaboró en gran número de periódicos españoles y americanos dedicados con preferencia a la crítica y a la erudición. Su labor libresca es copiosa. Crítico culto, pero siempre sospechoso de parcialidad.

Obras: *Hélices*—poemas vanguardistas, 1921—, *Menéndez Pelayo y las dos Españas*—1943—, *La aventura y el orden*—ensayos, 1943—, *Problemática de la literatura*—1951—, *La metamorfosis de Proteo*—ensayos, 1956—, *El fiel de la balanza*—ensayo, 1961—, *El espejo y el camino*—ensayos, 1968.

TORRE, Josefina de la.

Nace—1910—en la isla de Gran Canaria. Escribe su primer poema a los siete años de edad, y desde entonces data su afición a escribir. Muy aficionada, asimismo, a la música, sus estudios fueron canto, piano, violín y guitarra. Publica su primer libro de poemas y prosa, titulado *Versos y estampas*, en 1927, y el segundo, *Poemas de la isla*, en 1930.

Hace poco, en la desaparecida revista *Fantasía*, ha publicado una colección de poemas de su libro inédito *Marzo incompleto*.

T

Por los años 28 y 29 funda en Gran Canaria su "Teatro mínimo", en el que se representan obras de Andreiev, Bernard Shaw, Singe... Claudio de la Torre es el director de la pequeña compañía.

En Madrid, en los años 32 y 34, da recitales de canto y poesía en la Residencia de Estudiantes y en el teatro María Guerrero. Después de nuestra guerra, durante el año 40, actúa en dicho teatro como primera actriz de la Compañía Nacional. Interviene al mismo tiempo en diez películas.

Ha sido colaboradora durante varios años de *Primer Plano*. Y ha publicado en las desaparecidas revistas *Alfar*, *Versos y Prosa*, *Azor*, *La Gaceta Literaria*, etc.

Ingresó en la compañía del maestro Sorozábal, como primera tiple, en 1943. Luego pasó a formar parte de la compañía de comedias de Ismael Merlo. Interpretó uno de los principales papeles femeninos en el estreno de *Hotel Términus*, de Claudio de la Torre, por la compañía de Artista Cinematográficos, y en el año 46 formó compañía propia, con la que hizo una larga *tournée* por España.

Otras obras: *Memorias de una doncella* —novela, 1954—, *Una mujer entre los brazos*—teatro, 1956.

TORRE Y SEBIL, Francisco de la.

Poeta, prosista y autor dramático español. Nació—¿1628?—en Tortosa (Tarragona). Murió antes de 1682. Torres Amat, erudito del pasado siglo, que redactó las biografías de muchos escritores catalanes, afirma que de muy pocos años, en la escuela, Torre ya era famoso "porque no hablaba palabra que no fuera una agudeza". Hijo de ilustre familia, alcanzó el hábito de Calatrava—1665—, y asistía por entonces en Valencia al virrey don Antonio Pedro Alvarez Osorio, marqués de Astorga, con quien privó mucho. Por una poesía satírica suya que corrió por la ciudad levantina estuvo algún tiempo en la cárcel. En 1673 residía en Madrid, donde publicó la primera parte de las *Agudezas de Juan Owen*. La segunda parte apareció en 1682, muerto ya Torre.

Torre y Sebil fue muy desmedrado de cuerpo y sumamente sutil de alma, por lo que parece ser que se grabó sobre su losa sepulcral:

> Aquí yace en dura calma...
> Mas nada yace, porque
> aqueste poeta fue
> todo alma.

Fue poeta fácil y elegante, fecundo en traducir, agudo y conceptuoso epigramático. La Barrera escribe de él: "... que fue versificador fácil y agudo, aunque profundamente viciado por el ultraculteranismo de su época. Se distinguió principalmente por sus ajustadas traducciones de varios poetas y por los *Epigramas* propios que añadió a los que tradujo, con especial acierto, de Juan Owen..."

Su nombre figura en el *Catálogo de autoridades del idioma*, publicado por la Academia Española.

Obras: *Entretenimiento de las musas en esta baraxa nueva de versos*—Zaragoza, 1654—, *Poesías varias de varios ingenios españoles*—Zaragoza, 1654—, *Luzes de la aurora: Días del sol...*—Valencia, 1665—, *Reales fiestas... a la soberana... Virgen de los Desamparados*—Valencia, 1667—, *Delicias de Apolo. Recreaciones del Parnaso...*—Zaragoza, 1670—, *El peregrino atlante San Francisco Xavier*—Lisboa, 1670—, *Poesías selectas de varios autores latinos, traducidas en romance*—Zaragoza, 1690—, *San Pedro de Arbués*—drama—, *La confesión con el demonio*—drama—, *Azucena de Etiopía*—comedia—, *Triunfar antes de nacer*—comedia—, *La justicia y la verdad*—comedia...

Las comedias de Torre se hallan manuscritas en la Biblioteca Nacional de Madrid.

Algunas composiciones suyas pueden leerse en el tomo XLII de la "Biblioteca de Autores Españoles" y en el tomo IV del "Ensayo de una biblioteca española de libros raros y curiosos".

V. Barrera, C. A. de la: *Catálogo... Teatro antiguo español.*—Cejador y Frauca, J.: *Historia de la lengua y literatura españolas.* Tomo V.

TORRELLA o TORRELLAS, Mosén Pedro.

Poeta muy interesante. ¿1416-1453? Nació en Zaragoza—según Latassa—o en algún lugar de Cataluña—según Amador de los Ríos—. Perteneció a la corte literaria de Alfonso V de Aragón, y fue poeta muy celebrado por sus *complantes, esparças y lahors*, en los que pondera obsesionado sus dolores y *follías* de amor. Mayordomo del mísero príncipe de Viana, cultísimo en literatura francesa, provenzal e italiana, se aficionó a escribir en la lengua de Castilla. Compuso, en general, poesías picantes y de burlas; la más famosa de estas—inserta en el *Cancionero de Stúñiga*—, *Coplas de las calidades de las donas*, inventiva inocente y sosa contra las mujeres, le atrajo muchos enemigos y el ser refutado con encono por diversos trovadores, entre ellos Suero de Rivera y Juan del Enzina.

Torrella escribió muchas poesías en catalán; erudito indiscutible, buscó entre los trovadores provenzales y poetas franceses eficaces valedores.

Otro mérito importante de Torrella catalán es haberse adelantado a cultivar la lengua de Castilla, contribuyendo de los primeros a este inevitable consorcio; "y ya interviniendo en tal concepto en las lides de ingenio con Farrer, Perot Johan y un don Diego que escribe en romance castellano; ya disputando con Suero de Rivera, hasta obligarle a salir en defensa de las mujeres; ya, en fin, cantando sus amores a la manera de Santillana, abre el camino que muy luego siguen otros muchos catalanes y valencianos..." (Amador de los Ríos.)

V. Amador de los Ríos, J.: *Historia crítica de la literatura castellana.* Tomo VI, páginas 474-79.—Menéndez Pelayo M.: *Historia de la poesía castellana en la Edad Media.* I.

TORRENTE, José Vicente.

Novelista español. Nació—1920—en Huesca. De la Carrera Diplomática. Sin prisas, ha ido publicando sus novelas muy bien construidas, muy españolas—temas, climas y personajes—, en un lenguaje noble.

Obras: *IV grupo del 75/27*—Madrid, 1944, semanario *El Español*—, *En el cielo nos veremos*—1956—, *El becerro de oro* —1957.

TORRENTE BALLESTER, Gonzalo.

Novelista, crítico literario, historiador de la literatura, dramaturgo. Nació—1910—en El Ferrol (La Coruña). Estudió las licenciaturas de Filosofía y Letras y Derecho en Madrid y en Santiago. Entre los años 1936-1942 enseñó historia en la Universidad compostelana. Habiéndose trasladado a Madrid, pronto se dio a conocer brillantemente como agudo y severo crítico teatral del diario *Arriba* y como conferenciante polemista. De cultura realmente extraordinaria que no se detiene en las fronteras de lo hispánico. Su fama como crítico, en país en que, como España, las definiciones son rápidas y *para siempre,* ha perjudicado injustamente su fama de novelista. A mi entender, el novelista Torrente Ballester alcanza valor más alto que el crítico e historiador Torrente Ballester, pues que para crítico le perjudican su criterio excesivamente subjetivo y su respingo expresivo, en ocasiones irritante. Pero como novelista logra una admirable categoría, ya que posee enorme fuerza creadora, personalísima expresividad, poder de captación—paisajes, circunstancias vitales, persistencia, o resonancia, de los hechos o de las tesis—, estilo nervioso capaz de sostener todas las presiones de la realidad o de la tesis, lenguaje natural, sabroso y rico. Valores a los que se une otro esencial en los grandes novelistas: el de mantener a un mismo pulso la acción, por

larga y compleja que sea. Aun cuando en no pocas ocasiones Torrente Ballester se muestra áspero, crudo, hasta cruel con sus criaturas, en ninguna de sus novelas falta un contrapunto—aun levísimo—de humor, de melancolía, de noble escepticismo. Como historiador de nuestra literatura, Torrente Ballester se muestra categórico, enteradísimo, feliz en muchos de sus juicios y estimaciones; pero no pocas veces olvidadizo con injusticia o sentenciador sin caridad. De todas formas, sus opiniones como tal historiador y crítico han de tenerse muy en cuenta.

Obras: *Viaje del joven Tobías*—teatro, 1938—, *El casamiento engañoso*—auto sacramental, 1939—, *Lope de Aguirre*—teatro, 1941—, *Javier Mariño*—novela, Madrid, 1940—, *El retorno de Ulises*—teatro, 1945—, *El golpe de Estado de Guadalupe Limón* —Madrid, 1945—, *Ifigenia*—Madrid, 1950—, *Los gozos y las sombras:* I. *El señor llega* —Madrid, 1957—, II. *Donde da la vuelta el aire*—Madrid, 1960—, III. *La pascua triste* —Madrid, 1962. (A la primera novela de la trilogía le fue concedido el "Premio March de Novela")—, *Panorama de la literatura española contemporánea*—2.ª edición, Madrid, 1956—, *El teatro español contemporáneo*—Madrid, edit. Guadarrama, 1961—, *La Saga-fuga de J. B.*—novela, 1972.

V. Nora, Eugenio G. de: *La novela española contemopránea.* Madrid, edit. Gredos, tomo II, 1962.—Alborg, Juan Luis: *Hora actual de la novela española.* Madrid, Taurus, 1962, tomo II, págs. 245-68.—Pérez Minik, D.: *Novelistas españoles de los siglos XIX y XX.* Madrid, Ediciones Guadarrama, 1957, págs. 221-22.

TORRENTE MALVÍDO, Gonzalo.

Novelista y cuentista. Nació—1935—en El Ferrol. Hijo de Torrente Ballester. Estudió, sin llegar a terminarlas, las carreras de Derecho y Filosofía y Letras. Espíritu de grandes inquietudes, ha viajado por incontables países de varios continentes, buscando experiencias y reacciones que llevar a sus novelas. En 1963 consiguió el "Premio Café de Gijón", para cuentos y novelas breves, con su obra *La raya.* Y en 1968, el "Premio Sésamo" con su narración *Tiempro provisional.*

Otras obras: *Hombres varados*—novela, 1963—, *La muerte dormida*—cuentos, 1963—, *La balada de Juan Campos*—novela, 1964.

TORREPALMA, Conde de.

Don Alfonso Verdugo y Castilla, señor de Gor. Nació en Alcalá la Real y murió en Turín. Militar y diplomático español de mucho relieve. Mayordomo de la Casa Real de Felipe V y de Fernando VI, estuvo de mi-

T

nistro plenipotenciario en Viena y en Turín. Fue presidente de la Academia del Buen Gusto—donde se llamó el *Difícil*—y miembro de la Real de la Lengua y de la Real de la Historia.

Como poeta lírico, fue académico, frío y retórico. Su mejor obra es el poema *Deucalión*, de imitación ovidiana, publicado en Madrid—1770—en el *Parnaso*, de Sedano.

Escribió poesías, cuyos títulos—*Las ruinas, Pensamientos tristes, A la muerte de una hermosura*—proceden de la temática del siglo XVII, y son precedentes curiosos de la romántica posterior. Las octavas del poema *Deucalión* recuerdan la fuerte musicalidad y la admirable plasticidad de las del *Polifemo*.

También es muy interesante obra suya el poema *El juicio final*. Composiciones de Torrepalma pueden leerse en el tomo III de *Poesías selectas,* de Quintana; tomos XXIX y XLI de la "Biblioteca de Autores Españoles"; *Historia y antología de la poesía castellana,* de Sainz de Robles, 1951, 2.ª edición; *Neoclásicos y románticos,* de Félix Ros, 1941, Barcelona.

V. CUETO, L. A.: *Poetas del siglo XVIII,* en la "Biblioteca de Autores Españoles".

TORRES DEL ÁLAMO, Angel.

Poeta, periodista y autor dramático español. Nació—1880—y murió—1958—en Madrid. Licenciado en Derecho por la Universidad Central. Desde los veinte años se dedicó al periodismo, siendo redactor muchos años, a partir de 1901, de *La Epoca,* y colaborando en los principales diarios y revistas de España y América.

Poeta de fina gracia. Como autor teatral, ha cultivado el género de costumbres madrileñas con mucho garbo, con mucha verdad, con mucho colorido y con extraordinaria emotividad. Sus producciones escénicas pasan de setenta, escritas la mayoría de ellas en colaboración con Antonio Asenjo (v.). En 1911, el Ayuntamiento de Madrid concedió el primer premio de sainetes a una obra de Asenjo y Torres del Alamo: *El chico del cafetín.*

Otras obras: *La Mary-Tornes*—1912—, *Las paralelas*—1916—, *Margarita la Tanagra* —1917—, *El oficial quinto*—1917—, *Los postineros*—1917—, *La hiperestesia de la Sole* —1918—, *Rocío "la Canastera"*—1919—, *Llévame al "Metro", mamá*—1919—, *Las pecadoras*—1920—, *Los hijos de la Verbena* —1924—, *Lorenza "la Seria"*—1926—, *La chica del librero, o La virtud siempre triunfa*—1929—, *Miss Guindalera*—1931—, *Sole "la Peletera"*—1932—, *Los polvos de la madre Celestina*—1932—, *Las tentaciones* —1932...

TORRES AMAT, Félix.

Erudito, historiador y prosista español. Nació—1772—en Sallent (Barcelona). Murió —1847—en Madrid. Estudió Filosofía y Artes en el Colegio Mayor de San Ildefonso, en Alcalá de Henares. Dominó las lenguas griega, latina, árabe, hebrea, francesa e italiana. Estudió Teología en Tarragona, Madrid y Cervera, doctorándose en la Universidad de esta última ciudad—1794—. Profesor del Seminario de Tarragona. Canónigo del Real Sitio de San Ildefonso (de La Granja). Catedrático en los reales estudios de San Isidro. Rehusó diferentes cargos que le ofreció José Bonaparte y el obispado de Barcelona. En 1833 fue nombrado obispo de Astorga. Prelado doméstico de Su Santidad Gregorio XVI. De las Reales Academias de la Lengua y de la Historia, de la de Buenas Letras de Barcelona, de la Sociedad Geográfica de París, de la de Antigüedades de Copenhague.

De vida ejemplar, enorme cultura, gran pureza de lenguaje.

Su obra fundamental fue la traducción castellana de la Biblia, de la que se han hecho varias ediciones; traducción modelo de fidelidad, elegancia y conocimiento de los textos.

Otras obras: *Memorias para ayudar a formar un diccionario crítico de los escritores catalanes*—Barcelona, 1836—, *Disertación sobre la Biblioteca de Autores Catalanes, Memorias sobre algunas antigüedades poco conocidas de la antigua ciudad de Egara, en Cataluña; Vida del ilustrísimo señor don Félix Amat, arzobispo de Palmira*—1835...

V. PASTOR DÍAZ, N.: *Galería de españoles célebres.* Madrid, 1845.—COROMINAS, J.: *Suplemento a las "Memorias... para formar un diccionario... de escritores catalanes..."*

TORRES BODET, Jaime.

Gran poeta, novelista y crítico literario. Nació—1902—en México. Hizo sus estudios en la Escuela Normal para maestros y en la Escuela Nacional Preparatoria, donde se graduó como bachiller. Se doctoró en la Escuela Nacional de Jurisprudencia. Profesor de Literatura francesa en la Facultad de Filosofía y Letras. Ingresó en la carrera diplomática, habiendo servido como secretario de Legación en Madrid—1929—y en París —1931—, y como encargado de Negocios en Holanda—1933—. Fundador y codirector de la revista de literatura *Contemporáneos.* Ha dado magníficas conferencias en España, Francia, Holanda y México. También ha sido profesor de Literatura griega—Facultad de Altos Estudios—, de Historia de Arte y de Literatura española—Escuela Nacional Preparatoria—, secretario particular del ministro de Educación y jefe del Departamento de Bibliotecas—1922-1924—. Colabora en los diarios *Excelsior*—México—y *La Prensa* —Buenos Aires—, y en *Revista de Revistas* y *Ulises*—México—, *Social*—la Habana—, *Nosotros*—Buenos Aires—, *Atenea*—Santiago de Chile—y *Repertorio Americano*—San José de Costa Rica.

Fue, con Bernardo Ortiz de Montellano, director de la revista *La Falange*—1923—. Han vertido poemas suyos, al francés, Francis de Miomandre, y al inglés, Alice Stone Blackwell y Howard Phillips.

Torres Bodet es uno de los más originales, fecundos y brillantes escritores de la América española. Su sensibilidad y su talento son grandes. Su estilo, claro, conciso, con efusión de viveza de imágenes. Todas sus obras están pletóricas de ideas sugestivas y de juicios estimabilísimos. Su poesía es honda, emotiva, impresionantemente pura.

A partir de 1918, en que publicó su primer libro de versos, *Fervor,* se ha dedicado exclusivamente a la literatura, habiendo publicado hasta hoy las siguientes obras: *El corazón delirante*—poesías, Porrúa Hermanos, México, 1922—, *Canciones*—poesías, Cultura, México, 1922—, *La casa*—poema, 1923—, *Los días*—poesías, 1923—, *Nuevas canciones*—Madrid, 1923—, *Biombo*—poesías, Madrid, 1925—, *Poesías*—Madrid, 1926—, *Margarita de niebla*—novela, 1927—, *Contemporáneos*—crítica, 1927—, *Destierro* —poesías, Madrid, 1930—, *La educación sentimental*—novela, 1929—, *Proserpina, rescatada*—1931—, *Perspectiva de la literatura mexicana*—1928—, *Cripta*—1937—, *Sonetos* —1949...

V. Gómez de Baquero, E.: En "P. E. N. Club". Madrid, 1929.—Carrión, Benjamín: *Mapa de América*. Madrid, 1930.—Pabst, Walter: *Die Literature*. Stuttgart, 1932.—Miomandre, Francis de: *L'esprit français*. París, 1931.—Jiménez Rueda, J.: *Historia de la literatura mexicana*. México, 1942.

TORRES NAHARRO, Bartolomé.

Magnífico poeta y autor dramático. ¿1476-1531? Las pocas noticias biográficas que tenemos de Torres Naharro son las que figuran al frente de la *Propaladia,* edición impresa en Nápoles—1517—por Juan Pasquetto de Sallo; las letras apostólicas de Su Santidad León X, concediendo un privilegio por diez años para que nadie pueda publicar el citado libro so pena de excomunión mayor y multa de mil ducados; y la carta de un famoso literato francés, Mescinier Barbier de Orleáns—que residía en Nápoles y que latinizaba su apellido: J. Barberius Aurelianensis—a su amigo el célebre humanista tipógrafo de París, Badio Ascensio.

En el privilegio pontificio se le declara a Torres Naharro—*clericus Pacensis diocesis*— clérigo de la diócesis de Badajoz. En la carta de Mescinier se indica el lugar de su nacimiento: *"Patria Pacensis de oppido de la Torre; gente Naharro."* Naharro era, pues, el gentilicio. Torres, el recuerdo de su patria, que fue la Torre de Miguel Sexmero, aldehuela extremeña. Y es el propio literato francés quien, al ponderarle en la referida carta, dirigida al eruditísimo Badio—Josse Bade—, nos hace saber algunos pormenores de la condición y cultura de Torres Naharro. Afable en su trato, sobrio de palabras, grave de gesto, alto y delgado, modesto en el vestir, amigo de abstenerse de todo vicio y de abrazar toda virtud, haciéndolas valer dondequiera, debió de estudiar mucho y bien. Tal vez en Salamanca. Dominaba el latín, el italiano, el francés, el portugués, el valenciano. "Merecedor de que el mismo Cicerón resucitase para alabarle", prorrumpe el entusiasmado panegirista epistolar aludiendo al dominio de Naharro en la lengua madre de las románicas. Muy joven aún y como maduro ya, le hurgaron los afanes de la ventura. Se encomendó al mar latino y en medio de un deshecho naufragio, siéndole en los comienzos muy adversa la fortuna, se vio cautivo de los piratas africanos. Como años después el asendereado Cervantes, salido con el mismo pie zurdo de la madre patria, Naharro permaneció cautivo en Argel algún tiempo. Rescatado—no se sabe cuándo, ni por quién, ni por cuánto—, pasó a Roma, se ordenó sacerdote, y quedó muy a gusto sometido a la protección del terrible obispo de Túsculo y cardenal extremeño titulado de Santa Cruz don Bernardino de Carvajal. Y le calificó de terrible, y aun de tremebundo, porque fue un conspirador y un provocador empedernido. Aspiraba nada menos que a la tiara, para la cual había obtenido doce votos en el conclave de 1503, a la muerte de su compatriota Alejandro VI, del cual salió elegido Julio II; porque fue el principal fautor y el alma del *conciliábulo* de Pisa, reunido contra este Pontífice; porque encizañó y encismó y fue excomulgado y declaró nulas las censuras pontificias, refugiándose en Milán al amparo de las armas francesas. Felizmente para él y para su protegido Torres Naharro, en 1513, a la muerte de Julio II, en el Concilio de Letrán abjuró de sus errores y aplacó sus azoguillos, recibiendo la absolución de manos de León X, quien le volvió a su gracia y le restituyó el capelo. "A la sombra, pues, de este terrible paisano suyo—escribe Menéndez Pelayo—, en quien grandes cualidades de elocuencia y varia cultura, de talento político, de magnificencia y brío personal estaban oscurecidas por la ambición, el ne-

T

potismo y la prodigalidad más desenfrenada, vivió Torres Naharro, sin duda, en condición bastante humilde, alternando con los servidores del *tinelo,* y presenciando aquellas escenas de disolución y despilfarro en cocineros, despenseros, mayordomos, truhanes, pajes y demás sabandillas domésticas... Paréceme que alude a su propia persona en estos versos de *Comedia soldadesca:*

> Luego quiero
> hablar con un compañero
> qu'es plático y andaluz,
> que está con un camarero
> del marqués de Santa Cruz.»

Tuvo la alegría de ver algunas de sus obras —la *Tinellaria*—representada ante León X y el cardenal Julio de Médicis—después Clemente VII—. Pero su alma, ¡cuánto debió de luchar entre la alegría de vivir, sensual y pagana, que era el efluvio de Italia, y la amarga melancolía de su sentimiento cristiano español, tan áspero como resuelto! Dice con mucho tino Valbuena Prat que "su situación psicológica es algo equívoca, acaso dramática, como la de muchos escritores de la pre-Reforma y de la contra-Reforma, y con una apariencia de sonrisa serena que apenas puede disimular el dolor interno". Casi él mismo, perdido en la tibieza religiosa, sintiéndose estafado, sin embargo, en lo más ingenuo de su fe, lanza fulminantes diatribas contra la curia papal, corrompida y anticristiana, que...

> ... es lugar
> do para el cuerpo ganar
> habés de perder el alma.

Destila, como la baba agria de su desconsuelo, un sarcasmo que es risotada en la forma y feroz alarido en el fondo... Y es que él, en Roma, quiere ser bueno, pero... "no le tienen de dejar". Flores tiene la nominada Ciudad Eterna: la blasfemia y el reniego. Purgatorio es de la bondad. Infierno de la caridad. Paraíso de la lujuria.

> Fama tiene que m'espanta,
> pero consejo's a vos
> que busquemos gracia tanta;
> pues a Roma llaman sancta,
> que sanctos nos haga Dios.

Torres Naharro, en Roma, sufrió el mismo revuelco espiritual que Erasmo, que Valdés, que Lutero. Pisó sus piedras y respiró sus aires con una emoción viva de espiritualidades. Lo que vio, lo que oyó, lo que adivinó... le rompieron la fe con esa brutalidad mercenaria con que determinados niños notan rota su inocencia sexual. Generalmente, los niños reaccionan con asco y con miedo, al pronto. Así, cuantos varones

ilustres y cultos—*erasmistas, ¿*por qué no?— se llegaron a Roma entre 1475 y 1525, Torres Naharro—tal vez acostumbrado ya, como los niños, al pecado, y deleitoso en él —recordaba con ira su pasado espiritual sereno y dulce, ya imposible lo mismo que un paraíso perdido.

Las obras de Torres Naharro pueden dividirse en *líricas* y *dramáticas.*

Como poeta, Naharro es tradicionalmente castellano. No emplea sino la métrica española breve y graciosa. Se inspira en los Manrique. Se muestra secuaz del apasionado Garci Sánchez de Badajoz. Ama a los clásicos—Ovidio y Horacio—a través de los neaplatónicos. Poesías suyas muy bellas son las *Lamentaciones de amor,* el *Retracto* —compuesto a la muerte, en 1515, del primer duque de Nájera, don Pedro Manrique de Lara—, el *Salmo en la gloriosa victoria que los españoles consiguieron contra los venecianos*—batalla de la Motta, 1513, ganada por don Ramón Cardona, virrey de Nápoles—, la *Epístola recordatoria,* en nombre de cierta dama valenciana, para su marido, que estaba en Roma...

Pero el más alto valor de Torres Naharro es como dramaturgo. Después de 1513 y antes de 1517 debió de publicar en Roma, por consejo del cardenal Julio de Médicis, a quien el autor llama *su patrono,* su comedia *Tinellaria.* Otras muchas suyas debieron igualmente pasar a las prensas, si hemos de creer a su panegirista Messinerio, quien afirma: *"Romam devenit ubi sub sanctissimo D. N. Leone X, Pont. Max. plura edidit."* La *Soldadesca,* seguramente, hacia 1514. La *Propaladia* (Primicias de Palas Atenea), su obra fundamental, apareció en 1517 impresa en Nápoles por el aludido entusiasta Juan Pasquetto de Sallo. Está dedicada a don Fernando Dávalos de Aquino, marqués de Pescara, y contiene, como declara su autor, "algunas cosillas breves, como son las capítulos, epístolas y per principal cibo las cosas de mayor subjecto, como son las Comedias, per pospato ansí mesmo algunas otras cosillas, como veréis".

La *Propaladia* contiene, por este orden: lamentaciones, sátiras, epístolas, capítulos y las siete comedias: *Serafina, Trofea, Soldadesca, Tinellaria, Himenea, Jacinta* y el *Diálogo del Nacimiento.*

¿Qué concepto tiene Torres Naharro de lo que debe ser una pieza teatral? "Comedia no es otra cosa sino un ingenioso artificio de notables y finalmente alegres acontecimientos por personas disputado." Conforme al precepto horaciano—*Neve minor, nec sit quinto productior actu*—, Torres Naharro acepta la división de la comedia en cinco actos, pero "... la división de la comedia en cinco actos no solamente me paresce buena, pero mucho necesaria; aunque yo las llamo *jornadas,* porque más me parescen descansaderos que otra cosa; de donde la comedia queda mejor entendida y recitada." En lo tocante al número de interlocutores, Torres Naharro no se atiene, como hacían otros, a la rigidez del precepto horaciano *"nec quarta loqui persona laboret".* Y él cree que "el número de personas que se han de introducir es mi voto que no deben ser tan pocas que parezcan la fiesta sorda, ni tantas que engendren confusión". Principios generales que habían de ser tenidos muy en cuenta, en opinión de Torres Naharro, eran... "El decoro en las comedias es como el gobernalle en la nao, el cual el buen cómico siempre debe traer ante los ojos. Es decoro una justa y decente continuación de la materia, conviene a saber: dando a cada uno lo suyo, evitar las cosas impropias, usar de todas las legítimas, de manera qu'el siervo no diga ni haga actos del señor, *et e converso;* y el lugar triste entristecello, y el alegre alegrallo, con toda la advertencia, diligencia y modo posibles." Sin embargo, lo más original de esta pequeña poética de Torres Naharro es la proclamación de las dos únicas direcciones del arte: "Cuanto a los géneros de comedias, a mi paresce que bastarían dos para en nuestra lengua castellana: comedia *a noticia,* y comedia *a fantasia. A noticia* s'entiende de cosa nota y vista en realidad de verdad, como son *Soldadesca* y *Tinellaria. A fantasía,* de cosa fantástica o fingida, que tenga color de verdad, aunque no lo sea, como son *Serafina, Himenea,* etc."

¡Admirable división que, con fraseología moderna, diríamos: teatro realista y teatro idealista! Que, en resumidas cuentas, abarca todas las posibilidades escénicas... y vitales.

Entre las comedias *a noticia* se han de colocar: la *Soldadesca* y la *Tinellaria.* Comedias *a fantasía* eran: la *Himenea,* la *Serafina,* la *Calamita* y la *Aquilana,* estas dos últimas escritas después de 1517, y, por tanto, no incluidas en ninguna edición de la *Propaladia,* aunque impresas en hojas sueltas, se añadieron estas a la obra general.

De entre las comedias de Torres Naharro destaca la *Himenea,* reputada unánimemente como la más perfecta y distraída. "La tendencia a la comedia de capa y espada —escribe nuestro sin par Menéndez Pelayo— triunfa en la preciosa comedia *Himenea,* que es la más delicada, la más regular, la más caballeresca y afectuosa de Torres Naharro, y la que da más simpatía y ventajosa idea de su talento como pintor de costumbres urbanas. El famoso Juan de Valdés dijo de esta obra que su autor "sabía escribir con naturalidad y decoro lo que pasa

entre la gente noble y principal". La *Himenea,* relacionada con el tiempo en que se escribió, es un primor literario. A Moratín le entusiasmaba, más que nada, su *regularidad exterior.* La *Himenea* es la única obra de Torres Naharro traducida a un idioma extranjero. Lo fue al francés por Angliviel La Beaumelle, en su colección *Chefs-d'oeuvre des théâtres étrangers.* París, 1829, tomo XX.

Para el discreto crítico y gran hispanista inglés Fitzmaurice-Kelly, es Torres Naharro el primer maestro verdadero del drama novelesco. Comparado el autor de la *Propaladia* con su coetáneo el portugués Gil Vicente, excede a este en la fuerza satírica, en lo vivo y penetrante de la observación realista, en la estructura más regular próxima al tipo de la comedia moderna. Gil Vicente, más aristofánico en su desorden fecundo, ganaba al extremeño en inspiración, en profundidad.

Las principales ediciones de la *Propaladia* son: Nápoles, 1517; Sevilla, 1520, 1526, 1533, 1545; Madrid, 1573; Amberes, ¿1582?; Toledo, 1535. Las ediciones de Sevilla son del famoso J. Cromberger. La de Amberes, de Martín Nucio. Modernamente, con prólogos de Menéndez Pelayo y de Cañete, la de Madrid, en la colección *Libros de antaño,* dos volúmenes fechados en 1880 y 1900.

V. MENÉNDEZ PELAYO: Prólogo a la edición de la *Propaladia.* Tomo II de *Los libros de antaño.* Madrid, 1900.—CAÑETE, M.: Prólogo a la edición de la *Propaladia.* Tomo I de *Los libros de antaño.* Madrid, 1880.—MORATÍN, Leandro F. de: *Orígenes del teatro español.*—STIEFEL: *Zur bibliographie des Torres Naharro,* en *Archiv. für das Studium der neuerem Oprachen un Literaturen,* Berlín, 1907.—GILLET, J. E.: *Acerca de Torres Naharro,* en el *Homenaje a Bonilla San Martín.* Tomo II, pág. 487.—ROMERA NAVARRO, M.: *Estudio de la comedia "Himenea",* en *Rom. Rev.,* 1921, XII.—MAZZEI, P.: *Contributo allo st. delli fonti italiane del teatro de... Torres Naharro.* Lucca, 1922.—GRISMER, L.: *Reminiscence of Plantus in the Comedias of Torres Naharro,* en *Hispanic Review,* 1938, VI.—SAINZ DE ROBLES, F. C.: *Historia y antología del teatro español.* Madrid, 1943. Tomo I.

TORRES RÁMILA, Pedro.

Poeta y prosista español, de curiosa personalidad. Nació—1583—en Villarcayo (Burgos). Murió en fecha desconocida—no anterior a 1658—probablemente en Alcalá de Henares. Fue profesor de Humanidades en el Colegio Trilingüe y en el Colegio Mayor de San Ildefonso, de la famosa ciudad alcalaína. Y canónigo magistral de la iglesia complutense de Santos Justo y Pastor.

T

Firmó alguno de sus escritos con su anagrama latino: *Trepus Ruitanus Lamira,* y también con el de "Juan Pablo Ricci".

La fama con que Torres Rámila ha llegado hasta nosotros no la debe a sus obras, sino a sus feroces ataques contra Lope de Vega, publicados en la *Spongia*—1617—. Ataques en los que, dicho sea de paso, Torres Rámila no fue sino *quien dio la cara,* ya que la bilis volcada en ellos correspondía a otros varios adversarios del "monstruo de la Naturaleza" *más cucos* que Torres. Por la publicación de la *Spongia,* el pobre testaferro Torres Rámila sufrió sañudos ataques de los innumerables admiradores de Lope, quienes, luego de destruir todos los ejemplares de la *Spongia,* publicaron la *Expostulatio Spongiae*—1618, apología de Lope.

La inmensa idolatría que España sentía por Lope se volvió airada contra el infeliz canónigo complutense y le eliminó de la notoriedad y aun le representó en láminas y *ex-libris* como un escarabajo inmundo a quien ha matado el olor de una rosa—Lope.

V. ENTRAMBASAGUAS, Joaquín: *Una guerra literaria del Siglo de Oro. Lope de Vega y los preceptistas aristotélicos.* Madrid, 1932.

TORRES RIOSECO, Arturo.

Prosista, ensayista, historiador y crítico literario, una de las mentalidades más lúcidas y fértiles de las letras hispanoamericanas contemporáneas.

Nació en 1897 en Talca (Chile). Estudió en la Universidad de Chile y en la de Minnesota. Vive en Texas. Ha colaborado en *Atenea*—Concepción (Chile)—, *Nosotros* —Buenos Aires—, *Repertorio Americano* —San José (Costa Rica)—, *Revista Cubana* y *Cuba Contemporánea*—la Habana—, *Revista de Revistas*—México—, *Cosmópolis* y *Cervantes*—Madrid—, *Hispania* y *Romanic Review*—Estados Unidos de América—y *Mercure de Francia*—París—.

En los Estados Unidos ha obtenido los diplomas universitarios de B. A., M. A. y Ph. D. Ha sido instructor de español en el Williams College; lector de español en la Universidad de Minnesota, profesor de español en la Universidad de Texas, profesor de la Escuela de Verano en la Universidad de México, y actualmente profesor de la Universidad de Columbia.

Pocos críticos tan agudos y certeros, tan comprensivos y fecundos como Torres Rioseco. Aun cuando ha vivido largo tiempo en los Estados Unidos, jamás ha decaído en él su interés por las letras hispanoamericanas, a las que consagra un esfuerzo perenne y una clarividencia ejemplar.

Es extraordinaria su cultura. Feliz su memoria. Sumamente originales sus puntos de vista. Certeros sus juicios. Modernas enteramente sus teorías. Elegante y vivo su estilo.

Ha publicado: *En el encantamiento*—García Monge, San José, 1921—, *Walt Whitman* —ídem, 1922—, *Precursores del modernismo* —Calpe, 1924—y *Antología de prosistas hispanoamericanos* — Johnson Publishing Co., 1927—, *La novela en la América hispana, Novelistas contemporáneos de América, Vida y poesía de Rubén Darío*—1944—, *La gran literatura iberoamericana*—1945...

V. "ALONE" (Díaz Arrieta, Hernán): *Panorama de la literatura chilena durante el siglo XX.* Santiago, 1931.—LATORRE, Mariano: *La literatura en Chile.* Buenos Aires, 1941. Facultad de Filosofía y Letras.

TORRES VILLARROEL, Diego de.

Famoso catedrático, erudito, poeta. 1693-1770. Hijo de un famoso librero de Salamanca, nació en esta ciudad en 1693 y, según él mismo cuenta en su amenísima autobiografía: "Aprendí a bailar, a jugar la espada y la pelota, a torear y hacer versos; abría puertas, falseaba llaves, hendía candados y no se escapaba de mis manos pared, puerta ni ventana en donde no pusiese las disposiciones de falsearla, romperla o escalarla."

Se escapó a Portugal—1713—. Sirvió a un ermitaño. Se hizo pasar, en Coimbra, por alquimista y danzarín. Sentó plaza de soldado. Desertó. Perteneció a la cuadrilla de unos toreros salmantinos. Se dedicó a redactar almanaques con los más desaforados pronósticos. Se ordenó de subdiácono para gozar de ciertas capellanías—1715—. Bordó gorras y chinelas en un chamizo de la plaza Mayor, de Madrid—1723—. Armado de un descomunal espadón, se dedicó a perseguir a los duendes de todas las casonas embrujadas de la villa del oso y el madroño. Vivió dos años a expensas de la condesa de Arcos—1724—. Ganó en oposición brillantísima una cátedra de Matemáticas en la Universidad de Salamanca—1726—. Se ordenó sacerdote—1745.

En resumen, salió "gran danzante, buen toreador, mediano músico y refinado y atrevido truhán". Torres Villarroel era enteco, escurridizo y verdoso. Tenía la cabeza de pronunciada dolicocefalia y los ojos ahuevados y la voz de tiple. Sin querer, nos lo figuramos como aquel don Cleofás, metique y catasalsas, a quien el diablo cojuelo levantaba los techos de las casas vecinales de mucho jaleo para que oliscase y sacase motivos de jolgorio. Como el don Cleofás, Villarroel llevaría un casaquín raído y rancio, unos espejuelos de . quita y pon irritantes de impertinencia, un peluquín movedizo con su coleta lacia, una caja de rapé y unos zapatos con hebilla de lo más deslucido que cabe imaginar. Villarroel envolvía sus piernecillas zambas en unas blancas medias de algodón. Y sus brazos largos, simiescos, se resolvían en unas manos de bruja sabática manipuladoras de ungüentos y bebedizos.

La gran ilusión de Villarroel joven, cuando le echaban con cajas destempladas de todas partes, era emular a cuantos pícaros más pícaros ha tenido la picaresca literaria de España. Ser un pícaro literario, eso es. Se lo propuso con ahínco y lo consiguió con exceso. Su juventud es una sarta de jugarretas ingeniosas, de chistes de buena ley, de salidas de tono y de tino, de argucias punibles, de aventuras dislocadas de mucha enjundia. Si Quevedo hubiera conocido a don Diego, hubiera encarnizado más aún su linaje de diablos orates, de homúnculos mágicos; porque don Diego excedía al empalme de Lázaro de Tormes, de Gregorio Guadaña, de Guzmán de Alfarache, de Pablillos de Valladolid y de cuantos bastardos han dado regocijo a las musas y sales y pimientas a la vida.

A Villarroel le gustó pasar por el niño malo, por el jovenzuelo pervertido, por el hombre indeseable. Y si alguien ponía en duda su calidad moral, él exageraba la nota con un estrépito de cosa ensayada a solas. Posiblemente lo que sucedió no es que don Diego fuera un auténtico pillo paradigmático, sino que representó como nadie el papel literario del pícaro español, ya a principios del siglo XVIII—circunspección, fría erudición, modales correctos de rigodón, frases rimbombantes de enciclopedia, hipocresía volteriana—, bastante de capa caída.

Con tales antecedentes, con apariencias semejantes, ¿quién iba a creer a pie juntillo en la ciencia de Villarroel? Nadie suponemos la jerarquía intelectual en el charlatán de plazuela que elogia los específicos, ni en el "cicerone" que recita de carrerilla sus conocimientos, ni en cuantos viven de echar viveza—o vivería—a los prospectos arrojadizos y a las recetas religiosas. ¿Qué otra cosa, al parecer, hizo don Diego, voceador de esquinazo y editor de hojillas volanderas?

El mismo juzga sus obras con muy poca benevolencia: "No dudo que mi castellano es menos enfadoso que el que se observa en los escritos modernos. Mi cuidado ha sido hacer patente mi pensamiento con las más claras expresiones... La lectura de mis obras tiene alguna cosa deleitable, no tanto por las sales como por las pimientas. Es cierto que propongo algunas verdades y sentencias; pero si les faltara esto, ya hubiera quemado todos mis papeles. Los más de ellos los he parido entre cabriolas y guitarras, y sobre el arcón de la cebada de los mesones, oyendo los gritos, chanzas, desvergüenzas y pullas de los caleseros, mozos de mulas y caminantes; y así están llenos de disparates, como compuestos sin estudio, quietud, advertencia y meditación."

¡En cuerpo y alma quiso enmascararse don Diego! ¡Qué afanes los suyos en parar en revoltoso sin enmienda! Sin embargo, la crítica literaria no se ha dejado engañar. Poco a poco ha ido desenredando la madeja que él dejó tan enmarañada como zarpa de gato. Y cogiendo cabos y añudando trozos, dejando sin enredos el hilo de la verdad, he llegado a la conclusión de que fue Villarroel un espíritu sutil, una inteligencia privilegiada, una pluma castiza, un temperamento fuerte, de una pieza. Sus conocimientos matemáticos fueron muy grandes. En los pronósticos de sus Almanaques acertó muchas veces; así, anunció la muerte de Luis I y el motín de Esquilache. La Revolución francesa la predijo—Almanaque de 1753—en esta famosa décima:

> Cuando los mil contarás,
> con los trescientos doblados
> y cincuenta duplicados,
> con los nueve dieces más,
> entonces, tú lo verás,
> mísera Francia, te espera
> tu calamidad postrera
> con tu Rey y tu Delfín,
> y vendrá entonces su fin
> tu mayor gloria postrera.

Sí, don Diego supo mucho. Ya estamos en el secreto. Y si él quiere que no le dejemos en ridículo trayéndole a la proyección de la verdad, por nosotros quédese retratado como él apetecía: verdoso y rancio, con los espejuelos impertinentes y la sonrisa cínica, el peluquín torcido y las manos garduñas, apoyado en una mesa llena de alambiques, matraces, retortas y probetas, delante de un armario colmado de líquidos sospechosos, de colores, con un búho minervino posado en el hombro, y cernida su cabeza de los vuelos de trapo de los murciélagos.

Torre Villarroel escribió mucho y escribió bien. Dominaba el idioma. Las ideas le brotaban claras. Fue un verdadero polígrafo. Sus obras comprenden varios grupos: poesías, biografías, composiciones dramáticas, imitaciones de Quevedo, raras y extravagantes, científicas.

Entre las principales merecen destacarse: Los desahuciados del mundo y de la gloria —1736-1737—, Juguetes de Talía—1738—, Anatomía de lo visible y de lo invisible en ambas esferas—1738—, Sueños morales —1743—, Vida, ascendencia, nacimiento, crianza y aventuras del doctor don Diego

T

de Torres Villarroel—1743—, El ermitaño y Torres, Recetas de Torres, añadidas a los remedios de cualquier fortuna; El sacudimiento de mentecatos habidos y por haber, El gallo español, Vida de la venerable madre Gregoria de Santa Teresa, La vida natural y católica, Pronósticos — publicados anualmente bajo el nombre de "El gran Piscator".

De todos estos escritos, el que obtuvo mayor éxito fue la Vida. De ella se hicieron, durante los últimos sesenta y siete años del siglo XVIII, siete ediciones muy numerosas. Cuatro en Madrid—1743, 1789, 1792 y 1794—, respectivamente, en las imprentas del Convento de la Merced, Benito Cano, Casa de González y Viuda de Ibarra. Una en Sevilla—1743, Imprenta Real de don Diego López de Haro—, una en Valencia—1743, en Casa de Martín Navarro—, una en Salamanca—1752, Imprenta de Pedro Ortiz Gómez—. Sin contar con que el trozo sexto de la famosa autobiografía villarroelina tuvo una edición aparte: la de Salamanca—[1758]—, en la imprenta de Antonio Villagordo.

La mejor edición de las Obras completas de Torres Villarroel es la de Madrid—1794 a 1799—, en quince tomos, impresa en el excelente taller de la Viuda de Joaquín Ibarra.

Excelente edición de la Vida en Clásicos Castellanos, a cargo de F. de Onís.

V. GARCÍA BOIZA, Antonio: Don Diego de Torres y Villarroel. (Ensayo biográfico.) Salamanca, 1911.—GARCÍA BOIZA, Antonio: Nuevos datos sobre Torres Villarroel. Salamanca, 1918.—ONÍS, Federico de: Edición, prólogo y notas a la Vida. "Clásicos La Lectura". Madrid, 1912.—CANO Y CUETO, Leopoldo: Historia crítica de la poesía castellana en el siglo XVIII. Madrid, 1893.—GUTIÉRREZ, M.: Torres Villarroel, en Rev. Contemporánea. Noviembre 1885.—MONNER Y SANS, R.: El siglo XVIII. Introducción al estudio de la vida y obras de Torres y Villarroel. Buenos Aires, 1915.—ENTRAMBASAGUAS, Joaquín: Un memorial autobiográfico de T. V., en Boletín de la Academia Española, 1931.—GARCÍA BOIZA, Antonio: Torres Villarroel. Madrid, Ed. Nacional, 1948.

«TOSTADO», Alonso de Madrigal, El (v. Madrigal, Alonso o Alfonso de).

TOVAR LLORENTE, Antonio.

Nació en Valladolid el 17 de mayo de 1911. Infancia en distintas provincias españolas. Estudios de bachillerato en los Institutos de Valladolid y Albacete. Tres años de Leyes en el Colegio de El Escorial. Filosofía y Letras en Valladolid y Madrid. Viajes por el Mediterráneo, especialmente por Grecia e Italia. Intervención como colabo-

rador en excavaciones arqueológicas. Colaborador, en 1934, del Centro de Estudios Históricos, en la entonces recién fundada sección de Filología clásica. Pensionado por la Junta para Ampliación de Estudios en París y Berlín. Regresó a España al comienzo de la guerra civil, tomando parte en ella del lado nacional. En 1938 es puesto al frente de la Radio Nacional, que dirigió el último año de la guerra. Después, durante más de un año, desempeñó la Dirección General de Enseñanza Profesional y Técnica. Intervino en las visitas oficiales a Alemania e Italia del ministro Serrano Súñer. Subsecretario de Prensa y Propaganda durante unos meses.

Después de mayo de 1941 regresó a su vocación, y en 1942 fue nombrado catedrático de Latín en la Universidad de Salamanca. En 1948 fue nombrado profesor extraordinario temporal de Literatura griega en la Universidad de Buenos Aires. Ha dado conferencias en las Universidades de Viena, Göttingen, Valladolid, Granada, Buenos Aires y Cuyo (Mendoza), en los cursos de verano de Jaca, Puigcerdá, Santander, etc. En la actualidad es catedrático de la Universidad de Madrid.

Además de catedrático de la Universidad, fue secretario de publicaciones de la Universidad de Salamanca, vicedecano de su Facultad de Letras. Miembro del Instituto "Antonio de Nebrija", del C. S. I. C. Posee la encomienda de Isabel la Católica y otras condecoraciones extranjeras. Es miembro correspondiente de la Academia vasca.

Obras: Edición comentada de Virgilio Eglogas—Centro de Estudios Históricos, 1936—. Idem de Sófocles Antígona—Instituto Nebrija, 1942—. Un libro de "Estudios sobre la antigüedad", titulado En el primer giro—Espasa-Calpe, 1941—. Otro titulado Lingüística y filología clásica, su situación actual—"Revista de Occidente", 1944—. Traducciones de Eurípides: Alcestis, Las bacantes, El cíclope—"Colección Austral", 1943—; Burckhardt: Historia de la cultura griega—tomo III, "Revista de Occidente", 1945—; Pausanias: Descripción de Grecia—Universidad de Valladolid, 1946—; E. Lewy: Bosquejo de una sintaxis elemental del vascuence—en colaboración con M. Sánchez Ruipérez, Publicaciones de la Real Sociedad Vascongada de Amigos del País, San Sebastián, 1947—. Ha comenzado a publicar un Manual de lingüística indoeuropea, colección de gramáticas con textos y vocabulario de las principales lenguas de esta rama. Ha aparecido ya el gótico—1946, Ediciones Nueva Epoca—, y está a punto de salir el antiguo eslavo. Una amplia conferencia sobre España en la obra de Tito Livio, dada en 1942, con motivo del centenario de este historiador, se publicó en los "Quaderni dell' Instituto Italiano", de Madrid. Ha publicado una amplia *Sintaxis histórica latina*—Madrid, 1946—, y una *Vida de Sócrates*—"Revista de Occidente", 1947—. Además, una edición de Aristóteles: *Constitución de Atenas*—texto y traducción, Instituto de Estudios Políticos. Madrid, 1948.

Otras obras: *Los Pirineos y las lenguas prelatinas de España*—1952—, *El euskera y sus parientes*—1958—, *Ensayos y peregrinaciones*—Madrid, 1960—, *Catálogo de las lenguas de América del Sur*—1961—, *Antiguos lenguajes de España y Portugal*—1961.

TRENAS LÓPEZ, Julio.

Periodista, ensayista, crítico, autor dramático español. Nació en Málaga—1919—. En el Instituto de su ciudad cursó el bachillerato. Hizo estudios universitarios en Granada. En su adolescencia practicó la escultura. Discípulo de César Alvarez Dumont, José Nogales, Diego García Carreras y Francisco Palma García. Abandonó la plástica en plena adolescencia también, dedicándose al periodismo. Sus primeros trabajos aparecieron en *La Unión Mercantil* y *La Unión Ilustrada*. Después trabajó en el diario *Sur*. Intervino en la fundación de Radio Málaga Onda Corta, donde realizó una crónica diaria titulada "Glosario sentimental". Escribió artículos en el diario *Sur* y realizó crítica plástica y de espectáculos. En 1939, en el teatro Cervantes, estrena su primera comedia, en colaboración con José Pacios Jiménez: *Vida sin amor*. Dos años después, Enrique Rambal la estrenó en el Cervantes, de Málaga, y repuso en varias provincias, su comedia *Sergio Braniesky,* en colaboración también con Pacios Jiménez. En 1940 llegó a Madrid, como redactor de la entonces Delegación de Prensa. Trabajó activamente como periodista. Colaboró en la Agencia Logos, revista *Letras, Arriba* y diversas publicaciones. En la primera etapa de la *Gaceta de la Prensa Española*, y a partir del tercer número, figuró como redactor-jefe de la publicación. En ella publicó una serie de estudios monográficos sobre periódicos del siglo XVIII. Entre ellos, *El Duende, El Mercurio Histórico y Político, El Pensador, El Bufón de la Corte, Caxón de Sastre, El Belianís Literario,* etc. También un estudio monográfico sobre "El pensamiento de la nación" y otros trabajos de investigación periodística. Al fundarse el "semanario de la política y el espíritu" *El Español*, figuró en él como redactor fundador. Desde el número uno hasta el último de esta gran publicación trabajó en ella, bajo el magisterio y dirección de Juan Aparicio. En *El Español* llevó como sección fija la titulada "Es-

cuela de Tauromaquia", y redactó entrevistas, reportajes, crítica literaria y ensayos. Al fundarse *La Estafeta Literaria* quedó dentro de ella e inició, bajo el seudónimo "El Silencioso", una activa labor de crítica y anecdótica de las tertulias de Madrid. Esta faceta periodística suya es muy movida y objeto de diversas interpretaciones. Lo cierto es que despierta el interés de toda España en torno a una serie de nombres y valores de la literatura casi desconocidos hasta que son aireados en esta página de *La Estafeta.*

En 1943, Julio Trenas publicó, editada por "Estilo", de Madrid, su primera novela, titulada *Sol en las persianas*. Intervino activamente en *Fantasía* y *Fénix,* fundadas también por Juan Aparicio. En la primera de estas revistas publicó su comedia en un acto *La esquina habitada,* que anteriormente leyó en el Ateneo de Madrid, y la novela corta *Lola Lago*. Realiza, al par de su labor periodística continuada en *El Español* y *La Estafeta,* labor de crítica de arte en el semanario *Juventud*. En el Concurso Nacional de Literatura del año 1949 presenta el libro *Notas y escolios de la afinidad estética,* y obtuvo el único accésit convocado. El mismo año estrena en el teatro Serrano, de Valencia, con la compañía de Emilio C. Espinosa, la comedia cómica *Y demás parientes,* escrita en colaboración de Comín Colomer y Francisco Garfias. En 1950 dio una conferencia en un ciclo organizado por la Jefatura Provincial de Valencia, sobre el tema "Los escritores y el comunismo". En mayo del mismo año pronunció en el Ateneo de Madrid la conferencia titulada "Murmuración y literatura". El 5 de mayo de 1951 estrena en "El Retablo de las Siete Estrellas", del Centro de Instrucción Comercial, su comedia en un acto *Como la resaca,* comedia que había sido citada en fallo "con méritos análogos al premio" en el Concurso Nacional de Literatura de 1950. En 1951 escribió un libro de narraciones infantiles titulado *Un cuento para cada hijo*. Desde 1949 redacta diariamente en el diario *Pueblo,* de Madrid, una sección de chismes literarios y de todo tipo, titulada "Los chismes del compadre". Más adelante cambia esta sección por una "Crónica de Madrid", con carácter diario, donde toca parecidos temas. Es también redactor de Radio Nacional de España, en la que desarrolla, para América, una emisión literaria semanal. Es miembro correspondiente de la Academia de Bellas Artes de San Telmo, de Málaga.

Obtuvo—1954—el famoso "Premio Lope de Vega" con su drama *El hogar invadido.*

Otra obra: *La apoteosis de la crispación* —ensayo, 1963.

T

TRIGO, Felipe.

Gran novelista español. Nació—1864—en Villanueva de la Serena (Badajoz). Murió —1916—en Madrid. Cursó el bachillerato en el Instituto de Badajoz y la carrera de Medicina en la Facultad de San Carlos, de Madrid. Ejerció algunos años de profesión en pueblos, como Trujillanos (Badajoz) y Valverde de Mérida. Entró, por oposición, en el Cuerpo de Sanidad Militar, siendo destinado a Sevilla. En esta capital se inició su vocación literaria. Fundó y dirigió la revista *Sevilla en broma*, firmando los artículos con el seudónimo "Ravachol", y le fue estrenado por Julián Romea, en el teatro de San Fernando, su sainete *El primo de mi mujer*. En Sevilla publicó—1891—su primer libro: *Etiología moral*, en el que reunía unos cuantos artículos aparecidos en *El Globo*, de Madrid. De Sevilla pasó Trigo a Trubia, y de Trubia a Filipinas. Su comportamiento durante la guerra de España contra la insurrección de estas islas, apoyadas por los Estados Unidos, fue sencillamente heroico. Batalló angustiosamente como médico y como militar. Y en una ocasión fue dejado por muerto, con quince heridas, sobre el campo de batalla. Al recobrar el conocimiento, huyó, arrastrándose, tardando una noche entera en recorrer un kilómetro.

De regreso a España, aún convaleciente, escribió—1897—su libro: *Cuatro generales (Blanco, Primo de Rivera, Polavieja y Lachambre)*, colección de artículos con sus impresiones de la guerra filipina, que impresionó hondamente a España.

Al pasar Trigo al Cuerpo de Inválidos de Guerra, decidió volver a ejercer su profesión, en tanto no lograra la fama con sus libros. Esta no tardó en aureolarle sino el tiempo que tardó él en escribir y publicar su primera novela: *Las ingenuas*—Madrid, 1901—. Antes, Cánovas del Castillo le había ofrecido—1897—el gobierno de Cuba, que él rechazó, deseando dedicarse por completo a la literatura.

El éxito de *Las ingenuas* fue inmenso. Con una sola obra—eso sí: una de las mejores novelas naturalistas españolas—Trigo quedó considerado como uno de los más interesantes novelistas de la época.

Asombra y entristece al crítico—ajeno a todas las consideraciones que no sean las del arte y las de la justicia—la incomprensión, la mala fe, la injusticia con que la crítica literaria española ha juzgado la importantísima labor novelística de Felipe Trigo. Peor para ella. Porque un día cualquiera, las novelas de Trigo resurgirán esplendorosamente y ocuparán el alto lugar que merecen en la historia de la novela española contemporánea. Si Trigo hubiera sido francés

o italiano, su nombre sería universal, como lo son los de Bourget, Huysmann, Verga, Deledda, Moravia y tantos otros, que le son muy inferiores como creadores, como psicólogos, como coloristas y hasta como estilistas. Quiera o no la crítica española actual —que no le ha leído, que no le ha entendido—, Trigo es uno de los más grandes novelistas españoles. ¿Que tiene defectos? ¡Naturalmente! ¿Que en ocasiones pasa la raya de lo permitido por la sociedad pacata en materia de sexualidad y de sensualidad? No seré yo quien lo niegue. Pero jamás hizo Trigo de esos excesos y de esos defectos su *personalidad*. Siempre le sacó noblemente de ellos su *intención humana*, su *idealismo inmenso* por una vida social mejor. *Todos los innumerables* discípulos de Trigo hicieron del erotismo un *cálculo económico*; Trigo, jamás. No rehuía, pero no buscaba lo erótico. En sus novelas, lo erótico llega con *el trozo de realidad* captado, *como contraste con la ejemplaridad* que preconiza.

Felipe Trigo poseyó las cualidades y las calidades máximas necesarias al gran novelista: poder creador de seres y de pasiones; inventiva original y viva; valentía y sutileza para afrontar los temas hondos y espinosos; dominio de la técnica narrativa: dibujo sugestivo y perfecto y colorido caliente y brillante, y un estilo *personalísimo*. La crítica actual—una vez más dando en la herradura—ha juzgado desfavorablemente tal estilo, creyéndolo oscuro, descuidado, muy incorrecto, acaso más por intento de singularidad que por ignorancia o falta de atención. El estilo de Trigo—¡no nos acordemos del Diccionario de la Gramática de la Academia para juzgar *un estilo*, que es *el hombre!*—resulta originalísimo, extraño, luminoso, muy acorde *con el fondo* de sus novelas, a las que presta uno de sus mayores encantos. El estilo de Trigo es un estilo hecho frase a frase, como el orfebre repuja o niela milímetro a milímetro el trozo de metal precioso. Estilo ardiente, deslumbrante, exótico, el de Trigo, que choca, que irrita a veces, que seduce en ocasiones, y del que siempre se guarda un recuerdo marcadísimo. En suma: ¿no es mejor así que uno más entre tantos de *aguachirle*, pero muy ortodoxos?

Unicamente tres críticos españoles—entre 1900 y 1920—supieron *ver* el valor literario de Trigo, y lo ensalzaron con valentía y entusiasmo. Me refiero a Andrés González-Blanco, a Manuel Abril, a Julio Cejador.

Sea como fuere, Trigo alcanzó una enorme popularidad, agotó copiosas ediciones de sus libros—algunos de los cuales fueron traducidos a varios idiomas—, levantó una verdadera legión de discípulos e imitadores —ninguno de los cuales tuvo ni su enjundia ni su arte ni su virilidad emotiva—, y fue el novelista predilecto de la mujer. Fue un realista; un enorme y opulento escritor realista, con tendencia a un idealismo fecundo o a un ensueño ennoblecedor.

Otras obras: *La sed de amar*—novela, 1903—, *El alma en los labios*—novela, 1904—, *Del frío al fuego*—novela, 1905—, *La Altísima*—novela, 1907—, *La bruta*—novela, 1908—, *La de los ojos de color de uva*—novela, 1909—, *Sor Demonio*—1909—, *En la carrera*—novela, 1909—, *Socialismo individualista*—ensayo, 1906—, *La clave*—novela, 1910—, *El amor en la vida y en los libros*—estudio, 1907—, *Las Evas del Paraíso*—novela, 1910—, *Las posadas del amor*—novela, 1909—, *Cuentos ingenuos*—1910—, *Así paga el diablo*—novelas, 1911—, *El médico rural*—novela, 1912—, *Los abismos*—novela, 1913—, *Jarrapellejos*—novela, 1914—, *La crisis de la civilización*—estudio, 1915—, *El papá de las bellezas*—novela, 1913—, *Si sé por qué*—novela, 1916—, *Las sonatas del diablo: I. En camisa rosa*—novela, 1916—, *En mi castillo de luz*—novela póstuma, 1917—, *Murió de un beso*—novela, 1925—y varias novelas breves, publicadas en las principales revistas de España, entre las que merece destacar: *El domador de los demonios...*

V. ABRIL, Manuel: *Felipe Trigo. Exposición y glosa de su vida, su filosofía, su moral, su arte y su estilo.* Madrid. Renacimiento, 1917. (Libro fundamental para el estudio de esta magnífica figura literaria.)—PESEUX-RICHARD, H.: *Felipe Trigo,* en *Revue Hispanique.* XXVIII, 317-89.—GONZÁLEZ-BLANCO, A.: *Historia de la novela en España.* Madrid, 1909.—CEJADOR Y FRAUCA, J.: *Historia de la lengua y literatura españolas.* Tomo XII.—ROMERA NAVARRO, M.: *Historia de la literatura española.* Boston, 1928.—SAINZ DE ROBLES, Federico Carlos: *La novela corta española (Promoción de "El Cuento Semanal").* Madrid, Aguilar, 1952.—SAINZ DE ROBLES, F. C.: *La novela española en el siglo XX.* Madrid, Pegaso, 1957.—NORA, Eugenio G. de: *La novela española contemporánea.* Madrid, Gredos, 1958, tomo I, páginas 385-86.—DÍEZ CANEDO, Enrique: *Conversaciones literarias.* Madrid, 1921.—GONZÁLEZ BLANCO, Andrés: *Antología* en "La Novela Corta", Madrid, 1921.—TON, J. P.: *Felipe Trigo. Estudio crítico de sus obras novelescas.* Amsterdam, Proelschrilt, 1952.—WATKINS, Alma Taylor: *Eroticism in the Novels of Felipe Trigo.* Nueva Yokr, Bookman Associates, 1954.

TRIGUEROS, Cándido María.

Poeta y autor dramático español. Nació —1736—en Orgaz (Toledo). Murió hacia 1801. Presbítero. Beneficiado de Carmona.

Vivió largas temporadas en Sevilla, protegido por Olavide y donde fue miembro de la Academia de Buenas Letras. Envió varias poesías al concurso organizado por el Concejo de Madrid—1784—, siendo premiada una de ellas, *Los menestrales,* juntamente con otra de Meléndez Valdés. Aficionadísimo a los seudónimos, utilizó los de "Crispín Camarillo", "Don Saturio de Iguren" y "Juan Nepomuceno González de León".

En 1776 publicó en Sevilla *Poesías de Melchor Díaz de Toledo,* atribuyéndolas a un autor del siglo XVI; pero se descubrió en seguida la superchería, por ser su lenguaje más arcaico que el de ese siglo.

Desilusionado al ver fracasar todas sus obras, tanto poéticas como dramáticas, y comprendiendo mejor que casi todos los literatos de su tiempo las bellezas de las obras escénicas del Siglo de Oro español, se dedicó a refundir comedias de Lope—*La moza de cántaro, Los melindres de Belisa, La estrella de Sevilla* (con el título de *Sancho Ortiz de las Roelas)*—, obteniendo singulares éxitos, y, como dice Menéndez Pelayo, "dando y ganando la primera batalla romántica treinta años antes del romanticismo".

Tenía talento, buen gusto y cultura; pero le faltaba don creador y gracia personal. Tuvo, en compensación, una gran habilidad para adaptar las obras de otros autores, inclusive mejorándolas en partes, como probó con *Sancho Ortiz de las Roelas* y con *Británico,* tragedia de Racine. Su nombre figura en el *Catálogo de autoridades* del idioma.

Obras: *El poeta filósofo, o Poesías filosóficas en verso pentámetro*—Sevilla, 1774, folleto que solo contiene un poema: *El hombre*—; *La Desesperación y la Esperanza*—poemas, 1774—, *La moderación, La ternura, El odio, El deseo, La falsa libertad, El remordimiento*—poemas, 1775—; *La reflexión*—poema, 1776—, *La Alegría, La Tristeza*—poemas, 1777—, *El viaje al cielo del poeta filósofo*—poema en elogio de Carlos III, Sevilla, 1777—, *San Felipe Neri* y *La riada*—poemas, Sevilla, 1784—, y las producciones escénicas *Ciane de Siracusa, Cándida, o La hija sobrina; Los ilustres salteadores, Lengua de hacha, El mísero y el pedante, o Duendes hay, señor don Blas; El muerto resucitado...*

Son de Trigueros también: *Mis pasatiempos, almacén de fruslerías agradables*—Madrid, 1804—; *Historia pastoral...*—Madrid, 1798—y *Teatro español burlesco, o Quixote de los teatros, por el maestro Crispín Caramillo*—Madrid, 1802...

V. SEMPERE GUARINOS, J.: *Biblioteca de escritores españoles del tiempo de Carlos III.* FORNER: *Suplemento al artículo "Trigueros",* de dicha "Biblioteca".

T

TRILLO Y FIGUEROA, Francisco de.

Gran poeta y prosista español. Nació —¿1618?—en La Coruña. Murió después de 1675. De once años marchó a Granada, ciudad en la que su padre desempeñaba el cargo de magistrado, estudiando Leyes en dicha ciudad. Entre 1640 y 1643 sirvió a la patria con las armas, en Flandes, donde cobró fama de valiente y honrado caballero. De regreso a la ciudad del Darro, se entregó por completo a la poesía y a los estudios históricos, perteneciendo a todas las Academias granadinas literarias. Sus *Poesías varias, heroicas, satíricas y amorosas* se publicaron en Granada—1652.

Poeta fácil, de gracejo encantador, satírico profundo, imitó Trillo de tal manera al Góngora culterano, que durante mucho tiempo poesías de aquel han sido atribuidas al vate cordobés. Es su mejor elogio. Tal vez aún exageró más la nota del culteranismo, y mucho más la atrevidísima en determinadas *pinceladas.* Tradujo hermosamente a varios poetas griegos, principalmente a Anacreonte.

Trillo es aún más atrevido en las imágenes que el maestro cordobés; no le detienen en sus juegos retóricos ni el decoro ni el respeto mínimo a las conveniencias sociales. Su desenfado es grande. Sus versos cortos recuerdan a Anacreonte, a Ovidio, a Virgilio y a Boecio. Pero en los romances y en las letrillas su único modelo es Góngora. Y una de estas, *Soy toquera,* es una de las más libres canciones burlescas que se han compuesto en castellano. Como casi todos los poetas barrocos, Trillo presenta una desconfianza grande en cuantos afectos pueda sentir la mujer. Es un resentido de alguna mala partida femenina. Aun cuando parece como si este gesto agrio y desconfiado ante el amor fuera como uno de los caracteres del barroquismo.

Su nombre figura en el *Catálogo de autoridades* del idioma, publicado por la Academia Española. Utilizó por nombre poético el de "Daliso".

Otras obras: *Epitalamio*—Granada, 1649—, *Epitalamio*—1650—, *Neapolisea. Poema heroyco del Gran Capitán*—Granada, 1651—, Dejó preparadas, sin llegar a publicarlas, otras *Poesías.* En el Museo Británico se conserva el manuscrito de una historia suya de su ciudad natal, en prosa excelente. Dejó escritas otras muchas obras en prosa: *Discursos cronológicos, Blasones y cruces de la nobleza de España, Historia y antigüedades del reino de Galicia, Epítome de la historia del rey Enrique IV de Francia, Historia política del Rey Católico...*

Sus poesías pueden leerse en el tomo XLII de la "Biblioteca de Autores Españoles" y en la *Historia y antología de la poesía española*—1951—, de Sainz de Robles.

V. OROZCO, E.: *Un poema de Trillo y Figueroa desconocido,* en *Boletín de la Universidad de Granada,* 1940, XII, 103.—CEJADOR, J.: *Historia de la lengua y literatura españolas.* Tomo V.—SAINZ DE ROBLES, F. C.: *Historia y antología de la poesía española.* Madrid, Aguilar, 1951, 2.ª edición.

TRONCOSO DE LA CUESTA, Manuel de Is.

De la República Dominicana. Escritor, historiador y jurista. Ex presidente de la República Dominicana. Presidente de la Academia Dominicana de la Historia. Su prosa es fluida y elegante. Se dedica especialmente a los temas jurídicos y de investigación social e histórica. Nació en Santo Domingo de Guzmán el 3 de abril de 1878.

Ha publicado: *Elementos de Derecho administrativo con aplicación a las leyes de la República Dominicana*—1939—, *La ocupación de Santo Domingo por Haití*—1942—, *El brigadier don Juan Sánchez Ramírez* —1944—y *Narraciones dominicanas*—1946.

TRUEBA, Antonio de.

Poeta y novelista español muy popular en su época. Nació—1819—en Montellano (Vizcaya). Murió—1889—en Bilbao. En su mocedad fue dependiente de una ferretería. A los quince años, sus padres, modestos labradores, le enviaron a Madrid, con un tío suyo, para librarle de los peligros de la guerra civil. Sirvió al Concejo madrileño con un sueldo de diez reales diarios, pero que le dejaba tiempo para sus escritos literarios y para amistar con muchos hombres de letras. En 1851 obtuvo un gran éxito con su obra *El libro de los cantares.* Redactor de la *Correspondencia de España* y colaborador de *La Ilustración Española y Americana, El Museo Universal* y *El Semanario Pintoresco Español.* En 1862 fue nombrado cronista y archivero del Señorío de Vizcaya, regresando a su tierra lleno de gozo y popularizándose en ella con el nombre "Antón el de los Cantares", que le dieron sus paisanos en el colmo de una admiración sin límites. Dirigió la hoja literaria de *El Noticiero Bilbaíno.* Recibió grandes homenajes en su tierra natal. Pero su nombre y sus obras eran estimados en toda España.

"Su estilo es llano y desaliñado; su léxico, escaso; los tipos, caracteres y paisajes están bien observados, pudiendo considerársele como el precedente del realismo local de un Pereda y una ampliación de los cuadros de costumbres de "Fernán Caballero". No creemos que merezca la acerba censura de algún crítico por su excesiva sensiblería y ñoñez, y sin negar algo de esto, tampoco exaltamos, como otros, el valor de este escritor, en el que brilla más la bondad que la poesía, más el candor que el propósito intencionado de sus cuentos." (Hurtado de Palencia.)

El anterior juicio me parece exacto.

Algunas obras: *El Cid Campeador*—novela, 1851—, *La paloma y los halcones*—novela, 1865—, *El gabán y la chaqueta*—novela, 1872—, *Redentor moderno*—novela, 1876—, *Libro de los recuerdos*—1898—, *Libro de las montañas*—1867—, *Cuentos de color de rosa* —1859—, *Cuentos campesinos*—1860—, *Cuentos populares*—1862—, *Cuentos de varios colores*—1866—, *Cuentos de vivos y muertos*—1866—, *Cuentos del hogar*—1875—, *Bilbao*—historia, 1878—, *Madrid por fuera* —1878—, *Mari-Santa*—cuadros, 1874—, *Fábulas*—1850—, *Arte de hacer versos...* —1881—, *De flor en flor*—1882...

La mejor edición de las obras de Trueba es la publicada en Madrid por el editor Rubiños, entre 1905 y 1924, en once volúmenes.

V. GONZÁLEZ-BLANCO, Andrés: *Antonio de Trueba: su vida y sus obras*. Bilbao, 1914.— BECERRO DE BENGOA, Ricardo: *Trueba. Estudio biográfico*. Madrid, s. a.—ECHEGARAY, Carmelo: Prólogo a una *Selección* de obras de Trueba. Madrid, 1920.—ZALBA, José: *Bibliografía de Trueba*, en *Euskalerriaren Alde*, 1917, 1918 y 1919.

TRUEBA Y COSSÍO, Telesforo.

Poeta, prosista y erudito español. Nació —1799—en Santander. Murió—1835—en París. Estudió en París y Londres. Diplomático. Agregado—1822—a la Embajada de España en la capital inglesa. Amigo de Alberto Lista. De ideas liberales, salió de su patria al instaurarse en ella el absolutismo, dedicándose en Londres a la literatura y a propagar obras españolas. Escribió muchas de sus obras en inglés, idioma que dominaba excepcionalmente. Popularizó en Inglaterra la mayor parte de nuestras leyendas. Todas sus producciones fueron del gusto de Walter Scott. En 1834 regresó a España, y fue elegido diputado.

Obras: *Gómez Arias, o Los moriscos de las Alpujarras*—Madrid, 1831—, *The Castilian*—Londres, 1829, novela sentimental—, *The romance of History of Spain*—Londres, 1830, treinta leyendas, traducidas con el título de *España romántica*, Barcelona, 1840—, *El castellano, o El príncipe Negro en España*—Barcelona, 1845—, traducción de *The Castilian*—, *The Exquisites, Salvador de Guerrilla, The Incognits*—1831—, *Paris and London*—1831—, *The Royal Fugitive*—drama histórico, 1834—, *Mr. and Mrs. Pringle* —comedia—, *Call Again to Morrow*—comedia—, *The Man of Pleasure*—comedia...

Hay edición moderna—Madrid, 1942, "Colección Saeta"—de *La España romántica*.

V. MENÉNDEZ PELAYO, M.: *Trueba y Cossío*, en *Est. de Crít. Literaria*, 1942, VI, 83.— GONZÁLEZ PALENCIA, A.: Prólogo a *La España romántica*. Madrid, 1942.

TRULOCK, Jorge C.

Novelista y cronista español. Nació —1932—en Madrid. Su verdadero nombre es Jorge Cela Trulock, siendo hermano de Camilo José Cela. Estudió el bachillerato en el madrileño Instituto Ramiro de Maeztu y parte de la carrera de Derecho en la Universidad de Madrid. Ha cursado los estudios completos de la Escuela Oficial de Periodismo. En 1959, secretario de *Cuadernos Hispanoamericanos*. En 1960, secretario de la revista mallorquina *Papeles de Son Armadans*, dirigida por su hermano Camilo José. En 1953 ganó un accésit en el concurso de cuentos convocado por el semanario de Madrid *Juventud* para noveles. En 1954 ganó el "Premio". En 1957 ganó el "Premio Ateneo de Valladolid" para cuentos, y en 1956 quedó entre los cuatro finalistas del "Premio Nadal".

Jorge C. Trulock, bien distinto a su hermano en designio, invención y técnica, cultiva un realismo entreverado con la fantasía, valiéndose de un estilo peculiarísimo y de un lenguaje directo; este y aquel cuajados de imágenes sorprendentes y de paradojas plenas de originalidad.

Obras: *Las horas*—novela, Barcelona, 1958—, *Blanquito, peón de brega*—novela corta, 1957—, *Trayecto Circo-Matadero*—novela, Madrid, 1965—, *Compota de adelfas* —novela, 1968—, *Cartas a la novia*—1969—, *Inventario base*—1969.

Jorge C. Trulock ha publicado muchos cuentos en importantes revistas literarias.

TUBINO, Francisco.

Historiador y literato español. Nació —1833—en San Roque (Cádiz). Murió —1888—en Sevilla. Autodidacto, por carecer de medios para asistir a la Universidad, adquirió una gran cultura. Dirigió el diario *Andalucía*. Asistió a la guerra de Africa —1859—, comportándose bizarramente y mereciendo varias recompensas.

De la Real Academia de San Fernando —1877—, docta corporación que—en 1866— había premiado su trabajo *Pablo de Céspedes y su época*. Perteneció también a la Academia de los Felibres y a otras de Lisboa, Moscú, Copenhague, Berlín, Viena y París.

De agudísimo juicio, gran lucidez de entendimiento, sólida preparación cultural, gran espíritu de investigador y variadísimas

T

aptitudes, fue Tubino un interesantísimo escritor, injustamente olvidado hoy. En Madrid fundó—1866—la *Revista de Bellas Artes*. Gran crítico de arte.

Obras: *El "Quijote" y la Estafeta de Urganda*—Sevilla, 1862—, *La Corte en Sevilla*—1862—, *Gibraltar*—Sevilla, 1863—, *Un trono en México*—Sevilla, 1862—, *Murillo y su época*—Sevilla, 1864—, *Estudios contemporáneos*—Sevilla, 1865—, *Estudios prehistóricos*—Sevilla, 1868—, *El arte y los artistas contemporáneos en la Península*—Sevilla, 1871—, *Cervantes y el "Quijote"*—Sevilla, 1872—, *Los aborígenes ibéricos*—1876—, *La escultura contemporánea*—discurso de ingreso en la Academia de San Fernando, 1877—, *Historia del renacimiento literario en Cataluña, Baleares y Valencia*—1880—; *Los restos mortales del Cid y de Jimena...*—Sevilla, 1883—, *Estudios sobre el arte en España*—Sevilla, 1886—, *Pedro de Castilla: Leyenda de doña María Coronel y muerte de don Fadrique*—Madrid, 1887...

V. CEJADOR Y FRAUCA, J.: *Historia de la lengua y literatura españolas*, VIII, 335.

«TUDENSE», El (v. Túy, Lucas de).

TUDELA, Mariano.

Novelista y biógrafo español. Nació—1925—en La Coruña.

Obras: *La linterna mágica*—cuentos, 1948—, *El torerillo de invierno*—novela, Barcelona, 1951—, *El hombre de las tres escopetas*—novela, 1952—, *Más que maduro*—novela, Barcelona, 1956—, *La bella Otero*—biografía, Barcelona, 1957—, *Luis Candelas*—biografía, Barcelona, 1957—, *El techo de lona*—novela, Barcelona, 1959—, *La Caramba*—biografía, Barcelona, 1960—, *Biografía de la prostitución*—Barcelona, 1960—, *Vida del joven Andersen*—biografía, Madrid, 1963—, *Nueva tierra de promisión*—novela, Madrid, 1963—, *Biografía de Valle-Inclán*—Madrid, 1964...

TURCIOS, Froilán.

Poeta, cuentista, ensayista original e intenso. Nació—1878—en Juticalpa (Honduras). Sus padres, don Froilán Turcios y doña Trinidad Canelas. Cursó el bachillerato en el Instituto Nacional de Honduras. A los dieciocho años, secretario de la Legación de Honduras en Costa Rica. En 1897, subsecretario de Gobernación, y antes de cumplir los veinte, encargado de la cartera de Gobernación y Justicia. Durante los gobiernos de Bonilla y Bertrand, ministro de la Gobernación y Justicia. Secretario de la Legación de Honduras en la Tercera Conferencia Panamericana de Río de Janeiro—1906—. Diputado al Congreso Nacional de su país.

Fundó y dirigió en Honduras tres importantes diarios: *El Tiempo, El Heraldo* y *El Nuevo Tiempo*. En otras Repúblicas del istmo fundó varios periódicos y revistas. También publicó la *Revista Nueva*, quincenal literaria, y *Esfinge*, revista antológica universal.

Soldado en las guerras encabezadas por el general Bonilla—1903 y 1911—. Ha viajado por Europa, Centro y Sudamérica y los Estados Unidos. Dirigió la revista *Ariel*.

De espíritu romántico, viva y brillante imaginación, de estilo cincelado y transparente, Froilán Turcios hace de cada una de sus obras literarias como una joya repujada y atractiva.

Ha publicado: *Mariposas*—prosa y verso, Tegucigalpa, 1895—, *Renglones: Hojas de otoño*—cuentos, prosas y versos, 1905—; *El vampiro*—novela, 1910—, *Tierra maternal*—cuentos y poesías regionales, 1911—, *El fantasma blanco*—novela corta, 1911—, *Prosas nuevas*—cuentos y poemas en prosa, 1914—, *Floresta sonora*—poesías, 1915—, *Annabel Lee, Impresiones de viaje por Francia y España...*

V. CEJADOR Y FRAUCA, J.: *Historia de la lengua y literatura españolas*. Madrid, tomo XIII.

TURMEDA, Fray Anselmo de.

Gran novelista y prosista español. Nació —¿1352?—en Lérida o en Montblanch. Murió—¿1432?—. Si hemos de creer a sus panegiristas franceses, era obeso, craso, rojizo. Y entremetido y burlón como cualquier personaje secundario del Renacimiento. Torres Amat, en su *Diccionario de escritores catalanes*, afirma que nació en Montblanch o en Lérida. Pero es el propio fray Anselmo quien se declara mallorquín. Profesó de fraile franciscano en Montblanch. Y juntamente con fray Juan Marginet—monje del Poblet—y con Na Alienor—monja de Santa Clara—, se fugó del convento a lomos de buena mula, y de España, en un velero, que necesitó ceñir no pocos escollos y esquivar bastantes naos piratas antes de ir a encallar en las costas de Túnez. Na Alienor y fray Juan Marginet se arrepintieron de su escapatoria y regresaron a Cataluña, donde su mucha penitencia les recobró una buena fama. Pero fray Anselmo, sanguíneo y aventurero, con elocuencia de chalán y picardía que precedía a la de tanto personaje gracioso de novela clásica española—desde Lazarillo hasta Buscón y Cortado—, se hizo musulmán, tomando el nombre Abdalla; se casó con la hija de Hadji Mohammad Assaffar; fue jefe de Aduanas, intérprete y tesorero del sultán Abu'l Abbas y escudero e intendente de Abu Faris y de Monlebafred, a ninguno de los cuales dejó contento como administrador.

Hacia 1423 parece ser que disfrutó de un salvoconducto del monarca aragonés Alfonso V, el *Magnánimo*, para transitar por sus reinos, *con sus mujeres, hijos e hijas, sirvientes y bienes*, valedero por dos años.

No han faltado escritores que niegan la apostasía de fray Anselmo de Turmeda. Entre ellos, don Alfonso de Castro. Pero, desdichadamente, la aseveran testificaciones de indudable valor. Así, la tradición franciscana, los cronistas benedictinos que escribieron acerca de fray Juan Marginet—su compañero de escapatoria—, y el propio salvoconducto de Alfonso V—conservado en el Archivo general de la Corona de Aragón—, en el que textualmente se lee (traducimos el texto latino): "... no obstante haber renegado de tu fe cristiana y a pesar de haber perpetrado muchos y enormes crímenes." Y, según hemos consignado anteriormente, en dicho documento se alude a su poligamia y reiterada paternidad, al hacer extensivo el permiso *una cum uxoribus, filis et filiabus, servitoribus et servitricibus sarracenis et christianis...*"

Tampoco faltan escritores quienes, no pudiendo negar la apostasía, tratan de disculparla. Así, en el *Libro de los consejos*—que don Fernando Colón adquirió el año 1524 en Medina del Campo, escribe el autor que "por su desventura [fray Anselmo] fue cautivado de moros y levado a Túnez, donde, con diversos tormentos o temor dellos fue forzado a renegar la santa fe católica".

Una piadosa tradición—en la que es difícil creer—añade que, habiéndose arrepentido fray Anselmo y confesado con grandes voces la fe católica que profesaba y profesó siempre *de corazón*, el rey de Túnez le descabezó con su propio alfanje, movido por su propia mano. Pero es el caso que como fecha del martirio se supone la de 1419...; y el famoso salvoconducto data de 1423, año en el que no es fácil admitir que Turmeda se pasease por Aragón, con sus mujeres e hijos, llevando su cabeza debajo del brazo.

Hasta muy avanzado el siglo XIX, en las escuelas de Cataluña se aprendía a leer en su libro de *Consejos Proféticos y métricos*, llamado vulgarmente *Transélm*, del nombre del autor, escrito antes de su apostasía, y cuyo título es el de *Llibre compost per Frare Ansélm Turmeda, de alguns bons amonestaments...* Sus coplas tienen ya cierto "aire" de letras de sardana, que a los niños les hacía no poca gracia:

> «En nom de Deu Omnipotent
> vull comensar mon parlament
> quil aprendre voll bon nodriment
> aquest seguescha.»

Las principales obras de fray Anselmo de Turmeda son: Primera. *De les coses que han de esdevenir segons alguns profetes e dit de alguns estrolech, tant dels fets de la esglesia e regidor de aquella e de lurs terres et provincies.* Libro de profecías que empuja a su autor dentro del grupo de los heterodoxos, y cuyo manuscrito se conserva en la Real Biblioteca de El Escorial.—Segunda. *Cobles de la divisió du regne de Mallorques, escrites en pla catalá per frare Ansélm Turmeda. Any mil trescents noranta vuyt.* Composición calificada de fácil y agradable por Menéndez Pelayo y recogida por Aguiló en su *Cansoner de les obretes mes divulgades en nostra lengua materna durant les segles XIV, XV y XVI.*—Tercera. La más curiosa e interesante, intitulada en castellano *Libro llamado del asno,* y en catalán, *Disputa del ase contra frare Enselme Turmeda sobre la natura et la nobleza dels animalls.*

Esta obra fue escrita el año 1417; se imprimió en Barcelona en 1509, y en Francia —donde tuvo un éxito inmenso por sus analogías con los escritos de Rabelais y de Buenaventura des Periers—, en 1548—Lyon—y en 1554—París—. De ella escribe Menéndez Pelayo: "La traza del libro es ingeniosa y muy del gusto de la Edad Media. El *Libro del Asno* está escrito con verdadera agudeza."

Un gran arabista español contemporáneo, Asín y Palacios, afirma que en la *Enciclopedia de los Hermanos de la Pureza* se encuentra el original árabe del *Libro del Asno*.

Que esta obrita graciosa, finamente audaz, con sus ribetes filosóficos y netamente española, tuvo *un éxito europeo*, se demuestra con decir que el famosísimo Maquiavelo la tuvo como modelo—y aun casi la plagió en algún capítulo—para su poema en tercetos *Dell' Asino d'Oro*. Ni la fecha del nacimiento de fray Anselmo ni la de su muerte son seguras. Menos aún esta que· aquella.

Hay ediciones modernas de *La disputa del asno*: en el tomo XXIV de la *R. Hispanique*; Madrid, 1932, Mundo Latino, edit. Barriobero, en la "Col. Quevedo"; y otra, parcial, en *Cuentos viejos de la vieja España*, Madrid, 1940, ed. Sainz de Robles.

V. MENÉNDEZ PELAYO: *Los heterodoxos.* 2.ª edición, 1918. Tomo I, 415-20.—MENÉNDEZ PELAYO: *Orígenes de la novela.* 1905. Tomo I, CV-CVII.—CASTRO, Alfonso: Prólogo al tomo LXV de la Biblioteca de Autores Españoles, de Rivadeneyra.—TORRES AMAT: *Diccionario de escritores catalanes.* Barcelona, 1936.—CALVET, Agustín: *Fray Anselmo Turmeda.* Barcelona, 1914.—*Le present de l'homme lettré pour réfuter les partisans de la Croix.* París. E. Leroux, 1886.— ASÍN PALACIOS, M.: *El original árabe de la*

T

disputa del asno contra Fr. A. de T. Madrid,
1914.—RIBER, L.: *Un Anti-Lulio,* en *Boletín de la Academia Española,* 1932, XIX.—
SAINZ DE ROBLES, F. C.: *Cuentos viejos de
la vieja España.* Estudios y notas. Madrid,
Aguilar, 1949, 3.ª edición.

TÚY, Lucas de.

Famoso escritor e historiador español, llamado también el *Tudense,* no porque naciera en Túy, sino porque fue canónigo regular del convento de San Isidro, de Túy.
Nació en León, en la segunda mitad del siglo XII. Murió en época incierta, que pudiera ser el año 1249. Estuvo en Roma, Constantinopla, Chipre y Jerusalén. De regreso
en España, escribió, por encargo de la reina doña Berenguela, el *Chronicon Mundi,*
acabado en 1236. Fue gran amigo de Frate
Elía, discípulo predilecto de San Francisco
de Asís, y de fray Juan Gómez, compañero
predilecto de Santo Domingo de Guzmán.
Para combatir la herejía albigense, que se
extendía por España, escribió—1234—su tratado *De altera vita fideique controversiis adversus albigensium errores libri III,* obra
tejida con trozos tomados de los *Diálogos* y
Morales, de San Gregorio, y del tratado de
San Isidoro *De Summo Bono.* De 1239 a
1249 fue obispo de Túy. Escribió, además,
los *Milagros de San Isidoro.*

Su obra fundamental lleva el título de
Coronica de Spaña por don Luchas de Tui,
con otros sucesos desde 1236 a 1252 añadidos.

Lucas de Túy utilizó para esta obra las
de Sampiro, Pelayo y otras crónicas anteriores. Resulta su obra más interesante y
detallada cuando se refiere a hechos por él
conocidos. El latín en que está escrita es
claro y sencillísimo. Su valor histórico ha
sido muy discutido.

Imprimióse esta obra latina en Francfort, 1608. La Academia de la Historia posee el códice con la traducción castellana.
De altera vita... se imprimió en Munich
—1612—y en Colonia—1618.

De la *Crónica* existen ediciones modernas: la de Schott, en *Hispania Illustrata,*
IV, 1-116; la de Puyol, en texto romanceado,
Madrid, 1926.

V. PUYOL, Julio: *Crónica de España.* Ed.
Madrid, 1926.—SCHOTT: Ed. *Hispani Illustrata,* IV.—DÍAZ-JIMÉNEZ, E.: *Don Lucas de
Túy,* en *Rev. Castellana,* 1919, V, 1-5.

U

UGARTE, Manuel.

Novelista, cuentista y periodista. Nació —1874—en la Argentina. Murió—1951—en Niza (Francia). De familia acaudalada. Desde muy joven se dedicó al periodismo y a viajar por Europa, viviendo mucho tiempo en París y algunos años en España, y asimilándose la cultura elegante y deslumbradora de la Francia fin de siglo. Colaboró en muchos periódicos madrileños, entre ellos el famosísimo *Cuento Semanal*.

Prosista de color y vida, casi siempre ligeroy superficial. Ha cultivado el cuento, la poesía, la crónica y la novela.

Amadeo Almada—en *Vidas y obras,* 1912—escribió acerca de Ugarte: "Escritor y novelista, prosista vigoroso, narrador admirable y observador delicado y sutil de todos los múltiples matices de pasión y sentimiento que caracterizan el alma trabajada y compleja de las modernas sociedades. En cuanto al estilo, es claro, fluido y elegante; en cuanto al lenguaje, es riquísimo en imágenes, muchas de ellas originales y casi todas apropiadas."

"Situado, físicamente, en Francia, desde donde escribía, y espiritualmente en Madrid y París, hacia donde volaban sus sueños, su americanismo representa, más bien, un voto de confianza en la tradición y en la cultura europeas, trasplantada al Nuevo Mundo. Nunca, eso sí, concedió atención a los elementos indígenas, ni se ocupó demasiado del mestizo. Testimonia su permanente conducta de resistencia y crítica al imperialismo del dólar, su fe irrenunciable en la tarea solidaria de los por él llamados *pueblos ibéricos*." (Luis A. Sánchez.)

Manuel Ugarte, espíritu alto y delicado, con talento sutil de sociólogo, gran fantasía de creador artístico y rebuscador inquieto de un estilo propio y seguro, fue muy leído y admirado en España. Y aún hoy se conserva de él un grato recuerdo, y sus libros se buscan y se conservan.

Obras: *Paisajes parisienses*—París, 1901—, *Cuentos de la Pampa*—París, 1902—, *Crónicas del bulevard*—París, 1903—, *La novela de las horas y de los días*—París, 1903—, *Visiones de España*—Valencia, 1904—, *El Arte y la democracia*—Valencia, 1905—, *Las mujeres de París*—1905—, *Vendimias juveniles*—poesías, 1907—, *Las nuevas tendencias literarias*—Valencia, 1909—, *Los estudiantes de París*—Barcelona, 1911—, *El porvenir de la América latina*—Valencia, 1911—, *Tardes de otoño, sinfonía sentimental*—cuentos—, *Burbujas de la vida*—cuentos—, *El destino de un continente*—1926—, *Mi campaña hispanoamericana, El dolor de escribir*—confesiones literarias—, *La patria grande, Jardines ilusorios*—cuentos—, *El camino de los dioses*—novela, 1926...

V. GONZÁLEZ-BLANCO, Andrés: *Historia de la novela...* Madrid, 1909.—ROJAS, Ricardo: *Historia de la literatura argentina.* Buenos Aires, 1924.—ALMADA, Amadeo: *Vidas y obras,* 1912.—GIUSTI, Roberto F.: *Nuestros poetas jóvenes.* Buenos Aires, 1912.—GARCÍA VELLOSO, E.: *Historia de la literatura argentina.* Buenos Aires, 1914.

ULLOA PEREIRA, Luis de.

Excelente poeta y autor dramático español. 1584-1674. Nacido en Toro, fidelísimo amigo de Olivares—al que siguió en el destierro—, su carácter tétrico, moralizante y pesimista se comunicó a sus obras poéticas —publicadas en Madrid, 1674—. Ulloa recogió el cultismo ya en sus estertores agónicos y muy terne acabó por agotarlo. Su producción más interesante es el poema *Raquel,* en octavas reales, cuyo tema es el de los amores de Alfonso VIII con la famosa judía de Toledo. Ulloa se basó en las obras de Lope—*Las paces de los reyes y judía de Toledo*—y de Mira de Amescua—*Desgraciada Raquel*—; pero en el poema de Ulloa se inspiraron Diamante para *La judía de Toledo* y García de la Huerta para *La Raquel.* El estilo de la obra de Ulloa es sentencioso hasta la confusión; en algunos pasajes, áspero, vehemente. "El último suspiro de la antigua musa castellana" llamó Quintana a este poema. Tal vez sea la obra más curiosa de Ulloa una *Epístola a un cavallero ami-*

go, que vivía en Sevilla, en la que se alaba la vida en la corte y se menosprecia la vida de aldea; algo así como una refutación a la prosa de Guevara y al *Beatus ille*, de Horacio, exaltado por fray Luis. Ulloa ve en la vida campesina como un colapso de todos los anhelos:

> Y si ahora en el número infinito
> de opiniones la veo defendida
> ninguna me convence ni la imito
> que cuando más la retirada vida
> tenga razones para tolerada,
> no se las hallo yo para elegida.
> Dura resolución desesperada
> labrarse un molde en vaciar los días
> sin que se altere la estampa nada...

Ulloa y Pereira desempeñó algunos altos cargos: Corregidor de León en 1627, asistente de Navarra hacia 1638, interventor de Hacienda en 1640, al sublevarse Portugal.

Sus grandes amigos fueron Gabriel del Corral y el doctor Felipe Godínez. En cambio, silenciaron su nombre Lope de Vega y Pérez de Montalbán. Durante su estancia en León tuvo a su cargo la educación de Juan José de Austria, hijo de Felipe IV y de la famosa actriz "la Calderona". Del hábito de Santiago. Usó el nombre poético de "Lisardo". Y el suyo propio está incluido en el *Catálogo de autoridades* del idioma, publicado por la Academia Española.

La primera edición de sus *Obras... prosas y versos* es de Madrid, 1659; la segunda, 1674, también impresa en la capital de España. De estas obras destacan las *Memorias familiares y literarias,* divididas en tres partes, llenas de noticias curiosas, maledicencias, hervores poéticos y retratos muy bien trazados de figuras y figurones de la época, y en las que el autor figura con el anagrama de "Saldino de Ovalle".

Otras obras: *Defensa de los libros fabulosos y poesías honestas y de las comedias, Porcia y Tancredo*—comedia—, *Pico y Canente*—comedia—, *No muda el amor semblante*—comedia—, *Alfonso Octavio*—comedia—, *La mujer contra el consejo*—comedia—, *Paráfrasis de los siete salmos penitenciales y soliloquios*—Madrid, 1655—, *Encuentro en Toro con el conde-duque de Olivares y noticias suyas...*

Para algunas composiciones poéticas suyas, véanse los tomos XXIX y XLII de la "Biblioteca de Autores Españoles". De las *Memorias* hay edición moderna, en "Bibliófilos Españoles", 1925, cuidada por M. Artigas.

V. CEJADOR Y FRAUCA, J.: *Historia de la lengua y literatura españolas.* Tomo V, 215-216.—FERNÁNDEZ DURO, C.: *Colección bibliográfico-biográfica de noticias referentes a la provincia de Zamora.*—ANTONIO, Nicolás: *Bibliotheca Nova.*

UMBRAL, Francisco.

Ensayista, biógrafo, periodista, cuentista, novelista. Nació—1935—en Madrid. Desde muy joven se dedicó apasionadamente a la literatura, iniciando su colaboración en diarios y revistas cuando aún era adolescente. En la actualidad es colaborador asiduo de los más importantes periódicos de España, en los que triunfa con un arte peculiarísimo y un garbo expresivo inimitable. Es, indiscutiblemente, uno de los cronistas españoles con más ingenio y gracia, con humor más sutil y desgarro más hiriente. Sus más importantes colaboraciones aparecen ahora en *La Estafeta Literaria, Mundo Hispánico* y *Ya.* Lleva una sección diaria, con temas variadísimos y sugestivos, en el diario de Valladolid *El Norte de Castilla.* Ha ganado el "Premio Nacional de Cuentos Gabriel Miró" y el "Premio Carlos Arniches", de la Sociedad General de Autores de España.

Como novelista—en prosa simpática y casi desvergonzada—cultiva un erotismo muy actual, muy apegado a las costumbres desorbitadas de una juventud entregada a las drogas, a los ayuntamientos, a la música *ye-ye,* pletórica de estridencias... En el cuento se muestra más comedido y, por ello, con mayor calidad literaria.

Obras: *Tamouré*—relatos, Editora Nacional, 1965—, *Larra. Anatomía de un dandy*—Alfaguara, Madrid, 1965—, *Balada de gamberros*—novela, Alfaguara, Madrid, 1965—, *Travesía de Madrid*—novela, Madrid, Alfaguara, 1966—, *Lorca, poeta maldito*—ensayo, Madrid, Biblioteca Nueva, 1968—, *Las vírgenes*—novela, 1969, edit. Azur—, *Las europeas*—Barcelona, edit. Andorra, 1970—, *El Giocondo*—novela, Madrid, 1970.

UNAMUNO, Miguel de.

Eximio, singularísimo y magnífico poeta, dramaturgo, novelista, ensayista y pensador español. Nació nuestro don Miguel de Unamuno y Jugo en Bilbao el 28 de septiembre —un Miguel para San Miguel—de 1864. Sus padres, vascos. Sus abuelos, vascos. Estudió en su ciudad natal la primera y segunda enseñanzas. Y... ¡a Madrid, meca y mito! En la Universidad Central siguió y ganó los cursos de Filosofía y Letras. Y... ¡a opositar! Primero, a Filosofía. Después, a Metafísica. Más tarde, a Latín. Otros tantos fracasos. Siempre se atravesaba a nuestro don Miguel ese opositor de las mejores aldabas a quien no hay Tribunal que le niegue la cátedra no merecida. Por fin, a la cuarta va la vencida... Para él fue la cátedra de Griego en la Universidad de Sala-

manca. Don Juan Valera y don Marcelino
Menéndez Pelayo se la votaron. Y ya, desde entonces. Salamanca "fue con él". Se
salmantizó en absoluto. Le reconcomieron
las piedras milenarias, los sotos renacentistas, los huertos sonoros, el río de pura
égloga, los silencios, siempre recién estrenados y prietos, de avisos espirituales; la
soledad recóndita, perennemente en carne
viva.

Dos largas veces fue rector de la Universidad. Contrajo matrimonio con doña Concepción Lizárraga. Tuvo hijos. Combatió
sin descanso y le combatieron sin tregua.
Hirió y le hirieron. Acalló muchas voces,
sin que jamás ·acallaran la suya. De cuando
en cuando llegaba a Madrid con la intención llena de bombas, que iba haciendo estallar por cualquier parte... En el Ateneo.
En el Congreso. En el Palacio. En los cafés. En los claustros universitarios. La "opinión", exasperada, le empujaba hasta la estación y le "facturaba" para Salamanca...
Pero al poco tiempo, erre que erre. Con
las nuevas bombas fabricadas, otra vez a
Madrid... Que conste que igualmente las
estalló en otras capitales, y por donde quiera que se aventuraba. La inquietud era su
"Rocinante". Unicamente en su Salamanca
parecía—y aparecía—olímpico. Anduvo en
la emigración. Regresó de ella con el "decíamos ayer..." leonino prendido en la sonrisa espesa.

Y murió con la serenidad del justo, en
Salamanca, el último día del año 1936. ¿Murió? ¡Cuánto hubiera odiado él dicho verbo! Morir, no. ¡Se desnació!

Confieso mi admiración y mi afecto incondicionales por la obra y por la persona de
don Miguel de Unamuno. Lo que más me
irrita en el escritor, en el artista, es que su
obra no responda a su personalidad. A miles, los artistas, los literatos, "viven su vida
y escriben su obra", sin que la obra y la
vida tengan jamás una tangencia apasionada. ¿Por qué? ¿Falta de sinceridad? ¿Ambición por vivir en su obra lo que no pudieron o supieron vivir en su vida? ¿Hipocresía con miras bastardas? He conocido a
un excelente y honesto padre de familia
que se enriqueció escribiendo novelas eróticas. Y a varios famosos saineteros y comediógrafos, autores de obras rosas y blancas, que vivían existencias oscuras y ator-
mentadas. Y a sutiles filósofos que contaban
excelentemente las cotillerías de la alta sociedad. Y a poetas que mandaban a cobrar
el recibo de sus poemas antes de entregar
estos. ¡Terrible antinomia!

Para tantos y tantos literatos y artistas
acomodaticios y cobardes, ¡qué maravilloso
ejemplo el de don Miguel de Unamuno!
Quien habló dos veces con él pudo sospe-

char su obra entera. Quien haya leído un
poema, un ensayo, una novela de él, puede
sospechar su vida toda. ¡Tan parecidas, tan
pares, tan consecuentes son las dos! Don
Miguel de Unamuno, viviendo, hablando
y escribiendo, fue de una sola pieza. Maciza y clara, y caliente, y ansiosa su existencia. Inconforme siempre. Y así, su obra en
conjunto y por parcelas. Dicen los antiguos
que por cualquier parte del suelo de Madrid
que se cavara brotaba el agua cristalina.
Por cualquier página unamunesca que se
lea y se medite, fluye el espíritu diamantino
y español.

Los verdaderamente unamunistas, los que
creemos en él a pie juntillas y admiramos
en él con la boca abierta, amamos por igual
su persona y su obra. Amamos en las dos lo
que hay en ellas de vehemente, de violento,
de inconforme, de levantisco, de áspero, de
infinita y recónditamente humano "al rojo
vivo". Le han achacado muchos—¡allá los
que hayan sido!—a nuestro don Miguel una
pretensa versatilidad política. ¡Imbécil achaque! Si la política española hubiera sido
—como debiera—una "norma de conducta
social", el achaque fuera justo. Pero ha sido
la política española, desde hace más de cien
años, una "norma de apetencias subjetivas".
Naturalmente, como las apetencias varían
por años, y aun por meses, y aun por semanas..., ¡cuánto discrepa de todas y de cada
una de ellas don Miguel, invariable, que no
pensó siempre sino "como España"!

¡Cuán digna de amor la persona en Unamuno! ¿Por qué? Porque sabía indignarse.
Porque vociferaba. Porque los golpes de su
corazón gigantesco sonaban a mazazo de
acotillo sobre hierro. Porque no sabía disimular sus repugnancias. Porque desnudaba
sus nobles pasiones en mitad de la vía pública. Porque no desdeñaba llamar al pan,
pan, y al vino, vino. Porque tenía lanzón en
ristre para los molinos de viento y palabrotas rotundas para los fariseos. Porque jamás
se conformó ni se acalló con que le arroja-
ran un mendrugo de bienestar material los
poderosos. Y aun no se comió el mendrugo.
Y, sobre todo, porque nadie sintió tanto a
España como él, y la conoció tan palmo a
palmo, y la tomó con tanta precisión y ternura el pulso, y procuró interpretarla con
tan imponente fervor. Quien, entre 1900 y
1936, quiso saber qué le dolía a España, y
qué le indignaba, y qué le repelía, no tuvo
nada mejor que hacer sino convivir con
Unamuno un par de horas. España se en-
carnó en el don Miguel "donquijotesco", que
dijo Antonio Machado. Y yo añado que no
mejor y más anduvo y habló España nunca
que mientras se movió y charló nuestro don
Miguel. Su misión trascendental y única fue
esta de "vivir" el mensaje eterno de lo ge-

U

nuina y castizamente español. Hasta el punto de que, siendo vasco puro—"por los dieciséis costados", proclamaba él—, dejó de serlo y "se castellanizó" hasta la medula y el meollo, porque desde los siglos de los siglos en la castellanía está el rigor y el vigor, el pálpito y el ideal de lo español.

No se traicionó, no, ni se adulteró la persona unamunesca en la obra unamunesca. Casaron maravillosamente con la precisión "de lujo" de su buena horma y de su buen zapato. Como el buen don Miguel, puro nervio, puro anhelo, pura inconformidad en lo transitorio, puro ademán belicoso, puro verbo encendido y chispeante y chisporroteante, su obra resulta caliente y brava, enjuta, apetecible.

Bendito sea Dios, que cuando quiso que nuestra España tuviera rostro para los ojos y para el espejo, ademanes para acallar la parlanchinería y la pedantería, palabras sonoras y definitivas para soliviantar el estupor imbécil, zurridos nerviosos para interrumpir los sesteos y las siestas, acusaciones históricas para vapulear las conductas y las conciencias..., no encontró mejor pergeño que darle que este "donquijotesco" de nuestro don Miguel de Unamuno. Seguro estoy de que a la propia España, matrona un tanto mohína y enmohecida ya, dedicada a los trasueños y a los trasuntos, creyéndose baldada y desfosforecida en un transcurso fatal de más de dos siglos, siempre muy metida en casa, como las señoras asustadizas..., la acogió de sorpresa, la conturbó primero, la alegró después y la entusiasmó a la postre que nuestro don Miguel, retón y curro, patético y enjundioso, la zarandeara, la desempolvara, la desentumeciera, la emperejilara y la empujara al medio del arroyo, bajo la luz maravillosa del sol, a presumir y a recoger requiebros, a sentirse otra vez ella, a comprobar que tenía muchos menos años de los que creían todos y ella, y energías suficientes para vivir una segunda madurez, que es la que da las mejores cosechas y los frutos más serondos.

Fecunda y gloriosa es la obra unamunesca. En ella hay poesías, ensayos, novelas, cuentos, crónicas, conferencias, dramas. Todo ello denso, denso, denso. Todo ello sospechoso de valer—y de tener dentro—aún mucho más de lo que pensamos.

No me atrevo a consignar con visos dogmáticos cuál es el Unamuno más sugestivo y profundo. ¿El poeta? ¿El ensayista? ¿El polemista? ¿El dramaturgo? Nuestro don Miguel cuenta ya con críticos y escoliastas muy ternes y severos. Cualquiera de ellos consigna ya, categóricamente, los valores máximos y los mínimos de Unamuno, y hasta su fallo en los valores. Pero yo, humilde, me contentaré con reconocer que no hallo en él sino calidades superiores e inclusive impares. Y que me entusiasma el Unamuno poeta. Y casi tanto el Unamuno ensayista. Y muy poco menos el Unamuno polemista. A mi entender, aún no se le ha encontrado a la poesía de Unamuno toda la trascendencia que tiene. Para mí, Unamuno es, ante todo, poeta. Poeta con rima y con ritmo. Poeta en prosa. Sino que la poesía de Unamuno tiene demasiada sustancia para que la saboreen todos los paladares y la asimilen todas las sensibilidades. La poesía de Unamuno carece de sensiblería y de narcisismo, de rimas facilonas y de palabras suaves. Toda ella es un jadear de varoniles congojas, expresadas con palabras desnudas y justas. Toda ella acierta siempre "a proyectar sobre el plano de la conciencia las reminiscentes vaguedades que el subconsciente almacena". El valor inmenso de Unamuno, poeta en verso y en prosa, es ese su afán insaciable de ir rompiendo las ideas y las palabras para dejarlas ante nuestra comprensión en sus quintaesencias. Si os gusta más la pulpa que rodea al hueso que la almendrilla recóndita, será muy difícil que encontréis la suprema razón poética de nuestro don Miguel. La encina fué el árbol dilecto de Unamuno. Pocos árboles tienen la rudeza externa de la encina. Y, sin embargo, no existe otro árbol con un alma tan canora y delirante, ni un reconcomio de ternura tan íntimo.

La poesía de Unamuno es, seguramente, la más apremiante y angustiosa, la más desnuda y desgarrada que ha dado el lirismo castellano. Es una poesía que estremece al lector y que le deja el alma, para siempre, incómoda en su mundanismo. *Rosario de sonetos líricos, El Cristo de Velázquez, Teresa, El cuaderno de la Magdalena,* se cuentan entre los más hermosos libros poéticos del maestro inolvidable.

El modernismo de Unamuno no fue modernismo de escuela en modo alguno; fue el modernismo de una revolución literaria trascendental. Nada más ni nada menos. Rasgos universales de la época, su individualismo y su preocupación religiosa. "La poesía de Unamuno—dice Díaz-Plaja—está fuera de todos los raíles escolásticos para ser rotunda y simplemente suya, cambiante y polifacética, sin duda, pero tan profundamente impregnada de su específico aliento intelectual, que se separa de manera radical de todo movimiento poético que la rodee. Se separa, sobre todo, porque el modernismo es un movimiento estético para el que la obra poética es una finalidad, mientras que para Unamuno es un simple cauce ideológico y sentimental." Afirmó Rubén Darío que para él era Unamuno única y exclusivamente un gran poeta. Y para

Federico de Onís, "Unamuno es poeta siempre; porque su filosofía y su religión y su crítica no son ciencia ni teología ni historia objetivas, sino intuición emocional, pasión, visión íntegra y total, creación nacida de la necesidad radical de afirmar la propia vitalidad, identificación con el propio yo". Acerca de la poética de Unamuno, nada mejor puede decirse que cuanto de la suya comunicó el gran poeta español a otro gran poeta actual, Gerardo Diego, que este recoge en su notable *Antología de la poesía española*—1915-1931—: "Los supuestos revolucionarios estéticos y literarios no están mal, en lo programático, mientras hacen programas. Pero al ir a realizarlos no cumplen sus propios propósitos y promesas. Sin que empezca para que se adjudiquen los precursores que se les antojen. En esas procedencias, además, casi siempre exclusivamente cerebrales, suele haber mucha más retórica que poética. Sabido es que la retórica sirve para vestir y revestir, acaso para disfrazar el pensamiento y el sentimiento, cuando los hay, y que la poética sirve para desnudarlos. Un poeta es el que desnuda con el lenguaje rítmico su alma. El ritmo, además, le sirve, como el bieldo de aventar en la era, para apurar su pensamiento, separando, a la brisa del cielo soleado, el grano de la paja. El mundo espiritual de la poesía es el mundo de la pura heterodoxia o, mejor, de la pura herejía. Todo verdadero poeta es un hereje y el hereje es el que se atiene a posceptos y no a preceptos, a resultados y no a premisas, a creaciones, o sea, poemas, y no a decretos, o sea, dogmas. Porque el poema es una cosa de poscepto, y el dogma, cosa de precepto."

La mayoría de la obra poética de Unamuno es una declaración y es una *delectación*, sí, de su angustia religiosa; un ansia irremediable por recobrar una fe católica tradicional, que él se empeñaba en haber perdido, *pero que no*... Sino que su cultura enorme buscaba este batirse a muerte con la duda y con la ortodoxia, estimulado por unos principios racionalistas europeos muy en boga. En esto de declararse heterodoxo a la desesperada sí que se buscó Unamuno *una postura*. Su búsqueda infatigable de Dios, de la emoción de lo eterno, del misterio inmortal de nuestro destino; su busca por tan buenos caminos y con tan hermosos trenos, ya dicen muy a las claras que su fe iba con él, si no siguiéndole como su sombra, por tener la luz ante los ojos, sí precediéndole por haberse vuelto de espaldas a la luz. Poeta y grande y conmovedor fue Unamuno. Y también cultivó para sus poesías temas menos peliagudos. En su *Teresa*—Madrid, 1924—describe un idilio de sentimentalismo becqueriano entre el poeta

y una dulce enferma. En *De Fuerteventura a París*—París, 1925—, en el *Romancero del destierro*—Buenos Aires, 1937—, hay no pocos datos biográficos, de los datos más prosaicos que suelen tener los poetas cuando se notan antes que nada hombres. Tampoco faltan las poesías con referencias a lecturas del poeta, a sus descripciones *pictóricas* de personas, ciudades y paisajes campestres, a sus evocaciones; ni las poesías satíricas de intenciones dobles, casi panfletarias.

La rima y la música no le fueron muy afectas a Unamuno. Todo hay que decirlo. Es asombroso un tan gran poeta con tan pocos recursos de expresión. En su primer volumen lírico—*Poesías, 1907*—, la musicalidad es áspera, la rima carece de matices. Casi casi se diría que a la poesía de Unamuno le estorba el verso. Por ello es más blanda y *personal* cuando se ha liberado del metro riguroso...

> ¡Oh Salamanca!, entre tus piedras de oro
> aprendieron a amar los estudiantes,
> mientras los campos que te ciñen daban
>   jugosos frutos.
>
> Del corazón en las honduras guardo
> tu alma robusta; cuando yo me muera,
> guarda, dorada Salamanca mía,
>   tú mi recuerdo.

Libros poéticos fundamentales de Unamuno reputamos *Rosario de sonetos líricos* —1911—y *El Cristo de Velázquez*. En ambos está la más encendida inspiración del poeta, la que afecta a su alma y a los anhelos y tragedias de su alma. En ambos, el verso no parece sino una escueta y fuerte armazón que sostiene el patetismo de los sentimientos y la inquietud del pensamiento; una armazón que no se ve; una armazón que si se viniera abajo dejaría inundada de poesía la campiña sin armazón de la prosa. También pudiera pensarse que es Unamuno, con sus versos libres e irregulares, "el creador de una expresión poética" personalísima, inimitable. Porque es esencial en Unamuno rechazar toda imitación, repudiar todo servilismo. En su vaso no bebe sino él.

"Como pensador, es Unamuno el más culto y original de los ensayistas españoles, el ensayista filósofo, el que más influjo ejerce, y merece ejercer, en el espíritu español. Notemos, ante todo, una característica dominante: la paradoja. Unamuno, como Nietzsche y Browning, Shaw y France, es el talento de la paradoja... Cuando quiere hablar claro y hondo, nadie le gana en hondura y claridad. Ha hablado de casi todo lo humano—letras, política, historia, arte, etcétera—y aun de lo divino. Es un hombre y no una fórmula encarnada: su espíritu, tan complejo y de tan recias facetas, tan

U

inquieto, se dice que da una voz hoy y otra mañana. A pesar de todo ello, leyendo atenta y ordenadamente la obra total de Unamuno, hemos echado de ver lo que nadie ha visto o querido ver hasta ahora: la cabal consecuencia o continuidad que en toda ella impera... Es una preocupación vital y constante la que siente este noble pensador por los conflictos entre la vida y el pensamiento, entre las necesidades intelectuales y las necesidades volitivas y afectivas. Preocupación espiritual, curiosidad intelectual, sutilísima y original visión son las características dominantes en todo lo que sale de su pluma admirable. El estilo, como el del inglés Sterne, no es de esmerado literato, pero sí de incomparable conversador." (Romera-Navarro.)

Como ensayista, armoniza Unamuno hasta lo inverosímil su espíritu combatiente—que revuelve cuanto le rodea—con una sagacisima intuición capaz de los éxitos más detonantes. A Unamuno ensayista no le detiene ni lo más trágicamente vital, ni la religión, ni el misterio. Se lanza audaz por todos los caminos, y nadie, si no es el ángel con quien luchó el mancebo bíblico, es capaz de contenerle a duras penas. La pasión religiosa de nuestro don Miguel—diluida, eso sí, en toda su obra—le inspiró libros tan inmortales como *El sentimiento trágico de la vida*, *Mi religión y otros ensayos* y *La agonía del Cristianismo*. La pasión polemista, otros, como *Contra esto y aquello*, y los diez tomos de *Ensayos*. El amor a los clásicos, la *Vida de Don Quijote y Sancho*. El gusto y regusto por su Iberia, *Por tierras de España y Portugal y Andanzas y visiones españolas*. Desnudo y fuerte, conciso y de una impresionante intensidad dramática, que recuerda en algunos aspectos la tragedia griega, es su teatro: *Sombras de un sueño*, *Todo un hombre*, *Fedra*, *El hermano Juan*, *El otro...*

Realmente, don Miguel de Unamuno no es un novelista si se atiene a las normas fundamentales del género. Porque no dosifica bien el interés, ni es pictórico en las descripciones. Pero, en compensación, ¡qué criaturas las suyas tan características! ¡Qué problemas tan humanos y urgentes los novelados por él! *Paz en la guerra*, *Amor y pedagogía*, *Doña Tula*, *Abel Sánchez*, *Niebla*, *Tres novelas ejemplares*, *San Manuel Bueno*, son "nivolas"—como Unamuno califica sus novelas—, en las que abundan los tipos de una pieza y las pasiones más hondas al descubierto. Cierta falta de interés en ellas queda salvada con el apuro que experimentan cuantos las leen de estar viviendo en un clima de espiritualidad exorbitante, al que ningún otro escritor los llevó antes.

Nadie que lea una poesía, un ensayo, una novela, un drama de Unamuno podrá confesar que se ha quedado tranquilo y dispuesto a olvidarse de la lectura. ¡Nadie! Por el contrario, todos sus lectores reconocerán que les pesa más el alma, que ya para siempre tendrán entablado un vivo diálogo con su conciencia.

Ediciones modernas excelentes de las obras de Unamuno son: *Ensayos completos* —Madrid, M. Aguilar, 1941 y 1943—, *Antología*—Madrid, 1946, "Biblioteca Nueva"—, todas las obras sueltas en la "Colección Austral", Buenos Aires, de 1938 a 1947; *Antología poética*—Madrid, 1942, por L. F. Vivanco, ed. "Escorial"—, *Obras completas* en dieciséis volúmenes—1958 a 1966—, Madrid-Barcelona. Afrodisio Aguado-Vergara. Preparadas y prologadas por el profesor M. García Blanco. (Contiene una biobibliografía exhaustiva.)

V. BARJA, César: *Libros y autores contemporáneos*. Madrid, 1933.—RUBÉN DARÍO: Prólogo a la ed. de *Teresa*. Madrid, Renacimiento.—CASSOU, Jean: *Panorama de la littérature espagnole contemporaine*. París, 1929.—GÓMEZ DE BAQUERO, E.: *De Gallardo a Unamuno*. Madrid, 1926.—SALDAÑA, Quintiliano: *Mentalidades españolas: Don Miguel de Unamuno*. Madrid, 1919.—LEGENDRE, Maurice: *Don Miguel de Unamuno*, en *Revue des Deux Mondes*. 1922.—CARAYON, Marcel: *Unamuno et l'esprit de l'Espagne*, en *Rev. Hebdomaire*. 1923.—BATAILLON, Marcel: *L'essence de l'Espagne*. Prólogo a los *Ensayos*. París, 1923.—BALSEIRO, J. A.: *El vigía*. 1928. Tomo II.—GÁLVEZ, Manuel: *La filosofía de Unamuno*, en *Síntesis*, Buenos Aires, 1928.—MARIAS, Julián: *Miguel de Unamuno*. Madrid, 1943.—VIVANCO, Luis F.: Prólogo a la ed. *Escorial*. Madrid, 1942.—SOREL, J.: *Los hombres del 98: Unamuno*. Madrid, 1917.—DIEGO, Gerardo: *Poetas del Norte: Miguel de Unamuno*, en *Revista de Occidente*, 1923, II.—ROMERA-NAVARRO, M.: *Miguel de Unamuno, novelista, poeta, ensayista*. Madrid, 1928.—LANSBERG, P.: L.: *Reflexiones sobre Unamuno*, en *Cruz y Raya*, número 31.—ROMERO FLORES, H. R.: *Unamuno*. Madrid, 1941.—GUERRERO, E.: *La agonía de Miguel de Unamuno*, en *Razón y Fe*, 1941, CXXIII, 24.—EPISTOLARIO de Unamuno a "Clarín". Madrid, 1941.—Río, Angel del, y BERNARDETE, M. J.: *Antología de Ensayos*. Buenos Aires, Losada, 1946.—CRAWFORD FLITCH, J. E.: *Estudio* en la traducción de *Essays and Soliloquies*. Nueva York, 1925.—MADARIAGA, Salvador de: *Estudio* en la traducción de *The Tragic Sense of Life*. Londres, 1921.—MADRID, F.: *Genio e ingenio de don Miguel de Unamuno*. Buenos Aires, 1943.—JIMÉNEZ, Juan Ramón: *Españoles de tres mundos*. Buenos Aires, 1943.—IZQUIERDO ORTEGA, J.: *Miguel de Unamuno*.

Cuenca, 1932.—Grau, Jacinto: *Unamuno y la España de su tiempo.* Buenos Aires, 1943. Gómez de la Serna, R.: *Retratos contemporáneos.* Buenos Aires, 1944.—González Ruano, C.: *Vida y pensamiento de don Miguel de Unamuno.* Madrid, 1930.—Ferrater Mora, J.: *Miguel de Unamuno, bosquejo de una filosofía.* Buenos Aires, 1944.—Puccini, Mario: *Miguel de Unamuno.* Roma, 1924.—Romera Navarro, M.: *Miguel de Unamuno: novelista-poeta-ensayista.* Madrid, 1928.—Río, Angel del, y Bernardete, M. J.: *Concepto contemporáneo de España. Antología de ensayos: 1895-1931.* Buenos Aires, Losada, 1946. Contiene en las págs. 78-82 una abundante bibliografía de notas y artículos acerca de Miguel de U.—Esclasans, Agustín: *Miguel de Unamuno.* Barcelona, 1948.—González Caminero, Nemesio: *Unamuno. Trayectoria de su filosofía y de su crisis religiosa.* 1948.—Wills, Arthur: *España y Unamuno.* 1938.—Oromí, Miguel: *El pensamiento filosófico de Miguel de Unamuno. Filosofía existencial de la inmortalidad.* 1943.—García Bacca, D.: *Nueve grandes filósofos contemporáneos y sus temas.* México, 1947.—Kessel, J.: *Die Grundstimmung in Miguel Unamunos Lebensphilosophie.* 1937.—Granjel, Luis S.: *Retrato de Unamuno.* Madrid. Editorial Guadarrama, 1957.—Barea, Arturo: *Unamuno.* New Haven, 1952.—Alberès, René-Marill: *Miguel de Unamuno.* Buenos Aires, 1955.—Serrano Poncela, S.: *Miguel de Unamuno.* México, 1955.—Sánchez Barbudo, Antonio: *Estudios sobre Unamuno y Antonio Machado.* Madrid, 1959.—Zubizarreta, Armando F.: *Unamuno en su nivola.* Madrid, 1960.

UNCAL, José María.

Poeta y novelista español. Nació—¿1900?—creemos que en Asturias. Tenemos muy escasas noticias de este singularísimo escritor. cuyas obras, sin embargo, tanto delatan de su espíritu y de su temperamento admirables. Ha viajado por todo el mundo, siguiendo con fervor la dicción clásica de "lo primero navegar, y lo segundo vivir". José María Uncal, alejado de tertulias y de camarillas, siempre derramando su inquietud por treinta y dos caminos de la rosa de los vientos, no se preocupa sino de entregarnos, de vez en vez, sus libros, señuelos admirables para nuestro interés.

En sus novelas—de amenidad y de fuerza grandes—cultiva Uncal un parecido exotismo.

Poesías: *Fronda silente, Poemas cantábricos, Rumbos soberanos, Los argonautas*—antología de poetas españoles en Cuba—, *La ruta de Cipango, Diez velas sobre el mar, Tajamar*—1949...

Novelas: *Barro, El hombre de la pipa, Umbrales rojos, Trópico de Cáncer, Bambú...* V. Villaespesa, Francisco: Prólogo a *Poemas cantábricos.*

UNDURRAGA, Antonio de.

Poeta y ensayista chileno. Nació—1911—en Santiago. Licenciado en Ciencias Jurídicas y Sociales. Abogado. Hizo sus estudios en la Universidad de Chile, con sede en Santiago de Chile. Ex miembro del Consejo Nacional de Economía de la República de Chile. Cofundador y ex vicepresidente del Sindicato de Escritores de Chile.

Ha colaborado en diversos periódicos y revistas de América, en especial en la gran revista *Atenea,* de la Universidad de Concepción (Chile). En 1945 fundó la revista *Caballo de Fuego,* que continúa, hasta hoy, su labor de difusión de los nuevos valores de la poesía hispanoamericana. En 1947 fue invitado, en calidad de huésped de honor —conjuntamente con León Felipe y Nicolás Guillén—, a la inauguración de la Casa del Escritor en Buenos Aires. En 1950 obtuvo el premio único de ensayo de la Sociedad de Escritores de Chile, por su obra *Poesía y efigie de Pezoa Véliz.*

En 1949, con motivo de la publicación de su antología *Red en el Génesis,* un selecto grupo de escritores argentinos de la costa atlántica y residentes en Buenos Aires, entre los que se cuentan Ramón Gómez de la Serna, Juana de Ibarbourou, Jorge Luis Borges y Guillermo de Torre, suscribieron una presentación y homenaje a su personalidad poética.

Antonio de Undurraga ha desempeñado, además, los oficios de periodista y diplomático. Ha residido varios años en el puerto de Valparaíso y en la ciudad de Buenos Aires.

Antonio de Undurraga es una de las mentalidades más sugestivas de Hispanoamérica. Hondo y delicadísimo y personal lírico. Crítico sagaz. Prosista brillante y de una superior cultura.

Obras: *La siesta de los peces*—poesía, 1938, Santiago de Chile—, *Morada de España en Ultramar*—1939, Valparaíso—, *La órbita poética de Jorge Carrera Andrade*—ensayo, 1942, México—, *Lubicz-Milosz y su lucha con la eternidad*—ensayo, 1942, Santiago de Chile—, *Antología poética de Antonio de Undurraga*—precedida de una carta de Juana de Ibarbourou al poeta, 1942, Santiago de Chile—, *Transfiguración en los párpados de Sagitario*—poesía, Santiago de Chile, 1944—, *Manifiesto del "Caballo de Fuego" y poesías*—manifiesto, seguido de 34 poemas de Antonio de Undurraga, Santiago de Chile, 1945—, *El líder de sudor y oro*—romancero en 1.800 versos, Santiago de Chile,

U

1946—, *Zoo subjetivo, Defitropos*—Santiago de Chile, 1947—, *Red en el Génesis*—cinco libros poéticos de Antonio de Undurraga, Santiago de Chile, 1946—, *Texto vital de "La Araucana"*, por Alonso de Ercilla, precedido de un ensayo—Buenos Aires, 1947—, *Red en el Génesis*—segunda edición antológica, con nuevos poemas, Buenos Aires, 1949...

URABAYEN, Félix.

Gran prosista, novelista y ensayista español. Nació—1884—en Ulzurrum (Navarra). Murió—1943—en Madrid. Su verdadero nombre fue Félix Guindoerena Urabayen. Cursó la carrera del Magisterio. Catedrático, por oposición, de la Normal de Toledo. Colaborador de importantes diarios y revistas: *El Sol, Revista de Occidente, La Gaceta Literaria...*

Urabayen es un magnífico prosista; posee grandes dotes de observación y un vigoroso temperamento. Todos sus libros son personales, bellos y altamente sugestivos. Ningún otro escritor ha sabido describir e interpretar el paisaje y la vida y el alma de Toledo con la plasticidad, el colorido, el fervor tradicional, la sutileza evocadora con que él lo ha logrado. Su fama ha traspuesto las fronteras españolas. Y por su personalidad tan definida, tan sugeridora, tan emocionadamente española, merece ser colocado entre los más interesantes literatos españoles contemporáneos.

Obras: *La última cigüeña*—novela, Madrid, 1919—, *Toledo: Piedad*—novela, Madrid, 1920—, *Toledo la despojada*—1922—, *El barrio maldito*—Madrid, 1925—, *Por los senderos del mundo creyente*—estampas toledanas—, *Vida ejemplar de un claro varón de Escalona, Centauros del Pirineo*—Madrid, 1928—, *Serenata lírica a la vieja ciudad*—Madrid, 1928—, *Vidas difícilmente ejemplares*—Madrid, 1930—, *Tras de trotera*—1932—, *Estampas del camino*—1934.

V. NORA, Eugenio G. de: *La novela española contemporánea*. Madrid, Gredos, 1958. Tomo I. Págs. 365-67.—SAINZ DE ROBLES, Federico Carlos: *La novela española en el siglo XX*. Madrid, Pegaso, 1957.—ENTRAMBASAGUAS, Joaquín de: *Las mejores novelas contemporáneas (1935-1939)*. Barcelona, Planeta, 1963, págs. 339-67. (Contiene una biobibliografía exhaustiva.)

URBANEJA, ALCHEPOHL, Luis Manuel.

Poeta y novelista venezolano. 1874-1937. Nació en Caracas. De familia acomodada y tradicional. Estudió leyes, sin llegar a terminar la carrera. Antes de cumplir los veinte años se dedicó por completo a la literatura, y durante más de cuarenta años dispersó una obra cuantiosa en revistas y diarios; obra, indiscutiblemente, impregnada en la vernácula poesía y honradamente y hondamente venezolana.

Su cuento *Los abuelos* alcanzó el primer premio en un concurso organizado por la famosa revista caraqueña *El Cojo Ilustrado*. Y su hermosa novela *En este país* obtuvo el segundo premio en el certamen internacional abierto para narraciones en la Argentina para conmemorar el centenario de la Independencia.

Urbaneja conoció a la perfección la literatura francesa. Sin embargo, es uno de los rarísimos escritores hispanoamericanos de su época en que aquella literatura no influyó absolutamente en nada. De singular casticismo y rico léxico, Urbaneja tiene cierta semejanza con ciertos maestros españoles, como Pereda y Valera. El mismo proclamó con gran sinceridad que sus maestros eran Cervantes, Quevedo, Calderón y Mistral.

Las narraciones de Urbaneja poseen una enorme emoción realista, fuerte colorido de trópico, poetización de la vida rural, agilidad dialogal, gracia castiza sumamente sugestiva.

Otras obras: *La casa de las cuatro pencas*—novela—, *El tuerto Miguel*—novela—, *El gaucho y el llanero*—narraciones—, *Botón de algodonero*—narración...

En la actualidad se pretende rescatar de las colecciones periodísticas la obra más viva, más nacional de este gran escritor.

V. PICÓN SALAS, Mariano: *Formación y proceso de la literatura venezolana*. Caracas, 1941.—NARBONA NENCLARES, F.: *La literatura de Venezuela*, en el tomo XII de la *Historia universal de la literatura*, de Prampolini. Buenos Aires, Uteha Argentina, 1941.

URBANO, Rafael.

Prosista español. Nació—1870—y murió —1924—en Madrid. Entre los dieciocho y veinticinco años ejerció el periodismo en distintas publicaciones de Palencia, Santander y Vizcaya, llamando la atención con sus crónicas, que delataban una cultura muy sólida, un innato buen gusto y un clarísimo talento. En 1895 obtuvo un empleo en el Ministerio de Instrucción Pública, para desempeñar el cual tuvo que trasladarse a Madrid. En la capital de España se hizo notar bien pronto en los círculos literarios, ya que Rafael Urbano era el perfecto escritor de *minorías*. Escribió en *El Liberal, Los Lunes de El Imparcial, Por Esos Mundos, Nuevo Mundo, Mundo Gráfico...* Dio notables conferencias literarias en el Ateneo madrileño, del que fue socio muy calificado. En los últimos años de su vida se especializó en cuanto se relacionaba con el ocultismo.

Obras: *Tristitia seculae: Soliloquio de un*

alma—Madrid, 1900—, *Historia del socialismo, parte antigua, la conquista utópica*—Madrid, 1903—, *El sello de Salomón*—Madrid, 1907—, *Manual del perfecto enfermo*—Madrid, 1911—, *El diablo: su vida y su poder*—Madrid, 1921...

URBINA, Luis G.

Notable poeta, prosista y crítico. 1868-1934. De México. Periodista desde muy joven, diose a conocer en la *Revista Azul* con el seudónimo de "El Cronista de Antaño", publicando muy bellas y románticas poesías. Cultivó la crónica ligera, frívola y elegante en *El Mundo Ilustrado*—que dirigió—y en la *Revista de Revistas.* Crítico de teatro de *El Imparcial.* Catedrático de Literatura. Director de la Biblioteca Nacional. Secretario de la Legación de México en Madrid—1918.

Según Enríquez Ureña, uno de los siete dioses mayores de la lírica mexicana, de la cual los otros seis que él clasifica son: Sor Juana Inés de la Cruz, Gutiérrez Nájera, Othon, Díaz Mirón, Amado Nervo y González Martínez. "El último romántico" le han llamado varios críticos. Pensador original; perspicaz crítico; gran prosista—castizo, limpio, natural, elegante—; poeta, por naturaleza, romántico, pero ya delatando muy a las claras un modernismo impresionista, delicado y fresco. Sentimental y sensual y emotivo, le otorga un magnífico equilibrio su afición a las glorias clásicas.

"En Urbina—escribe García Godoy—, detrás del copioso follaje de imágenes de fascinadora belleza; detrás de la bien dispuesta ornamentación pictórica; detrás de los hilos de luz que forman la urdimbre de sus versos, palpita un alma, una verdadera alma de poeta, alma sanamente romántica, con vistas a cierto modernismo amplio y sugerente, mesurado y discreto, exento por entero de las trivialidades y toques efectivos que para muchos miopes de espíritu vinculan como *summum* de la perfección literaria... La cualidad más notable... es su unidad, precisa y definida en bastantes aspectos..., de un alma que se contempla a sí misma y se aísla, en cierto sentido, en medio de la vida, sin sufrir el contacto de repugnantes fealdades sociales. Toda el alma de Urbina, espontánea, poco compleja, sin complicaciones cerebrales, sin muy acentuados arranques cerebrales, puede condensarse en... su íntimo subjetivismo."

Observaba Justo Sierra que las primeras composiciones de Urbina pueden figurar dignamente al lado de las últimas, "sin que nadie note en ellas vacilaciones y tanteos de principiante". Y el mismo crítico opina que "su inspiración, caricia del oído, era propia para traducir emociones íntimas y

suaves; que su poesía, predominantemente melódica, asocia la idea a la música y sabe hallar en ella la expresión de lo inefable".

Obras: *Versos*—México, 1890—, *Ingenuas*—París, 1902—, *Puestas de sol*—París, 1910—, *Lámparas de agonía*—1914—, *El glosario de la vida vulgar*—1916—, *El corazón juglar*—1920—, *Los últimos pájaros*—1924—, *El cancionero de la noche serena*—1925-1928—, *Cuentos vividos y crónicas soñadas*—1915—, *El poema de Mariel*—1915—, en *Cuba Contemporánea*—, *Bajo el sol y frente al mar*—1916—, *La vida literaria en México*—1917...

V. ESTRADA, Jenaro: *Poetas nuevos.* México, 1916.—GARCÍA GODOY, F.: *Literatura americana.* 1915.—GONZÁLEZ PEÑA, Carlos: *Historia de la literatura mexicana.* México, 1928. JIMÉNEZ RUEDA, J.: *Historia de la literatura mexicana.* México, 1926.—ONÍS, Federico de: *Antología de la poesía española e hispanoamericana.* Madrid, 1934.—MAPLES ARCE, M.: *Antología de la poesía mexicana moderna.* Roma, 1940.

UREÑA DE HENRÍQUEZ, Salomé.

Poetisa y prosista dominicana. Nació —1850—y murió—1897—en Santo Domingo. Aprendió las primeras letras en las humildes escuelas públicas de entonces. Publicó a los quince años sus primeros versos, firmándolos con el seudónimo de "Herminia". En 1878 le fue otorgada una medalla, costeada por suscripción popular. En 1881 fundó el Instituto de Señoritas, primer centro de cultura superior que ha tenido la mujer dominicana. Su popularidad fue enorme dentro y fuera de su patria. Hijos suyos son los magníficos escritores Max y Pedro Henríquez Ureña.

De feminidad extraordinaria, Salomé Ureña armonizó, en una expresividad verdaderamente clásica, la pureza de dicción, la pasión siempre ennoblecida y generosa, la más delicada e ingenua simplicidad, la hondísima emotividad, siempre fecunda. Por encima de su significación literaria, Salomé Ureña de Henríquez se ha convertido en un alto símbolo de espiritualidad y en un perdurable ejemplo de patriotismo.

Obras: *Poesías*—Santo Domingo, 1880—, *Poesías*—Madrid, 1920.

V. CASTELLANOS, J.: *Lira de Quisqueya.*—GARCÍA GODOY, Federico: *Recuerdos y opiniones.* 1888.—GARCÍA GODOY, Federico: *Reseña histórico-crítica de la poesía en Santo Domingo.* 1892.—MEJÍA, Abigaíl: *Historia de la literatura dominicana.* 4.ª edición, 1943.—HENRÍQUEZ UREÑA, Pedro: *Santo Domingo.* Tomo XII de la *Historia universal de la literatura,* de Prampolini. Buenos Aires, 1941.—CONTÍ AYBAR, Pedro René: *Antología poétɪ-*

U

ca dominicana. 1943.—MENÉNDEZ PELAYO, Marcelino: *Historia de la poesía hispano-americana.* Madrid, 1911-1913.

URETA, Alberto J.

Poeta, prosista y crítico. Nació en Lima —1885—. Hizo sus primeros estudios en el Colegio Nacional de San Luis Gonzaga, de Ica, de donde pasó a la Universidad Mayor de San Marcos, en que concluyó los de Letras y Jurisprudencia. Secretario particular del presidente de la República—1915—. Ha colaborado en *Mercurio Peruano.* Doctor de la Facultad de Letras y de la de Jurisprudencia de la Universidad de San Marcos, de Lima. Secretario del Ateneo de Lima. Catedrático de Historia de la Literatura moderna en aquella Facultad de Letras. Profesor de Castellano y Literatura en el Colegio Nacional de Guadalupe, de aquella ciudad, y de Filosofía e Historia del Perú en la Deutsche Schule.

Como poeta, es suave, íntimo, emotivo; su tono posee una dulce y resignada serenidad. Como crítico, reúne objetividad elegante, sutil comprensión, cultura extensa, gracia plena expresiva.

Ha publicado: *Rumor de almas*—poemas, Lima, 1871—, *El dolor pensativo*—poemas, Lima, 1917—, *Florilegio*—poemas, San José de Costa Rica, 1920—, *Poemas*—Lima, 1925—, *Carlos Augusto Salaverry*—estudio crítico, Lima, 1918—, *La desolación romántica y Alfredo de Vigny*—Buenos Aires, 1925—, *Las tiendas del desierto*—1933—, *Elegías a la cabeza loca*—1937...

V. SÁNCHEZ, Luis Alberto: *La literatura peruana.* Santiago, 1936, tres tomos.—SÁNCHEZ, Luis Alberto: *La literatura del Perú.* Buenos Aires, 1943, Facultad de Filosofía y Letras.

URIBE PIEDRAHITA, César.

Novelista colombiano contemporáneo. Periodista de mérito. Ha viajado por Europa y gran parte de América. Debe su fama, muy grande y muy justa, que ha excedido ya de las patrias fronteras, a dos novelas realmente excepcionales: *Mancha de aceite*—con el tema apasionado de los yacimientos petrolíferos—y *Toá*—con el alucinante tema de la vida en el Amazonas—. Ambas novelas, de una intensidad exacerbante, han sido reimpresas incontables veces y traducidas a varios idiomas.

Para gran parte de la crítica colombiana, Uribe Piedrahita es el narrador que más se acerca, en fuerza y en pasión y en colorido alucinante, a *La vorágine,* de José Eustasio Rivera.

V. CASA, Enrique C. de la: *La novela antioqueña.* México. Instituto Hispánico de los

Estados Unidos, 1942.—GÓMEZ RESTREPO, A.: *Historia de la literatura colombiana.* 1940. Dos tomos.

URQUIJO DE IBARRA, Julio.

Historiador y filólogo español. Autoridad magistral en cuanto se refiere al lenguaje vasco. Nació—1871—en Deusto (Vizcaya). Murió en 1950. Licenciado en Derecho. En 1907 fundó la famosísima *Revista Internacional de Estudios Vascos.* En 1918 fundó la Academia de la Lengua Vasca. Académico de la Real Española de la Lengua. Correspondiente de la Real Academia de la Historia. Ha tomado parte en diversos Congresos mundiales para el estudio del vascuence.

De extraordinaria cultura. Filólogo magistral.

Obras: *El refranero vasco*—1919—, *La cruz de sangre: El cura de Santa Cruz* —1928—, *La tercera Celestina y el Canto de Lelo, Les études basques: leur passé, leur état prèsent, leur avenir...*

URREA, Jerónimo Jiménez de.

Muy curioso novelista español. De ilustre linaje. Nació—1513—en Epila (Zaragoza). No consta que siguiese cursos académicos; pero que privadamente hizo estudios, y buenos, se deduce de sus mismas obras, en que ostenta una erudición clásica tan oportuna y fácil como escogida. Bizarro caballero, partió para la guerra, y se halló en las de Italia, Alemania y Flandes. Caballero de la Orden de Santiago. Virrey de Pulia o Apulia, al frente de cuyo gobierno aún estaba en 1566, fecha en que publicó—en Venecia—sus *Diálogos.* También por estos años debió de traducir Urrea el *Orlando furioso* y el *Caballero determinado,* y componer su *Diálogo de la verdadera honra militar.*

Murió antes de 1574, ya que su sobrino don Martín de Bolea y Castro, en 1578, al reimprimir el *Diálogo,* en la "dedicatoria al Rey", copia el acuerdo del permiso real, "atento lo mucho que el dicho don Hierónimo había trabajado, y que imprimiéndole en el reino de Aragón había muerto..."

Hicieron elogios encendidos de Urrea: Gregorio Hernández de Velasco, quien, en su traducción del *Parto de la Virgen,* de Sannazaro—1554—, llama a Urrea "luz del reino ibero", citándole al par de Garcilaso, Mendoza y otros tan notables; Luis Zapata, en su *Carolo famoso:*

> Después destos está don Juan de Hurtado,
> y está el buen don Gerónimo de Urrea...
> ....
> Yo, para narración de tan gran cuento,
> quisiera tener destos el talento.

Juan de Mal-Lara alaba la traducción del *Orlando,* hecha "por el muy magnífico caballero don Gerónimo de Urrea". Vincencio Blasco de Lanuza dice de Urrea "que fue gran soldado, muy leído y de estilo e ingenió felicísimo con que compuso muchos libros".

Otras obras: *Cartas sobre la guerra de Alemania*—1547—, *Desafío del emperador Carlos V y el rey Francisco... Discurso histórico de los reyes de España y Francia* —Barcelona, 1583—, *La famosa Epilia*—imitación de *La Arcadia*, de Sannazaro—, *El victorioso Carlos*—poema en endecasílabos—, *Don Clarisel de las Flores*—su obra maestra—, libro de caballerías, que tuvo tres tomos, de los cuales se conservan dos en la Biblioteca de la Universidad de Zaragoza, y que tiene extraordinario interés.

Muchas poesías de Urrea se han perdido. *Don Clarisel de las Flores* puede leerse en la Sociedad de Bibliófilos Andaluces, 1879.

V. BORAO, Jerónimo: *Gerónimo de Urrea...* Zaragoza, 1866.

URREA, Pedro Manuel de.

Poeta dramático español. ¿1486-1535? Nació en Zaragoza y fue hijo segundo del primer conde de Aranda. Quedó huérfano siendo aún niño. Desde muy joven figuró por derecho propio en todas las ceremonias de la nobleza aragonesa. En 1502 asistió a las Cortes en que se prestó juramento a doña Juana y a don Felipe. Contrajo matrimonio con doña María de Ocsé, hija de don Manuel, bayle general de Aragón. Ejerció la milicia con gallardía y mantuvo inacabables pleitos con las ilustres casas de los duques de Villahermosa y de los condes de Ribagorza. En 1536 ya figuraba su esposa como viuda de don Pedro Manuel de Urrea. Fue muy erudito. Supo a la perfección el griego, el latín y el italiano. Y se manifestó admirador entusiasta de Petrarca.

En 1513 publicó en Logroño, a expensas del gran impresor Arnaldo Guillén de Brocar, su *Cancionero,* dedicado "a la muy egregia y muy magnífica señora doña Catalina de Ixart y de Urrea", su madre. El interesantísimo volumen contiene: composiciones al modo petrarquista, poesías al modo provenzal, otras en que tomó como modelo a Enzina o Rojas, y una serie de canciones y de villancicos populares. Del volumen adquieren especialísimo interés cinco églogas, con las que se incorpora Urrea al teatro español y se gana el calificativo de introductor en Aragón del género escénico. De tales églogas es la principal la titulada *Sobre el Nascimiento de Nuestro Salvador Jesu Christo.* Son pastoriles sus otras cuatro églogas. El *Cancionero* imprimióse nuevamente—1516—en Toledo por Juan de Villaquirán.

Otras obras: *Peregrinación de Jerusalem, Roma y Santiago*—Burgos, 1514—, *Penitencia de amor*—Burgos, 1514, imitación de *La Celestina.*

Ediciones: *Cancionero,* Zaragoza, 1878; *Eglogas dramáticas y poesías desconocidas,* Madrid, 1950, en "Colección Joyas Bibliográficas", V; *Penitencia de amor,* Barcelona, Madrid, 1902, "Biblioteca Hispánica", por Foulché-Delbosc.

V. VILLAR, Martín: *Estudio* en la ed. del *Cancionero* de 1878.—ASENSIO BARBARÍN, E.: *Estudio* en la ed. de *Eglogas dramáticas.* Madrid, 1950.—FOULCHÉ-DELBOSC: *Estudio* en la edición de *Penitencia de amor,* en *Rev. Hispanique,* IX.—MENÉNDEZ PELAYO, M.: *Orígenes de la novela.* III.—MENÉNDEZ PELAYO, M.: *Antología de poetas líricos castellanos.*—AMADOR DE LOS RÍOS, José: *Historia crítica de la literatura española.* VII.

URRECHA, Federico.

Novelista, periodista y autor dramático español. Nació—1855—en San Martín (Navarra) y murió—¿1930?—en Barcelona. Estudió el Bachillerato en la capital de España y ganó—1873—una plaza en el Cuerpo Pericial de Aduanas. Aun cuando empezó a escribir muy joven en diarios y revistas madrileños, su nombre no alcanzó cierta fama hasta 1885, fecha en la que fue premiada su novela *El corazón y la cabeza* por el diario *El Imparcial;* diario en el que entró como redactor Urrecha hasta 1892, año en el que, al ser trasladado a la Aduana de Barcelona, ingresó en el diario barcelonés *El Diluvio.* No obstante, desde Barcelona envió novelas breves y cuentos a las revistas de Madrid: *El Cuento Semanal, Los Contemporáneos, Blanco y Negro, Nuevo Mundo...*

Obras: *Drama en prosa*—1885—, *Después del combate*—1886—, *El vencejo de Burgaleda*—1887—, *El rehén del Patuco*—1889—, *Tinita*—1889—, *La estatua*—cuentos, 1890—, *Cuentos del vivac*—1892—, *Tormento*—comedia, 1892—, *Siguiendo al muerto*—1894—, *Agua pasada*—cuentos, 1897—, *El teatro* —apuntes, 1900—, *El teatro contemporáneo en Barcelona*—1910—, *Paisajes de Holanda* —1913...

URRUTIA, Luis Leopoldo de (v. Luis, Leopoldo de).

USCATESCU, Jorge.

Nació—1919—en Curteana (Rumania). Escritor de lengua y de nacionalidad españolas. Adquirió la ciudadanía en el año 1955. Licenciado en Filosofía y Derecho por la Universidad de Bucarest. Doctor en Filosofía y Letras y Derecho por la Universidad de Ro-

U

ma. Diplomático. Profesor de Universidad. Colaborador del Consejo Superior de Investigaciones Científicas de Madrid. Presidente de la Sociedad Internacional de Estudios Filosóficos Giovanni Gentile, de Roma. "Premio de la Unión Latina de París" y "Premio de la Unidad Europea de Roma". Escribe indistintamente en su rumana lengua materna, en español y en italiano.

Obras: *El problema de Europa*—"Col. Cuadernos Europeos", Madrid, 1949—, *Rumania: pueblo, historia, cultura*—C. S. I. C., Madrid, 1951—, *De Maquiavelo a la razón de Estado* —"Col. Destino", Madrid, 1951—, *Europa ausente*—Editora Nacional, Madrid, 1953—, *Relaciones culturales hispano-rumanas*—editorial Ceor, Madrid, 1952—, *Rebelión de las minorías*—Editora Nacional, Madrid, 1955; edición en portugués: Livraria Clásica Brasileira, Río de Janeiro, 1958—, *Juan Bautista Vico y el mundo histórico*—C. S. I. C., Madrid, 1956—, *Constantin Brancusi*—"Colección Crece o muere", Madrid, 1958—, *Teoría y negación de la Historia*—"Col. Crece o muere", Madrid, 1956—, *La mort de l'Europe?*—Librairie Française, París, 1957—, *Escatología e Historia*—edit. Guadarrama, Madrid, 1959—, *Nuevos retratos contemporáneos*—edit. Dossat, Madrid, 1959—, *Hombres y realidades de nuestro tiempo*—edit. Rialp, Madrid, 1961—, *Profetas de Europa*—Editora Nacional, Madrid, 1962, "Premio de la Unidad Europea", Roma, 1964—, *Vico ed altre guide*—Edizioni Giardini, Pisa, 1962—, *Tiempo de Ulises*—Editora Nacional, Madrid, 1963—, *Utopía y plenitud histórica* —edit. Guadarrama, Madrid, 1963—, *Séneca, nuestro contemporáneo*—Editora Nacional, Madrid, 1965—; *Aventura de la libertad* —Instituto de Estudios Políticos, Madrid, 1966—, *Fronteras del silencio*—Editora Nacional, Madrid, 1967—, *Tempo di Utopia* —Edizioni Giardini, Pisa, 1967—, *Profetes tis Evropis*—Editoria B. Kontoi, Atenas, 1967—, *Konturen eines neuen Humanismus* —Walter de Gruyter, Berlín, 1967—, *Nou itinerar*—edit. Destino, Madrid, 1968—, *Del Derecho romano al Derecho soviético*—Instituto de Estudios Políticos, Madrid, 1968—, *Il teatro e le sue sombre*—Editoriale Universitaria, Bari, 1968—, *Némesis y libertad* —Editora Nacional, Madrid, 1968—y *Proceso al Humanismo*—edit. Guadarrama, Madrid, 1968—. Con su obra *Erasmo*, publicada por Editora Nacional, ha obtenido el "Premio Nacional de Literatura Menéndez Pelayo".

USIGLI, Rodolfo.

Crítico y autor dramático mexicano contemporáneo. Nació—1905—en México. En la actualidad está considerado como uno de los más altos valores escénicos de su patria, a cuyo teatro ha llevado aires de modernidad y de sugestión extraordinarios. En 1932 publicó un libro de crítica: *México en el teatro*, en el que, con erudición y amenidad, trata del movimiento teatral de su patria desde los orígenes a la hora presente; libro de gran valor documental y de crítica modelo aún no superado en México. En 1940 fundó el "Teatro de la Media Noche".

Ha estrenado con grandes éxitos—entre otras obras—: *Medio tono*—1937—, *El gesticulador*, que lleva el subtítulo de "pieza para demagogos, en tres actos"; *El apóstol* —1930—, *Falso drama*—1932—, *El presidente y el ideal*—1934—, *Estado de Secreto* —1935—, *El niño y la niebla*—1936—, *Alceste*—1936—, *Otra primavera*—1938—, *Aguas estancadas*—1939—, *Dueño de día* —1940—, *La familia no cena en casa*—1942—, *Función de despedida*—1949—, *Los fugitivos* —1950—, *Un día de estos*—1953...

USLAR PIETRI, Arturo.

Novelista, ensayista, conferenciante venezolano. Nació—1906—en Caracas. Doctor en Ciencias Políticas y doctor "honoris causa" en Leyes. Desde muy joven se dedicó con gran ardor a la política siempre efervescente de su país. Desempeñó importantes cargos diplomáticos en el extranjero. Senador y ministro varias veces. Profesor de Literatura Hispanoamericana en la Universidad de Columbia (Estados Unidos).

Según un crítico literario americano, "abordó Uslar Pietri en su novelística el denso y contradictorio panorama de su querida Venezuela, que tan fácilmente puede asimilarse al de otros países de la América hispana: el choque de generaciones, el difícil afianzamiento de la democracia institucional y la fácil solución de los gobiernos fuertes y, sobre todo, ese incesante vaivén que decreta triunfos y derrotas igualmente precarios, que juega con la voluntad individual y decide su destino como la ciega fortuna del poema alegórico medieval de Juan de Mena, que presta su epígrafe y su nombre a esta serie novelística". La fama de Uslar Pietri es hoy universal, pues se trata de uno de los mejores novelistas, entre tantos buenos como presenta en la actualidad el panorama literario hispanoamericano.

Obras: *Barrabás y otros relatos*—1928—, *Las lanzas coloradas*—novela, 1930—, *Red* —relatos, 1936—, *Treinta hombres y sus sombras*—1949—, *Breve historia de la novela hispanoamericana, La ciudad de nadie, El camino de El Dorado*—novela, 1947—, *Un retrato en la geografía*—novela, primera parte de un ciclo...

V

VACA DE GUZMÁN, José María.

Poeta y prosista famoso en su época. 1744-1801. Natural de Marchena. Hizo sus estudios en Sevilla y en Alcalá de Henares, donde se doctoró en ambos Derechos y fue vicerrector y rector. En 1788 era magistrado de la Audiencia de Granada; en 1789, consejero de Su Majestad; en 1791, ministro del Crimen de la Real Audiencia de Barcelona. Con su poema *Las naves de Cortés, destruidas,* ganó el primer premio concedido por la Academia Española en competición con Nicolás Fernández de Moratín, a quien se otorgó el accésit. Nuevamente le premió la Academia, al siguiente año, otro poema, titulado *Granada, rendida.* Su nombre figura en el *Diccionario de autoridades* del idioma, publicado por la Academia Española.

Pese a los galardones que le otorgó la más alta autoridad literaria española, Vaca de Guzmán no fue un poeta de primera magnitud. Compuso algunos versos de noble armonía y gallardo estilo; y en no pocas ocasiones puso en evidencia cierta entonación, ingenio y arranque. Pero le sobraron prosaísmos, conceptismos y algunas extravagancias. Utilizó los seudónimos de "Miguel Cobo Magallón" y "José Rodríguez Cerezo", y el mote de "Elfino".

Otras obras: *Fastos del Cristianismo*—romances—, *Advertencias que hace a los críticos, humanistas y poetas*—crítica, 1787.

Sus *Obras completas*—Madrid, 1789, tres tomos—están dedicadas a la reina doña María Luisa de Borbón, su favorecedora.

Poesías suyas pueden leerse en: Tomos XXIX y LXI de la "Biblioteca de Autores Españoles"; *Historia y antología de la poesía castellana,* de Sainz de Robles, Madrid, 1951, 2.ª edición; *Neoclásicos y románticos,* de Félix Ros, Barcelona, 1941.

V. GONZÁLEZ PALENCIA, A.: *Don José María Vaca de Guzmán, primer poeta premiado por la Academia Española,* en el *Boletín de la Academia Española,* 1931, XVIII, 293.

VACA GUZMÁN, Santiago.

Novelista, crítico y poeta boliviano. 1846-1896. Carecemos de noticias de su vida.

Entre sus obras sobresalen: *Ayes del corazón*—poemas, Sucre, 1867, 2.ª edición—, *Poesías*—Sucre, 1867—, *Días amargos, páginas de un libro de memorias de un pesimista*—Buenos Aires, 1886—, *La literatura boliviana...*

Pero la obra que le ha dado más fama es la novela *Su Excelencia y su Ilustrísima,* que, según Díez de Medina, "delata el gusto novelístico de la época, influido por la escuela romántica francesa. No es obra de subida jerarquía, pero su autor demuestra imaginación, facilidad descriptiva en el diálogo y un estilo correcto. Hubo en Vaca Guzmán vocación de hombre de letras. Le faltó una técnica, una artesanía madura para ser buen novelista". Bastante más valió como crítico e historiador literario.

V. DÍEZ DE MEDINA, Fernando: *Perfil de la literatura boliviana,* en *Thunupa,* La Paz, 1947.—FINOT, Enrique: *Historia de la literatura boliviana.* México, 1943.

VAL, Luis de.

Novelista folletinista español de gran popularidad. Nació—1867—y murió—1930—en Valencia. Nació ciego, recobrando la vista a los tres años. Bachiller. A los diecisiete años entró de amanuense en el despacho del novelista por entregas Rafael del Castillo. A los diecinueve años publicó su primera novela: *Celos de esposa,* que obtuvo un éxito inmenso entre las clases populares de toda España. A partir de entonces, y trabajando catorce y dieciséis horas diarias, Luis de Val produjo incansablemente novela tras novela, hasta un número superior al de doscientas, haciéndose rico y sumamente leído e imitado. Llegó a poseer un palacio en Barcelona y una casa en Valencia, en los que reunió espléndidas colecciones de objetos de arte.

A la fecundidad pasmosa unió Luis de Val otros valores innegables: inventiva firme, interés grande, naturalidad para dialogar y, como buen valenciano, un colorido brillante muy simpático. Acaso después de Fernández y González y de Pérez Escrich, sea Del Val el más interesante folletinista español del pasado siglo. Se apartó por completo de otros folletinistas dedicados a ensalzar el crimen y las malas pasiones, procurando que en sus obras la virtud triunfase siempre sobre el vicio.

Algunas obras: *Los ángeles del hogar*—su obra maestra, de la que se han hecho veintidós ediciones copiosísimas—, *Sola en el mundo*—diez ediciones—, *Los huérfanos*—siete ediciones—, *El hijo de la obrera*—doce ediciones—, *Sin padres, La hija de la nieve*—diecisiete ediciones—, *Morir por amar, Virgen y madre, Letras de molde*—artículos y cuentos—, *Alma y materia, Luz, La primera falta, Flor de carne, Aves sin nido, El hombre de ellas, La mujer de ellos, Claro de luna, La lucha por la existencia*—novelas cortas—, *El castigo de vivir*—drama—, *La carta*—juguete cómico...

Las novelas últimas, a partir de *Alma y materia*, de reducidas dimensiones y escritas sin apremios editoriales, delatan a Luis de Val como un novelista delicado y culto. Acaso la necesidad de vivir nos quitó en este novelista fecundo y lleno de vivacidad y colorido un segundo Blasco Ibáñez.

VAL, Mariano Miguel del.

Poeta y prosista. Nació—1875—y murió—1912—en Madrid. Licenciado en Derecho y Filosofía y Letras por la Universidad Central. Colaborador de *Los Lunes de El Imparcial, El Liberal, Por Esos Mundos, Nuevo Mundo, La Esfera* y otros muchos diarios y revistas. En 1906 fundó la revista literaria *Ateneo*. Y en 1910, la Academia de la Poesía Española, subvencionada por el Gobierno. Dio muchas y muy interesantes conferencias en Ateneos, Círculos y Academias de toda España.

Según Cejador, "fue un poeta exquisito, castizo, cincelador del verso". Y era también sumamente culto y crítico muy expresivo.

Obras: *Edad dorada*—versos, 1905—, *El libro de las glosas*—versos, 1911, *La poesía del "Quijote"*—crítica, 1905—, *Los novelistas en el teatro*—1906—, *Tentativas dramáticas de doña Emilia Pardo Bazán*—1907—, *De lo bueno y de lo malo*—crónicas, 1909—, *Policromías*—1910—, *El burlador de Salamanca*, la traducción en verso de *El barbero de Sevilla, Teatro de Martín de Samos*... Las tres últimas en colaboración con Bonilla San Martín.

VALBUENA, Antonio de.

Poeta, prosista y erudito. Nació—1844—en Pedrosa del Rey (León). Murió—1929—

en la misma villa. Estudió Humanidades en el Seminario de León, sin llegar a ordenarse. Doctor en Derecho por la Universidad Central. De ideas tradicionalistas, polemizó de lo lindo con los liberales en las columnas de *La Lealtad*, y más tarde fundó *La Buena Causa*. En 1868 tuvo que emigrar a Francia. Auditor de guerra del ejército carlista durante la última contienda entre la Tradición y Alfonso XII. Redactor, en Madrid, de *El Siglo Futuro*. Colaborador de *Los Lunes de El Imparcial*. De talento fino y sutil; de mucha vis cómica—aunque poco fina y menos ática—; satírico duro e intransigente, mordaz y atrevido; de espíritu elevado y noble.

Como polemista terrible, iconoclasta y, muchas veces, justo, fue temidísimo por sus contemporáneos. Abatió muchos nombres encumbrados con una crónica. Puso en solfa prosaísmos, garrafales atentados al arte puro, la necedad de poetas ebenes y de académicos ripiosos. Rindió culto a la pureza del lenguaje, al amor a la verdad, a la sinceridad. El público, que buscaba con verdadero afán sus escritos, hizo de él un ídolo. Los literatos le temieron como a la peste. Con frase castiza y donairoso decir y desplantes inauditos, proclamó su libertad—y aun su libertinaje—para atacar a cuanto le pareciera memo, hipócrita, antiartístico.

Utilizó los seudónimos de "Venancio González" y "Miguel de Escalada".

Obras: *Víctima del corazón*—idilio, Madrid, 1879—, *Cuentos de barbería, aplicados a la política*—Madrid, 1879—, *Ripios vulgares*—Madrid, 1891—, *Capullos de novela*—1892—, *Agridulces políticos y literarios*—1892—, *Segunda toma*—Madrid, 1893—, *Ripios ultramarinos*—Madrid, 1893—, *Segundo montón*—1894—, *Tercer montón*—1896—, *Cuarto montón*—1902—, *Novelas menores*—Madrid, 1895—, *Fe de erratas al nuevo Diccionario de la Academia*—Madrid, 1896—, *Destrozos literarios*—1899—, *Agua turbia*—novela, 1900—, *Rebojo, Zurrón de escritos humorísticos*—Madrid, 1902—, *Parábolas*—1904—, *Ripios geográficos*—Madrid, 1905—, *Notas gramaticales: el "la" y el "le"*—Madrid, 1910—, *Corrección fraterna*—1911—, *Caza mayor y menor*—Madrid, 1913.

En 1924 empezaron a publicarse sus obras completas.

VALBUENA, Bernardo de (v. Balbuena, Bernardo de).

VALBUENA BRIONES, Angel.

Investigador, crítico literario, cuentista y ensayista. Nació—1928—en Madrid. Licenciado en Filosofía románica, con premio extraordinario—1949—. Doctor—1952—por la Universidad Central, con la tesis "La poesía portorriqueña contemporánea". Durante los años 1950 y 1951, en Radio Nacional de España, dirigió una emisión semanal titulada "Poetas de América para América", dando a conocer admirables ensayos acerca de sor Juana Inés de la Cruz, Rubén Darío, Silva, Herrera y Reissig, Gabriela Mistral, Alfonsina Storni, Delmira Agustini, Lugones, Poe, Walt Whitman, Bello, Martí y otros muchos poetas.

Dirigió en Radio Murcia la emisión "Hispanoamérica". En los cursos 1949-1950 y 1950-1951, en la Universidad de Murcia, fue profesor ayudante de Literaturas hispanoamericana, francesa, italiana, española, Filología catalana... Becario honorario del "Instituto Nebrija" del Consejo Superior de Investigaciones Científicas. Directivo, en Madrid, de la Asociación Cultural Iberoamericana y organizador de sus tertulias literarias. Colaborador asiduo de las revistas *Correo Literario, Mundo Hispánico, Indice, Ateneo*—de Madrid—, *Ultima Hora*—Bolivia—, *Correio da Manha*—Brasil—, *El Mercurio*—Chile—, *El Siglo*—Colombia—, *Diario de Yucatán*—México—, *La Crónica*—Perú—, *Alma Latina*—Puerto Rico—, *La Unión*—Paraguay—, *El Debate*—Uruguay—, *La Esfera*—Venezuela...

Ha dado notables conferencias en Madrid y en varias provincias.

Obras: *Antología de la nueva poesía de Puerto Rico*—con un largo prólogo de crítica—, *Antología de sor Juana Inés de la Cruz*—1953, con un extenso estudio—, *La nueva literatura, Ventana abierta al siglo XVIII, La poesía americana a través de sus líricos, Cuentos, Literatura Hispanoamericana*—Barcelona, G. Gili, 1962.

Ha publicado ediciones críticas de los "dramas de honor" de Calderón, y de las comedias "de capa y espada" del mismo autor.

Valbuena Briones ha ampliado sus estudios en París y en varias Universidades inglesas — Cambridge, Oxford, Edimburgo, Leeds—. En la actualidad—1973—es catedrático de Lengua y Literatura Españolas en la Universidad de Delaware (Estados Unidos).

VALBUENA PRAT, Ángel.

Gran poeta, ensayista y crítico literario. Nació en Barcelona—1900—. Su tesis doctoral, *Los autos sacramentales de Calderón (Clasificación y análisis)*, publicada en la *Revue Hispanique*—1924—, obtiene el premio Fastenrath, de la Real Academia Española. Catedrático de Literatura en las Universidades españolas de La Laguna (Ca-

narias), Barcelona, Murcia y Madrid. Explica un curso académico en la Universidad de Río Piedras (Puerto Rico)—1928-1929—y dos en la de Cambridge (Inglaterra)—1933-1935—. Da conferencias en Oxford, Liverpool, Leeds, Edimburgo, Newcastle, etc., y en otras diversas Universidades españolas, norteamericanas y brasileñas. Su fama ha excedido de las fronteras patrias.

El teatro Español, de Madrid, inaugura su temporada de 1946 con su adaptación de *El médico de su honra,* de Calderón.

Poeta desde los catorce años, cultivó la novela—*Teófilo,* 1926; *2+4,* 1927—; pero su continuidad lírica, sobre todo en el aspecto religioso, es lo más logrado de estas actividades—*Dios sobre la muerte,* 1939.

En la crítica representa la vuelta a Calderón, que ha estudiado y editado—*Autos sacramentales,* en *Clásicos Castellanos,* 1927; 2.ª edición, muy renovada, 1942—y ha destacado autores como Mira de Amescua y Cubillo de Aragón.

Entre sus obras de crítica, erudición y valoración estética, destacan su *Historia de la literatura española*—edit. Gustavo Gili, 8.ª edición, 1969—, *La novela picaresca española*—edit. M. Aguilar, donde tiene también prologado un tomo de Cervantes—, *La vida española en la Edad de Oro*—1943—, *Calderón*—edit. Juventud, 1942—, *Poesía sacra española*—edit. Apolo, 1940—, *Autos sacramentales de Calderón. Estudio y notas*—Aguilar, 1953—, *El sentido católico en la literatura española*—Zaragoza, 1940—, *Relatos de misticismo y de ensueño*—Madrid, 1927—, *Literatura dramática española*—Barcelona, 1940—, *Historia del teatro español*—Barcelona, Noguer, 1956—, *Estudios de literatura religiosa española*—1964—, *Literatura española en relación con la universal*—Madrid, 1965.

Ha publicado ensayos sobre diversos temas de arte y literatura en revistas y semanarios—*Revista de las Españas, Escorial,* etcétera—. Tuvo parte destacada en la revista *La Rosa de los Vientos*—Canarias, 1927-28—. Valbuena Prat es, hoy, el más docto historiador de la literatura española. De enorme erudición y mucha claridad expositiva.

V. MÉNDEZ, Concha: *Un escritor novecentista: Angel Valbuena Prat,* al frente de *La poesía española contemporánea* (C.I.A.P.), 1930. Tomo X del Apéndice de la Enciclopedia Espasa (voz "Valbuena Prat"), 1933.—ENTRAMBASAGUAS, J. de: *La determinación del romanticismo y otros ensayos,* 1940.—SAINZ DE ROBLES, F. C.: *Historia y antología de la poesía española,* 1964.—DÍAZ-PLAJA, Guillermo: *Poesía lírica española,* "Colección Labor", 1948, 2.ª edición.—NORA, Eugenio G. de: *La novela española contem-*

V

poránea. Madrid, Gredos, 1962, tomo II, páginas 233-234.

VALCÁRCEL, Darío. Marqués de O'Reilly.

Literato español. Nació—1905—en Madrid. Abogado. Ha desempeñado distintos cargos políticos y de confianza en la Administración del Estado, en los departamentos de Trabajo, Asuntos Exteriores, Guerra y Hacienda.

Desde muy temprana edad, en plena infancia, había sentido la vocación literaria. Ya adulto, escribió en numerosos periódicos y revistas españoles y americanos, como *A B C, El Diario de la Marina, La Nación, El Diario Vasco* y la *Revista Diplomática.* Actualmente es el marqués de O'Reilly uno de los más distinguidos abogados madrileños, y colabora con trabajos políticos y literarios en el diario *Ya,* las revistas *Fotos* y *Medina* y otras publicaciones.

Aunque su producción de libros es aún poco numerosa—dos novelas terminadas: *Vidas inquietas* y *El Club de los Noctámbulos,* y otras en preparación—, la primera de aquellas le colocó ya, por su gran éxito de público y crítica, entre los buenos escritores españoles.

Sus libros revelan una gran sensibilidad, una exuberante fantasía y un estilo personal, que se unen a un profundo conocimiento del alma humana—adquirido, seguramente, en no pequeña parte, en la práctica diaria de consultorio—y una extraordinaria experiencia de los más contrapuestos ambientes, ensanchada en sus viajes por Francia, Italia, Centroamérica y los Estados Unidos.

Las novelas del marqués de O'Reilly, hondas y frívolas a la vez—como han dicho varios críticos—, son de aquellas que interesan y apasionan desde el primer momento de tal modo que, una vez comenzada su lectura, no se abandona hasta el final.

Obras: *Vidas inquietas*—novela, 1943, edición A. Aguado. Madrid—, *El Club de los Noctámbulos*—1945—, *El peligro*—comedia, 1946.

En colaboración: *Nueve millones*—novela, 1944—, *Sonia*—comedia dramática, 1945.

En preparación: *El príncipe errante*—novela.

VALDELOMAR, Abraham.

Novelista, poeta, autor dramático, articulista peruano. Nació—1888—en Pisco. Murió en 1919. Peregrino y fecundísimo escritor, cuyo porte y vida, según Cejador, fueron los de un segundo Oscar Wilde. Colaboró en *Variedades,* donde publicó los dos ensayos de novela *La ciudad de los tísicos* —1910—y *La ciudad muerta,* digresiones un tanto incongruentes y fantásticas. Colaboró

también en *La Crónica, El Comercio* y *La Prensa,* consiguiendo una justa fama de cronista brillante y ameno. En 1916 fundó la la revista *Colónida,* que tuvo gran importancia, ya que el grupo de literatos adscritos a ella fue llamado "de los colónidas" y absorbió, incluso, a escritores de situación cronológica anterior; *Colónida* llegó a adquirir un significado más amplio que el meramente poético: el nombre clave de una posición intelectual y política frente a los problemas más intensos y apasionados del Perú. En 1910 el Municipio de Lima premió su primer libro: *Con la argelina al viento,* colección de primorosos artículos.

Abraham Valdelomar sobresalió aún más como narrador; pintó la vida criolla con insobornable realismo y con vivísimos matices; y supo evocar con grandeza—aunque sin fidelidad histórica—el colosal imperio de los Incas.

Obras: *La Mariscala*—crónica novelesca de doña Francisca Gamarra, 1914—, *El caballero Carmelo*—cuentos, 1918—, *Belmonte el trágico*—1919—, *Los hijos del sol, La verdolaga*—comedia pastoril...

El Gobierno peruano publicó los escritos de Valdelomar desparramados en diarios y revistas.

V. CASTRO, Enrique: *Elogio de Abraham Valdelomar.* Lima, 1920.—SÁNCHEZ, Luis Alberto: *La literatura peruana.* Santiago, 1963, tres tomos.—SÁNCHEZ, Luis Alberto: *La literatura del Perú.* Buenos Aires, Facultad de Filosofía y Letras, 1943, 2.ª edición.

VALDERRAMA, Pilar.

Poetisa y autora dramática. Nació—1899— en Madrid. Ha colaborado en algunas revistas literarias. Aun cuando ha llevado una vida recoleta de hogar que, tal vez, le haya impedido alcanzar la fama que le corresponde, Pilar Valderrama suma a su enorme raíz emotiva: una expresión limpia, sencilla, fluida; una sensibilidad de primores imaginativos. Su lirismo delata la influencia de Antonio Machado. Sus poemas, como dijo Enrique Díez-Canedo, son "para leídos en voz baja".

Obras: *Las piedras de Horeb*—1922—, *Huerto cerrado*—1928—, *Esencias*—1930—, *Holocausto*—1941—, *El tercer mundo*—poema dramático, Madrid, 1934—, *La vida que no se vive*—comedia dramática—, *Antología* —Madrid, 1958.

V. SAINZ DE ROBLES, F. C.: *Historia y antología de la poesía española.* Madrid, Aguilar, 1969, 5.ª edición.

VALDÉS, Alfonso de.

Magnífico prosista y erudito. Nació—1490— en Cuenca. Murió—1532—en Viena. Su padre fue regidor perpetuo y procurador en Cortes. No fue clérigo ni teólogo, como han afirmado algunos críticos. Ni discípulo, sino amigo, de Pedro Mártir Anghiera, con quien se carteó. Empleado en la Chancillería de Carlos I de España, asistió a la coronación de este en Aquisgrán, y a la Dieta de Worms, mostrándose en ella desfavorable a Lutero. Ya en España, desempeñó, sucesivamente, los cargos de registrador, contrarrelator y secretario de la Chancillería. En 1526 le nombró el césar Carlos I su secretario de cartas latinas. Y en 1532, Crammer le llama "secretario principal". Siguió al emperador por toda Europa, y asistió a todas las Paces, Conferencias y Tratados. Redactó o suscribió la mayoría de los documentos oficiales, entre ellos la *Investidura e infeudación del ducado de Milán*, a Francisco Sforza —1524—. Y también redactó las cartas de Carlos I a Jacobo Salviati—disculpando el asalto y saqueo de Roma—y al rey de Inglaterra, Enrique VIII; la respuesta al cartel de desafío de los reyes inglés y francés; el Tratado de paz con Clemente VII; el reconocimiento de Carlos I a su hija natural, Margarita.

En 1525 ya sostenía Alfonso de Valdés correspondencia con Erasmo. *Erasmiciorem Erasmo*—más erasmita que Erasmo—le llamaron Castiglione, Juan Alemán y Oliver.

Fue gran diplomático y espíritu tan sereno, que únicamente sostuvo una polémica con el nuncio Castiglioni y Juan Alemán, escribiendo el *Diálogo de Lactancio y un arcediano*, "verdadero tesoro de la lengua", según Menéndez Pelayo, retocado por su hermano Juan y aun recargado en la dureza y acedía.

Alfonso de Valdés no fue—como no lo fue Erasmo—ni luterano, ni estuvo jamás separado públicamente del gremio de la Iglesia. Pero a Erasmo y a Valdés se les puede llamar *padres y precursores de los reformistas.* Alfonso de Valdés murió en Viena, víctima de la peste, y, según se deduce de su testamento, dentro del catolicismo.

Fue Alfonso de Valdés un espíritu agudísimo para la ironía y para la crítica. Poseyó una cultura vasta y bien asimilada. En muchos puntos de interpretación social y jurídica superó al mismo Erasmo. Su estilo fue elegantísimo, natural, brillante. Y su prosa, la mejor que se escribió en España en el siglo XVI, si se exceptúa la traducción que hizo Boscán de *El cortesano,* de Baltasar Castiglioni.

Otras obras: *Diálogo: en que particularmente se tratan las cosas acaecidas en Roma el año M. D. XXVII*—del que hay ejemplares en las bibliotecas de las Universidades de Rostok, Gotinga y Munich, y en las Bibliotecas Nacionales de Munich, París y Lon-

dres—; *Diálogo de Mercurio y Carón* —¿1528 a 1530?—, de gran importancia literaria y moral, de corte lucianesco, "monumento clarísimo del habla castellana", según Menéndez Pelayo.

Hay dos excelentes ediciones modernas del *Diálogo* de Alfonso de Valdés: la de Usoz—1850—y la de J. F. Montesinos, en los tomos 89 y 96 de *Clásicos Castellanos,* Madrid, 1928 y 1929.

V. MENÉNDEZ PELAYO, M.: *Heterodoxos españoles*, II, 96 y 128.—CABALLERO, Fermín: *Alfonso y Juan de Valdés*. Madrid, 1875.— HUARTE, Amalio: *Para la biografía de los hermanos Valdés*, en *Rev. Fil. Esp.*, 1934, XXI, 167.—BOEHMER, E.: *Spanish Reformer.* Strassburg-London, 1874, I, 65.—BESSON, P.: *Alfonso de Valdés*, en *Rev. Crist.*, 1917, XXXVIII, 105.—ZARCO CUEVAS, Julián: *Testamento de Alfonso y Juan de Valdés*, en *Boletín de la Academia Española*, 1927, XIV, 679.—BATAILLON, M.: *Alfonso de Valdés, autor del "Diálogo de Mercurio y Caronte*, en *Homenaje a Menéndez Pidal*, I, 403.—USOZ, Luis: *Consideraciones divinas de Valdés.* 1863.—MONTESINOS, J. F.: *Estudios y notas* en la ed. *Clásicos Castellanos.*—BATAILLON, M.: *Erasme et l'Espagne.* París, 1937, págs. 395 y sigs.

VALDÉS, Gabriel de la Concepción (v. «Plácido»).

VALDÉS, Juan de.

Magnífico pensador, erudito y prosista. Nació—¿1501?—en Cuenca. Murió—1545—en Nápoles. Hermano de Alfonso de Valdés. Debió de estudiar en Alcalá, y anduvo diez años "andante en corte" y entregado a la lecturas de libros de caballerías y de los *Diálogos* de Luciano, de quien aprendió el tono y el tino del dialogar. Estuvo algún tiempo al servicio del duque de Escalona. Gran humanista, dominó el latín, el griego y el hebreo. Por mediación de su hermano Alfonso, se relacionó con Erasmo, quien le escribió felicitándole porque "enriquece su ánimo, nacido para la virtud, con todo linaje de ornamentos". También, con una carta de recomendación de su hermano para el celebérrimo humanista Juan Ginés de Sepúlveda, pasó Juan a Roma—1531—. Los últimos años de su vida transcurrieron en Nápoles, donde era famosísimo y contaba con discípulos de gran mérito.

Más decidido y violento que su hermano Alfonso, con más dotes naturales de simpatía y seducción espiritual, más avanzado sobre las ideas de Erasmo, dueño de un personalísimo sistema teológico, Juan de Valdés fue el principal fautor del protestantismo en Italia. Se le achaca haber apartado de la ortodoxia romana a personas tan célebres como la bellísima Julia Gonzaga, la cultísima Victoria Colonna, el canónigo erudito Pedro Mártir Vermigli, el gran predicador y devotísimo varón fray Bernardo Oquino, el médico y poeta Marco Antonio Flaminio.

"Caballero noble y rico" le llamó Juan Pérez. "Gentilhombre de capa y espada", Carnesechi. Su trato era intelectualmente seductor. Su palabra resultaba sugerente, felicísima, brillante, Según Cejador: "Su doctrina se aparta de las de Melanchton, Lutero, Calvino y demás herejes del siglo XVI, por ciertos aspectos sustanciales que le dan carácter personal en lo dogmático y en la exégesis bíblica, sobre todo en lo que toca a la disciplina de la Iglesia."

El principal mérito literario de Juan de Valdés está en su prosa; en ella, "la lengua brilla del todo, formada, robusta, flexible y jugosa, sin afectación ni pompa vana, pero al mismo tiempo sin sequedad ni dureza y con toda la noble y majestuosa serenidad de las lenguas clásicas".

De su estilo declaraba el propio Juan de Valdés: "El que tengo me es natural y sin afectación ninguna. Escribo como hablo; solamente tengo cuidado de usar vocablos que signifiquen bien lo que quiero decir, y dígolo cuanto más llanamente me es posible, porque, a mi parecer, en ninguna lengua está bien la afectación."

Fue un excelentísimo crítico literario, que juzgó tan certeramente de autores y de obras, que sus fallos han ido robusteciéndolos el tiempo. Y también un eminente filólogo, que defendió la tesis de pronunciar como se escribía, y rechazó los latinismos. Juan de Valdés es el más admirable prosista castellano anterior a Cervantes. Su nombre está incluido en el *Catálogo de autoridades* del idioma.

Obras: *Diálogo de la doctrina cristiana* —Alcalá, 1529, su primera obra teológica, que le valió un proceso de la Inquisición—, *Alphabeto christiano*—Venecia, 1546—, *Comentarios a la Epístola de San Pablo a los Romanos*—Venecia, 1556—, *Ciento diez consideraciones divinas*—Basilea, 1550.

Pero su libro famosísimo es el *Diálogo de la lengua*, editado por vez primera, y como anónimo, por Mayáns—1737—, en los *Orígenes de la lengua española*. En este diálogo intervienen dos italianos—*Marcio*, o Marco Antonio, apodo de Julia Gonzaga, y *Coriolano*, el secretario del virrey don Pedro de Toledo—y dos españoles—*Pacheco*, soldado, que luego se llama Torres, y el propio Valdés—. Estos interlocutores "son caracteres vivos arrancados de la realidad". El *Diálogo* es la obra mejor escrita en castellano antes de Cervantes. En el *Diálogo* se habla admirablemente de los *orígenes* del caste-

llano, de la *fonética* y *ortografía*, del *vocabulario*, del *estilo* y de los *textos*.

Del *Diálogo de la lengua* hay numerosísimas y excelentes reimpresiones, entre las que sobresalen: la de Boehmer, 1895, en *Romanische Studien;* la de S. Calleja, Madrid, 1919, con un prólogo de Moreno Villa, y la del tomo LXXXVI de *Clásicos Castellanos,* Madrid, 1926.

Del *Diálogo de la doctrina cristiana* hay edición 1925, Coimbra, por Bataillou, reproducción de la de Alcalá de 1529. Del *Alphabeto christiano,* ed. Usoz, 1861. De los *Comentarios de la Epístola de San Pablo a los Romanos,* ed. Usoz, 1856. De las *Ciento diez consideraciones,* ed. Boehmer, 1860. Del *Comentario a los Salmos,* ed. Carrasco, Madrid, 1885, en *Revista Cristiana.*

V. MENÉNDEZ PELAYO, M.: *Heterodoxos españoles,* II, 149, y III, 843-848.—MIGUÉLEZ, P.: *Sobre el verdadero autor del "Diálogo de la lengua",* Madrid, 1918.—COTARELO MORI, E.: *Una opinión nueva sobre el autor del "Diálogo de la lengua".* Madrid, 1918.—CARRASCO, M.: *Estudio* en la ed. Madrid, 1885. *Rev. Cristiana.*—WIFFEN, B.: *Life and writings of Juan de Valdés.* Londres, 1865.—HEEP, H.: *Juan de Valdés...* Leipzig, 1909.—BOEHMER, E.: *Spanish Reformers.* Strassburg-London, 1874.—CABALLERO, F.: *Alfonso y Juan de Valdés.* Madrid, 1875.—CIONE, E.: *Juan de Valdés. La sua vita e il suo pensiero...* Bari, 1938.

VALDÉS, Julio César.

Crítico prosista, humorista boliviano del siglo XIX. Murió ya en el siglo XX.

No hemos podido encontrar otras referencias a él que las recogidas del gran crítico boliviano Díez de Medina. Y son estas: "Julio César Valdés, espíritu afín a Larra y a Pereda, cáustico como el uno, penetrante y zumbón como el otro, es quien lleva más hondo el juicio satírico de costumbres. Sus *Crónicas,* sus *Croquis, Chavelita, Picadillo,* deliciosas expresiones del medio social, impregnadas de humorismo combativo, emboscan en el fondo la grave melancolía que se desprende del espectáculo humano. Un prosista correctísimo. Un penetrante observador. Un ingenio ágil y vibrante."

V. DÍEZ DE MEDINA, Fernando: *Perfil de la literatura boliviana,* en *Tunupha.* La Paz, 1947.—FINOT, Enrique: *Historia de la literatura boliviana.* México, 1943.

VALDIVIELSO, P. José de.

Interesante e inspirado poeta. Nació —¿1560?—en Toledo. Murió—1638—en Madrid. Cura de Santorcaz. Espíritu delicadísimo, gran amigo de Lope de Vega—al que ayudó a bien morir—y de Cervantes—a quien censuró sus poesías con un honrado elogio—. Valdivielso fue capellán del cardenal Sandoval y Rojas, de la capilla mozárabe de Toledo y del cardenal-infante don Fernando. Hacia 1610 ingresó en la Congregación madrileña del Oratorio de la calle del Olivar. Y murió como un santo, exhalando el buen aroma de la sinceridad y del candor de su alma.

Sus poesías líricas son encantadoras por la sencillez y casi puerilidad con que están escritas. Sus autos sacramentales forman la transición entre los antiguos y los de Calderón. Escribió dos poemas narrativos de poco valor: *Vida, excelencias y muerte... de San Joseph*—1604—, *Sagrario de Toledo* —1616—, y un poema heroico: *Romancero espiritual del Santísimo Sacramento*—1612.

Valdivielso se libró, naturalmente, de toda influencia culterana. Su nombre figura en el *Catálogo de autoridades* del idioma. Lope de Vega le alabó en el *Laurel de Apolo*; Cervantes, en el *Viaje del Parnaso*, y Agustín de Roxas, en su *Viaje entretenido.*

Vida y muerte del glorioso patriarca San José, poema narrativo, típico entre todos los de su clase, que, sin ser una auténtica revelación poética, está pletórico de características españolas y de escondidas bellezas, las que hay que saber buscar pacientemente en los veinticuatro inacabables cantos. Cuadros fuertemente naturalistas, descripciones fantásticas, pinturas cándidas—como las de los primitivos italianos—, sabrosas ingenuidades de sentimientos, explosiones apasionadas de devoción, preocupaciones barrocas—de mármoles, oros, brocados, columnas, astros y piedras preciosas—se encuentran en el poema de Valdivielso.

También escribió Valdivielso la *Exposición parafrástica del Psalterio*—1623—, y *Doce autos sacramentales y dos comedias divinas*—Toledo, 1622—; entre aquellos están *El villano en su rincón, Psiques y Cupido, El hijo pródigo, La serrana de Plasencia, El hospital de los locos...* Las comedias son: *El nacimiento de la mejor* y *El Angel de la Guardia.*

Poeta delicadísimo, de emocionante ternura, fue Valdivielso. Alguno de sus autos sacramentales son de lo más perfecto en el género.

Sus obras tuvieron un éxito enorme. De la *Vida de San José* se conocen dieciocho ediciones del siglo XVII; del *Romancero espiritual*, nueve. Del *Sagrario de Toledo*, dos.

Ediciones modernas: *Autos sacramentales*, tomo LXIII de la "Biblioteca de Autores Españoles"; *Vida de San José*, tomo XXIX de la misma Biblioteca; *Poesías*, tomos XXXV y XLII. *Romancero espiritual*, ed. M. Mir, Madrid, 1880.

V. MIR, Miguel: *Romancero de José Val-*

divielso. Madrid, 1880. "Colección Escritores Castellanos".—MARISCAL DE GANTE: *Autos sacramentales*. Madrid, 1911.—VEGUÉ GOLDINI, A.: *Temas de Arte y Literatura*. Madrid, 1928.—CEJADOR Y FRAUCA, J.: *Historia de la lengua y literatura*. Tomo IV.

VALENCIA, Guillermo.

Poeta y prosista de mucha fama. Nació —1873—y murió—1943—en Popayán (Colombia). Gran católico y conservador. Diplomático. Viajó por América y Europa. Miembro repetidas veces del Congreso. Candidato dos veces a la Presidencia de la República. Miembro de varias Academias literarias de América, España y Francia. Gran orador. De profunda y sutil capacidad mental y de cultura tan vasta como bien asimilada. Una de las figuras más interesantes del panorama intelectual colombiano. Doctor en Filosofía y Letras.

Sus modelos líricos fueron los parnasianos saturados de paganismo. De exquisito y original temperamento artístico. Amó las metáforas novísimas y las comparaciones desusadas. Tradujo de modo maravilloso a D'Annunzio, Verlaine y Hofmanontal. Su objetivismo buscó siempre los cuadros de color, raros, aun cuando sean de dolor.

"Más discreto y también más deslavado que Rubén Darío, Guillermo Valencia, sensible y aficionado a las artes de la música, estatuaria y pintura, sin las oscuridades verlainianas, gusta de los tonos suaves, de los matices del blanco y gris, de las sensaciones vagas, casi inexpresables, y sobresale en la descripción evocadora, por lo exquisito y esmerado de la forma, por la limpieza parnasiana de la hechura". (Cejador.)

"En la parte técnica—escribe Valera en sus *Ecos argentinos*—, Valencia ha sido siempre un espléndido versificador dentro de la tradición española, pues solo en composiciones secundarias y como a despecho ha rendido fugaz tributo a innovaciones exóticas... Valencia tiene una cultura verdaderamente clásica, la cual es enemiga de la nebulosidad de pensamiento y de la incoherencia de la expresión; cuando sigue su genialidad, busca instintivamente la proporción, la euritmia; y si conoce el secreto de la sugestión delicada, no ignora la gracia triunfadora del relieve y la línea."

Obras: Su obra fundamental en verso es *Ritos*—edición primera en Bogotá, 1899, y la hecha en Londres en 1914, con prólogo de Sanín Cano—. En la editorial América (España) se publicó una selección de sus versos con el título de *Sus mejores poesías*, y otra en México: *Poemas*—1917—. Publicó, además, en folleto, *Alma máter*—Popayán, 1916—; *Catay*, en 1929—colección de poesías

V

orientales, especialmente chinas, vertidas del francés—; el poema *Job* y *La balada de la cárcel de Reading*, de Wilde—traducción—. En prosa, escribió principalmente prosas oratorias de alto valor, tales como sus oraciones: *A Uribe Uribe, A Caldas, En memoria del doctor Juan Evangelista Manrique, En San Pedro Alejandrino*, etc., obras de las cuales se ha hecho una edición en folleto—*Oraciones panegíricas*—y otra en libro: *Panegíricos, discursos y artículos* —Armenia, 1933—. En la "Colección Samper Ortega" figura un tomo suyo de *Discursos* —varias ediciones—, *Poesías completas*, Madrid, 1948 y 1951, edit. Aguilar.

V. Porras Troconis, G.: *El alexandrismo de G. V.*, en *Cuba Contemporánea*, VIII, 251.—Sánchez, Luis Alberto: *Nueva historia de la Literatura americana*. Buenos Aires, 1944.—García Prada, C.: *Antología de líricos colombianos*. Bogotá, 1937, dos tomos. Gómez Restrepo, A.: *La literatura colombiana*, en *Rev. Hispanique*, tomo XLIII.—Sanín Cano, B.: Prólogo en la ed. Aguilar, Madrid, 1948.—Caparroso, Carlos Arturo: *Antología lírica. Estudios y notas*. Bogotá, 1951.

VALENCIA, Pedro de.

Humanista y filósofo español. Nació —1555—en Zafra (Badajoz), y murió—1620— en Madrid. Estudió latinidad con Antonio Márquez. Y en Córdoba fue alumno de los jesuitas. Habiendo ingresado en la Universidad de Salamanca, tuvo por maestro de griego al *Brocense*, y por maestro de hebreo, a Arias Montano, a quien siempre llamó "mi señor". Una vez graduado, se estableció en Zafra, donde ejerció su profesión de letrado a favor de los desamparados por la fortuna, con una caridad ejemplar. Con dispensa de Roma, contrajo matrimonio con su prima Inés Ballesteros, de la que tuvo cuatro hijos varones—ilustres en el saber—y una hija. En 1574, y en un plazo de menos de un mes, compuso su obra maestra: *Academica, sive de judicio erga verum ex ipsis primis fontibus*—Amberes, 1596—, que le dio justo renombre, colocándose en primera línea entre los pensadores de su siglo. La obra de Pedro de Valencia mereció de Menéndez Pelayo este juicio magnífico:

"Conocedor de los males del reino, clamó repetidas veces contra las pasadas imposiciones, pechos y gabelas que oprimían al pueblo; combatió la tasa del pan y la alteración de la moneda; vio en la ociosidad el origen de los males de España; escribió sobre el acrecentamiento de la labor de la tierra, tan decaída después de la expulsión de los moriscos, y solicitó ahincadamente que se adoptasen ciertas disposiciones de policía sanitaria en los lugares atacados por la peste... Fue el azote de todas las supersticiones, el terror de los falsarios y embaidores. Clamó contra la absurda y bárbara preocupación que conducía a la hoguera infinidad de pobres mujeres acusadas de hechicería... Defensor de los fueros de la lengua castellana y del buen gusto literario en la poesía y en la prosa, fue el primero en dar el grito de alarma contra las audaces innovaciones de don Luis de Góngora. Porque Pedro de Valencia era teólogo, escriturario, jurisperito, economista, historiador, filólogo y hasta entendido en achaques de medicina, pero era, sobre todo y más que todo, crítico. Crítico en filosofía, crítico en antigüedades, crítico en moral y en política, crítico en literatura, crítico en todo."

En 1607, don Felipe III llamó a su lado a tan docto varón, nombrándole cronista del reino.

En su precioso y admirable tratado, aun cuando no hizo profesión de filósofo, se inquietó por la certeza del conocimiento y quiso justificar benévolamente las doctrinas —paradójicas—de la llamada Nueva Academia.

Ediciones: *Académica*, en *Clarorum Hispanorum Opuscula Selecta et rariora*, de Cerdá y Rico, Madrid, 1781; *Cartas al P. Sigüenza*, en *La Ciudad de Dios*, 1896, tomos 41 al 44.

V. Menéndez Pelayo, M.: *Apuntamientos biográficos y bibliográficos de Pedro de Valencia*, en *Ensayo de crítica filosófica*, Madrid, 1918, pág. 246.

VALENCINA, Ambrosio de.

Literato y erudito. Nació—1859—en Valencina (Sevilla). Murió—1914—en esta capital. Su nombre y apellidos en el siglo fueron los de Francisco Marín Morgado. Las predicaciones admirables del futuro venerable capuchino Padre Esteban Advín, escuchadas cuando Valencina contaba quince años, le determinaron a ingresar en la Orden capuchina. Tomó el hábito religioso —1879—en el convento de Sanlúcar de Barrameda. Terminados sus estudios—1887—, fue elegido secretario provincial. Viajó por Asia y Oceanía. Superior de la residencia de Madrid y redactor de *El Mensajero Seráfico*. Lector de Filosofía. Vicario del convento de la Ollería. Cronista de la provincia capuchina española. Provincial de Toledo —1895—. Fundador—1896—del convento de su Orden en Granada. Doctor del Seminario y Universidad Pontificia de Sevilla. Fundador—1900—de *El Adalid Seráfico*. Examinador sinodal—1901—de la diócesis de Granada.

De mucha y buena doctrina. Prosista de oro de ley. Erudito muy admirado entre los eruditos. Su estilo es magnífico, con muchos matices poéticos.

Obras: *Mi viaje a Oceanía, Lirios del valle* —novela—, *Cartas a Teófila sobre la vida interior del cristiano, Cartas a Sor Margarita, Soliloquios, Flores del claustro, El Director perfecto y el dirigido Santo, Murillo y los capuchinos, Los capuchinos de Andalucía en la guerra de la Independencia* —1908—, *Historias piadosas, Las siete palabras*—predicadas, 1907, en la Real Capilla—, *Preparación para el matrimonio, Leyendas edificantes, Lecciones de Literatura española* —1899—, *La Salve, explicada; Vida del Padre Caravante...*

VALENTE, José Angel.

Poeta y prosista español. Nació—1929—en Orense. Licenciado en Filosofía y Letras por la Universidad de Madrid. Lector de español en Universidades extranjeras. En la actualidad reside en Ginebra como funcionario de la O. M. S. En 1954 obtuvo el "Premio Adonais" de poesía con su obra *A modo de esperanza*. "Tal vez haya sido Valente—escribe López Anglada—uno de los primeros poetas de esta generación que con más decisión ha roto todos los lazos estilísticos que pudieran unir su poesía a una forma antigua tanto por su expresión como por su temática. Ha de ser considerado como poeta *social*. El concepto de la poesía como vehículo de belleza, o como belleza en sí misma, no tiene nada que ver con la actitud viva, actual, que considera el poema como medio para llevar la ambición *civil* del poeta a un más alto nivel expresivo que pudiera ser hecho por cualquier otro medio."

Otras obras: *Más allá del viento*—poemas, 1956—, *Tiempo de esperar, tiempo de esperanza*—poemas, 1959—, *Baladas para la paz* —1963—, *Poemas a Lázaro*—1960—, *Sobre el lugar del canto*—1963.

VALENZUELA Y ENCISO, Fernando de.

Poeta y político español. Nació—1636—en Nápoles y murió—1692—en México. De familia noble. Protegido del duque del Infantado, virrey de Sicilia, con quien estuvo en Italia. De regreso en Madrid, contrajo matrimonio—1661—con doña María Ambrosia de Uceda, *moza* de cámara. De mucho talento y audacia, encontró otro decidido protector en el famoso ministro Padre Nithard. Fue conocido por el *Duque de Palacio*, por ser quien propalaba los *chismes* y secretos de la Corte. Desterrado Nithard, la reina madre doña Mariana nombró a Valenzuela introductor de embajadores y caballero del hábito de Santiago. Ministro absoluto. La malicia le atribuyó amores con la reina doña Mariana. Marqués de San Bartolomé de Villasierra. Embajador en Venecia. Capitán general de Granada. Sus poderosos enemigos lograron procesarle, pidiendo para él la pena de muerte. Estuvo preso en Consuegra y en Cádiz. Al fin pudo huir a México.

Valenzuela compuso varias poesías y comedias. Según Adolfo de Castro, el *Romance en endechas* de Valenzuela "es lo mejor que en su género hay en la lengua castellana".

Bartolomé José Gallardo, en su *Ensayo de una biblioteca de libros raros y curiosos*, se refiere a las *Poesías* de Valenzuela.

V. CASTRO, Adolfo de: *Estudio*, en el tomo II de *Poemas líricos de los siglos XVI y XVII*, en la "Biblioteca de Autores Españoles".

VALERA, Cipriano de.

Erudito y gran prosista. Nació—¿1532?— en Sevilla. Murió—después de 1602—en lugar desconocido del extranjero, probablemente en Inglaterra, donde se refugió al expatriarse por haber abrazado el protestantismo. Fue profesor de la Universidad de Oxford. En España había sido fraile de San Isidro del Campo. En 1557 huyó a Ginebra. Parece ser que se casó en Inglaterra.

Le hizo famoso en el mundo su traducción castellana de la *Biblia*—Londres, 1596—. Esta traducción, que difundieron y difunden por todo el mundo las Sociedades Bíblicas, es, en general, exacta y de lenguaje puro, castizo. Cipriano de Valera tomó como modelo de su traducción la de Casiodoro de Reyna—1569—, que fue la primera publicada en castellano.

Cipriano de Valera es autor de varios opúsculos de escaso interés: *Dos tratados: Del Papa y de la Misa*, reimpresos por Usoz en su colección de Reformistas antiguos españoles; *Tratado para confirmar los pobres cautivos de Berbería en la católica y antigua fe...*—1594—, reimpreso por Usoz, Madrid, 1854—; *Catholico Reformado...* —1599—y otros.

Noticias y fragmentos de todos estos opúsculos figuran en el tomo IV del *Ensayo de una biblioteca española de libros raros y curiosos*, Madrid, 1889.

V. MENÉNDEZ PELAYO, M.: *Heterodoxos españoles*, II, 466-491.

VALERA, Diego de.

Gran historiador y prosista español. Nació—1412—en Cuenca. Murió hacia 1488 en Puerto de Santa María (Cádiz). Su padre fue el famoso médico Alonso García Chirino, y su madre, doña Violante López. Fue doncel de don Juan II—1427—y del prínci-

V

pe don Enrique—1431—. Asistió a la batalla de Higueruela—1431—. Fue armado caballero—1435—durante el sitio de Huelma. Viajó por Francia, Bohemia, Dinamarca, Inglaterra—1437 a 1444—en misiones diplomáticas. Pero tomó bizarramente las armas contra los husitas, por lo que el rey Alberto de Bohemia le concedió la Orden de la Escama y el dictado honorífico de mosén. Rompió lanzas en los torneos de Dijon, venciendo a muchos caballeros franceses. Maestresala de Juan II—1445—. Enemigo acérrimo de don Alvaro de Luna, contribuyó y no poco a la caída y muerte de este famoso valido. El rey le autorizó—1452—a llamarse oficialmente Mosén Diego de Valera, según él lo venía haciendo desde mucho tiempo atrás. Corregidor de Palencia—1462—. Maestresala de la reina Isabel la Católica. Corregidor de Segovia—1479—, Alcaide, en el Puerto de Santa María, del castillo del duque de Medinaceli.

Diego de Valera fue un auténtico polígrafo. Escribió poesías, historia, tratados didácticos, tratados morales, genealogías, cartas, y en todos estos géneros dejó huellas manifiestas de su erudición, sagacidad crítica, certeza de pensamiento y elegancia expresiva. "Ninguno de sus coetáneos le aventajó en la hidalga franqueza con que expone sus advertencias y aun sus censuras; nadie le venció tampoco en la soltura y naturalidad de la frase, que es, en consecuencia, osada, rica y pintoresca..." (Amador de los Ríos.)

Como historiador, dio demasiada importancia a crónicas patrañosas y leyendas; pero cuando redacta lo que vivió, es veraz, objetivo, solemne. De sus *Cartas* opinó Menéndez Pelayo: "Sin ser propiamente familiares, sino más bien memoriales, disertaciones y arengas políticas disfrazadas en forma epistolar, participan, no obstante, de la soltura y animación propias de las correspondencias auténticas, y el estilo es casi siempre natural y a las veces enérgico y apasionado; parece transportarnos en medio de las luchas del siglo xv."

Honda y sana política cortesana fue la de Diego de Valera; y su estilo y lenguaje, de lo mejor que se escribió en prosa en el siglo xv.

Obras: *Crónica abreviada de España*—Sevilla, 1482, dirigida a la Reina Católica, su mejor obra, reimpresa numerosas veces—, *Memorial de diversas hazañas*—historia del reinado de Enrique IV—, *Defensa de virtuosas mujeres, Espejo de verdadera nobleza, Ceremonial de Príncipes, Genealogía de los Reyes de Francia, Tratado de las armas*—¿1520?—, *Providencia contra Fortuna* —1502, Sevilla—, *Tratado de los linajes nobles de España, Preeminencias y cargos de los oficiales de armas, Breviloquio de virtu-*

des, *Doctrinal de príncipes, Epístolas enviadas en diversos tiempos y a diversas personas,* y algunas más, cuyos manuscritos se encuentran en la Biblioteca Nacional de Madrid.

Ediciones modernas: de la *Crónica de España,* ed. Carriazo, Madrid, 1928; los *Tratados y Epístolas,* ed. Balenchana, "Sociedad de Bibliófilos Españoles", Madrid, 1875; del *Memorial,* tomo LXX de la "Biblioteca de Autores Españoles".

V. TORRES, Lucas de: *Mosén Diego de Valera.* Madrid, 1914.—CIROT, G.: *Les histoires générales d'Espagne.* Bourdeaux, 1905.—LAURENCÍN, Marqués de: *Mosén Diego de Valera y "El árbol de las batallas",* en *Boletín de la Academia de la Historia,* 1920, LXXVI. GONZÁLEZ DE PALENCIA, A.: *Alonso Chirino...,* padre de mosén Diego de Valera, en *Boletín Menéndez Pelayo,* 1926.—GONZÁLEZ DE PALENCIA, A.: *Diego de Valera,* en *Cuenca,* en *Boletín Menéndez Pelayo,* 1926.—MELGAR, S.: *Sobre mosén Diego de Valera. Notas y documentos inéditos,* en *R. Ateneo Jerez,* 1932, IX, 5.—MENÉNDEZ PELAYO, M.: *Antología de poetas líricos...,* V, 216.—CARRIAZO, J. de M.: *Diego de Valera. "Crónica de los Reyes Católicos".* Madrid, 1927.

VALERA Y ALCALÁ GALIANO, Juan.

Famoso novelista, ensayista y crítico literario español. Nació—1824—en Cabra (Córdoba). Murió—1905—en Madrid. Hijo de don José Valera, oficial de Marina, y de la marquesa de la Paniega, doña Dolores Alcalá Galiano. Cursó Latín y Leyes en Sevilla, y Filosofía en el Seminario de Málaga. Le enseñó su padre Cosmografía y Geografía. También aprendió griego, latín, inglés, francés e italiano. Leía mucho, aunque sin orden. Y al conocer en Málaga al poeta Ros de Olano, estimulado por este, se inició en la literatura como escritor. A los diecisiete años de edad pasó a Granada a estudiar Derecho en el Colegio del Sacro Monte, donde estuvo un año. Terminó la carrera en Madrid, donde llegó a probar fortuna.

El duque de Rivas, amigo de su padre, le llevó a Nápoles—1847—como agregado sin sueldo, donde permaneció cerca de tres años, "enamorando damas y perfeccionando sus conocimientos de griego clásico y moderno". En 1850 marchó a Portugal, ya como agregado con sueldo. En 1851 fue al Brasil.

De regreso a Madrid—1853—, comenzó a escribir en prosa para los periódicos o colaborando en la *Revista de Ambos Mundos* y en la *Revista Peninsular.* En 1854 marchó a Dresde, donde permaneció diez meses y aprendió el alemán. Secretario del duque de Osuna, con él estuvo por París, Bruselas, Munster, Berlín, Varsovia y San Petersburgo. En 1859 dejó la carrera diplomática. Diputado a Cortes—1858—por Archidona y Montilla. En 1860 explicó en el Ateneo de Madrid la *Historia crítica de nuestra poesía,* con un éxito inmenso. Académico de la Real Española de la Lengua—1862—. Director general de Agricultura—1864—. Fundador de la *Revista de España*—1867—. Subsecretario de Estado—1868—. Ministro de España en Francfort—1865—, París—1867—, Lisboa —1881—, Washington—1883—, Bruselas —1886—, Embajador en Viena—1893 a 1895—. Senador vitalicio.

Curiosísima y ajetreada vida la de don Juan Valera. Alternando con tanta acción, escribió con fecundidad asombrosa y con acierto admirable. Sus ensayos, críticas y polémicas aparecieron en *El Cócora, El Estado, La América, El Mundo Pintoresco, La Malva, El Contemporáneo, La Esperanza, El Pensamiento Español* y otras muchas revistas. Muy pronto la fama literaria de Valera fue enorme, indiscutible, justísima; fama que trascendió a todo el mundo, traduciéndose sus obras a varios idiomas y agotándose de ellas numerosas ediciones.

De Valera ha escrito Cejador: "Es, ante todo, el más acabado prosista de España en el siglo XIX, cuanto a galanura, refinado gusto, natural sencillez, amenidad y buen humor. No sobresale ni por el color ni por el sentimiento; pero aventaja a todos en las dotes que manan de su pura inteligencia; el juicio, sano, perspicaz y certero; el razonamiento, sutil, deslindador las más veces y analítico, sintético a sus tiempos y altamente comprensivo; el rarísimo sentido común, que le lleva a buscar los más naturales argumentos y a exponerlos con evidencia maravillosa; el más acendrado gusto, cuando de literatura erudita se trata; la ductilidad y acomodo o el ningún dogmatismo y aun sobrado escepticismo; la bondadosa anchura de mangas y cortesana transigencia en gustos y doctrinas; el arte supremo de la amenidad; la finura de la más socarrona y azucarada ironía. Es el escritor que más llena a los escritores cultos y más enseña, sin la menor apariencia de pretenderlo, así como su estilo, al parecer llano y al alcance de todos, es el más acabado ejemplo de la difícil facilidad. Como crítico de obras eruditas, es no menos que el primero de su siglo en España, merced a este mismo talento cerebral y analítico, a su sentido común, exquisito gusto y estilo de su prosa."

Fue Valera humanista, no de grandes fondos ni erudiciones filológicas, pero sí de vasta cultura, muy escogida, y de acendrado gusto clásico. Tuvo saladísimo ingenio; mucho y benévolo humorismo; principios estéticos, los más seguros y hondos que tuvo nadie; filosofía ecléctica, algo epicúrea y escéptica; un don maravilloso de exponer; variedad de pensares y decires: aquellos, profundos y sugeridores; estos, encantadores y perdurables. Sin embargo, careció de fantasía y de brío de pasión; por ello, como novelista, quedó por bajo de Galdós, Pereda, Alarcón, Palacio Valdés y la Pardo Bazán, aun cuando sus novelas son amenísimas por las mismas excelsas calidades que brillan en sus demás obras.

Publicó sus primeras poesías a los veinte años—1844—; pero como poeta, Valera es solo elegantísimo rimador. Fría exposición de ideas, de pensamientos filosóficos es su poesía; muy sabia, pero sin valor; poesía que no dice al alma. Menéndez Pelayo le tuvo por el más clásico de nuestros poetas. Entre sus mejores composiciones están: *El fuego divino*—oda—y los poemas *Amor al cielo* y *A Lucía.* Tradujo también de modo impecable a varios autores clásicos y modernos, y entre estos a los norteamericanos Lowell, Story y Whittier.

"Como crítico literario, el valor de Valera es excepcional. La sólida cultura de Valera, su conocimiento de lenguas antiguas y modernas, el juicio frío y eminentemente razonador, el buen gusto en materias de arte, y su misma condición de creador original, le hacían singularmente apto para ejercer la crítica Sagaz en el análisis, copioso en la información, certero en los juicios, robusto en la dialéctica, claro y ameno en la exposición. No solo analiza, sino que ilumina el tema objeto de su crítica." (Romera-Navarro.)

Aun cuando ya he indicado los defectos que impiden a Valera ser un excepcional novelista, de *Pepita Jiménez*—1874—, su mejor y más famosa narración, dice el gran crítico Romera-Navarro: "No conocemos ninguna otra con menos acción exterior y con más vida interior; y como no se puede ir más allá, al parecer, en el estudio del nacimiento y desarrollo de una pasión—de la pasión amorosa—, bien cabe reconocer a *Pepita Jiménez* como nuestra mejor novela psicológica de estos tiempos." En todas las novelas de Valera podemos observar: la evolución hacia el realismo, la persistencia en el análisis psicológico, la intromisión del autor en la fábula y el diálogo cada vez más personal y académico, culto y atildado, en desacuerdo con la condición de los personajes.

"Mi dulce Valera—exclamaba Menéndez Pelayo—, el más culto, el más helénico, el más regocijado y delicioso de nuestros prosistas amenos..."

Como autor dramático no tuvo gran éxito Valera. Sus calidades de cultura, de prosa perfecta, de frío análisis; sus defectos de escasa inventiva y de falta de pasión se pa-

V

tentizaban mucho más en la escena, haciendo de sus tentativas algo absolutamente contrario a lo "único" que es el teatro: acción y pasión.

Obras de Valera:

Novelas: *Pepita Jiménez*—1874—, *Las ilusiones del doctor Faustino*—1875—, *El comendador Mendoza*—1877, que en varios aspectos aventaja a *Pepita Jiménez*, porque es la novela de Valera más rica en caracteres y la de expresión más servil—, *Doña Luz* —1879—, *Pasarse de listo*—1878—, *Juanita "la Larga"*—1896—, *Morsamor*—1899—, *Genio y figura*—1897—, *Elisa "la Malagueña"* —inacabada.

Cuentos: *Parsondes, El pájaro verde, La buena fama, La muñequita, El bermejino prehistórico, Garuda o la cigüeña blanca, Cuentos y chascarrillos andaluces*—1896—, *Cuentos y diálogos, Mariquita y Antonio* —fragmentos—, *Novelas y fragmentos* —1907—, *Cuentos*—1908...

Crítica: *Estudios críticos sobre literatura, política y costumbres*—1864—, *Disertaciones y juicios literarios*—Madrid, 1878—, *Apuntes sobre un nuevo arte de escribir novelas* —Madrid, 1887—, *Nuevos estudios críticos* —Madrid, 1888—, *Cartas americanas* —1889—, *Nuevas cartas americanas*—1890—, *Ventura de la Vega...*—Madrid, 1891—, *A vuela pluma*—Madrid, 1897—, *Estudios críticos sobre filosofía y religión*—1883 a 1889—, *Cartas americanas*—1916—, *Crítica literaria* —catorce volúmenes.

Teatro: *Asclepigenia*—1878—, *Gopa, Lo mejor del tesoro, Estragos de amor y de celos, La venganza de Atahualpa.*

Traducciones: *Poesía y arte de los árabes en España y Sicilia*, de Schack; *Dafnis y Cloe*, de Longo, traducción admirable, pero mutilada incomprensiblemente por el mismo traductor, en atención a pudibundos convencionalismos.

Ediciones: *Novelas*, en "Colección de Escritores Castellanos"; *Obras completas*, Madrid, 1905 a 1917; *Obras completas*, Madrid, 1947, Aguilar, en tres volúmenes; *Antología*, Madrid, Editora Nacional, dos tomos, 1945, preparada por Emiliano Aguado.

V. PARDO BAZÁN, E.: *Retratos y apuntes literarias*, en el tomo XXXII de sus *Obras completas.*—NAVAS, Conde de las: *Don Juan Valera.* Madrid, 1905.—CASA-VALENCIA, Conde de: *Necrología del excelentísimo señor don Juan Valera.* Madrid, 1905.—JUDERÍAS, Julián: *Don Juan Valera. Apuntes para su biografía*, en *La Lectura*, 1913 y 1914.—SILVA, César: *Don Juan Valera.* Valparaíso, 1914.— RUIZ CANO, B.: *Don Juan Valera. Su vida y su obra.* Jaén, 1935.—HAVELOCK ELLIS: *Don Juan Valera*, en *La España Moderna*, 1909, abril.—ROMERO MENDOZA, P.: *Don Juan Valera. Estudio biográfico-crítico.* Madrid,

1940.—FISHTINE, E.: *Don J. V. The critic.* Bryn Mawr. 1933.—ENGEL, G.: *Don Juan Valera: 1824-1905.* Dis. Berlín, 1935.—GONZÁLEZ LÓPEZ, L.: *Las mujeres de don Juan Valera.* Madrid, 1934.—LUJÁN, J. F.: *Pardo Bazán, Valera y Pereda. Estudio crítico.* Barcelona, 1889.—RAMÍREZ DE VILLAURRUTIA: *Don Juan Valera, diplomático y hombre de mundo. Conferencia.* Madrid, 1925.—MAZZEI, P.: *La lírica de don J. V.*, en *B. Hispanique*, 1925, XXVII, 131.—AZAÑA, Manuel: *La novela "Pepita Jiménez"*, en *Cuadernos Literarios.* Madrid, 1927.—AZAÑA, Manuel: *Valera en Rusia*, en *Nosotros.* Buenos Aires, 1926.—AZAÑA, Manuel: *Valera en Italia.* Madrid, 1929.—GÓMEZ DE BAQUERO, E.: *El renacimiento de la novela española en el siglo XIX.* Madrid, 1924.—BALSEIRO, J. A.: *Novelistas españoles modernos.* Nueva York, 1933.—GONZÁLEZ-BLANCO, A.: *Historia de la novela en España...* Madrid, 1909.—ENTRAMBASAGUAS, Joaquín de: *Las mejores novelas contemporáneas (1895-1899).* Barcelona, Planeta, 1957, págs. 437-529. (Contiene una biobibliografía exhaustiva.)—MONTESINOS, José F.: *Valera o la ficción libre.* Madrid, Gredos, 1958.

VALERA Y DELAVAT, Luis.

Novelista, historiador y crítico español. Hijo del famoso don Juan Valera. Nació —1870—y murió—1927—en Madrid. Marqués de Villasinda. Diplomático. Fue representante de España en Lisboa, Bruselas, San Petersburgo, Roma, Viena y Pekín. Colaboró en *La España Moderna, Helios, Blanco y Negro* y *El Imparcial.* Desempeñó importantes cargos en el Ministerio de Estado. Gran cruz de Isabel la Católica y de Carlos III.

Cejador opinó de él: "Es un claro trasunto de su padre. Hale bebido su espíritu sutil y fino, su exquisito gusto, su discreción y cortesanía en el escribir como en el conversar. Su cultura es grande; sus aficiones, muy castizas. Siempre hay hondo pensamiento y originalidad amena de forma en sus obras. Desde la primera obra llegó hecho y maduro a las letras, con un estilo tan castizo y galano y muy parecido al de su padre. Lástima que, ocupado en sus viajes y tareas diplomáticas, haya dejado, tiempo ha, de escribir."

De mucho arte literario y buen gusto. Llano y sencillo al expresarse. Libre de extravagancias rebuscadas de fondo y forma. Tradicionalista en ideas. Muy culto.

Obras: *Sombras chinescas*—viajes, 1901—, *Del antaño quimérico*—novelas y cuentos, 1902—, *Un alma de Dios*—novela—, *El filósofo y la tiple*—1906, novela—, *De la muer-*

te al amor—novela—, Visto y soñado—leyendas y narraciones orientales.

V. Cejador y Frauca, J.: Historia de la lengua y literatura españolas. Tomo XII, 66.

VALERIO, Xandro.

Poeta y autor dramático español. Nació —1910—en Moguer (Huelva), donde transcurrió su infancia, y murió en 1966. En Huelva ingresó como empleado en una entidad bancaria, iniciando su colaboración en diarios y revistas de la localidad. Obtuvo varios premios en certámenes poéticos y estrenó la obra teatral, en un acto, La piadosa ilusión. Posteriormente trabajó en Barcelona, y algunos de sus poemas fueron popularizados, dentro y fuera de España, por el gran recitador González Marín. En 1940 estrenó en Barcelona su obra poética en tres actos—y escrita en colaboración con Rafael de León—La casa de papel. En colaboración con José Ojeda ha escrito y estrenado El mozo del clavel.

Xandro Valerio es un lírico neopopularista netamente andaluz. En su lirismo sugestivo se mezclan, con extraordinaria armonía, el colorido brillante y cálido, las imágenes más felices, una melancolía intensa y desgarrada, una gracia íntima y sugeridora.

Obras: Gozos del amor en silencio—1950—, El camino cándido (versos para niños de pueblo).

V. Valbuena Prat, A.: Prólogo a Gozos del amor en silencio. Barcelona, Artigas, 1950.—Sainz de Robles, F. C.: Historia y antología de la poesía castellana. Madrid, Aguilar, 1964, 4.ª edición.

VALERO MARTÍN, Alberto.

Poeta, novelista y periodista. Hijo de Valero de Tornos. Nació—1882—en Madrid. Licenciado en Derecho. Muy joven adquirió renombre como abogado criminalista. Colaborador de La esfera, Nuevo Mundo, Mundo Gráfico, La Novela Semanal, La Novela de Hoy...

Poeta excelente, de un modernismo muy español. Novelista de un realismo fuerte. Prosista castizo.

Obras: Ninón—poesías—, Campo y hogar—poesías—, La poesía de los miserables, Andariegas—poesías—, Castilla madre—prosas poéticas—, La novia del estudiante—novela—, La moza del mesón—novela—, La amante del presidiario—novela—, Por el amor de una enferma—novela—, Aurorita la romántica—novela—, La novela de un granujilla, Más allá de la muerte—tragedia—, La alegría de la tierra—poema dramático—, No matarás—drama—, El carro de la alegría —zarzuela...

VALERO DE TORNOS, Juan.

Literato y periodista. Nació—1842—y murió—1905—en Madrid. Desde los quince años se entregó por completo al periodismo y a la literatura. Licenciado en Derecho. Fundó infinidad de periódicos y revistas: La Raza Latina, La Última Hora, Gente Vieja, El acabóse... Colaboró en casi todos los de Madrid. Diputado a Cortes varias veces y concejal del Ayuntamiento madrileño. "Crónica viva del reinado de Isabel II" le llamó Carlos Cambronero. En 1889 creó la Unión Hispanoamericana, para el fomento de las relaciones culturales.

Orador fácil, conversador amenísimo, Valero de Tornos tuvo mucho talento, mucho "sentido periodístico", pluma ágil y singular amenidad narrativa. Fue, indiscutiblemente, uno de los iniciadores del moderno periodismo español, en el que se aúnan la dignidad literaria, la cultura y la rapidez de criterio, de pensamiento y de acción.

Obras: Viaje a Babia—novela política, 1869—, Fiambres, Estudios sobre Madrid —1882—, Barcelona tal cual es—1887—, Guía ilustrada de la Exposición Universal de Barcelona—1888—, Cuatro verdades y Costumbres sociales y políticas—1884—, América y España en la Exposición Universal de París—1889—, Crónicas retrospectivas por "Un portero del Observatorio"—1901.

VÁLGOMA Y DÍAZ-VARELA, Dalmiro de la.

Historiador y literato español. Nació —1904—en Monforte de Lemos, de hidalgas familias del Bierzo y de Galicia. Doctor en Derecho por la Universidad de Madrid. Desde muy joven se dedicó con preferencia a la investigación histórica en archivos de monasterios y castillos galaico-leoneses. Combatió en la guerra española de Liberación como oficial de complemento de Artillería en el ejército del generalísimo Franco. En 1950 contrajo matrimonio con la novelista doña Elena Quiroga. Miembro de número de la Real Academia de la Historia. Es caballero del Real Cuerpo de la Nobleza de Cataluña. Miembro del Consejo Superior de Investigaciones Científicas y del Instituto de Estudios Madrileños. Secretario del Instituto de la Marina y de la Sociedad Española de Amigos del Arte. Cronista oficial de Villafranca del Bierzo.

Obras: Los guardias marinas leoneses, El marino don Martín Fernández de Navarrete, Don Cenón de Somo de Villa, I marqués de la Ensenada, La Nobleza de León en la Orden de Carlos III, Ascendencia y descendencia de Hernán Cortes, La condesa de Pardo Bazán y sus linajes, Los Saavedra y los Fajardo de Murcia, Norma y ceremonia de las Reinas de la Casa de Austria—discur-

V

so de recepción en la Real Academia de la Historia—, *Heráldica y Genealogía de mecenas de libros, Marinos de la Real Armada, primeros dignatarios de Grandezas y Títulos del reino; Santiago de Compostela visto por peregrinos y visitantes extranjeros, La reina doña Fabiola XIV nieta de Hernán Cortés, conquistador de México*—en edición exquisita de bibliófilo—, *Indumentaria masculina en tiempos de Don Fernando el Católico*...

VALMAR, Marqués de (v. **Cueto, Leopoldo Augusto de**).

VALVERDE, José María.

Poeta perteneciente al grupo literario que surgió en España, en 1939, con la denominación de "Juventud creadora". Colaborador en *Garcilaso, Proel, Mensaje* y otras importantes revistas literarias. Nació en 1926 en Valencia de Alcántara (Cáceres). En la actualidad—1963—es catedrático de Estética en la Universidad de Barcelona.

José María Valverde, de quien tan pocos detalles personales conocemos, es, sin embargo, un lírico de importancia. En escasos años ha logrado una fama grande y justa.

En modo alguno debe engañar su referida inclinación en el grupo de *garcilasistas* de la "Juventud creadora". Valverde es un poeta "difícil", voluntariamente "difícil", hondo y desasosegado. Acaso perjudica a su personalidad el lastre de un modelo que ha buscado en poeta tan inimitable como Vicente Aleixandre. El superrealismo de Valverde es una imposición propia, y no una espontánea inclinación. Pero *a través* de dicho superrealismo se clarean todos los auténticos valores de este poeta: su intensidad de creación, el gozo y el dolor con que lucha con "su ángel" de inspiración y de forma, su indeclinable adhesión a los temas más humanos. En 1949 le ha sido concedido el "Premio José Antonio Primo de Rivera" de poesía, por su libro *La espera.*

Obras: *Hombre de Dios*—1945—, *Salmos, elegías y oraciones*—1947—; *La espera* —1949—, *Estudios sobre la palabra poética* —Madrid, 1952—, *Versos del domingo*—Barcelona, 1954—, *Guillermo de Humboldt y la filosofía del lenguaje*—Madrid, 1955—, *Historia de la literatura universal*—en colaboración con Martín de Riquer, Barcelona, 1957—, *Logos*—Barcelona, 1959.

V. Valbuena Prat, A.: *Historia de la literatura española.* Barcelona, 1950. Tomo III.— Moreno, Alfonso: *Poesía española actual.* Madrid, Editora Nacional, 1946.—Sainz de Robles, F. C.: *Historia y antología de la*

poesía española. Madrid, Aguilar, 1964, 4.ª edición.

VALLADARES Y SOTOMAYOR, Antonio.

Erudito, novelista y autor dramático español de la segunda mitad del siglo XVIII. Se tienen muy escasas noticias de su vida. Entre 1787 y 1791 publicó los treinta y cuatro volúmenes del famoso *Semanario Erudito,* continuándolo en 1816 con el renombre de *Nuevo Semanario Erudito.* Esta publicación tuvo un éxito extraordinario en su época.

Otras obras: *Vida interior de Felipe II* —Madrid, 1788—, *Historia de la isla de Puerto Rico*—Madrid, 1788—, *La Leandra* —1787 a 1807, novela en nueve tomos—, *La Magdalena cautiva*—comedia, Valencia, 1796—, *Almacén de frutos literarios*—Madrid, 1804—, *Tertulias de invierno en Chinchón; conversaciones crítico-políticas*...—Madrid, 1815—, y cerca de setenta obras teatrales, entre sainetes, comedias y dramas, de los que destacan: *El amigo verdadero, Las bodas de Camacho, Los dos famosos manchegos* y *Máscaras de Madrid, El usurero celoso, La madrastra, Los Montero de Espinosa, El hombrete de buena fortuna, El vinatero de Madrid, La niña inocente, Las vivanderas ilustres, No hay solio como el honor, La hija fingida y enredos de Papagayo*...

Los manuscritos de estas obras se hallan en las Bibliotecas Nacional y Municipal de Madrid. Valladares tuvo ingenio y viva imaginación. Pero lo más interesante en sus obras es el gran caudal de noticias y detalles de su época.

V. Cejador y Frauca, J.: *Historia de la lengua y literatura españolas,* VI, 166-167.

VALLADARES DE VALDELOMAR, Juan.

Interesante narrador y prosista. 1553-1615. Presbítero en la ciudad de Córdoba. Aventurero en Italia y Africa. Prisionero durante algún tiempo de los piratas berberiscos. Fundador—1591—de una congregación de ermitaños en Navarra. Penitente durante varios años en un desierto. Acabó su vida en Miramar de Mallorca.

Dejó escrita su propia vida en *El caballero venturoso*... *con sus extrañas aventuras y prodigiosos trances, adversos y prósperos,* libro picaresco, muy ameno y excelentemente escrito. El manuscrito se conserva en la Biblioteca Nacional de Madrid. Y aun cuando elogiaron esta obra Gayangos y Ticknor, no fue impresa hasta 1902—Madrid—, en dos volúmenes, por Adolfo Bonilla San Martín y Manuel Serrano Sanz.

V. Bonilla, A., y Serrano, M.: *Estudio* a la ed. Madrid, 1902.

VALLADOLID, Juan de.

Poeta. Nació—¿1403?—en Valladolid. Murió después de 1450. Judío converso, del que rimó Montoro:

Ciego juglar, que canta viejas fazañas,
que con un solo cantescala todas las Espannas...;

aventurero exorbitado, vio el cielo abierto cuando se enteró de cómo trataba Alfonso V a los poetas. Se largó con viento fresco a Italia; vivió en Mantua y Milán, haciendo de bufón, de astrólogo y de curandero; al intentar el regreso a España, cayó en manos de unos corsarios, que le llevaron cautivo a Fez; sospechoso del judaísmo y por su vida estrafalaria, una vez rescatado y reintegrado a Castilla, sufrió las chacotas de poetas contemporáneos como los Manrique y Antón Montoro.

Sus principales composiciones poéticas están recogidas en el *Cancionero de Stúñiga* y en el *Cancionero de obras de burlas provocantes a risa.*

A Juan de Valladolid se le llamó también Juan Poeta. "Nada más semejante a la vida de los antiguos juglares que la vida de Juan Poeta; con el nombre de "truhán" le apodaron los caballeros de su tiempo; tildáronle de pagador de mala fe los jugadores; y humilláronle los hidalgos y magnates vistiéndole su librea. Y, sin embargo, este juglar, tan duramente motejado, que devolvía con frecuencia a sus detractores, ya nobles, ya plebeyos, injuria por injuria y sátira por sátira, osaba levantar sus miradas a la esfera de la política... para condenar o aplaudir con libertad, acaso excesiva, los sucesos que presenciaba indolente la nación entera." (Amador de los Ríos.)

Fue hijo Juan Poeta de un pregonero de Valladolid. Entre sus composiciones siempre fáciles e inspiradas—y alguna muy profunda—destacan las *Coplas* que dirigió a don Alvaro de Luna, y que empiezan: *Condestable esclarecido...*

V. CROCE, B.: *La Corte spagnuola di Alfonso d'Aragona a Napoli.* 1894.—AMADOR DE LOS RÍOS, J.: *Historia crítica de la literatura española,* VI, 162.—MENÉNDEZ PELAYO, Marcelino: *Antología de poetas líricos castellanos,* V.

VALLE, Adriano del.

Nació en Sevilla el 19 de enero de 1895 y murió—1957—en Madrid. Hijo de padre asturiano y de madre sevillana, su segundo apellido, Rossi, indica una ascendencia italiana de emigrados que afincaron en Francia, primeramente, y más tarde, en Andalucía. Desde sus diecisiete a sus veintiún años recorrió toda España. Ha viajado por Italia, Francia, Portugal, Marruecos francés y español.

Entre otros, está en posesión de los siguientes premios literarios:

"Premio Sánchez Bedoya", discernido por la Real Academia Sevillana de Buenas Letras durante los años 1934 y 1937; "Premio Nacional de Literatura, 1934", del Ministerio de Instrucción Pública, por su libro, aún inédito, *Mundo sin tranvías;* "Premio Nacional de Literatura José Antonio Primo de Rivera", del año 1941, por su libro *Arpa fiel;* "Premio Fastenrath", de la Real Academia Española de la Lengua, del año 1942, por el mismo libro; "Premio Mariano de Cavia", de periodismo; flores naturales en los Juegos florales de Tetuán, Tarrasa, Elche, Valladolid, Sevilla, Haro, Jerez de la Frontera, Ubeda, Cádiz, Huelva, La Coruña, etc.

Pronunció conferencias en las Universidades internacionales de verano de Santander y Jaca; en el Ateneo barcelonés y en el Coliseum, de Barcelona; en el Centro de Estudios Andaluces, de Málaga; en el Ateneo de Sevilla; en el paraninfo de la Facultad de Filosofía y Letras de la Ciudad Universitaria, de Madrid; en el Ateneo de Madrid; en el teatro nacional Doña María Segunda, de Lisboa; en el Museo de Arte Antiguo, de Lisboa; en el Círculo Cinematográfico Circe, de Madrid; en el Museo Naval, de Madrid; en el Círculo Medina, de Madrid, etc.

Fundó, y fue redactor-jefe de ella, la revista *Grecia,* de Sevilla, iniciadora del movimiento ultraísta; fundó, con Fernando Villalón y Rogelio Buendía, en Huelva, la revista *Papel de Aleluyas,* la revista *Mástil,* en Madrid. Dirigió la revista cinematográfica *Primer Plano.*

Obras: *Primavera portátil*—poesías, 1920-1923, edición para bibliófilos, de 300 ejemplares numerados, con ilustraciones de Eugenio d'Ors. A. L. A. (Amigos del Libro de Arte). París, 1934—; *Lyra sacra*—romances, 1933-1937; edición para bibliófilos de 40 ejemplares numerados. Sevilla, 1939—; *Los gozos del río*—1920-1923, "Colección Azor", Barcelona, 1940—; *Arpa fiel*—poesías, 1936-1941, "Premio Nacional de Literatura José Antonio Primo de Rivera" y "Premio Fastenrath" de la Real Academia Española de la Lengua. Edición para bibliófilos, de 100 ejemplares numerados. "Colección Santo y Seña", Madrid, 1941—; *Sonetos a Italia*—1942—, *Misa de alba en Fátima y gozos de San Isidro*—Madrid, 1955—, *Oda náutica a Cádiz*—Cádiz, 1957—, *Egloga de Gabriel Miró y Fábula del Peñón de Ifach* —Madrid, 1958.

Obras inéditas: *El jardín del centauro* —poesías, 1916-1920—; *La divina pastora*

V

—auto sacramental, 1923—; *Mundo sin tran-vías*—poesías, 1931-1933, "Premio Nacional de Literatura"—; *Musa-Omnibus*—poesías, 1934-1937.

Obra inédita en prosa: *Fernando Villalón, héroe de arpa y garrocha.*

V. SAINZ DE ROBLES, F. C.: *Historia y antología de la poesía española.* Madrid, Aguilar, 1964, 4.ª edición.—GONZÁLEZ-RUANO, C.: *Antología de poetas españoles contemporáneos.* Barcelona, Gili, 1946.—MORENO, Alfonso: *Poesía española actual.* Madrid, Editora Nacional, 1946.—VALBUENA PRAT, A.: *Historia de la literatura española.* Barcelona, 1950, 2.ª edición, tomo III.

VALLE, José Cecilio del.

Literato y político hondureño. 1780-1834. Nació en Choluteca. Representa el saber enciclopédico en ciencias y letras humanas. Desde los veinte años se dedicó al periodismo y a la política, lleno de los mejores entusiasmos. Desde *El Amigo de la Patria* atacó a los elementos conservadores; ataques que le acarrearon persecuciones y procesos. Representante de Guatemala en el Congreso Mexicano convocado por Itúrbide para tratar de la unión a México de Centroamérica. Ocupó muchos cargos de elección popular, y hasta llegó a ser nombrado —1834—presidente de Guatemala, cargo del que no llegó a tomar posesión por haber fallecido.

José Cecilio del Valle fue uno de los renovadores y de los directores del periodismo contemporáneo en toda la América central. Sus principales escritos en *El Amigo de la Patria* han sido editados—1932—en Guatemala, 1932.

VALLE, Juvencio.

Poeta y prosista chileno. Nació—1907—en Nueva Imperial. Sus verdaderos nombre y apellidos son: Gilberto Concha Riffo. Funcionario de la Biblioteca Nacional. Ha viajado por España. Miembro de la Alianza de Intelectuales. Director de la Sociedad de Escritores. En 1941 obtuvo el premio de poesía en el concurso del IV Centenario de la Fundación de Santiago.

Obras: *La flauta del hombre Pan*—1929—, *Tratado del bosque*—1932—, *El libro primero de Margarita*—1937—, *Nimbo de piedra, El hijo del guardabosque.* "Premio de Poesía de la Alianza de Intelectuales"...

V. SOLAR, Hernán del: *Indice de la poesía chilena contemporánea.* Ercilla, Santiago, 1937.—POBLETE, Carlos: *Exposición de la poesía chilena desde los orígenes hasta 1940.* Buenos Aires, 1941.

VALLE, Rafael Heliodoro.

Gran prosista y crítico.

Nació en Tegucigalpa (Honduras) el 3 de julio de 1891. Murió el 29 de julio de 1959. Graduado en la Escuela Nacional de Maestros de México—1911—. Delegado por la Escuela Normal de México al Congreso de Estudiantes de México—1910—. Secretario de la Sociedad Pedagógica de Estudiantes—Tegucigalpa, 1907—y del Ateneo de Honduras —1913—. Presidente de Juventud Hondureña—1913—. Delegado de Honduras al Congreso Internacional de Estudiantes de México —1921—. Miembro del Ateneo de la Juventud (México), el Ateneo de El Salvador, la Academia Científico-Literaria de Honduras, la Sociedad de Geografía e Historia de Guatemala, la Sociedad Geográfica de Lima, el Instituto Histórico del Perú, la Academia Nacional de Historia del Ecuador, la American Folklore Society, el Ateneo Ibero-Americano de Buenos Aires, la Asociación de Bibliotecarios Mexicanos, el Pen Club de México, la Sociedad Antonio Alzate y la Sociedad Científica Argentina. Cónsul de Honduras en Mobile, Alabama—1915—y en Belice—1916—. Secretario de la Misión especial de Honduras en Washington—1918-1921—y de la Misión en México—1921—. Invitado por el Gobierno del Perú a las fiestas de Ayacucho—1924—y delegado de Honduras al Congreso Científico Panamericano.

Ha sido profesor de Historia de México y General y Literatura Castellana en las Escuelas Nacional de Maestros, Nacional preparatoria y secundaria número 1 de México —1921-1928—. Jefe del Departamento de Arqueología e Historia y de la Sección de Bibliografía en el Departamento de Bibliotecas de la Secretaría de Educación Pública —1922-1923 y 1926-1928—, y delegado del mismo Departamento a la Junta de Bibliotecarios del Sur en Austin (Texas)—1922.

Es redactor de *Excelsior* y colaborador de *La Prensa y Plus Ultra* (Buenos Aires), *Revista de Revistas, Mexican Folways y Revista Mexicana de Estudios Históricos*—México—, *Repertorio Americano*—San José (Costa Rica)—, *Social*—la Habana—, *Revista Ariel* —Tegucigalpa—y *Variedades*—Lima.

Editor asociado, por Centroamérica, de la Hispanic American Historical Review, Durham University Press, N. C. (U. S. A.).

Ha publicado: *El rosal del ermitaño*—primera edición, Tipografía Gante, San Mateo Churubusco, D. F., México, 1911; segunda edición, San José de Costa Rica, García Monge, 1920—, *Como la luz del día*—Tipografía Nacional, Tegucigalpa, 1913—, *El perfume de la tierra natal*—Tipo-Litografía y Fotograbado Nacionales, Tegucigalpa, 1917—, *Cómo era Iturbide*—Talleres Gráficos del

Museo Nacional de Arqueología e Historia, México, D. F., 1921—, *Anfora sedienta*—México, Manuel León Sánchez, 1922—, *El convento de Tepotzotlán*—historia y antología, Talleres Gráficos del Museo Nacional de Arqueología e Historia, México, 1924—, *La anexión de Centroamérica a México*—documentos y escritos de 1821-1822; prefacio y compilación. Archivo Histórico Diplomático Mexicano, dos volúmenes, números 11 y 24, México. Publicaciones de la Secretaría de Relaciones Exteriores, 1921 y 1927—e *Indice de Escritores*—en colaboración con Esperanza Velázquez Bringas. Herrero Hermanos, México, 1928.

En preparación: *La anexión de Centroamérica a México*—tomos III y IV, 1821-1823—, *Pedrería del Virreinato*—historia colonial de América—, *Bibliografía de Centroamérica, Bibliografía de los jesuitas de Tepotzotlán, La nao de la China, Anecdotario de mi abuelo, Tierras de pan-llevar, Historia pintoresca de Honduras, Primicias de la civilización mexicana, Anuario bibliográfico mexicano*—1926, monografías bibliográficas mexicanas, Secretaría de Relaciones Exteriores.

VALLE, Rosamel del.

Poeta y prosista chileno. Nació en 1900. Sus verdaderos nombre y apellido son Moisés Gutiérrez. Empleado de Correos. Se hizo popular enviando, desde los Estados Unidos, excelentes crónicas a *La Nación*, de Santiago. Su poesía es honda, oscura, íntima, subconsciente. Representa en la lírica chilena una tendencia que busca en las corrientes oníricas la realidad del ser.

Obras: *Mirador*—1926—, *País blanco y negro*—1929—, *Poesía*—1939—, *Orfeo*—1944—, *Las llaves invisibles*—1946...

V. SOLAR, Hernán del: *Indice de la poesía chilena contemporánea*. Santiago, Ercilla, 1937.—POBLETE, Carlos: *Exposición de la poesía chilena desde sus orígenes hasta 1940*. Buenos Aires, 1941.—CRUCHAGA, Angel: *Los poetas de vanguardia de Chile*. 1930.

VALLE ARIZPE, Artemio de.

Novelista e historiador. Nació—1888—en Saltillo (México). Doctor en Leyes. Diplomático desde 1919. Ha viajado por todo el mundo. Y residió algún tiempo en España, alcanzando aquí, con sus obras, un justo renombre de divulgador amenísimo de temas históricos.

Enamorado de la historia de su patria durante el período colonial y de su añejo decir, imitó, en las mejores de sus obras, este y evocó aquel con una maestría y una amenidad insuperables.

Pintor vivo y poético, dechado de narradores fáciles, lleno de espíritu y de sensibilidad, Valle Arizpe, dueño de un estilo elegante y de un lenguaje castizo y riquísimo, ha logrado que muchas de sus obras se traduzcan a diversos idiomas y que su nombre quede aureolado como el de los mejores literatos.

Obras: *La gran ciudad de México, según relatos de antaño y de hogaño*—México, 1918—, *Ejemplo*—Madrid, 1919—, *Vidas milagrosas*—Madrid, 1921—, *Doña Leonor de Cáceres y Acevedo*—1928—, *Cosas tenedes, Tres nichos de un retablo, Cuentos de México antiguo*, y la vasta serie de *Tradiciones, leyendas y sucesos del México virreinal*.

V. GONZÁLEZ PEÑA, Carlos: *Historia de la literatura mexicana*. México, 2.ª edición, 1940. JIMÉNEZ RUEDA, J.: *Historia de la literatura mexicana*. México, 1942.

VALLE Y CAVIEDES, Juan.

Poeta y prosista peruano. 1653-1692. Hijo de un acaudalado comerciante español. A los veinte años, su padre le envió a España, donde permaneció tres años, alternando en Madrid con los más ilustres ingenios de la época. Fue admirador y amigo de Calderón de la Barca y de Hoy Mota. De regreso a su patria, derrochó la fortuna que le había dejado su padre, en una existencia aventurera y estragada por los placeres. Murió alcoholizado.

Fue Valle y Caviedes un excelente y fácil poeta burlesco, que jamás cayó en el culteranismo. Su sarcasmo versificado contra personas e instituciones atrajéronle no pocos disgustos. Según Ricardo Palma: "En el género festivo y epigramático no ha producido la América española un poeta que aventaje a Caviedes." Fue, en efecto, un muy aventajado discípulo e imitador de Quevedo. Se le llamó "el poeta de la Ribera".

Obras: *Diente del Parnaso, Poesías varias, Guerras físicas, proezas medicinales*—contra los médicos...

V. PALMA, Ricardo: *Flor de Academias*. Lima, 1899.—ODRIOZOLA, Manuel de: *Documentos literarios*. Lima, 1878.—SÁNCHEZ, Luis Alberto: *La literatura del Perú*. Buenos Aires, Facultad de Filosofía y Letras, 1943, 2.ª edición.—DOMINGO CORTÉS, José: *Parnaso peruano*. Valparaíso, 1871.—MENÉNDEZ PELAYO, M.: *Historia de la poesía hispanoamericana*. Madrid, 1913, tomo II, páginas 191-198.

VALLE-INCLÁN, Ramón del.

Magnífico poeta, prosista y novelista español. Nació—1866—en Villanueva de Arosa (Pontevedra). Murió—1936—en Santiago de Compostela. Con su imaginación portentosa, él se forjó otra vida más bella, que contaba por todas partes, siempre añadida y más extraordinaria, convencido de haberla vivido. Pero la realidad fue muy otra. De carácter altivo, fantástico y aventurero, estudió las primeras letras en su pueblo gallego, con maestros locales. Sus verdaderos nombre y apellidos eran Ramón del Valle y Peña. Pero él contaba mil patrañas de sus gloriosos ascendientes. De 1877 a 1885 cursó el bachillerato en Pontevedra, empezando en Santiago de Compostela la carrera de Derecho, pronto abandonada para dedicarse a la conquista de la gloria literaria. En 1892, tras una breve estancia en Madrid, marchó a México, "donde adquirió el gusto de la tierra caliente, destilado luego en relatos de extraños lances autobiográficos..."

En 1892 regresó a España, publicando dos años después su primer libro: *Féminas,* que delata su admiración por D'Annunzio y Barbey d'Aurevilly. Va a poco a Madrid con un modesto empleo burocrático. En 1899 aparece su pequeña novela *Adega,* y pierde el brazo al recibir un bastonazo durante una disputa con Manuel Bueno. En 1901, en *Los Lunes de El Imparcial,* publica fragmentos de la *Sonata de otoño.* Luego la existencia del escritor transcurre, siempre al borde de la fantasía, entre tertulias madrileñas de café, saloncillos y camerinos teatrales, salones del Ateneo, Redacciones de periódicos... Existencia escandalosa, llena de proyectos de hazañas grandiosas.

En 1910 marchó a América del Sur como director artístico de la compañía teatral Guerrero-Mendoza. En 1916 visitó Francia, recogiendo sus impresiones en su librito *La media noche: Visión estelar de un momento de guerra.*

En 1917 desempeñó la cátedra de Estética en la Escuela de Bellas Artes de San Fernando. En 1922 volvió a visitar México. Y desde 1924 vivió con residencia fija en Madrid, alternando con largas épocas de retiro en los campos gallegos. En 1929, un ataque contra la dictadura del general Primo de Rivera y un escándalo público le motivaron un corto arresto en la Cárcel Modelo, de Madrid. Director de la Escuela de Bellas Artes de Roma en 1931. En 1934 se refugió en su Galicia natal. Y murió —5 de enero de 1936— en el sanatorio del doctor Villar Iglesias, de Santiago de Compostela.

Es esta, brevemente resumida, la vida real de Valle-Inclán. Pero la que él *se hizo,* y en la que fue marqués, caballero andante desfacedor de entuertos, cabecilla revolucionario en México, redivivo Casanova en Italia, mago de conmociones ultratelúricas, Quijote del ideal poético, abunda en sucesos que no por mentirosos dejan de tener una maravillosa sugestión humana casi medieval. "Artista puro de la palabra y de la imagi-

nación, creador de un mundo ajeno casi por completo a las preocupaciones fundamentales ideológicas... Asociado Valle-Inclán íntimamente, desde el comienzo, al movimiento renovador del 98, es, acaso, el único de los hombres de entonces en cuyo arte no se manifiestan explícitamente las inquietudes intelectuales, sociales, políticas y morales centradas en torno a la incógnita de España, que daban cohesión a las creaciones de unos escritores que defendían celosamente la independencia de su espíritu individual y raro. Esas inquietudes están, no obstante, en los elementos básicos de su concepción artística. Si es verdad que el esteticismo decadente es una de las notas esenciales, y que todo en él se supedita al encanto poético, musical, sugeridor, de la palabra, no es menos cierto que todo va encaminado en su obra al anhelo de crear, sin traicionar su vocación de poeta personalísimo, una interpretación de lo español. España, y España vista tan profundamente como en cualquier otro escritor de su tiempo, anda por todas las creaciones del artista gallego. Se encontraría en su sentimiento sensual y religioso, en su poesía arcaizante y campesina, en sus seres violentos, en su culto a lo medieval y gótico o a lo grotesco y barroco, en la emoción céltica y regional de su Galicia, en la ironía moral y quevedesca de sus *Esperpentos* y de sus últimas novelas. Se encontraría, ante todo, en el gusto y sustancia de su lenguaje egregio." (Del Río y Benardete.)

De su propia naturaleza, de su espíritu gallego y del arte modernista, en admirable fusión, nació la obra valleinclanesca, tan rica en matices, tan sugestiva en la temática. A Valle-Inclán le cabe la gloria de haber realizado en la prosa la obra que Rubén realizó en la poesía castellana: reconstruirla, sanearla, rejuvenecerla, darle el empaque y la nueva gracia. Nada importa cuanto de decadente, de afectado, cuanto de exquisitez rebuscada hay en el arte de Valle-Inclán, ni tampoco advertir cómo en la mayoría de sus obras busca más la forma que el fondo, da más importancia a la sensación que al sentimiento y a la palabra que a la idea. Todo cuanto escribe tiene tal novedad, se agarra con tanta fuerza en la sensibilidad del lector, que alcanzará el calificativo de inolvidable de cualquier juez que se nombre para dictaminar. *Simbólico* por los medios, *sensacional* por el fin, *nuevo* por el estilo, *rítmico* por la forma, Valle-Inclán nos hace gustar la mezcla deliciosa de un idealismo simbólico bebido en fuentes europeas, un sentimentalismo melancólico y misterioso innato en su galleguismo, un desgarro delirante de revulsión emotiva modernísima, basada en temas plebeyos y crudos.

Es una pena que las *Sonatas* de Valle-Inclán estén escritas en versos prosificados, porque, si no, constituirían su más alto valor como lírico. Las *Sonatas* son un verdadero poema sinfónico en cuatro tiempos.

Caso curioso el de Valle-Inclán poeta: algunos de sus versos acusan una honda huella rubeniana; otras composiciones, recogidas en el mismo volumen que aquellas —*Aromas de leyenda*, 1907—, son el exponente señero y original de la sustancia poética de la Galicia embrujada, arcaica, eglógica. El idioma en que el poeta escribe estas composiciones es una obra de recreación personal inimitable. Valle-Inclán puede decirse que se separa del rubenismo apenas se ha unido a él, apenas lo ha saboreado. Era demasiado artista don Ramón María para ser discípulo de nadie. En *La pipa de Kif*—1919—y en *El pasajero*—1920—están los versos francamente originales y francamente sugestivos de Valle-Inclán, aquellos que inspiran el sarcasmo cínico, el desparpajo caricaturesco, la audacia temperamental explosiva en lo melodramático, el azoguillo de una notoriedad atemorizante; los versos que encaminarán hacia sus *farsas y esperpentos* en prosa, mezcla de burlas imponentes y de espeluznantes tragedias. Muy sutilmente observa Onís que en la primera época poética de Valle-Inclán prepondera una impresión musical, y en la segunda, pictórica.

El lirismo, la poesía y el sentimiento intenso del paisaje son los principales componentes de la verdadera e íntima personalidad del gran prosista, según el gran crítico Julio Casares.

Peregrino artífice de la forma y de la sensación exquisita, de él ha escrito Romera-Navarro: "Valle-Inclán ama todo lo raro y peregrino. Lo misterioso le atrae: los conjuros, vaticinios y supersticiones populares abundan en su obra. Se inclina, al par, hacia lo legendario y aristocrático, en el ambiente y en los caracteres. Busca siempre la emoción estética, la sensación exquisita, que nos transmite por modo sutil. Su creación más típica, el marqués de Bradomín, es cínico, galante y de refinada sensualidad. El lenguaje, selecto, noble, con muy discreto sabor arcaico; su prosa, rítmica, sonora, es acabado modelo de la prosa cincelada y artística. Este estilo y lenguaje es el predominante en la obra total de Valle-Inclán, y, por tanto, el característico.

"Pero en algunas de sus últimas novelas satíricas—que el autor denomina *Esperpentos*—, de asunto picaresco, con incidentes brutales o grotescos, de crudísimo tratamiento—y, sobre todo, en sus cuentos de costumbres campesinas—, tiene un estilo adecuadamente popular y enérgico; varios de estos cuentos son una maravilla por la intensa evocación de la realidad y por su lenguaje de tan bárbara eficacia, que la visión directa de los hechos acaso no impresionara más que su relato, hecho por Valle-Inclán."

El principio estético de Valle-Inclán fue el de *expresar,* dando a este infinitivo la significación de una fórmula de *el arte por el arte*. Y una vez emitido este juicio, podemos declarar que fue Valle-Inclán un magnífico artista que supo expresar y llegar al alma como nadie. Le fue suficiente la pintura de una escena, aun antes de presentarnos los personajes, y luego la presentación de estos antes de ponerlos en acción. Tal fue el vigor de su pincel para colorear el ambiente; tal la fuerza y emotividad de su dibujo para recalcar el exterior expresivo de los seres y de las cosas en el aire mismo que respiran. Escena suya y diálogo suyo que se hayan leído quedan clavados en el recuerdo e imborrables para siempre. ¿Cabe mayor triunfo del arte por el arte, del saber expresar y comunicar a los demás el estado de alma del artista, el estado de alma de los personajes, el vaho evocador del medio ambiente, de las cosas, del escenario en que se mueven?

Para "Azorín"—en *El paisaje de España*—: "La originalidad, la honda, la fuerte originalidad de Valle-Inclán consiste en haber traído al arte una sensación de la Galicia triste y trágica, *este algo que vive que no se ve*, esta difusa aprensión de la muerte, este siniestro presentir la tragedia que se avecina, esta vaguedad, este misterio de los palacios centenarios y de las abruptas soledades. *¡Teño medo d'unha cousa que vive e que non se ve!* Toda la obra de Valle-Inclán está ya condensada en esta frase de Rosalía de Castro."

Y el gran crítico López Prudencio resume: "Pocos escritores de personalidad literaria más firme, más pétrea y tercamente inmutable que Valle-Inclán, en cuanto a la contextura íntima de su arte. Ninguno, quizá, de proteísmo tan sorprendente y múltiple, en cuanto a las extremas modalidades con que esa férrea contextura se coloca, en cada momento, ante los objetos de su observación. El estudio atento, la observación minuciosa de la trayectoria de estas modalidades, de estos matices, tan multiplicados y tan distintos, aunque no diversos, a lo largo de la ya extensa labor del gran escritor, desde *Flor de santidad* hasta *El ruedo ibérico*, ofrecería a la crítica uno de los espectáculos más atrayentes y curiosos que puede presentar la evolución de un robusto numen artístico a lo largo de su vida... Ningún testimonio se puede ofrecer tan decisivo y terminante como la labor de este gran escritor, contra la suposición de que el ata-

V

vío externo de la prosa es un mero accidente superficial en la obra literaria. La actitud diversa que se adopta ante el panorama observado está acusada siempre en este escritor por las modalidades que ofrece la gama inmensamente rica de su prosa. En estas últimas manifestaciones—[se refiere a *El ruedo ibérico, Tirano Banderas* y algunos de los *Esperpentos*]—, esta prosa, siempre tan musical, tan prócer y tan sugestiva, siempre tan opulenta en léxico y de adjetivación tan hondamente significativa y original, está llena de tonalidades estridentes y cruelmente adustas, rara vez aparecidas en aquella primera etapa."

La mayoría de las novelas y obras teatrales de Valle-Inclán han sido traducidas a diversas lenguas extranjeras.

Obras: *Féminas*—Pontevedra, 1894—, *Epitalamio*—Madrid, 1897—, *Cenizas*—1899—, *Adega*—1899—, *La cara de Dios*—1900—, *Corte de amor*—Madrid, 1903—, *Jardín umbrío*—1903—, *Jardín novelesco*—1905—, *Historias perversas*—Barcelona, 1907—, *El marqués de Bradomín*—teatro, Madrid, 1907—, *Aromas de leyenda*—poesías, 1907—, *El yermo de las almas*—teatro, 1908—, *Una tertulia de antaño*—1908—, *Cofre de sándalo* —1909—, *Las mieles del rosal*—1910—, *Cuentos de abril*—1910—, *Voces de gesta*—tragedia pastoral, 1912—, *Sonata de otoño* —1902—, *Sonata de estío*—1903—, *Sonata de invierno*—1905—, *Sonata de primavera* —1904—, *Romance de lobos*—1908—, *La marquesa Rosalinda*—teatro, 1913—, *La cabeza del dragón*—teatro, 1914—, *La pipa de Kif*—versos, 1919—, *Farsa y licencia de la reina castiza*—teatro, 1920—, *Luces de bohemia*—1924—, *Los cuernos de don Friolera*—1921—, *Tirano Banderas*—1926—, *Retablo de la avaricia, la lujuria y la muerte* —1927—; *La corte de los milagros*—1927—, *¡Viva mi dueño!*—1928—, *Cara de plata* —teatro, *Los cruzados de la causa*—1908—, *El resplandor de la hoguera*—1909—, *Gerifaltes de antaño*—1909—, *Flor de santidad* —1904—, *Aguila de blasón*—1907—, *El embrujado*—teatro...

En el año 1944 apareció en Madrid una edición magnífica de las *Obras completas* de Valle-Inclán, dirigida por su hijo.

V. GÓMEZ DE LA SERNA, Ramón: *Retratos contemporáneos*. Buenos Aires, 1941.—GÓMEZ DE LA SERNA, Ramón: *Valle-Inclán*. Buenos Aires, 1944.—ZEITLIN, Marion A.: *Don Ramón del Valle-Inclán*, en *The Modern Language Form*, 1933.—ROGERIO SÁNCHEZ, J.: *El teatro poético: Valle-Inclán*. Madrid, 1914.—SOLALINDE, A. G.: *Valle-Inclán...*, en *Revista Fil. Esp.*, 1919.—REYES, Alfonso: *Apuntes sobre Valle-Inclán*, en *Los dos caminos*, 1921.—ALONSO, Amado: *Estructura de las "Sonatas"*, en *Verbum*, 1928.—BAL

SEIRO, José A.: *Valle-Inclán. La novela...*, en *Hispania*, 1932.—BARJA, César: *Libros y autores...* 1933.—FERNÁNDEZ ALMAGRO, M.: *Valle-Inclán*. Madrid, 1943.—CHAUMIÉ, Jacobo: *Don Ramón del Valle-Inclán*, en *Mercure de France*, 1914, II.—GONZÁLEZ-BLANCO, A.: *Los Contemporáneos.*—GONZÁLEZ-BLANCO, A.: *Los dramaturgos españoles*. Madrid, 1917.—CANSINOS-ASSÉNS, R.: *Los Hermes*. Madrid, 1916.—CASARES, Julio: *Crítica profana*. Madrid, 1916.—MADARIAGA, Salvador: *Don Ramón María del Valle-Inclán*, en *Hermes*, marzo 1922.—*Ower*, Arthur L.: *Sobre el arte de Valle-Inclán*, en *Hispania*, California, 1923.—MAS DE GARMA, S.: *Necrología de Valle-Inclán*. (Con bibliografía.) En *B. Hisp.*, 1936, XXXVIII.—SEELEMANN, R.: *Folkloric Elements in Valle-Inclán*, en *H. Rev.*, 1935, II.—CASSOU, J.: *Un gran español: Valle-Inclán*, en *Les Nouvelles Littéraires*, 1936, enero.—GARCÍA BLANCO, M.: *El lenguaje en Valle-Inclán*, en *La Gaceta Literaria*, 1927, septiembre 15.—BENAVENTE, J.: Prólogo al tomo I, ed. *Obras completas*. Madrid, 1944.—"AZORÍN": Prólogo al tomo II de la ed. *Obras completas*. Madrid, 1944.—RÍO, Angel del, y BENARDETE, M. J.: *Concepto contemporáneo de España. Antología de ensayos: 1895-1931*. Buenos Aires, Losada, 1946. (Contiene abundante bibliografía de notas y artículos acerca de Valle-Inclán en las págs. 227-228.)—SAINZ DE ROBLES, F. C.: *La novela española en el siglo XX*. Madrid, Pegaso, 1957.—ZAMORA VICENTE, Alonso: *Las "Sonatas" de V. I. Contribución al estudio de la prosa modernista*. Buenos Aires, 1957.—GÜNTER, Heinrich: *Die Kunst Don Ramón María del Valle-Inclán*. Rostock, 1958.—MEREGALLI, Franco: *Studi su Ramón del Valle-Inclán*. Venecia, 1959.—NORA, Eugenio G. de: *La novela española contemporánea*. Madrid, Gredos, 1958, tomo I, páginas 49-96.—ENTRAMBASAGUAS, Joaquín de: *Las mejores novelas contemporáneas (1900-1904)*. Barcelona, Planeta, 1958, págs. 343-484. (Contiene una biobibliografía exhaustiva.)

VALLE RUIZ, P. Restituto del.

Poeta y crítico literario. Nació—1865—en Carrión de los Condes (Palencia). Murió —1930—en San Lorenzo del Escorial. Cursó bachillerato en Madrid, y en Madrid y Zaragoza la licenciatura de Filosofía y Letras. Habiendo ingresado en la Orden de San Agustín, estudió las disciplinas eclesiásticas en Valladolid y en El Escorial. Lector en los estudios eclesiásticos de su Orden. Profesor en el colegio escurialense de Alfonso XII. Redactor de *La Ciudad de Dios*, una de las más admirables revistas de cultura de España.

Cultísimo crítico literario, muy alabado por Menéndez Pelayo, Cejador y el P. Mir. Poeta inspiradísimo, de la más pura raíz hispana. Suya es la letra del famoso himno eucarístico español.

Obras: *Discurso semblanza de Raimundo Lulio, Estudios literarios*—Barcelona, 1903—, *El pesimismo en la literatura contemporánea*—Madrid, 1904—, *La literatura moderna*—Madrid, 1906—, *Ultimas manifestaciones de la lírica en España, Literatura mallorquina*—1910—, *Mis canciones*—poesías, Barcelona, 1908 y 1911—, *Don Marcelino Menéndez Pelayo*—1912—, *Semblanza literaria del Padre Conrado Muiños Sáenz, agustino*—1914—; *Mirando al cielo*—himnos y cánticos religiosos, Madrid, 1914—, *El Viernes Santo*—pequeño poema...

VALLEJO, César.

Interesante poeta peruano. Nació en 1898. Murió en 1938. Desde muy joven se dedicó a la poesía pura, colaborando en dos famosas revistas: *Contemporáneos* y *Colónida*, aun cuando su temperamento solitario le hizo apartarse en seguida de cualquier grupo o de cualquiera tendencia. La efusión, hondísimamente humana, de su lirismo le alcanzó una personalidad señera, inconfundible. "Se cuenta de él que era indio auténtico, y tal vez pertenezca a la hiperestesia de la sufrida raza el amplificador sensible de los dolores de la vida. Al principio expresó la nota personal, la reminiscencia triste del propio caso. Pero después carga sobre sus hombros el dolor de los otros—fue, ideológicamente, comunista—, y su acento adquiere hondura y trascendencia." (Leguizamón.)

Poeta de una intimidad y de una complejidad impresionantes. Patético sobre manera. Colorista en tonos oscuros y opacos. Si en sus primeras composiciones se delatan influencias de un modernismo "desorbitado", bien pronto César Vallejo entra de lleno en el ultraísmo. Su fórmula, simple y directa, se reduce "a la desnuda y primitiva insinuación de las imágenes y de las palabras".

Obras: *Los heraldos negros*—1918—, *Trilce*—1922—, *Escalas melografiadas*—1922—, *Poemas humanos*—París, 1939—, *España, aparta de mí este cáliz*—México, 1939—; *Fabla salvaje*—1923—, *Tungsteno*—1930—, *Más allá de la vida y de la muerte*—1922—, *Poesías completas*—1949.

V. SÁNCHEZ, Luis Alberto: *Indice de la Poesía peruana contemporánea.*—SÁNCHEZ, Luis Alberto: *La literatura del Perú.* Buenos Aires, Facultad de Filosofía y Letras, 1943, 2.ª edición.—SÁNCHEZ, Luis Alberto: *La literatura peruana.* Lima, 1928, 1929 y 1936, tres tomos.—MONGUÍO, Luis: *César*

Vallejo. Vida y obra y *César Vallejo: Bibliografía,* en *Revista Hispánica Moderna,* año XVI, enero-diciembre 1950, núms. 1-4, páginas 1-98.—ABRIL, Xavier: *César Vallejo o la teoría poética.* Madrid, Taurus, 1963.

VALLÉS, Francisco.

Erudito, filósofo y médico español. 1524-1592. Nació en Covarrubias (Burgos), y murió en la ciudad de Burgos. Cursó sus estudios literarios en el Colegio de San Ildefonso, de Alcalá. Doctor en Medicina. Catedrático de Prima de Medicina en la Universidad complutense. Su fama fue rapidísima y enorme. El propio Felipe II, a quien había curado de una grave dolencia, le dijo: "¡Ay, divino Vallés, cuánto te debo!" Desde entonces fue llamado el *Divino Vallés.* Primer médico de la Cámara Real y protomédico de todos los reinos y señoríos de Castilla. Vallés, Arias Montano y Morales fueron los encargados, por Felipe II, de formar la biblioteca de El Escorial.

Posiblemente tuvo Vallés más hondura en sus conocimientos filosóficos que en sus conocimientos médicos, con ser estos tan admirables. Por ello, la crítica literaria suele colocarle *por derecho propio* entre los principales filósofos de España.

En su obra principal, *De his quae scripta sunt physice in libris sacris, sive de sacra philosophia*—Burgos, 1587—, discute todos los problemas relativos a la física y examina, con sutilísimo criterio, las más importantes cuestiones filosóficas. Sostuvo—adelantándose a los de su tiempo—que el alma humana informa inmediatamente el embrión, sin prioridad de un alma puramente sensitiva.

En su *Controversiarum medicarum et philosophicarum libri X*—Alcalá, 1556—se manifiesta partidario del método inductivo para el estudio de la Naturaleza.

Otras obras: *Commentaria in libros Hippocratis de Ratione victus in Morvis acutis*—Madrid, 1567—, *Francisci Vallesii Covarrubiani, in Schola complutensi professoris publici octo librorum Aristotelis de physica doctrina versio, recens, et commentaria*—Alcalá, 1562...

V. HERNÁNDEZ MOREJÓN, A.: *Historia bibliográfica de la Medicina española.* Madrid, 1852.—SOLANA, Marcial: *Historia de la filosofía española: Epoca del Renacimiento.* Madrid, 1941, tres tomos.—MENÉNDEZ PELAYO, Marcelino: *La ciencia española.*—E. ORTEGA-B. MARCOS: *Francisco Vallés, "el Divino".* Madrid, 1914.

V

VANDO VILLAR, Isaac del.

Poeta. Nació hacia 1890 en Sevilla. Desde muy joven se dedicó a la literatura, fundando—1918—en su patria chica la revista *Grecia*, acaso el bastión más firme y magnífico que defendió el ultraísmo en España. Colaboró en todas las revistas de vanguardia, como *Tableros* y *Ultra*, de Madrid; *Ronsel*, de Lugo; *Mediodía*, de Sevilla; *Papel de Aleluyas*, de Huelva; *Alfar*, de La Coruña; *Isla*, de Cádiz.

Vando Villar, que se inició en la poesía como rubeniano, ha evolucionado a través del ultraísmo hacia un simbolismo de felices imágenes y supurante ironía.

Obra: *La sombrilla japonesa*—1924...

VANEGAS DEL BUSTO, Alejo (v. Venegas del Busto, Alejo).

VARELA, Benigno.

Novelista y periodista español. Nació —1882—en Zaragoza. Estudió el bachillerato en su ciudad natal. Y marchó a Madrid, antes de los dieciocho años, para dedicarse al periodismo. Rápidamente se hizo popular por sus campañas monárquicas y por sus crónicas vibrantes e impresionistas.

Fundó y dirigió hasta 1931 el periódico *La Monarquía*. Polemista apasionado y de dialéctica sutil, ha tenido, no pocas veces, que sostener sus opiniones en el llamado "campo del honor".

Como novelista, sobresale por sus innegables dotes de observación, por su imaginación vivaz, su facilidad para captar el ambiente y su estilo, lleno de color y de soltura. Cultiva un realismo muy español.

Obras: *Novelitas, Estrellas con rabo*—Madrid, 1903—, *El sacrificio de Márgara*—Madrid, 1909—, *Senda de tortura*—1909—, *Isabel, distinguida coronela*—1910—, *Volcanes de amor*—cuentos, 1910—, *Corazones locos* —1910—, *Los que conspiran contra el rey* —1910—, *Mi evangelio, Fiebres amorosas* —1911—, *Mujeres vencidas*—París, 1912—, *Por algo es rey*—1913—, *Horas trágicas del vivir*—1915—, *Lo perdonaron Dios y el rey, Así es nuestro rey...*

V. SAINZ DE ROBLES, F. C.: *La novela corta española (Promoción de "El Cuento Semanal")*. Madrid, Aguilar, 1952.

VARELA, P. Félix.

Literato y filósofo cubano. Nació—1788— en la Habana y murió—1853—en San Agustín de la Florida. Estudió en el Seminario de San Carlos, ordenándose sacerdote en 1811. Catedrático de Latín y Retórica de aquel centro cultural. En 1820, catedrático de Economía política. En 1821 fue nombrado diputado a Cortes, marchando a España, y dejando para sustituirle a su discípulo predilecto: José Antonio Saco (v.). En el Congreso español defendió con ardor y con

talento todos los problemas cubanos, siendo considerado como el primer paladín de la autonomía de su patria. Por ello hubo de expatriarse, residiendo en Nueva York, donde fundó *El Habanero*. En 1845 fue nombrado vicario general de aquella capital, ganándose el respeto y la simpatía de toda la comunidad católica de América del Norte. Colaboró asiduamente en *Miscellanea, Revista de la Habana, Mensajero Semanal, Revisor Político y Literario, Observatorio Habanero, Diario del Gobierno, Revista Bimestre Cubana, The Catholic Expositor and Literary Magazine...*

Es Varela, indiscutiblemente, uno de los principales representantes de la Filosofía en Cuba. Y tuvo y mantuvo durante muchos años una extraordinaria influencia sobre la intelectualidad de su patria.

Varela fue un ecléctico. Opuso a la escolástica la ideología empírica. Rechazó el exclusivismo del método deductivo y del principio de autoridad, la enseñanza memorista, la superstición religiosa, el tradicionalismo rígido, los prejuicios. Defendió la reflexión como término superior entre estos dos extremos: la doctrina cartesiana y la doctrina sensacionista. Y si no tuvo ideas genialmente innovadoras, poseyó una magnífica claridad expositiva y un criterio selecto.

Sus obras fundamentales son: *Instituciones de Filosofía*—1812 a 1814—, *Miscelánea filosófica*—1818—y *Lecciones de Filosofía* —1818.

Pero también tienen importancia: *Cartas a Elpidio, Máximas morales y sociales, Observaciones sobre la Constitución de la monarquía española, Influencia de la ideología en la marcha de la sociedad, Carta a propósito del eclecticismo.*

V. CHACÓN Y CALVO, José María: *La literatura de Cuba*, en el tomo XII de la *Historia universal de la literatura*, de Prampolini. Buenos Aires, Uteha Argentina, 1941.— GUARDIA, J. M.: *Philosophes espagnols de Cuba...*, en *Rev. Philosophique*, I, 1892.— VIDART, Luis: *La Filosofía española*. Madrid, 1866.—RODRÍGUEZ, Ignacio: *Vida del filósofo Varela.*—MAESTRE, J. M.: *De la filosofía en la Habana*. La Habana, 1882.

VARELA, José Luis.

Ensayista, crítico literario. Nació—1924— en Orense. Licenciado y doctor en Filosofía y Letras por la Universidad de Madrid. De 1947 a 1957, ayudante de cátedra de Literatura española en la Universidad Central. Y en la misma Universidad, de Literatura alemana de 1957 a 1961. Lector de Lengua y Literatura españolas en la Universidad de Colonia los años 1953 a 1956. Catedrático de Lengua y Literatura—1961—en la Universidad de La Laguna, y de la misma asignatura en la Universidad de Valladolid desde 1965. Académico correspondiente de la Real de la Historia. "Premio Nacional Miguel de Unamuno, 1970".

Obras: *Vida y obra literaria de G. Romero Larrañaga. 1814-1872*—Madrid, 1948—, *Ensayos de poesía indígena en Cuba*—Madrid, 1951—, *Vossler y la ciencia literaria*—Madrid, Editora Nacional, 1955—, *Poesía y restauración cultural de Galicia en el siglo XIX*—Madrid, edit. Gredos, 1958—, *La palabra y la llama*—ensayos, Madrid, edit. Prensa Española, 1967—, *Formas de evasión en la literatura*—Madrid, 1969, edit. Prensa Española—, *La transfiguración literaria*—ensayos, edit. Prensa Española, Madrid, 1970.

VARGAS LLOSA, Mario.

Novelista y cuentista peruano. Nació —1936—en Arequipa. Estudió las primeras enseñanzas en Cochabamba (Bolivia) y las secundarias en Lima y Piura. Licenciado en Letras por la Universidad de San Marcos, de Lima, y doctor por la Universidad de Madrid. Ha vivido varios años en París y en Londres. En la Universidad de esta última capital profesó un curso de Literatura hispanoamericana. Se dio a conocer en España con un libro de relatos, *Los jefes*, que ganó el "Premio Leopoldo Alas". Pero su fama y popularidad datan de 1962, al haber ganado el "Premio Biblioteca Breve", otorgado en Barcelona por la editorial Seix y Barral, por su novela *La ciudad y los perros*.

En muy pocos años, Vargas Llosa se ha convertido en uno de los novelistas más leídos y mejor tratados por la crítica en el mundo de habla castellana. Sus novelas multiplican las ediciones y son traducidas a varios idiomas. Cultiva un crudo naturalismo entreverado de lucubraciones de originales ideas y retórica. Vargas Llosa es magnífico retratista y hace gala de un estilo eminentemente personal y atractivo.

Otras obras: *La casa verde*—novela, "Premio de la Crítica, 1966"; "Premio Internacional de Literatura Rómulo Gallegos"—; *Los cachorros*—cuentos, 1968—, *Conversación en la Catedral*—novela, dos tomos, 1969.

VARGAS Y PONCE, José de.

Poeta y erudito español. Nació—1760—en Cádiz. Murió—1821—en Madrid. Gaditano. Gran matemático, marino y literato español. Tomó parte en uno de los malogrados ataques a Gibraltar. Diputado en Cádiz—1813—. Viajó por todo el mundo. Sus conocimientos náuticos fueron prodigiosos. En 1807 premió la Academia Española su *Elogio de Alfonso "el Sabio"*. Su obra poética más considerable es la chistosísima *Proclama de un*

solterón—1827—, escrita en octavas reales. Perteneció a la Academia de la Lengua y su nombre figura en el *Diccionario de autoridades*. Fue famoso por su facilidad para repentizar en verso. Su mérito mayor reside en el gracejo y picardía que solía llevar a sus composiciones. Vargas y Ponce, como Iglesias de la Casa, no se notaba cohibido de expresión en una época crucial en la que pugnaban las expresiones clásicas y las impresiones prerrománticas.

"Era uno de aquellos literatos—escribe Leopoldo Augusto Cueto—de vocación sincera, perseverantes e instruidos, que, por no saber comprender su aptitud profesional, abarcan, con menos fuerza que ambición, todos los ramos de las letras, y no alcanzan, por lo mismo, a dejar en ninguno de ellos rastros de verdadera luz... Aunque lleno de ingenio lozano y zumbón, carecía de verdadero estro poético. Por eso brilló únicamente en el género festivo y satírico...

Otras obras: *Abdalazís y Egitona*—tragedia—, *Elogio de Alfonso "el Sabio"*—1782—, *El peso duro*—poema burlesco, 1790—, *Poema criticando los mayorazgos...*—Madrid, 1820—, *Declamación contra los abusos introducidos en la lengua castellana*—1791—, *El tontorontón*—Cádiz, 1818—y otras varias.

Edición moderna: Obras de Vargas y Ponce de León en el tomo LXVII de la "Biblioteca de Autores Españoles", con notas bibliográficas de Leopoldo A. Cueto.

V. Toro, José del: *Un gaditano ilustre. Elogio de don José Vargas Ponce*. Madrid, 1882.

VARGAS TEJADA, Luis.

Poeta, prosista y comediógrafo colombiano. Nació—1802—en Bogotá y murió—1829—, ahogado en un río de los Llanos orientales de su patria, cuando intentaba huir de ella para librarse de un proceso por su participación en el atentado contra Bolívar. Su cultura fue extraordinaria para su extremada juventud, y teniendo en cuenta que no estudió ni de niño ni de muchacho metódicamente. Fue enemigo implacable del Libertador, secretario de la Convención de Ocaña y uno de los principales promotores del intento de asesinato contra Bolívar, el 25 de septiembre de 1828. Fue llamado el "Andrés Chenier" de su generación, por el ímpetu de sus sentimientos al defender la idea de la libertad. Componía poemas, no solo en castellano, sino en latín, francés y alemán. Su obra maestra, el sainete titulado *Las convulsiones,* fue calificada por Bolívar como "un exceso de talento".

La producción literaria de Vargas Tejada fue tan rebelde, tan romántica, tan estridente y tan humana como su vida.

V

Obras: *Sugamuxi*—tragedia, 1826—, *Duraminta*—tragedia, 1827—, *Aquimín*—tragedia, 1827—, *Sacresazipa*—tragedia, 1827—, *Witikinda*—tragedia—, *Catón en Utica*—monólogo trágico—, *La muerte de Pausanias*—drama—, *Poesías*—Bogotá, 1855...

Tradujo el *Demetrio*, de Metastasio, e *Il vero amico*, de Goldoni.

Vargas Tejada fue uno de los iniciadores del teatro nacional colombiano.

V. CAICEDO ROJAS, J.: *Anuario de la Academia Bogotana*. Tomo I, 1874.—CAPARROSO, Carlos Arturo: *Antología lírica. Estudio y notas*. Bogotá, 1951, 4.ª edición.—MENÉNDEZ PELAYO, M.: *Historia de la poesía hispanoamericana*. Madrid, 1911-1913.—GÓMEZ RESTREPO, A.: *Parnaso colombiano*. Cádiz, 1915. GÓMEZ RESTREPO, A.: *Historia de la literatura colombiana*. 1940.—OSPINA, Eduardo: *El romanticismo en la poesía europea y colombiana*. Madrid, 1927.

VARGAS VILA, José María.

Novelista, ensayista y crítico literario. Extraño espíritu, obsesionado por sus tres grandes enemigos: Dios, el Yanki y la Gramática. 1863-1933. Nació en Bogotá (Colombia). Personaje de individualidad exacerbada y delirante, que gozó de cierta popularidad en América y en España. A consecuencia de una guerra civil, tuvo que huir a Venezuela, donde publicó sus primeras obras. Fundó—1887—*La Federación*, periódico anticlerical. En Caracas dirigió *El Eco Andino*. En 1890 llegó por primera vez a Europa. Volvió a Caracas a fundar *El Espectador*. En Nueva York redactó otro periódico anticlerical: *El Progreso*, y fundó la revista *Hispano-América*—1894—, foco de rebelión literaria y política. En 1894 representó al Ecuador en Roma. En Nueva York de nuevo—1903—, fundó *Némesis*, revista que escribía él solo. En 1904 fue cónsul de Nicaragua en Madrid. Desde esta fecha vivió indistintamente en Madrid, París y Roma, editando sus *Obras completas*, de numerosos volúmenes, en dos ediciones distintas: la de Madrid y la de Barcelona.

"Nadie le puede negar brío extraordinario, fogosa imaginación, sobre todo sinceridad y fuerza de alma. A cribar sus ideas y dichos, sus noticias históricas y sus relatos, hallaríanse contradicciones palmarias, falseamientos, posiblemente involuntarios; ningún principio sólido, fuera del negar y combatir lo más asentado y recibido. No hay que buscar en las novedades de Vargas Vila trama bien desenvuelta, caracteres constantes; en una palabra, realidad viva y humana; no tiene temperamento de novelista en conjunto. No hay atadero de acción, de tipos, de afectos. Temperamento declamatorio, predicador, su estilo es asiático y pomposo; hacina epítetos, inventa voces, es lírico y retórico más que narrador ni analizador de almas." (Cejador.)

Su gran originalidad consistió en puntuar caprichosamente sus escritos, ofendiendo gravísimamente, estérilmente, a la Gramática. Sus ideas bordean incontablemente la confusión, la turbiedad, el sentido común y hasta la locura. El conjunto de su obra es un caos, con ciertos chispazos de ingenio c de belleza y con fuegos dilatados de insipidez y de lugares comunes. Sin embargo, durante cierta época, el gran público agotó sus obras, y tuvo discípulos e imitadores. Carecía por completo de espíritu cristiano y de fuerza creadora. Su fecundidad fue enorme. Hoy apenas se le recuerda.

Algunas obras: *Pasionaria*—versos, 1886—, *Aura, o las violetas*—novela, 1886—, *Lo irreparable*—novela—, *Emma*—novela—, *La ubre de la loba*—1890—, *Copos de espuma*—cuentos—, *Flor de fango*—novela, 1895—, *Ibis*—novela, 1899—, *Las rosas de la tarde*—novela, 1900—, *Alba roja*—novela, 1901—, *Los parias*—novela, 1902—, *Ante los bárbaros*—1902—, *El alma de los lirios*—novela, 1904—, *Laureles rojos*—1904—, *Prosas laudes*—estudios literarios—, *Los Césares de la decadencia, El ritmo de la vida, Clepsidra roja, La demencia de Job, Los discípulos de Emaús, El minotauro, Vuelo de cisnes, De los viñedos de la eternidad, El huerto agnóstico, La voz de las horas.*

V. ANDRADE COELLO, A.: *Vargas Vila*. Quito, 1912.—GENER, Pompeyo: *Vargas Vila*, en *Cervantes*, año I, núm. 2.—GÓMEZ RESTREPO, A.: *Historia de la literatura colombiana*. Bogotá, 1938.

VARONA, Enrique José.

Poeta, filósofo, crítico, historiador y ensayista de mucho y justo prestigio. Nació—1849—en Puerto Príncipe (Cuba). Murió en 1933. A los dieciocho años fue premiado por una oda. Trabajó mucho por la insurrección cubana. Secretario de Hacienda en 1900. Profesor de la Universidad y fundador de la Escuela de Pedagogía. Secretario de Instrucción Pública. Redactor de *Cuba Contemporánea* y fundador de la *Revista Cubana*. Vicepresidente de la República en el cuadrienio 1912-1916. Presidente de honor de la Academia de la Historia.

Filósofo reconocido y aplaudido, sagaz y elevado crítico, versificador fácil, pero de escasa inspiración; profesor de poderoso influjo, gran orador, erudito verdad. Varona personifica al maestro austero, noble, serenamente rebelde. Cinco generaciones cubanas pasaron por sus manos, "nadie pudo jamás avergonzarse de él, como escritor, ni como maestro, ni como ciudadano".

Antonio Gómez Restrepo ha escrito de él: "Su cultura literaria y científica es enorme y le permite abarcar desde las más curiosas reliquias de la poesía griega hasta las últimas manifestaciones de las literaturas inglesa y alemana. Su dedicación preferente a las investigaciones filosóficas no ha debilitado ni oscurecido su vivo sentimiento del arte ni su noble inspiración poética. Su estilo no es oratorio: es el reposado, transparente y sereno de quien piensa en el retiro de su gabinete y pesa el alcance de sus palabras, pues sabe que ejerce un alto ministerio."

Manejó con maestría el idioma castellano. Fue otro hispanoamericano de los que odiaron a España. ¡Todo sea por Dios!

Su criterio, basado en el positivismo, influyó hasta en sus poesías, a estilo de nuestro Campoamor.

Obras: *Odas anacreónticas*—Puerto Príncipe, 1868—, *Tesoros del teatro antiguo español*—Puerto Príncipe, 1868—, *La hija pródiga* —drama, 1870—, *Poesías*—1878—, *Ojeada sobre el movimiento intelectual de América*—1878—, *Paisajes c u b a n o s*—versos, 1879—, *Disertación sobre el espíritu de la literatura en nuestra época*—Matanzas, 1880—, *Conferencias filosóficas*—la Habana, 1880 y 1888—, *Cervantes*—1883—, *Estudios literarios y filosóficos*—1883—, *Emersón*—1884—, *Seis conferencias*—Barcelona, 1887—, *Los cubanos en Cuba*—1888—, *El fracaso colonial de España*—Nueva York, 1896—, *Desde mi belvedere*—la Habana, 1907—, *Mirando en torno*—1910—, *En voz alta*—1916—, *Violetas y ortigas*—n o t a s críticas, Madrid, 1917—, *Escritos*—1917—, *Con el eslabón...*

V. REMOS Y RUBIO, J. J.: *Historia de la literatura cubana*. La Habana, 1925.—TRELLES, Carlos M.: *Los 150 libros...* 1914.—HENRÍQUEZ UREÑA, M.: *Acerca de Enrique José Varona*, en *El retorno de los galeones*. Madrid.—BLANCO-FOMBONA, R.: *Letras y letrados de América*. París, 1912.—LEGUIZAMÓN, Julio A.: *Historia de la literatura hispanoamericana*. Buenos Aires, 1945.—VITIER, Medardo: *Enrique José Varona*, en *Rev. Cubana*, vol. XV, enero-junio 1941.—MARINELLO, Juan: *Significación de Varona*, en *Literatura Hispanoamericana*, México, 1937.— PARASA Y SARUSA, Enrique: *Bibliografía de Enrique José Varona*. La Habana, 1932.

VASCONCELOS, José.

Historiador, filósofo, ensayista y crítico de prestigio. Nació—1882—en Oaxaca (México). Murió en 1959. Hizo los estudios elementales en su ciudad natal y cursó Leyes en la Escuela de Jurisprudencia de México.

Apenas graduado, viajó por los Estados Unidos y por toda la América hispana. En 1908 se inició en la política, bajo los auspicios de Francisco Madero. Secretario de Instrucción Pública. Volvió a los Estados Unidos, viviendo en ellos y en Lima durante varios años, entregado a los estudios literarios y filosóficos. Rector de la Universidad Nacional —1920—. Embajador especial en Río de Janeiro—1922—. Ministro de Instrucción Pública durante cuatro fecundísimos años, en los cuales organizó e impulsó admirablemente la cultura de su patria.

Vasconcelos ha dado magníficas conferencias en Europa y América, y está considerado como una de las primeras figuras intelectuales de Hispanoamérica.

De mucha y bien digerida cultura. Fino de pensamiento y de ideales altos. Bueno y elegante prosista. Expositor claro. Comentarista agudo. Crítico de múltiples percepciones.

Obras: *La intelectualidad m e x i c a n a* —1916—, *El movimiento intelectual contemporáneo de México*—1916—, *El monismo estético*—1919—, *Divagaciones l i t e r a r i a s* —1919—, *Prometeo, vencedor*—tragedia moderna, 1920—, *Pitágoras, una teoría del ritmo*—1921—, *Estudios indostánicos*—1921—, *La raza cósmica*—París, 1925—, *Indología* —París, 1927—, *Divulgaciones literarias, Estética, Tratado de Metafísica, Historia del pensamiento filosófico, Etica* y otras obras, jalonan una contracción ejemplar al pensamiento sistemático, según ha observado un moderno crítico.

V. RODRÍGUEZ, José María: *Poetas y bufones*. París, 1926.—GONZÁLEZ PEÑA, Carlos: *Historia de la literatura mexicana*. México, 1940.—JIMÉNEZ RUEDA, Julio: *Historia de la literatura mexicana*. México, 1928.

VASSEUR, Alvaro Armando.

Poeta, novelista, ensayista, crítico literario. Nació—1878—en Montevideo (Uruguay). De ascendientes franceses. A los veinte años era ya colaborador del *Mercurio de América*, de Buenos Aires. Fue uno de los introductores del simbolismo poético en la América hispana. Ha vivido muchos años en Europa, en Francia y España principalmente, siendo cónsul de su país en Bilbao. Ha traducido en forma impecable a Walt Whitman, a Soren Kierkegaard, a Lafcadio Hearn.

Su cultura se ha nutrido de las más diversas escuelas y tendencias europeas. Es vasta y luminosa. Montero Bustamante ha escrito así—en su *Parnaso oriental*, 1905—: "Su inspiración dual ha cantado con igual originalidad las mórbidas sutilezas de su refinada psicología o los tonos objetivos, amplios y originales. Su musa sentimental conoce el

V

secreto de exteriorizar con arte las vagas sensaciones de las almas inquietas." "Los motivos de la mayoría de sus poemas—añade Zum-Felde—se nutren de sapiencia especulativa, y todo su lenguaje está plagado de didactismos."

Indiscutiblemente, con su tono desconcertante, su lirismo es mucho más especulativo que emotivo. "Una inquietud acicateada por egolátricos presentimientos mesiánicos le ha hecho asomarse a oscuras simas metafísicas."

Prosista abigarrado, conceptista, extraño, de estilo muy personal y de vocabulario rico en galicismos y germanismos.

Obras: *Cantos augurales*—Montevideo, 1904—, *Cantos del Nuevo Mundo*—Montevideo, 1907—, *A flor de alma*—1908—, *El memorial*—prosas rítmicas, Madrid, 1908—, *Cuentos del otro Yo*—1909—, *El vino de la sombra*—Madrid, 1918—, *Gloria: aventuras peregrinas*—Madrid, 1919—, *De profundis, El alma del hombre, Máximas*—Madrid, 1919—, *Atlántida*—poema—, *El libro de las horas, La tentación*—novela—, *Hacia el gran silencio*—1924—y algunas otras de menor interés.

V. Zum-Felde, Alfredo: *La literatura del Uruguay.* Buenos Aires, 1939.

VAZ FERREIRA, Carlos.

Filósofo y prosista uruguayo. Nació —1873—y murió—1958—en Montevideo. Doctor en Derecho y en Filosofía. Rector y maestro de conferencias en la Universidad de Montevideo. Catedrático de Filosofía. Miembro de la Academia Uruguaya. Conferenciante magnífico. De enorme cultura. Pensador original y hondo.

"En Carlos Vaz Ferreira, el Uruguay ha dado a toda América el único tipo de filósofo neto, puro, aparecido hasta hoy. Los pensadores hispanoamericanos—incluso Rodó—han cultivado la literatura de ideas. Vaz Ferreira es el único que se ha ceñido a las disciplinas rigurosamente filosóficas, desarrollando, hasta los últimos límites, la escuela empirista inglesa. Partiendo de la lógica inductiva de Stuart Mill, llega a conclusiones propias en su obra capital: *Lógica viva.*" (Zum-Felde.)

Otras obras: *Cuestiones escolares*—1902—, *Ideas y observaciones*—Montevideo, 1905—, *Los problemas de la libertad*—Montevideo, 1907—, *La exageración y el simplismo en Pedagogía*—1908—, *Moral para intelectuales* —1909—, *Pragmatismo*—Montevideo, 1919—, *Elementos de psicología experimental, Curso expositivo de psicología elemental, Apuntes de lógica elemental, Fermentario.*

V. Zum-Felde, Alberto: *Proceso intelectual del Uruguay y crítica de su literatura.* 1941.—Zum-Felde, Alberto: *Literatura del*

Uruguay, en el tomo XII de la *Historia universal de la literatura,* de Prampolini. Buenos Aires, 1941.

VAZ FERREIRA, María Eugenia.

Singularísima poetisa y autora dramática. 1880-1924. Uruguaya. Arrebató la atención del público con sus primeras poesías: *Meditación, La eterna canción, A una golondrina, Era de noche, Una "berceuse" de Chopin* y otras, publicadas en revistas y diarios. Eran poesías de ritmo original, con cierta filosofía rayana en el escepticismo, de hondo sentimiento.

Pedro Miguel Obligado, que ha escrito una semblanza muy bella de la gran poetisa, escribe: "Padecía, según los médicos, de una percepción dolorosa, y por algún tiempo tenía la inquietud de levantar algo del suelo... Antiguos desabrimientos y melancolías le acosaban." Y añade Leguizamón: "Padecía insomnios desesperantes, y las excentricidades de que está lleno su anecdotario completan un sugestivo cuadro. Pero estos datos corresponden más bien a la figura de su declinar físico y mental, a la neurastenia o alteración que obligó a recluirla durante los últimos meses de su vida. Sensible y delicada, siempre tuvo, no obstante, su juventud fuerte y altiva, olímpicamente desdeñosa del mundo y de las gentes. De ahí arranca su frustración y su drama. Su expresión blasona de una fiera castidad de Walkyria. Como Brunhilda, espera al héroe que la despierte, tras largo sueño, a una realidad jubilosa... Pero el cerco de fuego que rodeaba a Brunhilda estaba hecho, en este caso, de exigencias insalvables para la vulgaridad ambiente. Su grito al espacio continúa insaciado." Y comenta justa y bellamente Zum-Felde: "El otoño trae la dulzura del reposo a quien dio sus frutos en estío; pero hay un otoño gris y solitario, que envuelve como un remordimiento a los que no han amado. Desencanto, decepción, soledad—soledad desesperada y trágica—, cantan los últimos poemas de María Eugenia Vaz Ferreira."

Para Montero Bustamante: "Es, sin disputa, la primera poetisa de América, la más grande que ha tenido el país..., por la intensidad del sentimiento, por lo hondo de la emoción y lo exquisitamente delicado de su arte. Es discípula de Heine, y ha formado su estilo en el oscuro germanismo del poeta de Dusseldorf, que ella ha sutilizado al reflejarlo en su exquisito temperamento. Pertenece a la raza de los sensitivos, y, sin duda, en su emotividad de apasionada hay una mórbida aspiración de *más allá.* Escribe desde niña, y en todas sus composiciones está el sello de su alma poderosa e inquieta."

La obra poética de la Vaz Ferreira, *La*

isla de los cánticos, se publicó póstumamente, por devoción fraterna y de acuerdo con una selección que ella misma preparara. Ensayó también el teatro con *La piedra filosofal* y *Los peregrinos.*

V. OBLIGADO, Pedro Miguel: *Una semblanza de María Eugenia Vaz Ferreira.*—ZUM-FELDE, Alberto: *Indice de la poesía uruguaya contemporánea.* Santiago, 1934.—ZUM-FELDE, Alberto: *La literatura del Uruguay.* Buenos Aires, 1939.—PEREDA VALDEZ, I.: *Antología de la moderna poesía uruguaya (1900-1927).* Buenos Aires, El Ateneo, 1927. FUSCO SANSONE, Nicolás: *Antología y crítica de la literatura uruguaya.* Montevideo, 1940. ARTUCIO FERREIRA, A.: *Parnaso uruguayo: 1905-1922.* Barcelona, Maucci, 1923.

VÁZQUEZ, José Andrés.

Poeta, novelista y periodista. Nació—1884— en Aracena (Huelva). Estudió en Sevilla. Muy joven, se dedicó al periodismo, publicando sus artículos en *El Liberal,* de Sevilla; *El Noticiero Sevillano, El Imparcial* y *A B C,* de Madrid, y en otros muchos periódicos y revistas de España y la América española. Presidente—1920—de la Asociación de la Prensa sevillana.

José Andrés Vázquez es un escritor lleno de gracia y de colorido, de amenidad y de emoción. Sus poesías son de un lirismo sugestivo y espectacular o de una intimidad fervorosa y patética. Sus novelas rezuman sentimentalidad y realismo sano, muy español, muy andaluz. Toda su enorme labor delata delicadeza, sinceridad, expresividad y suave melancolía meridional.

Obras: *Ese sol, padre y tirano*—novela, 1907—, *Mala semilla*—comedia—, *Recurso legal*—comedia—, *Con cadenas de oro*—comedia—, *Friné "la Cortesana"*—opereta—, *La madre de Nerón*—opereta—, *Cartas andaluzas, El barrio de Santa Cruz, Con pluma nueva, Epistolario bético* y otras muchas.

José Andrés Vázquez terminó la novela *La Virgen del Rocío ya entró en Triana,* que el malogrado Pérez Lugín dejó en su mitad. Y la parte debida a la pluma de Vázquez en nada desmerece de la que escribió la pluma insigne del autor de *La casa de la Troya.*

VÁZQUEZ, Pura.

Poetisa española. Nació—1918—en Orense. Cuando aún estudiaba el bachillerato, publicó sus primeros trabajos literarios en periódicos locales, obteniendo varios premios.

En 1943 publicó su primer libro de poemas: *Peregrino de amor,* que atrajo hacia ella la atención de la crítica. En 1944, la Diputación Provincial de Orense sufragó la edición de su segundo libro: *Márgenes veladas.*

Pero fue su tercera obra, *En torno a la voz,* la que supuso para ella los elogios de la crítica de toda España. Una enfermedad la obligó a salir de su tierra natal, refugiándose en Castilla, donde recobró la salud. Actualmente reside en Armuña (Segovia), profesando la carrera del Magisterio.

Perteneció a la dirección de la revista *Posío,* y colabora en las principales revistas españolas de poesía. Es miembro de número de la Real Academia Gallega. En 1950 ganó el accésit del "Premio Boscán", otorgado por la Universidad de Barcelona. En el año 1952 publicó una nueva colección de poemas con el título de *Madrugada Fronda* —Madrid, "Colección Palma", núm. 2—, *Desde la fronda*—1951—, *Intimas*—1952—, *Tiempo uno*—1952—, *Columpio de luna y sol* —1952...

VÁZQUEZ AZPIRI, Héctor.

Novelista y cuentista español. No siguió estudios oficiales, porque desde adolescente se dedicó a viajar, enrolándose en barcos mercantes. Según cuenta él mismo, se casó pronto con una señora inglesa y pudo dar con ella la vuelta al mundo en un yate de recreo. Ha vivido algún tiempo en Mallorca, ganándose la vida con diversos oficios. Autodidacto. Lector incansable de todo lo divino y lo humano. En 1967 ganó el "Premio Alfaguara", de novela, con *Fauna.* Cultiva un realismo crudo, en ocasiones extravagante, en ocasiones delirante, siempre con una indiscutible personalidad. Excepcionalmente, con garbo y rigor ha publicado una biografía de *El cura Merino,* el clérigo riojano que atentó contra doña Isabel II.

Otras obras: *La navaja*—novela corta—, *La arrancada*—novela.

VÁZQUEZ CEY, Arturo.

Poeta y prosista argentino. Nació—1888— en Buenos Aires. Doctor en Filosofía y Letras por la Universidad de La Plata. Ganó —1922—el "Primer Premio Municipal de Poesía"—1922—por su libro *Aguas Serenas,* y el "Segundo Premio Nacional de Letras" —1932—por su obra *Mientras los plátanos se deshojan.*

Obras: *Las Naves de oro*—poemas, 1909—, *La Voz de la Piedra*—poemas, 1912—, *La doble angustia*—poemas, 1914—, *Oda augural a la Patria y otros poemas*—1916—, *Elegías de ayer*—poemas, 1918—, *Ofrendas funerales*—poemas. 1921—, *Poliedro azul*—poemas, 1924—, *Sombras y jazmines*—poemas, 1929—, *La columna a mediodía*—poemas, 1933—, *Alta vida espero*—poemas, 1934—,

Umbrales del Mar—poemas, 1937—, *Junto a la Paloma*—poemas, 1940.

VÁZQUEZ DODERO, José Luis.

Ensayista, cronista y crítico español. Nació—1908—en Orense. Ha estudiado y aprobado las licenciaturas y doctorados en Derecho y Ciencias Políticas y Económicas. Crítico literario de la famosa revista *Acción Española,* inspirada por Ramiro de Maeztu. Ha dado conferencias acerca de *La novela española contemporánea* en Munich, París, Bruselas, Amberes, Londres, Oxford, Roma y Nápoles. Asesor literario—desde 1949—de la Dirección General de Relaciones Culturales. Colaborador de importantes diarios y revistas. En la actualidad—1964—, jefe de Colaboraciones de *A B C,* de Madrid. "Premio Luca de Tena" para artículos de periódicos.

De extraordinaria cultura, sutil discriminación y prosa limpia y rica. De simpatía y señorío comunicativos. Y tan excelente dialogador como conferenciante. La firmeza de sus convicciones religiosas y políticas no le priva de una noble comprensión con las discrepancias. Pocos escritores españoles conocen tan a fondo los clásicos, especialmente los ascéticos y místicos. Y siempre piensa, siente y escribe noblemente preocupado por los problemas de neta humanidad. "Premio Nacional de Crítica Emilia Pardo Bazán, 1964". En la actualidad—1971—dirige la prestigiosa Editora Prensa Española.

Obra: *Novelistas de hoy,* en *Nuestro Tiempo.* Madrid, enero-marzo 1956.

VÁZQUEZ DE MELLA, Juan.

Literato, orador y político español. Nació—1861—en Cangas de Onís (Asturias) y murió—1928—en Madrid. Estudió en el Seminario de Oviedo y en la Universidad de Santiago de Compostela. Doctor en Derecho. Se distinguió precozmente como facilísimo y muy declamatorio orador. Se mantuvo siempre apegado a la mejor tradición española. Combatió el cisma integrista y dirigió el *Diario de Galicia.* Diputado a Cortes de 1893 a 1916. Alcanzó justa fama de ser uno de los más grandes oradores españoles. "El Castelar de la derecha" le llamó don Antonio Maura. Fue en el Parlamento de España el portavoz de sus tres ideales: Catolicismo, Tradición y Carlismo.

En 1914, con motivo de la posición política tomada por el pretendiente don Jaime de Borbón, Vázquez de Mella se separó de él y fundó *El Pensamiento Español.*

Vázquez de Mella no llegó a ejercer la abogacía ni a escribir su discurso de ingreso en la Real Academia Española. Su ideario ha sido considerado por muchos críticos como el "precursor" del Movimiento Nacional Español de 1936.

En 1943 fue creada en la Universidad de Santiago una "cátedra del Pensamiento Español", cuya misión era la de estudiar y comentar la obra de Vázquez de Mella.

Sus *Obras completas,* de veintisiete tomos, reúnen sus discursos, ensayos y artículos, y han sido publicadas por la editorial Subirana, Barcelona, 1932-1935.

V. Beneyto, Juan: *Vázquez de Mella. Ideario.* Madrid, Editora Nacional, 1939.

VÁZQUEZ DE ZAFRA, José Luis.

Poeta y prosista. Nació en Huelva el 4 de febrero de 1911, de familia prócer, con holgada posición económica. Murió en 1955. Estudia Leyes y cae enfermo. Dos años de reclusión en un sanatorio afianzan su interés y afición por la literatura y la poesía. En la primavera de 1930 empieza a escribir, y publica su primer volumen de poemas, *Cielos abiertos,* en el que ya se advierte un indudable trasunto de lo que de profundidad ha de tener su obra.

La guerra reclama su presencia y, voluntario, lucha los tres años, aún convaleciente, en primera fila. Terminada la guerra, nuevas enfermedades le ordenan una vida sosegada, mientras—devorador de buena literatura—se afirma su estilo en nobleza y patetismo singulares. Publica *Ensayos, Narraciones del camino, Tiempo y eternidad* y su primer gran volumen, *Huella en la arena,* poemas en verso y en prosa, que levanta cálidos elogios. En 1952 ha publicado un nuevo libro: *Camino de sirga,* en el que, plenamente cuajado, muestra una serie de poemas diversos, en los que late un denominador común bajo el ala de la Belleza: el dolor de la vida.

El lema de su *ex libris* es: "Raíces y alas, pero que las alas arraiguen y las raíces vuelen."

V. Sainz de Robles, F. C.: Prólogo al libro *Camino de sirga*—1952.

VEDIA, Joaquín de.

Periodista, historiador, ensayista y literato argentino. 1877-1936. Formó parte del cuerpo de redactores de los diarios *La Nación* y *La Razón.* Fue delegado del Gobierno argentino ante el Instituto Internacional de Cooperación Intelectual. Además, desempeñó el cargo de cónsul en París. Es autor de un libro, *Cómo los vi yo,* en el que perfila el retrato de algunos contemporáneos suyos. En la *Historia del mundo en la edad moderna* escribió el capítulo correspondiente a la República Argentina.

Su vida periodística se inició, cuando contaba diecisiete años, en las páginas de *La*

Tribuna. Tuvo—según Manuel Blanco—un estilo robusto, de período amplio, que recuerda la prosa de ciertos clásicos como Vicente Espinel y Fernández Navarrete. Poseyó el sentido del idioma y la ciencia de su arquitectura.

VEGA, Alonso de la.

Excelente actor y autor dramático español. Se tienen escasísimas noticias de su vida. Debió de nacer hacia 1510 en Sevilla. En esta capital vivía en 1560, año en que tomó parte en las representaciones de las fiestas del Corpus. Era actor de la compañía teatral que dirigía el famoso Lope de Rueda. Murió en Valencia y antes de 1566. En las mencionadas representaciones se dieron a conocer al público los autos *La serpiente de cobre,* tal vez original suyo, y *Abraham,* que fue escrito por Vasco Díaz Tanco.

Alonso de la Vega cobró en aquella ocasión ciento sesenta ducados.

En 1566 publicó Timoneda en Valencia *Las tres famosísimas comedias del ilustre poeta y gracioso representante Alonso de la Vega.* En el soneto laudatorio que las precede, original de aquel famoso poeta y librero valenciano, ya se habla de Vega como de persona fallecida algún tiempo antes.

Dicha tres obras son: *Tholomea*—tragedia—, *La duquesa de la Rosa*—comedia—y *La Serafina.* Producciones de arte elemental y desaliñado, muy inferiores a las de Rueda y Timoneda, y de origen manifiestamente italiano. *Serafina* procede de un cuento anónimo. *Tholomea* está tratada en el cuento I de *El patrañuelo,* de Timoneda. *La duquesa de la Rosa*—la mejor—procede de un cuento de Bandello, que ya había aprovechado Timoneda en su *patraña* séptima.

Se conoce el título, *Amor vengado,* de un paso de Alonso de la Vega.

Hay edición moderna de estas tres comedias: Halle, 1905, al cuidado de M. Menéndez Pelayo.

V. MENÉNDEZ PELAYO, M.: *Estudios de crítica literaria.* 1941, II, 379.—SÁNCHEZ ARJONA, J.: *Noticias del teatro en Sevilla.* Sevilla, 1898.

VEGA, Angel C.

Erudito y crítico español. Nació—1894—en Canales (León). En 1908 ingresó en el Noviciado de la Orden Agustiniana, en el Real Monasterio de San Lorenzo de El Escorial. Terminados sus estudios filosóficos y teológicos, quedó adscrito al profesorado y a la redacción de la famosa revista científico-literaria *La Ciudad de Dios.* Durante la guerra de Liberación sufrió encarcelamientos. En 1939 regresó a El Escorial—de cuyo Monasterio era prior—y se preocupó de que reapareciese *La Ciudad de Dios,* de la que fue director ocho años. Nombrado académico de número de la Real Academia de la Historia, esta le encomendó de continuar y terminar la *España Sagrada,* empezada en el siglo XVIII por el P. Enrique Flórez, de la que lleva publicados los tomos LIII, LIV, LV y LVI. Ha sido provincial de la Orden y Rector de la Universidad de María Cristina en El Escorial.

Ha publicado medio centenar de estudios sobre distintas materias, entre ellos las ediciones de obras raras de San Isidoro de Sevilla, San Leandro y Gregorio de Elvira.

Ha publicado ediciones críticas de las poesías y *Los nombres de Cristo,* de Fray Luis de León.

Obra: *Cumbres rústicas: Fray Luis de León y San Juan de la Cruz*—Madrid, Aguilar, 1963.

VEGA, Bernardo de la.

Poeta, novelista y aventurero español. Vivió entre los años 1560 y 1625. Según Nicolás Antonio, nació en Madrid. Pero en la portada de uno de sus libros, el mismo Bernardo de la Vega se declara "caballero andaluz". Aun cuando esta declaración pudiera ser "por presumir" en hombre que llevó una vida tan irregular. Sin embargo, Juan Antonio de Ibarra le alaba en su *Encomio de los ingenios sevillanos*—1623.

Residió algunos años en México, donde compuso algunos versos para el túmulo de Felipe II, que pueden leerse en la *Relación historiada de las exequias* de aquel monarca, redactada por Dionisio de Ribera Flórez—México, por Pedro Balli, 1600—. Posteriormente marchó a Tucumán, donde abrazó el estado eclesiástico, llegando a desempeñar una canonjía.

Bernardo de la Vega escribió y publicó —1591—una rarísima novela: *El pastor de Iberia,* condenada a la hoguera en el famoso escrutinio de la librería de Don Quijote. No contentándose con esta decisión, Cervantes—en el *Viaje del Parnaso*—puso a Bernardo de la Vega en el ejército de los malos poetas que embestían la montaña sagrada:

Llegó «El Pastor de Iberia», aunque algo tarde,
y derribó catorce de los nuestros,
haciendo de su ingenio y fuerza alarde.

Otras obras: *La bella Cotalda y cerco de París*—poema caballeresco—, *Relación de las grandezas del Perú, México y los Angeles* —México, 1601.

V. MENÉNDEZ PELAYO, M.: *Historia de la poesía hispanoamericana.* Madrid, 1913, tomo II, págs. 380-81.

V

VEGA, Daniel.

Poeta y prosista chileno. Nació en 1892. Periodista de gran fama. Sus admiradores son muchos y entusiastas. Cantor incomparable de la vida cotidiana. Su lirismo está lleno de una serena sabiduría y de una grandeza de alma emocionante.

Obras: *Al calor del terruño*—1911—, *El bordado inconcluso*—1913—, *La música que pasa*—1915—, *Cielo de provincia*—1916—, *Claridad*—1917—, *Nuestra vida vulgar* —1917—, *Los momentos*—1918—, *Palabras de Gaspar Max*—1918—, *Las montañas ardientes*—1919—, *La luna enemiga*—1920—, *Los horizontes*—1922—, *Fechas anotadas en la pared, La manzana de Adán, Romancero* —1934—, *Caín, Abel y una mujer*—1934—; *La muchedumbre ahora es triste*—1935...

V. SOLAR, Hernán del: *Indice de la poesía chilena contemporánea*. Santiago de Chile. Ercilla, 1937.—POBLETE, Carlos: *Exposición de la poesía chilena desde sus orígenes hasta 1941*. Buenos Aires, 1941.—AZÓCAR, Rubén: *La poesía chilena moderna*. Santiago, 1931.—ALONE, Hernán: *Panorama de la literatura chilena durante el siglo XX*. Santiago, 1931.—LATORRE, Mariano: *La literatura de Chile*. Buenos Aires. Fac. de Filosofía y Letras, 1941.

VEGA, Enrique de la.

Poeta y sainetero español, hijo del célebre sainetero Ricardo de la Vega. Nació —¿1870?—y murió—1915—en Madrid. Periodista excelente, colaboró en la *Correspondencia de España, El Liberal, El Imparcial, Heraldo de Madrid, Nuevo Mundo...* En el teatro obtuvo éxitos con algunos sainetes: *La criada nueva*—1897—, *El ventorrillo* —1899—, *Los pobres*—1900...

Otra obra: *Madroños*—dos series, 1913 y 1914.

VEGA, Garcilaso de la (v. Garcilaso de la Vega).

VEGA, Garcilaso de la («el Inca»).

Notabilísimo historiador y prosista peruano. Nació—1540—en Cuzco (Perú). Murió —1615—en Córdoba, en cuya catedral está enterrado. Su padre fue un Garcilaso de la Vega, primo del famoso poeta. Su madre, una india, prima de Atahualpa, el último rey de los incas. Desde los veinte años vivió en España; pero conservó mucho de su carácter indio. Sirvió en el ejército español y peleó con el empleo de capitán en las guerras de Granada, al servicio de don Juan de Austria. En 1600 se trasladó, por poco tiempo, a Portugal, donde, como en España,

no halló el apoyo a que era acreedor por su nobleza.

En 1590 publicó en Madrid su versión de los *Diálogos de amor*, de León Hebreo, mejorando el texto latino, que parece traducción de un original español perdido; reimpresos en Madrid—1915—en el tomo IV de los *Orígenes de la novela*. En 1596 escribió, en Granada, la *Genealogía de Garci Pérez de Vargas*.

Pero sus obras más importantes son: la *Florida del Inca, o historia del adelantado Hernando de Soto*—Lisboa, 1605—; *Los comentarios reales, que tratan del origen de los Incas*—Lisboa, 1609—, y la *Historia general del Perú*—Córdoba, 1617—. La obra maestra de Garcilaso es la titulada *Los comentarios reales*, visión más real que fantástica de la pintoresca civilización antigua del imperio de los incas y riquísimo caudal de leyendas y tradiciones peruanas. Para Hurtado y G. Palencia: "Combinación extraña de elementos fantásticos e históricos; en ella intercala leyendas y tradiciones (muchas de las cuales el autor, siendo niño, había oído a su madre), expuestas por una rica imaginación americana; el *Inca* participaba de condiciones indias e hispanas, tenía candor y sentimentalismo extremados, y muy escasas condiciones críticas; en cambio, su educación y su cultura eran enteramente españolas... Era excelente prosista; gustaba mucho de lo extraordinario y pintoresco, y abundan las anécdotas en sus obras."

Garcilaso de la Vega sabe aunar a su elegante y fácil estilo una suave emoción de su tierra natal. Es, además, ameno y animado; trata los temas pintorescos con un exquisito sentido y un innegable buen gusto. Sus obras, más que tratados históricos, son novelas históricas basadas en datos fidedignos.

De *Los comentarios reales* hay una *Antología* moderna: Madrid, 1929, al cuidado de Riva Agüero. *Los comentarios reales de los Incas*, en la "Col. de Historiadores Clásicos del Perú", Lima, 1941; Emecé, Buenos Aires, 1942. *Antología*, Madrid, Editora Nacional, dos tomos, 1945.

V. NAVAS, Conde de las: *Cosas de España*. Sevilla, 1891.—FITZ-MAURICE-KELLY, J.: *El inca Garcilaso de la Vega*. Oxford, 1921.— MENÉNDEZ PELAYO, M.: *Orígenes de la novela*. I, 390.—RIVA AGÜERO, José de la: *La Historia en el Perú*. Tesis doctoral. Lima, 1910. NÚMERO EXTRAORDINARIO de la *Rev. Uni. Cuzco*, ¿1939?, XXVIII, núm. 76.

VEGA, Luis Antonio de.

Novelista, cronista, biógrafo, poeta español. Nació—¿1898?—en Bilbao. Cuando aún no había cumplido los diecinueve años ganó el premio de cuentos otorgado por la *Pictorial Review*, de Nueva York.

Arabista acreditado. Alumno de la Jalifiana Academia de Arabe y Bereber. Director durante algún tiempo de las Escuelas Arabes de Larache y Tetuán. Alumno de la Karauina de Fez. Ha obtenido los "Premio Real Consistorio", "Premio Miguel de Unamuno", "Premio Nacional Africa de Literatura", "Premio Círculo de Bellas Artes" de Madrid... Director del semanario madrileño *Domingo*.

Obras: *Timonel*—poemas—, *Romancero colonial*—poemas—, *Luna morena*—poemas—, *Frascuelo*—biografía—, *Almanzor*—biografía—, *Amílcar Barca*—biografía—, *Yo he sido emperador*—reportajes—, *Por el camino de los dromedarios*—reportajes—, *Mis amigas eran espías*—reportajes—, *Espías sobre el mapa de Africa*—reportajes—, *Como las algas muertas*—novela—, *Los que no descienden de Eva*—novela—, *Sirena de pólvora*—novela—, *La casa de las rosas amarillas*—novela—, *La disparatada vida de Elizabeth*—novela—, *Amor entró en la Judería*—novela—, *Los hijos del novio*—novela—, *Yo robé el Arca de Noé*—novela—, *Yo le di mis ojos*—novela—, *Por primera vez en la historia del mundo*—novela—, *El barrio de las bocas pintadas*—novela—, *Guía gastronómica de España, Viaje por las cocinas de España, Guía vinícola de España, Rosa morena*—novela—, *Nosotros los vascos, Nosotros los flamencos...*

VEGA, Ricardo de la.

Gran sainetero y poeta. 1838-1910.

Hijo del gran dramaturgo y gran hombre de mundo don Ventura, Ricardo de la Vega nació en Madrid y en Madrid cursó el bachillerato. Pero no llegó a concluir ninguna carrera. A él le tiraba con fuerza el teatro. Pero no el teatro dramático o muy serio que cultivó su padre, sino otro muy alegre, muy ligero, muy castizo, muy chulángano, reflejo vivísimo de las clases bajas de su tierra.

Desde 1869 hasta su muerte, Ricardo de la Vega fue un funcionario público. Primero, en Fomento. Más tarde, en Instrucción Pública. El funcionario que va poco a la oficina y que utiliza el papel timbrado de oficio para escribir los versos corridos del sainete. Pero el funcionario a quien respetaron en su puesto todos los cambios de dirección política; el que nunca se quedó cesante en aquellos turnos, para comer por meses y por meses ayunar, de liberales de Sagasta y de conservadores de Cánovas.

Ricardo de la Vega—"Don Ricardo", como le llamaban con respeto randas y chulines, barateros y pregoneros de baratijas, tasqueros y matones de botines y gorra de cuadros, cómicos y toreros, amigos y aun superiores administrativos, como le llamaban hasta las piedras de las calzadas y los esquinazos callejeros de los Madriles—fue como el pontífice infalible de la madrileñidad en las peñas del café Inglés, de Fornos y del Levante; en la barrera de la plaza vieja de toros, en las verbenas de barrio y hasta en las galas refulgentes del Real o del Español. Nadie como él definió tantos dogmas intangibles—y también un tanto incomprensibles—de la traza, del estilo y del alma de esta villa del Manzanares.

Y... ¡no faltaba más!... Ricardo de la Vega murió en Madrid. Y en el cielo está, según la ortodoxia madrileña. Porque de Madrid al cielo, el tren no para en ninguna otra estación. Y desde el cielo mira a Madrid por un agujerito...

No triunfó así como así el teatro de Ricardo de la Vega. La gente andaba muy empachada de romanticismos y de efectismos; no estaba preparada para entender la suma sencillez. Pero, en fin, todo llega en este mundo, y le llegó la hora al insigne sainetero. Su lenguaje gracioso, adecuado a la situación y al personaje, zumbón o sentimental, siempre digno; sus asombrosas dotes de observador, su habilidad técnica, inventiva, ponderación, fertilidad de recursos, su espontaneidad deliciosa, su versificación fluida y llena de gracejo de la mejor ley, hicieron de Ricardo de la Vega un autor de primer orden, que fue, con justicia, admirado y respetado durante más de cuarenta años. Para algunos críticos, como Benot y Cejador, incluso superior al mismo don Ramón de la Cruz, ya que aquel no se limitaba como este a presentar tipos específicos —la castañera, el manolo, la petimetra—, sino personajes particulares, y distintos, cada uno con su propio carácter y arrancado de la realidad, según lo hacían nuestros antiguos entremesistas, y todos copiados del pueblo madrileño.

Sus libretos de zarzuela y sainetes líricos, salados y retozones; sus comedias, ligeras, chispeantes, de socarronería zumbona, de picante regocijo, contrastaban con el trágico, serio y espeluznante, carilargo y mohíno del teatro de Echegaray, a quien satirizó en *La abuela*, y con lo empacado y académico del teatro de su padre. Ricardo, ni vivió entre la aristocracia, ni bebió en fuentes francesas, ni escribió para un solo intérprete consumado. Fue enteramente castizo y madrileño puro, retrató al pueblo en sus costumbres, maneras y lenguaje. Como este género de teatro es el verdaderamente nacional y eterno, es Ricardo de la Vega uno de los mejores autores teatrales nacionales de todos los tiempos.

V

Y el muy reputado y severo crítico Ixart escribe: "Todo en él [teatro de Ricardo de la Vega] me parece vivo y real; todo fresco, agradable y sentido. El primer sainetero actual, don Ricardo de la Vega, es, al propio tiempo, el primer ingenio cómico entre los autores del género chico. Y no añado también entre los autores cómicos grandes, porque no es lo mismo componer piezas en un acto a comedias en tres. Pero si atendemos a la calidad y no a la potencia, bien puede afirmarse que no hay ninguna comedia contemporánea tan divertida, tan viva, tan admirable de artística verdad, y tan española de raíz, como el sainete *Pepa la frescachona*, superior al mismo libro de *La verbena de la Paloma*. Tampoco hallo en ningún otro autor cómico actual escenas tan animadas, tan sueltas, tan graciosas y coloridas como las que podrían entresacarse de *¡Acompaño a usted en el sentimiento!, El café de la Libertad, La canción de la Lola, El señor Luis el tumbón...* Estas obras son las únicas que llevan la memoria y el gusto del espectador a un teatro de observación acertada y picaresca, de templada ironía, de cierta cultura media muy agradable..."

La primera obra estrenada sin gran éxito por Ricardo de la Vega fue la zarzuela *Frasquito*—1859—. Y ya no volvió a estrenar hasta 1870, *El paciente Job,* zarzuela con música de Oudrid. Desde esta época su producción no se interrumpió hasta el año 1909, fecha en que Madrid le rindió un homenaje público en el teatro Apolo con motivo de sus bodas de oro con la escena.

Además de las obras ya citadas, son notabilísimas: *Vega, peluquero; Al fin se casa la Nieves, De Getafe al Paraíso, o La familia del tío Maroma; El año pasado por agua, Aquí va a haber algo gordo, o La casa de los escándalos; ¡A los toros!, Providencias judiciales, Amor engendra desdichas, o El guapo y el feo; Cuatro sacristanes, Novillos en Polvoranca, El señor Matías el barbero, o La corrida de Beneficencia.*

V. IXART, J.: *El arte escénico en España.* BENOT, Eduardo: Prólogo al "Teatro escogido de Ricardo de la Vega". Madrid, 1894. SA DEL REY: *Ricardo de la Vega,* en *Ilustración Española y Americana,* 1909, I, 231. LARRUBIERA, Alejandro: *Ricardo de la Vega,* en *Ilustración Española y Americana,* 1910, I, 382.—SAINZ DE ROBLES, F. C.: *Historia y antología del teatro español.* Madrid, 1943. Tomo VII.

VEGA, Ventura de la.

Gran poeta, prosista y autor dramático español. 1807-1865.

Buenaventura José María Vega y Cárdenas nació en Buenos Aires. Su padre, Diego de Vega, había ido a aquella capital como contador mayor y visitador general de la Real Hacienda. Huérfano de padre, en 1818 llegó a España y se educó en el famoso colegio de San Mateo, del que eran profesores Lista y Gómez Hermosilla, dos clásicos por convicción y por devoción, quienes influyeron no poco en Vega para sus gustos literarios. Y eso que entre sus condiscípulos estaban dos románticos de vida y de ideales: Espronceda y el futuro conde de Cheste. Cuando lo creyó oportuno, Vega supo soplarse de sí, como un excelente prestímano, aquellas partes de su nombre que no le parecían eufónicas para formar un claro nombre literario. Así, podó su nombre de las primeras ramas y lo dejó entroncado en Ventura. Así aventó el José María. Y así, de la nada, sacó un bonito *de* que antepuso a su apellido. Ventura de la Vega *quedaba* francamente bien. Era fácil de recordar. Era agradable de pronunciar. Las dos torres de las VV podían sostener todo el prestigio que recayese sobre el eufónico nombre.

A los diecinueve años, Ventura de la Vega inició su celebridad con traducciones felices y portentosas imitaciones poéticas de los Salmos y del *Cantar de los Cantares.* "Escribir con tal pureza—opina Menéndez Pelayo—, con tan nítida elegancia a los diecinueve años, casi raya en prodigio; no hay enseñanza literaria que alcance a producir esto sin un instinto casi infalible en el discípulo."

Inquieto, con nerviosidad un tanto escurridiza de lagartija, Vega fundó con sus condiscípulos una Academia literaria denominada "El Mirto". En ella se declamaba, se cantaba, se ensayaban—para ser representados—dramas clásicos, se consumían grandes cantidades de caldos andaluces, se inventaban chistes y trucos, se criticaba de literatura y de teatro, de música y de arte, de política y de toros; se enzarzaban las peloteras mayúsculas. Pero... todo aquello les pareció demasiado inocente a los *académicos*, y decidieron convertir "El Mirto" en una "Numancia" ferozmente política y liberal. Los *numantinos*, en los cuarenta y dos grados de la exaltación, se dedicaron a conspirar; para ello consiguieron los embozos, los gestos y los guiños, las pisadas *tácitas*, los ademanes tribunicios, las pistolas y los trabucos viejos, las señas y las contraseñas, las penumbras...; en fin, cuanto es necesario a una sociedad secreta política que se precia de tal, en cualquier época. Y así ya se divirtieron un poco más. Y hasta fueron descubiertos por los feroces esbirros de la reacción, y gracias al pariente de Vega, el ministro Cea Bermúdez, condenados siete de ellos, los más caracterizados, nada más que a tres meses de reclusión, por niños malos, en sendos conventos. Vega eligió los Trinitarios, de Madrid, donde tenía otro pariente religioso muy importante. En el convento comió, durmió, poetizó, se sintió muy desgraciado... y se aburrió. Precisamente este aburrimiento fue origen de que iniciara el arte mayúsculo de su atildamiento másculo. El encierro bajó muchas calorías a la exaltación liberal de Vega. Paulatinamente, eso sí, se fue moderando. Arrinconó con naftalina su casaca y su morrión de miliciano. En 1828 ya compuso ciertos versitos *a la pacificación de Cataluña por Fernando VII.* En 1836 aceptó de la Regente doña María Cristina el cargo de secretario del Conservatorio, fundado por la egregia dama. Y en el Conservatorio conoció a la gran cantante Manuela de Lema, mujer hermosa, honesta, culta y religiosa, con la que se casó muy enamorado. Desde entonces, el Vega liberalote, escéptico, un algo romántico de acción, se transformó en el Vega moderado, creyente practicante, burgués metódico.

Bien y buen casado, se notó él nacido para clásico atildado de palacios y academias. Sí, y fue el más cumplido académico de los escritores y muy a su gusto académico de la Española desde 1842. Por hombre perfilado y por comedido, por suavemente reverencioso y dulzón de frases, fue preceptor literario y secretario particular de la reina Isabel II. Por sosegado poeta, por espíritu de una cultura generosa, entregada en palabras amicales, dirigió el teatro Español y el Conservatorio. Por caballero *de gracia* de los salones, habilísimo en el baile y en el discreteo, fue gentilhombre de cámara, subsecretario de Estado, y lució la gran cruz de Isabel la Católica. Y él, esposo enamorado, burgués conceptuado pez en el agua de la distinción siguió haciendo los versos de álbum con más primor que nunca, las odas de circunstancias con la misma oportunidad de siempre; siguió llevando a los saraos el rastro del perfume original y la alegre finura de los pasatiempos. En el cuadro social de su época, Vega permaneció frío, no por serenidad helénica, sino por frivolidad mundana. Lo cual no es igual precisamente.

Ventura de la Vega fue el más académico de todos los artistas literarios de su generación. Su verdadera gloria está en la poesía dramática. Su exquisito buen gusto innato, las enseñanzas y consejos de Lista, su cultura clásica superficial, pero sana, "le dieron desde muy temprano la perfección negativa, esto es, la ausencia de defectos monstruosos y palpables, tales como los que en torno suyo cometía a diario la escuela romántica".

Dos son los valores dramáticos de Ventura de la Vega que deben tenerse muy en cuenta. Es un neoclásico que representa la tradición moratiniana frente al romanticismo. Y con su comedia *El hombre de mundo* dio un preludio magnífico a la llamada *alta comedia,* que ha llegado hasta nosotros con Benavente y Linares Rivas.

En 1824, a los diecisiete años, empezó Ventura de la Vega a traducir obras francesas de Casimiro Delavigne, Alejandro Dumas, Víctor Hugo, Scribe, Bouchardy, Ducange y otros, con tal acierto y mejorando siempre los textos, hasta tal punto, que convertía en piezas maestras algunos dramones medianísimos. Así, el *Rastacón, barbero y comadrón,* y *Adriana de Lécouvieur,* de Scribe; *El rey se divierte,* de Hugo; *Shakespeare enamorado,* de Duval; *Marino Falliero,* de Delavigne.

Su primera obra original, *El hombre de mundo,* es, asombrosamente, una obra maestra. Observación aguda, pasiones y caracteres admirables, enredo verosímil e interesantísimo, diálogo chispeante, perfecta técnica teatral, estilo primoroso, facilísima versificación. El aprendizaje con obras ajenas había sido largo, pero el resultado no pudo ser mejor. "Sobre el mérito de esta comedia—escribe Menéndez Pelayo—no hay controversia posible; *El hombre de mundo* es una comedia casi perfecta dentro del género a que pertenece. Con más profundidad de intención y menos fuerza cómica que Molière y Moratín, Vega pertenece a su escuela, y en el arte de la composición les aventaja: composición clara y lúcida a la vez que ingeniosa, con una pureza de artificio excesivo, pero sin detrimento de la observación fina de costumbres y caracteres, que es el alma de esta especie de comedia."

Compuso después el drama *Don Fernando de Antequera,* romántico a la manera de Manzoni, bien observado y bien estudiado, que no logró sino un éxito de público muy mediano; *La muerte de César,* "escrita con más ardor y conciencia que otra ninguna, trazada con suma sencillez de plan, admirablemente dialogada, llena de detalles felices, en que se pasa sin violentos contrastes de la majestuosa entonación de la *Melpómene* francesa a la manera más familiar del drama moderno". Tragedia que, "leída, vale más que el *Edipo,* de Martínez de la Rosa, y solo cede a la *Virginia,* de Tamayo, entre todas cuantas tragedias se han compuesto en nuestra lengua" (M. P.); *La tumba salvada,* remedo felicísimo de los autos de Calderón; la crítica de *El sí de las niñas,* donde rivaliza con Moratín en gracia, agudeza y genio satírico; *Jugar con fuego, La cisterna encantada, El marqués de Caravaca,* deliciosas zarzuelas.

La muerte de César fue la obra predilecta de Ventura de la Vega, cuyas composicio-

V

nes dramáticas sobrepasaron la cifra de ochenta. Por su amor a la realidad, por sus afanes moralizantes, por su atildado y correcto estilo, por su habilidad en los recursos escénicos, Vega, heredero del gran Alarcón, *preparaba* el teatro de Ayala y Tamayo.

De las obras dramáticas de Ventura de la Vega son excelentes ediciones: *Obras escogidas*, Madrid, 1874; *El hombre de mundo*, Madrid, S. de Repullés, 1845; *Obras escogidas*, Barcelona, 1894.

V. CHESTE, Conde de: *Elogio de Ventura de la Vega*, en *Memorias de la Academia*, 1870.—CEJADOR, Julio: *Fe de bautismo de Ventura de la Vega*, en *Rev. Crítica Hispano-Americana*, 1916.—MENÉNDEZ PELAYO, M.: *Antología de poetas hispanoamericanos*, IV. VALERA, Juan: *Estudio biográfico-crítico de Ventura de la Vega*, en *Autores Dramáticos Contemporáneos*, I.—FERRER DEL RÍO, A.: *Galería de literatura española.*—ESCOSURA, Patricio de la: *Discurso* [acerca de Ventura de la Vega], en *Discursos académicos*. Madrid, 1870.—GÜELL y RENTÉ, J.: ... *Juicio sobre "La muerte de César", de Ventura de la Vega*. Madrid, 1866.—SAINZ DE ROBLES, F. C.: *Historia y antología del teatro español*. Madrid, 1943, tomo VII.—MONTERO ALONSO, José: *Ventura de la Vega. Vida y obra*. Madrid, ¿1953?

VEGA CARPIO, Lope Félix de.

Glorioso poeta, autor dramático y prosista. "Padre del teatro español". 1562-1635. El relámpago, el rayo, el trueno. El cegar y el amedrentar. El maravillar... "y el ver a Dios". La tormenta fue Lope. Y lo extraordinario. Y lo genial. Y lo "monstruoso". Será—dicen—Cervantes más grande que Lope. Pero es... otra cosa. Lo más grande, *que puede repetirse*. Ahí están Dante, y Shakespeare, y Goethe. Lope es *lo que no puede repetirse*. La edición única. El ejemplar único. Dios rompió el molde con que lo hizo. En Madrid nació Lope. El primogénito del matrimonio maravilloso del Designio y la Villa, contraído a fines de 1561, con el padrinazgo admirable del mejor rey de España: Felipe II. Y del más español. Conviene recalcar esto, porque Lope va a ser el más español—y español nada más—de los dramaturgos españoles. Y el Designio lo era de imperio hispánico. Y la Villa era de la tierra más castellana—y carpetana—de España.

Lope nació con todos los oráculos favorables. Realmente, Lope es un semidiós, como aquellos helénicos hijos de los dioses y de los elementos, que vivían entre los hombres para sobresalir y para presumir, para realizar *trabajos* sobrehumanos y para añorar más que los hombres cielos de inmortalidad.

Gracia. Talento. Hermosura física. Sugestión amorosa. Facilidad expresiva. Garbo. Sutileza satírica. Plante y desplante ejemplares. Memoria portentosa. Profunda emoción religiosa. ¿Qué más...? ¿Qué más? Pongan ustedes cuantas virtudes y cuantas dotes y cuantos dones les vengan a la memoria de los que puede conceder el cielo. ¡Pues esos!

¿Físicamente? Buen mozo. "Alto, enjuto de cuerpo, el rostro moreno y muy agraciado, la nariz larga y algo corva, los ojos vivísimos y halagüeños." Y agrega Montalbán: "Fue hombre de mucha salud, porque fue muy templado en los humores, muy suelto en los miembros, muy ágil en las fuerzas, muy proporcionado en las facciones y muy ligero de pies y de manos. Era discreto en las conversaciones, modesto en las visitas, atento en los actos públicos, descuidado en los suyos propios, apacible con su familia, galante con las mujeres y cortesano con los hombres." Escritores coetáneos afirman que las mujeres salían a los balcones para bendecirle y que se llegó a crear un símbolo paradigmático—lema y colofón—para todo lo bueno: "Esto es Lope." ¿Una fiesta suntuosa sin igual? ¡Esto es Lope! ¿Una comedia hermosísima? Esto es Lope. ¿Un nuevo fausto para España? Esto es Lope. ¿Un objeto de valor incalculable o de una belleza impar? Esto es Lope. Únicamente los seres excepcionales como Lope no tienen sino enemigos acérrimos o incansables panegiristas. Algo dice esto. Y que no encajen los términos medios "donde pueda estar la virtud" de la medianía. El cielo o el infierno. Nada más que imponentes grandiosidades.

¿Cómo tuvo tiempo Lope ni para vivir su vida? Su existencia de setentón corrido fue una existencia apenas posible para una de aquellas vidas de patriarcas del Antiguo Testamento, que deshojaban setecientas, ochocientas, novecientas veces sus margaritas. El primer estupor que nos saca del alma Lope es este: ¿cómo meter tanta acción y tanta pasión y tanta preocupación en setenta y tres años? ¿Cómo se las arregló para vivir años de mil y un días y días de setenta y dos horas?

Apenas se sostiene en pie por los aledaños madrileños de la puerta de Guadalajara, ya se encara y se descara, gallito retador, con todo y con todos. El será, ya siempre, quien atice la primera bofetada y quien lance el primer insulto, quien capitanee las pandillas, quien invente las barrabasadas, quien resuelva los conflictos de las picardías, quien a fanfarronada limpia acepte la responsabilidad colectiva, quien perore con decisión y con sugestión invencibles. Se siente, niño aún, dueño de sí, de la situación, del mundo. Irá donde quiera. Llegará a lo que aspire. Alcanzará lo que se proponga. Eliminará cuanto le sea adverso.

Félix de Vega, su padre, hombre enamoriscado y poeta, bordador en oro, que acabó en místico, murió súbitamente en 1578. Su madre, Francisca Hernández, que llegó a la corte persiguiendo a su marido, fugitivo con una amante—"porque él quería una española Helena, entonces griega"—, era una pobre mujer hidalga, madraza de cinco hijos.

Lope estudió en los Teatinos; a los doce años se escapó con un su amigo a Segovia, de donde regresó prendido de un corchete; entró al servicio del obispo de Avila, don Jerónimo Manrique; estudió en la Universidad de Alcalá, aunque no figura su nombre en los registros de ella; estuvo desterrado en Valencia, a consecuencia de sus albores amorosos indiscretos y estrepitosos; se alistó en la Armada Invencible y combatió en aquella expedición nefasta utilizando como tacos de su arcabuz los manuscritos de los versos escritos a *Filis*—Elena Osorio—; se instaló en Valencia; le nombró su secretario don Antonio Alvarez de Toledo, duque de Alba, con quien vivió en Toledo y en Alba de Tormes; le procesaron—1596—en Madrid por concubinato; sirve al marqués de Malpica—1596—y al conde de Lemos —1598—; vive en Toledo y Sevilla; se instala definitivamente en Madrid—1610—en una casa que compró en la calle de los Francos; se desvive en el azar de la escena; se ordena sacerdote; sirve de secretario, de inspirador amoroso, de alcahuete a don Luis Fernández de Córdoba Cardona y Aragón —el *Lisardo y Lisio*—, duque de Sessa, entre 1605 y 1635; disfruta diversos beneficios eclesiásticos; es nombrado por Urbano VI doctor en Teología del *Colegium Sapientiae* y caballero de la Orden de San Juan; forma parte de las academias literarias tituladas *El Parnaso y Selvage;* pertenece a las Congregaciones del Caballero de Gracia—1609—, oratorio del Olivar—1610—, Orden Tercera de San Francisco—1611—y San Pedro de los Naturales—1625—, de la que fue nombrado capellán mayor; obtuvo el cargo de procurador fiscal de la Cámara apostólica en el Arzobispado de Toledo; ostentó el título honorífico de familiar del Santo Oficio de la Inquisición...

La vida amorosa de Lope pasma. *"La ocupación continua y virtuosa"* que le admiraba nada menos que Cervantes. ¿Cómo pudo amar tanto y a tantas, con la verdad de su corazón o en el espejismo de sus sentidos? ¿De dónde sacó a su tiempo vértigo en las horas cálidas e interminables de su afrodisia perenne, a veces volcán, en ocasiones llama viva casi votiva? Se casó dos veces. En 1588, con doña Isabel de Urbina y Alderete—*Belisa*—, a quien había raptado, hija de un regidor de Madrid y rey de armas, muchacha castaña de cabos, blanca de tez, tímida "y sin hiel en el alma", capaz de todas las abnegaciones. En 1598, con doña Juana Guardo, hija de un rico abastecedor de carne y pescado de la corte, que llevó como dote 22.382 reales de plata doble y que era un poco gruesa y un poco ordinaria, "con más de flamenca que de menina", pero honesta mujer de hogar y muy dispuesta. Pero... ¿cuántas fueron sus amantes, en trances de soltería, de viudez y aun de sacerdocio, y aparejándolas con sus legítimas mujeres? Muy pronto le picaron a Lope las tarántulas de los humores sexuales. Muy pronto le hurgaron en el corazón las comezones sensibles y sensibleras de los apasionamientos. Hombre y amor fue, antes que nada, Lope. Por el amor llegó a lo más. Y el mejor milagro de su corazón es conservar intacto, entre tantas pasiones humanas, el amor a Dios, que definitivamente se le impone a todos y le lleva a morir reviviendo ejemplarmente. Hombre de amor, por el amor divino y por el amor humano compondrá las más bellas poesías amorosas que se leen en lengua castellana. Con dieciséis, con diecisiete años practica lleno de fervor la esgrima de la libídine y del enamoricamiento. ¿No es la *Marfisa* de *La Dorotea* María de Aragón, chicuela coqueta y alegre con quien Lope tiene ya un hijo? *Filis* es Elena Osorio, hija de cómico, mujer de cómico, cuando aún no tiene diecisiete años. Hermosa, morena, desenvuelta, picante, "de ojos castaños picados de oro", cómica en su vida, Elena Osorio cautiva a Lope chicuelo, le hace naufragar en el mar exquisito de su temperamento. El vértigo dura unos años. Justo es consignarlo: no es Lope quien se cansa. Es *Filis* quien busca una pasión mejor remunerada en los brazos de un imbécil: don Juan Tomás Perrenot de Granvela, sobrino del famoso cardenal Granvela, tan poderoso en la Corte de Felipe II. ¡Y vaya rabieta de Lope, viéndose desdeñado, apaleado, injuriado! Se descompone. Grita. Provoca, matoncillo. Publica un libelo lleno de donaire. Pero, como casi todos los refranes, es inapelable el refrán de: *tras cornudo...* Le procesan. Le condenan. Le destierran. Lejos de Madrid, la bilis amorosa se le melifica en melancolía. Apenas casado con Isabel de Urbina, huye de ella para embarcar en la Armada Invencible, y en Lisboa, en vísperas de la gran empresa heroica, ya vive con cierto cinismo una aventura galante, narrada en una desvergonzada epístola. En 1596, los alcaldes de Casa y Corte incoan contra Lope un proceso por vivir en concubinato con doña Antonia Trillo de Armenta, hija de un alférez de la guardia española en Lisboa, Alonso de Trillo, y viuda de un tal Luis Puche, natural de Barcelona. De este mismo año datan los más borrascosos amores de Lope: los cambiados con la cómica Micaela de Luján—*Camila Lucinda*—, mujer de un actor muy malo, Diego Díaz, que se marchó a Indias; hembra hermosísima, de ojos azules y pelo negro, blanca y fogosa, y tan poco culta que no sabía firmar. Eso sí: hizo a Lope padre de siete hijos en los doce o trece años que la pasión duró. En 1614 andaba Lope en amoríos con Jerónima de Burgos—*Gerarda*—, para quien Lope escribió *La dama boba*, bellísima y culta comedianta, que—¿lo digo?—parece ser que expoliaba a su amante rico, el duque de Sessa, para favorecer al amado pobre, Lope. Ya sacerdote, en 1616, el genio siente *una debilidad amorosa breve* por Lucía de Salcedo, cómica que venía de Nápoles y que residió en Valencia. En este mismo año se inicia la postrera y mayor pasión de Lope. En el ocaso de su vida se enamora con una vehemencia maravillosa de doña Marta de Nevares Santoyo—*Amarilis*—, mujer de Roque Hernández de Ayala, "hombre de negocios", en la que el ciego enamorado encontró todas las perfecciones. Rubia, dulce, de ojos verdes, esbelta, meloso el habla, inteligente, *Amarilis*, treinta años más joven que Lope, tañía y cantaba "con incomparable voz e incomparable destreza, danzaba hechiceramente", componía versos que su adorador coloca por encima de los de "Laura, terracina"; Ana Bins, alemana; Safo, griega; Valeria, latina, y Argentaria, española". El mejor retrato de esta incomparable mujer lo hace—lo pinta—Lope describiéndola, como a la *Virgen María,* en el auto *El nombre de Jesús,* en este espléndido soneto:

> Poco más que mediana de estatura,
> como el trigo el color, rubios cabellos,
> vivos los ojos, y en las niñas dellos
> de verde y rojo con igual dulzura.
>
> Las cejas de color negro, y no oscura,
> aguileña nariz, los labios bellos,
> tan hermosos, que habla el cielo en ellos
> por celosías de su rosa pura.
>
> La mano larga, para siempre dalla
> saliendo a los peligros al encuentro
> de quien para vivir fuera a buscalla.
>
> Esta es María, sin llegar al centro,
> que el alma solo puede retratalla
> pintor que tuvo nueve meses dentro.

Del marido de *Amarilis*—con quien esta fue casada a los trece años—escribe Lope que era un hombre "que comenzaba a barbar por los ojos y acababa en los dedos de los pies"; que tenía "el más grosero entendimiento que ha tenido celoso después que se usa estorbar mucho y regalar poco" y que murió—¿1618?—"en cinco días, con una purga sin tiempo y dos sangrías anticipadas". Y luchando con su inmensa pasión sacrílega, con palabras de fuego, en una carta patética confiesa: "Yo estoy perdido, si en mi vida lo estuve por alma y cuerpo de mujer, y Dios sabe con qué sentimiento mío, porque no sé cómo ha de ser ni durar esto, ni vivir sin gozarlo; porque pensando en que ya lo dejo me muero de celos del sucesor."

Amarilis cegó repentinamente; enloqueció después y murió en 1632, dejando a Lope una hija de ambos, Antoñita Clara, nacida en Madrid—12 de agosto de 1617—calle del Infante, bautizada en la iglesia de San Sebastián, y de la que fue padrino el conde de Cabra, don Antonio de Córdoba y Rojas, primogénito del duque de Sessa.

¿Más mujeres en la vida de Lope, que ama más y mejor con los años, como más y mejor escribe con ellos? ¡Más aún! ¿Sus nombres? Se las presiente. Son deliciosos fantasmas. Sí... ¡hasta se las huele! Hembras bellas ardidas de una pasión que las saca, igual que el fuego al sándalo, el aroma al consumirlas. ¿Para qué sus nombres? De amarlas se pavoneará el genio... "Ya estos delitos míos corren con mi nombre; gracias a mi fortuna, que no me han hallado otra pasión viciosa fuera del natural amor *en que yo, como los ruiseñores, tengo más voz que carne.*"

Conmueve considerar el tormento que vivió Lope entre el amor y el dolor de sus hijos. Ningún padre más amante, más regocijado, más atento de ellos. Los dedicó cuidados materiales exquisitos y exquisitas poesías. Por igual a los legítimos y a los naturales. Todos le hacían gracia. Cada uno de ellos merecía todo su afecto paternal. La desdicha de varios de ellos aporrearon terriblemente su corazón, acortaron sus alientos y su vida. ¿Cuántos hijos se le conocen a Lope? De *Marfisa* tuvo uno, muerto pronto. De su primera mujer, Isabel de Urbina, dos niñas: Antonia y Teodora, que sobrevivieron muy poco a su madre, fallecida en 1595. De Micaela de Luján, siete, de los que llegaron a mayores Marcela—que profesó de trinitaria en Madrid—y Lope Félix, díscolo y poeta, que se hizo militar y murió en una expedición para pescar perlas en la isla Margarita, del mar Caribe. De su segunda esposa, Juana Guardo, dos: Carlos Félix—encantadora criatura, delicia de su padre, muerto en flor, a los siete años—y Feliciana—cuyo nacimiento causó la muerte de su madre—, única hija legítima que sobrivió a Lope, y que casó con Luis de Usátegui, oficial de la Secretaría del Consejo de Indias. De su mayor amor, Marta de Nevares, una niña, Antonia Clara, bellísima, como la madre, raptada cuando tenía diecisiete años por un galán de la Corte, don Cristóbal Tenorio, antiguo servidor de Felipe IV. Aún conocemos a un fray Vicente Pellicer—Fernando en el mundo—, fraile descalzo, que vivía en Valencia, a quien no niega Lope la calidad dulcísima de hijo. ¿Más hijos aún? ¡Aún más! Casi todos ellos, como holocaustos a una deidad ofendida reiteradamente por el poeta, muertos sin florecer...

Lope, como todo ser superior, tuvo los amigos incondicionales y los implacables enemigos. Entre estos, el más enconado fue Góngora, el bilioso, quien le lanzó saetas envenenadas envueltas en imágenes retóricas llenas de gracia, y a quien únicamente temió Lope, buscando desenojarle con cierto servilismo. ¿Otros adversarios? Esteban Manuel Villegas, poeta petulante; Suárez de Figueroa, envidioso, maldiciente, excéntrico, "monstruosidad moral de aquellas que ni el genio redime", según Menéndez Pelayo; Cristóbal de Mesa, "autor de tres epopeyas que nadie leía"; Pedro de Torres Rámila, lector de Gramática latina en Alcalá; Cervantes, en ocasiones; Ruiz de Alarcón... Los amigos incondicionales, los panegiristas fervorosos fueron muchos más, fueron casi todos: Vélez, "Tirso", Montalbán, Guillén de Castro, los ciento cincuenta y tres escritores que le ensalzaron en la *Fama póstuma,* editada por Montalbán; los ciento cuatro que le elogiaron en la *Essequie poetiche,* publicada en Venecia por Fabio Franchi.

Lope de Vega murió de pena. ¡Parece mentira! El hombre de fama universal, "que adquirió en su tiempo las proporciones de un mito", adulado, imitado servilmente, atendido de los personajes más influyentes... Murió de pena. Y es que eran muchas las congojas de su corazón inmenso. ¡Tantos hijos adorados muertos!... ¡Y muertas tantas mujeres amadas!... ¡Y tantos remordimientos vivos!... ¡Y raptada y deshonrada aquella Antoñita Clara, fruto de su mayor y de su mejor pasión, espejo gracioso y bonito de su vejez majestuosa!

Lope de Vega murió de pena, dulcemente, serenamente, santamente. Su alma se hizo inmortal y pura poesía el 27 de agosto de 1635. De lo magnífico que fue su entierro da la mejor idea la exclamación espontánea de una mujer de pueblo que lo presenció: "Sin duda, este entierro es de Lope, pues es tan bueno." Y Montalbán añade que cuando la cruz había llegado ya a la iglesia de San Sebastián, aún no había salido el cuerpo de la casa mortuoria.

"Fue—escribe de Lope su discípulo Montalbán—el más favorecido y festejado de todo género de personas que nació en el mundo. Porque no hubo legado de Su Santidad, príncipe de Italia, cardenal de Roma, grande de España, nuncio del Pontífice, embajador del reino, título de Castilla, gobernador, obispo, dignidad religiosa, caballero ni hombre de letras que no le buscase y le diese su lado y mesa en reconocimiento y premio de tan altas prendas. Las reales majestades católicas, siempre que le encontraban, como a hombre superior a los otros, le miraban con más atención... Vinieron muchos de sus tierras solo a desengañarse de que era hombre. Enseñábanle en Madrid a los forasteros como en otras partes un templo, un palacio, un edificio. Ibanse los hombres tras él cuando le topaban en la calle, y echábanle bendiciones las mujeres cuando le veían desde las ventanas."

Sin embargo, se apunta, aun cuando ya lo sabe todo el mundo, Lope está cada vez más vivo y vividor. Su espíritu reverdece cada día. Y hoy le notamos entre nosotros *como si tal cosa,* tan campante, tan impetuoso, tan genial, con mucha más personalidad que nunca, y más inimitable que siempre.

Reconozco mi predilección y mi dilección por Lope. Le considero impar en la universal literatura. Porque si no logró *un conjunto* tan acabado, tan impresionante como el *Quijote,* la *Divina Comedia* y algunos dramas de Shakespeare, es, sin embargo, el genio que con una gracia insuperable y una vena poética primorosa esboza en el teatro cuanto en sí tiene el mundo. Nada nuevo hay después de Lope. Es Lope el único autor que no imita ni se imita. El solo es *un teatro* con tanta fuerza, con tanta diversidad, con tanto carácter como el mejor europeo, representado por muchos autores. Después de Dios, nadie ha creado más que Lope. Todas sus criaturas no podían ser perfectas, como no lo son las humanas de almas hechas a imagen y semejanza de Dios. Precisamente Shakespeare, Dante, Cervantes, crean criaturas de excepción. Lope, encantadoramente apegado a su humanidad, las crea sin excepción: buenas, malas y medianas. Lo verdaderamente pasmoso de Lope es haber dado la *medida exacta* de lo que es y de lo que puede el hombre considerado *en lo más.* Y esto no lo consiguieron aquellos genios creadores de superhombres. Dante, Cervantes, Shakespeare, sueñan..., anhelan superaciones, algo de aquellos griegos maravillosos que inventaron los semidioses con una mitad de sus vidas en la tierra y la otra media en las excelsitudes empíreas. Lope no necesita soñar nada que no pueda ser y suceder.

Lope de Vega ha escrito más del triple que el autor que más haya escrito. Fijémonos en los grandes creadores modernos:

V

Galdós, Balzac, Dickens, Tolstoi, Dumas... Los que apenas vivieron para escribir. Los que, como este último, escribieron con colaboradores. La producción ingente, asombrosa, de cualquiera de ellos es... una cantidad sin importancia ante la suma inverosímil de las obras lopescas. ¿Mil ochocientas comedias? Pongamos menos, ya que Montalbán pudiera exagerar algo. ¿Mil quinientas? Pongamos menos, ya que el propio Lope pudiera pavonearse un tanto. ¿Mil doscientas? Seguramente más de mil. Y miles de poesías líricas. Y novelas. Y poemas épicos. Y poemas burlescos. Y libros religiosos. Y acciones en prosa. Y libros de historia. Y libros ascéticos.

Menéndez Pelayo, el maestro de la crítica española moderna, nos da este juicio certero y exacto de Lope: "Bebiendo Lope en los puros raudales de la poesía popular y de las tradiciones españolas, creó un teatro todo acción y todo nervio, rápido y animadísimo, lleno de fuerza y de inventiva, más extenso que profundo, más racional que humano; pero riquísimo, espontáneo y brillante sobre toda ponderación, libre, además, en el gran maestro y en sus primeros discípulos y émulos de los amaneramientos y de las rutinas que le enervaron después, acabando por convertirle en un género tan convencional como la tragedia francesa. Siguió a Lope con la misma libertad y con el mismo brío una legión de poetas, de los cuales solo "Tirso" llegó a superarle en estudio de caracteres y profunda ironía; Alarcón, en fundir la intención ética con la estética, de suerte que paresciesen la misma. Pero ninguno, ni Alarcón ni "Tirso", llegaron a aquel poder inmenso de creación que abarca el mundo entero de las acciones humanas; a aquella vena pródiga e inexhausta, que aun en las obras más imperfectas lanza raudales casi divinos; a todo aquel conjunto de cualidades que parecerían grandes repartidas en veinte grandes poetas, y que, por disposición singular de la Providencia, se vieron derrochadas en uno solo, el gran poeta de nuestra Península, el hijo prodigio de la poesía. Lo que este hombre, en fuerza solo de su prodigioso ingenio, puesto que no le ayudaba poco ni mucho el prestigio moral, rindió, deslumbró y avasalló a sus contemporáneos, escrito está en las memorias contemporáneas, y, con ser mucho, aún nos parece poco para su grandeza."

Schack asegura que no existe literatura alguna en el mundo que, como la española, deba todo su teatro a un solo autor: Lope de Vega.

Y de sus contemporáneos, el juicio de Cervantes es definitivo: "Entró luego el 'monstruo de Naturaleza', el gran Lope de Vega, alzóse con la monarquía cómica; avasalló y puso debajo de su jurisdicción a todos los farsantes; llenó el mundo de comedias propias, felices y bien razonadas, y tantas, que pasan de diez mil pliegos los que tiene escritos [Cervantes confiesa esto en 1615], y todas, que es una de las mayores cosas que puede decirse, las ha visto representar u oído decir, por lo menos, que se han representado; y si algunos, que hay muchos, han querido entrar a la parte y gloria de sus trabajos, todos juntos no llegan en lo que han escrito a la mitad de lo que él solo."

Cuando Lope empieza a escribir para la escena, luchan en ella muchos ingenios movidos por diversas y aun contrarias tendencias. Unos están demasiado apegados a las reglas clásicas y al afán estéril de imitar los teatros griego y romano. Otros anteponen los sentimientos moralistas de una esbozada tendencia nacional. Todos ellos pecan de un lenguaje pretencioso, desaliñado y oscuro, o de una poesía vulgar sin sazón y sin soltura. Lope acaba *con todo esto*. Implanta el buen gusto en la elección de los temas. Perfecciona el estilo dentro de una sencillez asombrosa. Exalta la pasión por lo nacional. Ajusta el movimiento escénico. Aviva la invención, sin violentarla y sin exagerarla. Repudia cuanto no es natural. Introduce en la intriga la acción cómica. Encomienda de lleno la formación del drama a la fantasía. Dibuja con cuidado sutil los caracteres femeninos. Da una variedad grande a la versificación. Lope es *todo el teatro español*. Conviene repetirlo. "Sin él no tendríamos a 'Tirso', ni a Calderón, ni a los demás; es el padre augusto de todos." (F-K.)

Lope de Vega ha sido una fuente inagotable de inspiración, no solo para los dramaturgos españoles, sino igualmente para los extranjeros. Boisrobert, Rotrou, Cellot, D'Ouville, Montfleury, Corneille, Molière, Le Sage, Shirley y otros muchos acudieron no pocas veces a beber en las aguas caudalosas y limpias del sin par dramaturgo madrileño.

Es casi imposible en una breve nota dar una idea aproximada de toda la obra lopesca. Hurtado y González de Palencia han hecho una muy aceptable división de la misma en obras no dramáticas y obras dramáticas. Las obras *no dramáticas* las subdividen: A) En prosa; y B) Poesías. Las *en prosa*, en novelas: pastoriles—*Arcadia, Pastores de Belén*, 1612—, de aventuras—*El peregrino en su patria*, 1604—y cortas, acción en prosa—*La Dorotea*, 1632—, historia —*Triunfo de la fe en los reinos del Japón*, 1618—y ascéticas—*Soliloquio*, 1612.

Las *obras en verso*: narrativas—*La hermosura de Angélica*, 1602; *La Jerusalén conquistada,* 1608; *Corona trágica,* 1627; *El Isidro,* 1599; *La Dagrontea,* 1598; *Gatomaquia,* 1634; *Circe,* 1624; *El laurel de Apolo,* 1630; *Arte nuevo de hacer comedias...* Y líricas—romances, letrillas, sonetos, canciones, églogas, las *Rimas sacras,* 1614, y los *Triunfos divinos,* 1625...

Menéndez Pelayo ha hecho la clasificación del teatro de Lope:

Piezas cortas: Autos: Del Nacimiento, Sacramentales: *El viaje del alma...* Coloquios, loas y entremeses.

Comedias religiosas: *a)* Asuntos del Antiguo Testamento: *La creación del mundo. b)* Asuntos del Nuevo Testamento: *El nacimiento de Cristo. c)* De vidas de santos: *Barlán y Josafá, Lo fingido verdadero. d)* Leyendas y tradiciones devotas: *El animal profeta, La buena guarda.*

e) Comedias mitológicas: *El laberinto de Creta, El marido más firme.*

f) Comedias sobre historia clásica: *Contra el valor no hay desdicha, El esclavo de Roma.*

g) Comedias sobre historia extranjera: *La Imperial de Otón, El gran duque de Moscovia.*

h) Crónicas y leyendas dramáticas de España:

1. Desde el período visigodo hasta el reinado de Sancho el *Mayor: El último godo, Las famosas asturianas.*

2. Desde Alfonso V de León hasta Jaime el *Conquistador: El mejor alcalde, el rey; La desdichada Estefanía, Las paces de los reyes y la judía de Toledo.*

3. Desde San Fernando hasta la muerte del rey don Pedro: *La estrella de Sevilla, Lo cierto por lo dudoso, El rey don Pedro en Madrid.*

4. Desde Enrique II hasta los primeros años de los Reyes Católicos: *Porfiar hasta morir, Peribáñez y el comendador de Ocaña, El caballero de Olmedo, Fuente Ovejuna.*

5. Epoca de los Reyes Católicos: *El remedio en la desdicha, Los comendadores de Córdoba, El mejor mozo de España.*

6. Epoca de Carlos I y Felipe II: *La serrana de la Vera, El alcalde de Zalamea.*

7. Epoca de Felipe III y Felipe IV: *El marqués de las Navas.*

i) Comedias pastoriles: *La arcadia.*

j) Comedias de asuntos fantásticos: Comedias caballerescas: *El marqués de Mantua, Los tres diamantes.*

k) Comedias tomadas de novelas: Orientales: *La doncella Teodor.*—De Boccaccio: *El halcón de Federico, El anzuelo de Fenisa.* Italianas: De Bandello: *El castigo sin venganza, La difunta pleiteada.*—De Giraldini Cinthio: *El piadoso veneciano.* Españolas: *El remedio en la desdicha.*

l) Comedias de enredo: *El acero de Madrid, La moza de cántaro.*

ll) Comedias de costumbres: De malas costumbres: *El rufián Castrucho, La Dorotea.*

m) De costumbres urbanas y caballerescas, aristocráticas y palatinas: *Los milagros en el desprecio, El perro del hortelano, La dama boba, La hermosa fea.*

Todavía no existe una colección completa de la obra de Lope de Vega. Por mucho que hayan trabajado espíritus tan doctos como Hartzenbusch, La Barrera, Menéndez Pelayo, Rennert, Cotarelo, González de Amezúa y algunos más, les ha sido imposible recoger con orden y seguridad la inmensa producción. Apenas han abierto senderos escuetos en la selva de grandiosidad wagneriana que es el mundo del gran Lope. Muy poco a poco los barrenos de la docta investigación estallan en el acierto, rompiendo el secreto de la ingente montaña, cuyas entrañas guardan aún los tesoros de mil y una sorpresas.

Durante la existencia de Lope se publicaron veinticinco partes de su teatro. Veintidós revisadas por él (I a XXII) y tres (XXIII a XXV) espúreas y formadas a capricho de los editores, y en las que se encuentran obras en cuya composición no tuvo parte el genial autor. Quizá las editó su yerno, don Luis de Usátegui.

Doy la fecha de estas veinticinco partes, pero no las comedias que comprenden cada una, lo que convertiría esta nota preliminar en un catálogo desmesurado:

Parte I, Valencia, 1604.—Parte II, Madrid, 1609.—Parte III, Valencia, ¿1611?—Parte IV, Madrid, 1614.—Parte V, Madrid, 1615.—Parte VI, Madrid, 1615.—Parte VII, Madrid, 1617.—Parte VIII, Madrid, 1617.—Parte IX, Madrid, 1617.—Parte X, Madrid, 1618.—Parte XI, Madrid, 1618.—Parte XII, Madrid, 1619.—Parte XIII, Madrid, 1620.—Parte XIV, Madrid, 1620.—Parte XV, Madrid, 1621.—Parte XVI, Madrid, 1621.—Parte XVII, Madrid, 1621.—Parte XVIII, Madrid, 1623.—Parte XIX, Madrid, 1623.—Parte XX, Madrid, 1625.—Parte XXI, Madrid, 1635.—Parte XXII, Madrid, 1635.—Parte XXIII, Madrid, 1638.—Parte XXIV, Zaragoza, ¿1638? Parte XXV, Zaragoza, 1647.

Estas tres últimas partes, como indican las fechas de publicación, no pudieron ser autorizadas por el autor, fallecido en 1635. Y alguna, como la XXIV, se presenta *embrollada,* conteniendo comedias que no son de Lope, como el *Examen de maridos,* de Alarcón; *El qué dirán,* de Reyes; *La industria contra el poder,* de Calderón; *El honrado con su sangre,* de Claramonte..., y algunas obras de Lope contenidas en partes anteriores.

V

De las ediciones modernas de las obras teatrales de Lope de Vega son las más importantes: los cinco tomos (XXIV, XXXIV, XLI, LII y LVIII) de la "Biblioteca de Autores Españoles", ordenados los cuatro primeros por Hartzenbusch; la edición monumental de la Real Academia Española, empezada a publicar en 1890 por La Barrera, y continuada, con prólogos admirables, por don Marcelino Menéndez Pelayo; la edición *popular* de la misma Academia, con una introducción de don Emilio Cotarelo; las ediciones de piezas determinadas de Calleja —1935—, *Clásicos Castellanos,* "Biblioteca Clásica Hernando" y Aguilar, 1946, un tomo con 50 obras.

Los extranjeros, en la actualidad, han estudiado con verdadero fervor y acierto algunas comedias de Lope. Así: Stathers, *La moza de cántaro*—Nueva York, 1913—; Wolf, *Comedia famosa de la reina María*—Viena, 1885—; Rennert, *Santiago el Verde*—en *Modern Language,* 1893—; Thomas, *La estrella de Sevilla*—Oxford, 1923—; Morley, *Ya anda la de Mazagatos*—Burdeos, 1923, en *Bulletin Hispanique*—; Anschütz, *El halcón de Federico*—Erlangen, 1892—; Restori, *Los Guzmanes de Toral*—Halle, 1899—; Monteverdi, *El casamiento de la muerte* —*Archivum Romanicum,* Florencia, 1925—; Fichter, *El castigo del discreto*—Nueva York, 1925—; R. Schevill, The dramatic art of L. de V., together with *La dama boba*—Bekerley, 1918—; Gertrud V. Poehl, "La fuente de *El gran duque de Moscovia*—*Rev. Filol. Esp.,* 1932.

Como poeta, es Lope uno de los más grandes líricos españoles de todos los tiempos. Para nuestro gusto, uno de los cuatro primeros; los otros tres: Garcilaso, fray Luis de León y Góngora. Sin embargo, el aspecto de poeta lírico en Lope ha sido poco estudiado. A Lope le han perjudicado su portentosa fama de dramaturgo y el que una parte principalísima de sus poesías líricas estén intercaladas en sus comedias. "Creo en Lope de Vega todopoderoso, poeta del cielo y de la tierra", decían de él sus contemporáneos. En efecto, tal vez el más fino registro de la sensibilidad pasmosa de Lope sea su lirismo. "Porque—escribe Díaz-Plaja—, y esta es su característica esencial, de tal manera nos parece el poeta volcado en su obra, tan plenamente vivida es, que cualquier vibración—sentimental o ideológica—halla su expresión en los versos. Así, la extensión de su obra equivale a la extensión del mundo poético. El mundo circundante es, todo él, materia de poesía a condición de que se transforme en materia sentimental o sensorial. Es, también, el supremo espectáculo, del que el poeta es incansable

vendimiador; solo la poesía transforma el mundo real. Así, sutilmente, discierne Lope la poesía y verdad del mundo que le circunda, en razón de la mayor o menor fusión del poeta en él; es su ternura, su dramatismo, su gracia poética, lo que le dan fe de vida; lo que pasa es que la envergadura de su zona de influencia humana es tan extraordinaria, que todo el universo se anima, por decirlo así, con su presencia poética."

No puede decirse, ciertamente, de Lope que sea un poeta tradicional, ni, por el contrario, un italianizante, ni un auténtico barroco. La inquietud y diversidad de su espíritu no permitían que ningún aspecto de su arte quedara sujeto a una regla, encuadrado en una escuela. La palabra *unidad* no se aviene con el ímpetu de Lope. La fórmula que más hubiera agradado a Lope hubiese sido, en opinión de Montesinos, "la del concepto español con el exorno italiano". Tesis muy sugestiva, que ya aparece apuntada en unos versos de "Tirso de Molina":

> Italia toda es hablar,
> y España toda es concetos.

Dos valores inmensos tiene la lírica de Lope: su sentido autobiográfico y su entusiasmo por incorporar la inspiración más hondamente popular a su poesía. El mismo Lope confiesa en la *Filomela* que "las imitaciones del italiano habían acabado con el nativo gracejo y la verdadera gloria del ingenio español". Para reavivar a este, cuando Lope se dejó de colores y de fórmulas italianas y escribió *en tradicional* glosas, letrillas, romances, coplas y canciones, alcanzó la cumbre de su lirismo. En el lirismo tradicional castellano es donde hay que buscar toda la gracia, la lozanía, la ternura y la felicidad musical de Lope poeta. La riqueza inagotable de la vena lírica de Lope, cuando corre por tierra española en asuntos, metros y maneras castizas, es la que coloca a su poeta a la par de fray Luis, de Góngora, de Garcilaso. Y si estos maravillosos líricos le exceden en algunas calidades, él los sobrepasa en sencillez y en calorías humanas.

Asusta un poco intrincarse en la selva inmensa que es la poesía de Lope con ánimo de clasificar. Porque, como en todas las selvas, en esta poética la fronda es espesa; las iluminaciones, súbitas; las sorpresas, continuadas; la marcha, penosa. El gran crítico y gran poeta Grillparzer afirmó que si Lope no es el mayor poeta, sí es el temperamento más poético de la Edad Moderna. Este portentoso temperamento vale como lírico no menos que como dramático; aca-

so porque en su teatro, en el que la inspiración es heterogénea y rápida la pintura
de los caracteres, sea el lirismo el que mueve
toda la acción.

La poesía de Lope de Vega puede dividirse en *narrativa* y *lírica;* aquella, en propiamente narrativa—*La hermosura de Angélica, La Jerusalén conquistada, La Dragontea,
El Isidro, Corona trágica*—, mitológica—*Circe, Andrómena, Filomela*—, burlesca—*La
Gatomaquia*—y didáctica—el *Isagoge,* el *Laurel de Apolo* y *El arte nuevo de hacer comedias.*

Lope poeta épico es muy inferior a Lope
poeta lírico. No quiere esto decir que entre
todos los poemas narrativos enunciados no
se encuentre alguno excelente en su conjunto o excelente en alguna de sus partes. Precisamente estos ejemplos de excelencia se
encuentran cuando Lope deja de imitar,
cuando se libera de la obsesión de emular
—a Tasso, en *La Jerusalén;* al Ariosto, en
La hermosura de Angélica; a Conn, en la
Corona—. *El Isidro,* poema en quintillas, en
que describe la vida del santo labrador de
Madrid, es un poema narrativo encantador,
lleno de fluidez, de ternura, de naturalidad,
de simpática tendencia a lo popular, que lo
aproxima al romancero. *La mañana de San
Juan en Madrid,* en que Lope describe—en
112 octavas—una romería en el soto del
Manzanares, tiene estrofas admirables de
colorido y de sabor local, imágenes de una
originalidad desconcertante. *La Gatomaquia,*
poema burlesco, en siete silvas, parodia de
la épica italiana, guarda tanta gracia espontánea, tan fácil musicalidad, que aún hoy
se reedita continuamente y se lee con gusto.

Todas las poesías líricas de Lope tienen
un valor de excepción, aparte el de su inspiración y el de su naturalidad. Las églogas
a *Amarilis* y a *Filis* narran, respectivamente, sus amores con doña Marta de Nevares
y el rapto de su hija Antonia Clara por un
noble de la corte; églogas de un patetismo
impresionante. Imposible resulta enumerar
las letrillas, romances, canciones y coplas
en que Lope alcanza un primor único e inimitable. En *Rimas sacras, Rimas humanas
y divinas* y *Triunfos divinos* resulta facilísimo y gustoso espigar verdaderas joyas
líricas, cuyo valor y hermosura se aquila-
tarán más y más con el tiempo y los vaive-
nes del gusto.

Sí, la lírica del "Fénix" encontraba su
forma más pura al llegar a una expresión,
sin apenas artificio literario, en infinitas
poesías de las que intercalaba en sus piezas
dramáticas. Canciones de recolección:

> Deja las avellanicas, moro,
> que yo me las varearé...

Juegos de equívocos, con expresión inefable de su levedad:

> Naranjitas me tira la niña
> en Valencia por la Navidad;
> pues a fe que si se las tiro
> se le han de volver azahar.

Cantares de aldea, con repeticiones insis-
tentes como ritmos de tamboril...

> Por el montecico, sola,
> ¿cómo iré?
> ¡Ay Dios!, ¿si me perderé?...

> A la viña, viñadores,
> que sus frutos de amores son;
> a la viña, tan garrida,
> que sus frutos de amores son;
> ahora que está florida,
> que sus frutos de amores son...

Letrillas de exquisita galanura...

> Mañanicas floridas
> del mes de mayo,
> despertad a mi niña,
> no duerma tanto.

Muchos y bellísimos sonetos escribió Lope.
Setecientos seis se cuentan en la edición de
Sancha; y Ristori afirma que, con los incluidos en su obra dramática, ha contado
dos mil novecientos ochenta y nueve. Y tal
vez los más hondos y emocionantes sean
los devotos, aquellos que empiezan:

> ¿Qué tengo yo, que mi amistad procuras?
> ¿Quién sino yo tan ciego hubiera sido...?
> Yo dormiré en el polvo, y si mañana...
> Pastor que con tus silbos amorosos...

Difícilmente se hallarán en toda la lírica
española—exceptuado San Juan de la Cruz—
versos más contritos, más patéticamente
humanos, más ardientes y tiernos que estos
sonetos. Lope *sentía* la religión. Y cuando
Lope sentía algo, resultaba casi imposible
que nadie le aventajase en saberse expresar
con belleza.

Mucho, muchísimo combatió Lope a Góngora y al gongorismo. Y, sin embargo... En
no pocas poesías de Lope se echan de ver
todos los elementos del barroquismo—culteranismo y conceptismo—poético. La elaboración a base del contraste, de la oposición
de elementos, la pompa decorativa, "que
hace pensar en un recargado retablo chu-
rrigueresco"; el juego de metáforas y de
retruécanos, los símbolos y las alegorías, el
uso desmedido del hipérbaton.

Lo difícil para Lope era el hablar en prosa. El verso era su vehemencia. La prosa
era su reflexión. Escribiendo en verso, jamás tuvo que volver sobre lo escrito para
evitar *un prosaísmo.* Escribiendo en prosa
muchas veces se dedicó a pulir su estilo, a

V

eliminar de su prosa las asonancias y ponderaciones métricas que le fluían incontenibleemente de la pluma. Escribiendo en prosa, necesitaba, de vez en vez, *descansar;* y descansar intercalando en ella su naturalidad lírica. Sin ese descanso, su prosa hubiera fracasado en el designio. Sí, hay que reconocerlo paladinamente: cada obra en prosa de Lope es un producto híbrido que en lo exterior une la prosa al verso; en la intención, el relato a una lírica licuefactiva; en la íntima tendencia, un desasosiego poético a una voluntad dominante.

¿Fue Lope de Vega realmente un novelista? El crítico inglés Fitzmaurice-Kelly—cuya absurda *Historia de la literatura española* ha sido durante muchos años, absurdamente, texto en España—declara que "Lope de Vega no había nacido para novelar". ¿Le creemos? No. No le creemos. Otro crítico extranjero, esta vez un alemán, Pfandl, afirma todo lo contrario. Aludiendo a las novelas breves de Lope de Vega, dice: "Menos fecundo que Solórzano—[¡tan buen novelista]—en las novelas fue Lope de Vega; pero no por eso sus pocas historias, tocadas del aliento de su dramático espíritu, son menos coloridas y vivas, menos efectistas en detalle y menos sabrosas en conjunto, aunque no correspondan del todo, en cuanto a la forma, a las reglas estrictas." ¿Le creemos? Yo, sí. Ustedes, si no han leído las novelas de Lope, pueden quedarse en Pfandl y Fitzmaurice-Kelly, en ese término medio en que dicen está la virtud. Término medio en el que yo no encontré la virtud jamás. Yo sí creo que Lope fue novelista; y novelista muy interesante, pese a que —pura humildad de galantería—el propio Lope declaró a la musa que inspiró algunos de sus relatos imaginativos, que "nunca pensé que el novelar entrara en mi pensamiento". Pura humildad de galantería. Hablar por hablar. Porque cuando así decía, ya había escrito dos largas novelas ceñidas por completo al género.

Las novelas de Lope pueden dividirse así: dos *pastoriles*—La Arcadia y Los pastores de Belén—; una de *aventuras*—El peregrino en su patria—; una "acción en prosa"—*La Dorotea*—, y cuatro novelas breves—las dedicadas a *Marcia Leonarda*—. Lope debió de escribir *La Arcadia* entre los años 1592 y 1594, época en que el "Fénix" residió en el palacio del duque de Alba, en Alba de Tormes; pero no la publicó hasta 1598. *La Arcadia* es una novela pastoril, con todo el énfasis, la extraña erudición, el artificioso sentimentalismo del género. Algunos críticos han creído *La Arcadia* una obra de clave. Lope la calificó de "historia verdadera". Y esto es: la historia de la corte galante, erudita y enfática de don Antonio Alvarez de Toledo, duque de Alba, personaje más retórico que realista y mecenas de nuestro genial poeta.

Para su intento pastoril, sugestiva combinación de prosa y verso, tuvo Lope como indudables modelos: *La Arcadia,* de Sannazaro; las *Dianas,* de Montemayor, Gil Polo y Alonso Pérez; *La Galatea,* de Cervantes; la *Filida,* de Gálvez de Montalvo; las *Ninfas del Henares,* de Bobadilla... "La Arcadia —escribe Vossler—, a pesar de su insoportable extensión en algunos pasajes, resulta una novela de entretenida lectura."

Canciones deliciosas y discursos pedantescos; chistes ingeniosos y madrigales retóricos; salidas humorísticas y bravas escenas de celos; diálogos y opiniones mantenidos sobre las lágrimas de amor, la belleza femenina, los misterios de la Naturaleza, la magia; malicias retruecadas y picantes versos; efervescencias espirituales y melancolías dulzonas; deliciosos trances picarescos y torrentes de vocablos preciosistas. De todo esto, y de muchas más cosas, hay en *La Arcadia,* novela pastoril y cortesana—, cuya valoración puede estimarse, según el mismo Vossler, "como un primer intento frustrado, detenido en el callejón sin salida del virtuosismo—, como un esfuerzo no logrado, para dar forma poética a la propia vivencia del desengaño, de la reflexión y el desvío, ante el laberinto de una embriaguez literariamente depurada". Que *La Arcadia* se escribió para agradar a su señor el duque de Alba, el propio Lope lo confiesa en su *Egloga a Claudio,* donde, después de aludir a su vida en Alba de Tormes, dice:

> Sirviendo al generoso duque Albano,
> escribí de la Arcadia los pastores,
> bucólicos amores
> ocultos siempre en vano,
> cuya zampoña de mis patrios lares
> los sauces animó del Manzanares.

La otra novela pastoril de Lope de Vega, *Los pastores de Belén,* se imprimió en 1612; pero, seguramente, la escribió el "Fénix" en 1611, aprovechando las *vacaciones teatrales* impuestas por el rey don Felipe III con motivo de la muerte de su esposa, la reina doña Margarita de Austria. Acaso intentó Lope que su publicación coincidiese con las Navidades de dicho año 1611. *Los pastores de Belén* están dedicados por el autor a su idolatrado hijo Carlos Félix, que tan pronto había de morir, con frases realmente emocionantes: "Estas prosas y versos al Niño Dios se dirigen bien a vuestros tiernos años, porque si El os concede lo que yo deseo, será bien que cuando halléis Arcadias de pastores humanos, sepáis que estos divinos escribieron mis desengaños y aquellos mis ignorancias. Leed estas niñeces, comenzad en este Christus, que Él os enseñará mejor cómo habéis de pasar las vuestras. Él os guarde. *Vuestro padre.*"

Los pastores de Belén, patente el cuidado con que el autor se acercó al dogma católico, es realmente una novela pastoril "muy siglo XVII", en la que se mezclan deliciosamente lo humano con lo divino, lo festivo con lo grave, lo natural con lo retórico, lo circunstancial con lo decisivo; mezcla realizada con tal desenfado y con desenvoltura tal, que escandalizó a los graves inquisidores de perilla, los cuales entraron a saco en *Los pastores de Belén,* cortando aquí, templando allá, oscureciendo al tuntún. Sí, los graves inquisidores de quevedos tardaron algún tiempo en convencerse de la inocencia absoluta y de la gracia fervorosa de la novela de Lope. Entonces la fueron restituyendo a su verdad y a su plenitud.

De esta singular producción del "Fénix" han escrito así Rennert y Castro: "En general, *Los pastores* recuerdan por su técnica al *Peregrino* tanto como a *La Arcadia.* Los relatos intercalados son, en general, de tema *bíblico;* pero, además, hay digresiones y referencias de la más variada índole. Sobre este conjunto, bastante abigarrado, se destacan tres notas literarias de valor esencial: la emoción ingenua y candorosa que Lope, con blandura de niño, sabía proyectar en forma tan exquisita; la representación visual de los objetos, llena de encanto pictórico, y en que, junto a la primorosa objetividad del *parnaso,* creemos adivinar la huella cálida de la pintura veneciana, que tanto debió de influir en Lope; en fin, aunque atenuado, aparece aquí también lo sensual, lo erótico, norte de nuestro poeta, impulso que tan sin medida le eleva para el arte y le hunde para la moral."

Otra novela de amor y de aventuras de Lope es *El peregrino en su patria,* escrita entre 1600 y 1603 y publicada en 1604. Su éxito debió de ser grande, ya que entre 1604 y 1618 se hicieron seis ediciones de ella. *El peregrino* ha sido objeto de duras censuras. Para La Barrera, era una novela "harto cansada y pedantesca, dividida en cinco libros". Para otros críticos modernos, "si se prescinde de las inserciones poéticas, puede decirse que el resto tiene bien poca importancia". Tales juicios son totalmente injustos. *El peregrino* contiene bastantes bellezas y datos curiosísimos acerca de la azarosa vida del autor. Además, en *El peregrino* se hallan intercalados los cuatro primeros autos sacramentales que Lope escribió—*El viaje del alma, Las bodas del alma, La Maya* y *El hijo pródigo*—y la bellísima égloga dedicada a *Camila Lucinda,* que empieza: "Serrana hermosa, que de nieve helada..." Y por si no bastara lo apuntado para apreciar en su justo valor *El peregrino,* hay que añadir que en la primera edición de este nos da Lope una lista de sus producciones dramáticas hasta la fecha—doscientos diecinueve títulos—; número que aumenta en ciento catorce títulos más en la sexta edición. En pocas otras obras de Lope, como en *El peregrino,* se echa de ver que el autor tardó bastante en desenvolver y acicalar su escrito. ¡Él, que "en horas veinticuatro", acostumbraba escribir una comedia! Y también es justo consignar, como otro valor subidísimo de este libro, el que en ciertos pasajes de él, tocados de maravilla y de fantasía, nos ofrece Lope los mejores síntomas de su sensibilidad romántica.

A instancias de *Marcia Leonarda*—Marta de Nevares—, el más grande, delicado y doliente amor de su vida, escribió Lope, entre 1621 y 1624, cuatro novelas breves, al modo de las ejemplares de Cervantes, tituladas *Las fortunas de Diana, La desdicha por honra, La prudente venganza* y *Guzmán el Bravo.* La primera de estas cuatro novelitas la publicó, en el volumen *Filomela,* Madrid, 1621, y las otras tres en la *Circe, con otras rimas y prosas,* Madrid, 1624. Si Lope se decidió a novelar, fue porque *Marcia Leonarda,* de cuyo amor estaba loco sin remedio, le pidió una prueba de su ingenio en aquel género. El poeta le dedicó entonces *Las fortunas de Diana.* A la dama le encantó la narración y pidió al enamorado más—*un libro dellas*—. Como quien accede al deseo de un dios, apresurado y con ilusión, escribió Lope las otras tres.

Las novelas de Lope son menos perfectas en la forma que las de Cervantes, pero no tienen menor interés, ni menos originalidad en la invención, excediéndolas en el estilo directo y en variedad. Recalcando aún más el porqué de la supremacía de las novelas de Cervantes sobre las de Lope: Al escribir las suyas, procedía el "Fénix" como acostumbraba proceder con sus dramas: rapidez de vértigo, rebeldía absoluta a someterse a una severa línea constructiva y a la fuerza de abstracción propias de la verdadera novela, imaginación desbocada a placer. No es apasionada aseveración mía, sino declaración fría de un crítico extranjero: Pfandl. "Como hemos dicho, las novelas de Lope carecen, indudablemente, de unidad de construcción. De ello nos compensa copiosamente lo que contienen de más valioso y de mayor valor poético: los interesantes conflictos, los desenlaces sorprendentes, altamente dramáticos en parte; la acción viva, en ebullición, que se precipita; es decir, todo aquello donde marcó su robusta huella el genio dramático del narrador. Por esto, es difícil explicarse por qué las novelas de

V

Lope han sido, en general, tan desfavorablemente juzgadas."

Es sumamente curioso observar cómo para componer alguna de estas novelas breves —*La prudente venganza*—sigue Lope una técnica—y una táctica—genuinamente dramática. Así, en la disposición de la narración se patentizan la *exposición,* el *nudo* y el *desenlace;* los tres actos canónicos del drama de Lope. Nada más sencillo que llevar a la escena esta novela. Casi, casi va ella por sí misma, pidiendo a voces la representación. Para que *Marcia Leonarda* sintiera, leyéndolas, todas las emociones apetecibles, las dulces y las dolorosas, de las cuatro novelitas, dos—*La prudente venganza* y *La desdicha por honra*—son altamente trágicas, y su desenlace es desgarrador. Las otras dos son sumamente alegres y acaban en boda. ¿Qué más podía apetecer y pedir aquella adorable y adorada mujer que se llamó Marta de Nevares?

La Dorotea, la obra predilecta de Lope —*"por ventura de mí la más querida",* exclama enternecido—, se publicó en 1632; la terminó y pulió Lope mientras componía —¿1630?, ¿1631?—la melancólica *Egloga a Claudio.* Pero, indiscutiblemente, muchas de sus partes fueron escritas por los años juveniles del poeta. Quizá todas. Posiblemente, *Lope mancebo* guardó el manuscrito de *La Dorotea* en el escriño de las intimidades, para releerlo a solas consigo mismo, de vez en vez, reverdeciendo así los acontecimientos más apasionados de su mocedad. Con la vejez sentiría la comezón de dar razón al mundo de tal delicia—fortuna, amor y rabieta—moceril. Y, no atreviéndose a publicarla tal y como estaba redactada, la enmendaría, enfriaríala en algunas calorías, rectificaría no pocas opiniones, disimularía bastantes trances de realismo crudo. Sí, en 1632, tres años antes de morir, Lope "recapituló". *La Dorotea* es un inapreciable documento autobiográfico. En *La Dorotea* actúan con desnudez y brío los dos móviles que gobernaron siempre, jamás mitigados, la vida del poeta: la pasión por la mujer y el amor por la literatura. *La Dorotea* es la última imitación libre de *La Celestina,* y la que más próxima queda en valores al modelo. Hasta el punto de que si en valores humanos vence la obra del bachiller Rojas, en valores líricos vence la obra de Lope.

"Acción en prosa" titula Lope su obra. Y bien calificada queda. Porque es híbrida en el sentido de la estética poética. Porque en ella se funden lo novelesco y lo teatral, lo vivido con lo imaginado, las formas renacientes y las barrocas—sin esfuerzo alguno por parte del autor de equilibrarlas—, lo puramente literario y lo puramente vital.

Aun cuando pueda afirmarse que en *La Dorotea* predomina lo imaginado sobre lo vivido, lo teatral sobre lo novelesco. Precisamente la máxima realidad de *La Dorotea* está en sus personajes, todos estos perfectamente identificados bajo sus nombres novelescos; pero estos personajes son los que más embadurnados con los afeites teatrales aparecen ante nosotros.

En 1618 publicó Lope *El triunfo de la fe en los reinos del Japón por los años 1614 y 1615,* relato de las persecuciones, torturas y muerte de tantos misioneros españoles en las tierras del remotísimo Cipango. Lope se atiene rigurosamente a las noticias oídas de labios de los propios misioneros, limitándose a decorarlas literariamente "con todo el fervor que le es posible". En el prólogo de esta obra, que dirige el autor al Padre Juan de Mariana, alude Lope al violento ataque que le fue dirigido poco antes por Torres Rámila en la obra latina *Spongia.* De *El triunfo de la fe,* como valor casi el único, destaca el estilo muy cuidado y terso, con pocas imágenes, pero muy felices.

Ya con algunos de los síntomas que le llevarían—dos años después—a dedicarse al sacerdocio, en 1612 publicó Lope los *Cuatro soliloquios,* en los que "toma su vida pasada como tema de reflexión moral y religiosa". La obra seduce por el arrebato de auténtica piedad que la deja palpitante. El espíritu cristiano del autor, en esta producción más que en otra cualquiera suya, deja patente la irremisibilidad de su fe enorme, ni entibiada siquiera en los sucesos más mundanos y pecaminosos de su existencia. En los *Cuatro soliloquios* muestra Lope la profundidad de su cultura en relación con la Teología y la Ascética. Y es el mismo autor quien nos hace saber que los compuso entonces, "llanto y lágrimas que hizo arrodillado delante de un crucifijo, pidiendo a Dios perdón de sus pecados". Mucho menos fervorosos son los *Soliloquios de un alma a Dios,* que, ya sacerdote, dio a luz Lope como obra escrita en lengua latina por el Padre Gabriel Padecopeo—habilísimo anagrama—y traducida al castellano por el poeta. Es esta obra una glosa de la anterior, y la componen siete soliloquios, henchidos con todos los tópicos religiosos del reconcomio, el arrepentimiento y la contrición de los pecadores, y también "con largos y quejumbrosos lamentos religiosos". Aun cuando igualmente muy cuidada, la prosa de esta producción resulta monótona. Y, como en tantas otras obras de Lope, es el lirismo el que reaviva por momentos la perdida ilusión del lector cansino.

Dos obras en prosa muy divertidas y perfiladas de Lope son las dos *Crónicas,* escritas como mantenedor que fue de las fiestas que se celebraron en Madrid—1620 y 1622—

con motivo de la beatificación de Isidro, patrón de Madrid. La primera de dichas *Crónicas* se imprimió con el título de *Justa poética y alabanzas justas que hizo la insigne Villa de Madrid al Bienaventurado San Isidro en las fiestas de su beatificación.* El relato es objetivo, pero muy garrido y con rasgos de finísimo humor. Posteriormente, con el seudónimo de "Tomé de Burguillos", consagró algunos versos humorísticos a cada uno de los nueve certámenes de que había constado la justa poética. Discurso preliminar, poesías presentadas y comentarios humorísticos fueron impresos en un solo volumen, en Madrid, por la viuda de Alonso Martín.

La segunda *Crónica* apareció—1622—con el título de *Relación de las fiestas que la insigne Villa de Madrid hizo en la canonización de su Bienaventurado hijo y Patrón San Isidro.* Esta *Crónica,* como la primera, rebosa el humor y el gozoso sentimiento de quien se sabe el personaje más importante de Madrid. Además de la *Crónica,* dedicó Lope sendas composiciones a los distintos combates poéticos de que constaba el certamen. Y con el seudónimo, ya aludido, de "Maestro Tomé de Burguillos", compuso un poema humorístico comentando las fiestas, y otros varios para optar a los premios; algunos de los cuales, ¡ay!..., Lope concedió a Lope, sin apenas cubrir las apariencias.

Uno de los aspectos literarios de Lope más interesantes y magníficos es el *epistolar.* De pocos grandes autores se conocen más cartas en verso o en prosa. Cartas que tanto valen para conocerle a él, para conocer la época en que vivió, para conocer los personajes que le rodearon, para conocer sus gustos, para conocer sus empeños. Poéticamente se dirigió a Barrionuevo, a Medinilla, a Rioja, a Arguijo, a Herrera, a Van der Hamen, al conde de Lemos, a Piña, a Solís, a *Camila Lucinda,* a Claudio, a Mendoza, a Haro, a Tosantos, a la *Amarilis Indiana,* a Cueva, a Bonet... De esta correspondencia poética ha dicho sagazmente Vossler: "Su encanto reside en la libre movilidad del poeta, que, ciertamente, se sabe vinculado a aquel a quien se dirige, y parece llevarle de la mano de aquí para allá, pero que, en el fondo, aunque lisonjee y mendigue y conmine, no se propone otra cosa que entretenerle e influir en su ánimo, no en sus decisiones. Nosotros, los hombres interesados y prácticos de hoy, conocemos, todo lo más, ese trato gracioso y despreocupado de alma a alma, con el nombre despectivo de *coquetería.* Pueden calificarse, ciertamente, de *coquetas* las *epístolas* de Lope en tanto—por ejemplo—solicita de Solís encargos, o requiere a Mendoza para la exaltación del poderoso Olivares, o reclama el apoyo del obispo de Oviedo para conseguir la dignidad de historiógrafo del rey, o cuando satiriza a los literatos, o se queja de sus adversarios literarios y de los críticos pedantes, o solicita una dádiva en dineros, o se brinda como amante platónico, o rechaza el encargo de juez de un torneo poético, o pinta su dicha o su desdicha domésticas, o hace exhibición de su obra de poeta y alarde de sus éxitos, y, sin embargo, no toma muy en serio estos propósitos, deseos, vanidades y anhelos, y está dispuesto a renunciar a todo fácilmente, a dejarlo estar, y, medio cansado o negligente, recogerse de nuevo sobre sí mismo. Coquetería es también su fácil cambio de estilos, desde el más simple al más artificioso, desde el más claro al más oscuro, y es coquetería su alarde de citas, don de lenguas y alusiones. Mas en todo se advierte una sabiduría sonriente, una ironía de sí mismo llena de humor, algo, en fin, que neutraliza los motivos dudosos y que convierte su pueril y egoísta falta de objetividad en un alegre juego de recreación verbal y arte literario."

Pocos epistolarios se leen con tanto interés y maravillan tanto como el formado por las docenas y docenas de cartas que Lope dirigió a su señor el duque de Sessa, mientras estuvo a su servicio, a partir de 1605; cartas que ha impreso modernamente, con su acostumbrada pericia crítica, don Agustín G. de Amezúa, precedidas de un prólogo tan sutil como documentado. Cartas deliciosas, en las que resulta muy difícil declarar cuál es su máximo valor: si su humorismo garrido, o su graciosa despreocupación social, o su vital gozo, o su conocimiento de las personas y de las cosas de su tiempo, o su destino poético infalible, o su estilo barroco fulgente de imágenes, o el garbo con que finflanea por los juicios categóricos y por las sentencias inapelables, o la iluminada cordialidad de su corazón inmenso, o el perpetuo reconcomio moral de su alma gigante...

V. ALONSO CORTÉS, Narciso: *El hermano de Lope de Vega,* en *Revue Hispanique,* XXI, 1909.—ALONSO CORTÉS, Narciso: *Sobre el hermano de Lope de Vega, Francisco,* en *Miscelána Vallisoletana.* Valladolid, 1912.— ALONSO CORTÉS, Narciso: *Los cuñados de Lope,* en *Artículos Historicoliterarios.* Valladolid, 1935.—ALONSO CORTÉS, Narciso: *Doña Isabel de Urbina, primera mujer de Lope de Vega,* en *Boletín de la Academia Española,* XIV, 1927.—ALONSO CORTÉS, Narciso: *Documentos relativos a Lope de Vega,* en *Boletín de la Academia Española,* 1916.— ALTSCHUL, A.: *Lope de Vega als Lyriker,* en *Zeistchrift für Romanische Philologie,* 1931

Volumen LI, pág. 76.—Amezúa, Agustín G. de: *Unas honras frustradas de Lope de Vega*, en *Revue Hispanique*, LXXXI, 1933.—Amezúa, Agustín G. de: *Unas cartas de antaño*, con dos facsímiles, en *A B C*, de Madrid, 25 de agosto de 1935.—Amezúa, Agustín G. de: *En el tercer centenario de "La Dorotea"* (1632-1932), en *Boletín de la Academia Española*, XIX, 1932.—Amezúa, Agustín G. de: *Un enigma descifrado. El raptor de la hija de Lope de Vega*, en *Boletín de la Academia Española*, XXI, 1934.—Amezúa, Agustín G. de: *Lope de Vega en sus cartas*. Madrid, 1935-1943. Cuatro tomos.—Astrana Marín, Luis: *Vida azarosa de Lope de Vega*. Facsímiles, retratos y láminas. Barcelona, sin año; en 4.º—Barrera, C. Alberto de la: *Catálogo general de sus obras dramáticas (Lope de Vega). Catálogo bibliográfico y biográfico del teatro antiguo español*. Madrid, 1860, páginas 419-458.—Barrera, C. Alberto de la: *Nueva biografía de Lope de Vega*. Madrid, Sucesores de Rivadeneyra, 1890; en folio, con retrato de Lope. Volumen I de las *Obras completas de Lope de Vega*, publicadas por la Academia Española. Contiene la bibliografía no dramática de Lope.—Barrera, C. Alberto de la: *El cachetero del buscapié*. Santander, 1916.—Barrera, C. Alberto de la: *Apéndice bibliográfico de las obras de Lope de Vega*, publicadas por la Real Academia Española. Volumen I. Madrid, 1890, pág. 591.—Castro, Américo: Prólogo a la edición de *Fuenteovejuna*. Madrid, Espasa-Calpe. "Colección Universal", núms. 5 y 6.—Castro, Américo: *Algunas observaciones acerca del concepto del honor en los siglos XVI y XVII*, en *Revista Filol. Esp.*, 1916, Madrid.—Castro, Américo: *Una comedia de Lope de Vega condenada por la Inquisición*, en *Rev. Filol. Española*, 1922, IX, págs. 311-314.—Castro, Américo: *Crítica literaria de "El castillo sin venganza"*, de Lope de Vega, en *Revista Filol. Esp.*, 1916, III, págs. 28-29.—Castro, Américo: *Alusiones a Micaela de Luján en las obras de Lope de Vega*, en *Rev. Filol. Española*, 1918, V, pág. 256.—Castro, Américo: *El autógrafo de "La corona merecida"*, de Lope de Vega, en *Revista Filológica Española*, 1919, págs. 306-309.—Castro, Américo: *Selección, estudio y notas a la edición de "Teatro"*, de Lope de Vega. Dibujos de F. Marco. Madrid, 1933, en 8.º, 344 páginas. Biblioteca Literaria del Estudiante.—Castro, Américo: *Edición, prólogo y notas a "La Dorotea"*, de Lope de Vega. Madrid, s. a., en 8.º, "Clásicos Españoles".—Castro, Américo: *Catálogo de las comedias de Lope de Vega, por orden alfabético*. "Vida de Lope de Vega". Madrid, 1919, págs. 456-530.—Castro, Américo: *Bibliografía de las obras de Lope de Vega*. Partes I-XXV. 1604-1647. "Vida de Lope de Vega", Madrid, 1919, págs. 445-55.—

Castro, Américo: *Catálogo de los autos de Lope de Vega, por orden alfabético*. "Vida de Lope de Vega", Madrid, 1919, págs. 527-530.—Cotarelo Mori, Emilio: *La ascendencia de Lope de Vega*, en *Boletín Academia Española*, II, 1915.—Cotarelo Mori, Emilio: *Un pasaje de Lope de Vega sobre la formación de algunos femeninos castellanos*, en *Boletín de la Academia Española*. XV, 1928.—Cotarelo Mori, Emilio: *Reseña crítica sobre las "Obras completas de Lope de Vega"*, con notas e introducción de don Marcelino Menéndez Pelayo, en *Rev. Crítica de Historia y Literatura Españolas*, I, págs. 33-35; y II, págs. 326-332.—Cotarelo Mori, Emilio: *Notas bibliográficas. "Obras de Lope de Vega*. Ed. Menéndez Pelayo. Publicadas por la Real Academia Española, en *Rev. de Archivos, Bibliot. y Mus.*, 3.ª época, año II, páginas 253-257; año IV, págs. 90-92; año VIII, págs. 149-151.—Cotarelo Mori, Emilio: *Sobre quién fue el raptor de la hija de Lope de Vega*, en *Rev. de la Bca. Arch. y Mus.*, Madrid, 1926.—Cotarelo Mori, Emilio: *La "Estrella de Sevilla" es de Lope de Vega*. Madrid, 1915.—Cotarelo Mori, Emilio: *Los amores de Lope y Micaela de Luján*, en *Boletín Academia Española*.—Enk, M.: *Studien über Lope de Vega*. Viena, 1839.—Entrambasaguas y Peña, J.: *Lope de Vega*. Barcelona, 1936.—Entrambasaguas y Peña, J.: *Una guerra literaria del Siglo de Oro. Lope de Vega y los preceptistas aristotélicos*. Madrid, 1932, en 4.º, con facsímiles.—Entrambasaguas y Peña, J.: *Cartas poéticas de Lope de Vega y Liñán de Riaza*, en *Fénix*, núm. 2, abril 1935, páginas 225-61.—Entrambasaguas y Peña, J.: *Elegía de Lope de Vega en la muerte de Jerónimo de Villaizán*, en *Fénix*, núm. 1, febrero 1935, págs. 127-44.—Entrambasaguas y Peña, J.: *Lope de Vega, símbolo del temperamento artístico español*, en *El Debate*, año XXV, núm. 7.964. Madrid, 9 junio 1935.—Entrambasaguas y Peña, J.: *Nueva investigación sobre los restos de Lope de Vega*, en *Bol. Academia Historia*, 1928, XCII, páginas 796-817. (Hay tirada aparte.)—Farinelli, Arturo: *Lope de Vega, en Alemania*. Barcelona, 1935.—Farinelli, Arturo: *Reseña crítica sobre la edición del "Arte de hacer comedias"*, ilustrada con notas de Morel-Fatio, en *Arch. der Neueven Sprachen*, t. CIX, pág. 22. Farinelli, Arturo: *Grillparzer und Lope de Vega*. Berlín, 1894.—Flores, Antonio: *Lope de Vega*. Madrid, 1935. "La Nave".—Foulché-Delbosc, R., y Barrau-Dihigo, L.: *Manual de l'Hispanisant*, tomo I. Nueva York, 1920. (En la parte referente a "Bibliografías monográficas" se incluye (págs. 148-50, núms. 885-890) una relación de las bibliografías consagradas a Lope de Vega.)—Guarner, Luis: *La épica de Lope de Vega. Prólogo, edición y notas críticas y bibliográficas a "Fiestas de*

Denia", "Descripción de La tapada", "La mañana de San Juan en Madrid", "La selva sin amor", "Laurel de Apolo". "Poesía épica". Madrid, 1935, 8.º—GUARNER, Luis: Prólogo, edición y notas críticas y bibliográficas a "El Isidro", "La Filomena", "La Andrómeda", "La Circe", "La rosa blanca", "La Gatomaquia". "Poemas". Madrid, 1935, 8.º—GUARNER, Luis: Lope de Vega. Bibliografía de las obras dramáticas. I. Comedias. Autos sacramentales. Obras dramáticas atribuidas. II. Bibliografía de las obras no dramáticas. III. Edición de las obras completas. IV. Antologías poéticas. V. Bibliografía general. "Prosa varia", vol. II. Madrid, 1938, 8.º—GUARNER, Luis: Antologías, prólogos, edición y notas críticas y bibliografías a "Rimas", "Arte nuevo de hacer comedias", "Soliloquios", "Rimas sacras", "Romancero espiritual", "El jardín de Lope de Vega y otras epístolas", "Triunfos divinos", "Amarilis", "Rimas humanas y divinas", "Filis", "La Vega del Parnaso", "Poesía lírica". Madrid, 1935, 2 tomos. GUARNER, Luis: Lope de Vega, prosista. "Prosa variada", vol. I. Madrid, 1935.—HARTZENBUSCH, Juan Eugenio de: Prólogo y notas preliminares a "Comedias escogidas de Lope de Vega". Madrid, s. a. "Biblioteca de Autores Españoles".—HARTZENBUSCH, Juan Eugenio de: Fray Lope de Vega Carpio, en América, 1862, VI.—HERRERO-GARCÍA, Miguel: Sobre la profesión del padre de Lope, en Revista Ayunt. Madrid, X, 1933, pág. 117. HERRERO-GARCÍA, Miguel: La España que recorrió Lope de Vega, en Fénix, núm. 1, febrero 1935, págs. 109-126, con un mapa plegado. HERRERO-GARCÍA, Miguel: La fauna en Lope de Vega, en Fénix, núms. 1 y 2, febrero-abril 1935, págs. 24-79, 263-278.—MENÉNDEZ PELAYO, M.: Nota crítica a la edición de "Barlaam and Joapah in Spain", de F. de Haan. Revista Crítica de Historia y Literatura Española, tomo I, Madrid, 1895.—MENÉNDEZ PELAYO, M.: La doncella Teodor. Un cuento de "Las mil y una noches", un libro de cordel y una comedia de Lope de Vega. Homenaje a don Francisco Cordera. Zaragoza, 1904, págs. 483-511. (Este trabajo fue reproducido en la quinta serie de "Estudios de Crítica Literaria", Madrid, 1908.)— MENÉNDEZ PELAYO, M.: Adiciones a "Nueva biografía de Lope de Vega", de Cayetano Alberto de la Barrera. Madrid, 1890. (Obras de Lope de Vega.) Homenaje a don Francisco Codera. Zaragoza, 1904.—MENÉNDEZ PELAYO, M.: Estudio crítico sobre "Grillparzer y Lope de Vega", por el doctor Arturo Farinelli. La España Moderna, diciembre 1894. MENÉNDEZ PELAYO, M.: Estudios sobre el teatro de Lope de Vega. Madrid, seis tomos.— MENÉNDEZ PELAYO, M.: Introducción a las "Obras completas de Lope de Vega", publicadas por la Real Academia Española. Quin-

ce tomos. Madrid, 1890 a 1913.—MENÉNDEZ PELAYO, M.: Lope de Vega y Grillparzer. Madrid, 1912. "Estudios de Crítica Literaria", segunda serie.—MENÉNDEZ PIDAL, Ramón, y JIMÉNEZ, Juan Ramón: Unas páginas inéditas en "Treinta canciones" de Lope de Vega..., en Residencia, Madrid, 1935.—MENÉNDEZ PIDAL, Ramón: El arte nuevo y la nueva biografía, en Rev. Filol. Esp., XXII, 1935, Madrid.—MENÉNDEZ PIDAL, Ramón: Cervantes y Lope de Vega. Madrid, "Col. Austral", 1942. MILLÉ Y GIMÉNEZ, Juan: Lope de Vega y la supuesta poetisa Amarilis, en Rev. Ayuntamiento Madrid, 1930, VII, págs. 1-11.—MILLÉ Y GIMÉNEZ, Juan: Un epigrama latino de Lope de Vega, en Rev. Hisp., LI, 1921, págs. 175-192.—MILLÉ Y GIMÉNEZ, Juan: El horóscopo de Lope de Vega, en Humanidades, Buenos Aires, 1927, XV, pág. 69.—MILLÉ Y GIMÉNEZ, Juan: Jáuregui y Lope, en Bol. M. Pelayo, 1926, VIII, págs. 126-136.—MILLÉ Y GIMÉNEZ, Juan: Lope y Góngora y los orígenes del culteranismo. Madrid. Rev. de Archivos, 1924.— MILLÉ Y GIMÉNEZ, Juan: Lope de Vega y la Armada Invencible, en Rev. Hisp., LVI, 1922, páginas 356-395.—MILLÉ Y JIMÉNEZ, Juan: Lope de Vega, traductor de Claudiano. Buenos Aires, Imp. Araújo, 1923.—MILLÉ Y GIMÉNEZ, Juan: Don Miguel de Carpio, tío de Lope de Vega. Buenos Aires, Imp. Mercantil, 1923.— MONTESINOS, José F.: Contribución al estudio de la lírica de Lope de Vega, en Rev. Filológica Esp., 1924-25, págs. 298-311, 284-290. MONTESINOS, José F.: Contribución al estudio del teatro de Lope de Vega, en Rev. Filológica Esp., V-VIII, 1921-22, págs. 131-149, 33-39.—MONTESINOS, José F.: Algunas observaciones sobre la figura del donaire en el teatro de Lope de Vega, en Hom. a M. Pidal, I, página 469.—MONTESINOS, José F.: Lope, figura del donaire, en Cruz y Raya, núms. 23-24, febrero-marzo 1935, págs. 53-85.—MONTESINOS, José F.: Prólogo y notas a "Poesías líricas" de Lope de Vega. Madrid, 1926, dos tomos en 8.º Clásicos Castellanos, volúmenes LXVIII y LXXV.—PÉREZ PASTOR, Cristóbal: Bibliografía madrileña. Madrid, 1906.— PÉREZ PASTOR, Cristóbal: Nuevos datos acerca del histrionismo español en los siglos XVI y XVII. Segunda serie. Madrid, 1901.—PÉREZ PASTOR, Cristóbal: Datos desconocidos para la vida de Lope de Vega, en Homenaje a Menéndez Pelayo, I, 589.—PÉREZ PASTOR, Cristóbal: Sobre el nacimiento de una hija, Jacinta, de Lope, fruto del matrimonio con doña Juana de Guardo, en Mem. Acad. Española, X, pág. 279.—PÉREZ PASTOR, Cristóbal: Sobre la hermana mayor de Lope de Vega, Isabel, en Mem. Acad. Esp., X, 276-279.—PÉREZ PASTOR, Cristóbal, y TOMILLO, A.: Proceso de Lope de Vega por libelos contra unos cómicos. Madrid, 1901.—PFANDL, Ludwig: Eine Lope de Vega. Bibliographie,

V

en *Deutsche Literaturzeitung*, núm. 38, 1916. RENNERT, Hugo Albert, y CASTRO, Américo: *Vida de Lope de Vega*, 1562-1635. Madrid, 1919 en 4.º, VIII-562 págs.—RENNERT, Hugo Albert: *The Life of Lope de Vega*. 562-1235, Glasgow, *The University Press*, 1904, en 4.º, con retrato de Lope.—RENNERT, Hugo Albert: *Bibliography of the Dramatic Works of Lope de Vega Carpio, based upon the Catalogue of J. R. Chorley*, en *Rev. Hisp.*, XXXIII, 1915, páginas 1-284.—ROMERA NAVARRO, M.: *Lope y su defensa de la pureza de la lengua y estilo poético*, en *Rev. Hisp.*, LXXVI, 1929.— ROMERA NAVARRO, M.: *Ideas de Lope de Vega sobre el lenguaje dramático*, en *Hispanic Review*, vol. III, july 1935.—ROMERA NAVARRO, M.: *Lope de Vega y las unidades dramáticas*, en *Hispanic Review*, III, july 1935. ROMERA NAVARRO, M.: *La preceptiva dramática de Lope de Vega*. Madrid, Ed. Yunque, 1935.—SAINZ DE ROBLES, F. C.: *Jubileo y aleluyas de Lope de Vega*. Madrid, 1935.—SAINZ DE ROBLES, F. C.: *El "otro" Lope de Vega*. Buenos Aires, Espasa-Calpe, "Col. Austral", 1941.—SAINZ DE ROBLES, F. C.: *Tesis y crisis del teatro español*. (Conferencia pronunciada en el Ateneo de Madrid.) 1944.—SAINZ DE ROBLES, F. C.: *Lope de Vega*. Retrato, vida, horóscopo y transfiguración. Madrid, Espasa-Calpe, 1962.—SAINZ DE ROBLES, F. C.: *Historia y antología del teatro español*. Madrid, 1943. Tomos II y III.—SCHACK, A. T. von: *Geschichte der dramatischen Literatur und Kunst in Spanien*. Berlín, 1845.—SCHACK, A. T. von: *Noticias sobre tres tomos colecticios de comedias de Lope existentes en la biblioteca del duque de Osuna*. Nachträge, 1854, páginas 41-42.—SCHACK, A. T. von: *Sobre el casamiento de Lope de Vega*, en *Hist. de la literatura dramática*, II.—TOMILLO, A., y PÉREZ PASTOR, C.: *Datos desconocidos para la vida de Lope de Vega*, en *Homenaje a Menéndez Pelayo*, Madrid, 1901.—TOMILLO, A., y PÉREZ PASTOR, C.: *Proceso de Lope de Vega por libelos contra unos cómicos*. Madrid, 1901.—TOMILLO, A.: *Un retrato de Lope de Vega no catalogado*, en *Boletín Biblioteca Menéndez Pelayo*, 1922, pág. 364.—TORMO, Elías: *Sobre los retratos de Lope de Vega*, en *Rev. Crít. Hisp.-Amer.*, 116, pág. 30.—VALBUENA PRAT, Angel: *Literatura dramática española*. Barcelona, 1930, "Colección Labor". VALBUENA PRAT, Angel: *De la imaginería sacra de Lope de Vega a la teología sistemática de Calderón*. Murcia, 1945. Publicación de la Universidad.—VOSSLER, Karl: *Lope de Vega y su tiempo*. Traducción del alemán por Ramón Gómez de la Serna, Madrid, s. a., en 4.º

VEGA LÓPEZ DE RIVERA, José.

Nace en Madrid el año 1906. Inicia sus publicaciones como poeta lírico en *Los Lu-*

nes de El Imparcial—1921—. Su primer libro es de versos: *Rutas. Momentos. Lejanías*—E. J. Pueyo, Madrid, 1925—. Al año siguiente publica otro de ensayos novelables: *Dos mujeres y aquella mujer*—E. J. Pueyo, Madrid, 1926—. En 1928, el poemario *Horas de ceniza y de púrpura*—E. Fernández Cancela, Madrid, 1928—. Después, trabajos literarios en periódicos de España y América. Se licencia en Derecho en 1933, y hace informes y otros trabajos sobre propiedad intelectual. En 1936, la novela *Hamlet y Fausto*—Madrid—. Luego publica antologías y biografías: *Galería de romances* —E. A. Aguado, Madrid, 1943—, *Luis I de España ("el rey silueta")*—E. A. Aguado, Madrid, 1943—, *La mejor lírica del Siglo de Oro*—E. A. Aguado. Madrid, 1944—, *Don Ramón de la Cruz ("el poeta de Madrid")* —E. Pellicena, Madrid, 1945—, *Pedro Romero*—1949—... Es también autor de una nueva versión española de las máximas de Epicteto, con el título de *Breviario de Epicteto* —E. A. Aguado, Madrid, 1946.

Sus biografías—que él llama interpretaciones biográficas—revelan fervorosa afición a los estudios del siglo XVIII español, y responden, más que al criterio erudito, a la categoría humana de los biografiados.

VEINTIMILIA DE GALINDO, Dolores.

Poetisa, natural del Ecuador, 1821-1857. Gozó de gran popularidad en su patria, mereciendo el nombre de "La Safo ecuatoriana", por analogías bien comprensibles. Inadaptable al medio, apasionada, temperamento ardientemente romántico, defensora entusiasta de las reivindicaciones de la mujer, la resistencia del ambiente a sus ilusiones exacerbó su psicosis, y en un gesto expresivo por los detalles, vestida de gala, se quitó la vida, luego de haber arrojado al fuego sus composiciones poéticas. "Las pocas que sobreviven—entre ellas *Quejas*—prolongan en el tiempo los gritos lacerados de su espíritu, sensible al roce de una cuerda tensa."

V. BARRERA, Isaac J.: *Literatura ecuatoriana*. Quito, 1926.

VELA, David.

Periodista, ensayista y profesor guatemalteco. Nació—1901—en la ciudad de Guatemala. Se graduó en el Instituto Central y en la Universidad de su ciudad natal. Editor jefe de *El Imparcial*, de 1926 a 1931. Profesor de Literatura de la Universidad de Guatemala. Consejero de la Embajada guatemalteca en México—1944—y cónsul especial en Washington—1945—. Miembro de la Academia Guatemalteca de la Lengua, de la Sociedad Geográfica y de la Academia de la Historia.

Obras: *El Hermano Pedro en la vida y en las letras*—1932—, *Geneonomía Maya-Quiché*—1935—, *El mito de Colón*—1935—, *Nuestro Belice*—1938—, *Literatura guatemalteca*—1943...

VELA, Fernando G.[arcía]

Notable prosista y ensayista. Nació en Oviedo el 28 de octubre de 1888. Murió —1966—en Llanes. Estudió en el Instituto y Universidad de Oviedo. Colaboró primeramente en periódicos provinciales y perteneció a la Redacción de *El Noroeste,* de Gijón. En 1920 ingresó en la Redacción de *El Sol,* de Madrid, como articulista. Desde 1923, secretario de la *Revista de Occidente.* En 1933, director de *El Sol,* de Madrid, y en 1934 pasó a dirigir *Diario de Madrid,* hasta la extinción de este periódico, en 1935. Desde 1938 a 1941 perteneció a la Redacción del diario *España,* de Tánger, del que fue subdirector y en el que colaboró asiduamente, así como en *Mundo,* de Madrid.

Obras: *El arte al cubo*—ensayos, "La Lectura", Madrid, 1925—, *El futuro imperfecto* —ensayos, "Colección P. E. N.", Ediciones "La Lectura", 1934—, *Mozart*—con el seudónimo de "Héctor del Valle". Ediciones Atlas, Madrid, 1943—, *Talleyrand*—con el seudónimo de "Héctor del Valle". Ediciones Atlas, Madrid, 1943—, *Estados Unidos entran en la Historia*—Ediciones Atlas. Madrid, 1946—, *El grano de pimienta*—Madrid, 1950—, *Circunstancias*—Madrid, 1952.

Numerosas traducciones de obras literarias francesas y obras filosóficas alemanas; ensayos, notas, críticas publicadas en la *Revista de Occidente,* aparte de su labor periodística diaria.

VELARDE, Fernando.

Poeta español. Nació—1821—en Hinojedo (Santander) y murió—1880—en Londres, En 1840 marchó a América. Y residió en Cuba, Perú, Ecuador, Bolivia, Chile, Guatemala... Su inmenso amor a España y el ardor con que la defendió con la palabra y con la pluma, frente a los odios indígenas, le obligaron a un continuo peregrinaje. Sin embargo, su influencia lírica a todos aquellos países en que vivió fue fenomenal, impresionante. Tuvo a miles los discípulos y los imitadores entre los mismos que le combatían y le insultaban.

"Talento original—escribe Menéndez Pelayo—, pero inculto y bravío; imaginación poderosa cuanto desequilibrada; un mal gusto, que parecía ingénito e indomable, puesto que resistió a toda disciplina y fue creciendo monstruosamente con los años; alma vehemente, apasionada y triste, con dejos de candor infantil y visiones de ilu-

minado; una potencia de versificador capaz de levantar en peso las moles de los Andes, pero de la cual usaba y abusaba sin tino ni juicio, convirtiéndose muchas veces en retumbante zurcidor de alejandrinos huecos; un sentimiento profundo y casi místico de la Naturaleza; elevadas, aunque confusas, aspiraciones de ultratumba; un idealismo más germánico que español, ataviado con el sombrero de jipijapa y el lujo charro del indiano de nuestra costa cantábrica; todas estas cualidades, a primera vista inconciliables, concurrían en el fecundo y excéntrico vate de Hinojedo, a quien nuestra historia literaria ha olvidado malamente, porque en condiciones nativas fue superior a muchos, y en influencia fuera de su tierra solo Zorrilla, Espronceda y Tassara pueden aventajarle entre nuestros románticos."

Durante dos años dirigió y redactó el semanario de literatura *El Talismán.*

Velarde, extraordinario español, siempre que emigró lo hizo "con la frente erguida y el canto varonil en los labios, dejando por dondequiera admiradores y discípulos, halagado unas veces por la fortuna, reducido otras a la indigencia; raro personaje, sin duda, pero nunca vulgar ni indigno de su raza, que tanta sangre y tanto sudor ha vertido en la América española" (M. P.)

Entre sus mejores composiciones figuran: *Despedida a Santander, El pico del Teide, Meditación en la isla de Pinos.*

Obras: *Flores del desierto*—Lima, 1848—, *Melodías románticas, Cánticos del Nuevo Mundo*—Nueva York, 1860—, *Poesías*—Londres, 1871—, *La poesía de la Montaña...*

En Lima dejó, entre la juventud, gran número de apasionados fanáticos, llamados por Ricardo Palma—que se contó entre ellos— los *bohemios.*

V. MENÉNDEZ PELAYO, M.: *Historia de la poesía hispanoamericana.* Madrid, 1913, tomo II, págs. 256-258.—GARCÍA CALDERÓN, Ventura: *Del Romanticismo al Modernismo.* París, Ollendorf, 1910.—SÁNCHEZ, Luis Alberto: *La literatura peruana.* Santiago de Chile, 1936, tres tomos.

VELARDE, José.

Poeta y prosista. Nació—1849—en Conil (Cádiz). Murió—1892—en Madrid. Doctor en Medicina. Renunció al ejercicio de su profesión para trasladarse a Madrid, con su entrañable amigo José Antonio Cavestany, con ánimo de dedicarse al periodismo y a la literatura. Publicó sus primeros versos y artículos en *La Ilustración Española y Americana.* Concurrió con asiduidad a la célebre "Cacharrería" del Ateneo, donde hizo gran amistad con Zorrilla, Valera, Echegaray, Campoamor, Balart, Grilo y Ruiz

V

Aguilera. Gracias a la protección económica del rey don Alfonso XII, Velarde pudo evitar una existencia bohemia y azarosa.

Velarde fue uno de los poetas más combatidos por la crítica. Se le reprochaba "su falta de fondo", el amaneramiento, la excesiva blandenguería de algunas de sus composiciones, su excesivo descriptivismo, la pulida forma un tanto artificial. Entre sus detractores figuró en primer término "Clarín". En 1888 dio a conocer en el Ateneo de Madrid su poema *Alegría,* del que Melchor de Paláu emitió el juicio siguiente: "Velarde describe con precisión; es un fotógrafo literario, mejor dicho, un daguerreotipista, pues el color está presente en sus obras; pero adolece de falta de plan, es difuso, y, como los fabulistas, saca demasiados animales a la escena. No ve en el objeto más que el objeto mismo, no le busca ni atribuye un alma, se echa siempre de menos en Velarde la grandiosidad que avasalla, la originalidad que sorprende, el idealismo que eleva; es reflector y no creador; la forma le arrastra, buscando el apoyo repetido de difíciles consonantes; prodiga la sal andaluza (pues tiene depósito de ella), mas el desenfado con que lo hace raya a veces en bajeza. Velarde tiene en sus composiciones fragmentos acertadísimos, versos esculturales, modelo de corrección y de armonía, brillantez fulgurosa en muchas imágenes, y, lo que es innegable, descripciones exactas que parecen hechas con paleta y pincel. Puede decirse, en fin, que sus obras son superiores al poeta, que la factura predomina a la esencia, y lo gráfico a lo ético."

El valor principal de Velarde es, a mi juicio, el de ser uno de los precursores del modernismo en España, juntamente con Reina, Ricardo Gil y Fernández-Shaw.

Obras: *Poesías*—Sevilla, 1872—, *Nuevas poesías*—Sevilla, 1878—, *Teodomiro, o La cueva del Cristo*—leyenda—, *Fray Juan*—leyenda—, *La venganza*—leyenda—, *El último beso*—leyenda—, *La niña de Gómez Arias* —leyenda—, *Voces del alma*—poesías, 1884—, *Ante un crucifijo*—décimas... V. "CLARÍN": *Solos de "Clarín".*—"CLARÍN": *Paliques.*—BLANCO GARCÍA, P.: *Historia de la literatura española en el siglo XIX.* Madrid, 1889.—PALÁU, Melchor de: *Acontecimientos literarios.* Madrid, 1892.—JACKSON VEYAN: *A la muerte del poeta José Velarde.* Madrid, 1892.

VELASCO, Jerónima de.

Poetisa ecuatoriana. Nació a fines del siglo XVI y fue muy bella y de familia noble de españoles. Contrajo matrimonio con un rico hacendado llamado Luis Ladrón de Guevara. Y más que sus versos la han inmortali-

zado los elogios que le dedicó Lope de Vega en el *Laurel de Apolo:*

> Parece que se opone a competencia
> en Quito, aquella Safo, aquella Erina,
> que si doña Jerónima divina
> se mereció llamar por excelencia,
> ¿qué genio, qué cultura, qué elocuencia
> podrá oponerse a perfecciones tales,
> que sustancias imitan celestiales?
> Pues ya sus manos bellas
> estampan el Velasco en las estrellas.
> Del otro polo Pola de Argentaria,
> y viene bien a erudición tan varia,
> pues que don Luis Ladrón, su esposo, es llano,
> que mejor de Lucano
> se pudiera llamar que de Guevara,
> y más con prenda tan perfecta y rara.
> ¡Dichoso quien hurtó tan linda joya
> sin el peligro de perderse Troya!
> Pero diósela el cielo, aunque recelo
> que pueda la virtud robar el cielo.

V. PARNASO ECUATORIANO, *con apuntamientos biográficos de los poetas y versificadores de la República del Ecuador desde el siglo XVII hasta el año 1879.* Quito, 1879.

VELASCO Y ZAZO, Antonio.

Literato y periodista. Nació—1884—y murió—1960—en Madrid. Desde muy joven empezó a colaborar en diversas publicaciones. Su amor a su patria chica le ha llevado a dedicar su pluma, casi por completo, a los temas madrileñistas, ya en novelas, ya en artículos, ya en charlas radiadas. Desde 1923 es cronista oficial de Madrid y miembro del Patronato del Museo Municipal. Fundó las revistas *Arte y Juventud* y *El Teatro por Dentro,* y la agrupación artística "La Capa". Sus conferencias pronunciadas ante el micrófono se acercan al número de mil. Y otros tantos trabajos periodísticos andan diseminados por importantes revistas. Cuenta con un público nutrido y entusiasta. Ha divulgado como pocos las tradiciones, historia, personajes, costumbres y leyendas de la capital de España. No cala demasiado en el *alma de Madrid,* pero sabe dar brillantez y colorido a sus impresiones acerca de temas ya muy conocidos.

Ha escrito algunas obras teatrales, estrenadas con éxito.

Obras: *Sangre joven*—novela, 1904—, *Mujeres del teatro*—novela, 1908—, *La esencia de lo chulo*—1908—, *Las chulas de Morería* —novela, 1911—, *Del barrio moro*—1911—, *Espejo de pícaros*—1912—, *La rubia de Naranjeros*—novela, 1913—, *La villa del Manzanares*—artículos, 1913—, *La flor de la Corte*—artículos, 1913—, *A tontas y a locas* —1916—, *La majeza de mi tiempo*—1915—, *El Madrid de Alfonso XII*—1917—, *Anales y rutinas de Madrid*—1919—, *Aquel Madrid y aquellos días*—1919—, *La Cruz de Mayo*

—poema, 1919—, *Apuntes para la historia de Madrid*—1919—, *Mirando al pasado*—1921—, *El crimen de la Fuentecilla*—novela corta, 1921—, *Cartilla doctrinal de los hijos de Madrid*—1921—, *La capilla "del Obispo"*—1923—, *La musa y el donaire del pueblo*—1925—, *Lo que todos oyen*—1926 y 1927—, *Los chisperitos*—sainete—, *La reina de los Mayos*—sainete—, *Mal vivir*—drama—, *Vidas sombrías*—drama—, *El chavalillo*—comedia—y otras muchas.

Ha escrito incontables obras dedicadas a Madrid: a sus conventos, a sus cafés, a sus teatros, a sus hijos ilustres, a sus fiestas...

VELÁZQUEZ DE VELASCO, Alfonso.

Literato español. Vivió entre 1560 y 1620. Nació en Valladolid. Ejerció la carrera de las armas en Italia y en Flandes. En 1593 publicó en Amberes una colección de *Odas a imitación de los siete salmos penitenciales,* en la que incluyó un ensayo poético de su amigo don Bernardino de Mendoza. Las odas, imitadas de las de fray Luis de León, son elegantes, pero de escasa altura.

Su obra principal es la comedia *La Lena, o El celoso*—Milán, 1602—, cuyo éxito debió de ser grande, ya que existen otras ediciones: de Milán, en el mismo año que la primera, y Barcelona—1613.

La Lena es una obra muy interesante, picante y sabrosísima, en la que su autor demuestra galanura de estilo, honda experiencia de la vida y fuerte socarronería. Difiere de su modelo *La Celestina* en el argumento, los caracteres y el estilo; pero la imita en el realismo, en el lenguaje castizo y en la prosa dramática. Según Menéndez Pelayo, "es la mejor comedia en prosa que autor español compuso a fines del siglo XVI".

Ticknor, reconociendo los méritos literarios de esta obra, la tacha de "desvergonzada".

El nombre de Velázquez de Velasco está incluido en el *Catálogo de autoridades* del idioma, publicado por la Real Academia Española.

Ediciones: E. Ochoa, *Tesoro del teatro español*, Madrid, 1838; Menéndez Pelayo, *Orígenes de la novela*, tomo III, págs. 389-435; Valencia, edit. Sempere, s. a. [¿1921?]

V. MENÉNDEZ PELAYO, M.: *Orígenes de la novela*. Madrid, Consejo Superior de Investigaciones Científicas, 1943, tomo IV.

VELÁZQUEZ DE VELASCO, Luis José.

Poeta y erudito. Marqués de Valdeflores. Nació—1722—y murió—1772—en Málaga. Estudió en Granada con los jesuitas. Doctor en Jurisprudencia y en Teología, obteniendo este último grado en Roma—1745—. Académico de la Historia en 1750. En 1752 el rey le hizo merced del hábito de Santiago. Y el marqués de la Ensenada, decidido protector suyo, le encomendó la misión de recoger datos y documentos en los archivos españoles para formar una *Historia monumental de España*. Al caer en desgracia Ensenada, arrastró a ella a Velázquez de Velasco, quien estuvo algún tiempo encarcelado. Al recobrar la libertad, se retiró a la vida privada, dedicándose a la composición de sus numerosas y eruditas obras.

Como crítico, tuvo poco gusto y muy relamido el marqués de Valdeflores. Tampoco derrochó los pensamientos originales. Como demostración del absoluto empacho de su sensibilidad, baste decir que en su *Orígenes de la poesía castellana*—Málaga, 1754 a 1797—califica de corruptores de la dramática a Lope y a Calderón, y pone en las nubes las soporíferas tragedias seudoclásicas de Montiano Luyando, a una de las cuales—*Virginia*—dedicó, además, un desmedido elogio, que leyó en la "Academia del Buen Gusto".

El marqués de Valdeflores fue quien primero editó las poesías de Francisco de la Torre, atribuyéndolas a su primer editor Quevedo.

Como erudito, valió bastante más Velázquez de Velasco. Su viaje por los archivos españoles lo inició en 1752, y en él recogió 67 volúmenes en folio de documentos para la Historia de España.

Otras obras: *Ensayo sobre los alphabetos de las letras desconocidas*—Madrid, 1752—, *Conjeturas sobre las medallas de los reyes godos y suevos de España*—Málaga, 1759—, *Anales de la nación española desde el tiempo más remoto hasta la entrada de los romanos*—Málaga, 1759—, *Noticia del viaje de España hecho de orden del rey...*—Madrid, 1765—, *Colección de diferentes escritos relativos al cortejo.*—Madrid, 1763—, *Cronología de los mahometanos en España*—Madrid, 1764—, *Ensayos sobre la Naturaleza, Historia de Málaga, Adición al "Teatro" del P. Feijoo, Descripción del reino de Túnez...*

Sus *poesías* pueden ser leídas en el tomo LXVII de la "Biblioteca de Autores Españoles", y sus *juicios literarios,* en los tomos XXXIII y XLII de la misma "Biblioteca".

V. CEJADOR Y FRAUCA, J.: *Historia de la lengua y literatura españolas*. Tomo VI, 121-123.—MENÉNDEZ PELAYO, M.: *Ideas estéticas...* 1940, III, 350.

VÉLEZ DE GUEVARA, Juan.

Poeta y dramaturgo, hijo del gran Luis Vélez de Guevara y de su segunda mujer, doña Ursula Bravo. Nació—1611—y murió—1675—en Madrid. Pellicer afirma que en

V

1644 se hallaba al servicio del duque de Veragua, que favoreció mucho también a su padre. Y Nicolás Antonio asegura que fue oidor de la Audiencia de Sevilla. Posiblemente no fue sino ujier de cámara—1642—. Estudió Leyes en Alcalá. Y contrajo matrimonio—1654—con doña Antonia Ursula de Velasco. Escribió unas quintillas a la muerte de Lope de Vega.

Noticias curiosas de él se dan en los *Vejámenes* de Juan de Orozco y de Cáncer de Velasco. En el de Orozco se nos dice que Vélez era altísimo, se le comparaba con un alfanje corvo, y se afirma que *él se pasaba de largo,* aunque todos le decían que no creciera. Y a renglón seguido le hacen exclamar, "acordándose de que fue paje más de catorce años":

> De dos maneras me alarga
> aqueste penoso cargo:
> primero fui paje largo,
> y agora soy paja larga.

En el de Cáncer se nos hace saber que era narigón. "Se nos ofreció don Juan Vélez, y apenas le vio mi amigo, cuando dijo: —Grandísima debe de ser la fuerza deste hombre, pues puede con aquellas narices; mucho es que no se le despeguen de la cara con el peso."

Años después—1660—, Francisco de Avellaneda, fiscal del certamen de la Soledad, en el que Vélez obtuvo premios, decía, refiriéndose a él: "Mongibelo nevado... pide que le mejoren en tercio y quinto de premios; pues sus octavas, hablando de veras, fueron muy alegres, y el romance, jocoso, fuera de burlas, fue el mejor..."

Juan Vélez de Guevara, que fue bautizado en la parroquia de San Andrés, murió en la calle del Prado y fue enterrado en la parroquia de Santa María.

Menos vivo y fecundo que su padre, heredó de él la afición y el instinto poético, y aunque se dejó contagiar del mal gusto, fue muy feliz en versos de donaire. Escribió excelentes comedias; pero mucho más sobresalió en los entremeses y en los bailes, géneros sencillos en los que muy pocos le aventajaron.

Obras: *El mancebón de los palacios, o agraviar para alcanzar*—comedia dramática—, *Encontráronse dos arroyuelos, o La boba y el vizcaíno*—comedia—, *No hay contra el amor poder*—comedia—, *La verdad contra el engaño*—con Cáncer y A. Martínez—, *Riesgos de amor y amistad*—comedia—, *Los holgones*—entremés—, *El bodegón*—entremés—, *La melindrosa*—entremés—, *El sastre*—entremés—, *El pregonero*—baile—, *Los trajes*—baile—, *Los valientes*—baile—, *Julieta*—baile—, *La esgrima*—baile...

Escribió una comedia burlesca: *Los siete infantes de Lara.*

El mancebón de los palacios puede leerse en el tomo XLVII de la "Biblioteca de Autores Españoles".

V. COTARELO MORI, Emilio: *Entremeses,* en "Nueva Biblioteca de Autores Españoles".

VÉLEZ DE GUEVARA, Luis.

Magnífico poeta, novelista y autor dramático. 1579-1644. Vélez fue un ingenio chispeante y chisporroteante. Todo él era sal bética. Todo en él *caía* en gracia y *hacía* gracia y *quedaba* agraciado. Sus dichos. Sus burlas. Sus repentizaciones poéticas. Sus gestos. Hasta sus calamidades..., que fueron muchas. Sabía él reírse de su penuria y mosquear a su desgracia. Vélez era ágil y garboso como un torero rondeño. Tenía guapeza y majeza. Resbalaba alegremente sobre su ceceo. Y ponía al mal tiempo buena cara.

Vélez es el dramaturgo cuya vida más se asemeja—por lo atragantada, por lo soliviantada, por lo accidentada, por lo transparentada—a la de Lope de Vega. Los dos viven detrás de cristales limpios. A los dos les siguen curiosos y divertidos los ojos y las intenciones de sus contemporáneos. No darán un paso que no se advierta. No contarán un chiste que no se comente. No naufragarán en una empresa que no se hiperbolice y... lamente. Porque los dos son imponentemente simpáticos. Porque los dos llevan el corazón en la mano. Porque los dos son una pura calamidad para administrarse en fuerza de gastar—cigarras de todo el año—a beneficio de sus semejantes. Porque los dos resultan unos encantadores sinvergüenzas. Porque a los dos les redimirán a la postre sus espíritus, henchidos de la más suave poesía.

Solo que el madrileñismo cerril de Lope sustituyó Vélez con su cerril andalucismo. El no podía vivir sino... *allí abajo,* de Despeñaperros para abajo. Y cuando vivía *aquí arriba,* de Despeñaperros para arriba, todo él se deshilachaba en añoranzas.

> ... en perdiendo
> de los ojos la Hiralda,
> se me cayó todo el cielo
> a cuestas...

Sí, la vida de Vélez nada tiene que envidiar a la de Lope, en lo de movida y diversa. Monaguillo, bachiller, paje, soldado, abogado, secretario y alcahuete de nobles señores, pedigüeño caradura, gorrón, bufón y ujier de cámara, espadachín, dramaturgo fecundo, enamorado perpetuo, cuatro veces casado, padre de numerosos hijos, cómico cortesano..., ¿hay quien presente vida más accidentada?

Nació en Ecija Vélez. A fines de julio de 1579. Su padre, el licenciado don Diego Vélez de Dueñas, era un hidalgo pobre. Su madre, doña Francisca Negrete de Santander, era buena señora.

> ... hidalgo, pero no rico;
> maldición del siglo nuestro;
> que parece que ser pobre
> al ser hidalgo está anexo.

Exclama Cervantes en *La gran sultana,* con angustia de la hidalguía indigente.

En Ecija estudió Vélez Gramática. Y se graduó en Osuna—1596—bachiller en Artes. En seguida entró de paje del cardenal Rodrigo de Castro, arzobispo de Sevilla a quien acompañó a Madrid con motivo del enlace matrimonial del rey Felipe III con doña Margarita de Austria; acontecimiento al que dedicó el poeta adolescente y paje talludo—ya encañonado de barba y bigote— un poemita. Muerto—1600—el cardenal, Vélez se quita las calzas de seda y se embute el coselete. Sienta plaza de soldado, y durante seis años milita de firme en España, en Argel y en Italia; aquí, en el ejército móvil del conde de Fuentes.

En 1605 ya estaba de regreso en España. Y se casó misteriosamente. ¿Con quién? Y enviudó en seguida. ¿Cuándo? No se tiene de esta su primera coyunda la menor referencia. ¿Se casó siquiera por la Iglesia, o fue un enlace más soldadesco que sacramental?

En 1608, segundo matrimonio. Con doña Ursula Ramisi Bravo de Laguna. El mejor regalo con este motivo se lo hizo su amigo y señor el conde de Saldaña: cuatrocientos ducados efectivos y su promesa de otros doscientos cada año. Larguezas estas de los grandes, más nominales que efectivas, y que solían desvanecerse como el humo. En 1618 confesaba el señor deberle a su criado: 1.600 ducados por ocho años de sueldo, y 400 por préstamo recibido. El criado, sisando, quizá, y el señor, sin quizá, gastándosele las sisas. En el mismo año 1618, un tercer matrimonio. Con doña Ana María del Valle, de la que enviudó antes de los dos años. ¿Qué buscaba Vélez matrimoniando? ¿Mujer legítima? ¿Dotes saneadas? Si esto último, pinchó en hueso siempre. Para que su miseria no se hiciera acreedora mayor del de Saldaña, pasó al servicio del marqués de Peñafiel, primogénito del gran duque de Osuna, con quien permaneció cerca de un bienio. Era el de Peñafiel un botarate manirroto. Prometió un sueldo pingüe, que no pagó, y aun se le comió a Vélez los cuartejos que ganaba con su pluma y sableaba con su ingenio.

Para malvivir, hízose Vélez memorialista en verso, y acribilló con memoriales ingeniosísimos al mismo lucero del alba. Pedía de todo: dinero y especie. Porque no era lo peor que él y los suyos carecieran de recursos monetarios, sino que apenas pudieran salir a la calle por no tener prendas con que cubrirse las carnes. Y vengan memoriales..., "con la gracia de Dios". En uno pide entrar en la servidumbre del cardenal infante don Fernando. En otro—1623—, la efímera portería de cámara del príncipe de Gales, nuestro huésped. En otro—1624—, la también harto breve mayordomía del archiduque don Carlos, muerto aún no transcurrido el mes de su llegada a Madrid. En otro... Y lo que son las cosas: consiguió sacar en limpio las prebendas efímeras, que no fueron sino como sueños. Al cabo, este poeta, tan alabado de todos por sus excelentes comedias, a la par que por su deliciosa y amenísima charla, consiguió—1625— entrar definitivamente en la servidumbre de Palacio, ocupando una plaza de ujier de cámara de su majestad..., ¡sin sueldo!, salvo los gajes de casa, médico, botica y entierro. Algo es algo. 1626: cuarto matrimonio. Con una joven viuda, llamada doña María López de Palacios, quien aportó a la sociedad algunos bienes—pocos y pronto gastados—y algunos hijos, que duraron bastante más. En el mismo año 1626, Vélez debía acompañar al monarca en su viaje a Zaragoza; pues bien: era su situación tan precaria, que carecía de dinero para vestirse con decoro y para dejar a su familia mientras durase su ausencia. "Yo estoy con la mayor necesidad y aprieto—escribe al mayordomo don Juan de Tapia, en 1633—que he tenido en mi vida y será en esta ocasión la mayor merced que de la villa y de vuestra majestad pueda recibir que me socorra a mí con los 400 reales del auto que he de hacer, adelantados dentro de tres o cuatro días, porque no salgo de casa por falta de no tener para cubrirme de bayeta siquiera."

Estrechísimamente malvivió Vélez con los suyos hasta 1644. Diariamente había que pensar: ¿De dónde sacar dinero? ¿A quién pedírselo, derrochando ingenio o saliva y soportando desaires y chuflas? Y así un año. Y otro. Y otro. Cada comedia, un puñado de reales. Cada poesía, unos cuartos. Y la necesidad, un pulpo creciente, voraz, estrangulador.

Vélez murió el 9 de noviembre de 1644, en Madrid, en la calle de las Urosas. Cuatro días antes había otorgado testamento, el cual contiene *una lista grande* de pequeñas deudas, que encarecía pagar. Y... "Item, declaro que por el presente estoy muy alcanzado y necesitado de hacienda, para poder disponer y dejar las misas que yo quisiera por mi alma."

Su entrañable amigo José Pellicer relata así el suceso: "El jueves pasado murió Luis Vélez de Guevara, natural de Ecija, ujier de cámara de su majestad, bien conocido por más de cuatrocientas comedias que ha escrito, y su grande ingenio, agudos y repetidos dichos, y ser uno de los mejores cortesanos de España. Murió de setenta y cuatro años; dejó por testamentario a los señores conde de Lemos y duque de Veragua, en cuyo servicio está don Juan, su hijo. Depositaron el cuerpo en el monasterio de doña María de Aragón, en la capilla de los señores duques de Veragua, haciéndole por sus méritos esta honra. Ayer se le hicieron las honras en la mesma iglesia, con la propia grandeza que si fuera título, asistiendo cuantos grandes señores hay en la corte. Y se han hecho a su muerte e ingenio muchos epitafios, que entiendo se imprimirán en libro particular, como el de Lope y Montalbán."

De los numerosos hijos que Vélez tuvo adquirió justa fama el que tuvo con su segunda esposa: don Juan Crisóstomo Vélez de Guevara, quien heredó parte de la simpatía, parte del ingenio y el cargo de ujier de cámara de su padre. Don Juan fue un buen poeta y comediógrafo y hombre de una estatura fenomenal.

De Vélez de Guevara nadie habló mal. Su simpatía arrolladora y su hombría de bien hacían que se le perdonaran errores y malos pasos. Es, tal vez, el único dramaturgo del Siglo de Oro de quien hablaron mucho y bien todos sus contemporáneos. ¡Caso—y cosa—singular!

Claramonte—en su *Inquiridión*—llámale "floridísimo ingenio de Ezija, de quien esperamos grandes escritos y trabajos, y a hecho hasta oy muchas famosas comedias". Cervantes—en *El viaje del Parnaso*—no le elogió menos...

> Este, que es escogido entre millares
> de Guevara Luis Vélez es el bravo,
> que se puede llamar quitapesares.
> Es Poeta Gigante, en quien alabo
> el verso numeroso, y el peregrino
> ingenio, si un Gnatón nos pinta, o un Dabo.

Y en el prólogo a las *Ocho comedias*... ensalza "el rumbo, el tropel, el boato, la grandeza" del teatro de Vélez. Lope de Vega —en *El laurel de Apolo*—loa al ecijano:

> Ni en Ecija dejara
> el florido Luiz Vélez de Guevara
> de ser su nuevo Apolo,
> que pudo darle solo
> y solo en sus escritos
> con flores de conceptos infinitos

lo que los tres que faltan:
así sus versos de oro
con blando estilo la materia esmaltan.

Y en *La Filomela*—1621:

> Aquí de Valdivielso el dulce empleo,
> de Luis Vélez, florido y elocuente,
> la lira que ya fue del dulce Orfeo.

> ... Y el famoso Luis Vélez que tenía
> en éxtasis las Musas, que a sus labios
> iban por dulce néctar y ambrosía...

Quevedo—en *La Perínola*—aconseja a Montalbán que "deje las comedias a Lope, a *Luis Vélez*, a don Pedro Calderón y a otros..." Montalbán encareció "los pensamientos sutiles, arrojamientos poéticos y versos excelentísimos y bizarros" de Vélez. Vera y Mendoza le llamó "el rey de romanos". Salas Barbadillo juró que "en el Parnaso no se conocen otras salinas sino las de su felicísimo ingenio".

¡El gran simpático Vélez de Guevara! Se cuenta que, ejerciendo la abogacía en Madrid, logró salvar del patíbulo a un delincuente... ¡con un chiste que tumbó de risa a los graves magistrados!

Vélez de Guevara es una de las figuras más destacadas del teatro español del Siglo de Oro. Para muchos críticos, algo más que 'un segundón brillantísimo" y digno de ser colocado a la par con Moreto, Rojas y Ruiz de Alarcón, a los que supera en el tipo heroico y dramático de comedia. Vélez fue el dramaturgo que tuvo mayor potencialidad trágica y un sentido más comprensivo de los temas nacionales y populares entre los discípulos y seguidores de Lope de Vega. Todas las obras maestras de Vélez se desarrollan en un ambiente histórico y riguroso y en torno a cantares del más ortodoxo folklore nacional. Vélez jamás cae en el convencionalismo o en la repetición. No intenta halagar al público a costa de su probidad poética o de la veracidad del tema. Enamorado de las canciones, de los romances y de las leyendas, esclaviza a su poesía deliciosa todos sus intentos escénicos. No será grande la inventiva de Vélez; podrán encontrarse en sus obras descuidos de técnica. Estos defectos quedan compensados debidamente con el torrente de poesía, con la gracia íntima, con el humorismo melancólico, con la deliciosa objetividad y el hondo sentido patético que Vélez lleva a sus producciones.

De Vélez—que, según Pellicer, escribió cuatrocientas comedias—únicamente conservamos cerca de un centenar, que pueden ser recogidas en dos grandes grupos: *a*) Comedias históricas romancescas; y *b*) Comedias bíblicas. Del primer grupo destacan:

Más pesa el rey que la sangre, Reinar después de morir, El diablo está en Cantillana, La serrana de la Vera, La niña de Gómez Arias, La luna de la sierra, El ollero de Ocaña. Del segundo grupo: *La hermosura de Raquel, La Magdalena Santa Susana.* De los entremeses de Vélez son interesantes: *La burla más sazonada, Antonia y Perales, La sarna de los banquetes.*

De Vélez de Guevara no existe una colección antigua de sus obras. Brunet alude a un tomo de ellas impreso tardíamente en Sevilla—1730—, que nadie ha llegado a ver. La mayoría de dichas obras aparecieron en colecciones generales, como "Comedias escogidas de los mejores poetas de España" —cuarenta y ocho tomos, 1652-1704—, "Flor de las mejores doce comedias de los mayores ingenios de España", Madrid, 1652. Y muchas sueltas y algunas manuscritas que se conservan en la Biblioteca Nacional de Madrid.

Tampoco completas en ediciones modernas. Muchas, en la "Biblioteca de Autores Españoles", de Rivadeneyra—tomos XIV, XLV y LIV. En "Tesoro del teatro español", de Ochoa, 1838, tomo IV. Y, ya sueltas, son muy interesantes las ediciones de Menéndez Pidal—1916—, Paz y Meliá—1904—, Schaeffer—Leipzig, 1887—, Lacalle, Valbuena Prat y Gómez Ocerín.

"Si en los mejores dramas hay un Vélez de Guevara genial, en la novela resalta el escritor ingenioso, el 'escolástico del idioma', que dijo Bonilla; el creador constante del chiste, del doble sentido aplicado a la sátira, el gracejo del andaluz que se burla de las hipocresías y etiquetas de una sociedad cortesana." (Valbuena.)

El diablo cojuelo—Madrid, 1641—es una novela que tiene mucho de satírica y algo de picaresca. Está dividida en *trancos*, en lugar de capítulos, y sus antecedentes están, quizá, en *Los sueños*, de Quevedo, y en *Los anteojos de mejor vista*, de Rodrigo Fernández de Ribera. Desde su aparición no ha hecho sino aumentar su éxito. Sus ediciones son innumerables. Está traducida a todos los idiomas cultos. Le Sage—1707—, más que traducirla, hizo un arreglo de ella excelente. "Más que en los lances, está el gusto con que se lee el libro, en la ingeniosidad de los pensamientos, en la sutileza elegante y en el lenguaje castizo y apropiado, muy parecido al de Quevedo, a quien toma no pocas frases, jugando con el lenguaje lo mismo que él por manera maravillosa."

En *El diablo cojuelo* no se trata, en verdad, de las aventuras de un pícaro, sino de los cuadros que un estudiante contempla en los lugares públicos y en el interior de los hogares, cuando las familias están en el abandono de la vida íntima; auxiliado por un diablejo, puede el estudiante viajar por los aires y presenciar cuanto acontece bajo la techumbre de las casas...

En opinión de Ticknor, es la más picante y animada entre todas las sátiras en prosa de la literatura moderna.

Las dos más excelentes ediciones modernas de *El diablo cojuelo*, son: la de Bonilla San Martín—1910—, en la "Sociedad de Bibliófilos Españoles", y la de Rodríguez Marín—1922—, en la Biblioteca de *Clásicos Castellanos.*

V. COTARELO MORI, Emilio: *Vélez de Guevara y sus obras dramáticas*, en *Boletín de la Academia Española.* 1916-1917.—VALBUENA PRAT, A.: *Estudio* al teatro escogido de Vélez de Guevara. Madrid [¿1930?]. "Bibliotecas Populares Cervantes". C. I. A. P.—RODRÍGUEZ MARÍN, F.: *Estudio* en el tomo XXXVIII de *Clásicos Castellanos. La Lectura.* Madrid, 1922.—PÉREZ Y GONZÁLEZ, F.: *El diablo cojuelo. Notas y comentarios.* Madrid, 1903.—PÉREZ PASTOR, C.: *Bibliografía madrileña.* Madrid, 1907. Tomo III. BONILLA SAN MARTÍN, A.: *Estudio* a la edición de *El diablo cojuelo.* "Sociedad Bibliófilos Madrileños". Madrid, 1910.—PAZ Y MELIÁ, A.: *Nuevos datos para la vida de V. de G.*, en *Revista de Archivos*, 1902.—GÓMEZ OCERÍN, J.: *"... Nuevo dato para la biografía de V. de G."*, en *Revista de Filología.* 1917.—SCHAEFFER, Adolf: *Estudio* en la edición de Vélez de Guevara. Leipzig, 1887.—MENÉNDEZ PIDAL, R.: *Estudio* en la edición de *La serrana de la Vera*, en *Teatro Antiguo Español.* Madrid, 1916.—GÓMEZ OCERÍN, J.: *Estudio* en la edición de *El rey en su imaginación*, en *Teatro Antiguo Español.* 1920.—MUÑOZ CORTÉS, M.: *Aspectos estilísticos de Vélez de Guevara en "El diablo cojuelo"*, en *Rev. Fil. Esp.*, 1943. SPENCER y SCHEVILL: *The dramatic Works of L. V. de G.* Berkeley, 1937.

VÉLEZ DE HERRERA, Ramón.

Poeta y autor teatral cubano. Nació —1808—y murió—1886—en la Habana. Estudió Leyes y Filosofía en el Real Seminario de San Carlos. Jamás salió de su patria, y afirma la crítica unánimemente que ningún poeta de la perla de las Antillas es más cubano que él. Colaboró en casi todos los periódicos isleños, desde *La Moda*, de Delmonte, hasta la *Floresta Cubana*, dirigida por Fornaris. Le cabe el mérito de haber descubierto el talento poético del mulato "Plácido" y de haberle ayudado generosamente a darse a conocer. Desde 1829... no cesó de publicar versos de todo género, ya odas quintanescas, como la dedicada *A Franklin, inventor del pararrayos;* ya fáciles y armoniosos romances de costumbres *guají-*

ras y de peleas de gallos, que es el género en que principalmente sobresalió, y en que merece más alabanza por su desembarazo y gracia descriptiva..." (Menéndez Pelayo.)

Su mejor obra es el poema narrativo *El vira de Oquendo, o Los amores de una guajira*—1840.

Otras obras: *Poesías*—1833—, *Poesías* —1837—, *Los dos novios en los baños de San Diego*—comedia en verso, 1843—, *Flores de otoño*—1849—, *Napoleón en Berlín* —tragedia en verso, 1852—, *Romances cubanos*—1856—, *Flores de invierno...*

V. MENÉNDEZ PELAYO, M.: *Historia de la poesía hispanoamericana.* Madrid, 1911, tomo I, págs. 284-285.—FORNARIS, J., y LUACES, J. L.: *Cuba poética.* La Habana, 1855, 1861. LÓPEZ PRIETO, Antonio: *El Parnaso cubano.* La Habana, 1881.—CALCAGNO, Francisco: *Diccionario biográfico cubano.* Nueva York, 1878-1886, dos tomos.—REMOS Y RUBIO, Juan: *Historia de la literatura cubana.* La Habana, 1925.—SALAZAR Y ROIG, S.: *Historia de la literatura cubana.* La Habana, 1939.

VELLOSO, José Miguel.

Nació—1921—en Barcelona. Estudió Filosofía y Letras en la Universidad de la Ciudad Condal. Fundador y director del Teatro de Estudio y director de la Compañía Titular del Teatro Romea, de la misma ciudad—1948—. Corresponsal en Roma de *El Noticiero Universal,* de Barcelona—1949-50—. Largas estancias en Italia. Traductor de Pirandello, Papini, Deledda, Svevo y Federico Mistral.

Obras publicadas: *Los dientes en la fruta*—Hélikon, Barcelona, 1947 (verso)—, *Huida*—Hélikon, Barcelona, 1945 (novela)—, *Fardo de soledad*—poemas, Aguilar, 1964—, *Elegías de Madrid*—1970.

VENEGAS DEL BUSTO, Alejo.

Literato y filósofo español de mucho prestigio. Nació—¿1493?—en Toledo. Murió en 1554. Fue pasante del maestro Alonso Cedillo en la Universidad de la imperial ciudad. Abandonó los estudios de Teología para casarse. De su testamento se saca que su apellido era Vanegas y no Venegas. Estudió más tarde Filosofía y Humanidades, protegido por el gran humanista Juan de Vergara. Y fue discípulo predilecto de Cervantes de Salazar. En Madrid regentó una academia de enseñanza particular. Su nombre está incluido en el *Catálogo de autoridades* del idioma, publicado por la Academia Española.

"Fue varón de inmensa erudición, ingenioso y de elegantísimo decir." "Venegas escribe con brío e intensidad, con noble y castizo dominio del castellano..., con dramaticidad... y con colorido." Gran observador y crítico de las costumbres. De pensamiento muy hondo y muy original. Su obra *Agonía del tránsito de la muerte*—Toledo, 1537—es "una piedra angular en nuestra literatura de devoción castellana". Obra de concepción dolorida e intensa, de tradición senequista, de tono firme, de lenguaje vivo y recio.

Otras obras: *Ortografía*—Toledo, 1531—, *Diferencias de libros que hay en el Universo*—Toledo, 1540—, *Tratado y plática de la ciudad de Toledo*—1583...

De todas estas obras se hicieron numerosas ediciones durante el siglo XVI.

Texto moderno: Tomo XVI de la "Nueva Biblioteca de Autores Españoles".

V. MIR, P. Miguel: *Estudios y notas* en la edición "Nueva Biblioteca de Autores Españoles". Tomo XVI.

VERA, Francisco.

Literato, historiador y periodista español. Nació—1888—en Alconchel (Badajoz). Murió—1967—en México. Cursó el bachillerato en esta capital. Se doctoró en Ciencias por la Universidad Central. Miembro de varias Sociedades científicas españolas y extranjeras. Secretario de la sección de Ciencias del Ateneo de Madrid y de la Sociedad Matemática Española. Director de la Biblioteca de Ensayos. Gerente—1934—de los *Anales de la Universidad,* de Madrid. Secretario del grupo español de la Académie Internationale d'Histoire des Sciences. Representante de España en el Congreso Internacional de Ciencias Históricas de Varsovia—1933—. Redactor de *El Liberal.* Colaborador de numerosísimos periódicos y revistas de España e Hispanoamérica. Profesor en las Universidades de Santo Domingo, Bogotá, La Plata y Buenos Aires. Director de la "Biblioteca de la Cultura", de la editorial Aguilar, de 1933 a 1936.

Su vocación literaria es grande y feliz. Se basa en una cultura sólida y se traduce en un estilo elevado y en una prosa limpia y fácil.

Obras literarias: *De mujer a mujer*—novela, 1910—, *Wagner*—1914—, *Entre el amor y el misterio*—1915—, *Obsesión*—1922—, *El hombre bicuadrado*—novela, 1926—, *Lo que hizo Santiago Verdún después de muerto* —novela, 1927—, *El amor de cada uno*—novela, 1928—, *La cultura española medieval* —1933—, *La ciencia a través de los siglos* —1933—, *Séneca*—1935—, *San Isidoro de Sevilla*—1936...

VERA Y MENDOZA, Fernando de.

Poeta, prosista y dramaturgo. De nobilísimo linaje. Hijo del conde de la Roca, don Juan Antonio de Vera, y de doña Isabel de Mendoza. Nació—¿1603?—en Sevilla. En el convento de San Agustín, de esta ciudad, aparecen el año 1621 como agustinos él y su hermano Pedro.

En 1627 apareció anónimo en Montilla el muy curioso opúsculo *Panegírico por la poesía*, libro tan pequeño como valioso, lleno de peregrinas noticias literarias y de juicios certeros y clarividentes acerca de muchos poetas. Está dividido en catorce períodos. Nicolás Antonio afirmó que su autor era don Fernando Vera, y los agustinos Ponce de León, Juan Márquez y Bernardino Rodríguez, y los eruditos La Barrera y Fernández-Guerra le han identificado en el religioso de Sevilla.

Si esta es la verdad, hay que reconocer un gran talento en Fernando de Vera, capaz, a los diecisiete años, de escribir tan sabroso y erudito librito, ya que en 1620 lo tenía escrito, habiéndolo intentado imprimir con la censura aprobatoria de Lope de Vega. Sin embargo, no apareció hasta siete años después.

Otras obras: *Explicación y notas al "Libro quarto del Arte común"*—Granada, 1631—, *No hay gusto como la honra*—comedia, en la parte 31 de la "Colección de las mayores comedias...", Madrid, 1669.

Del *Panegírico por la poesía* hay edición de Madrid, 1886.

V. CARDENAL, M.: *El "Panegírico por la poesía", de F. L. V. y M.*, en *Ext. Rev. Bib. Nac.*, 1941, II.—ANTONIO, Nicolás: *Bibliotheca Hispana Nova.*

VERA Y PINTADO, Bernardo.

Poeta y prosista. Nació—1780—en Santa Fe de la Veracruz (República Argentina). Murió—1827—en Buenos Aires. Estudió en las Universidades de Córdoba y de Santiago de Chile, graduándose de abogado en esta última, pues un tío suyo, el mariscal Joaquín del Pino, había asumido el gobierno del reino. En Chile fijó su residencia, colaborando en *La Aurora*. De ideas volterianas, abrazó con entusiasmo las ideas de la revolución separatista. En calidad de auditor general de guerra, asistió a la batalla de Chacabuco—1817—, escribiendo, dos años después, la *Canción patriótica*, que fue el himno chileno hasta 1847, en que Eusebio Lillo compuso un himno nuevo. Catedrático de Jurisprudencia. Miembro del cabildo. Presidente de la Cámara de los Diputados. Él y fray Camilo Henríquez, "cubiertos siempre con el gorro frigio, se sentaban a la cabecera de todas las mesas y cantaban alternativamente como dos rapsodas, a cual más roncos y destemplados". Fue improvisador obligado en los banquetes y festejos públicos de entonces.

El valor literario de Vera y Pintado es importante, dentro de lo puramente circunstancial. Tuvo ingenio, cultura, facilidad de pluma, ciertos resabios de Filosofía enciclopedista, altisonancia patriótica, un atractivo *desgarro...*

Sus poemas pueden encontrarse en varias antologías: *Lira argentina*—1826—, *Colección de poesías patrióticas*, etc., etc....

También escribió varios ensayos teatrales, sobresaliendo el titulado *El triunfo de la Naturaleza*, puesto como introducción a la tragedia de Schiller *Guillermo Tell;* ensayo que es como una *preceptiva prerromántica* del género.

V. MENÉNDEZ PELAYO, M.: *Historia de la poesía hispanoamericana.* Madrid, 1913, 2.ª edición.—BELTRÁN, Oscar R.: *Los orígenes del teatro argentino.* Buenos Aires, 1941.

VERA TASSIS Y VILLARROEL, Juan de.

Dramaturgo, prosista y editor. Nació hacia 1636, no se sabe dónde. Murió a principios del siglo XVIII. Su fama la debe, principalmente, a haber sido el primer editor de las obras de Calderón de la Barca y de Agustín Salazar y Torres, de quienes se titulaba "íntimo amigo". Sin embargo, por la serie de errores burdísimos y de caprichosísimas invenciones con que salpicó la biografía de Calderón, cabe suponer que jamás tuvo relación con él. Suposición que ya tuvo su contemporáneo Gaspar Agustín de Lara, verdadero amigo del autor de *La vida es sueño*, saliendo en defensa de la verdad. Por equivocar, equivoca Vera Tassis hasta la fecha del nacimiento de don Pedro. Naturalmente, ha equivocado también a cuantos eruditos pretendieron estudiar la figura de Calderón durante los siglos XVIII y XIX. Cotarelo afirma—en su *Biografía de Calderón*—que este "en ningún acto de su vida, ni en su testamento, dio señales de conocer siquiera al bueno de Vera Tassis y Villarroel".

En 1692 titulábase Vera "cronista de Su Majestad en estos reinos y su fiscal de las comedias".

De estilo barroquísimo, pensamiento confuso y copiosa erudición poco expurgada de errores y hechos fabulosos.

Obras: *Historia del origen, invención y milagros de la sagrada imagen de Nuestra Señora de la Almudena, antigüedades y excelencias de Madrid...*—Madrid, 1692—, *El triunfo verdadero y la verdad defendida en la historia del origen... del Almudena*—Madrid, 1701, defensa de la anterior contra la impugnación del padre maestro Cano y Olmedilla—, *Epitalamio real... a las bodas... de don Carlos II... y doña María Luisa de Borbón...*—1680—, *Fama eterna que en su muerte nos dexó el Cisne Métrico, no premiado,*

V

don Agustín de Salazar y Torres...; *Canción póstuma*—en la anterior *Fama*—, y entre sus producciones escénicas: *Baile florentín, Felipe V en Italia, Sin armas vence el amor, El oído y la vista, Cuánto cabe en hora y media, La corona en tres hermanos, El patrón de Salamanca, San Juan de Sahagún, El triunfo de Judith, El triunfo de Castro o Francisco de Castro...*

V. BARRERA, C. A. de la: *Catálogo del teatro español...*—COTARELO MORI, Emilio: *Ensayo sobre la vida y obras de don Pedro Calderón de la Barca*. Madrid, 1924.

VERAGÜE, Pedro de.

Curioso poeta del siglo XIV.

En el mismo códice escurialense que los *Proverbios*, de Sem Tob, y que *La revelación de un ermitaño* se halla el poemita *Tractado de la Doctrina*, 154 estrofas en tercetos monorrimos octosílabos con un pie quebrado. Es el primer catecismo castellano que existe. En él se comentan el Credo, los diez Mandamientos, las catorce Obras de Misericordia, los siete Pecados capitales, los Sacramentos, los trabajos del mundo y otros consejos de moral y conducta. Su última estrofa contiene el nombre del autor:

> Malos vicios de mi arriedro,
> e con todo esto non medro,
> si non este nombre Pedro
>   De Beragüe.

Tuvo tanta popularidad, que durante el siglo XVI aún se imprimía. Foulché-Delbosc editó el manuscrito escurialense en el tomo XIV de la *Revue Hispanique*, 1906.

También ha sido recogido en el tomo LVII de la "Biblioteca de Autores Españoles".

V. JANER, F.: En "Biblioteca de Autores Españoles". Tomo LVII, págs. 565-597.— FOULCHÉ-DELBOSC, R.: *Estudio* en la edición *Revue Hispanique*, 1906.—SAINZ DE ROBLES, Federico Carlos: *Historia y antología de la poesía española*. Madrid, Aguilar, 1968, 5.ª edición.

VERDAGUER, Jacinto.

Eximio poeta y prosista español. Nació —1845—en Folgarolas (Barcelona). Murió —1902—en Vallvidrera (Barcelona). A los once años empezó sus estudios en el Seminario de Vich. En 1865 fueron premiadas dos poesías suyas en los Juegos florales de Barcelona. Y otras tres en los del siguiente año. En 1870 fue ordenado sacerdote, diciendo su primera misa en la ermita de San Jorge de Folgarolas y pasando a desempeñar el cargo de coadjutor de Viñolas de Oris. En 1873 tuvo que trasladarse a Barcelona para atender a su salud, muy quebrantada. Capellán de la Compañía Trans-

atlántica española a bordo del "Antonio López", "Guipúzcoa" y "Ciudad Condal", sucesivamente. En 1875 abandonó el mar y entró al servicio del marqués de Comillas como capellán y consejero. En 1877 concurrió a los Juegos florales con su inmortal poema *L'Atlántida*, que obtuvo un éxito grandioso, tributándole un homenaje el Ateneo barcelonés, y siendo nombrado miembro de la Academia de Buenas Letras y del Círculo Literario de Vich. En 1878 estuvo en Roma: León XIII le manifestó su admiración y le pidió un ejemplar de su poema. En 1880 obtuvo el premio de la Englantina de oro con su poesía *La barretina*. Este mismo año fue nombrado Mestre en Gay Saber. Al siguiente año presidió los Juegos florales barceloneses y logró otros dos premios para su poesía *La palmera de las Junqueras* y su poema *Sonni de Sant Joan*.

1883: Premio de la "Medalla de oro" de la ciudad condal por su *Oda a Barcelona*. Viajó por el Rosellón, el Mediterráneo, el centro de Europa y Tierra Santa. 1886: el obispo de Vich le corona de laurel en el Monasterio de Ripoll.

De 1890 a 1893 inicia y concluye su trilogía mística: *Jesús infant, Nazareth, Betlém* y *La fugida a Egipte*. Pasó grandes apuros económicos por sus continuas obras de caridad. Sostuvo una agria polémica con el obispo Morgades, siendo desterrado a La Gleba —ermita cercana a Vich—. Verdaguer marchó a Barcelona, sin permiso, siéndole retiradas las licencias para oficiar. 1896: presidió el certamen literario del Ateneo graciense, leyendo *Lo lliri de l'Escuet de Gracia*. 1898: Verdaguer pudo volver a celebrar el Santo Sacrificio de la Misa.

1902: Verdaguer, extenuado por los ayunos, cayó enfermo, siendo trasladado a una posesión de Vallvidrera llamada "Villa Joana". Aquí falleció el 10 de junio. Su muerte fue un duelo nacional. Más de cien mil personas concurrieron a su entierro. Y se recibieron más de diez mil telegramas de condolencia, procedentes de las cinco partes del mundo.

Del gran crítico literario Luis Guarner, que ha estudiado hondamente, sutilmente, la personalidad literaria de Mosén Cinto Verdaguer, transcribo los párrafos siguientes:

"Polifacético—cualidad del genio—, cultivó en literatura vernácula todos los géneros literarios, desde la gran epopeya de proporciones formales arquitectónicas y aliento genial, hasta la sencilla cancioncilla ingenua de acento popular o tema devoto; todo lo abarcó la capacidad creadora de su genio, que pudo dar en cada género cultivado obras como modelos permanentes de las venideras generaciones."

"Como poeta lírico, tiene Verdaguer el peculiar carácter de poder alcanzar todos los grados del lirismo, sin dejar nunca el elemento épico y sin descubrir jamás por completo su propio sentimiento lírico puro, no obstante ser este sentimiento lírico peculiar el que da especial carácter a la épica verdagueriana. Es un lirismo el suyo—apunta Manuel de Montolíu—más objetivo que subjetivo, abierto a las sensaciones externas, tal vez pobre de vida interior y de una simplicidad psicológica demasiado elemental; una gran receptibilidad para las impresiones de la Naturaleza, de una parte, y una efusividad y emotividad demasiado morbosas del sentimiento, por otra."

"Como prosista, no dejó Verdaguer de ofrecer singular interés, si bien no había de basarse en la prosa su personalidad literaria. Bellas páginas de prosa catalana son los prólogos con que encabeza la mayoría de sus obras poéticas, y prosa pura y serena es la que empleó en sus impresiones de viaje a través de tantas tierras de Europa, Africa y América, por donde fue y sobre las que escribió tan inspiradas como plásticas impresiones. Prueba de ello son sus libros *Excursiones y viajes*—1887—y *Dietario de un peregrino a Tierra Santa*—1889—, que quedan en la literatura catalana como modelos de prosa sencilla y amena."

Obras: *Amores de Jorge y Margarita*—poema, 1865—, *Dos mártires de mi patria*—poema, 1865—, *L'Atlántida*—1877—, *Canigó*—poema, 1886—, *Montserrat*—poema, 1880—, *San Francisco*—1895—, *Santa Eulalia*—1899—, *Patria*—1888—, *Aires de Montseny*—1901—, *Flores de María*—poesías, 1902—, *Idilios y cánticos místicos*—1879—, *Rosal de todo el año*—1894—, *Flores del Calvario*—1895—, *Al cielo*—póstumo, 1903—, *Eucarísticas*—póstumas, 1904—, *Caridad*—1885—, *Cánticos religiosos para el pueblo*—1882—, *Voces del Buen Pastor*—1894—, *Pasión de Nuestro Señor Jesucristo*—1873—, *Jacinto Verdaguer en defensa propia*—prosas, 1895—, *Discursos*—1905—, *Cuentos*—1905—, *Folklore*—1907—y otras varias de menos importancia.

Verdaguer tradujo primorosamente *Nerto*, de Mistral, en 1885; el *Cantar de los Cantares*—1907—, y algunos fragmentos del *Libro del amigo y del amado*, de Ramón Lluch—1908.

V. GUARNER, Luis: Prólogo y notas a la "*Antología Poética*". Madrid. "Col. Crisol", núm. 87, 1945.—TOURTOULÓN, Ch. de: *Mossen Jacinto Verdaguer*. París, 1888.—MONTOLÍU, Manuel de: *Algunos aspectos de la lírica de Jacinto Verdaguer*. Barcelona, 1929. VIADA Y LLUCH, Luis C.: *Dels darrers dies de Mossen J. V.* Barcelona, 1929.—GÜELL, Conde de: *El poeta Verdaguer. Apuntes de recuerdos*. Barcelona, 1927.—PÉREZ, R. D.: *Verdaguer y la evolución poética catalana*. Barcelona, 1913.—SERRA BOLDÚ, V.: *Mossen Jacinto Verdaguer*. Bellpuig, 1915.—COMERMA, J.: *Historia de la literatura catalana*. Barcelona, 1924.—FOLCH Y TORRES, M.: *L'obra d'eu Verdaguer*. Barcelona, 1904.—ELÍAS DE MOLÍNS, A.: *Diccionario biográfico y bibliográfico de escritores catalanes...* Barcelona, 1895.—GAY, Mauricio: *Jacinto Verdaguer*. Toulouse, 1896.—NAVARRO, Antonio: *Jacinto Verdaguer y su obra*. Sabadell, 1908.—DUBOIS, Roberto: *Bibliographie de Jacinto Verdaguer*. Nueva York y París, 1912.—ARBÓ, Sebastián Juan: *Verdaguer*. Barcelona, 1952...

VERDAGUER, Mario.

Notable novelista, ensayista y periodista español. Nació—1885—en Mahón (Menorca). Murió—1963—en Barcelona. Licenciado en Derecho por la Universidad de Barcelona. Publicó sus primeros artículos y poesías siendo aún estudiante. Colaborador ilustre de *La Noche*, de Madrid, y de *Las Noticias* y *La Vanguardia*, de Barcelona. En este último diario cultivó con gran éxito la crítica literaria.

Es Verdaguer uno de los mejores novelistas españoles contemporáneos. Sus argumentos son originales, densos, emotivos. Su técnica está llena de sabrosa modernidad. Su sensibilidad es exquisita, salta hecha pedazos de imágenes sorprendentes y luminosas. Su estilo es cálido, de fúlgidos colores y de novedad inigualable. Su prosa es tersa, de riquísimo vocabulario.

Como buen mediterráneo, Verdaguer escribe cosas de luz cegadora, de tonos crudos y violentos. Su realismo, de humanidad indudable, está superado en una transfiguración artística que atrae irresistiblemente. Sabe como muy pocos escritores combinar lo sentimental con lo grotesco, las agudezas psicológicas con un humorismo trascendental, el impresionismo descriptivo con la sugestión evocadora.

Muchas de sus obras han sido traducidas a varios idiomas. La producción total de Mario Verdaguer es una de las más ricas en modernidad, en originalidad, en valores literarios permanentes.

Obras: *La Isla de Oro*—novela, 1926—, *El marido, la mujer y la sombra*—novela, 1927—; *Piedras y viento*—novela, 1928—, *El llanto de Venus*—novela—, *Vida de Aldonza Lorenzo*, *La mujer de los cuatro fantasmas*—fantasía novelesca—, *El sonido 13*—teatro de vanguardia—, *Las mujeres de la Revolución*—retratos literarios, 1933—y otras varias.

V. VALBUENA PRAT, A.: *Historia de la lite-*

V

ratura española. Barcelona, 1950, 3.ª edición, tomo III.—SAINZ DE ROBLES, F. C.: *La novela española en el siglo XX.* Madrid, Pegaso, 1957.—SAINZ DE ROBLES, F. C.: Prólogo a la edición de *Piedras y viento* patrocinada por el Ateneo de Mahón, 1959.—NORA, Eugenio G. de: *La novela española contemporánea.* Madrid, Gredos, 1962, tomo II, págs. 218-223. ENTRAMBASAGUAS, Joaquín de: *Las mejores novelas contemporáneas (1930-1934).* Barcelona, Planeta, 1961, págs. 1197-1281. (Contiene una biobibliografía exhaustiva.)

VERDUGO BARTLETT, Manuel.

Poeta. Nació—1879—en Manila (Filipinas) de familia tinerfeña. No conocemos detalles de su vida. Como poeta, se ha revelado en tres bellos volúmenes de poesía lírica: *Hojas*—1902—, *Estelas*—1922—, *Burbujas* —1931—, *Los jardines de la Granja, Vértices luminosos, Huellas del páramo*—1945.

El crítico Valbuena Prat ha escrito de él: "Su situación es la del poeta de grandes concepciones, de evocación de ideales, de clasicismo histórico, de viajes de la atracción de Europa. En este sentido, es el menos canario de todos. En la trayectoria que va de *Hojas* a *Estelas,* vemos su afianzamiento de este arte que evoca un edificio neoclásico, persistente, marmóreo. En algunos elementos del paisaje *Los jardines de la Granja* vemos el paso del parnasiano al impresionista. Pero, ante todo, los *sonetos* sobre *Alejandro y Vértices luminosos* nos le muestran como un gran arquitecto de los versos y de las ideas..."

V. VALBUENA PRAT, A.: *Historia de la literatura española.* Barcelona, 1946, II, 792-793.—SAINZ DE ROBLES, F. C.: *Historia y antología de la poesía española.* Madrid, Aguilar, 1968, 5.ª edición.

VERDUGO Y CASTILLA, Alfonso (v. Torrepalma, Conde de).

VERGARA, Francisco de.

Famoso humanista español. Murió en 1545. Hermano del también excepcional humanista Juan. Canónigo toledano, erasmista, y que, según Scoto, era "inferior a Juan en el ingenio, pero superior en el estudio". Durante diez años fue catedrático de griego en la Universidad de Alcalá. Discípulo de Demetrio Ducas el cretense. Mantuvo amistosa correspondencia con Erasmo. Tradujo por primera vez al castellano la famosa novela bizantina de Heliodoro, *Teágenes y Cariclea;* obra que tanto influyó en las letras españolas, y principalmente en el *Persiles y Sigismunda,* de Cervantes.

Obras: *Graecorum characterum apicum et abbreviationum explicatio*—Alcalá, 1526—,

De omnibus graecae linguae grammaticae partibus—Alcalá, 1537—, *His acceserunt graecae linguae Alphabetum et Litteraria Rudimenta*—Alcalá, 1540—, *Teágenes y Cariclea, o La Historia Ethiópica de Heliodoro* —Amberes, 1554...

V. MENÉNDEZ PELAYO, M.: *Humanistas españoles del siglo XVI,* en *Estudios y Discursos.* Madrid, edición oficial, 1941, tomo VII.—CATALINA GARCÍA, Juan: *Ensayo de una bibliografía complutense.* Madrid, 1889. FERNÁNDEZ DE RETANA, Luis: *Cisneros y su siglo.* Madrid, 1929, dos tomos.

VERGARA, Doctor Juan de.

Extraordinario humanista español. 1492-1557. Toledano. Catedrático de Filosofía en Alcalá—1502—. Canónigo y secretario del cardenal Cisneros, quien le encargó—juntamente con Bartolomé de Castro—la confrontación de textos para la *Biblia Políglota Complutense.* Secretario del arzobispo Alonso de Fonseca, "el cual se gloriaba de tener en su casa quien respondiese en tan elegante latín a León X, como en el que le escribían, en nombre del Papa, Bembo y Sadoleto". Viajó por España, Francia, Flandes y Alemania. Por orden del mismo Cisneros inició la traducción de las obras de Aristóteles, habiendo dejado traducidos los tratados *De Anima, De Física y De Metafísica.* El doctor Juan de Vergara fue uno de los más eximios maestros de la Universidad de Alcalá.

Obras: *Las ocho Questiones del Templo* —Toledo, 1552—, *Epigrammata, Descripción de la Universidad de Alcalá*—manuscrito—, *Vida del Cardenal Cisneros*—sin terminar, manuscrito.

Según Tamayo de Vargas y otros críticos, fue también autor de una *Historia, o Descripción de Toledo*—Toledo, 1554—que salió a nombre de Pedro Alcocer.

Edición: Las *Ocho cuestiones del Templo de Salomón* fueron reimpresas por F. Cerdá y Rico en *Opuscula clarorum hispanorum,* tomo I.

V. MENÉNDEZ PELAYO, M.: *Heterodoxos españoles.* Madrid, 1880, dos tomos.—BONILLA SAN MARTÍN, A.: *Clarorum hispaniensium Epistolae.* París, 1901, *Rev. Hispanique,* VIII. BONILLA SAN MARTÍN, A.: *Doctor Juan de Vergara,* en *Anales de Literatura Española,* Madrid, 1904.—SERRANO Y SANZ, M.: *Juan de Vergara y la Inquisición de Toledo,* en la *Rev. de Archivos...,* 1901, V, páginas 896-912.

VERZOSA, Juan.

Humanista y poeta español. 1523-1574. De Zaragoza. Estudió Lenguas clásicas en París, llegando a dominar el griego y el latín con una perfección asombrosa. En Lovaina, durante algún tiempo, enseñó griego y latín, contándose por cientos sus discípulos. En Roma fue secretario del embajador don Francisco de Vargas. Y asistió al Concilio de Trento como secretario del cardenal Mendoza.

Juan de Verzoza asimiló por completo el estilo de Horacio. No poseyó gran inspiración ni fue feliz en las estrofas alcaicas; pero sí lo fue en los hexámetros descriptivos y narrativos. Sus composiciones amorosas y ligeras las recogió en su *Charina, sive Amores.* Y con noble altisonancia cantó a don Juan de Austria, a San Francisco de Borja, al Pontífice Julio III, al cardenal Alejandro Farnesio, a su amigo el historiador Jerónimo de Zurita, a su querida patria chica y a Nuestra Señora del Pilar.

Según Dormer, Juan de Verzosa habló a la perfección el francés, el inglés, el italiano y el flamenco.

Edición: *Epístolas de Juan de Verzosa,* traducidas por J. López de Toro. Madrid, 1945.

V. LÓPEZ DE TORO, J.: *Estudio y notas* en la traducción de las *Epístolas de Juan de Verzosa.* Madrid, 1945.—LATASSA-GÓMEZ URIEL: *Diccionario biográfico-bibliográfico de escritores aragoneses.* Zaragoza, 1885.

VIANA, Antonio.

Poeta y médico español. Nació—1578—en La Laguna y murió—hacia 1654—en Sevilla. Hijo de un sastre y nieto de un almocrebe portugués. De joven marchó a Sevilla para hacerse clérigo, pero regresó a su tierra nativa casado con una buena moza y licenciado en Medicina—1605—. En este año publicó su célebre poema *Antigüedades de las Islas Afortunadas de la Gran Canaria, conquista de Tenerife y aparecimiento de la imagen de la Candelaria,* escrito en octavas reales sobre una trama de hechos reales y una leyenda amorosa· que sirve para la fusión de las razas guanche y castellana. Este poema sirvió de única fuente a Lope de Vega para su comedia famosa *Los guanches de Tenerife.*

Viana ejerció la medicina en Italia, en varias ciudades españolas y se afincó, por fin, en Sevilla—1636—, donde publicó su famoso *Espejo de cirugía.*

V. MIRALLES CARLO, Agustín: *Ensayo de una biobibliografía de escritores naturales de las Islas Canarias (siglos XVI, XVII y XVIII).* 1932.—LORENZO CACHO, Andrés: *La poesía canaria del Siglo de Oro.*—ZEROLO HERRERA, Lorenzo: *Ensayo poético sobre la conquista de Tenerife y La Palma.* 1881.

VIANA, Príncipe Carlos de.

Literato y cronista español. Hijo de Juan II de Aragón y nieto de Carlos III de Navarra. Su madre fue doña Blanca de Navarra. Nació—1421—en Peñafiel (Valladolid) y murió—1461—en Barcelona. Heredero del trono navarro, siendo muy niño, fue jurado en las Cortes de 1427.

Su vida fue un encadenamiento de desventuras. Su padre sostuvo grandes altercados con él, le encarceló y hasta se le acusa de haberle hecho morir envenenado. La leyenda ha aumentado sus desdichas, rodeándole de un clima exasperadamente romántico. Gozó justa fama de poeta, de historiador, de filósofo y de pintor. Fue gran amigo de Ausias March y de otras ilustres figuras literarias de su tiempo. Tradujo la *Etica* de Aristóteles.

Obras: *Epístola literaria, Tratado de los milagros del famoso Santuario de San Miguel de Excelsis;* y, sobre todo, una bella e interesante *Crónica de Navarra desde los tiempos más antiguos,* que termina con la vida de su abuelo Carlos "el Noble".

El principal valor de esta sugestiva historia es ser una de las primeras fundadas en documentos fidedignos.

Edición moderna: Pamplona, 1843.

V. LATASSA, F. de: *Bibliot. escrit. arag.,* II, 224.—PAZ Y MELIÁ, A.: *El cronista Alonso de Palencia.* Madrid, 1914, págs. 470-473.— BASELGA, M.: *Fragmentos inéditos para ilustrar la historia literaria del príncipe don Carlos de Viana,* en *Rev. de Archivos,* 1897, I, 301.—DESDEVISES DU DEZERT: *Don Charles d'Aragón, prince de Viana.* París, 1889. QUERALT Y NUET, José: *Relación histórica del... príncipe don Carlos de Viana...,* 1706, en "Col. Doc. Inéd.", LXXXVIII, 351-473.— [BALAGUER Y MERINO, Andrés]: *De la mort de l'infant Eu Charles... princep de Viana.* La Renaixensa, Barcelona, 1873, III.—[ANÓNIMO]: *Vie de Charles de Navarre, prince de Viane.* Lausanne, 1788.

VIANA, Javier.

Periodista, dramaturgo y poeta de prestigio. Nació—1872—en Canelones (Uruguay), Murió—1925—en Montevideo. Su abuelo y su padre fueron ricos estancieros. Y desde muy niño su más vehemente anhelo fue la vida campestre. Montaba a caballo como un pequeño centauro. A los once años no sabía leer en los libros, pero sí en la Naturaleza. Estudió Medicina, pero no llegó a ejercerla. Estudió idiomas, llegando a dominar el francés, el inglés y el italiano. Pero su verdadera vocación fue la literatura. Fue, quizá, el primer escritor realista de su patria.

"Fue—escribe Cejador—el más celebrado cuentista gauchesco regional de su tierra.

V

Desterróse a Buenos Aires después de la revolución de 1904, y allí escribió para el teatro, y, además, en la Prensa, y muchedumbre de cuentos, acaso demasiados para que todos sean excelentes. Es realista y gráfico en describir escenas y en modelar caracteres, pecando de prolijo al detenerse en mil cosillas menudas, recorriendo la flora entera de la tierra y no menos la fauna. El estilo, corrido, natural, vivo y bien coloreado; el habla, gauchesca, bastante bien imitada, aunque se note que el autor añada algo de su parte, pues hace locuaces a los camperos, taciturnos y concisos de suyo. Su teatro es igualmente regionalista..."

Viana es el indiscutible fundador del género realista moderno en el Uruguay. Creador casi repentista. Más pintor que psicólogo como observador directo, veraz y seguro. Sus personajes alientan con vida propia y recia. Aun cuando, por los temas que escogió, toda su obra rezuma un sombrío pesimismo, sin menoscabo del realismo, Viana concentró todo su interés en la vida rural —ya en trance de descomposición— y en la vida miserable de los arrabales—burdeles, garitos, pulperías...

Obras: *Campo*—cuentos, Buenos Aires, 1896—, *Gaucha*—novela, Buenos Aires, 1899—, *Macachines, cuentos pamperos* —Montevideo, 1920—, *Guri*—novela, Montevideo, 1901—, *Leña seca*—cuentos, 1905—, *Cardos*—Montevideo, 1914—, *Guri y otras novelas*—Madrid, 1917—, *Yuyos*—cuentos—, *La Nena*—drama—, *La dotora*—comedia—, *Puro campo*—melodrama—, *La marimacho* —comedia—, *Al truco, Pial de volcao*—drama...

V. ZUM-FELDE, Alberto: *La literatura del Uruguay*. Buenos Aires, 1939.

VICENT, Manuel.

Novelista, ensayista, periodista, crítico. Nació—¿1935?—en Villavieja (Castellón). Licenciado en Derecho. En Madrid cursó los estudios en la Escuela Oficial de Periodismo. De extraordinaria cultura y prosa brillante —levantina—, agilísimo de intelecto para el juicio y la polémica, lector infatigable y con una aguda sensibilidad para la crítica artística. Colabora en importantes diarios y revistas.

En 1966 ganó el "Premio Alfaguara", de novela, con su obra *Pascua y naranjas*.

VICENTE, Gil.

Célebre poeta y dramaturgo. ¿1470-1536? Siempre que se quiera componer una antología de la literatura dramática española, es imprescindible incluir en ella el nombre del portugués Gil Vicente. De este portugués que era aún, como su Portugal de entonces, tan castellano, tan recio, tan reacio de Europa renacentista aún, y sin dejar de atisbarla, eso sí, ya.

El "Plauto portugués"... "El padre del drama lusitano"... El "Aristófanes ibérico"... Así se le llama. Le llaman así la justicia y la prosopopeya. Me parece bien. Aun cuando *no justo* en un sentido de justeza, esto es, de coincidir sin arrugas ni pliegues, como el guante a su mano, el calificativo con la valoración personal. Me parece muy lógico que los portugueses deseen un Gil Vicente, ya que, luso de origen, lusitanizado—¿vale el derivativo?—por completo. Suyo, de ellos, nada más. Suyo, de ellos, aun cuando unas incidencias idiomáticas le hagan parecer —y aparecer—en sus obras... más que luso. Luso y español, al alimón. Que tenga un pie en España y en Portugal el otro. Más aún, quizá, y lo mejor para todos, menos para los portugueses: ¡IBERICO!

Si Gil Vicente, que escribió en portugués *siete* de sus obras, y en castellano, o mezclando este con aquel, ¡treinta y cinco!, no presentara—y representara—otro síntoma que este de la necesidad de ocasión: escribir en castellano para que le entendiera mejor una reina portuguesa que era infanta española, doña María, esposa de don Manuel I, hija de los Reyes Católicos, suegra de otra infanta española—y tía—, doña Catalina, hermana del césar Carlos I, quien casó con don Juan III, hijo de aquella... Si Gil Vicente no tuviera otra *tendencia* española que esta del idioma, podríamos los españoles darle por muy perdido. Pero es el caso... que Gil Vicente es tan nuestro *aún* como de ellos ya—pues portugueses y españoles no diferían gran cosa, en nada, por entonces—en lo que más importa para tenerse por de aquí o de allá con pleno derecho y fervor irrenunciable: en el carácter y sus características, en el sentimiento espontáneo y en el sentido consciente, en la afición a lo tradicional, en el enraizamiento dentro de lo genuinamente racial y de lo ponderadamente racional *dentro de una medida geográfica;* en ese, creo decir bien, *aire de familia,* que llega a ser, sin pasar de aquí, *aire de nación.*

Gil Vicente es tan nuestro—españoles— como de ellos—lusitanos—. Que quieran o que no. Que nosotros sí queremos. Y a mucha honra. Su obra bilingüe delata esa voluntad suya de sentirse, si no todo español ni todo portugués, enteramente ibérico. Ibérico medieval—tan orgulloso y tan campante, tan justamente revalorizado ya—frente al inicio renacentista europeo. Dispuesto a tomar de este o de esto lo que se le apeteciera, *pero en crudo,* para guisarlo él a gusto de su paladar y en la ocasión rigurosa.

Entre los años 1465 y 1470 nació en Portugal Gil Vicente. Y digo en Portugal mientras no se pongan de acuerdo en cuál de ellas nació, tantas ciudades portuguesas como presentan sus derechos a, en frase un poco cursi, pero muy expresiva, haberle mecido su cuna. Lisboa, Barcellos, Guimaraes… Malas lenguas, esas malas lenguas de las peores intenciones, que pretenden que los mayores y mejores valores espirituales vayan aparejados con su mísera condición social, aseguran que Gil Vicente era hijo de una portera y de un arriero, nieto de un tamborilero. La crítica sana afirma ser miembro de una ilustre familia, que ya figuraba muy en pingorote en la corte de Juan II —1493—. Y como era de familia noble, quiso esta que Gil Vicente estudiase Leyes en la Universidad de Lisboa. Y las estudió, y aun debió terminarlas, ya que en el *Cancionero* de Resende se le llama *Maestre Gil,* lo cual indica graduación universitaria. Pero su vocación perentoria e irremediable era la dramática. En 1502, en la propia cámara donde la reina María acaba de dar a luz al que había de reinar en Portugal con el nombre de Juan III, él mismo recitó un monólogo en castellano, titulado *El vaquero,* que "fue la primera cosa—creámosle—que en Portugal se representó".

Desde esta fecha, amistado y protegido de los monarcas lusitanos, es como su poeta de cámara. Para todas las fiestas y fiestecillas palatinas, Gil Vicente escribía la correspondiente pieza dramática, en la que intercalaba, de su propia cosecha—buen músico y fino danzante—, la parte musical y el baile; generalmente, arias, ensaladas, villancicos a cuatro voces. Precursor también de la zarzuela. En 1500 se casó, apadrinado por las reales personas, con Blanca Becerra. Y de ella tuvo dos hijos: Luis—buen poeta— y Paula—dama de la infanta doña María, la primera esposa de nuestro Felipe II, y muy hábil profesora de música—, los dos colaboradores de su padre y editores primeros de sus obras dramáticas en 1562.

Narrada así, a grandes trancos—pocas pinceladas y gordas—, la existencia del cortesano Gil Vicente, puede deducirse que este vivió en grande y con bastante aparato. Pues nada de ello. Vivió mal. Vivió casi pobre. No eran muy aficionados los reyes a gastarse sus cuartos en pagar a quienes acababan por inmortalizarlos más que sus reales hechos históricos. En España tenemos—por no citar sino uno, el más extraordinario—al nuestro del todo Velázquez, quien no nos dejará mentir. Gil Vicente vivió mal. Vivió casi pobre. Mendigó—sin palabras, que su orgullo le hacía un nudo en la lengua—con su presencia. Los artistas, por entonces, tampoco sabían llegar a la opulencia por otros caminos de prosa

irrepresentable. Creyendo prosperar, hacia 1534 organizó una compañía teatral, de la que fue modelo de directores de escena. Y la suerte le siguió siendo adversa.

Su última composición dramática es de 1536. No debió vivir ni un año más. En la *Floresta de España,* compuesta en esta última fecha, declara Gil Vicente que tenía sesenta y seis años. Su mejor testamento lo dejó escrito en la edición—preparada—de sus obras. Es la dedicatoria de estas al rey don Juan III, que le había mandado imprimirlas. Mal pagado, pero bien agradecido. Alma de excepción la de Gil Vicente.

Como nuestro del todo Velázquez, este nuestro en parte jamás se quejó en voz alta, ni en voz queda, de nada ni de nadie. Debió tener la apariencia física de un noble hidalgo venido a menos, al que la gola se le ha desencañonado y se le han aflojado los gregüescos.

Escribió por entero—la dramática—entre 1502 y 1532. En total, cuarenta y dos piezas. Muy inspiradas. Muy líricas. Muy apasionadas. Muy ortodoxas. Filtradas de claridad y de transparencias. Gil Vicente se estructuró, al expresarse, en tres estadios superpuestos: lo divino, lo semidivino o heroico y lo natural o real humano. No dominó la técnica teatral como Torres Naharro; fue más difuso—aristofanesco—que este. Pero le superó, y a Juan del Enzina, y a Lucas Fernández, en trascendencia universal por patentizar valores más y mejor enraizados en el cotidiano de la carne y del alma, en lo poético de la aspiración.

"El pensamiento poético de Gil Vicente —escribe un crítico moderno, tan diestro como original—cristaliza en formas eternas. Lo que se le atribuyó como censura, el desorden aristofanesco, es su mejor elogio. Aristófanes de la Edad Media, que asume y finaliza en el momento culminante de la transición renacentista—la anécdota de que Erasmo estudió portugués solamente para leerle es idealmente verdadera—, su arte dramático, como el del griego, es una pura construcción espiritual, un verdadero orden poético, y tiene en su conjunto, armónico e invisible, la pureza de línea arquitectónica de una catedral y la precisión miniaturista, en el detalle, de una *predella* ejecutada fervorosamente."

Gil Vicente abarcó todos los géneros dramáticos, sacándolos de su propia inventiva. Gil Vicente, que lo leía todo, no imitó a nadie. Si acaso, tomó de Enzina algunos pensamientos, pero asimilándoselos tan victoriosamente, que pueden pasar por suyos y muy suyos. Sus cancioncillas aluden a la marmórea solemnidad de la liturgia católica, pero sin caer en la imitación más leve. Su sátira eclesiástica hace pensar en Eras-

V

mo, mas no por analogía, sino por coincidencia de motivos. Tal vez buscando por otro lado habrían de encontrarse estas influencias íntimas y fugaces de las que no se libra ni el más cerrado de los espíritus. La Biblia... Los Padres de la Iglesia... Las ceremonias y los himnos litúrgicos... Las églogas pastoriles anónimas, que suelen ser las más legítimas, las nacidas y criadas en el campo... Los libros de caballerías... Las danzas de la muerte... Las costumbres populares con rasgos folklóricos...

Hace bien en decirnos otro moderno crítico español que no nos fiemos exclusivamente de los versos flojos castellanos de Gil Vicente, que desconfiemos algo de sus lusitanismos. A Gil Vicente le flaquean por igual la métrica lusa y la castellana. Y es que, en puridad, hay que considerarle un gran poeta, descuidado en la versificación y desaliñado en el estilo. La floración impetuosa de su obra no admite la tijera de poda académica. Suele decirse igualmente, por la crítica, que el arte dramático de Gil Vicente es originario y primitivo, en un sentido de imperfección y de rudimentarismo. Por mi parte, quiero avisar a los lectores para que tampoco crean a pie juntillas esta aseveración. Que a mí me parece falsa. El arte escénico de Gil Vicente está florecido en lo más. Sus frutos se saborean maduros, un poco ásperos, con aspereza que no es de falta de tempero, sino de calidad. Precisamente—¡quién lo diría!—Gil Vicente, Enzina, Torres Naharro, Lucas Fernández, Rueda, son quienes nos dan la pura teatralidad, sin concesiones a los gustos imperantes, sin trabas de modo ni de moda, sin efectismos conducentes al halago de las pasiones adulteradas por los vicios. Ellos nos dan el teatro desnudo e inocente. ¿No es esta su suprema plenitud? Serán quienes nos parecen los valores inmensos de la dramática: Calderón, "Tirso", Lope, Alarcón..., los que irán purificando el arte teatral, llenándolo de concesiones, de efectismos, de modalidades, de hipocresías, y... ¡sí, de teatralismos! Lo peor del teatro es que lo sea. Aun cuando númenes soberanos lo logren —como Lope, como "Tirso", como Calderón, como Alarcón...—con seres de carne y hueso y con poesía de oro de ley. Lo mejor del teatro es que no lo parezca. Y así lo lograron Rueda, y Lucas Fernández, y Torres Naharro, y Enzina, y Gil Vicente. Por tanto, es falso calificar la obra escénica de estos de originaria en un sentido de rudeza y primitiva en un sentido de imperfección.

Las obras de Gil Vicente fueron publicadas por primera vez en Lisboa—1562—, bajo la dirección de Luis Vicente, hijo del poeta, quien las dividió en cinco grupos: Obras de devoción, Comedias, Tragicomedias, Farsas

y Obras menudas. En el primer grupo destacan el monólogo de la Visitaçao, el Auto de las Barcas (do Inferno, do Purgatorio, do Gloria), el Auto da Molina Mendes; entre las comedias: Rubena; de las tragicomedias: la de Don Duardos y Amadís de Gaula; de las farsas: la Dos Fisicos y las de Inez Pereira.

La segunda edición—de 1587—fue absurdamente mutilada por el Santo Oficio.

Ediciones modernas interesantes son: las de Barreto Feio y Gomes Monteiro, Hamburgo, 1834; la del hispanista Böhl de Faber, quien recogió ocho autos en su Teatro español anterior a Lope de Vega, Hamburgo, 1834; las de Lisboa, fechadas en 1843 y 1852; la de Aubry F. G. Bell, Cambridge, 1920, y la cuidadosísima y atinada de la Tragicomedia de Don Duardos, del gran filólogo español Dámaso Alonso. Madrid, 1942.

V. BRAGA, Teófilo: Gil Vicente e as origens do Theatro Nacional. Oporto, 1898.—BRAGA, Teófilo: Vida de Gil Vicente e sua eschola. Oporto, 1898.—MENÉNDEZ PELAYO, M.: Antología de poetas líricos... Tomo VII. STIFEL, A. L.: Zu Gil Vicente, en Archiv für des studium der neuren Sprachen und Literaturem. 1907. Tomo LXIX.—BERGAMÍN, J.: El arte dramático católico de Gil Vicente, en Criterio, Madrid, 1929.—MARISCAL DE GANTE, J.: Los autos sacramentales. Madrid, 1911.—OUGUELLA, R.: Gil Vicente. Lisboa, 1890.—ALONSO, Dámaso: Estudio y notas a la Tragicomedia de Don Duardos. Madrid, 1942.—AXON, W. E. A.: Gil Vicente..., en Transactions of the Royal Society of Literature, 1902.—MICHAELIS DE VASCONCELLOS, Carolina: Grundiss der romanischen Philologie. Tomo II.—ANNUNCIADA, J. de: Gil Vicente, en Rev. Lusitana, 1909-1911. Tomo VI.

VICENTI, Alfredo.

Periodista y literato. Nació—1854—en Santiago (La Coruña). Murió—1916—en Madrid. Licenciado en Medicina y Filosofía y Letras. En 1880 se trasladó a Madrid, ingresando en la Redacción de El Globo, del que llegó a ser director—1894—. En 1896 pasó a El Liberal, de cuya dirección se encargó en 1907. Diputado a Cortes—1914—por Santa María de Ordenes.

Fue un verdadero maestro del periodismo moderno. A sus órdenes se forjaron los más preclaros ingenios de la profesión, que aún hoy viven. Su austeridad era grande. Enorme su profesional orgullo y su cultura muy vasta. Aun cuando sus energías las consumió el periodismo, en sus ratos de ocio cultivó la literatura pura. Era poeta fácil y delicado, y ensayista de enjundia.

Obras: Recuerdos y esperanzas—poesías—,

Diosas menores, O Sillar del Ulla, La provincia de Pontevedra, Los Rothschild antes de Cristo, Las dos aceras del estrecho de Gibraltar.

VICENZI PACHECO, Moisés.

Literato y crítico costarriqueño. Nació —1895—en Tres Ríos (Cartago). Estudió en San José Filosofía y Letras y Leyes. Profesor de Lengua y Literatura castellanas.

Ejerce la crítica literaria, en diarios y revistas de su patria, con la máxima objetividad y maestría, influyendo con sus consejos en las generaciones posteriores de poetas.

Obras: *Aticismos tropicales, La nueva razón, América libertada.*

VICETTO, Benito.

Novelista, periodista, historiador español. Nació —1824—y murió—1878—en El Ferrol. Sirvió en el Ejército y en la Administración pública. Dirigió *El Clamor de Galicia* y la *Revista Galaica*—1874—. Tuvo, indiscutiblemente, mucha mayor importancia como novelista que como historiador. Cultivó con éxito la narración histórica "a lo Walter Scott", para la que tuvo gran imaginación y facilidad expresiva. Sin ser una figura culminante de la novela romántica y melodramática, bien merece la estimación por su dignidad para escribir en un limpio castellano y porque su fantasía no cometió atentados terribles contra la verdad histórica.

Obras: *Historia de Galicia*—El Ferrol, 1863 a 1873, siete tomos—, *Cuentos*—1844—, *El caballero verde*—Madrid, 1844—, *Los Hidalgos de Monforte*—Madrid, 1857, su mejor novela—, *Rojín Rojal, o El paje de los cabellos de oro*—Madrid, 1857—, *Los reyes suevos de Galicia*—La Coruña, 1860—, *El caballero de Calatrava*—Madrid, 1863—, *Vida militar y política de Espartero, Bernardo del Carpio*—Madrid, 1868—, *El último Roade*—Madrid, 1868—, *El conde de Amarante, Las tres fases del amor, Cristina*—1871—, *Magdalena, El caballero del Estandarte, Poesías...*

VICUÑA CIFUENTES, Julio.

Poeta y prosista chileno. Nació —1865—en La Serena. Murió—1936—en Santiago. Estudió algunos cursos de la carrera de Leyes. En 1887 se dio a conocer como poeta, presentando un libro titulado *Rimas* al "Concurso Varela", firmado con el seudónimo de "Osiris". Colaboró en la principal Prensa chilena. Miembro de la Academia de Chile y correspondiente de la Real Academia Española. Perteneció a la Facultad de Filosofía y Humanidades. Viajó varias veces por Europa.

Obras: *La muerte de Lautaró*—1898—, *Coa*—jerga de los delincuentes chilenos, 1910—, *Romances populares y vulgares* —1912—, *Mitos y supersticiones tradicionales*—1915—, *Cosecha de otoño*—1920—, *He dicho*—discursos, 1926—, *Estudios de métrica española*—1929—, *Prosas de otros días* —1929—, *La poesía popular chilena, Romances populares y vulgares recogidos de la tradición oral chilena...*

V. LATORRE, Mariano: *La literatura de Chile.* Buenos Aires, Facultad de Filosofía y Letras, 1941.—AMUNÁTEGUI SOLAR, Domingo: *Bosquejo histórico de la literatura chilena.* Santiago, 1915, 1920.

VICUÑA INTERCASEAUX, Benjamín.

Sociólogo, ensayista, crítico y novelista. 1876-1911. Hijo de Vicuña Mackenna y de doña Victoria Intercaseaux, ilustre mujer incorporada a la historia de Chile.

Murió joven. Tenía gran talento. Escritor inquieto, con mucho don de observación, intuitivo, de prosa rica y elegante. Heredó la fecundidad del padre, pues, al morir, dejó una decena del libros publicados y veinte volúmenes preparados.

Obras principales: *Gobernantes y literatos*—ensayos crítico-biográficos—, *Un país nuevo*—estudio sobre Chile—, *La ciudad de las ciudades*—crónicas de París—, *Crónicas del Centenario*—tal vez su obra maestra—, *La producción intelectual en Chile, Socialismo revolucionario*—primer estudio serio sobre cuestiones sociales en la América meridional—, *Días de campo*—cuentos—, *Artículos sueltos, Correrías...*

V. RODRÍGUEZ MENDOZA, Emilio: *Como si fuera ayer.*—DARÍO, Rubén: *España contemporánea.*—ORREGO VICUÑA, Eugenio: *Ensayos.* Tomo II.—ORREGO VICUÑA, Eugenio: *Vicuña Mackenna: Vida y trabajos.*

VICUÑA MACKENNA, Berjamín.

Historiador, crítico y literato. 1831-1886. Nació en Santiago de Chile. A los veinte años tomó parte en las revoluciones de abril y septiembre de 1851, distinguiéndose hasta tal punto que fue nombrado gobernador de Illope. Vencido aquel movimiento, fue condenado a muerte, pero pudo escapar y se refugió en California. Luego recorrió los Estados Unidos, México y Canadá. Volvió a su patria y llevó a cabo violentas campañas políticas en *La Asamblea Constituyente* y *El Mercurio,* por lo que fue nuevamente encarcelado—1858—. Se trasladó a Europa. Visitó España, estudiando con fruición en sus numerosos archivos. Otra vez en Chile, fue redactor-jefe de *El Mercurio*—1863—.

V

Diputado. Agente de su Gobierno en los Estados Unidos durante la guerra de España y Chile. En 1870 volvió a visitar Europa y a vivir en España. Intendente de la provincia de Santiago—1872—. Tuvo una actuación secreta y muy importante en la preparación de los movimientos insurgentes de Cuba y Puerto Rico.

"Vicuña Mackenna es un historiador exacto y documentado, de criterio seguro y noble imparcialidad. Posee, además, un estilo expresivo y coloreado, de elocuencia suficiente para evocar la vida histórica con calidades recias, frescas y renovadas." (Leguizamón.)

"Al amor por la verdad y a la fecunda laboriosidad de los Amunátegui y Barros Arana, une este historiador la simpatía indiscutible y superior de un temperamento original, de un carácter propio y de una fantasía poderosa. Porque, efectivamente, en la vida trabajada de este célebre escritor, periodista, revolucionario, viajero, diplomático, diputado, senador y candidato a presidente de la República, encontramos por doquiera huellas inolvidables del hombre de pluma, del temperamento original y del ingenio imaginativo... Es, acaso, el más original de todos los historiadores de América, el de mayor fecundidad y el de talento más vivo." (Hunneus Gana.)

Obras: *La dictadura de O'Higgins* —¿1858?—, *Vida de O'Higgins*—1882—, *El ostracismo de los Carrera*—1857—, *El general don José de San Martín...*—1863—, *Chile (relaciones históricas)*—1887—, *Diego de Almagro (estudios críticos sobre el descubrimiento de Chile)*—1889—, *Predestinación* —novela, 1861—, *Historia... de la ciudad de Santiago*—1869—, *Historia de Valparaíso* —1869—, *El Washington del Sur: Sucre* —1893—, *Páginas de un diario durante tres viajes*—1856...

V. Briceño, Ramón: *Catálogo de las publicaciones... de Vicuña Mackenna.* Santiago, 1886.—Figueroa, Pedro Pablo: *Vida y obras de don Benjamín Vicuña Mackenna.* Santiago, 1886.—Hunneus Gana, J.: *Biblioteca de escritores de Chile.*—Benelli, Alejandro: *Biblioteca de Vicuña Mackenna.* Santiago de Chile, 1940.—Donoso, Ricardo: *Don Benjamín Vicuña Mackenna.* Santiago, s. a.—Orrego Vicuña, Eugenio: *Vicuña Mackenna: Vida y trabajos.*—Orrego Vicuña, Eugenio: *Sobre Vicuña Mackenna.* Varios ensayos.—Orego Vicuña, Eugenio: *Iconografía de Vicuña Mackenna.* Dos tomos.—Felíu Cruz, Guillermo: *Las obras de Vicuña Mackenna.* Ensayos y críticas.

VIDAL BENEYTO, José.

Poeta español. Nació—1927—en un pueblo del Levante español (Carcagente). Estudió el bachillerato en Zaragoza. Cursó las licenciaturas de Derecho y Filosofía en las Universidades de Valencia y Madrid. Viajó por España, Francia, Italia.

Comienza a escribir muy tempranamente. Se resiste a publicar, y solo de tarde en tarde deja algún poema en revistas poéticas españolas. Muy en breve va a quebrarse su ineditud con la aparición de su primer libro, *Alto viento*—1945-1950—, que publicará la Institución Alfonso el Magnánimo, de Valencia, en su colección poética. Libro antológico, de tema plural y varia voz de extremada claridad expresiva—"poesía directísima", dice él—, en el que la emoción vibra cálida y libremente a través de heptasílabos y endecasílabos de buen juego rítmico.

También conocemos otro libro suyo, *A vueltas con la esperanza*, poema larguísimo, de más de mil versos. Finalmente, un libro de narraciones poemáticas, *Historias equivocadas*, ya en prensa, con un castellano luminoso y vegetal, hecho de claridades y de ternezas de infancia, nos anuncia un prosista de jugosa vena y pulso personalísimo.

V. Sainz de Robles, F. C.: *Historia y antología de la poesía española.* Madrid, Aguilar, 1964, 4.ª edición.

VIDAL DE BESALÚ, Ramón.

Trovador y literato español. Nació en Besalú (Gerona) a mediados del siglo XII. Murió no muy avanzado el siglo XIII. Alcanzó tres reinados: Ramón Berenguer, conde de Barcelona, y los de Alfonso II y Pedro II de Aragón. Su vida puede estar comprendida entre 1150 y 1220. Anduvo mucho de la Ceca a la Meca, es decir, de Cataluña a Francia, de Francia a Castilla, de Castilla a Cataluña. Presenció y relató las bodas de Alfonso VIII y el de las Navas con doña Leonor de Inglaterra—1170—. Fue trovador y no juglar, porque jamás recibió dones. Tuvo profundos conocimientos gramaticales del lemosín. Puede ser colocado dentro de la escuela provenzal, ya en decadencia. Fue un crítico literario, en el sentido moderno de la palabra; y delató gran agudeza satírica, pasión delicada, lirismo sentimental, imaginación muy viva, casuística amorosa algo pedantesca y bastante laxa, preocupaciones retóricas y un buen tono cortesano de indudable atractivo.

Obras: *Dreita maniera de trovar*—publicada por primera vez en 1840 junto a la *Gramática* de Hugo Faydit—, y varias poesías, reproducidas en la *Histoire des troubadours*, de Millot; en la *Choix des poésies provenzales*, de Raynouard, y en *Los trovadores*, de Balaguer.

Hay una traducción moderna castellana de la *Dreita maniera de trovar*: la realizada por Vignau en 1865 con el título de *Las razones de trobar*.

V. BALAGUER, Víctor: ... *Los trovadores...* MILLOT, G.: *Histoire des troubadours*, III, 296.

VIDAL CADELLÁNS, José.

Novelista español. Nació—1928—y murió —1960—en Barcelona. Obtuvo el "Premio Nadal, 1958". Desde esta fecha colaboró en el semanario *Destino*, de Barcelona. Singularmente dotado para la narración, prefirió, como casi todos los novelistas de su promoción (dados a conocer después de 1950), las obras denominadas "de acusación" o "de testimonio", en las cuales el crudo realismo les sirve para presentar lacras y fallos de la sociedad en un lenguaje áspero, sin contención...

Obras: *No era de los nuestros*—Barcelona, 1959—, *Cuando amanece*—Barcelona, 1961—, *Ballet para una infanta*—Barcelona, 1963.

VIDAL Y PLANAS, Alfonso.

Poeta, dramaturgo, cronista. Nació—1891— en Santa Coloma de Farnés (Gerona). Murió —1965—en Tijuana (México). Estudió en el Instituto y en el Seminario de Toledo; en este último aprobó Latín, Humanidades y tres cursos de Filosofía. Su enorme vocación literaria le llevó a Madrid, donde durante muchos años vivió a lo bohemio. El éxito—en el teatro Eslava, de la capital—de su drama *Santa Isabel de Ceres* le alcanzó enorme popularidad. Ha vivido diez años en los Estados Unidos y otros tantos en México. Doctor en Metafísica por la Universidad de Indianápolis. Catedrático en la Universidad de Fordham. Fue catedrático de Lógica y de Literatura Española en el Instituto "Juan Diego", de Tijuana (México).

Novelista, dramaturgo y cronista excelente, Vidal y Planas vale mucho más, para mi gusto, como poeta lírico de tendencia posmodernista y romántica. Posee una emoción patética, una felicidad absoluta para los temas y para las imágenes. Y nunca renuncia —aun habiendo evolucionado convenientemente, a exigencia del tiempo—a las formas ortodoxas dentro del ritmo y de la melodía.

Obras: *Cirios en los rascacielos y otros poemas*—Tijuana (México), 1963—, *Los gorriones del Prado*—teatro—, *Santa Isabel de Ceres*—novela—, *El pobre Abel de la Cruz* —novela, 1923—, *Memorias de un hampón* —1918.

VIÐAR Y SCHUCH, Luis.

Prosista, historiador, crítico literario español. Nació—1833—y murió—1897—en Ma-

drid. Artillero militar, en cuya profesión alcanzó alta graduación y las más altas recompensas militares, entre ellas la cruz de primera clase de San Fernando. Enviado militar observador en la guerra franco-prusiana de 1870. Diputado a Cortes. Miembro de la Real Academia de la Historia. Colaboró asiduamente en el *Semanario Pintoresco, Revista de España, España Moderna, Revista Contemporánea, Ilustración Española y Americana, Blanco y Negro*... Tuvo mucha cultura histórica, literaria y filosófica y una prosa limpia y castiza. En todos sus numerosos escritos triunfa la amenidad y la verdad más rigurosa.

Obras: *Amor sin fe*—1854—, *El panteísmo germano-francés*—1864—, *Apuntes sobre la historia de la Filosofía en la Península Ibérica y breves indicaciones sobre el estado actual de la Filosofía en España*—1865—, *Letras y armas*—1867—, *Versos*—1872—, *Pena sin culpa*—comedia, 1874—, *Cuestión de amores*—drama, 1875—, *Cervantes poeta épico*—1877—, *La historia literaria de España* —1877—, *Camoens: apuntes biográficos* —1880—, *El "Quijote" y el "Telémaco"* —1884—, *Los biógrafos de Cervantes en el siglo XVIII*—1886—, *Los biógrafos de Cervantes en el siglo XIX*—1889—, *Un historiador francés de la vida de Cervantes*—1891—, *Descubrimiento del Nuevo Mundo*—1893—, *Utilidad de las monografías*—1894—, *Vasco de Gama y el descubrimiento de Oceanía* —1895—, *El descubrimiento de Oceanía por los portugueses*—1896...

VIDARTE, Santiago.

Poeta puertorriqueño. Nació—1828—en Yabucoa y murió—1848—en Barcelona (España). Su verdadero nombre fue José Santiago Rodríguez. Adoptó aquel nombre por respeto y afecto a don Rafael Vidarte, rico propietario de Humacao, que le protegió y le envió a Barcelona para que siguiese la carrera de Medicina. Su vida fue excepcionalmente breve; sin embargo, sus poesías alcanzaron gran popularidad en su patria.

Fue un lírico espontáneo, de mucha fantasía, que no llegó a madurar. Su temática, su expresión, son netamente románticas.

V. FERNÁNDEZ JUNCOS, M.: *Antología portorriqueña*. San Juan, 1923, 2.ª edición.— MARCIAL, Odón: *La lira portorriqueña*. San Juan, 1899.—VALBUENA BRIONES, Angel: *La poesía portorriqueña contemporánea*. Tesis doctoral. Madrid, 1952.

VIGHI, Francisco.

Poeta y ensayista español, hijo de padre italiano y de madre castellana, nacido en Palencia en 1890. Murió—1961—en Madrid. Estudió la carrera de ingeniero, que ejerció al servicio del Estado. Hombre de humor, socarrón y simpático, su personalidad está enraizada con la mejor anécdota de las tertulias literarias de hace cuatro lustros. Publicó en *España* y *La Pluma*. Ha escrito versos con aire colorista y desenfadado, un tanto gracioso y burlón. De su personalidad se ha ocupado bastante Gómez de la Serna, quien le ha dedicado una extensa semblanza en sus *Retratos contemporáneos*. También han hablado de su original disposición literaria Giménez-Caballero y Juan Aparicio.

V. SAINZ DE ROBLES, F. C.: *Historia y antología de la poesía española*. Madrid, Aguilar, 1964, 4.ª edición.

VIGIL, José María.

Poeta, crítico, dramaturgo e historiador. Nació—1829—en Guadalajara (Jalisco), México. Murió—1909—en México. Estudió Latinidad y Filosofía en el seminario de su ciudad natal. Doctor en Derecho. Catedrático de Latín y Filosofía en el Liceo de Jalisco. Oficial mayor de la Secretaría del Congreso. Diputado durante cinco legislaturas. Magistrado de la Suprema Corte de Justicia. Director de la Biblioteca Nacional. Colaborador de *El Parnaso Mexicano* y de muchas revistas hispanoamericanas y españolas. Gran amigo de Menéndez Pelayo, quien le admira sinceramente.

Fue Vigil un admirable humanista—en el más intenso y extenso sentido de la palabra—, conocedor como pocos de las lenguas y literaturas clásicas. Tradujo las *Sátiras* de Persio y muchos *Epigramas* de Marcial, y, además, a numerosos autores de literaturas modernos. Su actividad fue fecundísima en el terreno poligráfico y en la creación original. Como investigador de profundos conocimientos, dirigió la impresión de la *Historia* del Padre Las Casas y la *Crónica* de Tezozomoc.

En 1883 dirigió la *Revista Filosófica*. Y sus principales ensayos contra la Teología católica aparecieron en la revista *El Libre Pensamiento*. Contribuyó a la expansión de las ideas filosóficas más audaces en México, y defendió la metafísica contra el positivismo, puesto en boga por Garay, Flores, Sierra y Gamboa.

Obras: *Dolores*—drama, 1854—, *Reseña histórica de la poesía mexicana*—1894—, *Flores de Anahuac*—poesías—, *La hija del carpintero*—drama, 1854—, *Un demócrata al uso*—comedia, 1872—, *Historia de la Reforma, La intervención y el Imperio*—tomo V de *México a través de los siglos*—, *La mujer mexicana*—1893—, *Lope de Vega*—1904—, *Realidades y quimeras*—versos, 1857—, *Ensayos históricos del ejército de Occidente* —1874...

V. GONZÁLEZ PEÑA, Carlos: *Historia de la literatura mexicana*. México, 1940, 2.ª edición.—JIMÉNEZ RUEDA, Julio: *Historia de la literatura mexicana*. México, 1942.

PABLO VILA SAN-JUAN

Nacido en Cádiz, aunque recriado y domiciliado en Barcelona desde su primera juventud. Abogado. Filosofía y Letras. A los quince años entró de redactor en *El Noticiero Universal*, de Barcelona, y ha formado parte de las redacciones barcelonesas de *El Día Gráfico*. En Madrid, durante sus estudios de doctorado, y años después, perteneció a Prensa Gráfica *(Mundo Gráfico, Nuevo Mundo* y *La Esfera)*. Ha sido corresponsal de guerra en Marruecos, y adscrito cultural a las Embajadas de España en París, Buenos Aires y El Cairo. Tiene publicados siete libros. Actualmente figura en el cuadro de colaboradores fijos de *A B C* y *La Vanguardia*, así como en varias revistas y la *Hoja del Lunes*, de Barcelona.

Es gentilhombre de S. M. el Rey Don Alfonso XIII, y posee varias condecoraciones españolas y extranjeras. Fue elegido académico de la Academia de Jurisprudencia de Cataluña, pero declinó la toma de posesión al caer la Monarquía.

VILA SELMA, José.

Ensayista, crítico, cronista. Nació—1924— en Valencia. Estudió el bachillerato en el Instituto Luis Vives, de su ciudad natal. Licenciado en Filosofía y Letras por las Universidades de Valencia y Sevilla. Diplomado en Estudios Hispanoamericanos en la Escuela de Estudios Hispanoamericanos del Consejo Superior de Investigaciones Científicas de Sevilla. Pensionado oficialmente en la Sorbona, donde se doctoró. Profesor de Literatura hispanoamericana en la Universidad de Madrid entre 1948 y 1950, y de Literatura francesa, en el mismo centro docente, desde 1958 a 1965. Profesor en la Facultad de Filosofía y Letras de Madrid, Departamento de Antropología y Etnología americanas, en 1968. Conferenciante en varios países de Europa y América. Colaborador de importantes revistas literarias y científicas.

Obras: *André Gide y Paul Claudel, frente a frente*—Madrid, C. S. I. C., 1952—; *Benavente, fin de siglo*—Madrid, 1952—; *Rómulo Gallegos: procedimientos y tácticas*—Sevilla, 1955—, *Tres ensayos sobre la literatura y nuestra guerra*—Madrid, 1955—, *Ideario de Manuel José Quintana*—Madrid, 1961—, *Ideas literarias de Feijoo*—Madrid, 1964.

VILLAESPESA, Francisco.

Gran poeta, dramaturgo y novelista español. 1877-1936. Nació en Laujar (Almería).

Estudió en la Universidad de Granada. En Madrid se dio a conocer con su primer libro, *Intimidades*—1898—, y fue colaborador de las principales revistas literarias: *Vida y Arte, La Revista Nueva, Germinal, La Revista Ibérica, Cervantes...*

A partir de 1911 triunfó como autor dramático. Recorrió toda América varias veces como empresario teatral. Ganó mucho dinero y lo gastó espléndidamente. Enfermo, pobre y con el alma desgarrada, regresó a su España para morir. Fecundísimo, de una suave delicadeza, melancólico, exuberante de músicas pegadizas, más que un discípulo de Rubén, a quien imitó muy poco y de quien le separaban abismos de afanes, Villaespesa, árabe andaluz, fue un discípulo de Zorrilla y de Salvador Rueda. Discípulo por los temas, por la obsesión de la rima fácil, por la exuberancia creadora, por el colorido preciosista. Es, como ellos, un verdadero romántico, que se entristece con la juventud pasada, con la amada imposible, con el triunfo de la muerte sobre la vida. El propio Villaespesa nos explica con claridad su *situación* poética: "Mi adolescencia había despertado al arte en el milagro de éxtasis y de tristeza del Generalife, en la gracia voluptuosa y florida de los jardines árabes, bajo la llama de los naranjos y bajo el silencio misterioso de los cipreses, junto a la melodía lauda de los surtidores, en las blancas galerías de columnas y bajo los techos de oro de la Alhambra, en la melancolía más que humana de las noches granadinas... Y este ensueño, esta inquietud, fue concretándose en romances, en sonetos, en gacelas, en casidas, en centenares de poesías..." En miles y miles, diríamos nosotros; superabundancia en la que abundan las caídas y las reiteraciones. A su sinceridad hacen honor los mismos títulos de algunos de sus libros: *Los remansos del crepúsculo, La musa enferma, Tristitia rerum, Ajimeces de ensueño, La sombra de los cipreses...* ¡Arabe andaluz! Nostalgias... Ensueños... Amores desdichados... Presentimientos aciagos... Sensualidad... Molicie... Música furtiva y dulcísima inagotable... Actitudes caballerescas... Colorido entero, pero como empalidecido por luces de crepúsculos...

Amó Villaespesa lo pagano y lo bohemio, fue sensual y triste. Correcto y equilibrado, cinceló su verso con esmero. Fue modernista a medias, pues si orearon sus sienes los vientos parnasianos y simbolistas franceses, él únicamente se aprovechó de la suavidad del céfiro y de los matices delicados, permaneciendo en lo demás español y hasta clásico.

Del teatro de Villaespesa ha escrito Cejador: "Resulta poco dramático por la falta de densidad y sobra de lirismo. La acción en el teatro de Villaespesa es floja y lánguida, desleídos los caracteres, desmañados los recursos dramáticos, ausentes los afectos, fuera del sentimiento dicho de molicie, alimentado por el fantaseo de estupendos y deslumbradores lujos femeniles. Falta el obrar, propio del género dramático, y sobra el describir líricamente. El teatro de aparato, de gran derroche en escenografía, en lujosas vestiduras y en muebles y en cuadros de efecto visual..."

Teatro muy declamatorio, añado. Sus novelas son como poemas líricos, en los que abundan mucho más las imágenes refulgentes que la acción.

Obras poéticas: *Intimidades*—1898—, *Flores de almendro*—1898—, *Luchas*—1899—, *La musa enferma*—1901—, *El alto de los bohemios*—1902—, *Rapsodias*—1905—, *Canciones del camino*—1906—, *Carmen: cantares*—1907—, *El mirador de Lindaraxa*—1908—, *El libro de Job*—1908—, *El patio de los arrayanes*—1908—, *Viaje sentimental*—1909—, *El jardín de las quimeras*—1909—, *Las horas que pasan*—1909—, *Saudades*—1910—, *In memoriam*—1910—, *Bajo la lluvia*—1910—, *Andalucía*—1911—, *Torre de marfil*—1911—, *El espejo encantado*—1911—, *Jardines de plata*—1912—, *El balcón de Verona*—1912—, *Palabras antiguas*—1912—, *Lámparas votivas*—1913—, *Campanas pascuales*—1914—, *Ajimeces de ensueño*—1914—, *Los nocturnos del Generalife*—1915—, *Amor*—1916—, *El libro del amor y de la muerte*—1917—, *Sonetos amorosos*—1918—, *La estrella solitaria*—1920—, *Tierra de encanto y maravilla*—1921—, *La gruta azul*—1927—, *Panderetas sevillanas*—1927.

Teatro: *Doña María de Padilla*—1913—, *El alcázar de las perlas*—1911—, *Aben-Humeya*—1913—, *El rey Galaor*—1913—, *Judith*—1914—, *Era el*—1914—, *El halconero*—1915—, *En el desierto*—1915—, *La leona de Castilla*—1915—, *La maja de Goya*—1917—, *Simón Bolívar...*

Novelas: *Los suaves milagros, Las palmeras del oasis, Resurrección, Zarza florida, Las garras de la pantera, La granada de rubíes, La tela de Penélope...*

V. Cansinos-Asséns, R.: *La nueva literatura.* 1916.—Romera Navarro, M.: *Historia de la literatura española.* Boston, 1928.—Cejador y Frauca, J.: *Historia de la lengua y literatura españolas.* Tomo XI, 199-210.—Mendizábal, Federico de: *Prólogo a las Novelas completas.* Madrid, Aguilar. "Col. Crisol", 1951.—Mendizábal, Federico de: *Estudio en Poesías completas.* Madrid, Aguilar, "Colección Joya", 1953.—Alvarez Sierra, Doctor J.: *Francisco Villaespesa. (Vida, episodios y anécdotas de este genial poeta.)* Madrid, Editora Nacional, 1949.

V

VILLAIZÁN, Jerónimo de.

Poeta y autor dramático español. Nació —1604—y murió—1633—en Madrid. Fue bautizado en la parroquia de San Martín. Su padre era boticario. Siguió la carrera de Jurisprudencia, y ejerció la abogacía en la Corte con gran crédito; pero no fue menor el que tuvo de fino y elegante poeta. Gran amigo de Lope de Vega. También desempeñó el cargo de abogado de los Reales Consejos. Le satirizó don Antonio de Mendoza como plagiario, y se decía era colaborador de Felipe IV, con el seudónimo de "Un ingenio de la Corte". Casó—1631—en la parroquia de Santiago con doña Francisca de Valdés. Escribió muchas comedias, que tuvieron gran aceptación, y muchas poesías. Algunas de aquellas se conservan en la Biblioteca Municipal de Madrid.

Poeta de delicada y correcta versificación. Su nombre figura en el *Catálogo de autoridades* del idioma, publicado por la Academia Española.

Obras teatrales: *Ofender con las finezas, Sufrir por querer más, Venga lo que viniere, A gran daño, gran remedio.*

Las dos primeras pueden leerse en el tomo XLV de la "Biblioteca de Autores Españoles". La tercera se guarda en la Biblioteca Municipal de Madrid. Se sabe que aquellas fueron estrenadas en el Corral de la Cruz. Le alabaron mucho Lope y Pérez de Montalbán.

V. MESONERO ROMANOS, R.: *Estudio* en el tomo XLV de la "Biblioteca de Autores Españoles".—BALLESTEROS ROBLES, L.: *Diccionario biográfico matritense.* Madrid, 1912.

VILLALOBOS, Doctor Francisco López de (v. **López de Villalobos, Doctor Francisco**).

VILLALOBOS, Rosendo.

Poeta y prosista boliviano. Nació—1860— en La Paz. Abogado. Director de la Biblioteca Nacional. Presidente de la Cámara de los Diputados. Representante de su país en varias Repúblicas hispanoamericanas. Vivió algunos años en España y en otros países europeos. "Poeta de lírica polifónica—escribió G. Adolfo Otero—, cuya coronación ha sido una apoteosis triunfal. Su hora ha vibrado con el recio timbre de la oda patriótica y con el acento de la epopeya, al mismo tiempo que con la ternura y el lirismo íntimo, sopado en lágrimas y puesto a la sordina con el sentimentalismo.

Rosendo Villalobos posee una cultura estupenda, y es, sin duda, el erudito literato más serio de Bolivia. Representa un nexo de unión entre la generación romántica que pasó, el modernismo actuante y el futuro de la juventud. Ajeno a las escuelas y tendencias, tiene la rara virtud de ser siempre un hombre y un poeta actual."

Obras: *De mi cartera*—1886—, *Aves de paso*—1889—, *Memorias de un corazón*—París, 1890—, *Ocios crueles*—La Paz, 1897—, *Hacia el olvido*—La Paz, 1907—, *Pedazos de papel*—impresiones y pareceres—, *Documentos para la historia y geografía de Bolivia, Letras bolivianas*—1936... 1921...

V. OTERO, G. Adolfo: *Panorama de la poesía boliviana.* Barcelona, 1928.—BLANCO MEAÑO, Luis F.: *Parnaso boliviano.* Barcelona, Maucci, 1919.—FINOT, Enrique: *Historia de la literatura boliviana.* México, 1943. DÍEZ DE MEDINA, Fernando: *Perfil de la literatura boliviana,* en *Thunupa,* La Paz, 1947.

VILLALÓN, Cristóbal de.

Gran erudito renacentista, prosista y ensayista. Nació, posiblemente, en Alcalá de Henares, hacia 1505. Se graduó bachiller en esta ciudad en 1525. Estudió luego en Salamanca, donde aprendió griego y Teología, siendo gran amigo de Pérez de Oliva, el humanista. Posiblemente fue profesor del Colegio Trilingüe. Más tarde enseñó en Valladolid y estuvo al servicio del conde de Lemos. Viajó por toda Europa, y dirigiéndose a Nápoles fue hecho cautivo por los turcos, que le llevaron a Constantinopla, donde, haciéndose pasar por médico, tuvo la suerte de curar el asma que padecía su amo, Sinán Bajá, y de otra grave enfermedad a la esposa favorita de este, por lo que fue libertado y nombrado médico del sultán. Huyó al monte Athos, recorrió Grecia y regresó—1555—a Valladolid. En 1580 figuró como testigo de Cervantes, cuando este se querelló contra Blanco de Paz. Debió de morir hacia 1581, en la ciudad pinciana.

En la persona de Cristóbal de Villalón pudieran sumarse otras cuatro personas de la misma época y homónimas, y un tanto confusas, según opinan Hurtado y Palencia: 1.º Un Villalón salmantino, autor de la *Tragedia de Mirrha*—Medina, 1556—, *El Escolástico*—fuente suya es *El cortesano*, de Castiglione—y del *Provechoso tractado de los cambios*—Valladolid, 1541—. 2.º El Villalón complutense ya mencionado, autor de *El viaje de Turquía, El crotalón* y el *Diálogo de las transformaciones de Pitágoras*, obras *erasmistas*. 3.º Un Villalón vallisoletano, autor de la *Ingeniosa comparación entre lo antiguo y lo presente*—1559—. 4.º Un Villalón gramático y teólogo, autor de una *Gramática castellana* y opuesto al *arte* de Nebrija para la enseñanza del latín.

Sin embargo de esta opinión respetable, *se ve* en los "Cuatro Villalón" demasiada semejanza de pensamiento, cultura y estilo para que no sean "uno mismo".

Villalón fue una de las figuras más interesantes de su época. De gran cultura y de no menor experiencia del mundo y de las gentes; de carácter simpático; erasmista, pero sin abandonar el campo católico; de estilo castizo y clásico, sabiendo mezclar con el habla popular las elegancias áticas; satírico al modo de Luciano; de notable gallardía y riqueza de forma; de ideas originales y de coloridas descripciones; muy brioso y elegante al narrar motivos costumbristas y curiosos; escritor "vivo siempre" y rico maestro del humor.

Sin duda, la prosa del *Crotalón* es de lo mejor del siglo XVI; es una sátira lucianesca de las costumbres de entonces, con varias novelas ingeniosas y ejemplares. En el *Viaje de Turquía* narra sus propias aventuras con una deliciosa amenidad y con un perfecto conocimiento de las costumbres y de los escenarios orientales; resulta uno de los libros de viaje novelescos más inolvidables; su prosa es ligera, elegante, correctísima.

Todas sus obras obtuvieron un éxito grande y fueron traducidas; pero las dos que le han dado fama universal son las que acabamos de mencionar. De *El Crotalón* hay un manuscrito en la Biblioteca Nacional de Madrid y dos del *Viaje de Turquía*.

Ediciones modernas: de *El Crotalón*, Madrid, 1871, "Bibliófilos Españoles", Madrid, 1907, "Nueva Biblioteca de Autores Españoles", volumen VII, por Menéndez Pelayo. De *El Escolástico*, Madrid, 1911, tomo V de la "Sociedad Bibliófilos Madrileños", por Menéndez Pelayo. De *Las transformaciones*, Madrid, 1907, "Bibliófilos Españoles". De *Ingeniosa comparación*, Madrid, 1898, "Bibliófilos Españoles", por Serrano y Sanz. Del *Viaje de Turquía*, Madrid, 1905. "Nueva Biblioteca de Autores Españoles", por Serrano y Sanz, Madrid, ¿1915? "Colección Universal", Calpe; Madrid, 1947, "Colección Crisol", por García Soriano y García Morales. De la *Tragedia de Mirrha*, ed. Foulché-Delbosc, en *Revue Hispanique*, 1908.

V. SERRANO SANZ, Manuel: *Estudios y notas* en la edición "Bibliófilos Españoles", 1898.—SERRANO SANZ, Manuel: *Estudio y notas* en la ed. "Nueva Biblioteca de Autores Españoles", 1905.—GARCÍA MORALES y GARCÍA SORIANO: *Estudio y notas* en la ed. Madrid, 1947, "Col. Crisol".—FOULCHÉ-DELBOSC, R.: *Tragedia de Mirrha*, en *Revue Hispanique*, 1908, XIX.—ALONSO CORTÉS, N.: *Miscelánea vallisoletana*, segunda y cuarta series, 1926.—FARINELLI, A.: *Dos excéntricos: Cristóbal de Villalón y El doctor Juan de Huarte*. Madrid, 1936.—MORBY, E. S.: *Orlando furioso y El Crotalón*, en *Rev. Fil. Española*, 1935, XXII.—BATAILLON, Marcel: *Erasme et l'Espagne*. 1937.

VILLALÓN, Fernando.

Fino poeta español. Nació—1881—en Sevilla. Murió—1930—en Madrid. Estudió el bachillerato en el Colegio del Puerto de Santa María, siendo condiscípulo de Juan Ramón Jiménez. Vivió siempre en Andalucía la Baja, simultaneando sus labores de agricultor y ganadero con sus lecturas varias y pintorescas de cosmogenia, poesía vieja y nueva, tauromaquia, espiritismo, etcétera.

De él ha escrito Gerardo Diego: "Fernando Villalón Daoíz y Halcón, conde de Miraflores de los Angeles, fue, para todos los que le conocimos, un ser extraordinario, de una vitalidad tan generosa y ubérrima, que aún resulta fabulosa, increíble la realidad de su llorada muerte. Su vida y su carácter le sitúan en el más auténtico superrealismo, un superrealismo nada literario o fingido, sino natural, andaluz, auténtico; esto es, poético. Por eso su poesía es, en rigor, legítima poesía superrealista, poesía de origen subconsciente y de fuerza y rudeza elementales; y esto, a pesar de su cultura retórica y de su afición a la convivencia con los poetas nuevos y los nuevos modos."

Y Pedro Salinas: "Villalón era un perseguidor de su poesía; pero iba siempre con los ojos vendados. La perseguía a trompicones, tropezando. Tenía la suerte de atrapar a la fugitiva alguna vez por un talón, por un brazo; luego se escapaba. De estas breves posesiones y huidas son las huellas de sus poesías. Villalón era ocultista. La poesía, ciencia oculta. Había estudiado las manos, los astros. Villalón estudiaba también las rayas en la palma abierta de Andalucía la Baja. Lo que leía en ella son sus poemas." Fundó y dirigió la revista *Papel de Aleluyas*, Huelva y Sevilla, 1927-1928.

Obras: *Andalucía la Baja*—poemas, Madrid, 1927—, *La Toriada*—Málaga, 1928—, *Romances del "Ochocientos"*—Málaga, 1929. Hay edición de sus *Poesías completas*. Madrid, 1944. Ed. Hispánica.

V. DIEGO, Gerardo: *Poesía española...* Madrid, ed. "Signo", 1932.—SAINZ DE ROBLES, F. C.: *Historia y antología de la poesía castellana*. Madrid, 1964.—COSSÍO, José María de: Prólogo a la ed. Madrid, 1944.—HALCÓN, Manuel: *Recuerdos de Fernando Villalón*. 1941.

VILLALONGA, Miguel.

Escritor español, nacido en Buñola (Palma de Mallorca) el año 1899 y muerto en 1947. Su personalidad de fino humorista se hizo célebre en las columnas de *El Español*, donde, además de publicar en folletón su novela *El tonto discreto*, escribía dos secciones tituladas "El corazón me manda" y

V

"El cuento de nunca acabar". Era también autor de *Mis Giacomini*, una deliciosa novela, pletórica de audacias, de seductor realismo, publicada primero—1934—en la revista *Brisas*, de Palma de Mallorca, y muy posteriormente—1941—en Barcelona. En las páginas de *La Estafeta Literaria* se publicó su autobiografía, que ha sido recogida en un libro recientemente—1947, Barcelona.

Villalonga era capitán de Regulares retirado cuando le sorprendió la guerra civil española; inmediatamente se incorporó al Ejército nacional, y en los frentes de guerra enfermó de un reuma que le tuvo varios años totalmente paralítico. Hombre de acusada vocación literaria, hay en su personalidad destellos de autenticidad, plenos de amarga ironía, en ocasiones.

V. NORA, Eugenio G. de: *La novela española contemporánea*. Madrid, Gredos, 1962, páginas 275-79.—TORRENTE BALLESTER, Gonzalo: *Panorama de la literatura española contemporánea*. Madrid, edit. Guadarrama, 1961, 2.ª edición.

VILLALONGA PONS, Lorenzo.

Literato español en lengua catalana. Nació —1897—en Palma de Mallorca. Doctor en Medicina. Ha publicado artículos excelentes en distintos periódicos y revistas, principalmente en *El Día*, de Palma. Posee una prosa original, tersa, brillantísima, y un estilo pletórico de singularidades. Magnífica es su imaginación, siempre unida a su honda poesía. Ha dado numerosas conferencias y charlas por la radio. Una modestia extraordinaria ha impedido a este gran escritor la popularidad que merece.

Obras: *Mort de dama, Fedra Centro*—ensayos—, *Mme. Dillot, La novel-la de Palmira Bearn, o La sala de las muñecas; Desenlace en Montlleó, El lledoner de la clastra, L'hereva de Donya Obdulia, Aquil·les o l'impossible, Falses memories de Salvador Orlan, Les Fures, La gran batude, El llumí i altres narracions...*
Dirigió la revista *Brisas*.

VILLAMEDIANA, Conde de (v. Tassis Peralta, Juan de).

VILLAMIL DE RADA, Emeterio.

Escritor boliviano de suma importancia. 1804-1880. Estudió Lenguas, llegando a poseer varias a la perfección. De vida aventurera, recorrió América y Europa ganando fortunas, que inmediatamente perdía en descabelladas empresas industriales. Repetidas veces propuso a los Gobiernos de Bolivia, Perú y Brasil la impresión de una monumental obra, titulada *La lengua de Adán*, en la que demostraba la prioridad geológica y antropológica del continente americano. Según él, el lenguaje aimara fue la lengua primigenia y, por consiguiente, la que habló el primer hombre.

Me permito copiar la impresión magnífica que acerca de Villamil de Rada ha escrito el gran crítico boliviano Díez de Medina: "Como hombre y como artista, Villamil de Rada es la gran figura romántica en la cultura boliviana. Sus viajes y aventuras darían materia para una biografía extraordinaria. Ideoclasta, al modo unamunesco, un rompedor de ideas que no busca la paz que consume, sino el combate que redime y purifica, el intrépido sorateño se pasó la vida lidiando con libros, teorías, políticos, lingüistas y antropólogos. Nadie quiso entender sus ideas. Nadie se atrevió a publicar sus manuscritos, fusión maravillosa de ciencia y fantasía, cuya magnitud puede entreverse a través del testimonio de sus contemporáneos, de rarísimos artículos y principalmente de esas notas fragmentarias y dispersas, que él mismo consideraba 'simples apuntes', y que agrupadas bajo el título de *La lengua de Adán*, constituyen preciosos restos de un tesoro perdido. ¿Quemó Villamil de Rada sus manuscritos, o se extraviaron en el remolino de su vida? La Historia solo sabe que el gran infortunado, cansado de llamar en puertas estrechas para su ingenio, se arrojó al mar en una edad en que el hombre rehúye decisiones tan extremas: tenía setenta y seis años. Fausto irredento, se sumergió con su secreto en la bahía de Río de Janeiro."

V. DÍEZ DE MEDINA, Fernando: *Perfil de la literatura boliviana*, en *Thunupa*, La Paz, 1947.—FINOT, Enrique: *Historia de la literatura boliviana*. México, 1943.

VILLANUEVA, Joaquín Lorenzo.

Prosista y poeta de singular mérito. 1757-1837. Nació en Játiva. Murió en Dublín. Estudió Filosofía y Letras. Se ordenó sacerdote. Y desde 1792 perteneció a la Academia Española. Poco después, a la de la Historia. Se dedicó a la diplomacia. Primero fue tachado de ultramontano, ocupando el cargo de calificador del Santo Oficio; de jansenista después, hasta el punto de que la Sede Pontificia se negó—1822—a recibirle como ministro plenipotenciario de España. Diputado liberal en las Cortes de 1813 y 1820, sufrió persecuciones y vivió emigrado en Inglaterra, donde escribió una curiosísima autobiografía, que tituló *Vida literaria*—1825—, obra interesantísima para la historia de su tiempo. "Fue Villanueva un renovador de ideas, abrazando las que venían de Francia y pretendiendo enlazar las libertades canónicas con las políticas. Poetizó en sus primeros y en sus últimos años, sintiéndose poeta al caer de la hoja de su asendereada vida política y entreteniendo el otoño de su ancianidad con imitaciones en prosa y en verso de fray Luis de León, no sin entonnación, con genio y sabor castizo, a veces demasiado arcaico. Fue en prosa consumado escritor. Notables artículos publicó en el periódico londinense *Ocios de Españoles Emigrados.*" (Cejador.)

Otras obras de Villanueva: *Año cristiano de España*—1791-1803. Diecinueve volúmenes—, *De la lección de la Sagrada Escritura en lenguas vulgares*—Valencia, 1791—, *Tratado de la Divina Providencia*—1798—, *El Kempis de los literatos*—Madrid, 1807—, *El jansenismo, Cartas de don Roque Leal* —1818—, *Poesías escogidas*—Dublín, 1833—, *Mi viaje a las Cortes*—Ms.—, *Glosario latino del Fuero Juzgo.*

V. Cueto, Leopoldo A. de: *Bosquejo histórico-crítico de poetas castellanos del siglo XVIII.*—Cejador y Frauca: *Historia de la lengua y literatura castellanas.* Tomo VI. Cornide Blasco: *Los precursores del romanticismo español.* Madrid, 1904.

VILLANUEVA, Santo Tomás de.

Teólogo, filósofo y ascético español. Nació —1488—en Fuenllana (Ciudad Real) y murió —1555—en Valencia. Agustino. Sacerdote en 1520. Enseñó Filosofía en Alcalá y en Salamanca. Se dedicó a la predicación con tal fortuna, que mereció el calificativo del "nuevo Apóstol de España" y que Carlos I le nombrara su predicador. En 1545, tras negativas reiteradas, se vio obligado a aceptar el nombramiento de arzobispo de Valencia. Desde entonces dedicó su vida a la caridad y a la penitencia más extremadas. Reforzó la disciplina clerical y social, corrigió abusos e injusticias, fundó escuelas y hospitales, humanizó las cárceles. Menéndez Pelayo le llamó "el último Santo Padre de la Iglesia española". En 1658 fue canonizado por Alejandro VII.

Santo Tomás de Villanueva fue autor de sermones de soberana belleza, entre los que sobresale el *Sermón del Amor de Dios*, uno de los más extraordinarios modelos de la oratoria sagrada española.

Otras obras: *Canciones sacrae*—1572—, *Modo breve de servir a Nuestro Señor, en diez reglas*—impreso en 1783—, *Soliloquios entre Dios y el alma después de la comunión* —impreso en 1763—, *Opúsculos*—impresos en Valladolid en 1885—, *De la lección, meditación, oración y contemplación...*

Según el padre Ibeas, la doctrina espiritual de Santo Tomás de Villanueva puede ser resumida como "el platonismo cristiano

de San Agustín, expresado en español castizo, grave y armonioso".

Textos: Para los *Sermones*, en la *Revista Agust.*, I, y en la *Ciudad de Dios*, XV; para los *Opúsculos*, en *Rev. Agust.*, VIII y IX.

V. Rodríguez, Fray Tomás: *Santo Tomás de Villanueva, teólogo, moralista, místico, ascético y escriturario*, en *Ciudad de Dios*, tomos XXIV-XXVI.—Salón, Fray Miguel: *Santo Tomás de Aquino.*—Santiago Vela, Fray Gregorio: *Archivo Hispano-Agustiniano.*

VILLANUEVA Y OCHOA (v. Solís, Domingo).

VILLARROEL, Gaspar de.

Escritor y prelado. Nació—1587—en Quito (Ecuador) y murió—1665—en Chuquisaca (Bolivia). Agustino. Gran orador sagrado. Vivió en Lisboa y en Madrid, siendo muy agasajado por el rey don Felipe IV, quien le nombró obispo de Santiago de Chile —1637—. Arzobispo de Arequipa en 1651. Posteriormente pasó al arzobispado de Chuquisaca, donde acabó sus días.

Poseyó gran cultura y mantuvo con gran decoro la tradición humanista del Clero colonial. Los bolivianos le colocan entre sus escritores.

"Ingenio agudo en la intención, culterano de forma, es autor del célebre *Gobierno de los dos cuchillos*, crítica a fondo contra el sistema español, ataque doble a la monarquía y al clericalismo actuante." (Díez de Medina.)

Otras obras: *Gobierno eclesiástico y pacífico*—Madrid, 1656—, *Primera parte de las historias sagradas y eclesiásticas morales* —Madrid, 1660—, *Segunda parte de las historias sagradas y eclesiásticas morales*—Madrid, 1660—, *Relación del terreno de Santiago... de 1647...*

V. Díaz de Medina, Fernando: *Perfil de la literatura boliviana*, en *Thunupa*, La Paz, 1947.—Finot, Enrique: *Historia de la literatura boliviana.* México, 1943.

VILLARTA, Angeles.

Novelista, periodista, poeta, cronista, ensayista española. Nació—1918—en Belmonte (Asturias). Se educó en Suiza: bachillerato de Letras, Comercio. Inició su vocación literaria enviando a la revista madrileña *Domingo* reportajes, crónicas y cuentos. Dirigió la segunda época de la revista *La Novela Corta* y la revista de humor *Don Venerando.* Lleva más de veinte años colaborando asiduamente en los más importantes diarios y revistas de España. De ella ha escrito Alfredo Marquerie: "En la personalidad literaria de Angeles Villarta hay la huella de una fuerte cultura cosmopolita bien sedimentada; en su temperamento, brío juvenil, ternura bien dosificada y un humorismo característico. Destaca en la serenidad y belleza de sus descripciones a la vez que en el manejo de sus personajes muestra siempre aguda penetración psicológica." En 1953 le fue concedido el "Premio Fémina".

Obras: *Un pleno de amor*—novela, 1942—, *Por encima de las nieblas*—novela, 1943—, *Muchachas que trabajan*—novela, Madrid, 1944—, *Ahora que soy estraperlista*—novela, 1949—, *Con derecho a cocina*—novela, 1950—, *Una mujer fea*—Madrid, 1953—, *Mi vida en un manicomio*—reportaje, Madrid, 1954—, *Católica*—1955.

VILLAURRUTIA, Xavier.

Poeta, dramaturgo, prosista, narrador, crítico literario mexicano. Nació—1905—y murió—1950—en la ciudad de México. Estudió en el Colegio Francés, en la Escuela Nacional Preparatoria y en la Escuela Nacional de Jurisprudencia de su ciudad natal. Profesor de Literatura española en escuelas secundarias. Diputado. Director de la revista *Ulises*. Ministro de Educación. Traductor de André Gide y de William Blake. Viajó por Europa y toda América. Uno de los escritores mexicanos contemporáneos más fértiles y varios, excelente colorista, de gusto exquisito, más formal que hondo. Su poesía quizá peque de *exacta plasticidad fría*. Dirigió el Teatro Nacional.

Obras: *La poesía de los jóvenes de México*—1924—, *Reflejos*—poemas, 1926—, *Drama de corazones*—1929—, *Nocturnos*—1933—, *Nostalgia de la muerte*—poemas, 1938—, *Parece mentira*—teatro, 1934—, *¿En qué piensas?*—teatro, 1938—, *Sea usted breve*—teatro, 1938—, *Edición crítica* de los *Sonetos* de sor Juana Inés de la Cruz —1931—, *Dama de corazones*—1928—, *El solterón, La hiedra, La mujer legítima* —1942—, *El pobre Barba Azul*—1946—, *Juego peligroso*—1949.

V. MAPLES ARCE, Manuel: *Antología de la poesía moderna contemporánea*. Roma, 1940.—GONZÁLEZ PEÑA, Carlos: *Historia de la literatura mexicana*. 2.ª edición, México, 1940.

VILLAVERDE, Cirilo.

Novelista, periodista cubano. Nació —1812—en Pinar del Río y murió—1894— en Nueva York. Estudió en la Habana Humanidades y Leyes, ejerciendo algún tiempo la abogacía. Pero lo que con más fuerza le arrastró fue la enseñanza y el periodismo patriótico y civilista. De exaltadas ideas y uno

de los principales apóstoles del separatismo, inmiscuido en una conspiración contra España, escapó a la muerte con la fuga a los Estados Unidos oculto en la bodega de un barco. En Nueva York siguió conspirando—1849—, y fue redactor de *La Verdad*. Fundó en Nueva Orleáns *El Independiente*. Indultado en 1858, regresó a Cuba. Pero nuevamente hubo de huir, acabando sus días en el exilio.

Fue un novelista realmente excepcional. En plena exaltación romántica, cuando en Europa aún no había aparecido Galdós ni Zola, Cirilo Villaverde escribió novelas de un realismo sorprendente, en las que la más fina y rigurosa observación se armoniza con un lenguaje natural desprovisto de retórica. Su *Cecilia Valdés, novela de costumbres cubanas*—la Habana, 1839, cuya segunda parte apareció en Nueva York, 1882—es una de las más admirables novelas de su patria.

Otras obras: *El espetón de oro*—novela, 1838—, *La cuna negra*—novela, 1839—, *Teresa*—novela, 1839—, *La joven de la flecha de oro*—novela, 1841—, *El penitente*—novela, 1841—, *El misionero del Caroní*—novela, 1842—, *La peineta calada*—novela, 1842—, *El guajiro*—novela, 1842—, *La tejedora de sombreros de Yarci*—novela, 1843—, *Dos amores*—novela, 1858—, *Compendio geográfico de la isla de Cuba*—1845—, *Comunidad de nombres y apellidos*—1845—, *Palenques de negros cimarrones*—1890...

V. REMOS Y RUBIO, Juan José: *Historia de la literatura cubana*. La Habana, 1925.—SALAZAR Y ROIG, S.: *Historia de la literatura cubana*. La Habana, 1939.—CARRICARTE, Arturo R.: *La novela en Cuba. Bibliografía*. 1912, en *La Prensa*, y 1915, en *Heraldo de Cuba*.—CHACÓN Y CALVO, José María: *La literatura de Cuba*, en el tomo XII de la *Historia Universal de la Literatura*, de Prampolini. Buenos Aires, Uteha Argentina, 1941.

VILLAVICIOSA, José de.

Poeta. Nació—1589—en Sigüenza (Guadalajara). Murió—1658—en Cuenca. En esta última ciudad estudió Leyes. Ejerció la abogacía—1622—en Madrid. Desde este año hasta 1638 desempeñó el cargo de relator del Consejo Supremo de la Inquisición. Inquisidor de la ciudad y reino de Murcia. Arcediano de Alcor (Palencia). Inquisidor y canónigo de Cuenca desde 1648. Su nombre figura en el *Catálogo de autoridades* del idioma, publicado por la Academia Española.

De él se conoce una obra única: *La Mosquea*—Cuenca, 1615—, poema épico burlesco, imitación de la *Moschaea*—1521—, de Teófilo Folengo, que, a su vez, parodió en latín la *Batracomiomachia*, la *Eneida*, el *Orlando innamorato* y el *Membriano*.

El poema, sin alcanzar la fluidez de la *Gatomaquia,* de Lope, puede leerse hoy sin sentir la fatiga que en los de su género se observa. "Es una epopeya burlesca de la guerra entre moscas y hormigas, valientemente versificada en octavas reales, las más sonoras y trompeteadoras que se han escrito en castellano, lo cual, junto con la guasa delicada y el sutil ingenio con que personaliza estos bichejos, hace del poema uno de los mejores burlescos que tenemos..."

Las mejores ediciones: Madrid, Sancha, 1777; tomo XVII de la "Biblioteca de Autores Españoles".

V. WICKERSHAM CRAWFORD, J. R.: *Teófilo Folengo's "Moschaea" and José de Villaviciosa "La Mosquea",* en "Publications of the Modern Language...". 1912, XXXVII.—CATALINA GARCÍA, J.: *Escritores de la provincia de Guadalajara.*—GONZÁLEZ PALENCIA, A.: *José de Villaviciosa y "La Mosquea",* en *Historias y leyendas.* Madrid, 1942.

VILLAVICIOSA, Sebastián Rodríguez de.

Ingenioso poeta dramático español. Nació —¿1618?—en Tordesillas (Valladolid). Murió después de 1660. Sus verdaderos apellidos eran Mora de Villaviciosa. Cabe suponer que es el licenciado Villaviciosa de que habla Cáncer de Velasco en su curioso *Vejamen* de 1649. Caballero del hábito de San Juan. Secretario en el certamen poético de la *Soledad*—1660—, última noticia esta que se tiene de su vida. Fue clérigo, capellán de obediencia a título del priorato de San Salvador, de Pazos de Acentesio.

Escribió una *Silva* a la muerte de la reina Isabel de Borbón, publicada—1645—en la *Pompa funeral;* y muchas comedias en colaboración. Fue de los más fecundos e ingeniosos entremesistas de su tiempo. Su nombre consta en el *Catálogo de autoridades* del idioma.

Entre sus obras destacan: *La corte en el valle*—relatando la jornada de Felipe IV a la frontera francesa para el desposorio de su hija la infanta doña María Teresa con Luis XIV, comedia que se representó en Valladolid a 20 de junio de 1660—, *Dejar un reino por otro*—en colaboración con Moreto—, *Cuantas veo, tantas quiero*—con Francisco de Avellaneda, obra que más de cien años después proporcionó uno de sus mayores triunfos al gran actor Máiquez—, *El amante mudo*—con Matos y Zabaleta—, *Reinar por obedecer*—con Diamante y Matos—, *El rey don Enrique, enfermo*—con Moreto, Cáncer, Meneses, Rosete y Zabaleta—, *Dejar un reino por otro, y mártires de Madrid* —con Moreto y Cáncer—, *Amor puesto en razón, El sí y la almohada*—entremés—, *Los presos*—baile—, *La chillona*—baile—, *El ham-*

briento—entremés—, *El sacristán Chinela* —entremés—, *El licenciado Truchón*—entremés—, *El sueño*—baile—, *Muchas damas en una*—entremés—, *La casa de vecindad*—entremés—, *Las visitas*—entremés—, *El retrato de Juan Rana*—entremés...

"Son notables los entremeses de Villaviciosa por la gracia y donosura de expresión, lo rápido de las escenas, lo urbano e inesperado del chiste, y por la finura y buen gusto, solo comparables con los de Cervantes y Quiñones." (Cotarelo.)

La comedia *Cuantas veo, tantas quiero,* se encuentra en el tomo XLVII de la "Biblioteca de Autores Españoles", y algunos de sus entremeses, en la edición Cotarelo, "Nueva Biblioteca de Autores Españoles".

V. COTARELO MORI, E.: *Entremeses,* páginas 100 y 193, "Nueva Biblioteca de Autores Españoles".

VILLEGAS, Antonio de.

Poeta y novelista español de mérito singular. Nació—¿1512?—en Medina del Campo. Nada se sabe de su vida. Fue un buen poeta, llano y natural, de la antigua escuela castellana. Hacia 1565 publicó su *Inventario,* en el que se reúnen sus principales composiciones—*canciones y coplas,* la *Historia de Píramo,* la *Contienda de Ayax*—, alguna de las cuales rezuma muy débilmente como una aprehensión italizante, lograda a pesar suyo. Atisbo que es aún más patente en la novelita, en prosa y verso, titulada *Ausencia y soledad de amor.*

A Villegas se le atribuye el precioso cuento morisco de *Abindarráez y Jarifa,* verdadera joya de la novela histórica, cuya única versión conocida se halla en el *Inventario,* y que fue más tarde insertada en la *Diana,* de Jorge de Montemayor, después de la muerte de este. Primoroso cuento de amores y de guerra, "dechado de afectuosa naturalidad, de delicadeza, de buen gusto, de nobles y tiernos afectos, en tal grado, que apenas hay en nuestra lengua escritura corta de su género que la supere" (Menéndez Pelayo). El cuento está tomado de la crónica anónima *"del ínclito rey don Fernando, que ganó a Antequera, en la qual trata de cómo se casaron a hurto del abendorraxe Abindarráex con la Linda Xarifa, hija del alcayde de Coín...",* cuya edición data, según Gayangos, de 1535.

El éxito de esta novelita fue fenomenal. Fue mencionada y alabada por Timoneda, Covarrubias y Cervantes—en el *Quijote*—. Se multiplicaron sus ediciones. Y Lope de Vega, con el mismo tema, compuso su comedia *El remedio en la desdicha.*

Para Gallardo, este cuento modelo fue escrito "con pluma de ala de algún ángel".

V

El nombre de Antonio de Villegas figura en el *Catálogo de autoridades* del idioma, publicado por la Academia Española.

Ediciones modernas del cuento: Madrid, 1895, por Pérez Pastor, en su libro *La Imprenta en Medina del Campo;* tomo III de la "Biblioteca de Autores Españoles"; *Cuentos viejos de la vieja España,* ed. M. Aguilar, Madrid, 1941 y 1943; Barcelona, edición Aymá, ¿1942?, con prólogo de Milás; Chicago, 1927, edición de Adams y Starck.

V. MENÉNDEZ PELAYO, M.: *Orígenes de la novela,* I, 375-380.—MILLÁS: *Estudio* en la ed. Barcelona, Aymá.—MÉRIMÉE, Henry: *"El abencerraje" d'après diverses versions publiées du XVIᵉ siècle,* en *Bulletin Hispanique,* 1928.—AUSTIN DEFERRARI, H.: *The sentimental Moor in Spanish Literature beforre 1600.* Filadelfia, 1927. Tesis doctoral.—PRIMICERIO, Elena: *La "Historia del abencerraje" y los Romances de Granada.* Nápoles, 1929.—BUCHANAM, M. A.: *Alhambrasion,* en *H. Rev.,* 1935, III, 269.—DALE, G. D.: *An impublished version of the "Historia de Abindarráez,* en *Mod. Language Not.,* 1924, XXXIX.—GRAWFORD, J. P. W.: *El "Abencerraje" and Longfellow's "Golgano",* en *Hispania,* 1926, IX.

VILLEGAS, Esteban Manuel de.

Muy notable poeta, satírico y humanista. Nació—1529—en Matute, cerca de Nájera (Logroño). Murió en 1669. Fue el más interesante poeta de la "escuela aragonesa", excluidos los Argensola. Con pingües bienes de fortuna, pasó su existencia entre *la corte y el cortijo,* aun cuando al final de su vida, por haber tenido de su matrimonio con doña Antonia de Leyva numerosísima descendencia, se vio no poco apurado de caudales y hubo de aceptar cargos como el de tesorero de rentas de Nájera, y aun de pretender, inútilmente, el de cronista de Indias. Por presumir de teólogo y mezclar en sus atrevidas apreciaciones a santos doctores, como Anselmo y Agustín, cuando tenía más de setenta años fue procesado por la Inquisición. Villegas, con más miedo que vergüenza, hizo protesta altisonante de su fe, y como se comprobó que "era hombre pío, limosnero, muy frecuentador de los Santos Sacramentos y de la misa", se le desterró por cuatro años de Nájera, Logroño y Madrid.

Profundamente conocedor de los clásicos latinos, quiso Villegas introducir sus metros en la poesía castellana. Y tuvo un éxito completo con los sáficos adónicos, ya que estos se prestan muy bien a una clase de endecasílabos. Admirable ejemplo es su poesía:

> Dulce vecino de la verde selva,
> huésped eterno del abril florido,
> vital aliento de la madre Venus,
> céfiro blando.
> Si de mis ansias el amor supiste,
> tú, que las quejas de mi amor llevaste,
> oye, no temas, y a mi ninfa dile,
> dile que muero.

Tan maravillosamente imitó y tradujo a Anacreonte, que sus *Anacreónticas* fueron muy leídas e imitadas durante el siglo XVIII por Meléndez Valdés e Iglesias de la Casa. Sus *Cantilenas* de temas pastoriles y ritmos llenos de gracia no tienen rival en la poesía castellana. Facilísimo y buen versificador, suelto y armónico, lo mismo en los versos cortos que en los endecasílabos, poseedor del instinto de la forma, de la medida, de la delicadeza y de la musicalidad, con ideas, si no muy originales, sí muy originalmente expuestas, su gran valor fue, sin embargo, el que muy certeramente le asigna Pfandl: "Frente al hecho indiscutible de que el acento o el tono es el elemento rítmico decisivo del verso español, convierte la cantidad de las sílabas en fundamento de la estructura de sus versos, y, en consecuencia, pone los metros sáficos, adónicos, anacreónticos y los dáctilos combinados en series de hexámetros y pentámetros en lugar de las formas nacionales, tanto eruditas como populares. Solo un virtuoso del lenguaje podría lograrlo."

Tradujo maravillosamente algunas *Odas* de Horacio y *De Consolatione,* de Boecio, de la que con su natural jactancia dijo en el prólogo: "Salió la traducción de tan buen aire, que no tienen que envidiar los legos que la leyeren a los que saben latín y entienden con ventaja el texto." Realmente, esta traducción de Villegas supera a cuantas se han hecho en castellano.

Las *Eróticas,* por mejor decir, las *anacreónticas* y *cantilenas,* tienen una gracia y soltura no igualadas en toda nuestra literatura. "Con versos largos trompica a menudo; con cortos, corre, vuela; son sus verdaderos pies o, mejor dicho, alas, porque su poesía es de mariposa."

Lope de Vega le alabó en el *Laurel de Apolo:*

> Aspire luego de Pegaso al monte
> el dulce traductor de Anacreonte,
> cuyos estudios con perpetua gloria
> libraran del olvido la memoria;
> aunque dijo que todos «se escondiesen»
> cuando los rayos de su ingenio viesen.

El nombre de Villegas figura en el *Catálogo de autoridades* del idioma.

Entre sus poesías se han hecho famosísimas—y jamás faltan de las antologías—la cantilena *A un pajarillo* y los sáficos *Al céfiro.*

Sus *Eróticas* o *Amatorias* se reimprimieron varias veces desde 1618. Las ediciones modernas más importantes son: Madrid, Sancha, 1774 y 1797; tomos XLII y LXI de la "Biblioteca de Autores Españoles"; Madrid, 1913, *Clásicos Castellanos.*

V. ALONSO CORTÉS, N.: *Estudio y notas* en la ed. *Clásicos Castellanos,* 1913.—MENÉNDEZ PELAYO, M.: *Heterodoxos españoles,* III, 859.—Ríos, Vicente de los: *Estudio* en la ed. Sancha, 1774.—SAINZ DE ROBLES, Federico Carlos: *El epigrama español.* Madrid, Aguilar, 1946, 2.ª edición.

VILLEGAS SELVAGO, Alonso de.

Interesante prosista y autor teatral. Nació en Toledo en 1534, según se colige de los versos acrósticos de la *Comedia Selvagia,* publicada en 1554, en los que confesaba haberla escrito a los veinte años y en *Toledo, su patria.* Murió después de 1615. Licenciado en Teología. Capellán de los mozárabes toledanos. En 1600, "siendo de edad de sesenta y seis años," acabó la *Vitoria o Triunfo de Iesu Cristo,* publicada en Madrid en 1603. Dedicó toda su larga vida a escribir graves y aun populares libros hagiográficos, como el *Flos Sanctorum,* en cinco partes o tomos—Toledo, 1578—, que se leyó por toda España; libros escritos en una prosa llana, sencilla, castiza, llena de piedad y devoción. En 1615 pronunció en Toledo su famosísimo sermón para comentar la beatificación de Teresa de Jesús. Esta es la última noticia que tenemos de su existencia, aun cuando Nicolás Antonio le hace vivir ciento tres años, atribuyéndole la paternidad de *Favores de la Virgen*—1635—y *Soliloquios divinos*—1637—, obras que, en efecto, son suyas, pero de las cuales Nicolás Antonio debió de conocer ejemplares de segundas ediciones, ya que si no es imposible vivir ciento tres años, *sí lo es casi* a esas alturas andar escribiendo obras enjundiosas.

Su nombre figura en el *Catálogo de autoridades* del idioma, publicado por la Academia Española.

Pero la obra que ha hecho famoso a Alonso de Villegas—de sobrenombre Selvago, por su comedia—es la *Comedia llamada Selvagia: en que se introduzen los amores de un cavallero llamado Selvago con una ilustre dama dicha Isabel: efectuados por Dolosina, alcahueta famosa. Compuesta por Alonso de Villegas Selvago. Estudiante*—Toledo 1554—, imitación de *La Celestina* y de la obra de Feliciano de Silva y la *Tragicomedia de Lisandro y Roselia.*

"Es más dramática que todas—escribe Cejador—, excepto la de Rojas, con ingenioso principio e inopinado desenlace, agradables peripecias y con más hábil desarrollo del plan que no lo hicieron Sepúlveda, Lope de Rueda, Timoneda y demás imitadores italianos." Y opina Menéndez Pelayo: "Puede decirse que adivinó mejor que ninguno lo que había de ser la futura comedia de capa y espada. La *Selvagia,* que es una de las *Celestinas* más breves, pues consta solo de cinco actos, divididos en corto número de escenas, hubiera podido reducirse al marco teatral sin gran esfuerzo..."

Otras obras: *Vida de San Isidro Labrador*—1592—, *Vida de San Tirso*—Toledo, 1595.

Del *Flos Sanctorum* se hicieron muchas reimpresiones: Madrid, 1595; Toledo, 1578, 1583, 1597; Zaragoza, 1580, 1585...

De la *Comedia Selvagia* hay edición moderna: Madrid, 1873, "Colección de libros raros y curiosos". (Va impresa juntamente con la *Serafina.*)

V. CEJADOR ·Y FRAUCA, J.: *Historia de la lengua y literatura españolas.* Tomo II, 264-266.—PÉREZ PASTOR: *Bibliografía madrileña,* III, 516.

VILLENA, Enrique de (v. Aragón, don Enrique de, Marqués de Villena).

VINARDELL, Santiago.

Literato y periodista español. Nació —1884—en Mataró (Barcelona). Licenciado en Leyes por la Universidad barcelonesa. Dirigió en su ciudad natal el semanario *Mestral.* Redactor de *Joventut, El Poble Catalá, La Tribuna, El Día Gráfico* y *La Vanguardia,* de la ciudad condal. Habiéndose trasladado a Madrid, formó parte de las Redacciones de *Heraldo, Hoy* e *Informaciones...*

Articulista ameno, fácil, de humor y de limpio ideario, de gran sensibilidad.

Obras: *Aleluyas*—Madrid, 1919, con prólogo de Ramón Gómez de la Serna—, *Genios y figuras*—1928...

VIÑAS, Celia.

Poetisa española Nació—1915—en Lérida y murió—1954—en Almería. Estudió el Bachillerato en Palma de Mallorca y el Preparatorio en el Instituto Maragall, de Barcelona. Se graduó Licenciada en Lenguas Románicas por la Universidad de la ciudad condal. En 1943 ganó oposiciones a cátedra de Instituto. Publicó sus primeros poemas en *La Estafeta Literaria,* de Madrid.

Obras: *Trigo del corazón*—poemas—, *Canción triste en el Sur*—poemas—, *Estampas de la vida de Cervantes*—prosas, Madrid—, *Palabras sin voz*—poemas—, *Del foc i de la cendra*—poemas en mallorquín.

VIÑAS NAVARRO, Aurelio.

Historiador, ensayista y profesor español. Nació en 1893. Doctor en Filosofía y Letras. Catedrático de Historia de España en las Universidades de Oviedo y Sevilla, y de la misma enseñanza en el Institut Hispanique de la Sorbona. Gran conferenciante. Ha explicado cursos monográficos en Bruselas, Berlín, King's College y Columbia University. Del Consejo Superior de Investigaciones Científicas. De cultura excepcional.

Obras: *Felipe II y sus embajadores en Francia*, *¿Por qué España?*, *Consejos a los jóvenes hispanistas*, *Lectura de Historia de España*—en colaboración con Claudio Sánchez Albornoz...

VIQUEIRA BARREIRO, José María.

Nació en El Ferrol (La Coruña) el 10 de octubre de 1912. Estudia el bachillerato y Magisterio en Pontevedra. Y más tarde, Filosofía y Letras en la Universidad de Madrid. Tanto el grado como las carreras fueron hechas brillantemente. Matrículas de honor en casi todas las asignaturas, y los títulos profesionales con la nota de sobresaliente y premio extraordinario, por oposición. Obtuvo el número 1 de Galicia en los cursillos del Magisterio celebrados en Pontevedra el año 1933. Luego fue profesor adjunto del Instituto Nacional de Enseñanza Media "Cervantes", de Madrid, así como de la Sección de Letras del Colegio Nuestra Señora del Carmen, para huérfanos de la Armada, en Ciudad Lineal (Madrid). Cofundador del Instituto Nacional del Libro Español, donde desempeñó el cargo de secretario técnico de política cultural durante dos años, los primeros de vida del citado organismo. Es catedrático de Lengua y Literatura españolas, con cuya misión fue director del Instituto Nacional de Enseñanza Media "Alfonso VIII", de Cuenca, durante tres años, desarrollando allí una buena labor pedagógica. Esta labor fue apreciada de tal modo por el Ministerio de Educación Nacional, que se le nombró caballero comendador de la Orden civil de Alfonso X el Sabio. Miembro correspondiente de la Real Academia Gallega.

Actualmente es profesor de español en la Universidad portuguesa de Coimbra, donde también está organizando un Instituto de Cultura Hispano-Portuguesa, de próximo funcionamiento, y para estrechar las relaciones de intercambio cultural luso-español.

En 1951 se doctoró en la Universidad de Madrid con la tesis "Valores educativos en el teatro de Benavente", obteniendo la calificación de sobresaliente.

Es colaborador de diversos periódicos y revistas de provincias, así como de la *Revista de Pedagogía Española*, del Consejo Superior de Investigaciones Científicas. En unos y otras publicó diversos artículos, cuentos y trabajos de investigación.

Obras: *El P. José Anchieta, apóstol del Brasil*—Coimbra, 1949—, *El lusitanismo de Lope de Vega y su comedia "El Brasil, restituido"*—Coimbra, 1950—, *Quevedo contra el conde-duque de Olivares en un drama romántico*—Coimbra, 1951—, *Lengua española para lusitanos*, *España y lo español en Camoens*, *El Romancero, oráculo hispano-lusitano*—Coimbra, 1956—, *Coimbra: notas e impresiones*—Coimbra, 1958—, *Coimbra y Tirso de Molina*—Coimbra, 1955—, *Así piensan los personajes de Benavente*—Madrid, 1958—, *Diccionario portugués-español y español-portugués*.

Es autor de la edición última de *El desdén con el desdén*, de Moreto, con prólogo, estudio y notas, publicada en la colección de "Clásicos Ebro". Y autor también de las siguientes obras, traducidas del portugués: *Nieve sobre el mar*, de Joaquim Paço d'Arcos—editorial Ambo, Madrid—, *La caída*, del mismo autor—editorial La Nave, Madrid—, *El ausente*, comedia dramática en tres actos, del mismo autor luso.

Pronunció varias conferencias en España y Portugal, algunas de las cuales están publicadas.

VIRUÉS, Cristóbal de.

Poeta y autor dramático español. Nació —1550—en Valencia. Murió—1609—en esta misma ciudad. De muchas ansias aventureras y gran vocación militar, siguió la carrera de las armas y combatió en Lepanto y en Milán, siendo herido en la memorable batalla naval. En Italia perfeccionó su gusto y su estilo. En 1580 vivía ya alejado de su bélica profesión, dedicado exclusivamente a las letras. En 1588 publicó su poema épico *El Monserrate*, cuya aprobación fue de fray Pedro Padilla, que dictaminó así: "El sujeto de que trata es ejemplar y apacible; la invención poética, agradable y extraordinaria, y el verso, fácil y grave." Un tanto exageró el censor. En *El Monserrate* existen algunos aciertos de rima, ciertas pinceladas de color muy acertadas, determinados episodios con algún interés. Pero el autor amontonó tal número de acontecimientos terribles, que ya no pudo librarse de ellos; lo cual trajo al poema mucha confusión y no poco fastidio para el lector.

En Milán—1602—publicó *El Monserrate segundo*, que, a tener menos episodios y atrocidades dramáticas, sería un poema magnífico, ya que tiene valores grandes de versificación, soltura, inspiración y belleza de imágenes. Cervantes—en *La Galatea*—dijo de él: "Tú mesmo aquel ingenio y virtud canta—con que huyes del mundo los engaños." Y Lope de Vega—en *Arte nuevo de hacer comedias*—: "El capitán Virués, insigne ingenio,—puso en tres actos la comedia, que antes—andaba en cuatro, como pies de niño." *El Monserrate* fue uno de los pocos libros excluidos de la quema que ordenó el cura de la mayoría de la biblioteca de Don Quijote.

En sus *Obras trágicas y líricas*—Madrid, 1609—dio a la estampa sus cinco tragedias: *La gran Semíramis, La cruel Casandra, Atila furioso, La infelice Marcela* y *Elisa Dido*. Probablemente fueron escritas entre 1580 y 1585. Son cinco verdaderos melodramas, cargados de muertes y fieros males, cuyos protagonistas encuentran la muerte inevitablemente en el último acto. Sin embargo, muchas de sus escenas y de sus versos tienen poesía y grandeza dramática. Virués resulta un imitador de lo clásico bastante afortunado, aunque sin grandes golpes de ingenio. No le faltan, no, un vigor extraordinario, entusiasmo lírico, fogosa elocuencia y talento dramático. Su nombre figura en el *Catálogo de autoridades* del idioma.

Ediciones modernas. De *La gran Semíramis*, Londres, 1858; de *El Monserrate*, tomo XVII de la "Biblioteca de Autores Españoles".

V. SAINZ DE ROBLES, F. C.: *Historia y antología del teatro español*. Madrid, 1943. Tomo I.—MARTÍ-GRAJALES, F.: *Poetas valencianos*. Madrid, 1927.—FARINELLI, A.: *Una epístola poética de Virués*. Bellinzona, 1892. SARGENT, C. V.: *A Study of the dramatic Works of C. de Virués*, Nueva York, 1930.—MÜNCH-BELLINGHAUSEN, E. von: *Virués' Leben und Werke*, en *Jahrbuch für romanische und englische Literatur*. Berlín, 1860, II, 139-163.

VITORIA, Francisco de.

Humanista y teólogo español. N a c i ó —1483—en Vitoria y murió—1546—en Salamanca. Hacia 1504 ingresó en el convento dominico de Burgos. En París estudió Artes y Teología, y en París enseñó estas materias de 1516 a 1522. Desde 1526 hasta su muerte ocupó la cátedra de Prima en Salamanca. Se le considera "Padre del Derecho internacional", por haber sido el primero en determinar los principios que deben regular las relaciones internacionales. Restauró la enseñanza de la Teología en España, dándole un sentido tomista al sustituir el texto oficial hasta entonces, las *Sentencias* de Pedro Lombardo, por la *Summa Theologica* de Santo Tomás de Aquino. Eliminó las inútiles sutilezas dialécticas por el estudio de los problemas trascendentales. Exigió la exposición metódica y sencilla, oponiéndola al antiguo enmarañado estilo. Abogó por el criterio personal e independiente frente a las autoridades escolásticas intangibles, y por la necesidad de prescindir de los compendios y libros de segunda mano, acudiendo a las fuentes auténticas: Sagrada Escritura, Santos Padres, Concilios, documentos... Estableció el sistema de *tomar apuntes* como el más idóneo para establecer la compenetración entre maestros y alumnos.

En todas sus numerosas y variadas obras se advierte su gran talento, su espíritu sutil y abierto, su gran claridad de expresión, su elocuencia, la gracia exquisita con que atraía a discípulos y adversarios.

Obras: *Lecturas*—apuntes tomados por sus discípulos—, *Relecciones*—conferencias—, *De indis*—1539—y *De iure belli*—1539—en las que sentó las bases del derecho de gentes—, *De silentii obligatione*—1527—, *De potestate civili*—1528—, *De homicidio*—1530—, *De matrimonio*—1531—, *De potestate Ecclesiae prior*—1532—, *De potestate Ecclesiae posterior*—1533—, *De augmento charitatis* —1535—, *De eo ad quod tenetur*—1535—, *De simonia*—1536—, *De temperantia*—1537—, *De magia*—1540—, *De magia posterior* —1543.

Ediciones: *Relecciones*, Madrid, 1917, tres tomos, con traducción de Jaime Torrubiano Ripoll; *Antología*, Editora Nacional, Madrid; *Idearío*, Madrid, 1952, edit. Aguilar, en *Diccionario de la sabiduría*.

V. VILLOSLADA, Ricardo G.: *Fray Francisco Vitoria, fundador del Derecho internacional moderno*. Madrid, edit. Cultura Hispánica, 1946.—VILLOSLADA, Ricardo G.: *La Universidad de París durante los estudios de Francisco de Vitoria*. Roma, 1938.—ALONSO GETINO, P. Luis: *El maestro Francisco Vitoria. Su vida, su doctrina, su influencia*. Madrid, 1930.—BELTRÁN DE HEREDIA, V.: *Francisco de Vitoria*. Madrid, 1939.—BELTRÁN DE HEREDIA, V.: *Los manuscritos del maestro Francisco de Vitoria*. Madrid, 1928.

VIU, Francisco de.

Periodista y autor dramático español. Nació—1883—en Naval (Huesca). Murió—1932— en Madrid. Estudió el bachillerato en Granada. Doctor en Leyes por la Universidad de Madrid. En la capital, desde 1912, se dedicó por completo al periodismo y a la literatura. Fue redactor de *La Acción, La Nación* y *La Voz*.

Escritor de gran dignidad literaria. En sus obras campean el limpio estilo, la acertada pintura de los caracteres, el perfecto conocimiento de los recursos escénicos—sin

concesión mínima al truco—, la emoción
honda muy humana, el sentido realista y,
en ocasiones, poético, de las pasiones, la
gracia señoril.

Obras escénicas: *Feria de amor*—1907, su
primera producción—, *Las nubes, Así en la
tierra...*, *La flor de Córdoba, Las humildes,
La novia, Hacer el amor, Catalina María
Márquez, Sonata, Lo imprevisto, Peleles*
—1930...

VIVANCO, Luis Felipe.

Nació—1907—en San Lorenzo de El Escorial. Estudió el bachillerato con los Padres
Marianistas en Madrid. Arquitecto. Licenciado en Filosofía y Letras. Redactor de las
notables revistas *Vértice* y *Escorial*. Colaborador de otras muy importantes de poesía
pura.

Ha traducido a Virgilio, a Francis Jammes, a Paul Claudel.

Lírico de calidad excepcional, de acento
concentrado, un poco seco, pero de una
honda emotividad, de una turbadora melancolía.

Entre sus valores esenciales están: un
sentimiento religioso profundo, una continuada tensión creadora, un magnífico sentido interpretativo de la Naturaleza, un humanismo muy arraigado, oreado por las
metáforas más felices.

Obras: *Cantos de primavera*—Madrid,
1936—, *Tiempo de dolor*—Madrid, 1940—, *La
mejor reina de España*—en colaboración
con Luis Rosales—, *Continuación de la vida*
—1949—, *El Escorial*—1953—, *Introducción
a la poesía española contemporánea*—Madrid, 1957, "Premio Fastenrath" de la Real
Academia Española—, *Memoria de la Plata*
—Madrid, 1958.

Otras obras: *Tres cantos de primavera y
otros poemas, Versos de cada día, Los cho-
pos, El libro del pasado*—prosas poéticas—,
Los ojos de Toledo—1953—, *Cancionero de
Laredo*—1957—, *Lecciones para el hijo*—Madrid, Aguilar, 1961...

V. VALBUENA PRAT, Angel: *Historia de la
literatura española.* 1950, Barcelona, Gili,
tomo III.—MORENO, Alfonso: *Poesía española actual.* Madrid, Editora Nacional, 1946.—
DÍAZ-PLAJA, G.: *Poesía lírica española.* Barcelona, Labor, 2.ª edición, 1948.

VIVAS BALCÁZAR, José María.

Poeta y ensayista colombiano. Nació
—¿1921?—en Tunía (Causa), pequeña población cercana a Popayán. Estudió primeras
letras en el Colegio Villegas. Cursó Derecho
y Ciencias Políticas en la Universidad Javeriana de Bogotá. Durante cinco años fue colaborador de *El Siglo,* diario fundado por
don Laureano Gómez y José de la Vega. En
la actualidad desempeña la dirección de la
Revista de Indias, órgano cultural del Ministerio de Educación.

Vivas Balcázar ha logrado una rápida y
justa fama como lírico. En el continente
hispanoamericano, donde tantos y tan extraordinarios poetas se han glorificado, Vivas
Balcázar ocupa un lugar preeminente. Posee emoción, hondura, personalidad, fuerza.

Obras: *Humo azul*—poemas—, *El corazón
vacío*—poemas—. Este último libro es uno
de los más sugestivos, de los más sugerentes de la poesía contemporánea en habla castellana.

VIVES, Juan Luis.

Magnífico filósofo, humanista y prosista
español. Nació—1492—en Valencia. Murió
—1540—en Brujas. Sus primeros maestros
fueron Jerónimo de Amiguet, de Tortosa, y
Daniel Siró, leridano. En 1509 le mandaron
a París sus padres, temerosos de una epidemia de peste. Estudió en la Sorbona y en
los colegios de Beauvais y Montaigne. En
1512 se trasladó a Brujas. Su fama de erudito era ya tanta, que el señor de Chiévres,
más tarde ministro de nuestro Carlos I, le
eligió—1517—para preceptor de su sobrino,
el príncipe de Croy, que a los dieciocho años
era ya obispo de Cambray, y un año más
tarde, cardenal. En compañía del cual visitó Vives el Brabante y el Henao. En 1519
fue nombrado profesor de la Universidad de
Lovaina, intimando con Martín Dorp, Ba-
yens, más tarde Papa con el nombre de
Adriano VII, y Desiderio Erasmo, quien le
asoció a la empresa de editar las obras de
San Agustín. En 1522, por muerte de Nebrija, la Universidad de Alcalá le ofreció su
cátedra, que Vives rehusó. Pasó a Londres,
donde Enrique VIII, prendado de su saber,
le nombró preceptor de su hija la princesa
María, futura reina de Inglaterra. En este
país tuvo amistad con el cardenal Wolsey,
Guillermo Montjoie y Tomás Moore. Tuvo
una cátedra en el Colegio Corpus Christi, de
Oxford. En 1524 contrajo matrimonio en
Brujas con su antigua discípula Margarita
Valldaura. En 1527, al quererse divorciar
Enrique VIII, Vives se puso de parte de la
reina, por lo que estuvo en prisión durante varios meses y perdió su cátedra de Oxford. Regresó a Brujas, donde fue visitado
por Ignacio de Loyola. Muy aquejado por
la gota—su tormento desde 1531—, murió
en 1540.

Para Menéndez Pelayo, fue Vives el genio

más universal y sintético que produjo el siglo XVI en España; se anticipó a Bacon en la reforma de estudios y disciplinas, y en su intuición al método experimental.

De gran sobriedad, de magnífica serenidad de espíritu, de capacidad fenomenal y de cultura inmensa. Vives dominó el griego, el latín, el francés, el alemán, el italiano y el inglés. Como buen levantino mediterráneo, llevó a sus escritos un colorido impresionante, una claridad suma, una facilidad gloriosa. Es, por justicia innegable, uno de los más grandes humanistas europeos.

Aun cuando escribió en latín de temas didácticos, morales y filosóficos, no puede negarse a Vives una gran importancia literaria. Importancia que se inicia al traducir —Alcalá, 1574—sus *Diálogos* al castellano Gabriel de Antón.

Además de los *Diálogos*, tienen un extraordinario valor literario: *Introducción a la sabiduría, De la instrucción de la mujer cristiana*—antecedente magnífico de *La perfecta casada*, de fray Luis de León—, *Del oficio o deberes del marido, Del alma y de la vida, De la limosna de los pobres...*

La obra fundamental, los *Diálogos*, fueron reimpresos más de cincuenta veces durante el siglo XVI; más de treinta en el XVII; media docena en el XVIII; otras tantas en el XIX, y más de treinta en lo que va del XX. Han sido varias veces traducidos a muchas lenguas europeas y han ejercido una profunda influencia.

La crítica donde brilla más alto el espíritu de Vives es la *De las causas de la corrupción de los estudios*; y el surco más profundo en la historia de las ideas y en los métodos psicológicos se halla en *Del alma y de la vida*; y el más sutil código moral, en la *Introducción a la sabiduría*.

Ediciones modernas: de los *Diálogos*, Barcelona, 1940, traducción de C. Fernández; Madrid, Espasa-Calpe, "Colección Universal", 1922; de *La mujer cristiana*, traducción de "Justiniano", edición S. F. Ramírez, Madrid, 1936; y la *monumental y completa* de las obras de Vives—muchas traducidas por primera vez—de M. Aguilar, Madrid, 1947, prologadas, anotadas y traducidas por el gran humanista Lorenzo Riber; *Antología*, Madrid, Editora Nacional, 1944.

V. RIBER, Lorenzo: *Estudio y notas* a la edición Aguilar, Madrid, 1947. (Edición magistral y definitiva.)—WATSON, F.: *Luis Vives, el gran valenciano*. Oxford, 1922.—PUIGDOLLERS, Mariano: *La filosofía española de Luis Vives*. Barcelona, Labor, 1940.—BONILLA SAN MARTÍN, A.: *Luis Vives y la filosofía del Renacimiento*. Madrid, 1903.—VALENTINI, M. E.: *Erasmo y Luis Vives*. Buenos Aires,

1934.—BULLÓN, Eloy: *Los precursores de Bacon y Descartes*. Salamanca, 1903.—ZARAGÜETA, D'ORS y otros: *Vives humaniste espagnol*. París, 1941, en *Collection Occident*.—GONZÁLEZ DE LA CALLE, P. U.: *Luis Vives y España...*, en *Revista de Indias*. Bogotá, 1940, V, 431.—MARAÑÓN, Dr. Gregorio: *Luis Vives. Un español fuera de España*. Madrid, 1942.—LANGE, A.: *Luis Vives*. Madrid, en *La España Moderna*, 1894.—BURGER, Otto: *Erasmus von Rotterdam und der Spanier Vives*. Munich, 1914.—RÍOS SARMIENTO: *Juan Luis Vives*. Barcelona, "Juventud", 1940.—CORTS GRAU, José: *Estudio y notas* en la *Antología* de Luis Vives. Madrid, Editora Nacional.

VIZCAÍNO CASAS, Fernando.

Autor teatral, periodista, cronista de Prensa. Nació—1926—en Valencia. Licenciado en Derecho por la Universidad de Valencia, y doctor por la Universidad de Madrid. Ejerce la abogacía, habiéndose especializado en los novísimos derechos relativos a la cinematografía y al teatro. Dos veces galardonado —1955 y 1966—por el mejor libro y la mejor labor literaria de Prensa, respectivamente, por el Círculo de Escritores Cinematográficos. En 1966 ganó el "Premio del Ministerio de Información y Turismo a la mejor labor periodística en materia cinematográfica".

Su gran vocación es el teatro. En 1950 ganó el "Premio Calderón de la Barca" con *El baile de los muñecos;* un año antes, con *La senda iluminada*, el "Premio del Certamen Hispanoamericano"; en 1953, el "Premio Ciudad de Valencia" con *El escultor de sus sueños*.

Obras: *Los derrotados, El fiscal, El sucesor, Psicoanálisis de una boda, Puesta de sol* —todas ellas de teatro—, *Diccionario del cine español*—Madrid, Editora Nacional, 1966.

VIZCARRONDO, Carmelina.

Poetisa y prosista puertorriqueña. Nació —1906—en Fajardo. Amplió sus estudios de Letras en la Universidad de Río Piedras. Es también una excelente prosista y pintora.

Según Margot Arce: "Sus poemas iluminan porciones de una vida cálida y ricamente dotada."

"En su obra hay composiciones de predominio lírico, y junto a estas, tendencias descriptivas e incluso narrativas, lo que se puede observar en determinados y típicos romances. Su formación hace el efecto de ser posromántica y posmodernista, semejante a lo que puede significar el número de la primera época de Juan Ramón Jiménez. Su

V

obra evoluciona asimilándose imágenes y motivos de la generación española de 1925." (Valbuena Briones.)

Y completa Margot Arce: "Crea como madre alumbrando con dolor; sus poemas llevan la marca de su sangre y son pedazos ardientes del sueño de su vivir, y no quimeras de absoluto como las creaciones varoniles."

Obras: *Pregón en llamas*—1935—, *Poemas para mi niño*—1937—, *Minutero en sombras* —cuentos, 1941...

V. ARCE, Margot: Prólogo de *Pregón en llamas*. 1935.—VALBUENA BRIONES, Angel: *La poesía portorriqueña contemporánea*. Tesis doctoral. Madrid, 1952.—VALBUENA BRIONES, Angel: *La nueva poesía portorriqueña. Antología*. Madrid, 1952.

W

WILD OSPINA, Carlos.

Poeta y novelista guatemalteco. Nació —1891— en la vieja ciudad de Guatemala. Entre los muchos y buenos líricos de Hispanoamérica es Wild Ospina uno de los más interesantes en la actualidad y muy notable por su fecunda y destacada obra en periódicos y revistas. "Es su manera elegante y fluida, con sello de nobleza, y reposada, pese a que el autor ame los motivos simples, los campos y sus animales." Ha cantado con profunda emoción y con melancólica belleza a su ciudad natal con sus antiguos casones y sus viejos conventos y su pátina de otros tiempos virreinales.

Entre sus poemas mejores, recogidos en numerosas antologías, figuran: *Tríptico tropical, La carreta, Los burritos tardos, La ciudad de las rosas perpetuas, El buey del camino...*

Obras: *El solar de los Gonzaga* —novela—, *Las Dávilas simples* —poemas.

V. PORTA BENCOS, Humberto: *Parnaso guatemalteco.* Guatemala, 1928.

WILDE, Eduardo.

Prosista y narrador argentino de extraordinarias delicadeza y fuerza. Nació —1844— en Tupiza (Bolivia) durante el destierro de sus padres, en época de la dictadura de Rosas en la Argentina. Estudió Humanidades en el Colegio del Uruguay. Doctor en Medicina por la Universidad de Buenos Aires. Cirujano del Hospital General de esta ciudad. Catedrático —1873— de Anatomía de la Facultad de Medicina bonaerense. Diputado varias veces. Ministro plenipotenciario en los Estados Unidos, España y Bélgica. Ministro de Instrucción Pública y de Justicia.

Sus obras científicas son numerosas y excelentes. Murió en Bélgica el año 1913, después de haber viajado con delectación de espíritu delicado por todo el mundo.

Gran caballero y gran simpático fue Wilde. Cultivó todos los géneros literarios con erudición, talento y gracia, porque su vocación literaria acabó sobreponiéndose a la científica de su juventud. Prosista por vocación, él mismo declaró sus preferencias: "Lo que más me seduce es la narración sin digresiones largas, sin comentarios."

Wilde ha sido uno de los escritores hispanoamericanos que mejor han expresado un humorismo delicioso y trascendental. "Wilde —escribe Barreda— era un soñador que amaba la verdad científica. Era un alma triste que se disfrazaba con la burla."

Obras literarias: *Tiempo perdido* —narraciones—, *El diario de Tini* —narraciones—, *Aguas abajo* —autobiografía—, *Por mares y por tierras, Prometeo y Compañía* —narraciones—, *Viajes y observaciones, Lluvia, Meditaciones inopinadas, Buenos Aires desde setenta años atrás...*

V. ESCARDÓ, Florencio: *Eduardo Wilde.* Buenos Aires. Edit. Lautaro, 1943.—BARREDA, Ernesto Mario: *Eduardo Wilde.* Buenos Aires, *La Nación,* 26-I-1941.

X

XIMÉNEZ DE RADA, Rodrigo.

Cronista y erudito español. 1170-1247. Nació en Puente de la Reina (Navarra). Estudió Artes liberales y Teología en París. Poco después de la derrota de Alarcos—1195— llegó a Castilla, adquiriendo gran relieve en la corte de Alfonso VIII. En 1209 fue nombrado arzobispo de Toledo, cargo en el que le confirmó, un año después, Inocencio III. A su iniciativa se debe la fundación de la Universidad de Palencia—1209—, la más antigua de España. Fue él quien preparó la cruzada contra los almohades, y asistió con Alfonso VIII a la famosa victoria de las Navas de Tolosa—1212—. Canciller mayor de Castilla. Maestro de los hijos de San Fernando. Y le cupo la gloria de inspirar la construcción de la catedral toledana, comenzada en 1226. Donó su gran biblioteca al monasterio de Santa María de la Huerta.

Ximénez de Rada está considerado por la crítica como el historiador más notable antes de Alfonso X el *Sabio*.

Obras: *Breviarium Ecclesiae Catholicae* —ms. de la Biblioteca de la Universidad de Madrid—, *Historia gothica o De rebus hispaniae*—escrita en latín perfectamente literario, concluida en 1243, impresa por vez primera, 1545, en Granada—, *Historia Arabum*.

Textos: *P. P. Toletanorum Opera*, ed. Lorenzana, 1782-1793, tomo III. De la *Historia Arabum*, en *Historia Sarracenica*, de G. Elmacino, ed. T. Erpenio. Lugduni Batavorum, 1625.

V. CERRALBO, Marqués de: *Don Rodrigo Jiménez de Rada*. Madrid, 1908.—GOROSTE-RRAZU, J.: *Don Rodrigo Jiménez de Rada, gran estadista, escritor y prelado*. Pamplona, 1925.—ESTELLA, E.: *El fundador de la catedral de Toledo*. Toledo, 1926.—ROJO ORCAJO, T.: *La biblioteca del arzobispo don Rodrigo Jiménez de Rada...* 1929.

XIMÉNEZ DE SANDOVAL Y TAPIA, Felipe.

Novelista, biógrafo, ensayista, autor dramático notabilísimo. Nació—1903—en Madrid. Licenciado en Derecho. Diplomático. Representó a España en Bélgica, como secretario de Embajada, durante la ocupación de este país por los alemanes—1940—. Jefe del Gabinete Diplomático del Ministerio de Estado y consejero de la Hispanidad hasta 1942.

Su primera obra teatral, *Robinsón*, fue recomendada en un famoso concurso organizado por el diario madrileño *A B C*.

Entre sus mejores obras teatrales figuran: *Orestes I*—1930—, *Mercedes la Gaditana*—1932—, *Baccarrat, film*—1933—, *Piezas de recambio*—1933—, *Leyenda y vida de Caperucita*—poema, 1934—, *Abanico japonés*—1934—, *El pájaro pinto*—1935—, *Hierro y orgullo*—1936—, todas ellas en colaboración con Pedro Sánchez de Neyra. Y solo de su pluma: *Dafnis, Cloe y Compañía; Paulina Bonaparte, Huerto deshecho*—poema—, *Vuelo nocturno*—1946.

Entre sus novelas destacan: *Tres mujeres más equis*—1930—, *Aurópolis, Los nueve puñales*—1936—, *Camisa azul*—1939—, *El hombre y el loro*—1951—, *Manuela Limón*—1952—, *Antínoo*—narraciones—, *Crucero por los sueños*—narraciones—, *Patillas rojas*—novela, 1953.

Entre sus biografías: *José Antonio*—1941 y 1949—, *Don Juan de Austria*—1943—, *Catalina de Aragón*—1944—, *Don Enrique de Villena*—1944—(publicadas estas tres últimas con el seudónimo de "Tomas Crame"); *Antonio Alcalá Galiano*—Madrid, Espasa-Calpe, 1948—, *Un mundo en una celda, Sor María de Agreda*—Madrid, 1951—, *Varia historia de ilustres mujeres*—1949.

Otras obras: *La piel de toro*—ensayo de Historia de España, reimpresa varias veces—, *Diálogos de la diplomacia*—Barcelona, 1946—, *Cristóbal Colón*—1953—, *Camino de Compostela*—1954—, *La comunidad errante*—1959—, *Historia del cotilleo*—Madrid, 1960.

Ximénez de Sandoval es uno de los escritores españoles más preocupados por lo español. Posee una cultura grande, un estilo brillante y personalísimo, caudal de originales ideas, maestría expresiva. Por ello cabe recalcar que sus aciertos son definitivos en todos los géneros. Ha merecido los más incondicionales elogios de la crítica española. Por nuestra parte añadimos que cada una de sus obras nos parece un modelo difícilmente superable, en el que se armonizan el ingenio, el humor, la expresividad colorista, la hondura de pensamiento, la delicadeza imaginativa.

La piel de toro la consideramos como uno de los ensayos interpretativos de España de mayor belleza y de mejor criterio que se han escrito en nuestra patria.

V. NORA, Eugenio G. de: *La novela española contemporánea.* Madrid, Gredos, 1962, tomo III, págs. 357-359.—TORRENTE BALLESTER, Gonzalo: *Panorama de la literatura española contemporánea.* Madrid, edit. Guadarrama, 1961, 2.ª edición.—SAINZ DE ROBLES, Federico Carlos: *La novela española en el siglo XX.* Madrid, Pegaso, 1957.

XIMÉNEZ DE URREA, Pedro Manuel (v. Jiménez de Urrea, Pedro Manuel).

XIMENIS, Francisco (v. Eiximenis, Francesc).

XIRÁU, Joaquín.

X

Filósofo, ensayista y crítico español. Nació—1895—en Figueras. Murió—1946—en México. Estudió en la Universidad de Barcelona. Personalmente se ha declarado discípulo de Ortega y Gasset, García Morente y Manuel B. Cossío. Profesor de Filosofía y decano de la Facultad de Filosofía y Letras en la Universidad de Barcelona. Miembro de la Casa de España y del Colegio de México. Catedrático de la Universidad Nacional Autónoma Mexicana. Profesor en el Institut Français de l'Amerique Latine—1939-1946—. Asesor del Centro de Información Pedagógica de la Secretaría de Educación.

Obras: *Las condiciones de la verdad eterna en Leibniz*—1921—, *Rousseau y las ideas políticas modernas*—1923—, *Descartes y el idealismo subjetivista moderno*—1927—, *El sentimiento de la verdad*—1927—, *La filosofía de Husserl, Amor y mundo*—1940—, *La plenitud concreta*—1940—, *Dimensión del tiempo*—1941—, *Lo fugaz y lo eterno* —1942—, *En torno a Spinoza*—1944—, *El pensamiento vivo de Juan Luis Vives*—1944—, *Vida, pensamiento y obra de Bergson* —1944—, *Manuel B. Cossío y la educación en España*—1945—, *Ramón Llull, filosofía y mística*—1945.

Y

YAMANDU RODRÍGUEZ (v. Rodríguez, Yamandu).

YÁÑEZ, Agustín.

Historiador y literato mexicano. Nació —1904—en Guadalajara, Estado de Jalisco. Abogado. Periodista durante diez años. En 1929 fundó *Bandera de Provincias,* revista de Letras que tuvo una resonancia nacional. Director de Educación Pública—1930— y fundador del Instituto del Estado. Catedrático de Lengua y Literatura en la Escuela preparatoria de la Universidad de México.

En 1943, al ser creada la cátedra de Tema Literario en la Facultad de Filosofía y Letras, fue llamado a desempeñarla. Miembro del Colegio de México y de la Academia Mexicana. Jefe del Departamento de Bibliotecas, Archivos Económicos y Publicaciones de la Secretaría de Hacienda.

Agustín Yáñez suma a una erudición vastísima y completa un pensamiento original, un criterio riguroso y una prosa noble y brillante.

Obras: *Crónicas de la Conquista*—1939—. *El pensador mexicano*—1940—, *Espejismo de Juchitán*—1940—, *Genio y figuras de Guadalajara*—1941—, *Doctrina de fray Bartolomé de las Casas*—1941—, *Flor de juegos antiguos*—relatos, 1942—, *Fray Bartolomé de las Casas, el conquistador conquistado* —1942—; *Mitos indígenas*—1942—, *Archipiélago de mujeres*—novelas, 1943—, *Pasión y convalecencia*—novela, 1943—, *El contenido social de la literatura hispanoamericana* —1944—, *Esta es mala suerte*—relato, 1945—. *Fichas mexicanas*—1945—, *Justo Sierra*—biografía—, *La creación*—relatos—, *Ojerosa y pintada*—relatos—, *La cordillera, Al filo del agua, La tierra pródiga*—novela—, *Las tierras flacas*—la más famosa de sus novelas hasta hoy.

YDÍGORAS, Carlos.

Novelista español. Nació —1924—en Burgos. Licenciado en Derecho. Lleva muchos años ejerciendo un periodismo palpitante y sugerente en su actualidad. Ha viajado, incansable, por Europa y América.

Ydígoras es un excelente narrador que nada confía al estilo, al lenguaje, a las descripciones y lucubraciones. Muy barojiano en su técnica, Ydígoras solo da importancia a la acción, al patetismo dramático, intensivo, trepidante que de la acción salta como la chispa del pedernal tocado con furia.

Obras: *Algunos no hemos muerto*—Buenos Aires, 1958—, *Los hombres crecen bajo la hierba*—Madrid, 1960—, *Cuando el miedo llama a un hombre*—Madrid, 1963—, *La colina del árbol*—1964—, *Landa, el Valín* —1962—, *Los libertadores USAS*—1966—, *Los usacos*—1968.

YEPES, José Ramón.

Poeta venezolano. Nació—1822—y murió ahogado—1881—en Maracaibo. Marino de guerra, alcanzó el grado de capitán de navío. Profesor de la Escuela de Náutica. Diputado. Senador. Ministro de la Guerra y de Marina. De ideas liberales, intervino frecuentemente en las luchas políticas de su patria, teniendo que huir al extranjero varias veces para no ser encarcelado. Francamente romántica fue la vida de Yepes; y francamente romántica fue su muerte, ya que nadie negará la poesía de que un marino se ahogue al caer al mar, impensadamente, cuando contemplaba la luna y suspiraba en un muelle de Maracaibo. Yepes es uno de los más grandes líricos venezolanos. Según Picón Febres: "Es poeta único en nuestro fértil suelo, tiene personalidad propia, resalta por el brillo de su originalidad, sorprende por su delicadeza y por su arte sin afectación, y a fuerza de colorido exacto, de encantadores *ritornellos,* de riqueza y selección en los vocablos, de característico aire regional y de cierto dulce tono que, a manera de *leitmotiv,* resuena de un modo intencional en todas sus composiciones ajustadas a ese aspecto peculiar, ostenta en nuestra historia literaria una fisonomía parecida a la gloriosa y asaz interesante de Federico Mistral en la Provenza."

Entre sus poesías destacan: *Santa Rosa de Lima, Himno epitalámico, Ramilletera, Nieblas, Las orillas del lago, Muerte de una niña, Iguaraya y Anaida*—leyendas—, *Las nubes, La golondrina, Los hijos del Parayauta*—Poema...

Obra: *Poesía*—Maracaibo, 1882.

V. CALCAÑO, José Antonio: *Parnaso venezolano*. Caracas, 1908.—CALCAÑO, Julio: *Parnaso venezolano*. Caracas, 1892.—GONZÁLEZ GAMAZO, Juan: *Parnaso venezolano*. Barcelona, 1918, dos tomos.—[ANÓNIMO]: *Parnaso venezolano*. Curaçao, 1888-1889, 12 tomos. PICÓN FEBRES, Gonzalo: *La literatura venezolana en el siglo XIX*. Caracas, 1906.— PICÓN SALAS, Mariano: *Formación y proceso de la literatura venezolana*. Caracas, 1940.— MENÉNDEZ PELAYO, M.: *Historia de la poesía hispanoamericana*. Madrid, 1911-1913.

YEPES Y ÁLVAREZ, Juan de (v. **Cruz, San Juan de la**).

YXART Y MORAGAS, José.

Periodista, poeta y crítico literario. Nació —1852—y murió—1895—en Tarragona. Cursó el bachillerato en su ciudad natal y la carrera de Leyes, hasta el doctorado, en Barcelona. Desde 1877 se dedicó al estudio de los clásicos, y principalmente del teatro de los siglos XVI, XVII, XVIII y XIX. Colaboró en *La Miscelánea*. Durante muchos años desempeñó la crítica literaria en el gran diario barcelonés *La Vanguardia*. Fue muy estimado y elogiado por Milá, Menéndez Pelayo, "Clarín", Valera... Presidió el Ateneo barcelonés. Dirigió la magnífica Biblioteca Artes y Letras y la Biblioteca Clásica. De la Academia de Buenas Letras.

Unió en su personalidad un criterio ecuánime y desapasionado, un gusto exquisito, una cultura grande y bien asimilada, talento de primer orden, casticidad y diafanidad de estilo y una clarísima forma de exponer. Ixart ha sido uno de los espíritus más selectos de la Cataluña contemporánea, y, acaso, su más insigne crítico literario en relación con la literatura castellana. En expresión castellana era, sencillamente, magistral.

Obras: *Obres catalanes*—prosas y versos—, *Lo teatre catalá, Son passat, present y porvenir*—1879—, *Fortuny*—1881—, *El año pasado*—varios tomos de crítica—, *El arte escénico en España*—1893...

Y

Z

ZABALETA, Juan de.

Gran novelista, poeta, costumbrista y autor dramático. Nació—¿1610?—y murió —¿1670?—en Madrid. Toda su juventud estuvo llena de litigios con motivo de unos mayorazgos que le correspondían. Y, naturalmente, mientras litigó vivió con mil trampas y apuros. Después ganólos y llevó vida más desahogada, merced al abogado de los Reales Consejos don Francisco Navarro, a quien dedicó *El día de fiesta por la tarde* Fue amigo de Calderón, Moreto, Cáncer, Villaviciosa, Meneses... Perteneció a la Academia Poética de Madrid—1654—. Cáncer le citó en su *Vejamen*—1649—, elogiando sus obras y guaseándose de su fealdad. Concurrió—1660—a la justa poética de la *Soledad* y fue premiado. Cronista de Felipe IV. Quedó ciego de gota serena en 1664. Sin embargo, aún publicó obras en 1666 y 1667. Su nombre figura en el *Catálogo de autoridades* del idioma, publicado por la Academia de la Lengua.

"Si como autor dramático tuvo quien le aventajase, no así como prosista y pintor de costumbres. En sus obras satírico-pintorescas, sobre todo en *Día de fiesta*, nos describe las madrileñas de mediados del siglo XVII en vistosos cuadros de tipos de la corte, con lindo humorismo, socarronería suave y bien coloridas pinceladas. El lenguaje, aunque no del todo libre de la afectación reinante, es de lo mejor del siglo, y el mejor sin duda que, después de Gracián, hemos tenido, ganándole en naturalidad. Es clara, propia, elegante, castiza y rica el habla de Zabaleta con un sabor humanístico a siglo XVI que se halla en raros autores del XVII." (Cejador.)

Tuvo Zabaleta muchísimo ingenio, una firmísima visión de la realidad, gran cultura, pluma muy similar a los mejores pinceles de la "Escuela madrileña" que fundó Velázquez, gracia fina, criterio excelente. Todas sus obras entretienen y enseñan.

En algunas obras teatrales colaboró con Moreto, Cáncer, Rosete y Vélez de Guevara.

Obras: *Theatro del hombre*...—Madrid, 1652—, *Problemas de la filosofía natural* —Madrid, 1662—, *Errores celebrados*—Madrid, 1663—, *El día de fiesta por la mañana* —Madrid, 1654—, *El día de fiesta por la tarde*—Madrid, 1660—, *El emperador Commodo*...—Madrid, 1666—, *Historia de Nuestra Señora de Madrid;* y las escénicas: *El amante mudo, La honra vive en los muertos, Osar morir da la vida, El rey don Enrique, enfermo; El hechizo imaginado, La Margarita preciosa, Amor vencido de amor, El disparate creído, No amar la mayor pieza, Cuerdos hay que parecen locos.*

Obras en prosa—Madrid, 1667, 1672—, *Obras históricas*—Madrid, 1692—, *Obras completas*—Madrid, 1728.

Ediciones modernas: *El día de fiesta por la mañana*, Barcelona, 1885, "Biblioteca Clásica"; *El día de fiesta por la tarde*, Jena, 1938, por J. L. Doty; Madrid, "Biblioteca Universal", 1889; *Día de fiesta por la mañana y Día de fiesta por la tarde*, Madrid, *Clásicos Castilla*, núms. 14 y 15, 1948.

V. DOTY, J. L.: En la ed. Jena, 1938. *Estudio y notas.*—CORREA CALDERÓN, E.: *Costumbristas españoles.* Madrid, M. Aguilar, 1950. RODRÍGUEZ CHAVES, A.: *Estudio y correcciones*, en la "Biblioteca Universal". Madrid, 1889.—SÁEZ CUADRADO, María Antonia: *Estudios y notas* a la ed. *Clásicos Castilla*, Madrid, 1948, dos tomos.

ZAHONERO, José.

Novelista y periodista. Nació—1853—en Avila. Murió—1931—en Madrid. Licenciado en Medicina y Derecho por las Universidades de Granada y Valladolid. En 1874 emigró a Francia, al instaurarse la monarquía de Alfonso XII. En su juventud fue republicano, anticlerical y naturalista. En numerosos periódicos publicó artículos de polémica violenta y muy garbosa. Hacia fines del siglo se convirtió al catolicismo y fue apasionado paladín de este.

Escribió y publicó Zahonero cuentos y novelas de un crudo realismo con pujos de naturalismo zolesco, al menudeo, y no sin relieve. Ingenioso y donairoso escritor, distinguióse por el gracejo y la amenidad.

"Escribió en sus primeros tiempos novelas naturalistas muy apreciables y apreciadas y dignas de serlo por la justeza de detalles y estudio de los caracteres." (G-Blanco.)

De sutil observación, estilo justo y limpio, donairoso decir, inventiva fácil, buen dibujo de caracteres, pincelada segura y de colorido brillante. Sus cuentos fueron solicitadísimos por las principales revistas de España.

Obras: *Zigzag*—Madrid, 1881—, *El polvo del camino*—Madrid, 1886—, *La vaina del espadín*—1887—, *Novelas cortas y alegres*—Madrid, 1887—, *La carnaza*—novela, 1885—, *Cuentos pequeñitos*—Madrid, 1887—, *Las estatuas vivas, Mi mujer y el cura*—1888—, *La divisa verde*—1889—, *Inocencia por inocencia*—1890—, *Bullanga*—Madrid, 1890—, *Barrabás*—Madrid, 1891—, *Cuentecillos al aire*—1893—, *Contigo... pan y cebolla*—Madrid, 1902—, *Pasos y cuentos*—Madrid, 1903—, *Carne y alma*—Madrid, 1905—, *Cantarín cautivo*—Madrid, 1906—, *Fray Muñeira*—Madrid, 1906—, *Cuentos quiméricos y patrañosos*—Madrid, 1914—, *El señor obispo*—novela—, *Cabecita a pájaros*—juguete cómico, 1915—, *La cabra tira al monte...*—juguete cómico, 1915—, *El enfermo a palos*—juguete cómico, 1915...

V. González-Blanco, A.: *Historia de la novela española en el siglo XIX*. Madrid, 1909.—Cejador y Frauca, Julio: *Historia de la lengua y literatura castellanas*. Madrid, tomo XI.

ZALDUMBIDE, Gonzalo.

Pensador, ensayista y crítico de calidad excepcional. Nació—1882—en Quito (Ecuador). Estudió la primera enseñanza en Ibarra; pasó luego al colegio de San Gabriel, de Quito, y se graduó en la Universidad Central. Teniendo veinte años fue elegido para redactar y leer el discurso de apertura universitario en la Facultad de Filosofía y Letras, asombrando al auditorio con su ensayo *De Ariel*. El Gobierno le pensionó para estudiar en Europa. Vivió mucho tiempo en París, donde representó a su país como ministro plenipotenciario. En 1929 regresó a su patria, donde fue ministro de Relaciones Extranjeras. Este mismo año, con motivo de la celebración de la Fiesta de la Raza, pronunció un hermosísimo discurso en defensa de la obra civilizadora de España en América.

Zaldumbide reúne las calidades más preciadas en un crítico de altura: cultura vasta, pensamiento hondo, comprensión fácil y sutilísima, ideología original y siempre juvenil, estilo terso y elegante, prosa castiza y flexible. Es, sin disputa, una de las mentalidades más ágiles y sugestivas de Hispanoamérica.

De él ha escrito F. García Calderón: "Fuera de la elocuencia, refinado y lleno de gracia, de la gracia alada de Sainte-Beuve, irónico suavemente, porque es bueno, erudito sin polvo de archivos, sabio que no desdeña el salón, Gonzalo Zaldumbide es uno de los más sutiles críticos de América, después de Rodó. Heredero de ilustre nombre ecuatoriano, ha publicado escasos libros, algunos artículos; ha vivido en las sinuosidades de la diplomacia, un poco distante siempre; y de la visión del mundo ha derivado una tristeza discreta. Calla..., quizá porque en el tumulto de la América comercial, caudillesca, tribunicia, el silencio es la actitud de los espíritus selectos. Un libro suyo, *La evolución de Gabriel D'Annunzio*, revela a un pensador y a un escritor, analista de rara sutileza, prosador de exquisito decir. Pocas veces se reunieron tantos dones en obras de ultramar; la más seria cultura y el giro elegante de la frase, el fervor lírico, que no es barata elocuencia, y una dignidad magistral que conmueve sin esfuerzo."

Obras: *De Ariel, La evolución de Gabriel D'Annunzio*—París, 1909—, *En elogio de Henry Barbusse*—París, 1909—, *Frutos en agraz, Montalvo y Rodó*—Nueva York, 1938—, *Egloga trágica*—ensayo de novela—, *Ventura García Calderón*—ensayo—, *El único gran poeta de nuestro siglo XVIII*—ensayo crítico, en *Revista de Indias*, Bogotá, 1943— y otras de menor importancia.

V. Arias, Augusto: *Panorama de la literatura ecuatoriana*. Quito, 1936.—Barrera, Isaac: *La literatura ecuatoriana*. Quito, 1924.

ZALDUMBIDE, Julio.

Uno de los más insignes poetas ecuatorianos de todas las épocas. 1838-1887. Nació en Quito. Desde muy joven se dedicó a la política y al periodismo. Perdió la fe religiosa en las luchas de su mocedad y la recobró en la edad madura, edificando con su vida y con su muerte a la escéptica sociedad del Ecuador. Dirigió varios diarios y revistas. Diputado a Cortes varias veces. Senador. Ministro de Instrucción Pública. Y uno de los fundadores de la Academia Ecuatoriana, correspondiente de la Real Academia Española de la Lengua. También llegó a ser candidato a la presidencia de la República.

Tuvo una severa formación clásica. Conocía a los autores españoles, ingleses y franceses. Por ello, Zaldumbide fue un romántico atenuado. Su melancolía, sus dolores íntimos se visten con un grave decoro. Su poesía es, generalmente, meditativa, de un largo batallar psicológico entre el descreimiento y la fe.

Menéndez Pelayo ha escrito de él: "Fueron sus cualidades sobresalientes: gravedad en el pensar, mezclada con cierta amable languidez en el sentir; elevación moral contemplativa y serena, con intervalos de flaqueza; desfallecimiento y oscuridad, y de que llegaron a triunfar al fin su recto corazón y su bien disciplinado entendimiento... Tenía Zaldumbide sólida educación literaria, basada en el estudio directo y reflexivo de los modelos latinos, italianos e ingleses, y de los nuestros del Siglo de Oro, entre los cuales prefería a Garcilaso y a fray Luis de León. Así es que, aun los pocos versos románticos que en su juventud compuso, son relativamente correctos, y en los posteriores hay, no solo decoro y pulcritud en la dicción, sino estudio de la parte musical del idioma, que fluye manso y apacible en una versificación generalmente esmerada. A estas buenas partes de prosodia y estilo juntaba Zaldumbide condiciones descriptivas no vulgares; sentimiento no fingido de la Naturaleza, aunque más en el conjunto que en los detalles, más en la expresión moral que en la expresión física; y una suave y reposada tristeza, que por ser tan suya ennoblece y renueva en él hasta los tópicos más vulgares de la poesía campestre."

Son famosísimas su poesías *A la soledad del campo, La tarde* y *La estrella de la tarde*. Tradujo magníficamente el poema *Lara*, de Byron, y *Los sepulcros*, de Pindemonte.

Obras: *Canto a la música*—poema—, *Poesía*—varias ediciones...

V. CORDERO, Luis: En *Memorias de la Academia Ecuatoriana*. Quito, 1889. Tomo I. BARRERA, Isaac J.: *Literatura ecuatoriana*. Quito, 1926.—MENÉNDEZ PELAYO, M.: *Historia de la poesía hispanoamericana*. Madrid, 1913.—ARIAS, Augusto: *Panorama de la literatura ecuatoriana*. Quito, 1936.—CEVALLOS, Pedro Fermín: *Biografías de ecuatorianos ilustres*.

ZAMACÓIS, Eduardo.

Muy notable novelista, cuentista y periodista español. Nació—1873—en Pinar del Río (Cuba), de padres españoles. Murió —1971—en Buenos Aires. A los cuatro años se trasladó con su familia a Bruselas. De los cinco a los diez vivió en París. Cursó el bachillerato en Sevilla, y algunos cursos de Filosofía y Letras y de Medicina en Madrid, aun cuando sin llegar a licenciarse. A los diecinueve años publicó su primera novela: *La enferma*. A los veinte años volvió a París, trabajando para las editoriales de Garnier y Bouret. En Barcelona fundó el semanario *Vida Galante*, que alcanzó una gran popularidad. Y en Madrid, los famosísimos "viveros de buenos novelistas" —en expresión de "Andrenio"—*El Cuento Semanal*—1907—y *Los Contemporáneos*

—1909—. Entre 1910 y 1912 vivió en varios Estados de América una existencia alegre y aventurera. En 1914, el diario de Madrid *La Tribuna* le nombró su corresponsal en el frente de guerra francés. Ha colaborado, como firma ilustre que exigía el público, en los principales diarios y revistas de España, Cuba, Argentina, Chile, Perú y Venezuela. Sus obras están traducidas a varios idiomas, y en los países de habla castellana se han agotado numerosas ediciones de ellas. Zamacóis ha recorrido todo el mundo con un espíritu gallardo, humano, un tanto socarrón y un mucho sentimental, de gran caballero español, y observando perspicazmente, escribiendo sin descanso, trabajando fondo y forma hasta llegar a ser uno de nuestros más recios y originales novelistas, de los de más enjundia psicológica y que con mayor propiedad y brío manejan el castellano.

A Zamacóis, con relación a Felipe Trigo, le ha sucedido lo que a Salvador Rueda en relación con Rubén Darío. Fue Rueda el legítimo padre del modernismo poético en España. Y, sin embargo, Rubén se ha llevado tal gloria. Felipe Trigo pasa por ser el originador del crudo naturalismo francés en nuestra patria. Y, sin embargo, Zamacóis fue el primero que trajo de Francia y cultivó aquí la novela artística erótica. Antes de él se escribieron muchas y verdosas obscenidades, ayunas del menor intento artístico. Zamacóis puso en las suyas la psicología, el decoro elegante, el humorismo "velador", la potencia humana, la artística expresividad. Eduardo Zamacóis, poco a poco, ha ido manumitiéndose del erotismo y ha conseguido calificarse como un novelista de realismo muy español, muy cálido, muy digno, observador como pocos, colorista excepcional, ameno como el que más lo sea. De él ha dicho un crítico moderno: "Tiene tal conciencia de su oficio, que vive sus libros mientras los está escribiendo, como si fuera el protagonista de la obra que trae entre manos." Varias semanas vivió en un presidio antes de escribir *Los muertos vivos*. Durante un mes viajó como ayudante de maquinista antes de escribir las *Memorias de un vagón de ferrocarril*.

Eduardo Zamacóis es un gran novelista; acaso el último, cronológicamente, de los grandes novelistas que empiezan en "Fernán Caballero" y siguen en Valera, Pérez Galdós, Alarcón, "Clarín", Palacio Valdés, la Pardo Bazán, Blasco Ibáñez, Trigo... y Zamacóis.

Novelas: *Tick-Nay*—1900—, *Duelo a muerte*—1902—, *Consuelo*—1896—, *Amar a oscuras*—1894—, *La enferma*—1895—, *Punto negro*—1897—, *Incesto* 1900—, *Loca de amor* —1902—, *El seductor*—1902—, *Memorias de* una cortesana—1903—, *Sobre el abismo* —1905—, *El otro*—1910—, *La opinión ajena*—1913—, *El misterio de un hombre pequeñito*—1914—, *Europa se va*—1914—, *Memorias de un vagón de ferrocarril, Una vida extraordinaria*—1925—, *Las raíces, Los muertos vivos, El delito de todos*—1935...

Cuentos y novelas breves: *Humoradas en prosa*—1896—, *De carne y hueso*—1901—, *Desde el arroyo*—1903—, *Horas crueles* —1903—, *Noche de bodas*—1903—, *El lacayo* —1903—, *Bodas trágicas*—1903—, *La serpiente sonríe*—1913—, *La cita*—1913—, *La quimera*—1902—, *Equivocación*—1916—, *Para ti*—tres tomos—, *La risa, la locura y la muerte*—1930—, *El guiñol del diablo*—1933...

Otras obras: *Tipos de café*—1893—, *Río abajo*—1906—, *Desde mi butaca*—críticas, 1908—, *El pasado vuelve*—comedia, 1909—, *Nochebuena*—comedia, 1909—, *El aderezo* —comedia, 1910—, *Frío*—paso de comedia—, *Teatro galante*—1910—, *Noche de amor*—zarzuela—, *Los emigrados*—viajes, 1911—, *El teatro por dentro*—1911—, *Impresiones de arte*—1911—, *Del camino*—crónicas, 1913—, *La carreta de Thespis*—1915—, *La ola de plomo*—crónicas de guerra, 1915—, *Las confesiones de un niño decente*—autobiografía, 1916—, *Años de miseria y de risa*—autobiografía, 1917—, *Presentimiento*—drama, 1916—, *A cuchillo*—crónicas de guerra, 1916—, *Los reyes pasan*—comedia—, *La alegría de andar*—viajes, 1915—, *De Córdoba a Alcazarquivir*—viajes, 1916—, *Un hombre se va*—memoria, Barcelona, 1964.

V. GONZÁLEZ-BLANCO, Andrés: *Historia de la novela*. Madrid, 1909, 868 y sigs.—CANSINOS-ASSENS, Rafael: *Las escuelas literarias*. Madrid, 1916, 169 y sigs.—CEJADOR Y FRAUCA, J.: *Historia de la lengua y literatura españolas*. Tomo X, 290-93.—SAINZ DE ROBLES, F. C.: *La novela corta española (Promoción de "El Cuento Semanal")*. Madrid, Aguilar, 1952.—SAINZ DE ROBLES, F. C.: *La novela española en el siglo XX*. Madrid. Pegaso, 1957. NORA, Eugenio G. de: *La novela española contemporánea*. Madrid. Gredos, 1958. Tomo I, págs. 385-88.—SAINZ DE ROBLES, F. C.: Prólogo a *Un hombre se va*. Barcelona. AHR, 1964.

ZAMÁCOLA, Juan Antonio de Iza (v. **Iza Zamácola, Juan Antonio de**).

ZAMBRANO DE RODRÍGUEZ ALDAVE, María.

Periodista, ensayista y profesora española. Nació—1907—en Vélez-Málaga. Ha vivido en Chile de 1936 a 1937. Profesora de la Universidad mexicana de Morelia (1939). Profesora de la Universidad de la Habana (1940-1943). Ha colaborado en importantes revistas españolas e hispanoamericanas. De gran cultura y de finísima sensibilidad.

Obras: *Filosofía y poesía*—1939—, *Pensamiento y poesía de la vida española*—1939—, *El freudismo, testimonio del hombre actual* —1940—, *Isla de Puerto Rico (Nostalgia y esperanza de un mundo mejor)*—1940—, *La confesión, género literario y método*—1943—, *El pensamiento vivo de Séneca*—1944—, *La agonía de Europa*—1945—, *La España de Galdós*—Madrid, Taurus, 1960.

ZAMORA, Alonso de.

Cronista y dominico colombiano. Nació —1660—y murió—1717—en Santa Fe de Bogotá. Estudió en la Universidad Tomística. Fue misionero durante algún tiempo. Cronista de la Orden—1690—. Alcanzó gran fama como teólogo, predicador y literato.

Obra: *Historia del Nuevo Reino y de la provincia de San Antonio en la religión de Santo Domingo*—Barcelona, 1701.

Esta obra ha sido reeditada—Caracas, 1930—por el doctor Carracciolo Parra-León, vicerrector de la Universidad de Caracas, y el dominico español fray Andrés Mesanza.

V. CARRACCIOLO Y MESANZA: *Estudio* y más de *500 notas* en la edición de Caracas, 1930.

ZAMORA, Antonio de.

Ingenioso poeta y autor dramático. Nació —¿1662?—y murió—1728—en Madrid. Oficial de la Secretaría de Nueva España. Gentilhombre de cámara—1698—. Fue servidor fidelísimo de Carlos II, y a la muerte de este monarca sufrió grandes trabajos durante la guerra de Sucesión por su fidelidad a los Borbones.

Zamora es, como dramaturgo, el último representante de la gran "escuela" de Calderón. Sus defectos son la ampulosidad y retorcimientos del lenguaje y la confusión de las ideas. Pero tuvo indudable vis cómica; su versificación es fácil y agradable. Mostró afición a lo fantástico y aparatoso y escribió algunos dramas musicales. En cuanto pudo, imitó con ahínco a Calderón, exagerando sus defectos y alcanzando escasas veces sus virtudes. En 1717, con ocasión de imprimirse los *Autos* de Calderón, acabó *El pleito matrimonial,* con tal maña, que no se sabe dónde comienza lo del discípulo y dónde acaba lo del maestro.

Antonio de Zamora fue desde 1694—por ausentarse de Madrid Bances Candamo— poeta oficial de Palacio, escribiendo varios dramas para el coliseo del Buen Retiro y fiestas de Palacio. En 1691 compuso un *Romance de arte mayor* para el certamen de San Juan de Dios, en Madrid. En 1696 le encargó el Concejo de Madrid la composición de los *Jeroglíficos* para el túmulo de

Z

la reina madre doña Mariana de Austria; y cuatro años después, las inscripciones para el catafalco de Carlos II, y compuso la *Fúnebre numerosa descripción* de estas exequias, en verso. Cantó la solemne entrada en Madrid de Felipe V en un *Romance de arte mayor: Epinicio métrico. Prosphonema numeroso.*

Entre sus comedias abundan las excelentes en el género de *figurón*: *El indiano perseguido, o Don Bruno de la Calahorra; Don Domingo de Don Blas, El hechizado por fuerza.* Entre las históricas sobresalen: *La destrucción de Tebas, La doncella de Orleáns, Mazariegos y Montalves, Quitar de España con honra el feudo de cien doncellas, La defensa de Tarifa y blasón de los Guzmanes...* Entre las religiosas: *El lucero de Madrid, Judas Iscariote, La fe se firma con sangre y primer inquisidor, San Pedro Mártir, Por oír misa y dar cebada, nunca se perdió jornada...* Entre las fantásticas: *No hay plazo que no se cumpla*—su obra más famosa—, basada en *El burlador*, de "Tirso", a la que reemplazó sobre las tablas por gusto público.

En 1722 se publicó en Madrid el tomo primero de sus *Comedias nuevas*, único que vio su autor. Póstumos se publicaron otros tres —1744—. Edición moderna: tomo XLIX de la "Biblioteca de Autores Españoles".

V. BARLOW, J. W.: *Zorrilla's indebtedness to Zamora,* en *Rom. Rev.,* XVIII, 303 y siguientes.—VALBUENA PRAT, A.: *Literatura dramática española.* Barcelona, Labor, 1930. SAINZ DE ROBLES, F. C.: *Tesis y antítesis del teatro español.* Conf. Madrid, 1946.—COTARELO MORI, E.: *Entremeses,* en "Nueva Biblioteca de Autores Españoles".

ZAMORA VICENTE, Alonso.

Investigador y crítico literario español. Nació—1916—en Madrid. Estudió la primera y segunda enseñanza en su ciudad natal. Doctor en Filología Románica por la Universidad de Madrid, con "Premio Extraordinario". Ha sido catedrático de Lengua y Literatura Españolas en Institutos de Enseñanza Media entre 1940 y 1943; y de la Universidad de Santiago de Compostela (1943-1946). Catedrático de Filología Románica en la Universidad de Salamanca (1946-1959). Director del Instituto de Filología en la Universidad Nacional de Buenos Aires, y fundador y director de la *Revista de Filología* de esta misma Universidad, hasta 1959. Profesor extraordinario en la Universidad de Colonia (1954). Rector del Colegio Mayor Hispanoamericano "Hernán Cortés" de la Universidad de Salamanca y director de publicaciones de esta misma Universidad. Director del Seminario de Filología Hispá-

nica del Colegio de México y profesor visitante de su Universidad—1960—. Desde 1961 redactor del *Diccionario Histórico* de la Real Academia Española. Miembro del Instituto de Coimbra—1947—, de la Real Academia Gallega—1958—, del Instituto de Estudios Asturianos—1958—, miembro de número de la Real Academia Española—1966— y su Secretario perpetuo. Ha pronunciado cursos y conferencias con temas filológicos y literarios en Universidades y Colegios de Puerto Rico, Italia, Francia, Bélgica, Alemania, Dinamarca, Holanda, México, Argentina, Uruguay, Estados Unidos...

Alonso Zamora Vicente posee una gran cultura literaria y filológica, a la que une una impar maestría en la exposición de los más sutiles temas, tanto con la palabra como con la pluma. Es colaborador asiduo de las principales revistas culturales: *Escorial, Revista de Filología Española, Insula, Boletín de la Biblioteca de Menéndez Pelayo, Sur, Orbis, Papeles de Son Armadans, Humanidades...*

Obras: *El habla de Mérida y sus cercanías*—Madrid, 1942, anexo *Rev. Filología Española*—, *Francisco de la Torre*—poesías, en *Clásicos Castellanos,* núm. 124. Espasa-Calpe, Madrid, 1944—, *Juan Pablo Forner. Oración apologética y su mérito literario*—Badajoz, 1945. Biblioteca del Centro de Estudios Extremeños—, *Poema de Fernán González*—en *Clásicos Castellanos,* número 128. Madrid, Espasa-Calpe, 1954—, *Tirso de Molina*—comedias, en *Clásicos Castellanos,* núm. 131. Madrid, Espasa-Calpe, 1947—, *De Garcilaso a Valle-Inclán*—Buenos Aires, edit. Sudamericana, 1850—, *Presencia de los clásicos*—Buenos Aires, "Colección Austral", núm. 1.061, 1951—, *Las sonatas de Ramón del Valle-Inclán*—Buenos Aires, 1951—, *Primeras hojas*—narraciones. Madrid, Insula, 1955—, *Smith y Ramírez* —narraciones. Valencia, 1957—, *Dialectología española*—Madrid, Gredos, 1960—, *La novela picaresca*—Buenos Aires, 1961—, *Lope de Vega. Vida y obra*—Gredos, Madrid, 1961—, *Camilo José Cela*—Madrid, edit. Gredos, 1962—, *Lope de Vega: El villano en su rincón y Las bizarrías de Belisa* —Madrid, *Clásicos Castellanos,* núm. 155, Espasa-Calpe, 1963—, *Lope de Vega: Peribáñez y La dama boba*—Madrid, *Clásicos Castellanos,* núm. 157, Espasa-Calpe, 1963—, *Léxico rural asturiano. Palabras y cosas de Libardón* (Colunga)—Granada, 1953—, *La voz de la letra*—Madrid, "Col. Austral", 1958—, *Primeras hojas*—Madrid, 1959.

ZAMUDIO, Adela.

Poetisa y novelista boliviana. 1854-1928. Nació en Cochabamba. Se educó en su ciudad natal. Publicó sus primeras poesías, con el seudónimo de "Soledad", en periódicos y revistas, mereciendo muchas de ellas ser puestas en música y cantadas por el pueblo.

Contaba únicamente dieciséis años cuando publicó su primer ensayo poético: *Dos rosas*. En 1887, su padre, Adolfo Zamudio, publicó en Buenos Aires un volumen titulado *Ensayos poéticos de Adela Zamudio,* con un prólogo del escritor argentino Juan José García Velloso, que se expresó así: "Son la revelación de un alma superior, forjada en el molde de Petrarca o Byron. Están saturados de un idealismo romántico..."

Adela Zamudio sobresalió decisivamente sobre las demás poetisas y novelistas bolivianas: fue superior a la ciega Mujía, a Hercilia Fernández de Mujía, a Lindaura Anzoátegui, a Mercedes Belzu, a Sara Ugarte, a Amelia Guijarro...; y lo fue por su mentalidad, por su estro armonioso y espontáneo, por su prosa vibrante, por la hondura de su pensamiento. "Verso, cuento, crítica le sirven de cauce para manifestar su temperamento altivo. Si la reciura del ánimo se encrespa en una prosa nerviosa, la comprensión filosófica de la vida se resuelve por versos rebeldes, donde pesimismo y ternura tejen sus mallas contrapuestas. Fue doña Adela una inteligencia superior movida por una sensibilidad de artista." (Díez de Medina.)

Entre sus poesías destacan: *La violeta, A un suicida, Primavera, Nacer hombre, Quo vadis?, Peregrinando...*

Entre sus novelas: *Intimas, Noche de fiesta, La inundación.*

Entre sus cuentos: *El vértigo, El diablo químico, El velo de la Purísima, La reunión de ayer, El milagro de Fray Justo, El diamante, La madrastra, Las fugitivas...*

En París publicó su libro de poemas *Ráfagas.*

Adela Zamudio fue coronada públicamente—1926—por el presidente de la República de Bolivia.

V. DÍEZ DE MEDINA, Fernando: *Perfil de la literatura boliviana,* en *Thunupa,* La Paz, 1947.—FINOT, Enrique: *Historia de la literatura boliviana.* México, 1943.—USQUIDI, J. Macedonio: *Bolivianas ilustres.*

ZAPATA, Marcos.

Poeta y autor dramático de relieve en su época. Nació—1845—en Ainzón (Zaragoza). Murió—1914—en Madrid. Desde casi un niño alternó sus estudios con la colaboración en los periódicos zaragozanos. En 1869 se trasladó a Madrid. Fue redactor de *La Discusión, El Orden* y *Gente Vieja.* Entre 1890 y 1898 vivió en la Argentina. Al regresar a España no volvió a estrenar sus produccio-

nes escénicas, colaboró escasamente en algunas revistas y desempeñó un importante cargo en la Casa de la Moneda y Timbre.

Fue un excelente poeta lírico y dramático; versificó con mucha facilidad y no escasa fortuna. Le faltó color y tuvo harta tendencia doctrinaria y política. Su mejor obra fue la primera que estrenó—1871—en el teatro de la Alhambra, de Madrid: *La capilla de Lanuza,* haciéndose por ella famoso, y no menos que él, el intérprete: Antonio Vico.

Vivió siempre con pobreza. Durmió sobre los bancos del Prado. Se vistió con los desechos del Rastro. Pero jamás perdió su buen humor. Trabajaba lentamente, y solía decir que "hay años en que no se le ocurre a uno nada". Concurría "para dejarse convidar" al café Imperial, situado en la Puerta del Sol, esquina a la carrera de San Jerónimo, y llamado la "antesala del *Saladero*", por las veces que sus concurrentes—políticos, literatos y vagos—pasaban de él a la cárcel.

Obras: *El castillo de Simancas*—drama, 1873—, *La corona de abrojos*—drama, 1875—, *El solitario de Yuste*—drama, 1877—, *El anillo de hierro*—zarzuela, 1878—, *El Compromiso de Caspe*—leyenda histórica, 1878—, *Camoens*—zarzuela, 1879—, *El reloj de Lucerna*—zarzuela, 1884—, *La piedad de una reina*—drama, 1887—, *La campaña milagrosa*—drama lírico, 1888—, *Covadonga*—zarzuela, 1901—, *Poesías*—Madrid, 1902—, *María Teresa*—boceto de drama, 1902—, *Un caudillo de la Cruz...*

V. CEJADOR Y FRAUCA, J.: *Historia de la lengua y literatura españolas.* Tomo IX, 59-63.—SAINZ DE ROBLES, F. C.: *Historia y antología del teatro español.* Madrid, 1943, tomo VI.—ESCOBAR Y LASSO DE LA VEGA: *Historia del teatro español.* Tomo II.

ZAPATA DE CHAVES, Luis (señor de Cehel).

Gran historiador, poeta y prosista. 1526-1595. ¡Maravilloso caballero don Luis Zapata de Chaves, señor de Cehel, natural de Llerena, hijo del mayordomo del emperador don Francisco y de doña María de Portocarrero, hija del segundo conde de Medellín! ¡Maravilloso caballero don Luis Zapata! Su pergeño hubiera exigido un soneto de Garcilaso. O un retrato del relamido Francisco Pacheco. Su juventud estuvo pletórica de andanzas demostrativas de su limpieza genealógica, semejantes a los corcovos de un galgo joven de raza pura. El mismo nos cuenta las torturas a que se sometió para adelgazar y conservar su gentileza, tanto en el decir y en el comportamiento cuanto a la esbeltez física:

"Yo temí la gordura tanto en mi juven-

Z

tud, viendo los inconvenientes dichos, que hice al reparo remedios grandísimos. No cené en más de diez años, sino comía al día una sola vez; nunca bebí antes ni después vino, con lo que se engorda mucho; no comí en grandísimo tiempo cocido; anduve algún tiempo vendado el cuerpo, dormí algunas noches con grebas para enflaquecer las piernas; vestía y calzaba tan justo que era menester descoser a la noche las calzas para quitármelas (porque a la noche a todo hombre se le engruesan las piernas), y cuando había sarao y danzas con las damas a la noche en Palacio, porque la cama enflaquece las piernas, me acaeció muchas veces para llevar delgadas estarme en la cama todo el día, con lo que al fin salí, gracias a Dios, con mi intento, ni yo llegara hoy a sesenta y seis años con salud, si la templanza no fuera en mí ayuda y remedio."

¡Maravilloso caballero don Luis Zapata! Amó la caza. Amó la guerra. Amó la música y la danza cortesana, en la que demostró la pericia de lo sutil y la complicación del arte. Amó el manejo del caballo en los juegos de cañas. Amó el pasatiempo de las lecturas clásicas. Y la buena mesa remilgada. Y ¡amó el Amor!, en el que los neblíes y gerifaltes de su deseo no apresaron sino garzas reales. Con Calvete de Estrella acompañó—1549—a don Felipe II en su viaje a Flandes y a Italia. Sobresalió—penacho airón y lanzón invicto—en el torneo de Binche, bajo el mote—que envidiaron caballeros Palmerines y Amadises—de Gavarte de Valtemoroso. Se casó dos veces. Y a su primera mujer y prima doña Leonor de Portocarrero dedicó una octava real—que es la estrofa maravillosa por excelencia:

... Vete con Dios y en paz, alma hermosa,
dejando al triste estar con los contentos;
y si para llorar mi propia cosa
pueden algo mis versos y lamentos,
siempre el mundo tendrá piedad llorosa
de que este año de mil y de quinientos
y de cincuenta y ocho, a tres de enero,
perdí a doña Leonor Portocarrero.

Fue caballero de Santiago; y como se averiguase que "después que rrescivió el ávito no a vivido con la onestidad y decencia que se requiere para ser hombre de Orden", fue preso por cédula del rey —1566—en el castillo de Segura de la Sierra. Por Flandes y por Milán exhibió la elegancia insuperable de ser caballero español. Soñó con don Alvaro de Bazán, y—estando en Valladolid y paseando por la corredera—la profecía del Gran Capitán de conquistar el Oriente con facilidad y con poesía. Al final de su vida, en sus predios de Extremadura, disfrutó ampliamente de los delei-

tes venatorios; señor admirable, en su castillo de Valencia del Ventoso, ordenó sus recuerdos y compuso su libro más excelente: la *Miscelánea*, en el que surgen, de vez en vez, relatos de esta índole: "Yo he visto en Flandes ciervos y gamos blancos...; yo vi un azor al conde de Alba, don Enrique...; y un gerifalte al conde de la Puebla, don Pedro de Cárdenas...; y un gavilán zahereño a don Manrique de Zúñiga, hijo de la duquesa de Béjar..."

Mas pese a componer poemas épicos, relatos de cetrería, páginas e historia; pese a haber traducido a Horacio, hasta el último aliento de su vida, el magnífico caballero don Luis Zapata de Chaves, señor de Cehel, no dará importancia decisiva sino al orgullo de casta y de galanura. Se está muriendo y aún fanfarronea de aquel y de esta... Oídle, oídle... "La mejor casa de caballero, la de don Luis Zapata, en Llerena, mejor que la de muchos grandes." Oídle, oídle... Cuenta cómo por el tañer de una guitarra conoció el racionero Gregorio Silvestre al famoso músico don Hernando de Orellana, y añade: "Esto me aconteció alguna vez, justando encubierto, y en el echar la lanza en el ristre, conocerme..."

Escribió don Luis Zapata de Chaves un poema en octavas reales, *Carlo Famoso*, crónica rimada de Carlos I, tan llena de interés histórico como carente de mérito literario; un *Libro de Cetrería*, en verso, que aún permanece inédito; la traducción de Horacio, publicada en Lisboa y dedicada al conde de Chinchón; y la famosa *Miscelánea*.

La *Miscelánea* parece que fue el conjunto de unos apuntes para una obra extensa que iba a llamarse *Varia Historia*. En la *Miscelánea* se narran supersticiones, milagros, burlas, motes, duelos y actos caballerescos, costumbres y rasgos de astucia y agudeza... en una forma llana y desaliñada. De la *Miscelánea* ha escrito el gran polígrafo Menéndez Pelayo que es "uno de los libros más varios y entretenidos que darse pueden, repertorio inagotable de dichos y anécdotas de españoles famosos del siglo XVI" y que "ofrece materia de entretenimiento por dondequiera que se le abra y es recurso infalible para las horas de tedio, que no toleran otras lecturas más graves".

V. MENÉNDEZ PIDAL, Juan: *Discurso*. Real Academia Española, 1915, 1-78.—GAYANGOS, Pascual: *Introducción a la "Miscelánea"*. 1859.—FERNÁNDEZ DE OVIEDO: *Libro de linajes y armas*. Mss. Academia de la Historia, 12-2-3. Capítulo XXIV.—NICOLÁS, Antonio: "Biblioteca Hispana Nova", 1873, II.—RODRÍGUEZ MOÑINO: *Introducción a la "Miscelánea"*. Madrid. "Las cien mejores obras de la literatura española". Vol. XCIV.—HURTADO Y GONZÁLEZ PALENCIA: *Historia de la lite-*

ratura española. Madrid, 1925, 2.ª edición, 355.

ZÁRATE, Agustín de.

Historiador y prosista de mérito. Vivió entre 1506 y 1565. Secretario del Real Consejo de Castilla durante más de quince años. Por encargo del césar Carlos I pasó—1543—a poner orden en las cajas de la Real Hacienda del Perú, siendo testigo de la rebelión de Gonzalo Pizarro. Gobernador de la Hacienda de Flandes en 1555. En Amberes —1555—imprimió su *Historia del descubrimiento y conquista de la provincia del Perú,* reimpresa en Venecia—1563—y Sevilla —1577—y traducida al francés, inglés, alemán e italiano, a esta última lengua por Alfonso de Ulloa.

En su *Historia,* Agustín de Zárate narra, en excelente prosa castellana, con objetividad austera, las vicisitudes de aquella rebelión, hasta que la dominó con Pedro de la Gasca.

En el tomo IV de la "Biblioteca de Autores Españoles" figura otro trabajo de Zárate: *Censura de la obra de "Varones ilustres de Indias", de Juan de Castellanos.*

Agustín de Zárate figura en el *Catálogo de autoridades* del idioma, publicado por la Academia Española.

ZÁRATE, Hernando de.

Excelente prosista ascético. Nació —¿1538?—en Madrid. Murió después de 1596. Profesó como agustino en Córdoba —1552—. Licenciado en Artes. Catedrático de la Universidad de Osuna—1568—, en la que explicó Sagradas Escrituras.

Su obra más famosa—y única que se imprimió. Alcalá de Henares, 1592—es la titulada *Discurso de la paciencia cristiana,* "uno de los buenos libros de carácter ascético de aquella centuria; su estilo natural y sencillo, muy sobrio en adornos retóricos, pero jugoso y castizo, hace que se lea siempre con agrado esta prosa, modelo de claridad y de ternura" (Hurtado y Palencia).

Otra obra manuscrita: *Antigüedad y nobleza de Vizcaya.*

V. ALLISON PEERS: *Studies of the Spanish Mystics.* Londres, 1927.—SAINZ RODRÍGUEZ, P.: *Introducción a la Historia de la mística en España.* Madrid, 1927.

ZÁRATE Y CASTRONOVO, Fernando de.

Poeta y autor dramático español. Debió de nacer en Madrid hacia el año 1620. Murió en fecha y lugar no conocidos. Durante muchos años, y sin razones estimables, se creyó que no existió este autor, sino que era un seudónimo del célebre escritor judío Antonio Enríquez Gómez. Fue La Barrera quien hizo notar en la comedia *La montañesa de Burgos* una dedicatoria autógrafa de Zárate, fechada el 16 de julio de 1660, año en que Gómez andaba huido en Francia mientras la Inquisición quemaba su efigie en Sevilla—15 de abril de 1660—. Dato tan elocuente motivó que la personalidad de Zárate no fuera ya puesta en duda.

Muchas—y algunas muy discretas—comedias escribió Zárate. Entre las *históricas* sobresalen: *El maestro de Alejandro* y *El noble siempre es valiente, o Vida y muerte del Cid y noble Martín Peláez.* Entre las de *enredo: Mudarse por mejorarse,* refundida de otra de Alarcón del mismo título, y *La presumida y la hermosa,* que sirvió a Molière para *Les femmes savantes.*

El nombre de este autor figura en el *Catálogo de autoridades* del idioma, publicado por la Academia Española.

V. LA BARRERA, C. A. de: *Catálogo... del teatro antiguo español,* pág. 506.—SAINZ DE ROBLES, F. C.: *Historia y antología del teatro español.* Madrid, 1943. Tomos III y IV.

ZARCO-BACAS Y CUEVAS, Eusebio Julián.

Erudito, historiador y prosista español. Nació—1887—en Cuenca. Murió—1936—en Paracuellos del Jarama (Madrid). Estudió Latín y Humanidades con los padres Franciscanos de Belmonte y Fuente del Maestre. En 1905 profesó de agustino en el monasterio de El Escorial. Académico de la Real de la Historia en 1929. Bibliotecario de la famosísima Biblioteca escurialense.

De extraordinarias dotes para la investigación histórica; de mucha cultura, excelente crítico; prosista castizo de gran pureza de lenguaje. Publicó numerosos y admirables ensayos en *La Ciudad de Dios,* una de las revistas españolas que más han contribuido a la exaltación de los estudios históricos y literarios.

Obras: *Catálogo de manuscritos castellanos de la Biblioteca de El Escorial*—1924—, *Oración fúnebre de Felipe II*—Madrid, 1917—, *Antonio Pérez*—1922—, *Escritores agustinos de El Escorial: 1885-1916*—Madrid, 1917—, *El Real Monasterio de El Escorial y la Casita del Príncipe*—Barcelona, 1916, y Madrid, 1924—, *Ideales y normas de gobierno de Felipe II*—El Escorial, 1927—, *Bibliografía de fray Luis de León*—Málaga, 1929—, *¿Quién fue el autor de la "Guía y avisos de forasteros", publicada en Madrid en 1620?* —1929, en *Boletín de la Academia Española*—, *Fray Luis de León: su vida, carácter y escritos*—Cuenca, 1928—; y entre los ensayos publicados en *La Ciudad de Dios* destacan: *Unos versos de Felipe II*—tomo CXI—, *Prisión de la princesa de Eboli y*

Z

Antonio Pérez—tomo CXLI—, Las contiendas literarias de España durante el siglo XVII —tomos CLII y CLIII—, Las "Edades trovadas", atribuidas a Pablo de Santa María —tomo CV...

ZARDOYA, Concha.

Nació en Valparaíso (Chile) el 14 de noviembre de 1914. A los diecisiete años se trasladó a España, en cuya capital se licenció en Filología moderna. Fue distinguida con accésit en el "Premio Adonais", de poesía, para 1947. Reside actualmente en los Estados Unidos, y ha destacado, además, esta importante poetisa por su labor como traductora de Walt Whitman.

Con el seudónimo de "Concha de Salamanca" ha prologado La Araucana, de Ercilla, y el Teatro y poesía, de Gil Vicente, publicando así mismo varios volúmenes de cuentos.

Obras: Verso: Pájaros del Nuevo Mundo —"Colección Adonais", Madrid, 1945—, Dominio del llanto—"Colección Adonais", Madrid, 1947—. Prosa: Cuentos del antiguo Nico—"Colección Crisol", Aguilar, Madrid.

ZÁRRAGA, Miguel de.

Novelista, periodista y autor dramático español. Nació—1882—en Madrid. Alcanzó el título de bachiller en el Instituto de Reus. En 1898 publicó su primer artículo literario en el semanario vallisoletano La Mariposa. Redactor del Diario de Avisos y El Adelantado, de Segovia. Corresponsal en esta capital de El Imparcial, de Madrid. Y de este mismo diario—1909—en Cuba. Colaborador del Diario de la Marina, el principal periódico cubano. Jefe de redacción de la Pictorial Review, de Nueva York—1914—. Corresponsal de A B C en los Estados Unidos —1915—y en Inglaterra—1916—. Fundador —1919—del Spanish Press Bureau, que agrupó a más de cincuenta periódicos importantes de la América española. Profesor de la Facultad Española del Middlebury College. Fundador y director en Nueva York del "Teatro español". Doctor en Letras honoris causa de la Universidad de Middlebury. Representante de la Sociedad de Autores Españoles, del Sindicato de Autores Cubanos y del Círculo Argentino de Autores en los Estados Unidos. Director de La Revista del Mundo y de La Tribuna.

Miguel de Zárraga es un gran periodista de estilo moderno; habla a la perfección varios idiomas; su cultura es grande, y su sensibilidad, exquisita. Escribe en una prosa elegante, llena de colorido, que se asemeja a la del gran cronista Gómez Carrillo.

Obras: Pasión de amor—novela, 1900—, Gérmenes malditos—novela, 1901—, Muñeca

—comedia—, La procesada—comedia—, La ola negra—comedia—, Eva—comedia, 1906—, El compañero de viaje—comedia, 1907—, La moral de lo inmoral—comedia, 1908—, El germen—drama, 1910—, El coto real—comedia, 1910...

ZAYAS, Antonio de.

Poeta y prosista español. Duque de Amalfi. Grande de España. Maestrante de la Real de Zaragoza. Gentilhombre de su majestad Alfonso XIII. Nació—1871—en Madrid. Diplomático desde 1892. Ha viajado por todo el mundo, representando a España en Constantinopla, La Haya, Estocolmo, Berna, París, San Petersburgo, Bucarest, Viena, México...

Poeta fino, de gran sensibilidad, de mucha corrección de forma, de tradición genuinamente española, aun cuando con algunas reminiscencias de los parnasianos franceses.

Obras: Joyeles bizantinos—1902—, Retratos antiguos—1903—, Noches blancas, Paisajes, Epinicios, Leyenda, Plus Ultra, Reliquias, Ante el altar y en la lid—Madrid, 1942—, Trofeos—traducción en versos castellanos del libro de José María de Heredia.

En prosa: Ensayos de crítica histórica y literaria, A orillas del Bósforo...

ZAYAS Y SOTOMAYOR, María de.

Notabilísima poetisa y novelista. Nació —1590—en Madrid. Y en Madrid debió de morir hacia 1660. Estuvo algunos años en Zaragoza, donde publicó sus novelas, pero nada más se sabe de su vida. Se duda de si fue casada. Sus padres fueron don Fernando de Zayas y Sotomayor, capitán de infantería y caballero del hábito de Santiago, y doña Catalina Barrasa. Nuestra novelista fue gran amiga de la poetisa sevillana doña Ana Caro Mallén de Soto.

María de Zayas fue muy elogiada por sus contemporáneos. Cuando aún no había publicado sus novelas, como poetisa la ensalzó Lope en su Laurel de Apolo:

¡Oh dulces Hipocrénides hermosas!,
los espinos Pangeos
aprisa desnuded, y de las rosas
tejed guirnaldas y trofeos
a la inmortal doña María Zayas,
que sin pasar a Lesbos ni a las playas
del vasto mar Egeo
que hoy llora el negro velo de Teseo,
a Safo gozará Mitilinea,
quien ver milagros de mujer desea;
porque su ingenio vivamente claro
es tan único y raro,
que ella sola pudiera
no solo pretender la verde rama
para sola ser sol de tu ribera

y tú por ella conseguir más fama
que Nápoles por Claudia, por Cornelia
la sacra Roma, y Tebas por Targelia.

La Zayas correspondió a este gran elogio
componiendo un soneto muy bello para la
corona fúnebre del gran dramaturgo.

Pérez de Montalbán—en su *Para todos*—:
"Décima musa de nuestro siglo, ha escrito
a los certámenes con gran acierto; tiene
acabada una comedia de excelentes coplas
y un libro para dar a la estampa, en prosa
y verso, de ocho novelas ejemplares."

Para Fernández Navarrete: "... Facilidad, claridad en la expresión y elegancia e
interés en la narrativa, son las cualidades
más características de doña María de Zayas."

"Entre los cuentistas cortesanos de la época—escribe Valbuena—ocupa un papel muy
importante doña María de Zayas, superior a
Salas y Castillo en la novela corta, en la
que cultivó el género idealista cervantino
con notable acierto y aproximándose también a un orden más realista y psicológico
que el italianizante... Doña María de Zayas
era un temperamento finamente sensual; y
a los motivos amorosos, en los que por un
lado no temía lo escabroso, y de otro penetraba en exquisitas idealizaciones, debe sus
éxitos más vivos. Algunos procedimientos,
literariamente bellos, interesan además, por
ser anticipaciones del mundo subsconscien-
te, hoy puesto en primer plano en la escuela de Freud. Distinguida, fina de alma y
exquisitamente erótica, doña María de Zayas supo dar una vida a los cuadros realistas y a las desmelenadas aventuras trágicas,
que la convierten, para mi gusto, en la mejor derivación del Cervantes de las *Ejemplares*, cuyos límites amplía en la dirección
que pudiéramos llamar prerromántica."

Las novelas de doña María de Zayas fueron la picaresca de la aristocracia. Observó
maravillosamente bien. Narró maravillosamente bien. Su desenvoltura tuvo gracia exquisita. Su nombre figura en el *Catálogo de
autoridades* del idioma.

El éxito de sus novelas fue enorme y trans-
puso las fronteras patrias. Scarron aprovechó elementos de *El prevenido engañado*
para *La precaution inutile*, y *El juez de su
causa* lo plagió bonitamente en el *Roman
comique*.

Obras: *Novelas amorosas y exemplares*
—Zaragoza, 1637, 1638—, *Novelas y saraos*
—Zaragoza, 1647—, *Parte segunda del sarao y entretenimiento honesto*—Barcelona,
1649—, *Traición en la amistad*—comedia—y
varias poesías sueltas.

La primera parte de las *Novelas* contiene: *Aventurarse perdiendo, La burlada
Aminta y venganza del honor, El castigo*

de la miseria, El prevenido engañado, La
fuerza del amor, El desengañado amado, Al
fin se paga todo, El imposible vencido, El
juez de su causa, El jardín engañoso.

La segunda parte de las *Novelas* contiene: *La esclava de su amante, La más infame venganza, La inocencia castigada, El
verdugo de su esposa, Tarde llega el desengaño, Amor sólo por vencer, Mal presagio
casar lejos, El traidor contra su sangre, La
perseguida triunfante, Estragos que causa
el vicio.*

Ediciones antiguas: Madrid, 1664, 1724,
1786; Barcelona, 1705, 1764.

Ediciones modernas: París, 1847; edición
en "Colección de los mejores autores españoles", preparada por Eugenio de Ochoa;
tomo XXXIII de la "Biblioteca de Autores
Españoles"; ed. Pardo Bazán; el tomo III
de la "Biblioteca de la Mujer"; tomo CIV
de la "Biblioteca Universal", Madrid; la
"Novela picaresca española", Madrid, Aguilar, 1943 y 1946; Ed. Apolo, Barcelona, 1941.

Las dos series de novelas han sido publicadas por la Real Academia Española de la
Lengua, en edición preparada por don Agustín González de Amezua, que reputamos como la mejor y definitiva.

V. SERRANO SANZ, M.: ... *Escritoras espa-
ñolas*, II.—583.—SYLVANIA, Lena E.: *Doña
María de Zayas, a contribution to the study
of her work*, en *Romanic Review*, 1922 y
1923.—PLACE, E. B.: *María de Zayas*, en
The University of Colorado Studies, 1923.—
LARA, M. V. de: *De escritoras españolas*, en
Bulletin of Spanish Studies, 1932.—VAL-
BUENA PRAT, A.: *Estudio* en la *Novela pi-
caresca española*. Madrid, 1943, 1946.—NEL-
KEN, M.: *Escritoras españolas*. Barcelona,
Labor, 1930.—GONZÁLEZ DE AMEZUA, Agus-
tín: *Estudios y notas* a la ed. de la Real Aca-
demia Española. Dos tomos.

ZEA, Francisco.

Poeta, autor dramático y periodista. Nació—1825—y murió—1857—en Madrid. Su
padre, don Faustino Zea, fue maestro de
armas de los pajes de Su Majestad y teniente mayor del reino. Estudió Humanidades
en el colegio de San Isidro el Real, de esta
corte. Huérfano desde muy joven, hubo de
ganarse la vida con la misma profesión que
su padre. De 1852 a 1854 desempeñó una
plaza de empleado en el Ministerio de la
Gobernación. Al fallecer, era oficial de Dirección, con 12.000 reales de sueldo. Sus
obras—poesías líricas, poesías dramáticas,
artículos, gacetillas, revistas de toros—fueron impresas por cuenta del Estado a beneficio de la viuda y de la madre del poeta.
Había sido redactor de *El Observador* y *El
Orden* y colaborador del *Semanario Pinto-*

resco Español, firmando con los seudónimos de "El Bachiller Sansón Carrasco" y "El Lazarillo de Tormes".

Sus *Obras completas* fueron impresas en la Imprenta Nacional, Madrid, 1858.

Obras sueltas: *Maese Juan "el Espadero"* —drama, Barcelona, 1851—, *Esgrima del sable a pie y a caballo*—Madrid, 1853.

Zea fue un poeta de arrebatado lirismo y un prosista ágil y sensiblero.

V. OLMEDILLA PUIG: *El poeta Francisco Zea,* en *España Moderna,* 1914, agosto.

ZEBALLOS, Estanislao S.

Político, jurisconsulto y publicista argentino. 1854-1923. Fue por tres veces ministro del Gobierno nacional en las carteras de Relaciones Exteriores y Culto, Instrucción Pública y Justicia; presidente en dos períodos de la Cámara de Diputados; decano de la Facultad de Derecho, etc.

Como escritor, fue muy fecundo; fundó y dirigió varios periódicos y revistas y publicó numerosos libros como *La dinastía de los Zorros* y *La reina de los pinares,* traducidos ambos al francés; *A través de las cabañas* y *La dinastía de los Piedra.*

«ZEDA» (v. Fernández Villegas, Francisco).

ZENEA, Juan Clemente.

Poeta y novelista cubano. Nació—1832—en Bayamo y murió fusilado—1871—en el castillo de la Cabaña (la Habana). Colaboró en casi todos los periódicos de su patria. Dirigió *Revista Habanera.* Conspiró incansablemente contra España, por lo que sufrió persecuciones, cárceles y exilio. En Nueva York redactó el periódico *La revolución.* En 1870 intentó introducirse clandestinamente en Cuba, pero fue sorprendido, preso y fusilado. Durante su último cautiverio escribió su *Diario de un mártir.* "Sus injurias rimadas contra España—escribe Menéndez Pelayo—no aumentarán, ciertamente, la gloria de su nombre; lo que le protege y conserva son sus versos elegíacos, pocos en número, pero que apenas tienen rival en la literatura cubana."

El carácter dominante en el lirismo de Zenea fue la melancolía. Hizo popular el seudónimo de "Adolfo de la Azucena".

Obras: *Jaqueline y Reginaldo*—novela, 1850—, *Lejos de la patria*—novela, 1859—, *Sobre la literatura de los Estados Unidos*—Nueva York, 1861—, *La Revolución de Cuba*—México, 1868—, *Poesías póstumas*—Madrid, 1871—, *Nueva colección de poesías*—la Habana, 1909...

V. PIÑEYRO, E.: *Vida y escritos de Juan Clemente Zenea.* La Habana, 1901.—MERCHÁN, Rafael M.: *Juan Clemente Zenea.* La

Habana, 1881.—MATA, L.: *Un poeta mártir.* 1876.—LÓPEZ PRIETO, Antonio: *Parnaso cubano.* La Habana, 1881.—MENÉNDEZ PELAYO, M.: *Historia de la poesía hispanoamericana.* Madrid, 1911-1913.—REMOS Y RUBIO, Juan José: *Historia de la literatura cubana.* La Habana, 1925.

ZEQUEIRA Y ARANGO, Manuel de.

Poeta cubano. Nació—1760—y murió —1846—en la Habana. Estudió en el Seminario de San Carlos. En 1774 se dedicó a la carrera de las armas, alcanzando una de las más altas graduaciones: coronel. Fue gobernador militar y político de Santa Marta y teniente del Rey—1815—, en la plaza de Cartagena de Indias. En 1821, hallándose en Matanzas, perdió la razón, arrastrando una larga y penosísima existencia durante veinticinco años.

Según Menéndez Pelayo, los dos primeros poetas de Cuba, rigurosamente hablando, fueron Zequeira y Manuel Justo de Rubalcava. Ellos dos significaron para la lírica cubana lo que el padre Navarrete y sus discípulos para la mexicana.

Zequeira fue, ante todo, un ferviente patriota, "español hasta los tuétanos". Poseyó una cálida inspiración y una asombrosa facilidad para versificar. De una de sus odas, la titulada *A la piña,* dijo el crítico Luaces: "Apolo la inspiró y la embellecieron las Gracias."

Para sus poemas épicos tuvo Zequeira dos modelos: Quintana y Nicasio Gallego; y fruto de tal inspiración fueron sus octavas reales a la *Batalla naval de Cortés en la Laguna de México.*

La mayor parte de las poesías de Zequeira aparecieron en *El Papel Periódico de la Habana* y en otros periódicos, folletos y antologías.

Sus *Poesías* las reunió y publicó—1829—en Nueva York el presbítero don Félix Varela. Una segunda edición, dirigida por el hijo del poeta, don Manuel Zequeira y Caro, fue impresa—1852—en la Habana.

V. MENÉNDEZ PELAYO, M.: *Historia de la poesía hispanoamericana.* Madrid, 1911, tomo I, págs. 224-226.—FORNARIS, J., y LUACES, J. L.: *Cuba poética.* La Habana, 1855, 1861. LÓPEZ PRIETO, Antonio: *El Parnaso cubano.* La Habana, 1881.—REMOS Y RUBIO, Juan: *Historia de la literatura cubana.* La Habana, 1925.—SALAZAR Y ROIG, S.: *Historia de la literatura cubana.* La Habana, 1939.—CALCAGNO, Francisco: *Diccionario biográfico cubano.* Nueva York, 1878-1886. Dos tomos.

ZORRILLA Y MORAL, José.

Magnífico poeta y autor dramático. 1817-1893. El padre de nuestro poeta nacional don

José Zorrilla, natural de Torquemada, relator de la real Chancillería de Valladolid, fue un hombre rígido, ordenancista, poco simpático. La madre, doña Nicomedes Moral, nacida en Quintanilla Somuñoz, fue una dama silenciosa, pía, muy católica. José, nuestro poeta, fue un niño vehemente, apasionado, díscolo, aventurero, que, como es lógico, no congenió con sus padres.

Las primeras letras las aprendió Zorrilla en su ciudad natal. A los nueve años se traslada con su familia a Madrid, e ingresa en el Real Seminario de Nobles, regentado por los jesuitas, en el que destaca por su agudeza y por su espléndida vocación literaria, fomentada por sus profesores, quienes le hacían recitar poesías y representar en el teatro del Seminario.

Muerto Fernando VII—1833—, el grave relator, partidario furibundo del absolutismo, fue desterrado a Lerma, donde marchó con su esposa, enviando a su hijo a Toledo para que estudiara la carrera de Derecho, bajo la vigilancia de un tío suyo, canónigo, en cuya casa se hospedaría. ¿Estudiar Zorrilla? Le faltó tiempo para empaparse de arcaísmo y de misterio en la vieja urbe del Tajo. Vagaba sin descanso por las moriscas calles toledanas; soñaba desvaríos poéticos en el castillo de San Servando y en Zocodover, en los peñascos de la Virgen del Valle y en la vega; vivía de sobresalto en sobresalto dentro de la catedral, de las sinagogas, de los conventos, de los casones señoriales. En muy poco tiempo conoció de pe a pa todas las magníficas leyendas toledanas.

Muy escamado de los pocos estudios y de las constantes vagabundeces de su sobrino, el buen canónigo, un día cualquiera, le facturó para Valladolid, donde le esperaban, debidamente advertidos, el señor relator y don Manuel Tarancón, rector de la Universidad y futuro obispo de Córdoba y arzobispo de Sevilla; los cuales dos estaban muy decididos a meter en cintura al efervescente joven. El grave relator volvióse a Torquemada, luego de dejar muy enterado de su inflexible voluntad al hijo. Sino que este apenas hizo caso del sermón. Y estudió poco. Y poetizó mucho. Y vagabundeó más. Las hazañas maravillosas del Romancero le enemistaron para siempre con las Pandectas y el Fuero Juzgo.

—¡A Lerma!—dictaminó el gravísimo relator—. ¡A Lerma! ¡A cavar las viñas!

Y hacia Lerma salió Zorrilla cariacontecido. Sino que en el camino cambió de opinión. Se bajó de la galera, se montó en una mula que encontró al margen del camino, regresó a Valladolid, vendió la mula y ocupó una plaza en la diligencia que salía para Madrid.

Y ya en Madrid... Hambre. Hambre. Poesías escritas en papeles viejos. Hambre. Posadas inmundas. Hambre. Callejeo con apariencia de mendigo. Hambre. Fingiéndose artista italiano, dibujó para el *Museo de las Familias*. Colocó algunas poesías en *El Artista*. Pronunció discursos revolucionarios en el Café Nuevo. Perseguido por la Policía, tuvo la suerte de refugiarse en la casa de un gitano sutil, que vivía en la calle de la Esgrima. El cual gitano, salomónico y chungón, le coloreó el semblante, le trenzó la melena y le vistió con una chaqueta de pana y unas calzoneras, dejándole tal que no le hubieran reconocido los autores de sus días.

1836... Bohemia. Hambre. Amistad con Miguel de los Santos Alvarez y con el italiano Joaquín Masard. 1837... Larra se suicida. Su cadáver es expuesto en la bóveda de la parroquia de Santiago. Zorrilla, Alvarez y Masard se emocionan ante los restos mortales de "Fígaro"; y el primero compone una elegía nerviosa, romántica. Elegía que lee—en parte—al día siguiente, en el cementerio de San Martín, a filo del crepúsculo, al borde mismo de la tumba abierta para recibir el ataúd del famoso crítico, en el centro de un corro de graves caballeros enlutados, con perillas y melenas. Y digo que leyó en parte, porque, mediada la elegía, Zorrilla, que siempre fue una pura pavesa lírica, se desmayó de emoción en brazos de Hartzenbusch, y Roca de Togores, futuro marqués de Molíns, tuvo que continuar el recitado.

Lo cierto es que del cementerio de San Martín salió Zorrilla en hombros de la fama; ni más ni menos que el torero desconocido, después de una faena memorable, a hombros de los entusiastas sale por la puerta grande.

Zorrilla ocupó en *El Español* el puesto que había dejado vacante Larra, cumpliéndose así la verdad terrible del refrán: "El muerto al hoyo, y el vivo, al bollo." Y asistió al "Parnasillo". Y leyó poemas en el Liceo, y se codeó con García Gutiérrez, con Espronceda, con Gil Zárate, con Escosura, con Ventura de la Vega. Y estrenó dramas con mucho éxito. Poco tiempo después contrajo matrimonio—1838—con doña Matilde O'Reilly, señora que le llevaba bastantes años de edad. Enviudó pronto, y vio morir también al único hijo que tuvo en su matrimonio.

1846. Viaje a Francia. Amistad con Hugo, con la "Sand", con Musset, con Gautier. Y venta de sus obras, en 1847, a la casa Baudry, que las publicó en tres tomos. Buscando mejor fortuna, solo en el mundo—su madre había muerto en 1846 y su padre en 1848—, emigró a México, donde fue recibido

1329

con el aplauso y la admiración de todos. En los años siguientes dio varios recitales poéticos en Cuba. Vuelve a México—1860—, donde el emperador Maximiliano le confía la dirección del Teatro Nacional y del particular del Palacio Real.

1866. Maximiliano pensiona a Zorrilla para que regrese a Europa y sea su cronista. El 19 de julio de este año desembarcó en Barcelona el poeta, siendo recibido apoteósicamente. Vivió algún tiempo en Quintanilla, pueblo natal de su madre; pero en 1867 ya estaba de nuevo en la ciudad condal, donde contrajo segundas nupcias con doña Juana Pacheco, que contaba bastantes años menos que el poeta. Era la compensación a su primer matrimonio.

En 1871 marchó Zorrilla a Roma, formando parte de una comitiva artística seleccionada por la Dirección de Archivos y Bibliotecas. De vuelta a España, sus costumbres bohemias y su condición de despreocupado le llevaron casi a la indigencia.

Sus dramas fracasaban. Sus libros no se vendían. De sus obras, únicamente producía dinero el *Don Juan Tenorio*, cuya propiedad había vendido por un puñado de reales.

En junio de 1885 leyó su discurso—en verso—de ingreso en la Real Academia Española, contestándole el marqués de Valmar.

En 22 de julio de 1889, en el Liceo de Granada, bajo la presidencia del duque de Rivas, en representación de la reina regente, doña María Cristina, fue coronado solemnemente Zorrilla, quien recibió la gran cruz de Carlos III. ¡Tantos honores!... Tantos honores, sí, y la miseria rondándole. En vez de dar sablazos a los amigos, los dio a las ciudades: a Sevilla, a Cádiz, a Tarragona, a Valladolid, dedicándoles poesías desde las columnas de *El Liberal*...

Menos mal que las Cortes españolas, a propuesta de Castelar, votaron una pensión anual de 3.000 pesetas... ¡a la gran cigarra cantora!

El día 23 de enero de 1893 murió José Zorrilla en Madrid, en la casa señalada con los números 2 y 4 de la calle de Santa Teresa, siendo enterrado en el patio de Santa Gertrudis de la Sacramental de San Justo. Pero el Ayuntamiento de Valladolid, cumpliendo la última voluntad del poeta, el 2 de mayo de 1896 trasladó sus restos a la ciudad del Pisuerga.

Copiosísima es la labor literaria de Zorrilla. Memorias, dramas, comedias, leyendas, poemas, romances... Su primera poesía—titulada *A Elvira*—la publicó—1836—en el periódico ilustrado *El Artista*. Al año siguiente, en *El Porvenir*, publicó otras varias composiciones líricas, de las que destaca la *Luna de enero*. En este mismo año apareció impreso su primer volumen de *Poesías*. Y

en 1838, el segundo, conteniendo, entre otras célebres leyendas, *A buen juez, mejor testigo; Para verdades, el tiempo,* y *La sorpresa de Zahara*. Su primer drama en verso —escrito en colaboración con García Gutiérrez—, *Juan Dándolo,* se estrenó en el mes de julio de 1839 en el teatro del Príncipe. En 1840 publica los famosísimos *Cantos del trovador,* y estrena los dramas *Más vale llegar a tiempo, Vivir loco y morir más* y *Cada cual con su razón.* En 1842 aparecen sus *Vigilias de estío,* y da a conocer sus obras teatrales *El zapatero y el rey, El eco del torrente, Los dos virreyes.*

Entre sus libros de poesías y leyendas merecen destacarse: *Flores perdidas*—1843—, *Recuerdos y fantasías*—1844—, *La azucena silvestre, El desafío del diablo* y *Un testigo de bronce*—1845—, *La rosa de Alejandría* —1857—, *Dos rosas y un rosal*—1859—, *La leyenda del Cid*—1882—, *¡Granada mía!* —1885—, *Gnomos y mujeres*—1886—. Sus *Memorias,* con el título de *Recuerdos del tiempo viejo,* fueron publicadas periódicamente entre 1880 y 1883.

Que fue Zorrilla un enorme poeta lírico, nadie lo pone en duda. Las características fundamentales del romanticismo se dan en Zorrilla con tanta plenitud y energía como pureza: el espíritu cristiano, la afición a lo medieval, el sentimiento monárquico, la escenografía—castillos, claustros, ruinas, noche tempestuosa, luna lívida, penumbras y contraluces—, el lenguaje enfático prendido con las joyas de relumbrón de las imágenes y de las exclamaciones, el colorido atrevido vivísimo. Pero ¿fue Zorrilla un auténtico poeta lírico? Para críticos muy famosos, como Valera, el padre Blanco García, Bonilla, Cuello, Zorrilla fue un poeta romántico *narrativo, dramático* y *épico.* El lirismo exige intimidad, egocentrismo. Zorrilla es poco intenso y subjetivo; es, ante todo, un enamorado de la musicalidad mágica de la palabra, a la que sacrifica cualquier idea o ideal, por grandes que sean. Sí, el elemento acústico o musical es inseparable de la poesía zorrillesca, que "acaba por producir el arrobo del agua en los surtidores, del ruiseñor entre las hiedras o del arabesco que convierte las letras del alfabeto cúfico en motivo ornamental hasta el infinito desarrollado y repetido" (M. S. Oliver). Color, Imágenes. Sonoridad. Estos son los hallazgos maravillosos de Zorrilla. Atenuando estos efectos, un defecto: cierta difusión, cierta divagación.

Con un poco de exageración y con no poco de modestia, el mismo Zorrilla confesó: "He aprendido desde muy joven una cosa muy difícil de poner en práctica: el arte de hablar mucho sin decir nada, que es en lo que consiste generalmente mi poesía lírica." Y para explicar sus éxitos, con similar modestia, escribió así a don Cristino Martos, agradeciéndole la concesión de la gran cruz de Carlos III: "Mis obras son muy numerosas, pero son las más incorrectas de las producidas por los poetas de nuestro siglo; me complace y me duele hallarme en esta ocasión de declararlo espontáneamente. Deben mis obras su fama a la época innovadora en que las empecé a publicar, a los alardes de religión y de españolismo de que están salpicadas, a los asuntos populares que tratan, a mi larga ausencia de mi país, a lo novelesco que supone el vulgo mi vida en regiones remotas, y, más que todo esto, a la fortuna que a mi ignara osadía acompaña desde mi juventud." Y acierta el poeta decisivamente en señalar algunos de los motivos de los que motivaron su inmensa popularidad: religión, españolismo, musicalidad, sugestión personal. Como cristiano, creyó más interesantes de contar las creencias ortodoxas, llenas de suavidad, delicadeza y señorío, que las fiestas y ceremonias paganas, llenas de sensualismo, hastío y brutalidad.

Como español, renunció a ocuparse de héroes extraños y de acciones ajenas, teniendo tan *a mano*, tan dignos de evocación panegírica, hechos y figuras de España. Por íntegramente español, por plenamente cristiano, logró obtener Zorrilla el codiciado título de *poeta nacional*. De aquí que sean sus poesías más famosas aquellas *narrativas*, en las que se funden la misión artística y la misión patriótica. De aquí que no yerren por entero los críticos que afirman ser Zorrilla un poeta muy poco lírico.

Otro valor, y grande, tiene el romanticismo de Zorrilla: el de haberse librado de la influencia del romanticismo alemán, inglés o francés. Apenas si en las primeras poesías de Zorrilla se nota el influjo más de Víctor Hugo que el de Walter Scott. "No parece sino que entonces, en aquel momento supremo de preñez estética nacional, puramente nacional, la raza entera se recogió unos instantes y echó al mundo su voz, que fue Zorrilla. Sus vicios son nuestros vicios, como nuestras virtudes son sus virtudes. ¿Que charla hasta por los codos? ¿A trompa y talega? Así habló siempre la raza española; pero armoniosa, briosa, pintoresca, sentenciosamente." (Cejador.)

Alguien, muy acertadamente, definió a Zorrilla como "una imaginación servida por órganos". En efecto, su personalidad estaba fundida completamente con la realidad exterior. Sus poesías más se asemejan a acciones reflejas que a espontáneos actos, tal que un prima que colorea irisadamente el rayo de luz que recibe. Una imaginación,

por ende, que sirve para embellecer la realidad aun en sus aspectos menos bellos.

Entre las poesías líricas de Zorrilla destacan las llamadas *orientales*, composiciones de gallarda elegancia y de sugestiva musicalidad, que se aprendieron y repetían extasiados todos los españoles aficionados a la poesía del pasado siglo. *Corriendo va por la vega, Mañana voy, nazarena; Dueña de la toca negra* y la archifamosa de los Gomeles:

> Enjuga el llanto, cristiana,
> no me atormentes así,
> que tengo yo, mi sultana,
> un nuevo Edén para ti...
>
> Yo te daré terciopelos
> y perfumes orientales;
> de Persia te traeré velos
> y de Cachemira chales.
>
> Y te daré blancas plumas
> para que adornes tu frente,
> más blancas que las espumas
> de nuestros mares de Oriente;
> y perlas para el cabello,
> y baños para el calor,
> y collares para el cuello...,
> para los labios..., amor.

Pero aun en estas poesías, muestra magnífica de profusión luminosa y de expresiva exuberancia, ya empezaba a medrar la vena descriptiva, acaso porque en las descripciones tuviera más rienda suelta aquella desbocada fantasía zorrillesca, que alcanzaba, en ocasiones, los delirios más febriles y que, a veces, se entregaba al juego de los vientos más arrebatados. En *La flor de los recuerdos*, colección de poesías publicada en México—1855—, la tendencia lírica se acentúa; lo que explica por la nostalgia patriótica, que exigía del poeta sentimientos de subjetividad absoluta.

Lo más personal y hermoso de Zorrilla son las *Leyendas*. Zorrilla no conoce demasiado la historia de España. Casi pudiéramos decir que la conoce *de oídas*. No importa. Es tan prodigiosa su imaginación, es tan *comprensiva* su intuición, que entrambas suplen aquel desconocimiento, hasta el punto de que quien lee una leyenda zorrillesca no puede menos de pensar que si así no fue una porción de historia de España..., así *debió ser* para su mayor belleza, para más sutil poesía. *La sorpresa de Zahara, A buen juez, mejor testigo; Las dos rosas, El capitán Montoya, La calle de la Cabeza, Margarita la Tornera, El talismán, El montero de Espinosa* y otras tantas leyendas, son evocaciones maravillosas que no dejan lugar a dudas acerca de la realidad del suceso que evocan, y ponen de manifiesto la maestría del poeta en la utilización de los efectos del género: la intriga, el misterio, la sorpresa, la escenografía. La plasticidad más emotiva se aúna en estas piezas narrativas a una musicalidad casi sinfónica. Realmente, como dijo Valera, "Zorrilla fue un trovador rezagado y anacrónico, que tardó siglos en nacer". Los lectores del poeta se imaginan perfectamente el éxito que hubiera alcanzado Zorrilla en los siglos XII y XIII, con calzas y birrete emplumado, con guedejas lacias y una cítara, recitando estas leyendas en los castillos cimeros de los nobles rebeldes y en las cámaras de los príncipes eruditos, ante la expectativa sollozante de Julietas o Elviras, Jimenas y Mencías.

Como autor dramático, don José Zorrilla es el primero entre los románticos. El más fecundo en aciertos. El más inspirado. El más tradicional. El que sabe llegar con la máxima emoción al público. Quizá la crítica severa ha exagerado sus defectos: divagaciones, acumulación de detalles, falseamiento de caracteres y de hechos, verbosidad —hojarasca entre sus versos—, pensamientos poco profundos, contradicciones sentimentales. No importa. Pese a todos los pesares, el teatro de Zorrilla es un teatro vivo, apasionante, poético. En sus mejores momentos —que son muchos— desaparecen la difusión, la inverosimilitud, la vulgaridad, el prosaísmo. No hay ninguna entre sus obras que carezca de aciertos indiscutibles. En todas, como en las de Lope, se hallan perlas preciosas.

En sus dramas más intensos ha escogido Zorrilla una leyenda sugestiva o una personalidad vigorosa de la historia nacionales, en torno a la cual se desarrolla una acción diversa, amena y vivísima, en la que intervienen caracteres perfilados genialmente a trazos firmes, sin efectismos ni exageraciones escenográficas. El espectador *entra* en seguida en ella; se interesa, se conmueve, se entusiasma. El mundo de Zorrilla es su mundo, "un mundo lleno de espíritus caballerescos, místicos, fanáticos, rudos, valientes, casi salvajes, rebozados de poesías y sombreados con el oscuro color de los tiempos; una multitud de héroes, ya moros, ya cristianos, ya nobles, ya pecheros, y de heroínas esforzadas, llenas de feroz pasión o de inocente miedo, tomadas del seno del castillo feudal o del alcázar árabe o robadas del hogar servil o de las chozas de los campos; pero todos ellos tipos cogidos en los siglos medios, envueltos en el deslumbrador ropaje de unos versos magníficos, arrebatadores, rebosando gallardía y gentileza, osadía y pasión". Pero todo ello ¡tan español, tan español, tan español!

Sí; "el teatro de Zorrilla es una serie magnífica de preciosas leyendas; cuadros descriptivos de feroz majestad o de agreste belleza, realizados con segura mano y atrevido pincel, sin meditación, ni estudio, ni

delicadeza de detalles, ni esmerada elección de medios; escenas de efecto, situaciones de impresión, sueños imprevistos, máquina maravillosa, resortes toscos, aunque estupendos; caracteres duros, acentuados, pero simpáticos, interesantes..." Sí..., ¡y todo ello tan español, tan español, tan español!

Cerca de treinta obras dramáticas escribió don José Zorrilla. Imitaciones del antiguo teatro español, comedias de espectáculo, tragedias, dramas románticos de fondo legendario o histórico. Las más importantes de ellas: *Más vale llegar a tiempo...*—su primer estreno, 1883—, *Ganar perdiendo* —1839—, *La mejor razón, la espada*—1843—; inspirada en la obra de Moreto *Las travesuras de Pantoja; El puñal del godo*—1842—, escrita en dos días y basada en el *David perseguido*, de Lozano; *Sofronia*—1843—, *El caballo del rey don Sancho*—1844—, basada en la de Lope *El testimonio vengado; Don Juan Tenorio*—1845—, inspirada en *El convidado*, de "Tirso", y en *El convidado*, de Zamora; *El alcalde Ronquillo*—1845—, *El rey loco*—1847—, *El excomulgado*—1848—, *El zapatero y el rey*—1840 la primera parte y 1848 la segunda—; *Sancho García*—1846—, y *Traidor, inconfeso y mártir*—1849.

De entre estos aún sobresale en fama—ya que no en perfección—*Don Juan Tenorio*, drama escrito a los veintisiete años. Sus fuentes son: *El convidado de piedra*, de "Tirso"; la pieza del mismo título, de Zamora; *Las ánimas del purgatorio*, de Merimée, y *La cena en casa del comendador*, de Blaze de Bury. Dos son los aciertos fundamentales de Zorrilla en esta obra. Superar a cuantos trataron el tema en la naturalidad con que unifica la vida del burlador y su asistencia al tradicional—en España—banquete macabro, y la valentía con que inicia la posibilidad de la eterna salvación de don Juan por obra del amor. Además, Zorrilla llevó a su drama una serie de personajes de la más pura cepa hispana. *Doña Brígida* es una auténtica *Celestina. Ciutti,* el gracioso imprescindible de las tramas teatrales. *Don Gonzalo,* el caballero del honor inflexible, protagonista de los mejores dramas en la escuela de Calderón. Al hacer Zorrilla a su don Juan simpático hasta la exageración, generoso y chulángano, le da las características más apegadas al gusto español. De aquí que el don Juan de Zorrilla sea el más don Juan de los don Juanes.

Las ediciones de las obras dramáticas de Zorrilla—especialmente del *Don Juan Tenorio*—son innumerables. Me limito a citar las que considero de mayor interés, por el cuidado con que fueron realizadas:

Obras de don José Zorrilla. Dramard Baudry, París, 1864. Tres tomos.

Obras dramáticas y líricas de don José Zorrilla. Madrid, 1895. Tres tomos.

Obras completas de don José Zorrilla. Madrid, M. P. Delgado, 1905. Cuatro tomos.

Obras completas. Valladolid, Santarén, 1943, en dos tomos.

V. FERRER DEL RÍO, A.: *Galería de literatura española.* Madrid, 1846.—PASTOR DÍAZ, N.: Prólogo a las *Obras poéticas de Zorrilla.* 1864. Baudry. París. Tomo III.—OVEJAS, Ildefonso: *Biografía de don José Zorrilla,* en *Obras completas.* París, 1864.—PIÑEYRO, Enrique: *El Romanticismo en España.* Páginas 169-198.—SANCHO, Manuel: *Crónica de la coronación de Zorrilla.* 1889.—PARDO BAZÁN, Condesa de: *Zorrilla,* en *La Lectura,* 1909, IX, págs. 1-2 y 133-147.—BLAS, Doctor: *Estudio crítico-biográfico de Zorrilla.* Valladolid, 1889.—RAMÍREZ-ANGEL, E.: *Biografía anecdótica de Zorrilla.* Madrid, Mundo Latino, 1916.—VALBUENA, Antonio de: *José Zorrilla. Estudio crítico-biográfico.* Madrid, 1889.—VALERA, Juan: *Poesía del siglo XIX.* Tomos I y II.—ALONSO CORTÉS, N.: *Zorrilla; su vida y sus obras.* Valladolid, 1916-1920. Tres tomos.—ALONSO CORTÉS, N.: *En torno a Zorrilla,* en *Anotaciones literarias.* Valladolid, 1921.—ALCALÁ GALIANO, E.: *Necrología del poeta Zorrilla.* Madrid, 1903.

ZORRILLA SAN MARTÍN, Juan.

Gran poeta, prosista, historiador, orador y político. 1855-1931. Nació en Montevideo (Uruguay). Estudió la primera enseñanza con los Jesuitas de Santa Fe y con los PP. Bayonenses en Montevideo. Abogado. En 1880 ganó por oposición la cátedra de Literatura en la Universidad, afrontando desde esta fecha la lucha ideológica y política en su país. De arraigadas creencias católicas, combatió desde el Club Católico y el diario *El Bien Público* las campañas liberales del Ateneo y del diario *La Razón.* Diputado. Representante de su patria en España, Portugal y Francia. Viajó por toda Europa. Estuvo casado dos veces y fue padre de numerosos hijos. Gran caballero, lleno de bondades y de virtudes. Gran defensor de España. Y el más insigne de los poetas uruguayos y uno de los más grandes de toda América.

Sus primeros versos y leyendas los publicó en *La Estrella de Chile*—1874-1877—, que redactaba y dirigía alternadamente con otros jóvenes católicos.

Su modelo preferido fue Bécquer; como a este, toda la poesía le brotó a Zorrilla San Martín del corazón; poesía delicada, íntima, cálida, pura, hondamente sentimental.

Tabaré, su obra maestra y universal, es uno de los más bellos y sentidos poemas que se han escrito, en nada inferior a los de Mistral—*Mireya* o *Nerto*—. De mucho colorido, de patetismo intenso y humanísimo, de figuras entrañables e inolvidables, de acción conmovedora... "La prosa de Zorrilla San Martín es del tono poético de la de Bécquer: pintoresca, alumbrada de sol primaveral, redondeada, cuajada de filigranas y pedrería, como una catedral gótica, suntuosa, adamascada. Es prosista realmente excepcional..."

Don Juan Valera consideró a Zorrilla San Martín como un extraordinario poeta, muy original, muy español y muy americano. En él, lo vernáculo es el tema. La fe, el acento, el metro, son totalmente españoles. Como Bécquer, Zorrilla San Martín quisiera cantar con versos que, en vez de estar hechos con palabras, estuvieran hechos con lágrimas y suspiros.

Obras: *Notas de un himno*—Santiago de Chile, 1877—, *La leyenda patria*—canto nacional, 1879—, *Jesuitas*—1879—, *Tabaré* —París. 1888—, *Resonancias del camino*—París, 1895—, *Huerto cerrado*—Montevideo, 1900—, *Conferencias y discursos*—Montevideo, 1900—, *La epopeya de Artigas*—Montevideo, 1910, dos volúmenes—, *Detalles de la historia Río Platense*—Montevideo, 1917—, *El libro de Ruth*—ensayos...

V. CEJADOR Y FRAUCA, J.: *Historia de la lengua y literatura españolas.* Tomo IX.—VALERA, Juan: *Nuevas cartas americanas.* 1890.—LAUXAR, Crispo Acosta: *Motivos de crítica hispanoamericana.* Montevideo, 1914. MONTERO BUSTAMANTE, R.: *El Uruguay a través de un siglo.*—BARBAGELATA, Hugo: *La literatura uruguaya,* en *Rev. Hispanique,* tomo XL.—ROXLO, Carlos: *Historia crítica de la literatura uruguaya.* 1912.—ZUM-FELDE, Alberto: *La literatura del Uruguay.* Buenos Aires, 1939.—ZUM-FELDE, Alberto: *Proceso intelectual del Uruguay y crítica de su literatura.* Montevideo, 1941.

ZOZAYA, Antonio.

Cronista, poeta y novelista español. Nació —1859—en Madrid y murió—1943—en México. Estudió el bachillerato en Soria y la licenciatura de Derecho en Madrid, ejerciendo la abogacía bastantes años. En 1880 fundó la *Biblioteca Económica Filosófica,* cuyos 85 volúmenes despertaron el interés español por la materia. Director del periódico *La Justicia.* Cronista de *El Liberal* y *La Libertad,* de Madrid.

Puede afirmarse que ha escrito cerca de 5.000 artículos en los periódicos y revistas de más importancia de España y América española. Caballero de la Legión de Honor francesa. El Ayuntamiento de Madrid ha dado su nombre a una de las plazas de la capital. Fue discípulo predilecto de Salmerón y de Giner de los Ríos.

Z

Maestro de periodistas, Antonio Zozaya fue, además, un prosista atildado, un pensador original, buen crítico y poeta delicado de tono menor.

Obras literarias: *Misterio*—tríptico dramático—, *Cuando los hijos lloran*—comedia—, *Poemas de humildad y de ensueño, Todos los cánticos, La maldita culpa*—novela—, *Cómo delinquen los viejos*—novela—, *La bala fría*—novela—, *La princesita de pan y miel*—novela—, *La noche grande*—novela—, *Miopita*—novela—, *La dictadura*—novela—, *De carne y hueso, Ripios clásicos, Crónicas del año uno, Crónicas del año dos, La patria ciega, Solares de hidalguía, El huerto de Epicteto, El libro del saber doliente, Cuentos que no son amores, Por los cauces serenos, La guerra de las ideas, Almas de mujeres, Las auroras, Ideogramas*.

ZUAZO, Ana de.

Poetisa y música excelente. De familia noble. Nació—1580—en Madrid. Su inmortalidad la debe a la alabanza que le dedicó Lope de Vega en la silva VIII del *Laurel de Apolo*:

> Juntáronse del polo contrapuesto
> las Musas con las nuestras, consultando,
> cómo en el uno el claro Apolo puesto,
> y el otro iluminando,
> sin faltar a los dos asistiría
> calificando Música y Poesía,
> de suerte que la noche no supiese
> dónde serlo pudiese,
> y tocándose ya con rizos de oro
> al espejo del ártico tesoro
> vistiese el sol, y despreciase estrellas.
> Y entre las Ninfas bellas
> de tus riberas nobles, Manzanares,
> que fueron al nacer sus patrios lares,
> hallaron a doña Ana de Zuazo,
> donde con tierno abrazo
> se juntaron las Gracias y las Musas
> en copias tan difusas.
> que, como suele la rosada aurora,
> cuando con áurea boca el campo dora,
> vertiendo esmaltes en sus verdes velos,
> hablaba flores y cantaba cielos,
> dando a las aves, que despierta el día.
> materia de armonía,
> y a los hombres científicos sujeto
> de admiración y celestial conceto.

ZUBIAURRE, Antonio.

Poeta y crítico. De ascendencia vasca y aragonesa, nació—1916—en Haro (Logroño). Pasó su infancia y su mocedad en Zaragoza, donde se dedicó a la pintura. En 1945 fundó y dirigió la revista poética *Pilar*. Ha viajado por Europa y América, dando recitales poéticos en varias Repúblicas hispanoamericanas, en unión de Leopoldo Panero, Luis Rosales y Agustín de Foxá.

Zubiaurre, excelente prosista, ha publicado centenares de artículos en la Prensa española, alcanzando fama como crítico literario.

Zubiaurre es un lírico cuya personalidad rotunda deja la señal de su espíritu—pletórico de inquietudes y afanoso de curiosidades—a través de los más esenciales influjos exteriores. Sus imágenes originales y brillantes y su estilo audazmente definido cubren las más absolutas nota y línea humanas.

Obras: *Poemas del mar solo*—1945—, *Los caballos, La noche, Canto en soledad*.

V. SAINZ DE ROBLES, F. C.: *Historia y antología de la poesía española*. Madrid, Aguilar, 1951, 2.ª edición.

ZUBIRI, Xavier.

Filósofo y ensayista de extraordinaria importancia. Nació—1898—en San Sebastián. Estudió Filosofía y Teología en el Seminario de Madrid. Amplió sus conocimientos filosóficos en Lovaina y Friburgo y en la Universidad Central de la capital de España. Maestros suyos han sido Heidegger y Ortega y Gasset. Catedrático de Historia de la Filosofía en la Universidad madrileña desde 1926. De 1935 a 1939 residió en París y en Roma, estudiando Historia, Matemáticas y Lenguas orientales.

Zubiri es hoy, acaso, el más importante filósofo español. Posee originalidad de ideas, profundidad de revelación y penetración de juicio. Escribe con claridad y con prosa tersa. Colaborador de importantes revistas: *Escorial, Cruz y Raya, Revista de Occidente*, en las que ha publicado ensayos magníficos por su novedad, por su crítica y por su hondura.

Zubiri, con ya neta y admirable personalidad, se ha desligado de sus antiguos maestros y marcha por su propio camino, jalonado de ideas y de opiniones sorprendentes.

Obras: *Ensayo de una teoría fenomenológica del juicio*—tesis doctoral, 1921—, *Naturaleza, Historia, Dios*—1944, libro de los más importantes que han aparecido en España en lo que va de siglo—, *Sobre la Esencia* —Madrid, 1962—, *Cinco lecciones de filosofía*—Madrid, 1963.

En la actualidad prepara este extraordinario filósofo un libro sobre el problema de Dios. En 1950 y 1951 pronunció en Madrid una serie de importantísimas conferencias.

V. MARIAS, Julián: *Filosofía española actual. Unamuno, Ortega, Morente y Zubiri*. Madrid, 1948, págs. 133-47.—FERRATER MORA, José: *Diccionario de Filosofía*. Buenos Aires, edit. Sudamericana, 1951.

ZULUETA, Luis de.

Escritor y catedrático. Nació—1878—en Barcelona. Estudió Pedagogía en las Universidades de París y Berlín. Doctor en Filosofía por la Universidad de Madrid—1910—. Catedrático de Pedagogía e Historia de la Pedagogía en la Escuela Superior del Magisterio—1910—. Diputado a Cortes en 1910, 1919, 1923 y 1931. Profesor extraordinario en la Universidad Nacional de México —1927—. Ministro de Estado—1931—. Embajador de España en Berlín—1933—. Colaborador de periódicos y revistas de tanta importancia como *El Sol, La Lectura, Revista de Occidente, El Liberal, La Libertad* y el *Boletín de la Institutción Libre de Enseñanza,* todos ellos de Madrid. Profesor de la Universidad Nacional, de la Escuela Normal Superior y del Instituto del Magisterio, en Colombia, desde 1937.

Buen prosista. Pensador original. De sólida cultura.

Obras: *La edad heroica*—Madrid, 1916—, *La oración del incrédulo, El ideal de la educación, La nueva edad heroica*—1942...

ZUM-FELDE, Alberto.

Magnífico crítico y prosista uruguayo. Nació en 1888. Doctor en Filosofía y Letras. Conferenciante extraordinario. Su influencia literaria es, hoy, decisiva en las letras uruguayas. Ex director de la Biblioteca Nacional. Miembro de la Academia Nacional de Letras y del Instituto Histórico del Uruguay. Catedrático de la Facultad de Humanidades. Colabora en los más importantes diarios y revistas de Hispanoamérica, pues su fama ha excedido ya de las fronteras patrias. Posee una excepcional cultura, a la que une, con armonía maestra, un criterio ecuánime y muy sutil, una honda preocupación ideológica, una exacta y clarísima discriminación de los problemas que estudia y un estilo propio lleno de serenidad y de altura. Posiblemente, es una de las mentalidades más fecundas y orientadoras de las letras del Uruguay; pero su juicio abarca límites mucho más amplios que los de su país.

Obras principales: *Estética del Novecientos*—cursillo de conferencias en la Facultad de Humanidades de La Plata, 1928—, *Evolución histórica del Uruguay y esquema de su Sociología*—1941; 2.ª edición, 1943—, *Proceso intelectual del Uruguay y crítica de su Literatura*—1930; 2.ª edición, 1941—, *La literatura del Uruguay*—cursillo de conferencias en la Facultad de Filosofía y Letras de Buenos Aires, 1939—, *El ocaso de la democracia*—filosofía política, 1939—, *El problema de la cultura americana*—1915...

En la actualidad prepara una magna *Historia de la Literatura uruguaya.*

V. LEGUIZAMÓN, Julio A.: *Historia de la li-* *teratura hispanoamericana.* Buenos Aires, 1946, tomo II.—SÁNCHEZ, Alberto: *Nueva historia de la literatura hispanoamericana.* Buenos Aires, 1944.

ZUNZUNEGUI, Juan Antonio de.

Z

Gran novelista y cuentista. Nació en Portugalete—puerta y puerto de Bilbao—en 1901. Hijo único varón de un minero y hombre de negocios. Estudió el bachillerato en el Colegio de los Jesuitas de Orduña. Más tarde, la carrera de Derecho y la de Letras (Sección de Historia) en la Universidad de Deusto, pasando después a Salamanca, donde cursó Lengua castellana con su paisano y maestro don Miguel de Unamuno. Allí escribió sus primeros palotes literarios en pliegos con el membrete del Casino de Salamanca y se aficionó, por iniciación de don Miguel, a los escritores portugueses—Camilo Castello Branco, Guerra Junqueiro, Eça de Queiroz, Fiallo d'Almeida—. Acabados sus estudios universitarios, pasó a Francia, donde hizo cursos de Lengua y Literatura francesa en el Instituto de Tours. Volvió a España y asistió durante una temporada al escritorio paterno. Pero su vocación no era la de los negocios. Vuelve a Francia y viaja por el occidente europeo. Ya en Bilbao, y después de un forcejeo familiar, parte a Italia, donde hace unos cursos de Lengua y Literatura italiana en la Universidad de Perusa. Su vocación estaba decidida. En 1926 publica en Bilbao y en la Imprenta Comercial su primer libro: *Vida y paisaje de Bilbao.*

Desde 1939 vive en Madrid, y es colaborador de los más importantes diarios y revistas con cuentos y crónicas de extraordinario valor literario. Sin duda alguna es, hoy, Juan Antonio de Zunzunegui uno de los más admirables novelistas españoles. Lo es por su vocación indiscutible y firme, por la continuidad de su labor, por la importancia de su obra total, por la maestría de su técnica. Así lo ha reconocido la crítica española más exigente. Sus novelas empiezan a ser traducidas a distintos idiomas, y han sido juzgadas con unánimes elogios por grandes críticos ingleses y franceses. No podemos afirmar que Zunzunegui pertenezca a la "generación de 1939", ya que empezó a escribir en 1926; pero sí cabe afirmar que es el eslabón más sólido que unió esta generación—que aún no dio ningún gran novelista, y sí algunas buenas novelas—y la generación precedente, la de los Pérez Ayala, Miró, Concha Espina, Fernández-Flórez, Insúa, Francés, López de Haro, etc....

Zunzunegui es el único novelista español que ha conseguido todos los grandes pre-

mios otorgados en España al género nove-
lesco: el "Nacional", el "Fastenrath" de la
Real Academia Española, el del Círculo de
Bellas Artes, el de "Mundo Hispánico", el
"Nacional de Novela Miguel de Cervantes".
Desde 1957, miembro de número de la Real
Academia Española.

Zunzunegui posee todas las mejores calidades exigidas a los maestros de la novela:
la concepción vasta para "los grandes cuadros", la maestría psicológica, la cálida y
brillante pintura de ambientes y caracteres,
el diálogo naturalísimo, el ingenio y la novedad en las imágenes, el estilo peculiar y
lleno de humanidad, la derrochada emoción,
el humor desgarrado y sugerente...

Obras: *Vida y paisaje de Bilbao*—1926,
narraciones—, *Chiripi*—novela, 1931—, *Cuentos y patrañas de mi ría: Dos en uno o la
dichosa honra*—1935—, *El hombre que iba
para estatua*—novelas, 1942—, *Dos hombres
y dos mujeres en medio*—1944, novela—,
El Chiplichandle—novela, 1940—, *¡Ay... estos hijos!*—novela, "Premio Fastenrath",
1943—, *El barco de la muerte*—novela,
1944—, *La quiebra*—novela, dos tomos,
1947—, *El binomio de Newton y otros cuentos*—1947—, *La úlcera*—novela, "Premio Nacional" 1948—, *Las ratas del barco*—novela,
1950—, *El supremo bien*—novela, "Premio
Alvarez Quintero", de la Real Academia Española, y "Premio Mundo Hispánico",
1951—, *Esta oscura desbandada*—novela,
1952, "Premio Círculo de Bellas Artes"—,
La vida como es—1954—, *El hilo hecho a
contrata*—1956—, *El camión justiciero*
—1956—, *Los caminos de El Señor*—1957—,
Una mujer sobre la tierra—1959—, *El mundo
sigue*—1960—, *El Premio*—"Premio Nacional
de Novela Miguel de Cervantes" 1961—, *El
camino alegre*—1962—, *Don Isidoro y sus
límites*—1963—, *Todo quedó en casa*—1965—,
El trabajo... y la vida o la muerte—cuentos,
1965—, *Un hombre entre dos mujeres*—novela, 1966. *La Ricahembra*—novela, 1970—;
La hija malograda—novela, 1973.

V. VALBUENA PRAT, A.: *Historia de la lite-
ratura española*. Barcelona, 1968, tomo III.—
SAINZ DE ROBLES, F. C.: Prólogo a *El bino-
mio de Newton*. Madrid, Aguilar, 1947.—EN-
TRAMBASAGUAS, Joaquín: Prólogo a *El hom-
bre que iba para estatua*. 1942.—TAMAYO,
Juan Antonio: Prólogo a *Dos hombres y dos
mujeres en medio*. 1944.—SAINZ DE ROBLES,
F. C.: *La novela española en el siglo XX*.
Madrid, Pegaso. 1957.—NORA, Eugenio G. de:
La novela española contemporánea. Madrid.
Gredos, 1962. Tomo II, págs. 314-50.—
ALBORG, Juan Luis: *Hora actual de la novela
española*. Madrid. Taurus, 1962. Tomo II, pá-
ginas 137-86.—PÉREZ MINIK, D.: *Novelistas
españoles de los siglos XIX y XX*. Madrid.
Guadarrama, 1957.

ZÚÑIGA, Francesillo de.

Cronista ingenioso y satírico. Vivió en la
primera mitad del siglo XVI. En 1532 ya había muerto. De origen judío, quizá nació en
Béjar, donde desempeñó el oficio de sastre
remendón. Era ruin, pequeño y gordo, chus-
co y maliciosísimo; tenía un gran ingenio
y una intención venenosa para la sátira. Recomendado por el duque de Béjar, pasó al
servicio de Carlos I, que, encantado de tanto ingenio salaz, le nombró su bufón. Tanto
medró, que llegó a poseer una casa y hacienda en Navarredonda de la Sierra (Avila), donde se retiró para morir cuando le
hubo mal herido, a cuchilladas, otro truhán,
instrumento vil de un noble de Castilla,
molesto por cierta chanza gorda de Francesillo.

Naturalmente, como él se burló de todo
el mundo con saña, muchos le odiaron con
ferocidad. Recibió varias palizas. Cuéntase
de él que hallándose en las ansias de la
muerte, un bribón, Perico Ayala, su compadre, le pidió que cuando se hallase en el
cielo rogase por él; Zúñiga, con su acostumbrado donaire, sacando de debajo del
embozo una mano, le replicó: "Atame un
hilo a este dedo meñique para que no se me
olvide."

Para divertir al emperador escribió la *Coronica istoria*—1527—, relación escandalosa
y picante de la vida cortesana de su tiempo, a contar desde la muerte de Fernando
el *Católico* hasta el año siguiente de las bodas de Carlos I. En ella y en el *Epistolario*
se satirizaba implacablemente, con singularísima gracia, a todos los nobles, hembras
y varones. "Con respecto al colorido que
don Francesillo da a los hechos que refiere,
con decir que es el propio de un rufián ingeniosísimo, práctico en las cosas de la
corte, diestro en el conocimiento del corazón
humano, festivo y malicioso hasta donde
podía llegar su propia intención, se comprenderá fácilmente el mérito que encierra."
(Adolfo de Castro.)

Textos: de la *Coronica* y un interesante
*Epistolario del mismo famoso coronista don
Francés de Zúñiga, y con cartas enviadas a
diversas ilustres personas*, en el tomo XXXVI
de la "Biblioteca de Autores Españoles";
Cartas inéditas, ed. de Juan Menéndez Pidal,
en *Revista de Archivos*, 1909.

V. CASTRO, Adolfo de: *Estudio* en la edición "Biblioteca de Autores Españoles".—
MENÉNDEZ PIDAL, J.: *Don Francesillo de Zúñiga*.—GONZÁLEZ PALENCIA, A.: *El mayorazgo de don Francesillo de Zúñiga*, en *Anales
Universales*, 1940.—MOREL-FATIO y H. LÉO-
NARDON: *La "Chronique" escandaleuse d'un
buffon du temps de Charles Quint*, en *Bulletin Hispanique*, 1909.

ZÚÑIGA, Luis Andrés.

Poeta y prosista de Honduras. Nació —1880— en la ciudad de Camayagüela. Amigo de Froilán Turcios y de Rubén Darío. Con este redactó, en París, la famosa revista *Mundial*. Ha viajado por todo el mundo, residiendo muchos años en París, donde vivió la misma "dorada y sentimental" bohemia de Rubén y de Gómez Carrillo. Director de la Bibiloteca Nacional de Tegucigalpa.

Prosista atildado y brillante; poeta sentimental y emotivo; fabulista original y raro en Hispanoaméirca.

Obras: *Fábulas, El banquete...*

ZÚÑIGA Y ÁVILA, Luis de (v. Avila y Zúñiga, Luis de).

ZURITA, Jerónimo de.

Gran historiador y prosista. Nació —1512— en Zaragoza. Murió en 1580. Fue hijo de Miguel de Zurita, médico de Fernando el *Católico* y de Carlos I y protomédico de Aragón. En Alcalá estudió Latín, Griego y Retórica con el célebre Hernán Núñez. Dominó además el francés, el italiano, el portugués, el valenciano y el catalán. Merino o juez ordinario de Barbastro —1530—. Baile de Huesca. Coadjutor vitalicio de la Secretaría de la Gran Inquisición y contador de la misma en la Corona de Aragón. Primer cronista del reino aragonés desde 1541. Secretario del Consejo y Cámara de Felipe II. Buscando documentos de interés, estuvo en Alemania —1543—, Italia —1549— y Aragón —1550—. Casó con doña Juana García de Oliván. Una orden de Felipe II le franqueó el acceso a todos los archivos del imperio español. Falleció en el monasterio de Santa Engracia, de Zaragoza, llevando la misma vida de los padres jerónimos, y en él fue sepultado. Su copiosa e interesante biblioteca fue a acrecentar la de El Escorial.

Zurita es el primer historiador español verdaderamente moderno, que investiga en los archivos, reúne colecciones de documentos originales, selecciona sus materiales con espíritu crítico y los aprovecha con método y rigor científicos.

Zurita es admirable por su sana crítica y atinada observación histórica, por su clara expresión y por su prosa bella sin afeites. En opinión de Menéndez Pelayo, ha sido Zurita "el historiador más severo, concienzudo e imparcial que ha habido en España".

Treinta años tardó en redactar su obra capital, los *Anales de la Corona de Aragón* —Zaragoza, 1562 a 1580—, que abarca la historia de este reino, año por año, desde sus orígenes, en el siglo IX, hasta el año 1516,

al morir Fernando el *Católico*. El cosmógrafo mayor Alonso de Santa Cruz impugnó esta obra; pero la defendieron con tesón Ambrosio de Morales y Juan Páez de Castro. Los *Anales* de Zurita son imprescindibles para el estudio de la historia de España, principalmente en lo tocante a los reinos de la Corona de Aragón.

Los *Anales* se imprimieron de esta forma: los cinco libros primeros de la *primera parte*, en Zaragoza, 1562, 1585. Los cinco libros últimos de la *primera parte*, en Zaragoza, 1562, 1585. Los cinco libros primeros de la *segunda parte*, en Zaragoza, 1579. Los cinco libros postreros de la *segunda parte*, en Zaragoza, 1579. En el siglo XVII se reimprimieron tres veces desde 1610.

Texto moderno: *Crónica de la Corona de Aragón*, extraída de los *Anales*, Zaragoza, 1918, por C. Castellanos.

Otras obras: *De las empresas y ligas de Italia* —Zaragoza, 1580—, *Historia del rey don Hernando "el Catholico", Enmiendas y advertencias a las crónicas de Castilla* —Zaragoza, 1683—, *Descripción de la Cantabria y sus verdaderos límites* —Zaragoza, 1683.

V. USTARROZ Y DORMER, D. J.: *Progresos de la historia en el reino de Aragón y elogio de Zurita*. Zaragoza, 1680.—AGUADO BLEYE, P.: *La librería del historiador Jerónimo de Zurita*, en *Idearium*, 1917, 77 y sigs.—VIÑAZA, Conde de la: *Discurso* en la Academia de la Historia, 1904.—CIROT, G.: *Les "Anales" de Zurita*, en *Bull. Hispanique*, XLI, 126, 141.—CANELLAS, A.: *El testamento de Jerónimo de Zurita y otros documentos a él relativos*, en *Revista Zurita*, Zaragoza, 1933, I, 301.

ZURITA, Marciano.

Poeta y prosista. Nació —1887— en Palencia. Murió —1929— en Madrid. Cursó el bachillerato en su ciudad natal y Valladolid, licenciándose en Derecho y Filosofía y Letras por la Universidad Central. Colaboró en gran número de revistas y periódicos, siendo *A B C* y *Blanco y Negro* los que recogieron el mayor número de poesías y cuentos. Una gravísima enfermedad túvole recluido algún tiempo en un sanatorio de Guadarrama. Fortalecido, al parecer, regresó a Madrid con nuevas ilusiones, intensificando su producción escénica, que contaba con muchos admiradores, y que le había conseguido ya una fama apreciable. Súbitamente, en muy pocos días, le llegó la muerte.

Era Zurita un delicado poeta con cierto gusto por lo arcaico, con cierta predisposición hacia los postulados de un romanticismo tardío. Todas sus composiciones tienen emoción honda y musicalidad, buen gusto y unas reminiscencias que van de Antonio

Machado al "primer" Juan Ramón Jiménez, y de este a Gabriel y Galán.

Obras: *El tiempo del silencio, La musa campesina, Historias de Zorrilla, Pícaros y donosos, Historia anecdótica del género chico, Castilla...*

De este último libro, el mejor entre los de Zurita, dijo "Andrenio" que lo consideraba "como uno de los más emotivos y tradicionales de los producidos por la lírica de nuestros días".

V. SAINZ DE ROBLES, F. C.: *Historia y antología de la poesía española.* Madrid, Aguilar, 1951, 2.ª edición.